U0110186

自由人（三）

自由人總目錄

一
民國四十年三月七日~民國四十一年六月二十八日
二
民國四十一年七月二日~民國四十二年六月二十七日
三
民國四十二年七月一日~民國四十三年六月三十日
四
民國四十三年七月三日~民國四十四年六月二十九日
五
民國四十四年七月二日~民國四十五年六月三十日
六
民國四十五年七月四日~民國四十六年六月二十九日
七
民國四十六年七月三日~民國四十七年六月二十八日
八
民國四十七年七月二日~民國四十八年六月二十七日
九
民國四十八年七月一日~民國四十九年十二月三十一日

十
民國五十年一月四日～民國五十年十二月三十日
十一
民國五十一年一月三日～民國五十一年十二月二十九日
十二
民國五十二年一月二日～民國五十二年十二月二十八日
十三
民國五十三年一月一日～民國五十三年十二月三十日
十四
民國五十四年一月二日～民國五十四年十二月二十九日
十五
民國五十五年一月一日～民國五十五年十二月二十八日
十六
民國五十六年一月一日～民國五十六年十二月十六日
十七
民國五十七年一月十三日～民國五十七年十二月二十八日
十八
民國五十八年一月一日～民國五十八年十二月三十一日
十九
民國五十九年一月三日～民國五十九年十二月三十日
二十
民國六十年一月二日～民國六十年十一月十三日

動盪時代的印記——《自由人》三日刊始末

陳正茂（北台灣科學技術學院通識教育中心教授）

一、前言：《自由人》三日刊創刊之背景

民國三十八年是中國歷史上驚天動地的一年，隨著戡亂戰局的逆轉，中共席捲大陸，國府敗退遷台，真是國命如絲風雨飄搖的危急存亡之秋。處此動盪時代中，除大批軍民同胞隨政府播遷來台外；尚有一部分人士選擇避難香江，南下港九一隅，這些人當中，有不少是失意政客和知識份子。基本上，當年選擇避秦來港的知識份子，其心態上有兩種，一則對國、共兩黨均感不滿；再則係看上香港為自由民主之地，較能有揮灑發展的空間。此情勢考量，誠如雷嘯岑所言：「在一九四九－五〇年之間，因大陸淪陷，香港乃成了反共非共的中國人士望門投止的逋逃之藪」。

這些投奔港九的政治難民，以高級知識份子居多；兼以香港時為英屬自由之地，所以只要不違背港府法令，一般而言從事任何活動是百無禁忌，相當自由的。不僅可以高談政治問題，甚至於從事政治活動亦不加以限制。於是，「從大陸流亡到港九的高級知識份子群，乃相率呼朋引類，常舉行座談會，交換對國事意見，而美國國務院的巡迴大使吉塞普（Philip Jessup），斯時亦在香港鼓勵中國人組織『第三勢力』運動，目的以反共為主。」在此背景下，港九地區的自由民主人士，在美國幕後撐腰下，「各種座談會風起雲湧，熱鬧非凡；而諸多以反共為職志的大小刊物，更是應運而興，琳瑯滿目了。」[1]所以，《自由人》三日刊，就是在此大時代氛圍下孕育而生的。

二、《自由人》三日刊誕生之經過

《自由人》三日刊醞釀誕生之經過，最早鼓吹者，一般而言，說法有二，一為由王雲五號召發起。據其《岫廬八十自述》書中提及：「自民國三十九年開始以來，由於中共匪幫建立偽政權，並先後獲得蘇俄、緬甸、印度、巴基斯坦及英國的承認，於是匪幫的勢力在香港突然大振，不少反共分子漸呈動搖態度。旅港有識之士深感囂風日長，漸使全港華人隨而動搖，乃相與集議挽救之道。我因在港主辦一個小規模出版事業（按：即華國出版社），尤以一貫堅持反共方針，遂由多數參加集議人士推任領導。由臨時的集會，變為固定的座談；其地點經常利用國民黨在銅鑼灣某街所租賃之四樓房屋一層。每次參

---

1 馬五，〈「自由人」之產生與夭折〉，見馬五（雷嘯岑）著，《政海人物面面觀》（香港：風屋書店出版，一九八六年十二月初版），頁二一二。又此種座談會多在週末舉行，也有人稱之為「週末座談會」或「星期六座談會」。見馬五先生著，《我的生活史》（台北：自由太平洋文化事業公司出版，民國五十四年三月一日初版），頁一六一。

加座談者，多至三十餘人，少亦一二十人，皆為文化界人士，或為舊日與政治有關係者，各政黨及無黨派人士皆有之。後來我以香港政府最忌政治性的集會，凡參加人數較多，尤易引起猜疑，動輒干涉。加以如此散漫的座談，亦未必能持久，因於某次座談中提議創辦一小型之定期刊物，每週或半週出版一次，既可藉此刊物益鞏固反共人士之維繫，且刊物一經向港政府註冊，則在刊物辦公處所舉行的座談，皆可諉稱編輯會議，可免港政府之干涉。此議一出，諸人咸表贊同，遂計劃如何組織與籌款。結果決辦三日刊，定名為自由人，其資金由參加坐談人士各自量力提供。我首先代表華國出版社提供港幣一千五百元，此外各發起人分別擔任，或一千，或五百不等；並經決定撰文者一律用真姓名，以明責任。其後，又決定委託香港時報代為印刷發行。因是，籌備進行益力，發起人等每星期至少集會一次，間或二次，一切進行甚為順利。」[2]

二為眾人集議，早有志於此，雷嘯岑即主此說。雷言：「這時候，即有原在大陸上服務新聞界的報人成舍我、陶百川、程滄波，協同青年黨人左舜生、民社黨人金侯成，以及國民黨人阮毅成、無黨無派的王雲五，外加香港時報社長許孝炎、新聞天地雜誌社社長卜少夫一干人等，於每週末午後在香港高士威道某號住宅中，舉行文化座談會。大家談來談去，得到一項結論，要辦一份刊物，以闡揚民主自由思想，在文化上進行反共鬥爭。……適韓戰爆發，預料東亞局勢將有變化，刊物必須及時問世，刊物取名「自由人」，由程滄波書寫報頭兼撰〈發刊詞〉，標題是〈我們要做自由人〉。」[3]

2 王雲五，《岫盧八十自述》（台北：商務版，民國五十六年七月一日初版），頁一〇四～一〇五。

3 馬五，〈「自由人」之產生與夭折〉，同註一，頁二一二～二一三。

然由當事人之一的阮毅成事後追記，似乎《自由人》三日刊能草創成功，仍是由王雲五一手主導的。阮說：「民國三十九年十二月二十日，雲五先生在香港高士威道約大家茶敘，其中特別提及『今日我約諸位來，是想創辦一份反共的刊物，以正海外的視聽。間接幫助臺灣，說幾句公道話。我們讀書人，今日所能為國家效力的，也只有此途。』」[4]由阮之記載，合理推論，《自由人》三日刊能順利催生問世，王氏為登高呼籲之首倡者，可能性是很高的！

但就在王氏積極創辦《自由人》三日刊之際，突發一件暗殺事件，則頗值得一述；且對後來《自由人》三日刊的發展不無影響。事緣於三十九年十二月下旬，王氏在《自由人》三日刊諸人集會散會後，在香港寓所遭遇暗殺，幸子彈未命中，逃過一劫，這突如其來之舉，使王氏決定立即離港赴台定居。此事來台後，王氏曾將真相告訴繼我而來的成舍我。王氏謂：「到臺以後，除將此次提前來臺的秘密暗中告知兒女外，他人皆不使知。後來事過境遷，才漸漸透露給若干至好的朋友，首先是對於不久繼我而來的成舍我君；因為他覺得我向

又見馬之驌，《雷震與蔣介石》（台北：自立晚報社文化出版部出版，一九九三年十一月一版），頁八一。

4 阮毅成，〈王雲五先生與自由人三日刊〉，見蔣復璁等著，《王雲五先生與近代中國》（台北：商務版，民國七十六年六月初版），頁三〇～三一。有關《自由人》之發起，另有一說為萬麗鵑博士論文所言：「《自由人》為『自由中國協會』成員所辦之三日刊。」見萬麗鵑，〈一九五〇年代的中國第三勢力運動〉（台北：國立政治大學歷史研究所博士論文，民國九十年七月），頁一六四。但根據「自由人」社發起人之一的雷嘯岑回憶說：「『自由中國協會』為當時在美國的胡適、蔣廷黻、曾琦等人所發起，胡、蔣、曾諸氏希望以『自由人』全體發起人為主幹，先在香港成立總會，台灣暨歐美各省都設立分會。嗣經提出座談會詳細研討，大家認為總會以設在台灣為妥，香港亦只設分會，庶合體制。結果不知如何，這個會沒有成立，終於流產了。」馬五，〈「自由人」之產生與夭折〉，同註一，頁二一四～二一六。故萬氏此說，恐不確。

來很少患病，在約定聯合宴客之日，我竟稱病缺席，舍我不免將信將疑。其後到我家探病，見我毫無病容，更不免懷疑。及我不別而赴臺，他懷疑益甚，所以在他來臺後，偶爾和我詳談及此，我也就不好意思對朋友有所隱瞞了。」[5]

上述言及之十二月下旬，實際上是民國三十九年十二月三十一日，除夕。阮氏說：是日「王雲五先生約在高士威道午餐，我應約前往，王臨時以腹瀉未到，由成舍我兄代作主人，謂『自由人』籌備事，大致已妥。」而四十年的元月三日，阮氏也說到是日，「應卜少夫、程滄波二兄之約，到高士威道二十二號四樓午膳。據滄波兄言，是日原應由王雲五先生作東，而王於當天上午，離港飛台，臨行前以電話托其代為主人。」[6]

王氏的不告而別倉促離港赴台，也使得後續有不少參與「自由人」社同仁跟進，紛紛來台，這對於原本人力吃緊資金短絀的《自由人》三日刊之發展，當然有不小的影響。至於《自由人》三日刊籌組的經過梗概，雖在王氏離港來台後，仍按部就班的進行。四十年元月十日下午，阮毅成與程滄波及左舜生又約至高士威道聚談。關於創辦刊物事，左舜生主張宜立即出版，卜少夫則以須現款收有相當數目，方能創刊。是月三十一日，雷震自台灣來，亦參加「自由人」社活動。會中大家一致決定《自由人》三日刊，於農曆年後出版。並在職務安排上初步有了規劃，即推程滄波撰〈發刊詞〉，以辦報經驗豐富的成舍我任總編輯，陶百川為副總編輯。又另推編輯委員十四人，分別是劉百閔、雷嘯岑、陶百川、彭昭賢、程滄波、陳石孚、許孝炎、張丕介、吳俊升、金侯城、成舍我、左舜生、王雲五、卜少夫。[7]

四十年二月九日，內定為總編輯的成舍我自香港致函王雲五，說到：「自由人半週刊已將登記手續辦妥，『館主』係由少夫出名，因渠後來未再提出不能兼任之困難，……編輯人經由弟以本名登記。股款雖交者仍不太多，但讀者則頗踴躍。……據弟觀察，維持六個月，在經濟上當可辦到。惟編輯方面，則危機太大，因主力軍如我兄及秋原兄均不在此，其他如滄波兄等不久亦將赴臺，（即弟本身亦恐將於三月間來臺）稿件來源，異常枯涸，然既已決定辦，弟亦只有勉力一試。」[8]尚未正式創刊，但資金人才捉襟見肘的窘境，已被成氏料中，這對好事多磨的《自由人》三日刊日後之發展，已埋下艱困之伏筆。

二月十四日，成舍我向雷震、洪蘭友等人報告，《自由人》三日刊已得港府核准登記，一俟台灣方面准予內銷，即行出版。二十八日，成舍我向「自由人」社同仁報告：台灣內銷事已辦好，《自由人》三日刊即將出版，並出示創刊號大樣。因與會者多係辦報老手，提供不少意見，而成舍我也很有風度，博採眾議，為慎重起見，同意改遲數日出版，以便從容改正，並呼籲社員踴躍撰稿以光篇幅。[9]可見在王氏離港後，《自由人》三日刊真正之台柱角色，已責無旁貸的落到成舍我肩上。

5 王壽南編，《王雲五先生年譜初稿》第二冊（台北：商務版，民國七十六年六月初版），頁七四三。

6 阮毅成，〈「自由人」參加記〉，《傳記文學》第四十三卷第六期（民國七十二年十二月），頁一四～一五。

7 見《自由人》創刊號（民國四十年三月七日）第一版的編輯委員會名單。《自由報二十年合集》（一）（香港：自由報社出版，民國六十年十月十日）。阮毅成說為十六人，疑有誤。見阮毅成，〈「自由人」參加記〉，同上註。

8 〈成舍我致王雲五函〉，同註五，頁七四六。

9 阮毅成，〈「自由人」參加記〉，同註六，頁一五。

三月七日，《自由人》三日刊正式創刊，社址位於香港德輔道中一四九號四樓。目前所知參與的發起人有王雲五、王新衡、王聿修、端木愷、程滄波、胡秋原、吳俊升、黃雪村、閻奉璋、樓桐孫、陳石孚、陳訓悆、陶百川、雷震、阮毅成、劉百閔、左舜生、雷嘯岑、徐道鄰、徐佛觀、陳克文、成舍我、金侯城、張丕界、彭昭賢、許孝炎、卜少夫、卜青茂、范爭波、陳方、張純鷗、張萬里、丁文淵等三十餘人。[10]

發刊後，一紙風行，各方咸予重視，發行之初，每期印八千份。為打開台灣銷路市場，內容安排方面，特別增加一些軟性文字，勿使論文過多，淪為說教。雷嘯岑即言：「『自由人』的作者確實很自由，各人所寫的文字題材雖相同，而見解不必一致，祇要不違背民主憲政與反共抗俄的大前提，儘可各抒己見，言人人殊，真有百家爭鳴，百花齊放的景象，……首任的『自由人』主編是成舍我兄，他包辦大陸通訊版，把大陸上的共報消息，參以陸續從國內逃到香港的難民所述情形，寫成有系統的通訊稿，可謂費苦心。」[11]

誠然如是，由於文章精彩，見解深入，內容多元，析論入理，所以出版後不久，南洋各地僑報即紛紛轉載《自由人》文章。故在香港一隅辦一刊物，無形中等於在數地辦了幾個刊物，影響所及，至為廣大。不僅如此，有關《自由人》所發揮的影響力，可以曾任該刊主編雷嘯岑之回憶為證，雷說：「自由人半週刊，頗受台灣以及海外；尤其是美國一般華僑的注意，原有的每週座談會照常舉行，參加的人亦陸續增多了，風聲所播，國際人士來到香港的，亦來參加我們的座談會，交換政治意見，如美聯社遠東特派員竇定，南韓內閣總理李範，日本工商與新聞界人士前來訪談者尤多，……唯有駐在香港鼓勵華人組織『第三勢力』的美國巡迴大使吉塞普，始終沒有接觸過，大概是他認為『自由人』半週刊這些人，多數係國民黨員，氣味不相投，我們亦以對『第三勢力』之說，不感興趣，因而絕交息游，毫無來往。」[12]

雷氏這段記載很重要，不只說明了《自由人》發刊後之影響力；也道出了《自由人》與「第三勢力」毫無瓜葛，這對坊間有不少人一直以為《自由人》是「第三勢力」刊物有澄清作用。《自由人》三日刊甫發行，負責盡職之成舍我隨即寫信給王雲五提到：「連日為自由人半週刊事，頭昏腦暈，尊函稽答，至為罪歉。現半週刊已於今日出版，附奉一份，即希鑒察。大著分兩期刊佈，並盼源源見賜。今後應如何改進之處，統希指示為荷。」[13]另針對其後外界對《自由人》諸多揣測，如與「自由中國協會」之關係等等，「自由人」社也在三月二十一日的高士威道聚會中也做出決議，大家皆一致表示，「自由人」應獨立組織，以別於其他團體，乃推定董事九人，以左舜生為董事長。監事三人，為金侯城、王雲五、雷儆寰。成舍我為社長兼總編輯，卜少夫為總經理。[14]

---

10 「自由人」社成員，據筆者統計為此三十餘人，且各會員加入時間先後不一，有關會員名單散見於雷嘯岑、阮毅成等人之回憶文章及《雷震日記》中。

11 馬五先生著，《我的生活史》，同註一，頁一六一。

12 馬五，〈「自由人」之產生與夭折〉，見其著，《政海人物面面觀》，同註一，頁二一三～二一四。另萬麗鵑博士論文也提到，為打擊「第三勢力」運動，「國民黨亦透過黨報如《香港時報》、新加坡《中興日報》、美國《美洲日報》，及其所資助的報刊如《自由人》報、《民主評論》等，展開對第三勢力的文宣戰，此即是《香港時報》社長許孝炎所說的以『與論對與論』的鬥爭。」萬麗鵑，〈一九五〇年代的中國第三勢力運動〉，同註四，頁一六四～一六五。又見〈許孝炎意見〉，《總裁批簽》，台（四一）央秘字第〇〇八五號（一九五二年二月二十二日），黨史會藏。

13 〈成舍我致王雲五函〉，同註五，頁七四七。

14 阮毅成，〈「自由人」參加記〉，同註六，頁一五。至於《自由人》與「自由中國協會」之關係，馬五在〈「自由人」之產生與夭折〉已言之甚為了稿源，三月二十二日總編輯成舍我又致函王雲五拉稿，其中說到：「自由人在香港銷路尚好，一般觀感亦不錯。惟共匪刊物正以全力抨擊，弟等亦一反過去自由派刊物置之不理的辦法，強烈反攻。臺灣發行未辦好，少夫兄不日來臺，或能有所改進。同人撰稿，此間仍不太踴躍，盼公能以日撰五千字之精神，多寫數篇，並乞即賜惠寄，無任感幸。又此間稿酬，公議千字港幣十元，前稿之款，已送託香港書局轉交。此數雖微細不足道，然吾輩合力創業，知識勞動之所獲，在道德標準上說，固遠勝於以吃人為業之共匪萬萬矣。盼尊稿如望歲，望即賜寄，以慰饑渴。」[15] 除簡略報告社務外，重點仍是稿源問題，而此問題也是《自由人》三日刊以後長期揮之不去的夢魘。

三、《自由人》之命名與經費及發刊宗旨

華路藍縷，創業維艱，有關《自由人》之命名，似乎是由阮毅成所起。原本成舍我欲名為《自由中國》，因與台灣雷震負責的《自由中國》半月刊同名而不獲採納。故阮毅成認為可參考台灣趙君豪所辦之《自由談》，而稍改其為《自由人》，卒獲大家一致同意，名稱問題因此而敲定。[16] 其實若從五〇年代的背景去觀察，刊物取名為《自由人》並不足為奇。蓋彼時海外正刮起一陣「自由中國反共運動」浪潮，其中尤以香港地區為最。為壯大「自由中國反共運動」，於是乎，海內外的一些知識份子刻意以「自由」二字為雜誌刊物名稱，以凸顯有別於大陸的獨裁極權。職係之故，各種以「自由」為名之刊物如《自由中國》、《自由陣線》、《自由談》、《自由世界》等雜誌，如雨後春筍般紛紛出籠，《自由人》三日刊之命名，應該是在此時代背景下而正名的，且的確有其時空的特殊意義存在。[17]

至於現實的經費來源問題，早在三十九年十二月二十日的聚會中，王雲五即定調說：「我要先與諸位約定，這是一份自由的刊物，所以，一不能接受外國的幫助，二不能接受政府的支援。同仁不但要寫稿，還要負擔經費。」[18] 王氏之所以要如此約法三章，是要避免外界將《自由人》視為拿美國人錢所辦的「第三勢力」之刊物的疑慮或揣測；另外，不接受政府支援，也是想以獨立身分之姿，能在言論上暢所欲言，而不受政府掣肘，更不想貼上政府刊物之標籤。揆之《自由人》草創之初，因經費來源由各會員出資，確實能夠如此。例如在籌備階段，王雲五首捐港幣三千元，各會員至少認捐港幣一千元，所以誠如雷嘯岑言：「大家分途進行，未到一個月，即籌募到港幣一萬七千元了。」[19]

創刊經費有著落，但接下來長期的經費支出，恐怕就不是由會員認捐可解決。到最後仍不得不仰賴台灣國府的金錢支助，在《雷震日記》中即披露不少箇中內幕，茲舉日記一則為證。民國四十年五月二十五日：「雪公（按：指王世杰（字雪艇），時任總統府秘書長）

詳，同註一。

15 〈成舍我致王雲五函〉，同註五，頁七四七～七四八。為稿源及素質起見，成舍我亦曾寫信向阮毅成拉稿，信上提到：「在臺同人寫稿，原約每期供給八千字。希望以兄之熱忱毅力，催請同人，公誼私交，達此標準。」又說：「自由人聲譽，雖日有增進。惟經濟及稿件，均危機太大。現此間已只賸左（舜生）、許（孝炎）、雷（嘯岑），及弟共四人，稿荒萬分。如濫用一般投稿，則水準即無法維持。」阮毅成，〈「自由人」參加記〉，同註六，頁一六。可見身為主編的成舍我，為稿源及《自由人》之內容水準，真是心力交瘁，煞費苦心。

16 同註六，頁一四。

17 馬之驌，《雷震與蔣介石》，同註三。

18 同註六，頁一四。

19 同註一二，頁二一三。

來電話，可助《自由人》三千港幣，但不可明言，因《新聞天地》一再要求援助而未允許也。……《自由人》因經費困難，而負責又無專人，致有停頓之可能，由予（雷震）約集雲五、滄波、孝炎、毅成、端木愷、少夫諸君會商，由予等籌款接濟，每月假定虧二千五百元，至年底約為一萬七千五百港元，改組組織，推定成舍我為社長，左舜生代理董事長，予負臺北催稿及催款之責，總統府之三千元，由予負責，予另外再籌五百元。」[20]由《雷震日記》可知，創刊才二月餘之《自由人》，經費已拮据如此，而不得不靠政府補貼，在此情況下，其日後之文章言論，就頗受台灣國府當局之制約影響了。

另有關《自由人》之創刊宗旨，其實早在刊物出版以前，對於未來言論與編輯方針，「自由人」社同仁即做了幾點規約：（一）、發揚民主自由主義；（二）、發起人按期撰寫頭條論文，且須署出真姓名；（三）、文責各人自負，但須不違背民主自由思想暨反共救國的大原則；同時將全體發起人的姓名亦在報頭下面，表示集體責任。[21]創刊後，首由程滄波撰發刊詞，題為〈我們要做自由人〉，擲地有聲的強調：「我們今天大膽向全世界人類提出一個問題：便是世界人類，現在與將來，要不要做人？如果想做人，從什麼地方去著手奮鬥？……今天世界人類只有兩個壁壘，一個是『人的社會』之壁壘，一個是『非人社會』之壁壘。這兩個社會的磨擦，今天已到了白熱化的程度。『人的社會』中每一個人，是有人性，有人格，根據人性與人格，發揮其個性，以增加社會之幸福與個人之生活水準，從而增進世界的和平與人類的文明。反觀『一個非人社會』中，人除了具備人的形態外，沒有思想與靈魂。『非人社會』中，人只是一群動物，既不許其有人性，亦不讓其有人格，他們是奴隸、是機器。」

程滄波言：很不幸的，今天的中國大陸，全大陸數萬萬同胞一年來，即陷入共匪的非人社會中。因此我們和全世界愛好和平民主的人們，要發動正義的呼聲，救自己，救同胞，救人類。我們要揹著自由的大纛，叫著「做人」的口號，開始「自由人」的運動。爭自由，爭人性，發動全人類自由人性的力量，去打倒與剷除共產帝國主義反人性的非人社會。不殘殺，不掠奪，在不流血革命的原則下，使人人有飯吃。本此目的，以建立新中國新世界。所以，「從今天起，根據以上主張，我們謹以此小小刊物『自由人』，貢獻於全世界凡是不願做奴隸的人們，也就是我們這一群人，決心獻身於這一運動的開始。全世界和平民主的人士：我們要做人，我們要做自由人。每個人爭取了自由，世界才有民主和平，人類才有幸福與光明。」[22]我們要做人，我們要做自由人，起來，不願做奴隸的人們！程滄波這篇發刊詞，簡直是一篇慷慨激昂的宣示詞，代表全世界不願在「非人社會」生活下的自由人，向共產專制極權政權，發出堅決的怒吼。[23]

《自由人》三日刊，每星期出兩次，每次十六開一張。主編人規定由原先的「座談會」同仁輪流擔任，一年一換，為義務職，故內部人事組織極為簡單，只有一主編，一助理員和事務員，共三人而已。

20 《雷震日記》（民國四十年五月二十五日），見傅正主編，《雷震全集》（三三）（台北：桂冠版，一九八九年八月初版），頁一〇〇～一〇一。

21 同註一二，頁二一三。吳相湘，〈成舍我為新聞自由奮鬥〉，見其著，《民國百人傳》第四冊（台北：傳記文學出版社印行，民國六十年元月初版），頁二七五。

22 程滄波，〈「自由人」發刊詞〉，見其著，《滄波文存》（台北：傳記文學出版社印行，民國七十二年三月十五日初版），頁一五七～一六〇。

23 阮毅成也說到，這是一篇代表知識份子愛國反共心聲的大文章，義正辭嚴，擲地有聲。同註六，頁一五。

該刊內容，第一版分「專論」、「時局漫談」、「自由談」各欄；第二版刊大陸共區消息；三版則記述港、台的社會新聞；四版是「副刊」。「專論」亦由座談會同仁分別撰寫，或徵用外界志同道合人士之作品；唯「時局漫談」和「自由談」二專欄，係由左舜生與雷嘯岑二氏負責包辦。《自由人》三日刊，因撰寫團隊堅強，且作者大多具有清望，故在海隅香港頗有號召力，銷路亦不壞；又可以銷台灣，雖無廣告收入，仍可勉強維持下去，在五〇年代的香港，可謂雜誌期刊界之奇葩。[24]

四、《自由人》的艱苦經營

平情言，《自由人》三日刊從四十年三月七日發行，到四十八年九月十三日停刊，維持約八年餘。這八年多的歲月，可謂艱辛撐持，多災多難。

首先為組織渙散不健全，於是才有民國四十年下半年的重組之舉。此中最大原因為「自由人」社大多數同仁均已離港在台，分別有：王雲五、王新衡、端木愷、程滄波、胡秋原、吳俊升、黃雪村、閻奉樟、樓桐孫、陳石孚、陶百川、陳訓悆、雷震，及阮毅成，幾乎佔了一半以上；而在港的僅有左舜生、金侯城、許孝炎、成舍我、劉百閔、卜少夫、雷嘯岑等人。其後在台參加的，又增加徐道鄰，共二十二人。為連絡方便起見，在台同仁乃公推王雲五為董事長，但又因刊物在港出版，故推左舜生為在港之代理董事長，就近處理刊物，成舍我則為社長。[25]

24 雷嘯岑：《憂患餘生之自述》（台北：傳記文學出版社印行，民國七十一年十月十五日初版），頁一七六。

25 同註二三，頁一六。

然因「自由人」社未有組織章程，也未在台辦理社團登記，所以才有民國四十一年一月十日，在台同仁在王新衡家為此商議之事。時適值端木愷甫自香港返台，報告港方同仁最近決定取消社長制，亦推左舜生代董事長，成舍我為總經理，劉百閔為總編輯。此事，在台「自由人」社同仁有不同意見，在三月七日及十五日的兩次餐敘商討論中，均決定仍採社長制，並仍推成舍我兄任社長。只是一個三十餘人的「自由人」社，就為了區區的刊物人事組織問題，港、台同仁即不同調，其他之事就可想而知了。所幸意見儘管有異，但同仁感情尚佳，阮毅成即言：「自由人在香港創辦之初，同仁常有餐會，交換意見。在臺同仁，於民國四十年七月十二日起，舉行聚餐或茶會，由同仁輪流作東，平均每兩週一次。除談自由人社各事外，亦泛論時局，交換見聞。」[26]

民國四十一年二月九日，「自由人」社在台同仁餐敘時，有鑒於《自由人》三日刊創刊已近一年，但組織與人事及編輯立論之困擾問題仍在，因此大家有必要提出意見交換，以尋求解決之道。席間程滄波首次提出編輯態度問題，但遭雷震反對。程又謂：「劉百閔不宜任總編輯，上次，此間同仁推成舍我任社長，何以改變？此間皆未知悉。」雷震與陶百川又認為，台方不宜干涉港方人事，雙方爭論甚久。最後由阮毅成提出折衷解決方案為：（一）、自由人本係超黨派立場。只知民主、自由、反共，不知其他。此後仍須守定此項立場。（二）、港方報刊如對台灣中華民國政府，有惡意攻訐，或無理批評，自由人不可自守中立，須起而加以駁斥。（三）、人事問題，另函在港之許孝炎查詢，不作決議。

26 同上註，頁一七。

眾皆贊成阮毅成之方法，並請其起草一函，致在香港之左舜生、許孝炎、成舍我、劉百閔、雷嘯岑諸人。阮函送各人簽名後發出，信中報告：「弟等今午聚餐，談及自由人編輯態度。回溯創辦之初，原屬超於黨派之外。……兄等在港主持，辛勞至佩，自亦必贊同弟等態度也。邇後港方報刊如對於臺灣中華民國政府惡意攻訐，或無理批評，自由人似不便自居中立，宜即加以駁斥。如有中國之聲作者來稿，希勿予以刊登，以嚴立場。再則，此間對第三方面各事，多持私人消息。語多片斷，難窺全貌。斯後尚懇時將各方動態，擇要見示。既可為撰稿時之參考，亦為知彼知己之一道。自由人素以民主反共為宗旨。署名：王雲五、程滄波、黃雪村、王新衡、樓桐孫、吳俊升、陳石孚、陶百川、雷震、阮毅成。」[27]

民國四十一年三月十五日，《自由人》創刊已屆滿一年，留台「自由人」社舉行全體會議。會議主席推王雲五擔任，其中：

（一）報告事項：（甲）、經費小組許孝炎報告——擬募集港幣三萬元（其中成舍我、許孝炎約洪蘭友，被分配擬向各紗廠募台幣一萬元）。（乙）、編輯小組成舍我報告：1、組織擬仍採現制，並請加推一人為必要時接替編務工作之用。2、發行擬請先行籌集基金以期達到日後之自給自足。3、編輯方針方面：積極在倡導民主自由，消極在反共抗俄，至對於台灣態度應仍許有批評，但不可損及自由中國之根本。4、在台同人集體意見推定專人執筆寄港，決登載第一版，並不易一字，如係個人稿件，在編輯方面擬請仍保有斟酌之權。5、每期需要稿件二萬四千字，在港同人無多未能盡任，在台同人時惠稿件。

（二）討論事項：（甲）、《自由人》三日刊社是否仍採社長制案。決議：仍採社長制，成舍我擔任社長。（乙）、《自由人》三日刊社費應如何加募案。決議：1、經費小組在進行籌募之港幣三萬元，於兩個月內籌足，作為基金，備日後擴充發行之用。2、另由經費小組加募港幣一萬元，作為最近數月經常費不足之需，在未募起前由許孝炎、成舍我負責維持現狀。3、加推樓桐孫、程滄波參加經費小組，並以王董事長雲五兼經費小組召集人。（丙）、《自由人》立論態度應如何確定案。決議：1、除積極的主張民主自由，消極的反共抗俄外，並須維護現行憲法倡導議會政治。2、凡外界對台灣有惡意攻擊影響國本時，應予駁斥，立場務須堅定，態度務須明確。3、除專門問題研究外，宜多載通訊及趣味性文字，理論文字及新聞性宜各佔三分之一。[28]此次會議至關重要，它為已紛擾年餘的《自由人》定調，但此為台方同仁之共識，港方同仁只是被動告知，並不見得完全同意，所以日後港、台雙方仍存有歧見。

其次更嚴重的是經費短絀，入不敷出，以至於時有停刊之議。這棘手問題其實打從創刊起即已浮現，只是苦撐待變，能維持多久算多久，但情況並沒改善且持續惡化中。四十一年六月十四日，王雲五、阮毅成與程滄波等聚會，商議如何應付《自由人》三日刊之困難。王雲五謂得左舜生與成舍我二君信，信上，成舍我堅辭社長，又每月不足港幣二千元。如無法解決，則自本月十八日起停刊。劉百閔則說香

27 〈阮毅成致左舜生諸氏函〉，見王壽南編，《王雲五先生年譜初稿》第二冊，同註五，頁七六八。

28 同註五，頁七七〇～七七一。

港紙價日跌，印刷係由《香港時報》代辦，印費可以欠付。以往亦每月虧空，並不自今日始。

對此，王雲五建議是否能改為月刊，移台出版，但眾意覺得移台出版，則《自由人》功用全失，仍宜繼續在港發行。最後決定由王雲五函復，請成舍我維持至七月底止。[29]是年十二月二日，「自由人」社同仁又再行會商，由王雲五主持，會中卜少夫表示願接辦，至少可免招致停刊命運。然未幾（十二月六日），卜少夫以有人表示異議，乃謂其《新聞天地社》同仁不贊成其再兼辦另一刊物，打消原意。王雲五即席宣布仍在港出版，推成舍我兄回港主持，並改為有給職。[30]成謙辭未果，旋即表示接受。後當場推定王雲五、程滄波、樓桐孫、胡秋原、陶百川、黃雪村為在臺撰述委員，程為召集人。另推成舍我、程滄波、胡秋原三人起草言論方針。王雲五、端木愷、王新衡為財務委員。香港方面撰稿委員，由成到港後約定人員擔任。事後，當事者之一的阮毅成，對是晚之會的結果表示很滿意，還稱為是《自由人》中興之會，同仁莫不興奮。但其後，主要的重點之一，《自由人》未來的言論方針並未草成。[31]四十二年三月十四日下午，「自由人」社同仁聚集在成舍我處，參加茶會。會中，成舍我出示香港許孝炎來信，謂自由人又不能維持。因已積欠《香港時報》印刷費港幣六千元，稿費十一期。且人力亦明顯不足，雷嘯岑將來台灣，左舜生又將赴日本旅行，主持無人，不如停刊。經同仁交換意見，仍認為不能停辦，並催成舍我兄速赴港負責。

因茲事體大，三月二十一日，「自由人」社另一要角阮毅成，也在家中約集在台同仁茶敘。會上，成舍我表示其有困難不願赴港，而港方近日來函，支持為難。眾意乾脆移台編印，仍推成舍我主持。[32]二十五日下午阮氏親訪成舍我，成表示三點立場：（一）、決不去香港。（二）、《自由人》如移台出版，願意主持。（三）、未移台前，可先在台編輯，寄港印行。同月二十八日下午，以《自由人》問

29 同註五，頁七七四。《自由人》經費之窘困，自創刊伊始至結束均如此，阮毅成即言：「我只記得在創刊第一年中，就賠去了港幣參萬參仟元。時歷八年半，為數甚為可觀。這尚是距今三十多年前的幣值，如以現在幣值計算，則更為巨大。」阮毅成，〈王雲五先生與自由人三日刊〉，同註四，頁三四。到《自由人》停刊止，其經費仍入不敷出，茲舉結束前致王雲五等人之二信函為證。四十八年九月十一日許孝炎自港來信王雲五，報告「自由人」結束時經費情況。「雲五先生並轉鑄秋舍我儆寰滄波新衡秋原佩蘭少夫諸兄惠鑒：關於自由人停刊事，前經兄等決定函達克文。兄弟回港後，復經再三磋商，始於前日由在港各有關友人舉行特別會議議決定停刊，並於本月十三日起實行。茲將會議紀錄抄奉敬祈鑒察。」「預計自由人可能收入之款（連登記費在內）約為乙萬四千餘元，支出除舊欠稿費約乙萬三千元；及克文兄之欠薪近九千三百元暫不計入外，此外薪工紙張印刷房租，今年稿費應退報費及空運費等，共計約為二萬乙千餘元，不敷之數約為七千餘元。倘預計可能收入之款有一部分不能收入時則虧欠之數將必更多，如何籌還以資結束頗費周章。而有把握之登記費乙萬元則尚待少夫兄回港簽字後始能提出備用。」又十二日社長陳克文亦致函王雲五。「岫公賜鑒：茲奉上『自由人』在港同人特別會議紀錄一份，請　察閱。『自由人』經濟情形截至本年九月十二日止，共欠債務三萬餘元，除登記費一萬元外，尚可能收回之款二千餘元，結束用費約五百餘元，並此奉告，統請轉知在台各位同人為禱。」見王壽南編，《王雲五先生年譜初稿》第三冊（台北：商務版，民國七十六年六月初版），頁一〇五二～一〇五三。

30 同註五，頁七七九。《自由人》主編是不支薪的，可見其艱困於一般。同為主編的雷嘯岑曾說：「首任主編人成舍我兄苦幹了一年之後，因為準備移家台灣，不能繼續盡義務了——主編人不支薪——大家公推下走承其乏，因係義務職，唯有接受而已。」馬五，〈「自由人」之產生與夭折〉，同註一，頁二一六。

31 同註五，頁七七九。

32 雷震日記當天即記載：「下午三時半至《自由人》座談會，阮毅成提議《自由人》表面在港，實際遷台，無一人反對。我內心不贊成，但不願表示，因《自由人》遷台完全失去效用。今日雲五未到，他們囑我報告。」《雷震日記》（民國四十二年三月二十一日），見傅正主編，《雷震全集》（三五）（台北：桂冠版，一九九〇年七月二十日初版），頁四八。

題緊迫，急待解決。「自由人」社同仁乃在端木愷家中餐敘。對《自由人》前途，共有四種主張：（一）、停刊。（二）、移台出版。（三）、在台編輯，寄港印行。（四）、推成舍我赴港主持。討論結果，決定用第四法，成亦首肯。然成謂：《自由人》除發行收入外，每月須虧四千元，此問題亟需解決。[33]

四月十八日，因港方同仁頻頻催促速做決定，眾議又思移台編印，王雲五亦同意移台出版，但謂須改為半月刊或月刊。三十日下午，成舍我與端木愷、阮毅成、王新衡、程滄波等人，又應王雲五約茶敘。時端木愷甫自港返，謂港方「自由人」社已無現款，勢不能繼續。因以由今日到會者商定：（一）、香港方面自五月十日起停刊。（二）、在台登記改為月刊，推王雲老為發行人，成舍我兄為總編輯。[34]然不久，港方同仁又變掛，五月十一日，阮毅成訪成舍我，成即謂卜少夫前日到台，攜有左舜生致王雲五函，主張《自由人》仍在港出版。

此事經緯，雷震在其日記亦提到：「見到雷嘯岑來函，對我們囑香港停刊，決議移臺辦月刊則大不以為然，來信措詞甚劣，決定去電並去函說明，以免誤會。」[35]雷嘯岑甚至為此來函欲辭去社長職務。

33 雷震日記載：「下午四時，在端木愷處討論《自由人》移台問題，王雲五、徐佛觀、端木愷及我均不贊成，程滄波、阮毅成、成舍我願移台，最後決定請成舍我至港辦至六月再說，因行政院之款發至六月底止，如停刊或移台亦須至六月底再說。」《雷震日記》（民國四十二年三月二十八日），見傅正主編，《雷震全集》（三五），同上註，頁五二。

34 這問題一直延伸至四十三年依舊如此。雷震日記：「《自由人》在港不易維持，決遷台辦週刊，由成舍我任社長，王雲五任發行人。」《雷震日記》（民國四十三年八月七日），見傅正主編，《雷震全集》（三五），同上註，頁三一四。

35 《雷震日記》（民國四十二年五月九日），見傅正主編，《雷震全集》（三五），同上註，頁七四。

《雷震日記》記載：「今日午間約來臺之《自由人》報有關各位來鄉午膳，除端木鑄秋、阮毅成、吳俊升、胡秋原外，到有十五人，即王新衡、樓桐孫、陶百川、張純鷗、陳訓悆、卜少夫、卜青茂、程滄波、范爭波、王雲五、成舍我、黃雪村、閻奉璋等及另約陳方。飯後討論雷嘯岑來函辭去社長職務一事，經決議慰留。」為此事，雷震感慨的說：「《自由人》發起人在臺者，不過十餘人，港方不過數人，兩方意見不合，終會扯垮。民主自由人士之不易合作，於此可見一班。」[36]

由於雷嘯岑堅決辭社長職務，八月一日，《自由人》在台同仁藉由茶敘機會，聽取甫自香港來台之劉百閔報告，劉謂：在港同仁意見為（一）、必須在港繼續出版。（二）、改推陳克文任社長。（三）、每月不足港幣八百元，在港有辦法可以籌得。王雲五說：「左舜生有信來，克文係其物色，本人絕對贊同。」眾亦皆表示贊成。但成舍我認為每月八百元之說，計算必有錯誤，至少每月亦需賠二千五百元，所以決定請王雲五再去函新社長，請重為估計。其實《自由人》經費之短絀，可由總其事的總編輯都不支薪一事更可看出，四十三年七月十日，左舜生自香港致函王雲五即說到：「弟意，自由人編輯者，原規定每月可支三百元，以舍我、百閔兩兄任編輯時，未支此款，後任編輯一年，亦即未支。」[37]如此窘境，要不是有台灣國府當局在幕後經費贊助，《自由人》三日刊能支撐八年餘，根本是不可能的。[38]

36 《雷震日記》（民國四十二年六月二日），見傅正主編，《雷震全集》（三五），同上註，頁八五。

37 〈左舜生致王雲五函〉，同註五，頁八二四。

38 雷震日記：「王雲五約『自由人』社在台同仁晚餐，以「自由人」在港經濟困難，重申移台出版，由成舍我任編輯之議。」《雷震日記》（民國最後為文章之尺度問題，除上述言及《自由人》三日刊甫創刊即面臨稿源不濟的困難外，更麻煩的為自從接受政府補助後，基本上，《自由人》的言論立場在相當程度上已受政府箝制。以至於在很多議題上，不僅不能秉公立論、暢所欲言；且須為政府妝抹門面，極力辯解。稍一不慎，隨即惹禍，遭致抗議。如民國四十一年六月一日，「自由人」社王新衡即訪阮毅成，談話重點就說到，《自由人》最近兩期，刊載左舜生〈論中國未來的政黨〉一文，有人表示不滿。[39]為避免誤會，乃一起同訪王雲五，請其以董事長身份，致函香港總編輯成舍我，請其勿再刊出此類文字。[40]

雖係如此，但言論自由乃是知識份子的普世價值，用強制力約束是沒用的。果然到民國四十四年又發生更嚴重的文字賈禍事件，差一點讓《自由人》無法在台銷售。事緣於是年三月二十三日，王雲五即接到司法行政部部長谷鳳翔來函，表示《自由人》三日刊，登載雷嘯岑文章，影響政府信譽，要求王雲五代向該社方面解釋。全函內容為：「頃閱本月二十三日自由人刊載『自由談』及『半週展望』雷嘯岑先生文內謂，揚子公司貪污案牽涉本部，曷勝駭異，此種無稽之詞，殊足影響政府信譽，茲特寄上函稿二份，送請　察閱，並祈賜檢一份轉致雷君查明更正，仍乞代向該報社方面照拂解釋為幸。」[41]

由於《自由人》所刊文章得罪當道，引起了國民黨中央黨部對《自由人》言論的不滿。三月二十六日，時任《中央日報》社長，亦是「自由人」社同仁的阮毅成至中央黨部參加宣傳政策指導小組會議時，即受到中央黨部秘書長張厲生的警告：「香港《自由人》三日刊，近日言論記載，愈益離奇，須採取停止進口處分。」幸阮毅成趕快緩頰，除報告《自由人》艱難創辦經過外，並謂：「現在台北各同仁，久未與聞港事。王雲老曾去函港方，請以後勿再刊載不妥文字。又以所載台省情形，與事實相距甚遠，曾通知港方，以後遇有記載台省情形稿件，先行寄台複閱。認為可用者，方予刊布，亦未承照辦。惟自由人參加者，多為各方知名之人。如忽予停止進口，恐反而使海外人士，對政府有所批評。不如一面先採取警告程序，依照出版法，由內政部為之。一面通知在台之董事長王雲五氏，促其改組。如再有違反政府法令之事發生，則採取停止進口處分。」[42]

為此，是晚十時，阮氏尚先訪成舍我，說明會議經過；再與成同訪王雲五，報告此事。王雲五似乎對此頗為不悅，乃決定於三月三十日下午五時，在端木愷家中，約集「自由人」社在台全體同仁會商。在三月三十日的決議中，提到《自由人》的現實問題，「本刊如不能銷台，勢必停刊。為避免使政府蒙受摧殘言論之嫌，希望政府妥慎處理，使其能繼續出版。在台同仁，願意退出。惟在港同仁意見如何，亦盼政府逕與洽商。」並推阮毅成與許孝炎二人將此項決議，轉達黃少谷，另函告在港同仁。[43]

四十三年七月十一日），見傅正主編，《雷震全集》（三五），同註三二，頁三〇二。有關國民黨高層提供《自由人》之經費支援，尚可參閱〈對港澳政治活動之指示〉，見中國國民黨中央改造委員會第一六五次會議紀錄（一九五一年七月四日——附件），黨史會藏。

39 左舜生〈中國未來的政黨〉（上）、〈中國未來的政黨〉（下）二文分別發表在《自由人》第一二九期（民國四十一年五月二十八日）、《自由人》第一三〇期（民國四十一年五月三十一日）。

40 同註五，頁七七三。

41 雷嘯岑，〈半週展望〉，《自由人》第四二三期（民國四十四年三月二十三日）。雷文所寫之論揚子公司案，因涉及上海時期之揚子公司，對孔祥熙有所批評，遂奉命查辦。又〈谷鳳翔致王雲五函〉，同註五，頁八四七。

42 同註五，頁八四七～八四八。

43 同上註，頁八四九。

換言之，針對當局對《自由人》的不滿，「自由人」社在台同仁採取了委曲求全的態度，一方面願意退出，此舉可能有兩層深意，一為逼香港「自由人」社同仁，小心謹慎，莫再刊登批評政府之文章，否則與渠無關，二為多少有向政府交心之意，明哲保身，不想惹禍上身；再方面亦有請政府介入之意，希望儘量保留能讓《自由人》繼續在台銷售。[44]果然如此，四月七日，王雲五即致函總統府秘書長張群，說明「自由人」之情形，並建議將「自由人」社改組，由政府指定負責主持言論之人實行接辦。信的內容為：「惟是該刊經費本奇絀，全恃內銷而維持，一旦停止內銷，勢必停止刊行，外間不察，或不免對政府妄加揣測，弟愛護政府，耿耿此心，竊認為消極制裁，不如積極輔導，將該刊改組，由政府指定負責主持言論之人實行接辦，可變無用為有用，弟當力勸原發起各人，本擁護政府之初衷，竭誠合作。」[45]

一週後，以國民黨並無接手之意，在恐不能銷台的情況下，成舍我與王雲五、陶百川、徐道鄰、陳訓畬、程滄波、胡秋原、吳俊升、端木愷、黃雪村、阮毅成等決議：「茲因環境困難，經濟無法支持，決議停刊，由主席（王雲五）根據本決議徵求在港同人意見。」其後，在台同仁復在成舍我宅聚餐，決定在台同仁既已必須退出，而中央黨部又規定不得再與《香港時報》，發生關聯，則無地可以印刷，亦無處可再欠印刷費。外界聞知中央處分，亦必不願再行認指，環境困難如此，只可宣布停刊。並請王雲五函詢港方同仁意見，如港方同仁堅持續辦，在台同仁自不能再行參加。[46]

由於文章得罪當局，以致有禁止銷台之聲，在港負責《自由人》編輯工作之陳克文旋致函阮毅成、王雲五等人，表示「咎衍實無可辭」，「自由人停止出版，唯覺可惜，形勢如此，亦復無可如何，文與左劉兩公對此均無成見，惟此間尚有其他股東，又年來出錢出力者，頗不乏人，此事似不宜由文等三人遽作決定，即為港方同人之全體意見，擬於最近邀集會議，提出報告，徵求多數意見，再作正式答覆。」[47]但不久，事情又有變化，四月二十九日，一向敢言的左舜生，終於自香港來函，明確表示反對《自由人》停刊，並謂在港「自由人」社同人決暫予維持。信中言：

> 「雲老賜鑒：四月七日阮毅成兄來信，並附有留台同人退出決議一紙，十八日奉　公手書，知同人復有集議，以經濟環境關係，主張停刊；均已誦悉。此間於當地環境，已洞悉無遺；對　公等所採態度，並無不能諒解之處。惟念同本刊宗旨，一面在『堅決反共』，一面在『爭取民主』，四年以來，奉此週旋，雖不無一、二開罪他人之處，但大體上並未

44 《自由人》三日刊，國民黨中央嘗指示「扶助」之，以批判中共，擁護政府並同情國民黨為原則。故該刊早期立場為中間偏右，後來對國民黨的批評言論日益激烈，台灣當局乃禁止其輸入，並停止所有經費資助。故《自由人》能否銷台，對該刊影響至鉅。萬麗鵑，〈一九五〇年代的中國第三勢力運動〉，同註四，頁一六四。

45 〈王雲五致總統府秘書長張群函〉，同註四三。

46 同註五，頁八五〇。有關王雲五在此問題之角色，阮毅成有相當持平之看法，阮說：「雲五先生名為董事長，出錢出力，卻不便範圍各黨及無黨人士，一定均作統一的宣傳，致反而完全成為俗套，失去向海外為政府說話的影響力。於是在發刊期中，常常發生選稿欠當的問題。每次有問題發生，雲五先生首當其衝，常為他人所不諒解，致生煩惱。臺港兩地同仁，為此書信往返，謀求各種補救辦法，效果均不甚彰。」阮毅成，〈王雲五先生與自由人三日刊〉，同註四，頁三六。

47 〈陳克文致王雲五、阮毅成信〉，同註五，頁八五一～八五二。

逾越範圍。今赤燄正復高張，而民主亦勢非實現不可；大約在二、三月內或有變化，前途殊未可知！故此間同人，經過再三考慮，仍決定暫予維持，並囑舜代為奉復，即乞轉達諸友為荷。公等即不得已而必須退出，仍望不遺在遠，隨時予以指導，除宗旨不能犧牲以外，同人無不樂於接受。海天遙望，曷勝悲憤憂念之至！」[48]

從此以後，《自由人》三日刊似乎終於渡過了這段風風雨雨的歲月，儘管港、台大多數「自由人」社同仁情誼依舊，但經費、稿源、立論尺度等問題仍在。《自由人》三日刊即帶此痼疾，跌跌撞撞的支撐八年餘，在民國四十八年九月十三日宣佈停刊。[49]

五、結論——從《自由人》到《自由報》

無論如何，在五〇年代那段風雨飄搖的歲月，《自由人》能以香江一隅之地，在內外環境相當險惡的情況下，擎起「我們要做自由人」的大旗，反抗共產極權，與中共做誓不兩立的言論鬥爭，其勇氣和決心仍另人刮目相看的。另一方面，《自由人》雖義無反顧的支持台灣國府當局，但在恨鐵不成鋼的期待心理下，對台灣當局若干錯誤的舉措，仍一本忠言逆耳之立場，毫不留情的提出批判或建言，即使在經費斷炊的威脅下，亦不為所動，這份苦心孤詣之意，也令吾人感佩。

而此即所以《自由人》在發行的八年餘中，雖屢有遷台之議，但大多數同仁始終仍以在香港立足為佳之看法，因其言論立場較客觀中立，雖稍偏向國府，但非無原則的一面倒，兼以香港為基地，較少政府、政黨色彩之觀感，且因對國、共雙方均有批評，是以其在香港作用較大之故也。當然《自由人》之悲劇，除上文已詳述之經費、稿源、言論立場受到制約等外緣因素外，尚有深一層內緣因素存在，此即中國傳統知識份子屬性使然。知識份子主性強的「書生本色」，誰也不服誰之個性，長落人「秀才造反，三年不成」之譏，因渠主觀意識強，所以容易堅持己見，是其所是，不大能夠為大局著想，且因自視太高，未能屈己就人，所以較乏團隊精神。

這情況在「自由人」社這批高級知識份子間亦是如此，雷嘯岑曾舉一事證明之，在《自由人》是否遷台之際，「王雲五以董事長資格，致函於我，囑將自由人報遷赴臺北發行，且將繳存港府的押金萬元一併匯去。旋由代董事長左舜生召集在港同仁會商，決議仍在香港出版，但在臺北的同仁，亦可刊行臺灣版，然王雲五很不高興，說我不以他為對象，悻悻然嘖有煩言，殊堪詫異。未幾，許孝炎由臺北回港，主張自由人停刊，他怕我不贊成，先囑我莫持異議，我表示無所謂，而自由人三日刊，即於一九五八年九月十二日宣告停刊了。現代中國高級知識份子之沒有團隊精神，於此又得一實驗的證明，曷勝慨嘆！」[50]所以當年左舜生在《自由人》創辦之初，樂觀的夸談「自由人」社同仁可以組織聯合政府，永遠合作無間之見解，雷嘯岑說，實係幼稚幻想。文人相輕，自古而然，《自由人》三日刊的緣起緣滅，依然落得一個「殺雞聚會，打狗散場」的結局，這也是中國現代高級知識份子的悲劇，想來仍不禁令人浩歎！[51]

48 〈左舜生致王雲五函〉，同上註。

49 雷嘯岑說為四十八年九月十二日停刊，恐有誤。雷嘯岑，《憂患餘生之自述》，同註二四，頁一八二。

50 同上註。

51 馬五，〈「自由人」之產生與夭折〉，同註一，頁二二〇。其實雷嘯岑自己亦如是，當《自由人》剛成立時，「大家的情感很融洽，精神上團結

《自由人》雖然走入歷史停刊了，但未及五個月，一份延續《自由人》餘波的《自由報》在民國四十九年二月十七日，另起爐灶又在香港創刊了。《自由報》社址位於香港銅鑼灣高士威道二十號四樓，也是採取半週刊（三日刊）的形式，於每個星期三、六發行。社長為雷嘯岑，督印人黃行奮，出版第一期有由以本社同人署名撰寫的〈我們的志願和立場〉為發刊詞。該文強調「我們是一群崇尚自由主義的文化工作者。對社會生活篤信『人是生而平等的』這項義理，珍重個人的人格尊嚴；對政治生活認定『政府是為人民而存在的』，要求基本人權之確立與保障。……我們膺受著共產極權主義的荼毒，深感國破家亡之痛苦，流落海隅，於茲十載，內心上大家不期然而然地具有強烈的愛國情操和政治理想，要從文化思想方面，努力培育民主自由精神，發揚其潛能，成為救國救民的偉大力量。職是之故，本報的言論方針是國家至上，民生第一，我們的立場是超黨派的。」[52]

簡言之，民主、自由、愛國、反共乃為《自由報》創刊之四大宗旨，嚴格而言，此宗旨仍是延續《自由人》三日刊的精神而來。阮毅成曾說：「後來，雷嘯岑兄在香港出版自由報，乃係另一新刊物，與原來的自由人，完全無關。」[53]此話恐有商榷之餘地。《自由報》在《自由人》的基礎上，發行至民國六十幾年才結束，期間刊布了《香港自由報二十年合集》、《自由報》合訂本、《自由報二十週年年鑑》，影響力不在《自由人》之下。

無間，對任何事體決無爾詐我虞，或以多數箝制少數的作風。我（雷嘯岑）當時曾聲言：假使憑這種精神組織『聯合政府』，擔當國家政務，國事沒有不振興的。」馬五先生著，《我的生活史》，同註一，頁一六一。

52 本社同人，〈我們的志願和立場〉，《自由報二十年合集》（一九）（香港：自由報社出版，民國六十年十月十日）。

53 阮毅成，〈「自由人」參加記〉，同註六，頁一八。

中華民國內政部登記證台警字第一〇二一號
中華民國郵政登記第一類新聞紙類

自由人

THE FREEMAN
（中國出版每週三六出版）
（第二四三期）
每份港幣壹毫
督印人：李光薰
社址：香港士打道六十六號
電話：二〇八四八
GLOUCESTER RD. HONG KONG
TEL: 20848
承印者：東方印務出版社
地址：香港士打道六十四號
台灣特派員辦事處：台北市館前街五十號
台灣總經銷處：台北中華路新號五九四之一
台灣郵政劃撥儲金帳號：九二五二號

人格教育纔是反共利器

雷嘯岑

自從以「無祖國」觀念爲生存競爭原則的共產黨在中國大陸得勢後，世人乃慨歎近代中國青年們缺乏民族思想，因而大倡「民族教育」之說，實則似是而非，並非探本之論。誰使青年們揚棄民族思想的？教育家固不能辭其咎。但，[illegible]講究民族思想的呢？這問題就不[illegible]風氣的檢討反省一下。

近代教育[illegible]

[illegible]十年間，我國教育[illegible]可謂毫無方針[illegible]八門，專以[illegible]各國的皮毛[illegible]而其效用，[illegible]買辦階級人才[illegible]滿末恐爲賣[illegible]購買外洋的[illegible]爲富國強兵之上策者[illegible]，並無二致。試看那關係教育命脈的各級教科書，竟由商賈自由編纂販賣了幾十年的怪象，即可反證了。自國民革命以後，直到共產黨竊據大陸爲止，教育方針依然在若有若無之中，說它無體，然教育法令上明明規定以三民主義爲教育宗旨，而且教科書也由政府編訂了；說它有體，然大家又把三民主義作口頭禪，作宣傳營業，教育界充滿着「生活即教育」，「畢業即失業」的呼聲，好像教育的作用亦該是專爲青年們製造飯碗的[illegible]時，即已養成一套政客的習氣與作風，學校不以爲怪，社會不以爲怪，而政府亦不以爲有背教育宗旨。所謂「職業學生」，滔滔皆是，大家以能參預實際政治的黨派活動爲求學時代的理想目的。青年們都具有一種進取的熱情與打破現狀的勇氣，平時既缺乏人格教育的薰陶，不講究做人的道理，遇事不擇手段，唯眼前的功利是圖。這恰恰替共產黨開拓了一條誘惑青年的大路，神州陸沉的禍根，早已種下，今日太息痛恨於青年們之沒有民族思想，豈非倒果爲因嗎？

「民族教育」即人格教育

歐美先進國家的教育宗旨，首在使青年們養成一個具有完美人格的良好公民。[illegible]德智體三育的功用，啓發青年們的個性，向着正規途徑發展。美國教育哲學者的著作中，對於教養成功一個良民的道理和方法，討論至詳，分析至精，所謂「良好公民」的基本要素，即爲[illegible]的人格，亦即我國儒家所倡說的「儒行篇」那些精神，這就是學校教育的唯一職責。至於個人的生活出路，那是在你如何選擇「良好公民」這一法寶向社會去奮鬥創造，教育家不負這項責任的。所以，一般搞實際政治活動的人，決無人妄想利用青年學生作工具，而在學校裏組織「職業學生」，搖旗吶喊，製造學潮，擁護這個，打倒那個，這是把嬌養青年身心，破壞其「良好公民」修養的罪過行爲，貽害國家，莫此爲甚。去年美國大選時，哥倫比亞大學的學生，多數都對其現任校長艾森豪不表贊同，此即青年個性自由發展的實證，若在我國，那些在校內負責教務和訓導責任的先生們，如不敲破飯碗，才是怪事哩！

青年們還其一張白紙似的素質，走入學校後，耳濡目染的，盡是些「生活教育」的環境，講人格，氣節，即爲時代落伍者，一旦涉足社會，被視爲不合時宜的書獃子。而中國的農村業又蕭條貧乏之，農村那麼窮困，社會又那樣的冷酷，迫得大家不能不朝着政治道上求生活。政治人物，是注重現實功利的，跟教育家的心眼大不相同，他們儘管口頭上隨時標榜政治道德，儘管讚美人格修養，但爲着現實利害計，却不妨利用一般寡廉鮮恥，非禮無義之徒爲爪牙，這又使青年們深感「餓死事大，失節事小」的教訓，所謂人格節操云云，實爲欺人之談。如是，大家相率以無所不爲，爭利攫權爲能事，形成一種「有奶便是娘」的人生觀，當然對於愛國家，忠民族這類理論，更認爲無足輕重的老生常譚，不值一顧了。

社會教育漠視人格

學校教育既以「生活教育」爲主，強調「畢業即失業」之說，等到青年走出學校，與現實社會相接觸，又滿目都是「以猜鑽爲目的」的事象，縱有獨立特行之士，有所不爲，衆人必視爲怪物，譏爲書獃，得不到社會大衆的同情，更休說表揚了。歷史上常有「天下那有[illegible]」，或微服以方正，表彰德行節操，近代中國見過這類記錄嗎？相反的，多以招降納叛，使會使詐的雞鳴狗盜之術來求治。即獎勵廉正奉職的公務員的事，也未有所聞，難道現代千千萬萬的公務人員，竟沒有一個潔身自好之士嗎？不特此也，過去在大陸時，某些曾受過高等教育，爲國家擔任相當職責的人，每向親友們沾沾自喜而言曰：「做官很窮，今天又被老先生大罵了一頓」！言態甚得意，頗有驕其鄉黨親友的氣概。試問：在這類無恥的社會生活氣氛中，怎能教育青年尊重人格，有所不爲呢？漠視人格氣節的結果，當然沒有忠愛國家民族的熱情和勇氣。共產黨正是需要這類社會作溫床，更需要這般務得十字街頭的青年作預備軍啊！

結語

現階段的中華民國，確實需要有充沛的民族思想潛力，蔚爲國魂，才有中興之望。但須腳踏實地，先從人格教育着手。然以學校爲大本營，而後輔以重人格尊氣節的社會教育，相互淬勵奮發，教大家知道人格是無價之寶，有了它，條條道路通羅馬，不愁英雄無用武之地。沒有它，處處都是荊棘，寸步難移，衆所共棄。教育的功用不像搖電話，這邊撥號碼，那邊立刻出聲；也不像穿草鞋，今天需要即穿上，明天不需要了，即拋棄道旁。必也持之以恆，養之有素，政治人物尤須以身示範，樹之風聲，臨時抱佛腳，絕對不成功！

柏林將再度奮起爭取自由和統一

·第啓譯·

西柏林市長路透是一位多年來蔑視蘇俄，並力指蘇俄遠比他們外表爲脆弱的人物。上週間，他很見他的信念成爲真正的事實。在這篇訪問記中，路透市長說出了他對柏林暴動意義的看法，並指出西方國家對此所能採取的途徑。

東柏林暴動的意義何在？

八年來東柏林的工人和人民都在共黨高壓政策統治下，幷被迫和他們的西區同胞隔絕。這種加之於他們身上的暴政不僅已剝奪了他們的個人和政治自由，而且使他們受到不斷增加的困苦，所拿到的只是不够一個的工資。共黨統治者的自承失敗，再加上國際政治上的其他事件，遂使人民的不滿終告爆發。而蘇佔領當局却出動他們的坦克和機槍，藉武力來殘酷地鎮壓暴動。無疑的，一個爲人民所仇視的政權僅在有軍力支持的時候，始可繼續存在。

西方國家如何以最好的辦法來協助柏林和德國俄佔領區的抵抗鬥士？

西方國家不能，也必須不要對這些事件的看法存有歧見。德國的分割以及柏林市的分裂是大國決定的結果。這僅是一種臨時的處置。廢止這種不自然的局勢，並予俄區及東柏林人民以他們統一和自由的自然權利，這是目前西方國家的工作和職責。因此，西方國家應要求俄當局結束屠殺人民的行爲，因爲這些人民除在表示他們爭取自由和全德及全柏林的統一的意志外，別無其他行動。

由東柏林暴動事件看莫斯科對東德及其附庸國的控制力，究已減弱至何種程度？

東柏林及德國俄佔領區人民自動揭竿而起的暴變，其反響如何雖尚不能預知。但却是全世界一道明亮的光芒。雖然蘇區宣傳機構造出了許多謊言，誣指暴動是出「西方挑撥和特務」所鼓動的，但儘管無法加以掩飾。人民在爭取自由鬥爭中所流的鮮血，是獨裁政治歷史上所罕見的。赤手空拳的人民[illegible]器的軍權。[illegible]做，他們將[illegible]附和。

斯科所指派的傀儡的無能，以及他們統治機構的失敗已暴露於全世界。而在德國與柏林的自由地區，却維持着秩序與安靜，復興工作也在正常地進行中。因此，要求重行統一德國和柏林的呼聲，繼續將會變成不可抵禦的運動。全德國人民將不會作任何讓步，直到德國統一問題在有德國代表參加的四國會議中，已被提出，談判和解決時爲止。

柏林和德國的暴動，就其整個意義說，對蘇聯和平攻勢將有何種影響？

談到蘇俄的和平攻勢，這只是一種策略和姿態，而不是任何真正的行動。克里姆林宮統治者的假面具已被撕破。他們必須決定，[illegible]實現東柏林和德國[illegible]。

對於爲爭取德國統一的鬥爭，將有什麼影響？

爲爭取德國和柏林真正統一的鬥爭，已因此受到很大的鼓勵，並因此一空前的人民意志的表示而受到強有力的刺激。

由於暴動的結果，你認爲西柏林方面將有甚麼變動？

柏林自由區的人民感到，東柏林和蘇區的暴動，是關係他們本身並且直接影響他們的事件。他們爭取自由的意志和團結一致以求取德國和柏林統一的決心已因此而更加強。我們沒有人知道未來的日子怎樣，但有一件事却是我們大家所同意的，那就是柏林與他們的人民將決不讓步。他們將不停的爲自由及統一而奮鬥，直到已獲得真正的統一與自由時爲止。到了某一個時候，蘇俄將會發覺到柏林和他的人民確是如此的。（譯自「新聞週刊」）

△美軍衛兵在眺望反共戰俘釋盡後的南韓一個俘虜營▽

半週展望

·左舜生·

邱吉爾病了

邱吉爾首相今年七十八，李承晚總統也是七十八，在目前政治風雲人物中，大概算是年歲最高的了。我覺得邱相的步履相當蹣跚，最近在一部英女皇加冕的影片上，已頗爲他的健康擔心，現在果然病了。假如他所担任的是一個清閒的職務，例如中國行政院以外的四院院長，那便再年高一點，也無礙於事，即令有病，也根本沒有請假休養的必要，但決非所論於一位英國的首相。以今天的英國來說，但就處理國內的日常政務，已經够得一位首相的忙碌了；何況邱相又是一位奮志要強的人，他的一生，幾乎沒有一天不以大英帝國的光榮爲念；以他豐富的經驗，他覺得世界一切重大問題，如果沒有他參加領導，便難免不要出岔子；因此他總是一步不肯放鬆，不獨對歐洲如此，中東如此，即遠東亦復如此。可是自二次大戰以後，世界的情況一天天來得複雜，凡邱相所規劃種種，亦每每不能圓滿達成，即以最近的百慕達會議及韓國休戰問題，便一再頓挫，荊棘叢生，而且可能發生意外的波折，或竟至更加無法實現！『惱恨南韓李承晚，累儂元輔病愁多』，於是乎邱相病矣！

有人懷疑邱相所害的可能是政治病，這却未必盡然。試想，以一個年近八十的老翁，過去又確曾叱咤風雲，不可一世；今天處在這樣一種艱難的環境，凡百應付，又往往不能如理想之所期，精神上感到苦悶，因而不能不需要休息，這大致是情理之常，用不着去多方揣測。我們希望他能在休息中想出更好的辦法，一個不太理想的辦法，總還是比無辦法好，能動總還是比不動好。至於『每日鏡報』在今天便希望邱相正式退休，這却是爲時過早：邱相不只有『鞠躬盡瘁』的自誓，亦確有『舍我其誰』的氣概，但凡他還在勉強可以支撐的時候，他是決不會輕言退休的。

共產黨還不屈服嗎？

二萬七千的俘虜放了，要一一捕回當然是不可能的，現在聯軍表示依然願意休戰，今後便看共方的態度如何。照中共目前的實際情形看，他們是不能不要求喘過一口氣的，最好是把聯軍騙離韓國，把民主國家一個小型的聯合陣綫衝破了再說。不幸遇着一位李承晚，他已把共方一切的弱點看得明明白白，你說俘虜不能放，他便放給你看；你急於求和，他便不惜單獨作戰；不僅理直，而且氣壯，其結果則博得舉世的歡呼，艾森豪總統也便不能不一再遷就，以爭取他的合作，既有一個美韓的安全協定，美軍自無全部退出的可能，共方一切的狡計無所施，今後除屈服與再戰以外，將無第三條路可走！屈服吧，而子上實在下不去；再戰吧，又如何受得了；聯軍的整個局勢由被動轉爲主動，便完全繫於李承晚的這一着。

據我們判斷，共方恐怕只能採取屈服之一途，一個爭持了兩年的遣俘問題，結果被李承晚予以當頭一棒，如果竟共屈服的話，當然這一戰便算是完全失敗了！

莫斯科的書沒人看！

最近莫斯科的真理報，說蘇聯出版的許多書籍都不能銷，簡直沒有人看，這是勢有必至，理有固然的。

共產黨的一套，大家早已看得明明白白，儘管花樣翻新，用種種的方式出版，內容也總還是一樣，叫人花錢花時間去看這類的東西，還有什麼意義？

最近中共的出版界，也日趨下坡，一切『前進』書店，也逐漸的門可羅雀；如毛澤東，劉少奇，陳伯達，宋慶齡等等的書籍，我們早知道不出三月半年，便只能值得一個『道令』一斤，即送給別人，也只好往字紙簍一塞。人類不會永遠糊塗，騙人的把戲終有揭穿的一日，單只書不能銷，這還不過是一種輕微的警報而已。

巴爾幹面臨新危機
和平烟幕不絕如縷

南希士三角聯防填塞了大西洋公約國防禦體系中南歐側翼的一大漏洞。在蘇俄新領導階層看來，無疑多了一重通向地中海而達中東的門戶；然史達林原先的計劃，將巴爾幹永遠割分爲二：一邊爲鐵幕內之羅馬尼亞、保加利亞及阿爾巴尼亞；一方則爲屬於南希士的傾向西方集團。現下馬林科夫的新陰謀，是瓦解南希士同盟，擴張其鐵幕。

蘇俄的和平姿態已迂緩了西歐六國防禦計劃，繼續向西方民主集團施放和平烟幕。五月間，貝爾格萊德的外國記者們有意無意的發表了一條「南斯拉夫將擺脫西方盟國而重歸蘇俄」消息之後，狄托總統隨即發表聲明，他說：南國與蘇俄集團之關係，並未見改善，「彼等現仍槍口對準吾人之疆界，及組織殺害吾人之邊境守衛」。「[illegible]」自史達林死後，蘇俄集團國家在南國邊境所製造的挑釁事件亦倍於從前。」末了狄托加了一句：「南斯拉夫仍[illegible]繼續與一切鄰國保持正常關係。」當晚[illegible]許多外國記者[illegible]不肯忽視這一句[illegible]維也納的敏感人[illegible]來，蘇俄與南斯拉夫之間，可能已經[illegible]接觸，所謂「一切鄰國」顯然不僅是單指西方國家而言，而括有蘇俄集團在內，甚至其本身被三面[illegible]下的匈牙利、羅馬尼亞、保加利亞及阿爾巴尼亞在內。假如狄托是無心的，但在蘇俄却是一個不容輕縱的機會，要把握時間向南斯拉夫展開政治攻勢了。

對南勾引　對土挑逗

五月二十八日蘇俄宣布改組東德的政治、軍事機構後，六月八日復廢止奧國蘇佔區與英美佔領區的邊境管制，使八年來[illegible]的限制取消[illegible]須持有「通行證」[illegible]基地？並向土耳其[illegible]放棄多年來共管韃靼尼爾海峽的要求。這一連串不絕如縷的和平烟幕，純粹是直接對付南斯拉夫，間接挑逗土耳其的。儘管南斯拉夫一再表明蘇南難望復交，然而狄托的言論却始終含混，不肯直截了當的宣布一項正式聲明，這顯然是他不擬偏向東西間任何一方，並且對西方無言的爭取援助；對蘇俄集團又不願斷掉瓜葛，當蘇南宣布復交的前幾天，狄托尙言：「南國決不受引誘而改變政策。蘇俄若以爲可以隔離南國與其盟友之關係，實至錯誤。」這已很明顯的反映出有人懷疑蘇俄與南國未來的關係了，狄托作此聲明，不僅要表明他的立場，而且希望世人不要以爲蘇南復交之後即爲南國政策轉向。因爲英美法過去對南國已[illegible]莫大的貢獻，惟本月終結束的三國援南上年度已給予南國以一億四千五百萬美元了，下年度[illegible]。

俄姿態難起作用

蘇南的復交，一般人正意味着蘇俄的[illegible]用心，旨在拆散[illegible]士同盟，即使在[illegible]這一個階段中不[illegible]爲事實，至少可[illegible]此鬆弛了三國聯[illegible]努力，儘管狄托[illegible]地說出：「巴[illegible]

[illegible]無非邀着南[illegible]夫與土耳其還一[illegible]一拳[illegible]狄托大勢，南斯拉夫的諾言，繼續行其[illegible]西方於不顧，[illegible]蘇俄和平烟幕，因此[illegible]表面上似影響巴[illegible]聯防，但決起不了實際的作用。（卓梅六月十九日寄）

巴黎發現美國怪客

近來有若干法國大商人向美駐法大使館投訴，他們說他們曾接到一些美國遊客人的訪問，那些怪客自稱是美國軍方官員，但又不肯說出其機關的名稱，而要求這些法國商人供給有關蘇俄國家貿易的情報，無論是已成爲事實，或是尙在計劃中的對共貿易，均在搜求之列。那些怪客並恐嚇法國商人，如果拒絕合作，美政府將以之列入黑名單，禁止與美國貿易。美大使館接獲這些訴後，曾再出調查，但仍不能確定這些怪客[illegible]代表，還是中央情報局[illegible]代表。

美機演習轟炸俄國

美國B—47型噴射式轟炸機最近曾秘密舉行空襲俄國城市的假想演習。空軍當局爲了求演習逼真起見，特在佛羅里達州的[illegible]空軍基地附近，建造了外型上酷肖俄國若干城市的目標。然後由B—47型機作假想原子彈攻擊。據說[illegible]若干秘密裝備的[illegible]演習的成功超過[illegible]的預期。

蘇俄特務活躍瑞典

西方國家的情報人員曾在幾個瑞典海港發現烏爾威伯的蹤跡，烏爾威伯不是別人，乃是大名鼎鼎的蘇俄破壞訓練班的總教官，他雖然有各種不同的身份，但他那隱藏的面孔總不能逃過西方情報人員的耳目。瑞典當局相信最近一批海上破壞事件，大概是烏爾威伯策動的結果。

美軍事秘密流入俄國

說起來也許是一件駭人聽聞的事情，原來美國中央情報局人員於私下談話時，曾透露說，美國的重要軍事秘密刻仍不斷的流入蘇俄手中。但對於這種說法，他們不願公開加以證實。據一位中央情報局高級官員說，這些情報的喪失已嚴重地影響到美國的安全。

超音速機時速千五哩

美國發明的新型飛機層出不窮，在未來數月中，將有更多的超音速戰鬥機陸續出現。現在已有的超音速飛機是北美F—100式。其他即將問世的，是麥克尼爾F—101式，康瓦爾F—102型三角翼式機，共和F—103式，洛克希特F—104式，這種F—104式翼幅僅長二十八呎，看來很像一具伶巧的定向飛彈，預料它的速度可達到每小時一千五百哩，而成爲世界上最快速的噴射戰鬥機了。（孟衡）

天下小事

台灣看國際現勢

台灣通訊

自由中國基地台灣所負的時代使命，是全世界暴風雨中的燈塔與救生艇。但是自由中國對國際局勢的看法，却與當年對日抗戰時的原則一樣，一是以不變應萬變，一是靠其在我，自力更生。所以當國際局勢特別好轉的時候，並不因之作過份的樂觀。而當國際局勢渾沌的時候，也不爲之悲觀。

從國際看台灣與從台灣看國際是可能有不同的地方。從國際看台灣，往往認爲台灣的力量並不足以反攻大陸，更不足以扭轉國際的局勢。並且往往以爲台灣希冀第三次大戰的來臨，藉以獲得重返大陸的機會。其實，從台灣看國際，就從來沒有過這樣的打算。台灣雖則只有相當於中國大陸的千分之三的土地，四十五分之一的人口，八分之一的軍隊，但假如沒有台灣，就沒有自由中國。[illegible]自由世界要對[illegible]可能，更不必[illegible]

自由中國的[illegible]常有人謂俄帝[illegible]。實際上中共[illegible]一個例，但中國[illegible]，並不能計算[illegible]陸上的人，除[illegible]匪共外，無一不[illegible]然燃燒着恢復自[illegible]鬥爭的勇氣，就[illegible]陸的對岸，他們[illegible]反攻大陸方略，[illegible]力量，用內應外[illegible]救同胞，重建國[illegible]敵後，只要盟國[illegible]們陸軍，助我們[illegible]可用，較之所[illegible]動員的人力[illegible]得意的事，莫[illegible]大陸。一旦中[illegible]帝就等於失去[illegible]足以收復大陸[illegible]大陸人民的[illegible]的作爲是足以[illegible]爲一千二百萬[illegible]僑居住的地[illegible]直接或間接[illegible]們的社會。如[illegible]驅命於北平的[illegible]共，則僑居國[illegible]損失，國際間[illegible]出中國，南韓[illegible]堅強的戰友；[illegible]還不敢過份[illegible]民主集團[illegible]尙能有所作爲。

韓戰休戰現在已幾成定局，韓則停得不如艾森豪自己所要求的光榮和平，但俄帝最初發動韓戰的目的，消滅南韓；奪取日本，却也沒有達到。這因爲中共雖參加了韓戰，死傷大，消耗多，却並未能用其全力。蓋旣有自由中國的存在，中共就不得不在大陸，保留大部份的兵力，以防阻自由中國對一萬二千里海岸綫任何一點的反攻，與防止自由中國留在大陸地上與地下的反共武力的內應。

韓國戰場上的停戰，並不能成爲國際局勢對台灣的低潮，日後所謂政治會議開會的時候，短見者將對台灣更爲憂慮。但是可以斷定的，政治會議必無結果，屆時冷戰又將轉爲熱戰。那個時候，也許就是自由中國反攻的有利時機，只有由自由中國收復了中國大陸，才可以使第三次世界大戰不致發生。這是台灣對國際局勢的一貫看法，決不因國際現勢的一時好壞，而隨人上下的。

△埃及宣佈改制共和後的兩位最高人物，總統那吉勃（左）和副總理那瑟（右）▽

國外通訊

印度對埃野心勃勃

·王可·

然而他的活動在幾個月之後，幾乎做到水銀瀉地無孔不入。前已言之，一班人雖相當的討厭他，而不可否認的事實，因緣時會他已經做到幾件與埃及利害有關的事體。僅就大者言之，去年多季亞非集團在開羅舉行了會議，他代表了印度參加，大肆宣傳一番，主張這個會議變爲永久性質的，阿拉伯同盟開會時，他奔走甚勤，表示印度雖非純粹的回教國家，而對回教國家的休戚特別關心，願充一旁聽的列席員（此點未爲阿盟接受），此外更分別的聯繫所有回教國家的使節，每人送一本尼赫魯所著的「印度革命史」，附有尼氏的親筆簽名。

最堪注意者，乃英埃蘇丹問題解決的條款中，（今年二月）印度也成爲了中立國委員之一，這在政治上對於埃及極爲重要，關係今後蘇丹的依歸問題，而在印度方面則成爲了爭取領導作用的最大資本。

今年初潘氏更搬出了一個不大不小的法寶，此即尼赫魯的妹妹潘地特夫人訪埃，當時埃及朝野歡迎之盛實屬驚人，埃首相拉吉布將軍親自陪往各地參觀演說，臨行時又帶了他的小女往機場獻花，這位夫人蒞埃三日所說的話雖仍爲「東西之爭於我們無關，中共是代表中國，埃及應當承認」等一些濫調，而且後面一點埃政府並不同意，然而已激勵了埃及人對此問題的討論與興趣。

自英埃運河撤兵談判於今年五月六日決裂後，潘氏便大做其文章，見了人就罵英國，罵得比埃及人還兇。他桌上擺了拉吉布將軍的一張照片，客人訪時他指着的說：「這是我平生最敬佩而交情最深的拉吉布將軍」。本年六月二日英皇加冕，此地英大使館於是晚舉行慶祝，照例聯合王國的所有使節也都站在門前與賀客握手，潘氏拒絕了「站班」，蓋鑒於埃首相及外長等均相約不往，是以故作此態表示與埃及同一戰綫。

最近（六月四日）尼赫魯在大英聯邦首相會議中，公然勸英讓步，完成撤兵協定，埃及報紙大肆渲染，譽其對中東之成就已遠過於美國務卿杜勒斯訪埃之效果，頗有唯其馬首是瞻之概。尼氏已定於本月廿六日前後訪埃，預料埃及朝野將作空前之盛大歡迎。以現今的情形觀之，印度在中東已經是進入領導的階段了，而此公勢必又將乘此機會大放厥詞，鼓勵埃及承認中共。

扯謊的哲學

憑空起家的尼赫魯，在國際上已經變成了藥師中的甘草，樣樣都有他份，在遠東有他聽命的嘍囉，如印度尼西亞，緬甸等國；在聯合國中他排演了一個亞非集團，唱主要角色，最巧妙的一點，在獨立之後，他仍然拖了大英帝國的尾巴，使他在西方國家中增加了不少的重量，當英印兩國的政策臭味相投時，他的叫囂比他「老子」的聲音還響亮，並且得到爲英國人打頭陣。在兩下意見相左時，他能毫無猶豫的大罵英國，英國也莫奈何他，好在同是聯合王國之一員，骨子裏不傷和氣，而印度反因此得結好於另一對象，建下他以後做「和事佬」的基礎。

他怕極了共產國家，尤其是中共，他偏偏昧着良心爲他們大吹法螺。別人的死活他不管，祇要能換取了他印度自己的「安全」。口口聲聲自命爲「瞭解」中共，恬不知恥的要作東西的橋樑。痴人說夢以爲無人肯信，焉知時至今日連那領導世界反共的美國也都中了他的毒，大上其當，不亦哀乎。

中東國家驚異他的成就，而明哲之士始終認爲這是一個謎。某埃及政府高級人員曾私下的說：「外交爲內政的反映，這個原則恐怕難以用之印度，即以該國人民的生活而論，比阿拉伯人還窮苦，至於文化水準之低，階級鴻溝之深，宗教上的仇視，語言的複雜，一切的一切可謂集天下之弊於一身，有什麼資格談近代化與國際力量。」

而尼赫魯看到了東西兩方的弱點，天天在那裏唱「和平」談「民主」，初時聽了滑稽已極，然而現在呢，東西兩方都把他捧得高高在上，紅得發紫，韓國停戰在聯合國中是依照了他的提案，在戰俘問題，他居然也是五個「中立國」中之要員，共產黨利用了他得到實際的利益，美國怕打仗，正好從他身上找到下場的口實，滿座底樂得他做了一個世界的「偉人」。他今天挾了這種氣勢而臨中東，蘇丹他已經是插足了，運河撤兵的問題又待他來作調解人，此後的世界與中東由這一類的人來操縱指使，眞是天曉得呵。

尼赫魯的得意忘形用不着說了，他替共黨所鼓吹的一套連共黨自己都要笑痛肚子，然而他之所以能左右逢源迴光反照，就在於此「扯謊的哲學」。世界上的事眞是如此簡單的嗎，他那裏曉得一切更在醞釀的開始發作中呵。來日方長，我們決不要眩於他一時的神氣，忘記了他是如何愚昧的好笑可憐；更不要因他而對我們自己的前途發生了疑慮。至於「承認匪共」確是他在埃一貫進行的目標，與我有切身的關係，但以往他無數次的要求失敗了，而此次再來，他的失敗可能更大！

（下）（六月十四日於開羅）

西南飢民遍野餓莩載道
中共奪民糧瘋狂外運
編造謊言終難掩飾事實真相
農民怨聲四起到處發生騷動

【本報訊】重慶消息，最近偽農業部竟不顧西南區民間糧荒嚴重之飢荒情況，飭令偽西南區行政委員會動員幹部及民工，將各地集中倉庫之糧食瘋狂向華東沿海之上海、連雲港及青島等處大批外運，繼續發付蘇聯、捷克等國換取戰略物資。運糧時，中共爲掩飾其惡行，防止農民因恐慌而發生意外起見，曾在報紙及幹部之口頭宣傳中誑稱「西南各地連年豐收，存糧充足，（事實上中共竊據以來西南區饑荒最嚴重，飢民不下三百萬人）但由於交通困難，外銷不便，而各地區長期存積，保管甚感困難，此次乃動員全部運輸力量，向華東、中南、東北等需糧地區調運」云云的大謊言。中共此次將西南區糧食外運之瘋狂罪行，爲年來所罕見者。據光明日報刊載由中共新華社所發佈的消息：「此次西南區糧食調運工作，爲一大規模的糧食複雜工作，係由西南區的領導機構周密計劃，統一指揮。已征用長江巨大輪船及木船等一萬餘艘，在各港口建立各運、裝卸、接交、加工等制度。已動員各縣民工，先將分散在農村的倉庫糧食集中到附近水陸交通線，再由汽車、木船轉運到各港口裝輪出運。各區縣亦都在臨時設立運糧站及茶水站，以保證任務的迅速順利完成」等語，即可見一斑。但無論中共如何以謊言掩飾其糧食外運之惡行，各地農民，尤其是飢民目睹大批糧食出運時，仍不免怨聲四起，時有集體搶糧之事件發生。據悉，最近在川東、黔北等地區發生之搶糧事件不下十餘次之多。

湖南水災更嚴重
四十二縣成澤國
淹田百萬畝毀塘兩千餘
決堤千餘座淹死幾百人

【本報訊】長沙消息：湖南各地大雨連日，山洪暴發，河水泛濫，災區擴大，災情極爲嚴重！據中共湖南省委農村工作部的初步統計：已有益陽、衡陽、長沙、永順、湘潭、醴陵、衡山、邵陽、永興等九個專區的四十二縣遭受水災。關於災區損失情形，據不完全的統計：洪水淹沒的稻田，約有一百十餘萬畝；被水沖毀及泥沙淤積的田約有五萬餘畝；沖毀的池塘約有兩千五百餘口，決潰的堤壩約有一千三百多座；淹死的人口約有六百餘人，此外淹死耕牛及沖毀房屋亦甚多。據悉：災區農民因受災而生活大成問題，情緒極爲恐慌不安，大多紛紛外逃。中共雖已派出幹部下鄉，組織所謂「生產救災」，但因災區面積廣大，救濟無力，災民多無法維持生活，據悉目前災區的情況，實已陷入一片混亂之中。

不堪共幹勒迫
茅山農民暴動
搗毀農場毆傷共幹

【本報訊】據南京消息，六月十日左右江蘇溧水縣境內茅山山麓之珠琳村曾發生一農民暴動事件。參加暴動的農民約有三百人。激起暴動之原因，係該地農民不堪中共茅麓農場幹部之侵犯、壓迫，乃忿而發難，曾當場搗毀該農場之辦公處，並毆傷該場共幹七人。據悉該農場原爲私人所辦，辦田、地、山共兩千四百餘畝，因未正式開辦自耕，故曾以低價暫時租給當地貧農耕種，以對付農民。該時農民每年收成交付低額租谷後，所餘甚豐；而農場方面，以賦額負担不高，租谷收入交付田賦後，所餘亦足以維持農場開支。但溧水淪陷而該場遭中共沒收後，先則除維持原租外，竟將中共高額之農業稅迫令佃農負担，自己引起農民之普遍忿恨，繼則於今年春季勒令農民全部交回租田，農民因佃、地、山上都已種有麥子，松苗、桃秧、菜蔬等物而曾要求展緩交回，竟亦不予理會，自更引起農民之公忿！最近則竟勒令農場工人，毀去農民作物，強行植上農場之毛竹及茶樹等物，傾使農民遭受不可補償之損失，乃終於激起農民之仇恨而發生暴動。關於事後，中共溧水黨局自知農場理虧，且衆怒難犯，故對暴動農民，並未逮捕，但仍飭農民交回租田，而予半年之準備，准予展延至秋季交回云。

華東擴編海防部隊
驅迫饑民參軍
蘇魯浙征兵十餘萬

【本報訊】頃自上海獲得可靠消息：最近華東中共爲了擴軍備戰，並加強防範國軍突襲沿海，而恐懼國軍之沿海防務，已在山東、江蘇、浙江等省的飢民中，發動所謂「參軍」運動，抽征各該地區之飢民參加海防部隊。據悉：已在山東征集四萬餘人，浙北征集五萬餘人，蘇南及浙東征集各一萬餘人，約共十二萬人，分別送至浙東之溫州、寧波及江蘇之連雲港以及上海等地區開始訓練。飢民經相當時間之訓練，甄別後，中共擬由東軍區所屬從中挑選體格強壯，熟悉水性及所謂「思想純正」之份子以編入海軍部隊，進一步「訓練」之企圖云。

南方水災北方苦旱
黃河水位續下降
綏西旱荒益凶險
小麥枯死春耕絕望

據最近人民日報透露消息：北方大旱地區之旱荒程度，迄未減退，且因久晴不雨，黃河水位已經低落，綏西地區的山西、河北等省大部地區的旱象，已日益險惡，小麥等多耕作物，已大多枯死，平均已只一成至兩成的收成，故農民甚感悲觀、恐慌。尤以綏西等大部地區因田開乾枯，春耕迄未進行，倘再不降雨，將錯過播種季節。故中共已急派大批幹部，分往各該省監督進行一切「抗旱」措施的「動員全體農民抗旱搶耕」，並以訓練大批技術人員，分別往各黃河灌區以設法沒引黃河水。據中共承認：黃河水位自今年春季以來，逐前下降，五月下旬，每秒進水量僅三〇七立方公尺，（去年此時每秒一七〇〇立方公尺），爲幾年來所未有。綏西地區八大幹渠，只有三個渠稍少量進水，其餘五個渠都不能進水，有十四個直通黃河的小渠全部不能進水，致旱象已嚴重地傷害了該省的小麥，阻礙了夏禾的耕作。

又據北平消息，最近中共之山西、河北及陝西等省的各專區水利局局長曾集中到石家莊舉行一次緊急聯席會議，開此一會議之目的，即爲「救災搶耕」，并開該會議決定飭各縣迅即召開「緊急動員會議」，紛組「抗旱組」「下鄉救旱」。可見目前該等地區之旱荒，確已非常嚴重。

奴化教育又進一步
共黨訓練中央共幹
全面學習聯共黨史

據北平人民日報披露消息，中共以「提高幹部理論教育」爲由，已捧蘇聯共黨的黨史爲幹部理論學習的「經典」，並號召其黨，特首先由中共中央直屬機關委員會（簡稱中直黨委）和中共中央「人民政府」直屬機關委員會（簡稱政府黨委）合辦一以指導中級組學習「聯共（布）黨史」爲目的的理論教員訓練班，俾自上而下的逐級展開此一「經典」的研讀，從而徹底養成所有幹部崇拜蘇聯的奴化思想。據悉：該一訓練班之訓練期限爲兩個月，業於上月十九日在中直黨委大禮堂開課。此爲第一期，以後將繼續開訓。該一訓練班調訓學員之範圍爲中共中央黨、政、軍等所有一級機關（包括中共中央各部，僞政府各部會，僞軍委會等）之科員，組員等以上之幹部。該期調訓之正式學員共有五百三十六名，另有旁聽學員四百七十八人。在五百餘名正式學員中，屬司、局長級的佔百分之三，屬處長級的佔百分之二十七，屬科長、組長級內佔百分之五十二，屬科員，組員級的佔百分之十八。學員之文化水準，大學程度的佔百分之二十八，高中程度的佔百分之四十七，中小學程度的佔百分之二十五；但謂此類學員，已爲各部會中「政治理論水平」較高的幹部。此等幹部受訓後，將担任各該機關專職或兼職的理論教員。又悉該一訓練班之「主任」，係由中共中央特派饒子榮担任，講師則指定有陳昌浩、楊獻珍、馮定、王波鳴、薛暮橋、姚依林、呂東、廖蓋言等「紅學」家多人。據云：此等講師「均係精通聯共（布）黨及其有關的經濟，政治等高深理論者」云。

強迫增產下傷病日衆
滬工人反抗情緒激漲
安全衛生檢查有名無實

【本報訊】頃據上海來人談：據最近上海解放日報披露之消息稱：上海工廠林立，工人特多，由於中共之工廠幹部依然一味以盲目的進行生產任務而漠視工人的健康及生命安全，故工人因工傷亡及受傷致死亡的人數，已日益激增，其死亡率之高，實屬前所驚人！據云：去年冬季，中共上海當局鑑於工人因工傷亡事件之大量發生，曾引起工人普遍反感而恐慌，乃舉行一項「安全衛生檢查」運動，但此一措施，中共改善工廠安全設備之條件，不過爲數術手段，中共幹部所憎厭而成爲浮泛的文章，故有如風暴，一度吹過便即皆無事，不備一各工廠對必要之安全衛生設備未予改善或裝置，且對工人加點、加班、超體力負重等等的奴役殘酷程度，有增無減，故工傷事故非但毫無減少，且更日益增多，其病、傷、亡等的人數，幾乎直綫上升。據云中共華東局就五月份的調查統計，上海現有各種工人共約六十萬人中，竟有十二萬四千多人患有各種程度不等的疾病；有一萬六千三百多人因工受傷；有一千八百多人因工死亡；傷亡的工人中，據說以建築工人及搬運工人爲多，鋼鐵工廠次之。

又據云：以傷亡的情形而論，因確非絕對不可避免而全屬無辜者，據上海解放日報認承：如上海天原天利電池廠幹部，硬迫工人將瓶裝硝酸超逾高度堆疊，結果終告擱塌，打破硝酸瓶，造成二十餘工人的死傷。如上海食鹽電解廠幹部，硬不發給電槽間工人的防護面具，結果十九個工人中，有八人中毒傷亡。又如該廠新建一機房，因疏於檢工檢查，結果一使用便塌了鐵架，使十多個工人被壓死傷。如上海「國營棉七廠」因不准女工劉鳳英等五人的病假，結果兩人暈倒，三人倒斃於車間。如「國營棉十三廠」因廠方堅持不發給口罩，並強迫工人加班加點趕工，結果使原來平均每日兩百多的病號人數，突增至每日七百六十多人，而該廠的工人總數，亦不過只一千六百多人，幾已有半數的工人因工患了病。最後又據云：工人傷亡雖如此慘重，目前上海偽工管當局，仍無絲毫表示，故今後此輩工人命運，勢將更爲悲苦。

不願子女受難
忍痛溺斃稚嬰
共報揭露四千起

據大陸各地綜合消息，目前大陸各地溺嬰現象，至前嚴重！尤以江西、安徽、廣東、廣西、福建、四川等省，溺嬰人數，特別衆多！溺嬰現象之所以如此普遍而嚴重，共方報紙雖含混其詞，指爲「殘存的封建思想的作祟」，但實際上之主要原因，據新近自內地來港者的分析：多數實爲目前生活艱難，無法負担嬰兒之生養所致，部份則骨肉觀念已被中共打破，人性日趨薄弱所致；尤以一般知識份子亦有溺嬰之現象發生，似與中共鼓勵子女鬥爭父母之作風，不無關係。在中共各地約略之統計中，曾謂溺嬰者，以私生子女及貧苦家庭中爲多，無故溺嬰者亦不少，故前述分析，似確有根據。關於前列各省之溺嬰人數，據武漢長江日報披露，廣東自今年二月至五月溺嬰共有一千九百餘人；廣西自今年一月至五月共溺斃兩千一百餘人；江西自今年三月至五月共溺斃一千七百餘人；安徽自今年一月至五月共溺斃三千二百餘人。

共報承認事態嚴重
調查蚊蠅竟要點清蛹卵隻數
八股成共幹圭臬

上月七日的新華日報在一篇論「數蚊子」的短論中曾承認他們的八股作風已非常嚴重！他們承認因爲中共的黨教育中很重視「調查統計」的緣故，所以造一些高級幹部們都脫離了現實的條件而大鑽牛角尖，製訂出一些令人不可思議的調查統計出來。除捕鼠規定要統計分別鼠的大、中、小重量（以市斤、市兩爲單位）身長、尾長等姑且不論外；還瑣細得像蚊子蒼蠅那樣的東西，竟還要分出孑孓、蠅蛹，加以個數計算，且美其名謂之「科學的單位統計」，真是荒唐透頂！據說：照這樣的統計和指示，竟會從大行政區一級的機關發出來，大概「飯吃飽了頭腦」。說如果再發展下去，勢必將來連全國人民有多少頭髮，全國地上有幾根雜草都要加以「調查統計」了，因而，他們引用毛澤東的話說：「這是我們所創作的黨八股」。最後，他們說：這種事情爲什麼竟能從起草人一級一級地呈上去，又一級一級的批下來，堂而皇之的流行全國呢？這就說明官僚主義的毛病在我們不少機構裏已經是如何地浸透了，病情嚴重，簡直已入於不省人事的狀態了！

共幹不理工作技能
天成鐵路征石工
開工一週全逃光

據北平「人民日報」披露：謂最近四川彰明縣奉上級「政府」命令征集石工九十八名派往天成鐵路第四工程處參加建站工程，但該處領導幹部不懂大廠石工與小廠石工的分別（大廠石工擅長做料石和條石，小廠石工擅長做小型石工），竟胡亂指派工作，致使甚多工人因不合特長而辛勤一天的結果，連兩餐伙食的費用都掙不到，雖曾向共幹提出意見，卻不爲共幹所接納，因而開工不到一週，這些工人爲怕賠飯錢而逃跑了大半。可是並未因此引起共幹的反省檢討，竟採用了強迫命令的辦法，脅迫其餘未逃的石工：「倘不好好工作，我們便停止供給」，仍要這些工人硬做不合特長的工作。更糊塗的是，除伙食以外，其中有五個工人因合於特長而還有工錢可算，共幹竟將他們的工錢扣發，充作了已逃跑及未逃跑的石工們所斷欠的伙食費，因而結果，本未逃的工人也陸續逃去，最後連合於擅長的工人也都逃跑一空。

憮然話別

為方

有一親戚新近自上海來港，相見之下，不免談到大局近況。他是個毫無政治思想的純粹商人，但受過相當的教育。

我問他：中共是否真的希望結束韓戰？答案是肯定的。理由是民窮財盡，實在沒法撐持下去了。鄉村農民更苦不堪言，布疋尤奇缺昂貴，一担米換不到一匹布。農村中盡有衣不蔽體者。「掃下鄉」慘極！他以十分懷疑而不耐煩的口吻反詰我：國軍爲何不趁機反攻？我當然將內外形勢向他詳加解釋，並且使他瞭解[illegible]在最近的將來。他顯然沒有使他興奮的好消息。他必有[illegible]對台灣的希望完全隔膜，不知國府現時是那些人物担當國家大事，其餘更茫然矣。就像我這樣具知識的商人，思想至今尚未搞通，若再過若干時，台灣仍無動靜，那就只好被迫而跟着他們（共黨）走了！

我說：台灣確有人向大陸廣播，難道毫無所聞嗎？他嘆然曰：中共統治十分嚴密，[illegible]在大陸上的人民，誰敢收聽台灣的廣播？誰又有能力收聽台灣的廣播？[illegible]我宣傳，又當別論。

彼此談話後，相對憮然而別。

鐵幕真實故事・聯合陣綫

山禾

含苞待放的薛麗華「同志」的芳容眞生得像桃花那一朶，鮮豔，嬝娜，令人看了不禁會陶醉銷魂！加上她的身段又生得那麼豐滿，高胸，細腰，雖然穿的是直襬統的「解放裝」，但只要腰帶一束，便完全顯出了她的令人驚心動魄的曲綫！

這就難怪那些「局長」「書記」「同志」們要爲之着「迷」了！

她，「解放」前原可算上海立信會計學校的班花，[illegible]的「解放」，[illegible]「栽培」而派充了蚌埠市「人民政府」「工商局」的助理會計，因而她便由「班花」而變成了「局花」，當她靜靜地坐在寫字台邊[illegible]的時候，她的美豔的儀態，她眞的活像辦公室里的一瓶供人欣賞的嬌花——幾乎勾攝了所有男性「幹部同志」們的靈魂！

但小幹部們是不够條件吃天鵝肉的，早已暗暗地迴避了，她自己也不知不覺地成了「工商局」「局長」張立軒，「商業科科長」楊振中，「支部書記」朱抗等三位大幹部的禁臠了。

起初，他們都各懷鬼胎而不露聲色！「局長」首先將她由「助理會計」提升爲「會計」而討好她的歡心；「支部書記」接着將她吸收爲「青年團團員」而以示恩寵；「商業科長」則從公務和私事多方面給她照顧而以示親昵。後來，眞所謂不是冤家不聚頭，在一個月明星稀的夜晚，這三位大幹部不約而同地在前後幾分鐘內到了她的居處，都要約她去月下散步，談談「感情」。

於是，他們面面相覷，[illegible]大家心裏有數，而一度鬧得大家沉默了一會兒以後，畢竟還是「局長」領導有方，他主張請她走出十分鐘，讓他們談談「公務」。

她當然立即遵命出去，他們的「公務」是「三[illegible]」[illegible]起「公務」來。她走出後，他們立即在地圖上了[illegible]，[illegible]的「聯合陣綫」，[illegible]！

[illegible]

「好，好，好！」[illegible]他們不得不迅速說「好」，而像喪家之犬似的垂着頭走了出去。

「別便宜了她，」[illegible]「但是，「局長」很不甘，他繼續說：「我們一起對付她！」「對！對！對！」其餘兩個立刻附和，他們是「志同道合」！

於是，他們由情敵作一百八十度的轉變：結成了迫害她的「聯合陣綫」。

當然，共產黨的大幹部們要吃一個小女幹部那眞是不費吹灰之力的事，立刻說做就做，由「科長」哥哥許誰寫給她的信，立即由「局長」出而宣佈說這封信的內容是「詞意模糊，似是而非，有政治嫌疑」而以一紙公文，馬上叫「公安局」派人來給她抓了去進行「調查」、「坦白」。

這自然是天大的冤枉，於是她在獄中寫了一份給「安徽省委紀律檢查委員會」的控訴書，看管犯人的幹部看她生得漂亮，自然而然對她很客氣，給了她獄中投狀的方便。

「紀檢會」果然派了「檢查組」到「工商局」去調查了，但是，「局長」、「祕書」、「書記」既然是「聯合陣綫」，其他的所態度是一致，而有幹部都自不會說上半個「不」字；何況「局長」、「書記」等是黨的有功的忠實幹部，他們一定說她有「政治問題」，這在「鎮壓反革命」的大政策之下，檢查人員那裏還會管她什麼冤枉不冤枉而不予她處儘的道理？於是，可憐！「局長」的宣佈，加上「檢查組」的檢查報告，就順利地由「公安局」移送到了蚌埠的「人民法院」，判上一年另兩個月的「扣押教育」，三年的「試驗管制」！

從此，花一般豔美嫵媚的薛麗華「同志」，便在「聯合陣綫」的擺佈之下，由「局花」立刻變成了「人民牢獄」里的「獄花」！

海外陶朱公陳六使

新・世・說・補・遺

業未聞陳六使名，不悉其爲何許人也。自南洋大學之議興，乃知陳爲海外陶朱公，而於興學一事，致力特勤。友猶爲道其立身行己諸大端，固有足稱也。

陳籍福建同安縣，早歲習商南洋，久從陳嘉庚游，深悉橡膠業貨殖三昧，漸傳嘉庚衣鉢，崛起稱雄，儼則僑中，成鉅富焉。馬來亞恐怖份子作亂，曾將陳之橡樹園與倉庫燬去大半，損失約在叻幣兩千五百萬元左右（一叻幣值港幣一元九角）事發後，陳祕不外揚，急電各國市場有關機構，大量搶購橡膠，經旬始將其被禍消息露佈，橡膠市價暴漲，陳獲利千萬元以上，而其倉庫保險費，亦可得七百萬元，轉眴間，全部損失已取償十之六七矣。即此足徵其長袖善舞之伎能，富甲僑界，非偶然也。

陳嘉庚晚年以其積資約國幣三千萬元，創立廈門大學。六使自幼失學，對其居停傾力作育英倫，不禁感慨系之。曾與南洋僑商，集捐數十萬金於星洲大學，請增設中文系，迄未見實施，六使遂發宏願，倡辦南洋大學，暢行所志。福建會館首以地產五百畝獻作校址，陳私人捐叻幣五百萬元基金，其他僑胞踴躍者四起。英倫法例，每所屬領土內，祇許有一大學，南大之興，背於法，當地行政當局頗有難色。然負責清勦恐怖份子之鄧普勒將軍，則以南洋欲期和平繁榮，非博得華人由衷合作，難達長治久安之境，力主由全六使等願望，而南大乃獲許備案焉。現由何永佶等積極籌備中，指日可期成功也。

六使燕居多暇，常赴當地僑商公共俱樂部作樗蒲戲，每告敗北，[illegible]約百萬元。親友以其錢勝，而所如輒損失，得毋受紿，密語之曰：「君技藝不拙，而有所謂擲骰子之黠作劇耶？」陳啞然謂：「承教良感關切，然吾志在遊樂，縱有協謀擺騙者，吾坐之甚舒適，固無悔吝也」。實則陳有意藉機散財，每歲以百萬元爲率，將以佽助遊場作戲者緩急之需，殆博施濟衆之意云爾。

馬五先生曰：世間富豪多矣，然纍纍財而又善散財者，百不獲一，此守財奴之所以遍地也。微論貴賤，凡能善於運用金錢者，其事業必有成就，商場然，政場亦然，洎餘各界莫不皆然。陳六使雖不學，而其風範庶幾近道歟！

馬五先生

談話的藝術

美國故哈佛大學名教授柯普蘭以談話動聽出名，他的談話技巧馳譽一時，每逢上課的時候，慕名聽講的學生座無虛席。

柯普蘭教授的備受學生愛戴，除了他豐富的學識與伶俐的口齒外，平常多與學生接近也是原因之一。有一次，他特別邀請幾個所喜愛的學生到他的書房中閒談，其中有一個二年級學生問他說：「老師，一個人如何學習優良的談話技術？」

柯普蘭舉起一隻手指說：「記下，我的孩子。」

經過幾分鐘沉寂，那個學生忍不住了，他連忙說：「是的，我正在留心聽老師的教訓。」

柯普蘭不禁笑着道：「呃，這就是談話的技術」。（由之譯）

奴役的藍圖（十九）

麥柯米克神父著　陸逸譯

第十一章　傀儡政權下的禁臠

在中國大陸，共產黨最崇拜的便是「老黨員」了。

一個老黨員是一個恆久不變的黨員，在「解放」前曾替共產黨賣過氣力的人，假若他曾爲「革命事業」蒙過難，那他會更受人尊敬，更光榮了。

中共政權中的主要職位，全落在這些老黨員底手裏，像共酋毛澤東，僞外交部長周恩來，僞總司令朱德，全是一九二五年鮑爾廷（BORODIN）導演中國共產黨政府傀儡劇時的傑出傀儡。

人民反共內亙流，使蔣介石氏領導了中國，所謂「老黨員」們便被迫得像喪家之犬一般，像周恩來當時便亡命香港，受英國人底庇護。別的便躲到福建省內的山區裏，直到蔣氏將他們趕到接近蘇聯勢力的西北後，才獲得了喘息的機會。

一九三七年以後，有一部份不滿政府的人便斷斷續續地逃往西北共產黨的統治區，有些是自以爲「懷才不遇」，對政府積恨成仇，別的一些是遭受了國民政府的責難，含恨遠走，以圖來日報復。投向共區最多的要算青年學生了，他們多是找不到職業的中學畢業生。他們爲了生活祇有向共區中求發展，共產黨地下人員便利用機會推波助瀾，幷資助他們去西安的路費。就是這樣出生入死過的亡命徒，把今日的中國弄的天翻地覆，並控制了全世界總人口的四分之一。

俄顧問操縱一切

同樣，也就是這批份子構成了今日中國大陸的傀儡政權，他們每個人底背後受俄國「顧問」在操縱着，我知道一個確切的統計數字，即至少有廿萬俄國『顧問和技術人員』駐留在今日的中國大陸上，比之所謂從前『西方帝國主義』時期外人留華的數字（約十萬人包括歐美兩洲人士，傳教士，及商人等），眞是難相比擬。在這傀儡政權中，較次一等的從政員是那些抗日戰爭甫終時，在東北和華北地區由蘇聯人直接訓練出來的共產黨員。凡曾飽受共產主義訓練的，成績卓越，而階級成分「地道」的，也都有顯著的職位。

紅朝中的第三等官員，也就是分派在各省縣中的官員們，他們多是從國民政府方面拉攏過來的投機份子和流氓政客，他們既不知何爲忠貞，何爲主義，更不知何爲道德。他們祇知道逢迎勢利，維持飯碗。

這其中有一部份是潛伏在國民政府裏的老共產黨，他們底任務是對國民政府起腐蝕作用，挑撥人民對政府的惡感，或自己惡意地貪贓枉法以擴毀政府底令譽。

傜山風光

・雋夫・

巫師那摩經

傜山的宗教，是混淆不清的，大率是屬于「巫教」，其實「巫教」可不能稱做「宗教」。巫師祇限於男子，巫師並不世承，縱或巫師願其子承繼其業，可得送至另一巫師處受教。巫師所誦讀的經文稱之曰「那摩經」。巫師所用的法器，計有（一）長約五尺的木杖，髹有朱紅漆，杖端刻一騎虎的神像，此神俗稱殺鬼神，杖身刻有一蛇纏繞其上，杖的尾端則包有尖鐵，可插豎土中。（二）長約五六寸的聖擺，皮裹縹純，首端刻一蛇頭形，下垂圓徑二三寸的銅牌四片，一書阿彌陀佛，一書太上老君，另二爲一龍一鳳。（三）長約二尺的銅質聖刀，刀作麥狀或葉狀，刀柄銅鍊。（四）木質或牛角的聖棒，繞以銅鍊，懸掛胸前，鍊上並有銅弓多枚，上書吉祥字句。（五）硬紙摺成的七角帽。（六）像京戲裏所用作朝笏的木笏。（七）銅鈴。（八）竹筊，那是用作卜卦的東西。由巫師用的法器和經文來看，傜山的宗教，大概是道家形式佛家經典。過山傜的「拜王」，頗相類似于雲南的擺夷作「擺」。傜山最重要的節日，爲七月初七日的盤古王聖誕節，排傜的「耍歌堂」，約在十月中亦即立冬後舉行，每間兩年或三年舉行，届期宰牛祀神邀宴賓朋，頗極一時之盛。此外尚有三月初三日的饗飯節，又稱許願節。六月初六日的賽土神節，那得抬着神像遊行全排。傜山並無宏偉壯觀的神廟，他們雖然篤信迷信神鬼，也可說是敬畏神鬼，不過神廟却是湫隘不堪，神像更是隨便出山下商販處任意取來。巫師在傜排實在是不可少的重要人物，生死疾病，由命名禮至落葬禮，在在都得需要巫師來唸經作法。

傜族的故事

傜原作「猺」，這個「傜」字也是胡耐安教授臆造「杜撰」的。據說猺之最先見於史乘的，是隋書地理志，其中有一段關於猺的記載：「長沙郡雜有夷蜑，名曰莫猺，自云其先祖有功，常免徭役，故名。其男子白布褌衫，無巾褲，女子青布衫，斑布裙，皆無鞋屩，婚嫁用鐵鈷鏻爲聘財，武陵，巴陵，零陵，桂陽，澧陽，衡山，熙平，皆同然」，隋朝的熙平郡，就是後來的遂陽三屬。有說傜與苗，皆係「槃瓠」的苗裔。搜神記有關於槃瓠的記載：「高辛氏有老婦人得耳疾，醫爲挑治，得一物大如繭，婦人盛之以瓠，覆之以槃，俄頃化爲犬，其文五色，名曰槃瓠」。列入正史的通志，便有關槃瓠成爲苗猺祖先的記載：「昔高辛氏犬戎之寇，帝患其侵暴而征伐不克，乃訪募天下，有能得犬戎之將吳將軍首者，賜黃金千鎰，邑萬家，妻以少女。時帝有畜狗，其毛五綵，名曰槃瓠，下令後，槃瓠銜人首造闕下，羣臣怪而診之，乃吳將軍首也。帝大喜，而計槃瓠不可以妻女，又無封爵之道，議欲有報而未知所宜，女聞之，以爲帝令不可違信，因請行。帝不得已，乃以女配槃瓠，槃瓠得女，負而走入南山，止石室中，所處險絕，人跡不至，於是女解去衣裳，爲僕豎之結，著獨立之衣。帝悲思之，遣使尋求，輒遇風雨震晦，使者不得進，經三年，生子一十二人，六男六女，槃瓠因自相夫妻，織績木皮，染以草實，好五色，衣服製裁，皆有尾形，其母後歸，以狀白帝，於是使迎致諸子，衣裳斑斕，言語侏離，好入山壑，不樂平曠，帝順其意，賜以名山廣澤，其後滋蔓，號曰蠻夷，外癡內黠，安土重舊，以先父有功，母帝女，田作賈販，無關梁符傳租稅之賦，有邑君長，皆賜印綬，冠用獺皮，名渠帥曰精夫，相呼爲姎徒，今長沙武陵蠻是也」。如是云云，當然是姑妄傳之姑妄聽之。有人認爲「盤古」即「槃瓠」的音訛，在我們民族史話裏，盤古是開天闢地的神皇？本來，一個民族的由來，推究到至極的頂點，都不免有神話類似的傳說。關於傜，還有「猺獞」通稱，說「山居爲猺，峒居爲獞」，獞即廣西的「僮」，說來那就未免話長，姑且從略。（下）

中華民國僑務委員會僑委登記證台敎新字第一零二號
中華民國郵政登記第一類新聞紙類

自由人

THE FREEMAN
（半週刊每星期三六出版）
（第二四四期）
每份港幣壹毫
督印人：李光華
社址：香港高士打道六六號
電話：二〇八四八
GLOUCESTER RD. HONG KONG
TEL: 20848
承印者：東南印務出版社
地址：高士打道六十四號
台灣特派員辦事處：台北市館前街五十號
台灣總經銷處：台北中華路新號五九四之一
台灣郵政劃撥儲金帳號九二五二號

僑生歸國升學問題

陳克文

僑生升學考試標準，應有差別待遇。凡回國升學的，不應沒有學校可入。入境手續還要再加簡便。應注重入校以後的陶冶訓練，不應過重入境保證，成績特別好和家境清貧成績列前茅的學生，必須有獎助辦法。

暑假到了，學校考試已經完畢，升學問題遂已成爲青年學子和家長最感頭痛，最難解決的大問題。尤其是海外僑生，有志回到祖國懷抱，再求深造的青年，他們對於自由中國的學校情形不熟悉，對於入境手續辦理的困難，沒有親友在台的照料，居留地沒有適當機構或負責辦理人員可資查詢，更感困惑。

港澳招生的幾個問題

試以港澳爲例，往年直接辦理招生事宜，現在爲時已經不早，還沒有招生的確實消息，可以就地參加新生考試？如果辦法變更了，是否到台灣考試？入境手續又怎樣？到台灣考試萬一不合標準，是否還有學校可入？如果沒有學校可入，再回原居留地，問題更多了。第一，原居留地是否准許再入境？第二，台灣考期在八月，有志回來的，萬一考試不合格，或沒有學校可入，再回原居留地，便錯過其他學校的考期，勢非就誤一年或半年的光陰不可。

據報紙消息，僑委會和教育當局，爲便利僑生升學，已訂定擴大招生辦法，已宣佈『海外僑生升入中學辦法』，海外高中畢業生又可適用『一律平等』，台灣升大學生須考試及格，港澳學生須考試，考試待遇也是一樣。僑委會和教育當局此等措施，有意協助海外僑生升學，使歸國僑生獲得便利，似無疑問。惟在此等辦法之下，仍有若干困難，急待解決，不免留滯國門，而此僑生興嘆，遂足不前。

考試標準

第一，便是考試標準問題。據報紙消息，認爲港澳僑校課程大致與台校相同，故認爲考試待遇平等是合理的。但這不過表面而已。港澳課程雖類似，而內容環境不同，不免有所偏重，大體上港澳英文程度較高，國文較低，數學亦較差。故考試採取同一標準，待遇港澳僑生，顯然不能與台校競爭，此其一。且僑生就讀學校，其課程與國內學校相同者固多，其不同的亦復不少。因有若干教會學校與當地政府辦理或津貼的學校，其課程與國內學校多不相同的，此其二。台校學生考試不合格，因有家庭或親友在台，尚可有其他補救辦法。港澳學生若不及格，勢非回到原居留地不可，此其三。有此三點困難，且入境手續亦多困難，港澳學生要和台校學生平等競爭，如何能不顯其不利地位，故港澳辦法，學生不免因此而躊躇不前。我個人意見，海外僑生回國升學，在目前論，其意義不僅限於個人的學業問題。過去，僑生歸國考試向採差別待遇，目前似不宜完全抹殺此一原則。爲教學便利及避免其他困難，僑生升學雖不能採取過於寬容辦法，但最少要較爲優待，或於考試後採取其他補救辦法，如課外補習之類。否則僑生決不敢輕於嘗試的。

學校與入境手續

其次，凡有志回國升學，或已到台參加考試者，不論其考試的結果如何，似不應在目前的環境下，使其沒有學校可入，以至不得不重返居留地。僑委會及教育當局，應設法使彼等轉入其他相當學校，或特設補習學校，以收容此等有志青年，免彼等徬徨失學，無所歸宿。此一原則一經採用，我們可以預想，海外僑生必將踴躍歸來，不至多所顧慮，更不至受人引誘煽惑，而誤入歧途。

說到入境手續，不問如何簡化，要在港澳和台灣雙方找到可靠的保證人，實在是一件最不容易的事。既是說是否在港澳或在台灣，有一即可。港澳學生自大陸逃難來台，人地生疏，要人保證，實在兩方面都有限。如果有一方面有保證已經很好。我以爲只要所在的學校，能夠從其平日行爲，學業成績，保證其操行和學業，則似乎可以放寬一點。一個十八九歲的青年，最重要的是思想，入學校以後的陶冶訓練，如不注重入校以後的工作，只注意入學以前的保證，是沒有甚麼確實效果的。

處，僑生還有一種顧慮，便是在台畢業後能否離境問題。他們最怕畢業後，不能自由離境，必須參加入伍服役，或女生參加軍訓。本來參加兵役係國民應盡義務，但逃避兵役的觀念，我們不能怪青年不爭氣，祇怪我們的教育失敗，和軍訓以及入伍的辦法未臻完善，不能引起青年對國家的責任感和從軍的興趣。此種觀念不僅僑生爲然，國內學生亦何嘗不如此。觀念的改變，不能旦夕收效，但不能不從此加以注意。

應設免費學額

獎勵僑生回國升學，我以爲不止考試標準要較寬，入境手續要簡易。此外還應有一種獎勵成績特別優良和成績好而家境清貧的辦法。凡在辦理完善的學校，名列三名以前，或某種功課成績特別好的，應予以免考或其他獎助。對於大陸逃難學生更應確實清查（此點爲重要），應給予免費或部份免費的待遇。這樣不獨足以獎進僑生努力，使可造就之人材，不因家庭經濟而至埋沒，亦藉此而收鼓勵海外僑校之實效。

最後，亦最重要的。即一切辦法儘管完善，如果執行遲緩，沒有切實負責的機關或執行人員，空言何補於事？現在僑生考試已經完畢，回國升學要在甚麼地方報名？入境手續要如何辦理？和其他一切有關問題，都是他們急想知道的。但他們不但無法知道，連打聽的地方，和可以和他們談話的人都沒有。眞是使他們最感失望的地方。我們的機關如此複雜，辦事如此遲緩，怎能使海外青年對自由中國發生嚮往瞻念呢？

韓．戰．三．年

一九五〇年六月二十九日，美國總統昭告美國人民說，「一群匪徒」已越過南韓的三八線，當時杜魯門還說：「在這種情形之下，我已下令美國海空軍部隊予韓國政府以掩護與支援。」

自由世界的國際戰爭

韓戰是一個這樣的戰爭，在這個戰爭中，美國第一次於六個月內擊敗了原始的侵略者北韓；第二，與第二個侵略者中共作了兩年半無結果的戰爭。這是第一次聯合國的國際戰爭，還是第一次噴射機的戰爭，把十六個國家的五萬五千官兵動員在一塊小小的土地上。這一個戰爭使美國作戰的時間比第一次世界大戰還久，而且消耗了美國二百十億金元。

人命的消耗也非常之高，在民主國家陣營方面：陣亡者共七萬一千五百人。其中南韓軍四萬五千人；美軍兩萬四千人；英軍六百人；其他一千九百人。負傷者，二十五萬人。失蹤及被俘者：八萬三千二百六十三人。共軍方面的傷亡更高，雖然據聯合國不大可靠的估計是傷亡一百三十四萬七千人，但實際數字可能在此以上。

現代化戰爭技術

這一個拯救韓國的戰爭並摧毀了韓國平民四十萬人，使五十萬韓國人無家可歸。在北韓，有百分之四十的住屋和事業都已經被毀，北韓一一工廠及電廠等－－被毀，聯合國空軍一致認爲有摧毀的目標已經不多。南韓像北韓一樣，成了被戰爭破壞的荒墟，百分之七十五的礦廠和紡織廠都已無法開工，三分之二的學校已無法開課。但除了破壞的一面之外，十六個精銳的師團和民族的仇敵愾的決心卻在廢墟中建立起來。在對北韓的空襲中，美國駕駛員學習了如何在四萬呎高空及以每小時六百哩的速度作戰，飛行，他們已獲得了勝利，而在地面上，美陸軍也已獲得許多寶貴的經驗。

第二次世界大戰業已將近完成了現代戰爭的兩大技術，此即快速行動的裝甲部隊，其次是戰略空軍轟炸，而以原子彈爲最高峰。但由於地理（泥沼和高山）與政治（聯合國的限制），韓戰把這兩種技術都排除了。一九五一年夏間共軍在韓國戰場上首次遭到越過鴨綠江轟炸的限制，因此使得美國在韓國戰場上首次未能贏得一個他們所從事的戰爭。這一最強大的國家未能贏得一個他們所從事的戰爭。英國，在十九世紀中即習慣於他們的所謂「警察行動」，他們的人民常能記起，他們的青年在遙遠的地方作戰死亡，以維持英帝國的光榮。

中共參戰後的大轉變

韓戰對美國提出了類似的要求，但美國人拒絕了這種任務，他們不能忘記，他們也同時提醒他們，當他們遠在異域而面臨死亡，他們無法從電視機或漂亮汽車中得到樂趣。起先，韓戰和其他戰爭似並無不同：陸戰隊從美國港口開拔，全國人民認定他們的子弟是在爲一個光榮的目標－－制止強權併吞弱小民族－－而戰鬥，日益生氣蓬勃。他們的情緒隨了決心；仁川登陸時，他們加強了；在釜山時，他們興奮而驕傲；在鴨綠江失敗時，他們憤怒而震驚。

中共的參戰，麥帥曾說：「這是一個完全新的戰爭」。在美國，它掀起了一九五〇至四一年間最大的辯論，挑起了許多主要戰略的問題。麥帥主張封鎖中國大陸及轟炸東北，以放鬆聯軍所受壓力。這關於麥帥戰略的爭辯在當時也牽涉到韓戰的處理，要麼取決於勝利，必須強迫中共屈膝求和，但要達到這目的，美國必須實行二點：一、對中共施以軍事大壓力；二、接受對俄戰爭的危險（雖然這危險可能甚少）。

另一種主張，便是穩定地處理韓戰，將戰爭限於韓國，而設法謀求和平。關於這二種抉擇，可以麥帥和布萊德雷的二句話爲代表。麥帥要求「戰勝的意志」；布帥則說：「韓戰是一場在錯誤的時間，錯誤的地方發生的錯誤的戰爭。」結果，華盛頓採納了後一個論點。（上）（汪明譯自「時代週刊」）

一週展望

・雷嘯岑・

一波三折的美韓協商

美韓雙方對休戰問題的協商，近日尚未達成一致的結論，癥結在於南韓不敢相信美國的兩項保證：對休戰以後的政治會議，美國必要時可以退出，決不犧牲南韓；美國可以說服共方，同意聯合國統一全韓的計畫。南韓政府認爲前一項保證是空頭支票，很難兌現；後一項無異使韓國重蹈中國的覆轍，以聯合政府的形式始，而以共黨獨裁的實質終！

我們根據痛苦的經驗和教訓，對於美國自信可以說服共黨同意聯合國所謂「和平，民主，統一的韓國」那套計畫，確實不敢樂觀，李承晚之疑慮，自有道理。杜魯門當年相信可使中共就範，而中國大陸乃關進了鐵幕。艾森豪還能夠把南韓作爲答報俄共集團的「和平」禮物嗎？想該不會的！

南韓今日在自由世界所處的戰略地位，很像西德，再小而言之，有如金門島之於台灣。南韓若不保，東亞的反共形勢馬上丕變。美國如果在其國防利害觀點上，不一定需要南韓存在，自可不管李承晚的意見，逕自與共方簽訂休戰協定，否則，美韓協商最後必可獲致成議。目前的波折，完全是原則問題，看美國究竟作何打算了。

蔡斯要召回嗎？

據說美國派駐台灣的軍事顧問團長蔡斯少將有召回華府之訊，不知是何實情？蔡斯顧問團這兩年來對自由中國的實助實在不小，他具有了解東方人傳統性習的智慧，因而對其所負使命，能夠順利完成，賓主間互信互諒，相得益彰。自二次大戰期間以來，值到現在，美國文武使節在中國工作成績的圓滿，除魏德邁以外，只有蔡斯了！

韓戰即將停火，五角大廈當沒有比台灣軍事顧問團長更重要的任務要借重蔡氏，何必遽易生手，功虧一簣呢！

吾國人希望蔡氏能留任，否則期待魏德邁來承其乏。我卻認爲魏將軍來幹這件事，未必較蔡氏更適宜。魏氏是百戰英雄，聲譽頗著，他可以總師干，談政略，然對於事必躬親的瑣事訓練任務，不見得能如蔡氏遜樸埋頭苦幹吧！人各有所長，幷非萬能，在目前的情勢下，就我們自己的立場說，應以挽留蔡將軍爲最上策。

薩爾問題

西德下議院要求把原有「不可分割的領土」薩爾收回，幷否認償還法國償款一千五百餘萬美元。

薩爾問題在戰後一直成爲西歐民主世界精誠團結的一大障礙物，爲的是那兒具有豐富的煤鐵資源。過去法外長許曼的鋼鐵合營計劃，目的是要消弭這項障礙，解除其「恐德病」，而英國不贊成。西德政府要求依照聯合國憲章精神，舉行人民投票，而法國又反對。

薩爾明明是德國的舊有領土，法軍久佔不還，據爲己有，它與薩爾既然不同，法軍久佔不還，據爲己有，它與德國，既不敢採取民意測驗的民主方式，又不能硬開誠佈公，與西德作善意的政治談判，一味地害著「恐德病」，硬將別人的領土霸佔不放，毫無理由可說。對於歐洲軍條約，且以解決薩爾問題爲批准的交換條件。這是「四強之一」的副外長中乾自私自利的卑怯相，還是「四強之一」的氣派嗎？

美援外法案定期結束

美參院決議，執行對外援助法案的安全總署，限於一九五六年結束，這是很合理的措施。

因爲美國有援外法案，許多國家藉此要求援助，然又不肯自立自助，且恃爲要挾的武器。要準備反共，請美國拿錢來，要實行門爭，請美國派大軍，他們是「中立」的！還說美國對反共事宜沒有經驗，不配領導，豈非寃大頭？

一九五六年是美國的大選年，共和黨如想繼續執政，必須打破現狀的新辦法才行，結束外援法案，不失爲辦法之一，也就是美國決計迎接世界變局的表示！

東德暴動敲響鐵幕喪鐘
西繆諾夫妙計全盤失敗
被召返莫斯科商討急謀補救

東柏林反共示威，使全世界[illegible]，引爲蘇聯崩潰之開端。此一事物，最引人注意之一，爲駐柏林蘇聯高級專員西繆諾夫氏。（傳已被召回莫斯科舉行會議。）史達林死後，蘇聯國內政治[illegible]，努力避免攻擊，一連串之和平攻勢，相繼而來，五月廿八日蘇聯突然變更駐東德管理方式，仿效西柏林，設立高級政治專員辦公室，將八年前朱可夫元帥之[illegible]撤實，改任西繆諾夫，並於六月六日將軍事管理委員會之政治顧問柏金氏，任命爲副高級專員，成爲統御東德一對新人。

德國邊口蜜腹劍

西繆諾夫於德國降服一個月之一九四五年六月，即任朱可夫元帥之政治顧問，以迄今年四月，始終駐於東柏林，使東德成爲蘇聯衛星國，向以辣腕聞名，西氏一個電話，便可使東德社會統一黨（共黨）之領袖們，伏首頤使。將莫斯科之命令指示下來。八年間擔當統治東德之工作，使他成爲德國問題之老手，已成蘇聯外交部內德國問題之專家。本年四月，被召回國，任爲蘇外交部之參事，對德問題，引爲權威，於是對東德工作檢討會中，西氏強調[illegible]，以東德爲[illegible]國家之歡心，必需實施緩和政策，此項政策，[illegible]克里姆林宮所採納，以[illegible]東德之中立化，確立[illegible]工作，使「德國中立化」[illegible]。

西繆諾夫蒞東德以來，博取東德之歡心。六月九日果然發表了補償政策之轉換命令，六月十一日東德蘇聯軍之[illegible]，承認東德政府之從來政策之誤謬，承認政策之失敗，修正[illegible]經濟政策，如工場私有化[illegible]，退還[illegible]，逃亡西德之難民，恢復[illegible]。

再施血腥統治？

據東京每日新聞報，柏林二十日專電，[illegible]行罷工，爲蘇聯所[illegible]演者，乃係東柏林[illegible]察，該[illegible]請示西德之大西洋[illegible]，請求[illegible]。柏林[illegible]措施，使東德政府，[illegible]六月十一日至六月十七日，已成[illegible]之狀態，十六日[illegible]，[illegible]。

[illegible]日乃未遭到抵抗，至十七日中午蘇聯戰車出動，頒布戒嚴令，其間乃有三十六小時之政治真空時間。西柏林[illegible]

據六月廿一日西柏林「每日倶樂部」報，該[illegible]社會統一黨之反對派，[illegible]民主同盟（ＣＤＵ）及自由黨（ＬＤＰ）之[illegible]

東歐人民反共暴動
將蔓延至中國大陸

當東德事件初發生的時候，合衆社報導，曾有人根據透露最早的報導，斷爲係蘇聯自己導演的雙簧，[illegible]自己製造的苦肉計。但從東德事件發展的情形看來，就可以說明這是東德人民集體的反抗與怒吼，決不是蘇聯的雙簧。

東德事件目前雖已暫成尾聲，但在自由中國看來，其所表現的意義卻極爲巨大，如果中國大陸上也因而發生同樣的事件，則反攻大陸的時機，便可以認爲到來了。

東德事件發生於本年六月十六日，當時東柏林工人舉行大罷工，遊行示威。其遠因係由於蘇共五年計劃（一九五一—五五）的壓迫，與領土分裂的刺激，其近因係由於東德傀儡政權下令增加生產百分之十。[illegible]蘇聯在史達林死後發動和平攻勢之初，[illegible]蘇聯就在東德[illegible]，預測其附庸國必將發生事件，[illegible]安撫政策，會有效嗎？我們以爲[illegible]得其反。因爲無論獨裁是建築在鎮壓和鐵腕上面的。如果他一旦鬆懈控制，緩和，[illegible]，那過去對共黨一切[illegible]的憤恨，必以其民怨所積，如堤防潰決，一發而不可收拾」。

東德事件，等於在鐵幕上面打開了一個大洞，凡是平時所無法看到的[illegible]，世界人士都可以在洞口向內看個明白。這不但證明了鐵幕人民生活的痛苦，打擊了共黨的宣傳。而一向倚恃蘇聯武力支持的附庸國政權，也開始動搖。東歐各附庸國民族，及中共在大陸上所統治的人民，都將因此受到刺激，展開反蘇的運動。英美法[illegible]邱吉爾[illegible]

[illegible]如羅馬尼亞、保加利亞、匈牙利、波蘭、捷克、阿爾巴尼亞等，都是一九四四年八月至十一月間陸續[illegible]去的。這些國家的內政部長[illegible]，各國的高級人員，皆曾接受過莫斯科訓練，[illegible]都直接受莫斯科指揮，其軍事裝備及訓練，由俄共派人直接控制，於附庸國，還有外交上利用捷克與波蘭等加入聯合國，在經濟上實施莫洛托夫計劃（開始於一九四八年），以對抗馬歇爾的歐洲復興計劃（開始於一九四七年六月）。

蘇聯侵佔了東德已經八年，也已經培植了「人民警察」二十萬人（因受波茨坦協定的限制，不用軍隊名義）。但此次事件發生，仍然還是要勞動蘇聯自己的裝甲師，可以證明所謂「人民警察」，並不足以信任。一旦國內變動，附庸國全部起而反抗，蘇聯現雖有二百十五師兵力，亦將不敷分配，何況其軍隊也會與人民結合在一起，共同反抗暴政呢？

鐵幕的長處就是密不通風，現在既然已經破了一個洞，幕外的自由民主空氣，就灌入了幕內。無論怎樣補得快，抽得緊，鐵幕總不能如原來的堅硬無縫了。鐵幕的第二個洞，可能就破在中國大陸上。要在鐵幕上打洞，最好是裏應外合。自由中國早已準備好了打洞的力量與工具，中國大陸上的反共同胞，一定不會使東德人民專美於前的。這個日子不會很遠了，一切竹幕邊緣的反共愛國同胞，需要早日準備。

對英油爭陷僵局
伊朗內爭激烈
總理日趨獨裁
回教極端派已失勢
政經危機更形嚴重

本月一日伊朗衆院選舉[illegible]，民族陣綫[illegible]激烈[illegible]，[illegible]獲得了決定性的勝利[illegible]。

[illegible]

加夏尼慘被穆薩德擊敗

[illegible]

激烈言詞，抨擊穆氏說：「這種人應該由人民處於絞刑，如果他們仍然堅持他們的主張。」力斥穆薩德違反憲法，取得獨裁權力，「終將被人民擊敗。」然而結果他自己反被穆薩德派擊敗了。

獨裁專政已獲初步成就

由於加夏尼的失敗，反映出民族陣綫的獨裁專政已獲得了初步成就。此亦爲去年埃及政變之後至今穆薩德夙夜匪懈的結果；埃及於上月間廢棄王朝改共和之後，穆氏眼前又泛起了一個新的希望，這一個缺乏計較後果的總理，及後屢，幻想推翻五千年來波斯王國的傳統而做新伊朗共和國總統。這一次擊敗了唯一的政敵，自恃今後可以爲所欲爲了。

然而，事實上並不這麼簡單，伊朗目前的形勢畢竟太複雜了。先就加夏尼而言，此一六十九歲的回教極端派領袖不會就此悄然收心，他在回教社會中擁有龐大的潛力，手下號稱有百萬聽命於他的伊斯蘭教徒，這一批亡命之徒，是中東有名的恐怖分子，一九五一年三月六日曾將前總理（親英的）賴茲瑪拉殺害。去年加夏尼當選衆院議長之時，英國對此一反英的有力分子頗呈疑懼（二次大戰期間在伊拉克領導教徒反英曾被英軍逮捕判處死刑結果被逃藏匿伊朗）；認爲英伊油爭殆無決勝之認，一年來卻仍在僵持狀態中。雖然西方仍力圖打開這一僵持局勢；伊朗對於此事似乎已經淡然遺忘。今後人們所關切的，倒是穆薩德與加夏尼兩人的鬥爭，以及蘇俄卵翼下的阿塞爾拜然共和國窺伺於伊朗北部蠢然欲動了，這些終非伊朗的佳兆。（卓鈞）

羅森堡案餘波未息

美國原子間諜羅森堡夫婦雖已於上月間伏法，但這樁案件的餘波卻還沒有平息。據通常可靠人士說，當初羅森堡夫婦尚未服刑的時候，克里姆林宮曾三番四令，着美共發動各方面大力營救，美共營救企圖失敗，曾受到俄當局嚴厲的斥責。爲了要將功贖罪，美共已決定盡可能將羅森堡夫婦的兩個遺孤，十歲的米契爾，和六歲的羅伯特誘拐往莫斯科，一方面使他們接受共黨的「恨人」教育，以便長大後爲他們的父母「復仇」，一方面更可以把他們充作克里姆林宮宣傳家的利用工具，以製造虛妄的謊言。不過，美共的這一種陰謀已受到美國特務人員的注意，他們的如意算盤能否兌現，卻要看他們的魔法能否騙得過中央情報局和聯邦調查局的精明幹探了。

日商迷醉對共貿易

儘管日政府高喊反共，但一部份短視的政客和商人卻仍未放棄和共黨交易的迷夢。日本產業通商省將於短期內祕密批准兩宗與蘇俄的交易。一宗是日商人將付出英鎊購買五萬噸庫頁島的煤斤，另一宗是日方準備以日製漁船和修理俄船爲條件，易取煤斤四十五萬噸。而且日本與中共的貿易今年也大爲增加，在本年度首四個月中，貿易額超過兩百五十萬美元，而去年全年中，僅六十萬美元左右。

新舊總統旨趣不同

美國前總統杜魯門和現任總統艾森豪，在作人處事上，當然有許多不同的地方，但在美國國防部官員的心目中，他們兩人之間尤有一大顯著的區別，那便是每逢局勢危急的時候，杜魯門一定要召集軍事首長們到白宮來諮商，而在韓局緊張時，艾森豪卻每每召見國防部的文職官員來商討。同時，艾森豪的膽也比杜魯門要大，他乘總統專機出巡的時候，無論是起飛或降落，從來不繫安全皮帶。

空軍太太不甘寂寞

美國戰略空軍指揮部現在有一個頗爲嚴重的問題，那就是部內官兵的離婚率已達到相當驚人的數字，而且還有繼續增高的趨勢。由於長期在海外飛行，以及被調到歐洲或阿拉斯加等地服役的結果，戰略空軍指揮部的官兵平均每一年要離家六個月之久，於是一般不甘寂寞的太太們紛紛提出離婚的請求，風氣一開，據起者大有人在，這件事演變下去，對於戰略空軍人員的士氣和戰鬥精神不僅有極大的影響，而且還可能杜塞新血的門路，因此，戰略空軍司令李梅將軍最近已向國防部提出報告，請求設法增加空軍人員「團聚」的機會。（孟衡）

天下小事

越南法聯邦軍總司令
賴伐利主採攻勢
雨季結束就要大舉行動

新任越南法軍總司令賴伐利將軍，在遠東方面是一位比較陌生的人物。他是騎兵出身，曾經擔任過一個時期的情報官，但在情報官任內，卻以正確地判斷德軍將於一九三九年九月下令攻法一事而著名。他在就任越南法聯邦軍總司令三星期後，仍很少人知道有關他的一切。他身材短小，害羞，似乎懼怕應有的外表和表面上的儀式。他很少與軍隊接觸，並故意規避與記者見面。只是有一次，他乘一架DC—3式機低飛視察敵軍防綫，被共軍高射砲火擊中，才偶然成了報紙上大字標題的新聞人物。直到上星期，賴伐利將軍完成巡視越南戰綫之行時，才發表一次動人的聲明，但這一個聲明卻是越南區歷任法軍司令官中最有意義的聲明之一。以前故塔西尼將軍曾說過：「我們決不放棄寸土」，而賴伐利的聲明卻較此更有力量，他鄭重宣佈：「我們將採取攻勢」。

賴伐利依照法國將領的傳統，沒有親自向新聞界發表聲明，只經由他發言人向記者宣佈：「我們將使我們的部隊重獲他們過去所缺乏的機動性與進取力量。我們的部隊已變得過分遲鈍。固然我們的軍隊在受到越盟軍進攻時所發生的正式戰爭中，仍保持優勢的地位。但此仍然不够。以後我們的部隊將深入敵軍的森林與叢米區去搜索敵軍，他們將把戰爭帶給敵人：我們的步兵必須具有信心，信任他們的武器和官長。對於我們的軍隊，信心可能是一個真正的問題，如果我們自動地提出這一問題來求得解決，我們便採取新的戰術」。而採取攻勢的時間，是定在九月間雨季結束的時候。

賴伐利將軍的新計劃，確已使越戰步進了新的階段。他的計劃不僅獲得了法國政府的充分支持，而且在法聯邦軍中引起了普遍的良好反響。一個滿面笑容的參謀官說：「任何人必須不要忘記了賴伐利將軍是騎兵出身，他的武器是騎兵，而在騎兵中卻只有一件事，那便是攻擊」。

他沉着實幹，不好空言，這是他的特質之一。他到任不久，就對留越國軍的安全撤退，提供不少幫助。他激烈反共，對中共尤其厭惡。單由這件事，就使人不難想像到越南戰局的光明遠景。賴伐利將軍將由一個遠東的陌生者變成一位遠東所熟悉而愛戴的將軍。（迪）

共幹爲非作歹被告發 自相誣陷釀成大冤獄

二年始揭破農民千人受害

頃據重慶新華日報公佈，僞貴州省政府曾於上月八日揭穿一件該省晴隆縣少數民族區因共幹自相誣陷而造成的驚人大冤獄。該一大冤獄，從構成到揭破，歷時達兩年有餘，其中且曾疑神疑鬼，一錯再錯，致使前後受害者竟共達九百六十二人之多！被害者除僅一人爲共幹外，餘均屬無辜農民，其中二人被冤殺，十一人被逼殺，餘被拘囚拷問達兩年之久！

緣共幹陳謐修（四川人）於一九五一年春被派至晴隆縣少數民族區任營打鄉鄉長時，曾強迫當地居民殺猪宰羊大事歡迎，到任以後，復壓制當地土著幹部，欺迫羣衆，強姦婦女，逼死人命，爲土著幹部「鄉幹事」龍榮禮及「鄉農民協會主席」李昌其所不滿而秘密向上反映。

假公濟私設計陷害 唆女共幹作誣控 一紙命令到手拘捕私敵

旋即爲陳所悉，大爲懷恨，乃利用卅年秋展開的「農村整風」的機會，一方面唆使由縣派來協助征糧之女幹部周惠興誣控「龍榮禮被地主收買，破壞秋征」；一面佈置一中營鄉的農民趙德芳放出「中營鄉地主階級串同營打鄉幹部龍榮禮擴大組織及反共委員會」的謠言，一面即根據誣告與謠言報告該區副區長姬毅。姬不問情由，即轉向中共縣委會作了彙報，要求逮捕龍榮禮，縣委書記靳子明亦不問情由，即下了「動員龍榮禮坦白」的指示。陳謐修一看計謀得逞，乃益形囂張，迅即回鄉威脅李昌其，拘捕龍王謨，並要求區長羅廷獻向縣「人民政府」僞報該區情況緊急，說「反革命已有組織性的破壞」，要求增派武裝，加強鎮壓。

晴隆「縣長」何姍獄據報後，即派「公安局」審訊股長梅東閣率警一隊到營打、中營兩鄉審理所謂「反共委員會」的案子，詎該梅東閣好大喜功，強調案情，竟捕風捉影地將「反共委員會」一變而捏造出「破壞土改同盟軍」的名稱，組織，成員，職別等，私自以逼供、誘供的方式逼迫趙德芳在兩鄉農民代表會議上供認了「破壞土改同盟軍」的組織，並被迫根據梅東閣捏造的情況，承認他自己是司令，又供出有大、中隊長及參謀等。

吊打無辜村長 強迫胡供亂咬

一案未了一案又起 大捕農民非刑拷打

會後，梅東閣又無故吊打了中營村村長袁通川，袁在嚴刑下乃亂供亂咬，說各村都有六個中隊的組織情況及人員，因而擴大開來，使大批無辜羣衆都被嚴刑逼迫供認爲同盟軍的盟員，第一批被捕的就有民兵，小組長與無辜農民等共二百七十三人，當有四人被逼自殺！陳謐修一看機會正好，更乘機說龍榮禮和他的堂弟兄龍榮錫在「解放前」曾殺過四十八個共產黨員，並捏造他們曾派人與水城方面「反革命」（按：指游擊隊）取得聯繫的罪狀，終於經梅東閣的覆核，予以「槍決」。

但一案正了，一案又起，次年秋該區因普遍荒歉，農民無力繳糧，并對「土改」不滿，該區副區長姬毅竟疑心又是「破壞土改同盟軍」出現，首先在該區馬場鄉拷問農民，接著即在全區展開「一個發動一個」的「立功贖罪」運動，強迫農民互相亂咬，乃在全區拘捕了更多的無辜，計共六百八十九人，又有七人被逼自殺！眞是一錯再錯，終於實實足足造成了這樣一個大冤獄！

俄京快車直通北平

加緊控制中共

【本報訊】北京消息，據中共官方引述上月十三日莫斯科「勞動報」的報導並加以證實：蘇聯鐵道部在貫通了自莫斯科至捷克斯洛伐克、羅馬尼亞、保加利亞及蒙古等各附庸國首都間的鐵道以後，已決定自莫斯科至北平間利用原有鐵道基礎，略加修飾，設置一直達快車，並即刻開始計劃，趕造專門的全用金屬製造的車頭及車廂，預計於八月底前可通車。據悉全程計劃自北平由北寧鐵路出關，銜接中長鐵路經滿洲里入蘇聯，再銜接蘇聯之莫斯科西伯利亞直達莫斯科，需時最快亦爲九天。倘此一計劃實現，則蘇聯控制中共之方便，勢將利用交通上之有利情況而更進一步，從此中國北部門戶將洞開一點，更徹底無遺矣。

橫衝直撞姦辱婦女 吳淞二俄人被殺

共幹大驚濫捕居民二十餘

【本報訊】頃據上海來人談：五月二十五日晚於吳淞鎮[illegible]發現兩名穿著蘇軍制服之俄人屍體，一時上海僞公安局大爲緊張，出動大批警車馳赴出事地點，[illegible]顯係被人謀害者。[illegible]大俄咆哮，除一面將屍體送回機場收殮外，一面即限令在場警官「嚴緝兇犯」，事後，僞上海公安局即派出大批特務赴吳淞及高橋兩鎮[illegible]一帶大施搜捕，當有被指爲可疑之居民二十八人，結果，施用[illegible]其中有三名被指爲兇嫌之居民。[illegible]

中共鐵道運輸愈弄愈糟

官僚作風日益嚴重 失貨損毀焚燒層出不窮

【本報訊】綜合大陸最近各地報紙透露之消息：中共各部門官僚主義作風腐蝕的情形已日見嚴重。僅以鐵路運輸一項而論，其失蹤貨物、損毀貨物及車中焚燒等等的現象，各地層出不窮，其運輸的效率及秩序，實已愈弄愈糟，使中共本身及人民都遭受了嚴重的損失。除東北未有所聞外，餘凡各地或各綫批貨物，京滬、滬杭、成渝、津浦、粵漢、隴海、平漢等大幹綫皆時有發生。其中以成渝、平漢等路情形最嚴重，成渝路失蹤糧食數以百包以上計者，竟於三月份到目前連續發生五次之多；漢口北運糧食失蹤數以三五十包計者，最近兩個月內即達七次之多。再以最近而言：僅武昌運到漢口這綫的運輸，一次在七車糧食中就失蹤了三十包之多；一次在一車稻谷中就失蹤了十三包之多；又如隴海路一個農民將花生兩大包自鄭州託運至信陽，原計只須三天可到，結果卻等了兩個月都查不到消息。此外，各種貨物裝車時，因鐵路方面過於粗率，故常有倒壞、擦傷、淋濕等情形發生，以事例過多，實不勝枚舉，僅以布疋一項竟至擦破到二十七層之多爲例，即可想而知。更嚴重的，因由於裝載不妥，常有車上起火焚燬事件發生，多爲車路冒出之烟火，碰着車上之棉花，紙張等易燃物所致。此種情形，中共當局雖曾一再警告，但不僅迄無改善，且日見嚴重，可見一般共幹作風，實已病入膏肓！

靠攏資本家的下場

武漢商會主委撤職復被看管

罪名據說是逃稅

【本報訊】武漢消息：在中共全面加緊「改造」私營工商業者聲中，漢共當局已首先向担任「武漢市工商業聯合會籌備委員會主任委員」的靠攏資本家賀衡夫開刀。賀衡夫原在漢口擁有乾昌貿易行等大廠商多所，資財極豐，於武漢淪陷前夕，靠攏，獻資向「民盟」投靠。以「前進」的「民族資本家」姿態出現，在「民盟」的支持，討得「中南軍區委員會委員」，「武漢市人民政府委員」，「中南財政經濟委員會委員」，「武漢市協商委員會委員」，及「武漢市工商業聯合會籌備委員會主任委員」等一連串要職。據中共在長江日報上說：人民之所以把這些重要職位給他，是希望他能代表民族資產階級參加國家政權，在共同綱領的範圍內，代表私營工商業者的利益，團結教育私營工商業者積極地進行有利國家的正當經營。但說：他違反了廣大人民的期望，利用他在政府中所担任的各種重要職務和工商業聯合會籌備委員會主任委員的便利，多方助長和指使「不法資本家」的「五毒行爲」，進行對「人民政權」的破壞活動。因而，乃將他逮捕審訊，撤免了一切職務，但說他「姑念其在獄尚能低頭認罪，虛心悔過」，所以減輕其刑事處分，判定其爲「完全違法戶」予以五年的「管制教育」。

賀衡夫究竟觸犯中共何種具體罪行，據長江日報披露，是在乾昌行內前後使用一千七百二十九萬六千元僞向十個共幹行賄，偷漏了「國稅」三億多元而已。此種情形，在中共一般高級幹部之中，犯者極多，多告無事，賀衡夫所以被如此重辦，實爲中共有計劃消滅所謂「民族資本家」的藉口而已。

大陸僧侶反共劇烈

中共編組企圖緩和

「統戰」陰謀擴大演進

【本報訊】北平消息：中共業於五月卅日至六月三日間在北平廣濟寺召開一佛教會議，被指定出席會議的有喜饒嘉措、圓瑛、柳霞·土登塔巴、阿旺嘉錯等一班藏族叛離份子及拉薩、日喀則、青海、甘肅、內蒙等地各大寺院的所謂活佛，堪布、格西、喇嘛、以及四川峨眉山、山西五台山、安徽九華山等名山古寺的住持、法師等一百二十餘人。中共曾在該會議中一手佈置成立一「佛教協會」之傀儡組織。中共此次所以一反以往破壞寺院，摧殘佛教之一貫態度而突然成立此一組織，據靈通方面獲悉其內幕，大陸各地僧侶年來飽受中共壓迫後，已普遍滋生劇烈之反共情緒，且已予中共以極不良之後果，故圖試以此組織緩和其反共情緒，並俾更其監制之手段云。

據悉：自中共佔踞大陸而對佛教界展開迫害以後，除康、藏、甘、青等邊區或少數民族聚居之特殊地區外，其餘各地之僧侶已十九被迫回俗，作奴役；一般地區之佛教勢力幾已因而被消滅殆盡，致已引起佛教勢力較爲堅固的西南西北邊區，特別是西藏方面的恐懼與反感，此種情形，據中共不明顯的透露，謂曾有不少「無知僧侶」受「反動特務份子的煽惑」而參加了「反革命活動」等語，即甚明顯。同時，就此次中共於成立「佛教協會」時，出席「指導」的「民族事務委員會副主任」汪鋒及中共派在該會任「秘書長」，實際操縱會務的趙樸初等的講話，曾口口聲聲以「加緊劃清敵我界綫」及「鞏固統一戰綫」爲同（見光明日報）一節視之，亦甚明顯。故中共成立該會的用意，實爲「統戰」陰謀的擴大演進，以一面緩和佛教徒的反共情緒，一面利用佛教走狗澈底達成控制佛教徒的思想和行動的目的。

又悉：中共爲多方籠絡有力的佛教領袖起見，曾予達賴喇嘛、班禪額爾德尼、虛雲、查幹葛根等四人以該會「名譽會長」的頭銜，予嘉饒嘉措、公德林寺八人以「副會長」的頭銜，而以「圓瑛」爲「會長」，由趙樸初任「秘書長」，控制一切云。

手工業陷絕境

原料被中共統制 紛紛倒閉失業日衆

據最近北平人民日報公開承認，由於各地「政府」及公營機構盲目統制原料，忽視手工業者的工作與生活，致已逼使一般手工業戶紛紛倒閉，陷一般手工業工人於失業及生活的恐慌之中。據云以東北黑龍江明永縣爲例，該縣於一九四九年前原有手工業戶三百六十餘戶，至去年一月已只剩一八九戶，至年底已只剩一二五戶，到目前已只剩七十餘戶。其中如製造鐮刀鋤頭的鐵匠爐，原有三十五戶，經逐年減少，現已只剩四戶，紛紛倒閉之原因，即爲原料已被統制無法補給所致。此外如紡織、造紙、肥皂、製傘、打繩、皮革、製帽、製衣、乃至製粉筆、編竹器、燒灰窰等等，或因基本原料無法購得，或因化學原料無法補進，都不得不被迫停工停業。人民日報認此一現象極爲不利，乃提出警告云。

河南工農覺悟

互助組多垮台

據最近人民日報披露：河南省大部地區之各種生產互助組由於處理不善，失去組織羣衆信任，致已有不少宣告瓦解，且缺乏有效補救，故已陸續有紛紛垮台的危險性存在。據舉例：濟陽縣一個鄉的三十六個農業生產互助組，已垮了三十二個之多；該省有名的駐馬店鎮有粉筆、竹器、木器、皮革、雨傘、乃至七磨豈腐等等共組織了十二個手工業互助組，一垮就垮了十一個，尚剩未垮的一個，也因無法支持已陷於瓦解狀態。此種互助組紛紛垮台之實際原因，據中共方報紙雖極力含糊，但仍能從所報導之情節中看出：係因農民飽受奴役欺騙，手工業者飽受統制剝削後，已紛紛覺悟所致。

無痛分娩竹筷塞嘴

新法接生產婦送命

據最近重慶新華日報一被害產婦的丈夫提出控訴，說他的妻子陳紹華生產時被亂用新法接生的醫生周威樑害死，而且說經確切的調查，這個醫生在以前已在同樣情形下害死了不下五十個之多的產婦。說該醫生被請來後，即用無痛分娩法接生，該產婦當時生血暈，並臍帶不下，他給她打了幾針強心針之後，即用生有很長指甲的手僅在冷水中洗了一次，不帶手套，便向產婦陰戶伸進去，產婦當時大聲呼痛，將自己舌頭咬爛，將頭髮扯去一把！但該醫生仍連說「不痛！不痛」，竟用筷子三只塞住了產婦的嘴，再伸手到產婦的陰戶內東挪西抓，結果拉出一物，血肉模糊，不知何物。當時產婦痛極將筷子三隻咬斷，大叫一聲，痛極而死！事後，該醫生還連說沒錯，但見人已死，故照收手術費十萬元云，寧非慘事，怪事！

究竟誰錯了？

高方

（自由談）

美國聯合參謀會議主席布萊德雷，前年爲麥克阿瑟免職事件，曾在國會作證時說道：「韓戰是在錯誤的地點和時間，對錯誤的敵人，從事一場錯誤的戰爭」。這幾句話當時曾受到民主黨人士的熱烈喝采讚賞，實則不通之至。既是錯誤的戰爭，[illegible]五大度中的參謀會議主席，就應該[illegible]！

[illegible]加之於錯誤的人，在錯誤的時間和錯誤的地點[illegible]。

是套用布萊德雷的調調兒，以子之矛，攻子之盾，妙哉！

美國認爲南韓的反休戰是錯誤，南韓却認爲美國接納共方意見，犧牲聯合國的信譽而簽訂屈辱的休戰協定，更是大錯，又被別人脅迫而以高壓手段逼南韓，尤屬錯中錯！這樣你指責我錯，我指責你錯，錯來錯去，很難得到正確的結論。若從根本上研究，只有上帝應負此錯誤責任，只有上帝不該讓那史大林魔王降生人世，沒有史大林那裏會有韓戰呢？

製造這場「錯誤戰爭」的史大林已經暴卒了，這當然是上帝給他的懲罰。希望世界上在生的政治家[illegible]，莫蹈史大林的覆轍，又替人類製造錯誤的災害呵！

水災

吁嚱

唏咿！轟隆！傳來天崩地裂的一聲巨響，把疲乏的人們從夢中驚醒；同時西北角上，嘩嘩嘩一陣緊淒的鑼聲，搶天呼地的叫苦聲，呼娘喚子的嚎啕聲，夾雜着澎湃的驚濤駭浪聲，不斷地送入張三爹的耳朵裏！

張三爹驚動了敏感，知道大禍快要臨頭了，翻身下床，劃了一根火柴，燃亮了油燈，一面穿衣着褲，一面叫醒了老伴侶張三婆和兒子家齡，此時，窗外的雷聲和電光，并沒有因[illegible]來閃耀，那邊的人聲越來越透出悽慘，[illegible]。

[illegible]張三爹，父子二人，那管高低，在黑暗中向西北角上奔去。全身淋得像個落湯雞，不知道是雨水還是汗水，也沒暇計較和揣摩這個問題。

[illegible]田塍上也漫注了水，泥漿淹滯了他們的行[illegible]，一片烏黑，火炬像星星，[illegible]。

當他父子倆尚未抵達大門時，[illegible]北角上，正是垸堤決口的所在地，堵塞不住的洪水，快潮漫湧，用不着猶豫，拋棄了被褥和蒲席包，提心吊膽，向家中倉皇奔回。

[illegible]「天呀！天呀！」從屋內發出張三婆的叫喊聲，[illegible]洪水，[illegible]淹沒了房屋，[illegible]。

[illegible]張三爹知道「模範垸子」[illegible]中消逝了，眼看就要隨波逐流[illegible]。

遺羅水災後的任何象徵，因爲無限的人間悲劇，都被這洪水洗刷淨盡了；惟有翩翩在天空的烏鴉，若斷若續地發出嗚咽的哀籲，似乎響徹大地的岑寂，似乎聲聲叫喚着：「紅色新中國，烏鴉一般黑——哦！」

驚怖和哀傷攪昏了張三爹的頭腦，若干美麗的幻影，一齊又浮現在眼簾：想起在這院子裏居住了幾十年，從沒有遭受過這樣的災害；早三年前，這個日子，正是「綠荷滿湖沼，人唱採蓮歌」的時候，現在只有血和淚，交織這幅悽慘的圖畫。他憧憬着過去那樣美滿而舒適的生活，使他淌下了熱淚，哽咽在喉裏的委曲，使他更沒有地方去發洩和控訴。

又想起去年秋收了，「人民政府」派來了大員，喊着「與洪水作鬥爭，與時間賽跑」的口號，如狼似虎的幹部，都變成了瘋狗，整天整天的在垸子裏做編隊編組工作，青年人要去打樁砌石，婦女們也要挑泥担土，老弱和殘廢，都沒空閒，要去担任煮飯送飯……工作，在幹部們的鞭策下，一塊「勞模」的帽子，把許多壯健的男女，染上秋瘟，送入枉死城去了；這個垸子，不是已經被作「模範新垸」嗎？一向標榜它是鋼鐵一般的「歷史性消除水災」，爲什麼反不如以前牢固，洪水一激盪，就很快地潰決了呢？

又回憶到大前天晚上，村長傳來了命令，說：「洞庭湖積水難消，澧江各支流山洪暴發，滔天大水，堵住了北河水的出路，影響北河水流向上流倒貫起來，因爲不正常的漫漶，把附近的荷花垸、槐圍垸、三仙湖等十多個垸子，一齊冲垮了；「模範新垸」頻臨險境，總加緊保護」。同時，來了大批共幹，又搞分班編組工作，垸子裏的男男女女老老少少，隨遺在新堤上，輪番担任防洪；挪瞎的時候，沖來洪水，模範新堤，邊開了兩道裂痕，嚇壞了整個垸子的人民，差不多有三千人集中力量搶救，用蒲席包堵塞破裂的洞口，還有用整個的棉花包，新的棉絮，或包裝大擔的黃豆之類的糧食，一起塞入那破裂的漏縫，然後填上新泥，總勉強把它堵住。白天，洪水退了，現出新堤，縱意味着去年「人民政府」派來的大員，他們偷了工，減了料，不僅樁是胡亂打下的，堤基基石，也是隨便拋在下面，只鋪表面上堆得厚厚的泥沙，水一冲就冲見了泥沙，肥了少數的幹部們，害了我們大家，都面面相覷，唏噓了幾聲。

問題實在太多了，張三爹越想越迷惘，看着披頭散髮滿身淋濕的老伴，看着面黃飢瘦憂愁不堪的兒子，看着整個毀滅的家園，看着蕩然無存的親朋故舊，顫抖的心靈，使他無法控制自己；一陣陣的烏鴉嗚咽聲，洪濤衝激聲，情緒也隨而爲衝動，眼前只有汪洋一片，才是他唯一的歸宿。從土堆上向下一跳，也隨着波臣，走入了澤國。

女子時裝演變

佗文

晚近四十年來女子服裝的日新月異，固然是不可勝計，其實呢，也無非在長短[illegible]。

[illegible]進展，裙子是日見其短，短掛兒却時長時短，長時過膝以下，短時却在腰以上，衣領的花樣，高低時見，更有方角圓角之別，有時還流行「一種「元寶領」」。高領高逾三寸，不容頸項扭轉，低頸的頸項暴露無遺。袖管的大小，也是各走極端，有時長到手指，有時短袖管難掩臂窩，有時大袖口大至尺許，小袖口小至三寸。下擺或上或下，下擺的岔角，或圓或方，還有下擺的分岔不分岔，下擺的過寬或過緊，也是不一而足。

[illegible]整幅羅幅，更顯出大人家的[illegible]的樣式，小姑娘的髮Y，大少奶奶的元寶頭，老太婆的髮髻，大概也祇不過「[illegible]」。數到燙髮，髮史？在民十八九年之交，「燙髮」一名詞，還是「新」[illegible]。

同時北方娘兒們的紮腳褲，和南方小姐們的散腳褲，因地而分，自然也就各自不同。大概北伐而後，北裝南流，旗袍成爲舉國一致的女服裝，不過這時流行的旗袍，已不是西太后那樣的旗裝，既不鑲滾，也沒有舊時旗裝或滿洲婦女旗袍那樣長，盛行頂長的時候，似乎也長達腳踝，下擺分岔却甚下，最短的時候，大約過膝不過四五寸，下擺分岔更是下到不能再下，有時根本沒有分岔，袖的長短，領的整分和領的高低，也是時有不同，可是旗袍這一裝式，却直至抗戰發生才有變化，由于戰時物質的缺乏，由于戰時服裝的適用，當然更由于「洋化」傳播的影響，一種中西合參的短式服裝應運而生，這個時期，除了少數而又少數的達官巨商家，還有交際花，才有花樣的翻新，真正「本分」的婦女，不太短的八個年頭的歲月裏，倒也無甚出入，在那些照片裏，却顯出克服戰時物質艱苦的人謀。（上）

報復的妙計

由之譯

我們在韓國戰場上的[illegible]友之一有一天接到他的女朋友從美國寄來的情書，成日面對着槍砲和屍體的我們，接到一封情書自然是極爲溫暖的。[illegible]拆開信件，臉上有一種說不出的愉快，然後我們都爲他祝福。

[illegible]傑利看到威爾遜面孔發白，兩隻手上下抖着，看樣子快要昏過去了。經傑利一聲口哨，我們都攏過去。才知道威爾遜的女友竟告訴他說，她已變了心，正進行和旁人結婚。對於威爾遜，這一個霹靂[illegible]大砲。

[illegible]斯聰明，他竟想出一條報復的妙計，我們把每人所有女朋友的像片拿出來，湊集有好幾百張，放在一隻大盒子裏，寄給那不忠心的女郎。她將會發現一張紙條，上面寫着：「請你把你的像片揀出來後，再把其餘的像片還給我。原諒我，我實在記不起那一個是你了」。

我們知道不會收回我們所心愛的像片，也許被摔在那一個角落裏，也許在火爐中早已化成灰燼，但我們却認爲這是值得的。

杜魯門重遊舊地

上星期的某一個晚上，一輛黑色的轎車停在秋卡特區一家旅館的門前，一個中等身材面貌慈祥的老人和他的太太靜靜步下車來，但他們的行蹤迅即爲某一位記者發現，他尾隨在他們背後，甚至他們進餐的費用（兩人共用一元七角二分）和小費的數目（三毛五分）也看得清清楚楚。這一對伉儷不是別人，他們是美國前總統杜魯門和他的夫人。

第二天，大約在午餐的時間，杜魯門夫婦又駕車停在北印第安納波利斯一所碑嚴的門前。印第安納州民主黨領袖麥金尼和他的太太瑪格麗特已在門外迎接他們，杜魯門夫婦進內後，剛好是進餐的時間，於是他們圍在餐桌旁一面進餐一面閒話家常。

杜魯門在夏威夷經過短期的休憩，身體發胖，他依然不改其幽默的情味，與記者會晤時，他很喜歡某記者衣服的色素，讚揚之餘，還問他如何可以購得像這一類美好的襯衫。有一位記者問到關於外傳麥金尼可能復任民主黨全國委員會主席的謠言。杜魯門笑笑說：「我完全同意，麥金尼是歷任中最好的主席」。但話剛出口，他忽然感到這句話對於民主黨現任全國委員會主席密契爾是一支不愉快的音樂。他立刻補充一句說：「自然，現任主席也是非常適宜的人選」。

又有人問他是否支持史蒂文生競選一九五六年的總統？杜魯門回答說：「到現在止，他心目還沒有任何總統候選人，但時機到了的時候，他會表示意見。」他還說：「我希望一九五六年，黨方面將提名一位可能易獲選的候選人，如果如此，我們與共和黨正式競爭的時候，便沒有多大的困難。」

他說完後，立刻跑到司機的位上，和太太驅車向東揚長而去，一天半以後，這位身穿襯衫的前任總統，把車停在華盛頓五月花旅館的門前，這是一月二十日他離開華府以來，第一次舊地重遊，他希望在前往費城和紐約以前，能在華府有一段愉快的時間，有人問他是否去看艾森豪總統？他說，不，他實在太忙了，不能去逐個拜訪每一位老朋友。（第啓譯）

奴役的藍圖（二十）

麥柯米克神父著　陸逸譯

土共綁架勒索

其他共產政權裏的幹部，但是那些從前地方上的游擊隊，和青年「前進」份子了，在「解放」前，許多地方上的游擊隊，被送到香港幾家共黨操縱的學校裏來受訓，受完訓後，再轉返鄉村領導游擊隊來破壞交通，癱瘓商業，進行宣傳，或製造人民對政府的悲觀情緒。

這些游擊隊都是自己就地補給，他們補給的方法是：掠奪戰利品，綁架富有的中國人，這種綁架的贖款高得驚人，通常是大量的金錢，槍械，和子彈，假若被綁人底家庭遲于付款，那麼一雙被割下來的耳朵和手指，通常是催款的萬應妙法。

這些游擊隊員和青年前進份子，多熱烈地吸收共黨思想，但祇在縣城裏作着最下層的工作。這類熱誠激進的青年共產份子，年齡都在二十五歲以下，他們是直接接觸民衆的一個階層，這批人便是今日共產政權裏的宣傳隊，訪問隊，以及中小學教員羣中的主力。其中約十分之三是女性。也就是在這一個階層裏，發生叛黨的事件層出不窮。這些青年見到共產黨統治下的窮困，災難愈來愈重，有時感於正義，而不惜武裝叛變，去夏，[illegible]縣大鬧饑荒。在東江上游有二百個青年共產黨員叛變了，在殺死他們底上級幹部之後，集體入山打游擊去了。

爲防止這批青年共產黨底離心傾向，共產黨挑出來「晉級」和「負責任」的香餌，故此，這批前進的青年在實際工作之餘，多致力學習新工作的課業，這樣，凡在定期內舉行的考試和檢討工作成績優越者，第二種引誘便是使他們做成專門在進修，遊全國，觀光或參加各地的會議和訓練。

那些被認爲有不滿意的，或是工作不積極的，很快的便會失蹤，他們多半是被充軍到滿州或做國家的苦工。

低級幹部們，[illegible]二套棉軍服，月薪一元，[illegible]，而每月還要扣去十分之一，作爲「捐獻」，這樣低的待遇，在裏邊還要「捐獻」呢！

公家並管飯，那二碗米飯，上面有少量的蔬菜，每日一毛，每半月每人可得到二兩肉。但如果他們願意作夜班，那麼每星期一次肉食也是可能的。

發給這些青年幹部的制服是一套極粗糙的黑棉布做的衣，內衣，褲子，和膠底布面的行軍鞋。當然，最重要的還是一頂五星帽，最後在制服外面再紮上一根皮帶，和配上一支手槍，不論職位大小，在共產黨政府裏作事的人都有一支手槍。

縣裏的高級官吏，工資每月約三元，或是卅斤米，吃一樣的飯，經常可以養活這些人抱怨他們的待遇，沒有餘錢以贍養家庭。

縣裏最高的官吏便是縣專員了，他的待遇是月薪卅塊錢，（合三百斤米）另外他們還有外塊，他們有官房可住，有家計補助金，車馬費，和娛樂費等，他們底生活假如再節儉一點，或像省下一點，是頗爲寫意的。（第十一章完）

本報各版　歡迎投稿

自由人

中華民國僑務委員會僑務登記證台僑新字第一〇二一號

中華民國郵政登記第一類新聞紙類

THE FREEMAN

（中華民國每週星期三六出版）

（第二四五期）

每份港幣壹毫

督印人：李光璟

社址：香港高士打道六六號

電話：二〇八四八

GLOUCESTER RD. HONG KONG TEL: 20848

承印者：東南印務出版社

地址：高士打道六十四號

台灣特派員辦事處　台北市館前街五十號

台灣總經銷處　台北中華路新號五九四之一

台灣郵政劃撥儲金帳號　九二五二號

對美韓談判的展望

雷嘯岑

美參議員諾蘭指說南韓這次反對休戰的原因，完全由於美政府抹煞李承晚的職權，事前未與李氏洽商，徵詢其意見所致。這是事實，也是站在美國人立場上的一種恕道的批判。他認爲休戰協定如不獲南韓同意，那是「行不通的」！然美方代表羅伯遜與李承晚十次會談，雙方意見似乎尙有相當距離，而共方近日乃竭力挑撥美韓間的情感，一面要求不理南韓，單獨與聯軍代表簽署停戰協定，一面又希望美國以「嚴厲手段」對付李承晚。美韓談判究竟能否達成協議？要在甚麼條件之下，才可以得到南韓的首肯呢？這問題現在已超出諾蘭所指示的範疇了。

美國不能遷就之點

現在美韓雙方相持不下的唯一問題，就是南韓主張將來的政治會議，如經過九十天之後，對韓國統一計畫未能實現時，即恢復作戰！美國若能同意這項主張，它根本就不必接納板門店和談中那些「不光榮」的休戰條款了。美國可繼續以軍需物資和金錢，支援南韓，也可跟南韓簽立安全互助協定，更願意在休戰後的政治會議中，與南韓共進退，却不能接受這項「恢復作戰」的約束。顯而易見的未來結果，那複雜紛歧的政治會議，縱使開到九百天，也不會有和平圓滿的成就啦！沒有成就即恢復作戰，這不但參戰國內部糾紛必然大起，尤其緊要的，是不合美國國防上的戰略觀點。今後美國在東方的軍略，除以海空威力鞏固其西太平洋的外緣防務外，決不願再以地面部隊，遠涉重洋，對共黨作戰了。它有一套新的反共計劃，不管是太平洋集體或分區聯防也罷，亞洲軍也罷，協助台灣大舉反攻大陸也罷。總之，它在東方已決計採取「抽身主義」，並非一切置之不問的意思，而是不再「拔刀相助」，完全居於領導支持地位。換言之，它不願再跟俄共爪牙賭鬪，還打零碎戰，要用武，就是一場總體戰！從這種戰略觀點設想，南韓要求恢復作戰之說，當然沒法答應了。此外，無論南韓提出任何政治經濟條件，美國沒有不能商量的。

李承晚的苦衷

上述情況，南韓當局未嘗不理解。可是，依照現在聯軍與共方所協議的休戰辦法，不特全韓統一的希望完全幻滅，即南韓偏安的生存，也時時感受着莫大的威脅。韓共背後站着的鏢客，有中共，俄共，蒙共等，隨時皆能以獅子搏兎之力，重演一九五〇年「六．二五」事變。然南韓的幫手－聯軍呢，和議一成，全師告退，並且永無捲土重來的可能了！在這樣的形勢中而無條件同意休戰，那過去三年來韓國軍民的血汗固然白流了，今後亦唯有「坐以待斃」之一途，與其將來終不免於危亡，何如現在同歸於盡！我若處在李承晚的地位，也祇好採取他現在的態度，良心上才可以對得住全國受苦受難的人民。「雖有智慧，不如乘勢」。李承晚既有幾十萬忠於國家民族的大軍，在前線與聯軍併肩擐甲，而對侵略者作戰，又有全國人民作後盾，準備爲國犧牲。假如聯軍不理會他的意見，自由簽署休戰協定，或如邱吉爾和共方所主張，用「鐵腕」政策迫其就範的話，漫說這種內鬨情形，適爲共方所求之不得的意外收穫，即聯軍縱想退出韓境，亦不可能，至於移動戰俘，以及印度派軍入韓等事，更休作幻想了。李氏乘着這些「勢」，就敢於堅持其救國主張，而艾森豪之委曲求全，極盡其「以大事小」的能事，也就是看清了這些「勢」呵！

美韓協商能否成功？

美韓雙方目前所持的觀點，無可軒輊。但我們認爲雙方都各有理由，值得同情。因爲南韓只是爲了生存而要求「恢復作戰」，設「恢復作戰」的計劃不變，美國則不願捲入地面部隊作戰以外，尙有方法保障南韓的安全。例如雙方現在即進行安全互助條約的談判，給南韓以精神上的保證，就是互助條約的內容，美國担負派兵共同作戰的義務，這是「勢」的方法使南韓取得「免於恐懼」的心理上的保障。事實上，經濟與精神上的條約一經實行，互助條約的效力，大過一切。共方因此不敢輕舉妄動，任何挑撥，韓人亦因此而壯心推進，勇於自信。諾蘭便低估了這種精神力量。一九五〇年中共在大陸上的急遽發展，間接得自美國對華外交白皮書的精神鼓勵力，確甚巨大啊！南韓現在有十四至十六師能戰之軍，到本年……新計劃，即使全韓統一不能成功，相信南韓……略。俄共與中共本身內在的困難，……時都因本身內在的困難……

在全盤戰略與局部安全的衝突當中，這矛盾本身是矛盾的。但這矛盾有可能統一的，就看美國能否擺脫外力的阻撓，而斷然決定其東方政策了！

本報各版歡迎投稿

注定僵持的命運

華府當局既然採納了這一個決定，也就注定了韓戰失敗和僵持的命運。飽受攻勢訓練的美國指揮官只能從事一場純粹守勢的戰爭。一位滿腹牢騷的大兵說：「我們不能失敗，我們不能取勝，我們也不能停手。」

調防返國的官兵莫不悲憤填膺，他們眼見一場具有理想的戰爭變成爲畏首畏尾的戰爭。范列特將軍堅決認爲可以在韓國境內以軍事擊敗敵人，但一到敵人主張休戰談判（這一談判耗費了韓戰三年中的兩年時間，談談打打而迄無結果）的時候，聯合國便下令保衛現有防線和避免作重大的傷亡。

終於這整個的混亂，休戰談判和所有的一切都被美國的總統大選掩蓋過去了，但苦惱却泛濫着韓國，盟國，聯合國以及他們所有的工作。密蘇里參議員甚姆會大聲疾呼說：「韓戰是一個僵持，單調而茫然的戰爭。……我們盟國取得了現款，而我們的孩子們却取得了子彈」。

在總統競選中一樁重大的事件，那是艾森豪保證赴韓一行以研究如何結束戰爭。而且在作戰期中更換了政府，這是美國從未有過的。

聯合國放棄諾言

對於聯合國，韓國是他們首次發表的諾言，保證世界上的國家將聯合抵抗侵略。但聯合國果眞履行諾言嗎？

當第一批英國援軍開抵被圍攻的釜山之際，許多美國人是作如此想的。但他們的信心到美國和他們的盟國對作戰目標有了歧見之後，便告減退。第一次風暴是起於麥帥要求聯合國批准越過三八線以追擊北韓軍的時候，聯大的答覆是故意含糊其辭的，他們授權第八軍「確保韓國的安定，以促進一個統一、獨立和民主政府的實現」。聯大以四十七對五票通過此案，反對者是蘇俄集團。但印度及其他六個亞洲及阿剌伯國家却和美國的意見不同，他們認爲：「如果我們在抵抗北韓企圖以武力侵略南韓作爲統一韓國的手段後，我們又批准以武力進攻北韓來統一韓國，那是有損聯合國威信的」。兩個星期前，艾森豪總統又以類似的語調去說服李承晚總統不要單獨行動。艾森豪總統說：「北韓以暴力來統一韓國，誠然是一大罪行，但我懇請貴國不要採取同樣的途徑……」

另一個重大的分歧那是關於聯合國增派援軍的問題。英國告羅士打部隊的光榮和土耳其軍的英勇事蹟固然像勳章一樣的榮耀。但從在韓國作戰的聯軍數字上比較，聯合國所予美國的協助實在是再大也沒有了。

韓．戰．三．年

南韓軍	四六〇，〇〇〇人
美軍	二五〇，〇〇〇人
其他	四〇，〇〇〇人

除了支持美國，聯合國總算勉強通過並加強了集體安全原則。此舉雖保全了名譽，但聯合國却損失不少。美國很明白唯有在慣用否決權的馬立克臨時缺席之際，聯合國始有通過議案支持干涉韓國的可能。而美國的戰地指揮官也不願事事受一個遙遠的政治委員會的掣肘，因爲政委會中若干會員國都不贊同戰爭。

自由國家的收穫

這場戰爭是值得的嗎？目前還很難說服南韓相信。但其他國家，却有理由相信共方從韓戰中所得到的，要比世界上其他國家的損失多。一九五三年六月和一九五〇年六月比較，美國和非共國家在冷戰中的地位已遠較堅強。

一九五〇年，美國僅擁有武裝部隊一百五十萬人，而現在却多達三百六十萬人。其他的比較如下：

	一九五〇年	一九五三年
陸軍	一〇師	二〇師
每月坦克產量	一一	一，〇〇〇輛
海軍現役艦艇	二三八艘	四〇八艘
海軍陸戰隊	七四，〇〇〇人	二三一，〇〇〇人
每月飛機產量	一五〇架	一，〇〇〇架

同時，盟國的工業生產也強大起來。例如英國的重整軍備預算，最鉅大的軍費預算。韓戰也使北大西洋公約組織增強了實力，（北大西洋公約組織一九五三年的實力爲一九五〇年的五倍），因此提高了西方終有一天要佔優勢的希望。

在亞洲，韓戰的意義是不大鮮明的。但美國的干涉已第一，阻止了共黨攫取全韓；第二，牽制了中共主力，否則中共已囊括整個東南亞，如果不抵抗南韓後，日本可能現入共方手中；第三，使美國及其盟國受到一九三八年捷克特勒併吞捷克的災禍；特別是第四，台灣及日本的世界，美國將不再容忍侵略。

中共損失慘重

中共與聯軍在軍事上相持不下，使他們在亞洲獲得了一些面子，但他們的損失却是慘重的。他們的財力都投之於戰場，致五年計劃已經停頓。同時北韓已擬在中共保護之下，使中共失去了一個韓國。最使中共顯地變色的，是他們沒有受到教訓「侵略是得不償失的」。現已爲公開的問題。自一九五〇年已沒有再出現大的軍事侵略。

韓戰是否值得，這要看它雙方的影響，而後始可作最後的判斷。如果韓戰已使共黨獲得一次教訓，而使他們的征服時間延長，挫折，並因自由人民抵抗共黨的侵略，則韓戰實爲良好的收穫。一半判決要看人民的行動，而幻想使美國在損失與縮之間，韓戰中所獲的，應中畏縮不前，使得破滅了。（下）（汪明譯自「時代週刊」）

週展望

左舜生

韓戰與中共前途

即令南韓不參加停戰簽字，中共也還是非求和不可，這種微妙的情形是不難理解的：

一、中共對於韓戰，並不是中途才參加，實際北韓開始發動侵略，即有中共的成分在內；因此可以說，中共對於韓戰，確已十足打了三年以上。從前的對日抗戰，中共是假打，不惜借着美名，而且是越打越肥；這次的參加韓戰，確要眞打，不惜把自己造成了一個侵略者，而且是越打越瘦；現在的中國大陸，不只是財盡民窮，而且是天怒人怨，自從『斯大林爺爺駕崩』以後，毛澤東把算盤一敲，才恍然大悟：上了當！於是乎決心要和。馬倫可夫以孽子的地位繼承大統，對內外的形勢均深感不安，即對毛澤東也不能太不客氣，毛抓住了蘇聯這一弱點，才毅然提出和的要求，蘇聯不得已，也只好勉強答應，韓戰之所以成爲一個和局，基本便是由於這一形勢所造成的。

二、古今中外一切獨裁專制是沒有不垮的，只有垮的形式與時間不同而已。蘇聯以一個落後的民族，利用二次大戰後不正常的國際形勢，居然控制了許多比她優秀的國家，其不能長此相安無事，還是勢有必至，理有固然的。自從一九四八年南斯拉夫正式脫離蘇聯以後，東歐一切衛星國家便已不穩，尤以波蘭，捷克，以及今天的東德爲然，甚至遠一個人口不足百萬的外蒙古，也非把一個喬巴山活活餓死不可！蘇聯自命有一套巧妙的辦法，而實際則仍不出武力鎮壓，特務監視，經濟榨取三端。最近七八年來，蘇聯瘋狂的擴張軍備，甚至還妄想和美國作原子武器的競賽，於是榨取是蘇聯的工作，乃不能不特別加緊；於是一旦衛星國家忍無可忍，便只好不顧一切的起來反抗，最後也只好用坦克來鎭壓。在東德波蘭的起義，蘇聯雖然一時可以鎭壓，而決無其他的長治久安之策。無論文化如何，德國人受不了，波蘭人受不了，捷克人也受不了，而根本沒有把蘇聯放在眼下，即立場，他們今天的蘇聯，好比一棵搖搖欲墜的大樹，新興的民族逐漸不出深遠的根，只要大家不斷的搖，終於非倒下來不可，到倒了，當然這一大羣猢猻，都非夾着尾巴各自逃命不可。毛澤東本來是一個陰謀家，急於結束韓戰，當然他也懂得，經濟的無法再拖，只是主要的原因之一，他不能不以自身料理後事以後，才是更基本的理由。他大家不要以爲韓戰結束以後，中共還有什麼新花樣可要，接下去可以預測的節目，大抵不出三端：其一是表面上可能繼續標榜和平建設，但榨取則終於無法中止；其次是使用民主的幌子，民族國際兩派的鬥爭可能明朗化，其結果最後，散在若干邊遠省份的蘇聯特務，將中國變爲蘇聯的附庸；假定的事態，東歐再有一二國家能擺脫蘇聯的羈絆，這話是一種無根的預言，現在的衛星國家，毛澤東周恩來之類，便要看他們事前的布置如何了。

紀念「七七」

『七七』蘆溝橋事變，這已經是十六年前的往事了，可是中國人民受的禍害，則至今方興未艾。

目前的自由中國，已與日本恢復國交，一本不念舊惡的宗旨，當然只有保持緘默；中共在三年的韓戰中，打得遍體鱗傷，隨時還在向日本眉來眼去，自然更不說話。

可是中國的人民，却不會對這一段歷史完全忘記，除非日本人還多少有一點實任感，爲自己，爲中國，能夠多多少少做一點贖罪的工作。

假如像吉田政府目前這樣敷敷衍衍，甚至心懷叵測，別有企圖，老實說，中國人還是不會放日本過門的。

以目前這樣好的一種形勢，日本依然不想奮發有爲，我總隨時覺得可惜。

高棉獨立鬥爭初勝　法卒低頭同意談判

希望緩和美上下不滿情緒　在華府會議中謀解決越戰

法國對於殖民地的獨立運動已經大感頭痛。越南三邦的獨立問題，近因關尼新閣產生給予他們較大的權力，已漸露端倪：法國將交出行政、郵政、司法及選舉機構，任命一位駐越特級專員。這是一九四九年以來法國對越南聯邦政策的一項重大改革。然而，越南、寮國、高棉並不興奮，而僅望於未來的談判。

在法國控制下的越南三邦，自從高棉親法的施亞諾王向世界射出了第一顆爭取獨立的紙彈後，越南王保大也跟蹤響應此一民族解放運動，然而保大的背景畢竟不同於施亞諾，他表現得並沒有高棉王那末顯著。當施亞諾於六月十三日悄然出奔泰國，旋又忽忽返國的戲劇化行動反映到巴黎，法國的政治危機正處於十分嚴重之時，尤其是那一位被提名（未經議會同意）的法國關斯總理放出了與越盟求和的「冷氣」以後，隨即激起了高棉抗法的熱潮。施亞諾王爲了提高國人對他的民族運動信心，爭取同情和擁戴，就離開了首都出奔泰國；這對於用權術、拖宕的手段來克制高棉反法情緒的法國，無疑是一個有力的打擊。迨關尼組閣，就不能再將越南三邦的獨立問題擱置不顧。因此首先提出討論，最後則採取了一項歷史性的新措施，而以一項相同的照會致送與三邦駐法專員，聲明放棄對越南三邦的行政、郵政、司法及選舉機構。並任命了曾任法駐日大使狄粲爲特級專員，從而推進越南三邦的「自治新政」。在表面上看來，法國對他們已經放寬，事實上卻依然是口惠而實不足的，只是寄望於未來的談判，以考驗法國的誠正態度。

動員計畫是獨立的考驗

施亞諾國王於上月終離開巴塔旁而駐蹕距百囊奔西北二百二十五哩之湖叨，該處距巴塔旁五十哩，軍事上具有重大意義的一個城市。抵達三天之後，於本月二日發表廣播，並以爭取兩大目標詔告國人：一、要求高棉王國獨立；二、謀取法國及自由世界予本國經援；而并不反對高棉仍爲法國聯邦之一員。在法國不予高棉充分獨立之原因，施亞諾王自忖係國內軍事力量脆弱所致，因此法國同意擴軍一倍之先，他將於最近期間考慮頒布實施全國總動員計畫，然此一計畫，他在巴塔旁之時經已完成；它要求高棉人民「衷心」接納必要的犧牲，將全國陸軍增加五倍至十倍。

就目前實際軍力估計，高棉握有民族愛國分子的武裝部隊約有[illegible]萬人，其中陸軍戰鬥人員僅一萬三千名。一般認爲施亞諾此一行動，大致係給予法國新總理就任之時對越南政策聲明之答復。關尼嘗云：「越南聯邦人民倘在一強大的國防軍可能確實保衛他們領土的時候，始將獲得充分的獨立。」這一個動員計畫，顯然不是向法國採取敵對的態度，純係爲於當前反共衛國而博取民族立解放所增加的一筆賭注。在另一方面看來，也是打擊共產主義的反法與反對帝制統治宣傳，從而爭取背向民心。是否能夠如期實行，乃爲高棉獨立一大考驗。因此，動員計畫尚未迅速頒布。

雙方均無不惜一戰意圖

法國駐越軍事最高統帥那伐爾業已離越到法，他對於越南三邦局勢已大爲焦慮，尤其高棉的內戰危機更形嚴重。儘管高棉總理對法國武裝部隊將百囊奔完成包圍態勢，提出了強硬抗議，法國聯邦（阿爾及爾與摩洛哥兵）戰鬥部隊連日正大量向高棉移動。現時高棉法軍司令關格萊將軍已擁有充分實力，最近數天中料將有數達二萬的兵力移駐高棉國境。使人意味到法國對於高棉正採取軍事上的高壓手段迫使她放棄「敵視行爲」。然則百囊奔的形勢雖看嚴重，雙方均無眞正「不惜流血」意圖。但在高棉與法國爲獨立作政治鬥爭之時，共黨雖無顯著活動，至少它已獲得了伺機逆襲與滲透的機會，百囊奔的市上日用必需品已逐漸減少，米糧不與市民見面；王家陸軍軍官學校五十八名畢業生突然傳聞失蹤。這種現象，予民間無疑留下了一個壞的影響。施亞諾的政府，百囊奔的行政軍心已自上月十三日之後消失，除了施亞諾個人的言行爲唯一的影響力量之外，政治已陷入了癱瘓的局面，百囊奔設非目前法國的軍事控制力量，這一個王國都城殆已陷入共手了。施亞諾所以對法的態度不變，此亦實爲主要原因。至於法國突然改變對越南三邦的政策，一方面殆亦時勢範疇，另一方面也受了美國的影響力，而希望於本月十日三國外長會議中尋求一項解決越南局勢的辦法，以使法國的武裝專心於歐洲的防衛。（領梅）

台灣戶政怎樣辦？

——俞鴻鈞的又一難題——

吳國楨主持台灣省政三年零四個月，固然曾爲台灣解決了不少問題，但是也爲台灣留下了不少問題，其中有一件事，是吳氏沒有完成，而俞氏現在還未能着手進行的，便是所謂戶警合一的問題。

台灣通訊

舊辦法缺點多

台灣的戶籍，在日據時代原由警察機關主管。光復後，改歸自治機關辦理。從民國三十九年四月，開始實施地方自治，辦理選舉，便發覺戶漏口的情形很多，許多人因而失去了選舉權，許多人的姓名，籍貫，年齡，住居年月，都錯寫得千奇百怪。如民國前三十年出生的老先生，已經七十歲，都被誤寫爲民國後三十年出生，還是十歲的小孩。至於男的寫成女的，少的寫成老的，夫婦寫成兄妹，父子寫成兄弟，也是極普通的事。其後台灣開始辦理兵役，更發覺戶籍如不徹底整理，則對於總動員的工作，必難以順利推行。於是各方面感提出戶警合一的要求，以期便利人民，獲得正確的戶籍。原來台省戶籍雖由自治機關主管，但警察機關也在辦理動態的戶口查記，實際上已經是兩個機關在管同一件事情的各個部份，不如合一行使，反可以責任明確，辦事方便，惟吳國楨氏當時因有人竭力反對移交警察機關辦理，其理由爲（一）與戶籍法不符，戶籍法係經立法院通過的法律，在未修改前，任何機關不得以命令方式另定辦法。（二）恢復由警察機關辦理，使台省同胞認爲政府重新走回日本殖民政治的道路，與民主自治的精神不合。吳氏遂別出心裁，唱出雙軌一途的口號。即將原屬於鄉鎮公所的戶籍人員，移到警察機關去辦理，名曰戶口申報處。在表冊上，仍由鄉鎮長爲申報處主任，以表示並不違背戶籍法的規定，在形式上，改到警察機關辦公，也可以說是戶籍已經合一。吳氏當初也並不敢十分自信這個辦法一定妥當，所以規定先在基隆市的仁愛區，台北縣的新莊鎮，桃園縣的桃園鎮，台中縣的清水鎮，高雄縣的大寮鄉等五個單位實驗。但在內政部所派戶政司長等多人實地考察的結果，評認爲缺點多於優點，如果欲全省普遍實施，值得重新考慮。

俞鴻鈞如何按期辦妥？

台灣省政府也認爲同在一省之內，五個鄉鎮用一個辦法，其他縣市又是一個辦法，總非常軌。因以急思全省一律改用雙軌一途的辦法，以期統一。但省府所擬的全面推行的規章，送達到省臨時議會後，迄在留中之中，未曾獲得決議通過。在省議會的意思，是戶政之所以要改革，旨在便民，但省府所擬的辦法，但就遷徙一項而言，人民要化多一倍的時間，方可辦妥各項手續。而且名曰雙軌一途，實則民警雙方，同時指揮，反使系統紛歧，形成上無專責，下失秉承的局面。再則簿證增多，耗費甚大。新的國民身份證式樣較現用者大至四五倍，折疊攜帶，都不方便。如役別只有壯丁方須登記，乃老弱婦孺身份證上，也印了許多空格，實屬浪費紙張。又規定每人每十年須加貼照片一次，以期易於辨認，實不如每十年更換身份證一次之爲愈。蓋無論用何種紙張印刷，決不能用數十年不破，一證之上貼滿了個人一生的照片，有何意義？如果全省實施，政府要增加支出四千九百萬元，人民因拍照片等及來往路途與時間上的消費，更難計算。

總之，吳國楨氏當初採用折衷的辦法，以期向自治機關與警察機關兩面討好，結果形成兩面均不滿意的局面。蔣總統曾一再催促台灣的戶籍整理，必須於本年九月以前完成。現在爲日無多，俞氏的長於政事，且看其如何將吳前任留下來的這件根本要政，如期辦妥。

中共遭遇東歐同樣經濟危局

工業計劃被迫緩進

豈弟　譯

原載「經濟學人」

自今誠開年以來，中共曾作了兩個決定；此兩決定表出「中共政權」現時正遭遇到嚴重的經濟困難。第一、在一月間，有關經濟政務的部長們爲了材料與技工之缺乏，曾舉行了一次會議，決定將一九五三年原定之工業擴充計劃削減了百分之三十。又爲了官辦工業機構間爭求達成或超過各自生產定額，競誘技工，暫將破壞上述計劃，而發出警告。隨後，在三月間，中央黨部發出命令，誡到鄉村黨部首長都有「急燥與投機」之趨向，又指出農民在他們私有土地上之工作是「完全合法」的，並警戒不可違背他們的志願而強制他們加入集體組織。（按：東歐業已採取同等步驟，冀平復民間動亂。）

物資缺乏之農村凋零

在一月初間，曾驕傲地宣佈擴充工業之五年計劃必可勝利完成，爲的是有三個因素：中國之豐富的天然資源，共產黨之「明智的領導」，及蘇聯之「無已的幫助」。此後，中共政權即陷入各種困難之中。這些困難，前在蘇聯工業化時期，亦經遭遇過，今在中共亦已發生，惟更障礙耳。中共想要做的，是實現大陸之高度的工業化，尤其是建立強實的重工業，不依靠「帝國主義」國家之賒貸。在一經濟落後而且窮窘的地區中，這種努力會招致兩宗不可避免的嚴重結果：第一，材料與技工之貧乏，因爲目標都定在兩者可能獲得之上；第二，消費物品之貧乏，因爲稀有資源都極量地分配給主要物品工業，影響農民者之結果，尤其重要，因爲農民主有其地，生產足夠自需之食糧後，他們不甘願生產以支助城市之居民，除非能獲得消費物品之購買力。

人民憎惡日益增長

材料與勞工之缺乏，在前面已經言及，已使今年的生產計劃受到劇烈的削減。如果材料分散而不能集中於優先需要，如果勞工供應不足復又競相招僱而致工資增高，計劃經濟會很快地被推翻。中共在大陸集中管理之程度已高過先前任何朝代，但是沒有一個中共管制能及得到一九三〇年史太林之蘇聯經濟制度。因此，嚴緊的材料與勞工優先之實施，當然比較更難。大量私營工業依然存在；許多區管機構與國營托辣斯之間，自己亦競爭甚烈。中共說此種稀貴材料之竊盜與技術勞工之引誘，全是「偏差」，必須「檢討與糾正」。（上）

法總理臨陣退縮

百慕達會議一波三折，大家都知道法國內閣難產和邱吉爾患病是其中的主要原因，但其實裏面還另有一段內幕。法國新總理關尼原是法國政壇中的第二三流人物，他經國民會議通過後，那時候邱吉爾還未宣佈「因操勞抱病」，正是百慕達會議緊鑼密鼓即將登場的時候。然而初肩艱鉅的關尼這時卻不由得有點兒心怯，他向人表示委實不願意出席百慕達會議。據閣內人士說：關尼對他是否「强」到足以出席「三强」會議，深爲懷疑，他在外交方面既無經驗，在國外又碌碌無名，他深恐由於他的參加，而削弱了法國的地位。最後幾經勞人勸說，他始勉強答應由幹練外交家副總理雷諾和外長皮杜爾陪同前往。

艾克頭痛大牌議員

有一天，艾森豪曾告訴他的親信說，還需要多久，他始能獲得參院重要議員的信任，他曾邀請十位參議員在白宮共進午餐，並向他們扼要說明韓國的局勢。但事後某位參議員卻向記者透露說：艾克已提議迅即派遣代表一人在韓國境外與李承晚總統舉行會議，而事實上，艾克的原話卻非如此，第二天國務卿杜勒斯就把艾森豪的原意加以澄清了，原來艾克只是說，與李承晚總統的會議將在休戰後舉行。這句話顯然與前者有重大的區別。難怪艾克在提到參院的時候，要一再搖首嘆息。

莫斯科映加冕影片

蘇俄駐英、法、美三國大使最近都已奉召返國，駐英大使馬立克和駐美大使柴魯賓在啓程之前，都表示短期內即將返任。唯獨駐法大使巴維洛夫保持緘默，事實很顯明，巴維洛夫是被撤職了。巴維洛夫在西方人眼中，是一個「倔強」份子，他從未改變他劇烈的反西方態度，如果撤職之事屬實，這是蘇俄「和平攻勢」的又一證明。

實際上，近月來，蘇俄從未放鬆他們的和平攻勢，對於討好英法兩國，尤其不遺餘力。英國的加冕影片短期內即將在莫斯科上映，而蘇俄的旅行局也正擬遣一代表團前往巴黎談判在當地設立分社的事宜。

防原子彈各執一詞

對於如何始能稱爲保衛美國以抵抗蘇俄原子轟炸機的良善辦法，美國陸空軍似乎有不同的意見。空軍部估計任何最良好的防空制度只可能擊落一批來襲敵機的百分之六十。但即將卸職的陸軍參謀長柯林斯卻在上週中向國會保證，如果美國採取適當的步驟，只有極少數的敵機可能溜入美國。所謂適當的步驟將包括利用陸軍的「勝利女神」式高射飛彈及火箭砲，以及空軍的快速截擊機等等。（孟衡）

天下小事

中東防務之鑰　蘇彝士運河

蘇彝士運河，是溝通東方和西方的「通道」，由於民族覺醒的影響，其關係西方防務的防守問題，當前正面臨着嚴重的「局面」，本文摘自美地理雜誌，原文名「縮短到帝國之路的蘇彝士運河」，作者爲歐文威廉士——譯者

開鑿工程

當船隻由地中海駛進運河西岸賽德港時，就可望到對岸華德港那位開鑿運河者法國工程師李賽普斯的銅像，這位「爲人類開闢地球」的人，永恒的在領受百千萬經過蘇彝士運河的人崇拜敬仰，他手指着右邊的「沙漠」，那便是運河的河口，有了這條通道，由倫敦到孟買的路程縮短五千多哩。遠在三千三百年以前，貫通紅海和尼羅河間的水道，也就是古時的運河，早已開鑿，當然那祗能通行三桅的船，而且如果有兩隻船一來一往，便須船礁船的擠着行，由此去波斯（今稱伊朗）的遊普斯，要經過四天的時間。三千年來，許許多多人在做着把這個貫通兩海（地中海與紅海）亦即貫通兩洲（歐洲與非洲）的夢，拿破侖在計劃他的大帝國之夢時，就有開鑿蘇彝士運河的計劃，經他的工程專家計算紅海這面較高于地中海那面要高三十三呎，那低的一面豈不變成一道瀑布的，便因此延擱下來。李賽普斯的靈識，是用水閘來平衡這三十三呎的水平，當他將這個工程計劃和當地潘王賽德的士商洽，比即獲得他任何命令名全力支持，是給這港位一支持者的報答。直到一八五四年十一月中旬，李賽普斯和他的工程人員才得順利進行開鑿，賽德給他們二萬五千名土著工人，充分的供給他們所需要的一切。其實早在五年以前，就已着手開鑿，祗遣一些部隊由土爾其的蘇丹那時已運用機器補人力的所不及，不過由于沙漠地帶的限制，機器的效能也不能儘量利用，其中有七十哩全是沙溝，祗能用原始的手鏟一鏟一鏟的挖取，沙漠中的烈日，更是工作上一大阻礙，飲水的問題，也是一大苦惱。（一）

「多頭多腦・暈頭暈腦」

中小學教育混亂不堪

流寇作風未除官僚主義已盛行
黨團活動猖獗左傾幼稚病普遍

概括地說：中共辦學校，由於官僚主義的盛行，流寇作風的深重，黨團活動的猖獗，以及左傾幼稚病的普遍等等的原因，早已弄得焦頭爛額，一片混亂！故中共中央曾於去年多季，一度大聲疾呼，要「大力糾正各地學校的混亂現象」。但這種混亂現象，經半年來的「糾正」，據最近北平光明日報的調查檢討，不僅大多絲毫不曾「糾」了，且已日形嚴重；情弊也因而益形多複雜！

據光明日報認承：各地一般教育行政領導幹部，主要由於過去受到了「不重視教育」的批評之後，即一反原有作風而產生了好大喜功的思想，極度盲目地擴充了學校的單位，造成了潰爛的現象。據其所舉以山東萊陽專區爲例：該區原有中等學校十四所，學生人數均甚無擁擠之象，學校混亂現象亦均尚未克服，但竟於去多到目前半年多中，無條件增設了中校及師範學校共二十三所之多，增設了小學一千一百餘所之多。謂此一錯誤的結果，不僅浪用了經費，且接着便造成了教員學生知識水準的氾濫現象。

教育完全喪失水準
教員學生同樣糟
地理教師如此教學生：「新疆是四川一盆地」；「天蘭鐵路，是天津通到蘭州。」

該報指出：像萊陽區那樣，就新設學校所需的教師言：四百名中學教師是從高小教師中提拔的；一千七百多名高小教師是從初小教師中提拔的；四千多名初小教師是從程度極低的失業人員中選用的。這樣一級一級提拔的結果，使教師質量低落得無法進行教學工作。說全區小學程度的教師，竟佔教師總數的百分之七十之多。設三十七個中等學校的教師不久前大多是小學教師；一萬多個小學教師大多是小學剛畢業或未畢業的學生。於是，例如教算術的教師不知「一億」的阿剌伯字有幾個圈；教地理的說「新疆是四川一盆地」，說天蘭鐵路是「從天津到蘭州」，幼稚低陋得驚人。就新設學校的學生言，僅新招的八千名中學生中，一般都是在四十分以下錄取的，有不少甚至是二十分左右錄取的，大多只唸過兩三年小學，不會算術，不會作文，主要課目在考試中都是零分，根本無法授課。而學生的年齡，則不少都已在二十五歲以上，有的竟已在三十歲以上。這確實是「瞎胡鬧」！

共幹不論大小
都可差遣教員
學生組織多活動多
老師任務多會議多

至於在原有的中小學中，混亂現象始終是有增無減。因而大陸的中小教員們自己喊出了一句反映此種現象的口號，叫做「多頭多腦，暈頭暈腦」。所謂「多頭多腦」，乃是一句雙關語：一方面是說上級的領導機關太多：凡從鄉村幹部起（有時乃至連民兵也可以）都可以以一個「任務」的藉口支配教員們的工作，任意調用，叫他們脫離本位工作。凡從鄉村「政府」起，不管它有無隸屬機關或指揮權，都可以以一個「任務」的名義向學校下達命令、派任工作，調用教員。一方面是學校的組織多，勞動服務多，迎來送往多；校長教員們的學習多，任務多，（包括內外）兼職多，會議多。單以組織、兼職及會議而論：據[illegible]市的中小學校爲例，中學內的組織，一般的有二十八種委員會，教員兼職平均都在七職至十五職，會議平均每人得週有六次到七次。小學一般的有二十四種委員會，平均每人兼職亦有七職以上，會議每人每週平均有六次。該市第一區的十二個校長單在一個學期內出席校外的會議就有一百七十次之多！

總之，以這樣的情形辦學校，那有不越弄越糟之理？

浙東民兵他調
部份中途反正
六百人分兩支上山

【本報訊】杭州方面消息：上月二十日左右，中共華東軍區曾向浙東抽調民兵約一萬人往蘇北作補充三野正規軍之用，但民兵因恐懼開赴北韓前線作戰，故有部份會於中途乘機集體反正，或零星逃脫，投奔游擊隊。凡目擊民兵運經杭州時之緊張神色者，對此一消息均深信不疑。據傳：此次共軍所需民兵係自浙東之金華、溫州、台州、處州（即麗水區）衢州等五個區所抽調者，平均每區均爲兩千人。其中溫州區民兵開至溫州與麗水之間宿營時，突有兩百餘人於半夜集體祕密反正，向括蒼山區開去，迨領共軍指揮官發覺而立即追趕時，業已遠去無蹤。同時，其中台州區民兵一批由仙居天台等縣開經新昌宿營時，亦突有三百餘

中共財政紀律廢弛
各省有秘密金庫
僞財部自供本位主義嚴重

【本報訊】北平消息：據最近僞財政部在公報中指斥若干省縣「違反財政紀律」的情形稱：據綏遠、青海等省假造預算決算，假造報銷，隱匿收入，任意動用公款，祕密金庫等等的違反財政紀律情形，最近在深入檢查中，續有新疆、雲南、江蘇等省被發現。且發現不僅省級有此種現象，即縣級財政機構，亦有同樣情形存在，其中較爲普遍的，計有四川、安徽、江蘇、廣東、廣西等省。據說上述各省若干縣的違反財政紀律現象，還不僅僅在假預算、決算、報銷、隱匿收入、私設小金庫等等，而且還有將此「地下經費」作無意義的浪費支用情形存在。例如蘇北太倉縣，竟動用四億多公款在只有八千人口的城區建築了一座可容三千多人的小菜場，盲目鋪張門面。如高郵縣動用公款爲只有四個學員的幹部學校購置了兩千副桌、椅、床板等物。如興化縣用公款購置了兩百隻麻皮公文包，發給「縣府」幹部人手一個。據僞財部指出：這現象的釀成，是由於一般財政幹部缺乏「國家」和「本位」思想，產生「地方」主義所致，已嚴重地破壞了財政紀律，損害了「國家」的利益，故決予嚴厲制止云。

豫共「搗蛋」本領高強
官辦機構計騙農民，鄉人挑蛋排長龍，等了三天賣不掉。
百般挑剔故意留難
收價突減苦了農民

豫皖地區的農村，普通的副業就是養雞，所以雞蛋的產量很大，以能在較大的都市爲商邱、開封、鄭州等地，都設有公司收購，當地鄉民稱呼這種公司爲「打蛋廠」，每年經由「打蛋廠」收購的鮮蛋，經上海、武漢運銷國外，製造食品及其他用品，數目很大，農民藉此收入，補助家用，所以「打蛋廠」對於農民的收入，息息相關。

「解放」後，「打蛋廠」整個結束，改由共幹的食品公司接管，三年來，因爲共黨一貫的害民政策，對於蛋價，極力壓低，農民算起來，吃蛋比吃麵還便宜，所以積存了雞蛋都不肯賣，乾脆自吃了事，因爲這件事情太瑣碎，產量又無法統計，共幹又不能採用購棉方式，強迫人民賣給「政府」，硬來既然不成，只有軟騙，於是今年大量鮮蛋上市的時候，「食品公司」突然將牌價掛高，每斤四千元，這時鄉村蛋價每斤約合二千至二千五元之間，再根據當地麥價折合，以往每斤鮮蛋換小麥二斤四七斤，目前能換到三斤六二斤，風聲傳出，民間鮮蛋大批出籠，湧向城市，共幹第一步計劃成功，將民間的雞蛋吸引出來。可是，內心當然捨不得眞出這樣高價去買，最初就藉故推三推四，每日辦公時間儘量縮短，審查特別嚴格，小的不要，不新鮮的不要，其實論斤收買，按理就沒有大小之分，這些雞蛋都是由村挑到城市，農民運去的蛋，每日要自挑担隨班排隊等候檢驗，普通都要等候三四天才能輪到，然後七折八扣算下來，超過要自貼伙食，還要受幾天罪，出錢出力「爲人民服務」，其他較小城市，當初雞蛋也定出牌價，可是，當雞蛋湧到時，竟停止收購，害了無數農民血本無歸。

在商邱、漯河、駐馬店等沿鐵路城市，當然不會很新鮮，於是這都成爲理由而拒絕收購，眞正的用意是希望壓低價錢。共幹明知道農民既然將雞蛋挑到城內，無論如何也不肯再挑回去，最後寧願吃虧，也只好賣掉了事。

這樣情形僅持了兩個禮拜，最後終於調整價格了，一次就掛低了百分之三十，於是尚未售出的農民，正在排隊等候，這一來更是叫苦連天，最慘的要算是「漯河食品公司」，一日之間竟將牌價調整了兩次，引起了農民的鼓噪，該公司負責人出來解釋，說是聽錯了商業廳的電話，可是羣情洶湧，幾乎引起騷動，商邱、漯河都發生請願的事，[illegible]張，以後請願農民都因[illegible]公司牌價也被農民擠掉，當地人民政府，[illegible]農民已運來雞蛋賣給「政府」了事，可是這一來，[illegible]區的人民，在天災之下，唯一的生機又斷絕了。

（何）

贛北亦遭洪水席捲
田糧人畜損失奇重
決壩三千座淹斃兩萬餘人
毀倉百餘間爛糧百餘萬担

【本報訊】南昌消息：贛北南昌一帶於上月初，繼湘北鄂南大水之後，亦因連近山洪暴發，造成了更爲嚴重的水災。受災區域，遍及南昌、萍鄉、新喩、宜春、分宜、清江、豐城、上高、奉新、[illegible]等十四縣[illegible]之湘鄂[illegible]慘！其[illegible]災情形[illegible]聞！據[illegible]水勢及武功山脈[illegible]，當將[illegible]多堤壩約[illegible]沖潰，[illegible]氾濫，頓[illegible]江日報[illegible]該三縣[illegible]有約四[illegible]沖毀的[illegible]間，損[illegible]萬担；[illegible]千間；[illegible]而被洪[illegible]約有兩[illegible]慘的要[illegible]河[illegible]兵救出[illegible]，至於牲畜的損失，一時尚無法計算。據說：南昌全部災區損失的初步統計：毀壞的小型水利工程，當不下三千餘座之多；淹沒的稻田當不下一百萬畝之多；冲毀的糧倉，約一百二十餘間，損失糧食不下一百二十萬担之多；被洪水淹斃及失蹤的人約有兩萬三千餘人之多，可見其災況慘重之一斑！又據云，該地水災發生時，各地幹部態度均極見慌亂無主，對救災及善後等事，均束手不知所措。故目前僞中南區行政委員會及僞江西省政府已派出大批幹部前往災區督導救災，迅飭災區各縣成立防洪指揮部及救災委員會，並設立臨時災民收容所，謂「將動員一切可能動員的力量與水災作鬥爭」云。

武昌大水沒岸
沖毀大量工程
損失浩大俄人懊喪

【本報訊】武漢消息：上月初，因湘鄂等省大雨連綿，普遍暴發山洪，長江水位大漲，武昌方面，沿岸被沒達六寸之多，且水勢洶湧，致武昌造船廠及該廠滑道工程、碼頭、船塢、水壩等大量工程被沖毀；並有甚多待修及剛下水之新船以及船廠之設備被水捲去，損失異常慘重。事後，該廠俄籍顧問及工程師等二十餘人大起忙碌，動員民力大事搶救，但倘少收效。該廠係中共設於武漢之最大造船廠，平時除製造長江小型船艇，並代俄軍打造小型艦艇，由俄籍軍官駐廠實際主持廠務，[illegible]值亦甚重要，故此次突遭大水，甚感懊喪云。

大陸腫病流行
甘肅患者達百餘萬
生活艱苦營養不足

【本報訊】蘭州消息：據最近僞西北行政委員會衛生部公開承認，近來甘肅全省各市縣中之居民患甲狀腺腫大病（當地人稱爲「瘰瓜瓜」或「大脖子」）者，甚多，經初步統計，發現患者已有一百四十餘萬人，幾已佔全省人口的四分之一之多，其中尤以少數民族地區之患者密度，更爲驚人，幾乎每兩人中即有一人患有此種病症。患者所以如此衆多之原因，係由於山嶽地帶的僻縣，飲水缺乏碘質所致，故已趕製大批含碘食鹽片以進行醫治，但實際上，此僅爲一治標之法，無濟於事。蓋據當地醫者表示，該等地區之甲狀腺腫大病患者之所以如此衆多；實另有其基本原因，即一般人民之生活日益艱苦，營養不足，體格薄弱，乃使患者無力抵抗，致前增激增，若不從改善生活方面作根本的治療，而以含碘食鹽片作表面的醫治，決難奏效。又據云：此種病症，原係受地理氣候等影響而發生的地方性疾病，但並非不可避免的「不治之症」，照統計，全省原有患者約四十萬人，「解放」後即逐年累增，至去年年底已近一百萬人，今年半年內突增四十萬人，終於形成目前可怕之情勢，且將有增無減云。

中共運糧出口
兩月九十萬噸
大陸災荒百姓挨餓

最近中共編造「調劑」蘇、豫、皖、魯等省災區之謊言將四川、湖南、廣西、江西、湖北、新疆及東北各省之糧食運至華東各港口撥交捷克、錫蘭等國一節，本報迭有詳細報導，現悉此次中共從四月份到五月底止兩個月內自各省運糧出口之總數已達十八億二千餘萬市斤，折合九十餘萬噸之多。此一數字，係最近僞糧食部負責人對光明日報記者透露而再度以「運米支援災區」爲詞在光明日報所宣傳公佈者。而其「調劑災區」實爲「運糧出口」之謊言一節，係大陸一米商綜合大陸各地報紙互相矛盾之地方新聞，并在上海、滬、兩港目擊事實後所斷定者。現聞前列各省之運糧工作，尚在緊張進行中，故事實上，目前已出口之糧食，必尚不止此數。

大陸紗布缺乏
在滬開供應會

【本報訊】上海消息：中共政權由於外匯枯竭，硬性規定禁止原棉進口後，大陸民用紗布供應極爲缺乏，尤不敷市場需要。其本年下半年度紗布供應，[illegible]。僞國營花紗布公司曾於上月下旬在上海召開「第二屆全國紗布供應會議」，據表稱，開會二年度供應會議後，全國紗布數量，雖比五一年增加兩倍，仍不能滿足消費者需要，故將下半年度紗布供應計劃修改擴大，原訂一九五三年紗布增加百分之六・八，其中紗增加百分之廿二。（羊）

隨波逐流之談

·方·

最近半年來，香港文壇上，忽然若斷若續地掀起了一股恭維「孔宋」的浪潮，[illegible]

及生紙，連那位以鉅萬貪資走美洲的孔宋門下士某部長，也居然在香港發表了「著作」……濟共區漁利，利之所在，自然「無孔不入」之妙用，不過「東山再起」的機會。但即是中國官僚豪門貪官的辯證法則，萬惡貪污官，百善當居先，孔方兄萬歲萬萬歲！

我不反對世人有恭維孔宋者，人各有所思，亦各有所好，正如莊子所謂：「民食芻豢，麋鹿食薦，蝍蛆甘帶，鴟鴉嗜鼠，四者孰知正味？」你不能強天下人的嗜好都趨於一律化，那是法西斯蒂的玩藝，嗚乎可！不過，我雖然不贊成孔宋，但相信其處世接物，總不至於一無可取的，否則他們又何致於當時王侯，名滿天下呢？

情況，誰能一手掩盡世人耳目？尤其在台灣要恭維他們，儘可以另譬喻其私生活的「美德」，不妨捧成天上有，地下無，但不必扯到國家大事上面去。若說到國事問題，那就很糟糕，廿餘年來的現實就是孔宋常指摘豪門政治誤國，就政府貪污低能的民主人士，更不必派政治見解來恭維孔宋，以免打嘴巴，貽笑大方。我若恭維孔宋，只有兩句話：「神乎孔方兄，妙哉宋之子」！

偽裝前進

·秦我·

朱老貴被「鬥爭」去了，理由是「偽裝前進」！

說起朱老貴「鑑擺」的一筆流水賬，確是叫人又好氣又好笑。五年前，朱老貴還在香港做生意，在商言商，壓根兒腦子裏就沒有「革命意識」的那一回事的，不過後來胡里胡塗的來了一位滿口「解放」、「革命」的同事，一套八股聽得一竅不通，但這位同事總愛拍拍他的肩膊，說：「喂！同志，時候不同了，你總得學習學習，現在不同反動時代，什麼都進步了，你應該結束這兒的營業，投奔祖國的懷抱去，否則，再就下去，你就趕不上人民的隊伍了！」這位同事叫他做「同志」，不叫他「同事」，他本來不知道「同志」是什麼意思，但，慢慢叫慣了，他倒有一種光榮的感覺，「同事」這名字聽得膩了，換換口胃倒有意思得很，因此，他慢慢學得「前進」起來，跟人說話，開口就「前進」，閉口又是「解放」、「革命」，雖然他自己也不曉得「解放」「革命」是什麼，但，既然這位新「同志」唸得朗朗上口了，他自己也樂得附和一下。

「解放軍」估據大陸後，他的「同志」對他說：「現在的新中國是工人當家了，各種事業都很發達，你應該和大陸做生意，挽回自己祖國的利權。」，朱老先生一想，覺得自己「同志」的話很好，祖國嘛！無論如何是對的，於是他便改變營業方針，一心一意的總向大陸，他的「同志」便成為他唯一的經理人了。

由於他那位「同志」辦得很起勁，所以生意做得蒸蒸日上，營業數字也相當可觀，扣除伙食店租薪金外，還賺了一大筆錢，於是便常聽見我們的朱老板大贊大歎的說：「嘿！新中國真有辦法，這一下子就使我賺了這麼一大筆的錢，我們真是非革命，非前進不可！」。再過一些日子，廣州方面派了很多「商業巨子」來，據說此行是跟我們的朱老板聯絡聯絡，這一下子，可把我們的朱老板忙死了，開歡迎會啦！工作檢討會啦！茶舞敘餐啦！——一連串特約節目使他整日忙得團團轉。歡迎會上，朱老板口啣大雪茄，手執會全港所有的「前進報紙」，挺擁那二百磅重的大肚皮，口沫橫飛地演講——清算美帝，堅強前進工人的聯合陣線，促成工人們互相了解，增加工人生產力量等，一連串都是有關工人們的名詞。「聯絡主任」走過來屈起大姆指說：「唉！朱同志，你眞夠前進！」這一句話，使我們的朱老板「感動」得連毛髮都豎立起來，更加強了他對「祖國」的信心！為了對從「祖國」派來的專員表示感激服從之餘，他化了千多塊錢買了一大盒女人的衣料，「五一」鋼筆，和鑽石尼龍絲襪等，送給聯絡專員和太太小姐們，作為「孝敬」的證物。

自從那班「專員」來過之後，生意更好上添花了，我們的老板自然是笑逐顏開，這時，他那位參謀「同志」又來建議：「朱老板，祖國對你的深恩厚德，你是親身領受過的，自不用我說你已明白，現在，你不如早點歸國吧！不要再做帝國主義的奴隸了。我們在就跟你弄好手續，你趕快交清楚，辦下班船期就動身了」，向來，朱老板對他「同志」的話是百依百從的，這一次自然不會例外，而且，這一次希望更大，有更光明的「遠景」。朱老板就動身了，但他那位隨身「同志」卻沒有去，因為負有更大的「任務」，亦於到頭就「黯然」分別了，「祝你走上光明的大道，放心，新中國是不會令人失望的」，這是那位「同志」的話。

朱老板到了廣州，懷着滿腔「熱忱」準備「淘金」一番，可是，事實並不如理想那樣光明燦爛，不久他的「淘金夢」被破滅了！他被帶至一間「歸國華僑招待所」去。他看見了招待所裏的「指導員」，也毫不猶疑的唸出在港時背「前進」報章所記得來的「口訣」，以為是先發制人，來個「語不驚人死不休」，不料，這位「指導員」，這次却大感意外，但沒有因他流利的口訣而感動，反而深鎖兩眉，表情遲滯，與上次來港「聯絡」的專員大不一樣，他感到詫異了，接着是那位「指導員」砍釘截鐵的說：「唔！朱同志，你從香港回到祖國的懷抱，堪讚，我除代表人民向你深致慶賀之外，你得脫離帝國主義奴隸之家，回來服務是最光榮的事，實在是了不過的，你這次回來帶了多少錢？因為祖國做生意到底要錢？」「錢？」朱老板瞪大眼睛，愕了一下，想不到「祖國」要他的錢，而不是「祖國」給錢與他，他這次來，原是為了賺錢，沒有錢可賺，管不了「祖國」不「祖國」，「人民」不「人民」，因此，他提快遮瞞的說：「指導員，我這次來實在沒有帶錢！」「胡說，據上次到港的聯絡專員報告，你在港富有得很，起碼有百多萬港幣現款，怎麼現在說沒有！」朱老板見「指導員」神色大變，知道「前進」實在不是易事，乃趕快轉風駛悝，「那麼，指導員，既然我沒有錢，就讓我回香港吧！」「住口」，指導員不待他說完就截住他的話，「學習了這麼多年思想還沒有搞通，回來了自己祖國的土地後還想轉回帝國主義的地方去，這是人民絕對不容許的事，你思想上還帶有反動的意味，非改造不可」，隨後他又吩咐身旁的兩個武裝「同志」說：「把他請出去，聽候上方把他改造」。所謂「改造」，就是「迫交」，朱老板的命很，為錢而「前進」的，現在要把他辛辛苦苦「前進」賺來的錢「共產」，當然是寧死不從，過了半個多月，「指導員」見還不能「擠」出他半個錢，便加給他一個「思想反動」和「偽裝前進」的罪名，讓朱老板跟閻王「鬥爭」去了。

△杜魯門以平民身份遊華府，好事記者，拍了這張理髮時的照片▽

陳羣的藏書癖

最近各報紛紛刊載：大陸上時有焚燒中國舊書之舉，令人感喟無窮，因此想起敵偽時，陳羣在戰亂中多方收藏書籍的往事，尤不勝今昔之感了。

勝利以後到過南京的人，大約誰都知道中山北路與山西路口，有一所「中央圖書館北城閱覽處」雄峙在那裏，裏面藏有很多的書籍，善本鉅集，佈置楚楚，沙發古畫，不染纖塵。窗外小池假山，亦甚幽雅。原來這就是從前八閩士陳羣的藏書之所，也曾題名曰「澤存書庫」的木牌子，當年由雙照樓主人汪精衛親筆所寫的，早已不知所終。

陳羣又字人鶴，少負奇才，投身於革命的陣營頗早，曾在中山的大本營中掌理機要，因平素恃才傲物，與中山左右的元老重臣們都不能相容，往往使酒罵座，弄得合座不歡而散。北伐時，任政治部主任，在上海與楊虎（嘯天）齊名，有羊虎成災之稱，同是執行清黨最烈者。國民政府奠都南京之後，終於被擯於政治圈外，因此牢騷更多，一度藉杜月笙之力，辦了一所正始中學，頗有百年樹人之計。該校有一特殊作風，即自校長以至學生工役，均須剃光頭髮，到該校參觀的人恍若置身寺院中。抗戰之初，他公開主張與日本人合作，是國民黨的名流中最先落水的一個人。與梁鴻志等被目為「前漢」，以別於較後與日本媾和的汪派中人。他在偽組織中的職務是內政部長，江蘇省長，考試院長等，地位相當重要。在南京的時候，他的私生活放浪不羈，夜夜留連於秦淮上。他的姬妾很多，在姑蘇「開府」時，又眷戀名歌女范雪君，穢事頻傳，陳氏抱我行我素之旨，一點也不介意。他對於姬人有外遇的不但不懷醋意，並且時加鼓勵，據說這是「愛其所愛」的哲學，他的論調可謂怪論篇中的傑作。

他的一生中唯一可述的，便是對於藏書的成績了。他在偽官任內宦囊極富，卻全部拿來買書，以致身後蕭條。當日軍進入南京之初，藏書都是舊書，無人敢買，被兵士拿去燒火。幸而陳羣在那裏開始收書，將書賈搜集起來拿給他看看。積數年不斷的收購，共得一百萬三冊，分藏於澤存書庫之中。

日本無條件投降的消息傳到南京後，陳氏終夜繞室徬徨的結果，決定仰藥自盡，他有一篇親筆所寫的「自剖書」，詳述他投敵經歷，引證古義，雖未能自圓其說，但詞藻簡美。他又將家中所存十多萬冊善本書，自己編好目錄，送到澤存書庫去，遺囑對「澤存書庫」更念念不忘，其愛書若命之意，令人感動，似不能以人廢言也！

·秋柳·

奴役的藍圖（二十一）

麥柯米克神父著　陸逸譯

第十二章　共黨內部的不安

直到最近，美共黨和親共份子還在宣傳中共並不是眞正的共產黨，而是些「土地改革者」。美國共產黨並為那些天真的幻想家們指出了毛澤東將來不會受命克里姆林宮的漂亮理由，並且毛很可能變為狄托第二。別信這些話！這都是些抹殺事實的謊言！

中共今日已成為蘇俄的傀儡了，克里姆林宮主人已經把它做成下次大戰地了。一切新聞報導和宣傳制於蘇聯。甚至於祕密政治外。俄國這些權力全是從一九五〇年二月十五號，由毛澤東和周恩來所簽訂的「中俄友好互惠條約」裏搬來的。蘇聯在南斯拉夫所得到的教訓，將使中共永無翻身的機會。

在這個條約簽訂不久之後，即傳有五千蘇俄人抵達上海，接防上海防務，並成立高射砲營，和展開改善和擴大機場工作。海外中國報紙並且開始報導俄援飛機源源抵達大陸的消息，和俄國噴射機作飛行表演的照片。一九五〇年十二月，報載至少有八十架噴射飛機停在廣州機場。一九五一年七月，有二百個俄國技術人員着手擴大汕頭機場的工作，並加強港口設備，汕頭是與台灣南部針鋒相對的海岸都市。

俄顧問屢受狙擊

蘇聯人留華的確切人數是無從獲悉，不過最合理的估計當為廿萬人，一位朋友搭火車去廣州，沿路遇到十七個由廣州北上的蘇俄人，每人帶着一個翻譯員。在上海據說有一個廣闊的住宅區，把裏邊所有的中國人和西洋人都哄了出來，四週圍以防禦工事，交與蘇聯人作住宅區了，像禁地一般，阻止人們出入。蘇聯人的大量湧入，無疑地使中國人底自尊心大受打擊。在過去的二年裏，共產黨曾口口聲聲說：中國人不須要外援，因為中國人并不弱于任何外國人。現在，共產黨對于這樣多的蘇聯客人的光臨，實在有難以開口之感了。

因為那在廣東省，共產黨感到特別為難，實在沒臉來以蘇聯人派代中國軍政幹部，為了面子問題，葉劍英曾指出更換中國人幹部問題的理由，說是因為中國行政人員「太貪污，太無能」。

二個蘇聯礦務技術員，同着五個中國工程師，由卅個武裝兵士保護着，在東江上游夜行，遭狙擊了。祇有十七個兵士脫身。這塊地方按理不應該再有這種事情發生，因為國民政府的游擊隊早就被驅逐走了，這一切反共的活動也曾被清算過了許多次，不可能再發生這種狙擊的事件，據我猜想那是反蘇聯的中國青年共產黨幹的。

幾天之後，有兩個俄國軍官在西江小林墟（譯音）域里被架走了。一個就地即被槍殺死了，另外一個被幽禁在山裏。

女子時裝的演變

身材窄小了，四周添鑲一道寬邊。呢絨衣服變色了，翻過來在左襟方紐上一道花邊。眞個推陳出新，看來也還頗為醒目，當然其中大是有人煞費苦一番心血的。勝利後，許多官僚豪商互室所給予社會的影響，便是一派荒淫驕奢景象，翻弄出一些新花樣找異性做刺激的對象，如果說世界的時裝重點是巴黎，那中國時裝的重點無疑的是上海，遠在抗戰以前，上海就成為全國婦女所注目的時裝製造所，傳播最快的是電影明星，影片上的穿着，同時所謂世界時裝的外國影片，若干若干年式，甚且在鄉村裏的女孩兒家，也能說出巴黎紐約什麼的，眞個凡是有井水處，就是洋貨所到處，同時也就是洋風所吹襲之處，固不止時裝洋裝而已。鄉下女人，即令不識ABCD，可是對洋貨的「番名」，却能頭頭是道。此外，甚多不懂洋文的漢子，當然也有婆娘在內，他們和她們會玩「梭哈」，「布勒凡」，會玩「羅宋」，還會玩「跳跳」，更能「跳探戈」，「華爾滋」，又誰能估量到他們或她們胸無半點墨水呢？可是她們（他們）對於這些「番名」的「譯音」，卻能依稀胡盧的說得那麼滾瓜爛熟。時裝在這個新時代裏，也未能例外，西裝也頗流行于各大小都市間，當然保守的鄉村是不會太多。還在北方的內地鄉村和西南的山區，那和近海沿江的江南鄉村是差異甚遠，至少會有半個世紀的距離，內地山區間的小採女，正穿着通都大市裏老祖母所認為已經過時的服裝，說到國計民生，我卻寧願向內地山區看齊。最後談一提鞋襪和乳罩，化粧品姑且當作別論，不說鞋跟的高低，那得視身材的長短而定，身高達五呎的碩人頎頎，是用不着穿高跟鞋，可是在別有會心的朋友說，高跟鞋是有助於腳部的健美，證以辜鴻銘的小腳論，不無見地？據說尼龍襪在色感上，會吸住對方的視覺，上品的尼龍襪，在自由寶島之上，幸而還不多見，不然，一雙襪一位特任官俸，未免不大「習慣」吧？乳罩在時裝審美尺度之下，有其決定性的作用，年來由于成衣匠的高度智慧，在腰以上的胸部份，打上幾道摺縫，如果不有乳罩的相得益彰，曲綫之美，就難得充分表見。有人說大都市裏的罪惡，時裝設計人應負百分之八十以上的責任，冶容誨淫，淫為惡首，也許絕非過激的奇論，而且是有所見而云然的至論吧？在自由寶島之上，值得贊美的固然太多，女子時裝的不大受人重視，在我卻認為是應當大書而特書的一件事，許許多多的婦女，不拘是夫人或小姐，往往為着一件時裝的取得，有意無意間給男人們相當的煩惱，男人們的貪婪貪污，甚多是為着博取女人歡心所致的，女人本身，更是說來傷心之慘，最後究竟的犧牲色相，又何嘗不是為着臭皮囊的粧裹？但願這些都是過時的廢話，無須要在新女性面前申說。古語說得好，「服之不衷，身之災也」，時當今日，身在此地，實在不該有什麼時裝的可談？（下）

·佗父·

中華民國僑務委員會頒發登記證台數新字第一零二號
中華民國郵政登記第一類新聞紙類

自由人

THE FREEMAN

（半週刊每星期三六出版）
（第二四六期）
每份港幣壹毫
督印人：李光華
社址：香港高士打道六六號
電話：二〇八四八
GLOUCESTER RD. HONG KONG
TEL: 20848
承印者：東南印務出版社
地址：高士打道六十四號
台灣特派員辦事處：台北市館前街五十號
台灣總經銷處：台北中華路新號五九四之一
台灣郵政劃撥儲金帳九二五二號

美國的第二篇文章是什麼？

韓國斷然要做到和平統一　台灣無所謂保守只有進取

左舜生

三年多的韓戰。決不是徒勞的，假定能暫時告一段落，已經收效不小；如果終於停不下來，則共產黨還要繼續屈服，收效自然更大。

這個話怎麼說呢？

二次大戰以後，整個世界其所以鬧得惶惶不安，禍首罪魁便是蘇聯：在過去的這個八年間，她侵略了無數的土地，控制了許多的衛星國，並且還保持，擴大了一個足以威脅世界的武裝。

蘇聯原是一面空大鼓

蘇聯原來是一面空大鼓，在二次大戰中，她本來有亡國的可能，假如美國在當時對她的援助不是那樣慷慨，美國在歐洲不是那樣的疏忽，日本能秉共同防赤的初衷，不中途背棄德國，以發動太平洋戰爭的力量，移而夾擊蘇聯，則貽禍世界的這一禍根便早已拔除，今天整個世界的情況，可能完全兩樣。

當時大家把納粹的禍害估計得太大，把共產黨的禍害，估計得太低，實際蘇聯也是資本主義國家自身有了矛盾無法消弭，同時也誤於『歐洲第一』的這一觀念，而忽視了世界全體，因之一錯百錯，才把蘇聯縱容得不成樣子，以致使整個世界陷於今天的這樣一種險狀！

可是蘇聯畢竟還是一面空大鼓：就表面的形勢看，她今天誠然是龐然大物也，但一細加分析，卻可看出她裏裏外外遍身都是毛病，而且可以說已成了她的膏肓之疾。這個話又怎麼說呢？

蘇聯在幾年的短時間，把領土增加得這樣多，把勢力範圍擴得這樣大，並不是憑藉她的實力去豪奪，而只是依靠她的陰謀去巧取，例子來說，她在亞洲東北的最多只打六天的仗，所得卻比任何一次都多，單說東起千島，南庫頁，西達波羅的海，新疆，外蒙古，包括東北與內蒙古，這還是表面，我們千萬不要忘了她的手掌還拿了整個的中國大陸。以歐洲來說，她拿了波羅的海沿岸三小國不夠，拿了整個的巴爾幹半島不夠，至今還要控制奧，德死不放，而且更一肯忘情於中東，自一個民族發揮她的侵略野心，而又善於運用陰謀去加以保持的，歷史上大概很[illegible]

[illegible]

杜魯門先生還是不錯

[illegible]……裝備西歐，把蘇聯陷於東西受敵。史大林……[illegible]

亞洲問題與中國問題

[illegible]

……的辦法，而且陸續派遣大員和李承晚協商，實言之，除掉韓國的和平統一，日本的武力方面能有更周詳的考慮。

[illegible]

從國際法論休戰

許漢釗

從國際法上說，停戰是軍事的，休戰是政治的；這就是休戰協定為什麼不能局限於軍事範圍而要牽涉到政治問題的理由。

韓戰已屆意態闌珊的階段，雙方都提不起勁來再戰下去。如果不是李承晚演出放俘的一幕，休戰的協定早已簽訂了。放俘是中共有沒有再戰之力量的考驗。俘虜問題原為休戰協定中的癥結，雙方都堅持立場互不讓步，最後才折衷到移讓給中立國監護的辦法，總算雙方獲得協議，不料半路發生了片面釋俘的戲劇化事件，一夕之間，休戰問題頓然改觀。如果中共堅持全部拘回俘虜，或美國徇南韓之請不再繼續休戰談判，則戰端隨時可再啓，但中共態度軟化下來，美國對南韓不願遷就，休戰迄未宣告絕望。本文只就國際法規觀點，略論休戰的法理根據。

停戰與休戰

天下無久戰不和之局，韓戰三年，中共不能把聯軍驅下海，聯軍也未將共軍打回鴨綠江邊，戰爭已陷僵局，大勢所趨，只有和下去。李承晚並不反對休戰，而是反對休戰協定之後，拖一條尾巴，那就是政治會議，而政治會議的結果將會犧牲南韓。

許多人不明白為什麼休戰協定不能局限於軍事範圍，而要牽涉到政治問題，其實[illegible]

這就是國際法中[illegible]停火在英文[illegible]說「停戰」TRUCE[illegible]ICE，根據韋氏[illegible]曾說明這兩個字[illegible]根據國際法的規[illegible]然不同的：

一、停戰可[illegible]休戰則例由[illegible]非受特別委任[illegible]者之批准。

二、停戰係[illegible]止特定地方之戰[illegible]死傷者，或爲某[illegible]甚短區域。而之休戰則[illegible]和談判而之休戰全部[illegible]

三、停戰效[illegible]不及於其他。休戰[illegible]件而定其範圍[illegible]戰鬥行爲[illegible]

簡括來說[illegible]政治的，我們[illegible]綫向中共呼籲[illegible]軍當然[illegible]議，提出，向敵人廣播，但中共始終表示沉默，毫無反應，麥帥當時所採取的是停戰的措施，而他是聯軍統帥，他有權向敵方提出，毋須預先獲得聯合國的批准。

但這次聯軍統帥克拉克將軍主持與中共北韓洽商的是休戰，不是停戰；是政治的而不只局限於軍事的。除對於戰綫劃定，易俘問題等在休戰協定作規定外，其餘政治問題，必須另行召集政治會議作具體磋商。所以政治會議實在是休戰後必然的步驟。

休戰協定第四條規定「舉行政治會議，來解決朝鮮一切外軍問題及朝鮮問題的和平解決等等問題」，文中『等等』二字是中共方面加上的，聯軍方面聲明「我們不欲解釋『等等』爲朝鮮以外之事項」，所謂「朝鮮以外之事項」是指台灣問題及越南問題等，但朝鮮問題的討論，必然牽涉到越南北韓統一問題的實現，李承晚就心中認是美國爭取休戰而使南北韓繼續分裂，甚至不惜犧牲南韓。而美國不斷的派遣大員赴韓游說，要說服倔強的李氏。現在李承晚不反對休戰協定的一簽訂，也不反對政治會議，但提出一個意見，如果政治會議在三個月內沒有結果，戰鬥行爲須繼續進行，這是美國最感頭痛的難題。

根據國際法的規定，休戰是媾和的初步，談判媾和，例先訂立休戰條約，至於政治會議不過是休戰的附屬品，休戰是原則，而政治會議乃技術與枝節，以常理論，休戰原則已決定，政治細節斷無不能解決之理，但事實上卻不然，整個韓戰就是一場政治戰，折衝樽俎中無法獲得協議而啓生戰爭，戰爭不能解決又回到折衝樽俎上，談談打打，打打談談，則事之成敗更不能逆覩了。

可是國際法對和談時間並沒有限制，而且如上文所說，爲媾和談判而休戰，其期間較長。南韓以三月爲期之要求，美國如接受，中共必指美國破壞休戰協定，美國亦將無以自解。

南韓總統李承晚曾宣稱南韓政府始終反對休戰協定，並謂休戰協定縱使簽訂施行，南韓無受拘束之義務，如中立國家派遣軍隊來韓監護戰俘，南韓政府不惜訴之武力云云。實則各中立國軍隊決不會在外交未獲得同意以前，冒然赴韓的。不過，以法理言，各中立國派遣軍隊來韓，南韓可否拒絕其入境呢？南韓既是一個獨立國家，它有全部控制本國領土的權利，當然即有准許或拒絕他國人民或軍隊進入本國領域。根據國際法來說，國家在領域內有絕對無限的權力，它可以發[illegible]以外，一個更「布」命令，限制外國人入境。惟國際法上有一個名詞叫做國際地役。國際地役就是國際義務的一種。例如國家秩序紊亂，不能保護外國人之生命財產，或受外國侵略，時受危害或嚴重不利之國，爲保護其國民或確保國家之利益，認爲有軍事佔領特定地方之必要，則設定地役。

韓戰爆發，聯合國當然認爲它在南韓的利益已受侵犯，於是相繼譴責北韓與中共爲侵略，毅然出兵援助南韓，而南韓政府爲恪盡其國際義務，必須設定地役爲聯合國軍隊利用作戰鬥的場所，如因禁俘虜的營地也在設定地役的範圍內，則聯軍邀請中立國派遣軍隊入韓監護俘虜，於法並無不合。

誰是休戰談判的主權者？

美國最近曾作表示：縱使南韓不參加休戰協定，聯軍方面仍將繼續進行與共方成立休戰協定。那麼，如果戰場所在地的南韓參加休戰協定，這個休戰協定是否有效呢？

根據國際法的規定：講和條約經全權委員簽字蓋章，然後再經雙方主權者之批准交換，才算完全成立。這次韓戰的地點雖在南韓境內，但南韓並不是主權者，韓戰一方的主權者是聯合國，另一方的主權者是中韓共軍。就純法理來研究，聯軍統帥雖不得南韓同意，亦可與共方簽署休戰協定。至於協定執行時的效用如何，那是事實問題，與法理無關了。

半週展望

·雷嘯岑·

貝里亞免了職！

俄共特務首領，克里姆林宮新獨裁專政三巨頭之一的貝里亞，以「叛國」罪被免職了！

這項大獄的眞正內容，我們固無可靠的情報以資參考。但其本質爲俄共巨頭間權利鬥爭的表面化，自無疑義。根據俄共的傳統作風，貝里亞將來還要付諸正式審判，致他自認種種「叛國」罪行，然後置之大辟。正所謂好戲還在後頭哩！

蘇俄的內亂，對自由世界當然是一大福音，是鐵幕內被奴役人類獲得解放的號角之際，尤其對東歐各國鐵幕國家的反共人民，不啻是一劑興奮劑，俄帝的末日已在眼前了。

可是，自由世界卻不宜因此而認爲俄帝即將自斃，用不着努力鬥爭了，大家爭先恐後地向共產世界急求通商漁利，即無異於飲鴆止渴。艾森豪標榜着解放被奴役人類的政策，有這樣千載難逢的時機，如果不知利用，有所作爲，那就是天予不取，後必有災啦！

中韓共早知道俄共內部已存在着無可救藥的內亂危機，所以急於要求停戰，以免潰亡，美國爲甚麼還要壓迫李承晚接受屈辱的停戰協定呢？我們且看三外長在華府會議的表現罷！

英國商人的煩惱

英商代表團十六人，在北平與中共簽訂了三千萬鎊的貿易協定，好似拾得一顆金鑽蛋，大喜過望。然又顧慮許多戰略物資將來得不到政府允許出口，金鑽蛋將變成一塊大石頭，不勝煩惱。

實則中共早已沒收了英人十億美元以上的在華產業，它以「國營貿易公司」的名義簽訂貿易協定，即令英政府解除禁運政策，允許戰略物資出口，每年讓英商在大陸上賺取數百萬鎊的利潤，對中共亦毫無所失，它等於將十億美元的英商財產，以通商友好的姿態，分期付出一些利息而已。

中共所需求的貿易品，十分之八九都是戰略物資，而它所能輸出的貨物，除必須優先供應蘇俄外，有限得很！中共有甚麼能力每年可給予英商以千萬鎊的外匯呢？很顯然，它這次與英商簽訂貿易協定的動機，完全是政治作用，好像漁人以魚餌投入池中，讓魚兒昏醉出巢，浮水亂竄，然後逐漸收拾牠。英商將來必難免「池魚之殃」啊！

尼克遜東來

美副總統尼克遜將於八月間訪問亞洲各國，據白宮宣佈，他是代表艾森豪總統與各國領袖交換意見，聯絡感情，消除彼此間不必要的誤會。

我對尼氏此行的任務，不欲多所推論。只覺得艾克在政治上的領導作風，不失爲大氣磅礡之象。美國的副總統平時除到參議院開會當主席外，可謂無所事事。所以，羅斯福主政十餘年，連華萊士那類稍有作爲的人亦不敢相信，而要改以杜魯門來負副總統名義。但一旦總統不幸出缺，又得由副座代主國政。尼克遜年事尚輕，艾克教他到外面走走，不特對國家大事有所裨益，即尼氏個人的政治前途，也大有造就。艾克以長者身份，這亦是獎掖後輩之道，殊堪讚美。

政治人物最忌諱的就是一切唯我，不知爲國家培植新生命，此艾克作風之所以可貴也。

日本五年建軍計畫

日本業經國防機構揭發政府五年建軍計畫，吉田茂當時不答復，祇說爲國防機構私自擬訂，並未通過政府裁可。

吉田素來即是用「逐漸建設自衛力量」的論調，來對日本人民宣佈，因而自由黨還纔能以第一大黨地位執政的，他當然不便公開承認此事。做的不必說，說的未必做，日本若不建軍，最近兩億美元的經援，有那麼容易取得嗎？

克里姆林宮內閧攤牌
蘇俄展開大清黨
貝里亞首遭開刀

據蘇俄十日宣佈，特務頭子貝里亞已被整肅，即將提交公審。這位混世魔王的最後命運，將與無數被其血手殘殺整肅者相同，當無疑問，而蘇俄內部衝突的激烈，亦由此完全暴露，不過其演變之迅速，却頗出一般人的意料之外。這次以貝里亞爲首的大清黨大整肅，將擴大到何種程度，一時自難預測，不過其後果對整個蘇俄帝國及各國共黨的影響，必然將空前嚴重。

貝　里　亞

莫斯科公佈的罪名

莫斯科所宣佈的貝里亞的罪名是「叛黨」，各報發表了一篇這樣的公告：

「貝里亞的犯罪與叛國活動，目的在爲着外國利益破壞蘇聯，這一事實，最近曾加檢討，蘇聯主席團及最高蘇維埃經研討蘇聯部長委員會之報告後，已決定：

「一、免除貝里亞之蘇聯部長委員會第一副主席職，及蘇聯內政部長職。

「二、貝里亞之犯罪活動案，將提交蘇聯最高法院審訊。」

另據塔斯社報導，克羅格洛夫已被任命接替貝里亞爲內政部長。

貝里亞是怎樣一個人，其發跡經過是怎樣的，現簡單地敘述如后：

和史達林同鄉

拉夫連季·巴夫洛維奇·貝里亞的身世正像共產國家的一切要員一樣，神祕而不可稽考。在一切未經他個人證實否認的傳說中，有兩個說法爲世人信任，一個說貝里亞出身貧苦，一個說貝里亞出身富有之家。貝里亞於一八九九年三月二十九日生於喬治亞馬克哈利，因此是史達林的同鄉。

他早年在巴庫工藝專科學校就讀，就加入布爾雪維克黨，那時他纔十八歲。當時貝里亞就以一個年青的布爾雪維克特務在蘇俄的動亂中浮沉，並未有特殊引人注意之處。一直等到貝里亞寫出一本「論布爾雪維克黨組織在哥薩克」一書之後，始爲史達林所注意。這本書對史達林大捧特捧，用意在攻擊托洛斯基，結果，遂使貝里亞獲得擔任秘密警察的機會。一九二一年，他志願加入今日MVD秘密警察的前身卡（CHEKE），把它選爲終身事業，一九三四年，被選爲共產黨中央委員。一九三八年七月，被史達林任命爲蘇聯秘密警察的副局長。他立刻用黨的監獄作爲兩面鋒利的武器，一方面排擠秘密警察首長葉支儸夫，一方面爭取同情，廣佈自己的勢力。一九三八年十二月他正式出任蘇聯秘密警察的首長，名聲漸噪於蘇聯國內，被目爲僅次於史魔的權威者，深夜拘捕人民的就是他，西伯利亞集中營和礦山的主宰者也是他，操縱對世界興風作浪的第五縱隊的人亦是他，在蘇俄人民的印象中，貝里亞沒有別的，就是「恐怖」。極端政治使他成長起來。一九三九年，貝里亞選爲政治局的候補局員。這時貝里亞埋首於建立他個人勢力的工作。他控制了蘇聯全國的勞動營之後，使他一方面順利成章的成爲蘇聯內政部長，同時，也使他的權力伸展到蘇聯的經濟建設中去。一九三八年，共黨大會時，貝里亞又苛責叛亂與怠工危害了國家，又利用新的高壓手段迫使蘇俄人民重新對政府發生信心。

和馬倫可夫發生衝突

大戰到來，貝里亞一方面負責克里米亞大批蘇聯人民內遷的工作，同時又升爲副總理。就在同一時間他辭去內政部長之職，變成政治局正式委員，更進一步成爲蘇聯國防委員會五委員中的一人，這一個委員會在蘇聯具有核心內閣的意味。

戰爭末期，貝利亞以蘇聯秘密警察首長的資格，負責創造，扶植，清算蘇聯衛星國共黨領袖的工作。保加利亞的共黨領袖尼古拉比帝可夫，捷克共黨領袖總理蘇克等人，就是貝利亞一手扶起，而又一槍打死的傀儡。

戰後更多的權力集於貝里亞一身，使復了內政部長職，這不僅因爲貝里亞野心勃勃，而且，也因爲權力自會帶來權力。因爲貝里亞負責蘇聯原子能的[illegible]研究工作，所以，又堅固的促成他專門負責蘇聯海外間諜活動，及策動外國科學家背叛其國家的工作。

貝里亞一直是史達林一個最親密的僚屬，史達林對他甚爲信任。以史達林末期的「政治季候」看來，馬倫可夫固是史達林第一個心腹，一心一意希望成爲他的繼承人，但第二個心腹就是貝里亞，史達林的藍圖是，由馬倫可夫以黨的力量繼承政權，而以貝里亞秘密警察維護馬倫可夫新政權的地位，因此在他未死之前極力替馬貝兩人拉成一氣，導使貝利亞趨向馬倫可夫的政治路綫，使他一躍越過莫洛托夫之上，成爲蘇聯第二號政治頭目，然而史達林死後，種種跡象都表示貝里亞與馬倫可夫暗中激烈鬥爭展開，現在貝利亞被捕，祗是這個鬥爭演到最高峯而已。（丁匡華）

△三十年代大清黨中被處死刑的特務頭子雅哥達▽

莫洛托夫判若兩人

蘇俄發動和平攻勢後，連主持此一攻勢的俄外長莫洛托夫竟也一改常態，以新的姿態出現，使人看起來，前後判若兩人。上月初，莫洛托夫參加莫斯科英大使館爲慶祝英女皇加冕所舉行的加冕酒會，就俄國歷來的態度衡量，這已是一件不平常的事，而那天莫洛托夫居然還夾雜在衆賓客之中，與大家不斷乾杯，甚至竟親暱地拍拍人家的背，更是態度離奇，使得參加宴會的西方代表莫名其妙。平心而論，這些舉動在西方自由國家中委實極端平常，但由一向冷酷無情的莫洛托夫做作出來，却實在肉麻之至。

同時，俄國駐華府的外交使節近來也姿態大異，經常週旋於各國外交使團間，特別是英法大使館，尤爲他們走訪的對象。

布爾加寧佔了上風

不過，由於最近東柏林、東德、波蘭及其他附庸國家內所發生的一連串騷亂與暴動，在克里姆林宮明爭暗鬥的情勢下，莫洛托夫已受到嚴重的打擊。有些人把東柏林等地的暴亂歸咎於莫洛托夫政策的失當，而要求他改變現行的外交政策，其中攻擊最烈的，據說是國防部長布爾加甯。因爲近幾月來，俄當局依照莫洛托夫的主意，將東德及奧國的控制大權，由軍人移交文官接管，早已引起布爾加甯的不快。所以由東德波蘭等地暴動，俄陸軍出動干涉一事來看，在布（爾加甯）莫（洛托夫）鬥爭中，布爾加甯顯已佔了上風。

俄國看中瑞典京城

俄國可能搶前一步，於百慕他會議舉行之前，提出召開四國會議討論德國未來地位的具體建議。會議的地點克里姆林宮極可能建議假瑞京斯德哥爾摩舉行，因爲斯德哥爾摩建都七百週年紀念日，俄報章曾以不平常的巨幅篇幅登載此事。據熟悉俄國陰謀的觀察家說，這其中必有文章。

殺人利器日新月異

由一件事可以看出時代的日新月異，也可以看出殺人利器的不斷進展。原來美國有許多海軍將領認爲，由於超音速飛機和定向飛彈以及其他許多祕密武器的發明，到了一九五六年，除了一批一九四五年以後下水的船隻外，目前美國各個艦隊（包括太平洋、大西洋、地中海等艦隊）的艦隻都將成爲廢物，他們之敢於說這些話，當然決不是信口雌黃，而是知道許多軍事上的祕密後再作此種論斷的。（孟衡）

天下小事

中共遭遇東歐同樣經濟危局
工業計劃被迫緩進

豈、弟譯

原載「經濟學人」

中共已在發現，共產黨中之全部掌權者遲早亦會瞭解，土地改革爲一種兩邊鋒利之武器。將私有制度中地主的土地分給農民，在革命時期，是爲一有奇效之策略；但是到了用共產黨式之強迫工業制度時期，則必須付出代價。得到了所耕的田的農民希望他的生活要比他做佃農時好過；但爲他先前付作田租之一切，悉由共黨以田稅形式收去，他將一無好處。倘若用消費物品之獲得，引誘農民去供應食糧給城市，即用於消費物品之材料，將使中共政權引導各地資源進入重工業之能量受到限制。理想的解決方法當然是集體制度。此集體制度非僅是社會主義的理論上之目的，且有其重要的實效之功用。它能改變獨立農產者爲工資勞動者，使他們不再能決定他們自己的生產量，或留住他們產品不放入市場。可是中共中央委員會的最近命令中，悲慘地承認集體制度在中國尚非合乎實用的政略，大多數農民反對它，此時實行可能太過危險。

台灣的中國政府正在虎視眈眈伺機反攻，中共不能冒險去激起農民暴動。所以過分熱心的同志們，曾經強制農民參加「互助隊」及「生產合作社」——集體農場初步過程——的同志們，已奉到命令緩進並且更加小心。

退回到說服

新近公佈的實施計劃，是在每省設置示範集體農場，表演其各種優點，以期逐漸獲取農民對它的好感；互助隊與生產合作社亦用示範方式進行宣傳。所採取之方法，與東歐相參照，是以私人生產者所不能得到之農作機器，及各種方便與權利，贈給示範集體單位。

依據中共報道，大陸全部現在有十個集體農場（其中六個在東北），及一千二百個生產合作社。互助隊之數量甚多，但全是局部的與不穩定的組織型式，與私有制度並無眞正的分野；除非能將它們導入集體制度之更進一步演變的階段，則無甚重要。

向農民宣傳，要他們明瞭集體制度是對他們有益處；此宣傳工作能有多少成就，尚待表現。無論如何，此爲一個空洞的遠景；而在目前，急燥的中共工業計劃者們必須顧及農民，蓋農民向爲私人經營者，要他們爲城市市場生產，必須予以鼓勵也。

農民湧入城市

共產黨在鄉村宣傳社會平等與集體經營之一個後果，是農民徙移進城，人數之多已使政府尷尬並傷腦筋。農區的大量無技勞工蜂擁進入工業，並無減輕技工缺乏之效用；當雖設計劃在放棄或緩進之際，反使掌櫃者多了一個失業救濟之難題。

共產黨現在申斥農民之「盲目進城」，呵責他們對於農村生產之重要「缺乏瞭解」。然而農民拋棄土地而逃亡，並非出於「缺乏瞭解」，可是爲農民等級制度所予之強烈的搖與——爲各高等級所受之不同的歧視，及土地權將來爲收之威脅。人人都企圖避免列入「富農」等級；又爲了抑低他的等級，決不肯借錢貸款，僱傭人工，或在其私有土地上作引人注目之改良。因爲田地生產上有如許的氣餒事，許多農民寧願冒險到城市去賺高工資。非待做「中農」能有安全的保證，他們不會瞭解農村生產之重要。（下）

中東防務之鑰
蘇彝士運河

運河風光

當李賽普斯開鑿運河之初，沿河一帶，僅有寥寥可數的阿拉伯人小村落，現在雖說這些小村落變成市鎮，可仍不大繁榮，處處佈滿淸水濾淸站的沉澱物，白色的鹽層圍繞着那些市鎮。不過由於淡水的灌溉，花果菜蔬，却紅紫青綠的點綴着兩岸的景物。同時濃雲的密佈，在微弱的光照裏，又時時顯現着一些莫可名狀的幻景，航行運河的人，舉目遠眺，眞個五色繽紛，恍若置身另一個世界。加上在暴露着那灰色的油管，顯示這個地區的地下寶藏之富。伊伯烈赫港煉油廠的高大煙囪，是顯示這個地區的煉油工業，正在推進着這一沙漠地帶的活躍，同時沉醉在「天方夜譚」故事裏的阿拉伯人也給這些顯示覺醒起他們民族的自主和自覺了。賽德港和特非開港，都是開鑿運河後的新興港，街市上熙來攘往的頗形熱鬧，流綫型的汽車，駱駝，驢，新的與舊的交織着，戴着氈帽的阿拉伯人，罩上面罩的回教婦女，東方的西方的又是別有不同的情調。賽德港已是一座國際化的港口，這裏的印度人中國人日本人，各各展覽着他們祖國的產物，招攬主顧。當船隻泊在港外等待領港前來的時間，阿拉伯商人用小船駛近船旁，小船上展出波斯氈和其他東方特產，希望得到來自西方的客人們賜顧交易。賽德港的碼頭是用水泥築成，光滑整潔，閒情逸致的阿拉伯人，常常在碼頭上席地聊天，他們眼望着那匆促不停的起引機，上上落落，載走了他們的土產物，也給他們帶來各樣新奇的東西，他們卻漫不經心的坐在那裏獃個半天。赤足半裸的阿拉伯小孩，頭頂着或者手捧着水果在叫賣。

如果在星期假日，碼頭上却冷靜得少有人蹤，平日在碼頭上活躍的人羣，星期假日是溜進咖啡座跳舞廳電影院去了。瑪熊拉湖內漁船，數逾七千，賽德港的魚市，許許多多的阿拉伯漁人，裹頭赤足，身着長及足踝的長袍，托着竹籃叫賣他們的漁獲物，可不見絲毫緊張氣象。

湖上景物

退色湖位於河的中段，淡水濾淸站就在它的附近，它是運河三湖中最小的一湖，可是景物風光，在三湖中却特擅勝場，碧波蕩漾，閃爍着的岸灘金砂，綠郁郁的淺草，一片錦茵，如果不是風砂蔽天的季節，船行其間，大足爽心悅目的調劑旅行在沙漠中的枯燥情緒。北端的瑪熊拉湖，面積最大，它是和地中海相貫通，湖中島嶼林立，是漁人的樂園。海天遙碧際，點點風帆，在碧波如鏡的水面，打魚的網兒灑灑收收，個個幌漾得人眼花撩亂。南端的碧特湖，北端大稱大碧特湖，南端小稱小碧特湖，兩湖實爲一湖，小碧特湖有若大碧特湖的一個尾部。三湖對於運河的功用，是平衡水平和沉積泥滯，便於挖取泥砂的工程，碧特湖有險濬，便捷兩岸間的交通。還有那古老舊式的船帆，迎風高張，在運河的湖區中，尤覺別有丰致，那高大的帆比船身長幾乎超過五大倍，在風勢的不定向時，欹側傾斜，遠遠望去，白色的帆影，恍若海鷗似的，它們正在「時潮」裏盪漾，它們可仍然夾在大的海船旁駛行，時代淘汰不盡它們，人們還得利用着它們，想像着世局的風雲變幻難測，想像着未來的蘇彝士運河，它的命運，可不會像它的浪潮是如此輕微吧？（二）

中共強迫參加集體農場 農民正展開反抗運動

各地共幹強奪土地引起激烈衝突

據最近北平「人民日報」在一篇「不應盲目擴大國營農場」的短評中承認：由於各地「國營農場」的領導幹部及有關的領導機關不了解舉辦「國營農場」的方針，忽視了農業生產和農村工作的政策，不考慮當前的實際需要，也不顧當前的可能條件，就從「越大越好」的主觀願望出發，盲目擴大農場面積，致到處發生了農場與附近農民爭奪土地的情形，造成了極為嚴重的後果，尤以河南浙江兩省為然云云。據舉例：河南夏邑縣農場在今年春季曾派了十二名幹部到各鄉大張旗鼓地宣傳農場要和農民「調整土地」，他們要「調整」土地涉及五個區，兩千多戶農民。洛陽專區農場「調整」土地涉及十四個鄉，曾引起農民的激烈反抗。南陽專區農場強迫農民出讓土地，並強迫農民遷移住房，曾與農民發生衝突。尉氏縣農場盲目擴大農場後，有兩千多畝田無力經營而任其荒蕪。浙江義烏農場在今年三、四月間將「土改」時保留的「機動」地全部調入農場，並強制要農民調換耕地，將壞田調換農民的好田，事件涉及八個鄉鎮，二十五個村，一千九百餘戶，曾引起農民的激烈反感！而該場所耕的農作物產量極低，今春爛秧就有百分之八十以上，普遍為怨恨的農民所諷刺。據說上述種種情形的結果，使各地怨恨之農民發生一連串同樣的現象，即生產消極、怠耕、不施肥、等換田或還田，且將田塍上的樹木伐去，甚至暗中破壞農場的農作物，集體與農場鬥爭，不到農場，不作雇工等等。

共黨削足就履造成損失

閩農民集體抗暴

村幹鎮壓十餘被毆傷

【本報訊】據「福建日報」一不明瞭的透露，說最近閩侯縣下鄉領導春耕生產的幹部因盲目強迫農民種植不適該地之「合式秧田」造成損失，致引起農民「誤會」，發生衝突，各有十餘人因相毆而負傷。據云：該縣派到東岐、萬洲兩鄉領導春耕生產的工作組幹部十餘人到該兩鄉後，不明當地情況，即盲目實行改進農業技術，強迫當地農民種植四尺寬、中間留一尺，兩邊做小田塍的「合式秧田」，採用株距九寸的「小株密植」方法。但該地靠近閩江口，曾遭海風侵襲，又怕小田塍不易排水灌水，致農民不願採用。經共幹再度強迫，終不得不屈就共幹的命令而照式種植；凡不遵令照式種植的，曾被扣認錯，被迫就範。結果農民照式種植結果，終於普遍發生「倒秧」現象，使農民蒙受了慘重的損失，大為怨忿，致工作組幹部離鄉時被農民羣衆包圍糾纏，不准離去，謂「要割了稻再走，要算一算賬」，當時以幹部不耐，乃引起爭執，繼而發生毆鬥，乃造成此一不愉快情事云云。

粵共統制剝削無度

引起漁民怨忿 產量大減

生活日艱瀕臨絕境

【本報訊】據最近北平「人民日報」駐廣州記者黃炳輝在對廣東水產部門「缺乏生產觀點」的批判中透露：目前廣東沿海的漁產數量由於「廣東水產局」及「廣東水產公司」的不重視而空前低落，致使漁民生活日形艱難。且由於該兩機構一味盲目營利思想的作祟，強施統制，從中營利（即從中剝削），致造成了市價波動不定，漁民有魚難售，被逼倒入海中等等的情形，不僅使漁販生活陷於絕境，且使漁民遭受無辜損失，業已普遍引起了漁販漁民的怨忿，情形異常惡劣云云。

據透露：目前廣東漁產，僅「解放」前的百分之四十五點一四。以沙扒港為例，原先每艘大拖船每年可產兩千四百担，目前僅產八、九百担。該港共五十二艘大拖船去年勉能維持開支的僅十四艘，餘皆虧蝕甚夥。關於漁價波動的情形，據稱極為混亂，最突出的是地區差價懸殊，往往一縣之隔，竟有一與三之比。其次即為任意抬價殺價，從中攫利。關於統制情形，據稱該兩機構曾強迫規定漁販不得向漁民直接購魚，而須由「公營」之魚市場配給，但配給數量甚少，獲利往往不足個人生活。另一方面，水產公司又只收大魚，不收小魚，不收蝦蟹，致使漁民的漁獲物往往被迫倒還海中，枉費資本及勞力，損失甚鉅！此外，水產公司尚[illegible]魚鹽及各種漁具的買賣以從中攫利的現象，亦造成漁民甚多不必要的損失，據說：廣東各級「公營」公司因經營不善，浪費巨大，致獲利者極少，但該公司卻獨只魚貨及漁具的統制買賣，從一轉手間大獲其利，惟結果乃造成前述種種不良後果云。

南京普選殘殺人民

五千人被捕

居民普遍陷入恐慌

【本報訊】上海來訊作不明顯之報導：謂最近南京方面在「普選」的預查戶口中，已有約五千人向「人民政府」交代歷史。據稱該地中共當局係於上月初開始作重點的戶口預查工作，以南京係舊都所在地之故，曾從事公教工作居民較多，故對審查「選民資格」一節，較為嚴格。已在初步預查中認定約五千人須向當地公安機關「徹底交代歷史」，聽憑審查。但云因此舉在形式上不很平淡，（即緊張之意，亦即暗指已被捕之意）故已引起一般居民之憂恐云云。

粵教師遭殘酷迫害 發生集體自殺慘案

吊打罰跪逼門被誣空前悲慘

女教師被罵為妓女羣情羞忿

【本報訊】頃自廣州獲得消息：最近廣東順德縣曾發生一樁小學教師因在「進修班」集體不堪中共文教幹部之殘酷迫害而致集體自殺的慘案：據悉：自殺已死的雖只五人，但實行自殺的竟有三十餘人之多，故此一慘案已引起該省全體小學教師之公憤，紛紛向粵共當局控訴，藍深感此風擴延，無不惶恐萬狀。現粵共當局深知事態嚴重，已由該省偽紀律檢查委員會派高級幹部多人前往澈查，予以處理，以平衆忿。

查慘案之發生，純係中共文教幹部盲目「改造」教師，「檢查思想」，用暴力強迫「交代歷史」及過度之侮辱所逼成。緣順德縣偽政府於上月初在該縣大良區設立一「小學教師進修班」，抽調該區小學教師七十餘人，派偽青年團工委會組織幹事陳舜全及偽縣府文教指導員盧志明主持該班工作，抽調的小學教師一報到，該兩共幹即開始檢查學員思想，強制學員要自傳交代歷史關係。但學員遵令照辦後，該兩共幹以懷疑的觀念責學員們「互相勾結，攻守同盟」，即下令學員們不准一起談話，不准出班，取銷放假，不准接見親友探訪，不准與親友通信，首先將學員們處於此種囚禁狀態。然後，即相繼展開「鬥爭」，陳舜全即席宣佈：「不老實交代歷史的就要打，打死了我負責！思想改造不了，就交付勞動改造！」又說：「誰不打，就是同情反革命份子，再不，就是自己有問題怕人家打！」於是，學員們就在這樣的命令並在該兩共幹的實地指揮下互相打鬥起來，全班被打、推、踢、吊、扭頭髮、提耳朶、罰跪地的竟有三十八人之多，同時，盧志明在鬥爭學員時，竟無故罵女學員們都不坦白，都是野雞、爛貨、老舉（妓女）和母豬一樣等等的下流話，竭盡其侮辱虐待之能事！學員們處在此種情況下，終於忍無可忍，結果，有五個女學員首先集體懸樑自殺，接着凡被打被辱被迫「坦白」的男女學員三十餘人也集體服毒自殺，演出了此一驚人的悲劇！

不堪妻子「前進」 農民殺妻自殺

溫飽家庭頓告破滅

據甫自浙江金華來港之一商人談：上月三日金華專區所轄之義烏縣雅塘鎮，曾發生一農民因妻子「前進」之後，不堪羞辱，忿而將妻子斬斃，然後憤慨自殺的慘案。據云：該農民名李根發，年約三十五歲，係一自耕農，十年前娶鄰村馮氏為妻，一向勉能溫飽，相處和諧，堪稱幸福。「解放」後不久，共幹在鎮上組織「婦女會」，即誘說李妻入會。李妻入會後，受男女共幹影響，態度大變，自命「前進」，自此活動「積極」；自此以後，不僅白日甚少在家，即夜間亦常以工作為名，徹夜不歸，從此夫婦失和，常生口角，不久，李妻之態度愈形「前進」，竟公然與男共幹勾搭，明去暗來，毫無忌憚；雖經警告，亦未稍斂；由是鄰閭所播，使李根發大受難堪，忿極之餘，本月三日傍晚，李根發自田中散工歸家時，適撞見某妻與一共幹在屋後喁喁私語，狀極猥褻，怒火中燒，乃俟其妻入屋後向之揮拳痛毆，詎其妻了無懼色，一面抗拒，一面大嚷「離婚」，李忍無可忍乃急入廚持柴刀一柄，奔向其妻猛砍十餘刀，當將其妻砍斃！惟自知亦難逃一死，即持原刀自刎，情至慷慨悲壯！又云：血案發生後，當地共幹為掩飾計，曾指李根發為「特務」，謂係恨其妻走漏消息而加以殺害，並畏罪而自殺者。惟實際上，則民間多知此中原委，除深為李根發抱屈外；對彼之殺妻之後，壯烈自盡一節，莫不歎服。

驅迫兒童勞役 又有多人死傷

家長大慟紛紛哭訴

【本報訊】太原消息：中共學校幹部驅迫兒童學生從事勞役而致死傷的事仍層出不窮。最近太原市郊區狄村中心小學校長李毓倫命教員陽桂林、陶爾生在課外活動時間帶領全校學生百餘人去本村堡壕窰搬運燒土，該處崖頭有二丈多高，形勢極險，平時農民都不敢上去挖土，當地村長曾加勸阻，但教員不聽，結果，挖不到十分鐘，轟然一聲，天崩地裂，大塊崖土倒了下來，當有三十多個學生跌傷，四個學生葬身崖石之下。同時，山西絳縣一區陳村小學教員許珍之於下課後帶領十餘個小學生去校外折樹根的磚頭，結果樹根動搖，待發現時已遲，二丈多高的樹頭已塌下，致當將兒童八人壓傷，三人壓死！各家長聞訊後，痛不欲生，曾紛紛向上級哭訴，但迄無善後。

幼稚偏差病根深重 中共大舉補訓幹部

自認水準太低危害重大

鄉幹多文盲須從頭讀起

【本報訊】北平消息：據最近中共中央華北局在報端公開指出：一般幹部幼稚、偏差、盲目等行為的普遍而嚴重，官僚主義作風的盛行，錯誤措施之層出不窮，且經一再檢討，訓斥，糾正，均歸無效等等情形，經研究的結果，認為一般幹部的文化水準過低，實為其中最基本的原因之一。故已將此一「結論」，報告中共中央，並經批准，決定首先由華北區訂定一「提高幹部文化水準」的五年計劃開始實施，大舉補訓縣以下各級主要幹部，俾於取得初步經驗後，向全「國」各地全面推廣，普遍實施。

四點計劃

該一計劃的主要內容：一、華北區建立幹部文化補習學校一座，負責抽調地委委員，縣委書記及縣長中之不夠初中程度者入校補習。校內設高小及初中各一班，高小一年畢業，初中年半畢業。中共認承，華北區一區不夠初中程度的此種地方高級領導幹部共有一千七百餘人之多，幾佔總數的百分之八十左右。擬此種幹部每期調訓三百五十人，預期於五年內將之一律提高到初中畢業程度。二、內蒙及各省市建立幹部文化補習學校一座，或在各省市黨校及行政幹部學校內附設補習學校一座，負責抽調所屬縣委委員，縣級主要幹部（包括秘書科長等），區委書記、區長等不夠初中程度者入校學習。班級與學習期限與華北區補習學校相同。中共認承，該區應抽調補習的此種幹部竟達一萬二千餘人之多。三、各專區及省轄市設立幹部文化補習小學校，負責抽調區委及區一般幹部之不夠高小程度者入校學習。只設高小班。中共認承，華北全區應抽調補習的此種幹部，計共達八萬二千餘人之多。四、各縣設幹部掃盲班，規定於今年內用「速成識字法」將區鄉下幹部初中之所有文盲提高到掃盲所要求的標準，而後再設初小，高小，等幹部補習學校逐年調訓。中共曾承認區鄉幹部中之文盲，極為繁多，但未說明具體數字，照一般估計，相信華北一區中，當不下三十萬人。

一杯水主義下 內蒙梅毒流行

【本報訊】北平消息：據偽衛生部在公報中透露：近來內蒙古之阿拉善旗自治區和額濟納旗自治區的梅毒患者空前流行，據最低估計，該兩區梅毒患者至少已有一萬八千餘人，患者尤以婦女為多。因該兩區人口稀少，故此一患者數目，已甚驚人。關於該兩地區梅毒患者之所以如此衆多的原因，中共雖緘口不言，但以西藏為例：係中共入藏幹部及官兵在一杯水主義下任意誘姦蒙女所致一節，當無疑問。聞現偽衛生部深盧該兩區性病再擴大傳染，故已派出兩個所謂「民族醫療防治隊」攜帶大批藥品前往施治云。

中共學校人間地獄 學生患病十有八九

伙食又壞又少無不挨餓

課業重環境差都受不了

據最近「人民日報」在讀者來信綜述中透露：某些地區的中等以上學校學生的健康狀況普遍惡劣：蘇北淮安師範學校在去年底調查統計，健康情況正常的學生僅佔百分之十一點七；安徽大學僅患肺病的就有百分之七；南昌大學僅患失眠症的就有百分之二十以上；天津大學僅患關節炎的就有百分之三十，患胃病、失眠、頭痛等症的更為普遍，綜計各校的情況，差不多十個學生中就有八個至九個人患病，情形空前嚴重！

據調查學生患病所以如此普遍而嚴重的情形稱：一是伙食太差、而且太少，學生都吃不飽，營養太差。加上伙食費太貴，飯菜中常有蒼蠅、蚊子、砂土、釘子、老鼠、抹布、甚至活蟲等發現。且常將隔上幾天的或生冷的飯菜強迫學生吃，致使學生染病。如河北名家工校，上月二日因強迫學生吃烏化了的窩窩頭，當有四十餘人夾上吐下瀉，發高熱；但領導上仍不關心，次日突增至一百七十餘人。二是課業過重，黨團活動和社會服務過多，使學生極少休息的時間，亦勢必將學生的身體日漸拖倒。三是學校的環境衛生太差，宿舍太擠，陰溝太臭，井水太髒，廁所太臟，患病者及其他有傳染病的病患者都沒有休息或隔離，醫藥設備太簡陋，整個環境的空氣太壞，在在都使學生的身體搞壞，並使病者的病情加深。總而言之，目前大陸各地一般中等以上學校情形，簡直已成人間地獄！

這就是民主生活！

為方

（自由談）

英倫政府最近調派了一位在王宮任職的空軍武官湯生赴比利時使館服務，原是一項極平常的事情。但，輿論界馬上引起反應，紛紛議論，指政府此舉是在阻礙瑪嘉烈公主與湯生武官的戀愛自由。因為湯生不是貴冑之裔，有人反對公主下嫁於平民也。工黨議員休斯，聲言將在議會中對主管官員提出質詢，要查問湯生新任職務的階級和待遇。大家好像對這項極其平常的小事看得很嚴重，非打破砂鍋問到底不可，為的就是有公主的婚姻問題夾在其中哩！

湯生調職，是政府應有的人事行政；瑪嘉烈公主的婚姻，是王室的家事，與國計民生無關。然新聞記者和代議士，卻要熱烈地批評質問，用意就在維護自由人權。人權是天賦的平等權利，不能因貴賤而有所損害，這即是民主生活！

這類事情若發生在東方的國家，定要鬧出許多笑話。政府當局必指新聞記者和議員們為無理取鬧，[illegible]批評，說不定還有抓記者，停止報紙發行的怪劇演出，更可以「侮辱王室」的大題目，加諸批評質問者的身上，藉題發揮，濫施私人恩怨。然英政府和王室，卻視若無睹，聽你們去橫議，好少理！

民主政治並不是甚麼稀奇古怪之事，只要讓人民有說話的自由，說好說歹都無妨。說得對，採擇它，不對的，毫不理它，就是民主了。光是嘴裏說說，筆下談談，絕對奪取不了政權的，怕它則甚呢？

糧荒

· 呼嘯 ·

羅晴江企在騎樓的一角，伸了個懶腰，噓了一口大氣，拖着疲乏的情緒，向天空凝視，驟上心頭，使浮在眼前的景物，都是黑暗與傷感。

似乎有千百斤重的石塊，壓在騎樓下面，是個尾巷的出口，圍住巷內石井的人家，正是一些穀八角幡的男男女女，淘米的，洗菜的，叫叫嚷嚷，有時還發出打情罵俏的猥褻聲音。

「東方紅」……「解放軍的天」……這年頭，眞是它們的世界。晴江越想越悶，無聊，掉頭向騎樓另一端瞧去，那是一條整齊的街市，從寂靜的空氣裏衝出一陣陣的轆轆機械聲，許多汗流浹背的工人，拚命趕造那座輝煌大廈；大廈的正中門上，還嵌有一顆「污星」；據說這是「新中國」的進步象徵。晴江更感觸到意外的壓力，遍身走向房內踱方步，喃喃自語：「幹，什麼事為幹出來的，只怕沒決心，現在要掙扎才是生路。」

三年來，晴江總是把這幾句話記在心頭，早想在大壓力下，作垂死的掙扎，文人怯懦，仍是鼓不起勇氣來。房內堆滿了破爛傢俬和一間床，更顯得窄狹，騎樓一頭是廚房，鐵絲上又掛滿了衣呀！褲呀！尿布呀！使他來回走不上三步，就要碰上很些看不順眼的東西，索性向床上一躺，極力壓抑這顆不安的心靈。

「過來，亞明，」他發現獨個兒在屋角落玩的五歲孩子，認為是他目前最好消遣的對象，不斷地向他招手。

亞明正玩弄一些拾來的小木塊，沒有理睬。

「來，來不來，」晴江有點生氣，聲音洪亮得驚人，亞明抬起頭來，疑懼的眼光瞧着爸爸，一付可憐相，快要哭出來，經不起晴江的脅迫，站起身，踏着已露出腳趾的布鞋，慢吞吞地向床邊移動，兩隻眼角現出一絲淚痕，陣陣從樓梯下漸漸的腳步傳近。

「唉！是鬼世界，」晴江在房門口。「媽，媽媽，」亞明似乎救星到了，回身一衝就到了房門口，拉開了門，迎接她。

羅太太走進房內，卸下提籃，拍了一下灰塵，額角上還滴滴汗珠，一面從提籃內取出買來的東西，怨恨地說：「眞是鬼世界，以前只愁沒錢用，現在有錢也買不到貨，糧食公司門前擺長龍，差不多三個鐘頭才輪到我，米又賣完了，我剛剛擠近櫃檯，「限額已滿」的牌子掛上，我又撲了個空。」

羅太太越說越傷心，因為每天早晨都要經過這一段傷心時間，已經是餓了好多回啦；晴江聽慣了，並不重視她的說話，老是瞪着眼光，看她取出來的那只捲成圓的烏黑[illegible]

[illegible]

眼睛，瞪着羅太太，「你是不是說，明天由我去買」。「你是教師，應該維持師表，怎好在人叢中擠，我沒有叫你去的意思，你不要誤會。」晴江聽不慣嘮叨，越來越煩悶，[illegible]

[illegible]

「貿易公司」「人民」營業機構一類的飯舖，好容易找到一家，還未走到門前，伙計們已正在收拾，[illegible]

苦學

健軍

自從來到香港，個人浮沉于這個「天堂」以來，為了解決生活問題，前後做了幾次家庭教師。香港人把這種職業稱為「上門教授」（妙絕），每逢我挾着書本，往半山區踽踽獨行的時候，我常想我自己底職業（大概也是七十二行之外的吧）是多麼奇怪——「上門教授」——就如同在報紙上常見到的「上門打針」，「上門按摩」一樣，我發覺到我們是生活在人家奢侈的病態中，除了對我底顧主表示一種難以形容的感激之外，我自己心中常常感到一種扶恤的憐憫。

我讀宋濂的送東陽馬生序，那篇文章是他描述自己幼年苦學的情形，他說：「余幼時即嗜學，家貧，無從致書以觀，每假借于藏書之家，手自筆錄，計日以還」……

現在的學生，有誰還有這種勤苦好學的精神？即使有，也被人目為「怪物」的。別說沒有書，就是有書，如果沒有先生的督促，更別提家庭教師的哀求了，他是不屑一顧的。苦讀勤奮的學生和優裕閒蕩的富家子弟，在心理上和力上的懸殊，何以貧苦的學生能夠自修，而富有的子弟就非要用家庭教師不可。這點實在是一個難以解釋的現實。

香港的所謂「上門教授」，對待先生的態度，那眞是「妙不可言」了，那樣幼小的年齡，居然能分清「顧主」與「賓家」的關係，而能絲毫不爽地擺出「小東人」的架子來，所以，既然出錢，也就用不着客氣。[illegible]

老師的恭謹態度：「遇其叱咄，色愈恭，禮愈至，不敢出一言以復，俟其欣悅，則又請焉」！[illegible]

當余之從師也，[illegible]

奴役的藍圖（二十二）

麥柯米克神父著　陸逸譯

反抗力量壯強起來

以後又有一個消息說：在林平縣內有二百個警察、稅警，及一小部分地方部隊發生了兵變，在驟露他們底上級之後，逃入梁山打游擊去了。共產黨一時震驚大發，將叛變者的家庭大加折磨。

在汕頭，據說有二千兵士亦發生過同樣的變亂。

這些報導是很值得重視的，因為它暗示給我們：在今日的大陸上反共抗俄的仇恨已經深入到共產黨政權裏邊了。

他們見到人民底痛苦，每日接觸老百姓，悲憤和失望，所以很快地把他們對共產主義的幻夢粉碎了。他們開始憎恨他們所服務的共產黨的欺騙。當然，這些不滿的情緒，祇有在共產黨負責人才會有的。至於那些眞心投靠共黨的無恥之徒，他們永遠是不會翻悟的。但是就目前[illegible]的人是不容易有所作為的，因為魔鬼的羅網已經張起了，中國底五億人口已經被縛在裏邊。

在一九五〇年，幾乎人人皆知在福建西部山區有二萬以上的國軍游擊隊，他們經常受台灣的接濟。以後共黨派軍事間諜滲入工作。到一九五一年七月，游擊隊僅餘百人。在江西山區，原有游擊隊四萬餘人，但在一個大規模的「清剿」之後，據說僅餘數百人了。

據我個人想，這種反抗的力量遠較人民所知道的為強，我們再聽不到反共報導的原因，但是因為共產黨不准報紙刊露反共活動的消息，但那些「報游不報敗」的共產黨官方報紙卻除外。新聞在共區裏根本沒有自由。人民不准旅行，祇有共產黨可以亂鑽。這樣人民對於外界的情形，便像蒙在鼓裏一般，任聽共黨歪曲解了。

人民盼西方支援

去年有一個曾受過高深教育的中國人，誠懇地對我說：大陸上的中國人都渴望着美國去解救他們，就像援救韓國一樣。我告訴他說，美國是一個愛好和平的國家，不喜歡同人作戰。我說五年之後共產黨也許就會軟化了，大陸上人民的生活也就會改善了。他驚叫說，「五年」！「五年之後我們全死了，恐怕五年後祇剩下共產黨了。」

我對於自由中國的軍事力量和反攻計劃不大清楚，但是我確切知道大多數的中國人民仍信任蔣總統，並且希望他能重返大陸去解放他們。中國人民同美國人一樣，時常聽到各式各樣污衊蔣氏的宣傳，但他們底見解和美國人主要的不同點是他們完全不相信這些謊言。

「蔣沒有攜帶財產，逃到美國去享清福」，一個老農夫對我說，「他儘量設法住在離我們最近的地方，他永遠不會忘掉我們，他正在訓練一支新軍，他很快就會回來從赤魔底手中解救我們的。」

另外一個人，過去是位教員，說：「假若蔣總統在人民被壓迫得透不過氣來的時候，全中國的人民甚至於包括半數共軍將會和他聯合起來，在他的領導之下，如果需要的話，人民可以赤手空拳將紅潮懸魔擊成爛泥。」

我在中國的工作是傳教救靈。軍政方面我是外行。我所知道的祇是五億的人民被奴役了，每日有無數的男女被槍殺斃命，因為他們渴求自由，我不知道將來中國將成何面目，但我懷念那些半生與我相處過的人們。我祇知道蘇俄對他們的壓制日益加大。

請為中國及全世界被奴役的人民祈禱吧！并請為鞏固與利堅的自由而獻出吾人每一分的力量吧！（全書終）

北·平·雜·憶

· 太希 ·

民國二十五年的夏天，我隨居停某公因事去北平，北平是我舊游之地，風景很熟習，所有城內城外的名勝，可說沒有一處沒有遊過，不過那時是窮學生，有些地方那時還沒有開放，有些地方不許平民遊覽的，任人參觀了幾處，這次借了居停的光，到了幾處普通人不能到的地方，比如故宮博物院之中，雖然開放了很久，但是宮院萬戶千門，有好些還是列為禁地，這一次隨了他到了故宮博物院，所陳列的古物種類，實在太多了，只要看故宮陳列，就知道一個大概，姑且不談，那天最後我感興趣的，就是中國最後的一個洪憲皇帝的袁世凱的寶座，與他的儀仗。

洪憲寶座是用紫檀木製成的，和廣東最古老的酸枝木大椅差不多，但是四條腿很短，坐的地方很闊，雖有好多精緻的花紋，如果沒有人告訴你，是洪憲的寶座，你一定不知道它的價值和用處，後來我才想起袁世凱的腿子最短，身子很胖，所以要做這樣怪模樣的東西，才合他的身材。可惜他尚未坐上去，就倒下來了。我想：「如果他眞的坐上了這樣一個傢伙，究竟是否舒服，倒也是一個有趣的謎。」

這幾件東西是不公開展覽的。據說：其實還是恐怕有失民國時代的體面。[illegible]

（一）

中華民國僑務委員會僑務登記證台僑新字第一〇二號

中華民國郵政登記第一類新聞紙類

自由人

THE FREEMAN

（半週刊每星期三六出版）

（第二四七期）

每份港幣壹毫

督印人：李光華

社址、香港高士打道六六號

電話：二〇八四八

GLOUCESTER RD. HONG KONG TEL: 20848

承印者：東南印務出版社

地址：高士打道六十四號

台灣特派員辦事處 台北市館前街五十號

台灣總經銷處 台北中華路新號五九四之一

台灣郵政劃撥儲金帳戶 九二五二號

對孔宋開除黨籍的觀感

據本港出版的「新聞天地」週刊報導，中國國民黨最近決定開除孔祥熙宋子文徐堪等十六人的黨籍。這消息雖然尚未見關係方面正式公佈，予以証實，但我們相信決非謠言。這是自由中國執政黨一項劃時代的非常措施，在全國人民的觀感中，影響很大。國民黨有此一舉，足以表現其改造革新的精神，是與其時代使命相配合的，自堪佩慰。

全案應予公佈

一個政黨，尤其是以革命的歷史任務爲職志，强調紀律第一的革命黨，開除構成份子的黨籍，是一件很嚴重的事。像孔宋這類人物，久居黨政高位，聲名藉甚，究因何故而開除他們的黨籍？這不但爲黨內同志所關心，亦爲全國人民所注視的問題。誠然，孔宋徐等案爲國人所指摘，不理於衆口，國民黨曾代他們受過社會上許多的蔑責，聲譽大損。唯其如此，今日毅然決然地給以黨紀制裁，乃證明國民黨是進步的，是與人民意志相結合的革命黨，更應該據列事狀，公告社會，以澄清世人還有的不良印象，亦使黨員知道紀律之嚴肅性，不是隨便可以違犯的。何況本案除孔宋徐等人以外，還有十三名開除黨籍處分，這十六人雖皆名流，因何過失而與孔宋同其遭遇？若不明白宣告，徒滋社會揣測疑慮，不足以彰國民黨改造革新的氣節目，殊感失策。不特此也，據我們在海隅所得閱的大陸消息，痛受饑寒奴役生活的國內大多數民衆，莫不企盼自由中國政府早日光復河山，解放他們，但大家心裏不免潛存着一點疑問：即國民黨打回大陸之後，是否又使過去那些製造中國悲劇的罪人如孔宋者，捲土重來，主持國事？[illegible]，屏棄了這些罪人，即應揭開大號，廣爲宣揚，表示與民更始的決心。

政黨的紀律作用，對信仰上的關係極其重要。俄式共產黨所採以維繫紀律的方法，是純恃關與威脅生命，一經開除黨籍，不特生活失據，而且生命危險，把人類看作下等動物。所以，共產黨人之入黨，如登賊船，不許有絲毫的思想自由。黨員服從紀律，是受着生活與生命威脅的唯一「死」關所使然。我們的政黨，是要黨員依自由思想而對主義政綱發生信仰，自發的遵守紀律，有所不爲。紀律的功用，乃在培養黨員的榮譽觀念，激發其自尊心與責任感。因此，開除黨籍是一種最嚴厲的處分，非萬不得已，決不出此，既有此舉，即宜明白宣示，無所隱諱。這對黨外是保持政黨的信譽，對黨內更具有深厚的教育作用，不能忽視的！

·曹備芩·

孔宋等除籍以後

孔宋等人過去蜚黃騰達，大富大貴之所由來，原非基於其黨齡與勞績，事實昭彰，他們所共喻。因此，他們對於黨的觀念，是微妙的，對主義更莫名其妙，說不上信仰的話。自大陸淪陷後，他們背自思量，或以曾經掛名於國民黨黨籍爲遺憾！開除其黨籍，在他們主觀上，頗有「不敢請耳，固所願也」的想法，也未可知。爲適應其內心深處的願望，自不必惋而不宣。若謂替他們稍留餘地，防其挺而走險，邀藉實力，在海外妄作異圖，使政府招致不必要的煩惱。這也是一孔之見，似是而非。

孔宋這般人，原是「只有政治慾望，並無政治信仰」的名利之士。過去拼命地爭取黨的中委地位，決非爲要實現三民主義，而是爲着「中委」身份乃爲取政治上高位大權的王牌。中委們所不能，無所不爲，有了它，富貴逼人來，沒有它，斯人獨顦顇。所以，目前國民黨局促在台灣一隅的時候，對他們雖留餘地，他們亦滿不在乎，他們所寶視的祇有富貴二字。試看孔宋在美國合營的貿易公司，曾與年競以販運戰略物資接濟共匪，而被美商務部停止營業的事實，即爲鐵證。老實說，自由中國政府如果不能光復大陸，執政黨縱然懇請他們回來當政，亦將掉頭不顧的。

凡屬名利之士，即有不甘寂寞的天性，孔宋尤然。目前自由中國正在艱苦邁進中，他們很可能另謀政治出路，別樹一幟，只要共黨不予清算的話，隨時皆可以擁護「人民」，「民主」。同時所謂「第三勢力」，今之「民主黨派」，如果比國民黨更有辦法時，他們，不惜大力支持的。但，這是名利之士的本質，與開除黨籍不相干。若認爲對他們不採取決絕的態度，即可以安反側，去煩惱，那就得承認他們是有政治信仰與氣節爲政治家嗎？這類人物在國民黨既已發生腐蝕作用，不能不予清除，即令再去搞新的政治玩藝，其前途也就可想而知，何必多所顧慮呢！

盼執政黨這項非常措施，視爲興國氣象，這比任何文告宣言的效用都大。因而我們希望把這項非常措施的原委，公諸社會，告慰群情，以堅定其對自由中國反共復興的信心。

美國醞釀新外交政策

[illegible]

的防務，他們正開始爲他們的工業品，在東歐覓取市場。若干國家且開始向美國提出「貿易而非援助」的要求。

美國所面對的一個問題是如何增加貿易，白宮希望減低美國的關稅，國會對此是意見分歧的，而損害許多工業會遭遇到歐洲低廉貨品的競爭，但在另一方面，美國的決策人也面臨着一個實際的困難，那便是如果美國不供給歐洲與日本市場，那日本與歐洲商人將在鐵幕後面的國家中尋求顧客，如此美國限制東西貿易的政策勢將崩潰。

曾經努力促成通過馬歇爾計劃的民主黨參議員[illegible]，是有名的國際主義者，但上週他竟在參院宣佈，他認爲援外計劃應在明年六月三十日前結束。他的言論立即傳遍了全世界。[illegible]的意見並不是孤立無援的，自然，國會中的孤立派與國家主義派久已反對繼續援外，於是許多議員們陸續附和[illegible]的主張。如果代理多數黨領袖諾蘭所提出的折衷方案獲有成功，則援外計劃將在一九五四年六月三十日結束共安總署的職務時已輕易地通過。

後來參院在通過五，三一八，七三二，五〇〇元援外法案時，規定共安總署於三年內結束經援計劃，於四年內終止軍援開支。

事實上，參院幾乎是一致贊成一九五三年爲援外之最後一年的，只有參議員惠利不同意此種意見。

參院決心於明年停止援外計劃，反映出國會日漸增加的對美國盟友行爲的不滿。目前國會中大多數議員認爲，西歐應可無須美國的援助而能夠自立。許多議員對西歐未能組成歐洲防衛集團更憤慨異常。其他引起國會議員憤怒的因素，包括東西間繼續貿易（特別是英國與中共的貿易），若干盟國敦促美國承認中共，北大西洋公約組織建軍的緩慢，以及歐洲反美跡象的增加等等。

在援外與關稅方面，政府與國會有許多商實的地方，譬如政府官員希望說服國會於明年減低關稅，但他們能否成功，誰也不能預言，因爲目前國會似是贊成高關稅政策的。

由於政府與國會意見的紛歧，要推斷正在醞釀中的外交政策的正確性質，那是至爲困難的。在未來的數月中，會經常發現政府站在某一邊，而國會則支持另一邊，但最後終將協議，而產生一種新的政策。（節譯自七月十三日「新聞週刊」）

△這是一張在東德偷攝得來的照片，憤怒的工人將工會中的共黨宣傳小冊子與傳單丟得遍地皆是。

半週展望

·左舜生·

注意美國的動向

蔡斯於前日離台，其行動似乎爲一種並不十分必要的秘密，究竟現在他已到達何處，也頗引起種種揣測。據昨日（十三日）中央社及路透社台北專電：「美國可能於最近將來，設一包括台灣、日本、菲律賓、泰國、越南等地的美國軍援行政機構。出任此一機構首長者，據中央社推測，『可能爲太平洋區地面部隊司令奧唐尼爾中將。』」路透社更推測此一機構的作用，乃在使『台灣軍事和美國的太平洋整個戰略相配合。』

這件事還只是一個起頭，究竟將來的演變如何，目前很難揣測，不過有兩點我們大體上可以知道：一、以日本、台灣、菲律賓、泰國、越南等地，作爲太平洋的一條防線，美國即在這一意義上予各該地以適當的軍援；二、所謂放棄或托管台灣之說，當然不會成立。

假定所謂『美國的太平洋整個戰略』止於如此，而台灣乃不過在此一戰略中有其『配合』的作用，這與一般自由中國人民所要求的想像與期待者，其距離實有十萬八千里！自由中國人民所要求的爲反共復國，進一步則在使整個亞洲不復繼續處於蘇聯直接間接的威脅之中，老實說，我們的主要目的，決不能以參與一個太平洋的防線的配角而感到滿足。

我們必得在這裏提醒大家：美國近來的決心、做法，以及所受其他民主國家的影響，依然使我們十分疑慮，甚至使我們懷疑到將陷我們的反攻大陸於遙遙無期！

李承晚總統這次所表示的頑強態度，僅能矯正美國錯誤觀念的一部分，但並不能澈底；即杜勒斯所期待日本能有十個師的建立，亦不過令日本差可自保，其於解決整個中國問題與亞洲問題仍不相干。

就大體說，無論韓戰越戰的未來演變如何，中共部隊南移的目的何在，美國所急於要做到的，似乎只在把她全部的地面人力從速抽出亞洲，今後她只將以海空力量來扼防前面所說的這條太平洋的防線，並就這條防線上的若干地點，予以若干的軍援而已。

如果這一看法或推測大體不錯，則今後中國問題和亞洲問題的解決，其責任的大部乃落於亞洲人的自身，而對美依存亦不能不有其限度。

然則全部亞洲人的打算怎樣呢？台灣的打算又怎樣呢？這確實是當前要逐漸求得具體解答的課題了。

貝利亞事件

自蘇聯正式把貝利亞事件公布以後，香港這一隅的報紙，也曾引起熱烈的討論與推測。就我們目前在此地所能得到的資料，其看法與論點，亦只能暫止於此，而大體總算是不錯。但有兩點，我們必須補充指出：其一，蘇聯這個組織了三十五年的蘇維埃政權，依然不免還要這樣胡鬧下去，這所給予大家的印象實在太壞，蘇聯今後要控制這些已有的衛星國將更見艱難，其他一切可能上當的國家，也可能有所警覺。其二，原來若干對中共存有幻想的國家，因蘇聯給中共所看到的黑影一天天來得濃厚，也可能使這類懷抱幻想的人更將想入非非。我們只能把貝利亞事件看成一個大局轉變的徵兆，站在反共的立場，究竟所變的是好是壞，則目前尚難預測。

孔宋等開除黨籍

據最近一期（七月十一）「新聞天地」週刊所報導，宋子文孔祥熙徐堪等十六人，居然被開除了他們的黨籍。本來這一類人物在一般國民的心目中，原已早有定評，黨籍的開除不開除，也於目前的大局沒有多大的關係。然而執政二十餘年的整個政府加以縱容，卻不能不說這還是一件整飭人事的事。這班人除實權外，但他們卻未必甘寂寞，國民黨所以突然有此一大決定，是不是因爲他們還有其他的舉動？我希望這件事能夠經過公開，公開較不公開一定更有意義。

克里姆林宮內鬨聲中
老狐狸莫洛托夫已僭居最高地位

貝利亞被黜後，由日來種種跡象可以看出，莫洛托夫實是貝案中的主要人物，新內政部長克魯格洛夫就是他的親信，據西方觀察家報導，經此次重大整肅後，馬倫科夫實際上已成了有名無實的傀儡，莫洛托夫已僭居了最高的地位，將來總有一天，馬倫科夫會成為貝利亞第二的。

早年參加革命

早在一九〇六年，莫洛托夫已經和蘇俄革命運動人物很接近，一九〇九年時，他因參加革命活動而被捕，在牢獄中研讀了許多革命書籍，特別是有關馬克思主義的文獻。莫洛托夫被捕時，年紀很輕，法官從寬發落，不久即釋放出獄，他便在史達林所主辦的「真理報」及斯維茲達報工作。一九一一年，他進了工藝學校，不久又被迫輟學，一九一二年再度被捕，但終於脫逃。一九一六年再度被捕時，就被充軍到西伯利亞，在礦中當工人，不久，再行逃走，與史達林在一起。不久，又與史達林同在國內準備革命運動。

運用否決權能手

莫洛托夫是老布爾什維派，老早就嘗到布爾什維克的味道，當一九一六年俄國二月革命的人民推翻了沙皇，克倫斯基執政，列寧等被克倫斯基政府所追出國，逃亡國外的時候，他就被列為擔任參加「俄羅斯局」（這個組織在那段期間，是俄國境內最主要的布爾什維克組織）的領導責任。莫洛托夫當時僅二十六歲，但所賦予的任務，卻相當吃重。

一九二一年，莫洛托夫任聯共書記長，一九二八年至一九三〇年任共產國際執行委員會主席團之一，一九三〇年起，出任蘇聯人民委員會主席，一九三九年起任外交人民委員，一九四一年六月，史達林兼任總理後，他又任副總理。

隱然為黨的重心

莫洛托夫是史達林派的中心人物，自一九〇五年加入布爾什維克黨以來，直到現在，都是史達林的心腹，而且是史達林最親信的舊屬。

……徵得知名，因有「鐵錘外交」，「鐵幕外交」之稱。八年前，辭去外長，如今，又重任外長職了。戰後，莫洛托夫以蘇聯外交人民委員的身分出席各種國際會議，在聯合國常利用他的否決權，所以有個外號叫「諾諾托夫」（NONOTOV）。

在史達林與托洛斯基鬥爭狀態之下，莫洛托夫會替史達林千鈞一髮的協助，即是重利用黨，隨地力控制黨員，並把列入莫洛陣營裏的黨爭，史達林首先如的慘敗。其後奚諾維也夫、史達林，他即和夫、伏羅希洛夫「三人小組」（俄為特老依卡）予有力打擊；接着蘇林與布哈林，夫、宣婭斯基門爭白熱化之際，莫洛托夫又是替史達林出死力之一員，結果，布哈林在一九二九年被擠出政治局，不久列可夫、宣婭斯基門亦被排擠「黨中央」大門以外；史達林勝利，也是莫洛托夫的成功，莫洛托夫由政治局候補委員而正式委員，取代列可夫的地位而任總理，這種殊榮與在黨內的「光榮」，是史所昭告，他今日的地位，自屬當然的了。（丁匡華）

法國加緊準備 決心消滅越盟

華盛頓消息：美法三國外長會議已於昨日開第一次會議，議程有五：（一）西歐的發展和趨向；（二）德國問題；（三）西歐防務（北大西洋公約組織與歐洲防衛集團等等）；（四）奧國問題；（五）遠東問題。關於越南問題，會詳細檢討由杜勒斯所提出的納伐爾（越南法軍總司令）進攻計劃。法國蘭尼政府決不準備出以與越盟談判的方式。在法國全國預算中，其中約百分之三十七係軍事經費，而在此百分之三十七的預算中，其半數為越戰所支，如果七年來的越戰獲得結束，法國的經濟問題就可以迎刃解決。此外，法國在歐洲防衛集團中的地位，還可處於較好的地位，抽調一部份兵力回國的整軍，也無須恐懼德國的再起。

軍事上擊敗敵人，由蘭尼政府決心在下面三件事可以證明：第一，由副總理雷諾擬定予越南三邦以更大獨立的計劃，以鼓勵三邦担任較大的防衛責任，對於這一計劃，越南已經接受，寮國尚未決定，高棉則已表示未能迎合他們的要求，率直地拒絕。第二，召回納伐爾將軍至巴黎商討，由內閣慎重研究納伐爾所擬兩季後大舉進攻的計劃。第三，調駐日大使狄瓊為駐越南聯邦專員。這些都是蘭尼政府的初步措施，希望能藉此穩定越局，進而在軍事上粉碎共黨越盟。（迪）

台灣應辦計口授糧

台灣的當局正在作半年來的施政檢討，這是具有實在意義的事情，這半年以來，台省各級政府最努力的，是實施耕者有其田。動員的人力之多，辦理的手續之繁，是我國政府過去所沒有的。在立法院制定條例以前，任何事都不能做，自然也不能說有檢討。但在今天如欲加以檢討，似可先從實施耕者有其田這件事情來研究。實施耕者有其田，是予人民以一種權利（取得耕地所有權的權利），卻並沒有同時也賦予一種義務。權利與義務本來是對稱的，在世界上決不應有只有權利而無義務的事情。實施耕者有其田，在立法院制定條例的時候，對農民納稅的義務定得很輕，農民的一種負擔，總和不得超過其正常年產量的千分之三百七十五，並且將稅免收，鄉鎮公所的監督費也免除，對於農民的義務可以說是降低到很低。至於人民服兵役的義務，勞動的義務，在實施條例中一字未提，但倘如另有單行的法律可以根據。不過這些法律都是全國一般性的，[illegible]方自治服務的義務，實施條例中固然未有規定，也沒有其他單行法規可以引用。台灣這幾年來的要政，在政治上是實施地方自治，在經濟上是實施耕者有其田，而這兩大要政，却并沒有通過來做。台省各縣鄉的地方自治經費多恃戶稅收入撥充，有些縣鄉，則全賴上級政府撥補。如果鼓勵農民，用義務勞動的方法，為地方作公共的建設，則地方自治的經費就可以自給自足。政府現在賦予人民以自治的權力，又賦予土地的所有權，如何使人民知道享了權利，一定要盡義務，使其對權義的觀念趨於明確，這不但是一種最實際的公民教育，也是最實際的政治課題。政府現在既然要檢討半年來的施政，似應首先對本問題加以檢討。并且對於此後只享權利不盡義務的人民，訂立一個最有效的制裁或督促的方法，才可以使社會風氣與政治風氣，同時轉變。

出售公營事業

在實施耕者有其田的辦理過程中，另一個應行檢討的，便是出售公營事業問題。政府為了要從地主手中收回土地，傳售給地主，使以五個公營事業機關出售給地主的方法，以補償其地價。這在一方面是使地主原有的農業資本轉變為工業資本，使台灣走上工業化的途徑。另一方面也是表示與中共在大陸上強迫沒收土地的方法不同，作為對大陸人民的號召。這五個公營事業估價的結果，超過了收購地主土地所需要的總價，還可以看出政府最初的計算欠正確，是可以檢討的一點。補救之道，只有兩法，一是將各事業機構都出賣一部份股權，政府也各保留一部份股權。這樣就變成官商合辦的性質，一應審計會計手續，都要照辦，冗濫人員不能裁汰，開支不能節省，就不能有盈餘，自非人民所願意投資。二是按照次序出售，要賣的全部賣出，賣的數字足夠補償地主的地價了，就停止，剩下來的事業仍由政府自己經營。也許有人認為何不將五個事業都賣光，錢有得多，用以彌補國家財政上的需要。這種主張極為不妥，政府也決不會作如此打算。當立法院第十一會期，自六月一日起，延長二十七天之中，所通過的重要決議，一是食鹽加價，一就是公營事業機構出售時，先售紙業工礦等公司，不足再出售肥料公司。因此，肥料公司可以仍由政府保留經營。肥料是與糧食生產有直接關係的，政府手中有肥料，就可以掌握糧源。雖則台灣現在需要的肥料，還有三分之二要恃由國外輸入，但輸入者實比之台省自產者更容易由政府統籌支配。民間因有感於上兩個月的糧荒，對於立法院與政府間能共同一致的將肥料公司不出售給原有的地主階級，無不表示欣慰。

有助於安定與繁榮

台灣的糧荒雖則過去了，而政府對於糧食問題，却應澈底予以檢討。台省地小，人口亦不算過多，大可採用計口授糧的辦法。英國自第二次大戰時起，辦理糧食配給，迄今尚未取消。英國經濟在戰時損失極重，而却能安然渡過難關者，完全得力於配給制度。英國是島國，台灣也是海島，環境相同。再則在抗戰時期，浙江省的金華縣曾辦理計口授糧，直至金華陷敵，始為敵偽停止。其時金華為前後方交通大道，人口流動頻繁。且國民身份證制度尚未實施，竟能辦得條理井然。則今日台灣的條件，優越百倍，自易辦成。糧食能計口授與，則人民的心理上就不再有恐慌，遂不致再有囤積搶購的現象，而價格也決不會再上升。糧價平定，則其他的物價也自然不會波動，這比頒佈多少法令，或是增加一點公教人員待遇，其有助於台灣的安定與繁榮，實不知要高出若干倍。想台灣當局於糧荒問題之後，痛定思痛，總會檢討到計口授糧的辦理了吧！

東德鈾礦全部完蛋

上月十七日東柏林開始而蔓延至東德各地的大暴動，固然已使葛特華德傀儡政府和俄軍蒙受了無法計算的損失，但最使克里姆林宮痛心的，恐怕還要算鈾礦工業全部無限期的停頓了。據來自鐵幕後面的消息說，在俄兵鎮壓戒嚴令槍決十二名礦工以後，薩克森、杜林幾特、安拉伯格、而尼伯格以及薩多州等特等地十萬名精壯的礦工，立刻引水灌滿礦坑，并全體參加罷工。東德本是俄帝國中的重要鈾礦產區之一，這一來，在美俄原子競賽上，俄國又已受到莫大的挫折了。

李里諾使出殺手鐧

日子一天天過去，還有四個月，就是菲律賓舉行總統大選的時候，目前自由黨，國民黨和新成立的民主黨表面上雖然很安閑，自由黨總統候選人與總統季里諾和民主黨候選人前駐美大使羅慕洛還個伴於美國，但骨子裏的競爭却早已進入了劇烈的階段，三方面都在招兵買馬，尋求國內與國際上的支持，并盡量佈署自己的勢力。民主政治中的選舉本來是一場最劇烈的智力角逐和最巧妙的手段競爭，而在菲律賓這號的國家，競選更是不擇手段，據說，季里諾總統為了要擊敗他的政敵馬格賽塞（國民黨候選人）和羅慕洛，在赴美療病之前，已預置了一顆「毒辣」的棋子，他已把各省中接近馬格賽塞的軍事司令官撤職或另調有名無實的職務，而代以他親自遴選的軍官。不過，這一下殺手鐧雖然使得曾任國防部長的馬格賽塞痛心疾首，然而却普遍引起了陸海空三軍的惡感。如果在大選前，三軍中有什麼糾紛與麻煩，固然極有可能，就是突然發出軍事政變，相信也不會使熟悉菲律賓內情的人士太感到意外。

南國領袖害怕清算

蘇俄向南斯拉夫提出互換大使的要求

後，許多西方人士都深恐南國上下會受不了莫斯科的誘騙，而重回到克里姆林宮的懷抱。嚴格地說，這種疑慮是多餘的，也是不多餘的。因為實際上，南國內部確有一種「回到莫斯科」的潛力在，提出這種壓力的是南國共產黨內一般中級黨官，他們自南共與克里姆林宮破裂後，即已大權旁落，且始終難有升遷的機會，所以他們亟圖利用蘇俄「和平攻勢」的良機，期望有出人頭地的一天。然而事實上，南國與蘇俄的言歸於好却是不可能的。其中最大的原因，乃是目前掌握南國黨政軍大權者，都是當年力主與蘇共黨國際情報局決裂的人物，他們深知俄帝的毒辣，誰敢保證和好後沒有被清算的危險。（孟衡）

中東防務之鑰 蘇彝士運河

當年掌故

蘇彝士運河于一八六九年正式通航，全部工程時間達二十年。由地中海的塞德港至紅海的特非開港，運河全長一〇四哩半。特非開港在運河西岸，它和伊伯烈赫港，是瀕臨蘇彝士灣，亦即瀕臨紅海，自西岸有鐵道沿着運河西向下行可達伊伯烈赫港，中經伊斯邁力亞及開羅。當時蘇彝士運河由法國人集資成立一間股份公司，總公司設在巴黎，一八七五年正式登記的股份，計有十七萬六千六百〇二股，在運河通航後五年，保證股值是兩千萬元美金。在一八七五年十一月二十五日，簽訂了開羅協定，翌日（二十六日）英國駐開羅的領事，就在公告裏申明英國人應得的權益。根據協定的條文，那九十九年的期限，算到一九六八年，這條蘇彝士運河該無條件的讓還給埃及政府。運河當初總公司雖設在巴黎，可是蘇彝士運河的領土權益，仍在埃及政府的法律控制之下，可是那時的埃及，是大英帝國所屬領。總公司的董事長為法人，三十二名董事中有二十一名為法人，不過這是當年創始初期的事，在運河地帶的管理委員會，其中四個委員，是由一個開羅人、一個義大利人、一個敘利亞人和一個希臘人充當。運河通航之初，除徵收船隻通過外，每個搭客也須繳付相當于美金兩元的費用，那是還須繳費，得票上載有號碼，類同獎券，有彩金的希望。原來隨着李賽普斯工作的人員，都分得一些股份，後來這些股份更在英國人的申明過程中，……夫甚多。在運河工程進行中，最先的要求是建立「淡水」的濾清站，同時挖泥的工程，也是不斷的，因為運河的泥土不斷的注入，供應是不虞匱乏的，現在淡水的供應，是不容停止的。從前運河公司的組織，有工程部和貿易部，由法國人和英國人負責，英國軍力的掌握中了。船隻通過運河，速限制得小時六哩，二十四小時，夜間並且須由運河管理處的「領港」引導，不能通行，當然這是從前的限制，船上不准載運危險貨物。通航的最初幾年，英國的郵局還拒絕把郵件交由通過運河的船隻載運，因為它航程太慢。現在每年通過的船隻數在五千以上，一九三四年那一年，通過運河的船隻，計為五千六百六十二艘。

兩岸城市

瓜塔拉位于河的東岸，這裏號稱非洲橋樑的古城，當年非洲的黑奴，就是由此運送東來，它有一條道路可達約瑟夫的通道，現在是英國人的軍事基地，營堡密佈，用以保障蘇彝士運河的安全。當年的敵人是外來的土耳其人，現在可形勢突然變異。英國人曾經發動過一次戰爭，他們使用所雇用的印度軍隊穿着英國服裝的六個不同部族的印度軍隊打敗了土耳其人，從此土耳其人未再窺伺瓜塔拉了。現在這裏是航空基地，由開羅直達海法和伊斯坦堡的火車，就是在瓜塔拉用輪渡銜接，耶穌基督的兒女和伊斯蘭先知的子孫，不由不交互往還於河的兩岸。伊斯邁力亞，位于河的西岸，瀕臨退色湖，亦即退色湖北岸的城市，固然充滿二十沙漠城市的氣息，可是有那價值二十萬美元的王宮，當年李賽普斯知給它平添不少身價，還是給遊客們嚮往一處的住宅地方。也是河道的要站，通往開羅的火車，必須在此轉軌道，同時它也是沙漠中的綠洲，不過它自己雖也有些微的花草和樹木，却是由新加坡移植而來的。塞德港是運河北端的要站，這城市是頗饒趣味的城市，運河管理處的命令和指揮，就由這裏發出，它有一個最漂亮的古老色彩和東方情調，浪漫色彩的水手樂曲，照着西方的調子，強調的對照和法國人的禮拜，還有那綠洲的巢園，生活的小城市，沙漠都市，這些城市人口密度高的國家，一個村落人口不過一千人口。（續完）

大陸工人反抗運動擴大

渝工人集體怠工罷工

不滿待遇不堪殘害羣起抗暴

據運到之六月二十七日重慶新華日報披露：重慶市的工人，尤其是建築工人，目前「勞動紀律」的廢弛現象，甚爲普遍而嚴重。不按時上下班，不遵行請假制度，無故曠工，不服從調度，消極反抗，降低工作質量，不聽從技術指導，不遵守操作規程，集體怠工、罷工和隨意停工等等的現象到處發生；雖尚不能斷定工人此種行爲是否爲有組織之破壞，但事實上顯然等等行爲，業已一時成風，情形異常惡劣，損失非常慘重。

據稱：工人的遲到早退，已不是個別或偶然的現象，大致上平均每天的工時已要打上一個八折，如果遇到在七工後下了一陣雨，工人便擅自星散，整個下午的工地便變成空場。關於請假一節，工人中已公開流傳着「走就走，來就來，根本無所謂請假」的說法。有許多工人常常曠工一兩天，如果加以追究，便一律都推說有病。至於休假後的第二天無故曠工不到，幾已成爲人人如此的宗例。根據第四工程處的統計，該處約四千名工人中平均每日就有約一千人曠工。關於不服調度及消極反抗的現象，凡屬起碼的技術工人，無不如此。工作輕、工資多的就幹，否則就實行頑抗，最後便以「送我回調配站」來抗拒調度，行政及工會等方面企圖加以說服，均歸無效。

說到工作質量，更是空前低劣，而且防不勝防，工人故意降低工作的效率，延遲完工的時間，並贈示損毀章稿的質量，浪費材料，其損失之浩大，一時尚無法統計。

同時，因工人曾遍故意不聽從技術指導，不遵守操作規程，故常常發生窩工及返工的浪費現象，并使大批工程失了規格，不能交代。至於怠工和隨意停工的現象，已經是集體化的而且是公開的一個嚴重的破壞行動。各地工人常藉口困難，實行集體停工，或在工作時間擅自集體休息怠工，或在工作中故意一律放慢工作怠工。甚至藉口無法勸工，實行集體罷工。最近一工地中，即有兩千餘名工人因不服蘇聯

反對受俄人管制

二千勞工終獲勝

共幹承認無法壓抑集體意志

「專家」的規定而集體罷了五天工，經支部、行政及工會動員幹部進行說服，仍頑抗如故，待改變了「專家」的規定以後，方告復工。上述種種現象，中共承認：因爲集體現象，故一般幹部甚感棘手。換言之：目前工人的反抗情緒，已非一貫的強迫命令所能制服。

關於造成上述種種現象的原因：中共雖強調係工人自私、散漫等落後意識及經濟主義傾向特別嚴重所致；係工會上意忽了工人的「政治教育」及施工管理不當，領導不當所致；但也不否認：「工人和必須解決的生活福利上的問題不能及時解決也是原因之一」，如「技術指導錯誤，形成返工，……失了工人的信仰；工會問題不能妥善解決，上推下拖，工人意見很多，非常不滿等等」。這即是說，中共亦已承認工人對於中共的待遇已普遍不滿；工人對於強迫命令已普遍引起怨怒，工人對於生產安全設備上的不加改善而造成甚多傷亡的事件已不能容忍，致終於激起了反抗的行動。

工廠大爆炸

共幹罔顧工人安全

傷亡事件兩百餘起

【本報訊】重慶消息：據僞西南行政委員會最近在指斥一般工廠鍋爐幹部不重視生產安全的文字中承認：目前西南區大多工廠中的因工傷亡事故極嚴重。據舉例：上月十七日六〇二造紙廠又發生極可避免的發生工人因工死亡的事件，且指出該廠從四月份起到六月底止曾連續發生工人的傷亡事故兩百二十九件之多，有近百名工人在職犧牲，約四百名工人受了輕度不等的工傷。六月十七日的傷亡事故係該廠鍋爐水位玻璃管爆炸所造成。該一玻管之爆炸，則係車間副主任陸銘曾日折修所造成。工人陸銘除了自己擔了防護裝備外，並不按照規定給其他調換臨差遣的工人發放防護裝備，且強令工人在該一鍋爐前待候，不准離去，致結果轟然一聲，玻片四飛，當場造成一死三傷的慘劇。

共黨殺鷄取卵

商人燈枯油盡

追付欠稅逮捕失效

【本報訊】目前大陸工商業戶欠稅之嚴重情形，並不因中共霸辣的「清稅教育」和強迫的「大力催收」而稍減；相反地，人民已榨乾油盡，被匪幫們指爲不法商人抗稅欠稅的案件，差不多每一城市，日必有數件發生，似此普遍展開的惡劣情勢，使中共當局也感到異常頭痛。

川藏道上的西康省雅安市，是西南邊區的工商業中心，但也是發生欠稅抗稅最嚴重的城市。入春以來稅款收入，「市稅務局」人員，鎮日坐在門可羅雀的紅色衙署，除伏案打呵，或……

據王光先在此欠稅最多的商號，如王一家，先後永和等商號，欠稅仍無法清繳，遂又另玩一套手法，責令該市工商業聯合會理事長及各行業分會理事長起帶頭作用，帶頭繳納，以資鼓勵。該市木器業公會理事長號老闆王光華，也就是該業的理事長，本身就欠稅二千八百多萬元，……

市欠稅最多的商號，光裕和永興，前者欠繳稅款爲七千萬元，後者三千萬元爲數左右，經施以「清稅教育」後，仍然抗不交納，態度非常惡劣，遂遭逮捕，同時兩商店亦遭封閉。該市「稅務局」於六月十二日發出公告稱：「光裕、永興兩商號積欠巨稅，延不納交，引起店員工人及正當工商業人士普遍不滿，根據他們的要求，呈報「市人民政府」予以逮捕。」已由市「人民法院」分別判該犯等以三年、二年有期徒刑。」但自光裕和永興兩號經判處後，雖店員已遭查收，這一紙具文仍不能遏阻商戶欠稅之風，……於今爲烈。（重）

粵共承認水災狀況慘重

災區達三十六縣

水深逾屋頂三寸

損失尚難統計一切工作停頓

【本報訊】廣州消息：上月初廣東所發生的嚴重水災，據僞水利局已有初步的統計公佈，災況的嚴重，僞稱數十年來所罕見。甚至其中增城……係連綿不斷的大雨及山洪暴發所造成，淹沒的縣……都在一丈以上，超過一般房屋頂高達三寸。在龍江、北江、綏江、西江上游山嶽地帶、英德、清遠、佛岡、龍門、新豐、河源、紫金、連平、翁源、陽山、乳源、仁化、始興、曲江、樂昌、雲浮、高要等縣，因正當山洪猛力衝激的衝要，各該縣大部地區被洪水衝毀的村落甚多，房屋、秧田、人、畜皆有程度大致相等的損失。

共黨手忙腳亂

在前述各江下游地區的陸豐、海豐、惠陽、博羅、東莞、增城、從化、四會、三水、南海、番禺、順德、高明、新會、花縣等縣則因洪水匯集，水勢過猛，甚多河堤潰決而致泛濫，該縣份大約平均有二分之一地區的秋田被淹沒，其他牲畜、房屋的損失亦均極慘重。關於全部損失，據稱因目前正在搶救水災，其他一切工作都已陷於停頓，故尚不暇統計，但據初步的估計：稻秧的損失，平均都在百分之五十以上，房屋的損失當不下三萬餘間（其中最慘的是龍門縣，僅四個村就塌了一千四百多間），人民的死亡當不下三萬餘人，牲畜被水沖去的更多，堤壩被沖毀的當不下兩千餘座。現以水患尚未解除，故粵共已動員一切人力，除從事救災外，正在加緊從事防制災害的重要設施；在清遠縣的石角堤就每日值有六百多名共幹監視三萬多名農民在全力守護中，情形至爲恐慌，緊張。

大陸農村災禍頻連

逃荒現象日益嚴重

北平六千多人湧入大喊救命

東北也不例外鞍山即有兩萬

【本報訊】北平消息：最近此間市區，又發現大批來自附近農村之饑民，彼等集於各「勞動力調配所」門前或街頭巷尾，此批饑民大多鳩面鳩形，狀極悽苦，據悉總數約有六千餘人之多，曾在各「勞動力調配所」之前大喊「救救我們！」要求工作。此種現象，本年二月間亦曾一度發生，旋經中共治安機關驅逐回鄉。此項饑民均由於遼北各地之旱災日益加深，小麥已大多枯死無收，春耕尚無法進行，秋收已極少希望，農民因而已普遍陷於饑荒災害之中，除老幼留在家鄉外，一般壯年男女乃不得不再向城市湧進，以圖生存。其在北平附近者，乃麕集向北平湧入，而再度造成北平城內的混亂與恐慌。

又訊：據最近北平非正式的官方透示：由於近來大陸各地農村的災禍遂連，逃荒現象日益擴大，有增無減，乃使各地農民目前湧入城市的現象，不但迄無制止，且已日益嚴重。……東北地區……已流入鞍山的約有兩萬人；……有八千多人；……瀋州的約有……旅大等地的約……已流入天津……大同、包頭及……有一萬五千……廣州的約有……範圍內的情形……少數農民是……到西北的，……形嚴重之一。

張家口荳餅旅行

河間合作社垮台

【本報訊】天津消息：最近河北供銷合作總社張家口生產資料批發站由東北瀋陽皇姑屯採購大批荳餅到下花園，準備供給蔚縣等縣農民春耕施肥之用。但這些荳餅的成本每斤要七百元，售價要九百元，遠比當地的黑荳價格高，農民根本買不起，使這批荳餅在下花園車推了八十多天，然後再改運天津、通縣、泊鎮等地推銷，結果也賣不了，反使這批荳餅將「旅行」了一轉，多花了五億多運雜費，且擱置了五十多天，錯過了春耕需用的節令。此外：……來、天鎮、高陽等地該社亦有一百五十萬斤之多的荳餅在徒勞搬運，無法銷去，損失浩大！

十九日北平消息：河北省河間縣的合作社已垮台。垮台的原因是下級合作社只能向上級合作社購買，社員只能向合作社購買，但貨價一般的都要比市價高出兩倍不等，因此農民情願燃着不買，以致合作社存貨堆積，資金凍滯，且農民採取不合作方法對付，乃使此種合作社紛紛垮台！

西南區大舉整肅

川黔民怨激騰中共揚湯止沸

區鄉幹部情緒陷於混亂恐慌

【本報訊】重慶消息：由於西南區一般區鄉級幹部的官僚主義作風，執行政策的偏差，強迫命令等違法亂紀的惡劣行爲，以及「違法亂紀」（違中共的法、違中共的紀）現象的普遍而嚴重，引起人民極大的仇恨，已日益危害到中共本身的組織，中共基層組織的腐蝕，以及經濟工作等效率，遂致已使中共利益蒙受損失。中共西南局乃於最近飭令各省或以省爲單位，或以專區爲單位，展開一大規模的「整風運動」。現西南區各省、區，因而已紛紛召開區鄉幹部大會，預定爲期約一個半月的長期「鬥爭」。目前各地平均已有約二分之一的區鄉幹部參加會議。由於此一長期會議，大多都會犯有程度不等的錯誤，以致一般情緒均極度恐慌，據「新華日報」說：一般區鄉幹部都有「整我們」的心理，怕受批評，完不成任務，又怕完不成任務受批評，犯了強迫命令之罪的委曲情緒，反而怕「提意見」，和「鬥爭」，怕「過」得罪人，「自己」大有問題，顧慮「檢查不了台」等等的恐慌！

又「新華日報」承認：川、黔若干地區在從事初步的「鬥爭」中，許多領導機關由於主觀主義及官僚主義作風，和分散主義的傾向，現在中共的強迫命令違法亂紀現象，以及鄉村幹部任意扣押打罵群衆，或逼死群衆之案，在江津縣就有八百五十多人，在南充縣出席大會的會中就有……八百餘人之多云。

山東嘉祥等縣

大批農民中毒

強迫治蝗造成慘劇

【本報訊】上海消息，據此間報紙披露：近三、四個月來，山東湖西地區的單縣、復程、金鄉、嘉祥、城武等縣，曾連續發生大批農民農藥中毒的慘案。中毒農民，前後共達約六百餘人之多，其中約有一百二十餘人不治而亡！僅今年三月至四月間嘉祥、金鄉縣就同時中毒有一百三十餘人，不幸其中有二十餘人不治而死。造成中毒的原因，據說是共幹驅迫農民盲目使用藥劑治蝗所致。共幹將成分甚毒的藥劑命農民撒佈治蝗，但並不教以使用的必要常識，農民紙知，乃造成慘劇。且嘉祥、金鄉兩縣中毒慘劇發生後，上述各縣共幹仍不提高警惕，也不向農民解說，仍驅迫農民盲目使用，慘案乃連續發生。

生產組長荒唐絕頂

農民無食無種

強迫先修水磨

據最近北平「人民日報」在來信摘要中披露：最近甘肅僞平涼專署曾派了一個生產工作組由組長王宗堯率領到靜寧縣第四區「領導生產」。但該組一到工作地，便住進「區人民政府」作了「指示」，成天下令各鄉不管怎麼農忙，要農民參加「生產會議」，而派組員們去吸收會議紀錄，發號施令指示，他自己卻躲在「區政府」門口曬曬太陽，鄉村幹部和農民的批評，一律「落後」。還不算，有一次他搖一搖一天，擺下鄉訪問農民，結果是幾乎家家戶戶的水磨都壞了，於是他一回到「區政府」便發了一個「修磨」命令，這一來卻激起了饑餓中的農民的公憤，紛紛都叫了起來：「我們當前沒有吃的，沒有種籽，你們不給我想辦法，卻要我們修水磨，我們沒麥子來磨，修來有鳥用？」這是一個小小的例子，但這一例子有兩點值得注意的，即：一、共幹領導生產如此荒唐，官僚主義如此嚴重；二、大陸農民的饑餓已深淪陷。大陸農民無種糧而困於耕作，中共無寬饑民的饑餓，中共當局已直認不諱了。

延水之濱

楚三戶

一條起伏的黃土山崗，山頭鋪滿了薄霧，野棗樹林中若隱若現的一羣窰洞，好像是山邊排列的鴿子籠；從一座窰洞裏，併肩走出了兩個穿灰色軍裝的年輕人，緩緩的在窰洞前面踏出了不少綠草嫩牙的大坪裏溜來溜去，他們想藉聊天來消磨這不可多得的例假，瘦黃的面容上似乎浮出了些微的輕鬆。

「周同志！你到這裏多久了？」

「開學的時候才到的。」

「這裏比你們家鄉如何？」

「這個把月我根本沒有出過校門，說不出所以然來！」

「這裏號稱東方莫斯科，也是怪熱鬧的，每逢星期六的下午，幹部們都出來渡他們桃紅色的週末，一個個挽攙戀人先到邊區合作社大吃一頓，再出南門到延水濱邊的清涼山，寶塔山來打游擊，山頭，水濱都可以看見這樣對對雙雙的男男女女，大家在那裏爭取關鄉！」

「什麼？打游擊？打什麼游擊？」周興有些聽不懂。

李旺卜嗤的一聲笑了出來：「你不懂這個名詞？我在劉子丹同志的部裏工作的時候，就聽見說：毛澤東同志一到這裏就提倡性解放，在這裏，性的交換完全公開，絕對自由，不然的話，誰來這裏吃這個苦！」

『那末，你進城大目的就是為了打游擊嗎？今天放假，為什麼不去找對象？』

『連他媽吃合作社的錢也沒有！找誰？咱們比不得他們老幹部，有的是光華商店的兌換券！』

周興在年輕人之中，應該算是老資的了，可是面臨着這種進步的誘惑，心旌不免也有些盪漾起來！加以成天的小米飯，菁蘿蔔，眞把他的嘴吃淡了，他對左手小指頭看了一看，心想：換了吧！吃一頓也好！將來當了幹部，還不可以打上幾個！他舉起左手，鬆鬆的捏成一個拳頭，對李旺幌了幾幌：『這個換不換得到錢？』

李旺一見是金戒指，心中一喜，馬上打定了一個主意，斂住了還沒透露出來的笑容，淡淡的說了一句：『可是可以。』

兩個人於是離開了草坪，沿着大路向北走去；李旺告訴他：『這裏的金價有黑市，找路綫可以多換一點錢，等到了合作社，你把戒指交給我。』

很快的不覺到了河邊，這裏不是渡口，還要沿着河岸再走半里路才能過河；一條湍急而且渾濁的溪流，隔河已經看得見殘破的古代城堡，河的兩岸，長滿了野棗樹和沙蒿；他兩人沿着河邊的小徑前行，發現遠處迎面來了兩個穿灰色軍服的同志，內中有一個頭髮很長，很快就到了面前，果然是一男一女，大家不相識，默無一言，擦肩而過，周興回頭向後一望，看見女同志的背上沾有一塊濕漬，長髮中夾雜着許多枯黃的碎石，他並不在意，只顧前行，看見有幾處的沙蒿，都在那裏陣陣的搖動，他想：這個時候的北方，能够有蛇？正在想得入神，猛然前面沙蒿之中，驀地鑽出了兩個人影，一樣是一個長頭髮，兩個灰色的軍裝！他這才憬悟：原來這延水之濱也是戀愛遊戲的理想場合！

李旺是見慣了的，根本體會不到他在那裏胡思亂想，只想一口氣把他帶到合作社，好施展自己的計劃；走進門，兩人揀了一張桌子，各霸一方，李旺張着巴掌從桌子底下遞過一隻手來。

周興明白他的用意，連忙取下戒指，塞到他的手心。

他攥着一隻手，半笑不笑的對周興說：『你慢慢點菜，我就來！』

去了很久，還不見李旺回來，他心裏想：開玩笑是不會的！

不一會，李旺果然很高興的走了進來，後面跟着一位女同志，那女同志走到桌邊，只對周興點了一下頭，就笑迷迷的坐了下來，一副水汪汪的眼睛，黑黑的圓圓的面孔上掛有兩個不大不小的梨渦，看樣子最多也不過二十四五歲。

李旺介紹：『這是張同志，我們前期的同學，現任校本部的祕書，營級幹部。』

周興也懂得點社交，知道冷場不大好，於是問『張同志府上那裏？』

『湖南。』

『湖南？離桃花江多遠？』

『那是益陽，我是湘潭，相隔幾百里。』

『幾百里不算遠，反正是美人窩出生的！』這時李旺已經喝下了兩杯高粱，有些忘乎其所以然！不覺哼了出來：『桃花江是美人窩……』

唱得張同志嫣然一笑，用筷子在他手膀上敲了一下：『下午了！快點呢！』

一句話提醒了李旺，連忙站了起來，對櫃檯上走了一轉，向周興說：『帳已經會過了！你慢慢吃，我們有點事，一刻兒就轉來。』

周興一個在那裏慢慢的吃，忽然靈機一動，會過眼，還會轉來？拋下筷子就走出了合作社，向兩頭一望，並沒有她們的蹤影，猜想必是過河去了！趕過河，遠遠望見前面走的很像是她兩個人的背影，加緊追了上去，追到山邊一座小小的古廟門前，看不見了這兩人的蹤跡，難道進廟去了？他踏進廟門，猛可的吃了一驚！這殿上停得有十多副棺材！

『你的身體怎麼這樣壞？』

『噫！那不是張同志？』這聲音出自殿旁一個破爛的廂房。

他的膽子大了，趕忙走近廂房，可不是嗎！張同志坐在草堆上，李旺站在門口，張同志看見周興來了，露出了一些意外的喜悅，忽然臉又往下一沉：『李同志！你先回去好不好？』

澈底失敗了的李旺，只有馴服像一頭羔羊！

她目送李旺出了廟門，連忙站起，一手拖住周興：『小周！我們來談談！』

周興究竟是初次，不禁臉上泛起了一陣紅潮。

『害羞？那是封建社會字典裏才有的名詞，我們無產階級的作風就是說幹就幹，』她有些按捺不住了，伸出雙手摟上頭來：『周同志！我的需要，不也就是你的需要！』

共黨問題的正反合

為方

自由談

我常時保持着一種研究共黨一切眞實動態的要訣，即事從他們大吹大擂宣傳某一事項的反面去體察，準可得到相當正確的結論。例如：俄共特務頭子貝利亞被清算，這明明是俄共內部矛盾分裂的現象，誰都理解的。但共黨的宣傳喇吧，却拚命地狂吹蘇俄內部如何「統一團結」的法螺，且說「蘇聯共產黨的統一和團結」特別堅強，「使帝國主義反蘇份子對貝利亞之被清算，流露了不能掩飾的失望」。這類「此地無銀三百兩」的鴕牛式宣傳法術，不啻是向黨外界人洩底露眞，所謂欲蓋彌彰也。

等由准此，每逢中國大陸上天災人禍最嚴重的時候，共黨在海外的宣傳喇吧，必聲嘶力竭地大放其「祖國到處豐收，人民生活優裕」之詞，然後附以「危機已成過去」的大條尾巴，這就是宣傳技術！研究中共問題的人，實不必多費心機去找尋特別資料，你只把最近三四年來他們的報紙翻閱，逐一檢討，證諸事實，即知道我所說的要訣，百發百中，不差累黍，一定可成為研究共黨問題的「權威專家」，至少也是一個「名政論家」或預言家啊！

我是一個「自由談話者」，既不配有「權威」，也無資格作「名家」，只將此一得之愚，提出來談談，藉供「專家」「名家」的參考而已。

食人肉的紀載

亞泰

偶爾憶起幾種錄記上的紀載，皆是歷史上著名的「食人肉」的故事；其貪婪凶暴，人類相殘，活現在每一字裏行間，令人不寒而慄，至今尤不忍回憶和想像當時的情形。苦於流亡在此，無法找到舊日所讀過的錄記原本，不能作詳盡的敘述，僅就記憶所及，信錄餘書，證以歷史給予我們的幾樁事實。

「開河記」：紀載隋朝麻叔謀開運河的經過，其時有叫陶榔兒的人，因其祖父的墳塋，當穴於運河劃定必經的路綫約丈餘，陶榔兒很想保護他祖父的塋域，注重當時所謂風水的迷信，不惜獻媚麻氏，爭取他的歡心，深知麻氏性殘忍，有嗜豚羊癖，遂設法盜取他人年僅三四歲的小孩，密殺之，去頭足，蒸熟以獻麻氏，咀嚼香美，迥異羔羊，味留齒頰，讚羨不已；麻叔謀召榔兒來，大加獎飾，賞黃金十兩，榔兒不受，乘麻氏的醉意醺醺，泄其祕密，幷跪告其企圖，麻氏終於遂其要求，飭令他號率下的役夫，留一河曲，保護榔兒祖父的塋墳。

明季南略附記上，紀載有這麼一段故事：七殺魔王張獻忠，當同部屬會飲時，將一批一批的孺子稚童，輪番在槍尖刀鋒上拋擲，看那些黃口小兒，哀啼輾轉，以為笑樂。

又紀載江陰的沙宜賓，駐在揚州時，與一兵痛飲，全神熟視那同飲的士兵。兵詫異地問沙：「目灼灼何注視我」？沙詢兵：「我聞食人肉的人，目必赤，你雙目紅如硃砂，是否食了人肉」？兵答道：「昔日從張獻忠入蜀時，獨入皆畏而逃匿深山大澤間，無法獲得食物果腹，相率掠人而食。」幷以食人肉的經驗告訴沙道：「人肉最好吃的部位，莫過於女子的纖足，趾味的醇美，勝於任何烹調的豕蹄」。

某縣縣志紀載（大約是山東魯山）：明崇禎末年，該縣大鬧饑荒，往往有老弱或婦孺餓死路旁，輒取而剝食，並不以他的羸瘦而厭棄；甚至還埋葬已久的屍體，盜發煮食。盜食的人，常誇言於衆，味道有如臭腐乳，云人肉愈敗而味亦愈厚；亂世人命不值錢，此更是咄咄怪事了。

上述這些食人肉的故事，或出之於凶殘狠戾的統治者們，或見之於蠻橫無比的流寇手段下，或因離亂而自相殘殺，或因災害而人類相食，但，這只能算是局部的問題，或者是偶爾發生的現象，若方之今日的紅色大陸，眞是不可同日而語了。動輒棄盡屠殺，數以千百萬計，若將麻叔謀張獻忠之流，與朱毛匪黨們相比較，小巫見大巫，確有望塵莫及之感。

人類自相殘殺的奇蹟，洎乎共匪黨造成鐵幕之後，才達到空前絕後的沸點；自由世界裏，若仍有人想食人肉的話，可到鐵幕去，因紅色的統治者們，現正加緊地製造食人肉的事實啊？

瑪嘉烈公主和她的男友湯臣空軍上校

台劇壇生行名票

台灣劇壇的生行，以正式資格的顧正秋劇團而言，用了胡少安，嗓子固然很寬，但是變得刺耳，而低腔却無法翻開，人家送他一個雅號，為贊報老生，雖入京朝派之選，所以不得不讓票友獨擅勝場。票友之間，在四十一年以前，有三位傑出人物，是寒山樓主費嘯天李心佛三君。他們的嗓音，都是上選。不過寒山調門稍低，惟其宗余，故能恰好，嘯天則較寒山為圓渾，但老練則不如，其腔調介乎余言兩派，不是純粹私淑一家。心佛則嗓雖不甚亮，惟韻味頗厚而留潔。三位較量，實無分軒輊。就余之所嗜聽，則心佛為較近之。若論唱做全才，似乎心佛占先一籌。至於大鵬之哈元章，係哈寶山子，完全學馬連良，做作頗精細，而謹守老法，獨嗓音則不逮於三君，難以并駕齊驅。中部票友楊雪庵，其音調尚醇，所惜嗓門限制，不能够到嘹亮地步，雖已很好，以視三君，仍有遜色，祗遜五步。

吳門鄒偉成，別署寒山樓主，嗜音律，而耽於劇曲。且擅丹青，善作山水，最近曾舉行畫展，衆口交譽。其研究平劇，實有多年，以限於嗓音，故原本學譚，卒至宗余。能戲不少，最著名者，為失空斬，有具體而似之妙。今年春台雅集，除唱文昭關而外，復飾加官晉爵之武加官，反串蠟廟之張桂蘭，均係反串，却是相當的好。而雅集之能推動，以迄成功，人多以寒山與陳定山為最熱忱。經其號召，始成此空前的會串，功不可沒。寒山演劇，對於做工，極為精細，不稍疏忽。在台聲名極響，內行衆界，咸知其人。惟平常不肯易於登台，蓋其藝術，亦頗自珍。

安徽費嘯天，似在保安機構供職，能戲亦多，且善編劇。大鵬公演之鄭成功，即為費君手筆，曾獲文藝協會給予特等獎金，名傳寶島。其嗓音甚圓闊，嚴聽所唱擋櫻會，則腔調完全模仿叔岩，余甚愛聽之。今年元旦慶祝，又唱文昭關，則頗似菊朋。故余論票派的人物，能者學任何一派，即能類似，非特宗承一家也。費君現為中國廣播平劇研究社之中堅份子，與曹曾籟有如機製二陸之稱，惜於做作方面，功夫稍差，以致絕少登台，腔，以實問好。平居純以清音自賞。偶爾於佳節廣播，一試妙歌，

河北李心佛服務於公路局，學戲甚早，相當深沉，曾與陳中一兄談過，就譜唱做全才，心佛能算首屈一指。至於各部份分析，則或有不如鄒費者。前由[illegible]為鼠纏綿翡，見其與周嚮如演武家坡，送[illegible]止，唱做紫重，能始終不懈，一氣到底，已可見其工力。今年戲劇界，閱其唱[illegible]，亦是不易聽得之劇，非腹笥淵博者不能[illegible]。[illegible]五前，在故都鐘家花園，嚮叔岩[illegible]不勝其低徊，心佛聯易不常登台，欲聽其唱，祗可於收音中求之。寶島之嗜劇者，亦不勝以揭諾。

・娑婆生・

北・平・雜・憶

我有一天同居停張君西直門外的頤和園，這是北平最幽靜的名勝，那裏的景物的確太美了。

我最愛的是排雲殿的爽直，站在萬壽山上，全園的美景，都收入眼簾，眞是心曠神怡，幾忘却長城邊上的連天烽火！我們想到慈禧太后那時的窮奢情形，也和現在[illegible]多麽相[illegible]有這樣偉大的魄力，修起大的[illegible]軍費，來造頤和園。把整個國家的大海軍，築成園內的小海，建遊玩的小輪，把整個國家的建設，慕燕爸魚的弱政，這個設計，眞象徵當時等若中作樂的精神，千古能有幾人？但未知這位太后以及後遊覽的人，有沒有以受到這種象徵的暗示，而發生和我們的感想列！我們到了這小海岸邊，看到成千論百的白色天鵝，正浮游於沖泳綠水之間，玩味那春天的樂趣。牠們萬不料在這洞天福地之內，會蒙到狠擊危險。居停一向都[illegible]

・太希・

中華民國僑務委員會頒發登記證台僑新字第一零二二號
中華民國郵政登記第一類新聞紙類

自由人

THE FREEMAN
（半週刊每星期三六出版）
（第二四八期）
每份港幣壹毫
督印人：李光鄂
社　址
香港高士打道六十六號
電話：二〇八四八
GLOUCESTER RD.
HONG KONG
TEL: 20848
承印者：東南印務出版社
地　址：高士打道六十四號
台灣特派員辦事處
台北市館前街五十號
台灣總經銷處
台北中華路新號五九四之一
台灣郵政劃撥儲金帳
九二五二號

時局罪言之一

——妄談人才問題——

·左舜生·

自從四月三十日我從東京飛回香港以後，又經過了兩個半月以上的時間，在我的精神上始終總感到一種沉重的壓迫；無論走到任何地方，從事任何工作，甚至參加到一種娛樂的場所，我總覺得鬱鬱寡歡，不知如何是好？

像這樣一種憂鬱心情的來襲，在我的經驗上是常有的，但在過去我總有方法可以排解，甚至有時候便拚着一個通宵不睡，我也一定要把我這個精神上的重負全部解除，我然後才能夠心安理得的繼續生活下去。我現在回想起來，好像從來沒有因為一件事，或一種情況，能夠把我困擾到三天以上的；因此有不少的朋友，往往誤會我這個人總是樂觀，甚至還有人對我這種恬適的生活表示羨慕，而問到我有何祕訣能在這種紛紛擾擾的人世，居然不失常態。其實這都是因為他們太不明白我精神上的隱微，自然他們也無從知道在我每次排除一種憂鬱的來襲，所確曾嘗到的那種苦味。

所謂國際，永遠只是一個人才競賽的國際，『有人此有土，』一個國家要保全她的土地或恢復她的土地，第一個先決問題便要問您的人才在那裏？人才可以轉移一時的風氣，也能在某一種的風氣之下，人才才能不斷的產生。我們讀過去一百年的日本史，他們在全國上下，真有少的人都為這一個人才問題在那裏動腦筋。[illegible]有培育人才之道，有獎拔人才之術，有運用人才之方，即有愛護人才之法；[illegible]

教育的起碼條件

[illegible]

需要切實反省

舊的老師宿儒在從事講學的工作，即令他們所成就的人才已經[illegible]

[illegible]這還不足以發人深省嗎？惟人才始能造就人才，尤其以今日學術內容的廣泛，當然更不是西瓜大的字認不得一籮筐的人所能開口！我曾在本刊上嘗不惜冒大不韙的大聲疾呼，希望把過去那種訓練班式的教育趕快終止，尤其不應把一切淺薄的政黨觀念[illegible]

[illegible]時都在虔誠的默禱，總希望自由中國在創鉅痛深之餘，能有一個近乎理想的大學出現：這個大學的學生，至少應有一萬個男女學生，教授必須是世界學術的總匯，標準，不足不妨取材於異國，傾[illegible]大學的校長，應[illegible]氣象磅礴，能主持一時代的風會，決不是不知誰何的人所得[illegible]。必如此，才能說我們的[illegible]才有路可走。[illegible]我們[illegible]好比一個家庭，我們連飯也可以節約得少吃一碗，惟有子女的教育費則萬萬節約不得。人才本是有一種新陳代謝的作用，今天現有的人物，已於未來的新局，八九不能適用，我們惟有激發天良，使這種代謝的作用，能夠提早出現！

△前線美軍，在激戰中還是注意着聆聽吉普車收音機內播出的和談消息▽

國際人才競爭

現在是一九五三年的七月，從此追溯到一八五三年的七月八日，那真是日本一個太可紀念的日子。正是這一天，美國的柏理提督，統率着戰艦兩艘，快船兩艘，到達了日本相州的浦賀港，正式向江戶（東京）將軍府以交通之事，總算經過了這一幕，才把日本這個鎖閉的國門敲開，其時讀算是在中國五口通商的十年以後哩！

「人生不滿百，常懷千歲憂，」我們試就這一百年的日本與這一百年的中國作一比較，看別人這一百年是怎樣過的，我們又是怎樣過的？

日本雖由於一部分人的太不謹慎，致遭遇一次空前的挫敗，然就大體言之，無論是他們的學術，他們的政治、經濟，國際地位，社會秩序，人民生活，乃至他們的文學，藝術，幾乎無一不可以卓然自立，足比於世界第一流的國家而毫無愧怍。所缺者不過是幾隻飛機，幾隻兵艦，幾師編好的正式軍隊，然而這些東西日本都可以自為，初不必借助於外力，今天之所以還沒有，或有而不完備，「是不為也，非不能也！」

克里姆林宮的內憂

欽至譯自新聞週刊

關於蘇聯後的動亂，美「新聞週刊」蘇俄問題專欄作家伏爾夫認為其最重大的意義，不在西歐而在蘇俄內部。伏爾夫是第二次大戰中蘇俄軍隊中的[illegible]，對蘇俄內部的情況，自有[illegible]，他的看法是這樣的：

柏林和德國俄佔區內的暴動，無疑構成了蘇俄戰後對國際關係的轉捩點。但我認為，它的最深遠的意義，不在西歐而在蘇俄內部。蘇俄[illegible]事件[illegible]事實確如此。[illegible]隱瞞起來，蘇俄人民可以從報紙上讀到他們。

對於武裝的鎮壓[illegible]，在過去數星期中，鐵幕暫時已突然捲起，[illegible]了克里姆林宮戰後以來遭遇的最重大挫折。如果你是俄人，數十年來[illegible]宣傳所圍繞，但如果你[illegible]的諷刺，你試想一下你將有何感想。

[illegible]

六月二十一日——新聞消息[illegible]

[illegible]工人自行要求增加他們的生產量。

[illegible]克里姆林宮容許發表這些消息，企圖以[illegible]限制政策的一部份，[illegible]史達林時代的盲目壓制來獲取人民真正的支持。

但——克里姆林宮是估計錯誤了嗎？是這些消息引起了不安？事實上是整個宣傳路綫的改變，正表示了內部的變動。克里姆林宮必已體察到來自德國的新聞將刺激俄國的工農大衆起而要求享有他們生產的較大部份。換一句話說，克里姆林宮在蘇聯放鬆獨裁控制的失敗經驗就像在德國的一樣。在德國，螺絲稍微放鬆一點點，蓋子就完全爆開。蘇俄的統治者現在必須認清在俄國也會如此的。他們目前必須知道，他們不能讓俄國工人有這樣一種觀念，即他們能夠自作主張，任意行事，因為這就是革命的起源。

半週展望

·雷嘯岑·

莫洛托夫如果得勢？

近來英美許多「蘇聯問題專家」們，陸續發表他們對俄共內訌的觀察與評論，說馬倫科夫這次排斥貝利亞，是受了莫洛托夫，卡岡諾維奇等老布爾希維克派的支持，[illegible]

[illegible]子，米高揚等人，都是在史達林時代極不得志的老布爾希維克，[illegible]洛托夫[illegible]結合來對付[illegible]的馬倫科夫，理所固然。如果莫洛托夫真得勢，世界局勢的演變是否即對自由人類有益呢？我認為和平景色將更見黯淡，而世界大戰的進度亦必加速！理由之一是：莫洛托夫的「世界革命」思想素來就是急進的。過去他主持外交時，對西方資本主義列強，總是採取硬派作風，直到二次大戰期間，史達林即以不滿他的作風而將其打入冷宮，史魔去世，他還是過着閒散的生活哩！理由之二是：蘇俄的職業軍人都是大俄羅斯主義者。現在他們一面已掙脫了黨的特務勢力之控制，一面又得到莫洛托夫們的寵信，今後的蘇俄政權，軍人將具有決定性的支配力量，以急進派的政治思想，配合大俄羅斯主義的軍事勢力，又在世界兩極化的激烈鬥爭中，再加上內部諸種矛盾對立因素的激盪，誰能相信他們會走和平之路嗎？

英國對韓戰問題的觀感

十六日倫敦路透社消息：英官方對這次華府三外長會議的聯合聲明中，關於韓戰和談如失敗，聯軍即恢復作戰之點，不願明白解釋，頗有屆時「不負責任之意」云云。這樣一來，美共和黨領袖塔虎脫主張美國對遠東不妨單獨行動之說，又將抬頭了。因為共方如破壞休戰協定，美國於情於勢，決不能置身事外的。

假使美國請英國對遠東的軍事行動，保持善意的靜觀態度，讓法國對西歐的軍事義務，除提供資源與基地外，萬一發生戰爭，法國人亦無須參加作戰。我想民主陣營中之所謂「歧見」也者，馬上可化為烏有，再不致發生如目前這種鶻鶻嘩咋的怪象了！

印度左傾份子大騷動

印度加爾各達的民衆發生暴動，為的是反對火車加價；而南疆的達拉維達聯盟，則以反對新國民教育法案，煽動各地人民，發起騷亂。兩處皆已引起流血慘劇，據政府人士聲稱，都是左傾份子從中主使操縱的！

這不過是亂象的開端而已。依據我們過去在中國大陸上身經目擊的歷史教訓，印度從此多事，尼赫魯焦頭爛額的命運來臨了！這是對尼氏親共媚共政策的大好報應，自作自受，於人何尤？日子還長啦！總有一天，我們將聽到騎牆之上，有人向着自由世界發出S.O.S.的淒慘呼聲，不信，等着瞧！

自由中國的新外交作風

我們早就認為自由中國現階段的外交政策應該變，墨守過去那套陳法舊章，除嘔氣招侮外，毫無是處。近聞當局正與中東各個新興民族國家，如敘里亞，黎巴嫩等國談判訂交，可喜可賀之至！

要在現時這種強權即公理的世界上立國，弱國如果只是向所謂列強乞憐討情，即是「等死」的表現。既不能循正義公道而求得生存發展，至少應有搗亂的能耐，使強權主義者有所顧忌。聯合弱小國家，共同奮鬥，才是上策。

南韓外交人員說：「過去我們對韓戰致送備忘錄和意見書於參戰國家，從來沒人理會。自以獨行動表示堅強的反休戰主張後，南韓的外交談判，即已獲得勝利」。這是一面很好的鏡子，請大家照照罷！

中共五路進侵緬甸 臘戍面臨嚴重威脅

國外通訊

當曼谷四國會議陷入僵局之時，緬甸北部的緊張局勢已瀕臨嚴重階段。中共駐滇南的四十三師分五路進侵緬甸，緬北重鎮臘戍感受重大威脅。宇奴政府一方面否認局勢已甚嚴重，一方面打算循外交途徑要求中共撤兵。僞駐緬大使館不遲於各方面指責，推說「大使」不在，拒絕發表意見。傳說喀倫族軍已與中共妥協。時勢造成了反共軍撤退的困難。

仰光在最近半個月來，由於政府的困窘，造成了人心普遍浮動，這一趨勢純因緬甸堅決要求滇緬邊境的反共救國軍撤出中緬未劃界地區乃爲一大癥結。當此曼谷中美泰緬四國會議形成僵局之時，中國政府代表仍擬設抒影響力量來說服滇南反共救國軍代表李則棻將軍，以使這一支間接保衛緬甸的部隊早日撤赴台灣。但是，滇境的中共部隊，卻在反共救國軍的防綫緊緬而待其全部撤退的目前；藉口「保護人民」擁兵入侵了，本月九日，駐滇南的中共第四十三師，分五路進侵瓦邦，使未曾設防的萬甚、景興、肯宜、德定、楊角這五個重要據點遭中共武裝侵據，該處在撣邦首府（緬北重鎮）臘戍之東，距離僅一百五十哩之遙。十一日當此一消息傳抵緬甸政府之時，宇奴已手足無措，他一方面對於此訊不願證實，暗中卻與中共駐緬甸「大使」祕密接頭，以勸導方式，希望最好「不會有此種事件」；假如有的話，希望中共軍早日撤退，以免曼谷會議中的困難增加。

緬軍無力分兵衛戍邊境

僞駐緬大使館對於中共軍侵緬事件既不承認，也不加以否認，當地政府已授意仰光若干報紙對此事審慎處理，意思是「最好不要發表」，而政府發言人則拒絕評論。許多外國記者於有關此事的實情報導，但所得的結果，總是推說「大使不在」，或是「負責人不在」。甚至於說：「對不起，我是不懂英語的。」事實上這一類搜覆的人卻是用英語來答覆的。因此緬甸政府對於此事大爲困惑，而大多數人均意味情勢已甚嚴重，否則中共「大使」可以避不見面，緬甸政府也不致如此小心謹慎和含糊其詞了。當曼谷的四國會議磋商撤退滇南反共救國軍之時，人們早就顧慮到中共在滇南緬邊所部署的十萬兵力，將會在反共軍撤兵之時乘隙進侵的，但緬甸政府則認爲中共已經信誓旦旦，只要李彌部隊一經撤退，中共軍不會藉口「協防」入侵緬境。可是，李彌部自經曼谷會議舉行之後，一部分滇省的子弟兵已經殺入雲南，另一部分緬甸的土著，則因實力單薄，不能不保存他的實力，便悄然放棄了若干據點，退回下緬甸，中共就在上月間已經對這些據點實施搶佔。[illegible]

故佈疑陣企圖勾結喀軍

[illegible]

……形的游擊隊保持聯繫，[illegible]就現實的形勢看來，假如中國游擊隊的緬北據點一經放棄，中共勢必全部佔領。（史密賓，七月十一日寄）

克里姆林宮內鬨中 軍人主腦布加寧

[illegible]

九三九年，當選爲共產黨中央委員，他並且是民族會議的議員，一九三八年起，即爲該會議外交委員會主席。自一九四六年起任政治局候補委員，至一九四八年補爲正式委員。一九五二年蘇俄共黨舉行第十九屆全國代表大會時，布加寧被選爲主席團廿五委員之一。一九五〇年十一月七日，在蘇俄慶祝革命三十週年紀念時，他已爲蘇俄副總理，他與莫洛托夫，米高揚等參加閱兵典禮，他曾大吹大擂的說：「美英帝國主義現已是準備侵略轉爲指揮侵略行動，美國對韓戰作強盜式的干涉，即爲明證。蘇俄人民與世界其他愛好自由之民族，應向爲祖國之自由而從事英雄鬥爭的韓國人民表示同情。」他又說：「我國科學家實踐史達林所賦予的職責，已經超過國外科學界的成就。我國科學家既明瞭原子能之祕密後，已傳移注意於解決進一步之問題，此事將可有助於發展蘇維埃國家。」此等狂肆的言論，在蘇聯極權國家的政治上而言，自然是迎合大獨裁者史達林的口吻了。

馬倫可夫上台把他抬得高高的，不特擢其爲副主席，而且讓令其兼任由原來的陸軍部，海軍部合併而成的國防部部長，從此造成了他今日這樣的地位。（丁匡華）

節約第一

台灣通訊

[illegible]

入台灣銀行。如係外匯，如有隱匿不予移存的，（三）各級機關及事業單位，應由財政部統一印製收據用三聯或四聯式，使財……。（四）各機關及公營事業預算內已列有交際等費。此項是准，不得支付公款，補助、慶祝之用，以及已無業務而負保管責任，其財物集中保管。可濟事。（六）所有各種紀念外，盡可能合併舉行，府已規定每年集中陰曆……，則政府亦應以身作則……的大規模酒會，應集中於……事折服。（七）此後凡與業務無關的，不得舉辦；至於房屋的建築，像……久耐用爲原則。……可以做並且應該做的。……應予重新考慮。……以節約爲理由，一是汽車不許汽車進口，實在是只知其一，不知其二。戰後需用的車輛甚多，而台灣的卡車，最大的僅數只有四千輛，距離軍事上的要求甚遠。一旦戰事發生，航運受阻，臨時無法運入大批車輛。所以只要由政府規定牌號，應該大量地鼓勵人民，用自備外匯，輸入車輛。即係小汽車，到戰場也有用途。

二是娛樂的問題。台灣的唯一正當娛樂是看電影，每年因外國影片進口消耗的外匯達二百餘萬元美金。政府只是提倡人民要在娛樂上節約是不可能的，應該積極提倡話劇，才可以使社會的風氣轉移。且可以藉之推行國語教育。提倡的方法很簡單：（一）各地中山堂或公共機關禮堂，免費借給話劇團體上演；（二）停收話劇的娛樂稅二年。一旦話劇成爲民間愛好的娛樂後，則每年省下一二百萬元美金的外匯，對政府也是一件極有用處的事。

自由中國的人民絕大多數本來已經節約了，政府爲了支持長期的反共抗俄艱苦鬥爭，也趕快要「節約第一」才好。

邱翁臨時退休內幕

在百慕達會議召開的前幾天，三巨頭之一的邱吉爾突然患病，這個病來得實在有點兀然，以致現在仍有許多人說邱吉爾患的是政治病，姑不論邱翁對百慕達會議的真正意向如何，但發佈公報的那幾天，他感到不適卻是事實。六月二十四日他出席英內閣會議，會中討論正緊張的時候，他忽然感到不濟，與會的財政大臣布特勒等見他臉色過異乎常，立即中止討論，並召邱翁的私人醫生莫蘭勳爵與白利安爵士爲他檢驗，才知道他因工作過度辛勞，體力與精神均衰退到驚人的程度，他一向有高血壓的毛病，這樣一連數日，病況迄無進步，於是英政府先電詢美法當局同意，然後於二十七日宣佈邱吉爾臨時退休，至少須完全休養一月，百慕達會議也跟着無限期展延。

美國害怕中共報復

李承晚總統爲反對不光榮的休戰，下令釋放北韓反共戰俘，這種毅然決然的行動頓時使聯軍司令部和華府慌了手腳。當時美政府和聯軍對李承晚總統所採的態度，頗使美國內外的人士發生反感。艾森豪總統對此事何以如此着急，據接近白宮的人士說，原因是美國担憂中共可能突然宣佈數千名聯軍戰俘（當然包括美俘在內）不願返國，而後像南韓政府一樣，宣佈將他們釋放。如此一來，共方勢必會暗地裏將幾千名聯軍戰俘強迫扣留，自是以後，誰也不會聽到有關他們的消息。這不僅是和談的一大障礙，而且美政府還沮心無法向這批官兵的妻室父母交代。

新聞人物

盛傳已遭克里姆林宮整肅的 德共總書記烏布里治

最近柏林盛傳，東德共黨總書記烏布里治已遭當局整肅，在東德赤色政權中，烏布里治一向是舉足輕重的人物，他的慘遭清算，就意味着東德大整肅的開始。

烏布里治生於一八九三年，全名是厄內斯特·保羅·華爾特·烏布里治，但後來他使用一些如塞爾同志、萊特同志、索爾森同志等假名。十五歲時，他即加入工人青年組織，十七歲參加德國木工工會。十九歲時加入社會民主黨。他是一個精明的組織者，特別熱衷列寧的學說和教條，但他的主要才能，乃在於欺詐與變節。

他一生中出賣同伴和倒戈相向的事情不勝枚舉。一九三二年他與納粹合作發動運輸工人罷工，終於推翻社會民主黨政權，協助希特勒執政。後來他又是逃出納粹德國的第一人。一九三〇年左右，他奉密命至西班牙參加當地內戰，其首要任務卻是清除共黨中的托洛斯基派份子，當時在他手中完結的「同志」不知凡幾。

許多和他共同生活共同工作的共黨黨員，對他有兩種極適當的批評，有一個多年和他共患難的人說：「烏布里治只是世界上最壞的傢伙」，還有的把他形容得更深刻，他們說：「烏布里治是一個這樣的人，當前面有警察把守的時候，他會從後面溜過去。起先他向人討取一塊麵包，隨後百計引誘那裏的女主人，將冰箱裏的東西吃得一乾二淨，再跑到主人臥室，偷走所有貴重的衣飾，然後大步走過前門，和警察招呼一聲揚長而去」。

如果和南斯拉夫狄托與義大利陶格里亞蒂的機敏和能幹相比，烏布里治只是一個渺少而有限的人物。從第二次大戰開始的時候，在俄國整肅與納粹勢力清除下，德共即已失去其獨立的黨派地位，大戰期間，烏布里治大多數時間留在莫斯科。準備一旦盟軍擊潰納粹時，如何在德國展開赤化工作。

在這幾年中，他一面取得蘇俄國籍，一面協助俄當局組訓德國俘虜，強迫灌輸共產主義，在史達林格勒戰役中，他草擬宣傳文字，命人在前綫以擴音筒向被圍的德軍呼號。

一九四五年五月八日，他穿着紅軍上校制服，口角掛着勝利的微笑進入柏林，站在俄軍朱可夫元帥的旁邊參觀德軍投降典禮。

一九四七年，德國實際上分裂爲東西兩部份後，烏布里治即大力進行赤化東德的工作，將共產黨與社會民主黨合併爲社會主義者統一黨。因爲與社會民主黨領袖葛羅提華（東德赤色政權總理）討價還價的關係，在共產黨政權中，烏布里治僅獲得副總理的職位，但實際上統治東德的，卻是社會主義者統一黨，而後者卻是烏布里治的囊中物，他是該黨的總書記，還是八人政治局和中央委員會的委員。就東德說來，他的權力實駕於總統皮克及總理葛羅提華之上。如果他果如柏林所傳，遭克里姆林宮的整肅，對於東德和整個蘇俄附庸集團的影響，其嚴重性自然是可想像得到的。（節譯取材自七月十三日「時代」週刊）

天下小事

塔虎脫力疾從公

美國老虎參議員塔虎脫雖然臀部患病，但他力疾從公，每天仍從上午九時起至下午六時止扶病工作，他出席各種委員會會議，前往白宮參加重要討論，並接見永無休止的訪客。他這種毅力和精神，上自艾森豪總統，下至美國的賣報童子，無不交相讚譽。只是參院多數黨領袖已暫由加州參議員諾蘭代理，許多參議院中的事務他已無須過問。據說：他的病已好了一些，但爲他診病的醫生說，塔虎脫的病還不是短期可以治愈的。（孟衡）

妄求推行「五年計劃」
中共對勞工奴役無度
工人賣命操勞傷亡率日增
生活惡劣醫藥缺乏肺病普遍蔓延

【本報訊】重慶消息：中共於今年以開始第一個五年計劃以來，不論人力物力是否有達成希望，對奴役工人拚命操作的程度，較往年又迫近一步，愈形殘酷，故工人傷亡情形，已日見嚴重，同時，因中共對工人之安全衛生，依舊表面敷衍而實惠不至，致於操勞過度之外，加上食宿的惡劣，醫藥的缺乏，乃使因工罹病的人數，已空前激增。據重慶偽衛生局透露的簡略統計，目前重慶每一工廠工人傷病的平均比例，最少的要佔該廠工人總數的百分之十五到百分之二十；多的，竟要佔該廠工人總數的百分之四十到百分之六十之間！

以六一〇紗廠爲例，共有約兩千名工人，在本月二日統計時，已有一千一百餘人病倒。病狀最普遍的是嚴重的腸胃病，次之是虛損，吐血和患肺病的亦甚衆多；因而外亡率空前驚人：自今年一月到五月底止的五個月中，該廠因工死亡的工人，已共有九十八人之多！且謂由於傷病人數的衆多，致使該廠的缺勤率亦空前擴大，平均每月總在八千工左右，已使該廠的生產能力慘遭頓挫！五個月中，已少出棉紗九百餘件之多！關於傷病人數所以如此衆多之原因，據稱：係每天加班三小時，每一星期日改作半假所致及伙食惡劣，醫藥缺乏所致。由於此等原因，謂有些原來身體強壯的工人亦漸告不支，致工作時暈倒於車間者有之，上廁時暈倒於廁所者有之，請假出外時暈倒於車中船中及路上者均有之，情形極爲悽慘！

他如重慶菜園壩搬運工人共有六百七十餘人，由於負重過度，工人體力都告不支，致工傷事故，日有發生。一般體格原來較佳者，則因經不起長期折磨，都已斷損。據統計該地六百餘工人，傷病的人數逐日激增，到目前止，已有約兩百人病倒，約一百二十餘人受傷，除當場死亡者不計外，在受傷人數中因醫治無效，或未得適當的醫治而死去者，已不下四十餘人，故羣情極感悲苦、恐慌！

武漢共幹不顧現實
與羣衆日益隔膜
假報告假統計滿天飛
身兼數職人人成上級

武漢共黨「長江日報」提出批判：目前武漢市區的街道行政工作，正嚴重地存在着極端混亂的現象，「百廢俱興而一事無成」，秩序已一團糟，人力經費的消耗，極爲可觀。發生此等現象之主要原因，是由於市區級許多機關過分強調本身工作，忽視街道幹部的工作負担能力，將許多工作無限制的盲目向下佈置，使街道幹部和街道「積極份子」都窮於應付，幾乎「人人是上級，件件是中心」，使他們亂了方寸。目前每一條街道每月所接受的工作，一般的都在三十八、九之間，再多的甚至有四十五件之多，不但非時間和人力所允許辦了，且大多爲脫離現實與羣衆，無法進行之工作。但由於層層盲目的強迫執行，大多便不得不在打假報告，造假統計、寫假總結中「交代了任務」。又說：由於任務繁多，街道幹部和「積極份子」的會議和兼職也就太多，每人兼職一般的都在十五個左右，會議每人每月都要開到四十五次以上。有些婦女幹部應前應都沒休息，有些幹部連吃飯的時間也沒有，雖然很緊張，而任務則依然達成不了。甚至爲了佈置任務，爭奪幹部，各機關與機關之間還常常發生衝突，大使幹部爲難，致使幹部們大感困擾，思想混亂現象，尚不僅武漢如此，在長沙、南昌等市，亦有類似情況云。

共幹水準低劣
工業管理混亂
東北帶頭試辦補習

瀋陽消息：中共近對大陸各地一般工廠，礦場及工業管理機關之秩序混亂，生產低弱，因而嚴重敗壞中共「基本建設」及「生產計劃」一事，深感困擾，經偽中央工業有關各部派出大批高級幹部分赴各工業「重點區」實施全面檢查及研究的結果，認其癥結所在，主要爲各工業管理機關（如各省市工業廳、局，各省市工程管理局或工程建設公司等）之主要領導幹部（如廳長、局長、處長、科長等）及各工廠礦場之主要領導幹部（如廠長、場長、主任、科長等）之基本知識水準太低，雖經過幾年磨練，仍大多未能吸收應有的知識與經驗。故目前中共已在一次偽中央有關工業各部會同偽高等教育部的會報會議中決定：在各工業「重點區」普遍舉辦一種供中級以上工業幹部補習的「業餘大學」。此種「大學」，以晚間授課爲原則，授課重心爲數、理、化、土木工程、工業行政等。以此類幹部知識水準普遍低陋之故，先辦預科，然後再分別其程度，從小、初中、高中起教。各班皆採速成制，俟兩年後再添設大學本科，俾高中班升入本科。據悉：爲取得經驗，中共目前決定先自東北偽樹範區舉行試辦，業已籌備者，計有瀋陽、鞍山、旅大、哈爾濱等地。又悉：據中共統計目前一般工業領導幹部之知識水準：高小程度者約佔百分之七十，出身多屬工農軍人；初中程度者，約佔百分之二十，出身多屬抗日時期參加共黨之青年，曾經「抗大」之類「政治訓練」，爲原習工業者，極少。由此，此類幹部水準之低，便可見一斑。

大陸煤斤質量大降
各工業損失慘重
西安煤竟含矸石六成

據最近北平人民日報提出指責，說東北、華北、華東各地「國營煤礦」產礦的質量已日益低劣，認承已使工業生產和交通運輸等大量用煤部門受到了空前嚴重的「影響」，已直接造成了「國家財富」的慘重損失。

據偽燃料工業部和偽煤礦管理總局在最近派出大批檢查組到各大煤礦檢查的結果，說發現各地所含矸石及灰分的嚴重的情形，實已到了不可容忍的地步，據不完全的統計，今年春季一季中各地「國營」煤礦運出供應工廠鐵路等用的煤斤中，不僅共夾雜了萬零八千四百九十八噸的石頭，在煤塊本身一般的都含有百分之二十以上的矸石灰分。據檢驗的結果開灤煤含矸石量有百分之二十；峯峯煤含矸石量有百分之三五；大同煤含矸石有百分之四十；淮南、通化、北票等煤含矸量各爲百分之四五；最糟的，要算西安煤，竟含矸石量百分之六十之多！

據說：由於煤炭中含矸石量過多，使運費增加浪費，火力不足，增加消耗，熱度不夠，拖長生產時間，且產生次品，因此而直接和間接所受的損失，一時實無法估計，但可斷言必損失驚人浩大。又據該指出，各地煤質上所以如此低劣，主要爲煤礦領導幹部盲目追求生產表面數字所致，其次則爲煤工缺乏生產熱情所致云。

離婚是家常便飯

自從毛記政府御製的「新婚姻法」在四川各縣推行以來，一班瘋狗一樣的幹部們，爲了要貫澈實施到底，天天用「大力」在各縣鄉村製造婚變，使一些有夫之婦，或有婦之夫，因挑剔而鬥爭，由鬥爭而破裂，由破裂而離婚，差不多在各縣的「人民法院」裏，日必有數起離婚案件在審判中。兩造對簿公庭，「法官」當堂判離，這是家常便飯，不足引爲驚奇的事；最可笑而又最爲人民可憐的，莫過於缺席判決離婚，茲例舉一二，以足證明「新婚姻」在大陸婦女中製造的悲哀。

梁山縣「人民法院」於本年六月十一日法祕三二三號發出這麼一段通告：「本院受理譚義清與楊貴英，周榮珮與蔣光榮，張友珍與李恩之，彭治秀與鄧克健等四起離婚案，因蔣光榮、楊貴英、李恩之、鄧克健地址不明，無法傳訊，茲准予判決離婚。副院長王建福」。這種判處，是中外古今法律界上的創聞，也是秩歆王朝的傑作。

又如廣安「人民法院」院長谷長富，於五月廿八日以院行字一五九號通告，如法泡製，判處離婚者，有：劉紹英控夏顯明，賀建貞控鄧正洪，陳元香控夏志聰，代素珍控蔣四福，饒代菊控楊生才，胡李氏控胡天才，周明芳控滿德位等七起，是每一離婚案，原告多爲婦女，居百分之九十九，皆係共幹從中挑剔或強迫離異，被告大半缺席，這正是完成新婚姻法最好的判決。

多災多難的四川

拍賣企新公司

開設在重慶化龍橋正街的企新食品股份有限公司，原爲一些小資本商人集資經營的商店，因其交易公平，業務信譽，遂漸蒸蒸日上；淪陷後，雖因市場蕭條，生意淡落，但較其他商行，仍有霄壤之判。匪政府見而眼紅，架次羅織，從購買「公債」起直至「五反」以後，該公司資本，早已被完全拖垮；近復爲追繳欠稅，將該公司經理趙德厚拘押。於五月十七日并由「市人民法院」院長宋學武以法執字第一六七九號公告，將該公司的財產，分作：房屋地產、生財傢俱、現場貨物等三部，公開拍賣，並指定於二十三、二十四、二十五一共三天，在民族路九三號，化龍橋正街一二號（該公司），小龍坎一三二號三處正式開標。這是在保護工商業的口號下，又一批商人倒在血泊中了。

古墓翻身白骨嶙峋

重慶市大坪（抗戰期間係軍事交通處址）苗圃附近，有墳墓數塚，營穴在廢墟間，原屬古墓，實無礙於交通或建築；來政府，曾予保護，以示人道和存古之意。近來渝共大興土木，由「西南軍區」司令部管理處，飭令將該古墓播遷，因無墓主，致使白骨嶙峋，拋散荒郊，千百年來古墓骨骸，也無法避免人間的空前浩劫！（重）

中共又一貪污醜劇
假造報銷騙取鉅款
蒙上欺下坐地分贓

據本月十三日「人民日報」披露了最近又發現中共中央與省間的一幕分贓醜劇。緣偽青海省財政廳於去年七月間編造一九五一年支出決算時，將去年開支了的四十多億。偽造爲一九五一年的開支，在一九五一年的決算中作了報銷。以便使該款留省另作用途。又該廳代玉樹區編造一九五一年決算時，不按該區報告的決算材料辦事，而以該區的特殊支出爲藉口，故意將該區一九五一年的支出決算向中共中央多報一百二十五億元，並以「行政」及「黨團開支」科目冒列虛頂作報銷。但在撥給玉樹區的經費時，又藉故扣發，故該廳在所謂「上欺下」的情形下在去一年中僅此兩項報銷，就騙取了偽中央偽幣約兩百億之多。直到最近方被偽中央發覺而予以指斥，但此種情形，不久前偽綏遠省財政廳亦會被中央發覺而予以檢查處分。此次偽中央發現青海亦有此種情形，知已非局部偶然現象，問題嚴重，故偽財部將發動一次全面檢查，予以制止。蓋中共與認地方財政之「本位主義」傾向，倘不予及時消滅，勢將危害中共中央極統治權之根基矣。

土包子出醜
副經理只知拍蒼蠅
批閱公文一竅不通

中共統治大陸後，出於一般幹部都是從鑽洞裏鑽出來的，中間鬧了無數的笑話，時光荏苒，轉眼已經三年，在一般人想像中，土包子總該進步了吧！可是，事實證明進步的只是享受，由旱烟袋換到茄立克，火鐮火石換成既臣打火機，本身的能力思想，依然保持着原始的作風，下面就是一個例子。

江蘇省合作總社生活資料經理部鹽城批發站副經理吉揀，就是一個典型人物，他從去年七月份調到批發站以後，一直很忙，忙得不可開交，他做些什麼事呢？夏天，他的工作是拔草，拍蚊子，打蒼蠅。大家睡午覺，他一個人不睡，在太陽底下拔青草，結果，批發站的三個天井，一個操場的草都被他拔得乾乾淨淨，普通時間在辦公室裏找不到他，到廁所裏總見他在打蒼蠅，拍蚊子。去年冬天，批發站蓋倉庫，他整天在當場監工，負責拾碎磚頭瓦片，幫助數材料，做些小工的事，確實同工人「打成一片」。今年春天實行愛國衛生運動，也樂得跳出來，頓時像感覺英雄有用武之地，「主席」是專爲他安排的，整天更通辦公室都不進，左手拿着香烟盒，右手拿着蒼蠅拍，走遍了廚房廁所，找尋到每一個角落，豬圈，晒乾菜的油桶周圍，無所不到，結果的確成了模範，打死的蒼蠅比誰都多。

可是他本身的能力怎樣呢？他担任副經理已經十個月了，可憐到現在一張單據都不會批，不問是應領的應報的單據，他都是寫一個核字，甚至單據的附件上也寫一個核字。乾脆說是一竅不通，可是因爲是老幹部，論資格應該升官，會不會那是另外一回事，「也有好心的」同志指出他的錯誤，他總是兩眼一瞪：「我學習了呢？現在好多了呢？過去一個核字也不會寫哪」！這就是今日共幹的現形記，他們就是這樣的「爲人民服務」。（可）

東北大批木材
聽任廢置腐爛
不知管理胡亂浪費

據最近北平「人民日報」提出指斥，東北及華北各地木材無故積壓而造成腐爛及處理不當而造成浪費的現象空前嚴重，損失奇慘！據舉例：積壓腐爛方面，僅北平偽財政局就有三千餘立方公尺之多；僅東北長春一地就有枕木二百萬根之多；（據云可鋪兩條成渝鐵路）據不完全的初步統計，目前該兩地已腐爛了的木材，當不下二十萬立方公尺之多，損失驚人浩大！說使用浪費方面：說大材小用，優材劣用的現象尤爲普遍而且嚴重。僅東北三〇一工地把十一公分的板材鋸成八公分，三〇三工地把十公尺的長材鋸爲五尺的短材及皇姑屯鐵路工廠採木四萬立方公尺不合規格等例子，浪費已甚驚人。但還有更荒唐的是：陝西黃龍伐木場奉命伐取三千立方公尺的礦柱，不僅可用的僅六分之一，且都是由長材截成的短木柱，作礦柱都不適用，便極少別的用途可言了。故人民日報說：「這種荒唐的程度，令人憤慨！」

浙江林區已成死市

又，杭州消息。據最近「浙江日報」披露：近來浙江木材不僅亦有大批積壓的現象，且一面木材被統制買賣，一面又停止收購，致已使該省建德、溫州、麗水及四明山等林業區之木材商市一時成爲死市，林區農民由是生活陷於絕境，無不叫苦連天！據云浙江木材之所以積壓及停止收購，係由於木材購銷業務於本年二月間由原有之煤業建築器材公司改歸森林工業局經營，該兩中共之「公營」機構在交接中發生傾軋，爭執，相持不下所致。故可謂共幹爭風，農民遭殃云！

不宜幹政治生活的人

尚方

就政治原理和人生哲學來研究，世界上有一種人絕對的不可從事實際政治生活，尤其不可居高位，否則，於公於私，皆無好處。還有一種人是相對的不宜從事政治活動，除非他是象破崙希特勒一流人物的信徒。前者爲替國家幹特務工作的人，如俄共巨頭貝利亞，乃其明證；後者爲現役職業軍人，如日本「梟軍」的東條英機等，便是好榜樣。

替國家主持特務工作的人，專在摘奸發伏，防制不軌之徒，先天的即隨時招怨結仇，令人忌憚，若再與身政治舞台，文據要津，沒有不危險的。貝利亞如果祇替馬倫科夫做做公安部長，而不坐在克里姆林宮三巨頭的寶座上，何致被人暗算，竟有今日之敗呢？請類例證，在中國歷史上更不勝枚舉。因此，我最贊許近代人戴雨農的作風，他在生時，曾堅辭國民黨中委之選任，亦絕不過問實際政務，只是恪盡他那項本職，死而後已。可謂善於自處，也善於報國，可謂才智之士了。

職業軍人最好是在軍事上求發展，搞政治却須特別審慎。因爲帶兵與從政的本質迥異，作風不同。軍人隨便玩政治，如其成功，即很容易走上拿破崙希特勒，或東條英機一般人的老路，不成功呢？誤盡天下蒼生，貽害國家無窮，結果總是身敗名裂的。軍人如對政治感覺興趣，第一要多讀書，多求智，變化氣質，努力作修養工夫；第二要斷絕槍桿以支持政權的不良思想。我說相對的不宜從事政治活動的理由，即在此也。

·鐵幕新聞故事·

捋虎鬚

山禾

天津「人民公安局七分局」的祕書史焜傑「同志」正在辦公室裏大發雷霆之怒！他坐在一張紅木的活動轉椅上，兩腳高高地擱在寫字台上，滿身子靠在椅背上已有三、四十度的傾斜，幾乎搖搖欲睡！——他的左手緊緊地捏着一簡公文，右手夾了一支「美帝」出品的CAMEL紙烟在猛力地吸食，還迴噴出的濃烟，彌漫充滿了殺鄉！

「他媽的！」他突然狠狠的罵了一聲，兩腳一擱，陡地站了起來，用盡了平生之力，右手將烟蒂向地上一擲，左手將那簡公文向寫字台上一擲，正巧，剛剛一陣風打窗門口旋進來，將這簡公文像雪片似的吹散了開來！

伺候在門口的勤務員一看到祕書的公文被吹散，便立刻自動地跑進來將它們一張一張的拾了起來，整整齊齊地仍舊放在祕書的寫字台上，小心翼翼地用一只玻璃烟灰缸將它們壓好了，退了出去。

「豈有此理！」史祕書在向這些被吹散而又疊好了的公文看了一眼之後，又狠狠地罵了一聲；然後再坐下來從頭至尾重新一張一張地翻看過去，這裏面都是控告損毀齊水池橋「派出所所長」的他的黨閥志王貴生的檢擧信；戶政女代表劉耀彬和另一個婦女宋文選控告王所長强姦婦女，並阻撓寡婦改嫁；市民劉寡婦控告王所長貪受賄賂、污辱婦女，向[illegible]狀的寫狀；最後是一份聯名控告書「第二十二人」，[illegible]「局長」批上了「史祕書核辦」等字樣了！

「他媽的！」他[illegible]以後，又狠狠地罵了一聲。他想：「[illegible]」

「叮叮叮！」他伸手打起了叫人鈴，把勤務員喚了進來。

「請王所長來。快！」

「所長」來。

「報告祕書！」

[illegible]就被召了去，[illegible]恭恭敬敬地行了一個禮。

「老王！」祕書[illegible]走到所長[illegible]向他肩上拍了一拍：「別怕那些[illegible]，有我給他們[illegible]，回後叫他服[illegible]不敢再來搗搗[illegible]你去佈置開全[illegible]大會，去，快[illegible]」他很「乾脆利[illegible]」

「叮叮叮叮叮！」他又把勤務員喚了進來：「去，愈快愈好，把那幾個告狀的頭兒給馬上找了來！」他一面吩咐，一面[illegible]翻出了名單，他一臉頤指氣使。

一會兒，被指爲頭兒的劉耀彬，宋文華，胡志鑒，田煉候[illegible]王四個人也找來了，劉寡婦男女，一排站在祕書的寫字台前。

「你們胆子倒不小啊！你們竟敢聯名誣告所長？」他一開口，就把「誣告」的大帽子向她們頭上一套！

她和他們面面相覷！

「幸虧他是十幾年的老同志了，絕對不會犯那些事，要不然啊，夠他到小王莊對保的啦（指鐐銬）！」

「……」她和他們又面面相覷！

「誣告，你們就要到小王莊去對保啦！」他實行威嚇。

「不不不！我們沒誣告！沒誣告」她和他們急起來了，不約而同地遁稱沒誣告。

「不行！是誣告～但是，只要你們回頭肯在羣衆大會上公衆認承是鬧意氣，圖報復，犯錯誤，就大家太平無事！」

「那那……」她們還想說話。

「別多說！」但立刻被祕書阻止，「向人——民——低——頭——着，是檢舉！」他特別加重了語氣威逼着她和他們。

她和他們終於被逼屈服了。

「去，開會去！」

於是，祕書就把她和他們帶到了會場。被迫來演演話劇的羣衆照例人山人海。

於是，一切被迫認承錯誤，坦白檢討的把戲，按例照共黨黨的公式逐一演出。

「胡志鑒，你有什麼說什麼，不要怕！」但是，當輪到胡志鑒作最後一個的「坦白」時，却半夜里閃出了程咬，有個區代表都金山忽在台下叫了起來。

「什麼？搗亂會場？散會！」史祕書一看忽然出了岔兒，於是立即宣佈散會。

「誣告份子和搗亂份子都給搞到局里來坦白！」他并立即給了王所長一個口頭命令。

於是，劉耀彬等二十二個告狀人連同被指爲搗亂份子的趙金山一共二十三人立刻一同被抓進了公安局！立刻被分隔開來進行「分組審訊」，幾乎都在威逼，拷問，疲勞轟炸了半個月之久，終於都不得不屈服：寫悔過書，具結，認承被壞「人民政權」會認承「造謠生非」！

於是乎，王所長不但沒有告掉，而且更「合法」地會他的污，欺他的民，强姦他的婦女！告狀的人，倒反都給打入地獄似的「人民監獄」里去了！這簡直是捋虎鬚，自討苦吃！（註：本故事事實。採自「天津日報」）

寄黃達雲將軍

易君左

絕域孤軍血淚痕，頭顱眞不負軒轅。
冰天持節同蘇武，銅柱題勳儗馬援。
時以高歌排悒憤，獨揮大纛召新魂。
飄然一掠雲中雁，三萬貔貅入國門。

夢·迴·輔·大

椅楓

清悽怨遙夜，搖落風雨哀。孤燈聞楚角，殘月下章台。芳草已云暮，故人殊未來。鄉書不可寄，秋雁又南迴。

·韋莊·

離開輔大已經三年了，三年了！三年的光陰在有限的人生旅程裏，不是一段短暫的歲月啊！尤其在這潦倒放浪的生活中！人在痛苦的時候，最容易去沈思的，最喜歡去追憶，去沈思解決痛苦的辦法，去緬懷美好圓滿的過去。我也沒有例外，因爲我是一個人，一個常人，一個有血，有肉，有感思的人啊！更何況是在這遙遠的異鄉，處在一個國破家亡的時代呢？

× × ×

輔大——這座瑰偉莊麗的學府——底影子，在這漫長的流亡歲月裏，無時不浮擺在我底腦際，她那古色古香的建築，曲折迴迴的走廊，幽雅清新的校景，……和我息息相共的人和事，無移或間地同我懷往昔的心情縮進在一起，尤其是在這苦雨連綿的今夜，眼前的殘燭搖搖欲熄，北風嘯出尖銳的叫聲，周圍冰滿孤寂的氣氛，把我緊緊地壓縮起來，我感到一陣茫然底的空虛，不禁深深地嘆了一口氣，這是我近年來新學會的抵抗愁困的消極方法，我潛意識地俯下身子，拖出我唯一的寶藏——小書箱——翻閱我底舊信，這些信也委實太舊了，歲月已把它們染上了一層黃色的孤寂。

× × ×

偏偏又看到那本校刊，那本一九四×年的年刊！幾天以前，它曾帶給我不少痛苦的回憶，我發過誓以後再少看它，免得勾起纏亂的離愁；不過它那種引誘是大的啊！那些熟悉的面孔，婀娜瑰麗的校景，彷彿闊別已久的老友，伸出熱情懇切的手向你招呼，誰忍得把他們置之不顧呢？我是人啊！是有情感的人啊！尤其在這風雨交織的寒夜，孤清淒淒兀坐在漏室中，叫我怎能不奔向溫暖甜蜜的往憶呢？

呵！這都是兩年前的舊信了！自從毛主席頒佈了鎮壓反革命條例之後，我便榮任了第四級戰犯的流亡學生，這道勅令，把我和我底母校，及和我共育同長過的親友之間，劃上了一條漫天貫地的巨壑，我深切地感到這把鐮刀的鋒利！我默然無語地解開了束信的帶子，漫無次序地翻閱，冀望從舊信札裏找尋溫暖，來抵禦這寒夜里

× × ×

我慢慢地掀完了一遍，對每一個稔熟的人物，發出了一番深長的連想，美綺的往事和殘酷的現實，在我底腦海裏撐成了一個思想上難以解析的結子，我頹然無神地伏到桌上，竟而合書而眠，夢繞輔大而去！（一）

世界最大的鑽石

·捐士·

英國著名「金剛鑽公司」總理阿本海馬發表一個報告，談到該公司向與美國紐約斐夫爾得世界最大的金剛鑽的饒有興趣的故事。這顆鑽石，美麗極了，也貴重得無以復加，只是有一件，它包含着人類最醜惡的門爭史，假使它是能一張嘴，它會把人類克羅獸性的大暴露揭發出來。當它在印度出世的時候，最初發現的是一個幸運的礦工。他悄悄和另一夥伴商量，要把這個稀世的寶物賣給掮客，那麼他一生吃着不盡，用不着再做辛勤的礦工了；那個鑽石放出耀爛奪眼的光芒來，一股强烈的引誘使得他的伴夥再也忍不耐住，一下子把他弄死了，經過不久，警察千方百計的捕獲兇手之後，找不出殺人的動機來。原來那個夥伴明知一說吐實，這顆晶瑩奪目的寶物便會落於官廳之手，他寧可爲寶物而死，不願失寶物而生，結果他把寶物吞下肚去，欣然投入死神的懷抱。

醫生檢驗其致死之由，於解剖屍體後發現那個寶物。落生默默地想着，當一宗子的「過意透」也不曾有出頭的日子，貪財不取是笨伯，他把主意打定之後，人不知鬼不覺的把鑽石納入袋內，一轉手間售予英商亨利麥可爾鑽石打磨廠。從此他丟下顯微器，翻然便便然，成了一個富家翁。

後來這顆鑽石落入英籍舞女之手，她是個絕色美人，再配上一件稀世之寶，越覺絕大的幸運欣欣然回到英國來，不料半途中以失蹤聞，大家惴想着，大槪她失意憤場，所以葬身魚腹了吧？從此以後，那顆世界最大的鑽石也像永沉海底。直至一八六九年，一位法國人與致勃勃地預卽來訪出某爵士的時候，滿臉堆着驕傲的笑容說道：「你瞧，人人都說心這寶物已隨美人的芳魂深深沉於海底，現在不是好端端捏在我的手中嗎？讓你給出價錢，我願轉讓給你。」某爵士哦了一聲，不動聲色，在腹內打了個底稿，直到敷衍他出門之後，趕忙地報告警察。警察一陣風跑到法國人所住的旅館，所能見到的只是一個法國人躺在血泊中，搜來搜去，鑽石卻早已不翼而飛。……隔了一年之久即一八七〇年，該物在荷蘭阿姆司特發現，由奧國哈卜斯堡皇室會金購去，轉輾仍落入英國鑽石商人之手。（上）

北·平·雜·憶

·太希·

有人說：「北平實在太好了！中西合璧，貧富咸宜，各安所安，各樂所樂，有很多特別處所找不到的特色。」其實這都是一種消閒享樂的看法。它沒有一些蓬勃的生機，而祇是深沉的暮氣，體散着偉大的城垣，在歷史上不知埋葬了多少志士青年。它祇是罪惡歷代帝朝的墳墓，而不是開拓創業的源泉，而雄偉的皇宮，雖值得景仰，而淪落的皇子皇孫，尤令人悲哀不已。煤山的柏樹，是縊死[illegible]的工具，南海的瀛台，是囚死光緒的監牢，歷史上的悲劇，無一次不在那裏演出，幾遺剩[illegible]，那裏值得贊美和留戀。然而值得中國[illegible]的，北平的重要，是不[illegible]東北三省的。而在熱河、察哈爾、綏遠、外蒙內，對外軍事交通的樞紐，是國防上的重鎮。同時河北省境內儲有相當的鐵和煤，四鄰各省，無論礦產與農產，都以北平爲集散地，故在經濟上，亦適宜於建設輕重工業的區域。因此我對於北平，不是重視它的過去陳腐靜止的歷史，而是重視它新創造的將來。但今日的北平，社鼠城狐還不是如燕雀處堂，天天忙於殺人，鞏固政權，那裏談得到這些當務之急啊。（下）

走狗的下場

·由之·

翻開歷史，我們找不到一個有個滿下場的走狗，俗語說：「狡兎死，走狗烹」，在共產黨的門爭史上，尤多最典型的例子，多年來担任匈牙利國會議員和獨立民主黨領袖的法比安，在共黨監迫下現已逃亡美國，據他談到匈牙利紅衣大主教明貞蒂案的結果，實足令赤色嘍囉們驚不安枕。

他說世界上只從明貞蒂案中知道他如何被關進鐵幕後面祕密警察監獄中的情形，却不知道奉令執行這件陰謀案的全部「功臣」，究竟得了些什麼酬報？

在明貞蒂案發生前後，負責該案實際工作的三任內政部長都已暴斃，第一個指控明貞蒂爲美國間諜的前匈共內長拉加克，自己也被控爲美國間諜而判處絞刑。他的繼任者卡達也在絞首台上畢命。再後的一任部長佐德後來也被迫辭職，他不堪忍受此種打擊，終於在親手殺死妻兒後，舉槍自殺歸命。

參加逮捕明貞蒂的祕密警察，其領袖奧斯柯上校企圖逃入奧國時被守兵開槍射死。他的副手拜德曼上校屍身也於然陳置在祕密警察總部的地牢中。其他十三個祕密警察則和他們的家屬一同被放逐至西伯利亞從事終身苦役。

當時主審此案的司法部長頗孫，事後被指控爲美國間諜而被判處二十五年徒刑，但入獄未幾，即在獄室中被人謀殺，他的太太被流放至西伯利亞。

明貞蒂被捕後，負責訊問口供的狄賽中校，曾[illegible]他的功績，曾將他升調司法部長，但到今年二月間，他突被免除職務並逮捕入獄，罪名也是美國間諜。

蘇納是祕密警察的總組織專家，因爲不能安身，和妻子冒險逃到巴黎，並承認所有明貞蒂案中的信件都是假造的，不久前，蘇納因施行手術病逝於巴黎醫院。

當時奉令組織騷動以表示全國反對明貞蒂「民意」的唐納斯刻正充任奴工，在満達運河至黑海間的運河區中工作。從前擔任明貞蒂的典獄長寧普曼也在同一奴工營中担任苦工。

總計主辦此案的有二十三人，但事後就陸續受到匈共的懲罰，暴死的暴死，一部份比較幸運的，雖可苟延殘喘，但在奴工營中却過着暗無天日的生活。老實說，共黨的爭權奪利是沒有一日止的，此消彼長，永無休止的時候，只有傳在這些傀儡之下的赤色嘍囉，生命朝不保夕，一旦與主子失勢，自己也跟着遭殃，像最近貝利亞大監服案，就有成千的貝利亞黨羽也隨着受清算囉。

中華民國僑務委員會僑務登記證台僑新字第一零二號
中華民國郵政登記第一類新聞紙類

自由人

THE FREEMAN

（[illegible]）
（第二四九期）
每份港幣壹毫
督印人：李光華
社址：香港高士打道六十六號
電話：七四〇五三
GLOUCESTER RD. HONG KONG TEL: 74053
承印者：南華印務出版社
地址：高士打道六十四號
台灣特派員辦事處：台北市館前街五十號
台灣總經銷處：台北中華路新號五九四之一
台灣郵政劃撥儲金帳戶九二五二號

對共產集團內亂的看法

馬貝鬥爭性質不同史托鬥爭，馬貝鬥爭是共黨專政制度崩潰的開始，衛星國的叛亂是東歐對共產制度的革命運動。東西對峙，自由民主陣營已贏得第一回合的勝利。

陳克文

上月十七日東德工人掀起反蘇狂潮後，東歐衛星國如捷克，波蘭，羅馬尼亞，匈牙利均紛起不穩現象。繼蕭本月十日蘇俄第二號頭目貝利亞被馬倫可夫逮捕清算。最近兩日，亞塞爾拜然總書記巴吉洛夫之被剷除，蘇俄本身的內鬨亦日見擴大。共產集團這一場滔天巨浪到底要發展到甚麼地步，現在還不容易預斷。

獨裁政治尋求新領袖

許多人對於共產集團內部變亂的性質，都認為是史達林死後，羣魔爭權奪利，互相殘殺的現象。因為蘇俄本身內鬨，控制力量薄弱，以至衛星國亦紛起反抗。因此，馬貝火併，和過去史托火併一樣，是獨裁政治尋求新獨裁領袖的現象。這種看法，共產集團內的中共也是如此。中共的「人民日報」便說：「派別組織的存在，在黨內是絕不能相容的，既有派別組織，就會產生幾個中央，既有幾個中央就表明黨內沒有統一的中央，就是分散統一的意志。就是減弱和破壞黨的專政力量，因之揭發了革命叛徒貝利亞的反黨反國的罪行，是蘇聯保衛統一和鞏固統一鬥爭中一個大勝利」。這分明認為蘇俄內鬥是爭奪第一把交椅的把戲，因此該報跟着使用「以馬倫可夫同志為首的蘇聯共產黨中央和蘇聯政府」的字句，認為馬倫可夫打倒了貝利亞已經是打倒托洛斯基後的史達林了。

到底這一次馬貝鬥爭是否和史托鬥爭同一樣的性質呢？衛星國的叛亂是否只因為蘇聯內鬥控制力量薄弱呢？我以為馬貝鬥爭和史托鬥爭性質並不完全一致，衛星國的反叛的意義也並不全在蘇俄控制力量的減弱。

史托鬥爭的時候，共黨的專政制度還沒有建立起來，他們的慘酷殘殺純然是黨內的爭權奪利的表現，和大多數俄國人民是沒有關係的（人民祇受池魚之殃）。史達林儘管盡力將托派「反革命」，在人民眼中不過是成王敗寇，鬼打鬼而已。蘇俄以外的世界人士更當然祇有抱傍觀的態度了。

政經制度的腐爛崩潰

此次馬貝鬥爭可[illegible]不同，[illegible]度已經在蘇俄建立了三十年，共黨所高唱的馬列主義[illegible]暴露其空洞[illegible]界，一切科學發明的源泉。然而馬倫可夫[illegible]加於托派那樣的簡單[illegible]計劃，據共黨的宣傳已經完成，蘇俄已經成了共產主義者的天堂，無產階級的樂園，世界革命的勝利[illegible]

面極重要而緊迫的[illegible]問題之決定……陰謀破壞集體農莊……以便使我國糧食供應發生困難……。」為了用「最後走向資本主義復辟之途的投降路線代替多年以來黨所制定的黨和蘇維埃政策」的計劃，[illegible]

標，把原因歸咎於「資本主義的包圍」，拿貝利亞做替死鬼，希圖以恐怖的手段，維持已經腐爛，臨於崩潰的專政制度。史達林殺了托派便把江山穩定了，因為托派在當時實際上只是和史達林爭奪寶座的一個勢力而已。馬倫可夫殺了貝利亞，決不能夠穩定目前的蘇俄，因為貝利亞不只要和馬倫可夫爭奪江山，而且是利用專政制度多年來所造成的矛盾腐爛危機的大投機份子。貝利亞死了，矛盾腐爛的危機雖或可勉強維持一短時期，終於要醞釀更大的叛亂。因此我們可以說，馬貝的鬥爭，其性質不能與史托鬥爭同日而語，對於共產專政制度的影響，也將截然兩樣。史托鬥爭為共產專政制度建立的開始，馬貝鬥爭將為共產專政制度崩潰的開始。

我們再看衛星國叛亂的情勢，也決不是蘇俄控制力量薄了那麼單純。蘇俄在衛星國的控制力量無論在共黨的組織上，政治上，和軍事上，並無削弱現象，波蘭陸軍是蘇俄直接控制的，波蘭人民公然起來反抗，甚至蘇俄自己的軍隊竟不肯開槍鎮壓叛徒。蘇俄的大本營坦克源源開入東德，東德工人的反抗行動却再接再厲。且看蘇俄眞理報及其他共黨報紙對東德事件的紀載：

「工人對政府的集體反抗……政府承認工人的苦痛，並作如下讓步，（一）支持私企業，與私人貿易。（二）將已沒收的土地發還農民。」

武力已無法控制

這些報紙說明東德政府如何承認過去錯誤，並保證予私人工業及貿易以更多援助。這些消息和言論竟公然准許在蘇俄國內發行，不就說明了專政制度在衛星國內發生了動搖，也是證明俄國人民（還一部份的共黨在內）如何厭惡其三十年來所受共黨專政制度的情緒了。制度的腐爛崩潰，決不是武力所能控制的，坦克和刺刀絕不足以鎮壓衛星國的人民，其他衛星國的叛亂情勢也和東德相差不遠。馬倫可夫儘管以「走向資本主義復辟之途」，和「替帝國主義工作」等的罪名清算貝利亞，但衛星國的共產黨政權恰好要用資本主義的方法去應付飢餓的人民，這證明共產制度是如何走到絕路，瀕於破產了。

貝利亞被清算是蘇俄制度崩潰的先聲，衛星國的叛亂是東歐對共產專政制度的革命運動。

第二次大戰後，東西兩大集團七八年來冷戰熱戰的局勢，我們說是兩種不同制度的鬥爭，兩種不同思想的鬥爭。在這一場痛苦的鬥爭中，我們對於西方的自由民主營陣，雖然有過不少的批評和愛護，自由民主營陣之內雖然也有許多矛盾和弱點，東西對峙的結果，到現在，已經事實證明，自由民主的眞正價值。東歐的革命運動和蘇俄的內部叛亂，已經顯露自由世界，在這一場偉大的鬥爭中，實得了第一回合的勝利。

貝利亞被捕後，美國務卿杜爾斯在三外長會議席上說：「新的轉變在醞釀中，舊的制度可以留存，而且可以繼續威脅別人，但它所遺傳下來的弱點已暴露出來」。共黨專政制度決不能繼續留存，威脅世界。還要在自由世界堅定其原來政策的既定方針，勿以為「它自然會慢慢崩潰」，「多行不義必自斃」，便只是一句咒詛敵人的口號而已，咒詛是決不會打倒敵人的。

論復國的觀念

・辛力非・

第二次大戰打敗了日本之後，世界上很快便又出現了許多「小規模的大戰」，若按照戰爭史例來講，則第二次大戰到今天並未結束。[illegible]

時代不斷地演進，中國人畢竟也急遽地前進了。今天自由中國的人民，無論在思想，理想和觀念方面，亦決非三年前大陸撤守時所可同日而語。因此，我們的復國觀念，必須配合環境，適應世界潮流。換言之，復國是一條新路程，大家從前不會走過，現在再也不能武斷為「單純的復員」或「單純的反共」。反共和復員，包括不了復國的意義，也包辦不了復國的工作。抗日時期，我們的最高原則是「抗戰建國」，可惜努力於「抗戰」的力氣多，盤[illegible]於「建國」的工作少，因而勝利變成曇花一現。今天我們的最高原則是「反共復國」，首須認定「反共」只是「復國」路程中的一段，單純反共，不足以救新中國；單純復員，不足以建新中國。所以我們必須在觀念上革除舊的想法，在工作上加一些新的做法。怎樣想？怎樣做？需要開創一條新路！現在是我們第二次的復國工作。我們打敗了日本後，只注重「勝利」，未顧及將來人民要過怎樣的生活，不曾考慮我們將來要一個什麼樣的國家。但這第二次復國，卻不能不略這個須心；否則第二次的大失敗在等待着我們。

我們要個什麼樣的國家？這問題在少數人看來，似乎是多餘的。小學生也會答出「我們要建設一個三民主義的新中國」。然而這樣單純籠統的口號却無濟於事。這口號喊了許多年，結果老百姓只把它當作一個美麗的理想境界，根本不會享受到「實惠」。（勝利後，黨辦報刊曾經熱烈討論過「實惠」的問題。）因而他們不能不懷疑三民主義是「一個永遠不可能實行的高超理想」，今天我們應該瞭解這癥結。當年，老百姓餓着肚子在徬徨，一部分人終於受了共產黨的騙；等到認清了共產黨的魔鬼以後，今天他們卻又陷於徬徨了。他們在徬徨中接連翻了兩個跟斗，我們若再以單純實行主義的口號相標榜，能否燃起大衆的信心，已成疑問。我無意抹煞多數中國人傾向三民主義的事實，然而要明白，他們只是傾向，絕不是個個都瞭解，他們對三民主義的認識確乎不夠。由於不夠，像從前少數掛名黨員一樣，口喊「實行三民主義」，細問他時，祇是茫然不能答。如此，便難怪他們把三民主義幻想為美麗而不着邊際的境界，一如盲者問燈，胡猜亂想。這種人不做事，還露不出馬脚；一旦担當國事，即令滿心要好，也不免胡碰亂撞，濫騁于去幻想，越想越空洞，越迷亂，越胡塗；事便做糟了，這是事實。若承認這事實，我們今天便不能用單純籠統的口號來開展復國工作了。

我們相信：三民主義自是立國的最高原則，「基於三民主義，為民有民治民享之民主共和國」（憲法第一章第一條）；但我們還更相信：三民主義的精髓，端在民主。我們根據此原則，譬如怎樣民有、民治、民享？又怎樣實行民主？這都是制訂口號的準繩。今舉一實例：我們實行民主，共產黨也偽稱民主，在三年前老百姓眞偽莫辨之時，我們籠統喊民主口號，這樣反共便不夠力量。外國人說我們學民主正在「白紙時代」，這話并不錯。我們開展復國工作，籠統口號只會使人民愈加莫名其妙。因此，今日的急務，不在怎樣教民衆背誦三民主義，而在如何啓發並扶植培養其民主自由的理想。有了這理想，人民便不會徬徨。以之反共，是能打倒共匪的反民主不自由；以言建國，恰是領導人民走上三民主義之路的唯一門徑。今日訓練幹部，應先使其學習民主，然後教他復國方案，如此始可回大陸領導人民推翻共匪的假民主，而大陸人民自亦因之不會再徬徨，反共復國的力量自易積聚。

（下接第二版）

半週展望

・左舜生・

中共終於屈服！

這個年頭兒，仗確實是不好打的：三年以上的韓戰，聯軍一方並沒有放手打，但北韓已經垮了，中共也遍體鱗傷；美國對南韓的援助無限，故南韓愈戰愈強，蘇聯對共方十分吝嗇，故共黨愈戰愈弱。在這樣一種的形勢之下，共方不能不屈服求和，原是大家的意料中事。

更進一步的說，一個國家的政治沒有做到眞正的統一，人懷異心；重工業毫無基礎，一切都要仰仗外力；在這樣一種情况之下，便要勉強來從事現代戰爭，這當然等於俗語所說的蝦蟆與水牛競賽，其結果蝦蟆的肚皮非脹破不可的。

肚皮已經破了，依然還要扭扭捏捏一番，這當然只是共產黨的常態，不能用硬的方法撥回面子，便只好用軟的姿態找出一個遮羞的口實。韓戰停火談判，目前便正在這樣一個階段，最後共產黨總還是非屈服不可的。

我們不知道美國對於未來政治會議的決心究竟如何？如果美國并無在韓國境內再打的決心，則政治會議可能一直拖到眞正的大戰爆發為止。不經過一度世界的總清算，韓國便想求得所謂和平統一，當然也是不可能的。

尼赫魯先生可以休矣！

以印度當前的處境和現有的實力，我覺得尼赫魯先生總以少說話少管閒事為好，但事實剛剛相反，這位老先生卻是最愛管閒事，最愛說話。

試平心靜氣的想一想：印度今天總也勉強算是一個獨立國，假如有一個不知進退的國家，未得印度政府的許可，便要把她的武裝部隊開入加爾各答或新德里，我不知道尼赫魯先生的感想怎樣？「己所不欲，勿施於人，」李承晚總統拒絕印度兵擅開入境，當然是很對的，我看尼赫魯先生總還是偃旗息鼓的好。如不幸而一定要開去，或更不幸而居然與南韓軍發生衝突，尼赫魯先生所求得的將不是和平而是戰爭，那對於一個和事老的立場，豈不是一個絕大的諷刺！

張君勱與顧孟餘

張君勱先生到美國以後，還照常是那樣用功，寫了一部「中國的第三勢力」，又寫了一部「中國的儒家哲學」，一個不大能夠幹實際政治的人，能向思想和寫作方面去發展，總是一個很好的現象，中國當前的思想界實在是太孤寂，太冷靜，而氣息得幾乎使大家忍受不下去了。

聽說顧孟餘先生也有一篇批評「第三勢力」的文章，原稿已經到了香港，可是還不曾發表出來。我覺得這是一件不好的事，不管內容怎樣，總以發表為是。好像一個最要不得的現象，便是大家唯唯否否，一道同風，中國一個青年黨員發表一篇意見，別的青年黨員便有一定加以擁護的必要，推而至於國民黨民社黨亦然，這實在是非常不好；如果我只要同立一條陣線，或同隸一個團體，便可不必研究是非，不必推敲利害，那又何貴乎有所謂思想自由，言論自由呢？

孔子說：「何傷乎，亦各言其志也，」孔子從來不曾強迫一個學生要和他去一鼻孔出氣，這與「吾愛吾師，吾尤愛眞理，」的學風，豈不是東西如出一轍？

台大風波

最近台灣大學因為兩位教授的解聘，引起了一點小小的風波，這件事我們早有所聞，但我們卻始終保持着不願說話。這幾天關於這件事的報導，見於香港報紙和雜誌者亦已不少，尤其以最近一期的「新聞天地」說得更為詳細，但我們還是不願意多說。

因為我們所注重的，不在一二教授的去留，而在自由中國有一個像樣子的最高學府。我們理想中的一個大學，尤其是在今天，是希望牠有更多的學生，更完全的設備，更多的圖書，更濃厚的研究空氣，更嚴格的校長和教授的選聘，能表現出一種崇高拔尚的學風，使任何人都不敢對牠蓄存輕視，今天台大所應該注意的，似乎是在此而不在彼。

美國極力斡旋下 英埃爭執仍難迅獲轉機

運河區危局稍鬆弛 埃及內部困難尚多

△雷德福將軍（左）在返華府就任聯參主席前，將太平洋海軍總司令部移交史頓普將軍▽

國外通訊

反英政策不夠刺激民心

潮議英國地位今非昔比

台灣看貝利亞事件

上接第一版

論復國的觀念

……新社會是復國的最後目標。改造社會，消除矛盾和不合理的事物，便是復國的特點。因此，反共（民族戰爭）的結局，使我國獲得獨立生存的自由；復國（社會戰爭）的結局，使我們獲得政治文化的民主。這應該是反共復國的基本理想！

馬倫科夫再露鋒鋩

貝利亞大整肅案中，俄共總書記赫魯曉夫據說是幕後的主持人之一，由於貝利亞的被黜，他已逾越嚴級，成為蘇俄第三號人物，地位僅在馬倫科夫與莫洛托夫之下，但已駕凌布爾加寧和卡岡諾維支而上之。赫魯曉夫在俄共派系上說，是馬倫科夫的親信，由他的新地位和貝利亞垮台等事來看，在史達林死後數月中，似乎暗晦無光的馬倫科夫，現在顯然又爬上了最高峯。

西方情報差得太遠

由貝利亞事件來看，西方國家的情報工作距離理想的目標實還差得太遠，有兩件事可以作爲此一推斷的具體說明。

在俄共宣佈開除貝利亞並送交最高法院審判的前夜，有一位西方國家駐莫斯科的大使（他現在倫敦休假），還在反覆向他的外交界同事解釋：「不要輕信外間所傳馬倫科夫已與貝利亞分裂的謠言。他們實是在完全和衷共濟地合作」。殊不料第二天一覺醒來，俄報竟以整版地位刊載貝利亞被黜的公報全文，看到俄報的那位大使，其尷尬的表情確乎是無法形容的。

國——判斷比較正確的，那是西方的另一大國——美國的情報機構，但也只是略勝一籌而已。據說華府美最高級情報官員最近曾經說過，馬倫科夫與貝利亞之間，終將破裂，但他們推測目前決無可能，而只是五六年以後的事。

勃里奇不開心艾克

美國共和黨領袖之一，參議員勃里奇近來對艾森豪總統很不開心，原因是艾森豪上月間訪問勃里奇的故鄉——紐漢浦夏州的達特茅斯時，既未通知勃里奇，更未邀他同行，而依照傳統的禮節，總統訪問其本黨領袖的州內任何城市時，是應該事先通知這些黨內領袖的。而且更糟的是，那次與艾森豪一道去紐漢浦夏州的，卻是總統助理亞當姆斯。亞當姆斯也是紐漢浦夏州人，在明年參院改選議員時，他可能是勃里奇的對手。站在勃里奇的立場，他的不滿與顧慮，自然也有值得人同情與諒解的地方。

狄托碰了軟釘子

南斯拉夫總統狄托今春訪英時，曾面邀英工黨「叛徒」，左翼領袖勃凡赴南訪問。卻料不到碰到後者的一個軟釘子，狄托在沮喪之餘，回國後即對英工黨大肆批評一番，這件事傳到工黨領袖艾德禮的耳中，艾氏站在整個黨的立場，當然想法謀以補救，他現在已決定單獨出馬，以狄托嘉賓的身份訪問貝爾格萊德。他此行目的，在與狄托討論重新調整工黨與南國執政黨間的關係。

立體電影步上噩運

在世界各地盛行放映三D（立體）電影的時候，作爲立體電影發源地的美國；他們的墨西哥城卻開始禁演立體電影了。墨西哥城衛生當局最近禁止戲院以偏光眼鏡供給觀衆觀看立體電影，他們說這些眼鏡是傳播眼病的淵藪。（孟衡）

天下小事

新書評介

美國政府內的共產黨幫助中共侵奪了中國

（美參議院司法委員會調查報告）

胡立民譯　新世紀出版社印行

民國四十二年七月初版

一九五〇年十二月，美國參議院成立了一個國內安全小組委員會，由參議員麥加倫主持。該會成立後，即開始調查共產黨如何利用太平洋關係學會……打入美國國務院暗中操縱……

……下的呢？還是被人推倒的？」（見一九五二年十二月二十八日美國新聞與世界報導第二十二至二十三頁一篇文章的標題。）

共產黨是一種世界性的侵略。我們必須認識清楚，中國大陸的失陷，是共黨武力侵略的結果。抵抗這種侵略亦祇有用武力方可，不論一個國家的經濟生活如何平等，政治如何民主，如果沒有充足的武力，我們千萬不要幻想這樣一個國家便可抵抗住共黨集團的侵略。魔鬼可以擾亂天堂。譬如捷克，它的工業相當發達，它的政治是東歐最民主自由的，它能抵抗外來的極權侵略嗎？共黨侵略是由蘇俄集團所支持的。現在，那一國如無自由世界（尤其是美國）的支持，能抗共呢？這是兩個世界的戰爭，絕不應指責中國單獨抵抗不住共產侵略。

共產黨侵略亞洲的久遠計劃，早已從各方面着手，在一九三〇年至一九四八年間，許多共產黨和親共份子滲入美國政府，這些人的活動，幫助中共佔據了中國大陸，改變了亞洲的歷史，因之嚴重影響到美國與世界。（參看WHITTAKER CHAMBERS著WITNESS）美國的錯誤政策致使美國人今天在朝鮮犧牲。

我們希望自由世界的人們，讀了這個調查報告，能多認識世界共產黨的無孔不入的奴役全人類的野心，藉以增加打擊共黨的警惕與決心。・王聿修・

廣東農民反共日烈 到處縱火破壞林塲

三十餘縣毀樹已達七百餘株 恐怖氣氛瀰漫中共大肆捕人

【本報訊】廣州消息：廣東大部地區，包括：博羅、惠陽、佛岡、東莞、海豐、陸豐、河源、紫金、龍川、新興、鬱順、高安、懷集、廣寧、四會、曲江、樂昌、仁化、雲浮、鬱南、英德、陽山、連縣、清遠、花縣、封川、開建、梅縣、饒平、開平、恩平、電白、惠來等三十三縣，自去年十月開始，即不斷發生大規模燒山事件，大舉焚毀森林。至今年二月底止，已共焚三百四十餘次，燒毀森林三百二十餘萬畝，燒毀林木四百六十餘萬株。當時粵共當局，以爲大火之原因僅係農民燒山取肥及收羅燒草作要所引起，故曾再三指責各地共幹疏於管理，特訂頒規定，嚴令防火護林。詎嚴令之下並無效果，各地山林仍照常時有火災發生，防不勝防。迄目前止，據廣東偽農林廳統計，燒去山林已達七百萬株之多，且起火時間，多在夜間，起火原因，既甚突兀，又無線索，乃引起粵共懷疑，經派出大批特務進行偵察後，結果，上月杪在東莞、惠陽、博羅三地再度大火中，先後發現係當地農民故意放火，乃斷定各地山林大火，均係「不法地主」或「反動特務」有計劃組織的破壞，而立即派出大批偽警在大火各縣大肆拘捕所謂「疑犯」，迄目前止，據說已拘捕達兩千人，但遭拘捕者，實際上皆係純粹之農民，故此一事實，已具體反映廣東農民之反共情緒，已日形劇烈。又悉：因廣東各地不斷大火，且中共尚在繼續大肆捕人，故已到處籠罩着恐怖緊張之氣氛。

澄海農民反夏征 刀砍共幹廿餘人

事後百餘農民遭捕殺

【本報訊】廣州消息：中共不顧災荒嚴重；無視人民生活困苦，業在廣東各地强力展開夏季農業稅的劫征，一般農民對此，無不怨恨衝天，終於在本月三日，在該省澄海縣塗城鄉方面發生民衆公然以集體行動反抗夏征，用刀砍斃夏征共幹十餘人的壯烈鬥爭。據悉：澄海縣「人民政府」曾於上月二十八日派「夏征組」到該鄉，由十餘幹部再分若干小組分赴各村催繳，鄉村幹部强迫農民限期繳納「夏季農業稅」。但人民因太多無力完納，餓死不理，共幹大爲激怒，乃利用民兵任意拘押農民，結果，首先在「鄉政府」所在地激起農民公憤，一齊喊打，即有預藏柴刀之農民三十餘人，將縣城派來催繳之幹部兩人及當地幹部三人砍死；接着，鄰近各村聞風響應，紛紛行動，反抗鬥爭之行動四起，於一日之內共發生反共欲殺縣鄉兩級共幹二十二人之多；一時秩序大亂，待鄰近各民兵及縣城方面聞訊派兵趕至，方將農民制服，當將直接參與行動之農民約一百六十餘人加以拘捕，立即送往澄海縣城；除一面加緊戒備各鄉農民行動外，爲表示「殺一儆百」起見，當將此批被捕農民加以殺害云。

淮南礦校無所事事 一年工作八十小時

忙亂現象矯枉過正

大陸一般學校的忙亂現象，雖經一再「大力糾正」，大多迄未見效；但部份經「糾正」過來的，却矯枉過正，發生了另一怪現象，即在學校中大事增加職員而極力減少工作。結果，乃湧現了許多在學校中吃閒飯的人，無所事事，乃使學校變成了養老機關。如最近人民日報「讀者來信摘要」中披露：淮南煤礦工業專科學校的職員，現已超用編制三分之一，說好多人閒着沒事做，一般職員，從去年下學期到今年上期終的一年中，每人只做了八十小時；稍忙一點的，每天也只做了兩個小時。一般教員，課也上得很少，但例外的，却另有一位物理教員在這所兩年制的工業學校中忙着搬用五年制的哈爾濱大學的物理教程，考試時，則只要在二十幾個題目中答對四、五個就行。這些僅是中共辦教育的新的怪現象，還說明「偏差」是永無止境。

偽西南行政會頒令 仍准教授英文

盲目排外已受損害

【本報訊】重慶消息：據偽西南區行政委員會教育局於上月十五日發出公開的「指示」稱：各地中等學校以上盲目反對學習英語一節，已造成學習便利中的一大損失，因英語現在是不少國家人民及學術範圍的使用的語言，不論在政治上及在學習知識上都是必要的，故特通知各學校即恢復英文教學。除此，仍准各中等學校學生學習英文以外的外國語文，並鼓勵在可能範圍內繼續教學英文。此一轉變，誠爲中共「教育」中的一大轉變。

大陸工人普遍怠工 各大廠礦生產猛降

中共咆哮大喊整飭勞動紀律 並飭領導幹部加强計劃管理

北平消息，據偽政府公報透露：偽政務院曾於上月二十五日召集各工業部長舉行一次會議，各偽部長曾於會中就目前各地所屬各廠礦生產狀況提出檢討，認承大多廠礦因未能切實執行「計劃管理」，致大多未能逐月完成生產任務；且因各廠礦忽視「政治工作」，未能掌握勞動紀律，業已無形中造成了工人普遍怠工的風氣，故使生產效率空前低落，使「國家利益」，已遭受了嚴重的損害。

勞動紀律廢弛

同時，上月二十七日人民日報的社論及頭條新聞在指責各地廠礦領導幹部未能抓住「計劃管理工作的中心」中透露：由於大多廠礦領導幹部未能抓住以搞好作業計劃爲加强計劃管理的中心環節，在加强計劃管理中孤立進行整頓原始紀錄，加强統計等工作，在建立責任制中沒把建立責任制和解決關鍵問題聯繫起來，忽略了生產前的準備工作和調度工作，沒有緊緊掌握技術組織和勞動組織，致使生產的平衡率大爲降低。且謂將「政治工作」與「經濟工作」，錯視爲兩個對立的任務，懈怠了工人的「政治教育」，讓工人日漸廢弛了「勞動紀律」，普遍發生了怠工、曠工，不服生產調度，不遵技術指導，不守工作規程，乃至工作秩序及生產效率，空前人民日報社論中曾指出：「全國大部份廠礦生產不均衡的情況……是當前最普遍和最突出的問題。」該報的頭條新聞中，曾以「第一機械工業部」所屬各廠五月份的生產爲例指出：該部第三局所屬五個廠，都未完成任務；第二局所屬十個廠，有二個廠未完成任務；第一局所屬九個廠，有三個廠未完成任務；電工局所屬十五個廠，有九個未完成任務。又說有些廠雖完成了任務，但都是在加班加點的突出中勉强完成的，均衡率仍大爲低降。如組織有節奏生產較好的機械三廠，均衡率也逐漸低降，在加工車間的均衡率相當低。有的廠是硬自壓低計劃任務才完成的，但打破了整個生產計劃。

共幹低能造成損失

又據同日新華日報指出：一般工人不按時上下班，不遵行請假制度，無故曠工、不服調度、消極反抗、降低工作質量、不聽從技術指導、不遵守操作規程、集體怠工、乃至罷工、停工等等的現象，已到處皆有發現，業已一時成風。此種情形，顯然已予中共的工業以致命的打擊；再加上中共各廠礦一般領導幹部本身的低能或偏差，實已使中共的工業機能在主觀與客觀兩方面都遭到了嚴重的困難。因此，人民日報的社論中最後已發出咆哮，怒斥各廠礦幹部要「抓住計劃管理的中心」，要各廠礦「加强職工的政治教育」，要各廠礦「加緊控制勞動組織」，要各廠礦「大力整飭勞動紀律」。由此可知目前大陸工人的反共情緒，業已普遍高漲。若干論者相信：從種種迹象看，倘今後中共「整飭勞動紀律」的行動過火，則甚可能激起工人們更具體的反抗行動。

河北兩大棉倉 先後付之一炬

損失偽幣兩千億元

據上月二十九日北平「人民日報」透露：最近中共「國營中國花紗布公司」石家莊原棉倉庫及邯鄲原棉倉庫曾先後發生大火，除堆放在露天倉庫之棉花有少數被搶救出險外，餘皆付之一炬，共燒毀棉花一千餘萬斤，價值偽幣近二千億元之巨！（中共認承燒毀原棉之價值在千餘億元以上）損失異常慘重！起火原因，迄今尚無法查明，但大多倉庫管理人員業已被扣追究。中共認倉庫管理人員的「政治思想教育」頗有「問題」，甚懷疑其中有「破壞份子」存在云。

查「中國花紗布公司」爲中共囊括全大陸棉花、棉紗、布疋的赤色大托辣斯，範圍龐大，大陸各地沿鐵路，海港之城市皆設有倉庫存儲原棉、棉紗、布疋等物。石家莊及邯鄲兩倉庫則純係存儲原棉者，範圍均極廣大，可容兩千萬斤左右。其中邯鄲棉倉係一露天倉，佔地一百五十畝，超量堆棉達兩千多萬斤。石家莊因消防設備略佳，燒出倉庫一座，餘幸獲保全，估計損失約有四百萬斤。邯鄲棉倉消防設備較差，搶救較難，幸以露天之故，部份原棉由附近共軍動員搶救，致燒去約十分之六，但損失已屬人慘重矣。

河南小麥僅收四成 民間饑荒益嚴重

農民情緒騷動幹部束手 糧價猛漲市塲一片混亂

【本報訊】河南省因於去冬今春遭受旱荒，並遭受空前罕有之嚴霜襲擊，全省一百十七個縣中，有九十七個縣的小麥普遍受損，雖經幾個月來的大力「救災渡荒」，終無法挽回慘敗。最近普遍收割的結果，平均竟只收四成左右，既不敷生產成本，亦不敷「繳納」中共規定之「農業稅」；由是，乃使正在饑荒中的民間，益增其饑荒的嚴重性。據最近北平人民日報透露：該省鄭州一帶居民，已大多斷糧，全須所謂「植物代食品」維持生活，掩口之食，即全縣生菜野菜裹腹。其他安陽、濮陽等區一帶，斷糧者更多，已有甚多强壯之災民向外省富庶區流動，盲目甚多老弱之災民則轉於各縣之間，秩序甚亂。同時，河南人民日報曾認承：河南省九十七個縣的小麥歉收以後，人民的目前的生活和秋冬的生產都已受到嚴重的打擊，農民羣衆悲觀失望，思想混亂，情緒極形騷動；而一般幹部則焦躁惶恐，束手無策，自然發展的結果，糧食價格突飛猛漲，中等白米由原價二十萬偽幣一石突漲至二十萬一石，小麥由原價每百斤偽幣七萬元左右突漲至十萬元以上，且供應量極少，人民排隊輪購，大多無法購得，致糧市場情況，非常混亂緊張，影響所及，已使整個社會秩序陷於浮亂。現聞該省之中共黨政領導機關爲免激起巨變計，已召開緊急會議，展開「救荒」云。

上海藉普選實行特務調查 大捕三萬六千人

以前被殺者達二十萬

【本報訊】頃據最近自上海來港人士談及上海近況，曾詳述最近滬共準備「普選」，重點抽查戶口的情形。謂滬共於上月十五日開始在各區抽查戶口後，即藉以審查「選民資格」，將判定爲「管制者」及懷疑有「反革命」嫌疑者一一拘捕，分別囚禁於各區「公安分局」所屬之拘留所中，通令重新「交代歷史」自述思想。聞其中部份被認爲情節較重者，已分別移送滬共特務機關刑訊，將藉「普選」爲名，再展開一次大規模的屠殺。關於各區被拘捕的人數，迄該兩商人於本月初離滬時止，謂已達三萬六千餘人之多。

又據謂目前滬共尚在繼續抽查戶口，現被捕，必有甚多居民陸續被捕，故相信至截稿時止，實際上已被捕的人數，必已不下五萬餘人。且此舉僅屬「重點抽查」性質，設將來實施交通管制，正式展開全面檢查，則被捕者必更衆多，故目前上海一般居民，已陷於惶恐不安之中。

又據該兩商人談，謂據共幹於無意間透露的消息：上海自「解放」以來至此次再度大規模捕人時止，已被「解決」的所謂「反革命份子」達十九萬五千餘人之多。

新婚姻法的「範例」 共幹娶了繼母 叔父姪女同居

【本報訊】據最近蘇州來客談，謂該地最近無獨有偶，在「新婚姻法」之下，發生被共幹視爲前進「範例」，同時發生破天荒的婚姻醜劇。緣其一，蘇州閶門外有一担任區「人民政府」民政幹事的共幹吳明德，現年二十五歲，生母早死，由繼母張氏扶養成人。抗戰勝利後兩年，該吳明德在校求學時，受共黨職業學生之誘，潛赴蘇北參加陳毅匪軍工作，蘇州淪陷後，被派回原籍担任地方行政工作。未幾，其父去世，但其繼母年齡雖已三十有六，風姿却不下於一般風信年華之少婦，妖艷動人。竟於父死未及一年，即勾引，向其繼母實行直接進逼，終於成姦。且藉近水樓台之便，至去年冬，終於種下孽種；至今年六月間，張氏之腹部已隆然凸起，無法再事隱瞞，故曾要求其子准予另行找人婚嫁，以資掩護，詎該吳某竟引證新婚姻法婚姻自由之理，並爲表示前進之示範起見，終於雙雙邀宴賓客，宣佈結婚。其二，蘇州城北亦有担任「區政府」幹事之共幹黃亮，於去年春間開始，與其生姪女戀愛，發生肉體關係，雖經經營商業之乃兄乃嫂阻止，不僅無效，且竟於今年六月間擅自宣佈正式結婚同居，該兩件醜劇發生後，一般共幹均深以吳黃兩幹部之前進、大胆，大爲傳頌，引爲「佳話」，但一般人民，則無不嘖嘖稱怪。

指女傭「神經錯亂」 穗警官集體欺弄鞭打

據最近南方日報在「讀者來信」摘中披露，說最近廣州東華東路華四街十四號有一個姓戲的幹部派人到「公安局東川派出所」報告了該說他家里的女傭潘淳是個「神經錯亂」的人，該派出所即派了兩名「人民警察」，把她抓來送到了「東區公安分局」。說該分局的「同志們」不由分說，就把她銬上手銬腳鐐，並把她綁在大樹下，不僅一綁綁了四天之久，且被該局共幹們輪流毆打欺弄。說有的揍了她的奶奶；有的揍了她的肚子；有的用槍托擊她的奶奶；有的用脚踢了她的大腿，臀部，甚至陰戶；有的用布包了她的嘴巴；有的撕破了她的衣衫和褲，拘留所的所長還再用竹棒抽打她；將她的頭、手、脚都打得青腫，身上打得皮破血流；面部打得一片淤黑！然後，把她一放了之。如此，南方日報不得不批評說：這些幹部們的「惡性深重」！

自由談

宗教精神的功用

尚方

我未曾信奉過宗教，平日只是以孔孟的儒學思想作精神上的支持力與興奮劑，尤其對於「儒行篇」那套道理，深爲折服，雖不能至，心嚮往之，其情頗與宗教徒之信奉教義相若也。

歐美人士的物質文明已發展到原子能階段，但其精神生活仍以舊時的宗教教義爲依歸，其迷信程度，近於死硬盲從。例如：英公主瑪嘉烈的婚事，因教規不許可她下嫁於曾經離過婚的人，即英皇亦不能隨便特許；她的皇叔因爲要跟一個再醮婦結婚，就得放棄王位；歐美社會對於「宣誓」問題之認眞重視，超過法律的尊嚴性。這一切，都是宗教的關係，而其國家民族之生存強大，文物技藝之發達精進，亦基於此。我們能說這是阻礙人類進步的封建意識嗎？

近代中國知識份子每觀本國文化思想爲落伍的東西，尤其指儒學爲封建性的學說，唾棄鄙夷，而又沒有其他的新義理來作精神生活的撐拄潛力。如是乎，人慾橫流，罔知所措，所謂忠孝仁愛，禮義廉恥之類，固然不屑一顧，因爲這是舊有的「封建思想」，應該革命的，而新學他人的玩藝，也但取形式，不講實用，即如「宣誓」一項，試問那一個文武公職人員的所作所爲，不是完全與其在神聖的禮堂上，對着國父遺相面而舉手宣讀的誓詞背道而馳呢？

我們如其眞想反共救國，開萬世太平之基，若不致力於文化精神之培養，形成宗教性的迷信力，而只知裝模作樣，自欺欺人，說假話，做假事，那就是鬼混主義，豈特反不了別人，自己即沒有永生的可能呵！

選來的災難

・亞秦・

「鼕，鼕，鼕鼕鼕，」「鼕，鼕，鼕鼕鼕，」一陣陣的腰鼓聲，夾雜着秧歌，從斗大的山城裏凹凸不平的街道上傳來，迷糊悵惘在行列間的羔羊群，早已魂離心竅，六神無主，雞犬狗叢而盲目地隨衆吆喝。

阿桂從疲乏的睡夢中，被這些大呼小叫的聲音驚醒了；呆在那破爛骯髒的床上，默念了數遍，「五一」節過去了，「八一」節還未到，又玩什麼花樣，弄得這樣的驚天動地。」好奇心驅使，不由得她不爬起來，倒踏着兩片破鞋，倚偎在窗檻邊，向街中心一看，「唷」的一聲叫了出來，使她受過刺激的腦子，又感到疼痛和昏眩，滴滴血淚，從回憶中淌了出來。

街上的人羣，眞像螞蟻一樣的在那裏蠕動，因爲城實在太小，街道過於窄狹，所以就顯得擁擠；最前面的一隊，然像出殯一樣，在陣陣腥風的兩面「五星」和「鐮刀斧頭」旗幟下，扛着許多遺像，從黑列史毛遺像排列的次序看去，就可以知道這個國家已被俄帝統治了，毛兒皇帝，僅是遺像中的一個配角，無怪大好山河，淪滿了血腥的氣味哦！遺像隊的後面，

緊跟着是腰鼓隊，一面大鼓作前驅，鼓的四周和打鼓的小伙子，都掛滿紅綢；八名打鈸的是女孩，不僅紅綾纏繞在鈸上，女孩的頸上，還有紅綾紮成的蝴蝶，隨着身軀的跳動而顫抖；以下恐是一個男學生配上一個女學生結成的隊伍，穿上五顏六色的舞衣，脂粉塗滿男女的面龐；一面唱着「東方紅」，一面扭動身軀，跳着秧歌舞，進三步，退兩步，進退維艱的步法，更延宕這個烏合隊伍的前進。

秧歌隊的後面，便是神氣十足的民兵隊，明晃晃的長矛，繫有尺許的紅纓，肩在每個民兵的頸項間，全身是特製的寬紐黑衣，蔴耳芒鞋，還打着人字形的背布綁腿，差不多兩丈多長的青布，做了頭巾，裹在頭上；這是「八秩帽」以外的另一軍帽，也正是「成則爲王，敗則爲寇」的特殊表徵；驍悍的隊長，更威風地隨在行列的後面，穿着是與民兵一樣，不同的地方，就是沒有荷戈執矛，僅背上插有雙刀，刀柄的紅綢飄帶，拂在肩背舞動，確可以代表稗官野史上，所描寫的打家刼舍的英雄好漢。

敲打了一陣鑼鼓，扭舞了一陣秧歌，大街小巷的人們，被他們用蠻和色的誘惑，漸漸地圍了攏來；他們像「河南人玩猴把戲」一樣，圍繞街市中一個角落，作他們表演的場所。「人民警察」密佈在街頭巷尾，只許人民走入圈子裏去，決不准許他們輕易地離開；原來他們這次宣傳的最大的目的，正是大搞其「普選」工作。不久前座山城，據匪政府大吹大擂的自己報道：「全國各地，已瘋狂地展開了「普選」工作，進行是非常順利。普選試辦工作，已勝利結束了，現跨入第二階段，儘量地選出他們所願選的人。」

阿桂越是看到他們這些宣傳玩意兒，越是感到傷心。因爲四年前，她剛同李得才結婚，家裏雖然窮，日子過得很舒服，因爲夫妻倆只兒太恩愛；解放後，「支前」、「捐獻」，天天要糧要草，傾了許多家，逼死了許多人命，那正是解放軍的天下，每一次都是用腰鼓向人民宣傳，誘迫人民，使人民走入他們的圈套。

解放不到一年，拉壯丁的暴風雨降臨了，[illegible]「抗美援朝」。某一天晚上，山城裏又拉去了三十多名壯丁，其中一個，便是李得才；[illegible]

[illegible]像這樣的血債，不僅是阿桂一個人身上有[illegible]四億五千萬人民[illegible]「選舉」的把戲，又要向人民增加血債了。[illegible]

[illegible]淚，由眼角流下，濕透[illegible]

△史蒂文生訪柏林，受德國兒童們熱烈歡迎，但曾在東柏林被共黨扣留了半小時。▽

夢・迴・輔・大

榕楓

我彷彿穿過了東官房的後巷，蹣跚地走向第一宿舍，我不時地用口呵着手，藉輕微的暖氣來溫和凍僵了的手，三年來的寄居南國，使我失掉了抵抗北方朔寒的能力。然而我底心卻是沸熱的，它鼓舞着我來探視這個久暌了的母校，像是一個久離故鄉的浪子，我驚異地察覺到景物變遷的巨大！宿舍門前的小食攤子一個也沒有了，解放前這塊空場上，有十來個小攤，好像一個鬧市，餛飩，摔麵，炸鍋子，蒸餃，老豆腐，水果攤……林林總總，美不勝收，每一下課，這裏常是擠滿同學，按着自己底腰包，各適其適地爭取營養！現在人物星散，一片淒清。

一轉過角來，迎面對着兩條白油塗的標語，分列在宿舍底西、南兩牆上，一條是「大力鎮壓反革命活動」，另一條是「戀帝國主義的寶兒」斗大的字，映入眼簾，使我悚然地抖了一下，這比起解放前紅花綠葉，落英繽紛的佈告、通告等顯然是整齊多了，但從這整齊劃一中冒出一股陰森森的殺氣來。

宿舍裏一片死寂，門房老張也不知那裏去了，院子裏的幾株大樹也被砍伐了，祗剩下幾個木樁，從前院子裏爲燒暖氣的煤堆也沒有了，院子中間挖了幾道深坑，彷彿是防空壕似的，車棚裏一輛自行車也見不到，倒是有四、五把推黃土的車子停放在那里，正門緊緊地關着，樓窗好像幾年來都未擦過似的，蒙上一層深厚的塵土，黯淡無光，與從前爽亮門窗相比，眞是不可同日而語！食堂那邊炊煙渺絕，再也聽不到鏘鏘的刀聲，和碗碟的碰撞聲了，不知道他們是無暇爲繼，還是無米爲炊？

正在慨嘆景物的倏變之際，忽然看見南小門窗影上一晃，走出一個龍鍾的老頭，穿着一身破舊的黑棉制服，腋下挾着一把掃帚，手裏提着一隻畚箕，蹣跚地走出來，他好像看出我不是一個「人民學生」，也許還有別的「特徵象徵」，上下釘釘了我一遍，有氣無力地問我：

「同志，您找人嗎？」

「哦，不！我不找人，我……我過去在這宿舍住過，今天經過這里，順便進來看看。」我嘴嘴地答。

「噢……」他又用驚奇的眼光，在我底臉上，掃射了一遍，最後好像發現了什麼似的，走近了兩步，低聲問：

「同志，你，姓李吧？」

我禁不住地怔了一下，心想他怎會知道，但我裝着若無其事的樣子說：

「怎麼，你看我面熟嗎？」我想轉變話題，於是我問：

「同志，你貴姓？」

「好說姓張，是這兒看門的，前幾年有位李先生，像貌，聲調都很像你……所以……」

「啊！你就是老張啊！怎麼老成這樣子啦？還有毛病嗎？」我驚愕的問，離校前的老張，是一個四十九歲的人，紅顏褐的臉龐，健步如飛，爲人和藹可親，一聲「×先生有人找」，或「×先生電話」！聲激全樓，從地下室到四樓，無不聽得清清楚楚！怎麼幾年不見，變成一個喘吁抽氣，顚躓踐行的老者了。（二）

世界最大的鑽石

・捐士・

還有一段有聲有色的故事：歐洲一幫有個專門偸竊寶物的團體，該團頭領係一美國人叫司派克勒的。這不是他的眞名實姓，這個字的意義是指鑽石發射出來的燦然的光彩，因爲他是個偸竊鑽石的妙手空空兒，所以該團恭奉這個漂亮的綽號。據說司派克勒有一種脾氣，從來不肯在美國一顯身手，他只照顧英法等國。人們提起他的名字便不由得明瞭出來，凡是富有之家，無論把鑽石藏在任何隱僻之處，只要讓他[illegible]

[illegible]一九三三年[illegible]支加哥舉行萬國博覽會時，陳列了若干奇珍異寶，警察們集精會神地警戒着，當中有一件最著名的，那是「那蘇克」大鑽石，[illegible]

[illegible]他也會把一世的英名葬於一旦。」

結果，正應了警察們的話頭，司派克勒[illegible]

[illegible]（下）

海南島上的黎民

・健飛・

海南島是號稱中國海的兩個眼睛之一，另一個眼睛是台灣。[illegible]

[illegible]

黎人通常分爲生黎或山黎，[illegible]之黎。（上）

中華民國僑務委員會登記證台僑新字第一零二號
中華民國郵政登記第一類新聞紙類
自由人
THE FREEMAN
（每逢星期三六出版）
（第二五〇期）
每份港幣壹毫
督印人：李光華
社址：香港高士打道六十六號
電話：七四〇五三
GLOUCESTER RD. HONG KONG
TEL: 74053
承印者：自由出版社
地址：高士打道六十四號
台灣總經銷處：台灣書報發行所
[illegible] 台北郵政信箱二二九號

時局罪言之一
——官僚新釋——
·左舜生·

官僚兩字的含義，原不完全偏在惡的一面，不過在現在的流行語中，却成爲一個駡人的名詞罷了。

前些時有一位頭腦比較清晰的印度人到了北平，他批評中共，說他們已經官僚化，其理由是說他們已另成了一個階級，與民衆脫離了關係。這個話大致是很對的，中共這四年來在大陸的舉動，其勢不能不與民衆脫離關係；不過與民衆不相干，僅僅是官僚的特點之一，或者說是主要的特點之一，而官僚之所以成爲官僚，却還有其他的許多因素，我們必得加以認識。

官僚最缺乏理想

第一，官僚是一種最缺乏理想的人：……安於現狀，維持現狀，即從現狀中想盡種種的辦法，去保持他們那一個可憐的地位。他們以惡劣的享受，下流的恭維，僥倖的奉命維謹，……爲最高的愉快，幾乎不願一天缺少這種愉快。他們以爲做官就是做官，不一定是做事，更談不到爲人民服務，爲大多數人謀幸福。真正一個成了精的官僚，他也有一套本領，至少在處理一件所謂『公事』的上面，往往能做到無懈可擊；[illegible]語，文字簡練，幾乎是一字一句莫不有其根據，一位來自田間的所謂人民代表，不懂得這正是官僚的精華，每每容易爲這種紙面所欺瞞，至於那件事究竟已否辦好，或已否對那件事種下一個根本失敗的根子，這却不是我們的代表們所能理會。

官僚的第一看家本領在一個『混』字，必要能『混』他們才能存在，能『混』他們的就永久存在。『混』的秘訣在不出大毛病，彌縫小毛病，換言之，官僚固不能爲大害，亦決不敢爲大惡，而他們的罪惡之所以不可恕者，即在積累無數小惡，以構成一個朝代，或一個國家的不治之症，使得一切應有的改革無法執行，而賢智無從措手。

官僚罪惡浮於貪汚

第二，官僚並不缺少可愛的方面，而且也不一定就會汚：『居之似忠信，行之似廉潔，』正是他們阿世取容立於不敗的手法之一。忠信斯忠信矣，何以言『似』？這因爲他們的忠信只表現於稠人廣衆之所，激昂慷慨之場，至於暗室屋漏，獨居深念，則所打的都是一些鬼主意，而忠信固已蕩然無存！廉潔斯廉潔矣，何以亦言『似』？這因爲他們的廉潔只表現於布衣粗食之間，酬酢饗讌之際，至於植私黨以固一己之權位，佈置私人以供朋比把持之用，儘管是不廉不潔之尤，而他們總以爲天下人皆瞎子，絕無損於他們那一幅廉潔的面孔。

即退一萬步言之，所謂小忠小信之徒，小廉小潔之輩，最多亦只能與之守成，決不能用之於創業與撥亂，如果一個國家已爲此輩所把持，[illegible]悅於庸衆，已身負國家之重任矣，而又以紙識出之，國家的敗壞，雖不欲以此蠶尸其咎，不可得矣。

近數十年來，以貪汚而自陷於身敗名裂者，可以說是項背相望，但大率只是貪人敗類之流，而決非官僚中操術之巧者。所謂官僚之巧者，在一面既有城社之憑依，一面又儼然具有一忠信廉潔的外貌，錄功雖無功可錄，要過又無過可指，而天下事乃爲此輩於悠悠歲月之中，敗壞於不知不覺之際，卒之此輩身死名滅，而國家亦與之同歸於盡，這才是我們所痛心疾首而又無可如何的一件事，而此輩之所以罪無可恕，亦即在使天下人而胥陷於無可如何！

土官僚與洋官僚

第三，中國官僚有其傳統，但有異軍特起的一個傍支，是謂『洋官僚』。洋官僚這一支派，自清末辦理洋務以來，即已種下了很深的根子，一直到今天也還是方興未艾。說到土官僚與洋官僚的本領，可以說是互有短長，因此有時候更不能不相互爲用。至於說到『混』，則土官僚還只有一個單純的『混』，而洋官僚則除鬼混以外，還要加上一個『混鬼』！大家都只知道土官僚的面孔難看，土官僚的架子難受，不知洋官僚的洋面孔，與洋架子，其難看與難受也，也並無何等的區別。土官僚把『大事化小，小事化無』的本領，在一個『拖』字，洋官僚也與土官僚異曲同工，却『拖』的本領也一樣。明明一天內可辦的事，土官僚可以拖上十天，洋官僚也可以說『下星期再說』；以三五天可辦好的[illegible]

從會考看香港青年思想傾向

一般青年均具思想進步的反應，絕非只讀死書的呆子。教育界人士似可利用會考的結果，檢討過去，認識時代潮流，了解學生思想傾向，以擬定教學方針。

本年度香港中文高中畢業會考，其結果前幾天已經在報章發表。筆者曾和幾位參加閱卷的委員談到此次會考的國文試卷內容，其中有值得注意的地方，簡述如下：

（一）國文作文試題凡四：一、學而不思則罔說，二、悔與改，三、社會風氣，[illegible]

[illegible]

（二）[illegible]

（三）四個試題[illegible]

[illegible]換言之，[illegible]許多試卷，對於目前社會的現狀，均表示他們強烈的反應，對於貧富不均的現象，對於流落香港的難民，災民，失業者無依，兒童流浪，又特別表示同情，對於香港教育界的言論，以營利爲目的，[illegible]多不滿意[illegible]。

○本文所根據的資料，不過中文高中會考並非精密的統計，自不敢相信能夠真正代表全部香港青年的思想傾向。惟一葉可以知秋，不見一斑而窺全豹。以上所述，當不至毫無意義，想可以供香港教育界的參考。

[illegible]

謀殺整肅分化崩潰
——暴俄極權之成長與終結的透視——
·遜周·

[illegible]

史太林恐怖中極權成長

[illegible]（上）

半週展望
·雷嘯岑·

隔洋鬥嘴的連台戲

由於美國參院調査委員會發表了韓戰間參戰國家販運物資於中共區域的商船數字，又激起了一幕英美隔洋鬥嘴的喜劇。英人詰問美參議員麥卡錫：你知否美國商人亦有在香港進行與中共做生意的事？麥氏雖然尙未答復，我們相信這話決不是假的。記得一九四九年中國政府宣佈封鎖通往上海港口的領海時，即有美商輪船公司的船隻（似爲飛虎公司）照樣航行上海，大作生意。後來中國空軍攻擊上海，英美商人和傳教士，且聯名發表抗議書，要求各國政府以武力干涉哩！商人只知賺錢，不知其他，這在資本主義社會的自由企業生活中，固爲普遍現象。不過，美國究竟是富庶之邦，商人於必要時，尙可接受政府的管制，自禁運政策實施以來，美國商船却很少進入共區了。巴拿馬政府之能嚴取締其註冊商船航行共區，若非美政府從旁鼓勵，而美國商人也都遵守禁令的話，那就是不可能的事。

「衣食足而後知榮辱，倉廩實而後知禮義」，這話確有眞理。假使戰後的英國亦如美國，那樣富足，我想不但邱吉爾先生決不會那麼熱心於綏靖俄共集團，即工黨的自凡一流人，也不致「前進」到與共黨人一鼻孔出氣，尤其不致對中共表示那麼「親愛」的好感。其所以然者，祇爲着做生意之一念耳。否則，凡對南斯拉夫的狄托，何以并不「友愛」，又拒却狄托的邀請訪問呢？而保守黨和工黨人士，且一致討厭西班牙的佛朗哥政權，始終不肯承認其「事實上已控制全國」的政府，更不主張它進入聯合國呢？

因此之故，台灣的自由中國政府正不必因爲西方資本主義國家的冷淡輕視而氣餒，只要能夠自強自立，打回大陸去，奄有商利益所在的人與土地，只要馬上即將獲譽爲最民主自由的進步國家了。我們個人要搞民主政治，辦選舉，非金錢不行。國家要與強國作友邦，先得需要有數人做生意賺錢的市場作資本，道理是一樣的！

美駐韓大使的醜態聲明

南韓政府因聯軍代表哈利遜向共軍保證「休戰無限期」之說，認爲與美韓兩國的原有協議不符，表示異議。不管「李羅」談判[illegible]結論如何，但李承晚[illegible]已取得羅伯遜的諒解同意，[illegible]「無限期保證」爲越出了職權範圍，也有理由。南韓指哈利遜[illegible]談判」中，羅氏曾保證將來政治會議經過九十天尙無結果時，美國即與南韓同進退。這即是「有限期」的意思，與哈氏的保證，恰恰相反。

美國要不擇手段不顧利害以實現休戰，當然可以的。對於南韓之反休戰，既已再三懇商協議於前，爲着哈利遜對共方過份保證的言詞，更有方法使南韓免於疑懼。如果將來政治會議由於共黨之[illegible]而有結果，則一切爭論皆不存在了，此時何必[illegible]急不擇言讓步呢？

不料美駐韓大使布洛吉斯前天對李承晚所提示的四點聲明，頗似哀的美敦書，又像越對僧尼們施舍財物後表示其「面有德色」的傲慢面目。一則曰：艾總統與國務卿所答應者外，決不再讓步；再則曰：美國對南韓的「慷慨」讓步不下於任何人所期望者，而且自一九五〇年以來的援韓行動，都是「慷慨而不自私的」。由前之說，使世人懷疑「李羅談判」那一幕是騙局，美國政府事後不認帳。由後之說，表示美國不夠領導者的風度。誰說美國援助南韓不是「慷慨無私的心情」？這還待美國大使自詡嗎？

在「李羅談判」時，英國的邱吉爾和工黨人物大駡李承晚爲「叛逆」，世人對艾森豪總統這種「以大事小」的作風，深予贊佩，認爲不愧是自由世界的領袖氣度。現在駐韓大使這項不必要的驕慢聲明，不啻將美國過去對南韓一切仗義勇爲的慷慨事實，大大地打了一次折扣。天快亮了，還要在床上撒一次尿，何苦呢！

馬倫可夫剷除異己 清黨勢將擴大展開

爭取元老派支持實行逐個擊破

馬倫可夫整肅貝利亞之後，蘇俄內閣的演變，業已漸次擴大了，莫洛托夫、伏羅希洛夫、布爾加寧會抬頭嗎？馬倫可夫又將如何鞏衛其政權？這是值得我們研究的問題。

安插清一色幹部

誰都知道，馬倫可夫是一個陰險猙獰的人物，他繼承政權以後，無不以鞏固其政權爲急務，銳加「革新」，不特對貝利亞莫洛托夫等「政敵」，多方設法予以抑御，即是對過去史達林的黨政羽翼亦不放心，從最近三個月馬倫可夫的措施看來，顯已改變「史達林路線」成爲「馬倫可夫路線」。馬倫可夫剪除史達林系人物，見諸事實的，已是層出不窮，他對地方政權及黨務，極力排除異己，安插其馬系黨組織清一色幹部；比如第一個開刀的是烏克蘭共和國共黨中央委會首席書記梅尼可夫及副總理麗達卓克，他倆都是過去史達林的心腹，而梅尼可夫更屬蘇俄十四個高級共黨首領之一；馬倫可夫上台不久，即以「執行黨的國策有重大錯誤」的罪名予以免職。其次是整肅治亞前國家保安部長魯克哈茲，馬氏指他犯有「揑造民族運動，陷害無辜工作人員」罪嫌。又次是喬治亞共和國共黨領袖布里茲尼夫之被黜，布在聯共中央有地位，過去曾協助史達林革命出過死力，去年聯共大會未舉行前，係聯共中央主席團之一。不久以前，馬倫可夫對烏茲貝克斯坦共和國大加改組，一律安置其馬系人員接任。馬倫可夫此次以「大刀闊斧」手段整肅其第一號政敵貝利亞，擢其起用克魯格洛夫繼任內政部長，亦是善後的陰險勾當，馬倫可夫新政權的內政部，是由前內政部與國家保安部合併而成，克魯格洛夫自一九四六年以來一直任內政部長，在新內政部內亦爲副部長，故與蘇聯的秘密警察具有深切的關係，馬倫可夫提用他爲內政部長，其主要目的是在使克魯格洛夫處於特務與黨務之間居於調協的地位，其次馬倫可夫深知貝利亞被黜以後，秘密警察內部及貝利亞羽翼勢必發生騷動，如果要使其平息不致異動，自然祗有出任多年的「老部長」居中調和纔能適宜，同時馬倫可夫相信克魯格洛夫推任部長以後，對其必爲感激，可以引爲他在「特務」中一個有力的心腹了。

聯合軍方對付特務

照目前的情勢看來，馬倫可夫的政治動向，乃是聯合軍方對付特務以期達成黨治企圖，然而此種企圖能够達到目的嗎？據最近外電連續報導稱：「蘇俄副總理貝利亞之在新清黨案中首遭犧牲，當可證明在馬倫可夫當政期內，蘇俄將繼續不惜任何代價，以鞏固及擴大其戰爭機構，造成黨派局面」。又稱：「據消息靈通外交界人士稱，由伏羅希洛夫，布爾加寧及朱可夫組成之軍人三頭政府，已接收莫斯科政府大權」。又稱：當最高蘇維埃舉行「非常」會議時，莫洛托夫將正式「被承認」爲總理，負責處理對外及「盟國」之邦交，同時將委出新外交部長一人，以分担莫氏之工作，此人或爲「葛羅米柯」，

這兩種說法[illegible]，不過前者的成份多，馬倫可夫此次整肅貝利亞，雖是得到莫洛托夫及伏羅希洛夫布爾加寧之支持，但至低限度他是採取主動，馬倫可夫既能掌握主動，自然對其政治佈署事先安置，[illegible]件非常吃力的大事嗎？[illegible]所謂貝利亞「反動」事件發生後，[illegible]之於附屬國家者有東德[illegible]中央者也有蘇俄[illegible]

機器製造工業部部長馬里歇夫之被撤職；他雖然現復職任中型機器工業部長，但其份量已是很輕了，[illegible]這些事實正象徵馬倫可夫政權並未有何動搖的跡象，倘若有動搖的跡象，自然不敢這樣爲所欲爲的。

潛勢力深入軍中

蘇俄特務勢力最後抬頭的機會，[illegible]於低潮，這正是軍人中[illegible]

伏羅希洛夫身爲蘇俄最高蘇維埃主席團主席，布爾加寧身爲國防部長，朱可夫爲紅軍少壯派領袖，構成軍事巨頭，在當前蘇俄內閣中更具有大的威力，不過蘇俄軍人集團內部複雜，力量並不能集中趨於一致，馬倫可夫的政治潛勢力業已大大滲入紅軍各階層，對於軍的動向，自可於分化而予掣肘，因此軍方如欲奪取政權實困難重重。

今日之局，主動仍操於馬倫可夫，馬倫可夫對于莫洛托夫、伏羅希洛夫、布爾加寧諸元老，勢必更加奉迎逢，絕對不敢開罪，他所等待的是時機，一俟時機再將對準目標，次第加以整肅，倘執迷不悟，遽爾對元老派施以壓力，展開整肅，那麼由軍人們支持元老派與之對抗，馬倫可夫政權就有崩潰的危險了。

尼赫魯媚共徒勞 侵略火燄燃邊陲

尼泊爾共黨形成重大威脅

[illegible]日形囂張，[illegible]於緬印間[illegible]國危機益[illegible]。從歷史[illegible]此一中共[illegible]的，尼共[illegible]從民間的[illegible]爲重鎮畢[illegible]人們當會[illegible]於力餘總[illegible]略之火已燃向中亞了。

儘管印度總理頻年想盡方法來取悅中共，事實上他所作之努力均歸於徒勞，中共頻年經營侵印的六條路線：一、中印公路——從滇西騰衝經緬甸北部的密支那，越中緬未定界到印度阿薩密省之雷多；二、科麥邊地區線——由西康的昌都向南經科麥，綠隅而至阿薩密鐵道的終站撒地亞；三、大吉嶺線——從拉薩經江孜、帕里宗，迂迴錫金邊境之亞東而入大吉嶺（即通加爾各答）之鐵路線；四、尼泊爾線——由拉薩向西經日喀則、定日、聶拉木而指向加德滿都。五、列城線——自南疆後藏噶大克至喀什米爾之列城；六、喀什米爾線——自新疆之疏附，蒲犂而入喀什米爾。目前的形勢，第四條路線殆已成熟了，這一條原係藏尼必經走廊，往昔清代乾隆年間，廓爾喀軍曾循此路攻藏，追至日喀則時，清軍將其擊退，並循此路進兵尼國，而抵加德滿都之外圍。這種歷史上的戰略路線，不僅中共於一九五〇年侵入喜瑪拉雅山之北麓後早已安排，印度對它也並不忽視。

尼共在政治上已經獲勝

很久以前，就有人意識到尼泊爾這一個國家已被中共覬覦了。但尼國內部的反共力量，並不因爲中共進侵的危機日形增強；三十二個政黨，不僅從無發揮政治上團結的才能，且難謀團結；尼共領袖辛格博士，就人才寥落的這一個[illegible]無疑是一位極幹練的傑出人物，因此他領導的共黨份子，於無形中取得了征服尼泊爾的優越條件，去年一月政變之時，世襲首相拉諾下台；辛格以迫於情勢，經藏逃難，在北平受訓。一般的傳說謂，在去年六月以後，中共將以武裝部隊「解放」尼泊爾的謠言，鄉區便甚囂塵上了，就和偏僻的城市，發現許多手執紅旗的暴徒，他們藉武力任意分配土地，向地主階級的農民進行「鬥爭」，其中也有甚多的中共幹部，是從西藏由南來，一年前即先[illegible]

尼泊爾逃入拉薩的共產分子中滲入，此後便大模大樣的經日喀則、定日、聶拉木入[illegible]以及現時主要的交通城市工作隊」，這些不多都已建立了組織的政治、[illegible]若第五縱隊，[illegible]本月初竟有七百名武器[illegible]衆皆在行動，[illegible]對加德滿都經濟上[illegible]發生恐慌，[illegible]暴露出這一的陰謀，[illegible]實而自後，中共侵略[illegible]黨在全般政治上[illegible]優勢，中共軍事方面[illegible]非大舉入侵，[illegible]尼共尚無整個全國之力。

中共策動反印與反政府

一九五〇年尼泊爾[illegible]拉諾[illegible]特里勃凡國王[illegible]主張民主政治，印度對於政變之後，[illegible]一個喜瑪拉雅山的多一小國也就特別重視，終於運用其權力使遜位印度現年四十七歲的國王於一九五一年三月回國復辟，並且派了一個一百二十名的軍事代表團駐於拉加德滿都，協助尼泊爾訓練陸軍，復以財力支持尼國從事開闢機場，修築公路，加強要塞的防禦工事，使原先[illegible]山路自加德滿都至印度，從那時開始[illegible]國家航空公司溝通了自加德滿都直達新德里的航線，到了一九五二年九月，印度喜瑪拉雅航空公司又設了三條的航線，尼泊爾就一切都落後的尼泊爾經濟情況看來，這些航線[illegible]，尤其軍事上之[illegible]意義大。去年拉諾下台，政府中雖然擁有至少三十二個政黨派系，[illegible]沒有一個[illegible]黨領袖辛格之號召力大，[illegible]但文化水準落後，與社會經濟枯竭，[illegible]共產主義的發展，促成了[illegible]因素。現在的柯伊拉拉政府[illegible]主義號召，以民族主義[illegible]依附於印度，中共則利用「民族」與「西藏淵源」，[illegible]燃起反印火燄，[illegible]及反尼泊爾政府之「[illegible]此一年來，[illegible]普遍的武器[illegible]發展，已是[illegible]火[illegible]已經[illegible]說明中共[illegible]已侵略[illegible]尼泊爾當局[illegible]一延[illegible]將臨到一[illegible]大考驗了。（梅尤衡，七月十五日寄自新德里）

台灣又將忙於選舉

今年的下半年，台灣全省的人民，又將忙於選舉[illegible]

[illegible]的規程，只要年滿三十，就可以當選，另無任[illegible]所以盧纘祥才能以國[illegible]，而獲選宜蘭的縣長。[illegible]的言論界時以未規定候[illegible]，係爲違背國父遺教爲[illegible]台省各縣市政府與參會[illegible]意，乃係因縣市長與議[illegible]議考試。[illegible]選人應該先經過考試的[illegible]示。民社黨出版的刊物上[illegible]。台灣大學法學院院[illegible]及作不贊同的演講。本[illegible]中國政治學會年會中，[illegible]的專題講演。講稿後由[illegible]發表。薩氏的論據是[illegible]任何的限制，已經是前[illegible]，也有人認爲民主國家[illegible]歸在於政黨的運用。如[illegible]從民選縣市長，在競選[illegible]分之二，另有數人於當[illegible]組織的民選縣市長，在[illegible]得黨部的提名與支持。

如認爲當選以後三年來的政績不如理想，則黨部方面至少是知人不明。因之，候選人的考試可在黨內舉行，考試方法與標準由各黨自行決定。

另一方面，雖則有許多人主張候選人應先經過考試，却始終提不出一個具體的考試方法。人人都會說候選人應該先經考試，又說可以用審查資格的辦法代替考試，再說資格只要廣泛規定就行。其是否合於國父遺教的精神，反不予注意，實在值得鄭重考慮。至於臨時省議會議員，下屆可能從間接選舉產生改爲由人民直接選舉發生。至於先用考試，銓定省議員的候選資格，一時是不會辦的。要考議員，問題更多，大家更拿不出具體的考試方法。若也是審查資格證件，則高山同胞就更沒有人可以合格當選了。

台省同胞，對於選舉最具有興趣，平時的投票率常達百分之八十以上。今年將有這兩大選舉要辦，政府與選民都要爲之而忙碌，記者也是台灣的公民，只是迫切的希望着，切不可忙中有錯。

天下小事

赤色嘍囉包圍譚辛

尼泊爾的「雪地之虎」譚辛因與紐西蘭人希拉利同時攀抵世界第一高峯額菲爾士峯而出了名，也因此被共產黨看中，想利用他作宣傳的工具。但因譚辛不受共黨誘騙的決心和他爬山意志一樣堅決，共黨的伎倆才沒有成功。據熟悉這件事的人說：共產黨對譚辛是一度極盡過諂媚阿諛之能事，當爬山隊成功歸來首途返印的時候，共黨就派了一大批赤色嘍囉沿途包圍譚辛，挑撥他與英國及其他隊員的感情，他們說：探險隊對他的待遇過苛，報酬太低，而且企圖搶去應屬於他的榮譽，譚辛起先不察，所以後來鬧出誰先爬抵最高峯和以爲這是出於譚辛自己的本意，殊不知却純是共產黨鼓動和製造出來的，所幸不久譚辛即看破赤色嘍囉們的陰謀，毅然宣佈兩人同時抵達最高峯，並與希拉利和亨特隊長飛英接受勳獎。那些嘍囉們於失望之餘，才抱頭鼠竄而去。

共黨宣傳外強中乾

原子間諜羅森堡夫婦處死之前，共黨報紙曾捏造許多莫須有的消息，當時一般人看了，大以爲一旦羅森堡夫婦電死後，會掀起一場了不得的風暴。却不料案子處決後，不僅一般西方和所謂中立國家的反應平常，即是附屬國家中示威和抗議的例行表演也少得特別。有些人怪共黨的羣衆工作做得不够，其實在各附庸國家內，槍決，絞刑早已成了家常便飯，外國處決一兩個人，對他們又有什麼痛癢。

艾森豪惦念塔虎脫

美國「老虎參議員」塔虎脫臀部患病，最感焦急的，事實上倒不是塔虎脫本人，而是艾森豪總統和他的一班高級顧問。他們本知道在國會內有許多事要靠塔虎脫幫忙的地方，但直到塔虎脫因病暫辭參院多數黨（共和黨）領袖職務後，才清楚知道白宮對塔虎脫的倚賴究竟如何股切的程度。塔虎脫離職後，參院共和黨領袖由加州參議員諾蘭代理。在去年十一月美總統大選的時候，諾蘭本是轉而支持艾森豪的有力人物之一，論私交他們可算不錯，但談到政策與意見却頗多對立的地方，一般人認爲諾蘭「冷淡」（雖不支持，也不出而反對）艾森豪的計劃，就已算難能可貴了。前不久諾蘭公開表示他反對艾森豪韓戰的休戰努力的立場，曾引起白宮內一場不小的風波，艾克本人的怨懣固不必說，他的顧問們談到這件事時，也滿臉悻悻然。

削減預算 次長掛冠

由於預算被削減的關係，美海軍已取消定造A2J式巨型轟炸機的合約，這種飛機是螺旋推進式，能載運一顆原子彈飛越一千餘哩後，再飛返航艦上。爲了削減預算，海軍部主管航空事務的助理部長佛羅柏格曾和國防部長威爾遜爭得面紅耳赤，後者力主取消建造原子力推動的六萬噸航艦計劃，前者爭不過他，乃不惜掛冠而去。（孟衡）

戰爭氣氛瀰漫江浙
滬杭鐵路軍運頻繁
京滬物價波動激烈幣值大跌
共幹悲觀搶購實物風氣大熾

【本報訊】據甫自上海來港之人士談，近兩週來，滬杭鐵路之軍運甚為繁忙，日有大批部隊自南京方面經上海運往杭州，再由杭州轉赴浙東浙西沿海一帶增防，并聞有一部份係由浙贛路轉入福建者。每日運經上海共軍的部隊之番號係屬軍事祕密，無從獲悉；惟目擊其人數，估計當在六個師以上，裝備均甚整齊。除運兵外，並有大批軍需物品自上海龍華一帶軍需倉庫撥運閩浙一帶。同時，據云最近一旬來，上海一帶民間突祕密流傳江浙沿海將起戰爭之謠言，此一謠傳之來源，無從捉摸，惟照常情推斷，即可能係此種繁忙之軍運引起民間之猜測所致。故顯然目前江浙沿海一帶之戰爭氣氛頗為濃厚。

又據云目前上海方面之物價正在普遍上揚，偽幣幣值又貶低約一成至二成之間。物價上漲之最劇烈者，當推糧食、食油、燃料及其他各種日常所必需之用品。普通食米，已自每石偽幣十九萬元漲至二十三萬元；菜油已自每担偽幣六十二萬餘元漲至六十九萬餘元；火油、煤球、炭柴、肥皂、洋燭、食糖等物，大致都已漲上一成至一成半左右。南京、杭州一帶因受上海影響，各項物價亦在普遍上漲，程度與上海相等。同時，又據某印刷商人談，上海物價上漲，偽幣幣值貶低聲中，一般中共幹部亦紛紛以所得儲蓄實物，一如以往通貨惡性膨脹時期者然，對偽幣幣值亦無信心。且謂據其在近期與共幹接觸的結果，覺一般共幹對韓戰的鬱人消耗及沿海戰爭的威脅，大多已有悲觀情緒，對其本身前途，信心已日漸動搖，頹唐消沉之心，已日漸顯露云。

中共制止飢民騷動
蘇皖大規模移民
驅往西北區開荒
不聽命令者即遭拘捕

【本報訊】頃據南京方面消息：最近偽華東行政委員會曾奉偽政務院之命，督促江蘇安徽兩省偽政府執行一臨時移民計劃，將蘇北皖北地區之飢民逐步移往西北各地以利用其從事西北邊區之開荒工作。初步移民之人數，聞為二十五萬。移民之主要目的，則因該一地區於遭受嚴霜、冰雹、大風、虫害等災後，小麥空前荒歉，已使為數約百分之四十的人民陷於飢餓，飢民時起騷動，社會秩序甚亂，故以移民方式，將飢民逐步移開，以制止繼續騷動。

據悉蘇皖兩偽省府奉令後，即派出大批幹部分往蘇北皖北各縣督導進行此一計劃，惟該地大多飢民以鄉土觀念深厚，雖明知生活已陷絕境，仍不願輕意離去家鄉，故在共幹調查飢荒情形時，大多隱瞞若況，拒絕移居，故曾使中共之移民陰謀遭受頓挫。迨經共幹強行指定後，方勉將初步移民人數湊足，造冊呈報。中共為防制意外，爭取時間計，即趕期於本月初開始分縣集中押送出境。惟臨時仍有甚多飢民企圖逃跑，故曾有大批飢民遭受拘囚。南京對岸數縣飢民押送出境運往西北時，曾經浦口登輪，大多扶老攜幼，情形至為悽涼！

又悉蘇皖兩省中共當局為防止蘇北皖北之飢民外流計，已加緊管制飢民出境，非經偽區鄉機關簽發許可證，已無法外出云。

共黨大征民船
冒險逼運川鹽
八艘覆沒多人溺斃

【本報訊】據鄰近由湘西來人談稱：在中共統治下的大陸食鹽產銷，早已劃分區域，四川自流貢井的鹽區，除一部份指定須川藏邊區外，大部份運湘西及滇黔各省，運輸路綫，是從長江河流，利用沒收民生公司的內航船隻輪一批，運儲湖北之宜昌。宜昌現設有偽「宜昌專署」，原有在宜昌的中國鹽業公司，早被佔據，係其唯一儲鹽倉庫，食鹽，完全交由偽民船運輸公司」向各，由該「運輸公司」強征民船若干隻，編分組，再由鹽業運輸公司，派員押運，必要時，派武裝護航。本年上（六）月初，偽「鹽業公司」食鹽三千包（川鹽每包約三百四十斤），交「運輸公司」運往湘西常德，轉運湖南各地。該公司接到通知後，即征用四川湖南九溪附近平板民船八隻，大南瓜湖民船六隻，岩棒子民船七隻，湖廣鹽子民船十隻，分配編成四組，共載運此三千包（約一萬担）食鹽，並組由宜昌啟運，沿宜都、枝江、公安、劃入北河，而航往澧水，再經安鄉和常德的萬子港，轉入沅水，再到黃州目的地。

上流，灘險橫生，河流湍急，當地民船，概係因環境特殊而特別製造，外省船隻若不諳水性，勉強行駛，往往觸礁覆沒，故湘省各河流民船，有高平板和岩棒子之外號，實各具有其特殊性能。

濫扣民船　勒索鉅款

此次征用民船，該「運輸公司」副經理宋時新為了急於要功，竟將四川木板船一併征用，此種木板船係川人用以由上流駛下後，即拆除變賣木材者，粗製濫造，並不堅固。當該四組鹽船，行經狗頭洲及白蚌口之間，時要轉駛至上下蘇壩口時，正值洞庭湖水暴漲，所有船隻，在驚濤駭浪中，幾經艱險，始泊碇在港汊中獲救。大紅旗常木板船八隻，全部覆沒，不僅食鹽三千五百餘担完全損失，而船主船工共四十七人，亦為波臣召去，生葬魚腹。

慘案發生後，偽「宜昌民船運輸公司」副經理宋時新，竟不顧惜，仍強迫各組民船，向常德行駛。迨至本月初抵達常德後，指揮各船隻停泊在離常德約二十里之德山，隨即串通德山「公安派駐所」所長金玉明，不問理由，將所有船主田洪州、張三、龔光和、龔光彩、伍晉臣、張江臣、秦純吾、易三和等二十三人，一併拘押，解當嫌等盜竊食鹽，對於在蘇壩口覆沒鹽船事，不僅不呈報上級，並限制船上水手，不許洩露。現該批鹽船，仍停泊在德山市郊「稅關」約三里處之關聖宮前，船主拘禁，並無解決與釋放消息。騎在人民頭上的共幹，如此胡作非為，倒行逆施，而今大陸，儼變成了鬼的世界。（舉）

趕修湘南鐵路
工人大批死亡
政工課長是催命鬼

【本報訊】頃據衡陽消息：最近自重慶至南先之間，正在加緊趕修鐵路，正因於工作緊張過度及工地領導幹部漠視工人安全之故，故已有大批工人慘遭犧牲。據工地傳出消息，僅北碚一段，因工死亡的人工即已一百二十餘人之多。關於造成工人死亡的原因，除勞役過度外，大多所致。例如：被迫在懸崖絕壁上打眼放炮，失足墜死者有之；被迫在岩石上工作因岩石塌倒而被壓死者有之；疏散工人，任意開砲炸石，而被炸死者有之。工人之所以如此被迫冒險拚命工作，據工人透露：完全是該路工程委員會的「政工科長」張鐵成所監督，工人怨恨之餘，曾稱該「科長」為「催命鬼」云。

粵共摸底清算
向當家人開刀

【本報訊】廣州消息：最近粵共用「民主改革」名義，對工人進行所謂「摸底清算」；在廣州、韶關、江門、汕頭、湛江各城市，從本月份起，均已進行。粵共派有五百餘共幹，分區主持該項鬥爭運動，對所有工人進行「摸底」，清算大批認為「歷史不純」的非共工人，在所有公私經營的工廠、手工業、搬運業、漁業、碼頭建築行業……各業的工人，被這次「摸底清算」而遭逮捕的工人，為數在五千人以上。中共以工人運動起家，以代表工人利益相號召，不料現在死狗烹，有許多在「五反」運動中，曾經打倒東主「翻身」後「當家做主人」的「五反英雄」們，這次也同樣遭受到被清算的厄運。（帆）

學生侮辱先生
業已形成風氣

從最近北平光明日報的綜合報導看，中共幾年來一味縱容學生的盲目鬥爭的結果，顯然已招致了嚴重的惡果：師生關係一團糟，學校的秩序，蕩然無存；學生的學業全部廢弛，教學工作陷於難以推行的地步，這對中共實在是一個極大的諷刺。

據光明日報承認：不是偶然的或個別的現象，而幾乎已是一種極為盛行的風氣。據說：凡在中學校以上，除了少數黨團員學生以外，極大多數非黨團員的學生對他們的教師根本就不放在他們的眼裏。學生們對教師的禮貌！不僅途中相遇，視若路人，且還走過背後時裝做鬼臉，叫起外號，甚至故意喊叫，大加侮辱。在校時，偶有事問先生，開口是「喂！」，閉口掉頭就走，有似上級對付下級。上課時，一般學生都帶輕視的神情，甚至以嘻笑或極盡侮辱搗亂先生的授課，或以冷嘲熱諷態度對抗，常使先生們以「敵人」的態度和，先生們既上不了課，又下不了台！

課堂有似茶館　非彈壓難上課

在這樣的情形之下，據說：課堂已等於是茶館，只聽滿堂吱吱喳喳的爭吵，而聽不到教師的授課聲。即是說：教師們根本就無法上課。於是，還有的教師們在無可奈何之下，便不得請求黨團員的教師們來監場彈壓，這自是從前未有的怪事。但彈壓只能偶而為之，還無法經常執行，故這些教師們終不得不為了勉盡其教學的責任而向學生們講好話，給學生的課業成績提高分數。惟雖然如此，仍不能獲得學生們的以禮相待，更談不到紀律的約束和秩序的維持。簡單一句話：師生關係和學校秩序仍是一團糟！

敵視·鬥爭·自食其果
大陸師生失盡體統
分清敵我界限
中共自食其果

這自然太不成話，也自然是給了中共一種嚴重的損害。但這完全是中共自己一味荒唐地利用學生「鬥爭」或「改造」教師們而在自食其果。中共在一佔據大陸各地之後，就喊出了「改造教師」和「分清敵我界限」的口號。凡非黨團員的教師都視作了「落後」的或「反動」的「敵人」，由學生中的黨團員加以操縱，以學生為羣眾，將非黨團員的教師一個個推上「坦白鬥爭大會」，逼他們坦白身份，交代歷史，分析思想。尤其在「三反」時期，中共將學生們慫恿得如狼如虎，而將教師們「鬥」得如牛如羊，這結果，原有的師生關係，自然全部摧毀！但是，雖然學生們對教師們如此猖狂無禮，學生們並不見得自由、快樂，相反的，學生們正在重重的壓迫下（見本報二四六期）忍受着很多難堪的痛苦。他們一面雖在侮辱教師，一面卻在受着黨團員們所謂「政治教育」的迫害和生活健康上的凌虐和摧殘！

目前，中共對於這種反常的師生關係已深引起焦慮，故業已首先由偽青年團在「中國青年」雜誌及「中國青年報」上提出了「尊重教師，搞好學習」的口號，以圖挽回；但病根已深，做來必甚費力，能否見效，殊難斷言。

粵龍川河源飢民
搶鬥爭糧起騷動

【本報訊】廣州消息：本月十日左右，粵省之龍川縣鑑口區及河源縣第一區，曾先後發生飢民集體搶分「土改」時鬥爭果食的糧食事件，一時大為騷動，旋以深恐其他各地飢民響應而擴大事態，故該兩縣即飭各鄉迅將此種鬥爭糧即充作救濟糧分給飢民，事乃不了了之。緣廣東各縣於「土改」鬥爭地主時，曾保留大批「鬥爭果食」的糧食，由各「鄉政府」控制保管，未曾分給貧農。最近，因龍川河源兩縣皆曾因遭受水災而早稻歉收，普遍造成飢荒。而各區鄉共幹則漠視飢民痛苦，未予設法救濟。上述兩區飢民曾一再要求分發「鬥爭糧」以濟眉急，亦不予置理，飢民乃忿而羣向糧倉騷擾，終於發生集體搶糧的行動。現聞此事發生後，廣州粵共當局，甚為震驚，為免再蹈覆轍，故已通飭各縣迅即處理此種「鬥爭果食」。

共黨官僚圖一手包天
幹部對外通信
須經秘書檢查

自中共各地各級幹部官僚主義作風及「違法亂紀」事件盛行以後，中共中央深以此種現象已嚴重腐蝕政權為慮，故曾一再實行「整風」，並展開一「檢查運動」，鼓勵各機關、各「國營」廠、礦、公司、各學校、團體，各報紙及所謂各階層人民檢舉，揭發所謂「壞人壞事」。但此一「運動」展開以後，隨即使一般機關的領導幹部（即主管官）不約而同地以「檢查思想」為名使出了檢查所屬幹部通信以壓制批評檢舉而對上蒙蔽的手段。其中尤以省級的廳、處、局、專署、縣政府及縣級各獨立單位為然。所謂「檢查思想」，即規定該機關內之幹部對外發信，或接受外來信件，均須經該機關的祕書代表主管拆以檢閱，此一舉動，稱之為「統一收發」。此一事實，最近上海解放日報及廣州南方日報均有所披露。上海解放日報認承：江蘇浙江兩省的部份縣政府及獨立單位（如糧食公司，稅務處等等），南京上海兩市的少數局、處、安徽，山東兩省的若干專署及縣、處都有此種情形。南方日報認承在佛岡、清遠、新會、增城、高要等十餘縣及潮州、汕頭等專署以及花紗布公司粵北支公司和廣東漁業公司亦有此種現象。此種現象說明共黨官僚臺上欺下的反黨行為已甚普遍，且必將予中共以極大的損害。

中共驅大批青年
赴俄學做奴隸
各大學抽征八萬人

【本報訊】綜合大陸各地報紙透露之消息：目前偽政務院奉莫斯科之命正分飭有關各部向全大陸各大專學校抽征年青學生，以「切實學習」為名，驅赴蘇俄從事各種基層勞役。其中抽征人數的比例，以東北為最多。已自東北工學院、瀋陽大學等三十餘所大學及專科學校中抽征學生達四萬二千餘人。其次則為華北，已自北平大學、清華大學、北京農業大學等十四所大專學校中抽征學生達一萬五千餘人。再次則為華東，已自華東工業大學，交通大學、南京工學院，浙工大學，同濟大學等十三所大專學校中抽征學生約一萬一千人。此外已在西北、西南、中南三大偽行政區所屬的約四十所大專學校中所抽征的學生，各區約各有六千人至八千人不等。合計各地已抽征的總數，共達八萬人之多。據悉，此批青年學生，係規定至莫斯科報到集中，然後由蘇俄有關各部統一分派至各工廠、礦場、農場或各建築工地從事基本勞役工作，並施以所謂「高度的政治與技術的教育」。聞此批青年，將由中共有關各部派高級幹部一人，由各區派高級幹部數人合同率領分批送往俄京。現東北區者，已首先出發，華北區者已集中北平，即將出發，其餘各區，正在紛紛催集中。

中華民國四十二年七月二十五日　自由人　（星期六）　第四版

幹吧，李承晚先生！

尚方

自由談

南韓總統李承晚最近表示，他將派兵防護韓境沿海各島嶼，以免俄共集團的同路人——印度尼赫魯——所謂「監俘」軍隊登上大韓民國的乾淨土地上，遺臭萬年，玷辱韓國。壯哉此舉，是何等雄態且傑！

亞洲人自海禁大開以來，即為西方人所輕視，任意擺佈，為所欲為，而其召侮之由，又多半是些「內奸」作怪，常藉外力以招搖闖騙，出賣自家人，贏一時極不榮譽的私人利益，搖首乞憐，恬不知恥。

尼赫魯一面為賺美援之可愛，對韓戰亦派了幾名救護隊赴韓境聯軍陣地「參戰」，儼然是自由世界反共陣綫中之一員；一面又想以投機手段，利用西方列強的矛盾，獲韓戰問題一躍而為亞洲領袖，不惜表示親共媚共的言行，而以「中立國」自居。這等於一個倡婦跟人在逆旅夜渡得資後，又說是并未解衣脫褲，其醜穢之狀，眞是丟盡了亞洲人的臉面啦！

幸有李承晚這位東方的愛國英雄，硬不相信有「半上樹」的怪事，堅決否認印度對韓戰的「中立國」資格，不許印軍踏入韓境「監俘」，否則迎頭痛擊，毫不客氣，並且處處設防，杜其偷渡之路。這不但是愛國行為，更替亞洲人保持其不可侮的獨立人格。凡是不甘作洋奴的亞洲人，對李氏這番壯舉就該擁護贊助的。幹吧，敬愛的李承晚先生！

選民資格

·竹幕小故事·

·沈着·

王太太自從上海「解放」以後，沒有一天不在苦惱中挨日子；榮辱不清，啼笑皆非！

她的王先生當過幾任私立中學的教導主任和教員一類的職務；近視眼、書獃子，是個成天在書本和功課卷里打滾的人，從來不顧問什麼政治不政治的，他所認為「身外之事」的事。可是「解放」以後，他便被共產黨「欽定」為「反動份子」而沒頭沒腦的入了獄。（幸虧還算是共產黨的「寬大」相待，「只」判了他五年「徒刑」。）從此，王太太也便被「欽定」為「反革命家屬」，受了「管制」！

然而在另一方面，幾年前不知去向的寶貝兒子赫然身穿「解放裝」，頭戴八角帽，腰懸木殼槍——衣錦榮歸了。他在「抗大」唸了幾年馬列史毛之後，別小看這個小子，現在已是「三野」的一個「團政委」了。因而，母以子貴，王太太一面又在共產黨「欽定」下做了「光榮」的「革命軍屬」了！

然這個樣兒，王太太這幾年來在不清不爽的「榮辱」之間過着莫名其妙的生活；在「革命」與「反革命」之間忙着應付共產黨的幹部們。她常常被共幹們論之去或拖了去出席兩種極端不同性質的會議，往往在前一個「優待軍屬」的會議中被佩紅、插花、捧上了三十三層天堂；而在幾分鐘以後的另一個「反革命家屬」的會議中被逼「坦白」，「報告」，「鬥爭」，「辱罵」，陷下了十八層地獄！

現在，「毛主席」為了要提早結束「過渡」進入社會主義之路」起見，更為了要利用民眾玩一次「民主」把戲以正一正毛皇朝的名分起見，已決定要搞一次「普選」，並且各地已在大力展開一切準備工作了。上海為第一大都市，一切自當「率先倡行」，「普選準備工作的第一步是「重點試查戶口」，接着便是調查並確定「選民資格」。

這就使王太太的「反革命家屬」與「革命軍屬」之間的矛盾面臨了嚴重的關頭！

初先是區幹部召她去參加「革命軍屬」大會，聽了一大篇長長的關於「普選」的大道理，結論是「普選是人民民主革命的光榮收穫，參加人民民主革命的軍人對於普選的實現有最大的功勞，所以革命軍人的家屬是最榮譽的選民。」因此，她也作了「榮譽的選民」之一，絕對有應的「選民資格」。

後來是另一批區幹部召她去參加「反革命家屬」大會，聽了一篇長長的關於誰無權參與「普選」的大道理，結論是要大家再來一次「坦白」，誰被確定「改造」圓滿而可以提早撤銷管制的，便可以給他或她以「選民資格」，否則便沒有「選民資格」。但大家再「坦白」的結果，竟一千個人里面難得有一個人可以獲得撤銷管制和「選民資格」好運氣，王太太也不例外。

「同志！我一方面是革命軍人家屬呀，我是榮譽的選民呀，叫我怎麼辦呀？……」王太太終於忍不住這極端荒唐的矛盾而叫了起來。

「那那……那是另一班同志管的事，我們這裏，你就沒有選民資格！」區幹部說得很窘，但答得很乾脆。

就這樣，王太太為了「選民資格」問題，到現在一共已出席了兩次「革命軍屬」大會，出席了三次「反革命家屬」大會，而矛盾始終還是矛盾，終於，這個矛盾引起了擔任兩種「任務」的不同的共幹的爭執。共幹們為了要統一這個矛盾，特地舉行了一次研討會，進行辯論、研究，公說公有理，婆說婆有理，相持不下，結果依舊得不到統一，決定向上級請示。

但上級的「市人民政府」也決定不了，逼不得不向中共中央請示，可是，這問題太矛盾了，怕熟讀唯物辯證法的「毛主席」也不一定統一得了吧！

佩的，王太太越弄越得啼笑皆非了！

布特勒聲望大增

邱吉爾生病後，關於英保守黨未來黨魁問題，在英國各界已引起重大關切，最近，銷路最廣的小型報「鏡報」，曾舉行民意測驗，詢問讀者，如邱吉爾退休，他們希望由何人主持保守黨。結果，支持艾登的，佔百分之五〇・三六，擁護財相布特勒的，達百分之三五・五。布氏雖仍不及艾登，但和今春比較，其聲望已告大增，因為在四月中，蓋洛普民意測驗表示，布特勒所獲得的民意支持，僅有百分之八，而艾登則為百分之六四。（明）

夢・迴・輔・大

梅楓

「唉！別提了，前年春天學校被接管之後，所有的神父都被監禁起來，他們硬說我是美帝的走狗，所以開會鬥爭我，後來說我坦白得不徹底，把我從台上推下來，跌成這瘸子……唉！這幾年眞不是人過的！」他說着痛苦地低搖着頭。

我同情地嘆息，靜默了一會，我忽然想起了好多事，於是我問他：

「陳垣校長現在好嗎？」

「好？」他冷笑了一聲，「够瞧吧，從前老頭多神氣，學校上下沒有不尊敬他老先生的，自己生活得又那麼舒服，那麼清高，哼！現在工友都指着鼻子罵他，「匪」把他臨在限期，逼他是「反動殘餘」，「帝國主義的傀儡」。自己雖然表示進步，在打擊美帝方面也算賣過力氣，……不過，人家始終說他投機，說他生活腐化，思想離不開封建圈子，並且還指責他有許多對不起人民的地方……」

「聽說他不是很積極嗎？發表過公開信……和在模範輔仁運動上表現得很激烈嗎？怎麼還會受氣落？」我問。

「唉，你還是不明白！積極，激烈，前進……這些詞兒，就是那麼回子事！用着你的時候，給你加上，等用完了你之後，就會給你摘下來，再不然，給你換頂帽子戴，說你『僞裝進步』啦，『反動意識復活』啦……你還記得××五吧！從前多激烈，什麼學生自治會會長啦，行動會會長啦，馬列研究班主席啦……最後代表輔大參加抗美援朝醫療服務隊，叫老美飛機炸掉了一雙手，洩氣了，要求回國治療，結果不但沒有要到免費醫治，和光榮勳章，反而叫人民罵得狗血噴頭，說他『扔不掉小資產主義的包袱』，『不配作革命青年』，『自私心太重』，『隨時脫逃』……現在女朋友也吹了，公費也取消了，學校正準備開除他」……他略停了一會，又說：

「不錯，陳校長發表給胡適的公開信，也發表過接收輔大的宣言，很折騰了一陣子，尤其是在反駁芮歐尼校務長抗議書的公開談話中，老頭子話頭多激烈，就像是瘋狂了一樣，連人民政府都喝彩，但那只不過是騙人一時利用而已！現在事情過了，人家又挖他底老根，公佈他從前和胡適來往的信件和照片，指斥他過去勾結美帝壓迫進步教授和學生，說他在『煤火費』和『六二』事件裏，向北平行轅遞交過黑名單，……最近教授，學生，工友聯合會公開宣佈他生活腐化，和思想反動……聽說還有婚姻糾紛呢……唉，他現在明白了，可是明白了有什麼用？……從前的身子骨多結實，神采多莊嚴，現在弄得黑乾憔瘦，一套解放裝穿了足有二年半……得了，別提了，這年頭什麼校長，什麼工友，全是一樣！」他感嘆地搖着頭，像從噩夢裏清醒過來似的，急促地說：

「對不住，李先生，你請門房坐會，我還得快走一步，給李先生抓藥去」，說着就要開門，一邊又道：「其實滿面也不暖和，幾年來連煤渣子都見不到了，不過，站在外面，一會兒他們回來看見不大方便。」（三）

世界最大綁票案

G. Kent著　湖光節譯

蘇俄的和平攻勢，已向希臘展開，提議兩國恢復互換大使，對於過去的一個嚴重糾紛，似已撇開不提，這個糾紛，是世界最大的綁票案，牽涉到二萬五千個無辜的兒童。

一九四八年的春天，共產黨游擊隊從希臘各村鎮拐走二萬五千個幼童，把他（她）們像羊群一樣趕過阿爾巴尼亞，保加利亞，南斯拉夫的山區。一半以上窩藏在羅馬尼亞，波蘭，捷克斯拉夫，匈牙利，一部份安放東德，有些可能帶到了蘇俄。聯合國要求他們放回那些孩子們，萬國紅十字會也一再提出這種要求，但是直到寫這篇東西為止，沒有一個孩子得獲放還。

我過去在那山國村落裏巡行，有時候用吉普車，有時候用騾子，而大部份却是步行，我訪問了很多那些被綁架走孩子的父母。

離阿爾巴尼亞邊界不遠的高打村，我見到九個污泥八糟的婦人靠着一面石牆，一面走過來，「看我們這樣子！」她說着用手抹了一下眼淚：「我們一向快快活活，我們總跳舞，穿紅襪子，乾乾淨淨的外衣，花的圍裙。現在這樣子，污泥八糟，心都涼了！」

另外三個女人，急得亂跑，大聲號哭，第一個女人說：「我是三個孩子的媽媽，現在絕後了！」

當一九四八年的三四月間，共產黨游擊隊有計劃地按家搜捕三歲到十四歲的孩子們。他們經常在晚上來，把孩子們從床上抓起來，從吃晚飯的桌子上把孩子們捉去，要不然，就是孩子們正在地板上玩忽然被帶走了。白天的時候，游擊隊完全到學校去捉人，他們把活潑幼童放牧在山裏的草地上像羊羣一樣，五十人，六十人或者一百人成羣結隊的趕過山去。

「高打」二百多個孩子，只剩下四十人；「尼姆凡昂」一三五個孩子，剩了六個；「奧哥考亞」剩一個孩子；密孚羅斯剩了八個孩子。任何村落的統計都是這樣悲慘。從前有五個教師教學生的村子，現在一個人都沒有事做。那些受了綁架的山間村落，你可以看得出來狗貓都比孩子多。

只要孩子們的父母反抗，無不遭受那些拐匪的殘害：用棒子亂打，吊起手來用刀斬。

為了不讓孩子們被拐走，有的父母們用一種像毒長春藤的汁液抹孩子們，使他們腫脹，發水泡。有的時候，還真保住了。阿拉薩地方一個女人流着淚告訴我，她是怎麼用滾水去燙孩子的腳，讓那腳燙爛，這方法初初逃過了劫，終於還是讓他們給帶走了。（上）

海南島上的黎民

結茅為屋如覆盆，上以居人，下畜牛豕，服布如單被，穿中央為貫頭，吉貝為衣，兩幅前後為裙，闊不過尺，掩不至膝。椎髻、跣足、插銀銅錫釵，花鬘纏頭腰圍，戴銅六角帽。婦人高髻，釵上加銅環，耳墜垂肩。衣裙皆五色吉貝，無褲襦，但繫裙四圍合縫穿而繫之曰黎桶。女子將及笄，置酒會親屬，女伴自施針筆，涅為極細蟲蛾花卉，以淡粟紋編其餘地，謂之繡面。女婢獲則否。死不哭，不粥飯，惟食生牛肉，以為哀痛之至。鑿圓木為棺，葬則舁櫬而行，令一人前以雞子擲地，雞子不破處為吉穴。與省地貿易甚有信，不少受欺給，商人信則相與如至親，借貸不吝，或負約見其鄉人擒之以為質，枷以橫木，必負者來償始釋」。

由此可約略想見黎民的習俗一斑。我在二十年前，曾經去海南島考察彼土黎民狀況，檢點行篋，破故紙堆裏夾有當年紀事六段，特摘錄其衣、食、住、等數項，用以對證古人所紀述，供關心海南島人文者的觀助。

（一）黎人的日常飲食，由于他們生息的區域內，土壤並不過分貧瘠，而且宜于種植稻谷，因之黎區米質既好，產量亦多，所以他們以米煮飯粥為日常的主要食品，不過這還是指在山麓平衍區域而言。其山居的黎人，則喜食粥，並以玉蜀黍為輔助食糧。他們煮粥的方法，在米粒煮開後，即冲入冷水，隨煮隨加。佐餐菜品，有瓜類，山薯、竹筍、紅豆等，辣椒亦為不可少的食品，多聞農事完畢，即成羣結隊入山射獵，獵得野獸，則招待親朋共同享受，多餘的方醃晒成脯。婚喪喜慶時，必宰豬、屠牛、殺羊、殺雞、鴨鵝、肆筵設席，他們不分男女嗜酒，自醸糯米酒甜美，蔘草和檳榔，更是不離于口，越是深居高山的越喜酒蔘與檳榔。

（二）黎人的服飾，簡單之至，男人只以一小布片遮掩下體，用帶束其前後，繫於腰間，俗名「小褻」。他們喜用黑布纏頭，頗同四川、貴州、湖南（西部）等省人的纏頭，又像印度人的裹頭。說到衣着，大率都是市集裏買來的舊東西，所以談不上什麼形式和格調。住在崖縣附近的黎人，多作「漢裝」。他們不常沐浴，衣着亦少洗濯，因之體內不免有一股令人難受的怪氣味。男子喜將髮髻部，由腦際分為前後二部，女子大率梳髮髻，是所謂大髻小髻，是指他們的髮髻而言。男子在「小褻」外，也有加裙兩幅，一是前裙，一在後。女子的漢化深的和我們並無二致，也不容易辨別了。他們出門作客，喜以紅白二色的撩球珠或銀銅貨幣串頭飾。男女外出多携槍，胸前懸一皮袋或布袋，用作貯藏彈藥和捲菸火柴等物，在袋上刺繡花紋的，那便是他的愛人所贈，女子佩戴手鐲有多至十付以上的，頸圈也有叠至五六圈之多的。

（三）黎人的居室，假倘是只有用「簡陋」二字來形容它。房屋大率是長方形，用木材或竹做柱樑，上蓋以茅，每個房屋有前後兩門，平時出入多為前門，後門是關閉時多，只有在必要時才開。大的房屋，分為前後兩部，中間以木板，前部用以放置物件，也是他們的會客室。後部是臥室和廚房，並在房屋的外面，搭蓋穀倉。小的房屋，只是籠統的一面，進門就可見的左邊的爐灶，右邊的床榻，起居飲食，全在一室，雜物凌亂，是充塞各個角落的。有些和漢人鄰近的黎人，他們的居室，已完全漢化了。

最後該說一說他們的用具，在山區的黎人，是沒有桌椅的，截木段，或竹筒盛尺，削平兩頭，即可據地而坐，飲食時用之，聚談時用之，頗形便利。他們也沒有箱櫃，竹編竹籃，竹簍，便是裝儲衣服的箱櫃。更有用大葫蘆來貯藏物品的，黎人婦女善編織，用竹劈成細絲編成竹籃，用漏兜葉編成籃席，是常稀織。他們的床榻大率是用四根樹幹做腳，橫架木條或竹枝，再鋪上竹片，如再加上一床爛兜葉席，那就是「富有者」的陳設了。無間夏冬，都祇一塊吉貝或蔴布的單被，天寒就燒柴取暖。他們的農具，如鐮刀，如鋤耙，如斧刀，他們的炊具，如鍋碗，都得購自漢人。海南島上的山居民族，除黎民而外，還有苗民，苗民較之黎民，尤形落後，他們的人數不多，據說只十來萬人？黎人是大約近百萬之數的。海南島上的苗民，是不是和大陸上貴州湖南西等省的苗民同一族系？我就他們的衣着來一一辨別，他們相同的方面甚多？如果假定黎人是屬於撣系的話，那麼高山族，却來自眼前的，兩個不同的方向？是由台灣的高山族移來，却是由大陸移來，其實海南島和祖國大陸最近的雷州半島的距離，僅二十浬，隔一瓊州海峽，特地在一反攻大陸的海南島上的黎民。（下）

中華民國內政部登記證台誌字第一〇二號
中華郵政登記第一類新聞紙類

自由人

THE FREEMAN
（第二一五一期）
每份港幣壹毫
督印人：宇光華
社址：香港高士打道六十六號
電話：七四〇五三
GLOUCESTER RD. HONG KONG
TEL: 74053
承印者：東南印務出版社
地址：高士打道六十四號
台灣特派員辦事處：台北市館前街五十號
台灣總經銷處：台北中華路新號五九四之一
台灣郵政劃撥儲金帳號九二五二號

休戰與和平

陳克文

韓國休戰，是共產集團侵略策略的改變，並非無悔禍之心。共產集團停止軍事冒險，並非停止或放棄侵略行動。休戰實現後，聯合國方面的態度是戒慎恐懼的，中共卻處處出以虛驕狂妄之態，這是理虧力屈的表現。

東西論調的巧合

韓戰自一九五〇年六月廿五日爆發，到今年七月廿七日休戰簽字，已歷三年又一個月。這一場戰爭，雙方傷亡總計達兩百三十餘萬人，南北韓城市為墟，北韓人口由八百萬減為四百萬。南韓所受創傷也和北韓不相上下，無家可歸的一千萬人，死於戰火的平民逾四十萬，流離失所的孤兒十萬人。十七個參戰國的金錢和經濟損失還不計算在內。

現在這一場浩劫已經暫時止下來了，到底臨時的和平，乃至世界的和平，能否因為這一場慘痛教訓，由休戰而帶來確實永久的成功？這是世界愛好和平人士目前最關心的一個問題。

休戰簽字後美總統艾森豪威爾的廣播說，『我在盼望的戰爭快要停止，會議桌上的談判就將開始，我們祈禱一切繼續在從來難得所訴諸的戰爭之前，都相像這樣運用它們的智慧來解決彼此的歧見』。中共喉舌人民日報也說，『以武力解決國際問題的路是走不通的，反之，只要堅持協商的精神，最後仍可走到雙方都可以接受的妥協方案。其他所有國際爭端疑案的和平解決，也就不是不可能的』。恰在此時，蘇俄所發表的聯共五十週年紀念文章，也重新提出『和平政策』與『社會主義與資本主義兩制度可能共存』的論調。東柏林偽當局同時呼出『韓國談判成功，證明了解決德國問題的談判也可以成功。談判是解決國際糾紛的唯一途徑。』共黨集團的論調和自由世界的論調如此一致，難道結果似可導致國際問題的和平解決，不至於再訴諸武力鬥爭了。

共黨求取喘息機會

共產集團得救的戰爭失利，不能不接受朝鮮停戰談判』，轄權內的人民，儘管大本營宣傳『中國由于『朝中人民都讚，減□駐越盟，不斷取得輝煌勝利』。事實上是『共產集團的侵略者在韓國受到可怕的阻滯……北韓在實際上已告消滅。』在這樣創巨痛深的形勢之下，加上蘇俄內部的叛亂，衛星國的離心離德，共產集團實在不得不結束韓戰，暫時高呼『談判解決國際問題』，以求得安定內部，和喘息的機會。

如果認為共產集團已經放棄征服，且真正相信共產主義和資本主義兩制度可以並存，那便是極大的錯誤。艾森豪說，『我們在一個戰場上，贏得了休戰，但並沒有求得全世界和平。』這是很正確的看法。韓國休戰是共產集團侵略策略的改變，並非政策的改變。是史太林死後，蘇俄和平攻勢又一次的衝鋒戰。

休戰後，換俘問題，尤其是政治會議解決韓國的統一問題。能否得到結果呢？中共是否會乘韓戰休戰，抽調兵力和物力從事亞洲其他地區，如越南之類的侵略呢？換言之，即休戰後，亞洲問題能否和平解決？能否給亞洲帶來一個新的和平局面？我們可以斷言中共專制政權存在一日，便一日沒有這希望。在克里姆林宮內部鬥爭沒有結束以前，共產集團的軍事冒險，是會暫時停頓的。但軍事冒險的停頓不意味侵略行動的停止或放棄。

加緊支援越盟馬共

因此，我們可以預料：九十日的政治會議，很難得到韓國統一的結果，中共決不會希望一個自由民主，統一獨立的韓國誕生。同時，越南和馬來亞的戰事，一定會從此更加劇烈，自然中共不會和參加北韓的侵略一樣，出兵助戰。但對越盟和馬共的武器物資和服務的協助，今後必定加強。此外緬甸、泰國，乃至於印尼，印度、日本、菲律賓，內部的共黨活動，也一定從此更加利害。整個亞洲不會因韓戰休戰而日趨寧靜，相反的，將日見糾紛多了。

美國務卿杜勒斯說，『休戰後立即的工作是戰後的善後工作……如果韓國統一完成，則在全韓進行。我們確定相信朝鮮半島的統一須經政治方法，而非經武力達到』。這一觀念自然是正確而又和平最可恃而又最切實的觀念。聯合國對於韓戰善後問題，有如此正確遠大的計劃。比起中共大呼『朝中保衛和平，獲得光榮勝利』，要切實得多，誠懇得多。休戰實現後，聯合國的態度是戒慎恐懼的，中共卻處處表現其虛驕狂妄之態，有真正實力，具和平誠意的，才能戒慎恐懼。艾總統昨日引林肯總統的話說：『不要對任何人心存惡意，對人人都要以善意相待』。這是何等寬容偉大的心情，所謂『仁者之言藹如也。』祇有理虧力屈的惡徒，才會以狂妄虛驕來欺騙其所奴役的人民。我們亦因此而深深覺得韓國未來政治會議之不易成功，亞洲和平之不易實現。

△羅伯遜漢城歸來後，向艾森豪總統和杜勒斯國務卿報告韓國休戰局勢▽

談「運會」

左舜生

中國人每到個人陷於無可奈何的時候，往往委之於『命運』；每對一個時代感到無限絕望的時候，也往往覺得這是『運會』使然，人力所能補救的機會甚少；什麼是『命運』？什麼是『運會』？自然還只是一種玄之又玄的說法，假能拿科學去加以解釋，可是就個人日常生活所體驗，以就中外歷史上隨便舉出一件重大的事變，而細究其演變之跡，則所謂『命運』或『運會』說，却又無論從幾到我們的頭上套來，有時候就用幾種氣力想要把它擺脫擺脫而不可得！

『尚有殘紅已可憐，更憂雨首觝窗枝，莫嗟身世渾無準，睡起春鶯語暗時！』

寫這首詩的人，並不是一位憂心時事的讀者，剛剛相反，他乃是一位精力彌滿，富有改革勇氣，在中國歷史上可以稱得有數的政治家王安石先生。王安石的性格儘管異常倔強，甚至有時候他的見解：『天命不足畏，人言不足恤，祖宗不足法，』像這樣一種毅然的精神還了得！可是正當『春風作惡』的時候，他就要發聲惜那幾朵小花也還是無可如何，只好嗟嘆！

中國當前局勢的嚴重，應當是我們在歷史上所不常遭遇過的，天浩蕩一種現象，在時間上少說一點，也經過了五十年以上的歲月，擾攘叢葺，一切總是自作自受，也未免在。因為從實際上講，中國近年所鬧的法西斯把戲，共產把戲，早已喪失了創造性，無一不是由抄襲而來，假如說這些東西都是一種罪惡，中國人也只是犯了這種罪惡的從犯，而決非主犯，犯罪者的都是一套魔王，中國人也只有若干小廠，而只是這個世界的一大『廠房』，失於這一點小處，說它多少有點冤枉，如何可得？

嚴至現在為止，魔鬼尚已經漸漸減低，逐步影響著我的大廠，是應該該義，魔港未還積極劇地布的空氣，恐怕還是無可如何，我至少決不提倡聽天由命的一種消極態度。

我決不主張聽下來這一股餘燼自然的過去。我們儘管是餘燼，但在精的木頭上看來，也還有多大的分別，假如我們不加強努力進行的工作，說不定我們也就要被這一股餘燼所捲去的。歷史告訴我們：無論是善或惡，但最後總是要取決於人的『運會』的形式，是操縱在人的手裏，都不是容易的事。人的力量，在這樣一種場合，必會感到十分的微弱。不過微弱儘管微弱，但善惡的觀念，也還是存在的。『勿以善小而不為，勿以惡小而為之』，究竟仍不失為我們做人的行動準則，雖然仍不已，一個人的力量，總比沒有好。如果你得利你的路，憤憤的去，你還得不斷發現你的路，一切要由我領路，大家都跟着我來，有了這樣一個態度，你在無形中便已進入了魔道的迷津！我們必得承認：人都是很平凡的，我自己尤其是平凡中的平凡，在這樣一種紛亂之世，但求得大家攜手同行，一致來進行這一防腐與消毒的工作，便應該感到一種無上的愉快，過此以往，便只是一種奢望，一種絕對不該有的奢望！

善惡是不會兩立的，善能夠逐漸的長，惡便會逐漸的消，甚至也可能使這種善擴大而形成另一『運會』，來替這惡的『運會』而代之。我相信：像這樣一種收穫是可以期待的，不過地面太大，工作的人不會迅速的增加得很多，我們必得拿得定主意，練其耐性，尤其要受得了寂寞，哪怕就是及身看不見這一收穫時期的到來，也非有決心儘下一代人打算不可！

我說這樣一番話，決不是有半點的消極因素，但我相信我在這裏動心忍性，已漸漸懂得一點點，眼看見許多乳臭未乾的毛頭小子，動輒就說『我有辦法』，實在忍不住我的一種苦笑！

半週展望

雷嘯岑

彼此沒有信心的休戰

韓戰停火協定簽字後，美國與共方都說自己『勝利』了，但彼此皆不相信這就是和平之來臨。美國固一再聲述其不敢樂觀的意念，而共方的外國記者十人在板門店參加簽字典禮時即說：『這可能無結果……』！明知其不可為而為之，乃至於為而不有，雙方各有『部』，不得不然。美國要乘機對東方的軍事行動實行『抽身主義』，讓亞洲人對付亞洲人；但共集團要在下月初的最高蘇維埃會議中，重新釐訂其世界革命策略。彼此樂得暫和一下，以待未來的發展。

可能的發展形勢

在未來的三五個月內，當然是搞政治會議那套把戲，韓國統一與否，如何統一法？我們固然看得很重要，英美却不是這樣的看法。他們第一步將以聯大會議的決策來影響和運用這政治會議，假如中共進入聯合國之說實現了，對韓國統一問題可能得一結論，同時即證明蘇俄是採取『退一步』的喘息計劃，跟西方資本主義國家擺擺冷戰。至於那統一全韓的結論是否與南韓所希望的相符，他們却無暇考慮。英美內心所重視的問題，是在綏靖中共，與韓戰的目的不相干！

如其政治會議終無結果，那就一定是中共進入聯合國問題已在聯大否決了。然韓戰亦不致馬上再起，要看南韓百萬軍隊的訓練計劃已否實現？日本的建軍進度是何情況？台灣反攻大陸的準備是否完成？因為美軍再不會在東方擔負主力任務了。

如果英國所倡導的綏靖政策竟告搶明，結果不特南韓將被出賣，台灣自由中國的發展也可能被『凍結』。美國當局從來沒有表示過要臺灣協助收復大陸的話，只說台灣是美國太平洋防線的環球戰略要點，不能落入共黨之手而已。在美國的環球戰略觀念中，論區域，歐洲第一，論友邦，英國第一，論利害，狄托主義第一。所謂正義自由觀念，應以現實利害為轉移的！

法國又徬徨了

韓戰停火協定甫告成立，法國對越南問題馬上表示其焦灼徬徨之象，一面害怕中共將以大力援越共，一面即透露其與胡志明和談的意念，但又顧慮和談的後果將對法國大不利，左右不是，和戰兩難。

我們很希望法國友邦的政治家，先看看馬來亞的剿共情形。那兒的軍事行動也可說是頗有成就的，這決非偶然的現象，與平日政治設施大有關係。法國不從根本上着想，改善其殖民政策，使得當地人民由衷的合作，而專靠軍事作支柱，何異抱薪救火呢？不談別的，英國能破例特許當地人士創立南洋大學，法國在越南的一切措施，即沒有這種氣魄呵！越南各聯邦政府要求法國給以較大的自主權，法國何必斬而不予呢？這些地方的人民，只要能得到政治上的自由生活，其他關於軍事，經濟，以及生產技術等，依然還是仰仗於舊有宗主國的。

法國對殖民地的舊式統治政策，不肯放鬆一步，對西德的復興，則阻礙甚力，而這兩者皆像是從地穴中湧出的泉水一般，即使用鋼板水泥亦壓不了的。心勞日拙，胡為乎？

麥卡錫的建議被否決

美參議員麥卡錫向議會提案，主張對參加韓戰的各國繼續有戰略物資濟共者，予以懲罰十倍的科罰，當經即在美援項下扣除。原案已被否決了，我們認為否決是應該的，因為這將引起國際間無謂的糾紛。但麥氏這項主張也未可厚非，他的用意是在申正義，明是非，沒有他國時猶禍那些無賴的勾當，民主世界對人類所作的犯罪，更不知伊於胡底呢！

艾森豪新智囊團中 塔虎脫居重要地位

誰是對艾森豪總統影響力最大的人？自然，總統是一國的元首，什麼事都由他最後決定，但國務是如此的艱巨與繁雜，決非一個人的精力所可應付。在政府正步入第七個月的時候，白宮的「內閣」正在逐漸形成中。現在事情很顯明，在未來的時日中，下列諸人將爲華府決策的主要人物：

亞當姆斯 他是白宮的幕僚長，比任何人都接近總統。他的地位比以前更穩固，事實上，每一件事情都須經他轉報艾森豪。他安靜、嚴肅，在政治與商業方面都有豐富的經驗，在經濟上或者比總統更保守一點。

塔虎脫 即使塔虎脫在醫院療病，他對艾森豪的許多考慮，仍有很大的影響力。他在病床上經常與白宮保持電話接觸。艾森豪總統明白，特別是立法問題，他可能倚賴塔虎脫獲得直截而實際的答案。艾森豪尊敬塔虎脫，認他是正當而知理的人，而總統感到他經常可能與明白道理的人獲致協議。

尼克遜 由於塔虎脫的病，總統更有賴副總統尼克遜擔任政府與參院的橋樑。如果尼克遜認爲對於某項計劃有加以折衷的必要，或是他認爲要堅定立場的時候，他的意見就有了很大的份量。而且艾森豪對於尼克遜現時願意擔任幕後工作，而不喜拋頭露面做些出風頭的事，已有很深切的印象。

卡特勒 卡特勒是波士頓的律師與銀行家，他是協助總統處理全國安全委員會的左右手，在擬定政府的重要政策方面，全國安全委員會甚至比內閣更重要。這表示着如果卡特勒願意的話，他可以隨時接近艾森豪總統。當世界發生新危機的時候，卡特勒搜集所有的事實呈送總統參閱，並提供美國應如何應付的建議給他參考。

亨弗萊 一開始，財長亨弗萊就是內閣閣員中比較接近總統的人物，現在的情形依然如此。他是精力最充沛的閣員，擁有確定的經濟計劃。他說來娓娓動聽，從沒有一句多話或空言。

布朗尼爾 他是內閣中的總檢察長，因爲迄今爲止他幹的都是幕後工作，所以他對艾森豪總統的影響力外間很難看到。艾森豪特別佩服他正確的政治判斷。他經常向總統解釋若干國會議員的行與動機如何？爲什麼如此？但一件事都向總統交代明白。一遇有重要職位出缺的時候，艾森豪總統通常都要求他推薦適當的人選。

霍奇 霍奇是白宮的經濟專家。艾森豪總統認爲美國的經濟問題僅次於安全問題，比其他任何問題都重要，總統深知共和黨不能冒嚴重的下降的危險，他有賴於霍奇對困難與危險的問題預先提出警告，提供解決方案，並協助他草擬經濟方面的演詞。

軍事將領們對艾森豪的影響力如何？答案是影響力小得極點。因爲總統本人就是有名的軍事英雄，他對於五角大廈的倚賴確實要比羅斯福或杜魯門爲少。

事實上，僅有兩位將領，艾森豪需要聽取他們的許多意見，這兩位將領是史密斯與克萊，他們都是政府官員，而且對民政問題也有深刻的了解。

不要過分重視外間傳聞的消息，外傳艾克的判斷經常受那些與他同玩高爾夫和橋牌朋友的影響，其實，這種情形僅是偶爾有之而已。實際上艾森豪已謹慎地把社交上的朋友和影響他政策決定的人士分開，譬如他很少與史密斯將軍一同從事輕鬆的社交活動。

艾森豪總統根本是一位善於處理人事的人物，其部份原因是由於他的軍事背景，他認爲環繞於他身旁的應是富有經驗的各種專家。因此，他正靜靜地改組其白宮幕僚總部。他認爲在國會下屆會議之前，必須改正政府的缺點，增加政府的效能。因艾森豪總統決心要促使國會下屆會議通過政府計劃的主要部份，他深知這首須改善白宮的幕僚工作。（第啓譯自六月二十七日「新聞週刊」）

東柏林人跑到西柏林愉快地吃着牛奶。

國外通訊

中共可能調軍南侵 越戰局勢趨嚴重

●三聯邦提高警惕準備反攻

韓國談判臨到簽字休戰之時，越南三邦遭受侵略的危機也接踵而至。美國正積極加強對越南的援助；那伐爾的新戰略最近曾在諒山予敵以重懲之後，八年的濫仗纔見有新的轉機。然而挽救這一危局，不僅尚待繼續增加兵力，而尤須法越間的諒解，越南國已同意於法國建議，高棉則已遵行拒絕在巴黎磋商獨立問題，綜觀全局仍難樂觀。

從今年的二月到現在，美國對越南的援助，確是一步步增進而逐漸地使越南的戰略防禦加強了。太平洋區美陸軍司令官奧唐尼爾最近曾在越南就留三週之久，人們對於奧氏此行任務，無不意味着韓國的休戰一經實現，越南三邦的災禍殆將接踵而至。更由於中共在越邊大量集結，充分反映出雨季過後它將進侵越南；法越當局自不能不在中共入侵之前予越盟叛軍以重大打擊，倘使任令其從越部署完成，僅在防禦上用功夫，縱然防禦周密，亦難擋敵鋒銷。因此法越軍統帥那伐爾將軍在赴法之前，就擬訂了一項新的戰略。那氏對挽救越南戰局確具十分信心，一般認爲那氏自法返越之日，將會帶來新的「進攻精神」，大規模的反攻，不會等到雨季過後，這一次那氏的赴法，顯然要求政府給予更大權力，因爲法國對越政策並不一致，[illegible]以戰爭換取勝利。假如那氏沒有獲得援助，[illegible]取勝越盟的把握，也會受到重大的阻礙。

糾正了馬奇諾錯誤觀念

許多有力的觀察家[illegible]已反映出中共使越[illegible]必然性，美國援越戰略物資的運輸問題自奧唐尼爾中將與越當局磋商之後，已有具體決定，奧氏另一任務好像是美國業已給予法越高級當局充分保證，假如越南的戰事一經擴大，[illegible]

[illegible]中摧毀了中共援越綫，毀滅了數達[illegible]噸的戰略物資。[illegible]而上看來，越盟[illegible]到重大打擊，實[illegible]越共的重要的基[illegible]太原和和平對河[illegible]河三角洲仍有重[illegible]威脅的。雖然那[illegible]河內與三角洲法[illegible]所構成的「馬奇諾綫」，只不過掌據[illegible]要的交通綫和據[illegible]無數碉堡，一到[illegible]，碉堡以外差不[illegible]係越盟活動地帶。過去法軍統帥將「馬奇諾防綫」看作了擋住越盟的壁壘，搆成了重大的錯誤，但這一錯誤，現在差不多已經開始糾正了。

軍事政治必須配合行動

就目前的形勢看來，要結束這打了八年的濫仗，除非有充分的人力，不會立刻見效，假如在軍事上把握了勝利。尤須要政治上的配合。然而法國未必會有繼續以至少兩萬的兵力拋擲越南的決心。期待於越南本身的自力，爲期畢竟太遙遠了。因此那伐爾不能不於此時採取了一項新的戰略，以解除目前的危機。現時法越聯軍的兵力總數大約有五十萬人，越南本身的軍隊六十八個營，特別越南本身顯然尚有一個很長的距離，但在這一個建軍時期中，就難保不使越盟乘機逆襲了。對越盟政治進攻更難抵抗，然而對付這一個無形敵人，一方面不僅求自己本身嚴明，且須[illegible]年爲越盟滲透的最大藉口「殖民地統治者的壓迫」，必須設法糾正，似乎除了法國政策的真正改變，難收實效。許多國際間以及越南人士對於法過去的政策顯然感到不滿，他們認爲與其和越盟妥協，莫如修改殖民地政策。後者至少可使越南寮國高棉仍保持于法國聯邦之內，雖然關尼內閣已經選擇了這一開明的途徑，越南和寮國已表示接受法國前此所提之建議，高棉認爲法國增加三邦的獨立權力猶還不夠具體，拒絕了在巴黎磋商，大體上說，越南三邦既願爲聯邦之成員，原則上已無大差異，僅馳的是獨立範圍的廣狹，雙方倘能顧全大局，互作適當讓步，則一切問題，就不難迎刃而解。否則，一經造成僵持局面，不但對本身既無裨益可言，反爲敵人所乘。（鍾梅，七月十八日寄自西貢）

謀殺整肅分化崩潰

——暴俄極權之成長與終結的透解——

・遜周・

追想史太林極權的往事，由許許多多「老同志」血腥慘號裏成長的極權，也祗不過二十多年的時間紀錄，倒翻來又得讓他的後來者，再循環往復的重新來一番謀殺整肅，當然更有許許多多「同志」的血腥慘號，以奪新的極權者，不拘是馬林可夫或其他的人，都非如此不足顯示極權的威勢，同時也非如此真由祈待極權的強大，從而更自必有其幾番「分化」，上次世界大戰，由于民主國家的「時勢」，挽救了史太林極權的崩潰。這一回克里姆林宮的內鬨，絕對無疑的可以斷定暴俄的「國力」必得由整肅帶來分化，由分化帶來損耗，假定民主國家能及時趁勢的從事對暴俄極權，來一番「收拾」動作，暴俄極權的崩潰是指顧間的事。

強化黨性的法寶

最後我該說一說暴俄的「黨性」問題，史太林攫奪政權的初期，是憑藉着強化黨性的法寶，以黨馭政，以黨馭軍，從而發揮着強大的黨性作用，臣服附庸國家的渠魁，奴役附庸國家的人民，擴掠附庸國家的物資，所謂「共產國際」的聲勢，便逐漸滲透于全世界各個地區，給整個人類釀起無窮的紛擾與恐怖的災禍。這回克里姆林宮的內鬨根據各方的測度，馬林可夫所憑藉的，或者還可以說馬林可夫所憑伏的，顯然不是單純的黨性運用，似乎最保守的看法，該說是今日的暴俄，在它那最高的一切聽命于黨以外，仍少不了一種「他力」的潛在，不拘是馬倫可夫從此可以穩然安踞于克里姆林宮高高在上的寶座？或與如布加寧如莫洛托夫，縱得再有幾個回合的鬥爭？至少顯示黨性的運用，絕不能和史太林的在日相比？因爲黨性的強化與否？不是一蹴而成的事。

姑且以我國的「堯舜禪讓」例證，當然極權的暴政是不能[illegible]，這是說明繼任人對于前任人[illegible]的一個例證，堯以「禪讓」的作爲，還可以說是平穩政治信子的作爲[illegible]

[illegible]夫的整肅貝利亞，確實是大權在握的敢作敢爲，但由其如此匆遽的不及待的動作來看，那[illegible]的條件，來窮[illegible]用上，任是史太林所給與的「先天」優勢，也抵敵不住這一股「逆流」，因此種種，[illegible]亦即是說[illegible]有其不容忽視[illegible]，我們可以斷[illegible]一番鬥爭，縱[illegible]受分化的損耗[illegible]爲物，在附屬[illegible]受剝蝕的離心[illegible]剝及腹心而不[illegible]

總之暴俄極權政治之不容于人類社會，是[illegible]被于某一地區[illegible]潰的，謀殺，注定了它崩潰的命運。（下）

貝利亞想逃亡瑞典

貝利亞究竟還有沒有？鐵幕低垂，到現在仍是一謎，前幾天，美國務卿杜爾斯暗示貝利亞可能已不在人間，這當然是根據大使波倫所供給的情報。又據來自斯德哥爾摩方面一位通常可靠的人士說：在六月二十八日貝利亞被捕以前，他就已獲得消息，知道馬倫科夫與其他軍方將對他有所不利，那時候，[illegible]部副部長的克魯[illegible]托夫的親信，[illegible]在他手裏，他本人的心腹都分散在各地，東德、烏克蘭，要[illegible]都有遠水救不了近火之苦。更何況軍方的力量遠比他所能控制的秘密警察勢力爲強大。因此他幾經躊躇，才決定出亡外國，苟全一時性命。[illegible]瑞典的外交人員[illegible]，而斯德哥爾摩[illegible]點。因此貝利亞[illegible]出亡的計劃。[illegible]未及逃亡，馬倫科夫就已經動手。結果貝利亞被捕了，那幾個例外交人員自然也逃不了驚慌的厄運。

傳邱吉爾今秋退休

艾登在波士頓醫院施行手術後，拖延[illegible]，大前天且已和[illegible]夫人飛返倫敦，就在艾登返抵國門的時候，英國高級人士傳出消息說，今年秋間後邱吉爾將不再擔任首相職務，那時候保守黨政府將進行重大的改組。而事實上，邱吉爾以七十八歲的高齡而要主持繁劇的政務，確有勉強的地方。許多高級閣員都希望說服他退居於半退休的地位，任命艾登代理首相，實際負責政務，並讓沙里斯伯雷勛爵繼續任外交部長，這現時代理首相的財相布特勒，也有這種打算。

小史達林魔宮失寵

史達林去世後，他鍾愛的兒子華西里也就失寵起來，史魔生前，華西里本是俄國軍界中一個活躍的人物，出風頭的事情一定少不了他。但最近幾個月來，他的名字已在俄國高級軍事領袖名單中剔掉，報上見不到他的名字，公共場合更看不見他的影子，美國情報人員甚至懷疑他是否已遭清算，然而有一點可以肯定的是，在馬倫科夫政權中，華西里確已失寵了。

共特計誘總統孤婿

關於捷克總統貝奈斯和葛德華的孤孀，鐵幕那邊透過來兩則頗有趣味的消息。據說：葛德華的未亡人瑪黛，因爲丈夫不明不白的死去（參加史達林葬禮後據稱患急病死的），對現任總統柴波托基（那時候是內閣總理）恨之刺骨，最近忍耐不住，竟舉起粉拳，當衆打了柴波托基一個，事後已被關進精神病院。至於貝奈斯夫人的事情更爲滑稽，據說她曾接獲一個外國人（不是英國人就是美國人）的求婚信，勸她一同離開捷克，不知道是她看破了紅塵，還是識穿了共黨的奸計，一口加以拒絕。後來證實那位「求婚者」果是共黨派來的特務。（孟衡）

天下小事

在「整飭勞動紀律」下 滬共特狙獵濫捕工人

黨團工棍大肆鬥爭迫害

【本報訊】頃據上海消息：自大陸各地工人普遍怠工曠工而由中共中央號出「整飭勞動紀律」以後，上海偽市政府勞動局及偽總工會已首先在聯合行動下向上海各廠、礦、工場、工地的工人們實行開刀。自上月二十日開始，滬共已派出約兩百個所謂「紀律檢查小組」分赴各廠、礦、工場、工地展開一所謂「紀律檢查運動」。上海市偽總工會的中共黨委會為配合此一行動，隨即飭令各廠黨團支部動員其所屬黨團的[illegible]，發動「檢舉運動」，向凡被認為有意怠工或曠工的工人大肆「清算」、「鬥爭」的故技。又日夕舉行如臨大敵的「坦白」、「鬥爭」大會，已使向被中共稱之為「國家主人」而備受[illegible]的工人群中，造成了幾年來從所未有的恐怖氣氛！據悉：此次各工廠、礦場及工地或工場中的黨團份子，為防備激起工人暴動，故皆配有足夠的武器，並隨時與當地「公安部隊」切取聯繫，亦因此之故，此輩黨團份子之跋扈極端兇惡猖狂，對被鬥的工人，皆竭盡其「迫害」之能事，且以行動邀功，並會於表功，曾藉口工人怠工曠工皆有「反動特務」之「破壞煽誘」而將其中怠工情形較顯著，曠工次數較多之工人加以拘捕，送回當地「公安局」作進一步之「偵訊」。關於濫捕工人之人數，因目前正在「鬥爭」之中，尚無法估計。惟悉僅中紗廠、民生廠等首先被捕的，已各有三百人以上。

中共首次公開承認 官僚主義腐爛部隊 共軍官兵違法亂紀

【本報訊】軍聞消息：據近偽西南軍區黨委會奉中共中央西南局之命在「副司令」李達和「副參謀長」李夫克的主持下，召開一次直屬部隊高級幹部的檢討會議，發表會議報告：承認官僚主義作風已深入部隊，大加讚賞，并承認共軍官兵的違法亂紀現象，業已日漸滋蔓。此實為中共歷次「整風」以來，在部隊中首次作公開的檢討，故頗值注意。

關於部隊的官僚主義作風，據李達承認：首先表現在直屬部隊的領導以上單位任意使用民兵，亂派任務，[illegible]以上[illegible]的任務，[illegible]本身的任務多，[illegible]的一套[illegible]。[illegible]訓練民兵，把正規[illegible]練不切實際，且要[illegible]參[illegible]生產觀念薄弱之久，伴隨月來隨時[illegible]傷害民兵在無力繳納伙食的困難下[illegible]補給，[illegible]谷及農具等物充作伙食，使民兵普遍增加生活上的困苦。其次是部隊的公文主義已非常流行，一切會議由衙門，軍區後勤部發到各軍分區的所謂文件，[illegible]到達部的[illegible]，共他部門逐級下發[illegible]百餘份，連長和指導員每天光看文件，就須化去兩三個鐘點。再次是軍需品的供應因勤作過於遲緩而使時序顛倒或造成損失的情形非常普遍。

官兵上下脫節 請示空兜圈子 亂徵民伕貪圖享樂

又據李夫克指出：部隊官僚主義的現象：首先表現在上下脫節，互相隔膜，往返請示，失去了部隊迅速、確實、機動的固有優良特性。其次是領導機關領導幹部中忙亂現象：亂抓的任務多，會議多，公文多，工作的效率[illegible]的原因有四點：一、無所用心，思想上懶惰的人太多。二、工作沒有中心，[illegible]不得，失去中心，[illegible]組織上的多頭現象；「一抓一把」，[illegible]成下級的混亂。三、工作的聯繫不夠，分工責任不健全，造成各自為政的情形。四、形式主義和公式主義流行，許多文件、通報，都是老一套。

關於共軍官兵的違法亂紀情形，據李達指出：表現得最普遍的是官兵的吃喝嫖賭，貪圖享樂[illegible]之風大盛；任意差用民兵或派伕替官長個人「服務」的情形很普遍，官兵在與群眾接觸時因細故生怒而發生打罵群眾等事常有發生。故李達承認：所謂「解放軍的優良傳統」業已被部份「指戰員」「破壞」，極表「痛心」。這些情形，據李夫克指出：都是「與領導機關和領導幹部的官僚作風分不開的」。

此外，是表現在領導機關對命令和指示的檢查貫徹很差，缺乏督促，有的石沉大海，有的一錯再錯，喪失了領導的[illegible]。

普選鑼鼓日緊 尾巴黨派戰慄

【本報訊】北平消息：中共對各級「普選」工作的佈置，已日漸趨於緊張階段。[illegible]的鑼鼓，猛打猛敲；在劉少奇主持下的偽中央選舉委員會已於本月初派出大批高級幹部分赴各省市「指導」一切；戶口總檢查及「選民資格」審查即將大規模展開，各級候選人的佈置，已由中共所控制的各級「選舉委員會」進行密議。在「普選」日益接近期中，各尾巴黨派的危運亦即將臨頭。近在北平顯然可見者，即一般所謂「民主人士」的言行已格外謹慎、可憐。一度發表文章鼓吹普選的陳嘉庚已成為批判對象；「民盟」的張瀾及「民革」的李濟深[illegible]頌揚一番普選外，迄未敢鼓勵所屬[illegible]，亦從無任何一「民主」[illegible]。據此，中共一向所轄官的「軍事[illegible]」之一，業已有所暴露。

指為包庇地主 澄邁縣長被殺

據最近北平人民日報透露：曾任海南島澄邁縣長之李定南，業已以「公開包庇地主打擊農民」的罪名將之殺害。該報說李定南在澄邁縣長任內，曾重用地主王芝淵、「反革命份子」[illegible]、王承源、王中漢、「惡霸」陳學川等多人。但該報亦承認：該李定南係一「經受黨的嚴格教育的老黨員」，而是「中途轉變立場」，「敵我不分」者。此種情形，實頗堪玩味。查李定南係於去年秋下任縣長職務，調任海南墾植局財務局長職務，於今年二月間被扣，於上月下旬槍殺者。

在共幹離間操縱下 川少數民族械鬥

大小百餘起傷亡慘重

【本報訊】成都消息：川北茂縣、理縣、汶川等縣的所謂「藏族自治區」的若干少數民族曾於上月中旬至本月中旬約一個月內連續發生三次大械鬥。首先發生械鬥的是羌族與回族，雙方的首領是阿壩與黑水，雙方用農具[illegible]參加混戰的人數約一千人，受傷的約六百人，鬥死的約一百三十人！[illegible]發生械鬥的[illegible]藏族，雙方的首領是黑水頭人[illegible]與米林土官[illegible]，[illegible]族參加械鬥的約有四千[illegible]三千人，[illegible]規模尤大，被鬥結果約一千人受傷，約有百人死亡。再次發生械鬥的是[illegible]族，雙方的[illegible]克基土司與其所屬部落的酋長[illegible]一械鬥，因雙方「民兵」皆捲入，鬥況尤為劇烈，死傷亦更為慘重，[illegible]各有近兩千人之多。此三大械鬥，前者係四川省中共[illegible]局派人勸阻而息，後二者，係經四川省中共當局派員進行[illegible]始止。但據中共「自治區」方面報告，則此種械鬥實係共幹所離間挑撥所致之[illegible]，小旦共達一百二十餘起。[illegible]一日成立「自治區」以後，[illegible]。並指出[illegible]該地自去年十二月[illegible]民族政策」[illegible]以[illegible]操縱利用，[illegible]引起。因該區共幹深感對少數民族不易制服、統治，故從中製造矛盾，激起鬥爭[illegible]。

兩廣普遍鹽荒 合作社被搗毀

共黨抓人推諉責任

【本報訊】自年前兩廣鹽務管理局以命令「整頓」潮汕、海南等區鹽場後，[illegible]鹽民「轉業墾田」，把鹽[illegible]治海一部份鹽田[illegible]，不但使[illegible]失業挨餓，並造成今年兩廣普遍鹽荒。如今年潮汕、江門、欽廉一帶，便曾一度發生嚴重的缺鹽現象，每[illegible]千人擺長龍排隊，[illegible]一斤[illegible]。多住在鄉下的農民，跑一二十里的路程進城排隊，有時在當日的辦公時間內，還沒有輪到自己買鹽的位置時便下辦公了；如果離開位置，又被後面的人擠了上去，所以，有餓着一整天才買到一二斤鹽擔回鄉下去的。這種鹽荒嚴重的現象，引起了民眾的憤怒，在江門曾一度發生民眾打毀「合作社」的鹽事件，中共除提了幾個該死的人民予以「鎮壓」後，又把這個責任諉之于鹽務局執行命令的「偏差」。其實，鹽務局是「奉命辦理」的，何嘗是什麼「偏差」？今日中共之所諉責於「偏差」，不過是見到情況嚴重，眾怒難消，假此以掩飾「上級」決策的胡鬧而已。（帆）

中共不成文法之一 幹部不娶地主女兒 人民教師同二流子

最近重慶新華日報在一篇檢討小學教育問題的文字中，曾透露了中共兩條頗有意味的「不成文法」。其一是四川省的大部地區的幹部曾流傳着「反革命份子的女兒，不准與幹部結婚」的一句話；黔南貴州一帶的幹部則流傳着：「幹部不娶地主的女兒做老婆」的一句話，這兩句話曾使許多已與地主或所謂「反革命份子」的女兒戀上戀愛的幹部被活活地拆散，並受到「批判」。其二是跟着上面那兩句接下來說的，說是：「反革命份子的女兒只准跟人民教師或二流子結婚」。跟着這句話來的，對所謂「人民教師」還有附帶的規定：不准穿幹部制服，與幹部同桌吃飯。這說明現在大陸教師的地位，謂之「同二流子」。

西南各地災荒不絕 春耕不成秋收無望

旱災未消虫害相繼發生 悲氛瀰漫飢民哀號遍野

【本報訊】重慶消息：據最近西南偽軍政委員會在公開指示各地各級「人民政府」[illegible]救苗保秧[illegible]收之意」的通知中透露：目前西南各地，包括四川、雲南、貴州及西康等省份重災地區，約有全區的百分之三十八之多。因長期乾旱，[illegible]且節令已過，故除有的地區臨時補種雜作物外，[illegible]，因[illegible]而無法經常灌溉，則勢必將使大多稻秧致已使大多稻秧發生枯萎，據說倘再不降雨，或竭力設法灌救，秋無生穗結實。據該會認承：此種荒象，為數十年來所罕見。

又據最近重慶新華日報披露：目前西南各地除旱荒尚未解除而已嚴重危害生產外，復已普遍發生虫害而侵害各種農物。據說害虫最猖獗的一種名為「行軍虫」（即枯虫）；其中尤以四川省的「藏族自治區」，雲南省的保山、普洱、麗江等區，貴州省的畢節、都勻、興義等區，西康省的雅安，西昌等區特別嚴重！

新華日報曾承認，西南大部地區由於災荒不絕而且嚴重，農民的生產積極性已遭受致命的打擊，皆有「大多情緒悲觀」，[illegible]「聽天由命」的思想。並稱[illegible]民間飢荒的情形，[illegible]於事。[illegible]中產生的百萬災民[illegible]飢民，依然哀號遍野。

大陸救災搶耕 耕牛死亡衆多

畜牲也不堪驅策

據最近新華日報透露：近來西南區各地農村中耕牛的死亡數量的眾多，農民大多都遭受死去耕牛的損失，倘以全區而論，則其損失代價，殊為慘重！除死亡者外，目前尚在病中的耕牛亦甚多，平均得[illegible]村大致都已有半數以上的耕牛病害，[illegible]一點的。幾乎全部有病，如四川榮縣一個村子中共有耕牛二十六頭，已有二十八頭在病中，除已死去七頭外，[illegible]一頭。據說耕牛的病症大多是勞症、熱病、病濕，特別是脫力等症。又據說耕牛所以死亡，生病之所以如此眾多，係出於各地在近一兩個月來的救災搶耕中，[illegible]耕牛日夜使用，[illegible]後，致牛病紛紛不支成病，而至死亡。現以中共西南區當局認牛病影響今後生產過大，故已派出大批防疫防治人員分赴各鄉作重點檢查云。

所謂清理戰前存款（上）

【廈門通訊】「那是為了『照顧和保護』[illegible]」，[illegible]「人民政府」要[illegible]存款，不論是[illegible]，[illegible]的銀行[illegible]。以上所說的，是[illegible]門國營[illegible]，[illegible]「中國人民銀行廈門支行」配合這次「清理戰前存款」[illegible]。[illegible]

[illegible]老百姓最清楚而又恐懼和戒備的。因而這次所謂[illegible]的「清理戰前存款」的登記，由[illegible]委會和人民銀行[illegible]了幾個月，各方都[illegible]的反應，因為人民[illegible]中共[illegible]。

登記處門前冷落

[illegible]老百姓被「自動」[illegible]，[illegible]登記[illegible]。

假故事引人入彀

[illegible]

問題人物麥卡錫

為方

自由談

美國的「問題人物」麥卡錫參議員，最近又被國內與國際人士大加指斥：羅斯福未亡人指麥氏的行為很像希特勒；史蒂文生說美國的對外聲譽被麥氏弄得很「惡劣」；而英國的人更討厭他到了極點，跟他對罵。在這「麥卡錫主義」的是非場中，我最贊許艾森豪總統的風度，他答復新聞記者關於「麥卡錫主義」的問題時說道：「我從來不說攻擊私人的話。」只用其中國格言所謂「不以人廢言」的意思。當然一個人，應當有此氣魄和胸襟，他比杜魯門強得多了。

麥卡錫那種死硬反共，不畏強權，不顧利害的作風，當然值得許多人，尤其……

他對於政治人物的調查指控，連美國大將馬歇爾元帥都「要料彈」一下，難怪一般人說他過份胡來了。可是，他的心只在要求美國公民必須忠於國家，並要求友邦與國際人士……指控聯合國軍隊既在韓境與共軍作戰，而參戰國家的船舶又以戰略物資運往共黨區，甚至替共產黨張目。這些言行，誰能說他不對嗎？威斯康辛州的選民乃以絕大多數的選票擁護他呢？在這「代議士」說得好：「雖大總統亦奈何他不得。」可見在民主政治生活中，就有真正的是非公道可言，民意即不會被抹煞或強姦。麥卡錫如果不是在美國，也許被判處刑役，或槍斃了，他那頂議員帽子或已宣告失落了。但，去掉他這一個人，對國家有多大的利益呢？想清楚其中道理，即知民主功用之可貴了！

木龍的嗚咽

亞秦

「他媽的，讓死你幹嗎？不出來！」接着又是一陣劈拍的一陣鞭打聲，緊張到了極點，以後，又漸漸地沉寂下去。只剩下「哎呀！哎呀！」似乎是垂死掙扎的人，發出悽厲顫抖的呼叫，仔細聽起來，像一隻垂死的嗚咽；但，嗚咽的人，決不止一個或兩個。

解放後的劉腰子，一直就住在這塊地方，發出嗚咽之聲的地方……劉腰子雖是個破落大戶的子弟……都是些慘無人道的事實，把他固有的善性收斂起來，只要一遇上機會，不惜為虎作倀，就是助紂為虐……上下其手的地步，木龍鎮上的權威者，唯一辦法，只有把劉腰子收做功狗，劉腰子也抹黑了良心，樂於向他們搖擺了。

提起木龍鎮，撫今思昔，是令人沈痛的。四年前，外埠的人都羨慕這塊地方，譬喻它為「世外桃源」……都能做到：「富貴不淫貧賤樂」，和「物我相忘」的境地。……誰又不……啊！……之百的善良農工商，各……不僅隣里沒……睦息，連夫……齡之聲，也……聞；和樂且……個鎮上雍熙……有象徵。自……沒了整個大……年的乾淨土……了血腥的氣……腥風，常從鎮上的區「人民政府」的大院子中發出，縣在區政府門前的「污腥旗」像一面攝魂幡，只要被狂飆把它一舒一展，許多無辜的良民，就通通隨着飄角的招致，走入了枉死城中。

木龍鎮的得名，是因為雲潮山麓有條木龍泉，這股泉水，是從一顆據傳有兩千年歷史的古柏樹底下流出，水滑流長，儘管鬧旱魃為虐的災害之年，這泉水是永遠不斷流的，連阡累陌陳列在鎮上的田畝，完全賴這泉水的灌溉，所以，鎮上從不鬧旱災，也沒有受過水患，大家一致認為是「木龍菩薩」的蔭庇，對這顆古柏，是視為神聖不可侵犯者。

最初，在「解放」不久，鎮上的幾家大戶，陸續被「鬥爭」垮了下去，身強力壯的青年，一天一天的減少了，……

……但也有八分的收成，每担田有三十担稻谷入倉（當地田以担計每一担田收谷四十担），人民本無挨餓的道理；孰知稻谷還沒有入倉前，就被征用光了。「人民政府」並不規定征用幾分之幾，而是計口授糧，按人口的多寡，成人八斗，孩童四斗，照數留給你就算了，假若以多報少的情弊發現了，還要受牢獄之災；因此，歷史上沒有的「秋荒」，也成為木龍鎮的一般現象。人民常年果腹的東西，是：山葛，蕨粉，山良薯；這是上等食品；次等的是：芭蕉的根，豬舌頭菜，鴨腳板草；再其次，則是蘿蔔皮和糠皮；胰妨礙消化的，則是觀音土和樹皮。

「人民政府」在敲骨吸髓方面是最徹底的，深恐人民脂膏，無法把它吸吮淨盡，牠們看到人民這種狼狽情形，妙想天開的一個兩全其美的辦法，用農貸的方式，貸出一部份業已霉爛的稻谷，交換的條件，鼓勵人民廣種罌粟。

今年三月，罌粟種滿了木龍鎮的田地，白花黃球，香溢四野，夏天裏稍收罐著的月夜，萬點燈火，星星般閃爍在隴畝間，驅策下的人群，忙於收割業已成熟的鴉片烟漿；徘徊於田畦上的共幹們，裂開兩片大嘴，發出猙獰的微笑，坐收漁大宗的漁人之利，填塞那無底止的慾壑。

郁湘吾和郁劍峯，也是木龍鎮上領了農貸奉命種烟的農戶，他兩弟兄合組這個家庭，共有二十八人之多，不是老弱，就是婦孺；這苦難的年頭，真是勒緊了好多次的褲帶，鳩形鵠面，似乎是他一家大小固定的形容辭。因為生活的忙迫，他的罌粟種幾天，比別的人家要遲種幾天，以以致割期也較晚；老天爺也故意和窮人開玩笑，當郁氏弟兄收割烟漿正緊張的那一晚上，突然烏天黑地，大雨傾盆，把烟果上一層厚厚的烟漿，像沖乳酪般把它沖洗得淨盡，這一夜的損失，使他兩弟兄半年辛苦，化成了烏有。

倘還農貸和繳交烟土的限期到來了，郁氏弟兄攜了少數收割的烟漿，硬着頭皮，向「人民政府」哭訴着這意外的災禍；要求減少繳交數額；木龍鎮上的權威者——區長文幼鈍，是個陰奸險狠殺人不眨眼的魔鬼，不問青紅皂白，把他兩人拘禁起來，狼犬四出，拘捕了他全家老幼，鎖日關在區政府裏，綑繞還供，架詞是：「欺騙人民政府，隱瞞人民財產。」這一黑天冤枉，使他家人父子，都陷溺在悲苦的深淵，永遠過着人間地獄的生活。

劉腰子探悉得這嗚咽之聲的緣由，同時，罹難的郁氏兄弟，正是他胞姐的嫡親外甥，骨肉所繫，使他做賊兒慣了的人，也天良發現了，想出一個奇妙的辦法，想救全這個快將毀滅的家庭。劉腰子晉見了區長，兩肩一聳，向區長獻了一陣慇懃，漸漸談近了這個正題，又附在區長的顆子邊耳語了一陣，使區怒下的區長，現出了眉開色舞的樣子。

本來，上級對木龍鎮的鴉片烟的全數收入，已經數度派員，有個翔實的調查和統計；全鎮應繳烟土的數額，是二萬七千兩，不能短缺毫釐，更不准藉詞請求減少繳交數額，違反上級規定。詎料收割繳交手續，已大部完成，收入數與繳送上級規定數，還差三千餘兩；因此，文區長唯一辦法，加緊的壓榨人民，除完成這個任務外，還想揩些油水。照目前的情形，無法達成這個宿願，怎不叫文區長火星直冒向郁氏兄弟出氣呢？郁氏弟兄，不過是其中最倒霉的一個能了。

劉腰子攪通了文區長的關節，販來了兩担麥子，取了大批鴉片烟果和樹苗，經過了三晝夜的熬製，這些麥子和烟果烟樹，都變成了金黃色的烟膏，怕不有一萬五六千兩；然後將上色的純烟土摻入，假假調和，這批收繳的烟土，就平添了萬餘兩，跟即超額的繳送上級，還得到上級的獎勵，又賺了這筆意外的收入，使文區長笑逐顏開，把劉腰子更加看重了。

劉腰子為人民立下了汗馬功勞，乘機也就把郁氏一家老幼保釋出去了。

過了不久，文區長的笑容還有收斂，這批摻假的烟土，竟被轉運海外的機關檢查出來；追本溯源，命令送到了木龍鎮，老奸巨滑的文幼鈍，又想出一齣拿手的好戲，在慘無人道的手段下，在一夜之中，逮捕了二百多名居民，嚴刑究詰，指定這兩百多人，都是烟土摻假的「欽犯」，送入「人民法院」判處他們的罪名。可憐這些無辜的人民，馴良像羔羊一樣的讓牠們宰割。如今，在木龍鎮上，只聽到人民的哀呼慘號，配合着如怨如訴的木龍泉水，發出聲天澈夜的嗚咽的哀聲。

夢·迴·輔·大

梅楓

……問。

「別麻煩了，你請忙罷」，我急忙搖手制止。「老張，你先生，我認識嗎？」我跟着他移動了幾步。

「噯，你會不認識他？別說你啦，就是走遍北平不認識他的也不多啊！就是李鳳樓李先生呵！現在病得很厲害，你想見他嗎？他住地下室一號，從前燒熱水的那間房子，你自己去吧，一會兒再談！」說着朝我揚了揚手，急步向「龍頭井」那頭走去。

我悵然地望着老張踽踽行的背影，一陣悽楚湧上心頭，回想過去校園裏的溫馨和悅的氣氛，和現在滿目荒涼的情景，我懷疑這二種景色，人物之間，會有著同一的連鎖。

× × ×

溜了小南門，我徐徐地走下地下室，好像一個監獄一樣，陰沈無光，惡氣沖鼻，地上滿是小石塊，一不小心就得摔一交，房門上的玻璃打得七零八亂，行不幾步，便是那間燒水房了，我敲了敲門，便推門進去。

是一個套間，有三張板舖，靠南角的那張床上，躺着一個病人，面色蒼白，兩眼房屬無神，灰白的頭髮，顯得很蓬亂，見有人進來，像要勉強起來似的，我趕緊搶快了兩步，將他按下。

「李先生，你別動，還認識我嗎？我姓羊！」

「深深地用眼看了我一會，很感吃力的答：「你不是教育系的李×敬吧！」

「對了，李先生，三年不見，你怎麼病成這個樣子啦，如果不是老張告訴我，我真不敢……」我沒敢說下去，怕觸傷他底心。

他搖頭不語，閉上眼睛，好像不勝神傷的樣子。

「我年前見報載，說你領隊去芬蘭參加世運，又聽說你參加遊藝勞軍，……怎麼會病成這個樣子了？」

「得了，別提了，不去芬蘭，不賜驚了我李鳳樓，我還吐不了血呢！……別忘了我李鳳樓已經是快上六十歲的人了，叫一個六十歲的老子，去和小伙子拼，去和大學子鬬，那不是要我的好看嗎？」他喉嚨了幾聲，接着像不勝憤慨似地說：……

（四）

四川的水果

由之

荔枝的季節已經過去了，現在是龍眼初上市的時候，我不禁想起號稱為「天府之國」的四川。

四川的水果特多，除了香蕉以外，其餘應有盡有，而更以橙子與龍眼最為出色。四川稱為「廣柑」，江津縣的廣柑尤稱第一。民國[illegible]

[illegible]

四川的廣柑平均較金山橙略大，皮且較薄，味道決不在舶來品之下。

三十三年多，我參加智識青年從軍運動，隨青年軍二〇三師駐防瀘州，那裏是四川有名的龍眼產地，橘柑也僅次於江津、長壽和巴縣三地。我們[illegible]營房就建在龍眼樹林中間，山上是一片大樹林，山坡和山麓遍是龍眼樹，[illegible]味美，我有位朋友曾一口氣吃了兩斤龍眼，也許是火氣太大的關係，當晚流了不少鼻血。

[illegible]柑外，[illegible]西瓜，除了龍眼與荔枝，葡萄，柚子都有可取的地方，[illegible]

世界最大綁票案

G. Kent 著　湖光節譯

大宗綁架是古老帝國的技倆：古羅馬帝國用過，十六世紀的土耳其人用過，第二次大戰德國也用過。蘇維埃所以採用這種方法，無非是摧毀別個國家元氣的一種策略，一方面，培養將來第五縱隊的工作人員。

戰前，共產黨在希臘的鬥爭都如出一轍地有一套公式：共產黨游擊隊從赤區往北滲入希臘後，一步一步就廣播了，為的是使他們免於挨餓，受迫害，挨轟炸，遭英美帝國的砲轟」。一天緊一天。村民食物先遭「解放」；羊被趕走，雞與豬全殺光；五穀與馬鈴薯被抬走。女人和僅剩的少數男人全抓去做苦工：挖溝，讓他們沒工夫耕種。村民們在以前德國，意大利，保加利亞佔領的時候就嘗過挨餓的味道。現在又看到他們的孩子們日漸面黃肌瘦下去，完全由於缺乏營養。

挨着是挨戶查孩子。現在，嚴駭都毫無可能了，最後，才開始綁票。

在色爾瑪村，游擊隊拿教師，傳教士開刀，對反抗者來個殺雞儆猴！「那是我的孩子！」一個男人說，「我可以決定讓他們怎樣。」說那話的人立刻帶到做了法庭的僧院去吊打。……

我在凡托克霍里昂村的考里奧普家裏呆了一早晨，她的遭遇可以代表一般人的：

她的丈夫是著名反共者，共產黨游擊隊來的時候老早跑了。撇下她與四個孩子，拿着鐵、鍋給共產黨游擊隊挖砲壘，一天晚上十點鐘四個荷槍共產黨來抓她的孩子。孩子們已睡了。「出來——叫孩子們出來，」一個共產黨游擊隊說。她反抗。那人叫她不要費話，「一切全是為孩子們好！」兩男兩女全在十二歲以下，一個只有六歲。「你也去！」那頭兒說。

半夜三更他們出去了，只見：四十個母親，七十個孩子已在那兒集合了。孩子們在號哭，母親們只剩了嘆氣和變喪，大正下着雨。「開拔！」游擊隊的領頭人說。孩子們的隊列蠕動而前去了。

孩子們與母親經兩晝夜傷痛的途程，到了「安萊兒梯肯」。在那裏，由衛兵監守了一夜。天一亮，母親們全要在一張白紙上簽名。後來在簽名上打了一行字：「我們、「凡托克霍里昂」的母親們自願讓孩子們免於英美的轟炸與砲轟。」

孩子們「開拔」去了，衛兵用來福槍逼着母親們回去。他們說：「轟炸過後，就送孩子們回來。」老里奧普說：「孩子們再也沒有回來過」……

（下）

自由人
THE FREEMAN
中華民國僑務委員會僑務登記證台收新字第一零二號
中華民國郵政登記第一類新聞紙類
（半週刊逢星期三六出版）
（第二五三期）
每份港幣壹毫
督印人：李光羣
社址：香港高士打道六十六號
電話：七四〇五三
GLOUCESTER RD. HONG KONG
TEL: 74053
承印者：東南印務出版社
地址：高士打道六十六號

蘇·俄·政·變·後 軍人專政的傾向

·黃兆棟·

從史太林死亡到貝利亞被整肅的四個多月期間，蘇聯內部鬥爭充份表現出赤色權力演變的特質。即黨、特務和軍隊互爭雄長的矛盾已進入了最高峯。寡頭的極權政制即使馬上垮不了台，最低限度將形成黨權的末落，特務力量的消滅，軍人集團抬頭的新局面。

特務控制黨的時代告終

列寧時代的共黨，自是蘇維埃政權的組織核心，一切透過黨的組織，聽命於黨，讓馬列教條發生作用。繼承列寧的史太林，他爲了維持專政的局面，加上個人野心，只好用特務做黨的基礎。表面上，特務組織雖是黨的一支，但事實上特務力量已來控制黨，使黨跟着特務走，如影隨形。貝利亞被捕前，他擁兵一時，可說是史太林死後，黨，特務，軍隊這三大遺產中最有份量的一份。如果軍人把握不住這一次抬頭機會，則貝利亞不但無人能加以拘捕，遲早都會由第二號頭目躍居首位；換言之：紅軍的參謀系統如果不能夠在史太林死後乘時興起，則蘇聯政權仍得以特務爲主體。

因此，貝利亞的垮台，似乎是史太林以特務控制黨的時代告終了。代之而起的將是軍人專政的局面。軍人專政如果成功，蘇聯將來的發展又是怎樣呢？軍人專政的前途不是加速鐵幕內部的腐爛崩潰，招致赤色集團的瓦解。便是對外發動大戰，走上死亡的道路。

最難控制的是紅軍

馬運可夫，組織新政府的時候，一面低首於貝利亞特務勢力之前，一面討好軍人，給軍人朱可夫以高位。進一步利用軍人力量以清除貝利亞。馬運可夫在黨既無實力，又乏特務支持。今後能否控制軍人，不至變成軍人的傀儡，實在是很大的疑問。以往蘇俄控制附庸國的工作係由貝利亞直接負責的國際情報局指揮，貝利亞垮台後，今後附庸國是否還一樣的聽命於克里姆林宮，也是絕大的問題。

史太林重用貝利亞爲特務頭子，養成了特務控制黨的後患。可是，史太林每次清黨，非至不得已，絕對不開罪紅軍集團（即參謀系統）。自從特務悍然不顧一切，於三十年代處決了以杜嘉契夫斯基爲中心的紅軍十大將領之後，軍人圖謀奪取政權，第一次敗於特務之手。在史太林似乎始終認爲最難控制的，不是以列寧爲黨魂的共黨，也不是以貝利亞爲主腦的特務組織，而是五百多萬的紅軍中職業軍人。他們大部份是蘇軍靈魂，夏波希尼可夫將軍的子弟，這些軍人向感受着安全的威脅，潛伏着反叛的可能性最大。如果不是第二次世界大戰的爆發，把他們冷藏了好些年頭，則他們乘着大戰期間的機會發展下去，恐怕早已結束了共黨的命運。

軍人控制政治後的局面

史太林生前苦心孤詣，佈置了馬貝二頭制度，藉以穩定黨權，時刻防止軍人抬頭，在於維持特務統治的局面。在史太林死亡之後，軍人立即從冷藏中解脫出來，共同擁護軍人派的主張，實現了特務與軍人合作的基礎。

今日居高位掘重權的朱可夫就是夏波希尼可夫的特務時代在戰後蘇聯爭奪危機之際乘時振起，再乘軍令的抬頭局面下，由軍令集團一呼百應的其他軍人，如伏洛希羅夫，馬林諾夫斯基等人擁護的。

表面上，整肅控制黨與軍的特務勢力的，是站在黨一面的馬運可夫。實際上，是軍人集團抬頭進入支配政治的初步。今後，不問誰人乘政，由國防軍擁護馬運可夫與華西列夫斯基，朱可夫或布爾加寧掌握政權，都是軍人派的，常得也好，都是黨的軍人。最重要的是軍人稱集團以與第一勢力的黨，或第二勢力的特務，甚而有所謂第四勢力的工業互相牽制。如今後完全落在這根支柱之上，則抬頭的軍人在抗軍人，內部鬥爭必一，減少人民的離心力了。

在：他沒有想到蘇聯落在特務手中，馬運可夫自己身亡之後，借軍人的力量，去對付特務中心的貝利亞，奪取政權的。

軍人控制全國之後，一定以軍事支配黨，以從內部鞏固政權計，付黨人和特務。故蘇聯政權完全落入軍人集團之日，第三次世界大戰，便益形迫近了。

半週展望

·雷嘯岑·

悼塔虎脫先生

美國會共和黨領袖塔虎脫之去世，連民主黨前任總統杜魯門亦說是美國莫大的損失。一個政治人物在生時能使政敵敬憚，辭世後，無論敵友皆由衷地引爲國家莫大的損失，則塔氏者，決非偶然倖致的事。

塔虎脫不但學識淵博，品格純正，其立身行己之道，令人佩服；而其一生的政治生活表現，尤足以垂範人羣。他的政治主張是否正確，固屬另一問題；但他始終堅持他的原則，使共和黨的政治立場，於民主黨連續執政二十年期間，不激不隨，領導共和黨人，在國會中蔚成表彰民意監督政府的職責，因而獲致政敵給他一個「共和黨先生」的雅號。就政黨政治的效用說，這一雅號實爲塔氏的榮譽，愧煞一般顢頇無聊的政客官僚矣！

塔氏在國會中的領導地位，是與其優良的學識品格，卓越的黨德信譽所奠定起來的，綜觀世界，少有其匹。他溘然長逝了，共和黨的損失更大！西方自由世界中亞洲的自由人類看來，塔氏絕非孤立主義者；最近若干年來，充滿着姑息主義與綏靖主義的氣氛，幸有塔氏在國會大聲疾呼，指摘姑息政策之謬，力挽狂瀾，使姑息主義者有所節制，而獲其「孤立主義」之名。

現在又已歸隊，問題並不怎樣重大。可慮的是今後沒有適當的領導人物，對共和黨和整個國家，影響不小，這才是深堪悼惜的事啊！

杜勒斯訪韓

美國務卿杜勒斯和陸軍部長史蒂芬斯一行已到達南韓，正與李承晚總統晤談中。

杜勒斯此行最要任務，是與南韓當局協商對未來政治會議的共同政策，以及交換美韓聯防互助公約的意見，這話似乎不是外交辭令。美韓聯防互助公約，直接影響到南韓對未來政治會議的步驟。尤其在南韓方面，滿懷被出賣的恐懼心理，若非美國給予以澄清，它對政治會議的步驟，決不會跟美國一致的。

無論政治會議將來結果如何，然至少在半年之內，韓戰不致再起。美國乘此時機，援助南韓充實自衛力量，解除經濟困難，而以美韓聯防互助公約爲對南韓軍民的精神支持力，縱使備而不用，其功效亦是深鉅的。

我們從杜勒斯訪韓的結論中，即可以推斷未來政治會議前途的吉凶禍福。他此行的作用，直接影響韓國的安危，間接也關係東亞各國的安危，請拭目以觀其後。

邱吉爾要退休嗎？

艾登已病愈回國，英倫盛傳內閣改組之聲，而邱翁又在休假中覲見英王，人們乃揣測邱氏或有退休的計畫。

我們對邱翁過去那種雄才大略的表現，素來具有無限的敬佩心情，但對他這次執政的一切作爲，卻感覺有些失望。這到不是只因他對中國問題的主張有使我們失望之處，更重要的是他那種不擇手段，只想恢復大英帝國對世界領導地位的作法，不惜以姑息俄共集團作代價，而從事於可能貽禍自由世界的政治冒險業務。

邱翁誠不愧爲變國英雄，祇是時代不同了，偉斯麥，梅特湼，乃至於拿破崙時代的英國比特首相那套作風，都已失去時效。我們不敢說邱翁的智慧不能辨別及此，但他實在太老了，年高八十的精力，到底無法肆應世界兩極化的激劇鬥爭局面，讓後輩人繼起效勞，似乎對英國是有益的。

韓休戰造成新僵局

盟國須拿出決心來

·明尼譯·

韓境三年來的戰事，終於由休戰協定的簽署而暫告休止，消息傳到前綫，聯軍官兵雖然鬆了一口氣，但沒有一個人表示興奮，在美國國內，人民的情緒也相同，他們感覺並沒有什麼值得慶幸或喜欣，他們沒有對這次休戰發生錯覺。

可是美國也沒有多少人對休戰表示反對，全國似乎已習慣於韓境的僵局，這次休戰，既不是聯軍的勝利，也不是失敗，這不過是一個不再流血的僵持狀態。美國人民可以對這情勢加以接受，卻無從慶祝。

艾森豪和杜勒斯的聲明，正確地說明了休戰的實際意義，他們說，這是一個起點，而不是終點，它是一種新的努力的開始，希望能促成亞洲的和平和在亞洲伸張正義。這個新的努力能否成功，大部份須視美國人民和政策制訂者如何認識過去的教訓——包括韓戰在內。

共黨戰略家命令北韓進攻時，從未想到美國或聯合國會出面迎擊。美國曾明白表示，對南韓將不加防禦，它並沒有軍事價值。因此，韓國能夠避免全面失敗，幾是僥倖。韓國的僵局，並不是軍事上的，聯合國無疑問具有在韓擊敗中共的能力。這個僵局之所以形成，是因爲政治階層上的意志陷入一種癱瘓狀態。對於在韓戰死的人，他們並沒有白白犧牲，休戰雖然代表美國的意向的失敗，但在正義的觀點上，卻得勝於共黨攻佔整個韓國。

不過，韓戰的眞正影響，要在未來政治會議及雙方今後數月在亞洲採取的行動中才會表露出來。如果美國及其盟國不拿出更堅強與決心與目標，將來必然會再造成代價更高的新的僵局。（節譯時代週報）

法國經濟癥結根深蒂固 富翁總理一籌莫展

本報巴黎特派員成之凡

法國戰後的通貨膨脹政策和嚴格管制輸入，造成了今日的惡果，蘭尼爾雖爲理財能手，但由於多數法國人，尤其是達官名流根本不眞正認識經濟問題的嚴重性，遂告束手無策。

國外通訊

【本報巴黎通訊】有一天，我打巍峨的總統府前經過，一輛黑色的小轎車忽然停在我的身邊，車門開處，一位矮矮胖胖的老頭兒鑽了出來，我定睛一看，原來卻是法國的百萬富翁，戰後第十九任總理蘭尼爾。

經濟根本癥結未除

到今天爲止，蘭尼爾已登台三十天了，他的組閣雖然已暫時緩和了國內的政治困難，但對於危急的經濟局勢，這位著名的理財家卻很難爲力，這些天來，經濟局面似有一點點進展，然而根本的癥結未除，演變下去的腐蝕卻漸漸劇烈。

每一個月，法國所欠鄰國和其他國家的債務愈背愈重，今年的預算赤字也到了驚人的數額。工業生產一天天減少，相反地，生活費用卻一再上升。

造成這些惡果的，是法國戰後所採取的通貨膨脹政策，以及嚴厲的輸入限制。本年初，由十八個國家組成的歐洲經濟合作組織曾建議法國特別致力於放鬆入口管制，並提供若干解決經濟困難的途徑，但當時的梅耶爾政府對此恍然處之，以前的畢奈，傅亥等政府也未嘗不是如此。

我的這段話，並非是說梅耶爾政府故意不理會經濟問題，而是說有許多法國人，特別是一般達官名流根本不眞正認識經濟問題的嚴重性。我本人並非經濟學的門內漢，但某次我抽暇往巴黎大學旁聽的時候，那裏的一位白髮老教授卻使我明白了法國經濟困難重重的道理。

癥結在那裏？癥結在危機雖然極端嚴重，但從表面上看，誰也不相信法國是一個受經濟災禍打擊的國家。

法人表面安居樂業

儘管歐洲，甚至大陸對岸的英倫三島在鬧着失業恐慌，但法國人卻很少嘗到失業的痛苦，還沒有顯著的饑餓與貧困，到鄉間蹓躂一下，只見農夫們笑呵呵地讚美幾年來的好收成。至於城市中，大部份的中等階級總然比以往許多年的收入更多，過着更興旺的生活。

但法國失業者的稀少，其部份原因卻是「歸功」於工廠中不經濟的生產方式，在這些工廠中，人力比新式機器更重要，同樣的生產額，旁的國家有三個人便夠，法國卻非四至五個人不可。

在巴黎街上散步，你常見工人的太太們進出百貨公司和電影院，她們的手提包塞滿滿各式各樣的貨物，手中牽着的孩子，衣服也相當漂亮整齊。但你不要以爲這是法國經濟繁榮的結果，這卻是龐大的社會安全制度之所賜，就因爲這種制度，政府和私人企業每年要開支多得驚人的法郎。

對於一般中產階級的店主，貿易商和普通商人來說，他們也應當感謝政府鬆弛的管制和稅務制度上的漏洞，使他們有錢購進美國最新式的汽車，同時也可爲太太們添置華貴的貂皮大衣。

所以自表面上看，法國人儘可當得上「安居樂業」四個字，但其實骨子裏險象環生，一切都走下坡。

自去年以來，法國的工業生產額已下降了百分之五，農業生產也落在歐洲其他國家的後面，雖然政府嚴格限制輸入並鼓勵輸出，但貿易上的赤字依然令人咋舌。

商人憂慮法郎貶值

我手頭沒有最近的統計，但據官方公佈今年五月間的貿易數字，對外貿易赤字已多達七十八億三千三百萬法郎，這筆錢折合起來，相當美金二千七百八十三萬三千元，這是歷年來法國貿易入超最高的一個月，六月份的正式統計雖還未曾公佈，根據一月來的貿易狀況，也決沒有改善的道理。法國的輸入商擔心法郎貶值，故而拚命購買貨物，蘭尼爾上台前曾延一個月又六天的閣潮，更使得不安定的經濟擴大其擾亂的幅度。

貿易上赤字的激增使得法國在歐洲支付同盟中的債務也跟着增加，目前法國對支付同盟的赤字，平均每月達五千萬美元，都必須以黃金來淸償。如果僅是這一點，赤字還好，若吞此國的債項，她欠下歐洲支付同盟的債務，總額已累積到六億二千四百四十萬美元。假如硬要我打個譬喻，法國便宛若一個借債累累的破落戶。

蘭尼爾上任伊始，便把解決越戰和遏除經濟困難列爲三大施政目標，越南戰爭有如無底的深淵，將軍在那裏負責，最近一連串的軍事行動已多少露出光明的徵兆，但在經濟上，由於法國人的天性，和財政上積重難返的制度與流弊，善於理財的蘭尼爾也許反而有一籌莫展之感了。（七月二十八日）

七年越戰眞象

勸部諾說：「如果過去我們能增加並加速越南國防軍的發展，那完全應歸功於此援，但困難是這些速度還不夠快。」阮翰平是北圻總督，他在河內接見記者時說：「主要的問題是速度，因爲越南軍的訓練未獲進一步的進展，我們已因此稍受許多挫折，否則越盟軍進攻紅河三角洲的計劃[illegible]」。

法越聯軍的泥沼

今日的紅河三角洲成了法越聯軍的泥沼，他們要固守戰略性的據點，而越盟軍則到處活動，特別是夜間法越聯軍巡邏隊返營休息的時候，在某一省的[illegible]鎮中，竟有五十二個[illegible]越盟軍的控制中。[illegible]

對於這些越盟軍不時出沒的地區，其平民的困苦痛是至爲可憐的，白天法軍警告他們，不得以糧食接濟越盟軍，但晚間當地又成了越盟軍的世界，他們不僅搜求食糧，而且還大力宣傳共產主義，並徵募壯丁以增補他們的兵源。

但另一方面，戰在巴黎卻是不得民心的。像前任法遠征軍總司令薩蘭將軍就曾[illegible]法國方面的指揮[illegible]，盡力避免傷亡和打敗仗。

從這些「[illegible]」命令的方法是集中他們的部隊固守在這大的防禦網內。這種戰術使越盟軍能獲得廣大的活動範圍，並藉此得到政治上和軍事上的利益。[illegible]

平民自衛區

[illegible]的計劃，據文件中所透露出來的，[illegible]民自衛區進攻。

一片新興氣象，民兵在合力修築[illegible]工事[illegible]。[illegible]

婦女及衛生問題

新書評介

說到婦女問題，他對於現在婦女社會地位的提高，極表重視，惟對朱珍婉小姐自殺一案，實外之[illegible]。

他參觀過台北市和鄉村的醫院以及若干衛生站，他對衛生站的工作批評甚好。今北的現代醫院，他認爲只是限於少數人享用的設備。鄉村醫院的印象極壞，他說「我恐怕這醫院治死的必定多於治癒的。」他對中醫的治療和處方大感驚異，他說這種藥草醫生的存在，一方面由於事實需要，一方面也和立法委員中有藥草醫生有關。

將級軍官太多

軍事問題，他參觀過軍隊的訓練和演習，印象殊佳。對於美國軍事顧問團的成績稱揚備至。他看出我們士兵的糧食還是不足，體力欠強。他說我們「士兵的營養不過一半稍多而已」。

對於軍事制度，認爲沒有退休，是大缺點，他說「美國三軍共有將級軍官一千一百人，台灣將級軍官已達一千七百人」因之一，而且現在也還有流弊發生。他認爲這種制度不僅是過去大陸失敗原因之一，[illegible]蔣總統過去統一全國，用勸導和高位拉攏中央來，「統一是成功了，國家的負擔因此過重，以至造成失敗」。但繼續說道，「不論缺點如何，台灣國軍仍是太平洋上自由營陣中最強大的武力。」

最具聲望的領袖

杜氏稱蔣總統爲東方最具威力的人物，是偉大的愛國者，若干世紀來統一中國最有聲望的領袖。他敍述會見蔣總統的文字長及數千字。對於蔣總統的精神人格[illegible]

杜威的訪台觀感（下）

陳克文

隨加推崇，對於西安事變及抗戰時期，蔣總統不屈不撓，不肯出賣盟國的內幕，記述頗詳。他說這是歷所未聞的事實，足以顯示蔣總統「精神力量的偉大」。是「當世無匹的精神領導者」。

蘇俄侵華之始

這裏他述及一九一九年中山先生要求美國援助統一中國，美國加以拒絕，英法兩國亦採同樣態度。只有蘇俄加以援受。他認爲這是蘇俄勢力侵入中國的遠因，並且認爲這一段現代史實，美國各學校應加講授。

討論對日和約問題

會見蔣總統的記述，大部份亦即最重要部份，爲討論對日和約問題。那時候正值對日和約草案公佈，不許自由中國參加[illegible]

白皮書是原子彈

[illegible]

應付危險不得不然

杜氏對於台灣的[illegible]「不問如何[illegible]」不得不[illegible]，局面[illegible]

台灣與自由世界

[illegible]

史蒂文生倫敦租禮服

[illegible]

波蘭舉起反共大纛

[illegible]

胡佛局長左右爲難

[illegible]「大砲參議員」麥卡錫[illegible]

鮑克夫人靠後活躍

[illegible]

華府機關事浮於人

說起來也許有人不相信，[illegible]主管[illegible]。但結果卻很難完成這一項「尋人」工作，主要原因是一些有能力有名望的人，很少願意放棄工商界的[illegible]而領取政府的[illegible]。到現在[illegible]國防部助理部長兩人，駐外大使數位，還有一個是新成立的[illegible]。（孟衡）

稿約

本報言論自由，園地公開，各版均歡迎投稿，徵訂稿約如左：

一，來稿性質不拘，時局評論，小說雜文，新聞報導，各地通訊，書刊評介，科學消息，文教動態，均所歡迎。

二，每稿請勿超過一千五百字，長篇鉅著，除特約或具特殊價值者外，以限於篇幅，無法刊登。

三，譯稿請附原文，如無法附寄，請詳註出處。

四，來稿一經刊登，每千字致酬港幣六元至十元。

五，來稿請附足郵票，以便不能採用時退還。

驅入戰場僥倖未成砲灰 殘廢軍人運回受虐待 嚴密管制下發生騷動

韶關四千人毆傷管理員十餘名

【本報訊】廣東韶關運到消息：該處中共殘廢軍人約四千人曾於上月二十八日一度發生騷動，當場毆傷擔任管理工作之共幹十一人。發生騷動之原因，係不滿中共之待遇所致。據悉：該批中共之殘廢軍人，均係在韓戰中受傷，於去年二月至今年上半年陸續自東北各後方醫院移駐韶關集中，從事生產但受嚴格管理，共分五營，駐於韶關東郊一帶。初期，中共對該批殘軍尚稱優待，每日發米二十八兩，油一兩，豆、瓜、蔬菜等所發份量均稱豐富；每週並發魚兩次，豬、牛肉各一次，營養堪稱不差。且手工製品出售後，盈利皆歸殘軍作零用之需，生活尚稱優裕。但自今年二月以後，因粵共經濟支絀，故配給品日漸減少，至最近，食米已減至二十二兩，肉類已不再發給，乃終於引起殘軍之極度反感，羣向管理機關喧嚷，以管理人員出言不當，乃即引起羣衆衝動而動手毆打，一時秩序大亂，當有不及走避之管理幹部十一人被毆傷，其中二人傷勢較重，已有生命之憂。聞此一騷動經韶關軍司令部派員進行勸說並許以恢復原有待遇後，方告平息。

共幹爭獎百姓遭殃 乘荒歉強收貸款 如狼如虎農民被逼死

據最近北平人民日報透露：河南省正陽縣「人民銀行」，最近無視當地農民因小麥荒歉的困苦情形，竟以「抓緊機會」為由，以「動員」全體幹部下鄉強收春季貸出的貸款，致造成逼死農民十餘人的慘事。緣正陽縣「人民銀行」行長劉沂元（係中共正陽縣委委員），近見當地小麥業已收割，但無視小麥收成僅只三成的荒歉事實，急於收回春季貸款，乃於上月十日左右，向所屬幹部發出一限期收回貸款的「動員令」，並提出了「提前完成任務有獎」的口號。班銀行幹部一聽有獎，乃立即紛紛下鄉。該批幹部一到各鄉，當即召開羣衆大會，當衆命令羣衆限次日即要繳齊貸款。但事實上次日能繳還貸款者，百不得一；此批幹部為急於爭獎，乃就地抓用民兵，如狼如虎，實行武裝強收，結果：除大部農民被逼不得不賣去耕牛、農具、家畜，乃至房屋等物以繳付貸款外，尚有農民十餘人同日在被逼無法繳付還款時以跳河或懸樑自殺了事。情形至為慘慘！迨經當地區鄉幹部紛紛提出反對後，方告停止追逼。

煤礦經理後台硬 煤款盡入私囊 恃強濫捕人民

水溝失修淹死女童 反誣女父糾衆暴動

【本報訊】在四川合川縣三滙鄉的華銀煤礦公司，雖是一個經營小型煤礦的開採機構，原名富華煤礦廠，是具有歷史性的省營礦場；向來利用水力發電，會在該鄉附近市區西側路旁，修有水渠一道，寬三尺，深三尺到四尺，以為引水發電之用。歷來用機械及配合一部份人力開採煤斤，供應附近各縣，從不匱乏，經常由北川鐵路和綦江鐵路運銷各地，雖比不上嘉陵江北碚對岸的天府煤礦的規模宏大，但也是四川煤產來源之一。

自淪陷後，該公司被川共劫收以來，經理其事的是「長征」英雄劉長興，識字不多，只會一味蠻幹，並且是一位貪汚舞弊的能手；從四十一年四月到職視事迄今，原日之煤產量水準，也一落千丈；建廠的機器，因此低降而引起上級的普遍不滿，根本不能勝任其職位。劉長興恃有後台，肆無忌憚，常將煤斤所售的收入，盡數供其揮霍，影響了該公司的生產推動，並將公司原有的設備也逐漸敗壞了，其中水溝，也弄成破敗不堪，溝上覆蓋着的石板大部碎缺，如今只用一些木板敷衍搪塞。的小孩，年約四歲，行經該地，誤踏朽腐木板，致墮入溝中淹死；繼於是月二十日又有曾姓小孩與錢某約五歲之女孩，嬉戲其間，又墮該溝中，因此引起當地人民不滿，由兩小孩的家長錢代祥和曾淡鼎攜出，向該公司理論，該公司祕書石明元竟毫不負責地說：「人死了用木板埋了就是，未必公司還犯法嗎？」錢曾兩人，不得要領，硬起頭皮，找經理劉長興理論，劉匪不特不予安慰，反大發雷霆，縱容爪牙，將錢曾兩抓入合川縣「人民政府」，說他糾衆暴動，搗毀公司，錢曾兩人於兩小孩的寃死不得昭雪，本身又受囹圄之災。這正是該公司的目前現象之一例。

現在，該公司在劉匪主持下，已變成一個破落戶，腐敗不堪，零亂的場廠，只看見一些共幹們的花天酒地和礦工們的怨氣沖天而已，這正說明是「新中國」的新建設的好榜樣（手）

山東共幹窮兇極惡 拔棉秧發生慘劇

農民選種被拔卅萬畝 忿而自殺者日有所聞

據濟南「大衆日報」刊載，指斥山東各地幹部拔棉事件一文中透露：類似「倉山拔棉事件」的慘劇，據各地消息的反映，大多皆有發生，程度均極嚴重。據初步了解，除原屬「平原省」的魯西地區的三個專區外，原有的十一個專區中即有九個專區發生了類似事件。在該九個專區的縣份中，凡農民因不信任強迫推廣的「斯字五號」或「斯字二比一」棉種而自行選種的棉秧，幾乎大部皆被幹部盲目強迫拔去，據不完全的統計，平均每縣被拔的棉秧總在兩千畝與五千畝之間，總計不下三十萬畝之多，損失異常慘重！該報承認拔棉慘劇的嚴重後果稱：不僅使國家和羣衆在經濟上遭受了重大的損失，且在政治上造成了很劣的影響，打擊了農民的生產情緒，喪失了羣衆對黨和「人民政府」的信心。該報坦白引述一個老年農人的話說：「再活六十年也忘不了幹部拔棉花，臨死的時候也要告訴孩子不要忘了這件事！」可見農民對拔棉事件的痛恨情形，已極難消除。該報復坦白承認：各地幹部盲目強迫拔棉的結果，曾有不少農民忿而自殺或企圖自殺，已自殺的人數雖未公佈，但曾說「時有所聞」。故該報特以長達萬言的文字提出公開的檢討，大加指斥。其結論是上級的政策不完善，中級的官僚作風嚴重，下級的強迫命令違法亂紀行為嚴重云。

重重統制剝削下—— 浙蠶絲業殘敗不堪

衆所週知，絲綢是浙江省的主要大宗特產之一；蠶桑業，是浙江五十八個縣份中約五十五萬農民的主要生產工作之一；尤其是浙西的杭嘉湖，紹興，寧波，蕭山，臨海，諸暨等地的農民，大多以蠶桑為主業，生產的收入佔農民全年收入的一半以上。但自大陸淪陷以後，浙江的蠶桑事業已一蹶不振，其衰敗的原因及其一般情形，扼要言之，約如下述：

生產能力空前低落

首先是浙江蠶民的生產能力，已空前低落。其所以低落，主要有兩大原因：其一是桑園減少：浙江在未淪陷前原有的桑園面積，遍及五十八縣，達兩百六十餘萬畝之多。但淪陷後數年來，一般外來幹部因不明瞭桑樹的生產價值而盲目強迫農民改植其他作物之橫加砍伐者有之；一般農民因無法生活而將桑樹砍去當柴者有之；其義敗者亦有之；致桑園面積，急劇減小，照浙共在「浙江日報」公開的統計，現有的桑園，已僅剩一百二十六萬餘畝，竟已不及原有之半。其二，是蠶民生活艱難，生產資本缺乏，大多放棄了此項生產工作。據浙共在報端公開認承：目前浙江的蠶桑生產區域，已縮小到三十二個縣份，養蠶的農民已減少到只五十三萬多人了。此一結果，浙共亦認承：乃使浙江繭的總產量，自原先每年約一百萬擔的標準，已銳減到每年只有十五萬擔至二十萬擔之間了。

市場消滅盡入統制

其次是絲繭的買賣，已盡被中共的所謂「國營貿易機構」及各級合作社所統制，自由買賣的市場已完全消滅，絲、繭、綢等的價格，被壟斷低壓，一般仍在從事蠶桑生產的農民，往往因一番辛勤所得，僅僅勉強够與生產成本相抵，眼看徒勞無益，生產情緒自極消沉，自亦逼使蠶桑生產日漸衰敗。尤其因蠶桑生產，必先籌用相當資金，故以往生產之主力為富農；而絲繭之買賣，有賴廠商之競爭活躍；現在則富農廠商業已一概消滅，自由買賣已被中共的統制搜刮所替代，蠶桑事業，自然一落千丈。

一面剝削一面劫奪

雖然如此，但並不說明中共沒有重視蠶桑生產，相反的，中共對於任何一種生產利益，決不輕意放過，只是乘機以多方面的暴力打倒了私人生產以後，毫不費力的予以劫奪罷了。中共劫奪農民蠶桑生產的手段，是以「合作互助」為名，分區控制為實。浙共現已在餘杭、杭縣、崇德、桐鄉、吳興、嘉興、海寧等主要育蠶區，規定每二十戶至三十戶之間組織一「育蠶生產互助組」，訓練了三萬零三百八十多個所謂「共育幹部」派任為組長，控制生產。在此種狀態下，中共已成為生產的主人，農民已成為雇工。同時，現在的蠶種，亦已完全由浙共總社所統賣，大部份均配發「互助組」應用。照浙共公佈，今年春季發出的蠶種共八十七萬張，其中有六十餘萬張即係配發「互助組」者，幾佔總數的百分之七十以上之多。另一方面，中共對於百分之二十幾的私戶育蠶的蠶品，在統制買賣之下使用低價政策，以剝削農民。浙共今年的乾繭收購價，每百斤僅為幣七十五萬元，竟不足四石米的代價，幾等於淪陷前標準價格的百分之四十左右。在此種情形下，農民的育蠶權益，因被剝削殆盡；中共對蠶桑生產事業，亦無法振興。因此，總括一句話：浙江的蠶桑事業，已殘敗不堪！

丈夫遠戍戰場 不堪共幹誘迫 軍眷含寃自縊

【本報訊】中共的新婚姻法，不僅把一些恩愛的夫妻，弄成東逃西散，家破人亡；就是被中共做砲灰的「革命軍人」，也逃不了「夫妻本是同林鳥，大難來時各自飛」的厄運。雲南省會澤縣那谷村婦女何氏英，和同村楊開昌結婚後，好多年，夫妻感情融洽，過着清淡的生活，相親相愛，一心一意地創造美滿家庭的幸福。共黨竊據雲南統治了，天天喊「抗美援朝」，楊開昌也被拉了壯丁，說是「志願參軍」；從此以後，何氏英年守寡，代替楊開昌侍候父母過活，本來相安無事。到四十一年秋，會澤縣政委盧澤沛下鄉督導「征糧」，到了那谷村，看見了何氏英有幾分姿色，多方設法向何氏接近，並用蠱惑挑逗誘迫手法，用「革命軍人」家屬的招牌，討她一家人的歡心，何氏一家冷若冰霜的態度，使他處感惆悵；於是心生惡念，勸令其父母向楊開昌寫信，說何氏在家不守婦道，並忤逆公婆；延至本年三月後，楊開昌得到父母信，心如刀割，認為其妻有外遇，但又不能回家照顧，一氣之下，寫信與何氏離婚。盧收到了楊開昌的來信，打着如意算盤，趕快地到「人民法院」代楊開昌與何氏辦理離婚手續；一方面又進行向何氏說服工作，想趁此時機將何氏佔為己有。詎料何氏自被驅逐出家庭後，無依無靠，曾數次呈訴「人民政府」和第四區「石沉大海」，沒有結果；天天又在受盧澤沛的追逼；更無法向丈夫申述這其中的寃枉。唯一辦法，只有一死，於是於去月在那谷村的一座廟內懸樑自縊；楊開昌的父母聆訊何氏自殺的消息後，回顧這個破碎的家庭，自知生存無望，也就雙雙自殺。「革命軍人」的家屬，落得如此收場，大陸正多着呢！（亞）

中共幹部無事忙 十六個大委員經管一輛汽車

中共幹部的幼稚程度，往往出人意表。從這種幼稚病出發，眞不知已壞了他們多少工作，鬧了多少笑話。就拿「無事忙」這一點來說吧，最近又有一個很好的例子：

據上月二十三日北平人民日報在「讀者來信摘要」欄內披露：說青島「國營第四棉紡織廠」的工廠工會基層委員會只有一輛汽車，但卻將黨委書記、副委書記、工會主席、科長等的高級幹部十六人鄭重其事地組織了一個「汽車管理委員會」來管理它。說黨支書記、副委書記、工會主席等當然各有本身繁重的工作，但不得不在百忙中仍抽身來出席這個「委員會」，而會開得很多，幾乎每禮拜有事無事都要開一次會；而開會的內容，無非是買了多少汽油？用了多少票價等的芝麻小事？跑了一趟那裏的小事而收入？多少？管理一輛汽車而要擺上十六個大委員已經太小題大做了，而要大委員們在「百忙中」常常抽身來開會，未免太「無事忙」了。

此外，又說該廠還有一個「評房委員會」，也為了某人應住那間房的小事，而且常常為一間房的爭執，從早晨到晚間要開上整天的會議，實在忙得可笑！

「民族政策」失敗 少數民族羣起反抗 中共慌忙緊急檢討

據上月十三日重慶新華日報不明顯地透露：中共西南區的所謂「民族政策」業已遭到失敗；由於由偽西南區民族事務委員會派往各「少數民族自治區」統治少數民族的官僚們的強迫作風，無視民族的特殊情形與命令的高壓手段的濫用，業已普遍引起各少數民族的反感。據悉起初最引起此種少數民族反感的是「民族幹部」們將一套「鬥爭」的老一套搬用向此種特殊區域。接着引起反感的是共幹的普遍貪污腐化，奢侈淫樂，並一貫的以強迫命令的手段橫加壓制，予以任意拘押、吊打、奴役、欺迫。最近最引起反感的是西南區，包括該區各「少數民族自治區」，因年來多旱、風、雹、虫等災害不絕，飢荒嚴重，而中共之「民族部」竟無視少數民族之疾苦，不但不予必要的救濟，且仍照常進行各種壓搾，逼使彼等陷入生活極端困難之情形。因此，據新華日報所云「民族幹部」對民族政策的曲解，已影響民族團結」一書，幹部們所謂的「民族區域自治」已在「民族幹部」與土著間引起對立。據該報透露：偽西南區民族事務委員會對此種情形甚為焦慮，故已召開高級幹部會議進行檢討：結論是「民族幹部」普遍對「民族政策」的執行已有了偏差，基本作風已敗壞，故將予以「整飭」。

熱話

方

自由談

到香港已四年，悶熱的程度，以今年感覺最厲害。曾經在漢口重慶嘗過夏季生活的人，也有點「吃弗消」了。

可是，熱度儘管高到九十度以上，而社會上大多數以勞力謀生的勤勞大衆，照樣地本着「抗日」精神，工作不休。他們沒有到海濱玩「日光浴」的餘暇，家裏連電風扇也買不起，遑論冷氣設備？但這些人的生命健康潛力，並不弱於那般住別墅玩冷氣設備的有閒人物。可見一切違背大自然的天地化育之道的生活，實際皆不足爲訓。

夏天我最怕進入有冷氣設備的地方，出來時，身上好像「一件老羊皮襖，圍」熱得不過氣來，不啻自找罪受。儘管會得片刻的適意，而感受意想不到的痛苦，實在不划算，還是不要太「熱中」的好！

人類似乎永遠是在矛盾的生活環境中翻筋斗，日常害怕炎熱，避之唯恐不及，遇名利場合，又極盡趨炎附勢之能事，誰是「熱門」，大家就趨赴恐後，而自命爲識時務。實則他們不管是成功或失敗，其內心深處所潛存的不可告人的隱痛，眞是滿懷悲愴情，一把辛酸淚，所可道也，言之醜也！

唯有順應自然，熱不因人的有道之士，才能夠隨遇而安，心地泰然。這精神即與在炎熱氣候之下勞動如常的社會大衆相脗合，人類的向上發展，就全靠這般人的力量呵！

鐵幕眞實故事 現世報

·山禾·

有名的小賭棍綽號叫「癩二子」的朱阿炎自從共產黨到了陳留縣而喊出了「窮人翻身」的口號以後，他便獻出了混身解數。「剿匪」，「反霸」，「鬥地主」，他是率先串連賭弟兄們作了共產黨「翻天下」的基本羣衆。這樣有「革命熱情」，「階級覺悟」的「積極份子」，而且出身這樣「純粹」，自稱得「區長」的賞識，論功行賞，平地一聲雷，他居然被選拔當選了火張鄉的「人民鄉長」。

小人得志，自不免雞犬不寧。所謂「人民政權」一拿到手裏，這種的「人民」，其實是爲了向中共「感恩圖報」也好，向中共立功求賞也好，總之，只要單憑這類人物的一點天性，也就够他做盡壞事的了。

因此，火張鄉在朱「鄉長」領導下還繼續展開「清算」，「鬥爭」兇惡的殘酷程度，眞是「青出於藍」，比中共派到區鄉里的嫡系幹部還要超過幾倍（這原是中共的政治藝術之一）。在他手裏，僅僅只有八千多人口的火張鄉，就已殺了五百六十多個所謂「反動地主」；逼瘋了四百多個所謂「反動地主的眷屬」；趕出了約近一千個被稱爲「反動地主家屬」的男女老少；強姦了三十多個婦女；槍殺了一百多個所謂「反動特務」；逼死了（大多是跳河、投井、懸樑、服毒而死的）八十多個受不住鬥爭的無辜農民；誣陷了約兩百個無辜農民，將他們帶上「抗稅」、「抗糧」、「反土改」及「反動嫌疑」等罪名而陸續給送進了「人民監獄」！幾乎已給火張鄉的人口打上了一個七折！別的「功勞」不去說它——也說不清——單憑執行中共的「人口政策」這一點，就已足夠蓋給什麼「模範」之類的「榮銜」了！

朱阿炎當了「人民鄉長」以後繼續立下前前那些數不清的「功勞」，自然名利雙收：給名，他被中共收作了「光榮的共產黨員」；給利，他「代表」全鄉的群民「翻」了「身」，僅僅在「土改」這個機會中，他就得了很多「鬥爭果實」，發了大財！

然而眞所謂「東風當向北，北風也有轉南時」，朱「鄉長」吞得的「鬥爭果實」太多，終於給區鄉里的許多幹部遭了妒忌，分贓不勻，大家不肯，聯名將他向「陳留縣人民法院」控上一狀，這位「人民鄉長」就鋃鐺入了獄，他的「鬥爭果實」也隨着送進了「人民倉庫」。

這叫做「打碎狗食盆，大家吃不成」！

朱「鄉長」吃着這一記悶棍，眞被打得七竅八素。「鬥爭果實」沒收，他認爲是光來光去，倒無所謂；被判上一年徒刑，他還是「感戴」地感戴黨和「人民政府」，因念他當初「鬥爭」殺人有功而所給他的寬大；祗是冤家有靠的，他所坐的大牢房屋，同道的隔壁好些他當「鄉長」時給帶上各種帽子送進去的那些冤犯，這下子眞是冤家路狹，使他日日夜夜都被關困在冷嘲熱諷之中，倒有點難受；

「雜種！誰知你也有這一天呀！」

「你這個虫豸！你也會來陪老子坐牢！」

「你這個害人精；你也會有今朝一天！」

「你這個鬼，誰知你今天就輪到了現世報！」

他就在這樣你一句我一句的譏諷中挨過了一年的牢獄生活。幸虧是他的臉黑，面皮厚，雖然千夫所指，還不致無疾而終。

他出獄了。

他光棍一條回到了鄉里，「鬥爭果實」已沒收，「光榮」的黨員頭銜已摘掉，田不會種，賭沒處賭，張開眼睛都是冤家仇人，先前對他畏之如虎的老百姓已敢對他白眼相看，老婆已嘗自嫁了人，這就使他想到那里去躲一餐飯吃的地方都沒有了，他活活的餓着肚子，靠野草野菜吊着這條狗命，跟當「鄉長」一時的錦衣美食，頤指氣使，風饕叱吒，眞是惡夢一場！

但他雖然已落魄到這步田地，可是痛打落水狗的共幹們還不肯放過他的：他回鄉不到三天，新任「鄉長」王振海，民兵隊長楊永法，「鄉支書記」楊永德便聯合起來召開了羣衆大會，迅速不斷地給了他五天的「坦白」，「鬥爭」。鬥過以後，再把他軟禁在他的家裏，派兩個民兵監視，不准出門，下准出口。他因而曾被逼自殺了三次，他們索性再給他加上一條規定：「不准自殺」！

這叫做「以其人之道，還治其人之身」，凡是他當初處置過別人的方法，幾乎都被別人用來報復他了。

這實實在在是一個現世報！

（註：本故事採自武漢長江日報）

▷卡斯特將軍二十年研究，新近完成一架四引擎機，能一高千呎，在跑道滑走九十呎後即以每小時三十哩速度向前飛行。卡斯特將軍將來改進後載客五人，售價七萬五千美元。◁

夢·迴·輔·大

梅楓

我沒有走進學校裏去，我如消失般已沒有我所熟悉的人和物了，有也祇是非昔比的，慘不忍睹，失掉靈魂的殘軀廢肢，我像一個夢不見故居的遊客，懷念無言地踟躕在舊日的花園上。

一陣愴淒無依的情緒湧上心頭，我惆悵地沿湖邊走去向後海，後海美的景色，依舊如畫，[illegible]斜倒在海外的草坪上，小溪兩邊的楊柳——也不見了，往日那種朱門翠柳的幻覺，鶯啼春曉的情趣，變成了一羣人民的隊伍，正在[illegible]，氣勢洶洶，大有「不拔老根勢不休」的氣概，我想那被稱「恭親王」親手移植的珍貴海棠的，會被株連，但轉念一想，那是多麼愚蠢的想法啊！

懷着一種悲涼的心情，我沿着淺淺溪頭踱向前面，後海是走進回憶中的後海，因爲它毗鄰輔仁，景色宜雅而幽靜，所以我們常把它看作輔仁社區的一部份，它那種莊嚴肅穆，鑲嵌着清波的曼妙景緻，使我們並不羨慕清華，燕京幾個校園的風景，後海的景物對我們是親切的，它那春日裏的楊柳，秋陽中的野雲，酷夏裏的柳蔭和多麼的樹影，給生活在輔仁圈子裏的每一個同學，烙上一個心靈上的神印，使他們無論在天南地北，都不會淡忘這生命史上最美麗的一頁。

還沒有走到李廣橋，便迎面來一陣淒厲慘烈號角聲，驀地把我從沈緬中驚醒，接着是一排清脆刺耳的槍聲，我猛然記起那條後海飛揚的新聞，[illegible]，警聲裏獻出一個相貌猙獰的惡漢，端着一把雪亮的刺刀，朝着我兇狠地刺來……我急驚而醒！

×　×　×

夜還是那樣清冷，窗外的雨聲還在淅瀝，殘燭已經熄滅多時了吧！雨夜中的更柝聲，痛苦地敲着我的心絃，已是初更時分了，我悵然兀坐了一會，回想夢中的情景，真的會是那麼實麼？我默默地想，一陣急雨澎湃地打在窗上，我感到一陣寂寥，我悽然地擁被睡去。（全文完）

日本歸客談（中）

·承安·

「牡丹花下死，做鬼也風流」C君卻始終沒有這個勇氣。他留了一封信給女主人說：「你對我的好意，我很感謝，但我不久要往東京去。我有兩句臨別贈言，像我這般身體的人，是不值得去嫁的，你還是物色個勝任愉快的丈夫。」女主人把這封信剛看完，外面一陣足步聲，定睛一看，是她父親的一位友人帶着兩個西裝革履之士進來，那人年約三十五六歲，衣服穿得頂時派，鼻下蓄着一團小鬍，說話時夾雜着幾哩咕嚕的英語。那位父執替她介紹道：「這位是——剛剛回國的美國醫科博士——立神出世先生。」女的聽見是剛從外洋回國的醫科博士，不覺肅然起敬。這是她在第四十天晚上最後所遇見的一個男子，英語說得很流利，模樣兒長得還標緻，而且剛從美國回來，來得恰當其時，於是他便成了她心目中稱心如意的終身伴侶。

有一天，女主人拿着一張紙頭興致勃勃地跑到C君房裏說：「C先生，你聽，美國博士的證書是多麼好看呀！」C君接在手裏，不禁吃了一驚，這明明是馬尼剌一家土耳其浴室的按摩師證書，但他卻馬上要結婚，C君不願掃她的興，只好忍着一肚子的笑，連連點頭說：「是的，多麼好的證書呀」！後來一打聽，才知道那位冒牌博士原是外國輪船公司的一個理髮員，船過馬尼剌時他在坡上玩得發昏章第十一，等到走回碼頭船已不知去向，他留滯海洋致了一陣乾急，腰包裏半個大沒有，便淪落在一家土耳其浴室當充一名擦男，（上海按摩院有擦女之稱）經過若干日子，積得一筆旅費，領得一張證書，大搖大擺地衣錦還鄉，居然充起什麼醫學博士來了。

婚禮是豪華富麗，新郎立神博士是神氣十足。他常常找着C君談天說地，談到巴黎之繁華，他說了許多人云亦云的話，C君只好胡亂答應，婚後立神博士從按摩院一腳跨到天堂，得着美而多金的老婆，滿足是滿足極了。但是有一件使他倒抽了一口冷氣：夫人催促他擇吉開張，掛出「美國醫科博士」的金字招牌來，他支吾着說道「我要到東京跑一趟，我對於美國醫界術語是一概都懂，而對於本國術語却非練習不可。」夫人當然信以爲眞，他便利用夫人的金錢在東京西處亂找，想找到醫科速成班來解除他當前的災難。

用盡心思籌劃兩年 捷人計破鐵幕

兩年以前的某一天，當捷克共產黨進一步掠取民財的時候，烏里克辛苦經營的一家小機器店也被當局收歸國有了。當時烏里克就下了決心，他一定要逃出這個暗無天日的地獄，到西方去吸取自由的空氣，於是他小心地訂下計劃，並物色志同道合的朋友。不久，他找到兩個捷克士兵，一個名叫貝塞里的陶丁，還有婦人葛勞德太太，他們這個人所受共黨的壓榨，使他們由陌生人很快成爲親密骨肉的同志。葛勞德太太於一九四九年和一位美國大兵在西德逸諾斯城結婚，婚後她沒回國料理私事，一道低垂的鐵幕便把這對異國鴛鴦，隔斷在兩地。

共黨搜查時，機警的烏里克幸好藏起了一具笛塞爾式引擎，這是他唯一的寶貴財產，他把它換了一輛殘破的英國卡車。

兩年來，烏里克和他的朋友盡力搜求難得到手的鋼鐵碎片。他們向人乞討，求人借用，有時且出諸偷竊的手段，再秘密把這些鋼鐵運到店裏。在這兩年中，烏里克利用夜間，辛苦地把碎鋼廢鐵鍛鍊成鋼板，直到上星期的一個午夜，在他們兩年累月的努力下，一輛自製的裝甲車果然出世，烏里克的設計確實不錯，外表看起來像一輛捷克陸軍的坦克。他們再在上面蓋了些樹枝和樹葉，更像一輛參加蘇軍演習的偽裝車輛。然後烏里克，他的太太和兩個孩子，還有那兩年來形影不離的四位朋友一齊跳上了裝甲車，開動馬達朝着三十五哩外的西德邊境馳去。

一路上都沒有出事，打着磕睡的警察巡邏隊員只淡淡瞧他幾眼。凌晨五點鐘，車子駛到佈滿有刺鐵絲網的邊界區。烏里克突然扭轉車頭，把車子駛下公路，衝出層層的鐵絲網，在那些捷克邊境衛兵還正驚得目瞪口呆的時候，他們已駛入西德境內幾百碼了。沒有受到砲轟，甚至一顆手提機關槍彈的轟擊也未聽到。這樣的逃出鐵幕，眞出乎他們的意外。再過幾分鐘，一羣西德警察包圍住了他們，烏里克領先愉快地跳下裝甲車，葛勞德太太也連忙伸出腦袋說：「我要盡快看到我的丈夫，請你們替我拍個電報給他好嗎？」

他的丈夫葛勞德在逸諾斯城看到報上的新聞，不禁叫起來道：「奇怪，我們四年來的希望現在竟然實現了」。（第滔譯自八月三日「時代週刊」）

莫斯科電台撒謊記

·由之·

莫斯科電台於六月二十日突然大發假慈悲，爲「紐約的窮丐」一揮其鱷魚之淚。廣播中說，俄輪「蘇章」號於開赴洛杉磯和紐約的時候，曾以穀物和烏克蘭的甜菜湯救濟一些美國的乞丐，那篇廣播中像煞有介事，於新聞說明之後，還由所謂二副蘇朱克登台報告目睹的實況。於是蘇朱克滿面淚痕，跟在嬌聲瀝瀝的女報告員之後，以沉痛的口音說：「在洛杉磯時，我們看到許多衣衫襤褸滿臉饑容的兒童，其中一個是瘦弱的黑人，他伸出又黑又瘦的手，睜大着白眼睛向我們乞求着說，先生，請施捨兩個仙，隨後我們時常碰到這種小乞丐。但船到紐約的時候，我們更經常看到成羣的窮丐，他們圍着我們乞討，我們的船員同志把食物分給他們，他們接到穀物和烏克蘭甜菜湯時，小眼中充滿着感激而歡欣的眼淚」。

這則廣播傳出後，立刻忙壞了紐約海關和港口當局，他們對俄國的造謠與誣衊固然不值一笑，但對於一件事，總應該查得一清二白，可是海關職員在翻遍檔案後，總找不出「蘇章」號抵港和離港的紀錄，據檔案管理員哥里斯說：「至少從一九四九年以來，沒有一條名叫蘇章號的輪船進出紐約的港口，不論是俄國船也好，其他國家的輪船也好。」經不起一查，莫斯科電台的造謠伎倆又被拆穿了。

中華民國僑務委員會頒發登記證台僑新字第一〇二號

中華民國郵政登記第一類新聞紙類

自由人

THE FREEMAN

（半週刊每星期三六出版）

（第二五四期）

每份港幣壹毫

督印人：李光華

社址：香港高士打道六六號

電話：七四〇五三

GLOUCESTER RD. HONG KONG TEL: 74053

承印者：東南印務出版社

地址：高士打道六十四號

台灣特派員辦事處：台北市館前街五十號

台灣總經銷處：台北中華路新號五九四之一

台灣郵政劃撥儲金帳號　九二五二號

認識共產主義與共產黨

·王聿修·

認共產主義非武力可以消滅，是錯誤的看法。共產主義絕非改善社會經濟的理論。如認為只有改善人民生活才可消滅共產主義，貧窮引起了共產黨，也是似是而非的看法。自由世界第一步必須宣布共黨為非法的叛亂組織。

任何國家的共產黨，它的最後目的都是奪取政權，然後完全改變原有的一切社會政治經濟制度。共產主義認為國家是統治人的工具，[illegible]所以共產黨要消滅國家，因之全世界的共產黨都是以蘇俄為「祖國」，請求保護的「新國際主義」。凡是共產黨都是背叛國家的。共產黨在一個國家內鼓吹「革命」，就是等於由蘇俄策動，征服這個國家。假如不幸一個國家的政權被共產黨奪去，那就等於這個國家被蘇俄變相征服了。

（一）不易察覺的共黨手段

共產主義與共產黨是世界性的和國際性的。世界各國的共黨全是屬於蘇俄國際共產黨的一部分，各國共黨與共產國際的關係，並不是一種鬆散的聯合，而是一個指揮在中央的集權制度。共產國際是一個世界性的政黨，各國共產黨都是它的支部，受它的指揮，它們有共同的目標（侵略世界），有一致的行動，指揮者是莫斯科。

共產黨的最終目的是不變的，但它的手段卻是千變萬化的。除了宣傳，分化，煽動，滲透，暴動，冷戰熱戰等等之外，它的一個最新的不易為人察覺的手段，是把共黨份子安置在反共的機構中（請參閱「深入虎穴」一書，香港新世紀出版社出版）。共黨利用教師，牧師，商人，學生，以及所謂社會名人，為共黨活動和宣傳。共黨甚至用二三十年的工夫，培養所謂『教授』，『名作家』，『教授』，製造有利於共黨的『輿論』。

人類要有自由，要有幸福的生活，便不能容許共產主義與共產黨存在。要消滅共產主義與共產黨，固然須用種種方法，但最後必須用武力。只有武力可以對付武力。共產黨對內是暴力統治，對外是武力侵略。現在它的力量的來源是蘇俄，只有將共黨力量的來源消滅了，共產主義與共產黨自然便不存在。

（二）共產主義和納粹法西斯同類型

有人認為共產主義不是用武力可以消滅的。這種看法是錯誤。近二三十年以來，許多知識份子的一個錯誤，便是誤以為馬克思等的共產主義是改造社會的一種理論，誤以為它是謀求人類平等的。但實際上共產主義根本不是一種改善社會經濟的理論，它只是一個企圖征服世界奴役人類的藍圖，和法西斯主義納粹主義是同類型的。打倒了共產勢力，共產主義也就消滅了，一如法西斯主義納粹主義之消滅於二次大戰。

又有人誤以為共產主義是好的，而是共產黨歪曲了共產主義。這種看法是雙重的錯誤。第一，前文已指出，共產主義的目的並不在改進人民的生活。關於這一點，有百年來馬克思列寧等的著作為證。最近美國包生尼（S.T. POSSONY）教授著「（A CENTURY OF CONFLICT）」指出。第二，今天各國共黨所遵循的正完全是共產主義的路綫。共產主義在政治上是要『世界革命』，所謂世界革命就是侵略世界，取消了別人的國家，要全世界的人都以蘇俄為宗主。在經濟上，人民賴以為生的一切生產工具，不論是工廠，礦場，商店，房屋，農田，等等，都由『政府』沒收，經營，利用。政府完全控制了人民的整個生活，人民當然完全失去自由。共產主義與共產黨都是要不得的。

（三）政治自由與經濟自由的真義

一個自由的社會，不但在政治上要自由，在經濟上亦必須有自由，而且經濟自由的重要性，遠超過政治自由。因為經濟就是人民的生活，如果人民的經濟生活無自由，其他一切自由都成了空的假的。當然，我們都知道，有政治自由並非我們可以亂用它，以致傷害到別人。政治自由有政治自由的限度和大家共同遵守的規則，例如法律。同樣的，經濟自由亦不許利用它去傷害別人。經濟自由亦有大家共同遵守的規則，例如規定禁止獨佔企業，征收累進所得稅。收入多者納稅的稅率高，譬如在自由經濟的美國，收入多者納稅更多，在一九五二年，一個每年收入五十萬元的家庭，須納稅四一一，二二一四元。在加拿大則須納稅四〇七，二二六元，在英國須納稅四七七，六七四元。在自由經濟的國家，人民有充分自由從事任何經濟事業。而且在自由競爭的環境下，只有效率高的，出品好的，方可存在。任何人收入多，納稅多，對社會貢獻就大。所以自由經濟是養雞下蛋，共產主義是殺雞取蛋。

（四）似是而非的看法

更有人認為，只有改善人民的生活，才可消滅共產主義。這便是一種錯誤的看法。各國的共產黨都是外來的侵略力量，即蘇俄的第五縱隊，各國的共產黨都是由蘇俄暗中操縱成立的。例如，從二次大戰前起，中共每年送一千餘人到蘇俄受訓。一個國家的經濟生活好，亦阻止不了外來的侵略。如果經濟落後的國家，引起了共產『革命』，那麼什麼時候將經濟生活改善到人人滿意呢？是否完全改善之前便無法阻止共產侵略呢？美國人是全世界最好的，是美國有共產黨，為貧窮引起了共產黨？[illegible]

[illegible]以繁榮經濟為消滅共產主義的辦法，蘇俄卻準備以武力征服世界，那麼世界內戰，對自由世界將是不利的。改進人民的經濟生活是必須的，但最急要的是先肅清世界的共黨。

（五）肅清內在的敵人

第一步，自由世界必須宣布共產黨為非法的叛亂組織，禁止一切共黨的活動，同時又不可一面反共，一面又許可敵人。

整個自由世界應宣布共產黨為非法組織，肅清內在的敵人。我們希望美國進一步完全禁止了共產黨。[illegible]由州議會通過法律，完全禁止共產黨外，[illegible]六月加里佛尼亞州已[illegible]

換俘已起爭執

韓戰雙方於本月五日開始換俘後，業已引起爭執：聯軍方面對遣回的美籍戰俘人數，認為至少尚有五千名左右未下落，如狄恩少將即未見蹤影；共方說只有些「不願遣回」的人，並無五千名那麼多。同時又說聯軍扣留了共俘兩千名，而共方卻已照原來所報出的人數多遣送了兩千人！

因為南韓自動釋放了兩萬多名反共戰俘，因事，共黨方面一定要扣留一大批聯軍的俘虜—「美國人」—以示報復。遣回之中，像狄恩少將，決非「不願遣回」的人，共黨將其扣留，其中即含有許多作用在。第一步的換俘情形，已表現出爾許我虞的作風，可見未來的政治會議，能有甚麼好結果嗎？

克拉克將軍辭職

韓戰聯軍統帥克拉克聲明他已向五角大廈請求辭職，並於十月卅一日起生效，而且還要退役。

十月裏還是討論韓戰善後問題的開始時期，結果是吉是凶，尚難預料，而克帥乃請求去職，其中必有原故。克帥的年齡亦未到退役階段，此時他發出辭職又退役的聲明，自非尋常的消息。

首先令人發生敏感的，即是克帥對韓戰停火協定的效用大概沒有信心，預料戰事難免再起。但，過去五角大廈那種不許打勝仗的戰略，實在使指揮作戰的軍人感到萬分難受。自麥克阿瑟，菲烈特，乃至於在板門店指揮舌戰任務的約伊將軍等，無不因此而憤懣去職，不願幹這種史無前例的冤枉工作。克拉克將軍素來是具有硬幹精神的人物，這兩年他在韓戰之中，心理當然煩悶已極，所以再也不想自找罪受了！

其次是新任美國聯合參謀會議主席雷德福將於本月十六日正式就職，其他三軍首長亦同時變換了。克帥急急於現在即提出辭職的要求，又要到兩個月後纔正式卸任。這是否含有內部軍人派別之爭的因素，要在雷任未交卸以前，批准他的辭呈，以示其共進退的決心呢？因為美國陸海軍之間，為着國防建設的觀點不同，素來就是有派別之爭的。

我過去對南韓總統李承晚那種不顧一切反對休戰的強頑態度與動作，總懷疑他得有戰場上友軍方面有力人物的暗中支持。如前任第八軍長菲烈特固然是贊成李氏的，即現任的泰勒將軍，也隨時稱許李氏是愛國英雄。如今克帥之求去，或許是為着避免未來對南韓作違背良知的應付，也未可知呢！

總之：克帥這次突然求去，意義必不簡單，也不是尋常的人事進退問題，所以值得世人注意。

東德饑民衝破封鎖網

俄共集團用坦克機槍與鐵絲網，嚴密地封鎖交通綫，不許東德人民前往西德領購賑濟的糧食，結果是「民不畏死」，衝破封鎖網，照樣地湧進西柏林去！

這是最現實的生存鬥爭，亦是最有效用的心理作戰方法。美國政府若干年來大倡心理作戰之說，然其方法總不外是加強「美國之音」的廣播節目，在廉價銷售的刊物上，描述些美國人民都有汽車，冰箱，收音機這類高等文明生活的享受等等，實際是沒有抓着癢處。這與羅斯福的未亡人，走過一下日本、香港和印度，便說亞洲人不明瞭蘇俄共產主義的說法，同屬幼稚可笑。祇有這次對東德人民的糧食救濟工作，才是真正的刮刮叫的心理作戰方略，可為大書特書的。

今年中國大陸上水、旱、蟲三災遍地，饑莩滿目，迫使共黨不得不放寬人民出境的限制。可惜自由中國政府未能來一次像對東德饑民的救濟運動，連大陸救濟總會過去的投糧工作也未有所聞呵！

艾克時代的考驗

·許漢釗·

時勢可以造英雄，時勢也可以毀滅英雄。美國胡佛總統因為正處在世界經濟恐慌的波浪中，他無法挽既倒的狂瀾，成為眾矢之的，他被共和黨擠倒了。羅斯福因緣時會，揭櫫藍鷹運動，把經濟危機挽救回來，羅氏高瞻遠矚，雄才大略之功固不可沒，但他因為急功近利，企圖早日結束對德對日戰爭，不惜處處對蘇遷就，如第二戰場的開闢問題，戰後戰敗國賠償問題，都是彰明較著之例，而雅爾達協定更鑄[illegible]，我們現在從美國國務卿貝納斯著述中，大略見到羅斯福臨終之前已想[illegible]

[illegible]

艾克時代和平象徵

[illegible]

努力調和極端歧見

[illegible]

中共面臨新危機

鄭竹章

中共統治下的大陸，自本年第一季以來，即進入一城鄉窒塞，內外斷流的局面，使其農村與城市經濟，抵臨破產的邊緣。

土產滯銷投資銳減

在農村，大陸的經濟基礎，由於農業生產迄今仍佔國民總所得百分之八十，不僅農村原料商品，與城市的工業品，亦大部被國營貿易機構所控制。而大陸農業收入中，糧食與棉花佔百分之七十，土特產佔百分之三十。自聯合國實施禁運以來，各地土特產即陷入嚴重滯銷狀態。中南區方面據中共湖北省「湖北日報」公佈的報告，湖北省去年上半年積壓土產達百分之七十。西南區據中共貴州省「貴州日報」稱，貴州省土產，約值一萬八千億，佔農民全年勞動收入之三分之一。四川省[illegible]，而僅銷出百分之四十。過去在中共所謂「大國精制」之下，不計盈虧，國營貿易[illegible]。

[illegible]如鄂城縣積存草紙原料十萬斤，因[illegible]。放在土產的資金，比去年同期減少百分之四十一，二月份比一月份減少百分之三十八，三月份又比二月份下降百分之二十，四月份又比三月份下降百分之十七（見四月四日人民日報）。

購買力弱經濟癱瘓

由於農村土產滯銷，農民購買力減弱，因此城市工業品下跌的途徑，部門及合作社的存貨山積。最近中共檢查上海合作總社批發站，即發現積存紗布十七萬八千九百疋，其中大部分已積壓五、六個月。針織品中毛巾、襪子、背心等十三萬二千二百多打，大部已積壓七八個月，由於積壓時間過長，大多已變質或損壞。（見六月廿二日天津大公報）。由於商品無法推銷，流動資金不斷增加，商品流轉費用，因而影響其利潤上繳的財政任務。因此，自本年開始以來，國營貿易機構對公私工廠的產品也停止收購，如以東北區「人民日報」的報導[illegible]。

稅收短絀經建萎縮

在本年第一季度中，[illegible]基本建設計劃只完成一半，[illegible]完成百分之六十。據「人民日報」的報導：東北地方國營工業[illegible]。

在農村土產滯銷，城市工商業積壓的情況下，國營企業收入，[illegible]收入佔百分之三十九點四，國營企業[illegible]二者合計佔總收入百分之七十三。[illegible]果，財政收入自無法完成，因此迫使中共縮小其本年度的經建投資。

加強搾取再發公債

爲了挽救這一危機，中共已決定減少投資與加強搾取兩項對策，其一是加強對農村的搾取，另一是發行所謂「經濟建設公債」，對工人及私營企業再展開另一次敲骨吸髓的勒索。在農村方面，中共政務院已下令各地佈置徵糧工作，並限於八月中旬完成「夏徵」工作，一方面強迫農民照「常年應產量」計征農業稅；另一方面由各地「糧食局」與「糧食公司」統一糧食管制，農民每戶只準留存一個月的口糧，[illegible]。

[illegible]由全國職員、工農民和工商業者[illegible]。自本年三月以來，「人民日報」的「讀者來書」欄中，（見三月廿八日「人民日報」），即已不斷出現「讀者」要求提早發售公債的文字，這是中共向大陸人民展開新搾取的計謀，亦爲其繼去年「五反」運動後，搬演另一次「殺雞取卵」慘劇的先聲。

在中共瘋狂的搾取下，今天大陸的國民經濟，正像一弘涸源的光水，已進入全面乾涸的階級。中共的財經政策，既無法培本固源，其目前的種種措施，充其量只能苟延殘喘而已。

七年越戰眞象

由馬來亞的經驗，任何人都清楚知道，越南的反共戰爭需要全越人民更強有力的支持。今年，華府曾經撥出六千萬美元，以彌補因越南負擔而引起的法國財政困難，截至五月一日止，本年度美國所援濟的作戰物資已包括作戰車輛一千餘輛，飛機三百餘架，海艦三百餘艘以上，此外還有小型彈藥，砲彈一千二百萬發左右。

美國軍援顧問團並不負責訓練越南三邦的作戰部隊，美國軍官也不參加作戰的計劃與指揮，但他們經常跑到前綫，視察美援物資的使用，以及其接受、儲存和分配的情形。

越南軍的成長

美援物資的源源抵達，使越南陸軍獲得不斷的進展，他們的訓練由法軍官擔任。最初的建軍目標四個師，其後增到六個師，再加到八個師。越南陸軍之精力充沛的領袖，是現任總理阮文心的愛子阮文興准將。他今年三十七歲，曾在法國空軍中服役十七年，第二次大戰期中，常駕B——二十六式轟炸機在北非轟炸納粹部隊。他戰功彪炳，在雪白的制服上，迄今還佩戴四列勳帶。他直接向所有的越南陸軍發佈命令，其參謀[illegible]有直接下達命令的權力。他力主組訓輕便部隊，施以特別的突擊教練，以游擊戰術來對付越盟軍的游擊活動。三年前尚無所謂越南軍，後來成立第一個營的時候，以法語發號施令。但今日軍隊的口令已改用越語，大多數的命令與文件也以越文和法文並列。

阮文興七年打算

阮文興將軍希望在兩年內越南軍會比越盟軍更強大，以使法軍能撤出越南，將作戰責任完全交由越南軍接管。他認爲在其後的五年內，越南軍將可擊潰越盟軍取得勝利。據某一越南軍高級軍官說：「越盟軍都不是共產黨，而是民族主義者，因此他們決不會向法國人投降，而僅可能在他們自己國旗下作戰的越南軍投誠。」

越盟軍正不斷地擴增他們的軍事部隊，獲自中共的援助也在大量增加中，其中大部份是中共製造的武器和俄式的裝備。中共以「志願軍」名義派往越盟軍中擔任教官與技術人員的官兵正源源進入北圻，越盟軍中的高射砲手也大多由中共士兵擔任。

法國遠征軍團

法國派往越南的遠征軍，是以外國人爲骨幹的，外國人軍團的組成份子至爲複雜，內中有德國人、英國人和俄國人。如果把二十萬左右的越南自衛隊加在其內，法國遠征軍團的官兵幾佔了法越現有總兵力五十五萬人的半數。

一九四六年，越南人的傷亡尚只佔總傷亡的百分之十，但今天他們的死傷額已高達百分之五十二，由此可見作戰的負担是已經如何的轉移。法國遠征軍團陣亡者總計已在三萬五千人以上，其中包括軍官約一千五百人，軍士四千人在內，總傷亡數字將近十萬人。遠征軍團中還有法屬摩洛哥與阿爾及尼亞的士兵，由法國調來的傘兵和突擊隊，官長均由法國人担任，凡是由法國調來的正規官兵，他們所領的薪餉要爲在國內時的兩至三倍。

東方的馬奇諾

薩蘭將軍執行巴黎的指令，已使今年首四個月中的傷亡大爲減少，僅爲一九五二年同期中的半數。但因缺乏完成此種保守性戰略所必要的行動，以致引起外間指責他採取「讓他去」政策的批評。各方面的壓力似已使法國不能不利用日漸增加的美國供應品來發動攻勢，以代替自前法軍總司令塔西尼將軍病逝以來所採取的消極守勢行動。

目前法軍的主力大部份集中於防守河內、海防以及由許多碉堡所構成的所謂「東方馬奇諾防綫」一帶，這一帶的火力相當強大，使共軍不敢輕易向之進攻。

對於法軍的固守在「馬奇諾防綫」內，越盟軍曾經極盡譏諷的能事，他們說，法軍此舉無異把自己拘禁在集中營內，因此也減少了共軍的不少煩擾，並認爲他們節省了許多有刺鐵絲網。（劍英譯自「基督教科學箴言報」）

世界縱橫

七月中邀請蘇俄舉行四國外長會議的建議，三國當局雖已進行密切磋商，但尚未正式表示態度，但各方反應，均認定蘇俄並未採取和平的步驟，大致將依然拒絕蘇俄的條件，而另提一組建議，作爲與俄商討歐洲問題的基礎。關於四國外長會議的建議，原是[illegible]，當時杜爾斯、皮杜爾、沙利斯堡的商談實際情形，却最近始被洩漏於外，美時代週刊曾以內幕消息加以報導，從其內容觀察，不難看出西方對俄政策未來路線的線索，茲將原文譯述如左：

英國對美屈服嗎？

華府三外長會議的實際情形，與世界報紙所報導有極大不同，三方面各自採取的立場，可以作爲一種線索，使人明瞭西方國家何以未能達成一條新的行動路線，在歐洲從事抗共鬥爭。三外長的對歐會議，[illegible]

蘇俄最近致西方的照會，提出中共參加四國會議的條件，幾等於拒絕了英美法的提議，[illegible]

西方對俄政策內幕

三外長何以未能達成強硬對俄路線

蘇俄的政策已入窮途末路，[illegible]到明年將告結束，歐洲防衛集團（即六國歐洲軍計劃）則因面臨困難；[illegible]邱吉爾首相提議西方政府首長與蘇俄領袖舉行直接談判，[illegible]中立主義者和對俄仍抱幻想的人士熱烈歡迎[illegible]。邱吉爾病倒使百慕大會議宣告流產，於是有華府外長會議的召開。

三位外長未能協議對俄召開四國高級會議，與論界一般認爲，這是美國艱難的勝利，倫敦反美的「新政治家與民族」週刊尤表不滿，指責代理外相沙利斯堡向美國「屈服」。

沙利斯堡竟反對巨頭會

其實，沙利斯堡的態度最爲現實，在華府會議中，却是最不贊成早日與俄舉行談判的。他認爲任何要求對俄會議的行動，應該延擱到九月西德選舉及歐洲防衛集團獲得批准之後。他極力辯論，這二個步驟，可以使西方得較強的地位，來和克里姆林作討價還價的談判。

最反對這主張的是法國。皮杜爾說，法國許多政治家一日認爲仍有與俄達成協議的可能，歐洲防衛集團便一日沒有獲得法國國會批准的機會。法國許多人士注意對德協議，這樣就可避免德國參加歐洲防衛集團而重整武裝，因此不致再有威脅法國的可能了。皮杜爾又說，如果蘇俄拒絕西方提出的四國會議建議，試會議會使歐洲防衛集團就可比較容易獲得法國會批准。

華府會議中還有一個幕後的第四方面，就是西德總理愛特諾爾。他曾提出一函，主張三外長邀請蘇俄舉行會議。他說，這個邀請，對他在德國大選中的地位及歐洲防衛集團的批准都會大有幫助。

於是，令人相當驚奇的事發生了，杜爾斯支持皮杜爾及愛特諾爾的主張，竟離於沙利斯堡的立場。其實沙氏的立場，本來就應該說是美國的路綫，即認爲在歐洲防衛集團未獲批准，及西歐的地位未曾因此加強以前，對俄會談是無益且是危險的。沙利斯堡仍堅持這立場，但已形成孤立，祗好把這情況報告英內閣，內閣命令他接受英法的觀點，但有一附帶條件：不論未來對俄會議結果如何，法國必須同意照舊努力謀求歐洲防衛集團的建立。

杜爾斯立場軟弱的結果

在表面上，法國是接受了這條件，但他對英美外長說，如果西方與蘇俄意外地達成對德協議，則歐洲防衛集團便沒有成立必要了。

在會議的重大決議中，法國的意見，其影響力大於英美。三外長同意邀請蘇俄舉行會議，討論有限的德奧問題，對法國和西德的國內政治方面，雖有短期的利益，但完全是不爭事實，即使三外長本身，也認定這個對俄會議的建議必會失敗。同時，這建議也有極大危險，如果蘇俄同意參加這個會議而施出幾個詭計，它祗要略作無關緊急的讓步，便可使歐洲防衛集團的建立希望全部破碎。

不過這次華府會議，還是有一個可喜的現象，這是沙利斯堡表現了英國的外交家中畢竟還有一人能果敢地提出一個堅強的對俄路線。（艾芝譯）

上接第一版

艾克時代的考驗

但艾克并不要[illegible]調和的工作，他要努力克服南北極端的觀念分歧，[illegible]休戰居然可以簽得協議，爲什麼南韓與英國以至其他國家[illegible]協議間的最近法的三國外長會議，杜立斯韓國之行，都可以證明艾克在政治會議開幕前，企圖作掃除政治陰謀的種種步驟。

艾克遭遇到的困難，不祗在國外，而且也在國內。艾克的黨性本來不大濃厚的，在選舉的初期，民主黨與共和黨都想利用艾克在國際和國內的聲望，擁護他出來作候選人，後來終由共和黨擁出來了，而且成功了，共和黨自然是躊躇滿志，但新的考驗來了：共和黨希望艾克百分之一百忠實地執行共和黨的政策，在政黨政治的美國，艾克能否完全遵行呢？

政治作風深得好評

艾克雖是一個軍人，缺乏實際政治的經驗，但他並不缺乏政治的抱負，他高蹈入白宮，自然要發號施令，不肯讓人拖着走。於是白宮與共和黨議員之間開始發生磨擦，[illegible]麥加錫，已使艾克[illegible]頭痛，[illegible]

[illegible]他人絕不以恩怨而影響對官[illegible]。更如許多人對麥加錫的言論措施表示厭惡不滿，但艾克表示不涉及此種作風的批評，[illegible]深得美國人的好評，有些報紙在社論內讚許艾克在國內民主的考驗，[illegible]衝破了一個關。

最近共和黨參議員塔夫脫之死，是美國共和黨的損失，也是艾克的損失。塔夫脫之死有「共和黨先生」的稱號，他與艾克的政見雖不盡同，但他自從競選提名失敗以後，便聲明支持艾克，使艾克有了一股穩定的力量，[illegible]列名其中，他雖不一定是艾克智囊之一，但他對艾克影響力之大，在共和黨中恐無出其右。塔夫脫之死，使艾克在共和黨中失了一條有力的支柱，此後艾克要對杜威諸關一班共和黨重臣，要多下一番功夫了。

俄人全面指揮下
中共積極擴展航空網
建立應變軍運新動脈
便利蘇俄吞噬整個東南亞

韓戰停火之後，中共已獲得了喘息與從容發動另一次侵略的機會。然而它在提防着自由中國的反攻大陸，就其實際行動上反映，幾無時不存在着戒懼的。數年在交通方面所開闢的路線，除了西北、西南、桂越鐵路線之外，開闢了九條航空線。說明了中共表面上稱作發展「國內交通」與「國際通道」，實在是企圖於大陸上一經發生戰事之時，作爲調運「救兵」的動脈。

三年前韓戰發生時，中共本已擬成一個擴充航路計畫，正擬開始執行，蘇俄已經授命中共出兵正式介入韓戰，侵略戰已開始，顧慮也就很多，由於中共侵略後的局勢演變迅速，三次大戰可能性似日益接近。因此，中共認爲原先擬成的擴充鐵道幹綫計劃，已不可能於可能爆發的大戰之前完成，而着手加强「民用航空局」機構，因爲該局自從三十八年成立之後，用來誘騙海外的航空公司員工投共的，但它策動海外的航空員工叛變，投奔北平終告失敗，因此，實際上這一個象徵性的機構，並沒有多大的力量，自非强化不可。

中共負担奴工，從依照蘇俄協定，開闢三大航線：一、從北平經瀋陽，哈爾濱以迄蘇俄的遠東基地赤塔；二、由北平經張家口，蒙古偽國都烏蘭巴托而達俄國的伊爾庫茨克；三、自北平至西安、蘭州、迪化而抵俄國西伯利亞之阿拉木圖。這一計畫，現已完成，但蘇俄關此空路的重要作用，殆爲恐懼韓戰擴及中共蘇俄控制下的東北九省，可使蘇俄在遠東擾攘的大量部隊運赴北平，以防止中共內部發生變亂，這是第一條空綫敷設的一大因素；第二條空路之設，乃係蘇俄對於綏甘寧夏的投共部隊一直懷有鬼胎，中共對於這一方面的武裝，雖然進行分化使用，實際上難以完全控制，尤其韓戰發生後更不易鞏固，因此，蘇俄準備隨時以武力佔領上述各地；假如國軍一旦反攻大陸，阿拉木圖的俄軍，可能會迅赴西安、蘭州、迪化三大重鎮，以監視各地共軍，迫使準備頑抗。最近的計畫，打算另闢一條新航綫，從迪化到喀什，以溝通新疆省內天山南北地區的交通，這一條綫的意義，乃是蘇俄於必要時強行[illegible]新疆，以保掠取豐富的[illegible]，維持原子能之原料主要來源。

軍事重心在北平
重慶成補給基地
武漢西安昆明各據要點 準備南侵並防國軍反攻

爲了適應於軍事上的調動以及戰略物資與軍需供應上調配迅速，[illegible]該之機構擴充，以「民用」來掩護它的軍事上調度，而這一計畫，當時顧其綫路，先後開闢了六大航綫：一、從北平經西安而達重慶；二、北平經武漢至上海；三、由[illegible]至重慶；四、由重慶至昆明；五、昆明經南寧至廣州；六、廣州飛湛江。從這些空路中，就不難看到中共的軍事重心在北平，戰略物資以及軍需供應均囤存在重慶，重慶已成爲中共的一大倉庫；武漢雖然是一個中途站，它在戰略上的地位是十分重要的，武漢無疑是一大兵站；西安的形勢尤佔重要一環，地形和戰略，交通各方面甚於武漢，西安顯然是一大基地；重慶和昆明綫，也甚重要，再由昆明至南寧，一綫，具有雙重作用，不僅藉此綫計畫可以侵略越南、緬甸，更可以兼顧廣州的安全，而無形中構成了昆明、南寧、廣州、湛江的軍要性，且證明了這些基地的效用，不僅是進窺東南亞的戰略據點，倘使國軍發動反攻，中共顯然將在上述各個基地調集重兵屯存，以使其利用空運的迅速，再循鐵道轉調其他作戰地區。現在各大基地正作進一步的加强，並未因爲韓戰停火而鬆弛了戒懼，更證明了中共對於韓國的休戰，旨在獲取喘息的機會，從而準備發動另一侵略戰爭；另一方面，也時時恐懼國軍的反攻。

俄對新疆企圖昭然若揭

另一個很明顯的例證，反映出中共的侵略，甚至於準備向東南亞進侵，無一非由蘇俄指揮的，但蘇俄對於自由中國反攻大陸亦無不深具戒心的。當一九五零年蘇俄指揮北韓南侵之時，令中共外長周恩來赴莫斯科，簽署「中蘇民用航空股份公司協定」，並於同年七月正式在北平成立「中蘇民用航空公司」，根據協定由俄國派遣技術人員，

上下分贓財政混亂
中共檢查始發現
各地皆有小金庫
模範區的東北也不例外

【本報訊】北平消息：偽財政部前陸續發現綏遠、青海、江蘇、安徽、四川、廣東、廣西、雲南等省及其部份縣市皆設有祕密小金庫的所謂「違反財政紀律」現象後，曾飭各大行政區財政機關進行一次「普遍而深入的檢查」，結果，偽財政部據各區所報認承，除浙江、福建兩省未提起外，其餘各省及各省之大多市縣皆有同樣情形，而素有「模範區」之稱的東北各省及其大多市縣也不例外。說這種自私的本位主義的瞞上欺下的作風，已嚴重地毀敗了財政制度，造成了財政上的混亂現象，且使「國家人民」都遭受了嚴重損失！據說各地「違反財政制度」的現象，約有下列各端，一、挪用公款，放高利貸，息充入私庫，三千萬元三個月得息一千三百餘萬元，利息充入私庫；二、藉故借支公款，私營商業，營利充入私庫，虛報、偽造決算，[illegible]

指導員不通文字
繪地圖亂畫圈圈

最近的重慶新華日報「讀者來信」欄曾披露一則很有趣的鐵幕社會新聞：說最近[illegible]縣「人民政府」民政科發出，要每個區的民政指導員在最短期限內繪一張全區性的地圖，凡鄉與鄉，區與區以及區接外縣的邊界，要用不同的圖線表示，以便上級看得清楚。但中共的區級民政指導員十九是從鄉村幹部提升起來的，別說繪地圖，根本連普通的文字都不通。例如該縣第十區的指導員邱家泰，一接到縣裏這個指示，自然又急又忙，無法應付。可是過了幾天，民政科打電話來催了，限他當晚十二時以前將地圖繪就送到，而且重重地壓下了一頂帽子說：「不然，你區要負全縣的『責任』！」邱家泰無法，照例發出通知，要各鄉鄉長在當晚八點鐘一定趕到區府，會商「緊急任務」，也照例向下壓了一頂大帽子：「倘誰遲到或不到，要負全區的責任」！如此，所有的鄉長當然都到齊了，邱家泰便給每人一方寸大的白紙，要每個鄉長馬上繪全鄉地圖，值得個個面面相覷，[illegible]面的命令，豈敢不遵，於是，大家便七拚八湊的在白紙上圖上了些大小不同[illegible]，送了上去！那末別的區怎麼樣呢？新華日報說：「各區都差不多！」這是個小故事，倒是個大笑話！

中共鎮壓川西彝民
開闢成阿軍用公路

【本報訊】成都消息：四川中共政當局，近爲徵集征服鎮壓川西部與西藏邊境的彝民起見，除已增加部隊鎮壓外，並決定由彝族民工修築一條公路，[illegible]征集彝民五千人，從事自理縣至阿壩的築路勞役，[illegible]中共將該公路名爲「成阿公路」。據悉中共開闢這一公路，除其用以便於鎮壓彝族外，倘有一以奪取該地居民豐富之生產品的副作用。

合作社操縱市場
高抬物價囤積居奇 官商相護同流合污

【本報訊】自從偽政權實施統制資源而具有經營方針的四川郫縣「高家鎮供銷合作社」，[illegible]四川合作社中的「模範」，郫縣「合作社」數次呈報上級，請求獎勵，并表示有正確的領導，才使基層社有特殊表現的正確經營的成績。誰知道這些事，如今才暴露出來。

據悉：該社自成立以來，[illegible]

[illegible]積年累月的陷在川共統治下，過著艱苦的生活。（手）

夏日炎炎共幹熱昏
甚多百貨公司
大做冬季廣告

這是上月二十八日人民日報所披露的一個讀者來信：夏日炎炎，[illegible]沙百貨公司正在長沙[illegible]櫥窗裡陳列着大批毛線、棉毛衫、絨線、[illegible]等，大做其廣告。[illegible]指出：除了長沙以外，其他各地一般「國營」公司或商店也經常出現這種情形，[illegible]說「國營」公司或商店和私營商店供應品及做廣告的事，要趕上個季節，實在荒唐得可怕云云。

中國思想史

新書評介

著者：錢穆
出版：中華文化出版事業委員會
版次：四十一年十一月初版

晚近關於中國思想史的研究，雖不乏人，然大都偏於局部的一人一家的研究或分代的敍述，鮮有對於整個思想發展的源流演變，作一有系統的敍述者。錢先生這一部中國思想史之出現，便是很難得的。

中國人近數十年來染上了一種妄自菲薄的習慣，因爲不曾讀通自己的歷史，卻盲目地說中國一切不合理，甚至不認自己也有思想，勉强要向外面接受一種思想，來自己內部發生衝突。錢先生首先在序文中提出這點，這是今日我們思想的一記當頭棒喝，實在值得我們反省的。

中國民族有了四五千年以上的歷史，中國人在此悠長的歷史文化演進中，對於宇宙人生，曾想過些什麼，曾有什麼意見，我們是中國人，我們應該知道些才是。這是錢先生告訴我們研究中國思想的主要意義。此書在這一方面，確已盡其能事，把中國思想的源流系統，提綱挈領地揭櫫出一個具體的輪廓來，讓我們對於中國思想獲得了較爲明白清晰的概念。

我覺得，此書最精彩的地方，尤其在乎說佛學的一部份。[illegible]

錢先生談中國佛學，撇開了其他一切不說，而只專注生公和六祖，這是一種大膽的創見，[illegible]

[illegible]

錢先生這段敍述起來，確是很有[illegible]

[illegible]（上）

·羅自芳·

尼赫魯，仔細些！

·高方·

尼赫魯先生表示：如果印度不獲出席政治會議，即不派軍隊赴韓國執行遣俘職務，頗有退出「中立委員會」的氣概。

尼氏的話如果不是志在對美國撒嬌要挾，我很贊成。南韓李承晚先生再三表示不許印軍踏進大韓民國的土地，否則『以杜印其脛』。區區的三五千個印度兵，讓步韓域，萬一飽嘗別人錯一頓，太不值得了。那時節，誰也幫不了忙，聯軍固不能與南韓作戰，即令印軍採取不登陸南韓地界的方針，那就得誠懇地被恐怖的共黨軍或共黨鬥爭份子[illegible]免走錯門路，狹路相逢，仇人以[illegible]的機會，這算甚麼中立國的身份呢？更有可慮之點：南韓軍民對這次的停戰協定，是十二萬分不滿的，滿肚皮抑鬱不平之氣，無處宣洩，印度軍隊開去，正是他們的洩憤對象，他們一定要找印軍出事，釀成騷亂，[illegible]決，因而政治會議也開不成，如是乎，破壞停戰協定的責任，印度[illegible]了！我若替印度出主意，必然拒此一策。尼赫魯先生原是想藉機製造「亞洲大亨」之政治資本的，一不小心，將有大蝕其本的悲哀，放仔細些罷！

民兵阿金

·楚三户·

不知道的人，以爲阿金的參加民兵是爲了怕分不到田，這完全是因爲對他不瞭解的緣故，其實他從小就受了他三叔的影響；有一年，他三叔賣了壯丁，口襲添出門幾個月又逃回來了，手上還有一個黃澄澄的戒指，這些金晃晃的東西，都是最容易引起小孩子的注目的，一天，他三叔牽着他到了鎮上，買了好大一包蘸花塞到他的胸口，他雙手捧住那包蘸花，把草紙偷偷撕開一個窟窿，拖出一條來，一面走，一面吃，忽然，一個人挑了一担水很匆忙的迎面而來，貼身擦過，濺了幾點水在他三叔的人造絲襪子上，他三叔惱了，猛的對準那挑水的人的大腿一腳：『瞎了你的狗眼！』那人祇掉回頭，看了一看，一聲不響很快的便挑着走了。

從此他便不能忘情於鎮上的蘸花，有一次，他偷了父親五個不准用的大銅板，跑到鎮上換了一包蘸花，在街上走着吃，鎮上的孩子們欺他人小，一窩圍上來，搶了個精光！阿金哭了！用手背揩着眼淚：『×你們的媽！告訴三叔去！』

大概是十二歲的時候，他做好了一根竹槍，把小石子從槍口灌了進去，用指頭扳動槍背上寸半寬的弓形竹片，拍的一聲，石子射出幾尺遠，他就拿這個武器領導村上的兒童，和鄰村的野孩子們打仗，誰也不是他的敵手，時常把那些野孩子撩倒在地上，口袋裏的蠶豆被他搜個乾乾淨淨，還用稀泥糊他們的嘴！

天黑，他就躲在村口上了，碰巧他父親走了回來。

『口令！』

他知道是兒子頑皮，根本沒理會。『拍』！幾顆石子打中了老頭子的腦袋！他父親氣極了：『畜生！回家去老子不打死你！』於是，他哈哈大笑的一溜烟跑到家中。

誰知他父親認了眞，一條大拇指粗的竹根不停的在他身上抽了十幾下，他並不哭，咬牙，瞪着眼，心中這樣合計：等我長大了，一定去吃糧，再來整你！

過了十年，阿金才有機會參加民兵，還是他父親被他們[illegible]死了以後的事。

自從阿金參加了民兵，最使他滿意的就是那根嵌着尖頭有一小條紅布的九環槍，他心中想：這總比小時候的竹槍更能嚇人些吧！因此，每天一大早起來，第一件事便是擦槍！擦完了，槍不離手，永遠掮在身上，有時連吃飯也忘了洗臉便把槍從肩上一摜，匆匆的向鎮上跑去，右手握緊拳頭頂住腰際，吼叫了一陣：『大家閃開點！民兵來了！』可是他並沒有遭遇到，走到街心，他只好走進一家麵館，要了一碗牛肉麵。

『夥計！怎麼這樣少的麵呢？』夥計替他添上一勺牛肉。

『怎麼這樣少的油！』馬上又替他添上一點油。

『你們眞是頑固！封建剝削習慣！你知道我現在五反反的是甚麼？』

他吃完那碗麵，掮起槍就走了出來。

『同志！同志！』還沒有會賬呢。他連忙扭轉身來，右手握緊槍皮帶，左手食指指着鼻尖：『你看清白人沒有？眞是瞎了你的狗眼！』

那面又走來了鄉政委，鄉政委老遠的就喊：『阿金！阿金！過來！』阿金再扭轉身子，看見是鄉政委，兩腿一夾，『敬禮！』這才走了過去。鄉政委把手上提的一籃蘿蔔交給阿金說：『替我送回去。』他是住在街尾的鄉政府內面的關帝廟，阿金跨過大門，來到關帝廟，政委的愛人馬同志正在房門口，一見阿金：『阿金！你眞混蛋！昨天怎麼沒來？』

『有公事去了！』

『跟我們服務還不算公事？一天不來，[illegible]』

[illegible]想把槍揹上走。

『慢點！事兒多着呢！』馬同志現出了很不愉快的慍色：『先把這蘿蔔洗乾淨！』

阿金提着那籃蘿蔔，打算到塘邊去洗，剛出街尾，恰好遇見了村幹，村幹連忙迎上前來，從解放裝口袋裏掏出一包「大紅金」，遞給阿金一枝：『託你辦的事，怎麼還不見效？』兩人抽着烟向塘邊走。

『唬過他好幾次了！』

『那那兒行！明早你再去，和他硬說，如果一定要剝奪他老婆的自由，不同意離婚，當心拿他當反動份子鬥！』

『說是可以，不過辦妥了你如何謝我？』

『你小子就是沒有好處不辦事！』

說得阿金笑了！兩人相對做了一個鬼臉才分手。

阿金洗完蘿蔔，馬同志的早飯也作好了，這時政委已經回來，抱着孩子踱來踱去，看見阿金呆站在房門外不知找事做，一個不高興就罵了出來：『你眞是笨鳥，幫忙端端菜好不好？』

政委把孩子交給阿金，好騰出手來吃飯，馬同志說：『輕輕拍着他的背，讓他慢慢睡着！』

也不知拍重了是怎的，那孩子忽然哇的一聲哭了出來，馬同志急了，把碗筷對桌上一摔，站起來就把孩子搶了過去：『滾你媽的蛋吧！一點事兒也不能辦！』

這才給阿金得着一個機會溜了。

小艾森豪審俘虜

艾森豪的兒子小艾森豪少校，最近曾在某師部中審問新近俘獲的中共俘虜，但被審者並未想到他就是美國總統的公子。

日本歸客談（下）

·承安·

當然，縱有最拆爛污的野雞醫科學校，要想取得開業的證書，至少也得三年兩載才行，立神怎樣於半年之間取得證書，大概不外乎「有錢使得鬼推磨」的緣故吧。他編排了許多鬼話哄騙俊子夫人道「日本有兩個有名的醫學博士，[illegible]」

在當地開業。像這樣的醫師，別說診察病情，便是許多極普通的藥名都不甚理會得，斷得他顧至心靈，拿出他的看家本領來，在醫院旁附設一所大規模土耳其浴室，常常替病人按摩一下。說也奇怪，普通腸胃病及神經病者也有一按便好的。（日本有所謂宗教治療法，與我國神秘嚴醫方相似，而醫學博士不見得比神方還要接事，[illegible]）

[illegible]所以我不便拿出這招牌來，還是日本國的醫師[illegible]

別的醫生終日在診察室看病，而立神博士終日在浴室裏看門。別的醫生於打發病人之後可以舒舒服服地熬浴一次，而立神博士每天辛辛苦苦地替病人洗澡。到晚上夫人要自下廚房去買夫獨魚，據說：「這是廣島的牡蠣，這是松江的鱸魚，鱸魚產自海水與淡水之間，是日本很有名的食品。」立神博士很得意的說，可不是嗎，我最喜吃鱸魚，理由是日本的國老都喜吃這東西。夫人斟上一杯酒說：「這是德國名酒，吃下去於身體很有益處。」博士點頭說：「對啊，我在巴黎的時候，一飯這種名酒，一碗吃鱸魚。」

夫人每天進此名貴的滋補品，同時立神博士弄得「晝」「夜」俱忙。足足忙了一年之久，從此永遠不會再忙了。他已和他的四位前任見了面！C君禮汗說道：「立神博士，感謝你做了我的替身！」

俊子夫人現在比從前出落得更美麗，依舊過着豪奢的生活，她伸長着粉頸期待着第六位稱心如意的郎君。

「命」的代價

·驥·

最近在港報上看到一則台灣命相館的廣告，這原不值注意的事；但是，從它所列的潤例中，由於價格的高昂，不由人不「觸目心驚」，初則奇怪，繼則感嘆！

這個廣告中所列的價目，分爲台幣與港幣兩種，最起碼的「一年流年」潤例是港幣二百元，台幣五百元，最高是「終身歲運」批命，定價爲港幣二千五百元，台幣六千二百元。批一個「命」竟要付如許金錢，在香港怪不得有很多人要去賣「命」了，可惜在此間人命不值錢，拚了命也得不到批一個命的價值，只有怨命了。不過，由此亦可見到命是有着因地域不同而值錢與否的，寶島的命要比香港的人命更值錢，那是可喜的事，因爲生活在自己的土地上究竟是不同的。

可是，在反共抗俄的大時代中，生活在自由中國的人們竟雖當門唯恐不及，如果不是這個「命相學家」自高身價，想來不會有人有此閒情餘錢去看相算命的，否則，這是非常使人感嘆的事，我們不能將前途委之於「命運」，而讓這些「專家」大刮其龍。

因此，我對於香港政府最近施行的「醫藥廣告」的限制條例，感到確是有着深切意義的，並且深表贊同，覺得一則小小的廣告，如果任聽病人隨便用上一些有害病者文字，影響是很大的，同時對於前述「命相」的廣告，覺得也有注意的必要，因爲由此可以反映出一個地方的社會情形，容易使人發生誤會的。

咸豐「秘史」（上）

·伯雨·

清道光帝最鍾愛恭親王奕訢，一般人都認爲將來大寶歸他無疑。後來突然歸奕詝（即咸豐），近人李岳瑞「春冰室野乘」記奕詝得立一事，頗有趣。據云：

『遂縣吳季清先生，友一內務府老司官旗人某君，年七十餘矣。通籍道光末，歷事四朝，內廷故事甚熟，嘗爲述道咸間遺事，多人間所不得知者。云宣廟（伯雨案：宣廟係道光也，死後廟號宣宗，故清朝人在當日如此稱之。在清亡之後，至今已四十餘年，執筆爲文者稱之爲道光帝或清宣宗皆無不可。七月三十一日，桂南屏先生在某晚報稱乾隆帝爲「純廟」，又在某報稱翁同龢爲今相國翁叔平，眞駭人聽聞也！）晚年最鍾愛恭親王，欲以大業付之，金合緘名時，幾書恭王名者數矣。以文宗賢且居長，故逡巡未決。濱州（案：杜受田也）時在上書房行走，適授文宗讀。微窺上意所在，欲擁戴文宗，以建非常之勛。一日，上命諸皇子校獵南苑。故事，皇子方讀書者，奉命外出，臨行時必詣師傅處請假，所以尊師也。

貝利亞垮在警察手裏

俄共中央委員會「一致」通過罷黜內政部長兼祕密警察首長貝利亞，多少要使西方國家感到驚異，認爲貝利亞在俄共黨內經營數十年，難道在緊急關頭，竟無半點勢力。其實，據西方情報人員自莫斯科重要人士所獲的祕密消息說：在貝利亞垮台之前的四個月，也就是史達林死後不幾天，在總書記赫魯契夫佈置之下，俄共中央委員會即開始整肅貝利亞的準備。當時被指派供中央委員會調用的一支特別保安警察，即經常祕密監視貝利亞的行動。後來馬倫科夫與軍方聯絡成功，時機已近成熟的時候，中央委員會高級委員即於六月中旬召開祕密會議，討論整肅貝利亞事件，在那次會議中，貝利亞自然沒有出席，等到中央委員會舉行全體會議的時候，莫斯科外圍大軍雲集，特別保安警察則遍佈場內，那些勢孤力弱的貝利亞羽翼，眼見「形勢比人強」，也只好隨衆附和，大叫開除反黨反國的貝利亞了。

邱吉爾十一月底退休

近來許多跡象顯示邱吉爾秋間退休，幾已成爲定論，但他究將於何時正式退出內閣，居於「元老政治家」的地位，到現在還沒有一家英國報紙向外報導。不過，最近邱翁的許多國會朋友已在積極活動，企圖說服他在今年十一月卅日，也就是他七十九歲生日的那天，正式宣佈退休。邱翁經不起他們的苦苦勸告，口頭上已經初步答應，但他仍表示在此之前要爲英、美、法、俄四國巨頭會議盡最後的努力。

捷共的一石兩鳥手法

前些時，捷政府宣佈大赦，凡非重要的叛國罪犯，一律分別減刑或釋放，許多囚犯的家屬聞訊後喜極而淚者極多，但他們一等再等，始終見不到「獄中人」回家團聚，跑到監獄去問，答話是早已釋出。原來捷共在宣佈特赦後，果眞履行諾言，把他們認爲可放的人從大門口釋出，但隨後又把他們驅上卡車，運到礦坑或重工業工廠充任奴工。這是捷京布拉格可靠人士所傳出的消息，他們說，捷共在玩弄一石兩鳥的手法，一方面工礦業找到了上好的奴隸，一方面又達到了宣佈大赦討好人民的目的。

白宮秘書青出於藍

美總統新聞秘書哈嘉第在未進白宮以前，原是高爾夫球的門外漢，他不僅與高爾夫球無緣，而且籃排足球也陌生得可以。但自入白宮後，工作餘暇或週末假期，他還有另一件業餘的工作，那便是陪同艾森豪總統大打其高爾夫球。幾月來，他的進步驚人，現在球技已超過他的頂頭上司了。

艾森豪在球場上，有時會顯出他性急的脾氣，但由攝影上，更可看出他急燥的個性來。每一個到白宮採訪的攝影記者都承認艾森豪是一位很好的攝影對象，他的表情尤獲得大家的讚揚，但有一點卻是美中不足的，他常在攝影記者還沒有對正光圈以前，就已感到不耐而匆匆離去。在這一方面，羅斯福和杜魯門比較懂得記者的心理，他們一直到記者們叫聲「謝謝」後，才從容和大家道別。（孟衡）

天下小事

中華民國僑務委員會登記證台僑字第一〇二號
中華郵政登記認為第一類新聞紙類

自由人

THE FREEMAN
（每星期三六出版）
（第二五五期）
每份港幣壹毫
督印人：[illegible]
社址：香港告士打道六十六號
電話：七四〇五八
GLOUCESTER RD.
HONG KONG
TEL: 74058
承印者：東南印務出版社
地址：高士打道六十四號
台灣特派員辦事處
台北市館前街五十號
台灣總經銷處
台北市中華路新號五九四之一
台灣郵政劃撥儲金帳號
九二五二號

馬連可夫的外交聲明

陳克文

以氫彈為中心的外交聲明，意在重振共產帝國主義聲威。馬連可夫主張締結五大國和平公約，以強權支配弱小國家的命運。兩種制度共存，事實證明只是適應環境的臨時口號。

這一次馬連可夫突然在蘇維埃最高會議中宣布蘇俄已經擁有氫氣彈，跟着聲明蘇俄對目前若干國際問題的政策。說這一次的聲明和三月間在史太林葬禮中所作的聲明，態度並不兩樣，溫和平易。

說謊在共黨不算一回事

現在蘇俄究竟是否確已擁有氫氣彈？世界各國政治家和科學家，多數抱着懷疑的態度，因爲馬連可夫在說謊。說謊在共產黨本來不算一回事。我們要知道的並不是蘇俄事實上已否擁有氫氣彈，或者擁有多少氫氣彈。我們要知道的是馬連可夫這一次以氫氣彈爲中心，極力誇張蘇俄軍事力量的對外聲明，它的意義怎樣？

第一，是否貝利亞被清除後，馬連可夫的地位更加鞏固，內部團結已經不成問題，蘇俄的對外態度可以更加強硬了呢？抑或紅軍已經成了蘇俄的主宰，馬連可夫成了軍人的傀儡，這次的外交聲明純然是軍人態度的反應呢？這些都有待於今後事實的證明。

第二，蘇俄內部騷亂之後，東德暴動，波蘭、捷克相繼騷亂，其他衛星國家也無一不心懷離異，蠢蠢欲動。蘇俄要維持共產集團的統一，保持「老大哥」的地位，自然只有訴諸高壓政策。東德的粗暴行動，北韓大批屠殺高級共幹，都是此一政策的表現。當年史太林排除托派，風潮蔓延及於世界各國的共黨內部，現在馬連可夫排除貝利亞，也一定要波及共產國家。恐怕北韓屠殺之後，中共的自相屠殺，也快要實現了。

自己戳穿預算案的玄虛

第三，歐洲北大西洋防衛公約，以至最近美國的聯防政策，北韓停戰後的美韓聯防協定，十六國對中共北韓的警告宣言，這都是對史太林死後，內部動盪不安的共產集團最不利的形勢。蘇俄非在這時候，拿出氫氣彈來炫耀「偉大的國防」，不足以挽回衛星國日漸增加的離心力。

還有一點，這一次蘇維埃最高會議的預算案，強調減少軍事預算，增加生產和文化預算，馬連可夫卻同時高呼「我們神聖的責任，要不斷加強和改善蘇俄的國防。」這明白是自己戳穿了預算案故弄數字玄虛的後臺。

馬連可夫以氫彈爲前奏的外交聲明，還有拆散英美，恐嚇法日，孤立美國，擴大中共的一套陰謀詭計在內，這是顯而易見的。他在聲明中主張准許中共加入聯合國，主張締結五大國和平公約。所謂五大國，自然是英美法蘇之外，加入中共。這一主張不祇對邱吉爾的四巨頭會議根本取銷，也對於未來的四強外長會議予以打擊。

締五大國公約支配弱小

不特如此，韓國停戰後的政治會議，[illegible]支配世界，這如何能使政治會議有成功可能？

馬連可夫口口聲聲說，『蘇俄的外交政策不可動搖的原則，是尊重任何一個國家──不論大小──的民族自由主權』。但同時又壓言『解決爭執問題，大國負有特別責任』。進而主張『締結五大國和平公約』以支配世界。馬連可夫這一個自相矛盾的外交聲明，我不知道世界上許多小國作何感想？更不知道以『第三勢力』自居，以騎牆態度估取大國地位的印度總理尼赫魯之流，至作何感想？

馬連可夫想以大國支配弱小國家的命運，因此他對於聯合國認爲『已經墮落成爲北大西洋公約集團的工具了。』毀棄聯合國，恢復強權外交，大國割宰弱小，這是尊重民族自由主權嗎？希特勒、墨索里尼，納粹和法西斯主義，才有這種狂妄的企圖。

兩制共存乃虛偽的宣傳

馬連可夫想在史太林死後，重振共產帝國主義的聲威，他所說的兩種制度可以共存，乃是一套欺騙虛偽的宣傳，征服世界的政策，是始終沒有改變的。一九四九年，美國十一個共黨領袖被判罪案中，所暴露的共黨陰謀事實，便是一個最好的說明。[illegible]

是否取銷了這個信條呢？不是的。史太林說過：『一切事都隨時間、地點和環境而定』。馬連可夫的話，也不過是適應環境的臨時說法而已。

◁東德民衆萬頭鑽動，等候領取西柏林救濟糧包▷

論台省農會新組織

林長林

改進各級農會新辦法，已較前進步。農會的作用不應限於經濟方面的利益，尤應盡量發揮其政治性的任務。

農民佔中國人口百分之八十以上。中共標榜工農聯盟，以工人作爲領導，骨子裏還是靠農民發跡。過去大陸國民政府宣言扶植農工，實際上是[illegible]，農民的力量從未發生過真正的作用。最近台灣省政府[illegible]健全農民組織，繼續公佈了「改進台灣省各級農會暫行辦法」，可以[illegible]是擴充農會政治性的[illegible]。

這不能單純地看成[illegible]的措施，而應看成政治改革動力的新生。過去地方自治工作和農村改良工作，[illegible]有其表，不能[illegible]，因爲不能從農民的組織上誘發其偉大的潛力，作爲政府的後盾。

推源其故，一方面是官僚主義爲梗，舉凡關於農村的施政，以爲執簡馭繁，提綱挈領地把握了地方有名望的士紳，由他們來倡導，便「政通人和」了。一方面是對農民的力量，取忽視的態度：以爲這巨大的潛力，一旦挑動起來，如不能[illegible]

非真正農民不應濫竽農會

這是過去的[illegible]，自不應該[illegible]於今日的台省。[illegible]

不應忽略了農民的基本問題

[illegible]農會[illegible]，能夠發展與否？首要在有無[illegible]。過去台灣農會的主要工作是[illegible]和公售，這些都是業務機關的事情，[illegible]利害有關，這只是工作的一[illegible]此爲主要內容，則很容易流[illegible]略了農民的基本問題。今後[illegible]會員根本利益有關的工作，[illegible]會員對會務發生濃厚的興趣，

其省府鄉鎮其事，成立了各級農會，召集有關農會組織的指導人員，從七月份起舉行一連串的訓練，這[illegible]之舉。祇可惜發動得遲一點。五減租時開始，「耕者有其田」完成，則對地方政治改革的估量，而這兩項運動也必推[illegible]工作。且在組織過程中，配合其發揮了政治教育的重大作用的政治警覺性，視政府的施害關聯。錯過了這個良好的府所施於農民的福利工作，[illegible]「投」了。[illegible]念起直追，爲時未晚。這[illegible]少意見，以作一得之獻。

大家都樂爲組織服務，服從組織的號召，奠定農會的鞏固基礎。

甚麼是會員根本利益的工作呢？最重要的，是對「耕者有其田」實施後所得的成果，加以鞏固和發展；這裏有關生產技術的互助合作，生產手段的配備與補充，生產資金的籌集與流通，運銷的聯營與推廣，消費的調節與供應，而尤切要的，是新興自耕農對分年攤還地價，應如何預爲積蓄，與如何準備[illegible]互通。這些都不是個別的農民所能容易辦到的。

不應讓豪紳政治死灰復燃

有了這種積極[illegible]農民根本利益打算的措施，農民對農會自然發生強烈的向心力。但爲保證這些有利的措施之推行，第二步應把農會導向農村政權的建立工作上，使發揮核心作用，互相爲用，不能偏廢！與[illegible]述的經濟一方，互相爲用，是政治的一面，因爲沒有現實的經濟利益，不能引起農民對組織的興趣，但農會在鄉村政權上不能生重大作用，則豪紳政治不難死灰復燃，作農民福利之梗，至少也會內對立而發生相消作用。台省政府對這次刷新農會組織，如只能強調發揮其經濟任務，還是不夠的。希望最近在實施指導幹部訓練的機構中，對此能夠加以注意。

北韓整肅案的可疑

韓戰甫停，北韓的共產黨便大開整肅。截至現在爲止，被處死刑者，已有李承燁等十人，處十五年及十二年徒刑者各一人。其罪名爲：『充當美帝國主義間諜，陰謀組織武裝暴動，企圖顛覆共和國』。

[illegible]

本週展望

左舜生

氫氣彈無救於蘇聯的崩潰

[illegible]

杜爾斯東京之行

對日和約是杜爾斯一手促成的，促成對日和約的本旨，即在使日蘇關係一刀兩斷，而加強日本的自衛意識，和擔任在遠東的責任感。

日本的建軍，事實上是在積極進行的，不過吉田不願加緊對內對外的刺激，因此始終在[illegible]，而決不願大吹大擂，這一個態度，[illegible]

杜爾斯這次的東京之行，並沒有什麼特殊的[illegible]

塔虎脫生前死後

楊端

塔氏有卓異的政治主張，獨特的經濟見解，雖有保守色彩，但無時無刻不以黨國為重，他的逝世，不分內外無論友敵，只要具有正義感的人，無不寄以哀惜之情。

國外通訊

艾塔化敵為友

【本報專訊】「共和黨先生」美國老虎參議員塔虎脫於上月三十一日在紐約醫院因癌症逝世，他的逝世，艾森豪總統引為他個人與國家的重大損失，說他失去了一位睿智的顧問和有價值的朋友。遠在共和黨內一向與塔虎脫閙得水火不容的紐約州長杜威，也讚揚他對美國福利永垂不朽的貢獻。總之，無論敵友，不分內外，只要具有正義感者，沒有不為塔虎脫的去世而寄以哀痛之情的。

蓋棺論定，許多人都說塔虎脫先生是一位完人，他固有其卓異的政治主張，以及獨特的經濟見解，但他無時無刻不以黨國為重。嚴格的說，他政治上的敵人尤多過並肩作戰的朋友，然而他從不意氣用事，這在去秋共和黨全國大會選出總統候選人不久，許多人都為共和黨的前途担憂，然而事實卻與此相反，塔虎脫竟成了艾森豪最得力的助手，政府大多數立法計劃，全仗他在國會中疏通，黨內許多問題也賴他一手解決。這是甚麼原因，這全是塔虎脫愛黨愛國，識大體的結果。

艾森豪與塔虎脫爭作總統候選人而閙得面紅耳赤，這是大家都知道的事，艾森豪勝利後，塔虎脫即遠往魁北克叢林的私人夏季別墅，一方面釣魚，玩高爾夫來鬆弛多月來競選的緊張，一方面默默地考慮並計劃未來的工作。當時，許多擁艾的共和黨員無不憂心忡忡，因為全國大會早已把共和黨分成了擁塔和擁艾兩派，擁塔派不僅不喜歡艾克，他們的憤懣與厭惡到了極點，除非塔虎脫點頭，他們一定會拒絕支持艾克的，後來經過若干中間派黨員的奔走，直到他們曾訴塔虎脫說，艾森豪一定堅守共和黨的原則，塔虎脫才鼎而衷心支持這位擊敗了他的共和黨領袖，他們兩人的[illegible]曾為此進行多次談判，等到艾塔兩氏在哥倫比亞大學舉行歷史性早餐會議的時候，共和黨在大選中的勝利才開始奠定根基。

摒棄成見力求團結

艾克第一次試驗塔虎脫的領導力量，是在他提名波倫出任駐俄大使的時候，波倫曾隨故總統羅斯福出席雅爾達會議，單是這一點，已使得許多共和黨參議員要否決他的任命了。就塔虎脫本人來說，他也是不大贊成波倫出使俄國的。但第一，他認為總統有任命大使的權力；第二，作為[illegible]，他要表現對總統的忠誠，[illegible]參院的否決會嚴重影響到共和黨總統的威望。因此，他摒棄個人成見，盡力促成波倫任命的通過。

△塔虎脫撐着拐杖，最後步出國會大廈時的背影▽

這一次成功以後，艾森豪對他的敬仰更甚，而倚賴也更深了。

此後，塔虎脫不斷為白宮在國會中奮鬥，而從未失敗一次。有時候，他還爭取到民主黨議員的支持，當然，民主黨認為政策適當而加以支持，固是部份原因，但他們的尊敬與信任塔虎脫也應是一大因素。

奇異癌症醫束手

但就在艾森豪倚賴塔虎脫正殷的時候，不幸的事情漸漸發生了。今年四月間，他們正在喬治亞州奧格斯達共玩高爾夫的時候，塔虎脫突然感到身體上有點不對。他的體膝有種說不出的感覺。隨後他的左臀開始發痛，家人把他送進華爾特．李德醫院檢查。但他要出席星期日納地全國基督教徒和猶太人聯合會議演說，檢查未畢，就匆匆出院。然而等他到達星期日納地的時候，病狀已相當嚴重，他只好進荷謨茲紀念醫院求治。經檢驗後，醫生查出他脊骨受傷，囑他臥床數週。塔虎脫卻以職務為重，婉卻醫生的勸告，扶着一雙拐杖回到華府，以參院多數黨領袖的身份奔波於參院與白宮之間。不多久，他再進華爾特李德醫院，醫生發現他病情嚴重，建議他到紐約醫院作更精細的檢查。他以假名入院療治，經徹底檢驗後，證實他的病狀十分嚴重。

於是，塔虎脫再回到華盛頓，指定加州參議員諾蘭代理參院多數黨領袖。他知道自己患了癌症，起初家人和醫生還打算瞞住他，但他知道病況已是那麼劣，根本已瞞不了他。

七月四日，塔虎脫重進紐約醫院，由醫生試行手術，他們雖知道塔虎脫是患的癌症，但[illegible]的病人是可以活幾個月甚至幾年的，而不幸的是，他們發現塔虎脫的癌病是屬于很危險的一類。[illegible]

諾蘭繼掌重任

在本屆國會中，塔虎脫是能團結共和黨議員一致支持艾森豪計劃的唯一有力人物，[illegible]員諾蘭已被推選為參院共和黨領袖了，自由中國上下一定非常歡迎，但論資歷，聲望與黨內歷史來說，諾蘭目前還不能完全接管塔虎脫遺下的重任，起碼勃里奇的一派就不會十分聽從他的指揮。有些人認為，今後的共和黨中可能暫時是多頭的局面，諾蘭是其一，此外是：

（一）副總統尼克遜，他的權力將逐漸增大，而成為促使參院通過政府立法的主要人物，他並將繼承塔虎脫的說服共和黨右翼份子的工作。

（二）衆院議長馬丁，他將繼塔虎脫參加艾森豪的智囊團，成為白宮的「核心人士」之一。艾森豪本即欽佩他正確的判斷，今後對他的倚賴一定更會加重。

除了諾蘭、尼克遜與馬丁外，伊利諾斯州參議員狄克遜的地位也會漸趨重要，狄克遜原是塔虎脫參加競選時的老夥伴，後者如獲代表共和黨競選總統，便打算選他為副總統候選人，他的辯才雄厚，深諳政治鬥爭的技巧，在下次國會會議中，他一定會成為活躍的大牌議員的。（八月四日寄自華府）

編者與讀者

覆王紹通先生

紹通先生：大作和來函奉悉，大作關於黨員審查的意見，見解正確，主張正大。但這是一個黨內問題，須由主管部門加以研究採擇。我們已經將大作抄寄張祕書長，請他注意選擇。尚覆。——編者。

新聞人物

捐資興學的鄧鏡波爵士

若夢

七月廿二日本港各報消息：香港區天主教白英奇主教，昨在鄧鏡波工業學校代表教皇頒賜都騎尉爵士勳位給本港熱心教育的富商鄧鏡波老先生。在授勳儀式中，白英奇主教誦經後，即代表教皇親替鄧鏡波爵士穿上黑色金綫的爵士袍、戴冠、佩劍和配勳章等，白英奇主教和其他參加這一隆重典禮的神父，以及其他來賓，對鄧氏獲教皇頒賜爵士勳位，都一致予以讚揚和致賀云云。

鄧鏡波爵士現在雖是八十八歲高齡，但精神上還和六十許人一樣。他這次之獲得教皇頒賜爵士勳位，係鄧氏於去年曾一次過捐款港幣一百萬元，在本港創辦一間鄧鏡波工業學校（該校校址在九龍土瓜灣，本年秋季開始招生），而這間學校又由本港教育當局指定由天主教會負責主持，教皇為酬謝和嘉獎鄧老先生的熱心教育，所以特以「都騎尉爵士」的勳位頒賜鄧老先生。據說，自本港有史以來獲得教廷頒賜這項勳位的連鄧氏在內，僅有三人，以前的兩位一是阿爾雅斯，另一人是石鐘山。

談

到鄧氏的為人，他雖然很熱心於公共慈善福利和教育事業，但不好出風頭，平日很少出來應酬，故在報章上也很少有他的名字出現，社團的刊物中也不易見到他的玉照，和有些人捐了多少錢，就要在報上發表談話，替自己吹牛的，專以沽名釣譽為目的的比較起來真可說是不可同日而語。所以在香港的人，除了一些老香港外，在港居住不久的人對這位老先生的名字是會有點陌生的。

去

年當局和天主教會創辦工業學校時，他一捐就是一百萬元，捐款興學或作其他慈善事業的，在本港有人在，但能一次過捐出一百萬元的卻不多見。據說他初抵香港的時候，才十四歲的孩子，家境貧困，所受教育有限，他的學識大都是自己力學得來的。就是這個緣故吧，他才這樣慷慨捐出鉅款興學，作育後輩人才。

他

之所以成為一個富商，完全是勤儉起家的。少年時做過地產經紀，那時候的物業買賣按揭當然沒有現在的暢旺，所以收入並不多，不過由於他勤儉，經過相當時期已是小康之家了。並且將積蓄買了一部份產業，這樣的繼續下去，收入也跟着一天天多，到太平洋戰爭前，他已成為一個很富足的富翁了。幾年來因為本港人口的驟增和房屋荒，更造成樓宇房產的價格步步增漲，因此他的財產也不斷增加了。他除了經營房地產外，另一方面是投資於公共事業的股票，據說在某一個時期，若干公共事業的股票價格下跌，許多股東們都紛紛拋出時，他卻以為股價太賤，就乘機大量購進，果然不出他所料，一年來各項公共事業股票價格都在上漲，鄧氏的財產也就更增加了。

他

對這次獲得教皇頒賜爵士勳位，很表示謙虛，他在受勳中說：「很覺得感激和慚愧。」他說：「感激的是教皇和白英奇主教對我的恩寵，慚愧的是我對社會和教育所盡的責任實在太微薄，只盡一點棉力，便得到這麼光榮的酬報」，在他這簡單的幾句話中，可以看出他是何等的謙虛！那些沽名釣譽的「慈善家」，聽了鄧氏這些話和看到他的作風，不知將作何感想。

埃及富豪獻資發展實業

新總統大表歡迎

不久以前，在埃及的亞歷山大港口停着一艘嶄新的遠洋郵船，在這艘一萬五千噸的「埃及共和國」號旁邊，還泊着她的姊妹船「麥加」號。那時岸上的軍樂隊高奏着埃及國歌，船上的國旗冉冉上升，參加歡迎這支埃及商船隊的，除了萬頭攢動的群衆外，還有政府要員與那奎勃總統。

企業之王

那奎勃將軍熱烈地握着船主人亞飽的手，代表埃及上下感謝他對祖國的貢獻。那奎勃說：「亞飽是一位偉大而能幹的人物，在經濟方面他對國家有無比的貢獻。」那奎勃的這番話並非阿諛諂媚之辭。亞飽雖然[illegible]，但對於國家的實業，他無疑是極端借重的。

亞飽今年六十六歲，[illegible]估計，據他自己的估計，他擁有六千萬埃及鎊的財產，他是埃及最大的[illegible]郵船公司的董事長，[illegible]肥料及埃及的煉糖、蒸餾工業，製造業，他至少擁有埃及十家公司的所有權，其中包括重要的[illegible]紡織、棉花及[illegible]等。[illegible]中，有百分之六十[illegible]他所屬下的公廠。

潛力強大

在政治方面，他的潛力也是非常雄厚的，他支持過若干個政府，也促成過若干個政府的[illegible]。他曾與華夫特黨合作，[illegible]一九五一年華夫特黨執政時，他曾設法使一百四十宗「控告」案件不了了之。他雖然如此，但他[illegible]，那奎勃將軍[illegible]亞飽[illegible]的人。

稿約

本報言論自由，園地公開，各版均歡迎投稿，茲訂稿約如左：

一，來稿性質不拘，時局評論，新聞報導，各地通訊，書刊評介，小說雜文，科學消息，文教動態，均所歡迎。

二，每稿請勿超過一千五百字，長篇鉅著，除特約或具特殊價值者外，以限於篇幅，無法刊登。

三，譯稿請附原文，如無法附寄，請詳註出處。

四，來稿一經刊登，每千字致酬港幣六元至十元。

五，來稿請附足郵票，以便不能採用時退還。

西歐情緒鬆懈引起危險徵象

已瀕臨一個時代的終結，它並不在歐洲[illegible]。這個時代是緊急的時代，[illegible]美國的[illegible]來自美國的九十億美元的援助，鼓勵了歐洲[illegible]所引起。今日的冷戰的情緒[illegible]

[illegible]

大陸人心浮動　中共急謀補救
發動休養宣傳　分批調訓共幹

【本報北平通訊】「工人休養」已成爲今年夏季中共在大陸上向海外宣傳的重心；共黨所謂工人的「休養」，無異是一塊廣告招牌。北平的頤和園已被中共把它當作「革命洪爐」，第一批三十名工人已結束了十天的「休養」生活，重又回到他服務的各個機構去，第二批不久將被送來繼續「休養」。

「休養」是一個很動聽的名詞，事實上與其說是「休養」，倒毋寧說是「換腦」比較貼切得多。中共在大陸上對於各階層的控制，雖然非常周密，但今年自史達林死了之後，情形迥然不同，無論是各級機關或工廠學校，人心普遍地呈現出非常的浮動，前者對中共的拘束加甚，後者却認爲中共的領導階層也終會走一步實行整肅。因此，中共更恐懼於各級幹部的叛離，於是決定了以十天爲一期，抽調各級幹部到頤和園去「休養」，從共黨的宣傳文字中，反映出「休養」的不是北平市郊各機關的幹部，而係工人中的「積極份子」，事實上「工會」共幹所「休養」的處所是頤和園，除了行政機構的單位首長之外，還有企業機構的實際負責人。因此，每一批的人數很少，祇限於三十名，他們的飲食起居是很高貴的。

意外享受原來如此　笑容一夜變苦臉
整日「學習」睡眠不足

頤和園的景物依然，園目已非往昔可比了。四周張貼了許多標語，門口豎立着「休養所」的招牌。當年西太后看戲的大戲台，她坐在正殿，兩廊的廂房都是王公互僚們看戲的所在，現時已變成了那一班幹部們作息的地方。一個月以前，管理了的人奉命在兩廊安裝「彩色」的門窗，在紗窗的外面掛上了大竹簾，廂房裏，四周粉飾了潔白的灰水，安放了審排的彈簧床，床上都舖了白色被褥和印花毯子。看起來，很像是一所臨時病院；管理者奉令布置的時候，也會懷疑過：不是招待機人的賓舍，將會是來自韓國戰場上的共軍受傷官佐的療養所，却未會意識到竟會是幹部的集訓新機構。

從七月十一日開始，這一個平時人跡稀少的地方，竟然熱鬧了，三千餘來自各行政、企業機構的共幹，一若天然童下降，大概是一生從未置身於這種環境中一樣，臉上一個個流露着笑容，上輪以爲大可以舒暢一下身心了；尤其是認爲吃的一部分好，那些飯菜簡直連看都未看見過，牛奶應該要怎樣的飲法也要學起來的，好像甚麼都不習慣一樣。到了第二天，情形就不同了，他們每一個人臉上再也堆不上一些笑容，一天十六小時「學習」，二小時間餘下來、六小時睡眠的，可是，自修和寫日記也擺在裏面，這種所謂休「養」，簡直連喘一口氣的時間也沒有了，於是，精神也一天天差了。

臨別紀念　悲觀論調

中共一方面在盡量把「休養」渲染得如登天堂，另一方面對於「休養」中的人以優越的環境和政治意識來建立他們心向於最高階層領導者。但在十天短促的過程裏，究竟有了些什麼結果呢？有的人說：「我們靠緊一些吧，明年能不能再碰頭，再來還見還不知道呢？」大概是十天太短了，從他們的感想中，普遍的反映出中共政權的頹圮一天天接近了。

儘管中共的高級領導階層用種種方法去粉飾心理上恐懼，與建立幹部們對上級的信仰，防止對他們的背叛，這一點並沒有徹底的成功。因爲他們始終不能相信偽政權的存在會久遠的。臨行前夕，常聽他們說：「現在組織上對我們的懷念確是照顧得非常周到，然而我們對於上級領導階層的工作表現簡直由於「學習」的時間太多而無法在實際工作中增加效能，可是，我們的年紀一年年老去，生產效率也會一天天衰頹，我們的人民仍在苦難中……。」這一個共幹，既和其他的共幹一樣喪失了國家觀念，想到人民在苦難中時，已哽咽得說不出話來了。臨別的紀念會，就在黯然中結束。（梅思恒，七月二十五日寄。）

新華書店衙門化
書刊出版不顧需求　無人購買强迫攤派

中共爲了控制民衆思想，對書刊發行業務，素極重視；幾年來，大陸私營商業之被消滅得最徹底者，除金融錢業外，便首推印刷業了，取而代之的，而且是有系統有計劃地全面加以統制的，便是一個具有政府形式的組織非常龐大的新華書店。它從中央的總店，到省的分店，縣市的支店，有層次地統制着整個大陸的書刊發行業務。但當官僚主義的狂風吹遍整個大陸的時候，新華書店系統內的大小共幹們也不免爲此種狂風吹透心肺，使書刊發行業務，搞得一敗塗地！

衙門作風　效能低弱

據人民日報揭露：最主要的是衙門作風很盛，腐敗的衙門作風，工作效能非常低弱。從編、審、排、校、到正式出書，其間不必要的手續繁多，而且很慢，故出書率低。而上級書店與公營出版社間無協調，下級書店太多，造成了盲目之多印，粉飾以「提前完成」的數字，由此造成大量積壓，招致損毀等。

盲目經營　强迫攤派

其次，是盲目經營，該店各級書店的盲目經營發行工作，不顧需要性質、份量與讀者的需要，每出一書，不問需要不需要，大量印製，發行到各地書店去推銷，便得大量積壓，造成無法推銷之現象，於是就大量攤派，强迫機關團體、學校及其他工廠的工人購買。例如：該店今年春節前後，以「適讀」爲名，把大批年畫强迫攤派，從發行到抗敗。

一面缺售　一面亂推

此外，人民日報說：該店各級書店太不明瞭各地讀者所需要圖書的種類和內容，有些爲當地讀者所需的，備得太少，甚至沒有備；有些不爲當地讀者所需的，却大量推積在倉庫里。例如推銷工業和科學技術方面的書籍，在工礦區却不見，買不到，在農村中却積壓大量的；地區是甲地所特需的書籍，竟向乙區或丙處的運輸；如山東向不需要的新疆，廣東與運輸的四川補棉棉的山東，江蘇不需要的推運等等。總之：因官僚主義盛行之故，中共的新華書店的統制書刊發行工作，已招致了失援潮」，書刊一萬萬冊之多，强迫攤派，到處發生混亂的現象。中共認承：此種現象，已在群衆中造成極不好的後果。

慶姿辯論歷久不衰　公公婆婆各有道理

△港府所組織的中國法例及習慣委員會，日前提出關於婚姻法的建議，掀起了納妾問題後，尤其是婦女界更熱鬧了，東一個集會，西一個集會，抱着非得要廢除納妾制度不可的決心，確是値得敬佩。而一些人的先生們對此亦深感興趣，大發宏論，有的贊成根本廢除納妾制度，有的主張不能以制度廢改或取消解決的問題，認爲根本問題，會經濟安定，提高女性教育程度，使其有自立能力，則此問題自然解決。過了許久，仍然議論紛紛，好像熱鬧非常。

男人何嘗不願意我們的女子國家提高教育？使其有自立能力，男人何嘗不願意高教育程度，不能再有立妾享樂的概念？這問題根本已不値一談；在戰時的香港，我們要想到的是：香港在應付外來的事務上，我們所要求的是甚麼呢？

對停戰一場空歡喜　近視商人無情可戮

△一泓死水似的香港市場，當韓戰休戰協定的消息傳來後，初時是起了些微的漣漪，可是，僅僅刹那的喜慶，還眼仍是平靜如鏡，起不了一點作用。少數商人以爲戰事停止後，聯國百般禁運會撤消，需要大批物資，中共因戰費支出減少，將有多餘外匯可以在這裏購貨，然而這些都是一廂情願的想法而已。

香港三日

中共於韓戰未停以前，已自知不能再戰，所以休戰協議必將簽字，心中也早有準備，故不但將已進口的大量西藥轉口「不合規格」退回，最近并又退回數百萬元期貨的工業原料，且恢復「先進後出」，以土產交換的辦法，根本不付出現金，而所付現金司付，使得一心以爲漁翁得利的商人，落得一場空，只因近視商人如不再早日改弦易張，另打出路，想從虎口中奪得飯吃，必死無疑！

中共糧荒放出婦孺　來港旅客突形增加

△傳聞已久中共即將取消出入境領證的限制，最近證實確是謠傳而已，共黨政權是不可能予人民以行動自由的。這個謠傳的起因，是大陸各地災荒頻仍，甚多人民生活瀕於絕境，中共爲了減少糧食消耗起見，只有讓災民到外面來「吃大戶」。這種說法有一半是事實，大陸各地災荒嚴重，尤其是……城市，使得中共無法應付，中共是不會大開方便之門的，饑荒嚴重，它將更深垂鐵幕，隱蔽其世界實情，影響其暴政的施行才大呢。

不過，最近中共辦理婦孺老弱的出境，似已放寬：據新近自廣州來港旅客稱：中共現已將以前規定申請出境人，必須具保的辦法，予以取消，簡單選戶籍證便可進出。九廣鐵路前來香港的旅客，自七月中旬以來，突形增加，平均每日約有二百至三百人，替本港平添了數千旅客的入境。（示日）

新書評介

中國思想史
·羅自芳·

以

我的看法，我認爲錢先生把「善惡」和「賢不肖」當作兩個極端，這個是頗有可議的地方。中庸原文明明說着：「道之不行也，我知之矣：知者過之，愚者不及也；道之不明也，我知之矣：賢者過之，不肖者不及也。人莫不飲食也，鮮能知味也。」然後下文跟着說：「舜其大知也與，舜好問而好察邇言，隱惡而揚善，執其兩端，用其中於民。」由此可見所謂「兩端」，原是指「過」與「不及」而言，並不是「善」或「惡」，「賢」或「不肖」。所謂「用其中於民」，乃是「過」與「不及」之中的「中」。

然

則如何才是「過」「不及」的「中」呢？我覺得近人馮友蘭氏（馮雖於北平陷共後，向共黨靠攏，否定了自己，其人已無足道，但就純學理觀點上，自不必以人廢言）「恰到好處」四個字去解釋中庸，比較妥當。所謂「中庸之道」者，就是「恰到好處」之道。這麼一來，「一切標準都定得來」，也必須這樣才能把中庸書中說得通，把儒家孔孟的言行貫通得過來。

關

於何謂中庸，原有很具體的標準，「齊明盛服，非禮不動」，這便是修身的標準；「去讒遠色，賤貨而貴德」，是勸賢的標準；「尊其位，重其祿，同其好惡」，是勸親親的標準；「忠信重祿」，是勸士的標準；「日省月試，旣稟稱事」，是勸百工的標準；「送往迎來，嘉善而矜不能」，是柔遠人的標準；「繼絕世，舉廢國，治亂持危，朝聘以時，厚往而薄來」，是懷諸侯的標準。這些都是做各種工作所遵守的標準，做得恰到好處，合此標準而

中

庸應當是至善的，還是大學所謂至善，就是「止于至善」裏的「止于至善」，也就是事事恰當其分，而無過無不及。故我們要從「博學，審問，愼思，明辨，篤行」幾個步驟去「擇善而固執」之，所謂「擇乎中庸，得一善則拳拳服膺，而弗失之」也。

如

果我們把中庸兩字換過

……重要，比較不講，除了上面關於中庸一節的解釋，是一個會比較容易使人諸錢先生未能實行的，也……

……節而提出商榷外，本書實是一本極有價値的寶貴著作，値得推薦，凡是中國青年都應該徹頭徹尾細細加以鑽研的。（下）

讀者的書
·林艾·

很多人慨嘆香港出版界之黃色氾濫，只見黃色書報之滿天飛，而少有人去作一點一滴的建設工作。這是令人痛心的，也是令人惋惜的。不過，我曾專欄，且於香港時報副刊在略書寫了一個「藝文杯」的專責任，對於香港的病態現象有所針貶的，八月以來，可喜的現象是海外文壇黃色文字的日子已見減少，而其內容專欄逐漸被人注意了，而是此類的問題文章也盡美盡善，多可喜的是，這類文字形成了純粹至於讀者的新刊類出版的雜誌，「讀者新聞」是最近出版的一本，這是「新聞」與「讀者」的聯繫，由此顯示了新讀者的日子。

「讀者新聞」係「六十年代」出版社編印，每月第一輯，包括五篇，介紹文刊行。

該刊另有三篇，係寫作經驗談與讀書的指導，以及編者對出版界的意見，在目前的讀書作設計一件有價値的工作，海外出版界，讀者需要的是誠實的介紹，而我們一般讀者後讀的，該刊所感到的就是如何選擇讀物，（例如：怎樣讀書）與技術知識的系統建設性，至於缺少的多是技術知識的建設，討論是捨本求末的，這一方面仍然有待注意。

誰是瘋子

「我選擇自由」作者克拉夫欽哥所寫的又一本反共名著，已經有了英法德義各種文字的譯本，而中文的仍付之闕如。這本二十萬字的巨著，現正由亞洲出版社請人翻繹，預計秋初可出版。

克拉夫欽哥寫的是一個純樸眞實的故事，一個逃亡者控訴蘇聯獨裁，相見於自由的法國法庭，而對方反控他是一個神經不健全的瘋子。雙方提出許多證據，後經判決，被稱爲瘋子的人終於勝訴了。由於這本書，我們想起了卓別林主演的「大獨裁者」，再細細的一想，便可知道誰是瘋子了。

文藝電影

自從永華影片公司的「翠翠」一出，因爲賣座不惡，許多製片家乃致力於文學電影的製作。除了已經攝製的「風蕭蕭」之外，南宮搏的「鄭成功」，已爲華明公司取得攝製權，齊桓的「八排徭之戀」，也

有人計劃拍成電影。最値得注意的，女作家謝千夢所寫的一篇小說「長巷」，將爲某新興影片公司採用。至於「長巷」的刊行權，屬於本港亞洲出版社。

文藝沙龍

數月前有人發起一「文藝沙龍」，預備以招股的方法組織之。後以反應冷淡流產。最近聽說這種組織已經有了，名爲「××樂俱樂部」，設於銅鑼灣的「××酒店」，可惜這個組織採取門羅主義，參加者僅以屬於某出版社及某書報發行公司的工作人員爲限。

可喜的消息，另有一羣愛好寫作的「文藝青年」，他們發起了一個「筆會」。每半月集會一次，將各人的習作拿出來，並且計劃自費出版一種月刊，這個組織以研討寫作爲主，而以喫喝玩樂的享受爲次。（穆英）

文藝花絮

神話之神話

· 尚方

記得前年美總統杜魯門宣佈擬造氫彈的消息時，蘇俄出席聯合國首席代表馬立克曾以諷刺語調，指杜氏的聲明乃是「神話」。

前幾天，俄共頭目馬倫可夫在最高蘇維埃會議席上宣佈俄國也有氫氣彈了。若照馬立克的說法，這就是「神話」之神話！

因爲史大林早已創出了一種神話，說世界上一切物質文明的高度發展，如電燈，飛機，以至於原子能等等，都是俄國人首先發明的，歐美科學家只是竊取俄國人之智慧的結晶，據爲已有而已。

跟流氓地痞辦交涉，空口說理固然無用，講大話也不濟事。你說家裏有金銀寶，他說我舍下到處都是鑽石哩，比你富豪萬倍；你說手中握有犀利武器，不怕打架，他就說老子們更有神鎗！你聲言不惜決鬥，他也只擄袖吐口沫，露出一副兇相來。但，你若眞正伸出鐵拳實行揍他的時候，他馬上又轉皮笑臉地說道：「大爺，咱們一切事都可以和平解決，何必動拳頭打呢？」俄共集團的本質即是這類流氓地痞型，美國人只想隨時拿原子彈氫氣彈擲在咀上，嚇唬他們，可謂幼稚已極！

可是，馬倫可夫這神話對那些以紳士自命者卻會發生作用的，至少他要藉此勸告別人不要冒險與流氓比武。這類紳士人物是誰？讀者心裏一定有數吧！

我穿過西伯利亞

W. Booth著　穆寧譯

本文作者鮑斯神父和他的同伴是五年來第一批路過西伯利亞的美國人。一九四八年美國關閉海參威領事館時，鮑斯有領館職員身份，經西伯利亞返國，但已是五年前的事了。一九五零年美駐俄大使寇克前往東部旅行，也僅至貝加爾湖爲止。只有鮑斯神父一行才獲目睹今日西伯利亞的真相，這一篇在鐵幕後方旅行四千哩的故事，確具有相當的價值。——譯者附註。

我看到俄國的大後方。在七夜中，我們的火車隆隆向西轆行，一哩一哩地與自由接近。我們（七個美國人）緊靠在一起，凝視窗外飛過的森林，荒地以及在成長中的西伯利亞的市鎮。到今天，我還不懂得共黨爲什麼要選用他們最完美的西伯利亞快車，把我們當做富翁一樣的送回西方來，然而我總算享受了一趟。

我們一行七個人，除了我和一個美國商人外，還有五位美以美會的傳教士，其中更有三位女性傳教師。在三年地獄似的北韓監牢生活中，我們僥倖都全了性命，我們那次著名的「死亡進軍」，更是我們生死存亡的緊要關頭。

滿洲里登車

當我們在東北滿洲里登上西伯利亞流線型快車的時候，我們直樂得不可開交，臉色、神情都很好，旁邊的共黨黨人一定也看得出的。

大約十天前，共黨就已派了一名北韓上校和醫生，把我們七個人自鴨綠江沿岸的俘虜營中，押解到北韓的首都平壤，在那裏，我們住在一個地洞內，開始嘗到美味的俄國魚子醬。同時還領到格子布的衣服，每人也免費理了髮。

一切都顯得共黨對我們的關切，理髮完畢後，一位北韓少校把我們逐個兒瞧一遍，他突然指着我們之中的一個人，大聲呵斥着理髮師說：「你爲什麼不替他剃鬚？」

「他向我咕嚕過幾句，我想他在說他是不願剃鬚的。」理髮師回答說。

「爲什麼不？他當然是要修面的」，那個少校堅定地說，理髮師只好規規矩矩的再拿起剃刀。

這裏用不着我來描述長期獄中生活的苦痛，你已經從旁的地方讀到許多這樣的記錄了，而且以後你將會讀到更多。但，有一點我要說明的，除了「死亡進軍」外，我們在營中沒有受到其他不平常的虐待，也沒有被共黨「洗過腦」。自然，我們是被一個年青的俄國人解問過的，他企圖使我們發表反美的聲明。我們奉命行事的可以得到一點點肉湯，住的地方也比較好一點。

洗俄人的腦

但我們營中難友拒絕共黨引誘的是那麼多，因而使我眞正的感到我們倒洗了俄國人的腦子，無論如何，那個俄國人譯員可以覺察到，隨着時間的過去，他以前被告訴的關於美國的情形，是如何漸漸地不可靠了。

我的主要痛苦是由惡劣的食物所引起的，每餐只有一點點小米飯和清湯。還有狹小的地方與醫藥設備的缺乏，也在在促成我們的苦痛。一直到一九五二年八月十五日開始，我們的食物和醫藥方才好一點，從前是由北韓供應我們的，從那天起，改由中共供給。

走筆至此，我願談談我們在俄國大後方的見聞，以下是我經過西伯利亞時，若干驚鴻一瞥的印象。

西伯利亞的火車是十分新式的，外表漆着深藍色和白色，內部有冷氣調節，十足是流線型式。但拖曳我們前進的卻是舊式的蒸汽機車。據我的揣測，我們車行的速度大多數是每小時三十哩左右，最快的時候從沒有超過六十哩。

我們自己所坐的是一個木質的車卡，是掛在全列快車的後面。車中有精美的桃花心木窗格，這或是一等臥車。像其他的車子一樣，我們的車卡也分爲兩部，旁邊另有一條過道。（上）（譯自PARADE）

符咒治病奇談

· 雋夫

進入原子世紀，醫學科學發展日新月異的今日，信不信由你，可還有號稱「祝由科」以符咒治病的方法，盛行於湖南貴州四川各個山區之間，其實不祇山區，即通都大邑，甚而至於湖南省會的長沙，也有此類以符咒治病的醫家置身其間。操此業者大半爲辰州人，故亦稱辰州符，據稱其法傳自黃帝軒轅氏，乃我國最古的醫術，在「素問」中，便有「往古恬澹，邪不能深入，故可移精祝由而已，今之世，祝由不能已也」的記載，如斯云云，所謂祝由者是說但事祝說病由，不勞鍼石，即無須用鍼灸或藥石，祇用咒語符籙，就可治療病患。辰州府即今之沅陵，地屬湘西，據沅水上游，民情習俗，較湘中湘南，更見勁悍。在湘境大小城鎮，都可見到門懸「祝由科」和「排救」木牌的人家，他們便是用「符咒」代「藥石」的醫家，他們的施術，除開符咒而外，還有迎神驅鬼種種花樣的「作法」，所以得有「法師」的稱號。貴州四川亦有類似此等「醫家」，人民稱之曰「水師」，因其作法時，必須用清水一碗，業此者大都屬「業餘」性質，非經熟人媒介，無由延致，他們並不懸牌沽術，爲人治療病患，也不接受酬謝，當然其懸牌行術者那得有其診所，不過據傳，越是業餘性質的，也就越多其神祕氣息，而且所謂「神授」和「世傳」的祝由科，都各有幾番擅長功夫。

有一種號稱移花接木的治療方法，那是將病人的病患，移之於植物或動物，再行施術，如果我不是親眼目睹，確鑿有據，決不信眞有其事。老友張君的大女，原肄讀中央大學，二十六年秋，時南京正在轟炸緊張中，張君爲湘西辰陽人，此晚我爲其女謀轉學於湘雅大學，張君送女來我家，才兩日，女即發熱，雙足不能舉步，日夜號痛不絕，我家距長沙三十里，我與張君商擬送長沙湘雅醫院，正待覓船時，石鄰翁適來，談及送張女上長沙進醫院事，翁說「何不找陳老官先來看一看，這樣熱的天氣，三十里上水船，至少要半天，船又小，病人怎受得了」？翁說罷隨即吩咐他的小孫子去找陳老官來，陳老官是一個駕船的人，年已六十開外，鬢髮全白，顴紋摺皺，頭纏一道白布，十足一付鄉曲模樣，口裏啣着一枝毛竹筒旱烟袋施施然而來，他不大認識我，經過趙翁的一番道白，他點了點頭，看一看病人，他並不摸脈，也不問什麼，他不會說什麼應酬話，我當時就說出他看病的話，他仍然點點頭，我讓他先看一看病人，他看了看病人的臉色，輕輕的捏了捏病人的膝蓋，他指着膝蓋上面問病人「你是這裏痛嗎？」病人有氣無力的將頭點了兩下。他要我們預備一隻雄雞和香燭紙馬，另外要一碗清水，一撮硃砂，幾張黃表紙。（上）

咸豐「秘史」（下）

「是日文宗至上書房，左右適無人，惟濱州一人獨坐齋中。文宗入，行禮畢（長子見師傅皆長揖），問將何往。以奉命校獵對。濱州乃耳語曰：「阿哥至圍場中，但坐觀他人馳射，萬勿發一槍一矢，並當約束從人，不得捕一生物。復命時，上若問及，但對以時方春和，鳥獸孕育，不忍傷生命以干天和。且不欲以弓馬爭一日之長，與諸弟競爭也。阿哥第以此對，必能上契聖心。此一生榮枯關頭，當切記無忽也。」文宗既至圍所，如所囑行之。是日恭王所得禽獸最多，方顧盼自喜。見文宗默坐，從者悉垂手侍立，怪之。問其故。文宗曰：「吾無他，但今日適不快，弗敢馳逐耳。」日暮歸復命，文宗獨無所獻。上問之，具如濱州所教以對。上大喜曰：「是眞有君人之度也，」立儲之議遂決。」

這是杜受田爲咸豐帝奪嫡，取得大寶的一段「祕史」。但「上書房」「耳語」之時，既「左右適無人」，後來又誰洩給「內務府某司官」呢？難道是杜受田對人說的嗎？？終不免使人懷疑這段「祕史」啊。（杜受田致咸豐的事，與三國志曹叡從曹丕射鹿，丕殺鹿母，叡不忍射其子，丕由是奇之，遂立之爲太子，事雖不相同，而蹤跡則甚似。）

· 伯雨

俄共侵南重創潰逃

上週內，有一件非常重要而未曾世人所知道的祕密新聞，那是幾天前，南斯拉夫的邊防軍曾和俄國兵發生流血的衝突。因爲各方面，特別是南斯拉夫政府，爲了種種顧慮而力求瞞過這椿事，在貝爾格萊德的美聯、合衆、路透，甚至以常出冷門見稱的法新社也無法發出這條驚人的消息。事情的經過據說是這樣的：有二十五名全部配備自動武器的俄兵，在匈牙利邊界侵入南國邊境，南國哨兵呵斥不聽，雙方遂起衝突。結果，南國邊防軍傷四人，死三人。俄兵被擊斃者兩人，還遭南軍俘獲兩名。過去，南軍雖屢與共黨附庸國軍隊（如匈牙利、保加利亞、羅馬尼亞及阿爾巴尼亞等）在邊境發生零星衝突，但和俄國兵血戰，卻還是幾年來的第一次。當然，這件事儘管表面上非常平靜，暗地裏的波濤卻異常激烈。俄國大使館祕密要求狄托政府賠償懲兇，條件至爲苛刻，等到狄托容忍不了的時候，總有將全案向外揭露的一天。

共黨情報局即將改組

共黨國際情報局久有改組的消息，只因牽連太多，克里姆林宮迄未動手。但最近東德、波蘭及捷克一連串的騷亂與不安，以及法義共產黨的連番慘敗，已迫得俄國不能不採取行動了。據通常可靠人士所獲悉的內幕消息說：共黨國際情報局已決定於短期內全面改組，由義共領袖陶格里亞蒂出任領袖，而於他所遺下的職位，則由義共第二號頭目關戈升任。

美共希圖「戴罪立功」

美國共產黨在最近開會時，已決議發動重審索貝爾的運動，索貝爾是美國電氣專家，也是羅森堡間諜案中的要角，因爲證據確鑿，已被美法院判處徒刑三十年，現正在阿卡特拉茲獄中度其漫長的生活。一般人也許懷疑羅森堡夫婦已被處決，重審索貝爾又有什麼大用？其實這是美共的另一套詭計，他們認爲如果要求重審索貝爾成功，將使那些易於受騙的人相信，羅森堡夫婦的處決也必有疑問。自從羅森堡夫婦處決後，克里姆林宮以損失兩鉅子，曾將美共大加申斥，他們的上述陰謀，或許有戴罪圖功的打算。

根德公爵入伍當大兵

今春偕同根德公爵太夫人來港訪問的年青根德公爵，今年只十七歲，也是英女皇的堂弟，也是英皇室中第七位皇位繼承人。目下他已立志從軍，準備在十月間以普通士兵身份入伍受訓。經過一番苦訓練，他將參加桑德斯特軍校（英國的西點）入學考試，希望將來能變成一位陸軍中的坦克軍官。英皇室中服役陸軍的雖多，但以士兵資格入伍的，根德公爵還是第一人哩。（孟衡）

「優待」和「虐待」

· 木易

在同一天的尾巴上，並列地登載了兩條內容截然不同的，雖然都是報館同一通訊社所發出的電訊，一是報道共方戰俘被釋放後的事，但一是形容戰俘在彼因時所受虐待情形，要向聯軍方面提出嚴重抗議；一是描寫共俘回到後方如何被優待，生活多好多快樂。

這種情形，原是共黨一貫的宣傳手法，說對方的苛虐，兇暴，講自己的仁慈，優遇，是應有文章，不足爲怪。但，從共方的宣傳裏面，我們紙上發現了一件事實，因而揭穿共方的鬼話連篇，即共方俘虜在聯軍集中營裏，並沒有受到虐待，反而還學會了在我們[illegible]人民中，只有有閑階級所要的玩意兒——「打撲克，下象棋」等等「文娛」活動。

七日的新華社漢城電報說：「在開城的中國人民志願軍歸來人員的招待站裏，整齊地排列着草綠色的帳篷，路旁栽植着長的鮮花。成羣的歸來人員，穿着新裝在散步，在一個用蓆子搭成的大飯廳中，剛吃過早飯的人們，已被招待員擦得乾乾淨淨的長桌上打撲克和下象棋。……」在上面的這則報道中，眞是好極了，同時也一點看不出有被「殘酷虐待」後的情形，大批戰俘且在打撲克作樂。

我們知道「撲克牌」這東西，並不是我國的「國粹」，是來自外國的，生活在香港的人們對於「麻雀」要樂儘管到處皆有，下棋之風也很普遍，獨對洋貨的「啤牌」，知道玩的人還是不多的。但在出身「工農階級」的志願軍中，對此玩意兒竟是玩得挺起勁，好似「國粹」一樣，不知是從那裏學會的？除非在大陸赤化後，魔王們自西伯利亞帶了大批羅宋牌九來教育人民，使以槍桿爲生的八路兵也上了癮，否則即是受了資本主義社會的毒化，是受了生活腐化的聯軍人員的薰陶，在「虐待」期間中訓練出來的本領。

海外詞話

· 柳秋

劍橋與牛津，是英國的最高學府，每年暮春三月的最後一個星期六，兩校學生同在泰晤士河上作一年一度的遊船競賽，幸幸學子的生活，令人艷羨不止！歷來我國文化人之出身於這兩家學府的亦不在少數。詩哲徐志摩的文章中，提到在劍橋時代的讀書生活，總是那樣悠然神往。戲劇家熊式一至今猶住在牛津，自然也是爲了醉心於那裏的文化與風景了。

當年我的朋友顧一樵曾於旅英時往劍橋及牛津遊歷，並填了一闋水龍吟的小詞，題曰：「海外歸來」。

「劍橋那畔，牛津豪放，劍橋兩地雖分，益彰相得，哈佛耶魯堅實，廉工倫理，服膺心折，文既獨鄉懷古，齋翁逸調，文……人中傑。……秋波轉，玉繩低，……別？秋色三分，七分黃葉，三分明月，滿天飛只，惜梅花……」

自由人

中華民國僑務委員會登記證台僑新字第一零二號

中華民國郵政登記第一類新聞紙類

THE FREEMAN

第二五六期

每份港幣壹毫

督印人：李光藏

社址：香港高士打道六十六號

電話：七四〇五三

GLOUCESTER RD. HONG KONG TEL: 74053

承印者：南華印務公司出版社

地址：高士打道六十四號

台灣特約經銷處：台北市館前路十五號

台灣總經銷處：台北中華路新號五九四之一

台灣郵政劃撥儲金帳號 九二五二號

斥中共「普選」與「民主」

掛羊頭賣狗肉的民主　舉手和豆選全是騙術

· 鄭竹章 ·

（一）所謂普選乃一黨專政的途徑

共產黨在大陸上所搬演的「普選」活劇，目前正進入鑼鼓喧天的階段。近半月來，中共在海外宣傳機構，正煞有介事地大肆吹噓，彷彿一個殺人越貨的強盜，經過一番做作便變爲民主鬥士。但凡對中共的詭計稍有認識的人，都會瞭解中共所謂的「普選」，不但與西方國家的「民主」觀念無關，而且正是共產黨走向一黨專政所必經的途徑。

依照列寧的說法：「革命的基本問題，就是政權的問題」。爲了奪取政權和鞏固政權，其最重要的策略，就是處處假借西方國家已深入人心的觀念，作爲盜名欺衆的手段。因此，凡共產黨統治下的地區，必然攫奪「人民」「民主」的招牌，以實施「專政」「獨裁」的原則。[illegible]一場「普選」，正是這一套策略的主要運用。

（二）民主化祗是極權化的烟幕

中共對於這一活劇的排演，遠在一九四九年即已開始。其「共同綱領」中即規定「人民行使國家政權的機關—爲各級人民代表大會和各級人民政府」，「各級人民代表大會由人民普選產生」。但在實際統治中，卻提出「議行合一」作爲政權的基本形式，一面否定西方民主國家三權分立的精神，集行政、立法、司法於各級政權機關；一面普設各種公開及祕密性的特務機構，否定聯合國憲章所規定的基本人權。在過去三年中，中共雖宣稱已在大陸二十八個省，一百五十四個市，二千零三十八個縣召開過所謂「人民代表會議」，有不少省市，並已實行以「人民代表會議」代行人民代表大會職權」。但其具體的表現，是人民權益的一再被損害，極權統治色彩的日益濃烈，令人深切地體驗到所謂「民主化」就是「極權化」的烟幕。這次的「普選」，無論在實際及效果上，當然亦不會例外。

中共所以能利用這次的「普選」，來達成一黨獨裁的陰謀，主要地係透過下列兩種手法：

（三）代表產生全由共黨一手支配

首先，其所謂「人民代表」的產生，根本上便是直接受着各級政權所支配。[illegible]「選舉法」[illegible]「縣、鄉、鎮[illegible]選舉委員會」[illegible]，而「選舉委員會」[illegible]係由[illegible]「人民政府」[illegible]，而係由鄉、鎮[illegible]「普選工作隊」，無形中被選爲選民的代理人。據八月七日中共「人民日報」的報導：「東北地區[illegible]工作中的普選[illegible]點試辦工作中，由於「工作組」的包辦代[illegible]

（四）採用最易操縱的選舉方法

其次，中共對投票方法，[illegible]「人民代表」選舉[illegible]一向係採取最易操縱的舉手表決法[illegible]都採用舉手表決方式，[illegible]認爲這種[illegible]舉手表決，最適合中共統治下的人民。他[illegible]可以「使敵人僞裝份子」[illegible]

[illegible]民在選舉時大[illegible]。而選舉結果[illegible]部份由原來共[illegible]。七月十六日「北平光明日報」報導：「選舉結果[illegible]原有幹部當選者佔[illegible]和百分之八十[illegible]經過普選後，大多數由原來共幹把持。基層幹部既係由中共培養而來，自然服從中共統治[illegible]利益。

[illegible]凡破壞「反」[illegible]中共[illegible]

（五）普選乃全面整肅的前奏

在上述兩項手法之下，「民主」正是「普選」與[illegible]

[illegible]

（六）要達成加強剝削農工的目的

第二，對列入「[illegible]」的另一勤[illegible]人民「[illegible]」，鑑[illegible]普選的工農[illegible]是「[illegible]」份[illegible]生產競賽」[illegible]在過去三年中，[illegible]生產競賽[illegible]已疲憊不[illegible]

[illegible]

（七）排斥依附投靠份子

第三，對民主黨派[illegible]中共[illegible]所謂「普選」[illegible]是排斥[illegible]他們的手段[illegible]人民政[illegible]

[illegible]

俄國文化特徵及其發展

·黃同仇·

俄國文化的矛盾性格

一個民族的文化，即是這個民族的生存工具或生活方式，也就是這一民族智慧的晶結。

就一般的歷史事實說，大凡一個民族文化的發生和成長，多半由於這個民族的地理環境和歷史傳統，長期的孕育和不斷的推演，有以造成。但在某種特殊情形之下，也有由於外來文化的影響和激刺而成的。俄羅斯文化自始至終都是受著外來文化重大影響的。

俄羅斯是一個氣候嚴寒，土地廣漠，歷史短暫，開化較遲的國家。其文化基礎的薄弱，是可想而知的。假使我們從俄羅斯文化的內容去研究分析，便很容易看出，俄羅斯民族本身所創造的文化成份居少，而接受外來文化的影響成份居多。除了忍耐、服從、耐勞、刻苦、強暴、專制、殘忍、和冷酷等精神是出自俄羅斯民族的本身之外，其他在政治上，思想上，文藝上，和社會制度上的各種表現，多數是受附外來文化的刺激和影響而成的。因此，在俄羅斯文化中，往往表現出一種極不調和[illegible]

既非東方又非西方

[illegible]和，極其矛盾的形態。我們可以隨時從他們個人的性格，社會的階級，政治的制度，哲學思想及實際生活上，看得出來。

以一個西方人的眼光看去，俄羅斯的文化是一種唯心的，專制的，和宗教主義的東方文化。以一個東方人的眼光看去，它的文化又是一種唯物的，現實的，自私的，[illegible]和個人主義的西方文化，其實，它兩者都不是，既不是真正的東方文化，也不是真正的西方文化，而是一種不東不西，非驢非馬的矛盾物。一方面，它是極端落後，極端野蠻，甚至未開化的；但另方面，它又是最新奇，最進步，乃至於超時代的。處處表現出它的自相衝突，自相矛盾；時時表現出它的不協調和不平衡。

[illegible]

ANDRE SIEGFRIED）在他所著西方民族性一書裏，所說的幾句話，也許更能說明「俄羅斯是受了東方影響的西方人，同時又是受了西方影響的東方人」。這種東西方影響的混合，引導成爲一種極端與不平衡的性格，常在俄國人心中[illegible]衝突[illegible]，其原因便是在兩個相反的中間缺乏綜合之故……

同時將可愛與可怖，輕率與嚴重，柔和與強暴，聯和表現出來。有時是一個彬彬君子，有禮貌的外交家，有時又是一個廿世紀所未經見過的暴徒：在中世紀與現代社會之間，在野蠻與神聖之間，用巴斯加爾的文句，『在畜牲與天神之間。』

一百年以前，法國著名學者辜斯丁對俄羅斯民族也曾有如下的幾句警語：

「在環境上及氣候，在精神上是政府，這兩個互物已把這個地方人民的中和幼芽一併吞食下去了……俄國這個地方有過度的欲望和無聊的性格，有反抗同時又有服從；暴君與奴隸之間，瘋子與禽獸之間，一點沒有中立性；恰恰適合的狀態，在這裏是看不見的。」

以上都是俄羅斯民族的心理和文化之特徵。這種特徵之造成，一方面是地理環境所使然，一方面是外面文化的影響與刺激所迫成，同時又因爲外面的文化與俄羅斯內部的地理環境及民族生活不相調和，而時間又不容許他們從容化合，因此遂形成一種極不調和，極不平衡，和極不相聯的形態同時表現。

（下轉第二版）

半週展望

·雷嘯岑·

扣俘之爭

美國與中共爲扣俘問題，大起爭論，各執一詞。這是一幕不宗的口角劇，令人膩味。美國視共人民的生命特別貴重，共產黨就利用對方這種弱點，大玩花樣，別有所圖，藉若干美俘的人身代價，以換取其他的休戰利益。

杜勒斯大言炎炎，設要採取報復行動，而其錦囊妙計，即爲向聯合國控訴共方違反休戰協定！

假使美國不是外強中乾的話，既發現了對方有違反休戰協定的事實，就應該馬上停止換俘工作，然後向聯合國提出控訴，表示其不惜再戰的決心，或許有和平解決之望。只是空口「車大砲」，其在共產黨人看來，可謂班門弄斧之談，不值一笑。馬倫科夫最近在最高蘇維埃會議席上所「車」的「大砲」就是描準了美國人的弱點而發出的！

氫彈之謎

在韓戰尚未停火以前，美國人爲着要急於休戰，隨時把原子大砲或原子彈這類武器掛在嘴上，想吓唬敵人，結果連「原子」小汽鎗也未見放過一響哩！

嚇人者，人亦嚇之。如是乎馬倫科夫亦不妨大言炎炎，說「我們也有氫彈了！」一顆小氫彈，即可使紐約市化爲烏有，更可使倫敦市與多佛海峽合流，那還了得！

但是武器恐嚇，不怕打架的好漢，決不輕言比武的，必要時，奮臂一擊，管教敵人屈服。美國既害怕打架，表面上又隨時誇海口，自命有特殊的制敵武器，一副色厲內荏的形相，早被敵人觀破了。馬倫科夫說蘇俄已有氫彈，固然是個謎，美國究竟有沒有這種玩藝，也還是一個謎呵！

錫蘭的共黨暴動

最近東方有兩個親共政權下的共黨，在當地相繼暴動，印度與錫蘭是也。

這兩個國家的執政者，都以親共媚共著稱於世，而共統治下的共黨，乃加速其奪取政權的陰謀，發起暴動流血。這是很好的現實教訓，值得注意的。

我看印尼亦快要發生同樣情形了。因其新任內閣總理大倡親共媚共的論調，然其立國精神與蘇卡諾政權的本質，又是反共的。它的外交作風想跟印度錫蘭看齊，而其內部的共黨潛勢力又不小，結果自非玩火焚身不可。

許多搞甯民族主義招牌來爭取政治權位的落後國家的政治人物，都想利用共黨作工具，伊朗的莫薩德政府，也走的這條自殺之路。他們根本不瞭解共黨的本質是怎麼一回事？只有埃及的納吉勒，似乎對共黨的認識較清楚些，他一面爭取國家獨立，一面嚴厲禁止共黨活動，這才是民主獨立運動的正軌啊！

法國的大罷工風潮

鬧了兩個多月的政潮，纔產生一個新內閣的法國政府，又繼續遭遇全國大罷工風潮，參加罷工的人數超過四百萬！

自由世界所謂列強之中，像法國這類國家如果再有一兩個，就根本不必談甚麼反極權鬥爭的話了！自身腐爛散漫，不打且倒，還甚麼本能與共黨鬥爭呢？

第二次大戰之初，邱吉爾主張英法合組聯邦政府，我看現在也有此必要罷！

健全鄉鎮里基層組織

·林長林·

民主政治的基礎是地方自治，地方自治的骨幹在鄉鎮基層，舍此而言民主，直空中樓閣耳。

台灣通訊

在一系列的新政中，最近台灣省政府已注意到鄉鎮基層組織了。前月省府例會通過了「健全鄉鎮里基層組織要案」，它主要的內容，約分三大部門：一元化，把所有其他鄉鎮級的機關，如警察所、衛生所、水利委員會等，都規定統由鄉鎮長監督指揮，糾正以往各自爲政，互相推諉，或牽制的弊病。從此縣市長可以直接指揮，提高鄉鎮效率。推行庶政。第二是確定鄉鎮自治人員爲公務員的人事制度，使務員一般的薪給，不以後鄉鎮幹部不因鄉鎮長爲去留，幹部安心服務，效率必然提高，人才必然向鄉鎮流注。第三是大量的調整基層部分，縣市鄉鎮應一般地方自治法案，這個法案，爲劃時代的創舉。

新基層組織的內容

率必低。就以治政來說，過去鄉鎮自治人員，一般都是義務職，依新法案規定，全部比照公務人員待遇，由省府統籌，抑由縣庫支，連鄉鎮的經費自籌，無論出那一級，都係與縣市組織機構，今後那鄉鎮長的職權擴大，予其個當一面，則勢必有的效率方式也隨之加強和改變。因爲鄉鎮公務人員制度之確立，縣市以機人員當適應這情勢而增減。即是說鄉鎮是不能孤立地求健全和發展的。

公文旅行，室內施政爲過去政治的大病。機關愈低，文牘力即愈大，鄉鎮便首當其衝。以過去鄉鎮的組織狀態，爲了應付上級機關的人員，也恐鄉鎮公文的時間都沒有實施計劃工作的餘地，這種完全被動性的作用，實爲生產的效率，因此今後應予澈底改變過去的老作風，自動施政就是各個鄉鎮應按照上級的要求，斟酌當地環境，定全年施政計劃及分月的進度，由縣市政府核定後，便自動地按步就班去施行，也不必凡事請示，也須逐件報備。縣市政府只按其計劃督導協助，不必今日通令，明天指令。縣市長定期區召集，鄉鎮長會報，斟酌損益，即席決定，便即施行，更毋須呈報備案。到半年或一年然後考成。這樣便無公文旅行之弊，而人員也無奉頸形勞之苦，大量的時間，利用於直接指導地推行，則效率可期了。

鄉鎮業務的基本工作

鄉鎮業務範圍廣泛，與人民發生切身利害關係的，就是經濟，衛生，教育事業。這是鄉鎮事業最基本的工作，所以今後鄉鎮業務應以經濟，衛生和教育爲主。能號召人民起來分頭創設，把鄉鎮政府造成地方事業的神經中樞。人民視鄉鎮事業與自己的利害分不開，對公眾事業發生興趣，民主政治的基礎才能此奠定。業務方針也明確，有個重點，過去一般人都以爲鄉鎮是奉行上級命令的機構，而忽略其本身事務的基本工作。這是人民對鄉鎮政治淡漠的原因，是基層缺乏鼓舞的理由。要知鄉鎮政治的發展，固有賴於賢明首長和幹部，但人民與鄉鎮政治的關係，才能收到策安力之功。最能使人民定。

新縣制爲甚麼失敗

然徒法不能自行，要而鄉鎮自治在政府重重的系統下，地方自治發展，今後的業務範圍和方向，也業有新規定，才能合發生作用。過去在大陸所行的「新縣制」，其中並非無理想與辦法，然而因爲當時的「工作重點」在抗戰與戡亂，無暇顧及此；而當時的風氣，政府不講實際，從政者類皆只求無過，不求有功，鄉鎮基層除兵糧外大多無治，免招麻煩。這樣一來，「新縣制」便等於具文了。

現在台灣省政府全力推行這項重大改革，健全組織固然切要，政風的更新尤爲急務。新政風的養成，不在教條的研究和訓練，而在共信的確立。這包括在團體方面要避免傾軋排擠，嫉忌。在個人方面要相信勤勞不會白費，堅定努力上進的信念。

如何樹立新的政風

鄉鎮組織的健全，法案既經確立，縣市新的組織法也應修正，才能配合。就是省府的職權範圍，也應另求適應，始能相輔相成。否則鄉鎮既賦予職權，縣市政府還在舊圈子內打轉，則由矛盾而相消，效

·人物評論·

二張論

·澄然·

二張爲誰？南通張謇季直；寶山張嘉璈公權。

有一次，我和一個外國朋友談中國問題。這位朋友說，國民政府統一附北後到九一八以前，這比較安定期間之內，新興的工商業逐漸抬頭，開始成爲政治上一種勢力，中國似向西方資本主義自由經濟推進，而這即是民主政治的奠基。

新興工商人物的五型

這話我聽了不順耳；第一，我覺得這時期的就全部新興工商界而論，他們政治自覺的水平，還是很低。第二，他們與政治發生的關係，還是依附的而不是具有獨立性的。彼此辯論一番，他沒有折服我，我也沒有折服他。

我覺得數十年來，新興的工商界，大約可分五型，（一）士大夫型，（二）市井型，（三）華僑型，（四）權貴型，（五）土霸型。而第四型中又可分爲軍閥型與非軍閥型。新興工商業的根據地，則可分爲（甲）政權所不及的租界和（乙）主權完整的地區。

市井型的代表爲無錫榮氏，華僑型的代表爲永安紗廠郭氏。他們的生意經最精，政治意識最低；他們以租界爲主要根據地；在當時他們還沒有進到第二代，意識形態還囿於其來源形態；但不倚仗特殊權勢，及政治關係而起家；在事實上變成了他們要求法治與秩序的傾向；如果時間容許他們進入第二代，也許最足爲歐美式民主政治的奠基要素。

權貴型與土霸型係恃着特殊權勢——做政治的或社會的，中央的或地方的——起點。起了之後，當然極力要把勢力推廣，從社會的到政治的，從地方的到中央的。這兩型的素養，係特權的，反法治的。但工商事業的本身需要法治和秩序之處太多了。而且特權是不可永恃的。冰山會塌的，所以如給以較長時期的發展，他們必須轉移陣地到特權與法治之間找生活。

士大夫變相變質了

最爲中國社會獨具的，而在中國歷史上佔了重要角色的士大夫。自從封建消滅而入於大統一的中國，無統治階級無統治部族的特殊擁護，而孤立於上的皇室，君臨版圖極大而社會結構以宗法農村爲主體的中國，士大夫階級一直是中國的傳統統治階級。他們從政問政的性格最發達，不是想做「大臣」，即想做「權臣」。經過近代意識的轉變，「大臣」即是救國志士，「權臣」便是政黨領袖。救國志士或政黨領袖都是存於理想的一種型，所謂IDEAL TYPE，祗是一種概念。實際的人總是一個混合型MIXED TYPE。

士大夫階級，到了近數十年，也隨着文化上支配理想的變動，隨着社會上支持該階級的條件和結構的變動而變易了。數十年來，文化和社會結構都進入解體DISINTEGRATION的過程中；士大夫階級自然隨之而變相變質；但還沒有變的太多。然而這個變，即是中國二千年來社會基礎上最重大的變動。

士大夫型的工商業家

士大夫而入於工商界，其政治意識自然是其所固有的。

二張爲士大夫型的工商業家。三十年爲一世，論時代他們恰恰屬於兩個緊接的時代，他們雖然都是豪傑之士，然而豪傑依然是人，而人總是環境的產物，所以他們的歷史又是數十年世變的反映。

張季直以名狀元的清貴，和維新志士的姿態，居鄉興辦實業。成功後，篡國的袁世凱還要尊以「商山四皓」。他的素養完全是舊文化的；他的政治意識雖頗濃厚，但不了解西方政治；他的位望事業雖造成了他的獨立力量，但他從不問鼎中原。（做總長，不能算政治活動）大哲杜威遊華稱無錫工業爲民主的，南通工業爲長老的，PATRIARCHAL。其子孝直太平庸，一點也不會運用季直所樹立的基礎來過問政治。

張公權的成敗值得研究

張公權爲梁任公所拔擢，爲張君勱的介弟。他以中國銀行爲根據地，與北洋政權和國民黨政權有不可避免的密切接觸。他的機智與雄心都是不可一世的。他的時代性格比張季直近代得多了。一心以經濟力量爲根據，而發揮統治階層的政治力量，在他個人本領和環境限制的限度內，總算盡了他極大的努力。所以從社會觀點和政治歷史觀點來看，張公權活動的成敗是非常值得研究的。

西方經過資本主義而發展民主政治。但資本主義的經濟發展，是否爲民主政治所必須先具的條件，這是我們應該研究的一大問題。（完）

英在中東獲得新根據地

已與利比亞締結協定　準備替代運河區基地

英國在蘇彝士運河區的基地，以其性質而論，與其說是一個堡壘，不如說是一個龐大軍需品倉庫，在它寬敞的鐵絲網離笆內，各種軍品樣樣俱全，從噴射機，巨砲，軍車，坦克到制服，還有一萬種其他物品。這座世界最現代化軍需倉庫所需的大小物品。這座大的軍需倉庫，能使二十五萬士兵從一端赤身而入，而從另一端武裝齊全地走出，並擁有一切必要裝備。在第二次大戰中，這基地能迅速裝備了二十八師步兵。

目前英埃談判陷於僵局，英國雖原則上同意撤退，但對一旦發生戰爭保留運用此基地的問題，仍與埃及僵持不下，運河區這座倉庫的未來價值與作用，至少在目前已發生重大問題。正在這時候，英國突然宣佈，已和埃及西邊的利比亞達成重要協議，向該國獲得租借權，建立一龐大軍庫，定期二十年。利比亞是在聯合國支持下，中東最新成立的國家，經濟正陷於極度窮困，英國指針此點，同意至少今後五年內每年供給二百八十萬美元協助該國經濟發展，另加每年七百七十萬美元協助該國平衡預算，藉以交換英國在該國建立基地，駐屯軍隊及飛機之權。

英國今日在東地中海的權力，依賴着三點：一、馬爾太島和伊拉克境內的基地（在伊拉克的哈巴尼亞，英國建有複雜龐大的空軍設備）；二、對約但的軍事及財政控制（該國英人訓練的阿剌伯軍是阿剌伯世界中最佳軍隊）；三、塞普路斯島上的軍事基地。英國在面臨退出蘇彝士區的危險下，首先曾計劃擴大塞普路斯，但由於該島缺乏良好港口和該島人民反對，而告作罷。現在的利比亞協定，無疑解決了這個問題，而可能塡補英軍一旦退出運河區後所造成的軍事空隙。（敏之譯）

俄國文化特徵及其發展

·黃同仇·

（接自第一版）

信奉基督教的開始

俄羅斯民族在第九世紀基輔王國尚未建立以前，還是一個完全沒有文化可言的游牧部落。直到第十世紀基輔國王弗拉底美爾才派員到希臘考察宗教，並娶希臘王巴西爾之妹安娜爲后。因爲希臘的國俗，女子不得與異教徒結婚，基輔國王不得已遂宣言信奉基督教。希臘國王乃派牧師伴其妹來俄結婚，並爲基輔國王舉行洗禮，於是俄王遂定希臘正教爲國教，並請其牧師分往各大城市爲其人民施行洗禮，又通令全國將其原來祀奉之偶像，一概予以廢除，這是俄羅斯人信奉基督教的開始，也是俄羅斯文化向前開展了一步。

這一改變，不但影響了人民的宗教信仰，同時影響於社會，政治，文化，哲學，及土地觀念的轉變。因爲教會常以宗教的教條訓誡人民，又以例證的法律教導人民，使他們在公私生活中造成一種規律性的習慣與風氣。並以基督教的「君權神授」說教訓其人民，倡言君主爲上帝之服務者，人民對君主必須絕對服從。於是俄羅斯人民服從君主的觀念，遂以逐漸養成。直到十九世紀，俄羅斯的大詩人，大文豪，如高哥爾，杜思托也夫斯基，及托爾斯泰等，都未脫離宗教的意味。

殘忍與貪慾的民族性

在希臘正教傳入俄國後，僅僅二百五十年，蒙古帝國便侵入歐洲，並消滅了基輔王國。蒙古民族本來沒有文化可言，他們僅憑一種驃悍民風，游牧習性，及若干特殊的共通特點，征服了亞洲的大部及歐洲的一部。他們統治俄羅斯達二百四十年之久。蒙古人的特性，一方面是殘忍嗜殺；一方面是貪求財貨；蒙古人的政治，一方面是厲行專制，一方面是聽從人民自由信仰。是故結果增加了俄羅斯民族的殘忍與貪慾，鋪平了伊凡第四沙皇專制的道路，同時保存了希臘正教在俄國的勢力。這可說是俄羅斯文化的第二步開展。

自由思想力量薄弱

第三個階段，是十八世紀的初葉，大彼得的歐化政策推行以後，經過十八世紀後半葉凱薩林第二的開明專制，西方自由主義的思想和民主主義的政治，逐漸傳入了俄國，於是俄羅斯的風氣乃爲之一變，尤其一般上層知識分子，對於西方自由主義之傾向甚爲熱烈。十九世紀中葉，在俄國演成了文學的黃金時期，俄羅斯的大文學家都受了西方自由主義思想的影響，在俄國文學史上有相當的地位。這是自由主義在俄國的立場，對俄國的批判的。一八六六年謀刺沙皇亞歷山大第二的，是一個自由主義的狂熱者，一八七八年，自由黨的女黨員薩蘇里芝行刺彼得堡的警察長，結果被判無罪，而予以釋放，這是自由主義的思想在階級中的一種明證。一八八一年，亞歷山大第二終於被虐殺在無政府主義者之手。我們知道這些自由主義者多以個人的情感與個人的行動，而非以組織的力量，感情的衝動的行動，實在太薄弱了，他們的主張，實在不過是自由主義以外的東西。

大斯拉夫主義是新宗教

以上是俄羅斯文化發展的第三階段。第四階段便是從十九世紀的末葉到現在，六十年之間，俄羅斯文化又轉入了另一個新的階段，這一階段的思想潮流，就是來自馬克斯主義的。馬克斯資本論第一卷是一八六七年出版的，第二卷是一八八五年，第三卷是一八九四年，其俄文譯本第一卷是一八七二年譯成俄文，正是亞歷山大第二及亞歷山大第三在位之世，俄國社會正在開始走向資本主義的道路，同時參加社會革命的問題依然存在着，因此馬克斯主義得在俄國知識分子之間取得一般人士的信仰。到一九一七年十月革命以後，這一思想變成了俄羅斯的另一宗教，所謂蘇維埃的新文化，便是以馬克斯主義爲其主要內容，不過經過列寧和史達林的洗鍊與篡改以後，馬克斯主義的本質又已轉變爲大斯拉夫共產主義了。

編者與讀者

王韶先生：請於下星期一下午駕臨編輯部一談爲感。——克文

工人肺病蔓延日廣 中共恐慌大呼防癆 各廠礦將專設防癆人員

勞役過度 營養不良 環境惡劣

【本報訊】北平消息：最近僞衛生部已在報端公開證承大陸各地廠礦中的肺病患者確已日形衆多，情形非常嚴重。以此種情形，顯已嚴重打擊工人情緒，損害生產效能，故特大聲疾呼，向各地發出緊急防癆及基本防癆的指示，以圖阻止肺癆的繼續蔓延，並對患者即作必要的處置。

據僞衛生部的調查統計：大陸各地廠礦肺癆猖獗的程度，以棉紡廠爲最嚴重，平均各廠患者都在百分之二十到百分之三十二之間；其他各廠礦一般的至少亦在百分之十五以上。其中重病的約佔百分之廿，中度的約佔百分之三十，初度的約佔百分之五十。肺病患衆所以如此衆多之原因，該部亦有較爲坦白之分析，主要是當初對患者沒有適當的治療及必要的隔離或休息，致使患者的病況加深，而且日益蔓延。其次是一般廠礦爲實目生產加班加點過多；伙食鮮理不善。營養不良；宿舍過於簡陋，衛生設備過差，整個環境衛生狀況惡劣，……都使工人的體力日益[illegible]，抗病力日微，傳染率加大加速云。

據悉，因此僞衛生部業已通令各大僞行政區及各省市普遍辦防癆訓練班，以培養大批防癆人員分赴各廠礦進行防癆工作；並已首先由該部開辦一高級的防癆訓練班，以培養大批幹部分赴各省各省市指導防癆的技術工作。且悉該部雖已計劃由使各廠礦現有一般患者得有休養及隔離的機會，以阻繼續蔓延；但一以藥品奇缺，無法作根本的治療；一以工業部門的影響生產爲由而提出反對；再加上患者過多，經費負担困難，在在都使此一計劃，難以實現。

韓戰冤魂百餘萬 天安門外一塊碑

打了三年多的韓戰，現在終算已停了戰。爲此，最近幾天來北平僞都的頭子們和「外交官」們正在與蘇俄及其各附庸國的頭子們和「外交官」們之間，曾電交傳，舉杯稱慶。他們表面上是在「慶祝」他們一如他們所宣傳的「贏得最後的勝利」；暗底裏卻在「慶祝」他們暫時逃出了在大規模消耗的戰爭中將被拖垮的命運。但韓戰的結果，中共現雖倖免拖垮，卻已消耗得精疲力盡了。單拿兵員來說，照一般的估計，就已斷送了一百四十萬人左右；這一百多萬人都無名無目的作了韓戰中的冤魂；一百多萬冤魂究竟換得了什麼代價呢？據來自北平的消息說，那就是天安門外的一塊碑。在這塊碑上將刻上「爲國犧牲人民英雄紀念碑」十一個大字，便什麼都不了了之了！這實在是中國大陸在赤色魔王們統治之下的一個慘劇！

黑龍江共幹 集體大貪污 藉口福利化用巨款

據最近北平人民日報在「讀者來信」欄內揭發，僞黑龍江省農林廳曾於去冬與今春之間發生一集體大貪污案。含污的內容，據說：一是假造預算，將各項預算的款額提高，而在支用時，將其中一部扣作他用，其中除少數高級幹部以「特支費」名義分用一部份外，餘則以「改善福利」爲名，購置大批生活享受用品，大家分用，以塞衆口。二是假報決算，將原造預算中的款額，再在決算時予以增高，而在繳繳「中央」的公款內扣除，並以「準備金」名義設立私庫存儲，由該廳廳長及少數高級幹部掌握，作爲「福利事業」的掩護加以支配。三是匿報應行上繳之款項，擅自動用。據稱：該廳去年多季清理林場收入木材兩千六百餘立方公尺，折價八億二千餘萬元，即擅自動用七億九千餘萬元之多。今春育林數收入七億七千餘萬元，即擅自動用七億一千餘萬元之多。今春再清理林場，又收入一百一十七億餘萬元，除上繳三十餘萬元之外，端匿報八千餘萬元之多。此一巨款，雖並未私人化用，但已充入該省私庫，準備擅自動用。最後是藉各種方法隱沒積餘經費，而將此種款項購買大批生活享受品合隱使用；高級幹部，則在購買物品中虛報價格及物品數量，以所得私自分用。據說該廳於去年多季一大中，即動用了六十餘億元購買了大批衣料、皮鞋、化粧品、自行車、照相機、留聲機等等作爲內幹部享受之用。

中共公開承認 殘暴荼毒勞工

中毒事件劇增

據「北京人民監察委員會」最近所發表關於「處理國營地方廠礦企業忽視安全生產致發生重大傷亡的通報」透露：「開灤馬家溝礦爲了完成生產計劃，廠長趙明、副廠長胡懋序等，明知該礦內溫度在攝氏一百三十度以上，卻動員工人從熱爐中取礦之結果，四十三名工人被燒傷了四十一人，有的已經焦頭爛額，有的得奄奄待斃了。」又透露：「河南焦作煤礦，自五月三日起，連續三天內發生四次中毒事故，死傷人數均在四十至五十人以上；原因是南票煤礦共幹金裕明，爲了役使工人趕勤搶紅旗運動，不顧礦洞內危險，致許多工人，被遭中毒或竟窒息而死；又太原機械鐵工廠工人楊忠魁，因該廠爲搶生產錦標，加班加點，每日工作由十二小時延長至十六小時，由於疲勞過度，觸電而死。」

該通報復透露：「據『勞動部』不完全的統計，自一九五二年一月至五三年五月共十六個月中，僅就武漢、天津、青島等三個市而言，就運繳致生搬運器材等危險品中毒事故達一百零七次，死人達七千餘，傷者尚無法統計，主要原因，一方面是包裝不好，另一方面是這些領導或管理人員工作偏差，致使工人中毒」。

上述幾個工人的事實，是中共自已招承的，『翻了身當了家的工人，長此就枷鎖在遍佈大陸的奴工區內，爲他們做牛做馬，輸汗輸血，直到變成黃土內的白骨，才算告一段落。

中共殘暴本色

據「一九五三年三月廿四日三河閘工地通訊」透露：「六萬勞動大軍的營寨，已在洪澤湖畔的三河南岸紮了下來了，日和夜的分界，對三河閘工地人民來說，是沒有的；每一秒鐘都有人貢獻[illegible]大意義；二十四小時[illegible]他們的勞力；爲了完成一塊[illegible]板或爐担的工程，往往二十幾個鐘頭都沒有闔一下眼。這是多麼「有魄力」的勞動大軍。」

可是，該報繼續又透露：「因爲有紀律的積極，許多工人手足也毀裂了，甚至頭和身體重要的部位上受了傷，流血過多做了勞動戰線上的烈士」。並說：「據統計，此次工作時期開始一個月了，到現在止，因工作受傷的工人達七千五百人，傷重死亡的一百七十二人。」一連大傷亡，多麼令人怵目驚心的數字！中共的統治者們，似乎無動於中，貪狼成性的中共們的殘暴本色啊！

工人是刀俎上魚肉

據一九五三年五月十六日天津大公報透露：西康藏族區工作人員[illegible]，最近組一小隊約五十餘人，到康藏高原上[illegible]去設立氣象站，[illegible]一重一百二十餘公斤，只有兩個人抬，他們脚腫了，肩也壓紅了，[illegible]過了十天大雨，被了蓋包袱，淋得透濕，冷得發抖，糧食吃光了，[illegible]病重的，眞是一些英勇的革命鬥士」。

像這種「革命鬥士」，只有在地獄裏才享受「勞模」的殊榮，中共的勞模工人，許多都是這些無知的[illegible]，做他們刀俎下的魚肉，[illegible]。又據透露：「東北佳木斯紡織廠的生產數字，因爲生產過急，工人經常吃不飽，睡不足，工人患病的百分之二十三，二月份百分之三十六，最嚴重的時候，機布工人一百人中，一天病倒了四十六人。」如牛如馬的生活，正是大陸工人們的寫照，多麼可怜！（庸人）

香港三日

颱風襲港驅走熱浪 遊河輪生意受影響

△八月原是香港最熱的季節，今年竟高至華氏九三·二度的溫度，據天文台的消息說，已「熱」破了五年來的八月份最高紀錄了，不過還未超上一九四七年八月的九四·九度。而現在尙是八月中旬，晨曆立秋剛剛過去，按照俗語說：「爭秋奪暑」，秋老虎更是厲害，熱的日子還在後頭哩！

與熱浪俱來的，是香港人的避河熱，乘船前往附近小島遊樂的人特別多，各處沙灘與泳場也擠滿了人，據說可作遊河的小輪，在最近週末及星期日的日子中，已被預訂一空，若干組遊河會的已有向暫行停航的港澳大輪動腦筋了，不過大輪租費昂貴，使人難於負担。

正當此時，橫越菲島以北海面的風姨，於前日在本港以南一百五十哩處掠過，香港經此番的狂風暴雨吹襲後，氣溫略降，使人們透了一口氣，但遊河小輪的生意可能因此受到影響了！

各界愛國熱潮澎湃 紛紛歸國致敬勞軍

△與天然的熱浪而掀起遊河熱之外，另一種熱潮也在這鐵幕邊緣的自由之窗澎湃着，那即是酷愛自由的黃帝子孫所發出的愛國熱，正如火如荼地在此間熱烈展開中。

一個包括有六名本港企業界鉅子與一名工程師所組成的同國致敬團，由代團長周日光率領下，已由到祖國觀光。該團前往自由中國的目的，第一是向蔣總統致敬，和向爲反共抗俄而奮鬥的各界人士表示敬意；其次，是明瞭國內經濟建設的情況，準備投資生產事業，貢獻一份力量，協助祖國發展建設；同時藉此機會將他們所見到的祖國復興具體情形，傳遞到海外各地去。該團現在正受到台灣各界人士熱誠招待中。

繼此一致敬團之後，僑港教育界人士所組之觀光團，亦將於明日（十六）啓程返國觀光，團員有港大教授羅香林，及前中山大學校長張雲等。

此外，粵劇藝人黃鶴聲，衛明珠，衛明心，紅豆子等組成之勞軍劇團，預定本月底成行回國勞軍。另一規模龐大的粵劇團，由名角新馬師曾，梁醒波，芳艷芬等所組織的，將於雙十節前往自由祖國作一盛大演出，並將赴金馬等地進行勞軍。

大陸猪玀自高身價 朱毛大耍詭計不遲

生活在香港的人們，卻常會爲小事而煩惱，尤其是食的問題，不時感到困擾。

自泰國生牛因生有「鵝口瘡」而被禁止來港後，平日被視爲最普通的豬也在此時引起了軒然風波，迄今未息。[illegible]控制下的所謂生豬[illegible]出口價，使本港肉價[illegible]，據營此業的肉商爲[illegible]，會停屠一日表示抗議，[illegible]拓來源，準備向緬甸、泰國、台灣等地搜運生豬來港供應，以期[illegible]。中共不斷民食，搶取外匯的詭計，這次計不得逞了吧！（實）

書海戰術

周以德議員在美國大陸[illegible]，要西方人注意東方的文化攻勢，認爲中共的書海戰術，與其戰場上的人海戰術[illegible]，因而主張以自由文藝的攻勢去阻遏[illegible]的侵略。可惜他的籲捐還不能達到五十萬美元的目標，因而這項反攻不能大張旗鼓。

飲食文化

林語堂[illegible]優遊美國，得了一些唐宋傳奇之外，近作「朱門」一書，這是以一對男女的戀愛故事爲主，而以西北回民暴動作爲穿插的一本小說，對於西北回民及中國飲食尤多介紹。美國讀者很歡喜他，[illegible]，而美國書評家們以爲這是一部深閎的小說，如果將之當爲一本遊記看讀，或比較有趣味，祇不知林氏自已有沒有遊過西北，對回民情況有無深切認識。

以中國烹調方法介紹與美國人的，最近另有一位李小姐，她是南京金陵女大畢業而留學彼邦的，其所著「中國菜的烹調」一書，買得了五萬美元的版稅。

文藝座談

五四運動的健將中，留在香港的，易君左先生算得一個，近將其三十年來所作詩詞，選擇一部份彙印成詩譜。同時分贈平時互相唱和的友好，許多受贈的舊的節回，上書「流亡海外紀念」六字。因此，很多同在抗戰後方流亡的文藝界朋友，計劃組成一個有紀念性的組合，而以文藝座談的形式出之。（穆英）

新書評介

虎穴之羊　艾林

費埃布立克的「我過着三重生活」，年前曾由香港時報節譯連載，易名「地下生活九年」，最近本港又有了兩種譯本，一名「三重生活」，由周明先生執筆，另一本新世紀出版社定名「深入虎穴」的，係丁大維先生所譯。二者筆意均清新流暢，所不同者，前者按照英文節本譯出，僅有十萬來字，後者則倍之。

周明先生譯這本書的時候，關於許多「共產八股」的界說，曾和我共同切磋，因而全稿得以先睹爲快，本書係著名的史密斯法案的插曲，也是美共十一人危害其政府一案的源本。作者是這案子的主角，他以美國公民責任感的啓發，自動地參入了美共組織，時歷九年，逐漸取得信仰，甚至參加組織，獲得一個區（州）的領導權。當他初受共黨份子誘惑而發現共產國際的錯誤指導與理論上的黑點之後，便向聯邦調查局自首。以後數年中，一直與政府合作，不避危險不受酬報的爲聯邦調查局做反諜工作。及到時機成熟，一九四九年四月，美國政府將美共首領十一人全部逮捕，作者將九年來獲得的證據出席供證。同年夏天，此十一人分別判罪，一網打盡，從此美共的活動入於癱瘓。

這本書在美國，有其絕大教育之功。他告訴美國公民的有，第一，共黨沒有固定的政策，第二，他們的政策是多變的，所謂聯合戰綫不過是一時利用，第三，「共產八股」的隱實內容，第四，加強社會一般人對共黨的理解與[illegible]。因爲我們也有很多的紅迷，這部書對於他們是值得一讀的。

美國的坐地衝鋒法

為方

美國民主黨參議員瑪格拉斯說：杜魯門總統當年若願意接受關於遣俘問題的妥協條件，如現時聯軍所簽署的韓戰停火協定，那韓戰早已結束了！這話迎合我們局外人的客觀論斷，完全正確，決非黨派私見的阿附溢美之詞。

杜魯門時代對韓戰停火談判，有兩點是始終不肯讓步遷就的：即和談範圍必限於韓戰有關問題，不能胡扯；而且要在當地談判，遣俘絕對志願，沒有什麼其他花樣之可言。我們試將兩年來的[illegible]和杜魯門時代的[illegible]作一比較，明白表示美國決不以犧牲自由的價值換取和平的代價，這是何等強有力的話！艾森豪是決不[illegible]出的。

共和黨人物一上台，即沾沾於保持政權的持續性，拚命的爭取表面和平，[illegible]。艾森豪主政七個月，姑息主義的[illegible]解放政策，他好似一面大鼓，表皮繃得緊硬，敲起多多響，內中却空無所有！[illegible]

我穿過西伯利亞

W. Booth著　穗寧譯

一塊朱古力美金四元

這些客車和餐車的內部，油漆得非常誘人，一律是鮮綠的天藍色，無論從那一方面，設備和裝飾都是新型的。

雖然食物的種類有限，但總能得上一個好字，肉類多半是火腿和豬肉，間或有一點牛排。只要你高興的時候，你可以吃到魚子醬，肉湯，乾酪，雞蛋，麵包，咖啡，紅茶或可可等，只是水果或餐後的甜心不太多，大多數是罐頭橘子。

我們發現每天吃三頓飯，[illegible]在餐車中吃[illegible]（我不知道這些錢是那裏來的），但我們決不能吃得這樣的[illegible]。

階級顯明　貧富懸殊

[illegible]

每一個西伯利亞城市都在大興土木，特別是諾瓦西比爾斯克的建築工程尤多。但大多數市鎮只有一條鋪石頭的街道，從車站通出去，就像五十年前美國西部城鎮的一樣。在那些地方，一打以上的汽車或巴士。

從窗口望出去，只見一片廣大的原野，和綿延不斷的荒漠、森林，情調荒涼而具有粗獷的氣息。

機器缺乏　人工犁田

火車在遼闊上行駛，我們看到大批的貨車向東開行，車上和卡車載着軍隊，高射砲[illegible]只開兩次，沿途我曾看見一部拖拉機，上面停着一架[illegible]，看起來像是[illegible]炸機。事實上，西伯利亞的機器的缺乏到了驚人的地步，我看見無數的婦女們在廣大的農田[illegible]

自由談

衛梅並輝

婆婆生。

十室之中，必有忠信，十步之內，必有芳草，古諺所云，殆無虛語。余前紀述台灣名坤票，已[illegible]

[illegible]

蘇州沈梅，系出名門，研究平劇多年，唱做皆臻上選。能年首見其演鴻鸞喜，並代棒打，薄倖郎，非票友人物，幾可由中國之鴻爪。

[illegible]與內行抗衡。嗣因喪母未涉歌場，今歲五月，始露其傑作販馬記三拉，於中山堂上演，配曹會籍之李奇，賈銳樵之趙寵，李景嵐之保童，陣容之整齊，前此所得未曾有。沈小姐於探監之驚訝，寫狀之哀號，被拉之憐憫，團圓之歡欣，各種表情，異常精到，不顯斧琢，出於自然，吹腔雅調，甚爲清圓，並不澀滯，與較焦鴻英，允不多讓。

在台省有名花衫，可占一把交椅，絕非諛言。猶憶春初聯誼會串，曾演蜘蛛廟之金大力，料料武夫，維妙維肖，與衆恰之軒渠不止。近聞正在研練大登殿，也許秋涼時節，與人於舞台相見。此多才坤票，將有很大的成功。因兩位沈小姐皆吾浙名媛，而劇藝如此，洵爲難得，故以名之曰衛梅並輝，以告嗜習之君子，藉留自由中國之鴻爪。

「西狩叢談」作者

秋柳

最近與幾位研究歷史的朋友談起，缺乏，偶而想起吳漁川的那本「庚子西狩叢談」，以淸末見得難得的史料。那書是吳永氏所著，上下兩冊，後來還有英譯本問世，書名「THE FLIGHT OF AN EMPRESS」。

吳漁川名永，文字整齊，浙江吳興人，生於淸末的仕宦家庭，後來自己也做了地方官，他親歷過同治，光緒，宣統三代的變革，對於庚子匪亂的變亂，他也就因緣這一個機緣他更進一步看到宮廷的內幕，他這一部書的記述是最忠實的。那時候老佛爺和皇帝后妃被八國聯軍趕出了皇城，裝做鄉下人，坐老馬破車，一路直往陝西逃，沿途的府縣早已逃之夭夭，只有這書獃子的懷來知縣吳永，留在任上敢於拿雞蛋來「接駕」。

有的幾個縣長來「接駕」，並且敢於冒着生命的危險，和西太后侃侃談論國政，一個知縣開口就奏參軍機大臣的人，如果是出現在民主時代，也許並不足奇，是在那種動亂時代與政治制度之下，値得使人「失色」的。

庚子事平以後，吳永曾在廣東邊境的瓊崖，高州等地做官，也頗有政聲。他的暮年住在北平，貧病交迫，生活很不好，抗戰初起，敵軍的砲火落在鄰院，他却寧死不搬，也終於在戰時死於故都，遺下這部「西狩叢談」，應該是他惟一的遺產了。

[illegible]都足以證明，俄國正把他們的財富浪費在軍備和政府大規模的建築上，眞正造福人民的可說一點也沒有。（下）（譯自PARADE）

關於郵票

驥。

報載澳門不久將發售一種「花」版的新郵票，同時已聘到印製一種配合此種「花」版郵票的紀念信封。顧名思義，「花」版郵票，即是印有「花」的郵票，花是最美的東西，印在郵票上相信也是極美的，爲人所喜愛寬集。

我不是集郵「家」，也不是經營郵票的推銷員，但對於印刷精美的郵票，很有欣賞的興趣，這也許是人類愛美的天性。去搜集各種個人所認爲美的東西，於是集郵的癖好遍及各階層人士，因爲它不但本身是一種美的東西，而且可使人們養成儲蓄的美德，因此集郵在世界各地已蔚然成風，樂此不疲。

故此，世界各國對於郵票的發行，極爲重視，據說有些小國專靠出售郵票，作爲他收入的主要來源之一。

在香港集郵之風是相當盛行的，我們從港九的經售郵票商店各處皆有，可以見到它不是「冷門」生意。據說在此間最吃香的郵票，是中共政權所發出的各種宣傳郵票，因爲它花式多，印刷也不壞，並且售價低廉，頗爲集郵「家」所喜歡收藏。

對於自由中國的郵票，人們當然更是喜愛搜集的，但是它太少了，即使想多收集多也無法滿足，這是些麼使人失望的事呵！

尼龍床上用品

美國貝普勒製造廠，最近宣佈大規模生產尼龍床單和枕套，這是世界從事這種尼龍製品大量生產的第一家。據說纖維間留有相當空隙，使床單和枕套都能「透氣」。尼龍製的床上用品，最大好處是易於洗滌，且不需熨燙，比一般紗絲製品都耐用。第一批出品，價格頗高，雙人單床美金七元五角，枕套一元九角五分，不過以耐用程度和其他質料的同類物品比較，仍極合算。

高速電動打字機

美國目前正極力改進電動打字機的速度，俾能更加强新聞的傳播，據西屋公司所屬的電動打字機公司宣佈，一種新的打字機，每分鐘可打一百字（目前僅六十字），明夏可以正式上市。（明）

韓馬修赴瑞士內幕

聯合國秘書長韓馬修日前突然飛到瑞士，安排在當地舉行的經社理事會議。其實經社理事會開會，與聯合國秘書長沒有多大關係，他之訪瑞，完全另有目的。據說：韓馬修上月與聯大主席皮爾遜會談後，兩人都贊成在瑞士舉行政治會議，他的書次飛瑞，就在向瑞士政府試探可否在日內瓦召開韓國政治會議。

韓馬修出任聯合國秘書長以來，匆匆已有四個月，他爲人愼重仔細，但有時却不免太過於「小處着眼」了。聯合國人士中很多不滿意他這種作風的。認爲他不該放棄政治上的領導地位，而斤斤計較於行政上的瑣碎事務。一部份挑皮的職員乃把聯合國大廈第三十九樓秘書長辦公室稱爲「備忘錄走廊」，於是一傳十，十傳百，鬧得聯合國中無人不曉。據說：自韓馬修接事以後，聯合國中的備忘錄頓時增多，比前幾乎加了兩倍。

捷共籌劃有綫廣播

據來自捷克地下工作人員的消息說：自捷克最近因貨幣貶値發生暴動後，捷共應付無方，再遭克里姆林宮的痛斥，他們於老羞成怒之下，即逮捕捷克軍官兩百人，其中大多數爲校尉級參謀，指他們不能鎭壓暴動，有失職及反黨反國的罪嫌。同時爲阻止捷人偸聽西方廣播起見，捷共正在討論設立有綫廣播，將布拉格電台的無綫電廣播節目取消，嗣後人民只許聽收有綫廣播節目，如有藏匿無綫電收音機者，將一律以叛國論罪。

文官控制五角大廈

艾森豪總統提出改組國防部計劃的時候，即强調加强文官的權力，但當時文官權力究大到怎樣的程度，一般軍事首腦們還都不明瞭，直到最近，他們才開始知道所謂文官接管五角大廈的控制，究竟是一回怎樣的事了。據說，把海軍陸戰隊第三師調到韓國，就是國防部長威爾遜本人的主意。又如海軍部艦務局局長蘭林少將的造艦計劃和海軍部長安德遜的意見頗有出入，安德遜即把蘭林免除原職，調往西海岸造船廠服務，安德遜部長還下令成立一個分析室，由文職官員出任分析專員，打算把所有海軍部的預算，詳細核正一遍。

日共勢力滲入工會

日本共產黨的勢力最近顯在膨脹，擁有三百萬會員的日本最大勞工組織SOHYO正漸漸落入共黨的手中，該組織正密謀通過政策，企圖把俄國和中共捧成爲「愛好和平的國家」。同時，日本兩個重要的鐵路工會業已脫離反共的自由國際工聯，看樣子也有加入SOHYO的打算。

（孟衡）

符咒治病奇談

——・雋夫・——

燃燭上香後，他用毛筆蘸調和的硃砂，在黃表紙上畫了一道符，再將雄雞割殺，洒了些雞血在符上，端着那碗淸水，面向天空口中唸唸有詞，隨即將符紙焚化，手指夾符，水碗圍繞，符紙灰落于碗內，就他口含符水噴射于我家庭院的一面牆壁之上，水處隱隱然的形態，好像有一塊狀的形態，只見他用一根長約四五寸的鋼針，向那塊狀的形態處直戳，猛聽得躺在房裏床上的病人哎喲一聲，他便將符水碗向牆壁噴處擲去，口裏一連聲的「好了好了」，我們也就跟聲向他道謝，替他裝上烟絲，他沒有久坐就告辭而去。

張君即入內探視其女，只見床褥上血跡斑斑，第二天就能下床走動。我妻告我：「張小姐是大腿小腹間生有一飯碗大小硬包，左右都有，既紅且腫，陳老官在外面用鋼針戳讀時，張小姐就覺得腿邊硬包同時流出血，等到聽得擲碗聲音，那血腫更是滔滔不絕的直流，好像比經過人手擠過還流得快」

，祗一忽兒就流了個淨盡，大約不過三四天，張女就行動如常人，最奇怪的就是腿口也沒有疤痕，血腫流淨後隨即收合，也沒有疤痕。張君後來買了些禮物去酬情，陳老官堅決不受，强之再入，方收下了一包條絲烟。

據趙翁見告，祝由科爲人治病，並不需要看見病人的面貌，尤其在湘中各個講究禮節的地方，男女更是授受不親，如果女人病在隱私，更不願以告人之所在處示人，當然也更不肯以病就是便利此類病人的唯一辦法。

趙翁又說他幼年時，曾見陳老官的師父做法，他把一隻雞的頭割下，噴一口符水在割斷了的雞項處上，再將斷了的雞頭按上，雞仍能在坪裏走跑好一陣。

抗戰期間，湖南省政府駐在沅陵，我要供職教育廳，省府科長某君母病膨脹，奄臥床褥已兩年餘，在長沙時履經中西醫診治皆無效，曾在湘雅醫院住院半年後，也不見病有起色，來沅陵後，有人勸請祝由科一爲診治，並謂沅陵爲祝由科發祥地，當必有高手能治此病，幾經訪問，大率一問病狀，即告謝絕。（中）

中華民國僑務委員會僑務登記證台救新字第一零二號
中華民國郵政登記第一類新聞紙類

自由人

THE FREEMAN
（半週刊逢星期三六出版）
（第二五五期）
每份港幣壹毫
督印人：李光華
社址：香港告士打道六十六號
電話：七四〇三五
GLOUCESTER RD. HONG KONG
TEL: 74035
承印者：東南印務出版社
地址：告士打道六十四號
台灣辦事處：台北市館前街五十號
台灣總經銷處：台北市中華路九四五號之一
台灣郵政劃撥儲金帳戶九二五二號

知人善任的幾個要素

有用人權者何以爲人矇混　私心是一切明智的毀滅者

徐道鄰

人事關係的新觀念

「知人」「善任」，是政治家成功的最基本條件，簡單的說，政治的成就，就是用人的成就。這一個原理，在講『有治人無治法』的中國政治哲學中，本是家常便飯（COMMONPLACE），而在西洋先進工業國家裏，現在也逐漸地被認識了。五十年前，他們的一切注意力，全集中在生產工具和方法——一切『發明』總不外乎此二者——，『人力』不過祗是一個固定的數量單位而已：一個人工就是一個『人工』，他祗代表一個『人工』的價值，而此外並沒有他自己的人格的意義。現在不同了。所有講社會科學的書籍，沒有一本不是在增加對於『人事因素』（HUMAN ELEMENT）、『人事關係』（HUMAN RELATIONS）的強調。所有工廠，沒有一家不承認，假若『人事關係』不好，任何生產工具的精妙，或方法的改良，都不會發生作用的。因之許多大廠家，全都設置有廣大的部門，專負責來作『人事關係』的研究和推進。現在的理論觀點，再不從一個或兩個人工的價值出發，而是在分別估計張三和李四每個人所代表的價值，不但估計他們每一個鐘頭工作的生產量的價格，並且，還是主要的，估計他們的發明力，領導力，合羣力所代表的『潛在價值』（POTENTIAL VALUE）。這是他們在工業思考（INDUSTRIAL THINKING）上的一個重要轉變。

怎樣知人？

因之，知人——如何發現對於某項工作最適宜的人——和善任——如何發揮每一個工作者的潛在能力——二者，在他們集中的科學研究之下，也逐漸地有了具體的理論基礎，和相當發達的技巧和工具。尤其是關於上者，他們已經有了十分可觀的成就，就是各種就業測驗（TEST）。譬如軍隊裏各種兵器和職務，工商業裏各階層的各種工作（經理、伙計、設計員、售貨員、工頭、工友）藝術家、教育家，分門別類，他們全都有極專門和極巧妙的測驗方法。而正在發明中，嘗試中的各種測驗方法，更是日新月異，層出不窮。這許多測驗中，有許多是使用有年，成效卓著而屬於一般性的，最值得我們注意：如畢奈—賽孟（BINET－SIMON）之智慧測驗，洛沙赫（RORSCHACH）之心理健康測驗，古德（KUDER）及司脫朗（STRONG）之興趣及能力測驗，其使用之普遍，和其高度的可靠性，雖比不上量身長的寄暑尺和量熱度的體溫表，但久已成爲研究人事者經常使用的工具，而在從業選擇和職位提升上面，它們爲人羣內所造的福澤，更是無從估計。

怎樣用人？

至於關於人的使用——如何任使，如何駕馭——更是每一本講科學管理的課本中重要的成份。而專門講述人事關係的書籍，正隨著各種專門研究人事關係的組織和方案（PROJECT）而不斷地增長。法國的鑛業家費堯（H. FAYOL）先生，是講科學管理的開山老祖，所著管理術，是一部講管理和用人的經典著作，是每一個爲人長官者之所必讀。（拙譯『費堯管理術』，華國出版）。至於近年來專門討論駕馭人的書籍，更日見增多，而史多渥（STOWERS）的『合乎人情的管理』，仍是此中最好的一部，值得向大家熱烈的推薦，（陳克文譯『合乎人情的管理』，華國版）。還有卡內基DALE CARUEGIE的『如何影響他人和取得朋友』（HOW TO INFLUENCE PEOPLE AND WIN FRIENDS），雖是一本通俗的書，而其豐富的經驗與實例，似乎尤其容易給予讀者以深刻的印像而使之自然體會和接受。對於用人的原理，和駕馭人的方法，這三部書都有非常多的具體的指示。

以上所說的測驗方法和管理原理，對於低級員工的使用，最著成效，可以說是百試不爽。

考績與升遷

對於中級人員，則測驗方法，已經不大用得著，然而管理上的考績制度，卻正在這裏獲得它高度的發揮效能的機會。考績制可以說是一切人事行政的中心，沒有考績，就等於沒有人事行政。但是，這裏面有最重要的一點，就是考績制一定要和職務升遷聯繫在一起，就是說，考績好的，結果一定升遷，要想升遷，一定先要考績好，這樣子考績制度才有作用。（前清的官制，就作到了這一點）。如若二者不能聯繫在一起：考績好的，祗是晉級加薪和給褒獎狀，出了高缺美差的升遷機會，則一律易補別人；在臨時任用上長官可以任意提拔私人，而考績時的等級分數，祗是平時拿來敷衍一般僚屬。這樣的考績，怎麼會發生作用？

政治領袖必備條件

到了高級領導人員的使用，則問題更加困難了。因爲這些人的業務性質不同，時間和環境的因素各異，最客觀和公平的考績制度，到此也難保證一定有圓滿的效果。所以知人善任的問題，到了政務官的任使時，達到了它最艱深的階段，然而一個人是否可以算一位大政治家也就正在這上面得到了事實的證明或否定。

（下接第二版）

冷戰中應有的警覺

向美國提出三點貢獻

•左舜生•

時局依然要混沌下去，民主與極權兩方，自然還是要用盡種種方法，以加強冷戰；任何一種性質的會都可以開，但任何會都不一定能有良好的結果。

蘇聯有一個不變的宗旨，即：決不要使問題簡單化，相反的卻是要使問題複雜化。若干年以來，因蘇聯之故，世界上發生了無數的問題，我們只看見一個一個問題的積累，卻從來沒有看見一個問題的徹底解決。蘇聯在這無數問題中，擇其於她有利者，充分加以運用，宣傳；反之，於她不利者，則一切以擱置，拖延，以靜待一個於她有利的機會。

冷戰有其一定的限度

因此，我常說，和共產黨去開會，真是一件倒霉的事：他們只願藉會議取得他們所需要的；他們決不願在會議中，滿足你們所需要的。有時候，也可以在會議中看見他們似乎有所讓步，但這正所謂退一步進兩步，在他們只是以較小的利益，換得更大的利益。

整個局勢究竟是僵下去還是攤牌，其關鍵自然存於美蘇兩國。蘇聯不願打，其東西衛星國的情況，亦不能打；美國也不願打，其較有力的盟國，更多方加以牽掣，使之無法打；於是整個的局面，乃不能不僵！這個極端苦悶的僵局究竟還要延長多久，不得而知，但美國反共的立場，終於不變。可是蘇聯所怕的不是反共，而只是戰爭，反共充其量使她不安，而反可促其團結；戰爭則可能使她潰敗而趨於瓦解。蘇聯與其衛星國家的關係，密切於美國與其盟邦的關係，你可藉冷戰使她不安，她也可藉冷戰使你們更陷於矛盾。因此，冷戰的運用，確實有其一定的限度。

我們儘可不相信藉冷戰可以把共產黨拖垮，甚至我們還可假定民主一方更有先垮的可能，但根據目前的情況，美國似乎除掉繼續冷戰，加強冷戰以外，也更無其他更有效的策略可資運用，無已，我們也只好就冷戰談冷戰，提出幾點意見促起美國的注意。

冷戰應有一定的重點

一、抓住要點是很重要的：目前美國對於一切反共國家，似乎是或多或少一律予以援助的。然而蘇聯所最忌的，則爲德國的統一與日本的武裝。美國針對這一點，便應該以決心促成東西德的統一而加強其武裝；對日本也不能聽其永遠搖擺不定，而非運用種種方法與力量加速促成其武裝重建不可。此外台灣，南韓與越南，實立於與共黨最尖銳衝突的地位，而關鍵則在中共的坐大，不能澈底予中共以有效的打擊，則台灣，南韓與越南的問題即無法解決，而且可能使他們陷於頹喪與失望，而逐漸失去對美國的信心。此實爲當前亞洲方面反共工作的一個要點，千萬不可忽視。

重視被援助者的意見

二、被援助者的心理狀態必須留意：反共爲一切反共者的共同工作，亦即共同的責任，美國以得天獨厚之故，處於一領袖地位，事實上自無可與爭；可是今天共產黨所公開指出而必須打倒的一個主要對象，實以美國爲首。在美國的最高決策機關，自然了解援助反共國家，並不是出自美國的一種慈惠，而實際只是相互合作來完成一個共同的使命，不過因爲美國比較有錢，比較有力量，在事實上乃不能不負較多的責任，如是而已，這其間應該是沒有什麼主從之分的。可是這種意思儘管爲美國高級方面所了解，但其下面無數的執行者，卻不必人人都有同樣的素養：他們在任何一個環境，不問他們對當地的情況是否充分了解，往往總是高視闊步，自以爲是，而以領導者自居，對於受援者方面的意見，每多忽視，而生出若干不必要的誤解，乃至授予共產黨一種挑撥離間的機會，而使工作上減低其應有的效率。

當心共方的文化間諜

三、特別注意援助反共工作者的思想問題：我們知道過去共產黨的滲透作用是無遠勿屆，無微不至的。過去在美國的國務院尚且不免共產黨及其同路者滲透其間，我們今天能確信美國一切援外機構中，沒有這類的分子混跡在內嗎？一個共產分子或共產黨的同情者，混跡在反共的機構以內，在一定的時期以內，他們也可能表現十足的反共行動，以取得該一機構主持者的信任，等到一旦他們的地位穩固以後，他們乃開始施展其破壞的活動：消極的在使這種反共工作的效率趨於削弱，積極的乃在轉移這種工作的性質，使之反於共產黨有利。鑑別一個共產分子或非共產分子，在今天已經算是一種專門學問，決不是憑藉一種簡單的思想測驗或聽其一種書面自白，便可加以判斷的。據可靠情報，共產黨已依據國別，訓練無數的文化間諜，教他們一一打入美國這些援外機構，其主要的工作有三：一、分化這些機構中的分子，覓取同情他們的人，逐漸取得領導的地位；二，擁護這些機構中的腐化和庸弱分子，使反共工作趨於鬆懈；三，正面打擊死硬派的反共分子，使他們不能在這些機構中立足。

總之，美國在目前既除掉加強冷戰以外，不願採取其他更有效的策略，則在冷戰中隨時提高警覺，以期收得較高的效果，似乎是非常必要的。

半週展望

•陳克文•

美援重心移亞洲

美總統艾森豪十七日向國會報告新預算年度計劃，對外援助重心已自歐洲移至亞洲。援亞經費已從去年度百分之十四，增爲百分卅七。援歐經費已從百分之七十三減爲百分之五十。這一新計劃，不祇表示美國對遏止共黨的政策已一改過去重歐輕亞的不健全觀念，同時對自由亞洲各國的反共運動亦足以增加無限的精神力量。

報告書說，『如果共黨擴張要加遏止，則自由亞洲各國，以其人力與物力之富强，繼續與自由世界團結乃屬必要。』這又表示韓戰告一段落後，美國對於亞洲的反共運動，仍然責無旁貸，共同努力。不過美援目的如僅以「遏止共黨擴張」爲已足，還是不夠的。這不止和艾總統解放鐵幕國家的政策不符，而且會走回杜魯門圍堵政策的舊路，這是我們要加注意的。

德韓的統一問題

韓戰告一段落後，政治會議如何去統一南北韓？現在還在未知之數。最近蘇俄又照會英美法三國，提出統一德國的方案。韓德能否統一，自然和今後的世界和平大有關係。現在李承晚總統對於未來的政治會議已一再表示悲觀，蘇俄統一德國的方案，英美法三國的初步反響也不很好。最大關鍵在共產集團所希望的統一是一個中立的聯合政府。西德的愛登諾和南韓的李承晚最反對的也便是『中立』。他們都覺得『中立』便是『孤立』，安全絕無保障，這是很有道理的，且看現時以中立爲標榜的國家那一個不是受共黨威脅的國家呢？

政治會議的危機

統一韓國的政治會議，目前有兩大困難問題，都是無法解決的。第一，蘇俄和印度應否參加會議，蘇俄參加會議在聯合國內已無多大爭執，印度參加則英美意見還甚分歧。不僅此而已，十七日電訊，蘇俄還準備提議中立國參加會議，這便更增加複雜和困難了。第二，議程問題，應否包括韓國統一以外的問題。共產集團當然要求以外的問題一併討論。假使參加國家的問題能獲得妥協，議程問題是絕難獲得妥協的。共產集團的政策是藉會議拖延時間，增加侵略的實力，會議的失敗是很自然的了。會議既無成功的希望，自由國家應該作怎樣的準備呢？還要等中共和北韓的軍隊再度越過三八線，才來倉卒應戰嗎？據這回美伴的報告，共方六批噴射機已翺行於北韓上空，這已經顯示不祥之兆。

我海軍赴菲報聘

自由中國海軍艦隊十七日下午由海軍總司令率領赴菲報聘，此爲有史以來的第一次。此行目的在增進中菲邦交，并對旅菲華僑加以宣慰。於此吾人必須對於自由中國海軍的成長加以特殊重視，今後自由中國在太平洋上能否與自由各國聯成反共的有力防線，能否反攻大陸，解放鐵幕下的同胞，都要看我們海軍增長壯大的程度如何以爲斷。這不止要政府特加努力，更要依賴全國及海外僑胞共同協力扶植。我們不要把海軍艦隊的出國訪問看成一種國際禮貌的應酬，應該看成青年海軍邁進反共建國前途的初步。

十·四·年·來——克里姆林的人事昇沉（上）

·李秋生·

在共產黨的理論中，認爲人的一切都是客觀環境的產物，決定一切的是經濟，人的因素則渺不足道。但在蘇俄的實際政治設施中，則特別強調人的因素，崇拜領袖，崇拜英雄。史達林在生前，已被推崇爲神人，甚至一個礦工能多挖出若干斤煤，也要受到非常的褒獎。老實說來，歷史是人的創造，人的因素往往可以決定一切。即就蘇俄而言，如果繼列寧爲獨裁者不是一個像史達林這樣的人，則三十年來的蘇俄，可能根本不是現在這種形態。蘇俄的歷史因史達林之死而要另行寫過，而今日克里姆林宮掌握大權的一批人則都是史氏所提拔培植的人。宮廷權位之爭，現下方興未艾，如果能對於過去蘇俄統治者層的人事演變情形瞭解其脈絡，自當有助於對未來局勢的把握。

極權統治的典型

史達林在一九二四年一月繼承列寧的獨裁大位，最初的十五年間，他主要都在肅清黨內黨外的異己和政敵。他的統治，從一九三八年結束了「葉卓夫的大整肅」，纔算達於穩定，他的政策也從那時起有一個大的轉變。我們對於克里姆林宮統治者層的分析，也該從一九三九年三月的聯共第十八次大會算起。

蘇俄的最高權力者是政治局，上自對外政策，下至應該讓那樣歌曲在民間流行，都是政治局的責任，因而蘇俄政治局可說是極權統治的典型。第十八次大會以後所選出的政治局委員是九名正式和二名候補：

正式委員：史達林，安德列夫，伏羅歇洛夫，日丹諾夫，加里寧，喀幹諾維趙，米高揚，莫洛托夫，赫魯雪切夫。

候補：貝里亞，謝威爾尼克。

這一陣容一望而知除日丹諾夫和貝里亞兩個後進份子外，都是老布爾塞維克，史達林多年的親信部屬。當時史達林甫及花甲之年，世人已在紛紛揣測他未來的繼承人選，一般意見都認爲當不出莫洛托夫與喀幹諾維趙二人。雖然莫洛托夫顯非領袖人才，喀幹諾維趙卻有先天的弱點——猶太人；但過去公認可以繼承史氏的基洛夫已於（一九三四年遭）受暗殺，則當時有繼承資格的人確也不出他們兩個。但彼時日丹諾夫已在吐露鋒芒，馬連科夫則在當選中委之後即受任聯共黨的書記。甫在一年以前繼任祕密警察首領的貝里亞也擢陞政治局候補委員，顯見史達林對他這位鄉里後進也特別垂青。

內部改組應付歐戰

不久歐戰爆發，蘇聯也爲向芬蘭強索領土發生了四個月的戰爭。伏羅歇洛夫出任國防委員，在作戰卻顯得異常不濟，不久就改由提摩成科將軍繼任。一九四一年五月六日，史達林自兼總理（原爲莫洛托夫），顯然是在準備應付德蘇發生戰爭後的非常局面。不久戰事爆發，蘇俄內部統治進入一個新的形勢。史達林爲了應付作戰，組織了五人國防委員會，委員是史莫二氏，加上伏羅歇洛夫，貝利亞和馬連科夫，這一委會恰有如英國邱吉爾的作戰內閣。日丹諾夫因在列寧格勒圍城中做保衛工作，另一曾任蘇維埃國家銀行行長的布爾加寧，則以曾任莫斯科市長的資格受任爲提摩成科朱科夫所部各軍的政治委員（這是他與軍隊發生關係之始）。在戰爭期間，一切要講效率，國防委員會成爲至上的權力機關，[illegible]

在這期間，差不多把共產主義的一套把戲完全收起，講愛國，講效率，解散第三國際，[illegible]卻造成了馬連科夫對一羣老布爾塞維克的不和。同時[illegible]

日丹諾夫的全盛時代

[illegible]一九四六年秋天[illegible]是日丹諾夫的全盛時代[illegible]一九四八年七月[illegible]

[illegible]夫的致命傷。此時馬連科夫已返書記處，便[illegible]鬥結果，是馬連科夫戰勝了。

馬氏又與貝利亞合謀對付日丹諾夫，把後者[illegible]日丹諾夫回到莫斯科，[illegible]對付馬連科夫，當時馬氏正在黨中任第一書記[illegible]

日丹諾夫一派的安德列夫與伏斯內申斯基（政治局候補委員[illegible]）後五年計劃的主持人[illegible]

國王出奔局勢混亂
伊朗共黨乘機擴展勢力
民族情緒授予機會

伊朗局勢正急轉直下，此次御林軍政變失敗，國王被迫偕后匆促逃亡伊拉克，對總理穆沙狄克，已消除阻撓其掌握最高獨裁權力之重大障礙。目前對令自由世界憂慮的因素，乃是共黨乘機活躍，與穆揆相互利用，極力擴大本身勢力。

伊朗共產黨正式稱爲杜德黨，目前已到達空前未有的強大地位。七月二十一日的羅槃大示威中，共黨竟出動三萬五千至五萬人，親政府示威者一萬至二萬人，不免相形見拙。此種情勢，已使穆沙狄克不得不承認，如欲實現獨裁野心，實非與共黨攜手不可，否則必然失敗。

力求控制政府機構

杜德黨政治上的目標，是剷除伊朗的西方勢力，並將國王領導下的傳統性保守勢力也予消滅。它的實行計劃，是儘可能運用合法手段謀求控制政府機構，並在伊朗西北部的少數部落民族間鼓勵自主運動。設在蘇聯巴庫的祕密亞塞爾巴然「民主」[illegible]，幾乎日日對美國，伊王及伊政府大肆抨擊，一面歌頌蘇俄的成就，要求加強蘇伊關係。

穆沙狄克突然在一九五一年四月崛起當權，對杜德黨授予千載難逢的機會。他的反英民族主義思想，與及對伊朗人民間所謂「外國剝削份子」的攻擊，恰正符合共黨的計劃。

不管穆沙狄克是不是贊同，共黨已跳進他的陣營，當然共黨也不時對他有所批評，但從不過份激烈，共黨的政策，是希望伊局愈混亂愈好，可以藉此推動共產主義的支持。同時，由於共黨的支持，更促使穆沙狄克堅持對英強硬態度。

總理接受共黨支持

穆沙狄克本人，並不同情共黨，但他處理共黨問題處處表現縱容與軟弱，最近曾有一組親共「學生」，前往布哈列斯參加共黨青年大會，據說穆氏曾親自協助他們獲得護照，並容許他們前赴羅馬尼亞。穆沙狄克每遇緊急局勢，即接受共黨的支持，共黨也隨時準備利用此種情況。共黨正式黨員，起先原祗有五千人，現在則已超過三萬，至於親共份子，則遠超此數多倍。（上文注明譯自「新聞」週刊）

·人物介紹·

金融鉅子——郭贊

·若夢·

郭贊的名字，居住港九的人，是不會感到陌生的，在港九金融圈子內，他是一位很活動而和藹可親的人物。由於他在商場上的地位，故此在去年多香港中華總商會改選時，曾被推舉爲總商會理事長的候選人。但他本人對此事表示得很冷淡，假如當時他出而作積極競選活動，也許會當選的。

郭氏現時是香港法商東方滙理銀行華人經理，惠和行、逢甚行的東主，原籍中山縣。數代居港，爲已故殷商郭少鎏的公子，今年不過五十歲，卒業拔萃書院後，再畢業於香港大學商科。本港殷商賈仲偉任華商總會主席時，他是副主席。郭時華商總會與香港政府當局的聯繫磋商事務，都由他全力担負。故此不但獲得港九工商界的敬重，香港當局對他也另眼相看。十二年前，他已爲太平紳士，三年前港政府委派爲市政衛生局議員，今年四月間立法局非官守議員周埈年辭職後，即繼周氏缺，而出任立法局非官守議員。

郭氏是一位不尚空談，注重實幹的人物，這是他事業成功的主要因素。

由于他精明實幹，本港各主要社團和政府附屬臨時機構中，主要職務都少不了他的份。在一九二五年大罷工的時候，他剛畢業於港大，便參加維持秩序的特務警察工作。以後出任東華三院、保良局的總理、華商總會副主席，在任期間都有過不少貢獻。大戰後，先後被香港政府委派出任華人復興諮詢委員會委員，租務法庭調解委員，註册公司軍整研究委員會委員，研究戰時各公司散失了的簿據重整問題，此外，還有研究行車上落委員會，稅收委員會，拓展及福利委員會，統制物資諮詢委員會，研究戰時破壞區整理委員會，漁業諮詢委員會，酒牌局等機構委員。因爲他在本港金融界的聲望和對財政經濟問題研究有素，一九五〇年和去年被港府指派爲本港出席聯合國遠東經濟委員會在星洲、印尼舉行的第五屆第六屆和第九屆的代表。

去年他赴印尼出席遠經會，返港時，對記者發表第一句話，便提醒本港廠商，必須注意印尼市場，他說，日貨正向印尼的每一角落推銷，如本港廠商不改進產品減低成本，以爭取海外市場，將來是無法與日貨競爭的。

他平日雖是不願意多說話的一個人，但他爲人處事，態度和藹。和新聞記者很合得來，記者訪問，從不會拒絕接見。

今年六月二日英女皇伊麗莎伯二世加冕時，英政府特頒賜OBE勳銜給他，以酬他對英政府的貢獻。

知人善任的幾個要素

（上接第一版）　·徐道鄰·

在現代世界文化的階段上，要作一個能知人善任的政治領導者，第一個條件，必須具備豐富的現代知識。因爲現在我們對於宇宙間一切事物的知識，比起五十年前，不知道增加了幾十百倍。現在用人，主要就是使用他們的知識。而知識愈是發達，裝假作僞的方法愈多，宣傳欺騙的本領愈高，而真學問和假學問愈形混淆。有用人權力者，自己不具廣泛知識，很少不爲一羣冒充人才的騙子所蒙混。世間不少病人之不請教一流醫生，而偏偏委頓於江湖大夫之手，和暴發戶之用重金收買假古董，皆是鑑別力不足故也。至於如何鑑別學問和知識，那自然祇有自己先從這些學問知識上下功夫。（目不識丁的人，如何鑒別字畫？）

品格操守更爲重要

處於領導地位的人物，學問知識固然重要，而其品格操守，有時更爲重要。而要想觀察一個人的道德人格，則心理學的知識，最爲重要。所以要作一個知人善任的政治領導者，第二個條件，要對於心理學有深刻的研究。兩次世界大戰後，心理學的發展，比起三四十年前，實在不可同日而語。有了良好的心理學基礎，對於一個人的行爲動作，差不多可以說是瞭若指掌。研究心理學的方法，應當先從生理學，遺傳學進入一般心理學，再從變態的心理學，精神病理學，兒童心理學，兒童精神病理學尋求正常的成人心理的對比。進一步再從社會學，人種學，文化學走向社會心理學和性格心理學。修完這樣的一個課程，也許用不了讀一遍十七史的功夫，而對於一位政治家的作用，卻要比讀一遍四庫全書實惠的多。

人事參謀

知人善任的第三個條件，與有高明的「人事參謀」。現代學術的發達，一個人無論如何淵博，總有他不懂得的學問。而時間空間的限制，一個人無法直接和仔細觀察很多人。所以一個政治家的網羅人才，必定要依靠他的「人事參謀」，經常的代他物色和考驗。漢高祖之用韓信，是聽蕭何的話，先主之請諸葛，是得之於司馬德操。一個政治家之成功與否，全看他用的是些什麼人；而他用的人是好是壞，就看在用人上誰替他拿主意。而這些拿主意的人是否高明，正是他個人品格和能力的表現。我們大可以說：告訴我，你的人事參謀是誰；我告訴你，你是怎樣一個政治家。

用人事參謀，有一大忌，就是切不可以親近關係的人爲限。親戚，同鄉，同學，等等彼此休戚相關，其忠實固然無問題，但是忠實是一事，學問才識又是一事。鑒別人才是要靠學問才識的，祇是忠實有何用處？主要的以小同鄉小同學來作人事參謀，有如以米湯或白開水來醫病一樣，不但絕對無效，而且必定誤事。

最大敵人就是私心

知人善任，有一個最大的敵人，就是私心。知人是最高的明，善任是最高的智，而私心則是一切明智的毀滅者。有些人常常被批評作「善善而不能用，惡惡而不能去」。實則兩句話所說的祇是一件事：惡惡不能去是其因，善善不能用乃其果，上者多指幹部而言，下者多指心腹而言。知其惡而不能去之者，不是自己有弊病被抓在他們手裏，就是要利用其無品格而便利自己的陰私。所以我們可以說，政治家最大的敵人是私心。而私心的反面是忠，中國傳統的倫理思想，忠素爲一切美德之首。所以中國人畢竟不失爲一個深切了解政治的民族。

諒山奇襲成功內幕

法政府的保密頗有漏洞，此次奇襲，所以一舉成功，全賴納伐爾未會報告內閣，否則必然走漏風聲。

說起來也許大家不信，上月間法傘兵奇襲諒山，破壞越盟軍一個師的裝備和武器，一擊成功，幕後實另有祕密。原來新任越南法軍總司令納伐爾將軍抵任以後，即宣佈改變戰略，轉採攻勢，他經過縝密考慮，即決定以越盟軍的重要補給地諒山作其第一個突擊的地點，而且擬就詳細計劃，準備定期實施。後來納伐爾因事飛巴黎與內閣磋商，所有越南的軍事政治及經濟問題通通談過，唯獨沒有提到他奇襲諒山的計劃。他自法返越後，號令一下，大批傘兵即紛紛在諒山降落，完全出乎敵軍意外，所以竟能創下越戰七年來的奇蹟。歸根究底，成功的祕訣在於他絕對保守祕密。據熟悉越南戰局的圈內人士說：在保守機密上，巴黎確實有若干漏洞，過去好幾次重大的攻勢，設計都很週密，但一經向巴黎法內閣請示後，風聲一露，便收不到預期的效果。（第啓）

編者與讀者

△本報下一期將發表下列各文：

殷海光先生——世界大局的基本形勢

澄然先生——二胡論

懷冰先生——雜談陳散原

台灣通訊——國民大會與救國會議

△徐道鄰先生將繼「知人善任的幾個要素」一文之後，續撰同性質的文章三篇。

中共剝奪信仰自由 上海大捕天主教徒

留滬外籍傳教士大多被捕 教徒續在拘捕中尚難統計

【本報訊】上海「解放日報」，突於上月十五日公然披露：偽上海市公安局曾於今年三月二十五日及六月十五日先後兩次以「間諜特務案」爲詞，大舉秘密拘捕天主教徒。

三月二十五日被捕的，被認爲「主犯」而公佈姓名的，有天主教海門區上海辦事外籍神甫田理霖（ALAIN DE TERWANGNE，比利時人）和林仁（CLEMENT RENIRKENS，比利時人）兩人及中國籍修士師保祿、吳寶昌、林鳴奎等共五人，其餘被認爲「從犯」而被捕的姓名及人數均未公佈，惟根據滬共所羅織的「案情」加以推斷：其被冠上罪名而加以拘捕的教徒人數，必驚人衆多。滬共所以對其餘被捕的教徒的姓名及人數不予公佈的理由，照此間解放日報的說法，是「案情尚待繼續偵查」；實際上當另有其原因：據一般人的推測，當不外掩飾迫害宗教的眞相，藉免激起其他一般教徒的恐慌。

罪名隨口濫加 指爲間諜特務

至於田理霖和林仁等所被誣指的罪名，據解放日報披露，中共一口咬定他們是前年被中共逐出大陸的黎培里大主教的「心腹」，是以天主教神甫名義爲掩護的「帝國主義間諜特務」。說黎培里離開大陸時曾留給他兩千元美金作間諜活動費，並派田理霖接替前年被迫離開大陸的「帝國主義間諜」方爾孟的特務任務。說他們被捕時，曾搜獲大量獎金及情報底稿、密電碼、化學藥水，國外的「情報網」地址及信件等物。

六月十五日被捕的，亦被認爲係「主犯」而公佈了姓名的，計有耶穌會神學院院長畢光華（CHARLES JOSEPH MCCARTNY，美國籍），帝王堂神甫斐有文（THOEMS ELONARD PHILLPS，美國籍），瑪利諾會辦事處負責人葛懷仁（JOSEPH DATRICK MCCORMACK，美國籍），耶穌會會長格蘇平（FERNAND LACRETELLE，法國籍），遠東遣使會總視察梅占元（JOSEPH JEAN DEYMIER，法國籍）等五人，及中國籍修士鄧習佩，范澤生等八人。其餘被捕的所謂「從犯」亦未公佈，且悉因目前正在繼續大事拘捕中，故被捕人數，一時更難獲悉。

該批被捕者被中共誣指的罪名，此間解放日報說是「竊取國家機密文件」，「搜集各種情報」，「隨時報告美機散佈細菌後的效果」，「組織武裝破壞組織」，「包藏反革命份子」，「支持反動游擊隊」，「破壞土改」，「誘騙青年赴國外受反動訓練」等等。

迫害繼續進行 重辦教徒登記

基督教徒也起恐慌

從上述情形以觀，中共企圖迫害天主教士及教徒而故意羅織「罪狀」，加以拘捕，至爲明顯。在該批被誣陷的傳教士及大批教徒，據解放日報透露：已交由「上海軍事管制委員會」進行「審訊」。並公然認承：「爲保障人民的利益，將繼續徹底粉碎帝國主義利用天主教會的間諜特務活動，致使目前大陸的天主教徒，盡成迫害的對象。尤其上海方面。目前上海「軍管會」已迫令所有天主教徒從新登記，並禁止自由出外，聽候「甄別」。故所有天主教徒，已陷入一片惶恐！其影響所及，一般屬於基督教的教徒，亦在惶惑不安之中！

宣傳天主教破壞 滬共大開展覽會 自認迫害事件衆多

又訊：滬共爲繼續大規模迫害天主教徒而召開「政協」會議，發出反天主教的動員令並展開此一宣傳以後，曾在上海法國公園舉行爲時一週的所謂「帝國主義利用天主教進行陰謀破壞活動罪證展覽會」。該展覽會中曾陳列着迫擊砲，手榴彈，各種槍械，各種子彈，各種刺刀，謀殺計劃，反共宣傳品，無綫電收發報機，氣象測世儀器，情報稿子，密碼本子等物。甚多上海市民，曾被中共「動員」前往參觀。但一般較有知識的市民的印象，認爲天主教幹特工而用到迫擊砲及各種槍械，並留有情報底稿等情，多引爲詫異。

明眼人咸認此爲滬共出於幼稚，或出於疏忽的一種宣傳手法而已。但在該展覽會中，中共陳列了一些「破壞天主教徒犯罪事件的紀錄」，即無意間自己公佈了一篇關於幾年來各地對天主教迫害、屠殺的流水賬。主要的，前後計有：天主教陝西總堂代理主教葛露菁和神甫邊崇甯（均意大利人）；天主教蘭州教區主教濮登博和神甫趙承明（均德國人）；太原教區主教李懿嘉；天主教加拿大耶穌會徐州教區主教部鉄歐（美國人）；天主教湖南沅陵教區主教歐克瀾（加拿大人），神甫武平與、韋中庸、惠澤民、賈感（均美國人）；石家莊天主堂神甫羅貫之（荷蘭人）；天主教正定教區主教陳啓明，指導司鐸楊鴻志、神甫陳道生（均中國人）；天主教河北易縣教區主教馬迪儒、神甫李安東、山口隆（均意大利人）；天主教武昌教區主教艾原還、神甫郭時濟（均美國人）；廣東梅縣天主教美籍主教福爾德；南京天主教耶穌會美籍神甫牧育才；以及齊齊哈爾、邢台、瀋陽、天津、黃石、長谿、廣西鬱林、桂林、北平等處的中外籍主教、神甫等爲首的被迫害事件，共已有一百五十餘起，被害人數，實多得不可勝計。

台大港區筆試完竣 華華學子投考踴躍

△再過半月，暑假即將結束了，在這半月中，教育界是緊張的。學生們爲了升學考試而忙碌；學生的家長也爲了子弟能獲得一個較理想的學校讀書，開始操心，更要爲籌學費傷腦筋；學校的主持人照說在暑假是清閒的，可是爲了想使學校的名額能夠保持，也是在「人閒心不閒」的情況下，大動其腦筋，何況還得準備開學一切事宜，亦將大忙而特忙，那教員們呢？除了公立學校席位比較有保障，不必爲下學期工作發愁，一些前在私立學校執教的，正期得「聘書」早日發下。但最傷腦筋的還是以學生爲第一，尤其打算升入大學的。

爲僑外學生升學期望已久的自由中國台灣大學招生，香港區招生考試，已於十四日舉行筆試，完畢，投考的學生約有千人，將××書院擠得滿坑滿谷，惟經過情形極爲良好。考試分上下午舉行，中午，由主持考試的部門，分發給每人點心一份，作爲午餐，這在香港是少有的。現在參加過筆試的，正以緊張心情盼望着發榜，再經口試後，即可投歸祖國，接受良好教育了。

錢穆教授胃病轉好 外傳嚴重證明不確

△文史學家錢賓四（穆）教授，自上星期三（十二日）以中暑及胃病倒，消息傳出，至爲港九與台灣各地教育文化界人士所關懷，日來前往新亞書院探詢病情慰問者，日有數起，台灣方面亦有函電至港表示關切。日前此間某報曾報導錢氏病況，據云相當嚴重，記者特往探訪，見錢氏精神頗佳，現正由名中醫費子彬悉心診治，病況大有起色，絕無所傳之甚，前日起並已略進稀飯，料不日可告康復，想必爲關心錢氏者所樂聞。

勞工賠償法首讀後 勞方提出補充建議

△關係港九居民百分之五十以上的「香港勞工因公傷亡賠償法案」，上週已經港府立法局首讀通過，再經二讀三讀通過後，至遲下月即可正式公佈施行。這法案的受人重視，是並不亞於修改「租務條例」的。故目前雖尚在立法階段中，已爲一般廠家商人，以及各界勞工，甚至保險公司，各界人士所關懷注意。但是，因該法案的內容側重於因公傷害、死亡的補償，而對於養老、失業救濟、福利等項，未有包括在內，因此，工商界的反應也各不相同。

勞工方面認爲這法案有補充必要，希望港府在二三讀時加以修改，納入前年工團聯合總會所擬之勞工法，使養老、醫藥、福利、生產假期等項，均予顧及，使本港的勞工法，能與世界勞工法相等。工團總會各負責人與各工會，連日均在集議商討，聞已列出幾點建議，送請港府考慮，爲勞工爭取福利。

廠家東主的意見，資本較大者對於此法案之實施，雖認爲負担將加重，但感於世界各國均已普遍施行，香港亦不能例外，即頗予以同情；但資本較少之廠家，感到施行後負担過大，認爲目前香港經濟基礎，其穩固程度，尙未能與世界各國相比擬，故對此補償法多表示未盡贊同。

香港三日

新書評介

評：君左詩選（上）

羅自芳

著者：易君左

出版：香港大公書局

版次：四十二年六月初版

不可多得的好詩

在懷疑缺少生氣的寂寞詩壇裏，忽然出現一本君左詩選，這是可喜的。讀了君左先生的詩，使人愛不忍釋而興奮感嘆。古人云：詩可以興，可以觀，可以羣，可以怨，不其然耶！有些人專在形式上講究，分開所謂新詩舊詩。他們一提舊詩兩個字，就表示着鄙夷態度。其實只要它內容豐富，意境深刻，辭藻恰當，勿論其形式如何，都可一律稱之爲好詩。君左先生這些詩，在形式上雖是所謂舊詩，但大體都已具備上述幾個條件，故稱之爲不可多得的好詩，殆無誇張之處。

詞非君左之所長

大抵君左先生既承家學淵源，復具縱橫才調，加之以豐富的人生經驗，故發爲詩歌，極慷慨淋漓之致，可以說得上波瀾壯闊，氣象萬千。惟在詞句修飾上，間有未臻妥貼之處，偏于賦體而鮮比興，亦略嫌缺乏一種沉鬱頓挫之致。大抵氣橫溢之士，多不能綺靡蘊藉而勉強就律，此亦一般之通病也。

集中古近體詩及詞共五百餘首，大略言之，以古體詩最佳，絕句次之，五七言律又次之，詞則實非其所長矣。

古體詩中，尤以遊山諸作，寫景敘事，均臻極詣。有些地方，比之李白之蜀道難，夢遊天姥，何遑多讓。求諸近世作者，君左一人而已。

絕句小詩，如「渝郊集」中之「鄉居晚眺」，「郁趣」等作，亦甚有情致。「夕陽紅到無人處，春水滿田疇一枝」，「坐到斜陽無一語，自吹短笛弄青山」，這些都是很可愛的好句。

有勉強就律之嫌

至於律詩方面，五言尚屬平穩，七言則每多勉强湊成之句，集中如戊子歲暮呈……

張天翼的故事

文林

中共最近加緊青年的毒害工作，大批頭的出版宣傳物和青年文庫，在這股風浪中，擱筆已久的張天翼，寫了一本「羅文應的故事」，仍由宣傳部編印出版，那部書中強調「少年兒童隊」的教育，故而有缺點的兒童才能改正。一看而知，這是作者文學上的羅軍就輸，大作品是不容易歪曲過去的。而張天翼原有一枝生動的筆，邇筒這枝筆在白紙上撒謊，撒謊無知的兒童尙屬有效，所以，以「中央文學研究所」副院長之尊的張天翼，竟降尊而再寫二十年前的童話，其原因即在此。

我和張天翼是小同鄉，湘鄉縣的三個「紅文人」中，蕭三不過一個「聖手書生」，蕭殷僅會遊戲而已，除爲毛澤東寫傳外，此生不會有作品。只有張天翼最可惜，他有天才，有修養，只是沒有膽識。

看了羅文應的故事，不免想到作者的故事，他的第一篇處女作名「三天半的夢」，當然那時他是小資產階級的夢想。以後寫「蜜蜂」，也發表「華伯先生」，成了名，但其題材仍未脫離小資產者的窠臼與夢想。也許張天翼便是童話中的羅文應，一切夢想到明天，因而，我們也期望到這條紅色尾巴的「明天」的悲哀了。

出版看齊

毛澤東未死，實際還健在，作「毛澤東選集」先列出了他的遺著，是開「毛澤東選集」，其第三集今年四月出版，看樣子還有四五六七等。另一個金日成不甘寂寞，也命官方的「勞動出版社」出版「金日成選集」的第一集，共三集，在這期間，金日成算是向毛澤東看齊了。

文化呼應

仰光最近出版一種「亞洲週刊」，搖動甚響，爲東南亞不可多得的綜合性週刊，但與本港的亞洲出版社無關，只是文化反共之一翼，遙遙呼應而已，所以該刊撰稿者的陣容，則將包括海外全數有名的作家。

分工播毒

大陸紅文藝花

中共最近爲了加緊對青年的毒害工作，已將這份任務由「黨」之內移轉到「團」的下面。今年五月成立了一個青年出版社，將開明書店編併於社內，而受少年團的指揮。除了復活「小×友」、「兒童×界」外，並編有大批童話與兒童讀物，國文對照，目的在引誘小讀者。

女子路線

早在一九五二年以前，這裏就出版過一本「卓姬和舒拉的故事」，將丹娘（「卓娘」的化名）作爲紅色婦女的偶像。今年又出版「古旋鋼的道路」，「古摩小姐」們，是以愛好時裝與髮型的心理去腐蝕那些「巾幗英雄」，因而，我們預言他們不久將會脈裝，到頭來再變化成「不再時髦之物」。（穆奕）

共產黨人的阿Q精神

為方

在這次韓戰停火後的換俘情形中，共黨被俘份子表演出來的一些鏡頭，如共攝入銀幕，眞是絕妙好劇，要氣煞名丑角勞萊，哈台一流人哪！

他們被押解到板門店交換遣送之際，有些人見着自己的「親人」在場，連忙把身上穿着的「美帝」所給衣服脫下，惡狠狠的撕破拋棄於地，以表「忠貞」不二之象。又有些從仁川港登陸乘車遣送的共俘，見着南韓人民，乃用皮鞋罐筒等物投擲之，示其「忠勇」不屈的氣概，結果被韓人以石子反擊，打得頭破血流，負傷百餘人。既痛恨「美帝」的衣服，爲甚麼在集中營時不拒絕使用，而且經年累月穿着他呢？對南韓人民那末仇恨，當年何以對監守集中營的南韓軍警又馴服若羔羊，而不壯烈殉難乎？據我體驗所及，世界上最怕死而又最喜歡扮演阿Q形象者，莫過於共產黨人了！

對日抗戰時期，康澤在重慶磁器口主辦感化共黨份子的訓練事宜，據說有一名下級共幹剛到訓練營中時，他康氏很禮貌地跟他對坐談話，他知道是「康主任」，乃提出十足的共產英雄氣派來。問他是那裏人？昂然答以「我是世界上的人」，表示一種鄙薄不屑與言的形色。第二天改由一位管理人員疾言厲色地訊問他，一句話不對勁，即說「老子可以活埋你！」如是乎，這位共產英雄乖乖地聯話，低聲下氣，恭敬對答了。

共產黨人就是這樣的一種本質，英美人士莫明其土地堂，而又自以爲瞭解共黨很透闢，亂說亂做，焉能不吃虧上當呢？

原子時代的幸運兒　美人立地致富

・敏之譯・

查利．斯汀像是霉運當頭，從未碰到如意的事，因此鄰都叫他「倒楣查利」，有一個時期，他曾在美孚公司任採油技師，但竟無成就，終被辭退，他在南美白人從未涉足的森林中過了二年，也一無所獲，於是他回到德薩斯州，又進了一家石油公司，結果和老闆吵嘴，再被開除，從此沒有一家石油公司願再雇用他。不過他始終保持當初在德州礦學院時即有的美夢，希望突然發現一個礦穴而立地成爲百萬富翁；在這原子時代，他認爲當然祗有探測鈾礦機會最好。

麥豆為餐

他傾囊一九四八年向他母親借來的一千元，帶了他太太和三個孩子，向猶他州東南部進發，據說這區域鈾藏頗多。他不用放射能探測器，到處憑他的經驗和目光察看，最後向當局請求了一塊山區探礦權，據原子能委員會的佈告，該區域「極少可能」。許多人都表示可以出資支持他的探鈾計劃，但他們實地一看，無不掉頭而去，認爲絕無發財希望。但查利一家還是在那裏住下去，日日以麥片和大豆爲餐，祗有查利獵得野獸時，才偶或有肉可吃。到一九五零年，他們的積蓄全部耗罄，查利祗得搬到杜克涵，作木工爲生。這樣過了一年，他們又把一輛家用拖車賣了三百七十五元，駕着原有的吉普，越過沙漠，直向西斯哥[illegible]去。他們在那裏租了一座木屋，沒有水電和衛生設備，月租十五元。

霉運忽轉

查利太太突然患了肺炎。有一時期，他的雜貨賬欠到三百元之多，沒有錢買奶粉給剛出十月的嬰兒吃，祗好餵以加糖的淡茶。有多天晚上，查利常到附近的火車站撿些煤塊回來生火取暖。但正在這最黯淡時日，查利的運氣卻忽然轉了。

他終於從一個朋友處借到一千元，另外一個又自動借給他一百元，就用這筆錢，他買了一具舊的鑽洞機。第一次開鑿，他掘了七十三尺深，地層裂開，現出灰黑色的石塊。查利自己買不起放射能探測器，便向朋友借了一具。當他把掘出的石塊放到儀器旁測驗時，指針突然大跳，幾乎到了最後一格。查利不禁大喜過望，喊了起來說：「我們找到了，我們找到了百萬財富！」

（圖：發財前的查利夫婦和女兒。）

六千萬寶藏

但沒有一個人相信他。他把樣品送去原子能委會檢定成份，於是四周的鄰居紛紛竊私語，認定查利是故意騙人，誰肯再借些錢給他，好繼續探礦。但查利終於證明他的希望並非一場空夢，他從德州奧利[illegible]得到了一筆五千元資金，成立了倫他斯採礦公司，開始把他的礦苗賣給提煉商，最低價五十元。這時候，原子能會也認爲檢定合格，查利發現的鈾礦，「可能是美國主要的鈾礦之一」，他的礦場內藏鈾可達一百三十五萬噸，價值超過六千萬元。按照規定，任何開礦者祗要他的鈾苗含鈾成份達百分之零．二，便可正式營業；而查利的鈾苗，最低的含鈾成份也有百分之零．四九。

重理舊業

查利的鈾礦剛開始生產，他便立刻買了一架漂亮的鮮紅林肯汽車，又買了一套色澤調和的運動衣，一副富翁模樣，有時他還親自駕着私人飛機，專到鹽湖市去學跳舞。

最近，有一家德州石油公司出價五百萬元想買查利的這個礦業，但被拒絕了。查利正在和另一個商人商討，索價一千萬元。據查利自己對人說：「我不想創立一個經濟王國，也不想成爲大企業家，我生來就是個地質學家，也是探礦技術人員，我想繼續幹這份內的工作，雖然時候不同，我現在可以乘着一輛漂亮汽車去採礦了。」

清．故．宮．瑣．憶

・秋柳・

北平的故宮，其比較正確的名稱應該是清故宮的，其全體建築，約略可以分做東，西，南，北，中五個部分。其中以太和，中和，保和三殿及乾清，坤寧兩宮，是中部，而以文華，武英兩殿以及午門等處是南部，三殿的東西兩端以外的若干宮殿，是東部與西部，「御花園」要算是北部了。

上述五大部分的面積，以北部最小，中部及東西兩部次之，而南部最大。好像故宮博物院就是依據上述的幾部來劃分的。不過午門一帶因屬於歷史博物館，不列入故宮博物院內。

從中國政治制度沿革來看，故宮內的「文華」，「武英」兩殿，似更富有歷史的意味。原來在清代的初期，文華原是大學士辦公的地點，謂之內閣，也就是全國專制政令所自出的地方，雍正以後，以軍機處總攬大權，代替了原來的內閣，所謂內閣就只有過問例行公事之權，從此文華殿便一直冷落下來了。（其中貯藏的都是些重要的檔案與文獻。）

至於武英殿，原來是清廷編校書籍與收藏文物的地方。民國十三年北洋政府開放武英殿，成立了古物陳列所。北伐以後才正式歸入故宮博物院的管轄。武英殿中所陳，均係成套分類的器皿，就中尤以磁器的收藏最爲豐富，可以由此看到一個時代磁器的演變。

「御花園」在廣大的清故宮中，只佔了北部的若干面積，但卻被公認爲故宮中最令人留戀的地方。過去的故宮博物院分做東西北中四路，遊人入內均須按照路綫分途參觀，而「御花園」又是東西中三路自北端出入的總口。

「御花園」內的建築大部份還是明代的遺構，種植了許多瑰奇古怪的樹木。二十年前，筆者曾在「御花園」中的絳雪軒看過盛開的太平花，其形狀可說是萬花如海。據住在北平很久的人說：庭前的幾本海棠還是明代所植，「絳雪」之意也許就是指這幾株海棠而言。還有一顆古老的柏樹雖已傾倒了，枝葉仍然茂盛。象徵我們這個老大的民族是很不容易被消滅的。

除了絳雪軒以外，御花園內還有養性齋及摛藻堂等地方，養性齋是當年英人莊士敦的住所，齋內還有西式的西洋用具。摛藻堂則是乾隆，嘉慶兩朝君臣賦詩論文之地，相傳十全老人曾在這裏欽定四庫全書，堂內明窗淨几，令人想起太平盛世的文化風氣，大發思古之幽情。

由「御花園」走出來，便是順貞門與神武門，由此可往景山，北海公園去。從前在順貞門前可以看到各種的金魚二十餘缸，缸內蓄有幾種珍貴的金魚如水泡眼，珍珠魚等，這是南方所罕見的。北平故都，山川色變，當年「御花園」內的一木一石，現在想起來都是可親可懷的，然而一切都不堪回首呢。

節約

尉遲良

法新社十三日發自台北的消息說：台灣省政府爲支持現行之節約運動，業已開始一種運動，其目標即在勸請所有一切政府之女公務人員須廢棄使用化粧物品，諸如唇膏，胭脂，以及潤面油粉等。

就節約本旨言，這是應該推行的一項運動。

回憶對日抗戰時，一般人所過的生活，備嘗艱苦。所以，在那時的社會中有了一種新風氣，即是人們的衣着絕不講究，只要能夠保暖，馬馬虎虎，大家多是如此，很少受到裝飾的影響；如目前香港也很多人對衣飾另眼相看，表示反對奢華，認爲這是一種浪費。確定這一點，發戶是不屑一顧的，抗戰財發不了。目前此種風氣，自由中國未曾有過，實驗證明，不敢妄作斷言，但有一事可以證明：我們感到奇怪的是，香港各國的貨物祗要是不違反禁令，均可自由進出，運貨的不受限制，因此貨物價格比較便宜，但是香港人對於這些貨品，昂貴的物品，如名廠手表等，並不隨便享用；見由此前往台灣的人，當有一批成行之時，不少人攜帶使用的如「曼克頓」襯衫，「亞米加」手表，以及其他名貴的服用化粧品等，當作行李，據說是委託這些代購，其親友所說，東西並且指定非名牌不可，對於價格毫不在乎。據此，不免令人想到台灣的消費者是否地位已經改變了？以「物資」爭取外匯的節約，是否是一個絕大的諷刺？則實在是……

符咒治病奇談

——・爲大・——

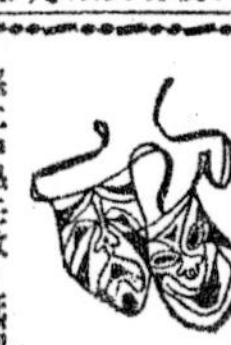

由地方紳耆吳君代爲邀一人來，在沅陵，病由某科被以通一月期一狀態

縣立中學任教，既病，亦謝絕彼無能治此病，長和吳紳一再力請，及一月期再來爲辦。屆期，吳紳陪同其人偕龍鍾的七八十歲老者來，老者耳全聾，目半盲，其人謂係其祖父，吳紳對老者禮貌恭敬，稱之曰六爹。吳紳某告科長：「六爹說要用一隻狗」。隨即佈置香案，將狗緊于階前樹下，燃燭焚香後，老人鑑符化符，狀至虔誠，隨向狗唸咒，噴水，只見狗身逐漸膨脹，約一刻鐘，狗身大如水桶，倒臥地下動彈不得，老人即命其孫持一小刀戳破狗腹，頓時黃水由刀口湧出，經五六分鐘狗腹消瘦，狗命斷絕。

老人告某科長：「去看老太太好了吧」！某科長正待進內，他的夫人已在內高聲喊他：「某某，快來，艾姐（此爲長沙人對老婆之尊稱）肚子已經瘍下去了」。

我妻在約半個月後過某科長家，見其太夫人已行動便捷了，無病態，科長夫人爲道治病經過，眞個世界之大無奇不有了。

又聞排教中人，其來由于「木排」，川黔湘間山區，叢林深密，樹砍下後，倒去枝柯，將樹段編紮成排，一順春水漲時放流大江，每一木排經常有一法術高超的人，說用符咒攜紮的木排，避免仇家暗算。據說給人施法破壞，會在江流中自行拆散，至長沙的排教中人，除用符咒爲人治病外，還能驅鬼降魔，同時也常常是二者爲一，即病者是爲邪妖所祟，治病就得趕走邪妖，他們行法時大都在夜間，甚且高搭法壇，作法的人雖祇一個，可有三個五個以至八九十來個當襯的人，當然這就類乎江湖醫生，而且要索取金錢。

純粹的祝由科，卻不拘晝夜，也很少有人鑽機索取金錢的事，不過越是法術高明的祝由科，越是不願讓人知道，更不大輕易「招搖」，世事大可作爲是觀，又何止祝由科而已。

（下）

美國準備「寒衣攻勢」

美國贈糧東德人的計劃確實鼓舞了東德人民爭取自由和民主的信念，也因此震撼了整個傀儡政權和克里姆林宮。共黨們爲阻止飢民領糧，除停售柏林車票，沒收美國糧包外，還不惜使出誣衊美糧有毒的卑鄙手段，但此仍不能阻斷洶湧西行的人流。據說共黨老羞成怒，最近且計劃採取最嚴厲的鎮壓方式。不過在另一方面，美國卻也早定下了對付計劃，美官方打算在共黨能夠阻止飢民前往西柏林領糧時，用氣球來贈送糧食，而且到了天氣漸冷和東德已有新麥登場的時候，美國還準備停送食糧，改贈寒衣，舉行「衣服攻勢」。

遠東美航艦載有原子彈

遠東聯合國軍統帥克拉克將軍最近返國爲他愛子小克拉克少校主持婚禮的時候，曾有某報記者很直率地問他美國在遠東儲有原子彈沒有，當時克拉克將軍笑着說，恕我不能答覆。他這種既不承認也不否認的態度確實引起許多觀察家的疑異，但據接近軍方的權威人士說，克拉克態度是有原因的。他們並說：某些航艦現在確已裝備了小型的戰術原子彈，惟就技術上說，這些航艦既懸了美國國旗，雖遠涉重洋，它們所停駐的地區仍可被認作美國領土的延續，因此，這一來，原子彈並沒有離開國土。所以，克拉克說是又不好，說不是又不好。

塔虎脫遺產的分配

在紐約醫院醫生告訴故參議員塔虎脫他已得了癌病後的第二天，這位舉世聞名的共和黨參議員即預立遺囑，將他的全部財產遺留給他的家屬。他規定以他的私人動產留給多病的夫人瑪莎，再把其餘的財產設立兩個基金保管委員會，除了基金的收入仍撥給太太外，第一部份基金（佔全部基金百分之四十九）也交由太太掌管，第二部份基金（佔百分之五十一）則由他的四位公子平均分配。

女皇看重史蒂文生

美國民主黨領袖史蒂文生倫敦之行的成就，可能也出乎他本人意料之外，據說，英女皇伊麗莎白二世對他的言行風度深具好感，在白金漢宮的閑遊會中，英女皇單獨與史氏談了十五分鐘，第二天又邀他到女皇包廂中參觀特別大賽馬，談了一點半鐘之久，後來還邀他出席一個女皇也親臨參加的晚宴，但因另有約會，史氏只好婉言謝絕。（孟衡）

中華民國僑務委員會頒發登記證台僑新字第一零二號
中華民國郵政登記第一類新聞紙類

自由人

THE FREEMAN
（半週刊每星期三六出版）
（第二五八期）
每份港幣壹毫
督印人：[illegible]
社址：香港高士打道六十六號
電話：七四〇五三
GLOUCESTER RD. HONG KONG TEL: 74053
承印者：東方印務有限公司
地址：香港高士打道六十六號四樓
台灣特約經銷處：台北市館前路五十號
台灣通訊處：台北郵政信箱[illegible]

世界大局的基本形勢

殷海光

東西力量已現持平之勢，共產黨比法西斯更難對付。西歐既怕做奴隸，又怕打仗，對反抗侵略已失自信力。西歐始終要站在美國方面。今後世界像一局圍棋，不易出現奇跡。有智慧，有毅力，不投機取巧的，才有希望成功。

（一）世局基本形勢未變

韓境停戰協定的簽訂，當然不能說對於世界大局絲毫沒有發生新的結果。然而，嚴格地說，這一協定祇是聯軍與共方相約停止射擊的協定。除此以外，世界民主勢力與共產勢力對峙的基本形勢則仍然未變。在全球反共長期戰鬥的歷程中，韓境停戰協定只能算是一個不算太大的里程碑。不過，這個里程碑說明了些什麼？這是我們要趁此機會檢討今後世界大局的理由。

這個里程碑說明了什麼？『顯價』行爲是買賣雙方實力總和最客觀的測驗。自一九四五年第二次世界大戰結束以來，蘇俄底聲威日漸抬頭，蘇俄底勢力步步擴張，蘇俄底明顯侵略行動，引起美國底警覺與焦慮。美國由復員而再整軍，冀能迎頭趕上。韓戰可以視作民主世界與共產世界雙方實力總和底觀測站。三年的較量，我們可以得到一個印象：在物質的武器方面，美國優於蘇俄；在政治力量的運用上，蘇俄優於美國。所以，韓境停戰協定，可以看作美俄實力總和平衡底一個標記。這個標記告訴我們，世界規模的反共長期鬥爭歷程中，美國及自由世界從此才由劣勢轉變爲與蘇俄持平之勢。

（二）共產黨是機會主義者

第二次世界大戰以來的世局，從表面看，似乎是翻雲覆雨，變幻莫測，複雜非常。可是，如果我們作深入一層的觀察，將會發現，在這紛繁多變的世局中，實有其具支配力量的一些因素。而這些具支配力量因素底數目，較之世局現象事件之數目少得多。如果我們藉認識能力擷取了這些支配因素，那末便不難了解今後的世局大勢。

共產黨與法西斯固然有許多相同的地方，也有許多不相同的地方。法西斯在目的上是狂熱主義的，在手段上也常是狂熱主義的。共產黨在目的上是狂熱主義的，在手段上則是理智主義的。他們在目的上絕對堅持不變，而在手段上則是澈頭澈尾的機會主義者。共產黨所使用的手段，一眼看去，往往與其目的背道而馳。可是，他們卻能把目的和手段之間的種種『矛盾』統一起來，使手段萬變不離其宗。如果我們不觀察近半個世紀以來共黨發展底整個線索，而祇觀察他們所表現出來的一枝一節的手段，那末他們固然有時兇猛可怕，有時卻又似乎可親。[illegible]譎。因爲共黨有這類特點，所以遠比法西斯難得對付。

（三）西歐人已缺乏了活力

至於民主國家方面，還得分別說明。西歐的自由文明無疑是世界領導地位的文明。目前，我們要抗拒極權，抵制暴政，必須救住西歐的自由文明。但是，目前的西歐人缺乏十九世紀的活力了。西歐國家既怕做奴隸，又怕打仗。西歐人民，一方面瞧不起俄國人，另一方面卻對於抵抗蘇俄底野心侵略，又失去自信力。在物質方面，他們需要美國底援助；可是，在政治方面，卻不願同美國齊步走。同時，他們自己又硬不起來。從反共抗俄底角度看，這眞是一個『既不能令，又不受命』的『絕物』。這個『絕物』，蘇俄很想把他們一口氣吞下去，而美國也把它莫奈何。

（四）蘇俄很像古代的馬其頓

我們可以說，西歐今日與蘇俄之間的情形與紀元前四世紀的希臘與馬其頓之間的情形相似。當時，希臘已有高度的文明，而馬其頓底文化落後。[illegible]……而自第一次世界大戰後，俄國藉『世界革命』向西方擴張，尤其是第二次世界大戰末期以後的肆行向西侵略，已顯著地躍躍欲試，意圖征服西方。今日崛起的蘇俄之與先進的西方之間的局面，是否與紀元前四世紀時後起的馬其頓之與先進的希臘相當呢？[illegible]

（五）西歐爲甚麼要牽制美國

基於以上的陳示，我們不容易思議西歐國家會站在蘇俄一邊，以至最後淪爲奴隸的。我們有理由相信，到了最後關頭，西歐國家還是要站在美國這一邊，共同抗俄的。但是，西歐人民既已失去十九世紀底活力與反共的自信力，[illegible]

今日的形勢與當年所不同的，是西歐人背後有美國。[illegible]

（六）限制東西兩方的基本條件

蘇俄與共產黨雖然奉行費爾巴赫（LUDWIG FEUERBACH）哲學，但他們底行動並非能夠完全不受條件底限制。[illegible]

（下接第二版）

（下接第二版）

蘇俄擁有氫彈的影響

蘇俄宣佈已於本月十二日試爆氫彈，美原子能委會亦發佈聲明予以證實。其爆炸者爲雛型氫彈，抑或已完成者，則無從獲知，但此次試爆至少已證明蘇俄已有製造氫彈能力，共黨對自由世界的威脅，因此更深一步。目前各方之注視，已轉至蘇俄擁有氫彈後之影響，以及美國在氫彈方面仍佔何等優勢。美國國會原子能委會副主席希根洛普在馬倫科夫發表蘇俄已掌握氫彈秘密後，即發表一篇談話，會論及此二點。希氏爲美國有關原子能及氫彈資料之權威，其意見與分析，自有重大價值，茲節譯其談話記錄如后：

問：氫彈的威力如何？

答：一枚氫彈的威力，遠超轟炸長崎廣島的原子彈許多倍。當時一枚原子彈的威力，遠於一萬五千噸TNT炸藥，在廣島炸死七萬五千人，傷者兩倍於此數。美國已將此型原子彈加以改進，使其威力分成數級，有的更強，有的較弱。

美蘇氫彈發展對比

問：去秋美國在恩尼威托克島舉行原子試驗，參加的海軍人員曾報道，美國已爆炸第一枚氫彈。前原子能委會主席狄恩曾說：「我們應該假定，我們所有的，蘇俄亦有。」照此情形而論，先生以爲蘇俄在氫彈方面和美國的對比如何？

答：我以爲原子武器的質、量和類型方面，我們都遠勝蘇聯。而在氫彈方面，我們的智識亦遠較蘇俄進步。我們在三年餘以前，即開始發展氫彈。同時，我們的生產技術亦遠勝蘇俄。

問：美國工廠製造氫彈原料的產量如何？

答：我們的各廠的生產情形均如理想的美滿，包括氫彈製造廠的薩伐納河工廠，和其他各工廠對於氫彈的發展已有極大成就。

問：有些科學家認爲，氫彈由於其威力如此龐大，可以不必大量儲藏，先生的意見如何？

答：這問題牽涉許多因素。如果敵人擁有某種數量的氫彈，方足進行戰爭，而我們所擁有的超過它數倍，但倘若敵人首先對我們發動氫彈空襲，其轟炸機得以進入我國上空，我們的氫彈儲量仍不足拯救我們。我們需要具有足夠的防空設備，和對敵人發動報復的足夠氫彈供應量，如供應過多，則對我們並無裨益。

美原子計劃已全力推動

問：假定蘇俄已爆炸氫彈，美國的原子發展計劃將受什麼影響？

答：我以爲我們的原子計劃不會發生重大變或改革，我們的原子發展計劃，業已十分龐大，且正運用最高速度和最高技術在進行中，氫彈的發展，亦包括在此計劃內。

問：國會是不是會舉行緊急討論？

答：國會目前在休會期間，即使蘇俄確已擁有氫彈，也暫時不必召開，因爲我們的原子計劃，美國是已在全面推動中。

問：美國原子計劃是否已[illegible]對付蘇俄的原子襲擊？和民防[illegible]

答：[illegible]

以牙還牙摧毀敵人

問：蘇俄擁有氫彈的聲明對美國防禦計劃有何影響？

答：[illegible]

半週展望

陳克文

國大會議和救國會議

本報這一期台灣通訊，關於明年二月召開的國民代表大會，及反共抗俄救國會議二者有關事項已經有所報導。前者是依據憲法必須召集的會議，後者經國民黨中全會的議決和最近政府發言人的表示，也屬事在必行，惟開會日期尚未決定而已。

這兩會議在目前的內外情勢之下召開，自有其重大意義，無待煩言。不過困難甚多，不但怎樣開得成，是個問題，怎樣開得好更是問題。所謂開得好，是能夠解決實際問題，能夠團結力量，和促進反共復國大業早日完成。要答覆這兩點實非易事。但可斷言，祇要政府確具誠意，本大公無私精神，事前妥爲籌劃準備，我們相信海內外的自由民主人士也一定能公忠體國，精誠團結，共赴國難的。祇要政府有自信心，有誠意，有計劃，登高一呼，自然萬山景從。

伊朗局勢未可樂觀

伊朗在短短三兩天內發生了兩次大變，現在擁護國王的沙赫迪政府雖已成立，反對國王的莫薩德政府雖已倒台。但伊朗國局勢還是很可憂慮。第一莫薩德本人雖已被捕，但軍要黨羽及其勢力尚未消滅。第二，共產集團陰謀攫取伊國已非一朝一夕，蘇俄根據蘇伊條約，且可出兵入伊，擁國王派如果實力不足，應付失宜，莫薩德及共產黨的杜德派，大可乘機反攻。如果局勢繼續混亂，大可變成南北韓的局面，成爲東西集團又一廝殺的戰場。現在蘇俄宣傳，已極力攻擊美國，說美國干預伊國內政。不要以爲蘇俄目前並不根據條約出兵，便會袖手旁觀，坐視伊共勢力的消失。

蘇俄對政治會議的套

在美國極力反對印度參加有關韓國統一的政治會議，蘇俄卻主張除印度外，還要使其他未經參戰的國家參加會議。出席聯大的美參議員惠和說，蘇聯提案『含有政治圈套和曖昧』，她的政治圈套是甚麼？第一她要把聯合國對北韓和中共侵略行動的罪名輕輕洗擦，第二她要利用時機引中共進入聯合國，第三她要拆散西方國家的團結，陷美國於孤立。看這幾天的形勢，美國眞有些難於應付的樣子，西方國家如果再不醒悟，恐怕韓國戰場得不到勝利之外，政治會議還要大大吃虧的。

證實蘇俄已有氫彈

以前蘇俄已有原子彈，曾由杜魯門總統發表談話證明，現在蘇俄確於八月十二日爆炸氫彈又由美原子能委員會予以證明。世界大局將由此而進入原子武器競賽時代，武器競賽可以使國際形勢更加緊張，國際問題更趨複雜，更難解決。韓戰結束後，許多人都說國際局勢和緩得多了，第三次大戰實現的可能性更加減少了。這看法是否和事實相符呢？目前的世界局勢是否一個內張外弛的局勢呢？美原子能委員會的聲明，不止警告了美國人不要苟安，也警告了西方國家不要苟安。然而我們看這兩天聯大的開會情形，西方國家眞有點像不見棺材淚不流的！

柯拉克中將訪問香港

美第七艦隊司令柯拉克中將前日乘四萬五千噸新型主力艦新澤西號訪問香港。據報紙推測認爲柯氏此行任務，係加強台港越之防務問題。美新聞週刊更謂第七艦隊將以香港爲後勤基地。中共方面又指出美國現已計劃將南韓，台，港，越各地變成反共橋頭堡。這些推測是否事實姑不具論，但目前艾森豪總統對國會報告新預算計劃，美國的反共政策重心已經漸漸移向遠東，柯氏此行與艾總統此一政策互相配合似爲無可置疑的事實。

國民大會與救國會議

國大法定開會人數，及補缺問題，均不難獲得解決，反共抗俄救國會議原則已定，召集日期尚待商酌。

上篇

近日自由中國朝野，在外交上正密切注視韓局[illegible]

[illegible]

……國會議兩問題。此外，改選台省縣市長，與台省臨時省議會改組兩問題，亦爲談論中心。

國民大會勢必於明年春間召集，國民大會之主要任務，爲選舉總統副總統。總統明年五月任滿，任滿前六十日召集國民大會，乃憲法所明定。至第一屆國民大會，可否兩次選舉總統，雖爲討論之衆端，但依憲法第二十八條的規定，國民大會代表任期，應至次屆國民大會召集之日爲止，次屆國大一日未召集，前屆國大即應一日執行職務。不但在今日之非常時期應當如此，即以後亦可能有類此情形發生。因此有人主張，總統副總統，國大代表，立監委員，任期一律延長，不必改選。其方式由立法院提修正憲法案，而由國大接受作爲臨時條款，但此說極難獲得各方面贊同。蓋立法院雖有權提憲法修正案，但憲法所限之提案法定人數甚高。既曰憲法修正案，而又作爲臨時條款[illegible]

[illegible]民：一由立法院修改國民大會組織法，將法定開會人數自二分之一降爲三分之一，但總統副總統之當選，仍須獲得國大代表總額過半數以上之選票。立法院之法定開會人數只爲五分之一。將國大降爲三分之一，亦自無不可行。惟國大候補代表聯誼會，現已發布宣言，不表贊同，認爲應從遞補[illegible]

世界大局的基本形勢（上接第一版）

殷海光

[illegible]上面兩大基本條件，無論蘇俄集團或美國集團都不能不受到限制。基於這二大條件底基本限制，我們可以推測雙方在今後要從事那些施爲。

（七）蘇俄政治要做的幾件大事

蘇俄在政治方面有幾件大事要做：一、加緊溶化各個衛星國，使之成爲一政治的清一色體制。二、可能繼續發動和平攻勢，在必要時配合以強硬姿態。可能恢復「人民陣綫」的政略思想，組織「和平陣綫」，或類似名稱的組織。拿這一套東西，以配合恐嚇擧動，集中全力向西歐作「和平攻擊」。[illegible]

（八）蘇俄的大陸軍事體系

[illegible]學（GEOPOLITICS）底眼光看來，蘇俄擁有世界最大的心臟地帶（HEARTLAND）。這個地帶，美國底海軍威力根本達不到，空軍威力減少。依蘇俄與共黨底世界企圖與心性推測，他們一定利用這個心臟地帶從事大軍事縱深建立重工業城，完成西北內綫鐵道系[illegible]

（九）美國今後的政治和軍事

美國今後在政治上的施爲，大致有下述數端：一、不放棄聯合國，但解決實際糾紛將漸趨區域化。二、繼續爭取西歐，團結西歐，說服西歐。三、扶助非共反共[illegible]……設立以西歐爲其一部分的空軍基地網……都是在[illegible]原則[illegible]得到的[illegible]

美國在軍事上的主要着眼點是發揮海空優勢。但是，她不願無限期地維持龐大的現有軍備，以致經濟負擔過重而不易持久。因此，美國底根本問題是既需在平時保持最大限度的作戰潛力而又要保有最高度的軍事機動力。基於這兩點，她要繼續：一、發展原子武器及其他新武器；二、爭取並鞏固地略要點。這些，都是已經在做或將要做的工作。

（十）沒有奇跡的出現

如果其他一切條件不變，那末，老老實實說，今後的世界大局，就是美俄兩個主棋手在這世界的圍棋盤上大致照上述的步子慢慢走下去的局勢，太大的奇跡是不易出現的。這個階段究有多久？祇有上帝知道。然而，有一點是我們可以斷言的，就是：在這漫長而艱苦的奮鬥過程中，祇有不存投機取巧心理，不天天要熱鬧好看的花樣，而是最有智慧，最有毅力，最能熬煎得住，和最能從遠大處着眼並從最實在處下手的那一羣不自私自利的高尚之人，才能成功。

二．胡．論

澄然

·人物評論·

二胡爲誰？

胡漢民展堂先生，胡適適之先生，在近數十年的中國，他兩人代表了兩種不同的政治思想。展堂先生代表了中山的革命思想，適之先生一直到於今，還代表着實驗改良思想。

中山先生的偉大處

歷史是公道的。在思想上，中共把胡適之當爲他們的最大敵人，發動清算胡適思想的運動。英美自洛克以來的自由主義，實驗精神，儘管在中國植根甚淺，而中共這樣敵視胡適之先生，正正恭維了他是介紹這思想的最有力的領導者。

[illegible]遠在汪兆銘未自毀之前，有一天張靜江先生和我說：「汪先生是靠不住的，還是胡先生好。」辛亥革命，吳稚暉先生與胡展堂先生都住在南京臨時大總統府，朝夕與國父共食。食時往往談公事，國父指示己見，交胡處理。翌次進餐時胡則報告經過，常與國父所指示的出入甚多，但國父頻頻點頭稱：「好，好！」此係稚老所親述，並據此頌揚國父的偉大。兩位胡先生都是歷史上重要人物，其事迹國人皆知，不須細述，祇分述前兩段。

胡展堂思想的實行

當國民政府統一南北之初，適之先生作文論「知難，行亦不易。」這時候兩位胡先生有過不痛快的接觸。展堂先生斥適之先生的政論說：「我們是革命政權，不是政黨政治的政黨。」那時候，適之先生閒居上海極司非而路四十九號，常常打麻將。而展堂先生則當立法院長，在一元政權——以黨建國的政黨——之下，要試行五權分制，當時「國民政府的制度是展堂先生所主張的。「黨外無黨，黨內無派。」也是展堂先生覺得最漂亮的。他想在英美民主成規之外，另闢途徑，本來是國父的中心主[illegible]從訓政到憲政，[illegible]

[illegible]張，經民十三年國民黨改組後，以黨國的理想更具體化。然而國父北上提倡國民會議，可見他並不執泥於以黨建國，黨外無黨，黨內無派的理論體系。[illegible]之際，汪兆銘當行政院長。當軍事委員會委員長在江西督師剿共，有一天他對我說：「共產黨要我們的命，而適之主張政治護憲，[illegible]偎仔。」

目前政治意識到底怎樣

四十多年的政治試驗，可以分三大階段。民元至國民革命前，爲議會民主的試驗時代，最後，被曹錕賄選使其道德正當掃地，法治的虛偽暴露無餘，終於死得冷又硬了。國民革命成功至西安事變，爲以黨建國的訓政時期，從西安事變到現行憲法，爲漸趨轉變到五權憲政時期。我們所要探討，不是這三個時期的成敗得失，而是政治理想體系經這三個時期的演變，怎樣影響了中國人的政治自覺性，並探討現時自由中國人們一般的政治意識到底是[illegible]

[illegible]當基於了解與企求，而企求基於生活所受的接觸與傾向。了解基於歷史的關係，與及個人持於政治的企求，有不能公開的性[illegible]

理論體系會變成教條

[illegible]

（下轉第三版）

十四年來——克里姆林的人事昇沉（下）

李秋生

此後三年中，各衛星國不斷整肅「狄托分子」，克里姆林宮中却還相安無事，[illegible]

到去年八月二十日，莫斯科突然公布準備召開第十九次聯共大會的消息，那顯然是要替史達林安排後事。在黨章的修改中，取消了極權統治機關的政治局與比較次要的組織局，另組人數較爲衆多的主席團。另一方面，則指定馬連科夫在大會中担任政治報告，那歷來都是史達林自己[illegible]確定。到大會閉幕之日，選出二十五人主席團與十一人候補者，除原有政治局委員全部包括在內之外（只有安德烈夫一人落選，柯西金由正式委員降成候補），其餘都是新進份子，括有地方幹部和技術專家。這顯然又是馬連科夫的勝利，他一向推崇技術專家而輕視黨務出身的人員。政治局原有的權力分散了，一些新進的幹部逐漸侵蝕老布爾塞維克的地位。

馬連科夫的昇降

大會開過不久，馬連科夫聲勢漸形低落。一月十三日，發生了醫生下毒案，突然替在失意中死去的日丹諾夫昭雪，說日氏與史切爾巴科夫將軍都是被陰謀毒斃的，並且還計劃陷害瓦西列夫斯基與柯內夫元帥等。此案一般都認爲是對付貝利亞，因爲他負有保安責任；殊不知連帶也打擊了馬連科夫，因爲日丹諾夫實無異死于馬氏之手。在這時期，眞理報上突然變得絕少提起馬連科夫的名字。各種跡象都顯示着將要大興黨獄。此案內幕，至今仍爲一謎，但極可能是在老布爾塞維克主動之下，左右實史達林去做的。而史達林突又於此際突然中風死去。

史達林死後的結果是：一、主席團又恢復成原來的政治局，人選括有六個老布爾塞維克，加上馬連科夫、貝利亞和兩位後進的專家——薩布洛夫與貝爾烏金，候補也只有四人，而把大批地方幹部和專家們都擯棄了。二、馬連科夫繼承了史達林的部長會議主席，却失掉了第一書記職位，他顯然不曾取得最高的聲勢，眞理報等刊物上最時髦的名詞是「集體指導」。三、貝利亞首遭整肅，代替他的是和莫洛托夫關係密切的克魯格洛夫。貝利亞的主要失敗在他自己部下手裏。四、朱可夫復任國防部第一副部長，他的地位扶搖直上，可能是馬連科夫的聯盟者。但在共黨中一向壓抑職業軍人，去年大會中，竟沒有一個軍人當選正式中委（布爾加寧是黨人而非軍人）。只要共黨的組織不鬆弛，軍人進而乘政的機會並不多。

綜上所述，筆者認爲這十餘年間蘇俄最高統帥層中的鬥爭主流，是老布爾塞維克內共黨正統者，對後進一派反正統者的鬥爭。史達林晚年支持着後者，可能引起前者暗中怨望，史氏身後的飾張並不十分隆重，且未發生前那樣神化的原因或即在此。今後宮廷政爭仍將沿着上述主流繼續展開。就目前形勢而言，馬連科夫顯然居於劣勢，他是否能像對日丹諾夫那樣反敗爲勝，就要看他縱橫捭闔的陰謀手段運用了。

伊朗共黨密謀擴展勢力

穆沙狄克宣告垮台

共黨的中堅份子，多數是學生，教員、工業及運輸業工人，石油業職工，和公務人員。農民和少數民族（如猶太人、柯特族、阿美尼亞族和阿西里亞族），在共黨組織中尚不佔重要地位，不過共黨正極力發動宣傳來爭取他們。

共黨的領導階層，組織嚴密，所施計謀與戰略，狡黠而有效。其領導者的身世，外間知者甚少，但大多數曾在巴庫或莫斯科受俄人訓練。它的經濟來源，幾完全沒有情報可據，但這一點即可表明其組織之緊密，黨員們每月繳付小額會費，但它的經費，外間早已謠傳是來自蘇俄的直接或間接補助。

伊警雖曾多次搜捕共黨激烈份子，並獲住大批共黨人員的名單，及查明若干秘密黨員的所在地，但[illegible]

[illegible]

西方國家對伊朗共黨的活躍，已予嚴切注視。艾森豪總統曾於六月二十九日致函伊朗政府，表示美國決不再予援助，保持縱容共黨的態度，自五月美大使韓德遜返美述職，迄今未返，表示美國對伊的冷淡。（譯者按：伊政變後第一日，韓氏即返伊京。）穆沙狄克所憂慮的是國內各種性質的反對者，如力求與西方恢復友好，求取外援解救民困的國王，若干保守性的部落酋長，以及青年軍官與回教狂熱份子，後者最近以加夏尼爲首的國會議長[illegible]

穆沙狄克對這些人士的懼懾，是他解散國會和拉攏共黨的主要原因。共黨雖然仍是非法組織，但他們的紀律是伊朗唯一的政治集團，它最嚴緊的實力以及在蘇俄支持下的影響力，對伊朗的未來不容忽視，[illegible]穆沙狄克在內的人，必是玩火焚身；最後，雖逃不了被共黨推翻，一因是親共而被[illegible]，另一便是共黨在本身實力鞏固後一腳把他踢開。（下）

北韓兒童六萬餘人運入東北受奴化教育

中韓共黨合作嚴格管理　希望造成未來忠誠爪牙

【本報訊】瀋陽消息：北韓經三年餘戰亂，全部資源摧毀殆盡，人民無以爲生，又需逃避聯機整日夜連續轟炸，遂大批向東北疏散，但老弱多被共黨政權迫留北韓，而青年入東北後，即被整編受訓，或淪爲奴工，在另一方面，共黨又將北韓兒童大批運入東北，施以奴化教育，迄目前爲止，在中共與北韓有計劃的擺佈下自北韓移至東北各地施予奴化教育的兒童，爲數已有六萬餘人之多。該批兒童大多分佈在遼寧省的錦州、錦西、營口、瀋陽、遼陽、北鎮等市縣；遼北省的遼源，四平、通源、開源等市縣；吉林省的長春，永吉、扶餘、五常等市縣；嫩江省的哈爾濱，齊齊哈爾，呼蘭等市縣。共設有十七個所謂「初級學院」及三十四個所謂「愛育院」。其中在十二歲以上分別集中在「初級學院」受奴化訓練的少年兒童，約有三萬二千餘人；十二、三以下在「愛育院」受初步奴化教育的兒童約有三萬三千餘人。該批兒童的生活，全由中共所供給。該批兒童的奴化教育工作，則由中共與北韓共主持，曾設有「朝鮮駐中國東北朝鮮兒童教育處」的機構掌管一切，中共所派的負責人任副處長，據悉係僞東北行政委員會教育部一副部長所兼任，姓名不詳；北韓「駐華大使館」所派出的人任處長，名爲張澤民。各「初級學院」及「愛育院」的幹部，則大多係由中共派任。

又訊：上月二十日左右，北平方面，曾由八個所謂全國性的人民團體組織一「慰問朝鮮兒童代表團」，由康克清任「代表團團長」，率領至東北各地分別向該批北韓兒童「慰問」，可見中共對東北北韓兒童奴化教育，極爲重視。

中共積極拉攏日共　謀加強聯繫　同時舉行「友好月」

【本報訊】北平消息：中共與日共，顯然已決定利用韓戰停戰之後的機會，加緊在日本的陰謀活動。首先已決定而且已公開透露的，中共已利用日共在日本展開社會活動，以向日本民間勾引，拉攏。所用的方式，是中共與日共同時分別在中國大陸與日本舉行一「中日友好月」或「日中友好月」。此一「友好月」的時間，雙方已擇定在九月中旬至十日中旬。

此一活動決定後，在中共方面，所謂「中日友好協會」已於上月由郭沫若主持舉行會議，會議的內容未見透露。惟在此一會議後，已籌組一「中日友好月活動指導委員會」。據悉活動的方式，大致與「中蘇友好月」相彷，所不同的，對蘇是着重在標榜其「成就」而學習之，對日則着重在宣傳日共在日本的所謂「和平力量」。

在日本方面，據新華社公佈：「日中友好協會」在大山郁夫的主持下已在東京召開第二次常任理事會。決定舉行「日中友好月」的目的，除爲「慶祝中華人民共和國建國四週年」外；主要在通過各種活動來「貫徹」該會第三屆全國大會上所作出的「把日中友好協會發展成爲全國人民的組織」的決議。該會並決定由該會的組織、財政、文化等委員會的代表組織「日中友好月對策委員會」以指導此一活動。

中共無視工人性命　築路大爆炸　死工人兩百餘人

【本報訊】江西九江週到消息：上月九日至廿二日兩週間，該省盧山至登山新築公路的沿路工地，會連續發生八項火藥爆炸及大火事件三件，造成築路工人傷三百餘人，死兩百餘人的大慘劇，純係中共築路領導幹部無視工人安全，將大量火藥任意堆置工人宿舍之中，並盲目拒絕工人爭建火藥倉庫的請求所造成。緣中共江西交通處爲便利盧山與登山間避暑之僞官員來往，於今年四月間斷工於兩山間開闢一公路，分於盧山及登山設立築路工程處，沿途設有六個工地站，均搭有數所大草棚作爲工人宿舍。內炸山開路需要大量火藥，放各工人宿舍，工人一再要求工程處另建火藥倉庫，但始終未爲工程處所接受。終於上月九日首先在第三工站，不知何故突然發生爆炸，當有工人三十餘人，並燒去草棚宿舍兩間。雖然如此，但仍不爲工程處所警覺，乃在不明原因情形下於兩週間連續發生七項爆炸及大火事件，除第一第五兩工站外，餘均罹此慘禍，劫後統共計，炸傷約三百六十餘人，炸死約兩百二十餘人之多！消息傳出後，僞江西省政府予「賊出關門」，大事追究禍責任，除一面偵查爆炸原因外，一面即對盧、登兩工程處內不按規定處置炸藥予以處分，以聊塞衆想。

晉共搞互助組　出了張飛周格

一個要盲目組織，一個要一律解散，弄得農民啼笑皆非。

據人民日報說：最近山西山陰西濟村在大搞互助組時，曾出了兩個典型幹部，羣衆們因此給他們取上了綽號叫做「張飛」與「周格」。事情是這樣的：

最近山西「人民政府」農村科派科員張玉明到西濟村整頓互助組，他一看該村只有段有山和閻王山兩個互助組，他就很憤怒，大罵該村的羣衆「太落後」，立刻開村民大會宣佈：「誰不走組織起來的道路……那就只有死路一條！單幹戶都是走向社會主義道路上的絆腳石，非搬掉不可！」說完，就命村幹迫令全體農民登記「志願入組」。當時，有部份農民王富、馮自流等不願登記，他便給他們一連開了四天四夜會，終於把他們「熬軟了」，於是乎，全村立刻組成了十一個互助組，他纔氣衝衝地回去報功了。但他一走，十一個組就立刻垮台；而且羣衆們根據他的蠻莽作風，給取了個「張飛」的綽號。

之後，這事情給區委發覺了。就派組織委員周世洪到該村去「糾偏」（糾正偏差之謂），又開了一個村民大會，宣佈說：「你們犯了盲目冒進啦，一律解散吧！」當時，段有山及閻王山兩個組織卻不願解散，他就照例來了一個強迫命令，給全部解散了。因此，羣衆們又根據他的作風給取了個綽號叫做「周格」，「周格」是當地土語「打掃」，「收拾」的意思。該村的農民前後碰上這樣兩個幹部，自然弄得啼笑皆非了。

莫德惠來港引起揣測　反共人士提出探詢

△曾擔任過中東鐵路理事長，國民參政員與中國銀行董事，現任自由中國總統府資政莫德惠（柳忱），已於前日自台抵港。此間所謂第三勢力的反共人士大爲興奮，紛紛前往探訪，並以反共救國會議問題，提出若干探詢。莫氏的來港，雖則他本人表示是爲了醫治牙疾，並無其他任務，但是他對記者說：他此次來港，願把在自由祖國所見所聞向各個僑胞報告，並要僑胞們願意的話。並且他還願意和此間的人交換國事的意見，「這一段耐人尋味的談話中，更使此間人士認爲其此行，是與召開反共救國會議有關，負有與反共人士有所洽商，邀約彼等返國參加反共會議之重大使命，故對其來港極爲重視。

自國民黨於今年五月召開的二中全會中，決定召集各黨派領袖和無黨派人士舉行救國會議的消息發表後，凡愛自由愛國家的人士，對於國民黨的這一明智號召，無不表示欣慰，竭誠擁護，因爲在此赤色洪流泛濫自由世界的時候，大家如不再團結一致，集中力量，爲爭自由爭生存而努力，而彼此猶存私見，各行其是，則一切將告白費，爲共黨所乘。

現在消息傳來，政府現正積極籌備中，準備於明年召開此項會議，故對莫氏來港，更寄予莫大期望，咸盼其不虛此行完成任務。

克拉開藍欽同時訪港　傳係部署台越港聯防

△美國駐太平洋第七艦隊司令克拉克中將，乘其旗艦「紐澤西」號，來港作首次官式訪問；美國駐華大使藍欽，亦同時來港作短期休假，雖然這或是巧合，但已引起此間各方面的推測。

此間揣測，多認爲克拉克中將與藍欽大使的來港，可能與本港有關當局，商討台灣、香港、越南三地的聯防問題，因爲自韓戰以後，目前太平洋局勢的重心，顯已移至東南亞方面，尤其是越南，中共支援越共正加緊進行，當此越盟可能發動大規模攻勢時，美國對此自不能不預先部署一下。故克、藍兩氏的來到香港，與前述揣測不能謂毫無關連。

勞工組織兩國際大會　本港代表大部經選定

△世界自由勞工聯合會亞洲區勞工大會，與國際勞工組織亞洲區第二次大會，均將於下月在東京舉行。

前者自九月九日至十二日會議四天，討論包括勞工待遇及福利有關事項，本港出席代表，經已由港九工團聯合總會推定由該會常務理事何康（集賢工會理事長）及郭玉屏（膠鞋工會理事長）兩人，本月底即可動程。據悉此間勞工界對此會至爲重視，將在大會中提出有關香港勞工之福利建議。

國際勞工大會，定九月十四日召開，會期九天，至二十二日閉會。本港派遣之代表，勞方代表，已經勞工處舉行投票決定，由馮海朝氏出任，將呈請港督批准，與港府選定之政府、資方代表全部發表後，即可成行。

香港三日

二胡論

（上接第二版）　澄然

理論要活用不要執泥

可是任何理論體系，基於運用思想的必然邏輯，都有其共同限度性。明乎此然後能收運用理論之功而不陷執泥於論理之失。這共同限度在那裏呢？一因於人們運思必基於言語文字所能給予的概念。概念的探討燈，而甚以識生概念的言語文字却爲習慣經驗之累積。因此任何超人允其量祇是追求新知的思想，亦斷不能窮探未來事物的變化；二因於理論原或爲有邏輯完整的體系的——換言之在其自擇自定的領域中，四面八方脈絡全通，辯言無礙的——必有其立論的設定與假定。既有設定又有假定便有限制的程度了。三因任何理論，必不限於單事獨物，而爲概括衆事衆物的。一涉概括，便是抽象，理論概括的領域愈擴張，則其抽象程度愈遠，抽象者包括實際，而非實際的本身。所以在實際政治方面，必須明此三因，然後能收活用之功，而不陷執泥之失。既然承認理論須要活用，便不會承認理論在實用上，祇有相對性，沒有絕對性。然而歷時已久具有客觀存在性的理論體系，却添上了教條式的絕對性。

展堂思想還有實用價值

現在，已經從「由黨建國」期轉入「還政於民」的憲政期，又面臨着和共產主義理論體系作殊死戰的環境。我們試一檢討自由中國人們的政治意識，是否可以負起這反共反攻的大任呢？在今天行憲之期，胡展堂先生的思想體系應該居於「功成身退」的地位了。然而國父的訓政過渡的主張，是基於種種民主條件不夠的認識而成立的。我們是否可以說訓政已經無憾地完成了呢？實行民主憲政的種種條件已經充分的確立了呢？如不能，則展堂思想仍有實用價值，有「師其意，不師其詞」，「去其糟粕，存其精華」的價值。適之思想，雖爲西方自由民主的主流，爲中共所懀恨長攏而必須加以清算的思想，然而在自由中國，這思想植根甚淺甚淺。在嘴邊的說來說去，多於在腦海中的研究思緒，而在心頭上的愛護追求，則更少更少。

適之思想應加積極培植

忽略了展堂思想的過渡性，忽略了適之思想的相對性，條件性，他們都誤解了他的實驗性，而認爲具有絕對性。本來任何理論體系，基於上段所說三個原因，在實用上祇有相對性，條件性的。二胡思想，一則建立於過渡的條件性，一則建立於實驗論的相對性。而未過完的，應該坦白承認，不可扭於已經過渡之名，而諱其未盡之實。該積極厚植深培的，不可扭於目前便利之念，而自絕其生命之門。「名者實之賓也」，名實合一，則健全。去其所應去，留其所應留，植其所應植，名與實皆予以適當修改調整，而使其相融合。「周雖舊邦，其命維新。」一端在是矣。作二胡論。

評：君左詩選（下）

羅自芳

新書評介

他如「宿濯泉」之「鬱鬱從碧落遙遙」，碧落是天，怎麼從碧落遙去呢？「驅蛟」之「此地最長難耐夏」，原意當是「此地夏日最長而難耐」，字句上下的次序顛倒過來，意思便難明白了。「歸于公」之「死不辭」，字面上二律，末句以「飛轉欺風休」，字面上佳灰韻，總覺太不順口。我們現代人作詩，雖不必泥守舊韻，然當勿過於「鷄背冷」也覺晦澀「六代漢韓故鄉」之「返」，這個「鷄背冷」，些地方，都有削足適履，勉強就律之嫌。又如「揚州吊古」之第

填詞多犯了規矩

再說長短句方面，詞，固久已不能按譜而歌，但它本來是有一定格律的，所以叫做填詞。現在，我們除非另起爐灶，根本不跟着詞譜而填，或學舊日石草窗等的自度腔，另創一個名目。否則既說調寄某調，就應依照某調的格律去填。集中諸詞，多未能守着這個規矩，如「沁園春」一首，故意將「沁園春」之換頭第二句八字句，照律以一字領句，下七字作「仄仄平平仄仄平」，略名家詞莫不同然。（君左先生謂「自古詞人皆項羽，但愛蘇辛而已」）然蘇集沁園春一首，辛集共十三首，却亦沒一首不依前此律者）。而集中幾首沁園春，一作「更闌春中」，一作「大河橫亙好煙樹」，一作「讀吾傳耳熱說長歌」，一作「讓才人與筆底透芬芳」，老實說這些句子都很尋常，算不得如何精警之筆，覺得可惜。且改亦不會難下手也。又如「滿家做」之以上去聲叶入聲韻，總覺有格格難入之感。

是值得青年學步的

不過上面說的，都是很小的瑕疵，不難克服的微病，君亦而已。大體說來，是左先生的詩，說它是晚近難得的傑出之作，也許非過譽。尤其是他那種磅礡的氣概，愛國家的熱情，溫仁愷悌的懷抱，又都是值得一般青年效法學步的。

啟事

本日稿擠編者與讀者見二三版中縫

誰是不接近聯國憲章精神者？

為方

英國工黨首領艾德里在南斯拉夫發表談話，主張聯合國應該請中共加入，他認爲中共比西班牙政府更與聯合國的憲章精神相接近云云。

我並不覺得艾德里替中共撑腰而感到驚異，他喜歡中共，那怕他奉毛澤東爲救主，那是他的思想自由，我們好少理！這如同緬甸的當政者在二次大戰時聲言：「寧願與魔鬼結盟，不願跟天使來往」，那類情緒，他要「中魔」狂走，誰也拖不住，也就不必拖住。決心要自殺的人，你去勸他，反而說你好管閒事哩！

我所引爲驚異的，是艾氏說中共政權比西班牙政府更與聯合國憲章相接近的那項高見。因爲他並未解釋何以「相接近」的理由與事實，所以令人大惑不解。聯合國憲章精神，是正義和平而非侵略主義的。中共公然稱兵與聯合國作戰，且侵入別國的境內以對抗聯合國。西班牙政府自聯合國創立以來，未聞其對外有掀起戰爭，侵略別國的行爲，和平自立，不預外事。何以竟不如中共之接近聯合國憲章精神呢？若說佛朗哥是獨裁政權，則比之史大林和毛澤東與東歐那些共產黨統治人物爲何如？更比狄托的獨裁政治爲何如？工黨人士恨不得叫狄托爲「爺爺」，繳之媚之，唯恐不及，而對佛朗哥則惡之欲其死。這種自私自利，濫修私怨的非正義行爲，還配談聯合國憲章精神嗎？我認爲全世界最不接近聯合國憲章精神的政治人物，無有過於「工黨先生」者！

世界最大情報機構
艾倫·杜爾斯主持下的

逸民

世界秘聞

美國務卿杜爾斯一直是共黨指摘的對象，韓戰初起，共黨報紙曾一再搬出杜爾斯訪問南韓邊境的照片，作爲其誣指杜爾斯策動南韓「侵略」的證據，不過他的弟弟艾倫·杜爾斯所受共黨攻擊，却比他更甚，在東柏林民衆發動反共暴動時，共黨無法掩飾，祇有重施故技，妄說艾倫曾於暴動前到過西柏林，這次暴動是他所策動，其實到過西柏林的，並不是艾倫，而是杜爾斯的妹妹，共黨不分皂白不辨男女虛僞宣傳，造成了一個大笑話。

共黨最大仇敵

以艾倫今日的地位來說，共黨對他的憎恨自無疑問，他是美國最高情報機構中央情報局主席，除了武器與民心以外，艾倫和他手下的情報人員，即是共黨最大的仇敵。

艾倫貌如教員，實際上他也確當過教員，他今日所控制的機構，已較歷史上任何情報網更爲複雜龐大，也超過了蘇俄之外的世界任何國家。屬於中央情報局的人員，據估計約有八千至三萬人之多，其中的所謂高級職員（年薪一萬二千至四千元者），比美國政府其他任何機構爲多。單在華盛頓一處，所佔房屋即有三十所以上。中央情報局的經費，都密列在預算的其他項目內開支提出，從未公開，根據合理的估測，每年[illegible]五億元之多。

錯過機會未遇列寧

艾倫雖然外貌柔和，不像喜用陰謀詭計的人，但在我國也許有他一人最適合擔任情報工作。杜爾斯和他哥哥約翰（現任國務卿）一樣，他早年即參加外交事務活動。於一九一六年在普林斯頓大學畢業後，曾在印度一學校執教，但爲時不久，便回美進入外交界，先被派往維也納，後來又轉到瑞士，這時適逢美國參加歐戰，他初次担任情報工作，他組織一個祕密諜報網，努力活動，希望使奧匈脫出德國陣營，但終未成功。他在搜集情報的過程中，曾遇見許多各式各樣的怪異人物，這時列寧猶默默無名，也在瑞士，艾倫原有機會和他接談，但在其他美國官員的勸導下，他把這機會輕輕放過了。此後，他便決定凡要見他的人一概予以接見。他曾說：「誰會知道閃電在什麼時候和什麼地方打下來。」這是說，任何人都可能在某一時機對他產生極大效用的。

冒險赴歐建立總部

到三十三歲，他已昇任國務院近東司司長，但他的收入，無法維持一家生活，同時再兼顧外交活動上的龐大消費，因此他在華盛頓大學得到一個法學學位後，就放棄了公職生涯，回到紐約，和約翰合作執行律師業務，其後十五年中，他們代理華爾街巨商，確實賺錢不少。

珍珠港事變後不到二月，艾倫又回到政府，此次是主持戰略情報局，數月後，他取道西班牙，冒險經過未被德國佔領法國南部，到了瑞士。他在伯爾尼他成立了戰略情報局的歐洲總部，他的辦公室，短期內即成爲歐洲反納粹抵抗運動的中心，也成了一個盟國範圍內效力最強的情報搜集機構。他收買了一個反納粹的德國重要情報官，從這人身上得到了關於德國地下組織謀刺希特勒的計劃，他雖然未能促使美國支持這些陰謀者，但在謀刺失敗時，他還是把這情報官從德國救了出來，這人所用的假德國護照和秘密警察戒指，都是他所供給。

間諜故事攝成電影

他還從另外一個反納粹德人處得到二千六百份外交部密件全文，[illegible]「五指間諜」[illegible]間諜活動之被揭破，[illegible]

艾倫又回到紐約，[illegible]組織的關係，便擺脫公務，在一九五[illegible]，史密斯出主中央情報局時，他因情[illegible]任了史氏的[illegible]長，他雖祇[illegible]六月，但終[illegible]去後，來昇任國務卿一時[illegible]正式接掌了這[illegible]（上）

詩選

懷冰

山居漫興

卑枝啼葉鳥聲分，風入迴廊衆妙聞。苔蘚侵帷梅子雨，峯巒對牖北山雲。膝安蓑榻聊明志，手度金針與論文。籬畔孤花憐俊賞，塵埃車馬日紛紛。

積雨遣悶

伐草誅茅好補亭，北山靄靄白綠青。柔枝碧托蟬聲咽，一氣虛游鳥影冥。廣世衣冠今略盡，湖邊樽俎幾曾醒。等閒總作漁竿手，約得長鯨倒酒瓶。

病榻

病榻瀟容自在身，更無藥裹與瓢貧。漫疑弓影杯中飲，稍覺車飈戶外塵。孝緒壁垣非執熱，伯鸞賃廡況依人。青氈舊是吾家物，臥對瓶花意轉親。

樓望

三月清遊負詠觴，橫窗平覩海茫茫。山幽谷靜鳥鳴鬧，日暖香浮蜂覓糧。飄落陳言安所用，孑遺身世久相忘。天留一角清涼地，占得書堂十畝强。

懷冰隨筆

雜談陳散原（一）

懷冰

天放瓊瑤玉佩聯，却從酒椀遣深悲，宛游莊叟人間世，肯羨浩翁稀自遣，剪刻騷香功自得，托揚精慮眼中誰？霞光笛韻誇屈留人宛在，風雨雞鳴又一時。——夜讀散原詩戲題句——

當代詩人，陳三立與鄭孝胥並稱，世目爲同光體。三立字伯嚴，別署散原老人，江西義甯人，詩學山谷，語必驚人，七言律清峭遒勁，殆臻化境，古詩稍遜，然亦綽有餘味。譽之者，稱爲中國詩壇近五百年來第一人。

散原的詩，二十年前我曾讀了一遍，那集子，是精裝山房石印本，版本不佳，紙張尤劣，但我把它翻閱了數遍，朱墨燦然，亦一快事。這幾年來，寄居香港，生計困難，當然沒有閒錢買書；自己的藏書，一再散失，更沒有心情收減了。今年上半年，適值散原百歲生辰，友人[illegible]，是商務印書館的鉛字排印本，雖然有些地方給讀魚食了，仍完整可讀，因此我再讀一遍，把它重讀一遍。

散原是清巡撫陳寶箴的兒子，康梁主張維新變法，散原力贊其父附和康梁主張，實行新政最力，及戊戌政變失敗，寶箴被革職，既卒，散原鬱鬱澤畔，[illegible]，遂不復出。散原與譚嗣同（譚繼洵子），吳彥復（吳長慶子），丁惠康（丁日昌子），並稱清末四公子。四公子的結局，譚嗣同被戮於菜市口，彥復貧至無以買藥，呼號而絕，惠康以嘔血死，惟散

篤於父子之情，故集中詩，關於謁墓，[illegible]

[illegible]原晚景稍優，復享上壽。乃寇陷北平，旋謁易色，[illegible]不能飲食，[illegible]而卒。此老當履危之際，不易生平大節，不惜[illegible]，即陳寶琛，陳石遺等對之，亦有愧色。

有人以譚嗣同與散原，[illegible]托爾斯泰的兩大作家。[illegible]

趣聞中的趣聞

最近在晚報中見到一篇新聞記者趣聞的文章，[illegible]

[illegible]居然在本埠的報紙上，同時把那位瑪嘉烈公主情侶的湯生先生的官階譯成上校，那篇直該列入荒唐之類呢，[illegible]「趣聞中的趣聞」了，但，筆者却不敢說他荒唐，因爲他究竟也是中國人，何必互相取笑呢！瑪嘉烈公主情侶湯生的官階譯成上校是不錯的，因爲英文原文是「GROUP-CAPTAIN」，祗有英國空軍中才有這樣一種官階，如果一不小心，只看了後半截，當然會以爲他只是一位上尉哩。（易）

希特勒的情婦

承安

希特勒自殺前的十六年中，心腹如戈林，郭培爾和波茲丹老寡婦等都在計劃其元首結婚的事。他們以爲結婚能使元首增進健康，脾氣和腦力都得變柔和些，事實上，尚未結婚的希特勒對婚姻問題無一點表示，但以後這位冷酷的元首對一個年輕貌美的女伶頗感興趣。

這次吸引他的是一個美國舞場的舞女，年約二十二三，是加利福尼亞州一個旅館女小開名妲妮爾的，她曾出現於倫敦舞場，人呼之爲「一塊白橡皮布」，說她柔若無骨。

慕尼黑舞台急於要物色一個新角兒來做佛爾斯里哈所寫「風流寡婦」的短歌劇，這個歌劇過去希特勒一連看過兩次。好了，在法國里維埃的康斯舞場找到妲妮爾，立刻把她請到慕尼黑來。她的母親一直跟來做女監護人。她不吸烟也不飲酒，是個飲冰的專家。她婆娑起舞時，使希特勒非常愉快，用他的老法子——把一束淡紅色荷蘭鬱金香及白色丁香花，卡片上寫着阿道爾夫希特勒的名字，用一條上面印有德國國徽的緞帶束起來送到她房裏。

一曲告終，監製人把母女倆送去拜會希氏，希氏欣然接見，用奧國姿式吻她的手。過些日子，希特勒吩咐續演「風流寡婦」，並且指定到康斯舞場再把妲妮爾請過來；於是一架專機把她母女倆從法國迎接到斯杜加特城，監製人駕車親自迎接她們。

希特勒穿了畢挺的夜禮服，和老顧曲家郭培爾坐在包廂裏，等了十分鐘才開幕。這是夜晚十點半，在「巴黎千千一幕」中妲妮爾跳了一次單人舞，十一點閉幕，立刻有人把她和她母親接到總會去。那裏早安排大宴會，妲妮爾剛進門，希特勒馬上站起來向之握手，說「謝謝你，你真是我從來沒有見過的好舞女，希望不久再能見你。」（上）

俄共爭權美共分家

據美國共產黨內部傳出的消息說，由於克里姆林宮內部爭權的鬥爭，美共現已分爲兩派，一派由黨的主席福斯特領導，堅決反對作任何讓步，並主張繼續攻擊美國的外交政策。他們被稱爲「莫洛托夫派」。另一派號稱爲「馬倫科夫派」，曾武採取比較和緩的態度。這兩派傾軋極烈，時常鬧得不歡而散。據說，目前是「馬倫科夫派」稍佔上風。

譬如贈糧東德問題，「莫洛托夫派」力主發動向全國宣傳，指斥政府干涉東德內政，要求將贈糧改送全國貧苦農民。爲了這件事，福斯特曾起立發言三次，但在表決時，仍不免以數票之差而告敗績。

東德兩巨頭破口大罵

東德總統皮克患了面部麻痺病，最近雖經俄國醫院悉心醫治，但病勢却轉趨劇烈，看樣子，他今生已難得再在東德政治舞台上露「臉」了。他這一病不打緊，却害了東德總理葛德華和共黨總書記烏布里治，他們兩人與皮克原是東德共產政權中的三巨頭，皮克勢將退休，最高權位的爭奪更增加了他們兩人之間內在的衝突。前些天，東德政治局開會的時候，烏布里治就和葛德華大吵大鬧過一頓。

因爲美國的贈糧計劃更加深了東德人民對共產政權的普遍不滿，俄國爲準備大舉鎮壓起見，近來正極力武裝東德。根據波蘭地下分子所供給的情報，近一月來，由俄國經波蘭運往東德的作戰裝備突然激增，火車上經常看到坦克與重砲。

史蒂文生前途有暗礁

儘管美國民主黨領袖史蒂文生的這次環球旅行至爲成功，在國際上增加了不少聲望，但在民主黨內，仍有少數重要黨員對他不很關心。民主黨原打算下月在芝加哥召開歡迎史氏「返家」慶祝大會，遍邀黨中各高級領袖參加，但有人問到衆院民主黨領袖雷朋屆時是否前往參加，誰料雷朋却哼一聲說：「自然不去」。雷朋前任民主黨執政時代[illegible]，民主黨衆議員中有的是和他一同[illegible]的議員，[illegible]歡迎返家」大會舉行時，情況難得像預計的那樣熱烈。

同時，據前總統的密友說，杜魯門已開始表示，在一九五六年總統大選中，民主黨可能有比史蒂文生更好的人選，一般人都以爲史氏將出任下屆民主黨總統候選人，殆已成了定論。其實，照目前的演變來看，恐怕還有許多變化呢。（孟衡）

中華民國僑務委員會頒發登記證台僑新字第一四二號
中華民國內政部登記證第一類新聞紙類

自由人

THE FREEMAN
（中英刊每星期三六出版）
（第二五九期）
每份港幣壹毫
督印人：李光鄴
社址：香港高士打道六十六號
電話：七四〇五三
GLOUCESTER RD. HONG KONG TEL: 74053
承印者：東南印務出版社
地址：高士打道六十四號
台灣特派員辦事處 台北市館前街五十號
台灣總經銷處 台北中華路新號五九四之一
台灣郵政劃撥儲金帳號 九二五二號

英美兩國與遠東

英美對遠東政策，因歷史與地理的背景不同，所以互相歧異。現在英國政治家只能隨傳統潮流漂泊，予俄帝以可乘之機，甘爲克里姆林宮所用，對中國已經不存甚麼關切了。

· 滄波 ·

遠東政策何以互異？

英美兩國對遠東政策的歧異，近幾年來已十分明朗化。第二次大戰結束後，東亞局面開始，接着韓戰爆發，英美兩國對遠東政策的不同，已爲世人所熟知。現在韓戰停戰，政治會議就在最近三月內即將舉行。英美兩國對遠東政策的歧異，隨着遠東局面的另一種緊張而愈見明顯。譬如聯合國大會開會，政治會議開會地點，及立刻引起兩國間的[illegible]。這幾天美國出席聯合國首席代表洛奇與英國出席聯合國首席代表的談話，針鋒相對，便是兩國遠東政策歧異的反映。我在此短文中，想指出這個歧異是歷史的與地理的背景，往往不爲人所注意，甚至一直被人所誤解。中國是遠東的主要國家，中國人也始終未曾完全明瞭這一個政策的歷史與地理背景。

地理歷史的背景不同

英國人對美國投資的努力，有關於幾個重要階段，第一個階段，是「九一八」事變起到抗戰中，第二階段是二次大戰結束到現在。「九一八」事變起後一直到「八一三」抗戰，英國對日本的態度，[illegible]許多地方幫助日本，[illegible]時的「利益」觀念，[illegible]英國在遠東的投資，遠超過於美國[illegible]少倍。單就中國國內幾個通商口岸的外商[illegible]，我們試知道英商[illegible]

[illegible]直到後來日本的談判政策上之表現，更有[illegible]

英國政策的重點次序

歷史告訴我們：英國政策的重點是：第一圈，中東及印度；第二圈是[illegible]；第三圈，[illegible]英國本身[illegible]

[illegible]遇到軍機急，均照這個重點次序決定。在平時，英帝國自然要顧到這三道圈子的全局。而且利害一旦有急，而不能兩全的時候，英國人首先犧牲與放棄的，是新嘉坡以外的一切。假使這樣還不能挽回危局，更須作進一步的犧牲，那就是放棄蘇彝士以東的圈子。英國爲了本身的生存，歐洲的安全，是無論如何不肯放棄的。因爲歐洲之安全，與英國本身存亡有密切之關係。第二次大戰的情形可充分說明英國這一個基本政策。新嘉坡的陷落（香港自不在話下），搖動不了英國的國本。羅美爾的軍隊，即使進入開羅，還不能給英國致命的打擊。假使一九四〇年希特勒率軍渡過英倫海峽，那英國就完了。

美國國防重心在亞洲

另一方面看美國，她的國防重心，與英國完全不同。在孤立時代，美國處於兩洋之間，絕對不感到任何類似英國國防上的威脅。後來美國脫離孤立，預問世界大事，她在大西洋內關係，至少和太平洋是相同。而且自從美國兼併入夏威夷與阿拉斯加，再加上對菲律濱四十年的統治，美國對亞洲，實在比較對歐洲還要接近。如果說美國對全球某一部份比較密切，那就是中東，印度與印度洋。而這幾個地帶之重要性，英國人看了正較太平洋沿岸各國重要多少倍。所以在第二次大戰中，對日戰爭與對德戰爭比較，英國人看對日戰爭只是大戰一個側影，也是個附屬的戰場。而美國人看兩個戰場是同等重要。美國一般民衆在戰時的注意力，對瓜德康耐兒及琉璜島，其興趣關切，遠甚於西西利及諾曼地。

英美的心理對象不同

英美在亞洲政策的分歧，另一個原因是兩國的心理對象不同，也可說兩國對遠東從地理觀點上的重點不同，這兩個重點，英國在印度；而美國在中國。英美兩國對印度與中國的關係，在歷史上顯然不同。印度是英國的殖民地，而美國對中國向來沒有任何土地的野心。英國對印度，基本觀念建築在物質利益上。英國於印度，及其他各地，其初於無意中得之，及其既得，便審慎經營。十九世紀中，印度是英國國策基本內容之一。譬如蘇彝士運河，原來是法國人拉塞比（FERDINAND DE LESSEPS）開始籌劃開掘這條運河，其動機是造福人類。他開宗明義說明這條運河應該國際化及中立化。對任何國家的船隻貨物，一律平等待遇。但反對這條運河最強烈者是英國。尤其英國的帕莫斯頓首相。英國人反對拉塞比開掘這條運河，一方面怕法人壟斷這條航線，另一方面就是反對國際化與中立化的原則。英國人當時藉口英國船隻特別多，要在這條航線佔有特殊地位。而其內心重要的意思，便因這是通往印度的孔道，也是通往中東的咽喉。英國在東方，印度是核心重鎮，（後來加上近東），其餘馬來及香港均是外圍。印度是要全力保守，其餘則無足重輕。英國對印度如此重視，當然爲物質利益，爲了權力政治，後來造出一個責任觀念的論調，更是十足帝國主義者的口吻。

今天的美國國防情勢

美國在中國，百年來沒有要求任何特權，也未曾企圖併吞任何土地。美國政府及社會，百年來對中國所做的傳教，教育，醫藥，慈善等工作，其動機既是純良，其結果造成深厚的感情，就如門戶開放一個口號，後來演進成一個外交政策。「門戶開放，領土完整」八個大字，造成了美日一場戰爭。美國對日戰爭目的之一，確實爲維護中國之獨立。而英國對日戰爭，不過爲保護印度，爲恢復其已失之馬來與香港屬地而已。第二次大戰結束，美國在西太平洋戰略前綫，從阿拉斯加經阿留申島，日本，琉璜島而到菲律濱。而對亞洲大陸俄帝及中共匪幫集團。今天美國國防情勢與第二次大戰時完全不同了。上次大戰時兩個戰場確實完全分開。德國在東無據點，日本對歐洲甚淡漠。現在俄帝橫跨歐亞兩洲，如果美國在歐洲有事，必然同時在亞洲與俄帝作戰。

（下接第二版）

遊東德火山邊緣歸來

E. Lindley 著　艾文譯

美「新聞週刊」記者林特萊最近赴歐度假，曾遊歷西歐各主要新聞集中地，並觀察鐵幕邊緣，本文是他返華盛頓後所作，對東德反共暴動後東柏林的情形，報道甚詳。

共黨標語大減

我和「新聞週刊」[illegible]分社主任海格[illegible]經過德國俄管區時，所見的情況使我大爲驚訝。[illegible]

[illegible]都是經過六月暴動後留剩下來的。旗幟和標語，隨時都可以在夜間被人偷偷的塗掉或撕掉，暴動顯已過去，但這些宣傳品並不能保證不被撕毀。俄人和他們的傀儡當局，顯然有鑒於此，不欲再重新佈置新的宣傳品，使東德民衆再有機會，以公開或祕密方式來表現他們對共黨的憤怒與憎恨。

窗櫥裏出現食品

在東柏林史達林大道兩旁所謂公開的[illegible]，櫥窗裏已放有許多食品，自西柏林開始分發食品賑濟的，櫥窗裏的樣品，例如波蘭出產的罐頭肉等。東德最缺乏的是魚油，脂，西柏林糧包中的二磅豬油，是東德民衆最珍貴的。東柏林伙食舖的食品，價格都貴得驚人，每磅醃肉，約合美金一元八角，以東柏林勞工的薪水來說，很少人買得起，不過店裏還是有顧客在買。

俄人雖在大暴動中表現了他的鐵掌，但現在已儘可能把它遮掩起來，在公路兩端的俄軍檢查站間，我們祇碰見三卡車俄兵和一輛電單車的邊座中坐着一個蘇俄軍官。不過據說，要是我們不遵照規例而駛出公路行車界限外幾碼，我們便會立刻發現俄軍前來干涉。

西區俄兵站崗受監視

在西柏林區內，一座俄軍陣亡紀念碑還完整的聳立着，旁邊有一個俄軍哨兵在那裏站崗看守，不過以前有一個哨兵已逃亡而受西方庇護，現在俄兵在這裏值崗時，據說有俄人特務在附近監視着。在東柏林，俄軍仍住在他們的營地內，週圍佈滿鐵絲網。我們曾在特利布都區的俄人公寓中看到一些沒有武裝的俄兵，他們是在嚮導員帶領下遊覽，看見了我們，都故意把目光轉開去。

我們從西區進入東柏林，是乘着一輛美國當局的官用汽車，到邊界時，我們放緩了速度，但俄軍戍兵看清了我們的車牌，便招手放我們過去。回來時我們取道另一條街。東柏林沒有行人道上的咖啡茶座，而在西柏林卻到處可見，每到下午，通常都很擁擠。看過東柏林的情況，西柏林店舖裏的大量貨品，給了我們更深刻的印象。在放賑站前，東柏林和東德各地遠道前來的男女，排成密密的長龍，在等待領取救濟糧包。

火山可能再度爆發

東區的俄人和其傀儡們雖然正努力促使標準事物都顯然重歸寧靜，但這種寧靜使人想起一座火山，它既爆發了一次，不難再度爆發。

西柏林的失業現象是個嚴重問題，剛毅的市長路透氏，希望能得到足夠的救濟，使二萬五千失業者重獲工作。以我們的經援和整軍計劃的規模來說，這筆費用實微不足道，我不懂美國爲什麼不供給這筆資金。同時，我也不知道，華府當局的政策制訂者是不是已按照東德抗共運動的可能後果而調整了他們的看法。

半週展望

· 左舜生 ·

外鬆內緊的日本局勢

吉田茂何嘗不反共，但因爲國內確有不少共產黨的同路人，要繼續維持自由黨的政權，他便不肯積極的反共；吉田又何嘗不想建軍，但因爲國內確有一部分人畏戰爭如蛇蠍，要繼續維持他的政權，他便不敢公然的建軍；說到親美，吉田更毫無疑義的是親美的，但因爲國內潛伏着一股反美的暗潮，他便只好和美國保持一種黑市交易，表面上卻依然要維持一個並非事事聽從美國的姿態。

嚴格說起來，所謂第五次的吉田內閣，其政治生命便完全寄托於這種灰色態度之上。自然，今天日本的在野黨，即「改進」與「鳩山自由」聯合，也無法取得自由黨而代之；同時，社會黨的左右兩派，其自身原有若干不能妥協之點，的時機既未成熟，於是乎吉田便在這樣一種的形勢之下，居然繼續的生存下去了。

可是，就整個世界的局勢看，會不會容許吉田像這樣拖下去呢？蘇聯對歐洲要加強控制德國，對亞洲則要由軟化日本，擾亂日本，進而佔有日本。據前天的東京消息，日本警方已宣佈日共擁有十萬人的武力，還藉勞工鬥爭，和反對美國在日本的基地運動，隨時都可以發動武裝暴動，其言雖稍近於誇大，但蘇聯對日本斷然不肯放鬆，將對日共有進一步的策動，則係很顯然的一種趨勢。

看樣子，最近的九十月之交，吉田可能有一次美國的訪問，假定吉田的着眼點完全在於經濟，則美國便不會感到怎樣的興趣，我想，這一點便是吉田本人也還是會了解的，質言之，此行的成敗和他的政治前途，當然是有極密切的關係的。

政治會議的前途

韓戰停火以後的政治會議，究竟如何開？這個問題還在聯合國有所爭執，爲了一個毫不相干的印度參加不參加的問題，已經鬧得滿天星斗，看來前途是相當黯淡的。

前天（廿四）中共方面的周恩來又有所聲明，內容計分四點，其他三點口氣還相當和緩，不失中共一貫求和的態度，但第二點關於撤退韓國境內外軍一層，他們的聲明說：

『政治會議的職權範圍，應根據朝鮮停戰協定第六十款的規定，先行協商於朝鮮撤退一切外國軍隊，包括聯合國軍及中國人民志願軍在內，以和平解決朝鮮問題，然後再討論其他問題。』

僅這一點，美國便無法承認，南韓更無法承認。因爲所謂中國人民志願軍的撤退，只須越過一道鐵橋，聯合國軍從朝鮮撤退，至少須通過一段海峽；而且以目前情勢論，美國在朝鮮的大軍，要全部暫時退入日本，已爲事實所不許，同時還可能給予共方一種鼓勵日共排美的口實。在北韓的背後，有中共的軍隊可以隔江一呼（實際還有由中共化裝爲北韓的軍隊）南韓背後，則僅有美軍在海外。天下不公平之事，還有比這個更厲害的嗎？

從實際上說，所謂朝鮮停戰協定，不過是雙方暫時停止射擊以拖延時日而已，問題是不會澈底解決的；在共產黨的策略上，原也沒有澈底解決任何問題的一種誠意。

美國B卅六轟炸機東渡

在貝利亞案子發生以後，東歐的衛星國突然鬧起來，同時中共也確實有點沈不住氣，於是馬倫可夫慌了，乃提前宣布他們已經有了氫彈，姑無論氫彈之有無，但在這個時候突然宣布，無非是爲這些衛星國家壯壯膽子打打氣而已。

最妙的是馬倫可夫儘管宣布已經有了氫彈，但他同時依然聲稱蘇聯對於維持和平的宗旨不變！現在我們要問的，便是世界上有了最厲害的武器，人類是不是會相互警惕，大家一致不敢從事戰爭呢？我們從前有一位軍事家蔣百里先生強調的回答說：『武器越進步，戰爭的爆發也越無可避免！』果然，蘇聯儘管在那裏耀武揚威，美國的B卅六轟炸機卻已大隊的飛過太平洋東來了，您還相信氫彈可以嚇得倒人嗎？

台省兩大選舉問題

縣市長改選，候選人資格宜加補充規定。省臨時議會之改選，已改採直接選舉法。台省選舉日見進步。

下篇

台省縣市長改選，與省臨時議會議員改選兩事，行政院已將台省地方自治法規修正公布，關於縣市長之選舉，增列候選人積極資格一項。省臨時議會議員之選舉，已改原用的間接選舉制爲直接選舉制。此兩者均爲符合國父遺教及憲法精神的新猷，頗爲台省民衆所擁護。惟增列縣市長候選人積極資格，仍有人覺得尙欠妥善。如曾任縣市長者一款，當係指曾在台省或大陸省份担任縣市長之人員。此等人雖可謂爲具有地方行政經驗，但是否皆屬賢能，尙有疑問。尤其大陸時代，在抗戰剿匪時期或地域中，所用之縣市長，人品更爲複雜。如僅以曾任縣市長，即可謂爲足任台省縣市長候選人，結果恐與規定積極資格之原意相違。各方意見認爲此款之下，應稍加限制，例如曾經國民政府正式任命，或銓敍合格，或著有政績或曾連任若干年等等，方可使人選水準，較爲整齊。又如在國內外專科以上學校畢業者一款，並未規定所習科系。日後不免有所用非所學之人，出而競選者。似宜限制原校須經教育部立案，所習須政法等科，較爲合理。再如由考試院辦理檢覈一款，恐不免仍蹈抗戰時期辦理公職候選人檢覈之覆轍，只注重資歷證件之條件，而不計及其本身所應具備之智識能力等條件。論者以爲考試院能做到各民主國家先例，多於政黨，律師，新聞記者羣中，拔識人員從政，方可使自由中國更步入近代民主國家之林。

台省民衆對於選舉的重視與熱誠，確爲以往大陸省份所不及。如一人一票權，祕密投票制，公開檢查選舉結果等，均已確實做到。而投票率之高，觀世界各民主國家，亦無遜色。如第一屆縣市長選舉，全省投票率，達選民百分之八十點七，第一屆縣市議會議員選舉，達百分之八十點七三，今年之第二屆縣市議會議員選舉，達百分之七十九點九二。故此後省臨時議會議員由各縣市議會間接選舉，改爲全省選民直接選舉，使其民意的代表性，益爲普遍，實屬明智之舉。台省公民亦必踴躍投票，決不致因多增加選舉次數，反覺得過份厭煩也。（完）

韓戰停戰前後 日共陰謀活動空前劇烈

部份民衆受愚產生反美情緒

【本報東京特約專訊】在韓境停戰前後的幾個月來，日本共產黨曾烈地展開了一連串有計劃的陰謀活動。此種活動，顯然是在蘇俄的指揮下和中共的支持下所部署遂行，對日共本身雖無顯著的收穫；但對日本政治社會的秩序和整個自由世界的安全，卻有很大的威脅。

奉令宣傳停戰 鼓動反美情緒

此種陰謀活動有計劃地所表現的，首先是在今年四月廿六日韓戰停戰談判重開以後，約一個星期，日共即在中共及蘇俄其他各附庸國大規模展開停戰宣傳的同時，在日本各地也大規模地展開了停戰宣傳。尤其因日本各地設有美軍基地的關係，故日共特別乘機強調「反對戰爭」，以鼓動民衆因反戰而產生反美的情緒。此一宣傳，係在日共中央委員會策劃下利用「左派社會黨」、「尾巴派」及「日本工會總評議會」（即總工會）、「日本電氣產業工會」、「日本煤礦工會」、「日本私營鐵道工會總聯合會」、「日本教職員工會」等十餘個社會團體中的日共地下份子及其外圍羣衆所分別展開。他們藉日本憲法保障人民言論、結社、集會等自由的便利，除到處張貼標語、壁報、集會演講、散發傳單、刊行報紙外；並利用盲從的部份的團體羣衆，以廣場集體靜坐，或遊行高喊口號的方式，「抗議」繼續戰爭，利用一般日人的苟安心理，鼓起反戰的輿論。宣傳期間，除大山郁夫已去北平，松本三益尚在獄中，及部份正亡命在北平者外，一般較爲著名的日共中央委員，如松本治一郎，立花敏男，[illegible]一原彪，中村、平野義一郎等，皆分別在東京、大阪、名古屋、神戶、廣島等重要地區「指導」活動。此種宣傳，雖前後持續約有兩個月之久，但一由於日本治安機關，軍警監視嚴密，日共不敢妄動；二由於日本人民知識水準較高，對韓戰雖各有看法，對共產黨這一套卻並不感覺興趣，故日共活動雖多，效果卻甚微。尤其針對日共宣傳「反戰」，以阻延日本武裝自衛一點，日本海軍大將野村直邦，[illegible]，陸軍大將宇垣一成，下村定，岡村寧次等一班人，曾同時組織了一個全國性的「日本愛鄉聯盟」，基於保鄉愛國的立場，曾以實際行動予存心出賣日本的日共的宣傳陰謀以致命的打擊。不過部份民衆仍不免中共黨之計，對美惡感日增，已引起美朝野嚴密注意。

拚命傾向中共 擴大統戰陰謀

其次是一面擴大「日本友好協會」的組織，以擴大中共在日本的影響，並從而發展日共的外圍活動；一面是參照中共的經驗，在日本各階層擴大「統一戰綫」的運用，以增強日共反美和反吉田政府的聲勢。

關於擴大「日中友協」事，曾於五月三十日至卅一日在東京召開「第三屆全國大會」。出席各都、道、府、縣的「代表」及各階層中的同路人約三百九十人。會議中除強調：「促進日中貿易」，「爭取朝鮮停戰」，「調整日中邦交」等陰謀活動外，最主要的是決定此後將「中日友協」發展爲所謂「全國人民的組織」。爲擴大組織計，並即將該會的「理事會」加以改組、擴大，除改由松本治一郎爲會長，豐島與志雄、原彪、平野義一郎爲副會長外，並以大山郁夫、風見等五人爲顧問，內山完造等八十餘人爲評議員，幾乎將所有的日共頭子及其重要的同路人都網羅其中的放進了這個組織。（上）

英美兩國與遠東

（上接第一版）

·滄波·

英對中國已不存關切

我在本文開始時便說一般人對英國遠東政策感到迷惘，經過這一個客觀分析後，或可疑慮漸釋。因爲英國心目中的遠東，是印度而不是中國及東南亞。加之近二十年來，英國對中國，一步一步退出去。美國對中國，一步一步捲進來。英國近二十年來對中國早不存什麼關切，中國的興衰存亡，她滿不在乎。譬如第二次大戰快結束時，美國要提出中國爲五強之一，而英國始終不贊成，甚至英國說，關人口，印度不下於中國。英國對中國的一切，滿不在乎。無所謂希望，也無所謂失望。中國國內什麼人什麼集團當政，她漠不關心。這是英國人自己所寫文章中明白承認的。我可隨時舉證。英國對遠東政策還沒自己感覺錯誤，所以並不想檢討。

予俄帝以可乘的機會

結果爲自由陣營中造成極大的紛亂。更與敵人以無限的機會。冷戰數年的經驗，俄帝對歐洲的壓力加強；英國對美國必表示團結。俄帝對亞洲加強壓力，英國對美國必表示攜貳。歐洲緊，英國覺得要倚賴美國地方太多，歐洲緊，亞洲緊，英國覺得她可以操縱自如。克里姆林宮當然很聰明，爲使英美兩國加深矛盾，加強磨擦，自然對遠東製造緊張。尤其像中共加入聯合國問題，更是造成英美破裂的一服有效藥劑。克里姆林宮何樂而不用。英國竟就樂於爲俄帝所用，這是英國的沒落！

邱吉爾比父親差得遠

英國今天沒有政治家，邱吉爾今天拖泥帶水，儘量表現英國傳統的黑暗面。對大局，對個人，均是極大的悲哀！近讀邱吉爾所著增訂新版他父親的傳（LORD RANDOLPH CHURCHILL），邱父於十九世紀後期，在國會中怎樣反抗自由黨，怎樣反抗自己所屬的保守黨，爲愛爾蘭問題，爲埃及問題，爲近東外交問題，何等特立獨行，不惜得罪王室，反抗一切權勢，創造時勢。兒子邱吉爾，比起老子來，差得遠了！邱吉爾今天的言行，莫談對不起自由與正義。便對着他的父親，也太可羞慚了。

新聞人物

帝汶名譽領事——謝康

·紹羊·

葡屬帝汶中國領事館已經正式恢復，並由當地華僑中學校長謝康博士兼充名譽領事。

謝康字永年，廣西柳江人，現年約五十歲。民國八年負笈廣東高等師範文史部，黃樵仲、楊壽昌、倫達如所器重。民國十一年和高師同學蘇儒瑞、陳克文等組織知用學社。該社成立宣言，有如下幾句話：『役使天行，凡乎智識的權威；斯其爲效，[illegible]五嶺以南，川原壯麗，而珠申，而百粵青年所當激勵奮發之同志，願效前驅。雖假落南，然齊足中國，並馳宇內，與吾（下略）。』亦可以看出他們當時的抱負。

永年畢業回桂，服務桑梓。初任職柳州中學，繼入省府教育廳任編審。三載考績，列名最優，由桂省發給公帑，赴法留學。

民國二十年永年出國赴法，在巴黎補習了短期的法文，即入巴黎大學，讀法國當代大文豪紀德的課，劉覺自由主義鼻祖盧騷的手稿。前後五年，攷取了法國的國家博士。卒業後由現僑務委員會委員長鄭彥棻介紹入國際聯盟祕書廳任祕書。他能操流利法語，儀表甚都，實一典型的外交人材。他處事經分論合，條理井然，亦一幹練人物。抗戰第二年，始由歐洲繞道回國。

歸國後，旋得當時省政當局之信任，委托創辦教育研究所，廣招學員。所長名義上雖由當時教育廳長兼任，實際由永年主持。那時桂林師範學院還沒有成立，教育研究所，負起了培養全省師資的任務。他羅致的中山大學文學院長吳敬軒講哲學，巴黎大學博士黃文博講歷史。均一時之選。永年處理所務，井井有條，師生均認爲滿意。後教育研究所改名爲桂林師範學院，院長一職，改由曾作忠充任。曾亦桂人，北京師範大學出身，後留學美國，爲李濟琛舊部。不久，永年離開桂省，赴曲江任廣東省立文理學院教務主任。

任教務主任不過數月，即離曲江赴軍醫。當時鍾者與友好假座江樓餞別，曾有句云：『千頃清波挹柳江，風雲才略許無雙；當筵能毋惜殘霞，未遣閒愁暗室照明缸，江樓此夕廻回顧南窗。』蓋紀實也。永年至陪都[illegible]受訓，不久出任青年館總幹事，[illegible]主義青年團工作。居留陪都期間，[illegible]校長吳貽芳介紹，與該校社會系[illegible]女士結婚。現已生一子二女。[illegible]後永年出任廣西大學文學院長，[illegible]訓導長，並當選爲廣西省參議員。時共黨職業學生已混入校中，製造學潮，國軍參議會參議員，亦不少帶共份子，與政府爲難。永年高談雄辯，力排邪說，左傾參議員至稱之爲反俄排砲。

卅八年夏，共軍過江，西南半壁，岌岌可危。永年攜妻兒到廣州小住，旋赴海南大學，僅數月，即轉程來港，[illegible]珠海教授。[illegible]「二律」：

其一

海角餘陽多至日，風烟九點望神州，幾番戰伐添新塚，到處遊黎望帝麻。涼颸漸催殘腸月，梅花猶放故園愁，拼將劫後飄蓬客，斷征鴻獨倚樓。

其二

故山月色想依然，轉徙萍蹤又一年，詭譎風雲徵世變，迷茫恨海倚誰填。海南椰子成空憶，世外桃源未絕緣，且喜九龍城畔住，偷閒一賞彩光圓。

句法清新，宜境沉鬱，的是詩人之詩。

四十年夏，永年應帝汶力利華僑中學之聘，辭珠海教授。七月十三日攜妻兒乘大鴨家輪離港，十九抵星洲，廿三抵吧城，廿五抵泗水，廿八抵孟家錫（西伯里島首府）上岸候輪，八月七日趁輪，十四到帝汶。到帝汶後與友人書云：『地處偏僻，聞有外來人，不啻空谷足音之喜也。』初到此，亦覺受寵若驚矣！』帝汶落後情形，可想見也。

他到帝汶兩年，週旋僑胞間，深得人和，曾代表僑胞謁見葡屬帝汶總督，爲保障僑胞利益而不斷努力。今政府委以名譽領事，可謂得人。鷹雷屯，君子以經綸，永年當可大展抱負也。

國外通訊

馬共改變策略 加強地下活動

大批武裝潛入泰境

馬來亞的恐怖共匪，經聯邦軍隊與地方保安團隊及警察合力向森林圍剿之後，收復區的行政逐漸擴大，而收復區的教育也趨向正軌；馬共的控制區則日形縮小，當局除了緊縮包圍圈外，且施行有效的經濟封鎖，使彼等的生命已陷於窒息。因此，馬共領袖決定改變策略，軍事方面，儘量抽調武裝滲進邊陲地帶；政治方面，則增強組織，吸收遊手好閒之徒，從事組成恐怖機構，以實際行動於口頭上的宣傳。

現時馬共的武裝大部分已滲入泰境，表面上對馬來亞的威脅雖已大爲減輕，但它一經泰國掃蕩也就重行捲回，自是並非徹底辦法，今年泰馬當局雖曾兩度進行圍剿，除了拆毀馬共的碉堡，茅屋，搜出未發現匪蹤；大規模的圍剿，其效果反不如保安隊的零星搜索。聯邦當局在鄧普勒將軍的強硬手段下，對於頻年所作之剿匪努力，其功勳雖不可沒，卻並不已在具體而永久的安定目標上建立了基礎。聯邦當局對於獄中所羈共黨向其他罪犯進行共產主義宣傳，認爲無有效發展一點，尚是一件可喜的事情，其監犯中除少數外，其他的均不願受共黨煽動；一九五二年以來，依照緊急條例而拘留的三百一十五名婦女中，僅有一十名是在伊利莎伯女皇登基後所拘留，這批人已有五名驅逐出境，十二名自由出境，判了監禁的只一百三十一名，其餘的尙未正式定罪，迄今爲止，馬共之首領究竟還有幾名，並沒有確實的證明，其次要的首領多數已被擊斃或逃亡，所餘無幾了。不過就一九五二年九月十一日以來至今年六月二十四日止在星加坡當局製造的大恐怖血案來，馬來亞的共匪活動，絕非遽捕或擊斃他們幾個首領會受決定性打擊，他們顯然具有國際背景，受中共的滲透指揮。因此移民當局對限制來自中共控制下之大陸人民更具決心，醞釀半年的新移民法案，雖經當地各大團體堅決反對，終歸無效，立法局卒以斷然行動完成法案，但此一法案所限制的入口，不限定僅以中國人入境，而係括有其他國籍者，移民局所規定的，除非商人每月至少能夠支付給一個來自異地的僱員五百元的保證金，便不能入境。這就是說，高級商人之外，任何人不能入境的了。這辦法對防止共諜滲入自有其價值，但對許多華僑的入境卻增加了重大不便。（司徒鑾二十日寄自新加坡）

啓

「編者與讀者」移二三版中縫，希讀者鑒諒！

中共「援朝」改頭換面 韓境大軍準備改裝 化整爲零伺機蠢動

「民主人士」透露重大秘密

【本報特訊】據北平可靠消息：中共以北韓地理形勢在對日、韓攻守兩面，均屬屏齒相關，勢在必保，故在韓境停戰以後，即決定改換方式，繼續祕密以多方面支援北韓，準備伺機最後達成由北韓侵吞南韓之目的。此一新陰謀之內容，據探悉有下列三大部份：

其一，中共將在其「援韓志願軍」正式退出北韓以前，將大批足以隨時進攻南韓之精銳部隊化裝成北韓之工人、農民，保留武器、配足彈藥，作有組織的潛伏在北韓的第二道防線上的城鎮和農村，並將撤退軍隊中的一部份武器留交給北韓軍事當局，作繼續擴編部隊之用，以備於適當時機，再行協同北韓閃擊南韓，或協助北韓軍嚴防南韓軍於政治會議破裂之後進攻北韓。此種中共化裝潛留部隊之精確人數，一時尚無法獲悉，惟據北平在「抗美援朝總會」中工作之一「民主人士」在無意中揣測透露，當不下十萬人之衆。

其二，今後之中共除繼續予北韓以軍事援助外，並將加強對北韓之政治援助。此一援助之方式，主要又可分三大部份：一、由中共派遣大批政治幹部，協助北韓地方之戰後各項整理工作，其中包括安撫居民，訓練幹部，整理經濟，修建鐵路及整理地方行政等。此種幹部，大部份係由隨部隊留韓多年，較爲熟悉北韓情形及語言之部隊政工人員担任，一部份則由東北及華北僑地就熟悉韓語者抽調前往。

中共在北韓擴充政治勢力

加派幹部協助復興工作　東北各地號召工人赴韓

二、中共將乘北韓在戰爭中人口大量減少的機會，將大陸各地因歷年飢饉及災害而造成的大批飢民移往北韓各地，爲北韓耕種到處荒蕪的田地。

三、中共目前已向東北、華北、華東各地工人喊出「發揮高度的國際主義的友情」的口號，開始征集大批工人，仍以「志願援朝」名義，驅赴北韓，爲北韓各地工廠做工。到目前止，東北已首先有一批約二萬五千人送往北韓；華北及華東各省正在征集中，諒不久亦將送往。照種種跡象看，中共此一征集工人爲北韓作工的「計劃」，不僅在東北、華北、華東各地繼續進行，且有擴及西北、西南、中南等各大「行政區」的趨勢。蓋北韓在三年韓戰中，工人被抽作丁兵，陣亡及因受慘烈之戰爭所累而罹於死亡者爲數殊衆，必待大量補充，方能逐漸整理工業，是以中共所需征集之工人人數，決非一次，或一地所能成功。

據一般論者意見，中共與北韓對本節所述三點措施之用意，殊堪重視：以爲在中共方面，除乘機解決人口過剩問題外；乃爲以亞洲共黨國際領導者的身份，進一步加強對北韓的控制。在北韓方面，除藉中共此種人力的援助以適應人荒的迫切需要，從而整頓工農生產，安定社會秩序，充實戰鬥力量外；乃爲藉此種人口的增加，以必要時利用足够的選票兼併南韓。

中共勒索民財 推動援韓運動

糧食等物資源源運出

其三，中共除在三年韓戰中已以「捐獻」的名義向人民强征大量金錢、物資（據最近人民日報不完全的統計：現款已逾一萬兩千多億僞幣，其他糧食達五萬噸，包括毛豬、毛毯、布疋、棉衣、膠鞋、毛巾及所謂「慰問袋」等物，均有十萬至五十萬個單位不等。）外；現復將以「援助」北韓「和平建設」爲名，再向民間大規模發動「捐獻」，企圖以大量糧食、日用品、工業零件及戰略物資等輸往北韓，予以「援助」。以緊急「救濟」百孔千瘡的北韓，並進而「援助」其迅速恢復足以從新發動侵略戰爭的經濟能力。

除前述三大部份中第一部份係軍事秘密，一時難以證實外，其第二、三兩大部份，目前在北平已可看到顯明之事實跡象。尤以移民、征集工人及發動「捐獻」等項，不僅已在大陸各地開始進行，且已首先在東北、華北各地大規模鼓勵「發揮高度的國際主義友情」的宣傳，一以實地如狼如虎的姿態，在逐步「大力」進行。

中共辦事處專辦壞事 共幹亂咬要無賴 浙西蔴農活不了

中共統制絡蔴，樣樣都講統制，幹部又多幼稚，能低不發，不講理，這就使到處民人遭了殃！最近北平人民日報了一個好例子：在「批判」中，又批露了浙西的杭縣、海寧等縣沿滬杭鐵路一帶是絡蔴的大產區，僞浙江公營蔴類聯營處曾設了一個辦事處在長安鎮收購，但對絡蔴的品質沒有檢驗的標準，往往以「不合規格」爲詞，不僅將農民前來出售的絡蔴任意拒收，且常常盛氣凌人，或一腳踢開，或潑上紅水。農民對此，一因拒收而無法變錢（因私商已消滅，該辦事處不收，便無處可售），一因被潑上紅水而成了廢物，於是當然大爲悲忿氣極，有的便一氣而將成捆絡蔴抛入河中，有的坐在絡蔴上不斷啼哭，更有抵死不肯離去的。這一來，便激怒了該辦事處的共幹，便向當地「公安局」遞了一個「農民要無賴」的公文，「公安局」派了大批「警察」，將之逐一拘押，驅逐的結果，據說僅海寧一縣就被任意拒收了達五千担之多，幾乎可佔全縣產量的一半。可憐！這些原來要靠絡蔴吃飯的農民，就大多餓了肚子，只好對着絡蔴全家「淌淚」！

那末這些被拒收的絡蔴究竟是否「不合規格」呢？人民日報承認說：「並不，因爲在已收進去的許多絡蔴中，第一次去賣時說連最低級的『等外二』也够不上，但換了一個人再去碰碰運氣，一時卻賣到了一等『一』的價格。」這很簡單，人民的生死都在共幹手中碰運氣！

克拉開談話坦率實際 推翻前傳中美默契說

△美國第七艦隊司令克拉克中將，於上星期三來港訪問，至今已一週，明日即乘其旗艦「紐澤西」號，離港返防。

克拉開將軍於訪港期間，曾舉行過一次記者招待會，答覆記者詢問。由於他的談話異乎尋常的實際坦率，使得招待會中的氣氛十分緊張。因爲他於答覆記者詢問時，不但推翻了十九日合衆社發自華盛頓電訊所報道美國官方聲稱，「美國對於自由中國政府軍隊自台灣發動大規模進攻大陸之任何計劃，均擁有在實際上等於否決之權力。中美已有協定，國軍於採取行動前，應通知美國」的說法；並且，他又坦率地道出了第七艦隊所負的任務。

克氏眞不愧爲海上英雄，坦白眞誠，他對所謂中美已有默契，國軍於行動時須得美方同意，如果國軍未經美國同意而進攻大陸時，第七艦隊是否將予阻攔的答覆說：「不，不，絕對不，我所受到艾森豪總統的訓令，就是叫我不要阻攔國軍反攻大陸」。將日前華府官方的傳說，自此一掃而空，這確是使人鼓舞，因爲由此可見美國並無限制國軍行動的意思。

不過，在克將軍整個的談話中，有一點是要我們提高警惕的。

克氏於答覆記者所提關於中共空軍如越過第七艦隊，空襲台灣，他將怎樣的答覆說：「這一自由中國是有空軍的，這是他們的事！」這一句坦白而直率的話，在招待會中曾引起了一陣騷動，幸而克氏又補充說：「台灣空軍足以應付中共空軍的進襲」，才使與會的記者們舒了一口氣。

因爲按照克拉開將軍表示，美國第七艦隊主要任務是阻止中共的海上進攻，保衛台灣領空是要中國空軍負起責任了！

我海軍加强執行禁運 各輪船公司大起恐慌

△自艾森豪總統解除國軍進攻大陸的限制後，尤其是自七月二十七日韓國休戰協定簽字以來，我國海軍當局即已加强封鎖大陸沿海任務，阻截載運戰略物資商輪前往共區。

自上月廿七日至本月二十四日止之時期中，我海軍巡邏艦隊，已先後扣留及阻止由本港開往共區之船隻七艘之多：「哈地將軍」及「瑪利爵」兩輪，經我海軍當局扣留沒收其所載資共物資後，已予釋放；另有「美上美」及「燕治華」現仍被扣留中；「乃治樂」號於被截折返本港；「易隆」「英基達」兩輪日前在福州廈門附近海上受到砲擊，情況不明，可能已被扣。由於此一連串的事實，已使本港船務公司大起恐慌，在短期將不再派船前往共區，以免爲我海軍所阻，自找損失。

日貨擴銷東南亞聲中　本港工商界亟應團結

△日本東南亞經濟訪問團來港訪問，雖已結束離港飛去曼谷，但它帶給此間工商界的一場是非，引起了工商界首腦互責不是，唇槍舌戰，至今不休。

這事情的起因，是由於以「在商言商」作爲座右銘的中華總商會會長高卓雄，在歡迎會上致詞，讚揚日貨「價廉物美」，「必受歡迎」一言而掀起了工業界人士的反感。認爲高氏漠視本港工業，以身爲總商會會長之地位，只替日貨吹噓，極易導致各界人士之誤解及錯覺，妨礙香港今後之經濟利益，故由廠商聯會出面發表談話，由會長岑載華、副會長徐季良兩氏，對高氏所說予以糾正。高氏則表示此只是交際上的「酬酢詞令」罷了。

單以這一件事來說，可說各有道理，但是「一言之失」，我們不想注意，當此日貨大舉傾銷東南亞，香港工商業領袖們是不是太不協調了。本港工商業正在尋找其經濟上的出路，如果不團結一致，日貨的傾銷使我們的海外經濟利益受損，這是要我們提高警覺的！

由文學革命到革命的文學

·陳望道·

新書評介

鄭學稼著　亞洲出版社出版　四十二年七月初版（全書一四九頁）定價每冊港幣一元五角

這是台灣大學教授，共黨問題專家鄭學稼先生，於「魯迅正傳」之後，又一檢討中共文藝思潮及其政策的最新權威著作。

追隨史太林的文藝政策

本書從五四運動起，敍述我國文學革命運動，及後來演變爲左翼文壇，以至共產黨利用左翼文壇，構成其文化戰線主力，吸收無數狂熱青年，以參加奪取政權，和出賣國家民族工作的經過事實。再分析毛澤東「文藝講話」的理論及其迫害文學家的行動，斷定中共的文藝政策是完全追隨蘇俄大獨裁者史太林尾巴的。他認爲五四時代的「文學革命」，經過左翼文壇之手，變成共產黨的文化戰線，逐漸成爲政治工具，到了毛澤東時代，中共的文藝政策便變成扼殺文學的政策了，本書命名即由此而來。

全書分十節，首論五四運動與文學革命，次論創造社，三至六節論郭沫若，張資平，郁達夫，茅盾及魯迅，七節論及政治文學，八節論大衆語與拉丁化，九節論革命文學的命運，十節結論。最後附錄論史太林文藝政策。

郭沫若等何以成新貴

本書作者，從近三十年來中國文藝思潮的演變，看出郭沫若，成仿吾，茅盾之流之所以成爲秧歌王朝的新貴，並不是偶然的，他們早已受了中共指揮操縱。魯迅之所以成爲普羅文學大師，便因爲「他是一個第三國際爲中國所起草之『革命政綱』的尾巴。」他又說，「文學革命是葬送於馴從的魯迅之手。」他說共產黨所提倡的「大衆語運動」，是否定文學革命傳統的訊號，正像在政治運動上，中共拋棄五四運動的歷史要求。在文學運動上中共也拋棄文學革命的傳統。赤裸裸地準備一個工作，爲外族充當第五縱隊。」

中共文藝政策的眞相

他分析了許多共黨作家的作品之後得到結論說：「五四運動的文學革命論，始於陳獨秀的文學革命論，終於毛澤東的文藝講話，如果前者是高揭文學革命的大旗，後者就是砍下它，因爲文藝講話是革文學的命的判決詞。」

全書的總結論是這樣的：「五四運動時陳獨秀的文學革命論之歷史目的是爭取民族解放與實現民權，到毛澤東的文藝講話出現，其歷史意義是史太林奴役中國，和毛澤東假人民民主之名的獨裁。」

有無新的文藝政策呢？

這一個歷史分析，自然是很公平正確的。不過讀了本書後，我想大家都不免會有一個疑問：便是領導國民革命的國民黨和國民政府，過去在這一方面到底有過甚麼政策？做過了些甚麼工作？爲甚麼會讓五四運動以後的文學革命運動走到毛澤東的革文學之命的絕路？更重要的，是在反共復國的今日，我們新的文藝政策又如何？現在自由中國的文化運動是否比過去有了新的生機？蓬勃得多了呢？本書著者在自序中說：「本書作者不是文學家，也不是文藝批評家，他企圖站在歷史研究者的立場……答覆熱愛祖國的青年們了解中華民族遭遇有史以來所無的大災難之一原因。」作者對本書的任務雖然這樣交代了。但也是我想熱愛祖國的青年，對於病理的解剖，還是不能醫是他們所望的。生理衛生的發展和提倡，應該是自由中國今日從事文藝工作的人士底絕大責任。

出版低潮

今年秋季，將爲本港出版界的低潮，許多反共文化機構，鑒於納買的過小，（有的書本港只能銷到百餘本，一個出版社全月收入只有數百元）將重新檢討修正。據所知道的，自×出版社下月起停止收購新稿，新世紀出版社也減少了新書數量，至於專刊大部頭著作的亞洲出版社，則以印刷速度過慢，許多新書難以問世。

自聯文訊

自聯文化服務社將出版一個「自聯通訊週刊」，創刊號九月一日出版，每期約萬字，其內容包括文化社團活動，各地通訊（自由中國、大陸及海外各地）出版消息，書報評介，主編者爲「鬥爭十八年」作者司馬璐。

反共新著

八月份本港有兩本關於研究俄共與中共的新書出版，一名「俄共卅年批判」，J．史丹伯編著，他的材料，係選用十多位對俄共有特殊研究的學者的論述，以分析蘇維埃國家制度自早期進至成熟的經過。另一本爲「我與紅軍」，敍述中國紅軍由井崗山落草乃至成長的過程甚詳。作者龔楚，曾經担任過初期紅軍的建立工作，其地位僅次於朱毛。兩書都有價值。（穆英）

美國人的衝動性

為方

凡是富於衝動性的人，其本質多屬誠實朗爽而少城府的，遇事沉不住氣，隨時不自覺地把自己的心事顯露出來，使別人如見其肺腑然。俄羅斯民族性的陰詐險狠，為世界冠，與美國人的性情完全相反。羅斯福雖有雄才大略之資，也鬥不過史大林，而在雅爾達會議中大上其當。戰後五六年來的冷戰局面，美國始終居於應戰地位，癥結就在這兒哩！

當韓戰僵持之際，美國既不敢擴大戰爭範圍，心裏渴望適可而止，乃隨時聲稱要使用原子彈和原子大砲，企圖屈服敵人，結果反被敵人看透弱點，擺着罔閣，最後竟搞出妥協屈辱的休戰協定來！最近馬倫科夫揚言蘇俄也有氫彈了，而美國參議院外委會主席威利即主張美國趕快與蘇俄談判裁軍問題，頗有驚惶失措，忐忑難安之象。俄國所爆炸的究竟是否氫彈，大可研究，即令真有其事，亦決非臨渴掘井的手段所能應付的。這樣老實無含蓄的態度，焉能跟共產黨搞外交，搞冷戰呢？

假使二次大戰後的英國，擁有美國那般財富與人力物力及科學技術等等，跟她代表自由世界對史大林從事各種鬥爭，縱然不斷倒蘇俄，至少也可以打個平手，我常常有此感想！

艾倫·杜爾斯主持下的
世界最大情報機構

·逸民·

艾倫·杜爾斯出長中央情報局

後，美國的整個情報機構立刻因而改觀，美國在內戰中雖有短時的情報活動，但在歷史上一直低估情報工作的重要性。美國的陸軍和海軍的情報機構，由於正規官員多不願担任這種工作，猶不足應付戰術性目的。一九二〇年，國務院支持了所謂「黑房」，在第一次大戰中，這是陸軍的反間諜單位。到一九二九年，史汀生任國務卿時，便將「黑房」的經費大為削減，他的理論是：「君子不偷閱別人的信」。

第二次大戰中，海外戰略情報局在杜諾文（現任駐泰大使）主持下，得到各方支持，成為主要的戰略情報機構，但由於軍方情報機構的忌妒，和本身的組成過於匆促，並沒有達成其重要任務。海外戰略情報局的成就，主要在於若干特殊的情報活動，並不能表現其為中央戰略情報機構的價值。不過，它也替政府造就了大批第一流情報人員。

搜集情報　三軍競爭

第二次大戰未結束前，這一批人和其他機構的官員，即極力主張成立一個永久性的戰略情報機構，他們所提出的最有力論據，乃是當時美政軍各方面的情報機構都各自為政，造成激烈競爭現象。例如海軍情報處所估計的情報，總是以符合海軍戰略理論者為主，因此在三軍間的爭論中，可以支持海軍當局的觀點。空軍也有同樣的一套情報紀錄，如果國務院和陸軍的情報不如這兩方面，在爭論中必會吃虧。美國沒有一個直接對總統負責的情報機構可以顯整個美國政府的觀點來分析各種情報。於是一九四七年中央情報局成立了，其主要目標，即在達成這一功能。它隸屬於國家安全委員會，等於直屬總統，它的任務是調和美國的一切情報機構活動，並編製全國性的情報統計，使它的情報報告可代表美國各情報機構（包括其本身在內）的最佳聯合判斷。政府當局便可藉它的報告來制訂政策，不致像從前那樣接到的是各種不同的報告，難以取捨作決。

組織複雜　人才衆多

中央情報局成立最初的三年中，仍受三軍個別活動和妒忌所阻，在其主要任務上並無重大成就。直到過去二三年才慢慢發展其作為中央評估機構的任務。中央情報局成立之初，即從事大規模的諜報活動，例如搜集情報，援助抵抗運動及破壞，它的諜報技巧與工具，除了傳統性者外，也增加了許多二十世紀的新發明，例如縮影膠片炸藥及可以藏在信封面上一個郵票下的纖細膠片等。中央情報局的諜報人員也分佈各地。不過在該局本身，却像一個精細的研究所，其官員的主要工具，包括各地的報紙，公開刊物，廣播紀錄，海外歸僑的談話以及廣泛充實的資料檔案。從這些材料中去搜集各種個別的事實，再把它們有系統地綜合分析，需要各色各樣的專門人才。因此在中央情報局中，除了間諜情報員之外，還有許多專家，包括律師，經濟學家，甚至考古學家。

北韓威脅　竟無所知

在北韓侵入南韓時，美國政府事前並無所知，曾使中央情報局遭受嚴重攻擊。國會曾邀請當時該局局長希倫柯特出席作證，雖然希氏的證詞使多數議員認為不能完全歸咎中央情報局，但該局未曾搜集一切有關北韓威脅的情報，而提出一個有系統的報告，卻是[illegible]察有沒有共黨進攻任何地方的跡象；第二，成立一個全國估計局，在第一個月中，它所提出的聯合情報的總額，即超過了過去三年的總額；三，中央情報局對各情報機構發出命令，指導它們分別搜集那些情報，隨時特別注意那些報告。成立以來，在中央情報局工作，這還是第一次。

自艾倫接任局長以後，他更注意於加強該局的效能，他自己每日八時即到局辦公，直到深夜十一時。他每週向國家安全委會報告一次），他雖然核閱許多文件，且參加許多會議，但仍能抽出時間來接見數十名訪客，這些訪客，從大使到秘密間諜都有。他的會客，為了避免訪客們相互碰面，和保守對方的秘密起見，總是分別安排在附近的不少辦事室中，他和他們會談時常從一個房間轉到另一個，經常川流不息地忙碌。祗有在週末，他才有時間回到長島海濱家裏，和太太及二個已出嫁的女兒，一個兒子一起共作週末休憩。（下）

雜談陳散原（二）

·懷冰·

安福系要人王揖唐，於抗戰前某年夏，到匡廬山，主政者將有所諮詢，王本意實為手腕而來。那時段芝泉方由天津南下不久，談話甚人頗為中國所注意。王揖唐流，儘換風雅，在匡廬山為一時活躍人物，詩酒應酬，無日或已，作品甚可登匡廬週報采風錄，中有人說那時的采風錄，可作政治文獻讀，不為無因。

散原深孺狷善為人，時散原避暑至匡廬，不免被拉赴會，散原乘來性情端厚，不欲直斥人。有一回，與會的人偶談及匡廬山石實是天下奇觀，散原微地感慨說「當然囉！匡廬山任何一塊石頭都高出新貴人的頭。這不是新貴人變石頭，新貴人的頭低下來，廬山的石頭並不低下來的」。同席的人都鬨堂大笑。揖唐時在座，慚愧到無地自容。

散原學力精醇，人格尤莊嚴無狎，論者都[illegible]

[illegible]

懷冰隨筆

希特勒的情婦

承安

姐等到翌晨三點，中午得到現款二百五十鎊和一大車鮮花，還有更多的禮品，她又乘飛機回到法國康斯舞場。她切切絮絮地說，「他說我非常之歡（按此字係用德文）說我的身體和腿部動作非常之好。他真好，我非常歡喜他。」

希特勒的姊姊鮑柏爾夫人（同父異母）所生的女兒吉利小姐，一九二一年當希特勒在慕尼黑初建國社黨基礎時，她很有顛倒希特勒的魔力，不過舅甥之親無論怎樣不能成為配偶，後來變成悲劇：吉利終於自殺，希氏以後數年間埋頭政治工作，藉以排遣悲傷。

第二位是美麗影星李芬絲泰爾，後來成為德國第一顆紅星。不管郭培爾怎樣反對，她終於取得希氏允許，拍了一張片子叫做「柏林奧林匹克」，後來當她被人證明不是純粹『亞利安人種』時，才由紅變黑，希氏只認她作「精神之交」。

希氏和勃勞恩的關係同樣沒有結果！她是巴伐利亞一個攝影師很漂亮的美女，被委為希氏私人攝影師霍夫曼的助手，曾有一時出入於貝許特斯加登鎖攝取各物和內部陳設。據說她是希氏保鏢者布魯的密友，但布氏後來另娶一個女人。在這一段時期中，希特勒始終沒有找到一個稱心的情婦。（下）

天下事

駐伊俄使乘機勒索

伊朗國王巴勒維最近被迫匆匆出奔，甚至沒有時間攜帶私人行李，但不幾天，御林軍起而勤王，推倒伊總理穆沙狄克，他又凱旋回到國內，這兩件事來得異常突兀，實在充滿了戲劇化的情味。據內幕消息說，這件事的起因是伊朗王和他的御林軍高級幹部却早已探悉穆沙狄克有聯絡俄國人傾覆王室，而自居伊朗獨裁者的陰謀，因此先發制人，一方面先祕密任命柴赫第少將為新總理，一方面即以抗命為名擬將穆沙狄克逮捕。不料事機不密，預前走了風聲，伊王本人又險些成了俘虜。就在伊王出亡後的那兩天，穆沙狄克和俄駐伊大使拉夫倫第夫的接觸也愈加頻繁起來，前者要求俄蘇歸還二次大戰時所劫奪的十一噸伊朗黃金和八百萬美金，以安定經濟局面，從而鞏固他本人的統治地位。但後者却乘此動亂的時候，藉機勒索敲搾，他首先要求予杜德黨（共產黨）以合法的地位，穆沙狄克連忙點頭，隨後又要求讓杜德黨在伊朗政治中居于領導的角色，也經穆氏答應，後來更要挾由蘇俄派遣軍事顧問「協助」伊朗軍警部隊，指派俄國技術人員控制石油及漁業，也獲穆沙狄克件件認可。幸好伊軍民及時起義，不然上述les國密約一定，伊朗就要墮入赤色魔掌了。

那奎勃將有驚人行動

埃及總統兼總理那奎勃將軍到麥加朝聖去了，他準備從聖地回來後，採取一連串驚人的行動。據說，他正打算建議於短期內和邱吉爾首相在地中海的羅德斯島會晤，親自解決英埃間關于蘇彝士運河的糾紛。他還準備提議以開羅作為四巨頭會議的地點。

目前，還有一件事影響着英埃關係的，那便是運河區英軍每月要遺失十五至二十輛（自小巧的吉普以至五噸重的卡車）軍車，而其中大多數又經轉賣給埃及軍當局。有時候，一輛英軍車赫然陳置在埃軍營中，上面的標誌還不曾完全刷去。

奇洛心開不者記國合聯

在聯合國採訪新聞的記者都不大高興美國駐聯合國首席代表洛奇，認為他對付記者處理新聞的手法頗多不高明之處，他們認為英法甚至印度出席聯合國的代表，都能坦白而爽直地說明一件新聞的來源去脈和背景，唯獨洛奇常不肯信任記者，供給比較機密的材料。不過，對於這件事，實在也不用大驚小怪，戰後幾年來，聯合國不能主持正義，威望早已喪失。據美國某私人雜誌所舉辦的民意測驗透露說，讀者中需要閱讀聯合國新聞的僅佔百分之零點三（即千分之三），而有關蘇俄國新聞與趣的却佔百分之七十五。所以儘管洛奇「封鎖」聯合國的新聞，對一般人來說，恐怕已沒有多大關係了哩。（孟衡）

憶古蹟懷南京

——大報恩寺與琉璃寶塔——

·鐵頭·

南京為六朝故都，古蹟自不可勝數，但多殘缺零落，破敗荒涼，使瀏覽者從發思古之幽情，增悵惘之感緒。殊未能如羅馬等古城，足以吸引遊客，發生觀往功用。國府建都後，雖力革修建，詎以民力未舒，時代異趣，名勝風景，自難恢復舊觀。百年前，規模尚大有可觀，毀敗之烈，實在洪楊一役。當時明代故宮全部毀為阡陌，僅餘東西華門及午門三座城垛，其他均蕩然無存。聚寶門外大報恩寺與琉璃寶塔之被毀，尤足痛心。此一耗盡無量民力財力之偉大建築，在中古時期，稱為世界七大奇觀之一，與羅馬大劇場，亞歷山大墓窟，埃及金字塔，批沙斜塔等齊名之寺院，竟於兵荒馬亂中夷為平地，後之來者，乃至無從憑弔其遺蹟。『城南舊域化人居，古蹟金陵莫此如，』此是清乾隆帝初下江南，遊金陵大報恩寺，第一首詩的頭兩句，余蠡在南京，便中訪問，又叅閱各種有關文籍，乃知此寺未毀時，幾佔南門城外直到雨花台之間的大部地面，東至俞通海公神道，南達大米行郭府園，西抵來賓橋，北接大河下，周圍九里零十三步，範閎之廣，規模之宏，除皇帝大內外，所有梵剎，均無可倫比。

此寺歷史悠久，江南實首屈一指，據金陵梵刹志所載：一千七百年前，三國時代，建業為吳大帝新都，康居國僧領徒來居城南長干里，能致佛舍利，孫權神其事，『為置建初寺，及阿育王塔，實江南塔寺之始』。原來命名「建初」的意思就是在此。後迭經興廢，晉名長干寺，宋改為天禧寺，祥符中，建聖感塔，元末，燬於兵，明洪武時重建，永樂初，全寺忽大火，『有司入奏，上命兵馬營人逐衞於外，命勿救火，寺既燼，命盡取灰，投之於江，即其址剏建大刹，立塔九重，賜名大報恩寺，雄峙中海內焉』。（祝允明野記載）（一）

不顧災荒強收夏征 共黨承認逼死農民

西南飢荒最嚴重逼死者尤多 兩廣民性強悍時有反抗行動

【本報訊】綜合最近大陸各地中共報紙在批評檢討中所絡續透露的消息：目前大陸極大部份地區因小麥及旱稻業已紛紛收割，故中共已按例在各地大規模強行展開「農業稅」的「夏季征借」工作；但一因各地收成普遍荒歉，二因各地農民貧困，飢荒過甚，三因中共各地從事「夏征」之幹部強征逼收過於酷烈，動輒拘捕押繳，拷打鬥爭，乃至抄家沒收，致使各地甚多農民在忍無可忍或無法生活之下，紛紛自殺！關於各地被逼自殺的農民人數，中共自不會在報端公開統計，但以北平「人民日報」在「部份地區夏征產生偏向」一文中所承認之「在夏征偏向下被逼自殺的農民，各地時有所聞」一語加以推斷，即各地被逼死的農民，必驚人衆多，尤以西南區方面，被逼自殺之農民，尤爲衆多。據重慶「新華日報」的透露：蓋因西南區飢荒特別嚴重，飢民曾有八百萬左右，原大多指望小麥的收成以苟延一時，詎甫告收割，即遭共幹在盲目的平均攤派之下強行刼去，乃紛紛在絕望與痛恨之下以自殺了之。

農民不堪迫害集體發動抗暴

共報揭露各地荒收

據四川萬縣局部消息，僅該縣一縣被逼自殺的農民，即已達兩千人以上。另一方面，在廣東廣西各地，因民性強悍，除有甚多農民被逼死外，曾有甚多農民被逼激起集體反抗行動，於擊斃夏征共幹之後，四散逃奔，亡命他鄉者有之，參加游擊者有之，被捕受害者亦有之，情形至爲壯烈。

關於前述各地收成荒歉的情形，據北平「人民」及重慶「新華」等報的披露：小麥方面：長江以北各省平均僅得三成。最少的是山西，綏遠等省，因遭受嚴霜及乾旱的打擊，凍死及枯死甚多，致平均僅收得一成半左右。長江以南的中部及東部各省受災較輕，收成稍佳，平均亦僅收四成左右；其中號稱「豐收」的蘇南、皖南等地，最多亦僅收六成左右。至於西南的四川、西康、雲南、貴州各省，因災害逼速，平均只收得兩成左右而已。旱稻方面：廣東一帶因今春水災嚴重，冲毀秧稻甚多；結穗時，又適逢大旱，稻禾枯死不少，致旱稻收成僅只四成左右。湖南一帶，亦曾遭大水損害，收成僅五成左右。閩浙一帶，無甚災害，收成較佳，但由於農民貧困，施肥不足，情緒不安，用力不勤，致亦僅收六成至七成之間，情形至爲懸劣。

關於前述各地飢荒情形，最嚴重是西南區各省，僅據新華日報最後披露的飢民人數，即已達八百萬之譜，實際上當不止此數，至於其他一般農民，雖未被視作「斷糧」，卻都已在糠、麩、苞谷等雜糧中苟延掙扎。其次是蘇北、皖北等地，據上海解放日報片段的披露，斷糧的人民，終有三成左右；雖已有大批飢民被迫移住西北，但基本上，飢荒情形，仍嚴重存在。再次是廣東、湖南、湖北、山西、山東、河北、河南等省，據「人民日報」屢次不明顯的透露，可斷定上列各省的飢民人數，當有一成至三成不等。年來大陸各地，特別是農村，因中共長期苛征，再經持續之斷亂，本已貧困不堪，再經去今春的災禍連連，殊已使民間的飢荒程度，爲之空前普遍而嚴重。

中共對港三陰惡姿態 糧食問題並不足重視

△香港今後前途如何？不但與香港人切身有關，亦爲廣大自由世界人士所關懷。最近華盛頓消息傳來，美國專欄作家艾倫稱：美國務院曾自倫敦「非官方」人士處接獲報告，謂中共政權曾對香港表示三種險惡的姿態：中共諜報人員，最近對香港增加活動；中共人員聲言，將以海空軍封鎖禁止來自香港的船運；及斷絕大陸至香港的糧食供應。艾倫又稱：英國目前仍不能確定共方現在的意向如何，即其措施究係代表冷戰的壓力，抑爲其久欲攫取香港的序幕。

中共對香港所表示的三種姿態，前兩者尚祇具體事實可資證明，尚不能引起港九居民的注意，而對後者大陸的糧食供應，還與二百萬人民食飲關，並且從中共目前所實行的手段：初步操縱生豬及蔬菜出口，不斷提高價格，間接運變大斷絕生豬出口，就這種情形來說，現是頗堪令人注意的。

不過，香港人的糧食，早已不單靠大陸供應，中共即使從此不再輸出，亦不足使人重視，目前糧荒，由於糧商已向當局請求另闢來源以謀解決後，日內即可解除。中共此種卑劣手段，愈益顯出其心勞日拙罷了。

撇開上述三事不談，假定中共萬一以武力進攻香港的話，從英國政府幾年來一直派軍駐紮邊界，具有相當防衛力量，足以阻遏中共冒險行動，何況美國第七艦隊司令克拉克將軍的訪問香港，與及渠於離港前夕答本港記者詢問：假若香港遭受攻擊，美國是否積極援助英國的答覆說：「必須等候美國政府和聯合參謀會議的主席雷德福將軍的命令而行；假若遇有緊急情形，幾小時之內即可以開始行動。」的表示，可見香港更不是孤立無援，中共是無法得逞的。

香港三日

民主與極權壁壘分明 商界人士還在做迷夢

△在「極權」與「民主」兩大集團壁壘分明的今天，香港的工商界應該站在何種立場，[illegible]所吞噬，已是非常淺明的事，可是目前本港商業界的[illegible]曖昧或向共黨討好的態度，實是令人痛心歎息的事！

△據說在早幾天，代表本港工商業界最大團體——中華總商會的會董委員會，討論參加十月一日中共「國慶」大會問題，出席會董委員十七人，其中一人是主席，結果投了八票贊成，八票反對，其中一人放棄，就此決定是八比八，[illegible]的事情兩方，但是還將再來一次投票，假如「中」[illegible]主席是否會[illegible]決權，中共的主席在該[illegible]出在「贊成」與反對[illegible]投票表決的。

書法家寫標語 造成文字獄

一字之差苦役一年

【梧州通訊】大陸鐵幕裏，寫減筆字似乎是一種時髦風氣。因此一般青年男女對它特別感覺興趣，除了學習腰鼓舞之外，次要的課題要算簡體字了。中共的文書法特別，們懂得什麼意思，祗選個人意思，像「產」字書一通，像「生」字去「生」，變成奇怪的結構，諸如此類粗製的濫造，你有你的簡筆，我有我的減筆，紛紜錯雜，莫衷一是。

「衛國」變成「衛囚」

當個體字橫行天下的時候，曾發生過一宗文字獄，說來有趣。民四十年十月一日，——中共所謂「國慶日」，廣西蒼梧縣的中共黨政機關，發動擴大慶祝「國慶」，分區組織宣傳隊下鄉宣傳。有趙志榮者，爲蒼梧八塘鄉人，畢業南寧高中學，後即在鄉間過粉筆生涯。校長、教師的職務已歷有年所。大陸陷共後，因與共幹有關係，得保留八塘鄉小學教師的位置。這回恭逢盛典，不用說要拚命表演一番，恰，那[illegible]

[illegible]「抗美援朝，保家衛國」[illegible]「中華人民共和國萬歲」[illegible]「囚萬歲」[illegible]八塘、九塘[illegible]公路沿[illegible]些標語。[illegible]

莫名其妙 妄關一年

[illegible]

[illegible]已寫好的「國」[illegible]「什麼」字？[illegible]「國」[illegible]兩個字可以[illegible]「法官」[illegible]標語[illegible]有意侮[illegible]天呀！原來如此！老趙把眼角一[illegible]哭起來了[illegible]

印度獨立與中印關係

·書評·

著者：吳俊才
出版：中印學會
版次：民國卅九年初版

·羅自芳·

這是一本厚達四百餘頁的巨著，出版雖已有相當時日，但時至今日，仍不失爲研究印度問題的重要著述。尤其現在尼赫魯之流的印度政治人物，妄圖周旋於共產與民主兩大集團之間，以造成世界第三勢力。我們對於近代的印度情形，是亟應加以研究的。這本書便是使我們增進認識近代印度，以至探討東南亞問題的重要參考書籍。

印度人未曾了解中國

羅家倫先生在本書序文中說：「印度是中國南面最重要的鄰邦，中國和印度又同是世界上人口最多的國家，中印文化的關係，因爲佛教的媒介，成立又最久遠，近代印度的獨立，中國國民政府和民衆，曾經真心誠意的予以贊助。中印間應當早有互相真正的認識和了解，可是事實並不如此。已往印度到中國來的宗教家，也就是傳教士，祗是狂熱的將他們的佛教傳授給中國人，而從沒有一生過印度的法顯，玄奘、義淨，把中國任何學問帶回到印度去。也不曾有過——最少我不曾見過和聽過——任何的著作，像「大唐西域記」一類的書，足以增進印度人對於中國文化道德的了解。所以印度人不會認識中國」。他又說：「中國人卻是從漢唐以來，極力研究佛教教義和思想，於是造成了一種「一面倒」的宗教文化心理，以爲印度是佛國，是西天，是極樂世界，印度人不是阿彌陀佛，至少也是善男子，善女人，這一種心理瀰漫到政治社會方面，以爲與印度朋友相處，只要合十和南，一聲南無阿彌陀佛，則萬事妙吉祥般的了結。可是自從玄奘離開印度以後，印度早已不是佛國了。現在印度的佛教徒，據統計不過廿四萬多人。大家應當知道中國人所自以爲認識的印度，乃是玄奘時代的印度的一部份，至於近代尤其是現代的印度，國內一般人可以說是毫無認識」。

六十年來獨立運動經過

此書從一八八五年休謨爵士發起組織國大黨，集合了印度有志之士，領導印度民族邁向獨立自由的大道寫起，敘述六十餘年來印度境內爭取獨立的革命運動之經過，眉清目楚地作有條理的分析。其間對於統治者的種種分化阻撓手段，各個時期革命運動領導人物的奮鬥精神，都有很詳盡的描述。而對於印回分治爭執的背景及其經過，尤有極深刻的分析，使讀者能對今日印巴的不斷衝突，以及喀什米爾問題之嚴重，獲得一清楚的認識。（上）

出版消息

政論家許子由，馬天驥先生著之「反共十字軍」——聯合國在韓遏阻侵略實錄——由國際編譯社印行，業已出版，內容有：帝俄發動侵略南韓之原命令，共產黨在聯軍戰俘營之組織，三年來戰況，聯合國在韓的警察行動和救濟復興工作，歷次談判全文，殿以韓戰對世局的影響，凡十五萬言，插圖百五十幀，爲三年韓戰之總紀錄。定價港幣三元。由香港亞洲出版社及九龍平安書店總經售，各大書局報攤均有代售。

介紹「血腥四邑」

·錢家菊·

本書是亞洲出版社出版最新的關于中共之報導，特別注意中共在兩廣活動的報導。

作者黃覺，當抗戰勝利時，還在廣東大學商學院求學，不久即祕密參加中共，被派往四邑共區參加鬥爭工作，担任武工隊員、文化教育、小鬼隊長，並潛回廣州以民社黨的身份掩護做中共地下工作。廣州「解放」後，作者復以在黨內表現積極，隨同共軍開往廣西做接收大員，又先後担任過中共「梧州市稅務局」的軍事聯絡員、督導；梧州「稅務局長」，「財經委員會」，「特貨外銷管制委員會」，「治安委員會」，「抗美援朝捐款運動委員會」等機構的委員等職，所以作者對于中共在「解放」後的行政生活，由于親身的體驗，理解得尤爲深刻。而中共之所謂「特貨外銷管制委員會」者，乃一公開販賣毒品機構。

作者自稱是「雙手血腥」，而正因爲這「雙手血腥」，作者曾經被中共當局表揚爲「稅收英雄」，「人民功臣」。

本書計分五章，其第一章爲作者參加中共之經過，第二章爲作者進入中共之四邑支隊，打游擊，組織小鬼隊，四邑農村中公審、鬥爭、活埋僞鄉人民的情形，第三章爲作者在「解放」前廣州之隱蔽進下的鬥爭，第四章「解放」後之昏天黑地的廣西的綜合報導，第五章寫出作者經過思想鬥爭，進入黨獄到逃亡的經過。

南洋午報

香港又將有一張新報紙了，「南洋午報」已準備最近出版，實際上香港的晚報多報係午報性質，在中午十二時前後出版，該報是直接了當以午報的面目出現。聞該報資金頗雄厚，在港的物色人才已大致就緒，該報的發行將對南洋各埠特別注意推介。

六十年代

香港六十年代出版社的業務由於上下若幹，現已逐步推展。該社除出版「六十年代」外，並先後發行「生活畫報」「西風」「世界文摘」「偵探世界」，「讀者新聞」等雜誌，還成立「海外書報發行公司」統一發行，該社的同人都很努力，自社長朱伯奇以下，大家都在睡地板。

獨立出版

香港最近又將有一新出版社出現，名爲「獨立出版社」，計劃中第一期出書有十種之多，第一本爲羅素的「布爾雪維克主義的理論與實際」譯本，原書爲羅素於一九二〇年出版，在一九四九後却再版，三版，四版暢銷世界，可見羅素當時對共黨之見解早具灼見。

一明一暗

一方面自由文化正欣欣向榮，另一方面，中共的出版正一天天陰暗，據大陸來人的可靠消息，以「民營」姿態苟延殘喘的天津「大公報」，連日正遭受紅色正統官僚的圍剿，中共對「大公報」這塊牌子利用的時機已過，已有些厭倦，相信不久該報就可能被迫收編了。

死要跟進的「二仔底」！

為方

在聯大特別會議中，英美兩國爲着印度參加韓戰後的政治會議問題，鬧得烏烟瘴氣，醜態畢露。

英國一面聲言必不因印度參加與否而使英美間的盟邦關係有所損害，這是明情達理的漂亮話。但一方面又指摘美國之反對印度出席，是受了李承晚的煽動。問美國究竟是以聽信南韓的意見，而寧失多數盟邦與中立國的同情合作爲得計呢？抑是以顧全現實，讓亞洲多數國家參預其事，共謀和平爲上策？這些話當然也不能說是完全無理由。問題是：印度參加了，是否即可以得到和平統一韓國的協議？亞洲的國家很多，若論與韓戰的直接間接關係，如日本和自由中國，即比印度不知深切到若干倍，而南韓更具有切身利害，尤非印度所可妄擬。何以這些國家的意見就不值得尊重，而阿三仁兄的地位即那末重要呢？它那「亞洲領袖」是別人「欽賜」的，亞洲人只覺得認之不似，大惑肉麻哩！

最無聊還是印度本身，眼見聯大爲着它的出席問題弄得尷尬不堪，猶不知自尊自愛，表示退讓，竟聲明決不自動撤回其「候選」要求。這眞像在「梭哈」場上打濫戰的竊漢，拿着一副「二仔底」，拚死拚活地硬要跟進，連累了別人，也損害着自己，何若來哉？這樣的「亞洲領袖」，好不羞煞人也！縱使其出席政治會議，還不是一對小二，結果被別人全部梭哈麼？

鐵幕小故事·個·別·談·話

沈著

時間是在五個月前的某天的午前，大自然一片春光明媚；但在四川涪陵縣金錢鄉中心小學的女教員宿舍里，空氣顯得非常陰沉、悲哀！

兩個年青的女教員——張佩芳和楊芝珍——正在蒙頭飲泣，她倆週圍，站着四個女同事，有的在低頭欷歔；有的在苦害勸慰。她們是同病相憐，每個人的心中，都埋藏着大同小異的羞忿和悲哀！

張佩芳和楊芝珍哭得這樣傷心，是因爲她倆在前幾天在「個別談話」中被「鄉長」劉伯海強行姦辱後，身心的創痛，正如煎如絞；而今天縣「人民政府」的「文教科科長」江洋又來了電話要她倆在晚上十點鐘到他那兒去「個別談話」了。

在鐵幕中，「個別談話」這四個字，幾乎早已成爲上級男共幹對下級女共幹或一般有管轄權的男共幹，對女教員們使用威權加以逼姦或強姦的專用名詞了。

「天不怕，地不怕，只怕上級幹部找個別談話！」尤其在一班女教員之中，已流傳着這樣一句話。

然而張佩芳和楊芝珍還是剛從成都失業登記中，被選派到涪陵金錢鄉中心小學，來教一、二年級的。起初，她們根本不懂這句話的眞正道理，所以前幾天的晚上便隨便地跟着「鄉長」派來的兩個民兵，到了「鄉長」的辦公室兼寢室里，終於被粗大如牛的鄉長欺辱了一夜！親身體驗了這句流行語的道理之後，現在她倆才痛苦地完全明白了。

可是明白了又有什麼用？科長又來了電話！

「總是我們生來命苦，受人家欺侮！這地方，這年頭，那個女人都保不了清白，我們是過來人，知道沒辦法，你們就想開一點吧！」一個女同事很「世故」地在勸着。

「唉！去就去吧，碰碰運氣，也許不一定要你們……就是他一定要……只得馬虎點吧！」又一個女同事勸導她倆。

然而越勸，她倆就哭得越傷心！她倆都在想着前晚那恐怖的可恥的一幕。

她倆都想「碰碰運氣」，也許不一定要……。可是，前晚，當她倆在被「鄉長」開始侮弄而問他：「你是叫我們來個別談話的呀？」他就明明白白開門見山地說：「傻瓜！談什麼話？還不是爲了喜歡你們！」

是的，她倆想，這是一定沒有運氣好碰的！她們越想越羞、越恨、越怕了！因而，她們還是一味的哭。不敢去，卻又不敢不去。在哭泣中，她們像待決的死囚。

可是，當時鐘剛一敲過十點鐘，江「科長」便聲勢洶洶地來電話查問了。他一聽到說她倆還沒有動身，他就命令接電話的校長說：「誰要是不來，誰就思想和出身都有問題，你也有責任！」話剛說完，電話便粗暴的一聲擱斷了。

這下子校長急了，便「動員」了其他女教員一同包圍着她倆大做其說服工作。他先對她倆說「個別談話不一定就會……曖……就會有麻煩。」然後再吞吞吐吐地對她倆說：「假使眞的……眞的有麻煩，你們也應該……應該開通一點才好！」

她倆還是不斷地哭，可是她倆終於被校長逼着連夜給送進縣城去了。

到了「科長」那兒，她倆已哭得像雨後梨花，一片憔悴！呆呆地站在「科長」面前，開始第二次蹂躪的擺佈！她倆唯一的希望是能僥倖逃過厄運的欺弄和姦辱，否則，她們簡直不敢想下去！

可是她倆的惡運是早已決定了的：「科長」正在捧杯豪飲，預先壯壯色胆，一看到她倆，便隨手揮退了送她倆來的校長。立即砰地關上了房門。他竟比「鄉長」還要性急、粗魯。一關上門，他就用左右手分別攔摟住她倆：

……………

然而不待考慮，以死相拚的念頭立即浮上了張佩芳的心頭，她乘勢一側身，陡地竄出他的掌握，房內有兩扇窗門還開着，她就拚命一躍，猛力的跳出窗外，窗外是一條河，她就下落河裏去了。科長追過去，也不及拖住她，這邊楊芝珍，乘此時刻，跳起身來，也向另一個窗口跳了出去。

詞—選

懷冰

臨江仙

欲覓芳菲春晼晚。西園空憶游蹤。眼前歡笑幾人同。廉纖雨過。悵惘杏花風。　酒入愁腸滋別淚。可憐天滄山重。不堪零落聽疏鐘。蓬萊淸淺。何處更相逢。

鷓鴣天

孰解陽春白雪音。報君青玉意沉吟。莫將陽柳枝枝葉。望斷山河寸寸金。　書秀逸。筆鈎沉。乍看惹想攪予心。扁舟似欲將愁去。恰比桃潭水樣深。

踏莎行　前夕

雪藕調冰。甘瓜浮水。瀟筵坐對湖山美。鸞刀犀筋兩紛綸。最難抵受辛勤意。　月上流雲。露餘成綺。抽毫欲寫心中事。前宵不飲負花枝。興教酩酊花前醉。

前調　題芳園雅集圖

空谷幽蘭。東牆桃李。輕描淡寫都成趣。良辰美景奈何天。披圖省識前遊地。　滄海曾經。危闌莫倚。閒愁最苦重撩起。強持酒淚寄芳樽。春風詞筆深深意。

孔門南遷記

秋柳

孔子的故居是在山東省曲阜縣，這是盡人皆知的；他老夫子的家廟也在曲阜。可是天下事無獨有偶，浙江的衢縣也有一所家廟，而且也有文廟奉祀官，據說那裏是孔子南宗的世家，抗戰勝利後，筆者到衢州去瞻仰過這座家廟，門前有一塊碑，是康熙時兩江總督李子方寫的，內有這樣的幾句話：

「自唐開元後郡邑皆立孔廟，有司歲時奉祀至今不廢，而爲孔子之家廟者，遍行天下惟曲阜與衢州耳。」

溯自大宋建炎年間，孔子四十八代孫封衍聖公端友（即孔氏南宗之祖）從高宗南渡，有背楷木的聖像，逃難到衢州，因賜居於此，這是南宗的木本水源。楷木像是否用端木子貢手植的楷木來刻的，可惜未能考證。但確是古物，爲聖人之遺，這一點是沒有疑問的。

南宗的家廟中，大殿題名爲「思魯閣」，大概是表示君子不忘本吧，閣中供奉的就是那個由北而南的孔子像。外面又有吳道子畫聖像碑，眞是「鬚眉面目，躍然如生」。這幅畫像也早已摹印而遍行天下了，不過，我曾經發現他和思魯閣上面木刻的聖像，樣子不大相同，主要的區別：吳道子的畫像中孔子是有眉毛及鬍子的，木刻的孔子是沒有鬍子的。據學者考證，孔叢子曰：「子思告齊君，先君生無鬚眉，天下侯王，不以損其敬。」古代的上流社會大約是非常重視鬍子和眉毛之類的，孔子沒有鬍子和眉毛，在威儀方面原有些問題，然而「侯王不以損其敬」，子思不爲尊者諱，則又是非常特殊的榮幸了。但是吳道子的畫像中爲什麼又長出鬍子與眉毛來呢，這是一個很有趣味值得歷史學者研究的問題。

說起南宗的聲份來，卻又比曲阜高得多：衢縣的那位奉祀官叫孔繁豪，是繁字輩的，較之曲阜的衍聖公孔德成的德字輩高得多了。他們在衢縣的子孫蕃衍，擁有很多的産業，在承平時代的生活當然是優哉悠哉了；不過近年戰亂不已，他們又不知道向何處流亡！遙望衢縣的孔氏家廟，綠陰滿庭，藤花委地，那些歷史性的文物也已摧毀將盡，令人有「大劫飛灰，人間何世」之歎！

法記者眼中的美國生活方式

自馬倫科夫發動和平攻勢後，西歐情緒普遍趨於鬆弛，反美氣氛隨之漸見濃厚，這種現象之所以產生，許多負責人士卻認爲一部份理由是在於一般人民對美國認識不夠，法國的「現實」月刊爲了挽救這種情況，最近派了一位記者赴美遊歷，將所見所聞向西歐人民作一個中立性的有系統報導。

這位記者戈塞帶着他太太，以二月時間遊歷了美國二十七州，他所描寫的報導，大出西歐讀者意料之外，文內所指出的許多所謂美國生活方式，在他們是聞所未聞，這些報導，在西歐人民間獲得良好反響，對於促進美國與西歐的關係，實有極大作用。

他們說，美國農民的生活，遠比歐洲水準爲高，他們曾目擊一普通農民在工作之餘打高爾夫消遣，還有好幾個農民自動擁有小飛機，在法國這種情形可說絕無僅有；他們又訪問一個鋼廠的工頭，他全家十口，有一輛汽車，一架電視機，房子是以分期付款買來的，而在法國，這樣的工人，却非靠政府的社會救濟不可。在外國人心目中，常感到美國男女大學生如何浪漫，但像這位記者親身訪問的結果，發現美國大學的校規都很嚴，學生嚴禁飲酒，祇許偶爾飲一小杯啤酒。至於外傳人慾橫流的好萊塢，實際上祇是一個繁華的都市，并不比其他國家的都市更爲色情。他們當然也看到美國的一些缺點，但他們表示，一般說來，美國是一個生氣蓬勃的國家，並不像片面報導中所描述的那麼淺薄幼稚或充滿罪惡和混亂。（白）

貝利亞生死之謎

俄國特務頭子貝利亞被克里姆林宮下令整肅後，到現在有命沒命，外間謠諑紛紜，莫衷一是。美國務卿杜勒斯日前暗示貝利亞可能已被處決，一般人相信這是美駐俄大使波倫供給的情報，因而老貝已不在人世之說愈囂塵上。殊不料美國另有一派專家，他們卻堅持貝利亞仍在生囚獄中，不久即將提付公審。他們之敢作此種揣測，純因根據俄國塔斯社最近一項報導，而這件消息的重大意義，卻被一般人所忽略了。原來前不久塔斯社竟鄭重發佈一條新聞說：俄共已下令褫奪貝利亞的「所有勳章及官階」。那幾位持異議的美國專家就認爲，憑此即足以斷定貝利亞尙在人世，他們所根據的理由是，在第二次大戰結束時，貝利亞已因功晉升元帥，並獲有無數勳獎，因爲他是元帥身份，依照軍法，必須由軍事法庭秘密審訊，如今他的元帥官階和勳章既遭剝除，今後已可能軍庭公審。他們認爲這條消息就是貝利亞將被公審的預兆，如果他已遭處決，塔斯社再發這條新聞，就未免多餘了。

和平攻勢害了西歐

美國與西班牙關於租借海空軍基地的談判已經進行很久，但迄今仍沒有完成的眉目，許多人都爲此不大開心，責難當初主張此項談判的人也時有所聞。不料俄國發動和平攻勢以後，西歐局勢起了相當的變化，北大西洋公約的防務計劃也因此陷於停頓狀態。於是那些原先計劃與西談判的決策人士不禁暗暗慶幸，認爲他們的眼光終有得直的一日。他們認爲法國與義大利政府的脆弱正迫使美國設計者大半要倚賴英、希、土、西和北非的基地，儘管美西間的談判進展不快，但在目前的情勢之下，這一項談判確是十分值得的。預料華府也將會警告某些國家，除非他們對抵抗俄國的決心，提出更有力的證明，否則，美國將把援款轉助其他有決心的盟國。

美機師富於冒險心

隨着科學的進步，飛機的速度一天比一天增加，儘管安全設備日新月異，但失事的機會卻沒有減少。美國空軍部和海軍部從來不願把非作戰傷亡的飛機員數目向外宣佈，但空軍首長出席國會爲失事官兵請求特別卹金的時候，若干秘密就洩露出來了。據說：單在過去十年中，海軍飛機駕駛員和機上人員死於非作戰失事的，就有一萬二千人之多。空軍部轄下的飛機更多，當然還不止這個數目的。不過，美國人的冒險精神仍然甚高，他們試飛的新機特多，有這樣一個龐大的失事數字，自然也不足爲異的。（孟衡）

憶古蹟懷南京

——大報恩寺與琉璃寶塔——

鐵頭

這顯然是朱棣出造一座大廟，以還心願的。據說：他在北平發動「靖難」之師以前，就曾許下宏願，以求神祇庇佑，而一切謀略兵機，都是僧道衍所主持籌劃。登位之後，自然崇揚佛法。加以朱元璋又是做和尚出身，封藩的時候，多擇名僧爲諸王師傅，道衍就是洪武派給燕王的。因之他不惜財力，以圖報稱，自然爲得天下的帝王們照例文章。

但據傅斯年氏的考證，說是明成祖之建大報恩寺，乃別有隱衷，實爲紀念其生母，而假托「皇考，皇妣」以爲掩飾，傅氏根據李先殿紀事詩，陶菴夢憶，國榷，棗林雜俎，廣陽雜記，各書所記，斷定朱棣係高麗碽妃所生，生後碽妃即遭「鐵裙」之刑，故於得國後，起寺報恩。清人陳作霖所著養和軒隨筆中有一段，也如此說：

「予幼時遊城南大報恩寺，見正門內大殿封閉不開，問諸父老云，此成祖生母碽妃殿也，妃本高麗人，生燕王，高后養爲己子，遂賜死，有鐵裙之刑，故永樂間建寺塔以報母恩，與史志所載皆不合，疑爲謬言，後閱朱竹垞跋南京太常寺志云，長陵係碽妃所生，見於談遷棗林雜俎，中述孝慈高皇后無子，即懿文太子，及秦晉二王，亦李淑妃產也，乃歎齊東之語，不盡無稽也。」

王蓍的孤廬雜綴上則說：

「往余幼從吳夢觀恩師同游，師告余曰，馮景亭宮詹桂芬，曾告以克金陵時，官軍得明成祖御製碣於報恩塔座下，其文略謂成祖生母爲翁吉剌氏，翁故爲元順帝宮人，生成祖，距入明宮，僅六閱月許耳，明制，宮人入宮，七閱月內生子者，須受極刑，馬后仁慈，遂詔翁以成祖爲馬后所生，實則成祖生日，距懿文太子之生，僅十閱月，稍強也，翁自是鬱抑而發，易簀前，以己之畫像一幀，授成祖乳母，且告以詳，命於成祖成年就國後告之，成祖封燕王，乳母如命相告，於是成祖始知己之來歷，乃投袂奮起，而靖難之變作矣。」（二）

自由人

中華民國僑務委員會頒發登記證台僑新字第一二二號
中華民國郵政登記第一類新聞紙類

THE FREEMAN

（半週刊逢星期三六出版）

（第二六〇期）

每份港幣壹毫

督印人：李光源

社址：香港高士打道六十六號

電話：七四〇五三

GLOUCESTER RD.
HONG KONG
TEL: 74053

承印者：東南印務出版社

地址：高士打道六十四號

台灣特派員辦事處
台北市館前街五十號

台灣總經銷處
台北中華路新號五九四之一

台灣郵政劃撥儲金帳戶
九二五二〇號

論反攻大陸

——「政略一點突破」問題的討論

·黃震遐·

有利國軍的世界大勢

美國第七艦隊司令克拉克將軍最近發表談話，說明他的任務，係爲保衛與防衛台灣，而非禁止國軍自動反攻大陸。這一聲明對於明眼人是多餘的。當時艾森豪解除「台灣中立化」，即爲自宮開始執行「解放政策」的具體表示。[illegible]

……不會變，月來中共朗事件，都是明證。伊南洋經濟方面的情形亦執行，「解放政策」之執行，[illegible]看我們與否能使決心自強的民族，反攻……同心安全之整個域安全之整個……參與的。基此，我們羅登大陸。準備，成敗必要，今日的國軍實力已是一個失去的戰機，軍事在手中，總括勵，我們有一主旬，台灣已立於不敗之地，整個太平洋的浪濤，在推動國際向前，問題不在反攻的環境，而在反攻本身。在怎樣達到解放中國的目的。

國軍應作政略性突擊

[illegible]

要運用政略瓦解敵人

[illegible]

對國軍的有利環境

[illegible]

……俄也是一樣，對付一個極權主義政權，及其特務控制下的廣土衆民，祇能運用政略將其瓦解，不能單靠戰略將其殲滅，尤其切忌和它對消。反攻大陸本身，爲一軍事行動，但作戰目的，則須以瓦解敵人，非以殲滅敵人消耗敵人爲主眼，首先要克服……

自由中國的三大優點

環顧自由世界，自由中國有三大優點，爲西方世界所無：（一）對共鬥爭的組織經驗。（二）[illegible]（三）[illegible]

……點，運用緒戰近戰的一衝突，以作政略上的突破。方面有共方的及其主子們所不能堵塞的力量。祇有根據中國全民族的現實要求，用透過科學的戰術，組織，在一個戰役中一舉瓦解大部心理和政治上，決定了敵方戰略上不能不承認它，在敵方戰略上不能被突破。它的優勢兵力補償此形勢之失敗，者已能……

……大陸的一小作戰，一個被突破的點，在技術上不如實際，則原封不動，在一般戰場上，作戰中，以弱勝強的「小戰」的歷史，說明了……

政治會議之結

許漢劍

政治會議前途雖有許多無法打開的死結，但在美國看來，不結而結，休戰目的已達，對政治會議前途，似乎已不存什麼過大期望了。

各國間的歧見

韓戰休戰協定簽訂到現在已快一月了，根據休戰協定規定召開的政治會議還未有開，會議前途還充滿一片陰霾，爭論集中在若干從不同的立場出發的歧見上，如蘇聯印度的參加問題，會議形式問題，會議程問題。英美韓國之間的歧見也，而尤其嚴明的，是美國與南韓和美國與英國之間。北韓與中共之間意見分歧，是不會表面化的。英美南韓之間便不同了。他們揭櫫的是聯合國的旗幟，但參加聯合國中的蘇聯集團國家始終認爲美國挾聯合國大部以自重，事實上美國在韓戰付出人力物力的代價是其他聯合國國家所不能比擬的，其他國家只作象徵式的出兵，可是一到各國有機會發言的時候，他們要爭取與美國同等地位，於是聯合國參戰各國的步調便顯出凌亂了。

圓與方之爭

經過羅伯遜與杜勒斯先後作韓國之行，與李承晚反覆討論，終算把倔強的李承晚說服了，李承晚答應不破壞休戰協定，於是美國一顆忐忑不寧的心暫時放下。美國國務院一班官員們提心吊膽戰戰兢兢以全副精神對付英國提出的建議。

英國對未來的政治會議提出的建議是會議形式的問題，就是採用圓桌會議以代替雙方的會議。過去板門店會議就是採取雙方會議的方式，一邊是中共與北韓，另一邊是美英南韓等聯軍。此外沒有第三方面或中立方面。英國希望政治會議不是另一次的板門店會議的召開，弦外之意是希望沒有表面參加韓戰的其他國家參加，主要的對象是指蘇聯與印度。

英國的態度

英國的外交政策是現實的，所以英國對韓局解決的看法也是現實的。英國認爲政治會議是祇許成功不許失敗的，所以他把韓局解決的關鍵完全繫於政治會議的成敗，而政治會議要獲得成果，必須把韓戰另一方面縣在中共北韓背後的蘇聯拖出來，不讓他躲在背後發縱指使，要他開價還價，對世界局勢作攤牌的表示。

印度在世界舞台上雖然以小丑的姿態出現，逢人說好話，以排難解紛的魯仲連自居，如果世界上眞有第三路線存在時，尼赫魯自翊是[illegible]機的拓荒者。英國深知要美國帖然就範跟着英國現實外交路線走當然是談何容易，但英國仍深信國際如果有一股潛大力量加壓力於美國，美必便不能獨行獨斷，而標榜中立主義的印度自然是這股潛大力量的一個搖旗吶喊小卒，所以英國要利用印度，所以英國提出印度總是參加政治會議之一員。

美國不存奢望

但美國的想法並不如此，美國對於政治會議的期待確與英國有相當的距離。英國人認政治會議只許成功不許失敗，而美國早已注定政治會議的失敗命運，他認定政治會議如果成功只是奇蹟，他對政治會議的前途，我以爲已不存 奢若何 的奢望了。

雖然李承晚口口聲聲說，九十日後政治會議如歸失敗，美國將與南韓並肩再戰下去，其實這祇是李承晚的天眞想法而已，美國早已公布於世界，即使政治會議失敗，美國也不輕啓戰釁，這就是說，祇要休戰協定簽訂，美國的目的已達，政治會議成就如何，在美國看來，已是另一問題了。

不結而結的打算

美國民主黨員看完韓戰休戰協定，慨然說：「如果是這些條件，杜魯門早已簽訂，不須等到艾森豪威爾了。」是的，在休戰協定中艾森豪威爾會作重大的讓步，以爭取協定的成立，無論如何，協定是在艾森豪威爾的手上簽訂成功，這就是艾森豪威爾的成功，也是杜魯門的失敗。

從美國政治，經濟，社會無論那一個角度來看，美國的泥足必須從韓戰的泥淖中拔出來，艾氏深知到此，他不惜以壯士斷腕的決心，簽訂韓戰協定。

「即使政治會議失敗，美國也不輕啓戰釁」，這句話必須附帶一個條件，那就是中共北韓不輕啓戰釁，換句話說，如果中共北韓再發動侵略戰爭，則美國必根據美國與南韓的協定，援助南韓作戰。不過根據美國所獲得中共北韓的軍事情報，美國似有充分理由可以判斷中共北韓不敢輕啓戰釁。

所以韓戰中雙方不欲與不能再戰已成定局，休戰協定的簽訂，不過使僵局打破作一明朗的決定而已。

儘管政治會議的前途有許多絆腳石，有許多無法打開的死結，有許多人對它寄予很大的期待，但在美國看來，對政治會議並不存什麼奢望，只要休戰協定成立，不結而結，美國的韓戰泥足已從無底陷阱的泥淖中抽出來了。

一週展望

·雷嘯岑·

挺胸發言的卞榮泰

率領代表團在聯大特別會議中列席觀察的南韓外長卞榮泰，批評聯合國爲「可笑之至」的組織。他認爲聯合國對反抗極權侵略行爲，不僅是決策而已，且須實行作戰（指韓戰而言）但聯大會議時，却與侵略者併坐討論一切決策和行動，豈非滑稽可笑之至嗎？

他這段話，可與杜勒斯修改聯合國憲章的論調相表裏，可以喚起自由世界人類的注意。然在過去並無人說過這類感慨語，讓一二強權國家藉聯合國作工具，營私舞弊，犧牲弱小民族國家的利益，以遷就強權政治。卞榮泰有此表示，頗具暮頭立體之效用，然非南韓軍民三年來抗暴不屈的事實表現，他決無資格到聯大發此論調，即說亦沒有人理睬，且將遭受攻訐的。

能夠挺起胸，昂首闊的民族，才有資格在國際坫壇上談正義公道的話，這是眞理，一切弱小民族國家應該聯合起來，打倒帝國主義！

眼前即有一大考驗

北非摩洛哥民族自主問題，已向聯大提出了。法國代表准本諾指聯大不能干涉別國的內政，拒絕辯論。不知當年聯大決議派員調解略什米爾之爭的那回事，是否有干涉內政之嫌？而埃及宣告廢約自主時，爲甚麼又在聯大會議中大事辯論呢？

亞洲與阿拉伯集團國家已表示聲援弱者了，其他具有正義感的會員國，自應主持正義，表現一點聯合國憲章的精神。尤其是美國，對此問題不好放棄其傳統信譽，故作聾啞。否則聯合國又已走入「國際聯盟」的老路，「壽終正寢」的日子快來臨了！

慰問韓戰中的反共戰俘

自由中國大陸救災會，最近派員攜帶日用品卅七噸，飛赴韓國集中營，慰問尚待「說服」的華籍反共戰俘，這是一項有意義的大事！

一萬四千餘名的反共份子，即令將來沒有一個被共黨說服而回到大陸去，事就人力看說不上是甚麼大事體。若從爭取自由的正義人道和反共鬥爭前途設想，其關係之大，却是無可估計的。自由中國的救濟機關遠道跋涉，從事慰問，這比向大陸同胞廣播幾年的效用還深鉅啊！

伊朗呼籲外援

伊朗新政府已控制了全國局面，大捕共黨份子，懲治賣國官員，目前最感困難的是財政問題。

美國正式表示願對伊朗予以緊急援助，我們希望美國先以扶危濟困的道義精神，爲伊朗暫時解救其財經危機，而不必牽涉其他問題，附以任何條件。新政府既能嚴切執行反共政策，即爲自由世界的忠實朋友，其他問題儘可留待他日商談，沒有不能解決的。

弱小國家對強國的援助自然是盼望感激的，但援助者必須表示一點道義精神，切忌左手拿着財力物力，右手列出政治條件，使受援國家痛感實逼處此，自尊心大受損害。近來美國政治人物如史蒂文生等，於周遊列國之後，認爲美國在各地區的聲望日見低落。美國對別國盡力援助，既無領土野心，也不要求任何特權，何以聲望竟告低落呢？癥結就在實施援助的方法上面吧！

日本建軍問題

在吉田茂準備訪美的前夕，日政府財政大臣小笠原三九郎即聲言要積極擴充保安警察部隊到十個師，再不說經濟困難和婚觸憲法一類的話了。

日本眞不能建軍嗎？除非美國不答應援助，那自然是無法再武裝的。至於憲法云云，即使保安隊擴充到一百師亦不發生問題，因爲憲法上只規定日本不得再建正規的國防軍，保安警察部隊自不在限制之列。日本建軍是要待價而沽的生意經，所以在吉田訪美之前，不能不作此表示！

政府關注海外青年升學

台將專設華僑大學

首批名額暫定一千名 便利攷生辦法已擬定

【本報台北專訊】據負責人士透露，政府目前對港澳青年學生升學問題特別重視。業已擬定辦法，最近即可付諸實施，該項計劃將在台特設華僑大學一所，專收港澳及其他海外地方僑胞回國升學之子弟。關於如何便利考生事宜，亦會與目前來台之教育界人士加強切實商討，已擬定適當具體辦法，儘速進行，開第一批名額，約暫定爲一千人。該項計劃，業經當局批准於短期內實行，此誠海外青年之佳訊也。

中共問題答客問（上）

·司馬璐·

近幾個月來，國際間發生了許多重大事件，特別是鐵幕內部，叢魘內鬨不已，騷亂起伏頻仍，有些朋友，遠從海外各地來信，特別是美國的王金女士，印尼的夏應偉先生，加拿大的陳亞明先生，他們問起我，這些事件對於中共的影響。我分別歸納這些問題，並提出我的意見：

史太林死對中共的影響

問：史達林死後，對於中共的影響是什麼？

答：共產黨的整個黨組織精神，是依靠「神化的領袖」和恐怖的紀律來維持他的統治的，這兩者缺一不可。「神化的領袖」一死，他的紀律的權威自然也跟着動搖。共產黨要製造一個新的「神化的領袖」，必須重新經過一番大屠殺，大流血。列寧死後，史達林完成個人獨裁的歷史便是如此。因此史達林之死對於中共的影響如下：

第一、黨內矛盾增加，並更尖銳化，每一黨徒個人，每一派系，爲防衞自身，必須加強鬥爭，儘可能取得黨內的控制權力。

第二、毛澤東個人的地位會可以暫時安定，因爲共產黨人全部是機會主義者，在克里姆林宮沒有澄清之前，祗有暫時「統一」於毛澤東的周圍。

第三、在新的「神化領袖」完成以前，所有中共一般的領導者，不敢有所作爲，在公務上，但求敷衍塞責了事，中共的官僚主義，必然高度增長。

毛澤東不能做狄托的

問：那麼，在這種情形下，毛澤東是否可以做狄托呢？

答：我說過，中共已經是蘇聯侵略政策的鷹犬。中共對蘇聯雖有怨恨，但中共的內部亦有矛盾，蘇聯便於對中共的操縱運用，如果不立刻直接影響到毛澤東個人的地位，毛澤東爲了要「統一」黨內的矛盾，勢必也更要和蘇聯緊靠在一起。今天，大陸上主要的軍事基地、海港、鐵路線，都直接控制在俄國顧問的手上。這些總數約在五萬人左右的俄國顧問，掌握着中共的一切神經命脈。在東北，另有俄帝五十萬大軍在虎視眈眈的監視着。中共今天所喧嚷的建設，總無一不以服從俄國的軍事要求，侵略政策爲準繩，如目前搶修中的關新鐵路，康藏公路等。川黔鐵路，蘇聯航線，遍佈整個大陸，蘇聯傘兵必要時，可以在中國任何一個地區「從天而降」。俄國人對大陸之控制，除假手於中共外，並組織了由俄共直接指揮的系統的特務網，他的外圍機構是「中蘇友好協會」，在一九五二年底，該會會員已達二千萬人左右，它的任務是直接推行「俄化」運動。

在經濟上，中共今天已經完全不可能擺脫對蘇聯的依賴性，全國多數的石油及礦產，名爲「中蘇合營」，實際已全交給俄國人開發。大陸的農產品已經成爲主要與俄國易貨的資本，更重要的，中共一切主要的金融經濟建設事業，都由俄國人直接策劃，主持或監督。

中共的對外貿易，從一九五〇年到五二年之間的變動，亦足以說明中共對蘇聯經濟上依賴性的事實了。

進口方面，一九五〇年在中共進口總額中，蘇聯祇佔百分之一九·八四；衛星國家佔百分之一·三七；自由世界佔百分之七八·七九。一九五二年則蘇聯一躍而佔百分之五〇·二六；衛星國家佔百分之三一·六五；自由世界則跌至百分之一八·〇九。

出口方面，一九五〇年在中共出口總額中，蘇聯祇佔百分之二六·五六；衛星國家則佔百分之三·八七；自由世界佔百分之六九·五五。一九五二年則蘇聯增至百分之五七·九二；衛星國家增至百分之二七·六二；自由世界則跌至百分之一四·四六。

這就是說，中共今天在經濟上也已經「一面倒」下去了。

這些事實都在證明着，毛澤東要做狄托是不可能的。

問：既然如此，毛澤東究竟作什麼打算呢？

答：毛澤東理解所有共產黨人的哲學，無論克里姆林宮的新主子爲誰，他們一定是崇尚實力，尊重實力的，因此他的對策將是用盡一切方法，先保存自己的實力，再說。他拔出韓戰的泥足，正是這個原因。

貝案擴大中共的矛盾

問：貝里亞被整肅後，中共內部的矛盾會不會擴大？

答：由於貝里亞指揮俄共特務達十二年（一九三九至一九五三）之久，爪牙遍及全世界，無疑的，這次貝里亞的遭受整肅，對中共影響是很大。

但是，由於過去各國的共產黨人（特別是俄國共產黨人）在長期的被清算生活中得到教訓，他們懂得，說不定今天清算別人的人，明天也一樣要上斷頭台。何況共產黨的領導精神一向是要製造一個「神化的領袖」，而今天的「真理報」却強調「集體的領導」，適足以證明俄共的「領袖」問題還沒有到達徹底澄清之日，在這種情形之下，除了馬倫柯夫的親生兒子以外，誰敢輕舉妄動？誰願意拿自己的生命冒險去陪着馬倫柯夫殉葬？這是目前各國共產黨人整「貝」之聲還不十分熱烈普遍的原因。

根據共產黨人整肅的一般情形，「落水狗」是難以再有抬頭之日的，因此，各國共產黨人隨着莫斯科的調子抨擊貝里亞，幾乎是一致的，過去與貝里亞有關係的人，今天都在爭先恐後的洗脫關係。但是要像過去表示效忠史達林一樣，各自高呼「擁護天才」的「馬倫柯夫萬歲」，就沒有人敢拿自己的性命去下賭注。

因此：

第一、中共內部一次「清算貝里亞份子」的大整肅，大概是會爆發的。但被殺者是「貝里亞份子」，加上去的罪名則是「叛國」。

第二、在領袖沒有澄清以前，誰都可以藉口清算別人，得到新領袖的拉攏，誰的力量能夠取得黨內最後的主宰地位，誰就將爲蘇聯共所承認。

第四、中共黨員，包括高級領導份子，將有一大批被殺，被清算者，向莫斯科人報的人，說這些人是「貝里亞份子」，加以對外却宣佈他們的罪名是「叛國份子」。

因此我的結論是，貝里亞整肅以後，正在中共黨內的矛盾，下擴大，在這個陰影下，可能發展成爲許多個矛盾的陣，國向莫斯科中共混殺一頭目，企圖邀得新主子寵愛，歡心的機會。

人物介紹

熱心救濟事業的許讓成

若夢

以善於經營旅店酒店而成爲港九旅業鉅子的許讓成氏，港九人士對於他底名字大概都是耳熟能詳的。今年初，香港政府決定停止救濟調景嶺上沒有飯票的難民後，許氏本熱心慈善事業的一貫精神，在調景嶺難民善後救濟小組委員會上，振臂高呼，要繼續募款救濟，並首先解囊捐助白米五千斤，作過渡時間救濟之用。又東奔西跑，邀請各社團簽署呈文，邀請各界代表開會，終於獲得各社團的支持，這些難胞遂得繼續救濟。從這個時候起，他的大名更爲社會所稱道。

許氏對其他社會事業也很熱心，對港九各主要社團都參加活動。現在，他是旅港惠陽商會理事長、九龍總商會監事長、港九各界救濟難民委員會委員。港九各木屋區每一次發生火災，善後救濟工作都少不了他的一份。他不但出錢而且出力。

許氏熱心社會福利事業，並不自今日始，早在抗日戰爭初期，日軍攻陷廣州的時候，他便在香港參加救濟難民的工作。那時候每天都有大批難民自深圳等地源源逃入英界，這些難胞都是隻身逃亡，衣食無着的。許氏當時以「人飢己溺」的心腸，在新界發起組織救濟機構，在救濟機構未成立前，率先捐出鉅款，煮粥救濟難民，達一週之久。流離失所的難民，因此不致成爲餓殍。難民對許氏的義舉，有感動到流下淚來的。日軍投降後，英軍還沒有回來香港之前，許氏又以個人身份，發動各界組織救濟委員會，救濟當時在港饑餓的難民。英軍回來後，軍政府還根據該項救濟機構以擴大其組織，繼續難民的救濟工作。

許氏對社會福利事業，向來放在個人利益之先。他在香港擁有若干房產，去年港政府施行加租時，他便反對增加租金，認爲保障住客利益，應該特別重視。他爲了這一問題，曾在中華總商會傳播加租問題，以後一般社會人士，才注意到這許多事件。許氏的意見，又呼籲各方面，在港九立法局通過房屋租賃管理（修正）條例時，將加租比率減低，受許氏言論的影響是很大的。

許氏是廣東惠陽縣澳頭坪山人，今年已六十歲。他個性豪邁，是一個很少人的生活節約，對別人的意見却非常接受的。所以他的人緣很好。他經營的酒店有彌敦道的新新酒店，新樂酒店，和香港銅鑼灣的勝斯酒店，素有「港九旅業大王」之稱。

國外通訊

日共陰謀活動空前劇烈

反吉田反美俱失敗

本報特約記者 淺間

【本報東京特約通訊（續上期）】再次，因爲吉田政府於六月上旬提出了一個禁止罷工法案，日共即乘機祕密指使各可能被利用的團體到處發動罷工以威脅國會；並乘機破壞日本的社會秩序。日本工會總評議會一時就會成爲公開煽動各地罷工抗議的總機構。蓋日本工會的總評議會雖非純粹的共黨組織，却爲日共所全力活動而擁有相當操縱力的團體。

至於在日共操縱下的「總評」，在幾次發動總罷工中所以未能成功者，除日本政府的防衞有方外，另有一主要原因，即「總評」組織內的自由工人的力量，曾予日共的罷工陰謀以有力的打擊。罷工的陰謀進行時，一般工人雖不滿日本政府的禁止罷工法案，但一看到日共的陰謀，再看到國家社會的利害，便都即在「總評」之內團結自由勞工，向「總評」的日共勢力展開了鬥爭，致使日共在「總評」內的狂喊，竟之瞬斷力竭。而禁止罷工法案，國會又卒於七月十一日正式通過執行，日共的此一陰謀，乃告全部失敗。

另一方面，當日共進行煽動罷工陰謀的同時，還在進行一個反對美軍在日本設立軍事基地的破壞活動。此一活動，日共美其名謂之「和平月活動」。

日共反對美軍在日設立軍事基地，原係執行莫斯科命令的一貫陰謀；但此次以「和平月」名義大規模發動破壞行動的藉口，則係抓住六月十五日美軍在日本石川縣內灘村設立打靶場的機會而小題大做，以在警力錯縱下又無若何成就。

日共除了煽動反對美軍基地的活動外，並在同一個目的之下，大肆叫囂反對美國給日本的軍事援助。但結果反軍事基地的破壞活動，除了擾亂一下日本的社會秩序以外，並沒有一處能反對得了；而且因由於一般日本人民基於日本的安全需要之故，不會輕中日共的詭計，於是日共此一行動的政治影響，也極微細。至於反對軍援，更是一種空喊的兒戲，除了日共及其尾巴黨派的份子以外，不會有人附和。何況事實上，美日的軍援談判已於七月十五日在東京正式開始，日內已勢將全部議定，根本反對不了。（下）

編者與讀者

△我們將陸續發表下列各稿：

張丕介先生——流亡青年的教育問題

台灣通訊——不堪回首話當年

許蔭先生——基督教與歷史（新書介紹）

若夢先生——商業鉅子劉仲麟

△慕容羣先生：尊稿不適合本報，請鑒諒。

△台北葛瑞德明先生：大作係油印品，恕不轉載。

讀者來論

復國芻言

中華民族有史以來的大悲劇，無過于共匪之竊國據，使我國家淪爲俄帝的附庸，同胞慘遭迫害和奴役，毛朱匪幫出賣國家的行爲，實較石敬塘吳三桂等更爲奸惡。我們要拯救悲慘的民族命運和挽救垂絕的文化命脈，並解救倒懸的大陸同胞，反共復國實是當前的最迫切的事業，但一旅還可以興邦，況我政府遷台後，尚保有近千萬的人民和大陸逃出的義民，以及各地一千多萬的僑胞都可聯爲反共復國的力量；而且自由民主國家能給我們援助加上大陸民心的歸向；這都是反共實力的保證，復國前途是很光明的。反共復國有三個要義：

（一）團結一切反共力量結成爲統一的反共復國組織

反共力量不容分散，在「反共第一，復國第一」的大前提下，若干感情上或成見上的歧異，都應該犧牲化除，來對付一個共同的目標，所有流散各地的反共力量，應出政府領導調諧，形成統一的反共復國組織，擴大號召，祇要是堅決反共的，——即已往有錯誤或曾爲匪黨現在已有澈底覺悟的，均可不究既往，只要一反共人士的意見，解除不分地位一律重視，俾收集思廣益之效，一切反共復國的行動，都須依統一的計劃，採統一的步調。如此，對內對外的影響將愈大，而反共復國的力量必愈增強無疑。

（二）主動的掌握反攻時機

就一國來觀，復國是中華民族自己的事業，就整個世界來觀，則反共是自由民主國家共同的事業；俄帝領導的共匪集團不消滅，自由國家即不能安寧，國際間終有一次大戰來作總清算解決的，但我們須理解世局，而不可能在不冷不熱中纏繞的影響，現在不可等待。由于國際苟安心理的作祟，而我們若不反攻，一則恐師老兵疲，士氣衰歇；二則大陸民衆反抗暴政的心理，將因長期渴望，以缺望而麻木；三則大陸現有的反共游擊隊在匪的長期清剿下，不易生存發展。我們應主動的掌握反攻時機，儘早發動。

（三）復國建國同時進行

已往的改革，往往要軍事底定以後，始徐圖建國。但今日的基本國策，應緊隨反攻軍事勝利，立即達成，在政治方面，應扶植民主自治，建立堅強的地方基礎；在經濟方面：應即實行民生主義之經濟制度，使農工商于解除奴役後，各得安其生業；在文化方面：第一須依知識深淺，肅清毒素思想，第二須以人本主義的道德觀念，推行一種生活禮俗運動。此等工作千條萬緒，都應有精詳周密切實可行的計劃，於事乃克有濟。

——李曄

乘中共大搞「勞動紀律」

各地商人大整二流子

紛紛掀起反欺迫鬥爭

發動「八反運動」一吐積怨

【本報訊】據最近上海、南京、武漢各大都市的消息：一般工商人士於四年來在中共有意的縱容和偏袒下飽受一般腐惡職工的仗勢欺迫之後，已乘此次中共「整飭勞動紀律」，鬥爭工人的機會，紛紛掀起反欺迫的鬥爭，以極謹慎而巧妙的方式，予該等仗勢欺人的工人——（以「二流子」的稱呼的理由，據說因彼等一面既盲目反對本單位的工商業者的領導經營，一面又缺乏「工人階級」的覺悟，不遵守「人民政府」的「勞動紀律」云云。）以痛快的報復打擊。

據悉各地工商人士予該等二流子職工報復打擊的主要手段：一是乘機將部份二流子職工平日種種不法及從前其他職工曠工、怠工、浪費資財等等的行爲，紛紛向各該地的中共工商局具體的反映。二是乘機將職工會平日越職權，無故胡鬧，阻礙生產和經營的情形紛紛向各該地的中共工商局控訴。三是抓住「勞動紀律」不好，生產不振，資金無法，無力繼續經營的理由，乘機要求中共准予停業，或乘機減薪欠薪，乃至停供伙食等等。五是乘工人在被鬥而處於劣勢的機會，予以冷嘲熱諷，以一吐四年來的積怨。

滬四十餘廠家 解僱工人兩萬

各地勞工均被鬥爭

關於上述現象的具體事實，在上海南京無錫等處，據上海「解放日報」公開披露的初步統計，僅上海新申紗廠，民生廠，六一織造廠等四十餘家私營工廠，解僱的職工即已達兩萬六千餘人之多；要求停業的即達十八家之多；藉故減薪或欠薪的即達十五家之多。其他如印刷業、柴炭業、文具業、雜貨業等二十餘個行業中，已藉故申請停業的，即各達十家至二十家不等，至於藉口解僱工人，減薪、欠薪，乃至停薪、停伙的，幾乎十家中有七、八家都有此種情形。僅南京的電料業、五金業、印刷業、繞綫業、傢具業等約一百八十家廠號中，即已有八十餘家藉故要求停業；二十餘家已欠薪停薪；約六十餘家已解僱職工達三千餘人。僅無錫的礱米、繅絲、麵粉等約十六家工廠，即已藉故先後解僱職工達四千人，並已有六家藉故要求准予停業，至於以減薪，欠薪等方式予職工以報復打擊者，謂到處皆有發生，僅程度輕重不同而已。並說此種情形，在武漢和華東區方面的一般大城市，如杭州、蘇州、溫州、廈門、福州、濟南等處，在在皆所不免，幾已一時成風。人民日報並指出，各地廠商乘機報復打擊職工，甚至已喊出了「八反運動」的口號，所謂「八反」，是指「五反」整商人，「三反」整幹部，「五反」加「三反」是「八反」，整工人的違反「勞動紀律」云云。

預防國軍發動反攻

中共積極備戰 擴建戰略基地

蕪湖武漢成中心站

【本報上海通訊】邇來中共的侵略氣氛，[illegible]大陸上的人民，早已無法來決定自己的命運了；一個普通的中共幹部，也儘管中共跟隨蘇俄以不同的方式灑着和平宣傳，但韓戰停火仍不能沖淡他們不知道韓戰停火給予他們是禍是福。就各方面的情形看來，韓國的侵略雖似告一段落，但十分明顯，種種行動都反映出他已有南而作戰的準備，[illegible]南京「進軍」第一，「中南」第二，「華東區」的陳毅……

裴列特等來港訪問 研究竹幕邊緣實況

△解甲退役的前美國第八軍軍長裴列特，最近又以[illegible]名義，與[illegible]等一行，訪問遠東，[illegible]菲律賓、泰國、越南等地，[illegible]抵港，[illegible]以研究竹幕邊緣的實況，[illegible]

高卓雄錯假謀應付 「國醫」案引起抨擊

【中央社訊】[illegible]常務會議通過[illegible]成立「國醫會」，[illegible]就此作數度表示反對，[illegible]事乃集會議不合法者[illegible]昨日常會之議，合乎會章者[illegible]但尚難預料；[illegible]包辦大選得了人心的。

宮藤使下的[illegible]在各地所造成的災害，高度消滅人類，現在正同舟共濟極度[illegible]共黨暴政是[illegible]

據說爲了應付此一問題，高卓雄特地於昨日正式銷假視事。該會主席高氏於本月十日之會議例會中提出議案，可能在名義上在「告假」期中，故高氏不得不結束其名義上的「告假」期中，而實際上仍在策劃主持的主席身份了。

租務條例昨起生效 市場不景商人頭痛

△自昨天起，新的「租務條例」開始生效，按照「一九四七年」標準租金增加百分之二十五；明年三月一日，又加增百分之二十五。一般住宅屋宇部份，則將於翌年三月起一次增加百分之二十五。

關於商業用樓宇部份，在此商業不景氣中，使商人增加了一筆負担，雖然數目不多，但多少使他們感到目前所痛，不過按照條例規定，如果住客付租值已超過「中標準租金」的，是將可向租務處申請裁減，這種事情的太多的哩！

中共加強南侵兵力 已增調傘兵至滇粵

……勵於台灣國軍反攻；國軍已在積極準備中，他們除了加強沿海的防禦之外，在糧食與加強一方面，強化的大氣力設計，將來與但浪費生產，抵抗國作用，根據許多情況看有疑問。

【本報特訊】頃自廣州獲得秘密消息，中共軍當局，顯然爲加強伺機大規模侵越的機動兵力，已於上月二十五日左右將原在洛陽等地訓練的傘兵第七師由粵漢路移運廣東。該傘兵師的主管及傘兵確數不詳，惟獲悉該師共轄第十九、二十、二十一三團，其中第十九團駐於廣州白雲機場，第二十團駐於海南島之海口機場，第二十一團駐於雲南之昆明機場，目前仍暫歸葉劍英節制。目前仍在繼續訓練中，惟悉該師傘兵的訓練程度，已入成熟時期。

南侵北守東防

自今春美國撤銷「中立」台灣政策之後，蘇俄中共的恐懼相與俱來，同時由於內部的壓力，乃決定加速促成韓戰停火，企圖以廣泛的和平攻勢來誘使西方國家阻撓自由中國反攻大陸的政策，另一方面則從事軍備的擴張，企圖以「南侵、北守、東防」的策略鞏固其僞政權。

共黨自恃南侵的準備工作即可完成，「北守」則因韓戰停火與「國際」航空網的構成獲得苟安。就是北起青島，南迄東京灣那一條長達一千八百三十餘浬的海岸線，卻無法部署充分的兵力去防守，假如國軍一經發動攻勢，共軍顯然不能抵抗廣泛的灘頭頑抗。因此戰略，目前陳毅已往六個月來的設施來看，基本放棄「外綫作戰」，已部署內陸，而將主力安置於角地區和武漢，尤着重滬杭三兩地中，蕪湖已成爲京滬杭「三點戰略」的聯絡站。

蕪湖是吾國著名的米倉，原先是米糧的集散地，中共奄有大陸之後，便形成了「華東軍區」的主要基地，不僅是米糧囤存的所在，也是軍需的主要軍餉；現有米糧倉庫三十座，軍需倉庫四十餘座。但是蕪湖與武漢兩個戰略基地，現時均在蘇俄手中，如各個軍械、機器、化學工廠，無不由俄國技術人員掌握的。中共於廠服務中之幹部，均係各專科學校畢業之學生，彼等平時仰事俄人鼻息，終日一若牛馬，一有報復的機會到臨之時，料會紛起而響應，儘管俄人手段毒辣，屆時大勢已去，也祗有束手待縛了。（顧梅一月二十二日寄）

共幹撒謊很誠懇 檢討批評成八股

上月十五日的「人民日報」在「誠懇的撒謊者」爲題的批評文字中，曾披露一則富有意味的鐵幕社會新聞。該報說：五月三日，松江省拉林縣糧穀儲運公司，曾由門市部撥給第二糧棧三等苞米十三萬公斤，其中有三萬公斤因任意亂堆在棧外，下雨時都未設法安置，結果爛掉了六千九百九十多公斤，經晾曬、翻揚、過篩後，宣告爛盡的有一千二百卅多公斤。但該公司向上級的松江省糧食廳打了一個折，將霉爛的數字少報爲五千一百一十多公斤，爛盡的少報爲四百五十斤，再將原來「公斤」上的「公」字去掉，然後，爲減輕責任計，更「等因奉此」地由經理、副經理、保化股股長及糧棧主任等分別向上級寫了「檢討書」，大家都很自虐「誠懇」，而「坦白」地說：「糧食霉壞是因爲我十足的官僚主義」，「糧食造成霉爛，是自己責任心不強」，是自己「糧食霉爛，是自己沒有樹立爲人民服務的人生觀」等等。上級一看，這批幹部很「誠懇」、「虛心」、「坦白」，而且「虛心」，照例只要肯認錯，在共產黨的「風氣」之下，犯了天大的罪孽或錯誤，仍是一等一的好幹部。的確確，在共產黨人中，撒謊只要撒得很「誠懇」，便包管邀得上級的信任。同時，「檢討」、「坦白」，當初固然是中共「整」幹部的武器，可是現在卻已成爲幹部討上級歡心以掩飾責任的八股了。

印度獨立與中印關係

·書·評·

·羅自芳·

著者：吳俊才

出版：中印學會

版次：民國卅九年初版

印度人對於其本身獨立爭取的熱忱，表現得十分生動而沉毅，值得我們贊美佩服。然而當其獨立成功之後，獲得了自由的印度政府，却以接受並繼承過去英國一切既得利益爲重，且有變本加厲之勢。不問那些利益是否有當。他們首先就向喜馬拉雅山下的小邦錫金，不丹，尼泊爾等，加以侵略或吞併。印度剛從殖民地而且的是地一位向翻身過來的，暴力主義者，竟唱着非些情形出現，竟有這人眞難令人置信。

再則，對過去英治印時代，所行侵略動我中國，以印度爲前進基地，故其實非印人之過，中國人一向對于印度只有同情而不生仇恨。只今日正當印度從獲得自由之後，了結以前中英人代彼此作合作之眼，以建設亞洲，集榮復興的世界。可惜的印度政治家，是短視的，他們竟處處爲不及比中共，目張，智成俄……帝國勢力入侵中國。印度官方通訊社，竟發出『西藏從未承認中國的宗主權』的荒謬新聞。足見他們是何等的卑鄙與自私！

羅素小說集

英哲學家羅素年逾八十，忽然興起了寫小說的興趣，最近他的五篇短篇小說由西門與舒斯特出版公司出版，全書一百四十八頁，售價美金三元。讀者對於羅素寫小說，大爲驚奇，羅素也無法解釋，而他說：「我自己也不知道爲了某種的理由，我突然希望寫下這幾篇小說，收集在本集中的以前小說，我從沒寫過小說。」不過有這種想法以後，在其他著作的出版同樣，也和他小說同樣成功，一般文學批評家都給予好評。這五篇小說都充滿諷刺的特殊風格，幻想色彩的情調，幽默而輕鬆，文體悠閒，使人聯想到史威夫特的散文。

……以『郊外的撒旦』及其他』爲名，但其中最好的一篇是『牧師的惡夢』……的『新天方夜譚』……對於愛讀英國諷刺風格小說的人，這是值得一讀的一本新書。（布巴）

杜魯門記平民生活

杜魯門退休後，在家鄉獨立市除準備他的白宮生活回憶錄外，也寫點其他作品，最近寫的是關於他從總統成平民後生活變遷情況，題名「平民先生」，將由赫斯特系的「美利堅週刊」連載。杜魯門說：「許多人都會對一個人再任總統後的生活感到好奇，我們相信，隨便什麼人都可以任美國總統，等他下台以後，就可以和普通人一樣。」他的回憶錄，將在明秋由生活雜誌發表。

漢明威寫成三新書

美國名作家漢明威自「老人與海」出版後，聲名益著，最近在歐遊歷，準備去非洲搜集新作的資料，他在巴黎時，曾發表談話，提到他未來的新書說：「這三年來我一直連續工作，在『老人與海』後，我又完成了三本書，我準備把它們擱置一年，重看一遍後再決定出版的日期。」它們都沒有題名，我預定完全寫好以後再加書名的。」

哲學家顧理頭著書

在非洲傳教及爲土人治病的學家和音樂家施惠茲博士，雖已屆七十八歲高齡，還是對未來抱着宏大希望，最近他正在非洲從事哲學、歷史、宗教、管樂的研究，準備完成某種具有悠久價值的著作……開始撰寫，不過我暫時還不能說到這種著作。

中國助印度獨立往事

心赫二十年曾……中國……甘地……印度……（下）

邱吉爾的醋勁兒

·為方·

邱吉爾先生爲着美澳紐三國安全公約沒有請英國參加，老是不開胃。最近他主張組織廣泛的亞洲聯盟，但又要不表示反共的意義，所以將自由中國與南韓不列入聯盟單位之內。這種莫名其妙的兒戲計劃，居然出於久經世變，素有雄才大略的政治家之稱的邱氏口中，誠教人啼笑皆非，只有歎惜而已！

組織亞洲聯盟而不以反極權爲目標，此事本不知所爲何來？爲經濟利益麼？東南亞的經濟問題，英國關係甚大，只要英國能開放其獨佔市場，即卜皆大歡喜，誰奉英國爲「老大哥」，用不着搞甚麼聯盟，大家也會？不客氣，亞洲的文化精髓是擺在中國人手中的，沒有中國參加，猶於盲人夜行，不辨東西南北，徒有無益，且有災害。

如果眞主張只在給顏色與美國看，意存搗蛋，更是心勞日拙的玩藝。邱翁所封贈的「亞洲領袖」印度也將不敢領教，因爲印度所要者美國的糧食來救濟其過剩的飢民呵！

國際政治是最講實利害的，[illegible]，它之所以在乎世界盟主地位，不是偶然得到的，沒有它那種實力與氣魄，就不必臉紅筋脹，自尋煩惱，唧唧噥噥是無謂的！

野兔荒奇譚

·伯尼·

世界趣聞

法國一個醫生用最新科學方法殺除家園野兔，竟瘋死了十分之九，野兔荒不但遍及全法，且正向整個歐洲大陸蔓延。

法國四百萬人大罷工，歷時四週，終告解決，但另一個全國性的問題，却非再等數年不會有解決可能，提起這個問題，相當有趣，且必然會令人詫異，這是全國的野兔荒，其嚴重程度，甚至法國經濟學家也大傷腦筋，認爲如再發展下來，可能對法國經濟引起不小的影響，但他們想盡方法，還是找不到一個可予迅速解決的計劃來。

澳洲兔災使用新藥

這事的起源，需追溯到澳洲的「野兔瘟」，在澳洲，野兔早已成爲大家公敵，它們把許多牧場的菜蔬和牧場綠草完全吃盡，即使農民佐價於野兔的繁殖率太高，好多年來努力都無法促使野兔數量降低，政府的科學家們得不對野兔宣佈「生物戰」，他們從南美輸入一種稱爲「密克瑪杜西斯」的病毒，可使兔子長瘤而告死亡。從一九五〇年起，澳政府在受野兔害最重的地區，給野兔注射這種血清，病毒病迅即在野兔間傳播，蔓延，那受病毒的野兔紛紛死亡，有的地區，野兔數量突然減少了十分之九。於是草原再度長起綠油油的牧草，澳洲的牧場主人自然大爲高興。

兔瘟在澳洲是解決了一個嚴重問題，但在法國，野兔雖不是公敵，却是一個人的仇敵，這人是個小兒科專家，叫保羅·特利勒博士，他在查特爾區擁有一座古堡，古堡周圍的園地也受野兔騷擾，非但草皮常被吃盡，菜蔬和花草樹木也一夕之間全告失蹤。他從雜誌上獲悉澳洲發生兔瘟的消息後，決定也選用最新的科學方法來解決他私人產業內的問題。

兔荒蔓延威脅歐陸

去年，他從澳洲買了一些這種血清，先捉了幾頭野兔，注射血清以後，再把它們放走。這種兔瘟血清的效果，使他大爲滿意，他以這次經驗，寫了一篇文章，題名「撲滅野兔新方法」，寄給法國畜業研究院。但到今日，特利勒博士却成爲法國八百五十萬持獵者的公敵，野兔一直是這些人主要的獵物，經過這次兔瘟，法國已有百分之九十的野兔病死亡。到處發現死兔，車輛駛過時，常會看見頭部腫脹的野兔在穿踰珊珊爬行，徐在埃爾的樹林與田野，散出陣陣兔屍的腐爛惡臭。兔瘟並非但在法國沒有終止跡象，且已接近比利時和西班牙邊境，可以蔓延整個歐洲大陸。

「密克瑪杜西斯」現在已在法國成了大家都憎惡的字，法國的皮毛商，對未來生產大爲憂慮，因爲許多貴重皮毛都靠兔皮鋪襯；法國的狩獵娛樂幾乎已被摧毀，獵槍製造商生意大跌。受野兔荒影響的人，已經組織了一個「對抗密克瑪杜西斯協會」。

兔肉絕跡影響民生

甚至經濟學家也聯合起來，力求解決兔荒問題，兔肉是法國主要肉食，也是生活指數的計算單位之一，現在市場上幾告兔肉絕跡，已提高工資的要求自然可振振有理，再而牽更涉到新聞「工會問題」。「巴黎評論」報特別撰文說：「密克瑪杜西斯不僅威脅我們的兔子，也已威脅到我們的生活指數。」共產黨當然又把此事歸咎於美國人，雖然兔瘟血清最早是從南美輸出的。

家兔對這種瘟疫的抵抗力比野兔爲強，且可能注射防疫劑，法國的巴士德研究院已運用了十五萬二千支兔瘟防疫針給農民和獸醫，對家兔注射，不過對野兔却無法使用這種防疫針，自然除了讓它們慢慢發生一種抵抗力，以後繼續繁殖以外，說絕無其他挽救可能。今日的澳洲一部份地區，野兔已再度繁殖，三年以後，法國今日的兔荒，大致也要等上三年才能得到解決。

天人合一

·淳·

羅素在他的「政治與哲學」一文內，論到西方哲學史轉入二十世紀以前的傳統傾向，有這幾句話：

「想把科學與宗教融貫起來的嘗試，便產生了以往的哲學，是想把宇宙的性質和人在宇宙中的地位通合起來的理論，從而給人生的倫理，以至高的實踐，它的宇宙論和倫理論密切相運，有時它的宇宙觀推動倫理，有時而他的宇宙觀又使他得到倫理的結論。……」（見羅素的「不合時宜的論文集」第三頁。）

爲了人心有此同然的趨勢，所以中國儒家的「天人合一」的理論。近代天文學已經使得人們知道燦爛的星辰，兆天體中大抵都是沒有生命的無機體，而地球之有生物實爲例外的例外。但由於哲學家的倫理動機影響了他的宇宙觀，所以中國古代哲人說：「天地之大德曰生。」地球有公轉而溫帶有四季，有自轉而溫熱而帶有晝夜，誰能肯定它或自抱目的或有所受命而轉動不已呢？但哲學家的宇宙觀又有時使他得到倫理的結論；所以中國古代哲人又說：「天行健，君子以自強不息。」

人類追求合於理智方面的（科學的）而又有當於心（情感方面的，宗教的）的安定，所以基督教讚美詩頌上帝爲「世世磐石」，佛是「死生亦大矣」，所以「興感之由」，立論之由，「若合一契」。

當入宗教的門，上面有一橫額，寫的是「情感」兩個大字。

話說得太嚴重了，不如鬆鬆一點罷。說到「天行健」，與稚老有一次說：「天下事十礁九不開，好在還有第十礁；所以天行健君子以自強不息。」跟着他又笑說：「如果一礁就開，馬爾薩斯的人口論不更可怕嗎。」

臺港較球記

·婆婆生·

余客歡浦五年，對於球藝較量，每逢週末假日，總是奔走在體育館或中山堂之間。抗戰以後，逐漸無法再得勝利而還，率隊出賽，祇有偶爾公開赴港，纔償得看籃球賽，則國內同胞，對於籃球興趣特濃，每次有外來球隊，擁擠異常，觀者動以萬計。前者光華足球隊來台，余則每場必到，但其他觀衆，不及看籃球之多，大概此未之有也，出乎意外，港埠名手，與台隊相較，優弱已可預判，但是環境光線時間，不無有關，即使較技而敗，也有其所敗之戰容。不一定是棋高一着，縛腳縛手，茲以觀較所得感想，爲摘記之。

勞軍網球義賽，於八月廿一日晚八時，在介壽路三軍球場舉行，觀衆竟有三千人左右，可知愛看者，不是寥寥。場地不甚合標準，地板與晦暗燈光，尤使球技不能儘情施展，所以演出，爲之減色，但精彩迭出，觀衆滿意而興奮，不斷鼓掌。此次較技，台隊選手有高登科，台灣銀行職員，也爲金融界特別增光。港隊選手，爲葉週維葉陽滑濱陶冠球李雲等周雷凌濤。台隊選手，爲高登科李健民蘇明仁劉香谷錢王春歲宋才關柳珠。皆全國，或全運，或港埠，或台省，冠亞軍之儔。

葉爲我國近今網球名手，畢竟身手不凡，姿勢美妙，動作輕鬆，開球之功力緊迅有勁，着地即逸去。其反削，高壓，提抽，短擋，無不合度，風壓之妙，對方束手無策。楊滑濱也許因體力稍差，不及當年威風。綠王惠寔究竟年已屆五，身體太胖，對於蘇明仁鬪擊之球，有時無法擋出，祇好躲去，但其出手重，擊球猾亦佔優勢。

兩位女將對陣的一場，目光爲之一新。觀衆均深切注視，周劉兩位姿態不減當年雄風，一揮一肸，毫不示弱。惟周需採攻勢，而有顧此失彼之漏點，劉則沉着應戰，發擊均佳。是晚義賽，港隊四戰三捷，僅此一場，劉爲台隊爭榮獲勝，致免於吃零分，香谷洵是不凡。

年齡與創造力

西方有一句格言：「生命起於四十」。最近美國一位大學教授李曼，却提出許多證據與解釋，反駁這個說法。在他的新著「年齡與成就」中，他說世界大偉人的最大成就通常都在四十歲以前即已獲致，尤其是在創造性活動方面。

他舉出了許多例證，例如在化學方面，大多數創造性思想家，其最偉大的工作都是在二十六歲至三十歲間完成，數學、物理學、電子學、生物學、和實用發明方面，是在三十至三十四歲，愛迪生雖在八十歲仍有許多發明，不過他的活動高峯是在三十歲左右，其後即逐漸下降；作曲家的最佳創作，也是在三十五至三十九歲間完成。詩歌更需要青春的活力，其通常年齡界限，是二十至三十歲左右，不過其他文學家，大致在四十至四十四歲達到創作高峯。甚至哲學家也不例外，一般以爲年齡可增加智慧，但據李氏的考證，歷史上偉大哲學家的最大多數是在三十五至三十九歲就達到顚峯上下。李氏說，祇有政治家不能列入這範圍，他們的成就，大多是在五十歲之後。（春卿）

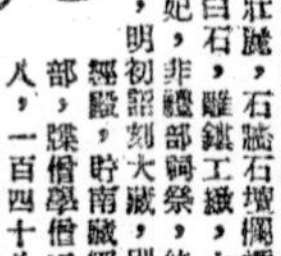

憶古蹟懷南京

——大報恩寺與琉璃寶塔——

·鐵頭·

王氏所說，不但碩妃要受刑而死，亦非傳奇式的把朱棣變成了元帝的遺腹，「靖難」也好像爲元朝恢復江山，不知他的「感師」何所根據？封建帝王之家，最講究的是宗法，六月生子，絕不會蘊育，此節當不可信，成祖御製碑文，自屬冠冕堂皇，縱有此等曖昧之事，何敢明言？這種筆記，只好算作傳聞的讕言，等於世俗傳說清乾隆帝係海陵陳相國的兒子是一樣的，只好姑妄聽之罷了。

這且不管，究竟明成祖是怎樣的修建報恩寺與琉璃塔呢？據張惠衣氏「塔志」考證說：

「明永樂十年，勅工部重建，準宮闕規制，監工官，內官太監汪福，鄭和等，永康侯徐忠，工部侍郎張信，徵集軍匠夫役十萬人，率勅按月贍給糧賞，至宣德三年，始告完成，[illegible]……通共用過錢糧銀二百四十八萬五千四百八十四兩……」[illegible]

密秘守嚴美彈氫爆試俄

在蘇俄眞理報宣佈俄國已試爆氫彈的前幾天，美國的地震儀就已紀錄了俄國境內發生氫爆炸，當時主管部門立卽報告艾森豪總統，艾森豪認爲這件事在未探明眞相以前，一定要守祕密。因此，一方面下令主管部門繼續研究並調查那次爆炸究是人爲的還是自然的爆炸，所爆炸的究是原子彈抑或氫彈。一方面嚴令保守祕密，所有有關此事的報告，公文或命令，須一律由最高級官員親自傳遞，嚴禁假手於僚屬。經過幾天的忙碌，後來事情確實證實了，華府正就此事草擬聲明的時候，不料眞理報却搶先登載出來了。

關於這次俄國氫彈爆炸的詳細情形，眞理報沒有詳加說明，美國也只說俄國爆炸氫彈的消息已獲證實，並未提到爆炸力的大小。但據若干消息靈通的人士私下向人說：這次俄國的爆炸，其威力實比美國在恩尼威吐克島所舉行的氫彈爆炸爲強大。因爲這件事，若干政府官員又重新提到總統應該把更多有關美俄原子潛力的常識昭告國人的問題。事實上，艾森豪總統確也在研究一篇關於原子方面的演詞，預料他自丹佛渡休假歸來後，就會選一天鄭重向外間發表。

伊朗政變不是新聞

伊朗國王巴勒維的御林軍曾兩次發動政變，第一次不幸失敗，伊王且因此被迫出國，直到第二次動員民衆起而勤王，才把專橫跋扈的穆沙狄克總理一舉推倒。第一次計劃的失敗，大家都知道是由於事先洩露機密所致，所有的政變計劃都在起事前幾個鐘頭，被參與政變的裝甲師師長出賣給穆沙狄克，以致後者有了準備，前去逮捕他的官兵統統入了陷阱。其實這件機密的洩露據說還不止這般程度，在起事之前的好幾個星期，華府和倫敦就風聞御林軍要驅逐穆沙狄克的消息，至於德黑蘭方面，更有許多人不把這件事當做新聞。

美計劃建造新原子潛艇

美國海軍部正在設計第三艘原子潛艇，新潛艇的噸位將超過六千噸，爲第一艘原子潛艇「鸚鵡螺」號排水量的兩倍，比上次大戰時所使用的潛艇，更超出三倍以上。它在水下的速度異常驚人，可能達到每小時三十五浬的速率，甚至比大多數驅逐艦還要快些，這種潛艇不但能發射安有原子彈頭的定向飛彈，而且將裝備超音速對水上飛機。將來建成後，不止專門對付潛艇，大驅逐艦等就奈何它不得，恐怕其一個小型艦隊的力量也無法阻擋它的進襲。（孟衡）

中華民國僑務委員會頒發登記證台教新字第一零二號
中華民國郵政登記第一類新聞紙類
自由人
THE FREEMAN
（中英週刊每星期三六出版）
（第二六一期）
每份港幣壹毫
督印人：李光軍
社址：香港高士打道六六號
電話：七四〇五三
GLOUCESTER RD. HONG KONG
TEL: 74053
承印者：東南印務出版社
地址：高士打道六十四號
台灣特派員辦事處：台北市延平路五十號
台灣總經銷處：台北中華路新號五九四之一
台灣郵政劃撥儲金帳號九二五二號

流亡青年的教育問題

——一個真實的故事

生活的艱苦和求學困難　希望社會的了解和支持

·張丕介·

乞討式生活

我在香港四年多的時間，耳聞目睹了爲別處別人所無法想像的矛盾現象。離開一般的理論和個人感情，我願意就自己實際經驗範圍之中，簡單的敘說一下這矛盾現象中之最爲人所忽視的問題：流亡青年的教育問題。

從中國內地逃亡到香港的難民，其中一部份是曾受高中教育的青年。他們之中，有的隨同父母或其他親友，有的在香港或自由中國有可依靠的親友，有的會攜帶若干數目的生活費用，這些人能夠繼續求學，至少個人生活沒有嚴重的困難。特別困難的是一羣隻身流亡的青年：他們沒有任何生活的經濟條件，同時又急切的要求讀書。

這些青年們，一部份被收容在調景嶺的難民營，一部份被各救會所救濟，一部份卻散在港九的大小街巷，有時做臨時性的工，多半在過着乞討式的生涯。

他們在思想上是堅決反共的，但不一定都希望到台灣去；有的極端希望去台灣，卻也不一定都去得成。

讀書成夢想

他們在朝不保夕的流亡生活中，夢想繼續讀書，在許多人眼裏看起來，還在香港幾乎是一樁可笑的事。

香港沒有一家公私立學校，是爲難民青年而開設的。學費之高，已使中產之家，望而却步。一個學月，四十或六十元的學費，已經超過一個難民全月生活費用之上了。單單難民的身份，已說明他們沒有任何資格享受教育權利。學校在香港以營利爲目的，雖然有些學校設有免費學額，但只是點綴的性質。已繳過學費而成績特優的極少數學生，方有免費的優待；難民青年根本進不了校門，至於無此優待之望。這些學校的教育理想，理論上說未嘗不冠冕堂皇，但經商業化之後，就似乎用不着多談了。

難民的學校

新亞書院，這間「標準難民學校」，就是適應上面的環境而創辦的。我在四年中的見聞，完全以這學校活動的範圍爲根據，相信當然十分確實的。

新亞書院的規定，學費是每月四十元，在開學時註冊一次繳足六個月的學費；但免費的規定又使上面的話幾乎成爲具文。以四十一年下學期爲例，九十二名學生的繳費情形是：

完全自費生一〇名。

孟氏助學金（每名二四〇元每半年學費）一三名半

無名氏助學金（與前同）一三名半

本院獎學金（等於免繳學費）三名

免費生（全額免費與三分一，合併計算）五二名。

說明：就學校收入說，實收學費三十七名半。

流亡的原因

學生籍貫，包括大陸多數省市。逃避共黨政權來港時間，最長者四年餘，最短者半年。來港後生活，可分爲以下各類：

（甲）寄食於親友或鄉誼者，約百分之三〇

（乙）被收容於調景嶺難民營者，約百分之一〇

（丙）爲各種工作維持生活者，約百分之五五

（丁）有家庭在港者，約百分之五

經孟氏助學金委員會調查學生宿舍後，學生中的一小部份，獲得良好機會，即能在該宿舍工讀寄宿，其中：

（甲）完全工讀生，每月獲得宿費二十五元，膳費四十元，另用二十四元。共二十四名。

（乙）部份工讀生（爲上數三分之二或二分之一）共九名。

工讀生血淚

在校學生，爲了讀書，不能再做工，但爲生活，又不能不設法撈取生活費用。故一部份學生仍須在課餘從事各種不同之「職業」，因性質不同，時常變化，無法統計，但大致如次：（甲）家庭教師八人。（乙）夜校教員十五人。（丙）報業編輯、校對……（丁）各種臨時性零工二十八人。

日間喝開水

單身流亡的青年多半寄居於收容他們的機關，或教會，或個人家庭，或商店，或公寓，吵鬧，打牌，絕非讀書之處。但因其可免寄宿費，仍視爲最大的友誼與恩惠。學生某君寄居於一個工廠的「難友」木房中，一席之地，聊蔽風雨，而且數人共有。……我們常發現學生有突然缺課或中途輟學的事情。認眞詢問之後，不是病，便是生活發生了大問題。明白眞象，簡直是一件無可忍受的精神痛苦。

營養不良是難民學生的普遍現象。早晨一餐飯，須自己動手煮好。全天在教室，忍受着長時間的饑火，等候晚上再吃一餐。你看他們的面色！那裏還像青年！某君日間大喝開水，經我詢問，始知他欲藉此欺騙自己的肚皮。

雖然如此，假設他生病，又將是如何悲慘的事實。這是我耳聞目睹的事實。我無勇氣作更進一步的報告了。

新亞的精神

我愛這些青年，……的待遇是和普通教授一樣，按上課的時數支取微薄的鐘點費。他沒有一分一文的辦公費。

這間標準的「難民學校」，除去它的精神條件，可以說是一無所有。它的精神條件，一面寄托於它的創辦人和一羣熱心教育的教授身上，另一面就寄托於這一批時代災難中的流亡青年身上。它希望能獲得社會的了解和支持，好讓它進一步容納更多的失學青年，並且能給這些青年們較多的物質的和精神的安慰。

伊朗會成韓國第二嗎？

目前在關於地理政治的談論中，已增加了「第二個韓國」的新名詞，這是指介於兩個強大敵國或敵對集團之間的邊緣地區，這樣的地區雖爲小國而不容其落入對方掌握。在這個意義下，伊朗在韓戰前東方的半島遭遇悲慘命運以前，就已成爲「韓國第二」。

戰略上的重要性

以地理環境而言，伊朗在戰略上的重要性，實遠勝於韓國。……相距不過數百哩，……海與裏海沿岸，……內陸水域。在另一方面，……中東與印度大陸，將兩面受威脅。

因此，伊朗的近代史上，充滿了俄國與英國的……和鬥爭，雙方都有佔據伊朗的意圖，不過由於某種自然的平衡力量，伊朗始終保持爲一個緩衝國，國內雖然貧困異常，貪污腐敗，行政不修，但仍然自由。

拿破崙曾夢想利用伊朗而打擊印度的英國，德國在兩次大戰中也有同樣的計劃……

蘇俄有權驅兵入伊

……不過最激烈的衝突，還是在於俄國與英國之間。在一九〇七年，這種衝突曾一度告緩和，英俄兩國簽訂……劃分勢力範圍，伊朗北部……，南部則……

到一九二一年，蘇俄與伊朗簽訂一項條約，放棄了沙皇時代的許多特權，不過仍保留派軍入伊之權，假如伊朗遭受另一國家的侵略威脅。這個條約至少大部份仍然有效。在第二次大戰中，伊朗北部曾被蘇俄佔領，其餘部份，則由英軍佔領，直到一九四六年聯合國施用重大壓力之後，俄軍始撤出。伊朗北部亞塞拜然與庫德斯坦的傀儡政權，也因而宣告崩潰。這是西方在戰後的第一次重大勝利。

現在一個新的局面已出現於中東的局面中，這就是美國已分擔了英國的一部份戰略責任，……

……伊朗國家的龐大石油當局。……油田，輸油管與煉油廠，……伊朗不僅已成爲蘇俄與西方勢力圈內兩個主要……油田的控制，這兩個國家：蘇俄與西方都具有重大的價值。

現在，伊朗在戰略的地位上已成爲另一個韓國了嗎？最近數星期內的事態演變，無疑已使伊朗局勢陷於極度不安。今日沒有一個人能預料，蘇俄會容許……納伊朗一個激烈反共反俄的政府。……

西方勢將阻俄强佔

……向。那麼蘇俄將採取什麼行動呢？中東問題專家們認爲，蘇俄大致將首先使用外交上的壓力，……同時，蘇俄……的威脅，始終並未消滅。

如果伊朗有落入共黨勢力圈的趨勢，西方的反應是會出面干涉到若干步呢？這個問題雖尚未出現，不過到迫不得已時，西方可調動的軍力，大致祇有在蘇彝士運河區的英國兩個師及附屬部隊。空運可迅速自蘇彝士區運到伊拉克巴格達附近的哈巴尼亞空軍基地，美國可能自沙烏地阿拉伯的達蘭基地，及其他中東與北非基地調遣空軍來支持這個行動。在這方面的種種估計中，土耳其是一個重要因素，美國在戰後……加緊的戰略性公路，……有所行動時，將提高土耳其的作用，土耳其應付蘇俄的力量也因此大增。

不過許多專家都……可防止伊朗成爲戰場。蘇俄、美國和英國都明瞭，伊朗如發生武裝衝突，東西雙方的攤牌戰實際即告開始，它所牽涉的範圍，將遠較韓戰爲高，地方性戰爭演成世界大戰的可能性，也因而大增。不論……伊朗繼續保留其緩衝地位的最大希望，也許還在伊朗本身的自然環境。數世紀以來，它已產生一種深入的力量，足以促使……對外國業務擬安的計劃都無法實施，過去的歷史，曾提供許多證據的證明。（明尼譯自「新聞週刊」）

一週展望

共方間諜戰的展開

韓戰暫停，冷戰加劇，馬倫可夫聲明蘇俄已有氫彈，美國以投原子彈或氫彈的B—36重轟炸機橫跨太平大西兩洋，以答覆之。於此尤有一更可注意之事，即爲共方間諜戰的展開。據上月二十八日合衆社東京電，聯軍方面已破獲由北韓假扮平民混入南韓的間諜二十組，其目的在偵察停戰後聯軍的軍事佈置。同月二十九三十兩日，本港星島日報通載一封東京的重要通信，紀述日本於上月初破獲一蘇聯間諜案，人證物證，均已被日方海上保安隊截留。人證計有被蘇方收買的日人關三次郎一名，蘇聯船長一名，司舵一名，水手一名；物證則有由關三次郎攜帶的發報機一架，念珠一串，經本一冊，化裝薄一本，號碼未經使用的日鈔十七萬八千圓，及木箱一隻，而木箱底層乃藏有用蠟密封的大個紙盒，內藏五單位無綫電通訊密碼。及海上保安隊根據關三次郎供辭，截獲一艘送間諜的小輪以後，除逮捕上述船長等四名蘇聯人以外，並搜出恰如關三次郎所供述之橡皮艇，及發射紅紫南光的信號器等件。此案日本治安當局仍在繼續研究中，以日本目前的畏懼的情況，大致只能馬虎了事。又據南洋某埠友人函告，最近某方在東南亞一帶公私援外機構中，時有言論行動不穩的分子的發現，其目的似在破壞一切反共工作，並挑撥援助與受援國家間的惡感云云。

上舉最近發現的數例，這不過是共方間諜行爲的一鱗一爪，實際則此類間諜，早已滲透於各反共國家的神經中樞，以往所破獲的例子，也不勝枚舉。一言以蔽之，如果各反共國家不隨時提高警覺，並正式宣佈共黨爲一種非法組織，則共方此類間諜工作的進行，一定方興未艾，以他們那種無微不至，無孔不入的做法，必然要使得對方防不勝防，這確是各民主國家一個莫大的危機！

緒方擴軍聲明

·左舜生·

最近日本副首相緒方竹虎曾在記者招待會中聲明：『日政府現正研究將擁有十一萬人的全國保安隊於下年擴增至十三萬至十五萬人的計劃。』他並且說：這是基於國家固有自衛權利，與他們現行的憲法並不違反。又據今日（九月一日）東京方面報導，改進黨總裁重光葵對於政府此項擴軍計劃，已表示支持，他認爲：『從一個較廣泛的國家利益的觀點看來是適宜的。』同時他說：『政府此次政策的轉變，使自由黨與改進黨的聯合邁進一步。』

我們早已在本刊上屢次說過，吉田政府在本質上是不反對建軍的，但爲避免對國內外一般人的刺激，他們才採取過去那樣一種灰色態度。可是現在已經到達了一個『圖窮匕首見』的關頭，仍如過去那樣以空言相搪塞，則不提出一個具體的建軍計劃，則美國可能以停止對日一切軍援相威脅，經濟界以嚴重打擊，這影響到日本國家自衛的本身，吉田是吃不消的，於是才不得已俯首就範，看來一個美日共同安全的援助協定，大致是在最近期內非簽訂不可的了。

這件事在日本可能有各種不同的後果要繼續發生：一、日本的保守黨派（包括自由黨，鳩自由黨，及綠風會一部分的人，甚至右派社會黨的少數。）可能有進一步的團結；二、日本的左傾政黨（包括日共，左派社會黨，及右派社會黨的大部。）可能緊向政府進攻，並強調反美；三、基於這樣一種形勢，……必須赴美一行，由美國提出主要的要求，也可以說池田和吉田本人之……，主要的目的便在於此。

照我們看來，於現有的保安隊十一萬人增加兩萬至四萬，以陸軍爲限，……決不足以應付日本今後的需要的，……即以最近日本今後的計劃而論，已絕非蘇聯和中共所能容忍，……還要存種種幻想，乃是不可能的。……中國和日本的關係，原可求得相當的好轉，……我們應付中日外交的人物，能不能不失去這一機會就是了。

台灣通訊

耕者有其田在台灣

實施耕者有其田條例，於今年一月二十六日經總統明令公佈施行，並由行政院指定台灣省爲實行區域。半年以來，台省上自行政院，下至各村里鄉鎮公所，均以此事爲中心工作。立法院內政委員會，既組織考察團，分赴各縣實地考查。行政院亦特設聯合督導團赴各縣視導。

今年的中心工作

中央對於推行該項政策之努力，與中央機關人員之深入農村，均爲以往在大陸時代所未有。其餘如主管地政業務的台灣省民政廳地政局，與協助推行耕者有其田最力的農村復興委員會，亦各派有常川督導人員駐縣辦公，每縣市各二三人不等。其待遇較一般公務人員爲優，每人每月連同川旅等費，達台幣二千餘元。按照台灣省政府所訂定的施行細則，在今年上半年應行完成的工作爲：

（一）訓練幹部，（二）複查，（三）審議審定，（四）公告，（五）征收放領，（六）統計及圖冊整理等六項步驟。現已屆八月中旬，各項工作大致完成，現已到達征收放領階段。各方面的報告中，雖均謂進行十分順利，但實際上，並非一無困難問題。而此等問題，亟待合理解決，方可使此後工作，益趨確實，且爲日後收復大陸時執行土地政策之重要借鏡。

仍存懷疑的心理

依據台灣省政府的估計，台灣全省征收放領土地筆數五二〇，九〇九筆，土地面積一五一五六，五一七七甲，分屬於一一七，三九三戶，佔原私有出租耕地面積百分之六一·二三。應行放領的戶數爲二〇七，八二七戶，平均每戶承領面積七·五三一甲。台灣本係島嶼，耕地原感不足；而法律上尤許地主保留的耕地數額又相當大，故欲使全部佃農均能獲得其所需要的耕地，尚需時日。照近日情形看來，農村中地主時代確已經過去了，大多數的開明地主，都自願表示放棄靠土地放租以維持生活的保守觀念，而轉向另謀生業的路上去。他們雖則還保留一部份土地，但多作自己養老之用，而要他們的子女出外各就其他的職業。不過他們對政府補償他們地價的各項公營事業股票和實物債券，有許多人仍存懷疑和不信任心理。其原因是由於政府對於五個公營事業機構的估價工作太過於遲緩，並且所估的價值前後大有差別。他們希望政府能保障債券及股票的價值，切不可發生中途貶值的現象。大地主們並不指定要某一個公營事業機關的股票，他們只希望政府所發給他們的股票，不要太分散，最好集中於一二個公司。小地主們則對於股票不感需要，而希望可以隨時換得現金，以應得其他職業的資本。至於自耕農對於股票債券或是現金不甚注意，他們只希望法律上規定的生產低利貸款，政府能夠早日辦理，使得農村金融可以活潑。再則希望以扶植自耕農爲任務的台灣土地銀行，儘可能設在農村中，不要再在都市的大馬路上，作輝煌的建築，以與一般的商業銀行競爭業務。以上這些意見，已經由各個考察團體反映給政府方面，實在是值得重視的問題。

等則問題甚複雜

另有一個重要問題，本來應該在實施該項政策之前，先行解決而迄未解決的，便是台省土地的等則過高問題。法律規定征收耕地的地價，係依照各等則耕地的主要作物全年收穫量之二倍半計算。等則過高，則直接影響佃農的負擔，因而使承領此類等則土地的佃農，紛紛不願承領。假如再不急謀補救，則台灣的耕者有其田工作將留下一大詬病。所謂土地等則過高的情形，約有幾種：（一）濱海濱河近山的地區或係鹽分過重，或係土質瘠薄，或係易被大水淹沒，或係缺乏水利。但以往所評定的等則，均沒有顧到這些特殊的情況。（二）佃農以自己的勞力時間，將地主的荒山荒地開墾成熟後，地主多願以極低廉的地租，出租給原佃農耕種，並且在三七五租約上註明，有些地方佃農所繳的實際地租，只及三七五的四分之一。現在要照等則繳納地價，佃農的負擔反而加重至一倍有餘，無不大爲恐慌。（三）旱地栽種的菓樹，本來收益較尋常的農地爲高。但菓樹或易於死亡，或經過若干年必須重植，要再經過一段時期才有收穫。現在也要照其收穫豐盛時的地價等則繳價，自爲農民所不願。（四）在日據時代，一部份地主以土地向銀行抵押貸款。爲求得借款額的增高，乃故意要求政府提高等則，迄今未予改正，因而是等土地的佃農，遂要繳納甚重的地價。

征收放領不簡單

再則共有土地的征收放領，情況也不簡單。如數共有人中甲乙二人，甲爲自耕農，耕作共有土地的全部，對乙的關係則爲承租其持有分。按照法律規定，須先合併征收，再將土地放領給甲。因此除原屬於乙的部份沒有問題外，而原屬於甲的部份，則須先由政府向其征收，再由政府對其放領，雖則征收對象與放領對象就是甲自己，而事實上頗有困難。因政府向甲征收時，係給以七成實物債券與三成股票。待甲向政府繳價時，實物債券可以抵繳，而三成股票則依法不能抵繳。換言之，甲的資金有三成移向工業，並且要另籌三成現款繳給政府。又地主老弱殘廢者可保留土地，維持生活，原爲法律所明定，但台灣省政府卻於施行細則中，嚴格規定必須該戶全年戶稅在一百元以下者爲限。因此，大縣以老弱殘廢爲理由聲請保留者不過三五百件，小縣不過二三百件，其獲得通過者更不及十之一二。蓋一百元戶稅以下之土地，在等則高的地方只有數分，低的地方也不到一甲。因此民間乃有不平之聲，謂：有錢的地主反可保留三甲，而老弱殘廢者雖數分之地，也要征收。他若土地上的房屋，灌溉用的池塘，與農地相連接的山林地帶，是否也應一併征收放領，或應該如何規定辦法，也都是民間所關注的問題。總之，實施耕者有其田在全國爲創舉，其遭逢的困難是應該有的，惟應適時隨地謀求解決的辦法，不宜謂一切已辦成了，不必再研究改進。近日趨勢，顯示台灣省今年下半年內中心工作，將集中於戶籍整理，與糧食管理兩大要政，其實土地改革的大政，尚未完全做好，還是值得再加以努力的。

人物介紹

藥商鉅子劉仲麟

若夢

一個多月前，曾抨擊香港中華總商會不應懸掛中共的「五星旗」和指摘該會理事長高卓雄，並揚言如再掛「五星旗」，實必將之搗毀，連旗桿都要砍掉的香港西藥商會理事長劉仲麟，已成爲一位給人注意的新聞人物。

劉仲麟，港九的工商界人士，尤其西藥商人，都是耳熟能詳的。他原籍寶安縣，已數代居港，可說是一個老香港。他在香港皇仁書院畢業後，便到英國留學。民國十六年參加全英會考時，獲得劍橋化學科第一名成績，而名噪英倫（劍橋大學，倫敦大學的碩士）。現在是香港中華總商會理事之一，香港西藥商會會長，香港政府藥物委員會的八個委員之一。因爲他有這樣的學識和聲譽，本港西藥商都一致的擁護他，由抗日戰爭勝利後，直到現在西藥商會歷屆理事長都是他蟬聯。

他　這次抨擊中華總商會懸掛「五星旗」，據說起因於中華總商會對於西藥商人的利益未能盡善照顧，加上年來該會違背多數商人意見，懸掛「五星旗」。在這兩個因素下，所以劉氏第一步去函總商會聲明他所經營的威靈藥房退出，是商人中的豪傑和硬漢。

其　實劉氏早在太平洋戰爭期間，便有他特立獨行的表現。當日軍佔領香港後，他爲了避免敵人的注意，曾改名換姓逃避敵人耳目。因爲敵人特務密佈，交通困難，無法遠逃，終被敵人所捕，強指他爲英國和中國政府間諜，施用酷刑強迫供認。劉氏始終不受暴力壓迫，絕不屈服，敵人也莫奈他何。但是他的脊骨和足踝已經受傷，後來雖然醫好，行動上總還有點不自然。

德　輔道中的威靈藥房，是他在民國廿四年多獨資創辦的。以製售「威靈止咳水」著稱。聞香港政府對他的出品會給予免稅的權利，以資鼓勵。

他　這次抨擊總商會懸掛「五星旗」，有人說他有政治作用，他絕不承認。他對人表示，我是一個正正當當的商人，我沒有什麼政治立場。中華民國是國父和無數革命烈士建立的，不能隨便埋沒。他對於掛旗問題之所以不惜力爭便是在此。他這一番話，實在光明正大。不能隨意誣衊的。

中共問題答客問（下）

司馬璐

韓戰削弱了中共實力

問：韓戰三年以來，對於中共的影響是，你以爲他的力量是擴大了，還是削弱了？

答：韓戰三年，帶給中共的結果是：損失了百萬以上的精銳部隊。負荷了巨大的財政赤字。泛濫了整個大陸的一片災荒。行政制度加速了官僚主義的腐蝕。

誠然，中共兵源的損失，可能從「參軍」中補充，但是中共的精銳部隊今天確實已經損失過半了，何況，近千架的米格機，數千輛的坦克，二萬輛的卡車的損失，都不是短期內所能恢復元氣的。

四年以來，中共財政上的搜括總數約值二百六十六億美元，其中農業稅約佔半數，工商稅約佔九十億美元，藉各種罪名直接沒收掠奪自民間的約四十億美元，「人民幣」的發行十億美元，其餘則來自「公債」「儲蓄」「捐獻」等等。一九五三年的中共預算龐大到人民幣二百三十三萬四千九百九十一億元，約折合美滙牌價九十八億六千六百萬美元。此項預算較之一九五〇年的總收入高出百分之三三六·二九，何雨文先生根據精細的推算，在「中共財政解剖」一書中指出：「中共一九五三年的赤字，將達美滙三·五九二·六七三千元，參照實際情況估計，作者自認祇有低估的。」

由於龐大的戰費和物資的消耗，殺雞取卵的財政政策，中共如何能逃避赤字的威脅？今年大陸，華北旱災，華中蟲災，華南水災，災民至少二千萬以上，而此類災荒，並非人力不能克服者，但是在中共的官僚政權下，他們又如何會關心到人民的死活？中共政權對人民無限制的搜括，又成爲貪污、腐化、官僚主義的溫床和腐蝕中共的因素。

所以我的結論是，經過三年韓戰，中共的基礎已經削弱。

中共加强了鎮壓民衆

問：東柏林的反共暴動，對於中共有影響嗎？

答：東德反共暴動，牽動幾十萬人民參加，這不僅給予中國大陸的人民一種鼓舞，而且也將使中共的統治當局感到驚駭。

共產黨人從東柏林事件的教訓，可能在「策略」上有些改變，但是他們不可能對人民有眞正讓步。在東柏林事件以後，大陸上有更多的人被捕了，「鎮壓反革命」更嚴厲的執行了。這就是中共對人民的不滿的答覆。共產黨人永遠祇相信一條法律，用恐怖代替一切。

東柏林事件對於整個共產集團是一個嚴重的打擊：

第一、在東西柏林尖銳的對照下，說明所謂「社會主義制度的優越性」的宣傳，全部破產。事實證明，自由世界對於鐵幕內人民具有更高的價值和吸引力。

第二、這次東柏林暴動是以工人爲主體的，共產黨一向宣稱自己是「工人階級的政黨」，這個宣傳也破產了。

第三、東柏林反共暴動以後，增加了共產黨內統治階層的混亂。

第四、東柏林反共暴動以後，提高了鐵幕內一切反共人民的信心。

第五、這次東柏林事件又提供了一個事實，證明民族主義依然是今天世界政治的主流。

以上這些對於整個鐵幕國家的影響，對於中共有同樣的意義。

中共不會就此復員的

韓戰停止以後，中共在軍事上不會復員，其原因如下：

第一、中共爲減少黨內矛盾，特別是爲了便於抑制軍人的拔扈，他們需要繼續在軍事上向外發展。

第二、中共無大量的兵源，即不足與蘇聯賣弄「友好」，以「反美」換取俄國的支持。

第三、這些共產部隊，或則是國軍舊部，或則是被迫參軍者，如果一旦放之四鄉，必然騷動紛起，中共更無力控制。

因之，韓戰以後，中共的動向是：加强獨裁統治，保存並休養軍事實力，伺機向外挑動新的戰爭。

中共的建設宣傳虛僞

問：你說中共的基礎削弱了，難道中共這幾年來所大吹大擂的「建設」就沒有一點的成績嗎？

答：是的，我對於中共建設的成績估計很低。首先中共致力於各種「建設」，粉飾「太平」的，如修理天安門廣場，龍鬚溝，什刹海，懷仁堂，北海公園，中南海景緻，和平郊各風景區，天橋遊樂場，乃至陶然亭等，這些除了供少數新貴享樂以外，無補於國計民生。

中共曾先後在水利方面疏浚過永定河，沂河，大運河，海河，衛河，及導淮工作，實際的效果如何，我們從今年的災區之廣，災情之嚴重，就可以想見了。

我們承認中共勉强在交通上可以說有點成績，特別在西北、西南方面，進行關新鐵路，天成鐵路，川黔鐵路，成渝鐵路，康藏公路的開闢，但是這些也一樣與國計民生沒有什麼關係，打開地圖一看，我們就知道這完全是爲了適應俄帝軍事侵略的需要。

中共是否會自行崩潰

問：在這種情形下，你以爲中共政權會自行崩潰嗎？

答：似乎不會。內在中共財政的枯竭，外困中共幹部的思想，混亂，領導層的矛盾，已日趨尖銳，但是他們絕不會理解到這是共黨獨裁專政的必然結果，「一面倒」的必然結果。[illegible]

[illegible]在中共內，蘇聯會出全力支持，以中國幅員之廣，人口之衆，從帝俄的「東方政策」到蘇聯，經營數世紀，始有今日基礎，蘇聯絕不會放棄。雖然蘇聯與中共間也有矛盾，但是今天蘇聯在中共內部所有的力量，還足夠可以控制中共領導。[illegible]今天中共的形勢，自然可以說是半身不死，[illegible]拖下去，[illegible]資源是中共的本錢，[illegible]沒有外力的攻擊，[illegible]能夠組織在一天[illegible]人力和資源[illegible]沒有外力[illegible]是不會自行崩潰的，首先要在軍事上打敗中共。

編者與讀者

△下面幾篇文章將在本刊陸續發表：

徐佛觀先生——史達林的笑話

紹　李先生——名藝術家梅雨天（人物介紹）

羅明芳先生——隔牆有耳（書評）

袁　雁先生——憶蘭州保衛戰

楊漢之先生——改革台大課程意見

△高清心先生：大作奉悉，論文藝一文稍緩發表。論警政一文，擬轉有關機關參考。

稿約

本報言論自由，園地公開，各版均歡迎投稿，來稿性質如左：

一、報導，各地通訊，時事評論，小說，散文，科學消息，文教動態，書刊介紹，均所歡迎。

二、每稿請勿超過一千五百字，長篇鉅著，除特約或具特殊價值者外，以限於篇幅，無法刊登。

三、譯稿請附原文，如無法附寄，請詳註出處。

四、來稿一經刊登，每千字致酬港幣六元至十元。

五、來稿請附足郵票，以便不能採用時退還。

共黨重重思想鉗制下 國畫藝術瀕臨厄運

舉行畫展，考驗畫家思想，專制壓迫下，畫家的諷刺表現。

大陸淪入匪幕後，我國固有的國畫，也和其他文學或藝術一樣，難逃扼殺的噩運。

這幾年來，對在大陸的畫家除了齊白石之流，畫幾棵花卉虫魚，聊以敷衍歌頌王朝新貴氣數之外，一般畫家，都已因動輒得咎，深懼被扣上「封建」「反動」等帽子而束手擱筆，不敢輕易下筆了。因而，目前大陸的國畫，已日漸陷入貧瘠和蕭條時期，衰落不堪了。

大概毛澤東已經覺到了這一點，所以在今年開一次「政協會議」席上的「指示」中，特別提到國畫的「提倡」和「改革」。命令在北平的「中國畫研究會」設法舉行一次規模的畫展，以資「提倡」，和召開「觀摩」。

「中國畫研究會」乘承老毛的意旨，經過幾個月的籌備，終算勉強向一百九十幾個畫家選出了三百六十多幅國畫，併併湊湊，在上月一日至八日，假北平北海公園，舉行了一次畫展。

[illegible]

政治思想改造失敗

葉淺予作惡毒批評

自然這一畫展，並不是的內在目的，是在「考驗」這些畫家們在作品中所表現的「政治思想」究竟「改造」到了什麼程度，結果中共認爲這些畫家的「改造」成績非常低劣，除了齊白石、汪慎生、于非闇、王雪濤、陳半丁等少數[illegible]

消極諷刺

其二，葉淺予雖[illegible]

[illegible]

威嚇警告

[illegible]

湘潭興土木

程潛極力討好毛酋

動員奴工開築公路 日夜驅策限期完成

【本報訊】據長沙來人談：偽「湖南省人民政府主席」叛逆程潛[illegible]

今年來，程逆也想爲「人民」立些功勞，討新主子的歡心，可是，軍政大權，都操在別人的手上，傀儡縣的「首主席」，縱滿懷經綸，也變成了英雄無用武之地，何況牠已經是一個風燭殘年的老朽物；但幸有牠的兒子程浩（任保安師師長）投共，終於爲牠想出來一條妙計，不惜奴役湖南人民，美化毛主席故鄉——湘潭，既可博得毛爺的另眼垂青，同時也是爲「人民服務」建設「新中國」工作之一。

遂於本年二月初督促湘潭「縣人民政府」，發動命令當地人民一萬四千餘人，由湘潭出發，至毛生的地方韶山冲起，長約九十華里的公路，開始工作[illegible]當地人民日夜被迫做牛做馬在那裏賣力，[illegible]不必要的一條無意義的公路。加之這次與建公路，算來的經費，因此一切開銷，除強迫當地人民捐獻外，一面命令湘潭市的民夫，伙食一切自備；湘潭人民早就生活在吃樹根、啃草皮的環境裏，一朝被征築路，只有奴役和餓腹從事在路上，病倒於途，日有所聞，而餓死於野的，也時有所聞。

同時，又在該縣郭家亭鑛利用一小型兵工廠，徵當地人民工人，從事其開採，現該公路已於四月二十四日通車，小型兵工廠亦於五月十八日開工。

赤色新聞淺釋

「愛護公糧」

本月二日，本港大×報[illegible]

「歡度暑假」

同日的大×報大吹大擂：「全國各校師生歡度暑假」，說他們都分別組織了旅行團、參觀團，到北戴河、青島、大連、上海、杭州等處遊覽名勝古蹟，或避暑修養，簡直把他們說得神仙般幸福快樂。真的嗎？不，不！日報常有批評透露，說大多數教師們爲了參加活動，被派擔任臨時任務，連暑假都沒一天空兒。「旅行」、「參觀」的團體是有，但那不是旅行或參觀而是師生們的暑期「勞動實習」，他們不是神仙，而是奴隸！

美準備調查拒與貿易

「靠攏」廠商當頭棒喝

[illegible]

香港三日

香港倫敦英商出醜劇

利之所在弟兄搶骨頭

[illegible]利用「生意經」來離間自由國家內的團結了。本港英國商人認爲其本國商人如直接與中共進行買賣，對他們至爲不利，除了將喪失轉口利益外，他如銀行、保險、貨倉、運輸等業務，將受到損失；本港英商目前所經營共區土產外銷，收益很大，但如果直接將貨物自英國輸往大陸，貨輪於回程時必帶有大陸土產，逕行運返歐洲銷售，那末這眼前的利益亦將被英國商人所攫奪，難怪他們耐不住氣要表示憤慨，要求本國制止上述合約了。

一片漲價聲威脅民生

市民盼當局斷然平抑

△香港生活程度逐漸高漲，已使一般受薪階級與勞工感受莫大威脅，尤其近來肉價、蔬菜等各項實用品之不斷上漲，更使居民生活大受影響，希望當局採取適當辦法，予以平抑，以免在此不景氣中百上加斤，增加負擔。

可是在此時期，於房租加增之後，近因煤價提高，九龍電力公司已發出預告，謂電力附加費將因此增加，俟環境需要時實行；同時工商處亦公布將凍肉價開始增加，牛肉豬肉批發價平均每磅增加二毫，零售價亦比照提高；港九居民莫不大感加插之苦。

中共消滅民營鹽場

淮南首當其衝

大部鹽民驅往西北

【本報徐州訊】據徹底消息：中共爲徹底推行其「國營」的統治政策，業已決定逐步消滅民間的生產事業，強迫民營鹽場之鹽民轉業，以使所有鹽場，盡入「國營」的統治之內。現淮南首先遭此惡運，淮南所有民營鹽場，已被偽鹽務管理局通令，自六月份起，分三期限於九月底停止製鹽，全部分別轉業。偽淮南鹽務管理所奉令所執行的「方針」，是所謂「興墾廢灶」。所謂「廢灶」，很明顯，即廢止民間的鹽灶，禁止人民製鹽；但所謂「興墾」，則並非叫鹽民就地轉業成農業，而是將此等鹽民強制從事墾荒，將此等鹽民移往西北一帶荒地工作。據悉目前約半數鹽民已被迫停止製鹽，並毀去私灶，由偽鹽管局會同當地偽政府派出大批黨政軍幹部押送此等鹽民移往陝西、甘肅、新疆各省。臨行時，大多扶老攜幼，哭聲號啕，情形至爲狼狽悽慘！因此之故，目前尚未停止製鹽之鹽民，亦已無心生產，人心惶惶，秩序浮動。

基督教與歷史

·許鋆·

新書評介

著者：巴特斐爾
全書一八二頁
每冊定價港幣一元五角
香港聖書公會出版
一九五三年四月初版

基督徒怎樣應付共黨

本書的作者巴特斐爾（H. BUTTERFIELD），是英國劍橋大學現代史教授，是一位現代有名的歷史家。原書本來是劍橋大學研究院學生的講稿，再加補充整理而成本書。從本書的名稱以及寫作的思想，其爲屬於宗教方面的作品，自不在話下，但本書之所以值得介紹，却不在乎它對宗教問題有獨特的貢獻，[illegible]

與共產主義根本衝突

作者並不懷着解答這個問題的時下的批評論家一般，從一個個技節方面歸納到一個結論。而開宗明義，他首先指出一個基本的問題，就是基督教與共產主義的基本衝突，「基督教在乎的歷史」[illegible]

歷史對於人生的關係

[illegible]

美記者談俄京生活

·育平譯·

俄人行徑 莫名其妙

在一九四五年一個蘇俄外交宴會中，外長莫洛托夫突然對美聯社莫斯科分社主任吉羅姆提議，兩人來一次碰杯慶祝，這時蘇俄的巨頭們儘是肯和西方記者談談話的。莫洛托夫手執酒杯，對吉羅姆說：「你不喜歡新聞檢查，如果我提議我們大家實行互惠辦法，你覺得如何」？吉羅姆一時不知對方用意何在，胡里胡塗也高舉酒杯，爲這所謂「互惠辦法」一飲而盡。隨即又跟着莫洛托夫，把杯子擲過肩頂，表示涓滴不留。宴會散後，吉羅姆仍感莫名其妙，到第二天，俄人竟突然取消新聞檢查，可是過了二星期，檢查卻又像取消時同樣無緣無故恢復了。

這種不可思議的俄人古怪行徑，對於四十六歲的吉羅姆說來，在他採訪莫斯科新聞十二年的過程中，可說司空見慣。現在他已經帶着他的俄籍太太和二個女兒回到美國。她太太以前是個足尖舞明星，這次蘇俄發動和平攻勢後始獲得離俄簽證。

最近吉羅姆敍述了一些他在蘇俄時所無法向鐵幕外報導的故事，以下是其中的幾則：

新聞檢查 快慢無定

從冷戰開始時起，蘇俄的新聞檢查一直是相當嚴格，有時七十分神祕。一九四七年間，吉羅姆曾寫了一篇關於蘇俄主婦們如何烹菜的輕鬆通訊，可是檢查員卻把這述全部刪掉，[illegible]一個烹飪法，[illegible]因爲這位檢查員[illegible]討論俄人的飲食[illegible]慎，也許會顯得他們[illegible]發。新聞記者們從[illegible]有見過檢查員，[illegible]知道他們是誰。他們祇是把稿件殺掉抄錄[illegible]三分份，送到莫斯科中央電報局第十號窗口[illegible]通過，記者們最快[illegible]在二十分鐘內即可在國內看到[illegible]

[illegible]教通電話，把消息照讀一遍，但是他們所口述的消息與電報稿有一字不同，電話便會立刻被截斷。吉羅姆[illegible]美聯分社收報者的注意，每有電報稿末了加上一句：「請對這條稿子特別留意」[illegible]寫時異常忽忙」，這就是說：「檢查員把這稿子特別刪削，請予注意。」

照錄官報 也要刪節

記者們知道，唯一可以一字不刪而通過檢查的消息，祇有直接抄錄蘇俄報紙的，不過就是這樣消息，檢查員有時也會把「據真理報載」等字句刪掉，使這消息看起來像是記者自已的意見。記者們可能使用的電話，每一個都有偷聽的接線[illegible]，在通話時，時常會聽到頗響的接線聲音。莫斯科美聯社分社中，有二個會說英語的譯記會神祕被捕，此後即再不見其影蹤。此外，甚至還發生過[illegible]的消息，記者們也從來無法從俄人處得到。吉羅姆說：「如果他們宣佈了一個新任命，而你私人資料中，又沒有關於這個新人的事蹟可查，你甚至連這個人姓名中間的名字，也找不到任何人會告訴你。」

史魔死後 俄人輕鬆

在史達林死後，吉羅姆發現俄人的情緒都鬆了一些，這是「和平攻勢」的一部份，他太太覺得會碰到一個也是尖足舞明星的女朋友對她打招呼，這是多年來所罕見的事。不過對於吉羅姆個人來說，蘇俄的最大讓步，乃是經過六年的拒絕以後，終於容許他太太和兩個孩子跟隨他離開蘇俄。現在他們住在阿拉巴瑪州家裏，吉羅姆度着假期，準備在美國作旅行演說，此後他大致將被美聯社派去西歐，他自己再不想回到蘇俄去了。

他的太太契娜魔伐，最近曾應電視電台的邀請，接受廣播員的訪問。她談到一點蘇俄的婦女生活。關於時裝問題，她說：「蘇俄婦女也和美國婦女一樣的對衣飾發生興趣，女人總是女人。」至於世界大局，她說：「抱歉得很，對於時事，我很慚愧，在我的國家裏，婦女們在政治和商業上都很活躍，不過我卻不注意這些，我的興趣，都已放到我的孩子和胖子丈夫身上了。」

△吉羅姆帶着他逃出鐵幕的俄籍太太和二個女兒，讓她們享受一下美國海濱風光▽

蒼蠅老虎一例看

為方

監察院最近糾舉台灣花蓮縣長楊仲鯨虛報省主席出巡時的招待費用，認爲有觸犯貪污罪行的刑事責任，已移送地方法院偵訊。這類問題看似極末，然在政治上的影響卻不小！上下屬越禮逾份以招待上級長官，有的是出自本已的諂媚逢迎心理，有的是由於上級長官嗜好別人對他熱烈歡迎接待的官僚氣味，未可概論。記得行政院院長陳辭修氏曾發表談話，指斥某一公營企業機關爲招待他的費用，其中列有購買西瓜等款項。但他並未吃過西瓜，問隨從人員亦然。因此，他得到一個結論：凡在國家行政機構內辦過三年總務事宜的人，都可以槍斃！快人快語，實獲我心。不過，當今之世，身爲高官而厭惡下屬非份招待者，縱非天上聖[illegible]，[illegible]。滔滔者多是[illegible]屬不當[illegible]「官瑞」—是[illegible]

在[illegible]人肉麻[illegible]「捧場」[illegible]下，屬捧[illegible]應，有的[illegible]行爲又亂[illegible]虛報[illegible]不治之症！我希望言官們對那些愛受別人招待的大官，也應時糾舉一下，以示予受同科的法意如何？

雜談陳散原（三）

·懷冰·

散原和鄭孝胥、陳石遺[illegible]曾經過張之洞的幕客，[illegible]賞識散原，[illegible]操何術而使天下英雄入彀中？」之洞聽了默不作聲。這是友人[illegible]滑室告訴我的，他的[illegible]緣做過張人駿的幕客，所言當有所本。其實散[illegible]們二人不特政治見解不同，即論詩亦有出入，如散原有九日偕[illegible]至洪山寶通寺[illegible]節庵詩云「[illegible]隔世尋；半壁[illegible]秋陰。[illegible]吟，作健逢辰領元老，[illegible]。」這首詩在散原集中[illegible]洞仍以領元老三字爲不然，可知平日議論有不合地方。

[illegible]詩，是詩史；如果我[illegible]間的治亂興衰，政治[illegible]苦，打開杜工部集子[illegible]於我們眼前。鄭孝胥[illegible]便是當時的詩史，這[illegible]過我們若把散原精舍[illegible]以明白光宣以來政治[illegible]俗的梗概。[illegible]之役，北京被佔，那[illegible]

清末，滿洲政府爲和緩革命風潮，昌言立憲。實則親貴用事，賄賂公行，那時的王公大臣，多數頑預無能，愛新覺羅王朝將不久覆滅。集中有除夕披酒書篋寫所感云

「當今準勢豈不睽，奈何餘氣同屍居，自頃五載號變法，肉弄群劇滋蠱誣。中外拱手徇故事，朝暮三四給衆狙。任齋作柱亦已矣，僵桃代李胡爲乎？宏綱鉅目那皆省，限制立憲供揶揄。何況瘦蔽塞鈞軸，喔咿澳溫別有闆。劉肉補擔利眉睫，顚倒從蠅娛，公然白日受賄賂，嬉憨所慣猶區區，吾屬爲誰任公等，神明之胄淪胥。」

這一首詩所寫的，便是如燃溫嶠之犀，幽怪畢錄；而且是痛哭流涕，淚盡繼之以血。（尼采說我愛以血淚寫成的文學，這首詩值得可愛的原因在此。）

懷冰隨筆

洪武鷄

·健超·

敎化鷄，正名爲洪武雞，據說當初洪武爺在做牧牛兒時代，常常和夥伴們抓些雞來喫，山野曠地，無鍋無灶，怎能熟食，也是洪武爺天縱聖明，想出妙法，用濕泥塗裹雞身，撿拾柴草團堆燃燒，等到足夠火候，將雞就地一擲，雞毛隨泥剝落，比之用滾湯水燙過的還顯乾淨，內臟不要，雞不用刀劃，以免血淋淋的滿地痕跡，同時也免刀口沾上土泥，傳入七竅息泥滋味影響雞味的鮮美，有兩法，一是用繩扣雞項，一是溺雞頭于水中，扣死溺死的雞，才好用泥塗裹，既潔淨，又簡便，偷個「盜亦有道」，偷雞兒便有喫雞的一套法門。至于偷雞的法門，用米不好，用魚釣鷄，雞吞下釣餌，收鈎取雞，雞是不會啼叫的。究竟這種弄雞的方法，是洪武爺的發明。還是由皁田院裏學來？總不考證，總之敎化雞的名稱，不及洪武雞好聽，所以我們該說洪武雞是正名，而敎化雞是俗稱。

安徽的鳳陽，是明太祖洪武皇帝的家鄉，朱家祖陵在鳳陽郊外不遠，遊鳳陽必得拜訪明陵，訪明陵必得一嘗洪武雞，洪武鷄是鳳陽的名物，不過已非復當年洪武爺喫雞本色，想象中的牧牛兒的喫雞，當然是席地而坐，不用刀匕，無有盤碗，不作撕一條雞腿，我扯一塊雞胸，現在我們喫洪武雞，既置之席上，復箸碟盛放雞頭，並且早用刀割成細塊，可不早已失卻「皁山院」中的無邊風味。我曾到過鳳陽，遊過明陵，也喫過洪武雞，而且還聽到一些關于洪武爺的「神話」。（上）

憶古蹟懷南京

—大報恩寺與琉璃寶塔—

·鐵頭·

據海關報告載：『其規制悉依大內圖式，八面九級，外壁以白磁磚合甃而成，上下萬億金身，磚具一佛相，自一級至九級所用磚數相等，磚之體積則按級縮小，佛像亦如之，面目畢肖，第一層四周鑄四大王，金剛護法神，中鑄如來像，俱用白石，每層覆瓦五色琉璃，高二百七十六英尺七英吋強，地面覆蓮盆口廣二十丈六寸，塔頂冠以黃金寶頂，重二千兩，鐵圈九個，大圈周三丈六尺，小圈周一丈四尺，內係藤製，外裹鍍質，計重三千六百斤，鐵鏈八條，綴有五巨珠，避風雨雷電刀兵云。九級內外，篝燈一百四十有六，宣德間詔選行童百名，常川點燈，晝夜長明，名長明燈，一日夜費油六十四斤四兩零，月大一千九百三十一斤四兩，月小一千八百六十六斤一十四兩，歸內府撥送，燈罩蜊殼製成，內置油盤，附有燈栝，既則旋機使出，不勞攀援也。』

在五百餘年前，所建造的塔身，即能高達二百七十餘英尺，較之香港最高的建築物——中國銀行還要高四十餘尺，幾與上海國際飯店相等，而又黃金寶頂，巨珠爲飾，各級覆以五色琉璃之瓦，日光反射之下，麗金碧輝煌，彩霞萬道，暮色蒼茫之中，則長明燈一百四十有六，大放光明，燈燄盈寸，遠近望之，互可知，烟霧籠罩，明燈灼灼，豈能不興奇觀，加以塔身外表純白磁磚砌成，塔頂八條，重餘七十二[illegible]角，垂鈴八十[illegible]勝蹟志）每遇[illegible]影搖曳，月夜[illegible]月光，鈴影[illegible]蕩，交相輝映[illegible]說，相傳已久[illegible]幻象，引人騰[illegible]的陶雅夢憶上[illegible]『中國之大[illegible]之大窰器，則[illegible]報恩塔，成於[illegible]成祖開國之精[illegible]力，開國之功[illegible]略，足以吞吐[illegible]焉。……』（四）

尼赫魯啞子吃黃蓮

印度總理尼赫魯自以爲聰明一世，在國際舞台上僞裝中立者的身份，企圖在東西兩大集團的夾縫中討取若干便宜。在過去幾年中他這種專打小算盤的作風是否得不償失，已由他備受民主國家的唾棄中可以概見。第八屆聯合國大會定於九月十五日揭幕，有人想推舉尼的妹妹潘迪特夫人担任大會主席，法國即首先表示拒絕。其實尼赫魯愛打小算盤而吃虧的地方實在太多，最近法國賣給一批噴射機給印度，既可說是法國厭惡尼赫魯的證明，也可以說是尼赫魯爲小失大的例子。原來不久前印度想買進一批噴射機，尼赫魯原打算求助於美國，但他自知與蘇俄過於親暱，深恐美國有所顧慮，乃轉而向英國接洽，當時英國的叫價並不很高，然而尼赫魯卻認爲並不化算，一方面與英國敷衍，一方面又暗中和法國商洽，在幾經談商之下，終向法國購進了七十一架噴射戰鬥機。等到錢貨兩清，尼赫魯才發現上了大當，原來那七十一架奧納干式噴射戰鬥機全是不中用的廢物，而且再詳細推敲一下，每一架法國機的進價竟還比英國新型及吸血鬼式戰鬥機貴出五萬六千美元，七十一架飛機白白多損失三百七十七萬六千美元巨款，這件祕密洩露後印度朝野大爲譁動，有些人認爲尼赫魯一向有「鐵算盤」的綽號，難得糊塗如此，個中內情如何，恐怕另有祕密。

狄托不受蘇俄誘惑

南斯拉夫與蘇俄集團的關係最近頗値得人注意，有一點最顯明易見的是南國與蘇俄附庸國關係的好轉，特別是貝爾格萊德與布達佩斯之間，陰霾的氣氛業已一掃而空，從前匈牙利對南國外交官員所加的種種限制，現在大部份已經取消或放寬。同時俄國對南斯拉夫的和平攻勢，自在大力進行。據熟悉內幕的人士說，俄國駐貝爾格萊德大使瓦里柯夫最近已面告狄托，如果南國退出巴爾幹防衛公約，俄南間的關係將恢復狄托與共黨國際情報局破裂以前的形態，但迄今爲止，狄托尙未接受蘇俄的誘惑。

俄國海軍將採守勢

美國海軍部近來接到許多有關俄國海軍動向的報告，其中有一件頗使海軍官員困惑不解的，是俄國已將若干巡洋艦改建爲小型的航空母艦。美海軍飛機曾在俄國庫頁島附近發現這樣的小型航艦達三艘之多，但上面未見載有飛機。當然像如此的小型航艦極不適宜用作遠涉重洋，向敵方發動原子攻擊的工作，因此美軍方認爲這些航艦大概是用以發射飛彈，也就是担任海上的防空任務，他們用保衛俄國沿海一帶，一定還要配置了這類航艦若干艘，以便在敵人原子轟炸機進入俄國領空以前，能先用飛彈加以攔擊。（孟衡）

中華民國郵政登記第一類新聞紙類
中華民國僑務委員會頒發登記證台數新字第一零二號

自由人

THE FREEMAN
（逢星期三六出版）
（第二六二期）
每份港幣壹毫
督印人：李光翠
社址：香港高士打道六六號
電話：七四○五三
GLOUCESTER RD. HONG KONG
TEL: 74053
承印者：東南印務出版社
地址：高士打道六十四號
台灣特派員辦事處：台北市館前街五十號
台灣總經銷處：台北中華路新號五九四之一
台灣郵政劃撥儲金帳號 九二五二號

略論『反共救國會議』

檢討有無召集的必要

·左舜生·

最近從台灣來港的朋友，曾向一部份人談到不久以前台灣所決定要召開的『反共救國會議』，因此香港的報紙，對這件事已有若干不一定正確的報導，甚至還有少數人跑來向我問長問短。

其實，我對這件事除在報紙上看見和偶然有朋友向我提過以外，其詳細的情形，我也並無所知。

可是，這件事既已成了港九方面的一個話題，我似乎也不妨把我自己的一點淺見，寫出供大家參考；在時間上好像還早，但有意見能早提出，我想也不會什麼壞處。

據我所聞，政府對這件事，已指定有少數人在部署從事研究，在原則上似乎是要開的，但究竟是今年開，還是明年春天開，並沒有確定。至於這個會是怎樣一種性質？大規模的開會？是一小規模的開會？約些什麼人來？準備政府從這個會希望得到怎樣一種收穫？這一切一切，此時都還談不上。

[illegible]有其必要的。

國防參議會，成立於抗戰實行以後，其構成分子只是各黨派的代表人物，及各部分社會賢達。全體參議不過二十三人，而經常出席者不過十六七位。這個會的主旨，也是一個在象徵團結的政府，其目的也是在備政府隨時有所諮詢，有意見時可以向政府提出，也可以促起政府對時事變化發生一種方式的注意。這一會議延續了一年，總以我當時的觀感，也算是抗戰初期它的職責。

國民參政會人數十倍於國防參議會；抗戰進入第二年，當時在漢口成立，[illegible]一部分子的精華，確實[illegible]上半期的大[illegible]兩屆，確實表現[illegible]神，其足以[illegible]全國的民意，[illegible]疑。每年開大會[illegible]間不長，卻有，但除常大會外，[illegible]與駐會委員會，政府保持接觸，可以大體上說，參政會的措施，[illegible]有機會與聞的，有任何意見，也沒有機會反映到政府。

方面去。所不幸的，是[illegible]利用參政會[illegible]了他們的宣傳，在參政員中也極盡了分化拉攏之能事，例如後來有不少向中共靠攏的分子，實際也是從參政會才和他們發生密切關係的。不過，從抗戰八年間表面上看，終不國共破裂，也沒有被[illegible]破壞，參政會總算發揮了它相當的功用。

今天的種種困難

……手續，遠非國內旅行可比；以言集中，談何容易？第二，抗日時間的人才是整體的，[illegible]

今天則是分割的：在大陸的積極反共分子，大部分已被共黨殘殺；退出來的，[illegible]經過四年，已相當困頓；在大陸以外，歧途已分，現在課外大部[illegible]心，如何可使他們又能一致？因此有點今昔之感，人才出能不落後，大第三，出現抗日是一個大有[illegible]抵即，亦有若干者對人物，已有十餘年經過，情況似已增加了[illegible]，有效的事實，所待言。

會議的主題何在

假使這個會議[illegible]只是一個大會，以上說明，應該辦的是，反共救國，那要能在這裏談些什麼？究竟又會開成個什麼呢？

[illegible]然而，[illegible]。像這樣一個會，如果不能[illegible]不會[illegible]唱高調，情形不過是我們[illegible]一方面的向我們多獻些，只許[illegible]經濟部門也，不會太多的援助，受了美國相當良好的經濟援助，說援助的數字也不能不遂漸增加，其意見也正與軍援助者的意見。

今天談反共救國，是可以談的；可是我們這一套理論，便似乎是國民只是一個如何實現，辦法，反共救國的軍事部門，我們就是接受了美國的軍援，而且美國在台灣有一軍事代表團常川駐紮，我們助理一切，我們既是受着別人的援助，對援助者的意見……

[illegible]有所處置，立法院已經立法院依據憲法，所行政院有其法院既，[illegible]之，且以職權於各方面的檢討，[illegible]

今天談的，[illegible]這一種[illegible]算不算是[illegible]的政治，有人員的失職監察院，即可以監察行政，大政府國家的果效，是左右算立法院、監察院，既有了參政會，以及省參議會，實際上有法院的立法[illegible]

我實在[illegible]希望這個會是有所召集，在綜括一般不上的理想，不要[illegible]

會議之無法發表的[illegible]假使有人提出這樣的一個理由，何以政府不可以[illegible]個別的，[illegible]而決不是這樣的會議，而只是會議[illegible]

回想抗日的當年

因爲有開這樣一個會的擬議，不能不令我們想到在對日抗戰前的廬山談話會和抗戰進行中的國防參議會和國民參政會。

不過今昔的情勢，畢竟有多少的不同：在廬山談話會召集以前，抗戰本爲大多數國民所期待，政府決定抗戰，也可以說早已內定於心，其所以要召集這樣一個談話會，不過爲的要把政府這種決心公告於國民，而得到舉國一致的擁護。加以當時還是黨治時代，似乎還沒有對日抗戰，既是把整個國家民族來賭乾坤之一擲，則召集一部份有代表性的國民談談，藉收集思廣益之效，並發揮一種敵愾同仇的團結精神，以當時的情況論，確實是這樣一個集會。

極權者的愚妄

化；但在除開它自己以外的一切人看來，它不但是在為人類造悲劇，而且也是在爲歷史製造笑話。統一了區宇的秦始皇，自己的生命，不惜彈竭力，一面想無限延長自己的生命，迷住了它的心竅，一面求神仙不死之藥，拖回咸陽。一路上，尸體和臭魚放在一起，結果反死在路上，不惜焚書坑儒，消毀天下的兵器，萬世，只有他個人聰明，而天下皆愚，只有想形成，而天下皆卑，以爲天下皆竊的局面，但結果不二世而亡，舉天下之人擁有權力而神化權力，鞏固權力而作爲一番，當它時候它自己會覺得它的作爲都有最高理論的

近代極權主義者，正和歷史上許多暴君昏王一樣，自己認爲它正在完成某種偉大使命，認爲某種偉大使命是全靠它自己的權力，因而它可以把自己的權力加以神

史達林的笑話

繼貝利亞之後，馬倫可夫將向小史達林開刀。極權主義的不斷鬧笑話，勢出於必然。

·徐佛觀·

是秦始皇的再宗師。當檢論，它所製造的笑話所爲的正當評價；因爲它們之所作所爲，逃不出笑話的範圍，才可以說明眞理而能得到眞理自身的保證。史達林的權力核心當然是它的特務系

根據，可以使人對它歌功頌德，並且把「功德」刻在石頭上，要使後人相信它的偉大，它所製造的歷史。但在後世歷史家的觀照中，它的一切，只是盡其愚妄的能事而爲歷史製造了許多笑話。

笑話中的笑話

近代的極權主義者，究其極，只不過

統。只有它最相信的人，才能當到特務系統的頭子。可是當了十五年特務頭子的貝利亞，據猜測，在史氏臨死之前，已經是要置之其死地。而事實上，史氏的骨灰未寒，貝利亞已經由最忠實變而爲最不忠實，由最紅變而爲最黑，黑到非把這一批人處死不可，這算不算天下的大笑話。

六月十七日晚上，莫斯科要人們的觀劇聚中，未看到貝利亞，這原是細如牛毛的尋常小事。但舉世因此而引起紛紛揣測，時經一旬，這種常情以外的揣測，居然猜中了。這算不算笑話中的笑話。

小史不再飛了

現在笑話又來了。笑話的資料出在他兒子的身上。史達林在世時，每逢五月和十一月的大檢閱，及夏季的空軍節，總是由它的兒子小史達林駕着一架噴射炸機，「飛空」領導的表演一番。其意若曰：「空軍是現代的中堅，空軍在我兒子手中，我還怕什麼？」其意又若曰：「我兒子雖然是無功升級，但它「飛空表演」的雄姿，正不下于我的領導力的偉大。你們既服從我，難說就不服從我的兒子？」這種外強中乾的變態心理，已經是一個笑話。但據八月廿五日路透社電，小史達林的「飛空表演」，隨老史達林的完蛋而完蛋了。小史達林的「飛空」的本領，原來是以老史達林爲轉移。「飛空」萬丈，老史達林活着，小史達林便能便只好就地打滾了。你還能說這不是歷史上的大笑話嗎？

小史要被開刀

就我看，小史達林的笑話資料，還不過是在開始，熱鬧的恐怕在後面。第一，貝利亞和小史達林既係同居于最被老史達林寵信的地位，則平日彼此之間，免不了往還密切，于是貝利亞的笑話可能牽連到小史達林身上。第二，老史達林雖然很聰明，知道自己的利害，重于兒子的利害，所以並不曾爲小史達林作繼承大統的全面安排；但作爲一個極權主義者的兒子的小史達林，整月所看到的，都是在它父親的前面，奴顏婢膝之徒，便會于不知不覺中養成自己也隨着父親了，同高同大。平日奴顏婢膝的死了，馬倫可夫一轉眼踩在自己頭上，要自己奴顏婢膝，這會使它無法忍受。它的心裏想說：「你們平時總說一切是屬於史達林，屬於什麼一切不可以屬於史達林的兒子呢」？于是小史達林的存在，便成爲馬倫可夫的大威脅，使馬倫可夫非向它開刀不可。莫斯科劇時缺少了貝利亞；鬧劇中便永遠缺少了小史達林，共產黨中便能保證共產黨小史達林。

呢？共產世界中一切事情的演進，好像一個笑話，你說傳奇的故事，但它偏偏是這樣接下去。這結故事的方法，其本身就是一個笑話。

普通人的笑話，多是出于偶然；而極權主義者的笑話，稍加分析，便知其乃出于必然。所以看了普通人的笑話，使人感到輕鬆；而看了極權主義者的笑話，則于輕鬆之中，總不免爲了人類，爲了極權者的自身，多少感到有些悲哀和酸痛。

半週展望

·雷嘯岑·

警告莫變成告饒？

美國務卿近日發表一連串警告共集團的言論，破壞韓戰休戰協定，否則即將引起全面大戰。其們也不要干預越戰，鄭重有聲。

然共集團却以「盡力支持越盟，爭取革命勝利」相答復，杜氏的警告「當伊從事於一切」的準備，不必再行解放政策之決心的話，只有埋頭並說明：如果美國眞有實行解放政策之決心，可是，杜勒斯先生最後又聲明：韓戰政治會議的第一階段還有所成就，第二階段即可以擴大範圍，討論其他的亞洲問題。這好像教訓頑皮的小孩不要吵鬧，明天買糖果給你吃。說多了就暴露內心焦燥是，不會對方着來，很有告饒的意味，無異以助長其猖狂心理，而在對和平不會發生絲毫作用的。

最無謂的警告之一

美國退伍軍人協會在杜勒斯的警告演說之後，並且要使用原子彈和主張韓局如不能實現和平即展開全面大戰，並用原子彈和氫氣彈。

使用原子武器之說，自韓戰發生以來，在美國人士的口中，不知已經說過幾百次，實在令人聽得膩味已極了！戰爭是不講道理的行爲，爲着克敵制勝，任何手段皆可採取，而且是絕對秘密的。當年投到日本境內的原子彈，事前幷未聞美國發過甚麼警告，戰爭即因此迅告結束了。如今隨時嚷着要使用原子彈，而事實上又處處對敵人表示姑息遷就的作風，民主陣營的內部更爲積極反共與消極親共間爭吵不歇，敵人冷眼旁觀，如見肺腑。它料定你不能作全面大戰，所以對杜卿的警告，全不介意，光是拿原子彈氫氣彈揚在嘴上，有用嗎？

還有，美參院外委會主席惠利，聽到馬倫科夫說俄國也有氫氣彈了，馬上主張政府趕快與蘇俄談判裁軍問題。這些沉不住氣的表現，對原子武器更嚇不倒俄共集團啦！我希望美國朋友今後少發這類警告，把頭腦放冷靜些，無論和戰，總以沉着應付，足智多謀爲上。

諾蘭訪問台灣

美參院共和黨新領袖諾蘭先生今天到達台灣，作一週間的訪問。他是自由中國的擊友，此行目的，是在實地考察遠東一帶的現狀，作爲今後在國會中擬訂政策的根據，我們對他當然表示歡迎。

自由中國的現況，是否與三年前諾蘭先生到這裏時的情形不同？在這次訪問中，必有事實作比較。因此，希望諾蘭先生回去之後，對於美政府現行遠東政策，根據實際情形，詳加檢討，拿出明朗而堅定的作法來，像目前搖曳不定，左顧右盼的態度，實有修正之必要。

英國對中共表示失望

英國因爲中共對其派駐北平的外交使節，始終不受週到的待遇，最近來亦見不到一面，其表示甚爲失望。中共方面指說英國未能增進與共區的貿易，還是鬼話，是想藉通商利益來誘惑英國工黨和一般商人的親共情緒，以迫使政府與美國不合作。英工黨年會中不是已有人對共區無限制貿易，以及對美國分道揚鑣的決議案嗎？這議案將來在國會中一定發生影響，使保守黨政府爲難，自不待言。

最近我讀到英國哲學大師羅素在卅年前游俄後的著作——「布爾希維克的理論與實際」一書，內中敘述他與列寧的談話說：他以爲英國很少爆發革命的機會，但列寧很希望英國有個工黨政府，便可以得到議會政治的結果；他並不主張抵制議會，而主張勞工參加議會，藉以加重人們對於工黨的反感，以及勞工能夠多多參加國會後，但也認得英國政府的出現，民主政治言論的覺悟，似乎和今日的英國政治情況相去不遠。但我希望列寧的預言幸而不中，否則自由世界的前途就悲觀得很啦！

不堪回首話當年

——國府遷台後的綜合說明——

・歐陽德・

歡迎訪台教授的盛會

香港各院校教授回國觀光團一行十人，於八月廿一日分由海空兩路同日到達台北。這十位教授都是海內外知名之士，他們的名單是：羅香林，（香港大學講師）張雲，（珠海書院教授）黃華表，（珠海書院教授）黃叔芸，（[illegible]大學院長）梁寒操，（新亞書院教授）[illegible]，（[illegible]書院院長）[illegible]，（[illegible]）[illegible]，（[illegible]會計學校長）任泰（崇基書院教授）[illegible]……忙於參觀，拜訪，參加各種歡迎會，一直要到深夜才得休息。八月廿六日有一個聚會，是介紹他們和台北新聞文化界人士見面的。席間政府發言人沈昌煥氏，有一段談話，向這幾位訪台教授報告自由中國這幾年艱苦奮鬥的經過，爲外間所不容易聽到的。茲記其大要如次：

軍事的訓練最有成績

沈氏說：政府遷到台灣後，實際工作，都是近一年半做的。在這以前，大家所忙的是求安定和生存。[illegible]……四十年度[illegible]……開始從教育，文化，經濟，社會各方面做起。自然，到現在[illegible]……大家並沒有感到滿足，大家都覺得還要更加努力。[illegible]……已經絕對沒有吃空缺的事，同時實行四大公開，已經完成[illegible]……軍事的訓練最有成績。[illegible]

最黑暗的一個時期

他又說：三十八年多從大陸撤退的時候，[illegible]……然遇到狂風，船破了，有些人爬上了救生艇，這救生艇就是台灣。然而救生艇內爲裝了許多人，有搖搖欲墜之勢。一個外國記者曾把當時的情形，寫了一篇文章，[illegible]……BOAT—FORMOSA。三十九年春，情況仍很惡劣。外交上，沒有人理會我們。台灣只有一個外國使館，那就是邦交最深的美國，也不過只留一位總領事級的代辦駐在台北。[illegible]

那時準備撤退家眷，那時候台北沒有幾個外國記者。新聞界中有一位朋友，一向和外籍記者交往密切的，忽然接到一位美國記者從東京發來的電報，其中說：現在台灣太危險了，我看很快就要淪陷，請告訴我什麼時候我可以來實地採訪台灣淪陷的消息。

無中生有謠言滿天飛

那時候謠言滿天飛，外國報子裏謠言更多。[illegible]……說明他到台灣，是用贖罪的心情和大家同生共死的。當時聽到這演講的人，很多都大感動。接着行政院又下了一道命令，不許任何人逃避[illegible]……士氣也得到鼓勵。

雖有進步不敢存自滿

[illegible]……以贖罪的心情，從事救國工作。大敵當前，[illegible]……我們在海外作孤軍奮鬥的忠貞人士，無時不存敬佩懸念的心情。

英國記者訪台插曲

[illegible]……外國記者總數已超過四百人，很多是從和我們沒有外交關係的國家來的。我們一概歡迎。新近一位代表英國B.B.C.的記者訪台。他很坦率的說：「我想提出幾個問題，相信你們一定不能答復」。我說：「什麼問題我們都可以答復，甚至可以在公園裏或中山堂，當衆答復。並且你預備到台灣來，不到兩天，你便到來了。現在你可以自由自在的住到朋友家裏。你可以自由訪問你願意拜訪的人。再說，你們英國現在和我們沒有邦交，你們已經承認了中共，請問，那個已經被你們承認的中共政權，是否准許你們獲得像現在這樣的自由，讓你們自由來往，自由活動？」這記者立刻說：「决不可以」。我說：「好啦！現在卜是已有現成答案，由你自己答復了嗎」？

關於宣傳政策的說明

沈氏對於宣傳政策，有兩句扼要的話：他說「不容許批評，只容許捧場，並不是很好的宣傳政策。」這幾位訪台教授對沈氏的報告，很感到興趣。

這是一篇關於國民政府到台後，幾年來實在情況的綜合說明。記者覺得有撮與報告給本報讀者的必要。（八月廿七日寄自台北）

蘇俄開始末落

外强中乾的俄帝目前形勢

一切建議從其弱點做出發

蘇明譯

一九五三年是俄國末落的開始麼？事實確是走着這方向和進步。但向其內幕一看，就完全不是這一回事。發乏，欺詐，政治腐壞——構成牠的真實內景。共黨所管轄的東歐很不穩定的。東德和捷克的騷動，已表現蘇聯權力的搖動，和弱點所在。憎恨和反抗，已代替了恐怖。衛星國的士兵和工人，已開始轉向而抗拒他們的共黨主人。衛星國裏的革命事件，繼續擴大而難於制止了。

工人天堂已失去誘惑

種種跡象證實俄國已經被公開叛變的事實所粉碎。克里姆林宮或在歐洲的勢力已開始末落。共黨努力，已使人士失望地祈求爭取時間，希望事態拖延下去，或可設法彌縫。但事實上即使時間許可，他們有沒有辦法，還是一個疑問。

[illegible]已漸入高潮。手無寸鐵的工人已經站立起來，和俄人的坦克車，機關槍相搏鬥。衛星國波蘭的軍隊已經反抗掃射德人的命令。在捷克和波蘭的工人毀壞機器，拆路軌，反抗他們共產主子的命令。在東德，工人（共黨認爲是他們的英雄）因爲要求取得共產黨所承諾給他們較好生活而被射殺。

大量俄軍目擊工人起來革命，這種見識和事例會帶到俄國遙遠的每一個角落去。全世界的工人都知道了，蘇聯强力壓迫下，工人叛變火焰已蔓延到所謂「工人天堂」的共產主義領域了，這所謂「工人天堂」已失其誘惑姿態和吸引力了。

蘇聯的弱點，亦同時暴露於世人之前。他們已經覺得共產俄國，不是一個強固的力量，是能够和願意扶助人民，予以充足糧食，合用工具和敎友誼忠告的了。俄國

儘是一個飢苦的國家——在獨裁統治下，絕無可以給予人民的，有之，就是把生活水準日趨下降。佔領軍調回俄國，對國內透露的消息是：衛星國的人民生活水準，還比俄人好，而衛星國的人民已開始叛亂了。

世界上除了克里姆林宮個人外，無人知道俄國誰是眞正的統治者——是黨部，還是特務？這種混亂情態，正在發展着。邱吉爾想和馬連可夫談，但無法證實，實權是否在馬氏手中。美國認爲史太林死後，貝利亞拿着實權（但貝利亞最近被淸算了）。俄國的特務和黨官，常常是死對頭的。西方國家的情報人員也找不出在俄國有實權的人。從法律組織上的根據；也找不出明瞭地指出俄國最有力量的機構。這種混亂情形，當他們處着順境的時候是可以相安於一時的。

傀儡軍拋棄制服逃走

蘇聯外圍的騷亂，已戲劇化的演出了實際。不單是東柏林工人，其已站起來反對他們的共產主人了。這種叛亂，迅速地擴展到捷克波蘭。德國的工人，在歷史上第一次在工廠放火，任由熔爐的火熄滅，以停止生產的訊號，毀壞鐵路和運輸。警察監視最嚴的鈾鑛區，竟發生工人和軍警大血戰。當地居民，且挺身幫助鑛工，和蘇聯的坦克和機槍作殊死戰。

很多城鎮，警察和共黨地方領袖，竟同情而走向叛亂那一邊去。好些東柏林警察，受蘇聯訓練預備做傀儡軍的，當變亂開始，他們竟棄去制服，逃到西柏林去。

我們對蘇聯勢力的評價，在其龐大軍隊之後，蘇聯實際是軟弱的，騷動的，不

蘇俄生活水準大低落

蘇聯獨裁的末落，西方人士，已漸具信心。蘇聯現正在艱難困擾苦悶之下，舉棋不定。若果把衛星國人民加緊壓制，那就增加他們的痛苦，不難再來一次暴動。若果放鬆些，又怕招致騷亂的發生。蘇聯對待衛人的壓制放鬆了，僅數小時，柏林叛亂，便立刻發生了。饑餓，生活程度低降，殘酷地徵用人

蘇聯的統治力量，在東德已經很搖動，人民對於共黨，已恨之入骨，叛亂隨時可以爆發。用坦克指向工人，用刑警隊把工人當衆射殺，增加了人民的痛苦和仇恨心。這種恐怖的壓力，適足以促叛亂的爆發。一個共黨黨員，若果在柏林行走，會因看見自己的影子而驚跳起來的。

民，（共黨勢力下的常慣事），除了放棄共產辦法之外，是不可避免的。經過多年的計劃，俄國人民的生活水準，比諸西方國家，固然是低得可憐，就在其本國言之，他們的生活水準，比諸共產政變前也要壞得多。

克里姆林宮的設計者，對於這些問題，似無解决把握。住屋簡陋，饑饉，器用缺

共黨最希望拖延時間

依西方專家的研究與分析，認爲共黨治下的人民，已經飽聽亟虛的諾言，與要求改善生活，而不再談遠無崖岸的將來共黨天堂了。因此獨裁者已經減少警察對人民的監視，並答允改善工作環境和增加配給用品。但他們答允之後，難題發生了。用什麼方法實踐他們的諾言？衛星國的人力，物力，已經竭澤而漁，可利用和搾取的，都虹吸到蘇聯去了。唯一方法，是減縮軍備生產，以其餘力推動日用品工業的出產。這樣又會遇着和美國及其盟邦軍備競賽落後的危險。若果向軍備方面發展，生活無法改善，則人民將發生騷動，那就非克里姆林宮所能制止。蘇聯經濟的拮据情形，實無回旋餘地。顯然的，槍砲和牛油，實無法同時獲致的。

（譯自美國新聞與世界報導）

安定的。下列各點，我們是認識得很淸楚的：

之的情形，無法改善人民，要使他們的享受比較以前爲好的。這都是統治者答允現在事實上證明，適得其反，因此民衆已有不能再加忍耐的表現。

讀・者・來・論

改革台大課程的意見

現在中國的根本問題，在怎樣使中國走上現代化的道路。中國走上現代化的道路，[illegible]……教育自然是非常重要的地位。目前台灣大學乃自由中國唯一的大學，其在現代化過程上，所負復興國族的任務更是十分重大。今大學改進之聲甚高，筆者擬就管見所及，建議一二，或許多人誤解現代化祇是工業化，主張學校教育的發展，應以配合工業化爲目的。此種想法和做法，我恐怕這只不過是以使中國走上現代化的道路。因爲工業化，不過是現代文明的一部份。假使思想上沒有科學方法，政治上沒有民主制度，工業化也不易達到的。[illegible]……史教訓，我們已經受夠了。國家大計是不可以抄近路的。我們必須打好基礎，埋頭創造工業化的條件。才能走上工業化之路。

還知從外國買進大批機器，建設工業化的社會還是不夠的。各項學術，各種人才，予以平均發展，以現代化的社會，最顯著的特徵，當然是業化。工業化對於高度的嚴密——精確管理技術，公平合理的競爭，有效率的組織，以至自由民主的社會知識都是不可缺少的。東方式的思想習慣，把持地盤，拉交情，攀關係，這種種積習，都是無法經營企業，阻塞工業化之道路。故大學裏的文法學院不能獲得適當的[illegible]

高度工業化。工業化對於高度的嚴密——精確管理技術，公平合理的競爭，有效率的組織，以至自由民主的社會知識都是不可缺少的。東方式的思想習慣，把持地盤，拉交情，這種種積習，都是無法經營企業，阻塞工業化之道路。[illegible]

院一定要修一門自然科學，用意在使他們受到一點科學訓練。結果徒有其名，毫無實際。我以爲比較有效的辦法，是增加邏輯課程，使學生知思想與幻想之不同。增加科學方法論，或科學導論等，使學生稍知科學的分際。關於「民主」精神的訓練和了解，應規定若干歐美論述民主的名著，作爲課外必讀書籍。同時要多注意學生的課外活動，於課外活動中，養成優良的民主習慣。這樣培植出來的人才，才適合於建設現代化的新中國之用。

台大近年的招生情形，我們很少注意。大概投考工學院各系，法學院經濟系，文學院外文系的佔投考學生極大多數。至投考偏於純學術性的各系，如理學院的數學、物理、植物。文學院的哲學、中文、考古系等。學生却少得可憐。去年考古系竟未錄取一人。由此，可以看出青年學生不願意從事艱苦的學術研究。只想學習一種謀生技藝，這是教育界很可令人注意的現象。國家民族的文明和現代化的工業，無一不以純學術的研究爲基礎。愛迪生雖發明了數以百計的新機械。但西方學術界並不認爲愛迪生是第一流科學家。因爲愛迪生的發明，對人類知識的總和並無增加。因此可以看出西方學術界對於純學術的重視。西方科學的猛進，其原因亦在此。目前高談純學術研究，似乎太迂遠一點，不過我們努力的目標，如果不僅是打倒共產黨，是要更進一步建設現代化的新中國。則從事純學術的研究，是很必要的。十年樹木，百年樹人，培植一個優良的科學傳統，决不是像買機器，造工廠那樣簡單。必需要經相當的時日和有極大决心。我希望教育當局能在這方面多加注意。能够早日充實理學院文學院純學術研究的設備。並應設置若干獎學金，獎勵願意從事純學術研究的學生。這樣對扭轉社會風氣實不失爲可行之法。

一得之見，謹以就教於主持台大和關心台大的人士。

・楊漢之・

編者與讀者

△下一期我們將發表王聿修先生「認識艾森豪威爾」的一篇文章。

△本期因稿擠，「人物介紹」暫停。

△我們希望從鐵幕裏逃出來的人士，把他們身歷的故事，和耳聞目擊的大陸情況，很忠實的寫成報導文字，我們願意盡量發表。

徵求逃出鐵幕人士報導親身經歷事實

本報徵求逃出鐵幕人士，報導在大陸時親身經歷及耳聞目擊之事實，內容體裁不拘，每篇暫以一千字爲限，如有特殊價値者較長亦可，但需特別注重事實根據，並註明人名、地名及時間。來稿請署眞姓名及詳明通訊地址，發表時用筆名聽便。來稿如不便刊用時需退回者，請附足退稿郵票。

中共高等教育的剖視

俞嬰

中共把教育當作政治的工具，共黨的附庸品，它的教育政策是隨着政治需要而改變，絕無學術文化可言，更無自由研究之可能。

政治的工具

中共把教育當作政治的工具，共黨的附屬品，因此，他們的教育政策，是隨着政治的需要而改變的。例如中共在一九五〇年介入韓戰以後，大力實施所謂「抗美援朝愛國教育」，以配合他們在韓戰上的軍事需要。又如他們要迅速鞏固其攫得的政權，大量設立不倫不類的訓練大學，製造無數的幹部，分派到每個地區執行他們的政策；把青年的天賦智慧桎梏於奴役的範疇，以聽憑他們玩弄與控制。絕無文化學術之可言，更絕無自由研究之可能。青年沒有自由的意志，沒有擇業的願望，一切都掌握在共黨手上，一切聽憑共黨支配。

調整的結果

中共爲要推翻中國原有的教育系統和教育制度，就大刀闊斧的把全國原有的各大學加以「改造」，他們提出調整全國高等學校的院系，作爲摧毁「舊」教育的法寶。馬叙倫對這一項工作直截了當的說：「消滅舊中國學校設置分佈和科系分工的無政府狀態和脫離實際的情況，使人民教育事業更有效地爲國家建設服務」。

這項所謂「調整」工作，在一九五二年已作基本上的完成。實際上，是把原有的大學停辦的停辦，分割的分割，合併的合併，把過去各該大學原有的優良傳統，完全消滅。試看他們調整的結果：

一、被勒令停辦的：燕京大學、輔仁大學、齊魯大學、金陵大學、金陵女大、聖約翰大學等。

二、合併或分割的：大夏大學、滬江大學、光華大學被合併爲華東師範大學；津沽大學、北洋大學被合併爲天津大學；中山大學、嶺南大學、廣東法商學院、華南聯合大學（該校乃在一九四九年將廣州大學、國民大學、文化學院合併而成者）被合併而爲新的中山大學；中山大學工學院、嶺南大學農科，被分割出來併成華南農學院；中山大學工學院、嶺南大學工學院、華南聯合大學工學院、廣東省立工專、南昌工學院化工系、湖南大學工學院化工系被合併而成華南工學院；中山大學師範學院、廣東文理學院、華南聯合大學教育系被合併而爲華南師範學院；中山大學和嶺南大學醫學院、被併爲華南醫學院；清華大學、廈門大學、北洋大學、西北工學院等校的航空工程系，被合併而爲航空學院；北大和燕大的工學院劃割出來，撥歸清華大學去；其餘不屬於工學院的科系都要劃割出來，使成爲單一的工業學校。

所謂專業化

在調整院系這道靈符下，原有的大學不是已經面目全非了嗎？從前是一間綜合性的自由研究學府，現在變成了單一的專業訓練所了。中共採取這項調整辦法，是師承蘇俄的「先進經驗」的。他們把中國原有的教育制度換成一套俄化教育。他們强調俄化教育的重要說：「專業就是一行專門職業或一種專長，按照蘇聯高等教育制度，專業是培養高級專長人才的目標；高等學校的教學設施，係以專業爲基礎的行政單位」。其實所謂專業化，不過是黨化，[illegible]俄化，奴化，和窮化而已。

教育萎縮了

由於調整院系，變動得太厲害，四年來，大陸高等教育的數量，和學生人數，已經減少了。請看下面的統計表：

地區		大學	教授	學生
華北區	原有	一〇	一、四五八	一四、五二七
	現有	四	五八〇	六、八四三
華東區	原有	二三	三、七八四	二六、三四〇
	現有	一二	一、六四五	一四、四六五
華西區	原有	七	八四五	一二、一九二
	現有	三	四六七	五、六四六
華中區	原有	一五	二、一四五	一九、三九七
	現有	五	九六七	九、二六五
華南區	原有	一二	一、四九一	一二、五二八
	現有	四	四五一	五、七八五

俄化的課程

中共高等教育課程的標準，是以馬、恩、列、史、毛的主義思想爲骨幹的。在中共的「全國高等教育改革計劃」中，明白宣佈[illegible]一切文化思想，在「一面倒」之列。實施「課程改革」，曾引起不少[illegible]教授的反對，[illegible]能就這樣[illegible]才。但一切反對皆屬徒然。在實施「課程改革」過程中，文法學院的課程都徹底改變，[illegible]的「課改」最爲激底的，是以文法學院[illegible]現在把文法學院各系的課程列下，以窺一斑：

中國文學系：除中國文學史、世界文學史等課外，以俄國的小說劇本以及蘇俄作品研究爲主要課程。

外國語文系：以俄語及俄文翻譯爲主要的研究對象。

經濟系：以馬克斯學說爲中心的政治經濟學、新民主主義經濟建設研究、中國近代經濟史、中國土地改革等爲主要的研究對象。

哲學系：辯證唯物論，歷史唯物論，[illegible]反杜林論，費爾巴哈論，唯物論與經驗批判論，國家與革命等[illegible]爲主，至於毛澤東思想方法研究，當前世界和平中國思想文化戰線上的抉擇，是主要的研究對象。

政治系：馬列主義的社會觀，國家觀，新民主主義論，人民民主專政，以及蘇聯法律政策等書籍。

中共經過這次的「課程改革」，整個大陸教育事業，已經變成全部俄化了，禁錮思想，摧殘自由，莫此爲甚。

教授的厄運

紅潮浸淹了整個大陸，大學教授們就開始遭逢厄運了。他們瀰着自由的氣氛，崇高的地位，不論民主主義，改良主義，社會主義，共產主義，都可以自由自在的發揮。譬如馮友蘭以新理學；潘光旦的優生學；[illegible]費孝通與吳景超[illegible]講資本主義，對於金岳霖也不必非講唯物論，這些自由講學的風氣，現在[illegible]

第一，教授們要否定過去，清算過去；其次，要洗清腦袋，換上腦袋。教授們在政治棍徒的驅迫下，把過去個人的學歷經歷以及研究所得，全部加以否定，要換上一個「新」腦袋，裝滿馬恩列史的「新」主義思想。在這種情形下，教授們除了要維持最低限度的生存外，迫得要說自己不願說的話，做自己不願做的事，把憤怒和悲痛裝成笑臉，使自己變成可恥自卑者，向統治階級求饒命的人了。

大陸高等學府的教授們，慘遭清算鬥爭的，多至不勝枚舉，也用不着一一敍述，因爲這已經是衆所共知的事了。

學生的悲哀

青年學生的性格是衝動的和熱情的，中共就利用青年學生這一點特性，使他們變成政治的工具。

第一、利用學生控制學校：在校裏倡導什麼民主領導，什麼民主管理等等口號，慶使學生鎮日裏忙，忙於跳秧歌舞，忙於檢舉鬥爭教授，養成學生橫蠻的態度，和囂張的風氣，迫使學校校長教授聽從學生指揮，同時不斷檢舉和監視那些非共的學生，視學校爲政治鬥爭場所，眞正上課讀書的時間不到三分之一。

第二，利用學生參軍下鄉：中共利用青年學生從事實際的軍事政治鬥爭，不一而足。因爲他們要製造仇恨，鼓勵殘忍，以達到他們專制獨裁的目的。所以中共渡江以後，就組織「南下工作團」，主要份子就是學生；發動學生下鄉徵糧，參加「土改」，參加「三反」、「五反」。韓戰發生後，更驅使學生參軍，到北韓去當砲灰。

第三、利用學生摧毁倫常：中國原有教育傳統，最重要的是培養德性。中共的教育制度剛剛相反，它先要把倫常摧毀，把固有道德消滅，代之以殘忍、仇恨、粗野。所以在中共特務驅使下，兒女要清算鬥爭他的父母，以爭取前進的美名。如胡思杜之清算胡適，燕大校長陸志韋之女陸瑤華控訴她的父親。直把梟獍禽獸的思想灌輸給學生，使之打殺父母，澈底把人性消滅掉。

所以中共統治下的高等教育，並不是研究高深學術的機構，而是欺騙、麻醉、毒化青年學子的大本營，製造工奴農奴的場所，灌注共產教條的聖地了。中共政權如果繼續存在，中國的學術文化眞是萬劫不復的了。

國大代茶會表忠誠 莫柳老宣讀慰問信

留居港澳的自由中國國大代表，六日舉行歡迎[illegible]莫柳忱氏茶會，莫氏此次來港治療牙疾，現已全愈，留港期間，曾與港澳忠貞愛國人士會晤，交換有關國是意見，[illegible]

[illegible]共有國大代表三十二位參加，其中有四位是女性，[illegible]

民航機載返愛國心 新疆義胞經港飛台

三十九年新疆淪陷共匪的時候，張仁山等河北、河南、山西、安徽、甘肅、新疆省籍十八名不甘在中共統治下生活的義民，七日由巴基斯坦搭民航機飛抵香港，[illegible]於八月二十四日[illegible]

僑生升學名額增加 球王寄望寶島

港澳僑胞已蔚起了返國觀光的熱潮，雖然[illegible]

[illegible]（祝公）

赤色新聞淺釋

「廣東豐收」？

本月六日的大×報又大吹法螺，說廣東全省的早稻豐收，較去年增產一成多，其他各種土特產也豐收，因此說農民出售糧食和土特產的就顯得非常熱鬧；並編造出一個農民的話說：「今年土特產價格穩定，拿到這裏不愁賣不掉，我們鄉里的人差不多佔八成的人都買上了自行車，現在可不同往年啦！」又把廣東的農民說得「幸福」之至。可是事實很明顯，兩個月前的南方日報既曾說粵中、粵北、粵西共三十六縣在發生大水災時，曾衝毀早稻的禾秧平均三成；兩個禮拜前的北平「人民日報」又曾說廣東雖遭水災打擊，因搶救「有力」，早稻收成，還有「七成之多」。所以，大×報所說的廣東豐收，是在香港豐收，並不在廣東豐收。

「撲滅死信」？

同日的大×報又說現在廣東的郵政已「撲滅了死信」，單在六月份就撲滅了死信九百多件，將郵遞員說得非常神化，說許多地址完全不符的信，經郵遞員再三訪查都送給收信人了。眞的嗎？且看一看上月十九日北平「人民日報」的「讀者來信摘要」欄內一個廣東「公安廳」的幹部怎麼說？他說：我經常發現郵局投錯信件。上月二十五日我們又收到廣州郵局送來一封投往遼東人民政府的信件。我們對經常發現廣東郵局把旁人寄給廣西省公安廳的信件錯送到我們這裏。並且說：類似這樣的例子很多，不再一一舉出了。

貪污腐化中共恐慌 機關設監察員 加緊監視幹部 特務控制又進一步

據最近北平「人民日報」披露消息：由於中共鑒於年來各級偽政府，各級機關，尤其各部門企業中大小幹部的貪污腐化情形日見嚴重，業已失去竊取政權初期的苦幹，實幹精神，腐蝕了政治機能，故於極度恐慌之餘，急謀補救辦法，以圖掙扎。此一辦法，乃係在各級「人民政府」的「監察機關」及其所屬機關單位，企業、事業部門中，乃至所屬地方及所屬各種團體中設置「監察通訊組」或「監察通訊員」。此一辦法，早於七月卅一日即已擬定，並由偽政務院發出「命令」；但「人民日報」遲遲方於八月三日公開發佈。

查該一辦法，共有十四條，其中規定，此種「監察通訊員」雖爲無給職，但須由各機關給予較爲清閒而優裕的職位，俾便利其祕密調查工作。並規定此種「監察通訊員」須由主管的「人民監察機關」審查任命。辦法中雖未明白規定此種人員是否必須中共黨員方有資格，但所謂各級「人民監察機關」，向係中共的黨組所控制，則此種人員，當非中共黨員不可。且此種人員的任務主要在監視各該機關、地方的幹部者，當非所謂「老黨員」不可。該辦法中又規定，此種人員所搜集的材料，必須嚴守祕密，不得外傳。據此，則中共今後的內部特務控制，又跨進一步。但中共幹部的貪污腐化是否能從此好轉，在中共過事偏差的風氣中，殊難「樂觀」。

中西人生觀的差別

為方

美國在韓作戰被俘的師長狄恩少將已由共黨遣回了。聯合參謀會議主席雷德福海軍上將和國防部長威爾遜等特地回至該市，要予以傳統英雄式的歡迎盛選。這在舊式軍人教育的觀念看來，乃是一項不足爲訓的現象。因爲軍人不應該作俘虜的，所謂「不成功，即成仁」，被俘而生還，實係一件不榮譽的事，還有甚麼可特別值得歡迎的呢？這種精神教育，在東方特別重視，[illegible]……軍部且不許把他的姓名牌位放入「靖國神社」。這

究至於此種「軍人武士道」的軍國民教育，流弊所及，乃形成侵略性的好戰民族。但，當美國原子彈投到廣島長崎時，日本軍人却沒有切腹的勇氣，而無條件投降了！西方人的觀念就不同，兩軍作戰，自忖不能支持時，馬上扯白旗請降，以期減少死傷；被俘並不算是醜事，被俘而又能生還的，更是英雄表現，因其在危難中尚能保全生命也。他們的觀念是生命第一，不作無益的犧牲。這兩種不同的教育思想，各有理由，與今日我們談的新舊道德標準的觀念，是一樣的。不過有一點却不能否認，即形而上的觀點和方法論，都隨着時代進化的關係，有所演化變遷，[illegible]……上的宇宙觀且已……觀呢！

鷄和鷄蛋之爭

·柳·

英政府爲了增產鷄蛋，推行鷄籠新制度，却引起軒然大波，善心人士指爲虐待母鷄，但終因吃蛋要緊，風波卒告平息。

維多利亞名言傳世

擺開香港報紙，不時會發現倒提雞鴨或在竹籠裏多放雞鴨被拉控告的新聞，香港法律對於禽畜的保護，可謂愛護備至，在東方人眼中看來，也許不免有點矯枉過正之嫌，人類生活既已間接直接的虐待中，何來餘情及於禽獸。不過在西方，尤其是英國，保護家畜是由來已久的傳統。[illegible]

世界趣聞

新雞籠制　生蛋自滾

由於英國農業部鼓勵民間採用新式的養雞制度，[illegible]

設二万隻大小的籠子，排成一列，[illegible]每個小籠養雞一隻，其底層是用鐵絲網做的，生下的蛋即自動滾到籠外的鐵絲網槽，收集便利，雞籠的燈光每天開十八小時，以延長產蛋時間。一只母雞關在這種小籠裏，[illegible]

月，採用這種新制度的結果，平均每頭母雞一年產蛋一百九十個，而普通雞只產[illegible]

母雞感覺無人得知

英國的雞蛋本來[illegible]實行配給，最近由於產蛋量增加，始告取消，一般農民都認爲採用上述新雞籠制度，是主要原因之一。不過英人雖多得了一些雞蛋，母雞還繼續終[illegible]在小小的籠子內，是不是構成虐待？在英人心目中，這是一個嚴重問題。最近英國的皇家防止虐待動物協會爲此特發表聲明，提出激烈抗議，說：「這種制度是不自然的。我們且不談母雞是不是快樂，因爲沒有人知道母雞有沒有快樂的感覺。不過，要是你祗顧私利而不考慮到別人的感覺，這世界將陷入可悲狀態，這種事同與希特勒的暴行無異。」該會且要求取消這種雞籠制。這篇聲明一出，即刻引起軒然大波，於是展開了另一英國文明特徵的狂潮——讀者的憤怒來書。一位名叫萊格夫人的讀者寫信給該會，附和其聲明說：「這種制度是玩忽上蒼創造世界時給予人類對畜牲的權力」，但另一個叫格倫第的人却來信反駁道：「我却不願吃一只養在某些人後花園的母雞所生的蛋。」

母鷄生活無異人類

這辯論從報紙上迅即擴至科學家、下院議員及農民間。南威爾斯大學特進行一科學研究，其後發表一篇報告，說根據研究結果，證明了這種雞屋裏的母雞死亡率，要比養在普通農場的母雞減少一半。農民工會也發表聲明說：「生蛋是一頭母雞値得誇耀的光榮，這種小籠中的母雞生活，不見得比倫敦公寓中一個人和其愛犬的生活更不舒服。」這個風波，直到農業部正式宣佈拒絕禁用新雞籠制度，才稍告平息。該部說，這種制度如撤銷，英國全國雞蛋總產量，每年將損失一億五千萬個，這是英國所不能應付。官方公報且說：「一頭母雞在這種小籠中，可得到許多保障，它們所最不喜歡的事物，例如暴雨狂風，酷寒苦熱，以及欺凌吞噬，都不會再侵擾它們。雞窩本身是不是有意見，我們無從得知，不過太多的人以人類的條件設身處地去想像母雞的生活，他們說母雞在這種小籠中無法躺下，但母雞從不躺下，而祇蹲着，在這種小籠中，它們照樣可蹲下來，這與它們生活在其他任何地方並無不同。」

△這就是引起全英善心人士指爲虐待母鷄的新鷄籠▽

怕狗說

百里陵

我生平最厭狗。世界上之所以會有狗的存在，大概不外一則可以把玩，如紳士淑女手中的哈叭狗之類，二則可以看守門戶，如大戶人家之提防盜賊。捨此而外，我實在想不出其他飼狗的理由。

我既無把玩的閑情逸致，自無身外長物足致盜賊，對於狗，自然不明白其存在有何需要了。而且生來膽小，遇到滑稽若生張牙舞爪虛撲而來，莫不嚇得失措，逃避不遑。自從來到這個多狗的地帶以後，尤不幸住在多狗地帶的最多狗的區域，左鄰右舍，狗聲狂狂，大戲門內，變變似欲奪門而出，懸懸懸懸，咄咄迫人。每次出門的時候，總得提心吊膽，左右防禦，生怕突然竄出一隻來那麼朝小腿咬一口。此中苦況，唯有怕狗同志纔能明白，

人之對某一種事物至於深惡痛絕者，實在並非無因。

我年幼時，即使傳說鬼魅出現的荒山僻徑，往往亦敢於深宵獨行。唯有人烟稠密的鄉村房舍，不敢打從門口經過，無他，怕狗耳。鬼魅之有無猶成疑問，倘有，未必就能傷人，聊齋誌異不就屢屢描寫良善的鬼狐麼？但這種既非鬼魅而爲活生生的咬人動物，爲現實計，却非小心提防不可也。

年長後，入了城市，以爲必可減少此項恐怖了，不意恐怖非但沒有減少，兇狠的狗却越來越多，我於是纔知道越是人多的地方狗也越多，簡直無可擺脫了。間也曾經細細加以觀察，發現供人玩弄的哈叭狗之類除了獻媚主子而外，似乎無大作爲，見了生人也並不張牙舞爪，還算不太討厭。最是可惡的是那些又高又壯的，爲主子專伺防守之寶的狗，其不分皂白，逢人便咬，實足寒心。我說牠可悲並非無因，因爲牠不過乞取一點主子的唾餘，便如此竭盡氣力，說起來除了狗譜也不會覺得這是値得開心的。

然而狗雖爲主子盡力，有時攤上了老經驗的雞偷狗盜者流，擲與一塊骨頭或者麵包屑，却就俯首貼耳，一聲不響，一任其暢所欲爲了，足見狗也是吃飯主義，有乳便是娘，其忠於主子者，爲了混骨頭與麵包屑耳，誰能予之，誰便可以教牠乖乖地聽話。

——只有對於這些既無麵包屑與骨頭，又缺乏經驗的怕狗仁兄，狗才能施展牠的威武。

洪武鷄

·健超·

比方說洪武爺替人放牛時，曾瞞地宰了主人家一條牛，他將牛尾插在山坡上，他稟告主人說是牛鑽進了山，主人不信，他請主人去看，經他輕輕一呼，那牛尾就搖個不住，還隱隱的聽到山裏有牛的叫聲，便不由得不信以爲眞。又說洪武爺做小和尚時，老和尚命他打掃佛堂，他便命令那些佛像走過一邊讓他打掃，打掃完畢，又命令那些佛像各歸原位，一天爲老和尚瞧見，心知他是眞龍天子了，就慫恿他還俗投軍。如此云云，在鳳陽人口裏傳說，自然格外抬高帝王之爲帝王，有甚「天授」的意義，在君主時代，類此的神話，大有阻止那干希翼「非分」妄圖「大寶」者的作用吧？

言歸正傳，敘化鷄的美味，據我在于全燒鷄眞，不讓鷄流一點血，不讓水洗生鷄的風味，色香味三者全備，尤其是鷄脂，全都融化於皮肉內，肥而不膩，酥而帶滑，吃敘化鷄宜于用手撕扯，因爲一經刀匕，就不免孱雜器氣息。我曾經在帶着兒女們作郊遊時，弄過一次敘化鷄，結果完全失敗，原來孩子們所歡欣鼓舞的一次「勞克體克」，在大家都不高興的場面下血噴噴半生半熟肉焦血在的敘化鷄，草草了事。後來再請教于鳳陽朋友，說是弄敘化鷄，第一得注意塗泥，厚薄有度，又須均勻週到，第二得揀拾細柴草，一束一束的隨燒隨添，不容間斷，粗塊柴炭是不適宜的。火太烈不行，火太烈鷄身外面的塗泥易裂，會灼焦鷄肉，而且使鷄的脂肪給火熱化流掉，炎炎則熱力不易滲透鷄身，塗泥燒乾後鷄肉還未受到火功。（中）

憶古蹟懷南京

——大報恩寺與琉璃寶塔——

·鐵頭·

「塔上下金剛佛像千百億金身，一金身琉璃磚十數塊湊成之，其衣褶不爽分，其面目不爽毫，其鬚眉不爽忽，鬥笋合縫，信屬鬼工，聞燒成時，具三塔相，成其一，埋其二，編號識之，今塔上損磚一塊，以字號報工部，發一塊補之，如生成焉，夜必燈，歲費油若干斛，日高天霽，霏霏藹藹，搖搖曳曳，有光怪出其上，如香烟繚繞，半日方散，海外蠻夷至者，百有餘國，見報恩塔，必頂禮讚歎而去，謂四大部洲所無也。」

周亮工因樹屋書影卷九上，有兩段記載塔光變化，奇異如繪，略謂：「憶余庚午歲，居金陵，讀書長干僧舍，嘗以夜見塔放光，初爲一綫，從門中冉冉出，漸見各門皆有光氣，總蒸氤氳，同時噴湧，塔九級，級八門，每級閉其門之四，積九級計之，四九三十六門，出金光三十六道，條爲五色，以次層比，相屬而上，遶於尖頂，由道中相現釋迦像一，坐蓮花上，相好光明，瓔珞寶蓋，香花幡幢……一時見者，歡喜讚歎，[illegible]步四合，如一朵金芙蓉，將開未開於霄中矣。……此固予所目擊者。又高康生阜云，入晉長干寺浮圖中有舍利，是康僧會所求得者，時時放光，……一，遇大雷雨則鳴。予初不之信，一日値七月中，行三山街道上，忽然陰晦，正南方皆黑雲遮蔽不見日色，霹靂一兩聲，民房爲之震動，所發處見中塔，一時市人多映集矜視，予不知何故，仰觀之，見塔頂光如滿月，黑雲映之，倍益輝朗，少焉漸縮，以至將盡，如是後漸就弦晦狀，又復漸開至滿，滿而復而後卒盡，須臾，雲開日出，頂作金光如故，始信舍利放光之說爲不誣耳。」

金陵地勢，除東北角一帶，餘以南門外爲較高，而塔身復如是聳立霄漢，想見當日凡經此秣陵古道，或入此石頭古城者，無論從陸路或水路而來，數十里外，首先映入眼簾的就是這高與雲日爭輝的琉璃寶塔，其氣勢之雄偉，風光之綺麗，誠足令人軒昂振奮。而復依首徘徊，王世貞的遊記，大可說明此種心境。（五）

蹤失秘神夫可朱

今年三月五日史達林去世的時候，南斯拉夫總統狄托元帥曾私下預測「朱可夫元帥和陸軍將起而領導反抗政客的鬥爭」。狄托的眼光是否準確，當然還有待事實的判斷，不過由最近朱可夫姓名神秘失蹤的事件來看，狄托的預言倒頗値得人注目。

朱可夫是蘇俄陸軍中最顯赫的人物，向有「俄國的艾克」之稱，但在八月間的共黨報紙中，竟有好幾次重要場合，沒有提及他的大名。（一）最高蘇維埃大會，朱可夫是代表之一，但共報中不曾提到過他出席。（二）在北韓代表團招待蘇俄武裝部隊高級領袖的宴會中，也不見朱可夫的姓名（朱是俄國第一號軍事要人）。（三）莫斯科首要歡迎東德共黨領袖的宴會中，朱可夫理應以前任俄佔領當局首長的身份參加，但是時也未見他出席。（四）每年一度的空軍盛大檢閱式，也不見他主持盛典，而空軍却原是歸朱可夫全面控制的。根據貝利亞未出席歌劇院觀劇，而證明已遭整肅的先例，有些觀察家揣測朱可夫元帥頗多已入盧比安卡監獄的可能。

馬倫科夫提拔親信

貝利亞修遭整肅後，俄總理馬倫科夫的權勢一天比一天大起來，最近一天的眞理報中，曾提到他的名字九十四次，距兩年前獨裁者史達林所造的一一六次紀錄，僅差廿二次而已。馬倫科夫爲鞏固自己的地位，無時無地不在提拔他的親信。他的妻舅赫魯曉夫現已成爲克里姆林宮的第三號人物，並直接控制着黨的機構（俄共總書記）。他以前在莫斯科工業學校的兩位同學，薩波羅夫與柏夫金兩人現已成了俄共主席團的新任委員，同時，他的另一個同學馬里謝夫現正主持着重要的「中級工業部」，據說這一個部門負責俄國的原子計劃，是極有潛勢力的一個機構。

機炸轟子原派親遜爾威

最近美國B—36式原子轟炸機在日本上空舉行的神秘演習，是國防部長威爾遜親自訂下的計劃之又一面，威爾遜是一位大商人，他原是通用電氣公司的董事長，但他却主張在遠東盡量顯示美國的強大軍力，他的第一次行動是親把海軍陸戰隊第三師調到日本。從現在起B—36式機又將在日本飛進飛出，舉行假想的原子攻擊演習。最使俄國人頭痛的，是不知道這些轟炸機是否以及何時會眞正載上原子彈，美軍方把這次演習稱爲「巨棒」演習，雖然沒有眞的在俄國投下原子彈，但無論在精神方面，或冷戰方面，倒眞正把俄國痛擊了一記。（孟衡）

天下事

中華民國僑務委員會僑務登記證台僑新字第一零二號
中華民國郵政登記第一類新聞紙類

自由人

THE FREEMAN
（半週刊每逢星期三六出版）
（第二六三期）
每份港幣壹毫
督印人：李光平
社址：香港高士打道六十四號
電話：七四〇五三
GLOUCESTER RD. HONG KONG TEL: 74053
承印者：東南印刷出版社　地址：高士打道六十四號
台灣特派員辦事處　台北市館前街五十號
台灣總經銷處　台北中華路新號五九四之一
台灣郵政劃撥儲金帳戶　九二五二號

認識艾森豪威爾

·王聿修·

去年年底，一位美國大學校長寫了一冊關於艾森豪威爾總統的書（註），認為艾氏是美國命運的支配者。我們進一步可以說，美國是自由世界的領導者，在此自由與共產惡魔的生死決鬥中，支配美國命運的人，也就間接支配着自由世界。因此，我們對艾氏應有清楚的認識，然後方能有信心。這是在反共鬥爭中，必要的一件事。

對共產黨認識最透徹

一、艾森豪威爾對共產黨的認識

艾森豪威爾對共產黨的認識最透徹，他說：『美國人面對着一個巨大的威脅。……因爲共產主義不但手段極端險毒罪惡，而且正在運用俄國的傳統帝國主義方式，與目前亞洲和東歐的人力物力，來進行所謂「世界革命」，即企圖達到以莫斯科爲中心而控制全世界。……共產黨的手段，是一面運用武力直接侵略，一面利用賄賂和破壞，做內部策應。』

在一九四九年五月一日勞工節時，艾森豪威爾駁斥馬克思的階級鬥爭論說：『共產黨說，凡是對僱主有利的，必然對工人有害；一方面如要獲利，另一方面必然損失。我們未早日躍倒這種謊言，乃是很不幸的事。以美國的情形來說，這種歪曲的說法既是錯誤，又根本與事實不相符。我們的共同理想和目的，准許我們向共同的幸福共同邁進，……美國的制度和它的原則，不但能夠，而且正在，用政府的行動，來阻止或矯正，從沒有節制的個人經濟所生出來的弊病。』

美國並沒有無產階級

他又說：『馬克思的預言是將之於他那時代的歐洲無產階級的自尊心和憤恨的情緒。馬克思想像不到，今天會有美國這樣一個大國，國家竟根本沒有無產階級。在這偉大國家，工人就是馬克思所藐視和忿恨的中產階級。他也想像不到，幾億普通人民，竟會在兩次世界大戰中，把他們所有的一切都孤注一擲，來保衛他們的觀念和理想。他更想像不到，有一天，一個[illegible]無名英雄壞處，竟會是我們歡身與政治自由、經濟自由，和社會自由的鋼鉅』。

艾森豪威爾認爲，在社會的範圍內，工資必須增至最高；但亦必須顧慮生產能得錢，作爲投資的資本，然後新的工業才可發展，工作的機會才可加多。他觀察到，『在美國，沒有團體比工人更堅決要保留並發展競爭式的自由經濟制度。』艾森豪威爾指出，美國工人不是無產階級，也是中產階級，這種觀念是根據他自己的經驗而來的，他瞭解工人和雇主都跟自己一樣清楚。

反對一切的社會主義

二、艾氏反對一切社會主義

艾森豪威爾不但反共，而且反對一切國家社會主義。他認爲那些想利用集體經濟制度或統制經濟制度來增加個人權勢的人……然而另外有一部份人，外表的宗旨非常大公無私，而且富於人道主義，猶稱人自命爲「進步主義者」。如果他們所信奉與推進的觀念，在美國實現的話，只不過使我們更向社會主義邁進一步而已。在社會主義的下一步，就是獨裁」。「在社會化或計劃經濟制度之下，工人受制乃是不可免的基本條件」。

他又說：「我們這個時代的問題，就是如何辨別我們贊成政府去做的事，與我們應該反對政府去做的事。例如集體經濟制度和[illegible]……無從施加以反對的。因爲這些觀念如果實現，將逐漸削減我們的個人權利和個人機會，而結果使我們的自治制度完全消滅。」

△美共領袖羅柏・湯姆生於一九五一年七月以教唆及策動顛覆政府罪被判刑三年，棄保潛逃，歷時二年，終於本月初被聯邦調查局特務人員捕獲，瑯璫入獄▷

論自由和民主的真意

三、艾氏論自由與民主

艾森豪威爾堅信每個人民必須有機會，在自由競爭中表現自己的才能，然後這個國家才有前途。他說：「美國的天賦和美國的力量表現於三個基本原則：（一）個人自由是我們最寶貴的資產；（二）我們所有的個人自由，等於一個不可分的合體，要維持其中一個，就必須保護全體；（三）自由競爭和自願合作，使美國的制度成爲世界上最富生產力的一個」。艾氏更進一步認爲，家庭，教堂，學校，是美國社會的基礎；自由，合作，團結，是美國政治的核心；宗教是美國精神力量的來源。

艾氏熱誠相信美國的民主政治，他認爲個人有人的權利和尊嚴，因爲人是最高的動物。這種民主制度只有在自由經濟的情形之下，才可存在。」艾氏認爲：「要自由惟一目的，是使一切人都能得到更大的快樂和更高的生活……他主張讓人民按照自己的旨趣和能力去尋求他們自己的幸福。他引用威爾遜總統最好的話說，「最高和最好的效能，就是自由人民的自動合作」。

人民應阻止權力集中

艾森豪威爾主張，「美國必須自己做個民主的好榜樣，以代表民主的好處，正價值。美國必須增加生產力量，同時必須增加工業價值。不然，美國便是自取滅亡」。艾氏認爲政府的職能，除了預防有害的事之外，不應干預人民的生活。他主張「阻止那權力集中——不論是在人民的手中，也不論是在政府手中，只要那權力集中，需要干預人民的生活和財產，都是不合理的」……時，便應該加以阻止。換句話說，……每個人在精神方面，知[illegible]個方向走，自由制度才值得存在。」因爲「如果沒有全體進步，任何一部份不可能有長久進步。」「除了整個國家能夠繁榮，任何一部份社會的單獨繁榮，都是不能持久的。」[illegible]謀發展和進步。每個人都應該受保護，不受任何方面的力量來統治。」但是他同時也警告說，「大家都應該對個人的感情行動加以限制，以便在行使個人自由時，不要妨礙他人的自由。這社會情形愈複雜，由限制的範圍也愈多。」

對大學教育三項希望

四、艾氏看教育的任務

艾氏認爲，對自由制度的提倡，教育應負起這個任務，尤其是高級教育，他說：「至少以美國人的立場來說，我們所極端擁護的自由是，個人信仰自由，言論自由，與自治的美國基本權利。因此，各大學必須指示我們永久維持並且隨時警告我們辨別那些途徑可能使我們失去自由。」

艾氏對教育有三大希望：

第一、一切男女大學生，都應把他們所受的廣泛知識，有增無減地傳播與人。將來這些男女學生中，會出現學者，政治家，和商業經理；但是如果這些大學生不是終身致力於改善公民權益，那麼無可認這是一種失敗的。

第二、研究院的研究生，都將要在他們各自的事業範圍中，『把知識的界限推廣，並且用科學技術來服務人羣。』從這些研究生中，將出現技術精練的外科醫生，工程師，律師，以及各種專門職業和科學事業中的領袖管理人才。但是如果他們爲了本身是專門人才而忽視了人情的價值，以致把他們身爲公民的甚本責任置之度外，那麼這種教育也是失敗了。

第三、一個大學『將是一個富有活力的機構，致力於學問與研究，並且和所有協助保持及增進其他人類尊嚴的自由機構，竭誠合作。我們的學校以及我們過去的生活方式是思想及經過努力所達成的最偉大時代。……一個偉大過去的承繼者，同時也是把這個偉大過去的光輝在日後繼續發揚，非但現在如此，將來也是一樣。』

國際政策的重要原則

五、艾氏的世界政策

艾氏認爲，「最好的外交政策，是力求在美國的日常生活中，充滿誠實，高尚，和完整。對內我們使美國成爲一個更適宜於自由人民居住的地方，對外，我們和那些有同樣思想和同[illegible]來，使世界成爲一個[illegible]世界上的人類都可以和平居住的樂園。我們既不爲恐懼所擺佈，也不爲夢幻所引誘」。

艾氏對外交提出了一連串的問題：「我們怎樣才可以忠實的追求世界和平友愛的理想？我們怎樣才可以在國際事件中採取堅定明確的立場，來支持自由和美國所信仰的原則，同時避免任何人有藉口來指摘我們獨攬或挑釁？我們怎樣才可以維持使國際局勢安定所必須的昂貴軍備，同時避免耗損美國經濟？我們怎樣才可以消費巨額的實施計劃，而同時仍避免國家安全和武力？就可以保證和平？」

艾氏的結論：「如果只有各獨立國家的獨立世界之秩序，實行向這個合作目標前進的美國領導力量……有賴於美德、社會、和經濟力量。在世界秩序未成立時，軍事力量更是不可少的。」

（註）本文內所引用艾森豪威爾總統的言論，皆採自 KEVIN MC. CANN 著 AMERICANS MAN OF DESTINY。據筆者所知本書不久即將有中文版問世，由本港新世紀出版社發行。

本週展望

·雷嘯岑·

西德選舉一面倒

西德這次大選結果，現任內閣總理阿丹諾所領導的基督教民主黨大獲勝利，再加上與他聯合的政黨在國會所佔的議席，執政黨在議會取得了一面倒的絕對優勢。

這一勝利的因素，首先應歸功於東德人民的反共暴動，因而使西德人民提高警惕，嚴防共禍；其次是得力於俄帝之戲劇化暴動分子，使東德十萬名受危害的難民逃入西德，現身說法，稱揚共產暴政實況，使任何反共團體的宣傳更能激發人心；再次則爲美國慈善救濟東德饑民工作，應得同情；再次即爲美國援助西德的功用也不小。懷此數因，以鞏固反共意志的阿丹諾政權，乃贏得了意外的成果。

那以「保持中立」，先謀全德統一，爲號召的社會民主黨，竟一蹶不振，痛感幻滅的悲哀。這證明一個國家在危急存亡的時候，談「中立」高調，是不切實際的幻想，決難獲致大多數民衆的共鳴。尤其是在文化水準較高，且富有冷靜頭腦與組織能力的德國民族，說服現實利害的政治主張，他們都能擇從的。過去浪漫哲學之不爲德國一般智識份子所崇信，值得正視。這是阿丹諾政策的成功，亦是自由世界對俄帝冷戰中的一大勝利！

越南民族主義者大會

越南反共的民族主義者，最近召集一次聯合大會，希望商得共同的政治綱領，結果是意見分歧，不歡而散。就預會人士黨派的立場而言，竟有五十幾個派系之多！

凡屬生產力不發達，人民生計貧困的國家，智識份子除搞政治以外沒有出路，乃必然的趨勢；在殖民地更有黨派林立，一項宗主國從中縱橫捭闔，挾持利用的關係，智識份子之無法團結，原爲意想中事。即在一般產業貧乏的國家裏，其情況也好不了多少。這其間，潛伏着一種可怕而又不能否定的因素：那就是俄式共產主義在這些地區容易發展之所由來，而民主政治自然無從胚胎作育了，不爲共產主義所從變，即爲獨裁政治所控制。智識份子儘管高談民主自由，到頭來，爲目的不擇手段，各幹各的政治活動，各求各人的小我利益，共喻一轍，是在大家若非從政作官，即沒有生活基礎與職業技能了！

我們看看現代中國的情形，對於越南反共的民族主義者不能團結，自不必有所詫異。「失節事小，餓飯事大」，吾人固自哀之不暇哩！

美西協定完成

談判已久的美西協定，據說本月底即可正式簽字了。這一協定之成功，不但使歐洲防衛體系更臻緊密鞏固，填補了自由世界海空軍基地的缺陷，也使西班牙不再徘徊於集體安全體制之外，更減少了美國對北大西洋聯防工作的若干煩惱。

西班牙的海空軍基地問題解決之後，繼以西德自行建軍及早實現，西歐的防衛力量即大體奠定，美國心目中的戰略佈署，相去已不遠，一些藉聯防問題而異議橫生，譏索無厭的人，便無所施其技了。

西班牙至今被擯於國際組織——聯合國——圈外，這是極不合理的怪事。美西協定簽署後，我們盼望美國聯邦這個友邦加入聯合國纔對！

法越和談絕無可能

法國駐越南高級專員杜恩安極力否認法越之間有和平談判的可能，認爲外間流行着的這類謠言，是完全無根據者！

這表示很有力，也很可佩。不過，我希望將來法軍萬一在越戰中稍有不利時，巴黎政府當局不要再發表「法國將重新考慮對華政策」，「法國願與越盟談判和平」那類令人沮喪的聲明，使杜恩安專員的話，不致變成「否定之否定」，那就行了。

編者與讀者

△張丕介先生流亡青年的教育問題一文在本報刊出後，頗引起讀者注意。頃接傳瑞符君來稿，把身歷的流亡學生生活，作詳細報導，讀後至覺動人。我們已準備繼續發表。又此後如有同樣的報導文字概表歡迎，請流亡青年學生諸君多給我們寫這一類的稿子。

△台灣花蓮葉非葉君：大文將摘要發表，請留意。

△本報下期將發表許漢劍先生的「美蘇糧食爭奪戰」

西班牙拉攏回教世界

佛朗哥一刻都不放鬆向外發展的雄圖

他號召建立天主教與回教的新十字軍，來抵抗共同的敵人——世界共產主義

西班牙被西歐國家所遺棄了，它被擯於聯合國和北大西洋公約的門外，甚至和西方國家的企業關係也中斷了，地中海沿岸有些國家也遺西歐國家的自由，佛朗哥相觸似的，西班牙迫得向這些國家中找尋夥伴了；它是地中海的國家，地理的因緊，天然地使它做了東西兩國家的橋樑。就如一個西班牙的權威評論家說：「阿拉伯的國家羣正趨向西歐國家中尋求能給他們以合理的需要的援助，能夠促進這些國家對西歐的了解的，那就非西班牙莫屬了」。

[illegible]

組織新十字軍

西班牙的外交政策[illegible]

有限度的進步政策

[illegible]

對自由世界的影響

[illegible]

記蘭州保衛戰

—參與戰役者的悲痛回憶—

哀雁

寧死不辱

[illegible]

不問安危

[illegible]街小巷，關門閉戶，一片緊張氣氛。

[illegible]匪軍攻城之夜，[illegible]臨時睡在省黨部[illegible]室內，同睡在一起，數[illegible]相依爲命，我們[illegible]是到和平日報社[illegible]到省黨部。慰勞總會亦設在省黨部，日間頗爲緊張，睡前，曾有砲彈落地，[illegible]太大，必須隱蔽在[illegible]的地方，爲我心中好笑，我們同馬繼援將[illegible]午後，涇渭河[illegible]在戰役中，誰還想到安全。拂曉，清晨的槍聲，響徹[illegible]，我們都驚醒，工友在窗外驚慌的喚，書記長說，這[illegible]內到外邊都是[illegible]

孤軍奮鬥

們漸漸也習以爲常。每次攻勢被擊退後，我們即驅車至各山頭陣地，慰勞戰士。每次來回途中，大家都談到環山公路的方便。這條路是郭寄嶠主甘時爲保衛蘭州而完成的，那知不到一年，就實際發生作用了。

保衛蘭州的，只馬繼援部八十二軍一軍人，人數不過五萬。來犯的共軍，挾七軍之衆，約二十餘萬人，八十二軍可謂名副其實的孤軍奮鬥。由西安至蘭州，計一千四百華里，南有胡宗南部，北有寧夏馬鴻逵部，共軍竟不顧任何一方之威脅，大膽長驅直入，猛撲蘭州，我方不能及時阻合，利用優利局勢，聚而殲之，坐失良機，豈天意使然，抑人事未盡，至今思之猶有餘痛！

戰爭進行劇烈中，我方一再呼籲胡宗南部出天水，進入洮（臨洮）河（臨夏），馬鴻逵部出海固，進入定（定西）會（會寧），爲蘭州聲援。但雙方皆作壁上觀，二十五日戰爭，已達最高峯，我爲加強民心士氣，故張標語宣傳寧夏援軍已至靖遠，其實是自欺欺人，故弄玄虛，聊以自慰而已。中央所發的十二架飛機又渺若黃鶴。二十五日急求空軍援助，漢中電話，一說正在加油，一說正掛炸彈，又一說天降雨了，不能起飛。天公就是這樣的不公道啊！尤其傷心的，數月來我們收到的中央社電訊，猶在誇張我空軍在東崗坡如何如何炸匪，猶如活見鬼！

慘烈犧牲

二十三四兩日，很平靜，大家都想到風暴要來了，二十五日共軍集中大砲人力，猛撲蘭州西郊狗娃山。此處若失，共軍俯攻關市，一可控制華林山，二可封鎖黃河岸甘青公路，終日大砲轟擊不絕，人海一波一波。我守狗娃山一零五師一團，馬登霄全團，犧牲殆盡。匪屍滿谷，長官公署高級軍官觀察者說，台兒莊戰役，尚無此劇烈。激戰中蘭州市民紛紛自動簞食壺漿來援我戰士，情緒熱烈，感人淚下。下午五時，戰火稍息。入夜匪繼增援兵。二十六日晨二時，我以孤軍不支，向黃河北岸撤退，大好西北，竟在此一退，而全部淪陷矣。

大漠窮秋塞草衰，孤城落日鬥兵稀。我們就在窮秋衰草，兵荒馬亂之中，背棄骨肉，輾轉逃生。四年來我們都是在痛憤和血淚中，一刻一刻的度過日子。我們相信，我們的恥辱，終會有洗清的一日。四十二年八月二十五日，蘭州失陷四週年寫于台北。

自由中國的文藝概觀

·高清心·

讀者來論

[illegible]

宣傳工具。凡是自由寫作，能表現民主精神的，都是好的文藝。我們不要學共產黨的作風，把文藝塗上政治的顏色，把文藝變成政治工具。我們的文藝要發揚固有文化，和國家民族精神，是代表全民的，不是代表某一階級的。

我們要弄清楚，文藝是文藝，政治是政治，如果把文藝政治化，只管少數人的政治，忽略了大衆的口味，那就糟了。真正的文學家絕不肯身入仕途，不搞政治，例如英國的[illegible]，終生寫作，名傳萬世。

因此我們反對文藝政治化。我們主張自由創作，我們要打倒歌頌史毛的無恥文藝。現在大陸上所流行的「解放文藝」都是無恥文藝。「解放褲子」，「解放馬桶」，解放這個，解放那個，變成什麼世界呵！今日自由中國的文藝創作問題，應該還是自五四運動以來——民主運動和科學運動。無須再標榜任何新口號；我不贊成利用文藝做政治工具，更不贊成口號文藝。我們要發揚富有愛國思想的文藝，提倡自由民主的精神。

人物介紹

名畫家——梅雨天

·紹華·

做過後生

在香港林林總總許多畫人當中，提起梅雨天的名字的，並不會覺得陌生。他於民廿九年春天，曾在花園道聖約翰禮拜堂舉行畫展；去年曾和北角的璇宮戲院正門塑了一個大浮雕，綜合東方和西方藝術的結晶；現在他担任聖士提反女校的圖畫教師。梅氏不僅是一位有成就的畫家，也是一位傑出的雕刻家。

梅雨天，原名與天，廣東順德龍山人，出身於一個貧苦的農家，當他十三四歲左右，便由族人某介紹到佛山黃祥華如意油老板黃愛綺那裏做後生（小工友），每月工資銀洋一元。這是光緒末年的事。黃老板知道他喜歡學畫，特別在二樓設一畫案，並購買了一些芥子園，點石齋的畫譜供他臨摹，畫紙、顏料、畫筆亦儘量供給。他在那裏苦練了數月，藝事大進，更發現黃老板是喜歡收藏古畫的，擱在他自己當舖裏的收藏名畫中，宋元明清各朝的名家作品一齊全，如倪雲林的山水，惲南田的花鳥，應有盡有。老板把鑰匙交給雨天，叫他有空的時候，各拿出來自由臨摹，那時他得到臨摹各種山水、人物、花卉的機會，一住便住了十年。在黃祥華那裏，

初習塑像

有一回，黃老板的少妾死了，他心裏覺得異常悲哀，便一方面在花園堆砌石山，藉以解悶，一方面到石灣陶瓷店買了許多現成的石灣公仔放上去。雨天對他說：「手安現成的，不如購買些粘土回來，特別自己塑一些人物、寺塔、亭宇、樓閣、板橋。」這一嘗試，居然獲得極大的成功，所有出品，都比較精緻，從這裏可以表現出雨天的藝術天才。

結識畫家

民七，雨天離開黃祥華，到順德縣立中學担任美術教員，每週五小時，月薪十五元，另外還担任一間女校的功課，每週四小時，月薪四元，合共十九元，但在每時生活程度來說，不特可以維持，尚且還有餘暇。課餘之暇，他往來廣州，結識了一般畫人，如留日的梁鑾（楚亭）美術學院院長）、高[illegible]等，接受了西洋畫的基本畫法，同他們交遊，到郊外各處去寫生。

成立赤社

民十，雨天在廣州担任曹鑑女子師範、道根女子師範的美術教師，另外又結識了一般畫人，如胡根天、徐子靈、許敦谷、雷毓湘、馮鋼伯等。他們談起要發展中國的美術教育，應該把西洋藝術輸入民間，進行畫展，他們的步驟，第一是結社，第二是舉行畫展。他們又說起日本的帝國畫展，完全是古典派的；義友畫會，才是自由派，取法後者。因此組織了一個團體，揚棄前者，命名赤社，則含有太陽出自東方的意義，後來改爲尺社的規矩方圓之義，這是後話。這個團體最熱心的，首推馮鋼伯，他新從美國留學回粵，一見如故，相約在郊外寫生和雨天開始近代藝術的新天地，赤社開辦之初，在廣大路賃了一幢洋房，月租八十元，加以應用各種什物，以及需財，於是由雨天私人向朱義盛老板魯某揭借毫洋五百元，才得舉辦。赤社成立之後，曾先後舉行畫展十次，並設立美術班，分日夜兩班，由社員親自担任，帶來了蓬蓬勃勃的美術運動。

美術學校

民十三，廣州市開辦市立美術學校，初在中央公園內搭竹棚爲校址，後來才遷到粵秀山，雨天担任該校的職教員。他說：「這時他住在中央公園裏，朝夕面對着古木參天，濃陰布地，領略着清郁的花香，清脆的鳥語，增進了不少詩情畫意，正是萬物靜觀皆自得，四時佳興與人同。」不久他到新加坡，在那裏重整正學校教畫，又領略了許多熱帶風光。

參加革命

民十五，國民革命軍北伐，他担任了十一軍政治部的藝術股長，到達武漢之後，共產黨人叫囂突出，他自問道不同，不相爲謀，提出辭職，住在漢口一個朋友家裏，冥心以觀萬變，練習寫生。他賦閑時間，曾遊廬山。

由民十六至民二十，雨天在廣州和香港知用中學先後担任該兩校美術教員，民廿四和現任越南知用校長唐富言等友人，組織旅行團，赴桂林陽朔遊覽，寫了不少山水。民廿八年在香港，民廿九在上海，舉行畫展，精力彌漫，用筆工巧，尤以木刻博得[illegible]界不少好評。

民卅，香港淪陷日，寄住於友人孫某家，每月向同鄉借軍票二十元，作家用，後來以賣畫所得，攜同家人離開陷區，逃往中山，途經大江鄉，乃住下，是時當地的游擊區，漁米豐富，他便在那裏直至抗戰勝利。

載譽美洲

民三十四年，抗戰勝利，他首先在教育廳舉行畫展一次，[illegible]將他的作品移嶺南大學圖書館陳列，[illegible]招待盟軍，吸引了許多盟軍參觀，夏慤將軍最欣賞，[illegible]財政局長購得[illegible]，司徒衛將他的畫[illegible]幅送往紐約、芝加哥、三藩市各大城市展覽，都博得讚賞。不久，中共入粵，[illegible]擬聯合前嶺大教授陳榮捷提出條件，雨天但任美術指導，[illegible]他的作品如光風霽月，尤值得我們的思慕。

自由人

中華民國僑務委員會頒發登記證台教新字第一零二號

中華民國郵政登記第一類新聞紙類

THE FREEMAN

（半週刊逢星期三六出版）

（第二六五期）

每份港幣壹毫

督印人：李光華

社址：香港高士打道六十六號

電話：七四〇五三

GLOUCESTER RD. HONG KONG TEL: 74053

承印者：東南印務出版社

地址：高士打道六十四號

台灣特派員辦事處：台北市館前街五十號

台灣總經銷處：台北中華路新號五九四之一

郵政劃撥儲金帳戶九二五二號

海外青年為什麼被騙入鐵幕

·陳克文·

海外青年不滿意居留地的政治和社會現狀，容易接受中共的虛偽宣傳，做父母的不能了解青年心理，亦予共黨以誘騙機會。自由中國對海外青年升學問題的措施失當，亦為難辭其咎。

中共大規模招募青年

昨十一日東京合眾電，過去兩個月來已有華僑青年三千多人，從亞洲各國返回大陸。西方國家人士，對於海外華僑現時正在厭棄中共而傾向於自由中國的時候，乃有此種現象發生，極為注意云云。

又近來有些僑胞，亦因為自己的子弟被中共騙誘，投入鐵幕，而感到焦急和憤悶。

據上述外電報導，中共大規模吸收海外青年，其目標有二：一、在這些青年未成年以前，麻醉其思想。其次將利用這些青年在出生地區擔任未來的間諜工作。至吸收工作的地區則包括新加坡、馬來聯邦、印尼、泰國、菲律賓、香港、緬甸、越南及日本。

然而現在我們要知道的，不僅中共騙誘這些青年投入鐵幕後，其目標何在？他們將對這些青年做些甚麼工作。我們尤不可不研究的，是海外青年為甚麼會有這許多人甘心受騙，自投羅網？上述合眾電說：「中共招募華僑男女青年，係用高等教育及畢業後優厚工作為餌。」不錯，這是中共騙誘海外青年的方法之一，但這不能視為中共騙誘青年的全部真相。

中共虛偽宣傳的內容

中共的騙術首重虛偽宣傳，過去中共的專制獨裁，殘酷暴政，往往由鐵幕內的報章什誌透露海外。現在中共嚴禁大陸刊物出境，同時海外御用出版物，卻千篇一律，盡量歌功頌德，把中共統治說成「天堂樂土」，再加上中共遍設亞洲各國，公開或不公開的機構人員，儘量包圍和引誘這些血氣未定，見識有限的青年。說「人民」祖國如何進步，「人民」政府如何「照顧」青年。又騙使已經入了鐵幕內的青年分別寫信給留在海外的兄弟姊妹親戚朋友，說回到大陸如何快活，大陸讀書如何便利。甚或利用青年男女愛情，作為誘騙工具，但問目的，不擇手段的種種方法，都是中共所慣為的。因此，中共能夠公開設立機構或公開宣傳的國家，例如印尼，或中共地下份子潛伏最多的學校，則受騙的青年亦必最多。

青年不滿居留地現狀

還有華僑青年最多的各國，大多數是歐洲的殖民，或脫離殖民統治尚未很久的國家。其中政治措施還未能十分脫離殖民氣味，社會制度不健全，文化落後，生活困難。在這種環境之下，最易激發青年的民族觀念，和要求進步及改革思想。中共即充份利用此種情勢，以吸引青年投入鐵幕。據筆者所知，香港某校一高中畢業生，偷逃赴粵，留給他父母的信，解釋為甚麼要違悖親意到大陸去。他說香港的社會實在太不成樣子了，貧富懸殊，到處只見色情泛濫，電影片子和報章雜誌，充滿黃色氣味，連八九歲的小弟弟也讀有毒素的連環圖，而且懂得向女子接吻了。他說這樣的社會，是使青年墮落的，所以我要回到「新中國去」。這可充分說明南洋各國的華僑青年如何不滿意於居留地的現狀，如何追求理想的實現。因不滿現狀，容易接受中共的宣傳，便誤認鐵幕的統治為「天堂」，為「進步」，甘心受騙，這是何等可悲的現象。

父母不了解青年心理

還有做父親的往往對於青年心理狀態，不能加以了解，認以為有了物質的享受便可以滿足青年慾望，不至誤入歧途，接受共產黨誘騙。最近一個很富有的僑商便因為存了這種心理，把他的兒子於不知不覺中弄到走入鐵幕之內。他平日儘量滿足兒子的物質生活，兒子口袋裏時常裝滿鈔票，答應給兒子個人買一部汽車，又準備把他送到美國去讀書。他又常對兒子說，讀書與否沒有多大關係，我不是識字有限嗎？也居然發財了。他以為不去強迫兒子讀書，並給予舒適的生活，便可以使兒子留戀家庭。他想不到，這樣會使兒子發生反感，竟因此而偷走了。他兒子到了廣州，揚揚得意的把鈔票給其他青年分享，說這是腐化的爸爸剝削得來的錢，願意分給大家使用。他還說爸爸以汽車，電影，照相機等來把我綁住，太瞧不起我了。我還要到美國讀書嗎？美國社會還不是和香港一樣腐敗嗎？這可見青年的慾望，不是金錢物質的，做父母的缺乏了解青年心理，也是造成中共誘騙的機會，這是家庭和學校都要負責的。

自由中國亦難辭其咎

最後自由中國當局，實在也難辭其咎。海外青年升學的問題，我們已經說過不知多少，報紙也有討論，海外青年既不滿意於居留地的學校和社會環境，台灣不但沒有辦法，還有什麼出路呢？他們除了入鐵幕，還有什麼出路呢？往年不說，今年台灣的海外招生辦法，到八月中旬，還沒有確實消息，不像中共的大批招募已經到處張貼，海外其他學校的新生也已經放榜了。[illegible]

[illegible]補追求理想的希望，又可以減少中共的騙誘作用。不過如果沒有迅速切實的措施，則對於海外青年所生的惡劣影響，必將日益增加。近日台灣教育當局對海外青年教育問題，似已增加注意，惟當局討論的中心，似在經費，[illegible]中共的大規模招募，更可以順利進行了。[illegible]青年希望的，祖國如果不能夠迅速切實負起責任，無數青年被騙投入鐵幕，自屬必然之勢。

美國公務員的徬徨

林生

共和黨執政後，大刀濶斧改革人事制度，已裁減公務員十萬人，各機關因此發生混亂狀態，公務員人心不安，行政效率大受影響。

人事制度改革的困難

美國公務員制度，到今年已有五十年歷史，近二十年才逐漸脫離分贓制。一九三二年至今，中央直轄公務員的人數由六十萬人增至二百五十萬人，十分之九已與政黨無關。經過二十年的民主黨統治，現在執政當局要對這個制度來一個改革，當然牽引起相當的波動。

任何新上場的執政者都要面對一個問題：即怎樣能夠使得決定國策的政府機構中，主幹人員能夠同心協力推行政策。今年二月間紐約時報曾報導：共和黨政府首腦，認為銓衡決定政策人員的困難，僅次於解決韓戰。

艾總統兩項改革政策

艾森豪威爾總統的對策是：（一）從新規定中央公務員的類別，因此而受到影響的約一萬二千五百人，這些人員的職務是決策和含有機密性的，此後他們的任期不作硬性規定；（二）取銷一部份公務員的保障權利。這批人大約十三萬四千人，但他們也有恢復公務員資格的可能。國會對這個問題，曾經一度辯論。民主黨指責政府要空出職位以便賜給共和黨有功的人，並斥責杜魯門任內有勞績的人。共和黨的答覆說，杜氏想使佔重要職位的人成為永久性，使民主黨在政府機關中的潛力根深蒂固。在此情勢下，共和黨只有兩途可循，即不是破除這個習慣，便要倚藉缺乏同情心的屬員來推行本黨的政策。

兩方面的立論都有相當根據。有些官吏不應因為政黨問題而免職的，也竟被撤差了；共和黨國家委員會對於中央機關的職位，可以任意委派本黨同志充任的，覺得數額太少。後一問題，現在算是有了解決，因為該會主席對於人選問題已有更大的權力。

杜魯門所吸引的同志，在華盛頓數量不小。共和黨已失勢二十年，一旦登場，要解決這批人並不是一件容易的事。還有一層，中央官吏的俸給和商人的收入比較起來，簡直是小巫見大巫。人對於棄商從政，並不覺得什麼興趣，商人認定政府的範圍，縮得愈小愈好。

裁員減政的混亂情形

共和黨要實現裁員減政的諾言，政費減低了，機關和職位也隨之而裁減。共和黨執政以來，被裁撤的官吏數約十三萬人，到明年七月可達到十八萬人。這當中有很多是過缺不補的。但當局過急，加上公務員條例之繁複，公務員人人自危，有些機關值因此陷入混亂狀態。一個具有公務員資格的人，被裁之後，可以降級奪取一個工作大致相同的位置。被奪的人亦可用同樣方法，另向他人下手。公務員條例對退伍軍人另有優先的規定。這樣逐級相乘，騷動情形，可想而知。

據國務院說，有人統計，[illegible]有限職的，恐不能到四分之一。外貿易統計的延遲發表，據解釋即因為人事上的更動。

硬性規定不切於實際

[illegible]首腦們看到這樣波及下去，結果是不[illegible]範圍，則必須限於同一部門，越出這個範圍的，不能成為被佔案的目標。

公務員任用的重要原則，在職位有所保障。新增的限制，無異減弱了保障的可能性。但硬性規定保障公務員職位，也會增加政府對人事行政上的困難。

還有，因國家安全問題與公務員的忠誠問題有關，[illegible]提防有共黨份子滲入政府機關。[illegible]和不稱職人員，這些工作和主管人員的措施，關係很大，措施不當，很容易牽一髮而動全身。現在美國公務員即因此種工作的推行，而惴惴不安。受影響的範圍並非一致，情形各有不同。預算局受影響最淺，因這個機關組織不大，又多是專門人材，他們的人事調動又很靈巧，得以安然無事。國務院便成為風潮的中心，外面一切問題，差不多總要把它牽入漩渦之內，職員的精神受影響很大，行政效率大為削減，整個機構幾乎不大像樣了。（本文取材於八月廿九日出版的經濟學人）

半週展望

·雷嘯岑·

顯著的詭謀

中韓共對韓戰政治會議的反建議案，不過是復述俄共代表維辛斯基在聯大特別會議中的主張而已，無可諱言。[illegible]

兩點副作用

中韓共這一反建議的副作用，[illegible]

糊塗的民族運動者

越南三邦之一的高棉總理說：只要共黨不侵入高棉，高棉軍即不赴越南對共軍作戰。[illegible]

越共內在的危機

國外通訊

【本報河內通訊】韓戰停戰以後，雖已因蘇俄和中共的侵略重心和自由世界抵抗共黨侵略的軍事重心同時移向越南，而使越南的戰爭形勢，更形緊張險惡，但此間最近連續獲悉越共統治地區的一般情況，所顯示者，覺得除了蘇俄中共的野心侵略足慮以外，越共本身所能威脅自由世界的戰力量，並不如一般想像者那麼可怕；覺得越共本身所遭遇的困難和所存在的危機相當嚴重，覺得他們在聲勢洶洶地誇張的叫囂，卻完全被隱藏在對內苦撐對外硬鬥的狀態中。

此間所獲悉的越共情況，摘其要者，約如下述：

勞動黨苦苦改造

首先是胡志明所控制的目前越共僞政權的勞動黨，原非純粹符合蘇俄標準的共產黨，故必須遵從蘇俄的命令加以改造。這種改造，在黨的組織形式方面，並不困難；但要改造黨員及一般幹部的思想作業，並不是一件容易的事情。越共的改造，於去年五月開始，但到目前已經過了一年零四個月，還只有一萬二千百多個「人民團體」的幹部有了初步的理想學習，要符合蘇俄標準，尤其要對於黨的軍等幹部都改造完成，還須有相當的時間，而蘇俄派駐越共的顧問們則牽命不斷地在使用壓力，這是越共不足爲外人道的大苦惱。同時，改造的目的，一如中共要完全倒向蘇俄，但越共控制區內的共產民族主義者，勞動力在無可奈何之下作溫婉的反對。其中主要的阻力是「越南民主黨」以及一般知識份子，這是越共的著慣。因而，越共目前除了正在竭力遵循蘇俄及中共的路線外，一面正在竭力運用「統戰」策略，以「越南國民聯合陣線」的名義及虛僞的民主，以拉攏知識份子，尤其是所謂民族資產階級，達成統一戰線的目的，可謂用心良苦。

外援偏重於軍事

當然，越共之所以能生存到現在，並且能攻略地方侵略，完全是蘇俄及中共的支持。但蘇俄及中共對越共的援助偏重於軍事，擴張赤色版圖，而蘇俄加緊其對越共黨政的操縱控制。對於越共地區所急需的經濟援助，極少，有之亦僅爲一些象徵性質的藉以籠絡越共民心的一些手法而已，毫無實惠可言。故越共僞政府經濟困難日見嚴重，總理范文同在一次「部長會議」的公開報告中，就曾認承該僞政府正面臨財政經濟的嚴重困難中，因而大聲發出「增產節約」的呼籲。

幣值物價不穩定

由於應付這種困難，越共財政經濟的收支出現的嚴重困難，除了增加各種苛捐雜稅外，便不得不濫發紙幣，由「越南國家銀行」發行大量通貨以資彌補。僞越共的貨幣與印度支那幣的兌換率，已降到八十對一。與幣值日落的比例，必然使物價的指數日高。尤其越共的內物資缺乏，使物價上漲的速度比通貨膨脹更快。據一九五一年的官方統計，一九五一年平均漲了兩倍半，一九五二年平均漲了三倍，今年又漲了三倍。其中尤以生活最主要必需品的食米，漲得更爲猛烈，據悉較之一般日用品的原比價，要超過三分之一之多，致使越共區內的人民生活，已陷於極度恐慌之中。此種通貨膨脹的現象，使越共財政部於最近報告承認，一九五一年會增發兩倍，一九五二年又兩倍，全年預計到年底將增發三倍。通貨膨脹所招致的結果，必使幣值日降，而越南國家銀行的紙幣，已成爲一張廢紙。

農民的怨恨最深

由於越共爲應付財政經濟的嚴重困難，而加緊向民間搜括，估計越共對農業稅從百分之二十提高到百分之三十，並將原來不征稅的副產品及農村手工業生產，都便宜當其衝，徵了「農業稅」一項，即將超過了重稅。由此，目前越共區內農民的所得，生產率平均幾巳有六十九代，將征收率百分之七十以上爲越共所劫奪，不能不令越南農民怨恨最深。

災害飢荒極嚴重

另一方面，災害兩季的洪水比其他各區更嚴重，據越共的官方統計，該等地區人民飢荒的嚴重性，亦使越共更感痛苦。近年來，越共區內的大部地區，幾乎年年有水災、旱災、蟲災等交相侵襲，嚴重地損害了農村各種糧食和各種農產品的收成，據越共官方統計，近兩三年來的各種災害所造成的饑荒萬人之多。越共區內的民人數，當不下五百萬，其他各地區的救濟，根本不能顧及，而田賦等稅收照征，以致造成了民間的饑荒飢民逃亡，這在越共各地區所能收入的「稅收」相等，正與該等地區的救濟，也都是極其重要的惠，大量的土地荒蕪，致不能不使整個農村收了作「國營農場」之用。

因此越共的財政經濟，在越共的經濟上和社會秩序上，都是極其嚴重的，據悉越共在西北部的第三第四兩國聯區（相當于中共的大行政區）冬季的大旱及

致使農民生活的困苦情形，更形嚴重。同時，越共目前還在大規模地實行「土改」，而「土改」的結果，又使農民的怨憤加深，富農和中農陸續被清算，貧農並獲不到實惠，大量的土地荒蕪，致不能不使整個農村收了作「國營農場」之用，結果越共的一大危機。

的生產一般農民的生活，更使一般地區所面臨饑荒，致使農民的怨恨普遍尤深。致使一般被鬪爭者或被清算，農村經濟還未能發生集體反抗的行動，卻是越共的一大危機。

反共鬥爭日激烈

感者間的一大包袱。

此外，保大政府和越共區內的反共民間的反越共軍的打擊，又予此越共此越共，據越「傀儡組織」的活動爲破壞，潛伏農民抗糧，並說服等破壞活動，並在這些掩護下所進行的各種破壞活動，比一天的在加緊，因而越共最近提出了「加緊克服破壞活動」的口號。顯然，越共所面臨的困難是嚴重的，加上國際形勢已非昔比，對他們的「前途」，並不樂觀。雖然他們仍拚命企圖擴大侵略中。（水者）

原子轟炸機集體出動

兩個多星期前，美國B—36式原子轟炸機「數架」突然飛往日本參加盛大空軍演習，當時世界各報都以巨幅地位刊載此一電訊，認爲原子轟炸機飛來遠東是件了不起的新聞。但其實在這件新聞的背後，還有更驚人的消息在。原來這幾架B—36飛往東京的那一晚，美空軍部即正式向外間發表聲明，雖然語調仍有些閃縮，但總算是自動向報界發佈此一消息。却不料就在那一個富有意義的晚間。在全球各地的四萬尺高空，還有更多更多的此種巨型轟炸機同時出動，美、英、阿拉斯加和許多其他祕密基地的B—36，幾乎傾巢而出，一如第三次世界大戰已經爆發了一樣。據悉，這次規模空前的出動是奉行美戰略空軍司令部李梅將軍的密令，進行轟炸敵人目標的假想演習，東京之行只不過其中的一個角而已。

當時美空軍部高級軍官還預計活躍各地的共諜可能紛紛將B—36大舉起飛的消息向莫斯科報告，克里姆林宮收集並分析這些情報後，很可能推斷美國已向蘇俄發動原子突襲。如果共特的組織果有這般靈活，馬倫科夫、赫魯雪夫和馬里謝夫這一班高級共酋們那一剎間驚慌失措的神態，自可在意料之中。

美陸軍部重繪世界地圖

美陸軍部數學專家最近發現，自一九一〇年以來一般繪圖者所襲用的各地面積標準，就使用長程定向飛彈來說，不能算十分正確，因爲飛彈在某一地發射，而向數千哩外的目標進襲，如果發射時差之毫厘，抵達目標時便會差之千里。因此陸軍部已打算用一年多的時間來測量並繪製一幅最正確的世界地圖，有許多地方還準備使用電子計算器。

的港糾紛另有內幕因素

義大利與南斯拉夫間爲的里雅斯德港所進行的「冷戰」猶在方興未艾，他們兩國對的港糾紛原已稱有時日，但何以竟在此時突然轉趨激烈，却令人深感詫異。據說引起這種局勢的一個幕後因素，是最近義大利曾向美英法三國提出一個解決的港爭端的「臨時方案」，要求由義國接管現由英美佔領之的港「A」區，對於「B」區則既不公開撤消他們的要求，也保證不再施以壓力。這方案提出後，英法均表示同意，但美國担憂義南兩國軍隊會發生衝突，因而加以拒絕。消息傳到狄托耳中後，這一位倔强的南國總統急忙跑到義南邊境附近，檢閱他的子弟兵「游擊隊」，藉以示威。同時義國也趕調軍艦、坦克和陸軍至的港附近，於是靜息一時之的港糾紛又重新緊張起來。（孟蘅）

人物介紹

漫談莫柳老

·式一·

（一）

東北人的口頭上，有幾個素負人望的人物，四老，一少，外加一個老英雄，到今天，四老中的萬老和劉老已先後作古，老英雄馬振興於勝利後不久，病逝北平，少帥還在台灣寂寞無聊，而碩果僅存的兩位老人，莫柳老已年逾七十，而鶴髮童顏，以七十餘高齡，還在故國奔走。

當年抗戰時候，流亡在重慶的一部分東北人，都聚居在南山，那裏原是一片荒地，野草叢生，他們就披荊斬棘，把一棟一棟的房子建起來了，人人都非常和諧，而一般人都非親即友，彼此往來，還不覺寂寞，生活習慣，好似回到了自己的家鄉，在那個小圈子裏，只要以前還穿插着一幕傳奇性的喜劇，由此開起了這幾位人物可以說遠近皆知，無人不曉的。

（二）

柳老在東北四老中，比較最受人尊敬，他性情溫和，容易使人接近，說話慢條斯理，有一付合藹可親的態度，私生活很嚴肅，向不打牌喝酒，不常跑交際場合，一年到頭只有一兩個男女工人，由於少年時代，隨着母親，過着一段艱苦的日子，所以一生沒有過分的享受，甚多少不無影響的。

過去，他在吉林做了幾年親民之官，頗有政聲，在當年政治混亂的時候，像他那樣爲地方服務的人，幾如鳳毛麟角，後來獲得張作霖的知遇，才由縣長而省長，地位一天一天的高起來，也當財政廳長以前還穿插着一幕傳奇性的喜劇，由此開闢了一條走上政治的途徑。

北方人性情樸實，厚重無文，這才是他們爲人的一種精神，但聰明才華，遠不如長江以南的人，如果反其道而行之則殆不掩瑕，一無可取了，在抗戰的當時，張學良幽居於貴州息烽，已被人遺忘，而東北少數聽人物中，只有莫氏還念舊情殷，每年請准當局，不辭跋涉之勞，親自探望一次，古道熱腸，就可見北方人的氣概，世風日下，而今已找不出像他這樣的幾個人了。

（三）

柳老對政治有他的一套看法，他有遠見，並不是政治投機，過去，他爲張氏父子效勞，是抱著爲桑梓服務的心理，及至東北淪陷，他看到了國際局勢那樣的複雜已瞭解不僅是在小圈子裏打轉的時代了，所以由抗戰起，一直隨着政府走，有人認爲他是忠於蔣氏個人，尤其在當年國民大會中，提出了戡亂條款許多人對他大肆抨擊，到今天，大陸人民陷於水深火熱，那些人該有所反省了。

他這次香港之行與各方接觸頻繁，引起外間傳說紛紜，揣測多端，其實就是一般人對莫的人格，沒有十分瞭解，他此行固與反共救國會議，和國民大會的一類問題，不能無關，但他絕不發代表某一方面，作政治說客，他明白自己的地位，如果這樣做的話，反而減低自己的聲價了。

（四）

柳老對中共有一番認識，在過去，就沒存一點幻想，對反攻大陸，抱着一種信念，換一句話，抗戰一定是勝利，而反攻亦必然成功，他沒有政治背景，而人望素爲各方所推重，今天，他以這個信念，把政府的決心，傳達給海外反共人士，溝通他們不同的意見，從表面看，不一定有什麼成就，而精神上已有重大的收穫了。

我羨慕台灣工人

——又一個流亡青年自述——

·清心·

台灣通訊

不敢存幻想

說來話長，我在中學時代就愛好文學，到了北平，又天天跑國立北平圖書館，十幾年來，養成了讀書寫文章的習性。現在呢，無人不能作官，無處不可謀生，又朝裏借貸，尚屬兩難，生活堪虞！祇有靠筆桿謀生了。

讀書人是知書達禮的，對於古聖賢的遺教雖不能全部實踐，也不願窮斯濫矣，隨便丟醜。從小讀過「王魁負桂英」的故事。王魁爲一讀書人，流落異鄉，淪爲乞丐，被謝家院桂英小姐打救，得到京中狀元，飛黃騰達，現在的讀書人當然不能存這樣的傳奇幻想。

工人生活好

我到台灣後，不止不敢存王魁奇遇的幻想。甚至覺得我們讀書人連一個勞工也不如。現在台灣的勞工們，的確提高地位了。不止工資優厚，在社會上的地位也不被人輕視。一個大學教授的薪水是四五百元新台幣，報館編輯也不過三四百元，機關職員的薪俸才三百多元，如果沒有配給米，一家大小活不了。最近，教員待遇已調整，但自由職業者尚未增薪。

相反的，工人一個月拿五六百元工資，並不稀奇。木匠大工每日三十元，小工十五元。鐵匠大工四十元，小工二十元。其他竹匠，油漆匠，以及橫夫，三輪車夫等等，每天收入二三十元的很多。的確，工人的生活大大提高了，試問：那個文人一天能掙二十元的薪水？

我覺得時代改變了，現在不是讀書人單獨佔優勢的時候了。甚至讀書的結果，會成爲失業和生活困難的原因。這不是在下說廢話發牢騷。筆者在學校裏讀了十年書，在圖書館又讀了十幾年書，物質的消費，和精神的毫費，可謂不少。現在連一碗飯都混不上，這不是活生生的事實嗎？跟我一樣遭遇的讀書人多得很。不過有的人在苦難中默默不語，無人知曉。有的改行經商。想不到我們這些愛好自由的讀書人雖逃掉共產匪徒的清算改造，却逃不了在台灣的失業痛苦。

文人最痛苦

上次，蔣廷黻博士返國，對台大學作公開演講，他說：「文學是國家的力量」，這話很有道理，可惜他未曾想到；學文學的學生將來是否每人都有事做，都有飯吃。最近，美國政府准許各地難民入境；據說香港智識份子有二千人可以橫渡太平洋，到美國大陸享自由生活之樂。又據報紙記載，台灣方面也准許港方智識份子三百人入境。這都是流亡讀書人的喜訊，但入台的身份，似乎是偏重於經濟和產業方面人才的，不是純粹學文學的人。可見政府不重視文人，對的，因爲文人來了，沒有工作，便發起牢騷，更討厭。文學是國家的力量，這句話似乎沒有人加以注意。

「安得廣廈千萬間，大庇天下寒士俱歡顏。」要到甚麼時候，讀書人方可以自由讀書和安心寫作；不受政治的壓迫，又不愁生活的艱攤呢？

徵求逃出鐵幕人士報導親身經歷事實

本報徵求逃出鐵幕人士，報導在大陸時親身經歷及耳聞目擊之事實，內容體裁不拘，每篇暫以一千字爲限，如有特殊價值者較長亦可，但需特別注重事實根據，並註明人名、地名及時間。來稿請署眞姓名及詳明通訊地址，發表時用筆名聽便。來稿如不便刊用時需退回者，請附足退稿郵票。

編者　讀者

△我們將繼續發表以下幾篇文章：（一）黃雪邨先生——消滅共產主義無庸使用氫氣彈。（二）陳紀瀅先生——自由中國的文藝趨勢。（三）陸雍先生——英國人看馬來亞的獨立運動。

△倚方先生因事忙，無暇執筆，自由談暫停刊載。

△我們徵求富有現代性的文藝作品，詩詞隨筆，小說（字數以五千字上下爲宜）及小品文字，均所歡迎。

滬物資奇缺貨價大張
人民恐慌起搶購風潮
共幹多乘機貪污導成黑市
中共遷怒商人又大施迫害

【本報特訊】頃據上海確實消息：近來上海各市場物資短缺情形，不知何種突然原因，幽見益形嚴重；一般私營小商號原有的熱門貨（即一般日常用品），大多已告脫銷，來源不濟，各商號的樣品櫥窗及貨櫃中，幾已十家九虛，亞形荒落。原來壟斷物資，操縱市場的中共「國營」公司，亦已除去供應告牌，不再批發配給。由此，乃陡然引起漲風，而且空前猛烈。據悉自上月二十八、九日起，一般物價，即已漲上兩成至四成不等，迄目前止，部份貨物及原料，竟已漲達一倍以上。其中漲得最快的當推五金用品及化工原料，一漲就是五成，現已漲達原價的百分之一百二十左右。如建築等必需品的鐵性司堆管每尺已由八萬二千偽幣漲至十八萬八千元。如經緯儀，每具已由兩千兩百萬偽幣漲至四千四百餘萬元。如軸領、方鋒鋼、汽車零件，玻璃及鉛皮等，都已漲了一倍有奇。

西藥高價難買
糧食市場混亂
人民購買力薄弱
影响大搶購風潮

其次是西藥，一般的都已漲了約一倍左右；其中尤以針劑、肺病特效藥的雷米風，不但每盒已漲達三十餘萬元，而且還極難買到。再次是棉織品、化粧品及一般日常用品，已漲達六成至八成不等。如最普通的膠鞋，每雙已由兩萬元左右漲至三萬六千元左右；最普通的毛巾，每條已由五千元漲至八千元左右；最普通的牙膏每支已由六千元左右漲到一萬元左右；如有名的雞牌汗衫，按季節雖已落令，仍自每件兩萬四千元左右漲到了四萬元左右。又次是土產品，米、麥及各種雜糧，已漲上兩成至七成不等。普通筍乾，每担已自六十四萬元漲至一百十萬元左右；紫菜、大蒜、芝蔴等物，已各漲上四成，中共糧食公司的牌價雖為鎮懸市場秩序而未予變更，但已停止發售，每人僅限購一升；食米及麵粉，雖正逢夏收，因大多數收及大多被中共征超入庫所致，市價仍隨其他各物價格上揚約兩成半左右。據悉：由於物價陡然猛漲之故，上海的社會經濟秩序至為混亂，中共與民間皆深感恐慌。由於民間恐慌的結果，便普遍引起了搶購風潮；此一風潮，雖因人民的購買力普遍薄弱而不若金元券時代之烈，但民間的恐慌程度，則因貧困過甚而尤甚於金元券時代。

據本月四日上海解放日報提出的批評，亦默承目前上海已發生搶購風潮，惟該報指出，搶購的主力，在上海及其附近各地的私營商號。說私營商號首先向各「國營」公司整批搶購貨物，然後再以黑市價格在私商的同行之間轉讓，甚至囤各物繼續看漲的觀念，不惜以超黑市的價格收進，以待再漲獲利。該報曾指斥私營商人「故意掀風作浪，高抬物價，擾亂市場」云云。推據上海若干商人透露，目前上海黑市之形成，與一般中共「國營」公司之幹部貪污舞賄有直接關係。據云：當物價上漲初期，各商號據例向各「國營」公司批貨時，各公司幹部即藉口無貨而加以拒售，然後私向商人提出需索，少則請看戲、跳舞、飲酒、嫖妓，並賄贈物品；多則按照所購貨物代價加上兩成至四成不等，方准售賣。

共黨推諉責任
指責商人居奇
乘機大事勒索
逃稅欠稅罪名繁多

又悉：上海物價狂漲，雖顯係物資短缺所致，但滬共為推諉其應負之責任，竟諉過於商人，指為「囤積居奇，哄抬物價」並大加遷怒，大施迫害，藉使民間因物價狂漲造成之新怨恨，轉向商人。滬共誣指商人的「罪狀」還不僅限於物價狂漲方面，而指商人還普遍犯有偷稅、逃稅、偷工減料，抗拒領導及腐蝕「國家幹部」等「罪」。

據上海解放日報指出的偷稅漏稅的情形是相當嚴重，說一般私商甚多經常巧立名目，申報不實，拖延不繳，企圖偷漏。據來例：如凱熙電工社等私商，用巧立名目自處列成本的辦法漏報所得額都在四、五億元以上。如東方餐療器械行等常診改賬冊欺騙稅局。如協平榮記織造漂染廠等一貫地拖欠稅款。說最近稅局抽查二七五八戶帳冊的結果，即發現二三四七戶都有偷漏行為。說有的抬高初期存貨價格，有的抑低末期存貨價格，有的多計生產部門折舊等等，有的虛列進貨數量，謂其偷漏方法，共達七十餘種之多。

同據該報指出的商人紛紛欲擺脫「國營」公司的控制情形也相當嚴重：說甚多製造商對於國營經濟通過加工訂貨的領導方式，就採取了規避拖延以至抗拒的手段來企圖擺脫國營公司的領導。說如四五月間「中國百貨公司」要求對藝華與珠錦廠的產品進行擴大收購時，該廠就一味敷衍，拒不接受。如康樂乳品廠對該公司佈置的包銷任務，就乾脆不理。說有些廠甚至公開叫喊「加工訂貨做不到無所謂，做國營公司的生意保險蝕本！」

共幹貪污索賄
商人窮於應付
迫不得已偷工減料

又照該報指出的私營廠商偷工減料，脫期交貨的情形亦普遍嚴重：其中主要的現象是降低質料，縮短尺碼，夾雜次貨，副品冒充正品等等，說據不完全的統計，最近就已連續發生了三百餘起。但據上海一般商人表示：中共管制商人，壓迫商人的手段非常嚴酷，一不經意，往往有人財兩失之虞，商人決不敢冒險取巧。其所以有偷工減料等情事者，完全係「國營」公司以低價強迫私營廠商承製及「國營」公司幹部向私商索賄，暗中支持所致，甚至商人接受低價合同，偷工減料，便非有「國營」公司驗收人員包庇，則無法交貨。此一事實，解放日報指斥「商人腐蝕國家幹部」一節中，即不打自招地有所承認，該報指出最近「受賄」的「國營」公司驗收幹部及稅務局的查征人員，是以無不償廠商的偷工減料，係共幹所造成，一般商號的偷漏稅，亦莫不在共幹的慫恿和串通之下所發生。

然而中共照例將一切責任諉之於商人，乃指商人「罪犯」而大施迫害。

香港一日

英快艇遇襲引起憂慮
港市民議論未來安危

從英艦被中共砲轟事件，敏感的人又論到香港的安危問題。自從韓戰停火以後，人們就引起一些新的感覺，紛紛揣測中共的下一步驟，它侵略的箭頭將指向那裏？越南可能成為韓國的第二戰場？窺伺台灣？東南亞將受軍事陰影？這一切，目前還是烟雨迷濛，看不出明朗的跡象。

然而，在本港不遠的地方，一隻英國快艇被中共砲轟，擊斃七名英國海軍，中共這一着，是相當刺激人心的。目前，英國政府提出強硬抗議，要求賠償一切損失。但中共會就此接受這個抗議嗎？

監督爵士和東南亞高級專員適在此時召開高級軍事會議，可能會商討這次砲轟的軍事件，以及未來保衛香港的計劃。

究竟中共是有計劃的挑釁，還是無意的攻擊，假如是前者，英國不是已承認中共政權嗎？那倒是現實的揶揄了。無論如何，在此時此地的香港居民看來，或多或少會聯想到香港未來的安危問題。麥唐納招待記者時，雖說：香港絕對安全，可是在市民心目中，還不過是一個空心丸而已。

神甫慘死案終露端倪
已證明並非單純劫殺

凜靈堂兩神甫之死，以香港今年的新聞來說，可算是一件大事。雖然有人硬說是一宗「劫殺」案，但在警方的嚴密追緝下，案情已露出端倪了。

警方拘獲了兩個疑兇（一個已經被法庭控訴謀殺兩神甫罪），從案情的發展，事實已清楚，中共早已在廣州搭起了「人民英雄」的街頭，假如是真，說不定他已領受了「立功」獎，但得不償失，兩個神甫之死，在中共看來這次就打錯了算盤，已發出憤恨的火花，引起了天主教徒間的仇恨。[illegible]

工商界反擊棄擁分子
尾巴報白作一場歡喜

本港的工商界這個月來給「擁護」份子搞得翻雲覆雨。廠商會的推翻參加偽「國慶」於先，總商會拒絕會董討論偽國慶於後，在這一先一後之間，對本港的兩大僑團，是光榮的，事實告訴僑胞：[illegible]

[illegible]

目前問題是總商會會董既有出席的權利，有沒有提出議案的權利？有沒有討論議案的權利？至少，總商會的會章應當明文規定，斷沒有規定會長有權「強行散會」的章則吧！嘲諷偏且慢歡喜，好戲還在後頭呢！（子英）

南京天主教徒
又有大批被捕

【本報訊】頃據上海消息：上月二十日左右，繼上海大捕天主教徒之後，南京方面亦有大批天主教被冠以「帝國主義潛伏的間諜特務」罪名加以拘捕。據悉被捕的主教或神甫中共有十餘人，被捕的修士及教徒[illegible]

又訊：上海方面繼[illegible]一時尚無法獲悉。

[illegible]繼續拘捕天主教徒一批約四十人。該批教徒皆被囚於提籃橋監獄內，等待判刑，咸信一俟「罪狀」編造完畢，即將遭中共殘殺。

隔牆有耳

原著：Father M. Tennien
譯者：李潘郁
出版：亞洲出版社
版次：四十二年六月初版

騎虎難下

羅自芳

[illegible]

共幹嘴臉

[illegible]

屈服了嗎

[illegible]

揭竿何日

[illegible]

（下）

自我宣傳

百里隄

宣傳而出諸「自我」，則此人距離完蛋亦不遠矣。

但世界上偏多的是此輩仁兄，近來大約加上共產黨的薰陶，益發不可收拾矣。共產黨滿口戰無不勝，什麼生產超額完成之類，事實上被「紙老虎」打得頭破血流，哀哀告饒，弄得遍地災黎，鵠衣百結，還閉着眼睛發白日夢，反正說謊與宣傳是共產黨的拿手好戲，那怕是死豬，他也要說成活人的。

在天堂裏，似乎是天堂，與塵世不同，古人的「少說話，多做事」已不適用，最好是哇啦啦多叫一陣，以吸引觀衆注意，而平地昇天，大收吹播之効，無需乎實事求是那麼麻煩透頂了。寫兩篇「暖和的太陽普照着大地」，謂之曰「名作家」，抄襲幾段論文，報導之類，稱之曰「××專家」，於是，你吹我捧，惺惺相惜，打躬作揖，稱兄道弟，好不[illegible]哉！「海裏無龍蛇做王」，大可以在荒漠地帶哄哄那些魚蝦水卒，地盤是自己的，老子愛怎吹就怎吹，況且「專家」「名作家」云者，既不須文憑作證，此時此地，吃閒米之人亦殊缺乏，誰去跟你「驗明正身」呢？

肉麻與囂張，本爲智者所不齒，大智若愚，唯有一知半解方唯恐人之不知。但宣傳得恰到好處，倘有如某「明星」之「一九五×年是××的」，則只有令人同樣地大爲「肉感」（肉麻之感）了。

鐵幕新聞故事

兩具浮屍

·寒士·

「解放」以後，黃浦江上原有的繁盛景象，已經魚貫地移到外海，港口的那兒一字長蛇陣地排成了一座鋼牆鐵壁，因此，這幾年來，已將個原來帆檣蔽日，波浪滔滔的黃浦江圍得像兜漏也似，一片荒涼，一片死寂！

然而突然，在一個月前一個陽光如火的中午，黃浦江上竟外地飲起了一陣驚人的擾動，大批「老大哥」的小艇和水巡輪，拍拍地從吳淞口開到了吳淞鎮和高橋鎮之間的江面，使整年來死寂的黃浦江頓時掀起了滾滾波濤！靠吳淞鎮這邊的黃浦江上也立刻擠滿了咱們爭看熱鬧的老百姓們。我也擠着擠了上去。

咱們老百姓都不知道這是怎麼會事？只看到「老大哥」們的小艇和「人民警察」的水巡輪在江中圍作一團，七手八腳的彷彿在撈些什麼東西，撈的什麼東西實在[illegible]

「大概是兩隻水雷！」有的老百姓這樣猜測着。

「說勿定是兩個浮屍！」有的老百姓這樣說。

「啊！是浮屍，一定是浮屍！」眼力較強的老百姓這樣肯定地判斷。「兩個都是浮屍？恐怕勿會哦？」有的老百姓很懷疑。咱們在岸上的老百姓議論紛紛，大家都好奇地想看個究竟，你推我擠，萬頭鑽動，一片喧擾！

但過一會兒，小艇和水巡輪都靠了岸，「老大哥」和「人民警察」們像衝鋒似的一陣子衝了上來，立刻把咱們看熱鬧的老百姓衝開了一個大圈子，他們如臨大敵似的橫着槍枝，將咱們攔住在大圈子外面。

咱們爭看熱鬧的老百姓們像黃蜂似的鬧了一陣子之後，便又立刻圍了攏來，擠擠推推，伸頭偏頭，擠向圈子中央[illegible]吃力地望。當午的太陽正像火爐，[illegible]沒吹來一些兒，人人都熱得在淋漓滿頭滿身的汗珠，但大家似乎並不覺得汗臭，顯然，這一種緊張的神秘和殘酷的非常異樣的氣味所掩蓋了！

「咦！臭來兮！」有的人在這樣嚷。

「嗯！是臭來兮！」有的老百姓捏着鼻子在叫嚷。

「到底是啥物事？」一些擠在人頭後面看不清是什麼東西的人在嚷和擠，並急巴巴地向站在前面的人打聽着，似乎格外關心。

「啥物事？是兩個大來兮格死屍！」

「乖乖！好來兮！兩隻老勿死格老毛子屍？」在我身旁的一個人竟無意地叫了起來：「拍！」但是他立刻被他的同伴在頭上拍了一記：「小赤佬，儂阿是活嚇啦？現在啥個世界？還要講三話四！」並立刻揍了他同伴的一頓教訓。

他縮了縮頭，怕出事，伸了伸舌頭，一溜烟跑了。咱們看熱鬧的人[illegible]去理會他們，但聽到這句話的人似乎不少，於是圓滑點的人說：「兩個是老大哥格浮屍。」

「是格，的確是老大哥格浮屍！」

是的。是兩個「老大哥」的浮屍，大家都知道了，但究竟是怎麼回事，守着屍首的「老大哥」們和「人民警察」們是不會允許我們老百姓知道的。尤其是太上皇的「老大哥」，這多麼是大傷威風的事，別說不允許我們知道眞相，而且還輪着我們搖遠地多站上一霎也不行，就這麼圍了一個大圈子只七、八來分鐘時間，一個制服肩膀上有三條金綫的「老大哥」咕嚕了一陣，揮了一揮手，咱們成千成萬個老百姓就被兩三百個「老大哥」和「人民警察」一轟兒趕散了！

「這兩個老大哥的浮屍是被啥人搞死格？」每一個看了熱鬧的老百姓不免帶了一個疑團歸去，雖然，怎麼死都行。似乎與他們並沒有直接的關係。

但是，照例隔了三天，經過共產黨苦心地編造過的新聞在上海解放日報等各報「整齊劃一」地登出來了，而且還符刊了三張一版製出來的三個男人的照片，說他們是潛伏在吳淞鎮上的「國特」，一個名叫程柯，一個名叫張立人，一個名叫戚國堯，說是他們乘機謀殺了兩個虹口機場的「國際友人」，把屍首拋入了黃浦江中。

「是國特們幹這兩個無關緊要的老大哥？」差不多的上海人似乎都不大相信。

畢竟，祕密太經不起時間的考驗，不到四、五天，這案子的內幕眞相已從吳淞鎮上慢慢地傳到了上海的街頭巷尾。原來這兩個「老大哥」常駕「吉浦車」到吳淞鎮去，已不止一次的强姦了這三個被捕了的「兇手」的妻子，他們終於祕密合作，找機會叫妻子給這兩個「老大哥」灌醉了酒，在一個半夜裏將他們用繩綑死，拋入江中。他們並不是「國特」，而是安份守己的海員，他們不是鬥爭，而是復仇雪恥！

（註：對話係滬語）

白薇自殺之謎

·秋柳·

據大陸傳來的消息，十多年前著名的女作家白薇，因爲受不了[illegible]，終於寂寞的死去了。她近年來的環境不好，年前已經對朋友有過厭世表示，無怪乎有人懷疑她的死是出於自殺的了。她在中共渡江以後，曾爲中共的文化工作盡過不少的力，後來爲什麼忽然消沉起來呢？有人說她的身體太差了，不耐勞苦。也有人指出她的思想中間仍保守一個湖南女人的反抗意志，不爲中共所容。

白薇原名黃英，在故鄉湖南，便過她的少女生活，[illegible]就從家庭出走，跳到日本東京，起初以做下女維持生活，後來又進東京的女師讀書，在學校裏她非常用功，不但喜歡研究文學，就是其他的科學也進步得很快，是那時留日女學生中的高材生。在東京的時代，由於她的摯友易漱瑜的介紹，認識了她的湖南同鄉田壽昌，田漢給了許多西洋文學的名著給她看，其中尤以易卜生的劇本最多，因爲在新文學運動的初期，易卜生的問題劇是風行一時的。也就這樣才奠定了白薇從事創作生活的基礎。這以後，田漢始終以文壇前輩的姿態加以提攜，她更藉田漢的關係，走進創造社去當女職員；有一個時期更藉田漢的關係，在武漢政府的政治部掛過皮帶，其生活豐富，是可以傲視同一時代的女作家們。她寫作的範疇並不偏於一隅，從詩歌、戲劇、小說等，無不涉獵。她的詩集「[illegible]集」初次在商務印書館出版，「現代評論」的健將陳西瀅教授，更對她大加讚賞，列爲當時十大文學傑作之一。她的劇本「打出幽靈的塔」則又發表在魯迅編的「奔流」中，魯迅對她也曾加青睞的，當時的白薇女士，眞可說是左右逢源了。

她的一生可說都是在孤獨中度過的。只有一個時期，曾與詩人楊騷大談戀愛，並賦同居，兩人還合印了一冊「昨夜」的情書專集，不料詩人薄倖，女作家的生活史上，又多了辛酸的一頁，「昨夜」永遠成爲不可重溫的舊夢。

記得抗戰之前，她在上海嘗過了失戀的苦杯以後，寄居北四川路底一個女朋友（好像是吳曙天女士吧）的家裏，正是貧病交迫；筆者代表一家報館去訪問她，發現她是一個絕對的沉默寡言，非常溫柔的女性，一點沒有理想中湖南革命女性那樣飛揚的氣概。喜歡開玩笑的朋友，還給她一個「林黛玉」的風雅外號。

從此以後，她的寫作生活也就由絢爛而歸於平淡，除了在報紙刊物上偶然寫一些詩與小品之外，再也看不到她的創作了。這一點當然是由於體力的關係，同時，魯迅與陳西瀅都先後離開文壇，白薇女士的知音漸少，也許使她更提不起寫作的興趣來。

△瑞士科學家畢加迪，最近偕子乘他自己設計潛水球入深海探險，希望打破以前紀錄▽

閒談副刊

·健軍·

生來就有一種好看報紙的毛病，祇要腰裏能掏出一毫子，能放下「大奶油包」不買，我也決不肯叫報紙「走鷄」。而我看報紙的主要動機，便是欣賞副刊。來到香港，欣逢文壇盛會，文藝薈萃，報紙雜誌，爭奇鬥妍，一兩毫子，便可以大過其癮，如引用「此時此地」的佳句，便該說是「眼睛便能大吃冰淇淋」了。

香港除了幾家專刊「純粹廣東式」文字的報章，無法欣賞外，（因爲實在看不懂），我對于大部份報紙的副刊，還算喜愛，每張報紙有它特殊的版面，獨有的編法，但就另一方面來看，他們却有共同點，大抵無論那張副刊，總少不了一篇奇情故事，一篇雜談，一兩篇連載的小說，最近本港的副刊更有一種普遍的傾向，即加刊一篇生理方面的文字，雖然不多，但已能收提高讀者閱讀能力之效了（？），剩下的便是一些綜合性的文章了，這種編法幾乎成了香港副刊的定型了，也就因爲這種定型的關係，香港讀者們底胃口便也都固定化了。有時讀者對于這種定型感到方便，例如要翻閱某某先生的某某專欄大作，便可不加思索的信手拈來，就地咀嚼，但它的壞處是並非每位作者都能寫的那樣心平氣和，內容結實，都能長遠地適合讀者們底胃口，也就是說不是每位作者都能產生「麵包牛油」式的作品，（牛油麵包，誠然並非食中上品，但它却有一種久而不厭的品質）有的不過是幾個爆冷門的文場「小開」，也許偶然來一兩篇，會叫你像吃「三蛇美饌」似地感到新鮮，但吃長了這種東西不上瑪利醫院才怪呢！但不幸「此時此地」的報章雜誌，全有這種定型式的蛀虫！有的刊物，在發刊時推出一塊編輯委員會的招牌，星光閃耀，萬人爭閱，但在初步銷路穩定之後，內部便漸次蛻變，到後來，便成爲四五位固定執筆的刊物了，內容也不再設法改善，這類刊物，即使能一時保持既已穩定的銷路，但恐怕終難避免退步淘汰吧。

但就副刊一項來說，在各報中，我還是偏愛星島晚報，在香港，還算是奇峯凸出的，一方面是紙質好，篇幅大，另一方面則是版型美，印刷精。內容也還整齊，能夠保持相當水準，祇是那篇每日必有的傳奇小說，不如從前那樣能抓住讀者們的興趣，原因是故事寫來寫去總是那一套，而作者本身也像沒有了勁似的。他如新出版的日晚報副刊，種類雖多，可是所採文章的內容未免失諸零亂貧乏。至於站在反共前鋒的香港時報，自改版以後，除淺水灣外，添了一個快活谷，而且一新，稿件性質已較廣泛，可是仍有一些缺點，快活谷似太重趣味性，淺水灣則似乎單調的反共文章太多，缺乏新形式新內容，頗有陷入反共八股之虞。

總之，一個好的副刊，除了吸引讀者以外，更重要的是要有高度的文化水準，進而提高讀者的水準，不幸翻遍香港的報章雜誌，不僅找不到這樣的一個副刊，就是稍接近這個目標的副刊也絕對沒有。

× × ×

憶古蹟懷南京

—大報恩寺與琉璃寶塔—

·鐵頭·

據憨山年譜載稱：「四十五年丙寅，予年二十一，是年二月十八日午時，大雨如傾盆，忽大雷自塔而下，火發于塔，殿火，移時大殿焚，至申酉時，則各殿畫廊一百四十餘間，悉爲煨燼。」

後到萬歷年間塔頂又修過一次，所費較前更巨，迄清順治十八年，畢竟被雷電把塔擊壞一角，一時竟無法修理，因爲僅僅搭一個架子，即需數千金，其餘工料尚不在內，後有田氏兄弟自告奮勇，居然做到事省而工倍，這在當時也可算是個奇跡。據施潤章的愚山文集卷廿六載：

『予親詣問狀，寺僧額伯言，三月二十三日人定時，黑氣自東南來，奔繞塔趾，有僧紫崖觸之，仆地死，黑氣上騰，雷電劇擊，毀及頂，募工修治，求大木作架，輒費金數千，有田氏者兄弟二人至，曰，吾不立架，不索謝，若但食我，可徒手辦，衆皆驚異，乃陟最上層，堅橫木於塔門。豎梯於木端，緣之而上，若猱升木，其徒執役者三人，魚貫運材，因勢撥葺，如燕鵲營巢蟲，移其木，以次及下，三月訖工，僅費數千金，疾若運斤，工若天造，碧瓦丹楹，煥若一色，田氏解衣跣足，持長帚，躡塔巔，磅礴掃除，謂之洗塔，盪胸，復仰天坦臥，紳士女，畢集來觀者，千萬人，皆震駭洶涌，歡喜贈賀，或仰瞻力窮，登合樹，疊几案，臥而望之，田氏循簷斗折，冉冉而下，人皆詫爲神仙焉，好事者競爲僧役具食，施金錢，田氏多不受而去，亦不留其名。』

全寺規模，自經嘉靖之災後，在有明末季，迄未完全恢復，到清康熙年間，始由居士沈豹募款修建，於是『規制宏麗，頗復舊觀』。（七）

中華民國僑務委員會頒發登記證台散新字第一零二號
中華民國郵政登記認爲第一類新聞紙類

自由人

THE FREEMAN
（半週刊每星期三六出版）
第二六六期
每份港幣壹毫
督印人：李光華
社址：香港告士打道六六號
電話：七四〇五三
GLOUCESTER RD. HONG KONG TEL: 74053
承印者：東南印務出版社　地址：告士打道六十四號
台灣特派員辦事處　台北市館前街五十號
台灣總經銷處　台北中華路新號五九四之一
台灣郵政劃撥儲金帳戶　九二五二號

消滅共產主義無庸使用氫氣彈

黃雪村

蘇聯不敢發動世界戰爭，原子彈和氫彈不能發展遏止共產的作用。民主國家缺乏根本消滅共產的決心，實為最大弱點。應建立根本消滅共產的陣容。完全採用和平不能達到解放鐵幕的目的。

使用氫彈是不智之舉

當美國試驗氫氣彈以後，蘇聯也發表試驗氫氣彈的消息，姑無論其眞假如何，然而確已引起了許多恐俄病的軟體國家的震動，增加了他們所謂會引發世界第三次大戰的疑懼。其實，如果眞能理智一點去觀察蘇聯那種色厲內荏的情形，認淸他那一套作法，我們便可很肯定斷言，蘇聯不但不敢挑動一個由他直接參加的眞面目的戰爭，而且他是要儘量的避免任何可能涉及他本身的戰爭行爲。我敢如此說：假使必須美國使用氫氣彈才能制止共產主義的侵略，解救被籠罩在鐵幕以內的國家與人民，則不僅是極不合算的打算，也可以說是極不智的想法。

壓制共黨的兩種方法

在一九四五年的冬天，筆者曾在北平世界日報寫過一篇文章，題爲「原子彈能嚇退共產主義嗎」？在那篇文章裏面，我當時提出如下的看法。我認定美國之不會主動的發動一個反蘇戰爭，（除開蘇聯的力量直接威脅到美國的生存）這幾乎是一致認定的一個肯定的前提，因此如果蘇聯連直接向世界各地從事武力侵略的行動都不敢貿然嘗試，則美國的原子彈，以及其他更強烈的武器，將無從發揮到蘇聯的頭上去。而蘇聯的作風，並不同於希特勒，儘管他企圖赤化全世界的侵略陰謀是永不會放鬆半點的整套計劃，但他會利用附庸國家去作爲「貓腳爪」，他也會運用所謂政治滲透的方法，在各民主國家以內製造不安或進行暴亂。因此，我的結論是：美國之擁有原子彈，除了足以懾服蘇聯，使其不敢從事直接的侵略行動之外，而對於蘇聯侵略世界整套陰謀的進行並不能發生多大遏止的作用。根據此一結論，我接着主張美國爲求確實能達到消除共產陰謀的目的，必須採取兩種積極行動：一是以經濟援助的力量改善貧苦地區人民的生活，二是支持各反共國家的反共行動和反共戰爭。我的這些說法，從六年前直到今天，都可以說已先後得到印證。

缺乏根絕共產的決心

近幾年以來，無疑義的，美國政府的決策確是朝這方面去發展的。從馬歇爾計劃，杜魯門的第四點計劃，以至艾森豪的解放政策，都有其進步的意義，也收穫了相當的效果，但是從事實上看，其所發生的效力，可以遏阻蘇聯變相的侵略——利用附庸國家從事的侵略行動以及在各國內共黨的活力之發展——已經依然不夠，例如韓戰停戰後，中共匪黨在蘇聯指使下又準備向越南積極進取，這便是事實的證明。其原因何在？我以爲完全是由於沒有許多美國人以及全世界反共的人士，[illegible]除了自由中國以外，根本缺乏從根消滅共產主義的決心。最近旅行世界一週回到美國的民主黨領袖人物史蒂文生，他的觀察與思想即可作爲代表。據他日前所發表的演說中說：「世界其他國家已因我們的頑固執拗而感到驚恐，有人猜疑我們的目標是根絕共產主義……[illegible]……民注意到共產主義和人類基本本能不相容的那一天」。在這一類的思想普遍存在的當中，於是對根絕共產主義的作用本還不夠太積極的艾森豪的政策，在實施上也不得不再打折扣。艾森豪不能以積極行動表現其根絕共產主義的決心，因之他不特不能說服這些看法不同的人，而且在行動上不得不受到這些不良的影響。直到今天，他還只能在「加強各地區的團結，消弭民主國家本身間的糾紛，採取地區性的集體安全措施，來應付侵略」上做功夫，一面防禦，而決不願意採取一些有效的行動使「共產主義的浪潮」有「退回到自己的國境內」的傾向。

建立澈底滅共的陣容

我以爲今天我們必須要求大家認識清楚的：第一，蘇聯在任何時期決不會採取直接的侵略行動，更不敢挑動一個足以招致世界大戰的戰爭；他的利用，誠有第五縱隊供其利用。如果像史蒂文生所說：「西方國家可能必須在一段很長的時間內，和共黨同住在「一個世界」」，甚至還有人妄想覓求與共產主義和平共存，與共產集團締結，將授予蘇聯以更多更廣泛的遂行其陰謀之機會，而民主國家的內部必將從根崩潰。其以「忍耐比戰爭爲價廉」的想法，將來恐怕會要付出比戰爭更慘重之代價。第三，在這一個爭取自由的反共鬥爭當中，當然不可避免軍事的行動；但這並不是需要美國傾其全力來參加，而只需要美國用其經濟軍事的力量來援助世界各地的反共力量，來恢復他們的國土，建立民主政權，解救被奴役的人民。換言之，即是在美國的扶助之下來建立一個澈底消滅共產主義的陣容，由此而產生積極的多方面的反共行動。從附庸國的人民被摧毀解放之後，共產主義浪潮才能被驅回到他們的國」去，美國以及許多的反共民主國家都可以獲得不戰而勝的結果，原子彈和氫氣彈也永遠不須派用場。反之，如果從今天起，還是在等待，忍耐，或只限於防禦的原則，等到眞的非使用原子彈、氫氣彈不可的時候，則縱然最後得到勝利，也是人類的一場大悲劇。

決心是最有效武器

最近，美國參議院共和黨領袖諾蘭在台灣對台大學生發表演說，他指出：現在爲自由世界和共產集團作殊死鬥爭的時期，唯有堅決爭取自由的決心，才能爭取勝利。他說：「這種爭取自由的武器，比任何科學發明的武器都有力，這種武器沒有人可以偷去，任何匪諜都無能爲力，因爲在極權鐵幕裏是無從使用這種武器的」。這一段話，確具至理，亦正與筆者過去所認定消滅共產主義，不一定需要使用原子彈的說法足以互相印證。總之，今天我們反共是我們每個反共國家及反共人士的共同責任，我們並不希望美國使用原子彈或氫氣彈去對付蘇聯，而只希望美國以澈底根絕共產主義的決心來更積極的支持世界各地與共產主義作殊死鬥爭的一切行動。儘管艾森豪會於其解放政策中說明「厭惡使用戰爭的方法，來消滅共產主義」；但我卻不敢相信完全採用和平手段，可以達到其解放政策的目的。

論自由中國文藝趨勢

陳紀瀅

本報二六三期，發表了高清心先生「自由中國文藝的概觀」一文後，陳紀瀅先生對所提出的論點，頗有所指正。陳先生是自由中國文藝工作最努力的人，他的意見，很有成就，當爲讀者所重視，我們謹將左方，請讀者對這一問題如能有討論，我們亦將繼續刊載。——編者

不是傾向是歧路

編者先生：今天讀了貴刊所載高清心先生的「自由中國的文藝概觀」一文，對於高先生所主張「反對文藝政治化，主張自由創作」的用意，十分欽佩。全文論點也必無異議。但全文顯示着自由中國文藝界朋友們讀後情，我想不能說不是自由中國文藝作品有傾向於政治工具的意味，高先生在其高瞻遠矚，提出一種警告，用意良善，令人非常敬服。不過，高先生所指的那些偏向，並不是自由中國文藝的傾向，而是一條歧路。

未落於八股案臼

遠在三十九年五月四日，中國文藝協會成立之前，我們打開台灣的報章雜誌，所謂文藝作品，多半是些山水遊樂的消閒文字，與當時的國家社會情況，不但漠不相關，毋寧說是絕大諷刺。中國文藝協會成立之後，我們要於大敵當前，不容我們吟風弄月，站在保衛台灣，鼓勵人民反共的立場，在文藝方面不能不有明朗的主張。[illegible]在這一時期（約有一年多）帶有火熾宣傳性的作品代替了那消沉沾有黃色的娛樂作品，確是事實。但是從四十年下半年起，我們會號召我們的作家們避免「文藝作品八股化」，兩年以來，含蓄而富有藝術性的作品已經大量出版，而其水準之高，也非任何時代可比。（恕我不便舉出書名）其中不但沒有落入「反八股」的窠臼，同時也沒有妨礙了創作的自由。這就是說，在任何一個大浪潮來臨的時候，最初的作品也好，宣傳也好，口號類的東西，似乎難以避免。因此我們抗戰初期那些報告文學不也是嗎？但如果永遠停留在幼稚階段，誰也不會贊成。

不能夠離開現實太遠

目前自由中國的文藝作家們，大多數在埋首寫長篇，而且在寫可「流傳」的長篇，不只是「宣傳」。大家一致認爲無論什麼東西，一流入八股化就等於宣告死亡，一件藝術作品的最高境界在於含蓄，也唯有具有高藝術價值的作品才能流傳，如共黨那套土八股，早已失掉作用，連低能的宣傳人員也所不取，當然一個成熟的作家，不會贊成那種做法。可是，無論怎樣寫，創作儘可不爲政治的工具，但如離開現實太遠，似乎也不可能，也非所宜。誠如高先生說：「我們自由文藝描寫家庭骨肉之愛，階級合作」都是寫作的好材料，但這些都與現實有關。從事寫作的目的不在爲政治的工具，但不能說所有作品與政治毫無關係。任何時代的作品都有它對政治上的影響，對社會人心的影響，否則那作品還有什麼價值？至於搞文藝的人不應過分政治化，深得我心，我舉手贊成。

自由中國的自由文藝

以上的話，我不是代表任何方面發言，僅是本我所知，從實際說自由中國文藝發展情形，藉「自由人」一篇幅告慰海內外關心文藝創作者的參考。關於這類問題，我所知道，也許比高先生多，假如高先生願意和我談，我願竭誠奉告。假如高先生有寫好的文稿可寄給我，我必設法代爲介紹發表。高先生如有長稿具有高深藝術水準，只要不違背目前世界民主潮流，我可負責代爲介紹出版。請試一試自由中國是不是也容許自由的文藝？

誰侮蔑了亞洲的意志？

尼赫魯先生近年的言論與行動，實在使得整個亞洲愛好自由的人士，完全失望，甚至對他和甘地合作爲印度獨立奮鬥的一段光榮的歷史，也使我們不能不表示深深的惋惜。

最近他在印度國會的下院說：「美洲國家投票反對印度參加朝鮮政治會議，實侮蔑亞洲之意志太甚。若干國家現尚未了解亞洲國家雖甚貧弱，但並不願被人輕視忽略或騎在頭上！」他還說：「是否應容許「中國」參加聯合國，實爲聯合國最困惑之基本問題。中國爲最初發起之一國，唯一之問題爲誰能代表中國，以爲台灣能代表中國講話，未免太不現實。」

我們聽了他這番話，簡直使人感到所謂「現實」與一個政治家的「良心」是否可以並存的問題。

所謂共產主義，根本不是我們亞洲的土產，完全是由蘇聯三十年的處心積慮，推銷過來的。蘇聯控制了中國大陸以後，會假手中共，屠殺，幽禁了中國數千萬的人民，以強制中國人民購買她這種劣貨！尼赫魯在印度防止共產黨惟恐不力，中國四萬萬以上的人民陷於共產黨的暴政之下，乃爲尼赫魯所快心！

從實際講來，「侮蔑亞洲意志」的不是美洲國家，而正是尼赫魯！

半週展望

·左舜生·

自欺欺人的政治會議！

所謂韓戰停火，其最大的成就不過使雙方得到暫時的休息，並交換了大部分的俘虜。於政治會議的不會有任何結果，這是早在我們料之中的。現在隔政治會議的開幕，爲時僅有一月，不僅會議本身準備討論的問題尚無半點安排，乃至對開會的程序和方式，也還沒有得到一定的結論。

中共不僅絕對沒有退出北韓的打算，而在積極的增兵，擴大的空軍基地，已擴展到南韓的邊境！至於金日成前往莫斯科接受了種種指導，中共利用這個休戰期間積極佈置援越到了何種程度，當然更在不可知之數。

共產黨以侵略起家，侵略的地點可以選擇，侵略的方式可以變，但侵略的原則絕對不會動搖，這已經是舉世所周知的一種常識。明知道這是鐵一樣的事實，而偏要以口舌，以筆去和他們虛與委蛇，這除掉「自欺欺人」以外，我們實在看不出任何其他的意義。

蔣代表在聯合國的演辭

「中國大陸上的共黨政權，其根源是不中國的。」「共黨目前對人民生活所施的管制，對於中國人民而言，是「搞得一切天翻地覆」，……這個政權是不能持久的。」「來自東南亞國家的代表們，必須知道：在他們的國家裏，就有中共的第五縱隊，他們都是在受着中共的訓練，學習政治顛覆和游擊戰的法術」。「中國大陸的共黨政權，代表着兩件東西：內則施行暴政，外則施行帝國主義」！「中國人民現正陷入共黨暴政的黑洞中，……要從洞裏掙扎而出，……他們並非要求聯合國設法把中國人民從那洞裏拖出來，他們只要求聯合國不給那個洞以支持。」

以上節錄中華民國出席聯合國大會首席代表蔣廷黻先生關於中國代表權向大會演說的要點。我們願意證明蔣代表的意見，完全是除中共外一切愛好自由的大多數人民的意見。

英國政治家的忍耐

我們很佩服英國政治家大抵具有一種高度的忍耐。但凡他們的政策決定以後，如果不確實證明它絕對的走不通，他們是不輕易變更的。

以近年英國對中共的態度，不僅沒有得到他們相當的尊重，乃報以一種冷遇，至最近，乃更有砲擊英國海軍艦艇的事實，甚至有官兵七人死於非命！但英國依然像中共說以一種狂妄行爲，如果在另一場合，是可能爆發戰爭的，而英國依然不到適當的答覆，英國是不是依然只出之以一「強硬抗議」，依然準備忍耐下去……

香港華人的反共觀念

·劉碩海·

對共暗送秋波，希圖保命保產，必歸失敗。應該確立信仰，盡本份，爭人格，共黨必然要歸於消滅。

向共黨暗送秋波

共產黨現在統治大陸，是一件事實，因此之故，在香港一般中國人的心目中，就引起了兩種極端的心理。其一以為共產黨的勢力既然已經佔據大陸了，應該早為之所。於是有些人趕快去靠攏。住在香港的人，他們享受慣了天堂的繁華，心裏最害怕的，就是共產黨要來。於是乎就想出一種可笑復可憐的辦法，向共黨暗送秋波。有些和共方的人故意親密，聯表親善，有些特別找一點機會對共產黨作一些擁護的表示。以為這樣，就能夠向共產黨邀功。就算將來共產黨要來，也可太平無事了。例如最近高卓雄先生在中華總商會的作為，大概就是屬於這一類。但他們心裏實在有一種矛盾，他們之所以如此，為的是想希望共產黨來的時候，可以藉着這一點功勞來保護自己的生命和財產，但在共產黨未來以前，他們又不願意公然地投到共產黨的懷抱裏去。因為如此這般的暗送秋波，在目前來說自己的享受，自己的生命財產，可以暫時不發生問題，而將來又可以論功行賞，這個是如意算盤中的最如意的了。但共產黨是否這樣易與呢？共產黨會不會來，能不能來，固然是一個未能肯定的問題，就算能來，是否可有這樣的如意算盤呢？我們還是找一個故事來做引證吧！晉公子重耳出亡在外的時候，曹共公對他有一點失禮的舉動，曹國的大臣僖負羈知道公子重耳得勢了之後，必要來報復的，於是聽他老婆的話：「子盍蚤自貳焉。」於是向公子重耳暗送秋波。後來城濮之戰，晉公子重耳已經變為晉文公，果然到曹國來尋仇報復了。僖負羈的秋波總算已經發生效力，因為晉文公已經下命令：「無入僖負羈之宮。」但他的兩個大將偏不賣賬，竟然把僖負羈的財產燒得一乾二淨。

結果必定要吃虧

現在我要請這些向共黨送秋波的人想一想，共產黨和晉文公相比較，如何呢？共產黨所需要的，正是你們的財產。為着要人民的財產，他們現在大陸上，並沒有愛惜過一個有錢人的性命。現在大陸的人，對共產黨的作為，已經是百依百順，已經超越過暗送秋波了，但結果如何呢？幾曾有人能用錢財或一點小小的効忠，就可以弄得一個共幹的地位，你有財產，就有麻煩；共產黨不向有錢的人開刀，就不成其為共產黨。「光榮之家」還是隨時可以被「整肅」呢！

還有一種人，認為共產黨真是可恨，於是天天痛罵共產黨，希望國軍早日反攻。看見美國不肯馬上和蘇俄或中共開仗，或看見英國和中共玩政治把戲，就大為失望。這樣反共，有沒有用呢？台灣反攻並不是簡單的事情，必須經過精密的計算和擬具周詳的計劃的。至於國際間的為敵為友，並不是一個道德的問題，更無關乎感情上的愛惡，而是以各自國家的利益為前提的。第二六二期本刊介紹「基督教與歷史」一書中，說到霍伯斯式的恐懼，但是已經把目前乃至將來的國際政治作寫照。這樣反共，共產黨是不會怕的。

反共是信仰問題

今日要說反共，我以為應該先找到問題的中心，共產黨現在的猖獗是事實，但并不是問題。用武力撲滅共黨，也許是必要的。但我們要知道，戰爭是力的對比，你有力，他也有力，如何可以未卜先知，說你的力一定比他的力強呢？不但如此，戰爭除了力的對比以外，還有一個士氣問題，有一點是我們不容忽視的，那就是被共產黨煽動的青年，確有些相信共黨必能統治天下的。共產黨對於煽惑青年，確實有他們的一套。有人說，共產主義現在已經成為一種宗教，他們現在去打仗，和中世紀歐洲基督教的殉道，有異曲同工之妙，這並不是過份的說話。所以現在對付共產黨，不僅是一個力的問題，而是一個信仰問題，我要冒昧說一句，共產黨徒之信仰共產主義，恐怕比國民黨員信仰三民主義要來得厲害些。過去反共的失敗，癥結所在，恐怕也就在這裏。

應盡本份爭人格

但共產黨的信仰是不是牢不可破的呢？他們所信仰的不僅在乎有一個政治上的烏托邦，而且對人生也有另外一種看法。根據他們的信仰無所謂道德，無所謂人格。兒子控訴父母，乃至其他種種，在我們中國認為不人道的事情了，在他們就受到獎賞的事。因此，我以為從這一點看，目前共黨問題的焦點，是信仰問題。信仰不僅是一種政治主張，而是對人生的一個正確的解答。如果我們能使一般人明瞭自己確實是一個人，有自己應盡的本份，有自己應爭取的人格，同時在自己實際的經驗中，否定了共產主義「將人作物」的機械式的唯物觀，那麼共產黨雖然一時得勢，也不過像從前北洋軍閥一樣，終歸是能被消滅的。

慣賊大盜參加防諜試驗

美國原子能委員會是主管美國原子能計劃的首腦機構，在美俄原子武器競賽日益劇烈的今天，原子能委員會總部及其屬下的原子彈及氫彈工廠便成了共黨間諜處心積慮要侵入的目標。美當局對於保密的設施本來相當週密，聯邦調查局對於防止間諜案發生後，有關防諜的制度益加完備。但原子能委員會猶恐有掛一漏萬之處，所以不久前委員會曾一度雇請若干犯過案的慣賊和大盜，請他們盡量利用生平的絕技，偷進原子能委員會或密處所及所屬工廠竊取機密，但以不驚動警報系統為條件。結果有些人的身手果然不凡，竟神不知鬼不覺的達到了目的，自此以後，原子能委員會更提高了警覺，一面再加強保密的措施，一面把那次試驗時所發現的缺點逐一糾正。美國人作風的細密，以及做事態度的認真，由這件事又可得到一個證明。

英國實驗新型長程雷達

英國正在試驗一種新型的長程雷達，其目的在紀錄北海一帶所有船隻移動的情形，將來完成後，任何在英海岸與斯堪的那維亞半島間航行的海面船艦或潛艇都逃不掉這種雷達的測探。英國認為第三次大戰如果爆發，俄國潛艇將大舉進襲北海，新型雷達如能成功，則不僅北海可固若金湯，以之推廣至四國各地，將更足以制俄潛艇的死命。

波蘭輪員向美頻送秋波

由於東德、捷克、波蘭人民暴動的教訓，克里姆林宮對波蘭已不敢再那樣無忌憚的壓制，最近有一艘美國船駛抵波蘭港口，波蘭港口官員態度已較前和善，但他們在船上的時候，除公事外，絕不涉及他事，但現在已開始與美船員自由交談，幾乎有天南地北無所不談的樣子。他們又把檢查時間自七小時減為兩小時，還坐下來閱讀船上的美國雜誌，而以往他們却是拒不摸一下的。

邱吉翁偶儡無異自掘墳墓

邱吉翁前天又飛到法國尼斯附近休養去了，他的健康據說多時調養後，已比前進步了許多，有一個時候，外傳他將退出政壇，當時他鑒於自己的健康，也頗有此種打算，但到了最近，他的健康好轉，竟然雄心又發，決心去尼斯休息十二天左右，再返國主持政務。他的脾氣至為倔强，一般人很難勸說他改變自己的心意，現在他的家屬，最密切的朋友，和政治上的僚屬已打算一起在秋涼的時候去見他，正式警告他如果不減少活動，將無異是自掘墳墓。（孟衡）

編者　讀者

△我們下一期，有旭軍先生「論整軍之道」一篇文章，是討論民主國家要在甚麼原則之下整軍，才不致吃蘇聯「經濟戰略之斷」的虧。還有淳先生的「文字必須大衆化」的演講，提出寶貴的意見。

△攝影家賴鎮元先生：——論政治登陸　陳紹周先生：——五十年美國政府的活動　鍾自芳先生：——蘇聯能戰勝嗎？（雜評）

△台北林錫光先生：大稿不合本報體裁，璧還。

·讀者來論·

對自由中國幾點希望

·葉非·

葉先生來稿，原文頗長，茲摘其要點刊佈如下：

筆者以孤臣孽子的心情對自由中國貢獻幾點小意見：

（一）團結是今日絕不容忽視的一件工作。任何非共反共的組織，不論遠在重洋異域，或近在港澳，都應該凝結為一體。我們只要有一個救國主義，一個反共政策。希望大家摒除成見，開誠佈公，團結一致。

（二）救國會議必須召開定了，但更須求組合的份子，那必求之於海內外，這些份子應包括學者，專家，流亡智識份子，有反共經驗的青年鬥士，以及社會各階層份子，這樣才能集思廣益，團結力量。

（三）政府對容人容言的尺度，必須再度放寬。對於反映民主意見的言論暨刊物，政府必須予以有利的環境，鼓勵其發行。政府應下聽輿論，人民對施政的指摘，政府應加以重視。赴台入境限制辦法，須放寬加以修正。現時赴台的非限於條規，則格於聯保。求學青年又以名額不足而見拒，似均應加以修改。

（四）筆者願提醒政府，努力動員工作。消極方面，要厲行節約。現時燈紅酒綠的官宦生活，與下級公務員生活比照，實充滿諷刺意味。不是戰時生活現象所應有。同時懲戒貪污，還不够積極。

（五）友邦人士似謂政治改革，慢於軍事。大陸哀聲，不可忍聽，人民縱然無聲，渴望王師已久，願自由中國人人共勉。

張大千論國畫

——·淳·——

這是淳先生一篇舊作，對於名畫家張大千的為人及其藝術理論有很精到的評述，謹為介紹於本報讀者。

人物評述

論藝術的民族性

「木落千山初瘦削，風迴大海乍平夷」。這是曾國藩滌生贈吳敏樹南屏的詩句。曾與吳都是古文大家：這兩句詩是曾滌生形容古文的神髓，同時稱頌吳南屏的文章做到這樣美妙的境界。張大千先生說到敦煌壁畫，說沒有一條的多餘綫條，使我立刻聯想這兩句詩。

「木落千山初瘦削」是一幅層疊氣象霜林歷歷繪帶秋紅的畫圖。「風迴大海乍平夷」是一幅風定波平巨浸汪汪時起暗湧的畫圖。木落句形容文章骨格的崢嶸，是寫中見文的鉛華略御。風迴句形容文章的氣勢浩瀚，是靜中見動的勁氣內斂。唐李白的古詩運動韓愈的古文運動都是隨着民族元氣恢復的文藝復興運動。託名復古，實則解放。是反對六朝綺靡儇薄有文無質的外貌，而恢復了元氣淋漓。反對六朝排偶聲病以詞害意的拘束，而恢復了自由表現。韓柳歐蘇這一派的解放文，到了明的歸有光清的姚姬傳又多少成了典型化技術化把他弄窄了。曾滌生這位大文豪雖不够勇氣來做再解放的運動，而他所選的經史百家雜鈔，至少是對姚氏的古文辭類纂表示不滿，至少是放寬尺度。這兩句詩可以表現他對美文意見的結晶。

一切藝術是相通的，不論詩，文，繪畫，彫刻，建築，音樂，歌唱，蹈舞，書法，賦形雖有萬殊，而其基本道理則一，祇有美的一字。這是一個意思。一個民族對於美的領會理解，是根據該民族文化系統所產生的各種觀念調和融合而成的對美觀念，並且富有哲理和道德的成分的。這又是一個意思。看了公孫大娘舞劍，而書法大進，這不是藝術的道理息息相通嗎？「鍾儀幽而楚奏，莊舄顯而越吟」。雖懷鄉起感，根本說來，還是各從其所習，這不是說藝術基於人類審美的普通性之外，還有民族的個別性嗎？中國形容美的字眼，如「沖」「穆」「逸」「化」「渾」「逸」等，不是道釋哲理合流的特色嗎？中國書法是最抽象而最富民族個別性的藝術，所以西方人最不感興趣，這不是更顯著的證明嗎？

西方人向來佩服中國畫的綫條的，國畫綫條之所以美，之所以生動有力，固為筆端有磅礴淋漓的元氣，同時又有勁氣內斂的哲理意味。所以拿「風迴大海乍平夷」來讚美吳道子的綫條也很恰當的。文貴簡潔，畫貴沒有多餘綫條，而且「繪事後素」已是春秋時代的作畫原則，有了好綫條，才加色彩，以質為本，以文為輔，所以拿「木落千山初瘦削」來讚美敦煌壁畫沒有一條多餘的綫條也是很恰當的。

敦煌的宣傳使者

張大千先生是個美食家，是宋朝蘇東坡的同鄉。蘇東坡好吃，張大千亦好吃。有一次大千先生從成都飛上海，一個大熱水瓶裝滿了四川名廚燒的魚翅。抗戰時期他到敦煌住了一年，天天臨摹敦煌壁畫。南枕祁連山脈，北望塞外大漠，在大陸交通時代國境上第一個通商口岸便是敦煌。佛教西來，事佛求福的人們在敦煌窟洞畫壁。從北魏起歷北周，隋，唐，五代，西夏，至元為止，都有壁畫。元以後便光沉響絕了。這是中國畫藝的寶庫和紀念碑。大千先生不但在敦煌下過苦功，而且做了敦煌的宣傳使者。人們說到敦煌，便想起張大千。真的，有了張大千，然後許多人才知道敦煌壁畫之可貴。

此次，我問大千先生，國畫的進步，是不是受了希臘畫藝影響的印度畫藝，流入敦煌，然後起了刺激，增益，合流的作用呢？他很明快的答復說：「當然不是，不是，不是！」接着又說：「這樣的想法，是很自然的，抗戰時謝稚柳也持着這樣的成見，和我辯論。我說你到敦煌去住一個月你自然會和我同意。很聰明的謝稚柳，去了不到一個月已經有信給我完全贊同我的見解」。他又說：「這次我到了印度，特別去訪海邦的阿堅達，這是印度古代佛教藝術盛極一時之地，據說唐玄奘法師曾至其地。我看過了他們的壁畫，更實證了我所持的見解是對的」。現在把他的論據要點列下。

（一）現在存於美國波士頓博物館幾塊繪了畫的漢磚，他的畫法與敦煌壁畫同風，我們於此便尋出一脈相承的中國畫法。近年在朝鮮發掘的漢代漆器，及湖南發掘的楚國漆器，所繪人物，亦復一脈上溯，其點睛之妙，更令人驚歎。

（二）敦煌的透視法，是純粹中土的，與海邦阿堅達透視法完全不同。

（三）中國畫重理想，重超脫。釋迦說法，必有人持寶蓋（傘）並後。海邦阿堅達的畫是照實畫的，而敦煌各洞所畫的釋迦，其寶蓋是浮於空中，沒有人持的。敦煌所畫的雷神是照漢王充論衡所說是個猴頭之神手持利錐，繞以連鼓，與阿堅達所畫想像完全不同。印度稱雷神為因陀羅，因世間有王者出了，因陀羅的寶座便發大熱，因陀羅坐不住了，起而打雷。

（四）敦煌第二百二十三洞（北魏）的玄武，野猪，三品畫在一塊，經考據，知道是道家的玄武。轉世同，宗教關經。賦野猪形，敦煌第二百五十洞亦有一幅玄武，又有佛車，而且道洛神賦，龍車旁有鯨魚，是洛神海物，一邊是印度影響，一邊是鳳車，上載王子曹子建，這是中印合璧。（上）

中共以教育爲奴役工具
小學教育愈搞愈糟
教員任務繁多共幹恣意差遣
兒童水準大降失學情況嚴重

【本報特稿】以中共那一套削足適履的方式，和動輒盲目偏差胡作妄爲的流寇作風來辦所謂「教育」，自然免不了乖謬百出，最簡單的小學教育，也不例外。關於其種種荒謬的情形，過去我們已報道得不少；但近來又發現了一些新的情況，這對於說明中共本身所招致的困難和大陸兒童乃至社會文化水準所遭受的摧殘，似乎都還有加以補充報道的必要。

原有各種病態 依舊嚴重存在

首先必須一提的，根據近期大陸各報的透露，是中共過去在小教中絡續所發生的原有各種病態，因一般幹部偏差成習，教員心境惡劣，致依舊嚴重存在。若加以扼要地提示，則其中最主要的是：小學教員被幹部任意差遣乃至強迫命令參加校外行政工作，突擊任務及社會活動的情形仍極繁多。教師被文教幹部任意打罵、罰跪、綑綁、扣押、鬥爭，乃至女教師被任意姦辱的情形，依舊層出不窮。校內的組織、集會、會議、學習，仍極繁多而繁忙，教員毫無休息的機會。教員對學生的體罰，乃至惡意的鞭打虐待的情形，仍普遍存在。學校或地方機關奴役小學生從事各種勞動，仍未停止，致學生兒童，各地仍時有傷亡。此外，各地學校的行政教務程序，仍大多陷於混亂之中。

教師學生水準 各地普遍低落

新近由光明日報在檢討中所披露的一個新的嚴重的問題是各種小學的教師和學生的水準，業已普遍潰爛。據光明日報說，在教育方面：由於師資缺乏，濫於補充，致使教師的水準，幾乎全面低落。其主要現象：是各地甚多小學教員，提充了中學教員；初小教員，提充了高小教員；一般剛從小學畢業，乃至僅僅粗識文字的人，甚多被隨便收作了小學教員。據說：各縣在招考小學教員時，一般的都以三十分至四十分之間的程度降格錄取；無論在國文、常識、算術等課，根本都無法勝任。在學生方面除了剛入學的幼童尙無大礙外，據說大凡在三年級以上的學生，便嚴重地受到了師資低落的影響。主要是教員本身程度不夠。影響了學生的程度，便不得不降低了學生級考的標準，大多又是在三十分左右的成績上升了級。據調査，因而已使小學生的程度實際上只降低了兩級。總之：小學教員和學生的程度都驚人低落，連帶使整個社會的文化水準也空前低落了。

教育經費損耗 失學兒童衆多

新近人民日報披露的又一個嚴重的問題是教育經費支絀，小學數目太少，大量投考學校兒童無法收容，失學兒童衆多。所以造成此一現象的原因，據人民日報的社論招供，是遵照列寧的「遺訓」，爲了「增強與鞏固國防，保衛和平」，不得不「處處節省」，一部份教育經費已投入韓戰的消耗之中，致學校無法增設，以適應大量失學兒童的需要。另一方面，據我們在大陸各地所探悉的情形，是一般城鎮中原有的私立小學已被中共封閉或合併，學校數量因而大爲減少，失學兒童自更不易獲得求學的機會。關於兒童失學問題的嚴重程度，照中共在報端所公開認承的，就說各地小學在此次入學考試中，一般的都只能容納投考人數的三分之一至二分之一之間，可見其失學兒童衆多之一斑！此一問題，現中共本身亦以影響「威信」而深感困擾，故已在社論中發出各地臨時增班以擴大收容的指示，惟限於經費，各地尙在彷徨之中。

總之：中共幹部的流寇作風和韓戰的驚人消耗，已給中共在各方面招來了百孔千瘡的重病，小學教育，不過是其中的一環罷了。

大陸各地動態

「職業病」流行

據本月二日人民日報透露的消息：各地工人的「職業病」非常流行。尤其紡織工人，幾乎十個人裏面，平均有八個人都患有這種毛病，所謂「職業病」，據中共的解釋，乃係指腸胃病而言。並曾指出工人中患腸胃病所以如此衆多的原因，其一是工人從上班到下班之間的長時間內沒有飯吃。二是工人下班之後還要常常開會，不能回家吃飯，餓得太久。三是工人在飢得難耐的時候常到工廠附近買生冷的和不衛生的點心吃。四是工廠的衛生設備太差，易於互相傳染云。

礦工傷亡仍嚴重

據最近人民日報絡續披露，各地工人的傷亡情形仍很嚴重，尤其是開礦工人，僅以湖北源華煤礦爲例，在最近三個月內，就發生大小傷亡事故達三百三十七次之多，死傷共達三百八十七人之多。其中一次因幹部在井下吸烟起火就燒死了工人二十多人！該報指出，各地工人傷亡情形仍如此嚴重之主要原因，仍屬領導幹部太不關心工人的安全生產所致。因而，一般工人反映：「上級高高在上，中級你推我讓，下級吊兒郎當」！

赤色新聞淺釋

「工商繁榮如錦」？

這兩天的本港大×報正在大吹大擂，說大陸各地的工商業如何興盛，如何繁榮；尤其十五日該報在宣傳廣東汕頭的工商情形時，以頭大的標題標着「各業繁榮如錦」等字樣，說「隨着祖國大規模經濟建設的進展，汕頭市場呈現一片繁榮景象，各種貨物……銷路都很好」，供不應求云云。簡直把汕頭和所謂「全國各地」人民的購買能力說得富裕之至。

眞的嗎？眞的已被刮得一乾二淨了的大陸人民還有如該報所說的購買力嗎？不，不。比該報早幾天的北平光明日報和天津大公報，對這問題有兩點很明確的答復：一是說近來各地原料不濟，生產衰減，貨品奇缺，一般人買不到；二是大部地區物價上漲，共幹與商人串通搶購。所以，並不是「供不應求」，而是無可供應。

「中小學生劇增」？

本月十四日的大×報大肆宣傳，說廣東中小學生劇增，較上期多十六萬人。這無非在說「大陸情形很好，要讀書的人增加了」，眞的嗎？也不。事實上，上月二十八日人民日報的社論透露了眞相，是學生們在一級一級的升上去，並沒有「劇增」，而是中學太少，小學的畢業生無法容納。爲什麼中學會這樣少呢？第一個原因是私立中學被合併取消了；第二是中共在該報社論上說遵照列寧的「遺訓」，爲了「鞏固國防」，把教育經費「節省」了。

香港三日

蘇珊小姐飄逸而過 總商會仍未除風波

「蘇珊小姐」颶風，實臨本港東南方的東沙群島海面，風力中心周圍爲六十英里，因爲她不停滯徘徊個蠻勢，天文台一夕之間由一號風球改變，懸出七號波；海航作隨時停航準備，陸上交通如常。但港九各男女中小學校大部分均臨時宣布放假。至十八日，「蘇珊小姐」始在海外飄然而過。

中華總商會因「十·一」事件的鬥爭，至今風波未除。由於劉仲麟的指斥高卓雄未曾履行競選諾言，擬召開會員大會討論掛旗問題，及高氏出席中華總商會會董會議提出動議：要求派員參加「十·一」僞國慶原案重行付諸公決一事，現已趨向法律途徑；雖經劉氏委託關鼎堯律師致函高氏質問他當日一聲「散水」的不當，聲明保留反對權，但有至今仍無下文。並竟有人對劉仲麟用拉攏，恫嚇的手段來迫使就範，然劉氏依舊大義凜然，不爲所動，已獲得了各界人士一致擁護。

北平僑代海外拉人 遞解出境者充名額

北平打算在十月一日召開「僑務會議」，兩月來向海外各地遊說，不獨爭取不到「僑代」，反因泰國等地的華僑爲了悼念他們在大陸上被中共迫害而死難的家屬舉行設奠遙祭，受到了無聲反抗的重大打擊。港九距離大陸最近，僑胞對中共認識最清，但共特們以爲拉攏較易，雖經多方設法籠絡，卻得不到一些「效果」，現時日期越見逼近，負責拉攏者心中也就慌亂起來，在無可奈何中，由北平指定了七名「僑代」，這七名「港僑代」中，三名是被港府在年前遞解出境的陳君冷、黃長水和莫應溎；此外，湯×是親共的商人，費×充文化界「代表」，陳×頂「工商代表」，盧×自恃爲「僑校代表」。但這七個人之間，大多是準共幹，所謂「代表」，還不是自拉自唱的濫調。

港菲冷戰告一段落 巨型炸彈飽受虛驚

港菲間的冷戰現已告一段落。這件事情是菲僑在港爲護照過期而起，菲律賓駐港府「作難」，採取報復行動。幾經波折，雙方的誤會已經消失。不過另一件事已使菲律賓大傷腦筋：即中共對大陸上的菲僑橫加迫害，使上海的菲僑陷入了絕境，菲國政府極爲重視，特任命楊高爲駐港副領事，楊氏業已十七日來港，專責處理有關移民部分的事務。由於菲律賓與中共並無外交關係，而使人意味着：假如菲僑從大陸上撤退回國，可能將透過英方的關係。但楊高的任務，卻非單純的處理此一問題。

一枚未經爆炸的五百磅巨型炸彈，估計係二次大戰期間美軍所投下者，最近卻在灣扶林道牛奶公司冰廠養豬房側旁空地上發現，經當局技術人員花費六小時工作才起出，已將之拆卸，但附近居民飽受虛驚。

中共操縱了香港的生豬後，肉商已向海外另闢來源，日本的毛豬已運到濟市；但豬肉的身價仍未降低，港府米糖凍肉則大受歡迎。新米證持有人可以配到平米價之時，舊米證的塡發工作亦在加速進行中。工商處商業登記局辦理商業登記一年來，港府稅收大增，僅這一項，就增加了七百零二萬零五十六元。

·祝公·

推薦羅素鉅著
布爾什維克主義的理論與實際

·司馬璐·

「布爾什維克主義的理論與實際」一書，羅素先生著，李懷民譯，譯本已由香港獨立出版社出版。

客觀真相 不變真理

本書原著出版於一九二〇年，再版於一九四九年，可見本書最初並不是一本暢銷書。正如本書譯者序說：「一個思想家觀察事實，大抵以宇宙爲對策，以人類爲個體，他的眼光超脫國域，超種族，所看到的都是客觀的眞實景象；所推斷的都是歷久不變的眞理。」羅素先生當年以同情與仰慕的態度赴蘇訪問，但遊蘇後即觀感大變，歸來後著成此書，著者一方面從理論批評布爾什維克主義；一方面以其目睹的事實，推斷蘇聯後來的發展，著者的推斷證諸三十多年來俄共歷史的演變，竟不幸而一一言中，從此這本書才受到世人的重視，更增加了他的價值，再版以後，三版四版不旋踵而暢銷世界。更有人推崇這本書是一本「批評共產主義的經典。」

精湛刻劃 深遠透視

羅素先生是一位數理哲學家，著者以他的豐富的學養，過人的智慧，敏銳的觀察，從科學上、哲學上、史學上、心理學上、政治上，對蘇聯作了深湛的刻劃，深遠的透視。當本書最初出版的時候，歐洲多數的知識份子，他們還在對蘇聯的革命寄於希望，他們對於本書著者的大胆論斷在當時並不同情，所以本書在當時實在不能走運。但是在三十年後的今天，當我們捧讀本書的時候，無人不爲羅素先生的遠見所驚服。

評唯物論 無堅定性

羅素先生批評「唯物論」的哲學說：「這種哲學也許有它本身的基礎，但以科學的觀點來看，它沒有眞實的堅定性」。因爲「經濟對於決定一個國家或一個時代的政治及信念上，固然有它的基本重要性因素，然則非經濟性的因素如被忽略掉，我相信在政治及信念的實體上將發生不可挽救的錯誤」。羅素先生舉出人類四種情欲：佔有、虛榮、競爭、及喜愛權力，認爲「祗有一種即佔有欲和人類的物質條件具有直接關係」。但是，「馬克思解釋歷史，所消極的認爲佔有欲是所有政治動機的淵泉，我想他所犯的錯誤即在此」。

布爾什維克黨人根據這種信念所建立的政權，他們必然對內採取恐怖政策，對外實行擴張主義。羅素先生所見到的俄國，是一個充滿飢餓、沮喪絕望、怨尤載道的俄國；但在另一方面，布爾什維克黨人却依然靠着恐怖、兇狠殘忍能夠繼續支撐它的政權；在布爾什維克內部，他們又互相猜忌，互相敵視。「以布爾什維克爲革命希望看，它的效能在俄國境外大於蘇維埃共和國境內。殘酷的事實，已經使莫斯科獨裁者管制下的屬民，把希望減殺殆盡」。

（上）

國外講學

最近，中國學者紛紛受聘出國講學，與本中博士將於日內啓程前往英倫，在倫敦大學專門担任講授中國問題。菲列賓大學聯會現擬聘中國名教授衛挺生、任泰等前往，彼等正考慮中。

台灣歸來

香港教授在台灣觀光返港後，如黃綬芸、王裕凱等，均先後發表談話，盛讚台灣教育之進步，這次教授羣訪台對華僑與自由中國在教育上的配合將有極大的意義。而在同一個時期，大批的僑生正奔向自由中國。

中國叢書

香港出版又將轉入高潮，友聯出版社現正計劃出版一部五百萬字的中國叢書，此項巨大計劃之進行，該社唯一感到困難的是人手問題。最近，正向許多方面物色人材中。主其事者爲王如今氏。

鮮卑利亞

台北近成立一鮮卑利亞學會，主持人有著名之清史學者何秋濤、丁謙等，他們經過長期研究中俄關係史，認爲西北利亞之譯名應改爲鮮卑利亞。

時間第一

在諾蘭過港時，香港大學教授有一封信給他，在信裏特別强調「時間」的重要：「歷史上沒有過這樣的鬥爭，人類沒有過這樣的災難，我們不願徒然詛咒敵人，只願說明自由的敵人的强點和弱點，要歸納到爭取時間的一句話。」這幾句簡潔的話，應該一切自由人士體會。

鄭成功經台略述

·敝杵·

近日報端，對民族英雄鄭成功有無「叛」的爭辯，聚訟紛紜，莫衷一是。覺是無關宏旨的東西，茲所欲述者，是鄭氏興亡的始末。殷鑑不遠，謹撮述以告國人。

（一）

朱明自崇禎皇帝自縊，弘光隆武二帝擁立南都，（公曆一六四五年至一六四六年）相繼爲清廷消滅，清師南下，勢如破竹，永曆元年（一六四七）鄭成功在鼓浪嶼起義師，佔有金門，廈門諸島，踞有福建沿海諸地，張煌言，張名振相繼來歸，北趨浙紹，南窺惠潮，遊縱飄忽南北，所向無前，永曆七年，封鄭爲延平郡王，十三年，成功大舉北伐，當時清廷畏鄭之强也，早在鎮江至瓜州，江面十里，築有長壩，截斷江流，埋柱疊泥廣可三丈，可容跑馬射矢，爲歷史上有名的堅强封鎖綫，名曰「滾江龍」，卒爲鄭氏材官張亮斬斷，舟師長驅直入，步卒銳不可當，同時張煌言在舟山，以別師下蕪湖、太平、寧國、滁、和、徽、池諸郡，當塗、繁昌等二十四縣，相繼俱降，會師金陵，飲馬采石磯下，即杭州，九江義憤之士，亦蠢起響應，東南半壁咸受震召，當其盛時，清廷懾鄭之勢，在沿海東起山東、經江蘇、浙江、福建、廣東凡五省，實施封鎖，勒遷人民入內地三十里，設界不准踰越，禁人民不得出海，沿海千萬人民，備受流離蕩析之苦，在這時期，本來大有可爲，惜乎鄭氏於一六六一年放棄金、廈，進踞台灣。入台以後，無暇顧及內地，祗求偏安一隅，對外遂無發展。

（二）

當時鄭氏放棄大陸，因鄭性剛愎，無敢諫諍者。僅住舟山之張煌言，上延平郡王一書，力言鄭氏失計，（見張滄水集卷二）書略云：「今虜酋孤雛新立（指順治），所云主少國疑者此其時矣。滿黨分權，離畔叠告，所云驕兵懦者，又其時矣。且災異非常，征科繁急，所云天怒人怨者，又其時矣。兼之虜勢已居强弩之末，畏溺如虎，不得已而遷徙沿海，爲堅壁清野之計。致萬姓棄田園，焚廬舍，宵啼路處，蠢蠢思動，望王師何異飢渴。我若稍爲激發，此並起亡秦之候也。惜乎殿下東征，各汛守兵，力弱難恃。然且東避西移，不從僞命，則民情亦大可見矣。殿下誠能因將士之思歸，乘士民之思亂，迴旗北指，百萬雄師可得，百什名城可下矣。又何必與紅夷（指荷蘭人）較雌雄于海外哉。況大明之倚重殿下者，以殿下之能雪恥復仇也。區區台灣，何預神州赤縣，而暴師半載，使壯士肝胆塗于火輪，宿將碎肢骨于沙磧，生既非智，死亦非忠，亦大可惜矣。夫思明者根柢也；台灣者，枝葉也，無思明是無根柢矣。安能有枝葉乎？古人云：『寧進一寸死，毋退一尺生』，使殿下而有台灣，亦不免爲退步，孰若早返思明，別圖所以進步哉。昔年長江之役（指永曆十三年北伐），雖敗猶榮，已足流芳百世。若捲土重來，豈直汾陽臨淮，不足專美，即錢鏐竇融，亦不足並駕矣。倘尋徐福之行蹤，思盧敖之故迹，縱偷安一時，必貽譏千古。即觀史載，陳宜中、張世傑，兩人婁貶，可爲明鑑。九仞一簣，殿下寧不自覺乎！虬髯一劇，祗有傳奇濫說，豈眞有扶餘足王乎？若箕子之居朝鮮，又非可語于今日也。」

（三）

張煌言的書，直言極諫，字字痛切，鄭氏之踞台灣，在復興方面言之，實爲失計。然鄭氏入台後，慨然曰：「舉數省幾百萬里魚鹽之地，無故而棄之，將士塗炭，生民塗炭，豈得計哉。清之技亦窮矣。我蓄精蓄銳，天下事未可知也。」（見海騷記要）。鄭氏有收復之心，亦已顯然。然鄭氏在一六六一年得台灣，一六六二年二月開創台灣府縣，設承天府，總號曰東都。佈置未幾，席不暇暖，惜天不假年，五月鄭氏竟薨于府中，一代巨人，長眠島國，復興大業，崩殂中道。鄭自永曆元年起兵，至十六年終止。這十六年間使滿虜疲于奔命，遷界以避，確有掀天覆地之奇才，爲漢族放一異彩，在民族運動史中足佔首頁。

（四）

成功子鄭經繼立，（一六六三年），迭次出師，能繼父志，進佔漳、泉、海澄、惠潮諸郡。清廷無法進窺台灣，欲戰既無可能，轉而從事冷戰，聽信福建總督姚啓聖奏議，在漳州設修來館，不惜官爵，資財、玩好，凡言來自台灣鄭氏者，皆延致之。使以華歐、鮮衣，炫於漳泉之郊，供帳恣其所求。這一幕間諜戰，表演不及一年，五鎮廖璞、黃靖、賴祖、金福、廖興與均以所部降。鄭奇烈，陳士愷等繼之，林翰、許毅等皆被請用。鄭氏遂上下猜阻，幹部動搖，（見全祖望姚啓聖碑銘）。

一六八一年鄭經卒，[illegible]的老將，拘其孫出降，[illegible]至一六八三年，[illegible]台灣，仰天長嘆，先王得[illegible]，鹿耳門水淺，[illegible]進攻，利用潮水，[illegible]台灣，自開闢[illegible]進至鹿耳門，鄭成功一年，至亡，共三十七年。

最暢銷的雜誌

美國讀者文摘是當世最暢銷的雜誌之一，除了在英美擁有數以百萬計的讀者外，還出版了十國文字的版本。其中瑞典版銷路是三十六萬册，四德國版每月會量五十八萬七千册。法國版除行銷法國外，並遠達於比利時、瑞士及加拿大，因此銷路最多，爲一百二十四萬二千册。此外，葡萄牙版月銷三十七萬七千册，芬蘭版九萬六千册，日本版四十八萬二千册，挪威版二十八萬二千册，韓國版二萬三千册，丹麥版二十八萬九千册。（由之）

忍讓與畏縮

·健軍·

中國人在世界上被稱作一個能容忍的民族，而我們自己也始終以爲忍是一種美德，所以「忍爲高」，「小不忍則亂大謀」，「能忍自安」這類的字眼，便與我們思想行動結了不解緣。實際上也就成了我們幾千年來的處世哲學了。

忍是一種力量，一種迂迴抑壓性的力量，藉着它我們可以跋涉艱世，一個人想做到逆來順受的境地，實在並不是一樁容易的事，俗語說，忍字心上一把刀，受了這種利刃刺心的痛苦，而又能咬住牙關，不動聲色，這并不是常人所能做得到的：這種內斂性的力量發之於外曰「拼」（OUTBURST），縮之于內曰「受」（ENDURE），「拼」是不計成敗的孤注一擲，「受」是引頸待割，甘作牛馬的屈服。前者像一顆炸彈，爆過了事，後者則如上了套的老牛，認命拉去；而「忍」的眞諦則是二此者的中和，即寓「拼」于「受」，納「受」于「拼」，所謂忍辱負重，刻苦自勵是也。這種忍的昇華，按理應該稱之爲忍毅（FORTITUDE）或是堅忍（PERSEVERANCE）。

我國人雖然能忍，但很少是茹苦含辛，忍讓求成，而大多是忍氣吞聲，睜面自乾地去爲人奴隸，君看前人在這方面所給我們的教訓就知道了，他們主張「退一步行安樂法，道三個好斷萬緣」。誠然，人生如同戰鬥，在戰場上個個都如生龍活虎般地去拼命求生的，爲了爭勝該先，難免就要弄得頭破血流，鬧出人命來，前人們因深知其中之「害」，所以勸告世人，如要「安樂」，乃可「退讓」。但是無論什麼事我們都「諾然而退」，這就未免太「客氣」了，平時大家相處，忍讓一點固然是好，但當他來刼奪你的時候，難道你還要退避三舍，開門揖盜嗎？我國人就因爲受了這種沒出息的忍讓教育——該忍讓的也忍讓，不該忍讓的也忍讓——以致養成一種「避退」，「撤消」，「不負責任」的性格，至於那「當仁不讓」；「奮勵爭先」，或是「男子負責」的精神，全被這「一退六二五」的「明智」打算給窒息了。再者，好言善語，固然易于博人所歡，但不管好事壞事，見面都道三個好，那簡直是承人顏色，卑無人格了。好事讚美二句，固無所謂，（但總不如鼓勵好），壞事如不能疾惡如仇，痛斥其非，而仍一味的去拍，去捧，這種人如不稱之爲「標準奴才」，便祇好叫他軟體動物了。至于像「而今學得烏龜法，得縮頭處且縮頭」那些處世圭臬，我們還讓冷血如烏龜之流的人物們去奉行吧！

△法共利用半裸女郎加强宣傳，竟在她身上畫了共黨「和平鴿」▽

我寫這篇文字的動機及其結論

李太白譜系考（上）

王世昭

爲了范傳正作「唐左拾遺翰林學士李公新墓碑序」中有句云：「絕嗣之家，難求譜牒。」因此引起我的懷疑。而裴敬爲「翰林學士李公墓碑」仍之，謂「知公無孫，有孫女二人」，於是李太白絕嗣幾成定案。但我翻讀李氏詩文，又發覺許多事實李太白並非絕嗣；只是交通梗阻，音訊不通，家境中落，路絕消息，以致至親骨肉無法聯繫。我研究李太白結過四次婚，元配許氏，爲許圉師孫女，太白上安州裴長史書云：「見鄉人相如大誇雲夢之事，云楚有七澤，遂來觀焉。而許相公家見招，妻以孫女。」故太白結髮夫人爲湖北人。生一女一子，男曰明月奴，女既嫁而卒，不知其字，亦不知其夫家之姓氏。次「又合於劉，劉訣」。此所謂「訣」，當是仳離。以無出，故無里居。謂之「合」而不言娶，非納寵而何？三「合於魯一婦人，生子曰頗黎。」此亦妾而不言姓且稱之爲婦人，則其賤可知。以有子故，母以子貴，故著里居。終娶於宗，宗氏爲宰相楚客女，太白極重之，有「自代贈內」詩云：「妾家三作相，失勢去西秦；猶有舊歌管，淒清聞四隣。」夫人系出名門，晚歲曾脫太白於困厄中，故在潯陽非所寄內云：「聞難知慟哭，行啜入府中；多君同蔡琰，流淚請曹公。」足見夫婦間情好極篤，我怕平陽、伯禽、天然，均爲她所生。

因此，我以爲既嫁而卒之女爲長女，明月奴爲次男，頗黎爲三男，平陽爲四女，伯禽爲五男，天然爲六男。魏顥李翰林集序寫於太白生前，故知長女明月奴與頗黎。李華作李君墓誌於死後，故其序云：「有子伯禽、天然；長能持，幼能辯。」則李華所見之伯禽與天然，年齡並不太大，故云長能持，幼能辯。若以之爲繼娶所生，亦合。何以我置平陽於伯禽之前，太白「寄東魯二稚子」詩云：「嬌女字平陽，折花倚桃邊；小兒名伯禽，與姐亦齊肩。」李太白全集編者王琦疑伯禽即明月奴或頗黎，恐不類。

楊雲史與賽金花

·秋柳·

賽金花是近數十年來中國女性歷史上的悲劇人物之一。她的一生，包含着中國社會的重大變革，由中國民族的崩潰到新生，一切內爭與外患的縮影。一般文化人，作家與詩人，都常常以她作爲對象而歌詠與描寫。

在詩人與作家的筆下，我們所看到的賽金花，是一個多姿多彩的人，同時，也由於他們對於賽的爲人，或者渲染過分，或者又認識不清，因而，賽金花有時又變成一個非常模糊的影子。

樊樊山的前後彩雲曲與曾孟樸的孽海花一樣，都把賽金花寫得太神話化，傳奇化了；似乎不像一個清末時代的普通的女性。他們所寫的賽金花，與賽金花晚年的向人現身說出她的，直是截然不同的兩個人。晚年時代的賽金花，在貧病交迫，老態龍鍾，對過去的事情，完全記不起來了，因而有人要根據這一點來否定過去的一切傳說，認爲都是好事的文人捏造出來的。這，似乎不免又懷疑得過分一點。

詩人與作家，他們所寫的自然與歷史家們不同，因爲實際上讀者並不要求它太過眞化，如果要據爲信史，便必須加以考慮了。不過，我在江東詩人楊雲史的遺集中，讀到他的「靈飛詩碣」，顯然是可以幫助我們來認識眞正的賽金花的。（上）

憶古懷南京

·鐵頭·

——大報恩寺與琉璃寶塔——

其後乾隆，及嘉慶年間，復數度修建，清初，及中葉經百年以上的修養生息，民力充沛，家給戶足，江南魚米之鄉，財富之區，不要說遙遙名剎古寺，必然香烟鼎盛，就是其他名勝古蹟，莫不一一踵事增華，以顯太平風光，加以康熙，乾隆，一再南巡，封疆官吏，豪商巨紳，更要錦上添花，藉備幸臨，只要看有關「乾隆下江南」的各種小說，及紅樓夢上的各種側面描繪，即可令人想像其豪奢情形，繁華景象。所謂「南朝四百八十寺」，當時最著名而規模宏偉的，還有靈谷、天界、鷄鳴、棲霞、靜海、弘覺、能仁等，合報恩爲八大寺，那些叢林自然不是後來我輩所見的殘破之餘，例如凡遊明孝陵及中山陵的人，未有不訪靈谷寺的，及至老遠的跑去，一經瞻仰，原來僅像一個普通民居的中等四合院，豈能不令人爽然若失？然而你若是詳予勘訪，細加體察，即可瞭然靈谷所在的整個山谷，當日全係寺基，其環境的清幽，氣象的雄渾，含蓄的淵深，以及其形勢的天然而復邃密，眞是別有天地，則又不禁令人心馳往古，遙憶其當日殿宇巍峨，佛相莊嚴，比邱雲集，鐘鳴鼓響之狀，那該是何等的三寶勝地！又只要看靈谷烈士塔，邀遊無梁殿，再左折入一葫蘆形之谷，頂禮陣亡將士墳墓，將各處遺蹟址，綜合一觀，即不難逐漸恢復其爲八大古剎的信念，而同時帶着悵惘、惋惜，與感傷以及人事無常，時代無情等等複雜空虛的心緒，興盡欲返，又若時近黃昏，斜曛西照，一股落葉，人影稀疏，風吹寂寞的氣氛，無論你是那時的節，不覺暗與同好，或是携帶愛人，一同來遊的，均不覺悚然、森然、茫茫乎要踏上歸程。若果是個人踽踽獨遊的話，那就眞不免要「念天地之悠悠，愴然而涕下」了！（八）

鮑羅廷之死

二十年代的主要俄共國際特務鮑羅廷，已在本月初在蘇聯逝世了，蘇俄官方訃告，既沒有說明如何死的，也沒有提到死在何地，祗說他享年六十八歲。鮑羅廷的眞姓名是米高海爾．格羅森堡，生於白俄羅斯，十九歲便參加布爾什維克地下工作，一九〇六年被沙皇通緝，曾逃到美國，一九二三年到中國來任廣州政府顧問以前，曾在西班牙和墨西哥策動勞工革命，並指揮共產分子滲入美國和蘇格蘭的工作。他從中國被逐歸去，即一直默默無聞，嗣後祗在英文報「莫斯科新聞」担任了一個編輯名義。（明）

中華民國僑務委員會頒發登記證台教新字第一零二號
中華民國郵政登記第一類新聞紙類

自由人

THE FREEMAN
（半週刊逢星期三六出版）
（第二六七期）
每份港幣壹毫
督印人：李光華
社址：香港高士打道六十六號
電話：七四〇五三
GLOUCESTER RD. HONG KONG
TEL: 74053
承印者：東南印務出版社
地址：高士打道六十四號
台灣特派員辦事處：台北市館前街五十號
台灣總經銷處：台北中華路新號五九四之一
台灣郵政劃撥儲金帳戶九二五二號

西·德·的·崛·興

基督教民主黨的勝利，使蘇聯對於歐洲心臟的西德不敢再存問鼎之心，對共產侵略予以有力打擊。阿登諾的最大成就為實行社會政策，與經濟的健全。德國是有悠久的民主歷史，不宜以獨裁國家來相看待。

·丁文淵

阿登諾空前勝利

最近西德聯邦議會（即國會）的改選，領導政府的基督教民主黨大獲勝利，由原有的一四五席，增加到二四四席。這在德國歷來選舉上，是一種希有的波動。因為照德國選舉法的規定，每一張選票，都應有他的價值，所以選票平均計算。而德國人對他平時所信任的黨派，非常忠實，不很易改變他的信任，因此這樣大的移動，實在不是事前所能預料的。這次聯邦會議的席次，共計四八七席，超過上期（四〇二）八五席，而基督教民主黨單獨增加到九九席。反對黨方面的社會民主黨由一三〇席增至一五一席，看來是增加了二一席，實則議員總數的增加，比例算來，與上期相差無幾。這次最好的現象，就是無形中取消了許多小黨，如和平黨（上期一八席），共產黨（上期一四席）等。現在議會共有六黨代表，依其政治立場自左至右算來，計社會民主黨有一五一席，自由黨四八席，中央黨三席，基督教民主黨二四四席，放逐黨（全名為被放逐及喪失保障者）三七席（上期〇席），德國黨一五席。基督教民主黨本身已過半數，加上已經聯合的自由和德國兩黨，將有三〇七席。若再加上放逐黨，將有三四四席，已超過修改憲法所需要的三分之二大多數矣。

蘇俄再不敢輕動

所以基督教民主黨的勝利，使得政府在議會上有了一個堅強的基礎，它今後的施政，就少去許多無謂的困難。同時也表示德國大多數人民，贊成阿登諾的政策，使他可以實施他的主張。誠如阿登諾所說：「這次的選舉，是人民來決定，德國是中立，還是與西方合作」，又說：「這將予歐洲以新的動力」。他的勝利如此的明顯，他的影響當然不小。簡單說來，使得蘇聯畏懼，不敢輕舉妄動；使得附屬國家有新希望；使得美國保護民主自由的決心更加堅強；使得英法義等國可以啓發本身的自信心；使得東德人民更加興奮，鼓起他們爭取自由的主動；安定北歐的恐懼；喚起巴爾幹的自覺。如說蘇聯因此對西歐一時不敢問鼎，當亦非過論。這實是對共產主義侵略者第一步的有效打擊。

西德是歐洲心臟

不過西德在國際間的重要性，並不是因為這一次選舉的結果才產生的。它的重要，有它的必然性，它的重要是早已存在的。這一次選舉，使得德國的重要性更表面化，使得全世界拭目而視，使得自由世界奮然興起。像邱吉爾先生也忙於致電阿登諾道賀，就是一個最好的例子。

德國的重要性是必然的，也是天然的。德人常自比為歐洲的心臟，他地居歐洲中心的心臟，這在地理上確是事實。這個歐洲的心臟現在正夾在鐵幕與自由世界的中間，德國如果表示中立，就等於對於鐵幕的侵略者說，[illegible]向侵略者招手，[illegible]所以它的重要性是無比的。[illegible]心臟——中國，也是自由世界在遠東第一防禦的基地。[illegible]自由世界重歐輕亞的結果？那個時候，自由世界太不着意，太不感到禍臨，現在已輪到了自由世界，如[illegible]這樣輕輕放棄這第一防線陣地[illegible]毫無考慮的[illegible]攜手。（我們[illegible]自由世界——[illegible]是美國——早[illegible]亞洲心臟的[illegible]，如何想一個[illegible]年之計！）。如果德國不願[illegible]由，被人奴役，[illegible]只有和西方合作。

西德選擇了自由

正如阿登諾在競選時說得好：「[illegible]已經被瓜分了，武裝被解除了，無力再抵抗了，而隔壁就是一個大物，要吃掉我們！要奴役我們！這個危險，非但存在，而且[illegible]一日。我要[illegible]根據歷史問問德國人民，那一個德國人能夠在這樣情形之下，敢負責起來，拒絕西方國家向我們伸出來的一隻援助的手？無論是在這邊的或是在鐵幕後的德國人都應當知道我們所為何事？還不是為了我們的自由，我們的生命，我們子子孫孫的前途？（敬請我們中國同胞讀者，我們是在一個同樣的處境中！）我要喚起全體德國人民，應當明瞭這次取決的重要性，這是德國命運所繫，我們站在選擇奴隸和自由之前，我們選擇自由！」現在德國人民聽從了阿登諾的警告，選擇了自由。

老政治家的成就

除却上述的天然性以外，阿登諾個人的成就，當然不能忽視的。這位七十七歲的老政治家早在一九一七年就被選為他的故鄉——德國第三大城，萊茵河畔的第一大城——柯隆的市長。一直到一九三三年納粹上台以後，他才離職。在納粹時代他曾被逮捕數次。一九四五年美軍曾重任他為柯隆市長，可是三個月以後，就被英佔領軍免職，理由是無能！可是數年以後阿登諾竟以聯邦總理兼外長的身份到了倫敦，受到了各方的敬禮，不能不說是政治上很幽默的一件故事。阿登諾在柯隆市長任內早已知名。他是柯隆大學的創辦人，他要使柯隆步萊勃齊市的後塵，成為一個博覽會中心。第一次國際新聞紙展覽會於一九二九年在該市舉行，也是他的主張。那時筆者因服務德國佛朗府大學的中國學院，曾被邀請主持中國展覽部，得以躬逢其盛。此外他在市政上對於碼頭、橋樑、住宅建設的成就，也是德國衆所共知的。當他在一九四九年九月被聯邦議會選為聯邦總理時，僅超過反對黨一票。就任後施政的困難可想而知了。他沒有像法國的內閣一樣終日在風雨飄搖中，一方面固然是他本身的能力所致，另一方面也可看出反對黨能不輕舉妄動，而以國事為重。阿登諾所接收第三德國的遺產，是：三百萬士兵的損失，五十萬居民的死亡，七百萬德人的被俘，三分之一住宅與工廠的破壞，一千二百萬人民的被逐，差不多三分之一的居民是戰爭受害者，需要政府的救濟。他僅僅在短短的四年，站在人民投票選舉之前。人民給了他一個壓倒的勝利，也就是給了他充分的信任。

善用美援收效大

他在這四年之中究竟有何成就？我們現在只能舉其大略。大概最重要的，就是在困苦的時候，得到了美援，而他又能善用美援。德國接受了馬歇爾計劃的援助，就單獨成立了一個馬歇爾計劃執行部，部長即由聯邦副總理，自由黨的卜魯蘇希兼任。至一九五二年八月底德國得到美援的物資及運輸協助，共計值十五億餘美元。德國經濟因此才能復活，才能增加生產，復興工廠。糧食問題也因此解決，如運入小麥及白糖等等。此外許多缺乏的原料，也因此得以輸入。執行部懂得充分有利地運用此巨款，其成效實普遍於西德。內政方面則盡力維持治安，擁護憲法，保障官吏，發展醫藥，救濟戰時受害的及被迫遷徙的人民，法律保護青年，不使墮落，以及加強青年之體育及衛生事業。財政方面則盡力如何平衡收支。照一九五二——一九五三年的預算，支出總數為二一・六四一・一〇〇・〇〇〇馬克。（約五〇億九千萬美元）其中百分之四十餘為佔領軍及防衛軍費用，同樣數目則用於社會事業，包括建築住宅五億七千三百餘萬馬克及社會救濟六億二千五百萬馬克，收支已獲平衡。對西柏林的財政補助且列有六億巨數。（下接第二版）

英●人●眼●中●的 馬來亞獨立問題

·睦菴·

英人認為不能規定獨立日期，已從研究選舉制，取得華僑合作，改善馬來人生活三事作準備工作。

[illegible]三大社會集團，是由馬來亞人，中國人，印度人組成的。

馬共已山窮水盡

造成馬來亞緊急狀態的共產黨徒，到今已處山窮水盡之境。過去緊急狀態五年期間（六月十六日）馬共之被殺及被俘的有六千三百零四人，平民死的二千八百四十八人，軍警死的一千五百六十三人。雖譚普勒將軍警告，謂緊急狀態不會有突然轉變或全勝利，可是匪徒的威脅經已大大削弱。英人在什麼時候退出馬來亞呢？怎樣退出呢？[illegible]的人相信這個日期不會預先規定的。英國人認為事實上，最低限度也要到下一世代（約三十年）纔有可能把複雜的種族關係[illegible]，不致變成緬甸第二。[illegible]加緊獨立的實現，這日期總要規定的。困難在於日期定得太遠，很可能給[illegible]從中利用，更[illegible]行諾言和推[illegible]馬來亞不陷[illegible]法是不實在的。

現在能否獨立呢？

要求馬來亞獨立的口號，儘管叫得震天價響，英國人要問叫口號的人究竟意何在？一個近代國家，如果不斷外受強鄰威脅，內部四分五裂，不能算是真正獨立。以馬來亞目前的情勢來說，攘內相當安謐，要自行選擇政治體制，實行自治，是絕不成問題的，可是脫離了英國之後，本身的力量能否支撐得起來，英當局對于這一點認為是很有疑問的。

英人準備三步曲

英政府的準備工作分三路進行。第一是選舉制，就現行複雜機構，以馬來亞蘇丹權利條約為基礎，委出一研究委員會，最近經已開始工作，專門研究選舉制問題，約在明年間工作便可完成。第二使華僑協同建國，這是一個最中心的問題，因為華僑人數約佔全馬來亞百分之五十。第三也許是最困難的問題，是改良馬來亞人的經濟生活，馬來亞人的農村生活是很落後的，備受各方抨擊，比起華僑之克苦耐勞，勇往向前的精神真是瞠乎其後。

經過數年努力，雖處緊急狀態中，這三個中心問題，都算有了相當進展，不過在英國人的眼光看來，離自治的程度還很遠，更說不上獨立了。英國人顧慮到，一旦在急遽中退出來，必受當地人的怨望；又顧慮到退出之後，馬來亞人因恐中國人蜂擁而來，以致心中惴惴不安；又顧慮到退出之後，華僑因恐被馬來亞人褫奪參政權利，而生驚懼。

最近，有些大城市的市政府已實行選舉，關於華僑國籍問題的立法程序也已經完成，改善馬來亞人生活問題也逐漸向前邁進了，這些都是獨立的前奏曲。

（取材本年九月五日經濟學人）

半週展望

·雷嘯岑·

宣傳技術

這幾天，西歐方面的著名通訊社又發出一項「權威」消息，證據是：蘇俄已將北韓的控制權收回，中共勢力被擠出北韓了。證據是蘇俄與北韓簽訂經濟協定，以十億盧布援助北韓復興，這樣龐大的盧布援款，對中共是從來沒有過的。因此，即證明俄共與中共之間已有裂痕，而中共在韓境的「志願軍」，亦將全部撤退云云。這消息所給予世人的印象是：中俄共已不睦，韓戰決不會再起，毛澤東快要做狄托了。聯大不妨接受俄共代表建議，可以再討論韓戰政治會議組織問題，把範圍擴大，讓印度參加，即將獲致「對和平有很好的安排」之效用！

近年來，凡屬路透社的電訊，不管它是從甚末地方發出的，總是一貫地宣傳中共將走「狄托路線」等情形，說來像煞有介事，維妙維肖。例如上述蘇俄以十億盧布援助北韓一點，如果你不留心盧布與美元的折算率，就會相信蘇俄對北韓的援助，真是特別垂青，使中共相形見拙，深感失望了。實則十億盧布，尚不到蘇俄過去一次給中共三億美元援款的數量哩！

西歐英法各國，晝夜祈禱上帝，願中國早生狄托，跟俄國反目，有此一念，乃對中俄共之間的任何動態，皆渲染成有裂痕的表現，硬要憑主觀的幻想，改變客觀的事實，信不信由你，宣傳機構始終為着政府外交政策的利益，大力製造消息，不斷地對世界播送，夫是之謂宣傳技術！

反觀我們的宣傳技術如何呢？說來洩氣，有許多地方不特未收宣傳之益，反而先受宣傳之害。例如最近海隅工商聯合團體決議拒絕參加中共的偽「國慶」一事，我們的宣傳機構竟將海外工商業者私人對於此事表示意見的信件，照抄向海內外發出電訊。殊不知那寫私信者的住在地區是外國領土，嚴禁居民作政治活動，而且跟我們沒有正式邦交的。這樣無計劃無技巧的濫作宣傳，第一是教那寫私信的人揹上了作政治活動的嫌疑，枉遭無謂煩惱；第二是被共黨誣指商聯會之不參加偽「國慶」，是少數「國特」操縱的，因為台方發出的電訊中，告訴大家說那兩個寫信的工商人士是台灣工商協會的會員呵！拿我們這類宣傳方法來跟別人比，真難怪別人瞧我們不起了。此外，還有「朱毛」「朱毛政權」這類名詞，今日也常常見於「中央通訊社」的電訊中。「朱毛」併稱，原是二十年前在江西剿共時的宣傳詞句，那時期的朱德，權勢確在毛澤東之上，用「朱毛」二字來代表中共的叛亂集團，是正確的。今天的秧歌政權，朱德早已淪於二流人物了，而我們的宣傳文字中，依然古調獨彈，這不但是表示「不知彼」，似乎亦太不知己了吧！

宣傳戰的最重要條件，就是戰術。它的目的是在教別人相信所宣傳的都是真情實況，不妨強調主觀的理由，更可以危詞聳聽，卻不能完全抹煞現實，自我陶醉。宣傳的對象是外面人，並非說給自己聽的。尤其是目前自由中國對海外的宣傳工作，必須顧到國際上各種不同的微妙關係，同一性質的問題，應該因地因時因人而採取各種各樣的宣傳方法，否則徒然招致相反的結果而已。像上述海外某地工商業人士函告拒不參預偽「國慶」的情形，即不必再向當地倒宣傳，更不應將投函人的其他社會關係揭露。

越在冷戰激劇的國際形勢中，宣傳工作的關係就越見其重大，而宣傳技術即為大家應心考究的問題，一點也馬虎不得。我們試看路透，美聯，合衆這幾家權威的大通訊社的電訊，他們各有一套宣傳技術，萬變不離其宗，即處處替本國政府的一切政策作先鋒，而決不予人以「此地無銀三百兩」的印象，有時候且爲其本國政府的言行做補苴罅漏的工夫，極盡宣傳之能事。這就是技術，是我們應該注意學習的地方。宣傳工作與心理作戰同爲專門性的事業，不講究技術，那就無從獲得預期的功效啦！

五·十·年·來——美國政府的活動趨勢

·陳望道·

今年紐約經濟研究局出版了一本「五十年來美國政府的活動趨勢」，著者爲梭羅門．華勃力根氏(Solomon Fabricant)。這是一本分析美國政府經濟的書。書中關於美國政府對勞工，資產，商品，服務，各方面的活動，究竟採取甚麼態度，作詳細的分析研究。主要目的在美國政府對於國家經濟有何貢獻和有何要求，作系統的研究。讀者可以從這一本書了解一個現代民主國家的政府，其活動的傾向是怎樣的。

活動範圍漸擴大

書中有很多統計數字，最有意義的：著者指出一九五零年的美國政府和一九零零年有甚麼分別？一九零零年全國政府（包括地方政府，州政府，和聯邦政府）所任用的人員祇爲一百萬人，到了一九四九年，連軍人計算在內，已共達一千一百萬人。在一九零零年的時候，全國受雇的工作人員中每廿五人始有一人向政府支領薪資。到了一九四九年已增爲每八人即有一人係政府的文員或軍人。就政府的財產論：一九零二年，政府財產額祇佔全國資產總額的百分之六點六，到了一九四六年，政府財產（包括軍備、公路、街道）已佔全國資產的百分之二十點六。又從政府的購買說：一九零三年僅爲二億七千一百萬，到了一九四九年，已增至一百八十億七千萬元。一九二九年，政府對私人工業生產的購買爲其總產量的百分之四點四，到了一九四九年已增爲百分之八點七。政府的全部耗費，一九零三年僅爲十七億七千萬元，到了一九四九年已增至五百九十億八千萬元。政府活動範圍日益擴大，上面統計已可具體說明。

漸集中聯邦政府

各級政府的活動，五十年來亦大有改變。例如一九四九年，聯邦政府的文員及軍人佔全國政府人員的百分之五十點九，其他百分之四十九點一則爲州政府及地方政府所任用。若與本世紀半期情形比對，顯爲極大的改變，因爲一九零零年全國政府人員的百分之七十三係州政府及地方政府所任用，直至一九三零年情形還沒有大改變。一九四六年，全國的政府財產百分之四十五屬於聯邦政府（包括公路、街道、及軍備資產），但在一九零二年，聯邦政府財產祇爲百分之十六而已。又一九二九年聯邦政府的購買祇佔全國政府購買的百分之十一點三，到了一九四九年已增至百分之六十五。這又說明，州政府和地方政府的活動日漸減少，聯邦政府的活動日漸增加。

活動的重心何在

關於政府活動的分析，亦即說明政府活動的重心何在？到底給老百姓做些甚麼事？特別顯示現代民主政府的特性的，書中有如下的說明：一九零三年，州政府和地方政府的支出四分之一用於學校，五分之一用於公路，六分之一用於一般管理。到了一九四二年，最大的支出仍爲學校，佔全數百分之二十八，公路仍爲第二位（佔百分之十六點一），公共福利現已進爲第三位（一九零三年祇佔百分之五點五，現已增至百分之十三點五）。關於聯邦政府：國防經費在一九零三年佔總支出的百分之卅，一九三九年已減爲百分之十八。退伍軍人福利金，一九零三年爲總支出百分之二十四點四，到了一九四二年已減爲百分之八點四。公共投資，一九零三年，聯邦經費支出百分之二十三點六，到了一九四二年僅增至百分之廿六點五。公共投資係指郵政，水力發電廠，河道及港口建備，飛機場，及其他相類建設而言。

不影響私人投資

著者指出：「就全部政府機構論……職能的活動方式已有改變，但並非劇變」，他又指出公共投資對於私人工業的影響，以爲「政府活動的增加實際上還不及十分之一」，自然對於私人投資影響甚微。最後，著者討論足以影響政府活動的因素，他以爲「大問題的關鍵在於經濟的互相依存」，「政府活動的趨勢乃係隨經濟的發展而生。」

俄國發明V—3火箭

西方情報人員已經獲悉，蘇俄已發明一種V—3式火箭，這種火箭可能自波羅的海及波蘭的基地發射，襲擊西歐的任何地區，連英倫三島也不能倖免。主持這火箭研究計劃的是德國的科學家，他們利用自比里蒙德納粹著名火箭研究所中所運走的設備，經過好幾年的探究和實驗，才發明這種可以襲擊西歐的武器。同時，在北極海基地駐守的蘇俄LA-17式噴射戰鬥機正進行加裝空中添油的設備。據專家推斷，蘇俄大概害怕美國原子轟炸機自阿拉斯加越北極襲來，故特別着重北極海一帶的戒備。

法透露機密害苦了白宮

美國家安全委員會最近議密通過以三億八千五百萬美元額外軍事援助給予越南，以作反共戰爭之用。殊不料這個消息美政府尚未公佈，却先被法官方透露了出來，華盛頓方面得訊後，除感怒外，還叫苦不迭。觀察家稱，法國官方此舉無異是自殺行爲，因爲白宮的原來計劃是首先將國家安全委員會的決議告知國會重要議員，但經法政府這樣一來，在議員發表不滿的情形下，國會能否照案通過，恐怕誰也沒有把握。（孟衡）

天下大事

西德的崛興

·丁文淵·

（上接第一版）

經濟政策最健全

最重要的成就，當係幣制的穩定。雖經南韓戰爭，馬克仍穩定如常。足以注意者，就在南韓戰事發生後，人民在銀行的儲蓄業已增加，僅僅去年一年，就有十四億馬克，足見人民對幣制的信任。同時財政部自一九五〇年起實行計劃減稅，已實行者爲所得稅及烟酒（啤酒）糖稅。關於歐洲建軍問題，財部亦予以詳細考慮，認爲建軍費用，可以負担，既不影響幣制，亦不必另增稅收。經濟方面則儘量增加生產。

德國現在在西方各國之中，輸入已居末位，而輸出則躍進至首位。煤之生產量已超過戰前，鋼鐵生產亦較戰前所差無幾。一般工業生產，如以一九三六年爲例，作爲一〇〇單位，則在一九四八年已恢復至六三；一九四九年爲九〇；一九五〇年爲一一一；一九五一年爲一三一；一九五二年已達一四〇單位。其他各業亦有同樣成就。工資亦較前增加，而人民的總收入已漸增高。歷年來的儲蓄至一九五二年總數已達六十八億馬克（約十三億七千萬美元）。所以阿登諾在一九四九年曾說：「一種健全的經濟政策是最好的社會政策，唯有如此，才能多給人民工作及麵包」。

社會政策的實施

社會保險事業早在俾士麥時代，已經實行。歷年來均有改進，現在亦復如此。最近在法律上，還一方面更有新的補充。對於失業者，政府亦儘量安置。從一九四九——一九五二年共安置了一百八十七萬人的工作。勞工部以爲在最近兩年以內，即可將失業問題，完全解決。這數年之中，西德共新建了一百二十萬座新的住宅，安頓了六十餘萬難民，對於上述兩件事，內閣有專部管理。關於歐洲建軍問題，特別上述財政部已予以考慮，即阿登諾特派與聯軍聯繫之私人代表勃朗克亦已有所計劃。他認爲德國安全問題，必須倚賴本國子弟的防衛，決不能圖一時的苟安。他說：「要來攻擊我們的敵人，絕不問我們需要不需要安定，他只問他能否成功，沒有成功的希望，他當然也不會輕舉妄動，所以我們一定要打破他的希望」。綜觀上述阿登諾四年內閣的成就，總能瞭解德國人民多數願意跟他走，支持他的政策，是非偶然的。他們需要自由，需要統一。這種堅強的意志，不是任何其他力量，可以阻礙的。所以我說西德的重要性是必然的。

民主歷史甚悠長

要瞭解德國人民，必須要根據歷史事實，決不能因爲有了納粹一幕，就武斷德國一向是一個獨裁的國家，不懂得民主。如果我們如此設想，就犯了一個很大的錯誤。希特萊這一幕，只好比之法國的拿破倫，是突然而來，突然而去的。正如拿破倫不是法國人，希特萊不是德國人一樣。德國的民主不是從今天纔有的，也不是阿登諾獨力所能造成的。我們往往誤認從前德皇威廉第二是一個獨裁者。實則就在那時，德國仍有他的憲法，上下人等均須遵守，威廉第二也不例外。例如一九一一年法國在非洲摩洛哥殖民地內，確定其統制權時，曾發生戰亂。威廉第二自主的派遣軍艦「魔泰」至阿加的爾AGADIR，表示對法抗議，造成了外交上的失敗。因此當時國會曾不公開的而正式的通過了一件議案，禁止德皇自主的對外發表宣言，德皇亦曾遵守，這就是憲法有效的鐵證。非特如此，德國人天性遵守法律，忠實國家，是無可疑義的。就在納粹時代我曾習過納粹新訂的公務員法，內有凡公務員必須絕對服從上級命令，即黨員任公務員者亦然，如發覺政府命令有害於黨務，也總行服從，同時報告黨的直屬上級。可見這種公務員即在納粹時代，也並沒有若何損害。而德國的大學制度，自古以來，就極端民主。大學校長是校務會議（全體教授出席）所選舉出。各院長則由院務會議選舉，正教授享受絕對的「教學自由」，非但校長不能干涉，就是政府也難隨意限制。這樣的最高學府，如此培養民主精神及制度，所發生的影響，當然既深且廣。所以德國的民主，非一朝一夕得來，是有他的歷史性的！我們要瞭解德國復興的迅速，這也是很重要的一點。

編者讀者

△很抱歉，旭軍先生的「整軍之道」要下一期才能刊出。

△陸續發表的還有下列幾篇文章：（一）胡秋原先生「贊成中韓軍事同盟」，（二）金達凱先生「論自由文藝的道路」，（三）廈門通訊，秋耕在閩南，（四）河內通訊，話瓦爾計劃使越共恐懼。

△吳文蔚先生：示悉，懷冰先生係本港教授，並非朱懷冰將軍。尊稿尚待查明，致雷先生函已轉交。

△高清心先生：示悉，稿費即奉寄。

人物評述

張大千論國畫

——·淳·——

（五）印度靈鷲迦，都是裸體，燉煌畫片，全加上衣裳，俾合於社會道德觀念。

綜合大千先生所說。他的意見是燉煌壁畫是中國的畫工以中國的畫藝和文化觀念來畫佛教故事。所以他說燉煌畫法不受印度影響。世代縣遠，當時有無印度畫工到燉煌，無可考證，但以常識推斷，佛教故事的印度畫圖，帶到燉煌做藍本，是很可能的。若然，縱不受口授親傳的直接影響，也要受觀摩臨做的影響。但這也祇是揣測。大千先生的法家慧眼，不易隨便非難的。

說到龜蛇野猪三品圖，大千先生又發揮了一段卓見。他說當時高僧必以變通道教方能爭取地位與號召，並舉東晉高僧支道林一定要找王右軍談玄，王不肯見，候到那天王羲之剛出大門要上車，門前候好了的支道林攔住右軍，對立談道教玄理多時，得了王右軍的稱許，一時聲價高起來。這是文化合流史上一個要點。明末清初天主教，其初來時的譯品，也求接近固有文詞哲理，事同一轍。

畫藝走上下坡路

於是我進問中國畫藝發展史，聽完之後，觸覺傷心，簡直是一部民族活力衰退史。是畫藝離開了專業化的科學寫生而轉到士大夫階級要擺出的風雅臭架子，閉門臨摹，亂塗詩句愈趨愈下，到了道光以後，益成兼騖，臨摹也臨錯，信口開河的捏造史。始作俑者是北宋的大才人蘇東坡，歷史轉捩點的人物就在投降元朝的宋王孫趙孟頫子昂。從六朝唐五代北宋南宋到子昂，畫藝走的是上坡道。子昂確是斷代大師，他並沒有離開寫生。但他是舊王孫，大官兒，大文人。從此以後，士大夫階級競以風雅作畫爲事，從此以後，畫藝便走下坡道。到了許多人畫畫，越畫越糟。到了人人做詩，越做越臭。本來是才人專藝，個個帶人，都要冒充風雅，不但藝術衰落。而且這班風雅閑人，爲了開出一條閑人可行可通之路，提倡了奴隸性的摹做，以便於毫無活力毫無創造思想閑之又閑的風雅一大堆的閑奴，可以做然自得。所以作畫不是寫做甚麼子久雲林。做詩又是學甚麼工部山谷，做詞又是學甚麼夢窗白石。北宋汴梁的河橋，早已沒有，旗袍西服時代那來紅袖青衫，一直到今天偏偏有見滿紙的河橋，青衫，紅袖。明清兩代他們這些利便閑人積非成是的權威論調，不知斷死了多少眞才！

論人物山水花卉

現在把大千先生分論人物山水花卉分敍如下：

人物：由於人類自我中心的偏向，首先出現於畫界的自然也是人物。南朝的顧陸，唐代的閻與四大師。祇有眞蹟時代的閻立本留下一套歷代帝王畫像。唐代燉煌所畫的人物，也是閻派。到了開元，河西邊塞，吳道子及其門徒都沒有到過燉煌。留在人間的吳道子人物，說是吳氏手筆，祇有北嶽金剛，那飄如石刻曾經傳元朝揚下的舞帶，直是卓爾不羣。世傳趙子昂人物之眞蹟實不可靠，臨更祇有。到了趙子昂人物還是好的，以後便不行了。大千先生說明代唐沈仇三大家，覺得太卑下了。他說他們所畫的女士衣服是「穿不上，脫不下的」。兩條腿在那裏，是找不到的。至於燉煌，觀音不下千餘個；個個姿態不同。到唐朝人開臉，尤盡綜合想像之妙。如何表現粹然有德之容，如何表現瞻視非常之姿，都盡了多元取材之能事。大千先生說得好：「隨便拉個印度人寫生，拿來代表達摩，隨便拉個山東人拿來代表孔子，豈不笑話。」

山水：人皆知五代荊，關，董，巨是山水大成的大師。南北兩宋個個大師都有創造，到了子昂成了殿後大師。一到了元四大家倪，王，黃，吳已經有不合畫理之筆，明清兩代文人畫便隨趨愈下。四王之所以毫無是處，因爲是全部摹做。清代王石谷的一石一木心中都有某師某法的藍本，成了一件百衲衣。唐代的王維李思訓山水畫法，祇有平遠，而無深遠和高遠。如何才有高遠和深遠呢。就是「鳥瞰」看法，就是從飛機看下來的看法。這是中國山水的特點。杜工部望嶽「決眥入飛鳥」，也許從這名句啟示了山水畫法的中心原則。

花卉：八大山人的鳥是獨步的。大概他有敏銳的觀察力，把各種鳥兒的物理，物容，物態，一把抓住。並能以特簡御繁的絕技，幾筆便奕奕如生不可移易。清朝新羅山人的花鳥雖然有名，可是完全失了鳥的個性，穿上黑衫，便是個烏鴉，換一顏色，又成了別一個鳥。他又說：「學花卉，必須從梅蘭菊竹入手。梅的枝幹勁折，有花無葉所以不易畫的，學好了一切木本花法便有了好基礎。蘭的撇葉，出筆便不容修改，懂得畫蘭，一切草本畫法有了好基礎。菊有花型，有疏疏落落的繁和簡，不容藏拙，不容假借，菊畫好便許多花卉的畫法有了好基礎。至於竹，任何構圖上都可以配得上。竹法而外，還有隨添上做補白的法寶，也非學不可。」

中國畫藝的前途

國畫的前途怎樣呢？我想到這問題便感到另一答案。想求這答案要先問西洋十八十九世紀的音樂和繪畫何以離開了當代的大師們另尋新向呢？這是前兩世紀的思想和情感，已經不能安方。美術與文化是不可分離的。說之而無當於心，聽之觀之而無當於情，便有「精華既竭，褰裳去之」之厄運。茶飯是好的，碰到那「不思茶飯」內失戀者將奈他何。

國畫是與中國文化是不可分離的。中國文化必有其不可磨滅之處，同時更有許多非變不能適應國民新生命之處。我們要創造合乎人心順乎人情的新文化。合乎新文化的內涵的藝術才有生命才有前途的。揮戈返日的落陽沒有前途的。（下）

俄人提出荒謬理論 企圖掠奪大陸油藏

莫謝耶夫組織石油勘探隊 分五十餘批大舉深入各地

蘇俄掠奪我國石油資源，已由設計進入實踐階段。從今年一月至六月這半年中，曾經由俄人莫謝耶夫組織了五十多個石油勘探隊在二萬一千多平方公里的區域內，所進行之各項地質勘探工作，差不多已經完成，預定在九月開始，繼續擴展它實際的掠奪礦藏工作了。中共企圖掩飾他的賣國罪行，正不惜施用種種方法來遮蓋它的罪惡，比較顯明的一件事實，似無過於目前所推行的一個荒謬的邪惡「學說」了。這一個學說中所恃的唯一「理論」根據，是駁斥德士古公司經理美國人羅甚斯所著（商務印書館出版中國計劃設計學會所譯）的「美國實業發展史」第十五章（石油業）其中所云：「中國是石油資源貧乏的國家」，「亞洲腹地，包括蒙古高原，中國大部及西藏大山脈，殆毫無石油蘊藏可能。」共黨指為「……無非不要我們發展石油工業，而好讓他們在我國市場傾銷汽油、煤油、柴油，獲得超額利潤。」並引述我國過去由於抗日戰爭的逼迫，「才使他們（政府）進行了老君廟油礦的投資。但直至一九四九年以前，鑽探井佔百分之三四．七，生產井佔百分之六五．三。」而說這僅是維持當時現有煉油設備，尚未進一步去探勘開發地下資源，且力言地質學教授李春昱（民國三十三年）所著「國防與礦產」一書，內容將我國石油儲藏量列為世界第八位總儲量祗二億零六百萬噸的數字為不確；但共黨無確數列出，以駁斥這估計。

含糊謬說不着邊際 僅說豐富並無確數

蘇俄石油地質學專家莫謝耶夫於中共統治大陸年餘後率領一批「專家」赴平。據共黨的宣傳刊物所稱：「他經過二年多的實地工作以後，肯定我國石油資源是很豐富的。而莫氏且謂『在中國國內進行找油工作，不僅是需要，而且完全有把握的，一定將找到大量的油、氣資源。』……」此與中共所推行的荒謬學說，其效果就在莫謝耶夫的無心談話中完全抵銷。人們怎不懷疑中國的石油資源為什麼由俄國人去找尋，而且他一定「有把握地找到大量的油……。」

但究竟我國的油藏儲量有多少，莫謝耶夫却並未公開宣布，中共依據一九五零年採儲初的估計，僅西北酒泉盆地及老君廟的油礦，儲量就超過二億零六百萬噸的了。在莫謝耶夫的心目中，以為我國甚多的毗鄰地區所開發的油田，其中心點的發源則是中國，在東北跟庫頁島油田相連，西南和緬甸相接，西北面有外蒙油田；而西部天山山脈的山間盆地及其山麓地帶分布着很多油田，[illegible]

深入滲透各產油區 全面發動掠奪計劃

莫謝耶夫顯然欲以他的滲透性或不滲透性的荒謬之邪說來掩護其掠奪我國礦藏，[illegible]而推行其所謂蘇聯石油地質學之父M．N．古勃金院士對石油生成條件之「理論」，硬說中國「完全適合」於他的看法。[illegible]

[illegible]據為已有了。（梅）

西北騎兵游擊隊 活躍胭脂山

共軍重創 壯日力勢

據蘭州傳來消息：素有西北長城之稱的馬家騎兵部隊，部份雖已被迫投共，部份仍潛伏在山區裏，因在我有利局勢下，紛紛在五龍口胭脂山一帶活躍起來，其勢力日漸壯大，予當地中共駐軍一野屬下匪部以嚴重打擊，並已收復五龍口白崖的輝煌戰績。據悉：康甘青寧的防區，馬家的騎兵，尤其是馬家騎兵的[illegible]障西北的大保衛戰，予進犯的日軍以不少的打擊，博得全國讚譽，更使敵軍[illegible]

潛伏深山 俟機出擊

自從大陸易守，西北各地先後淪入中共匪手之時，[illegible]

包圍共軍 殲滅五千

直至現在，由於馬家原甘星散的部隊，[illegible]

香港之一日

美財部允濟港僑匯

本港僑眷生活費卒被停止接濟。美國財政部過去因防止資金流入共匪區，取締通匯辦法，而根據該項辦法，祗要旅美僑胞確保匯來香港接濟僑眷而非轉匯大陸者，可以申請購買赤匯；但在申請之時，必須詳細列明收款人的姓名，住址以及居港之身份證號碼等，否則銀行拒絕發售赤匯。倘經發現有將款轉匯大陸情事。一經當局查明，仍將根據一九五零年十二月十七日所頒佈之管制法令查究。

中共企圖偷運車輛

中共在侵韓戰爭中，卡車經大量消耗，致使目前不敷應用，最近據說曾經派出一批共幹，分向港澳各方接頭，收買七八成新的舊車，每輛出價（廣州起岸價）二萬四千元。這種高昂的代價雖然過去曾經冒險的走私商人為之心活，然港府當局對於車輛出境嚴密取締，故無人敢作此冒險生涯。且港府對本港之車輛管制極嚴，請領車牌，新規定必須加註車主身份證[illegible]

港貨輸美嚴究來源 僑委會勉忠貞廠商

依據美國[illegible]

布爾什維克主義的理論與實際

推薦羅素鉅著

·司馬璐·

侵略目標 先佔亞洲

羅素先生在當時已經預見到共產黨內部的分裂，著者除分析共產黨內部的種種派別外，並認爲在官僚政治之下，此乃不可免的現象」，著者與托洛斯基見過一面，在他印象中的托洛斯基，「他的虛榮觀念比他爭取權力的心思來得大。」這一個當時還正威風的布爾什維克的英雄，竟被羅素先生一語中的，看穿他後日失敗的影子。

羅素先生預見到布爾什維克黨人將步帝俄的侵略政策，他曾說布爾什維克的勝利，是俄國「拿破崙式的帝國主義實現」。他又曾特別指出，在布爾什維克的侵略政策中，將首先囊括整個亞洲。

羅素先生書在本中確定民主國家和布爾什維克的俄國之間是永遠無法妥協的，列寧對他表示過，除非所有的資本主義國家「各自爆發了革命」，否則「布爾什維克的俄國和資本主義國家的和平狀態，是永遠沒有保障的」。「就是通商也只是一種可能而已」。因此，最後的結局是：「發生一次拖長的世界大戰」。

若干觀點 需要保留

在學術意義上，是無人能否定羅素先生這本書的價值的，但是我們不能不提醒讀者注意的是：這本書的出版，到底是在三十年以前，在當時的羅素先生，在態度上對共產主義的「理想」部份，還有若干保留的成份，著者在本書中說明他不能不反對布爾什維克的理由有二：「第一、因為照布爾什維克的方法，在達到共產主義路程中，人類所必須付出的代價太可怕；第二、甚至於就是付出了代價，我不相信會達到布爾什維克所理想的結果」。著者又說：「共產主義的基本理想，並不能說不切實際，而且一旦實現以後，對於人類福利確有無限量的裨益。必須面臨的困難問題，不在於它的基本理想，乃在於從資本主義過渡中的問題」。

初期錯覺 後已補正

這似乎是說，羅素先生所反對的，僅僅是布爾什維克的「方法」問題，而對於「共產主義的基本理想」，則並不反對。我們必須知道，這是羅素先生對布爾什維克主義初期的錯覺，羅素先生在後期的著述中，已經彌補了這個錯覺，他在一九五一年出版的「不通俗的論文」（UNPOPULAR ESSAYS）一書中特別指出，共產主義是蔑視自由的，而羅素先生畢生追求的正是「思想自由、研究自由、討論自由、及仁愛及情感等等」，他認這些都是和共產主義極不相容的。

明乎此，則我們始能運用歷史的眼光，批判的態度去理解羅素先生思想的發展，也更能領會三十年前的羅素先生的一本著作在今天的價值。（下）

非大學邀請華教授講學

菲列賓大學聯合會頃在港邀請中國教授往菲講學，聞本港有衛挺生、任泰二教授獲得此項邀請書，正考慮前往中。

反共十字軍

錢家菊

本書爲一全部韓戰史實，紀載北韓發動侵略戰爭，聯合國在韓遏阻侵略之經過，爲許子由、馬天驥編著，國際編譯社出版。

全書計分六章，第一章，魔爪伸向南韓；第二章，侵略與反侵略之戰；第三章，和談；第四章，易俘；第五章，救濟與復興；第六章，結論。末附錄停戰協定及易俘協定。

讀本書對於韓戰全盤經過，可窺一全貌，一九五〇年六月，韓共如何發動侵略戰爭，八月間南韓最危急之情況，九月間聯軍之反攻，十一月間中共之參戰，一九五一年一月間聯軍再度反攻，以後復經鐵三角之爭奪戰以迄和談之起伏波瀾，編者均有詳盡之敘述，並附照片地圖多幀，尤便於讀者之查閱。

本書係屬資料性者，搜羅尚屬豐當，對於每一問題之分析，資料與圖片密切配合，編者處理恰當，條理亦極分明，看來是費過一番心思的。

本書編者說：「韓戰是世界第二次大戰以後一次最大的戰爭，這次戰爭，將會影響於今後若干年的世界政治」。故編者稱這一戰爭是「反共十字軍」是很正確的，今日韓戰雖停，而共黨之威脅未除，世人須重溫此歷史教訓，應一讀此書。

李太白譜系考（中）

王世昭

其次，李太白既至湖北，娶圉師孫女，至山東又納一婦人，吾長安與宗氏女婚，其中尚有不著里居之劉氏。太白之婦既死，予女是否隨太白於遷徙之中。見於太白詩者，曰「平陽」，曰「伯禽」；見於魏顥文中者，曰「明月奴」，曰「頗黎」；見於李華誌中者，曰「伯禽」，曰「天然」；似乎又有些迷離撲朔，不知所從。假使吾人以既嫁而卒之女爲平陽，明月奴爲伯禽，頗黎爲天然，有無合處？余以爲無合處，據王氏李太白年譜，白與許圉師孫女婚在開元十三年，時白二十五歲，長女與明月奴爲許氏所生當較早，頗黎次之。寄東魯二稚子詩，白自註「在金陵作」，而與魏顥爲友則在天寶十三載甲午，時年五十四。魏顥爲李翰林集序當在天寶十三載以後，此時明月奴在側，故語顥云：「爾後必大著名於天下，無忘老夫與明月奴。」明月奴爲許氏所生年當較長，必非「稚子」，而獨以二稚子稱平陽與伯禽者，足見平陽與伯禽有以異於明月奴，蓋是時明月奴在側，平陽與伯禽在東魯也。且長女既嫁而卒，年長於明月奴；平陽尚稚，更非一人尤明。故余以長女與明月奴爲許氏所生，頗黎爲東魯一婦人所生，平陽伯禽天然爲宗氏所生。由此而觀，白之子孫頗繁，徒以交通不便，音問道絕，二孫女自伯禽死後，家世亦不明，惟知一兒外出十二年，范傳正乃以白爲絕嗣，殊憒憒也。

白之支庶既明，又試爲之手稽，兄粲，見白「上新平長史兄粲」。弟二，曰皓，曰某，見詩「贈……皓弟」及送舍弟……」。何以我說太白有二弟，白又嘗有詩「淥二季之江東」，故皓與某爲白之二弟無疑。又有妹曰月圓，王琦李太白年譜云。「有妹月圓，前嫁邑子，留不去，以故葬邑下，墓今在隴西。」况白之兄弟或以「粲」名，或以「皓」」名，皆與白字爲同義，而妹曰「月圓」，亦寓潔白意，至不知名之弟，想亦不外此。又考白詩，凡非胞兄弟上必冠以「從」字或「族」字，固亦有別。白又有二姪，曰聿曰良，不知爲兄子或弟子，故表附於月圓後行，而不明其統系，無可如何也。

魔鬼之島的消滅

——法政府抹除了司法上一個嚴重汚點——

·伯民譯·

南美法屬猶雅納，百年來一直是法國放逐囚犯的地方，因此曾被稱作「魔鬼之島」，但這個惡名最近終告消滅，那裏的最後一批囚犯五十八名，已在本月前移到巴黎監獄。這座聲名狼藉的監獄也已由法政府加以取消。這監獄成立於一八五四年，這一百年中，由法國送去的囚犯，約有七萬人左右，其罪行，有的僅是盜竊，還有的是謀殺和叛國，但能夠倖獲生還的，至今不足二千人。

左拉著書　揭露黑幕

這個小島，實際上祇是整個凱雅納的一部份，這片法國屬地中，還有兩個岩石峭峻的小島和幾個徙留區，位於法屬幾亞那的馬婁尼河畔。這小島雖與凱雅納屬地同名，但還是稱作「魔鬼之島」比較適合，因徒們處境的惡劣，實無異於地獄，獄卒的兇狠殘酷，亦與魔鬼相同，島上滿佈沼澤叢林，四圍海浪洶湧，鯊魚出沒其間。世界第一次得知這個「地獄」的眞相，是由於特萊弗冤獄一案所引起的輿論指責，法國名作家左拉曾爲辯護特萊弗而著成「我控訴」一書，揭破了凱雅納監獄暗無天日的慘況，也終於拯救了特萊弗，使他重見天日。

不過大多數囚犯並不如特萊弗那樣僥倖。法國法律規定，凡處刑八年以下的囚犯，在服完其刑期以後，須再在凱雅納居住至少與其刑期相等的時期，在這時期內，他被稱作「自由犯」；凡處刑八年以上者，則須終身居留凱雅納。至於「自由犯」與監犯的分別，祇是「自由犯」必須在島上行乞求食，而監犯則至少可在牢中獲得食物充饑。如要得到特別便利，則非靠金錢或勢力不可，決沒有任何正當的途徑可使囚犯們重度正常生活。這島上歷來最出名的囚犯之一，是一個棄職潛逃的士兵，他被放逐到這裏後，利用賄賂，買到了監中行刑官的職位，可是不知如何，他在行刑時殺錯了一個未判死刑的囚犯，最後終於死在自己佈置好的斷頭台上。

逃出苦獄　死於沼澤

島上的囚犯們，每天從上午六時至下午六時被解到幾亞那各地去做工，或修路、或斫木、或種菜；晚上再被分別關回其牢房。如有囚犯發動叛變，則被禁囚於聖裘遐夫島的黑牢，這裏全屋漆黑，全部是水泥築成，唯一通氣的地方祇有牢門上的一個小孔。一旦被關入這些黑牢後，很少得以生還。當地曾流傳着這樣一個故事：一個叫保羅．魯森的軍人，因縱火罪被處刑二十年，囚入凱雅納監獄後，他不斷以匿名信恐嚇監獄長，且故意把自己弄得患了肺病，企圖傳染給監卒，還做了許多其他違反囚犯規律的行爲，他每犯一罪，便被處以禁閉卅天，最後竟積到禁閉十年之久，以致監獄當局對他無法應付，祇好把他移解到島旁的陸上監獄，到了這裏，他不久便越獄脫逃，但從此音訊全無，必然已死於四圍的沼澤中。

◁左拉救出的特萊弗▷

與論指責　終告取消

在一九二五年間，法報「小巴黎」的一位記者，曾親到幾亞那實地採訪，返法後寫了一篇長文，充份揭露了凱雅納島的黑幕及囚犯們處境的慘酷，法與論即刻大譁，開明的法人紛紛發出呼籲，要求當局把這法國司法上的嚴重汚點加以抹除，但政府始終置諸罔聞，直到十年後，法政府才承認了「凱雅納監獄對於囚犯，似並無任何懲誡效果，且對法國在美洲大陸的聲譽也無裨益。」到一九三八年，政府又宣佈準備撤銷凱雅納島上的監獄，但第二次大戰爆發，又延緩了政府的實際行動，一直拖到本年二月，政府始正式決定把島上的囚犯和「自由犯」都解回法國，但這個步驟直到本月初才實際完成。被解回的最後一批中，有一個叫羅拉的「自由犯」，他所犯的「搶劫罪」雖然早已被人忘卻，但在凱雅納被囚禁五十年，回國時已是一個七十六歲的老翁了，對祖國景色已全不復能記憶了」。他自認「時代跑到我前頭去了」。

十·筆·字

——評羅家倫的文字大衆化——

·浮·

「用字的時候，應該盡力避免十筆以上的難字，因爲十筆以上的字，在一般認字不多的高小學生的心目中，就多少要費解的。」據報這是十四日羅家倫先生演說「文字必須大衆化」主張採用簡字時所說的。該報導還說：「其全稿將於整理後再行發表。」

因此，我佩服我的朋友羅志希的大膽。現在中共佔領下的大陸，學生們專愛寫簡字，原來這不是罪惡，而是從篆變隸草楷一脈相承的前進。我到要問問志希，你的「羅」字該怎樣簡寫，至於罹難的「罹」，銅鑼的「鑼」乃至太甚時髦而近已不甚時髦的邏輯的「邏」。（已不甚時髦，因爲「理則」兩字與之拉倒了）又該怎樣寫。志希既要將演辭整理後發表，我們且看這篇「大文」裏面超十筆的字，共有幾個。

凡立論必須有據，如果志希說：「十筆以上的字，在一般認字不多的高小學生的心目中，就要多少費解的。」這話，是否根據合乎科學標準的實際測驗，抑或一如大文豪蘇東坡論「刑賞忠厚之至」便信口開河的說「堯曰宥之三，皋陶曰殺之三。」等到試師歐陽永叔問他出於何書，則曰想當然耳。

憑我主觀的感想，我便覺得對於文字普遍的困難，並不因筆畫的多少成正比例。如羅字，籮從竹，罹從心，鑼字義從金，邏從辵，是很容易了解的。討厭的到是草菅人命的菅晉不從官，斡旋不讀斡旋。也許官字雖有兩個口，而官決不草菅人命的。也許斡旋是大政治家——或者政客——才配做，小幹事們不配做的。

循着最小阻力途徑而演進，乃人類自然的動向。中國文字中楷則的固定化，乃反自然的現狀，其原因大約一由於喪失了創造力喪失了美感審美的尚雅排俗謬見，二由於專制統治時代官定楷則的干涉，才發生了這中止現狀。如這話是對的，我贊成簡化，而不贊成教育部特設簡體字研究委員會來定簡化的標準。何以故，因爲文字的演進，是社會的產品，要順其自然，不能勉強，和鳥語一樣欲不得，青苗一樣助長不得。注音字母運動的失敗即其一例。

從每個人的經驗來說罷，每個人的簽名，簽了幾年，便簽出了去其粕糟存其神髓的定型，而這定型又決非初時簽寫時所能想像得到的。初時儘管先有許多意象，故意昂頭天外，或者一擲千鈞地矯揉造作一翻，到了爐火純青之際所形成的定型，決非原來所想像的。用之而便，習之而安，個人如此，人人公用的亦復如此。既然是人人公用的，便該讓人人自由使用，證到公共用之而便，公共習之而安，去定出來。教育部不必讓幾個學者遐僻他們的理解，饒嚐失學平民所感到的困難。

中國文字的困難，小學兒童所感到的困難，到底是怎樣的，沒有合乎科學標準的實際測驗，是找不出來的。近代心理學在理論和實驗技術上都有了長足的進展，纔能做這樣的實驗。我希望教育部聘請幾位專家，施行實測，這到是一件基本要事。

楊雲史與賽金花（下）

秋柳

有人以爲賽金花根本不識外國話，她和瓦德西的故事也完全出於捏造，雲史在詩中告訴我們：

「庚辛板蕩痛天驕，凝碧池頭絃索高。一曲琵琶解胡語，爲珠軍令敵秋毫。京闕生靈萬戶空，誰心使爾善通風，宮中寶玉國中秀，完璧都從皓齒功！」

他所描寫庚子事變時的賽金花，似乎是近於事實的。雲史在「靈飛事蹟附記」中自說：「靈飛（即賽金花）旣近瓦，目睹浩劫，惻愴於心，乘間數言於瓦，使約束所部，開釋株連蘇民困。……嘗見德兵入士人家求婦女，亟迎靈飛至，理喻數語立解。此余親見聞也」……可見雲史的詩文都不是出於想像而虛構出來的。

至於曾孟樸說她與瓦德西在德國時即已暗渡陳倉，這一點也是不可靠的。我們且看楊雲史在「附記」中所說：「庚子拳禍作，七月聯軍入京師，兩宮西狩，時靈飛方爲妓，有德軍入院騷擾，靈飛以德語叱之，歸以告其帥瓦德西，瓦異而召與語悅之。」那末，瓦德西與賽金花是並非舊識的。雲史當時和他的父親同在李鴻章的幕中，雲史還是李氏的孫女婿呢，他的見聞，自然比較公正而可靠。無怪他在詩裏說：「寒日餘姿事可哀，畫圖省識胡陽台。爲君一掃齊東語，自有閒人憑弔來。」

欠了八年的賬

一九四五年二月間，某一個嚴寒的早晨，美國空軍中尉魯克曼把他受傷的B—十七型飛行堡壘式機「星光」號，降落在俄軍佔領下波蘭托倫附近的一個小型飛機場上。他們那架飛機的兩個引擎已被柏林上空的高射砲火所擊毀，左輪胎也被擊爆裂。那時候魯克曼還只二十一歲，所幸連他在內，機上的九個人沒有一人受傷。在那樣的情形之下，這些美國人只有一個想法——如何修好這架B—十七型機，並飛離當地歸隊。他們請求俄國當局供給他們修理的工具和設備，但俄國人的反應非常冷淡。於是魯克曼只好[illegible]……值美金十五元的手錶，……美金二十七元……十七……他用一個……手槍換……三十元的美金……得了一輛……「竊取」兩根電線，……工具……，他們耗費了……一個……以……結冰的……降……十元……二十美元……塊……汽油……在寒冷的……水……。

一個多月後，……終於……「星光」號……好……。……蘇聯……克里木……，……歸隊……。……四十三天後，……，他們……到了……。……八年以後，……「星光」號……，……法……他們……一張二百五十元的支票……償還……。（由之譯）

憶古蹟懷南京

——大報恩寺與琉璃寶塔——

·鐵頭·

靈谷寺，其他各處，大都大同小異，然鷄鳴寺樓閣等每當佳辰令節，仍有無數閒人，前往瀏覽，尤其是紅葉滿山的季節，棲霞道上依然有應接不暇之勢。惟獨那當日首屈一指的報恩古寺，居然默默無所聞，彷彿爲世所棄，若非久居南京的人，甚至連這個名字也無所知，這眞令人不勝感慨系之！

報恩寺所以逐漸消滅的原因，當係遭古剎九里以上地皮，然後多爲居民，又爲機關所佔據，餘寺不足方畝，僅存其名。幾乎不得其門而入，縱有雅人高士，欲往探訪，亦毫無可覩。

筆者於戰前遊雨花台時，經雨花台小學，曾見「大報恩寺」巨大石額，橫在校門之下，流水潺潺，泥濘身，這不過是汚穢不堪，門楣如此，裏面已極可知，而兵工廠門前的隙地上有一圓形如鍋似盆的東西，那就是當年琉璃塔頂上的寶蓋，龐大之至，據查直徑有十二英尺零六寸，周圍達四十英尺，高三尺八寸，厚寸許，據內行言，相傳爲風磨銅，餘內係鐵質，外包黃金，果爾，其一進同金頂，原有兩口，俯仰相覆，共重四千五百斤，巨珠等早已不知去向，至於傳說千古底所謂佛的舍利，自然又遭劫數，未悉何年何月再復出現？誰知這些寶貝也就是塔寺遭變的原因之一，眞是象因齒而焚身了！

據志載稱：「咸豐六年，髮匪踞其塔頂爲黃金所鑄，用火藥轟之，復挖塔基下基地，數日塔倒，寺遭焚燬，當時有童謠曰，寶塔折，自相殺。」

實際上，吾人推測，還是基于軍事的因素爲多，據光緒時修的江甯府志載稱：『咸豐三年正月二十四日髮匪踞塔，俯瞰城中，施礮轟彈有落中正街者。』（九）

中華民國內政部頒發登記證台數新字第一零二號
中華民國郵政登記第一類新聞紙類

自由人

THE FREEMAN
（週刊星期三六出版）
（第二六八期）
每份港幣壹毫
督印人：李光華
社址：香港告士打道六六號
電話：七四〇五三
GLOUCESTER Rd. HONG KONG TEL: 74053
承印者：東南印務出版社
地址：高士打道六十四號
台灣特派員辦事處 台北市館前街五十號
台灣總經銷處 台北市中華路新號五九四之一
台灣郵政劃撥儲金帳號 九二五二號

論·政·治·登·陸

·阮毅成·

自由中國對于反共抗俄的決心，與收復大陸的信念均已到了十分堅定地步。這決心與信念現在不僅充沛于自由中國，也爲海外一千二百萬僑胞以及大陸上無數被奴役的同胞所共有。這決心與信念也不只是精神力量的表現，因爲幾年來自由中國在各方面的努力和進步，已有了可以見諸行動的實力保證。因此，現在一方面要談收復大陸後如何措施，從接管匪僞政權到建國大計，無一不應詳加準備。一方面也要談如何才能反攻大陸，打敗竊據大陸的中共。不過以下兩種心理，是應該先加矯正的。

等待主義不可恃

一種以爲反攻大陸，必須等待國際局勢轉變，換言之，要等待第三次大戰爆發，這可稱爲等待主義。於是乎每當國際局勢有所轉變，許多人的論調便隨之而轉移。甚至看相算卜者流，也常作大戰將在何年何月發生的預測。這是錯誤的，試思對日抗戰的當年，里巷傳言，不脛而走。敵我之間，優劣之勢甚明。自非有世界大戰，不易扭轉我方劣勢。但現在打倒中共收復大陸，敵人與敵土，本來都是吾土吾民，與抗日情勢不同。爲甚麼要等待世界大戰？必要我們自己先有辦法回去，然後可以獲得世界的同情和援助。

反攻不是純軍事

另一種心理，以爲反攻，完全是軍事的事情。軍事反攻，必須先行策劃萬全。自由中國現有軍力，決不宜輕舉妄動，作孤注一擲。這可稱爲萬全主義。軍事上的策劃萬全，必須倚恃外援。外援多寡非我片面所能決定。我們應知反攻大陸，絕不是單純軍事的事情；反攻力量，也並不限於自由中國現有的軍力。許多人以爲大陸與台灣，在土地面積，人口，軍力，資源，均甚懸殊，台灣談反攻談何容易。殊不知反攻大陸，乃民主與極權自由與奴役的鬥爭，乃係革命性的戰爭。並不是台灣對大陸的地區戰爭。須[illegible]載韓國中國戰俘表示，他們雖曾一度與聯合國軍隊作戰，但他們內心是完全傾向自由中國的。所以今天在大陸上的中共匪軍，人數雖多，除真正匪幹外，其餘大多數，實際上都是可以化作我們的力量的。我們可以說，反攻的力量也在敵後，並不全在敵前。我們如果能夠將大陸上反共同胞號召起來，其力量之大，是無可限量的。即使第三次大戰發生，國際上也沒有這樣廣大的人力物力援助我們。

政治要先行登陸

軍事問題，不宜隨便討論，反攻大陸除軍事外，必定要有另外一種力量在軍事行動之前登陸，那便是政治力量。抗戰期中，沿海及中原各省均陷於敵，但各省的情勢並不盡同。凡是能在敵後建立政權的省份，淪陷區的人民所受痛苦較少，敵僞所加於民衆的迫害也較輕。這些省份到「勝利之時，共匪的地下組織，及其侵佔地區，也比較不容易立足。這是過去的教訓，距今未久，大家應該記得，並深加體會。抗戰後期，國軍力量都集中到大後方，留前綫的人數不多，各戰區的地方政府，還能夠立足，便完全由於政治力量始終留在敵後，人民的意志與力量能夠集中領導。故今日反共的第一件大事，便是要使政治先行登陸。

把握時機收人心

東德事件發生後，更可使自由中國增多一層啓示。便是要打開鐵幕，一定要先從鐵幕裏面打出來，使鐵幕上面破成窟穴，鐵幕外的自由民主力量才可以大量吹進去。鐵幕上的洞穴愈打愈多，愈補愈闊，然後裏應外合，一舉將鐵幕扯下來。大家都知道，大陸同胞，在專制暴政之下，日日盼望國軍反攻，早解倒懸。我政府當把握時機，收復人心，一切施政，要從這方面痛下工夫。以往幾年，爲了確保台灣，鞏固復興基地，自不能不多用心力於台灣建設。今後當以反攻大陸敵後工作列爲首要。必須「了解匪情」，團結民衆。共匪講究組織，打着民衆路綫的旗子，以爭奪大陸政權。今後的政治登陸，也要先從組織下手，使政治力量在民衆中生根。民衆已厭恨共匪深入骨髓，這正是自由中國的政治在大陸人心中生根的時候了。

希望政府兩件事

近年來，我們的報紙刊物，紛述共匪在大陸上，施行暴政的報導很多，這自然是一種不可或缺的工作，但到了今天，僅有如此報導，已經感覺不足。我們要在這種事實報導之外，多加如何反攻，如何復興建國的討論。反共抗俄的積極政策，必須廣泛宣傳，多加研究。如果只是說敵人的刀法如何，自已卻不去鍛鍊槍法，這如何能夠破敵復仇？因此政府方面，我們希望：

（一）各種措施，今後要多向大陸作工夫，要以大陸敵後人心如何反應，作爲定計決策的首先考慮條件。

（二）一方面規劃收復大陸後的各種措施，一方面對於如何才能反攻大陸，必須妥密研究，切實執行。軍事的行動，不必訴於浮議，政治力量如何才可以行登陸，自宜博訪周諮，廣採各方意見，俾收集思廣益之效。政治力量開始登陸的時候，就是反攻力量的開始。政治是衆人的事，不僅是政府的事。反攻是多方面的事，不僅是軍事的事。我希望大家能從多方面，多加注意，切實研究。

論整軍之道

·旭軍·

蘇俄的詭計，要以經濟戰略擊潰西方民主國家。重整軍備如祗爲消極的防禦，將發生危險，必須與攻勢政略相配合。美國必須以大量軍事援助給予鐵幕邊緣國家，助其重整軍備，急求解放。

守勢政略處劣勢

我國的一句成語：『養兵千日用兵一時』，在現代是不容易做得到的。因爲現代科學進步，軍事的武器和組織非常複雜與龐大，物質的消耗大，人材的技術須要極高度化。如要維持在一定的水準，在國民的經濟負担已經是很吃力了。若然潛在敵人的力量增加，而自己再提高軍力水準，則人民的負担加重，最後發達到軍力與經濟力不平衡，而發生問題。尤其是在冷戰中，軍力與經濟力兩因素更要配合得適當。對於敵人常運用計謀，使他們的軍力與經濟力失去平衡，趨於削弱而傾覆。筆者看美國在經濟力與軍力比蘇聯強。

但在冷戰中，蘇聯的詭計，對於兩因素的運用，比美國較爲靈活。然則其原因何在呢？一言以蔽之，採取攻勢政略者獲主動。採取守勢政略者處於被動的劣勢。

有限戰略的吃虧

自二次大戰結束，美國以爲從此天下太平，一九四五年武裝軍隊一千二百萬人的軍力，到一九四八年一縮便縮到不夠一百五十萬人。這無疑於蘇聯的侵略發出綠色燈光信號。一九四九—一九五〇年美國恃有原子彈，所以在路易士任國防部長的時期，總以爲蘇聯畏懼原子彈不敢發動世界大戰。誰知蘇聯實行小型戰爭，而用代理人進行戰爭的策略，（即WAGING WAR BY PROXY）以北韓與中共作代理人，去和美國對消耗。而杜魯門與艾奇遜之有限度戰略，正中蘇聯之下懷。無他，守勢政略有以致之。

杜魯門後期的軍事政策改變了莊遜期的錯誤。努力求增加軍備。但祗係增加軍備，是不夠的。還要知道如何運用才行。

空軍戰略的討論

在八月四日出版的「記者雜誌」（THE REPORTER）有一篇文章，說到海陸空軍的力量支配，和空軍應採取攻勢戰略或守勢戰略，互相比較討論得很清楚。有人主張作洲際戰爭必須建立世界最大的戰略空軍與原子武器。另一派不以爲然。蘇聯雖有最大戰略空軍未必能得保證安全。蘇聯的侵略不是全面正式大戰，而是連續的在鐵幕邊疆上發生小熱戰。甚至那平日最叫囂的空軍力量預言家賽佛斯基少校也說：『現代有決定性的戰略空軍，不能加入韓國戰略問題去考慮。』現任美國空軍參謀長端寧氏，似乎同情於戰術空軍及洲際防禦，與前任之范登堡將軍相異。因爲現在的艾森豪威爾政府顧及財政的危機，已將國防預算減去五十二億元。

勿忽視經濟戰略

國防部副部長凱斯氏在廣播中說：『美國看蘇聯的軍事力量太嚴重。而疏忽了蘇聯的經濟戰略。這種戰略是根據列寧的哲學。列寧深信摧毀資本主義最佳之方法是敗壞敵人的通貨。蘇聯在冷戰中之戰術已計算到破壞削弱我們的資源與國力』。據凱斯的分析：『如果克里姆林宮引誘我們作過大的重整軍備方案，我們便墜入敵人的陷阱。除非我們保證不因浪費而增加通貨膨脹』。凱斯更說：『我們不但不應犧牲於蘇聯的經濟戰略，而且應設法減少我們不斷的建立軍力。由於高度國防預算刺激過甚慘通貨膨脹的經濟危機，比較大過由於減削國防而招致蘇聯侵略的危機』。美國雖然將預算支出減少。但本年度仍短少四十億元。在本年尾及明年初即滿期而廢止之征稅，將令明年度之收入更少九十億元。如果下年度再減少一百三十億元的支出，恐怕危及美國安全。因此我們知道重整軍備祗是消極用來準備大戰發生，或示威，或自衛，這種靜態的消極的政略，將因經濟不斷的重壓而發生危險的變化。

整軍政略與攻勢

重整軍備必要和攻勢的政略相配合。譬如要注重解放政略，上那一個國家那一個民族最英勇最熱誠於反奴役與爭取自由，便給予武器的援助，這種主動的，積極的重整軍備。這不過是一個例而已。總而言之，祗出一槍一彈，便要拿來使用去進行解放戰爭。解放一個人，國家便增加一個戰友，增加一份資源。本來這已經是蘇聯正在實行的計策。只是因西方國家持守勢之政略便不注意及此而已。

或曰：當今西歐與亞洲尚有許多國家持着苟安，中立，安撫，綏靖企圖，欲與其進行解放奴役豈非過於奢望麼？誠然，但除此等國家以外，並非全無熱心盼望從事解放奴役之國家。爲今之計，美國應注重援助急求解救之國家與民族。尤其是在亞洲正在被奴役或被奴役所威脅之鐵幕邊緣國家，應優先大量給予軍事援助，並助其重建軍備。對敵人的辦法起碼有『以其人之道還治於其身』的措施。敵人未嘗沒有經濟的危機。但如果光是會囤積若干的原子彈氫彈，以爲可以高枕無憂，一聞對方試驗原子彈或氫彈，便張惶失措。雖有千萬顆原子彈與氫彈，仍然跟着敵人的音樂跳舞。不祗無用，而且正陷入敵人的圈套，被敵計拖垮的了。

半週展望

·左舜生·

鐵幕內容一斑

波蘭以中立國資格，參加韓戰遣俘的工作，她的一位譯員跑了，請求美國予以政治庇護；波蘭以獨立國資格，出席聯合國的一位首席副代表又跑了，也請求美國予以政治庇護。實際講起來，今日蘇聯這些衛星國家，無論在歐洲，都是不折不扣的附庸，被征服者，根本無所謂中立，更無所謂獨立，以後最好不參加這類國際性的組織，一切由蘇聯老大哥代表，反而順理成章得多！

據波蘭這位副代表柯洛維茲說：「波蘭軍隊完全由俄國軍官統率，中校以上，沒有一個波蘭人！」他又說：「波蘭的秘密警察，有六十萬人之多！」因此他判斷：「此時要波蘭人發動革命，是絕對不可能的事！」

這幾句話足以說明鐵幕內部的一部分，其餘的一切，不難由此類推。

現在還有人替蘇聯辯護，說蘇聯不是帝國主義，甚至把蘇聯看成活祖宗，看成救世主，這樣一副奴才骨頭，將來還要大費工夫，徹底改造，當然不是普通洗洗腦所能有效的。

關於貝利亞的傳說

關於貝利亞逃出蘇聯的消息，最近已喧騰了整個的自由世界，甚至還有人說，其人刻已到達了西班牙。

從來國際上一個帶有重大性質的謠言，很少有能繼續流傳到一星期以上者，這一次不然，可見決非無因。

關於這件事，現在有各種不同的揣測：

第一說：逃出的確實就是貝利亞，確有其人，這一說的根據，是相信一個大特務頭子有人所不及的廣大神通。

第二說：逃出的可能不是貝利亞，而是次於貝利亞而與貝利亞有直接關係的蘇聯要人，其人數可能是一個，或一個以上。

第三說：貝利亞可能在拘捕時已被打死，或早已黑辦，可是像貝利亞這樣一個身分的人，簡直無法經過公開的審判，這在蘇聯上太過不去，且無以安反側，於是乃由蘇聯故意放出這種謠言，藉以淆亂世人的耳目，且以和緩國內的不安。

第四說：根本便沒有這回事，最近這種謠言的流傳，不過是『愚人節』一類的把戲而已。

我個人比較的相信二三兩說，但四說姑且並存，以靜待事實的發展，的笑話還要層出不窮，也不必過分的重視。

不可忽視的一件小事

在本年的四月，聯軍總部曾懸了一個有趣味的賞格，說誰能駕駛一架完整的米格機投向聯軍方面，將予以重賞，第一架十萬美金，第二架以後每架五萬。

我對於這件事頗不以爲然，因爲我們反共，應一切訴諸我們的理性，訴諸堂堂正正的辦法，一個已經加入共產黨的人，假如願意爲共黨繼續效忠，或者願意棄暗投明，這完全要憑他個人的良知，或他所遭遇的環境。假如這個人他覺得共產黨好，那他就心安理得的去做一個共產黨好了；如果他良知明白，便自拔歸來，也總算是『不遠而復』；一切用不着傍人去加以強迫，尤其不宜加以物質的誘惑；因爲共產黨最擅長的是以一切權謀措施，摧毀善良的人性，都是在摧毀人性，我們之所以堅決反共，正因此。

最近北韓一個青年，駕了一架米格機在聯軍的機場，說他根本不知道有這樣一個賞格，其動機當然是由於對共產黨的反感出發，可以說是非常純正的。聯軍方面對於十萬元的賞付，對這個青年也決定予以比讓，但所謂第二次以後的則斷然取銷，我認爲這個處理實在太好了。一個有爲的國家或集團，其行動往往都能從大處着眼，反之，那些專好用小手段小方法的國家或集團，乃是沒有多大希望的。

論自由文藝的道路

·金達凱·

近在本刊閱陳紀瀅先生與高心清君討論關於自由中國文藝的方向問題，引起我對自由文藝的一些感想，擬藉此一述個人的意見。

目前自由文壇上創作的份量並不貧乏；但有意義的作品不多。其原因之一，是由於若干人不敢正視現實，而又提出許多口號，以表示其清高。因而創作風氣，日趨於逃避現實，頹廢墮落。這從文藝本身來說，不能說它完全不對；但在當前環境，此一風氣的形成，却是非常有害的。

文藝需要反映現實

文藝是人生的反映，而現實是人生的一環。今天我們所處的時代，是要求文藝多反映一點現實，要求文藝作者多作一點現實的工作。所謂自由文藝，就是要敢於面對現實，敢於暴露黑暗，敢於寫出內心的語言。其價值在於能反映這個時代，給人們指出這一時代的悲慘教訓。若避開這些，僅憑個人的淺薄與狹窄的情緒，賣弄一點噱頭，給人一些消閒的情趣，那頂多不過是大風浪中的一個小小的泡沫而已，一轉眼就會沖激得無影無蹤的。

當前的現實，是一個暴力集團的血腥統治，是千萬生靈的塗炭，是少數暴徒對人類文明的踐踏，是自由與奴役的分野。在這嚴酷情勢下，文藝應當站起來，還是縮下去，是易於尋得結論的。如果說這是反共的，政治性的，那麼反共是人類的共同事業，並不是某一政黨的事情。而過去在大陸上的許多標無政治性的純文藝刊物，現在有那一種能夠存在？過去許多標無政治色彩的作家（例如豐子愷、沈從文等）有那一個逃出了清算鬥爭？同時今天是誰驅迫我們流亡到海外來，是誰拆散了我們的妻子兒女，是誰屠殺了我們父母兄弟？這一血海深仇，每個有良心、有血性、有正義感、忠於藝術的作家們，怎能無動於衷。積極一點說，應該替苦難的鄉土，提出嚴正的控訴；消極一點說，也應該爲那些被侮辱與被損害的人們寫一首同情的輓歌。

不要隨便責人八股

今天的反共作品（實際上也暴露黑暗統治，鼓勵自由意志的作品）在數量上實在太少了。海外的出版事業中，大都是詠月吟風，淺斟低唱。再有的是一片黃色浪潮。而涉及現實的，除了時報連載着一個長篇，自由出版社出了幾個短篇，亞洲出版社出了幾本報導，友聯出版社翻譯了幾本說部外，其餘可以說是異常冷落的。我們應該鼓勵它們，使其在已有的基礎上開放出鮮艷的花朵。如果對於這一點剛剛出土的幼芽，馬上給以「反共八股」的封號，去唬住它們，那實在是一種沒有良心的說法。假如說這點東西算「八股」，難道那些盡是「女人」「女人」的就不是八股嗎？

自由中國文壇現象

談到自由中國的文藝，這幾年他們是有一些成績，如陳紀瀅的「荻村傳」，王平陵的「大風雪」，傅紅蓼的「魂斷江南」，都達到了一定的現實意義與藝術水平。他如鍾雷等的詩歌，也有很好的成就。然就一般來說，還是不夠的。我們仔細看看「中國文藝」、「文藝創作」這些文藝刊物，再看看中央、新生、中華以及聯合版各報的副刊，雖然編者在那裏辛勤的耕耘，但是其中有幾篇是反共的作品，看不出有反攻復國移風易俗的豪邁氣象來。即較諸抗戰時的義勇軍那一股如火如荼的敵愾氣氛，也遜色得多了。今日他們所描繪的，大部份仍然是「良辰美景」、「酒綠燈紅」、和遊山玩水的玩意兒。甚至一個官方雜誌的主持人，竟也寫「台北女人」和「北投春色」；投寄到海外的一間銷路很好的刊物上。固然文藝是多面的，可以隨便抒寫個人的情懷，但國家民族正面臨生死存亡的重要關頭，正遭逢歷史上未有的奇變，文藝總要有輕重緩急之分，有一個大方向，以分擔國家的憂患與責任。擺在我們面前的題材，有無數的血和淚的故事，有無數的有意義的事，每個情節都可構成一生動的電影，這些正等待作者們去發掘，去運用；爲甚麼一定要鑽在咖啡座上去構想那虛幻的傳奇，爲甚麼一定要擠在脂粉堆中去渲染世紀末的頹廢情調呢？

自由中國文藝所存在的問題，不是政治性與非政治性的問題，而是如何集中力量，去寫一部有價值的有代表性的作品，給海外僑胞以有力的呼喚，給鐵蹄下人民以心靈上的慰安，給忠勇的守土衛國的將士們以精神上的鼓舞，給青年們指點前進的道路；這才是我們所期待的一件事。

台灣仍少出色作品

年來台灣方面沒有出色的作品，其原因當是：有寫作技術的人，對這方面的體驗不够，或者根本沒有體驗，只選報上的片斷記載，採合寫出來。這固然是現實中的一種，但不免有些糢糊與庸俗。另方面有此種生活體驗的人，又因寫作技術不成熟，無法掌握比較突出或有啓示性的問題，對而也不能表達出主題的藝術深度。如何糾正此一缺陷，發揮新的創造，這是自由中國文藝協會的重要課題。同時也希望文藝協會對一般能寫作而有困難的青年作者們，予以幫助。因爲文化園地裏也需要新的園丁補充的。

我是一個愛好文藝的人，也是酷愛自由的人，由于深刻感覺時下風氣所滋長的危機，深刻感覺若干認識不足者，拾人餘唾，藏藏良知的不良影響，同時自己寫不出像樣的東西來，故誠摯地以此期望之于愛好自由的高明的作者。

西歐團結的陰影

·之凡·

國外通訊

〔本報巴黎通訊〕西德大選結果，已充份證明了人民之擁護西德天主民主同盟爭取歐洲團結的立場，愛特諾爾的勝利，等於獲得了人民對他的信任表決，在德國歷史，還沒有一位政治家會在自由選舉中得到如此巨大的勢力，甚至希特勒和俾士麥都無法與他倫比。天主民主同盟，不僅在下院的二百八十七席中取得二百四十四席的絕對多數，且幾乎消滅了左右兩個極端黨派——共產黨與新納粹黨（亦即德意志國家黨），共產黨在下院原有的十四席，已全部宣告落選。目前尚有力量與天主民主同盟對抗，已經剩社會民主黨，因此今後西德內議會政治將與英美的兩黨制度彷彿。歐洲有此有效的議會制者，今日已僅有西德一國。愛特諾爾如願與上屆聯合政府中的自由民主黨和德意志黨合作，則尚可獲得議會中六十三席的支持，其勢力自將更爲強大。

在這種情勢下，西德這次大選的結果，實際上已迫使法國對歐洲防禦集團（歐洲軍組織）的成立問題處於攤牌地位。西德經過這次愛特諾爾秋風掃落葉式的勝利後，已蛻變成一個強有力的新國，也在歐洲成爲一支新的勢力。這種形勢，對於困處於政治不安中的法國，無疑是一個重大威脅，且不談西德幣制的穩定，失業數字的降低，戰後經濟復興的迅速，即以政治基礎的鞏固一點而論，也足令法國既羨且妒的了。

綜觀西德人民在這次選舉中所表現的意向，乃是與西方合作，特別是美國，他們所要求的，是歐洲防禦集團之能以速成立，使西德得以重整武裝，在西方聯盟中成爲堅強的抗共陣[illegible]

人物評述

蘇俄第二號頭目——赫魯雪夫

·丁捷·

近，赫魯雪夫被選爲蘇俄共中央委員會第一書記，這個在半年前還不大爲人熟知的傢伙，已經一躍而成爲蘇俄第二號頭目了。

在蘇俄，共產黨至高無上，代表一切。黨的組織滲透於行政、軍事、社會與特務各部門，控制着一切統治力量的指揮，這職位的重要於此可見。

赫魯雪夫出身烏克蘭農家，早年從事礦工。身材矮胖，頭頂禿溜。他於一九一八年加入共產黨。一九二九年，赫魯雪夫入莫斯科工業學院研究工業管理。值托洛斯基派與史太林派鬥爭正烈，赫魯雪夫站在史太林一邊，領導研究院共黨組織，攻擊托洛斯基一派。這一年青人有聲有色的活動，從此在史太林心目中留下印象。

一九三二年，赫魯雪夫負責建築莫斯科地下鐵路工作，效率甚高，管理得法，負責心強。據說：他自己穿一件工人裝，與工人一道下地道鑽進鑽出，弄得滿身污泥，有一次，莫斯科黨部總書記卡岡諾維支視察，當他發現這位滿身污垢的工人就是負責人時候，他頗爲感動，伸出手來，不嫌肮臟的與他握手。

赫魯雪夫被任爲莫斯科黨部第二書記職，地位僅次於卡岡諾維支。兩人關係如水乳交融十分親切。一九三五年，赫魯雪夫接替卡岡諾維支爲莫斯科黨部總書記。一九三八年春天，復改調烏克蘭黨部總書記。烏克蘭是蘇俄重工業區，又有「穀倉」之稱，唯當地民族具有強烈反蘇意識傳統。從這一地區的複雜與重要，可見赫魯雪夫之受克里姆林宮的重視程度。任內，赫魯雪夫一面以政治上鎮撫兼施，給烏克蘭造成一安定局面；一面大力提高與發展工農業生產。他計劃有條不紊，手腕潑辣，結果成績相當優異。次年，他便升任政治局委員。

第二次大戰期間，納粹軍攻入烏克蘭，赫魯雪夫被任爲南線紅軍政治部主任，在當地組織游擊隊與納粹軍周旋。戰後，復以政治局農業專家身份，協助負責烏克蘭農場歷史上最大復興事業，全面恢復集體農場制度。赫是大集體農場運動的首倡者，主張將各村小農場併爲龐大的農業社會，設立農業城市。唯這主張曾于一九五〇年放棄。

去年十月，聯共十九次大會上，赫魯雪夫當選中委會書記處十個書記之一職位。彼時他曾在大會發表演說：「現有少數領袖對共產黨員予以抨擊說：黨部規則是與他們不相干的，他們全然藐視黨的決定與黨內上下的意見」。赫魯雪夫之被挑選作此演說，便是暗示其地位上昇象徵。今春三月，史太林逝世，赫接馬倫柯夫繼任俄共總書記，官方頭目名單中，位列第五。八月便躍入第三，咄咄得勢，如日東升。美駐俄大使波倫返華盛頓時，曾透露：克里姆林宮掌握實權人物，赫魯雪夫是其中之一。

九月十二日，赫魯雪夫新職發表，他便提出一龐大的農業計劃，鼓勵農民生產更多五穀，並增加牧畜。這一公佈，蘇俄農業經濟的深重危機，也就揭露於世了。

美大法官遺缺逐鹿者衆

美國大法官文生逝世後，誰將繼任爲美國第十四任大法官？以及艾森豪總統於何時指派新人選，近日來華府紐約揣測紛紜。

最近宣佈不再競選州長的加里佛尼亞州州長華倫是一位有希望的人選，雖然若干共和黨員認爲華倫的作風太過於自由放任，但艾森豪總統對他的學識與能力却相當的敬重。除華倫外，另有一個希望頗高的人物，那是鼎鼎大名的紐約州州長杜威。杜威在艾森豪當選總統以後，曾拒絕入閣的邀請，但他可能接任大法官的職位。許多政界人士認爲今年還只五十一歲的杜威，頗希望在一九六〇年的時候，再試試競選總統，特別是塔虎脫因癌症逝世以後，更刺激杜威再幹一下的决心。雖然作了大法官，無異是退出積極的政治，但以杜威在黨的歷史與地位來說，此舉不僅妨礙不了他的政治前途，反可改善他與中西部共和黨員的關係。此外，在內閣裏面，國務卿杜勒斯與司法部長布朗尼爾都是很好的繼任人選。如果布朗尼爾被選任大法官，華倫可能繼任司法部長的職務。美國的大法官原是一個很崇高的職位，角逐者自然大不乏人，但到底鹿死誰手？可望於十月五日前決定。而參議院則將於明年正月間批准新任的任命。

塔虎脫文件不能公開內幕

故參議員塔虎脫的私人文件現在存於美國會圖書館內，但根據一項祕密協定，這些文件將有多年不會公開，因爲據說內中頗多攻擊其他政治人物，如艾森豪總統、杜魯門、杜威及其他政治運動家的資料，因此非至這些人物逝世後，他的文件將不致有公開發表的一日，甚至國會圖書館的任何職員，也奉令不得打開這些文件。

茹盎元帥想當法國總理

前不久，某外國通訊社曾傳出法國茹盎元帥將發動政變的消息，害得這位法國武裝部隊總監兼北大西洋公約部隊中歐陸軍司令連忙發表否認。茹盎元帥是當代法國的第一號軍事要人，身爲七星元帥。幾個月前，他曾應遠東軍統帥克拉克將軍之邀，親赴韓國前線視察，並到東京訪問，並在過香港時，曾參觀香港三軍儀隊，並向記者發表談話，[illegible]這一幕。不過，茹盎元帥將發動政變，固曾言過其實，但他野心勃勃，却是誰也不能否認的事，[illegible]而投身實際的政治。最近茹盎曾私下表示，他可能組成戴高樂所未能組成的中間偏右政府，一般人認爲這就是他準備獻身政治舞台的先聲。（孟衡）

編者讀者

[illegible]

閩南血淚話秋耕

農民翻身了嗎？農村繁榮了嗎？

【廈門通訊】村農會和「人民銀行」一天到晚都是那麼擁擠，許多農民隊伍在門口等着派發籌，「申請」「領發」秋耕下肥貸款，要了解這次秋耕，農民們貸款，到底是甚麼一回事，必須先提一提上季夏收夏徵的情形及後果怎樣。

共幹虛僞報收成

夏熟季節；「人民政府」爲了「關懷」我們農民，特地從學校裏，軍隊中，調派許多下鄉指導收成的「夏收下鄉工作隊」，據說他們的任務是實地調查春耕撒下的「優良」種子和農會指導下的蘇聯先進培耕講習所。收割日期內這些熱心的工作隊個個都手裏拿着秤，站在田頭，秤量登記，以便向上面報告蘇聯先進培耕法的效果，每一個農民都覺得非常慶幸，因爲夏季收成，在未收割前，農民們早已料到最多不會超過正常收成的七成，因爲春耕時，一連害了幾次水災，初夏，稻尾多數變成白穀，估量再好也不過六七成收成。農民們正在爲收成減退而徵糧是否減少的問題而愁煩。剛好這許多下鄉工作隊來監督收成。這樣農民的辛苦，「人民政府」總該可以明瞭了。于是，農民安心等待發表夏徵數字。

夏收非但沒有因爲先進的培植法而增加收成，反而連平時有水準都沒有，這是下鄉工作隊與農會所了解的事實，但是這件事實，如何能夠依實上報呢？因爲培耕法是蘇聯先進的呀！因此不得不用變通辦法；在記錄表上每畝收成數字普遍的加了百份之三十五，作爲夏收上報的報告，這種收成數字超過去年秋收的百份之八，也就是福建日報上大吹大擂的「閩南農村本季採用蘇聯先進培耕法收成超過去年百份八的大標題」。消息傳到農村無不個個驚奇。

農民的雙重負担

夏收既如此之好，徵糧數字非但不能減少，而且應該增加。徵糧額是按照收成百份之三十五的。爲了感謝蘇聯先進的指導培耕法，夏徵要徵收收成額百份三十七。已經不到水準的收成竟爲超額收成，在原來的百份比已超過了一級，百份之三十五，又增爲百份之三十七，又加重一級。

這樣雙重增加負担，僅僅在夏徵的課糧項目上已佔去所有收成的百份之六十了，何况不止一條夏徵的稅收呢？因此僅僅離開夏收不夠二個半月的現在，就恐慌青黃不接了。也因此秋耕施肥的貸款，差不多百份百的農民都是需要的。那也就怪不得農會銀行排長龍了。農民拿了「人民政府」的高利貸，眞的去買肥施出嗎？

農貸做甚麼用的

夏收的谷子本來就不及以往水平，又爲了共幹虛報而增加負担，因而每一家農戶無不爲主食的青黃不接而煩惱，眼看八月底起農村的糧荒是不可避免的，所以家家戶戶無不借施肥爲名向「人民銀行」申請農貸，把貸來的款項蓄糧過荒。據「人民政府」說：「農村收成一季比一季好，銀行農貸也一季比一季少，所以農貸的利息由三厘提高爲三厘半，爲的要排除借貸的懸習」。但我們農民們，爲了實際上的需要，並不管什麼懸習不懸習，申請額減少不減少，利息如何提高；只得不伸長頸緊閉了眼睛，拼命爭取「人民政府」農貸的「恩惠」。有的上季農貸尚未清還，不但申請展期加息，而且還搶着這季的申請表，一季縣一季，即使再有多好收成，恐怕幾代也還不了「人民政府」的債。

銀行農貸，原本是購肥田的，然而農民却用來當爲買糧買鹽之用。這是違背貸款條例的，但是誰有辦法不違背呢。即使是農會主席，也犯了同樣錯誤。彌補的辦法只有僞造購買肥料發票，或塗改上季買肥的發票日期，以防施肥巡迴隊的檢查。農民須要有購肥發票，尤其是國營貿易公司的發票更加好用。所以投機的發票買賣也就應運而生，但却是偷偷地做的。假使你和貿易公司裏的人員熟識，請他設法給一張空白的發票，代價是二萬元人民幣，但必須萬分祕密，倘消息一漏從此都會有極大罪狀。

農貸是不能超過三十萬元人民幣的，貸款秋收後必須清還，利息是按月交納，但也可以展期，不過必須說明理由及得到農會與村政府證明，再經調查後始得許可。這季貸款的限額很可能由三十萬元，減爲十五萬元或二十萬元，原因是申請的名額太多，而且每一家的理由都很充分。

沒有耕牛和肥料

因爲農村經濟崩潰，有牛隻的先後被迫把牛隻賣給農會或押給農會，沒有牛隻的一般農民需要耕牛，只好向農會租用，每季納給農會的耕牛租，所以農會的牛隻季季增加，農民的牛隻季季減少，農會的耕牛租也季季增加收入。

因爲購買肥料施用的貸款拿來當飯吃，和作買假發票之用，田地因肥料減少，土壤就一天天衰退，收獲也就一季不如一季。農民不得不忍痛用鹽代替肥田粉了。（鹽是本地的豐產。）以鹽代替肥料，第一季固然可以大獲效果，但到了第二季，土壤非經新翻加肥就會崩裂，不但收成上須打一個大折扣，甚至種子下田，會不會萌芽也不敢說。這是每個農民都有的普通常識，但不如此有什麼辦法呢？實在找不到第二條路子了。

說起來也許我們是最幸福的呢？因爲我們還有鹽可以代替「肥料」，在不產鹽的地區，農民連只有一季收獲的福氣都沒有。

但是，「人民政府」對鹽的統制是非常嚴厲的，爲了要使讀者不致誤會，這裏須補述一下。

用來當肥料的鹽，並不是從街上鹽舖，或貿易公司或交易所購買來的，也不是從鹽場偷買來的，如果這樣不但是「人民政府」不許可，在經濟上也不合算。我們的鹽是自己造出來的，因爲閩南農村，大抵臨海，可以取水回家，放在瓦盆或天井中給陽光蒸發，一次又一次的蒸發和滌洗，我們就可以得到不費分文的鹽，也就可以得到僅有一季「豐收」的「肥料」了。（八月二十六日）

·鐵影·

香港風災憶談

這一次「蘇珊小姐」大逞雄威，自東沙島西南方浩浩蕩蕩奔前來，風力中心距離香港雖還有卅英里，可是招致香港的損失，已經不少。大家對於這種季候颱風，都有談虎色變之勢。不過我們若追溯過去的大風災，這一次還是不算很厲害的。

一八七四年九月廿二日那一場大風災，沉沒漁艇五百艘，大洋輪船三十五艘被吹往岸上，水陸居民死亡二千餘人，財產損失約五百萬元。

又一九〇六年九月廿一日，又有一場大風，輪船軍艦受傷或沉沒的達一百四十一艘，船艇二千四百餘艘，陸上樓宇被吹毀或吹塌者無數，人口損失一萬餘人。

百年以還，香港共有風災數十次，最有名的除上述二次外，還有一九〇八年，一八四八年，一八六七年，一八七〇年，一九二九年，一九二三年，一九三七年幾次風災。一九三七年的大風災，生於九月一日中午，以每小時一百…的速率，直接向香港侵襲，九月二日下午才掠過，香港處於風力的中心。我在那二十幾個鐘頭裏，校區被風吹去，輪船碼頭上睡着的苦力，「如要停車，乃可在此」的鐵柱站牌被風捲到滿天飛。海上浪濤洶湧着海水侵入補水道，大洋船被吹上岸。事後統計損失：輪船被吹上岸的達二十餘艘，另有小船六百艘遭受嚴重破壞，在三千五百艘漁船中九百餘人，財產損失二千萬，海上輪船被風吹塌，舊式的屋宇和騎樓也被吹裂或斷木頭、爛竹、爛花盆、招牌、爛銅、爛鐵、石頭過了，各區馬路上一堆一堆的垃圾，清道伕忙了三四天還沒有把馬路搞清楚。當天的時候，有些地方又遇大火，老百姓的情景，至今思之猶有餘悸。這就是香港一次風災，叫作「九二」風災。另一蘇絲颱風又在南海洋醞釀中，易君左先生主張叫作「魔鬼」，我主張叫作「蘇絲颱風」，另一名呼應颱風爲「魔鬼」，不知以爲何如？

工商凋敝犯罪日增　交通失事並不減少

港九的人口雖然增加，工商各業疲憊仍難清除，致使社會問題日形嚴重，如謀殺、縱火、行劫、扒竊……等事件已在一年中比上一年增多。據警務當局披露：就統計數字上觀察，過去三年中有罪者三萬六千零二名（上一年不過三萬三千六百三十八名）中再次犯罪的達二萬一千三百四十八名，比上一年數字亦增加了[illegible]九百五十名。關於驅逐出境的，據去由上一年五千一百零一人增至五千四百二十一人，除了涉及政治性的，台灣與大陸均拒不接收。港九五個監獄，已呈人滿現象，統計中列出被判入獄者共達一萬九千二百七十二名。

全年交通失事的案件八千二百五十五宗，較諸上一年亦增加了一千一百九十九宗；據稱現有私家車一萬一千三百四十五輛，電車九百十三輛，貨車二千五百五十六輛，「的士」六百二十七輛。由於公共交通工具不夠充分，到處充滿了擠迫現象。

中共砲轟英艇事件　傷愈船員義憤塡膺

巡邏本港海外的英國海軍第一三二三號快艇，於本月九日在伶仃島附近公海被中共砲艦轟擊事件，一度引起了國際間人士的重視，僉認中共與香港的冷戰正向極惡劣方面發展。雖然英倫曾向北平提出極強硬的抗議，但至今並未獲得中共的答覆。這一事件，幾已逐漸爲人們淡忘了。然而那快艇上的十五名船員（七名殉命，無恙者三名），負傷的五名中已有四人恢復了健康，此倖獲生還之哥頓奇夫（水手長）、奇勒（木械士）、亞力美拉（機械士）以及無綫電生法闌士等，因創鉅痛深，義憤塡膺，於二十四日招待記者報告遇襲之經過時，力言中共軍之砲艦竟然不予警告逕行以突襲之方式發砲轟擊，以致該英國快艇並無抵抗準備，卒受重創，船員奧奇夫傷極重，迄仍在醫院留醫。括有該艇之艇長馬利文殉難之七人因係首當其衝，頓時傷重斃命。雖然，中共這種無理挑釁的行爲已激起了英人的忿怒，除了等待中共之答復，倘無進一步的交涉行動，一般預料，北平不致有何使英人滿意之答復的。

風災難胞將獲救濟　確切辦法即可宣布

「九·一八」蘇珊過境，調景嶺災情極爲嚴重，千餘難胞竟失棲所，港九各界救濟調景嶺難民委員會，對於這一問題極爲重視，經推定謝伯昌、許讓成、周有、林子實、周志剛等五人組織小組委員會負責辦理。中國大陸災胞救濟總會，亦會來電慰問難胞並請難民委員會呼籲各界慷慨設法救濟。港九其他慈善救濟機構亦伸同情之手，給予精神及物質上的救助。尹致中主持的生產救濟組，已決定繼續購珍珠米一百包運往散發，全般救濟辦法，日內可望具體決定。（祝）

衛挺生教授不赴菲講學

本報上期載，菲大學邀請衛挺生往菲兩教授講學，頃據接近衛氏友人談，去年確有此議，現在已成過去。衛氏現任教聖保羅中學，並從事著述，一時尚無他往之意。

蘇聯能戰勝嗎？

·羅白芳·

著者：馬伯樂
出版：亞洲出版社
版次：四十二年三月初版

（一）本書就地理環境的形勢，兵源武器的對比，以及戰略方面，把東西兩大集團強弱優劣，作一概括的分析與比較，最後歸納一個肯定的結論，就是：「全球性的戰爭，蘇聯不能勝利的！」這是給予那些常抱「杞人之憂」的人們一顆定心丸，尤其對於那些懷着「恐共病」的懦夫，具有振聾起聵的作用。

全書共一百二十二頁，篇幅不多，所以內容未算得十分豐富，僅是一個輪廓式的全面綜述而已。然亦不涉誇張，只從客觀的事實，去觀察可能的發展，沒有多大宣傳作用的成份，故更能加強了讀者們的信心。

（二）本書乃係純就客觀的事實，去觀察可能的發展，因此，著者所下的論斷，都是從「常態」方面言之，而沒有就一種「變態」之下，去作更深一層的推論。兵法有言：「實者虛之，虛者實之」。常言亦道：「兵不厭詐」。是見祗從常態方面觀察是不夠的，尤其是蘇俄及一切共產主義的國家，往往以詭詐冒險爲能事，他們的戰略行動，每多超越常軌，出人意料之外。

著者認爲蘇俄的主略重點，會放在歐洲方面，牠可能的行動，對歐洲將出以奇襲的手段。對中東近東僅扼要固守的策略，而於進攻西歐大陸之後，出兵中東，作爲戰略策應上的措施。亞洲方面，將以一支不大不小的共產國際志願軍，支持着中共死拖。他的論據是：蘇俄在亞洲的軍事基地，全以交通的困難，給養距離，同時共產國家在這一方面的兵力，全靠着中共的鉅大兵源，歐洲方面的軍隊，不能大量調到東面使用，而中共的裝備，全部要由蘇俄供應。基此理由，故蘇俄決不能在此方面，長期的維持着一種繼續性的，和大量的軍事進攻行動，換言之，就是不會採取實質上的攻勢作戰。至於中東方面，由有天然地勢的障礙，以及交通設備，不適於作爲現代化戰爭的用武之地，均是使蘇俄進軍困難，所以在牠的空運發展，未能達到能夠代替陸運以前，蘇俄似不會向此方面，採取攻勢作戰的行動。

（三）我們對於著者這種論斷，只能予以局部的接受。著者所列舉的，蘇俄進軍中近東與亞洲的各種困難，自是實在情形。但照我們歷來所認識的共產主義國家而言，他們並不會知難而退，反之，他們却最善於鑽罅隙，乘虛而入，偏偏從大家所認爲有可恃，而疏忽注意的地方進攻。

在亞洲方面，過去中共之所以成功，便時純然由於民主國家重歐輕亞觀念所誘致。今後共產國家的前途指標，似仍以亞洲爲最合化算，蓋亞洲（尤以東南亞爲然）人力物資，均極豐富，弱點甚多，力量不充，落後而欠團結。雖則蘇俄在純軍事方面，或有鞭長莫及之感，但我們須知，東南亞倘落在共方的手中，則一切機械化，甚至原子武器，也將失其效用，實在不易收拾。因此之故，我們覺得：重歐輕亞的策略，在今日已成爲一種落後的觀念了，我們應該力矯此弊，急起結成一個亞洲與太平洋的抗共堅強陣綫，予共產黨以迎頭痛擊！

（四）最後還要補充一點：就是目前的局勢，刻刻都在發生變化，但有瞬息萬變之感，關於本書所列的許多資料，有些已成明日黃花。好在這半年的一切變動，都是對民主國家方面有利的居多。換言之，即是目前民主國家的力量，較諸此書所述，更見進步了。因此，我們對於全球戰爭的前途，更增加了民主國家勝利的信心。

謝六逸與『日本之文學』（上）

·舜生·

謝六逸教授，我和他在復旦同了三年的事，但僅於上課前後在休息室中彼此點過頭，至於交談的事，大致是一次也不曾有過的。

今年春天，在東京看過好幾次歌舞伎的演出，有若干方面我不甚了了，最近乃取謝教授這部『日本之文學』翻了一遍，希望得到一些指點。

這部書是一部相當完整的日本文學史，從日本文學的起源，一直敘述到最近一次中日戰爭的前夕，民國二十九年二月由商務出版，但看著者的自序，知道他是在二十六年七月完成的。

全書共分五編：第一編總論，第二編詩歌，第三編小說，第四編戲劇，第五編散文。共七百三十餘面，都三十萬言。所佔篇幅，以談小說的爲最多，散文次之，詩歌又次之，戲劇最少。

我對於日本文學，完全是門外漢，僅僅把近三十年來十幾位日本留學生所介紹過來若干種日本現代的小說，戲劇，隨筆之類的東西，涉獵過一部分。看完謝教授這部書，乃能略略了解日本文學發展的過程，以及它和中國文學，西洋文學的一些關係，確實使我非常愉快。

這部書在敘述上沒有普通歷史書那樣枯燥的毛病，無論是談詩歌，談小說，或談戲劇，談散文，凡是有使我們略略知道原作內容必要的時候，他總是例的翻譯一首兩首，或一段兩段，雖然只是窺豹一斑，但究竟能使我們有一種接觸原作的親切之感。

關於日本的『古事記』，謝教授有一萬五千字的介紹，他並且指出『古事記』，全在神代卷（第一卷），因爲這是一部有趣的日本民族神話的傳說。衛挺生教授近年出版了三本新著：（一）『日本神武開國新考』，（二）『補編』，（三）『徐福與日本』，我因爲看過衛教授這三本書，再讀謝教授介紹的這個傳說，乃更覺得饒有興味。

『源氏物語』產於一個名叫紫式部的女作家之手，係日本一部古典文學的傑構。全書分兩部：第一部從桐壺到河竹凡四十四帖，所佔時間約六十年；第二部從橋姬到夢浮橋凡十帖，又稱宇治十帖，所佔時間約十三四年。其內容係以平安朝的貴族爲中心，而反映其時代及其生活；在女性的描寫上發揮了無上的手腕。日本學者對這部古典傑作的研究至今不衰，其看法亦極不一致。據謝教授說：『「源氏物語」創作的本意，並無一定的理想，（係以若干男女關係爲中心），描出許多變與憎的葛藤。並在流動的時之漩渦裏，敘述不斷地變動的不可思議之人間的運命和社會。這部戀愛小說從橫的看來，那活潑的個性像浮彫似的並列着，這些群像，一個一個地向我們微笑，叫喚；從縱的看來，有病，老，死，權勢，失意，榮華，陰謀，鬥爭等的許多人世間之姿態。……』

今年四月，我在日本國立美術館，看見一軸以『源氏物語』爲題材的繪卷，係成於一女畫家之手，畫與題字俱佳，匆匆瀏覽一過，所得印象仍甚深也。

萬竹樓隨筆

漢奸的末路

·亞秦·

一個國家民族，每一次受强鄰武力的侵略，文化的麻痺時，都是斷送在一些無恥的漢奸們手裏；他們無情的出賣，暴民的殺戮，遂把大好山河，淪爲異域，胡冠胡騎，遍地腥羶。殆到義族高擧，民族意識抬頭，復國返治的政權也隨之瓦解。像這一類的例子，擧在中國歷史上是太多了，結果其禍最大者以殺事實；但，都比不上毛兒皇帝賣國行動的激底。

中國兩晉時代，關中的流寇有侯脫和戲巖，河北的賊子有汲桑、劉靈，同時，劉淵起於胡漢，王彌……

……的可恥局面。到了……

……建立了後晉……；誰知契丹獸慾無厭，……民生日益凋敝，國計……被逼迫而憂憤死去，其子重光繼立，遂稍有反抗……

……漢奸，曲到侵略者使做了永無翻身自拔的可憐虫。

明朝崇禎末年，倡亂於延安的是楊六郎和王嘉胤，李闖和張獻忠輩，相繼作戰，從此流寇蠭起，鋼鐵顛覆了。那時候的洪承疇，與三桂等，不是身負朝廷重寄的人物嗎？不思顧全大局，內討流寇，外禦侵略。牠們乃爭先降滿清，導滿清兵入侵；滿清以少數民族，竟能入主中原達三百年，也是這批漢奸爲牠立下汗馬功勞。兔死狗烹，古今一轍，滿清政權鞏固後，而李建泰，陳名夏也被處死了，陳之遴充了軍，洪承疇死後，也被列入了貳臣傳，以軍功封王而割據一方的吳三桂、孔有德、尚可喜三大藩臣，也陸續被撤藩繼討，毫無顧忌和假惜，這是顛覆明室一班漢奸們的悲慘結局。

時至今日的大漢奸毛澤東，牠是集古今漢奸賣國行動的大成。當牠嘯集在井崗山時，正是西晉時代的侯脫、戲巖、汲桑、公孫藩、劉靈、王彌等一類的行徑，外依俄帝，內亂中國，尤勝於侯脫等之勾結匈奴和胡人了；父事斯達林，賊使爪牙叫囂的，所謂『永恆的太陽』『不朽的鋼』，更比石敬塘的『兒皇帝』身份，還要低賤幾籌；割讓旅順大連等，出賣新疆土地，以之石敬塘之割雁門關北諸州與契丹，其罪大惡極，更勝百倍；輕容易讓俄帝在蒙古建立傀儡政權——『蒙古人民共和國』，與金人立楚帝張邦昌於江南，立齊帝劉豫於河北山東，又有什麼兩樣，至於自毫於人的『二萬五千里長征』，正是流寇張獻忠李自成的衣缽真傳；顛覆政府，屠殺人民，讓俄帝的鐵蹄踐踏在中國的土上，確是洪承疇與三桂等的漢奸行爲，往事可以鑒，毛澤東以下的一般漢奸們，當然也免不了要走上歷史的老路，殺人者人亦殺之，滅亡是牠們的歸宿。

癸巳秋重遊臺北
承盛羽長賦詩次韵答之
世局同悲，雲暗眾星臺存滿劍痕，因知電露隨時行，
卻信星辰自在存，華夏誼窮羸政帝，……
艱難一釵轉今夕，戲友相勝命香根
楊……

吃飯問題

·健軍·

儘管有人唱高調說：「人活着不是爲了喫飯」，而吃飯祇是爲了活着，但我覺得喫飯問題的嚴重，並不是因此而少減，反而正顯示出來人們對吃飯問題的關切與興趣。吃飯之所以成爲問題，是因爲我們不能不吃飯，而飯又不一定能吃得上；雖然你說活着不是爲了吃飯，但祇有吃飯你才能活着；這是絕對的，也就因爲它是絕對的，所以它成了問題，成了絕對的人生問題。如果說世界之所以能演進不已，是因爲有一種動力在推動着它的話，我以爲那個動力就是「吃飯問題」，爲了「吃飯」人生纔能鬥爭，才有勞動，才有強和弱，才有愛和恨，才產生出來幸福與痛苦！爲了「吃飯」，歷史上的貴族王朝才蛻變成了民主政治，爲了「吃飯」，經濟發展史上才有人類由漁獵而牧畜，而農業，而工業的一頁！爲了「吃飯」，帝國主義鐵蹄才踏向殖民地帶，而又爲了「吃飯問題」，殖民地上才又燃起驅逐帝國主義的野火。這一切動的因素，動的現象和動的結果，歸根結底都是直接或間接地落在「吃飯」這個問題上。

我們大概都幻想過如果人能不吃飯，那該多好，許多人生基本上的煩惱痛苦，便可一掃而空，但很少人想過如果這個世界人人都變成了不動烟火的楊妹，那世界將會變成一種什麼樣子，其實這也是很容易想像到的，俗語說：「人是飯，鐵是鋼」，鐵裏邊如果不含鋼質，那種鐵雖不廢不遠矣！如果一個人肚子裏沒有飯，初則飢腸轆轆，繼則熱量匱乏，再而壽終正寢，如世界人類不吃飯，那世界亡絕，決無疑問！即使人類可以不吃飯而能活着，那這個世界也將變成了沒有熱量，缺乏動力的世界了。我們雖不便妄測那將是一個退化的世界，但它將是一個靜止的世界，則可斷言。

吃飯問題大矣哉，在它後面卿尾而來的是政治，經濟，戰爭，生理，……各方面的問題，所以說飯問題解決不了，一切全是瞎扯，再說上帝爲我們造了消化系統，而我們又不是甘地，爲什麼不吃，所以我主張有飯加勁吃，無飯找飯吃，活一天，吃一天飯！

憶古蹟懷南京

——大報恩寺與琉璃寶塔——

·鐵頭·

又同上載稱：『三年五月，向軍克通濟門外營，克七橋甕，斷鍾山外，報恩寺往來路』。可知報恩寺與鍾山相通，爲軍事要衝。而這高塔若落敵人之手，是虎踞龍蟠城防上的一大威脅。

南京，從來爲兵家所必爭，而爭奪南京，必首先佔雨花台，故古人云：凡尤並雨花台，則飛走，皆不能還，況此塔高於雨花台二三倍耶』（沈德符『萬曆野獲編』卷廿四）琉璃寶塔既較雨花台高出三倍以上，無論踞以瞭望，或據以轟擊，絕無不被利用之理，萬一風塵之警，城圍難閉能不……城外近城不容有塔，其後城陷，實際上，當明朝萬曆年間，就有人慮到這一層，沈德符他就曾說過：『南京報恩寺，遠眺寶門外，其塔高入雲表……』……除非天下太平，毀亡不爲一塞心？』可是當初建塔的當事人也許不會想得這一層，任誰做了皇帝都是打算江山萬萬年，子孫無窮代的。

而這江南首選的古刹，在毀敗以前，卻還擔任了一幕歷史名劇的場所，任務是多麼的重大，就是從前所說的『南京條約』，乃是在這寺裏締結的。原來大報恩寺除塔殿宏偉外，寺屬屋宇，亦異常繁多，當時僧徒衆多，各分房居，每房即擁有屋宇若干棟，據以租賃營生。寺內地面寬廣，竹木叢蓊，風景清幽，寺產既豐，香火亦盛，期間屋宇自更整潔敞亮，因之官吏商賈，科場秀士，都下榻其間，又或假以宴飲，或賃以聚會，就得寫大公寓大旅館一樣。這點我們只要閱讀吳敬梓的儒林外史，就可想見其風光了。（十）

尼克遜急壞美保安人員

美國國會不久前通過了一條法律，禁止尼克遜總統乘飛機上天，理由是一旦飛機不幸失事，由誰繼任總統尚成問題。但最近由華府透露出來一件趣事的時候，却發生了一椿秘密特務的……措。原來艾森豪總統，……時，剛有事借行，他上了飛機，特務人員以爲他登……

李太白譜系考（下）

王世昭

白父名客，見范傳正李公新墓碑序。且云：『父客以逋其邑，遂以客爲名，高臥雲林，不求仕祿』，可見亦高蹈之士。上溯李暠，至廣，至耳，至聃，……誠亦淵源而流長者也，爲列表於後。

二、隴西李氏譜系

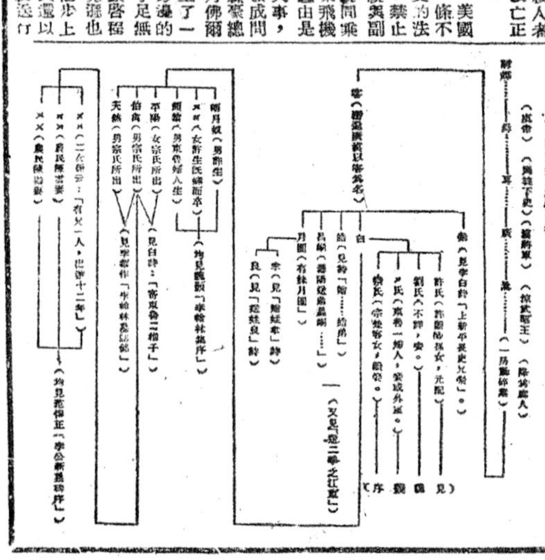

中華民國僑務委員會登記證台僑[illegible]字第一[illegible]號
中華民國郵政登記第一類新聞紙類

自由人

THE FREEMAN
（半週刊逢星期三六出版）
（第二六九期）
每份港幣壹毫
督印人：李光華
社址
香港高士打道六六號
電話：七四〇五三
GLOUCESTER RD.
HONG KONG
TEL: 74053
承印者：東南印務出版社
地址：高士打道六十四號
台灣特派員辦事處
台北市館前街五十號
台灣總經銷處
台北中華路新號五九四之一
台灣郵政劃撥儲金帳
九二五二號

贊成中韓軍事同盟

韓戰停後，成了拖的局勢，今日政府要使自己在世界心目中成爲更可親更可敬，才有更大的吸引力。中韓軍事聯盟，大有助於自由中國反攻大陸，現時必須盡力保護韓國義士的尊嚴與安全，俾能選擇自由。

韓國停戰後，世局顯然進入一新的拖的階段。當然，隨時可以發生的事變，可以打破僵局；尤其是美國對俄國的壓力在加強中，而鐵幕內部的危機也日趨於緊張，隨時可以發生事變，改變僵局。但是，在最短期間，一般而論，縱使愈拖愈緊，世局主要的傾向畢竟是「拖」。美國可以拖；俄帝更素以拖來擁護侵略爲政策。最近的原子彈的發明，即是要增強其拖的地位。至於歐洲人，不但英國人素以拖爲國幹，比利時的斯巴克，素以有頭腦著稱，最近主張在鐵幕兩端畫「中立區」，是想以拖爲百年大計了。但最不利於拖的，是我們中國人。毛澤東可以跟着他的主人拖，得到獎賞。但大陸同胞，將被拖得粉身碎骨；而自由中國之不利於拖，是無須多說的。

但今日我們早無左右世局的力量。在這拖的局勢中，我們必須作自己的打算。現在我想先提出三個問題談談。

可親可敬最重要

第一是關於政府本身的。我們知道，政治是講力量的。今天中國政府在實力上，自與共黨不能相比。然仍爲一般人想望之中心者無他，這政府是反共的。這表示精神也是力量。一切有形之力，如土地，如人口，如資源，如大砲與黃金，皆不可強求；但無形之力，精神道義之力，是可以「自修」而得的。個人如此，國家亦然。一個國家一個政府不怕小而弱，怕的是沒有精神與道義。而唯其小而弱，他必須特別充實其精神與道義立場。我不是精神主義者；不過相信精神者，物質之母也。今日政府最要緊之一事，是使自己在全中國全世界心目之中，更可親，更可敬。愈可親可敬，就有愈大的吸引力，號召力，愈多的人民，羣衆和朋友。而有形之力，即在其中矣。由於共黨窮兇極惡，政府已收得廣大的人心。此可貴之人心，應使其加多，加深。今日政府所需要的，首先還是人力。國際的援助也好，大陸的關心也好，香港的難民也好，海外的青年也好，任何國際派別也好。只要是反共的，不僅應該收攬，而且應該歡迎。這已經在做了，但大大的做，多多的做，總不會太過的。必如是，才更爲可親，同時，政府本身，宜務求多做有益的事，少做無益的事。必如是，才更爲可敬，從可親可敬用心用力，我想，是有許多事可做的。

訂中韓軍事同盟

第二件可以一談的，是中韓軍事同盟。當韓國停戰時，報紙上曾載韓國會有此動議。在當時情況下，中國似未便立刻同意。

·胡秋原·

但我想這是現在大家可以認真考慮之一事。因爲這對於自由中國之基本目的，是有直接幫助的。年來各方面有太平洋聯盟之說。但我想這不僅夜長夢多，而且現狀下即令有這麼一個東西，對我們也未必有什麼好處。老實說，我們的目的是收復大陸，不只是確保台灣。即無太平洋聯防，台灣是萬無一失的。今天縱使有人請毛澤東之流下攻台，他們也不敢。但這聯防不一定有用於收復大陸。到大陸最短之路，是經由朝鮮。

[illegible]攻。老實說，由沿海進攻不僅是最笨之法，而且即令有數省從職[illegible]延宕戰術。[illegible]北韓大修機場，[illegible]多天再狼吞虎嚥一番，不得而知；但有一事是可斷言的：政治會議決無結果。如果政治會議無結果乃至根本開不成，美國[illegible]不得而知，但我相信韓國一定依然希望有一中韓軍盟。不過，韓國願意我們贊助他打到鴨綠江，却不一定願意贊助我們進攻東北。而聯合國對韓國的義務，至多是支持其統一，不會支持韓國贊助國軍進攻東北。但即令國軍在這樣一個限制之下，我依然贊成有一個中韓同盟。老實說，今天早沒有什麼北韓軍，只有「志願軍」。只要將「志願軍」在北韓擊潰，中共的武力等於解決大半了。何況，「抗美援朝」的「志願軍」一擊潰以後，解除其武裝以後，馬上也就是「抗俄復國志願軍」；國軍儘可改道踏過大陸，不一定所要經過鴨綠江。所以，即使以贊助韓國統一爲範圍的中韓軍盟，還是值得參加的。

應注視韓國義士

[illegible]在中立區中，在印度監察，在未來九十天中，受「共特」的「解釋」，實即「誘脅」；[illegible]提出十大問題，已得聯軍保證；克拉克將軍[illegible]「不容以任何方式，辱及彼等之尊嚴」，我們自當信任。共黨之「解釋」，一定歸於徒勞。但共黨「解釋」無功，不僅是共黨心理上一大打擊，而徒勞一番之後，又是加倍的打擊。因此，共黨的下流手段，是不可不防的。蓋共黨乃流氓，而流氓是有下流「大才」的。共黨已經在調查他們的姓名，籍貫，自是準備以陷害家屬方法，來脅迫他們。如果布哈林之流，還不能否認這方法之毒辣，即不能否認須防這方法之毒辣。此外，中共會不會串通印度人壓迫呢？誠然，印度還想「中立」，但誰能保證印度人中沒有共黨呢？在此大事件出賣「中立」，[illegible]此外，中共會不會突然來襲，聯軍和南韓軍可以就近保護他們；但如果共黨不怕韓戰，誰能担保不會有某一事件來實行搶劫呢？所以大家要注視他們的狀況。我們要表示對他們的尊敬與關切，並要求聯軍將這些消息，經過印度人傳達他們。我們應該讚美聯軍嚴正立場，要求聯軍注意共黨一切可能陰謀，來保障他們的自由選擇。我們要忠告印度人，這是他們人格、國格的考驗。如印度不能「中立」，必須呼籲聯軍代表停止印度的監督權。我們要求印度對中共特務抗議，竟不允許抄錄他們的名單，我們願向全世界呼籲，宣佈他們的姓名。萬一他們有受到威脅的情事，聯軍保護他們，要求停止共黨的「解釋」。

是義士。一萬多人不只是一萬多人而已，他們是國家的寶貴的人才。他們是在砲火下選擇自由者，這大智大勇，他們已足欽佩。他們又是受過共黨戰略戰術的鍛鍊，從純軍事觀點說，這一萬多人將來是一萬多個上中下級軍事幹部。加上他們的政治經驗和地力，在適當的時間，地點，在反共之效，能超過原子彈也未可知。在他們沒有回到他們願意回到的地方之前，大家多多的期望，總是光[illegible]。

改進僑教的具體意見

瑞先生曾在香港從事僑教多年，成績昭著，茲就其個人經驗所得撰爲本文，自非空談理論者可比，亟爲介紹於本報讀者，並關心僑教人士。——編者

本文立論，多就香港僑教而言，但與別地華僑教育，亦可相通。筆者提出以下幾個具體的改革意見：

待遇問題

第一是教師待遇問題。這是香港僑教一個最急切的問題，雖經過很多討論，師會也有議決，可惜仍然是議而不決，決而不行。教育究竟是神聖事業，雖待遇微薄，肯勤緊褲帶的熱心人士，也斷斷不會少；但大多數教師，是藉此爲活的，因此自然活不下去。多少的標準本難定，我們只有尋求一個解決方法。我以爲學校當局，自不應以辦學爲謀利目的。學校財政應加公開。校長教員的支薪標準應就規定標準作比例分配。這樣即使每人所得微薄，我相信大家都會本「有粥吃粥」的精神，很高興的努力工作。如果這樣分配，還不足以維持最低生活，這間學校，就沒有存在的價值了。若果這樣分配，比一般學校標準高出太多，我認爲應把餘額，撥作四份，出資辦學的佔一份，教職員福利事業佔一份，增加學校設備佔一份，公積金佔一份。這便公平合理了。如果[illegible]會強定一最低薪給標準，我以爲是行不通的，現在已有事實證明。如果教師們聯合起來，請求學校當局照這原則做，或學校當局自己決定這樣做，我相信一定可以改變過去的種種弊端。私立學校若要辦得好，最重要的條件，是教師待遇必須得到公平的分配！

設備問題

第二個是設備問題。小學的示教標本和模型，中學的生物、物理、化學實驗的設備，現時最低限度，非七八萬元不辦。私立學校，有這樣能力而肯這樣做的更少。因此，我認爲我國政府應就僑生和僑校集中之地如港、澳、星、耶加達、三寶壠、西貢等處，設立科學實驗室，專供僑校學生實驗或實物示教之用，這比派遣人員宣慰或文字獎勵，要好得多。

濫發通令

第三是濫發通令與聯繫問題。因爲環境特殊和祖國僑務及教育機關聯繫關係，僑校對于祖國政府機關，聯繫是不可少，但並無統屬關係，我們希望政府當局有下列幾點認識：

（甲）不要隨便發出令僑校難於處理的通令。[illegible]一個問題，僑委會所發命令，[illegible]對我說，他們認爲硬性的通令，使僑校很感困難。我認爲僑委會如果想對僑校發生密切聯絡，應該——

（乙）用經濟補助，使僑校能解決最感困難的一件事。

（丙）港澳以外，各地僑校如果缺乏師資，僑委會不但要推薦，最好且能補助若干教師。

第四是教科書問題。我國教育當局應該編纂適合各地情形華僑學校的課本，以前已很多了。現在美洲僑校，課本荒，翻印舊教科書，既不合時宜，又不經濟。印尼、星洲等地都是一樣。港澳方面，情形雖然比較好。但還不是全沒有問題。

增設新校

第五是救濟失學，和培植大才學生的問題。我認爲我國政府應設法在港澳設一間完備的中小學。我的用意是：

（甲）港澳私立僑校，近年雖有些進步，但和當地政府所辦學校比，在設備方面，眞是瞠乎其後。前幾年，在外國人眼中，華僑學校，不過一間[illegible]而已！香港私立僑校，約一千間，不受當地政府任何補助的，有六百六十四間，稍具規模的，僅十間八間而已。爲國家體面與僑生的前途着想，我們應有此舉。

（乙）這間完備的中小學，應該收容由各僑校選出來的高材生，或尖才生，免費入學。這樣才可以提高海外僑生的教育程度。

（丙）此外赤貧的失學僑童必須加以救濟，這一間學校，應負此種任務。這可以振奮僑胞愛國熱情，比口頭的宣慰好得多！

其他各地，華僑聚居的地方，如有必要，自然照樣辦理。

舉辦上述的實驗室和中小學校，是要花錢的。但事在人爲，就地設法，亦非難事。教育事業，是僑胞所最注意的，我政府如能熱心提倡，僑胞節衣縮食，盡力捐輸，也能做得到的。

上述五個問題，是我個人就實地經驗所得，希望熱心僑教人士加以考慮，更希望我國政府從旁積極贊助，對於僑教前途，或不無裨益之助也。

·瑞·

政治會議難如期開會

解決韓國問題的政治會議，要在預定的下月廿八日舉行，恐怕決不可能了。南韓堅決反對所請中立國參加，中共指八個聯大總務委員會對維辛斯基提案的多數否決是「多數暴君否決」。（人民日報社論），這種肆意侮辱聯合國的態度，非把聯合國完全變成共產集團的宣傳講壇，他們是不會罷手的。這如何會能根據聯合國的決議，由交戰雙方舉行會議呢？共產集團的目的要以中共加入聯合國做條件，才能對政治會議有所妥協，現時印度正企圖推翻聯合國在本年內不考慮中共加入聯合國的決議，便是這一陰謀的表現。這一點，美國能夠放棄其原定立場嗎？否則政治會議決無如期舉行之可能。

半週展望

·陳克文·

東德經濟大進步了嗎

西德阿登諾選舉大勝利後，東德共黨首領烏布利希最近大吹大擂說東德經濟進步神速，超過任何資本主義國家。列舉許多數字，證明其工業產量比去年同期加一成，人民購買力三年中提高了五成。嗚呼哀哉！但我們不知道，今年六月間東德的工人爲甚麼還要不斷暴動，爲甚麼許多東德人民還要不惜冒險領取美國贈糧？虛僞的宣傳可以滿足飢餓的人民需要嗎？適以暴露東德內部情緒之不安，與乎共產黨徒之無恥而已。蘇俄眞理報最近正在大事抨擊其國內的宣傳，認爲太過如意算盤，太過簡單化。想不到東德的共黨竟如此大言不慚，眞是無恥之尤者也。

印尼政府何糊塗至此

印尼派駐中共的大使蘇諾託諾，昨在赴任宴別會席上說，「印尼有足夠學校，他不知道爲甚麼有許多華僑學生要回中國大陸升學。」我不知道他眞的不知道，還是故意以問話方式暗示中共煽動誘脅青年學生回國，繼續爲印尼政府拒絕准許回國的華僑學生再回印尼的措施作辯護。相信他是假不明白。他還要知道那些被煽動誘脅的青年學生回國之後，不必經印尼政府准許，便可以偷渡潛蹤或其他偷渡方法，潛歸印尼，這是印尼未來的心腹之患。他更要明白，中共之所以那樣煽動，印尼承認中共，准許中共在印尼設立外交機構，[illegible]無窮。我們實在替印尼耽心。近兩年來，應否派大使駐在中共一直是印尼內部爭論未決的問題，爲甚麼現在忽然決定派遣？你們的大使去了，中共的大使也許要再回印尼了，中共在印尼的活動更將加強了，你們的苦惱還在後頭咧。爲乎，印尼政府何以一時糊塗至此！

緬甸其不可以已乎？

撤退緬邊的李彌反共遊擊部隊，四國會議已經有了決議，中國政府也已經盡最大的努力使他們撤退，現在已有官兵一千七百餘人及眷屬數百人自願離開緬境，返回台灣。爲甚麼緬甸空軍還要對這些部隊濫肆轟炸？眞是難於令人索解。大概緬甸藉此阻礙遊擊隊的撤退，俾造成中國政府不願意撤退的空氣，以期在聯合國打擊中國政府的聲譽，[illegible]的不友好行動，我們要勸緬甸政府少做爲佳，否則將來必有自食其果的一日。

英國中立人士眼中 蘇俄的遠東新政策

惟生譯

圓桌季刊（THE ROUND TABLE）爲英國立場公正，富有歷史的政治刊物，本篇原文載今年六月出版的該刊第一七一期，討論史太林死後蘇俄對遠東的新政策，有其獨到見解，與目前美國的普通政治見解逈不相同。它認爲毛澤東決不能變成狄托，中共必將向東南亞侵略，西方國家必須從全球觀點作決策，才能阻止中共的橫行。它分析英法和美國在遠東政策的分歧原因，與本報二五九期滄波先生論英美與遠東一文，頗有不謀而合之處。——編者附誌。

蘇俄中共同盟的影響

一九五〇年初蘇俄與中共所訂的同盟，已對韓戰發生影響，在韓戰期間有效地援護了赤色大陸。聯合國以此對於中共參加戰爭，不敢對東北地方的工業與交通，加以轟炸，恐怕以此引起與蘇俄的衝突。這同盟對中共的保護價值，（供給軍火與援助撲軍隊除外），自一九五〇年秋季起，即已十分明白，但另外還有一種價值，也很明白的，便是把英美決的武力，大量地牽制於亞洲，蘇俄本身却不用出一兵一卒。

史太林死後，蘇俄外交政策已進入一個新局面，這對於緊張的國際局勢，尤其對於歐洲，究竟有甚麼影響，這是大家都想知道的。這裏，我們要問一般所謂與蘇俄求得「解決」，是否包括中共在內呢？如果不是，便是聽由中共在亞洲肆意擾亂，也必須求得解決。朝鮮停戰，只是到達朝鮮和平的第一步，倘不能使東南亞局勢緩和，局勢將適得其反，將更增緊急。如今朝鮮局勢緩和，共黨對東南亞的新行動，又同時呈現，越盟已侵入寮國，開始窺伺泰國邊境了。

蘇俄在歐洲勢力衰退

我們研究國際局勢，必須把共黨在歐洲的僵局，與亞洲未來局勢，來作對照研究。八年來的歐洲局勢相持不決，對於神化了的史太林，也許沒有甚麼，但對於尚未神化的繼承者，却是一件大事。蘇俄在歐洲所得雖然不少，但今日成爲蘇俄集團的地域，可以說早在一九四五年以前，即已落入蘇俄手中了。捷克也不例外，一九四八年的捷克政變，不過把蘇俄的控制加以強化而已。歐洲的共黨勢力發展到大戰終結，已達到最高點，以後無論土地擴展或軍事政治勢力的擴展，均開始下落。從此蘇俄並未獲得新土地，反喪失了南斯拉夫，希臘北部的游擊根據地，也給掃平了。鐵幕以外各國共黨，既不能取得政權，也不能對一國政策具有左右力量。反之，反對蘇俄的勢力，則大有增加，由北大西洋聯盟的結成，使莫斯科面對強大的結合。北大西洋聯盟的軍事力量，雖尚不足，但戰時的巨大資源，却值得重視，且蘇俄封鎖柏林想一舉奪取德國的計劃失敗後，接着又將有德國的新軍加入西方集團的威脅。

馬倫可夫的遠東政策

馬倫可夫繼承最高權力之後，對時局觀察一番，自將發現遠東局勢危險不安，[illegible]最近的蘇俄活動，因中共突然得勢，鄰近諸國亦早呈不安現象。一九五〇年韓戰發生，一邊是中共，另一邊是美國和歐洲軍隊，蘇俄除供給軍火外，並不負擔什麼責任，同時南方又有第二戰場，發生於越南，不僅牽制多數的法國軍隊，使不克增防[illegible]了蘇俄政治軍事同盟。且中國人口龐大，[illegible]

[illegible]一部分兵力，使英國不能抽其兵力於[illegible]，最後成功，必有繼續援助。中共的成功，可以認爲等於自己的成功。蘇俄對朝鮮[illegible]，東南亞本無直接關係，大可聽任中共勢力[illegible]居強國，自有其政策，但到底工業落後，不能在長期內自給，需要大量物資支援。中共因此不能成爲蘇俄的真正競爭力量。[illegible]東南亞，中共勢力擴大，取得以拒絕自由世界進入的地區，自然可使蘇俄集團的經濟勢力大爲增強。[illegible]歐洲，並有曼谷、新加坡、仰光，爲共產主義開闢道路之勢，蘇俄除經由中共以軍火供應越盟外，亦無何等損失。遲在馬來，因當地共黨[illegible]並無損失。

納瓦爾計劃震恐了越共（上）

【本報河內專訊】自法國派納瓦爾將軍任越南法軍總司令後，[illegible]而擬定一新的軍事計劃——納瓦爾計劃——以後，據此間所獲得的消息，此一計劃，已引起越共的恐懼。

所謂納瓦爾計劃——越共「人民軍總司令部」[illegible]命令，飭各部隊及各地軍區[illegible]得該計劃情報而由越共於上月二十八日公開提出評論，並一面已由[illegible]高軍事決策機構總參謀長會議[illegible]聯軍總司令克拉克將軍訪問越南時給彼贊同並允予支持後付之執行者。並認該計劃，較以前任何一個法軍統帥的計劃來得「悲壯」。越共指出該一計劃的主要內容，有下列幾個部門：

整編法越軍隊 加強機動武力

第一個部門，納瓦爾將軍已計劃重新整編法越軍隊的辦法：一方面，整[illegible]擴大現有越南國民軍的編制，加強其官兵的政治教育，提高其戰鬥力量！使能完全代替法軍，守衛戰線，使法軍的最低限度能抵抗共軍的進攻，支持至二十四小時，以待法軍機動部隊的增援或反擊；並守衛整個面，以保障後方的治安。一方面，另行成立五十四個越軍輕步兵營，並整編地方團隊，在一定期限內，以行嚴密的掃蕩，以徹底肅清越南後方若干山區的越共游擊隊，鞏固後方的治安。必要時，且將合併村莊，集中組織居民，作更徹底的搜索。一方面，集中精銳的法軍部隊，作爲機動武力，隨時增援各綫作戰；並爭取主動，取得戰局的主動權，機動以武力突擊越共的弱點，以此進攻越共所作大規模的反攻。越共指出，越南各地集中輕步兵及從前在各形勢的法軍，除國民編軍訓練裝備的事正在進行外，擴充越南國民軍部隊大部份已至完成階段，已絡續接替了部份法軍的防地，故近週來，法軍部隊已兩逐步撤離了平原地區小的據點，集中到三十一個附近的據點，特別加強，已增加兵力。越共的北越部隊一部份，準備對越南平原法軍的攻勢，越共並該有所行動。隨後，對「計劃」，越共曾在評論中說：越共一向是有幻想和希望的，[illegible]侵略者的納瓦爾計劃不過是勇氣和冒險，試新的實行，有了「納瓦爾計劃」，顯然的是法軍在對付越共一取得勝利的力量，恐懼的呼號。

陸空突襲後方 越共最感恐慌

第二個部門：納瓦爾將軍根據傘兵突襲諒山所獲得的經驗，將繼續擴大從陸空兩方向越共後方的重要地區[illegible]。越共指出在該計劃中：越共的評論說：「納瓦爾[illegible]部份最高的估計，也就是對我們說：[illegible]瓦爾將軍的業已在越北[illegible]傘兵降落部隊，並同時在越中和南部越共的倉庫與後方所在地，進行大規模的「搗亂」，並一面用傘兵部隊攻擊，一面使用正規軍作前後夾攻；猛烈而迅速的攻擊，作內外三面夾擊，以乘機毀壞越共的戰略物資，擾亂他們的社會秩序，分散他們的組織力量，並在越共區內的政治上取得影響，越共說：納瓦爾已提出「乘機速戰」，業已在事前集中，取得主動，因此部隊[illegible]令，越共說：「越南人民軍總司令部：命令全體部隊，全體武裝民兵和戰士，加倍提高警惕，進一步動員，堅決粉碎敵人的間諜陰謀詭計」云云，可見越共已甚感恐慌。

第三個部門，是納瓦爾將軍已計劃在政治上盡量提高越人的地位，從而普遍提高越人的反共意志，訓練大批敵後政工人員，潛入越共地區，以發展敵後的反共地下組織，加強地下鬥爭等。（水者）

人物評述

朱家驊和中央研究院

——兼論朱氏的用人作風——

多　少年來，國民黨的人事，一向受人指摘，派系之風，從中作祟，形成小圈子，壁壘森嚴，尤屬無可諱言。朱家驊是一個學者出身，在黨裏，他的思想是比較開明的。他不滿意這種現象，想打破門戶界限，但由於利害衝突，也就引起過派系摩擦。

一　般所稱的江浙人，性格上有很大距離。江蘇人性情柔和，浙江人則另有一股子倔強勁兒。朱家驊，氣度寬大，做事頗有魄力，十足浙江人派頭。他從政以來，一出馬就當廳長，扶搖直上，由省主席部長而副院長，爲最高當局所信任，歷二十年而不衰。他對於用人，不拘泥於成法，只要做事努力，有成績表現，不致埋沒在他那裏。也往往能破格提拔，叫人有抒展抱負的機會。有人說，這樣做法難免失之於濫。其實，如果能起新陳代謝作用，腐敗份子會自然隨着時代淘汰的。

過　去，交通部好像是「交大」的天下。近幾十年來，從事交通事業的，非「交大」莫屬，積久便造成了把持風氣。朱家驊接任部長以後，就有剔除積弊的決心。他用人，兼收並容，只要有合乎工作的技能，都有錄用機會，并不限於「交大」。可惜，人才缺乏，供不應求，他的理想不能完全實現。

國　民黨執政已歷二十多年，人事上新陳代謝的作用，並不顯著，實爲一大危機。朱家驊做了組織部長，針對着這病根，主張用人公開，不前進而又擋住路的人，要一個個淘汰下去，換上一批新的生力軍。

抗　戰初期，華北淪陷後，擁上來成千成萬的青年，徘徊十字街頭，他爲吸收新人計，在西安成立了一個黨務工作人員訓練班，果然有大批受過中等以上教育的青年，紛紛報名受訓。同時，又由各大學挑選一批有新思想的畢業生，開辦一個黨務講習會，提高他們抗戰意識，使他們爲三民主義奮鬥，人數不下數千。後來，都派在各地，參加基層工作。一時，黨內用人風氣，頓改舊觀，可惜，這種大刀闊斧的作風，終於遭忌。因此有人中傷他，甚至把「獻鼎」那類事，四下撒出傳單，當作攻擊的口實，千方百計把他擠下去。

勝　利後，他於教育部之外，兼管一個全國青年復學就業輔導委員會。工作雖由他領導，實際執行的則是後來的立法委員甘家馨。甘于抗戰時期，擔任組織部戰地黨務處長，熟悉陷區情形，人亦能幹。主持各地黨務輔導處分支機構，和職業訓練班的人，都是他以往提拔出來的新幹部。在當時環境下，爲學生謀出路，替他們解決困難，十分活躍。倒使得無數青年，不致投向共區，爲國家保存了元氣。

中　國學術界知名人士，過去就不多。政府遷台後，走的走，死的死，今天更少得可憐。今後收復大陸，建設國家，需要學術人材正多。朱家驊是學地質出身的，他在學術界的人望，似比政治方面還大。中央研究院是最高學術研究機關，也是培養學術人材的搖籃。多少年來，一直由他主持。過去該院對科學的研究，有過不少貢獻。最近行政院要把這一項工作加強，作爲文化反攻的準備，特撥補助費台幣八十萬元，另外又增加經費若干。朱氏已經六十多歲的人了，可是還有青年人的精神。我們希望該院能展開工作，爲國家百年大計，立下不拔基礎。（式一）

杜爾斯國務卿調職之謠

最近華府盛傳艾森豪總統正計劃免除杜爾斯的國務卿職務，這些傳聞來自消息靈通的國會人士方面，不由得不引起國際注目。然而這消息真可靠嗎？據我事實的眞相只是杜爾斯就任國務卿以來，已得罪了不少朋友，在華府他已擁有若干強有力的敵人，這些人爲了打擊他的聲望，以間接影響艾森豪對他的觀感，乃不惜發動「謠言攻勢」。然而事實上，艾森豪仍深深信任杜爾斯，他們之間並沒有爭執，他們相互的諒解從沒有比現在更徹底的了。艾森豪且私下讚譽杜爾斯爲美國主持外交工作中最有能力的人，所以儘管外面的謠言很兇，杜爾斯仍將幹他的國務卿工作。

史達林女兒一段傷心史

史達林去世還不過三個月，他的寶貝兒子小史達林中將就已罷黜受貶職，這是大家都已知道的事。却不料到了現在，他的掌上明珠史薇娜拉又碰了馬倫科夫一個硬釘子。據莫斯科傳出的消息說，史薇娜拉最近曾面謁馬倫科夫，要求把她父親在世時克里姆林宮所用的物品與傢俱一齊搬走，被馬倫科夫嚴詞拒絕。史薇娜拉哀求說，這些都是她們家庭的私有財產，無論如何要請總理同志看在她先父的面上恩准發還，不意話還沒有說完，馬倫科夫就臉色一沉，直把史薇娜拉嚇得哭哭啼啼的跑出宮來。

十五年內航艦將成廢物

美國前太平洋艦隊總司令尼米茲海軍上將是一位力主重潛艇戰術的人物，他認爲未來的主要艦隻，既不是主力艦，也不是航艦，而是西方國家所一向忽略的潛水艇。可惜他這種意見被當時的海軍主管認爲怪異難行，計劃提出後，即遭長久擱置。一直到現在，由於原子武器的日新月異，他這種一度被認爲怪誕的理論竟然宣告復活，據熟悉國防部內幕的人士說，五角大廈的設計人現已認爲未來的主要艦隻將是潛水艇，航艦只不過是一種臨時武器，在十年或十五年以內，即將成爲廢物，而將由能發射定向飛彈及攜有原子彈的潛艇所代替。

掃除地雷便利共軍逃亡

天下小事

自韓戰停火以來，已有中共及北韓共軍約一百五十人逃入聯軍防綫，但這件事聯軍總部迄仍保持緘密。共軍中反共的志士本來甚多，過去因爲雙方對峙的緣故，很難跑過火綫向聯軍投誠，但自設立非武裝區，並已將這一地帶的地雷掃清後，共軍中願意投向光明的，已不如以前的困難了。（孟衡）

讀者來書

△貴刊二六三期高清心先生的自由中國文藝概觀，和二六六期陳紀瀅先生的自由中國文藝趨勢兩大作，衷心至感欣慰，時下竟有人注意自由中國的文藝動向和實質問題，乃大幸事。筆者爲一中等教育工作者，願就個人接觸，所得觀感，就教於兩先生及讀者：……業，非業九，廿二。

△編輯先生：敝友猶翁兄，因家業逃出鐵幕，卅九年故鄉淪陷後，未能來台，他陸續寄來詩詞，囑代保存，茲一字不易抄奉……近有人逃出云，作者行動已被暗中監視，鐵幕思想虎瀾，徵誦其所作，祈借一角，予以披露：乃此：……敬上。

編者的話

△滄波先生好官也要奮鬥一文，下期發表，他認爲現時大官要員常說民主，是推出人民來，說得做好官應爲貫徹政策，這是失態的。而奮鬥，法官還有所不惜，才能樹立民主自由的基礎，不負責任，乃國政敗壞之由。

△關於討論自由中國文藝問題，已收到非業，周蘭，余明諸先生的文章，大作有對高陳兩先生作針貶的，也有贊許的，均將陸續發表。

△許多朋友說：香港報攤上，不易買到本報，我們深感發行有待改進。熱心讀者請函寄地址，當按期寄上，也是暫時補救之一法。

滬市共黨興風作浪 妄加罪名摧殘私商 商人二千餘被控破壞經濟

滬市的私營工商業，在共黨於去年瘋狂推行「五反運動」之後，所謂私商，事實上久已不再存在了。雖然尚有許多稍具規模的私商，實際上已被若干中下級共幹參入乾股的「官私合營」，而表面上即仍被列爲「私商」，此等商人，自恃有人撐腰，可以苟延殘喘，誰知共黨的貪婪並無止境，似乎不將私人資本全部侵佔，不能貫澈它的「經濟政策」和「國營經濟領導」；因此在九月一日起，竟又打破了半年來寧靜局面，藉口有部分私商「積習不改」，與「舊病復發」，硬把商人扣了「攫取暴利，甚至不惜重犯五毒。」所謂「五毒」係指「投機哄抬、囤積居奇、偷稅漏稅、抗拒領導、偷工減料以至竊取國家幹部」等等。據稱最近又不斷發生了。但是這些情形何嘗是商人們敢作敢爲，像過去中共調整（規定）價格之時，「國營土產公司」將一批筍乾賣給私商，「公價」每担六十四萬元僞幣，但商人們則每担的進價花了九十六萬元，其中三十二萬元是經手共幹揩了油，因此，市上零售價每担高至一百一十萬元。表面上看來，商人們的售價，高得太無理由，如果把各項捐稅背礶開支打進去，[illegible]損的利潤，一成都賺不到；今年第一季度「土產公司」因芝蔴、綠豆數量不足，停止掛牌時，許多共幹便四出搜購，自定價格向出口商拋售。且有許多共幹，利用貨近手長的便利，將統制的五金及化工原料任意操縱，高價轉售，從轉手間，共幹則賺暴利，如德興祥、源源，這兩家五金號則均被控故意抬高售價。

大陸物資普遍缺乏

經緯儀 兩具遊 滬漢 新疆

共幹乘機高抬物價

據說有兩具經緯儀，由上海運儀行轉到漢口新生行，再由漢口新生行出售，不久又轉到上海南華行，最後售給新疆「水利局」，價格就由每具二千四百萬元僞幣抬高到四千二百五十萬元。這些情形，原極普遍，第一，大陸上目前的物質缺乏，在大量的消耗缺乏之供應的情況之下，而大多數共幹往往由於生活困難，心狠手辣的搜刮人民的膏血，稍有天良的加入商號乾股，整天晚設計販運物資以及厚利用品，這兩具經緯儀便是一個實例。又如六月份縣領和方絲鄉缺貨，他們便四出活動，各處收買來轉賣與順泰、五和、施成記等五金號，結果又指控這三家五金號投機居奇。事實上順風號汽車及汽車零件在短期內價格上漲了一倍，西藥價漲至百分之三十至五十，無一不是這些共幹們的搬運作祟所致，商人們幾無一不被玩弄剝削的。

至於「偷稅漏稅」的情況，經徵人員往往是一面勾結商人指點取巧辦法，從中漁利，一面拱於飽食之後，恐怕一經查出受到上級處分，反讒頭來對商人咬了一口，使商人變作功臣，如凱熙電工社，被控巧立名目，虛列成本，濫報所得額達四億五千萬元僞幣，東方醫療器械行資方魏明彰被指涉改賬册欺騙稅局；協平榮記織造漂染廠資方黃榮顯被控「一貫地拖欠稅款」。據「稅局」公布，這一次檢查二千七百五十八戶商號賬册，結果，其中有二千三百四十七戶商號被控有「偷漏」行爲，並指出此種「偷漏」的方法多至七十餘種，甚至通「徵稅」的共幹僞造收據、偷盜印章的罪實也一併推在商人的頭上。

籠絡商人 操縱市場

所謂「國營」公司，實際是壟斷商業，操縱市場的機構，收進的價格任意抑低，售出價在一轉手間往往高出百分之三十至八十以上，因此，稍有「犯勝」的商人，便乾脆的不予理會，但共黨則控以規避與拒絕「國營經濟領導」之罪，因此豐闌珠鈕廠、康[illegible]乳品廠等拒絕「中國百貨公司」採購包銷，被控「破壞經濟政策」。其他如亞綸興織造廠等與「中國百貨公司」訂立了包銷合約後，則被控爲「偷工減料」，或次貨充好貨。

強佔人妻 騙取紙張 掉頭反咬一口

所謂「腐蝕國家幹部」，商人們由於過去之教訓，誰都不敢與共幹們接近，但自恃「無往而不利」之中共中上級的幹部，幾無一不見色而漁，見財不貪的。結果是商人們賠了人，賠了錢，還要受罪。如今年三月間，僞華東工業部濟南新城化工廠採辦員姜英舟，到了建隆紙號資方林宏毅，要他請客吃飯、看戲、介紹女朋友；結果，林宏毅的姨太太被姦佔了，紙張也被騙走了，由於姜英舟虛報紙價，被上級查出，反過臉來硬說林宏毅的姨太太勾引他，騙盜「國家資財」；同樣的，僞上海五金機器分公司共幹楊永元，企圖以姜英舟的手段對付桑福興融承廠資方桑福榮，結果希桑拒絕了；楊永元老羞成怒，誣指桑福榮虛報價格，以二千萬元賄賂「國家幹部」，企圖訂立「攻守同盟」。現在，這些情況，根據九月一日的上海報紙披露，已經由僞人民法院審理，「法院」公開宣稱，「過去從寬，今後從嚴。」將依照此一原則來處理上述的許多莫須有的罪案，估計至少有二千家以上的所謂私商，在這次清理「五毒」中倒霉。（梅永貽）

大陸一切唯蘇 中醫一筆抹煞

受到教訓後提出檢討

【本報訊】據最近大陸各地消息，證實年來大陸的中醫醫術已遭中共一筆抹煞。蓋中共竊踞大陸以後，一切倒向蘇聯，一切均以蘇聯的方法爲「科學」的「先進經驗」，醫術亦不例外。雖然，凡蘇聯所無的歐美各國的藥品仍被採用，但歐美各國的醫術，因已被目指爲「資本主義的方法」而已加以排斥，唯蘇聯的治病方法，方奉爲「神聖」，在此種基本觀念下，連帶將我國的精深醫術，亦已被一筆抹煞，斥爲陳舊。然而事實上，我國的醫術，在若干內科方面，既有其不可抹煞的經驗和功效；而蘇聯的醫術，則往往或不適合於我國人民的體質，或因方法錯誤而造成甚多病者於不幸犧牲（大陸各報時有事例透露），顯已使大陸人民及中共幹部本身在他們的唯蘇主義之下，蒙受了重大的損害。或由於中共目前已有此種領悟，故樂於上月二十六日由中共最高機關的人民日報喊出了「正確地對待中國醫學遺產」的口號，並加以檢討。惟恐年來大陸中醫自從受排斥後，老者凋謝，繼起無人，元氣大傷，恐已難復舊觀。

美國關切難胞實況 派赫靈斯來港調查

美國共和黨參議員兼參院司法、行政委員赫靈斯，這一次來港，與聯合國救濟難民組織的駐港機構商討救濟此間的難民問題，因爲美國有專款及食物、衣服給予他們以適當的救濟。赫氏說，目前世界各國約有二十一萬四千名難民，美國計劃在三年期間分別將之疏散；關於遠東方面，已決定先將難民三千名向美國或屬地疏散。但是這種難民必須在一領事館區域內而在遠東出生的。至於中國籍的難民，並將於同時疏散不超過二千名的名額，但此等難民以持有中華民國政府或其代表人簽發旅行美國之護照爲限。赫氏同時並申述難民之定義謂：任何一國或任何一區域之人民，而不是在共黨或共黨控制下之領土者，因其被迫害，或因受迫害之恐怖，天然災難或因兵變逃出其原居地而不能復返安居樂業，及需要緊急援助或生活上之必須救濟及遷移他處者。

調景嶺颱風災的善後事務正在各熱心僑領籌商之時；從僑區的木屋又遭颱火煎迫，大坑區已由當局登記，即發材料重建，何文田火場今後不准再建木屋了，一百六十二名災胞已獲社會局發給飯票，善後工作正在趕辦中。

退貨餘悸迄未消除 中共搜購西藥撞板

香港的西藥商人對中共之無理退貨尚存餘悸之際，大陸上又圖向港搜購西藥了。商人們以創痛未除，儘管西藥去銷無法打開，且中共仍採已往L．G批滙方式，已引爲戒懼，這種L．G批滙辦法係先將貨物運赴共區，如經「化驗合格」，始可於指定之三十或五十天期間內在港方之銀行付款。否則仍有退貨或殺價的可能。因此，西藥之身價連日雖已抬高，除非共黨現金交易，商人們已不再理會了。

中共對於港貨輸入大陸，藉口執行「經濟政策」，不准任何人攜帶物品，不論巨細，均不允准進口。甚至於手錶、墨水筆、毛巾等亦不允帶，連日被截回之旅客極爲衆多。然則大陸上運來物資奇缺；貨價暴漲，共黨的「國營」機構，利用這一個機會壟斷物資，運瀉外去大陸的旅客攜帶一些日用必需品的起碼權利，均被剝奪了。

自由勞工爭取福利 熱烈尊孔籌祝國慶

國際自由勞工聯合會亞洲區會議，今年在日本東京舉行，香港出席自由勞工代表何康、郭玉屏、關彼得三人，此行代表了港九數十萬勞工大衆，爲了解決當前的：居住、教育、福利、工資評定等四大問題；已列入大會議程。然而，這不僅是港九的自由勞工所亟待解決的問題；倘得具體決定，乃是整個亞洲自由勞工的幸運。在不願奴役，奔向自由的勞工日益增加，而生活更形艱苦的現在，勞工們的生活改善，確是亟不及待的問題。最近港九各私立醫院由於賣血的人貧乏，雖然把血價提高至三百元換五百CC血，仍沒有人光臨。以此不難想像到貧苦的大衆，連出賣血液來維持生計的最後一步路也行不通了。但是，每一有血性的市民；他們的愛國熱忱依然不落人後，紀念孔誕的熱烈，和籌備雙十國慶的積極的情緒，卻一年比一年高了。

香港三日

艾森豪威爾著 歐洲十字軍

·錢家菊·

二次大戰，是我們這一時代轟振[illegible]點，本書的出版，疑是紀述二次大戰最詳盡，而具有權威的著作。

本書的出版在美國極爲哄動，還不僅因爲作者個人的世界聲譽，而且也由于，這本書是作者個人身歷的回憶錄，確實有許多是過去從未見過報章的紀述，所報導和分析的，作者忠實的資料。

本書著者艾森豪威爾乃現任美國總統，二次大戰時，任歐洲聯軍統帥。自一九三九年九月一日德國戰爭起，以迄一九四五年五月七日希特勒慘敗，德國陸軍元帥姚德爾（JODL）在克里姆斯（RHEIM）的盟軍總部簽署投降書止，歷時四年八個月又四天。其經歷戰役，由諾曼第登陸，一舉成功，以至美、蘇、英、法、加歐洲軍會師直搗柏林，無一役不精確詳盡，實錄於此冊內。艾森豪威爾將軍在二次大戰中所表現的輝煌戰功，他是我們這一代的最偉大的戰略家。

這是一部戰史，無論研究歷史或研究軍事者都有研究的必要。

本書原名爲「CRUSADE IN EUROPE」。中文譯名爲「歐洲十字軍」，由張北海、黃彝紳譯出，台北世界書局出版。

港大舉行學術演講

香港大學爲實行溝通中西文化的最高的教育政策起見，將舉行學術演講會，邀請中西學者担任演講。最近並組織一五人小組委員會，主持其事。該會委員包括歐國偉，余兆祺，都璐樂（G.TULLOCH），斯各特（T.D.SCOTT），陳樹渠五人。秘書爲黃審生。都氏爲美國駐港總領事，斯氏則曾任前華西大學西洋史教授。演講純採公開方式，除港大學生外，並歡迎各界人士聽講。

淡風過去

夏天，向是文化事業的淡季，特別是書業所受的影響最大，聽說在七八月間，本港最大的書店，平均每天的收入也不過一二百元，現在，秋風起了，又是書業開始景氣的時候了。記得？去年香港許多巨大的書業都是在這個時機新張的。

熱風吹來

香港又出現一文藝刊物，這刊物命名「熱風」，是由名作家徐訏主持的，旗下擁有名作家甚多，聽說他們的路綫是爲文藝而文藝的純文藝刊物，看來是不會「熱」到那裏的。該刊創刊號執筆的有曹聚仁、李輝英等。

研究之風

香港文化圈中，比歷年有一進步，即多數從事文化工作的朋友，都漸漸有在沉潛上用功夫，據說自由出版社、友聯出版社、自聯文化服務社等今後都要把重心轉到資料和研究工作上去。

徵文之風

隨研究之風而來的是徵文之風，「新青年」、「中國學生週報」、「天文台」都先後舉辦過這種徵文，聽說成績都很不壞，有的能接到五六百封來稿，他們的效果在鼓勵許多青年的寫作興趣，幫助培養新進作家。

大陸腥風

大陸上最近不斷傳出一片逮捕學人之風，據自聯社消息，名教授張東蓀、前燕大校長陸志韋均曾一度以「美諜」的嫌疑被捕，陸志韋被囚一週後釋出，張東蓀已由中共授意民盟開除盟籍，尚在繼續審訊中。

不堪共黨迫害 徐悲鴻病死北平

【本報訊】中國的著名畫家前中央大學教授北平美術學院院長徐悲鴻，因不堪共黨迫害，精神身體兩受打擊，于九月二十六日在北平病故了。徐氏爲江蘇宜興人，從事美術教育三十餘年，擅長畫馬，寥寥數筆，神現紙上，在中大授課前，曾任北大及桂林美術學院院長。抗戰期間，數度舉辦勞軍畫展。中共竊據大陸後，徐被脅迫充僞中央美術學院院長及僞美術工作者協會主席，但他始終未忘良知，與共流瀣一氣，仍保持原有的藝術意境和獨特風格，甚至所謂「檢討批評」一類的坦白文字，亦從未發表過。共黨卻對他需索無已，精神大受刺激，一九五一年七月即患中風，倒床不起，已逾周年。病中仍被共黨諸般強迫，爲「抗美援朝」工作而繪畫，並要其畫馬送給「援朝志願軍」。本年六月六日他勉強畫了一匹躁折不堪的馬，並寫了一封信給共黨說：「我悲觀絕望的想，我的健康是不可能恢復的，但你們一再要我繪畫，我就不顧醫生的禁止，鍛鍊起床，由於氣力不夠，無法畫好……」這是徐悲鴻的最後悲鳴，也是共黨迫害一代藝人的罪證。聞徐氏死後，他平生的全部創作及其所藏的中外美術作品均一概給中共勒索而去矣。

謝六逸與「日本之文學」（中）

．舜生．

在談詩歌的一編，謝教授把日本古代和現代的詩歌原作也介紹得不少，但這些東西我不大歡喜，我至今還抱着一個成見：認爲詩歌是不能譯，或至少是最難譯的。

日本的現代小說，在戰前介紹過來的亦已不少，例如三十年前周作人所譯的『現代日本小說集』，便收得有國木田獨步，夏目漱石，森鷗外，鈴木三重吉，武者小路實篤，有島武郎，長與善郎，志賀直哉，千家元麿，江馬修，江口渙，菊池寬，芥川龍之介，佐藤春夫，加藤武雄等十五家。收在黃源所譯『現代日本小說譯叢』的，則有橫光利一，須井一，有島生馬，小川未明，林芙美子等各一篇。此外如島崎藤村，谷崎潤一郎等的作品，也有過很好的介紹：例如島崎藤村的長篇『新生』，二十年前即已見有譯本：（忘了爲何人所譯）李漱泉譯了谷崎潤一郎的一本『神與人之間』，（包括『神與人之間』，『前科犯』，『鯨鵲』，『人面疽』四篇小說，和『御國與五平』一篇戲劇。）附得有作者的評傳和年譜，尤爲難得。其他如謝教授譯有『志賀直哉集』，（包括小說十五篇）沈端先譯有『有島武郎集』，（包括小說兩篇）崔萬秋譯有夏目漱石的長篇『三四郎』等等，也都是極有價值的介紹。上面所舉，只是把我手邊所有的這幾本書來作個例，實際則日本現代小說譯成中文的，何止十倍於此。

日本現代戲劇被介紹進來的也不算太少，例如田漢便譯過一小冊日本戲劇選，收在這個冊子裏面的有菊池寬的『海之勇者』，『父歸』，便曾在上海上過演，頗得好評。崔萬秋尤其是武者小路實篤的熱心介紹者，既譯有他的一個三幕劇『孤獨之魂』，同時還出了一本『武者小路實篤戲曲集』，包括『父與女』（三幕）『野島先生之夢』（一幕）『靈室主人』（二幕）『愛慾』三篇。此外章克標譯有一本『日本戲曲集』，裏面包括山本有三的『同志』（四幕），中村吉藏的『星亭』（九場），久米正雄的『阿武隈心中』（三幕），久保田萬太郎的『短夜』（一幕），岡本綺堂的『修禪寺物語』（三幕），小山內薰的『第一的世界』（一幕），共五篇。此亦不過略舉數例，以見一斑。

日本現代散文被介紹進來的似乎不多，我能舉的例只有魯迅所譯廚川白村的『苦悶的象徵』『出了象牙之塔』兩種，和鶴見祐輔的『思想・山水・人物』一種。

凡上面所舉這些小說，戲劇，散文的作家及其作品，在謝教授這部『日本之文學』裏面都已一一提到，像我這樣一個歡喜涉獵這類東西的人，有這樣一部書來給我作一番系統的說明，確實有些益處。

今年春天，我在東京神田書店街跑了五六趟，知道這班老作家生存者已不太多，近二十年間究竟有多少後起之秀？萬秋曾爲我略略談過，我希望他寫出一篇『近二十年的日本文壇』這樣的文字發表，可惜他爲使館的職務所羈，恐怕一時還沒有交卷的餘暇。

萬竹樓隨筆

空間旅行

．逸靈譯．

空間旅行，年來已成爲英美科學界討論最熱烈的一個課題。在電影方面，即已有「登陸月球」，「火星襲地球」及「宇宙戰爭」等多部影片，至於以空間旅行爲題材的[illegible]，幾乎非有幻想空間旅行的讀者和觀衆不可。英美的科學家，也正積極研究空間旅行的各項問題。英國且有一個星球間旅行協會，設立於一九三三年，目的在發展宇宙間星球的探險，天文學，以及其他有關的科學，會員已有二千二百名，爲世界上最大的研究空間飛行的組織。美國雖沒有這樣的組織，但科學家個別或幾人合作的研究，其進展却也不亞於英國。

但人類究竟需要多少時候才能到達火星或月球呢？對這問題，各國科學家的看法不一。在本年四月間，十一國火箭專家曾在瑞士舉行國際空間航行協會大會，專門討論這問題。

[illegible]曾提出一個極詳盡的計劃，闡述人類[illegible]月球的旅行分爲三個階段[illegible]

[illegible]來其原先的火箭旁後，即取出所載的另件，將「空間船」裝配完成。[illegible]

[illegible]「空間船」中將另[illegible]火箭式[illegible]燃料，以供「空間船」的裝配人員和從月球回來的三人，自「空間船」起飛，回到地球。

這三位科學家曾特別強調，這計劃雖對上述三個階段的各項步驟都有周密考慮，但實行起來，仍可遭遇嚴重困難，例如沒有人能預知，在五百哩高空裝配一艘「空間船」需要多少時間，而裝配人員是不是抵得住宇宙綫輻射，也沒有人能確知計劃中的燃料在這高空其性能如何。此外，更大的危險是「空間船」極易被流星襲擊，甚至摧毀。

據美國科學家的意見，則認爲空間旅行雖困難尚多，但十年至二十年內必能完成。美著名火箭科學家，海軍研究機構維金火箭工程站主任羅森最近曾宣佈，他在新墨西哥白砂試驗場經過六年的試驗後，已認定人類征服地球外的其他星球，必可實現，只是時間問題而已。他已在白砂試驗場將火箭射一百至廿六哩及二百五十哩高空。不過他認爲，美國政府如貿然進行大規模的空間旅行計劃，由於需要極多科學家及物資金錢，在此整軍時期，必會有損國防努力，但美國現在仍不妨從事準備工作，一待整軍稍可鬆弛時即全力推動空間旅行計劃。他主張先成立一個專家委員會，綜合目前各空間科學家的計劃及意見，進行集體研究，然後再提議政府可以採取的適當步驟。

他舉出若干特殊問題，必須預先解決：改善火箭馬達；改善燃料；更重要改良製造「空間船」的材料，使能抵耐飛行時與空氣磨擦發生的高熱。科學家又需探測人類升至地球外的高空後，將發生何種反應；以及宇宙綫與殞星的危險性如何。

他認爲這些問題一旦解決，「空間船」的實際建造工作即可展開。一艘「空間船」升至高空後，不僅便於人類登陸其他星球，而對美國的國防也有極大幫助。例如在「空間船」內架起一架強度望遠鏡，即可對地球上任何國家的祕密一覽無遺，蘇俄的鐵幕，將整個消失其效用。定向飛彈也可從「空間船」上射入，力足擊中地球上任何角落。因此，「空間船」也可間接防止戰爭，使敵人恐懼反擊而不致輕舉妄動。同時，因科學家也可將地球的天文台搬到「空間船」內，因而或能洞悉有關地球誕生的種種祕密。星球所發出的光綫，也不致再受大氣層所阻撓或歪曲，使天文學家更易探導宇宙的祕密。從「空間船」的望遠鏡中，將可窺見其他星球上究竟有沒有生物。

沁園春

彭逸民

已往春多，暗區藏沼大雪，是時余僧居祠畔，落絮飛花，感觸萬千，悵惘填詞，聊抒胸中塊壘耳。

萬里鐵蹄，滿目蒿萊，湖上玉樓。[illegible]

腸斷！恨余生太晚，誰繫中流？

青玉案

．徐道鄰．

昨宵夢過城東路，便走向，君家去，三歲留光容易度！畫梁雙燕，玉堦楊柳，仍是舊時處。

愁來不問朝和暮，怕記當年斷腸句，春色闌珊知幾許？曉窗驚看，小橋西畔，點點啼紅雨。

譚富英的「憂調」

．梅楓．

提起譚富英來，就想到他的「叫小番」，就如同提起馬連良來，就想到他的[illegible]了。

譚富英的妙處是清脆朗潤，而韻味醇厚，但如眞想欣賞譚富英，應該去聽他的「定軍山」，[illegible]在「定軍山」里，他那獨到的念白斬釘截鐵的唱工，和那巧妙的身段可說是發揮得淋漓盡致。他的「四郎探母」之所以受人歡迎，[illegible]往壞處說，風靡走碗，很累鬧事，也是常事，爲了應付這種狂熱的觀衆，小譚每貼此戲，眞是胆戰心驚，出場前得臨時「上燗」。

民國卅六年多，我被邀去北平西城長安戲院聽大合作戲，那天的軸子戲碼便是譚富英的四郎探母，全院絹早滿座，觀衆在這齣戲里關心的不是鐵鏡公主，也不是楊宗保或是佘太君，而是那個「坐宮」，「過關」，「見娘」，「回令」的楊延輝，但這個角色如果是管紹華或是霄盛習去唱，也決不會這樣哄動，可見譚富英到底是貨眞價實，不同凡響呢！當鐵鏡公主猜完了之後，劇情便進入高潮，隨着緊湊的鑼鼓點，觀衆們的精神也振作起來了，聚精會神地來聽這一段精的快流水，在這一陣風急雲湧，萬壑爭流的快板里，眞是一字比一字快，而字字清脆有力，大珠小珠，落盤不亂，唱到妙處，觀衆就如同電流相觸一樣，禁不住迸出一二個清脆的彩聲來，但並不傷害園子裏的緊張氣氛，公主一轉身入內，急鑼密鼓引出一段湍急的流水來，琴杆翻起，絃與聲凝，一聲「扭轉回身」，音低而長，像暴風雨前的寧靜，跟着四郎猛然轉身亮相，一聲「叫小番」，由丹田冲出，眞如同石破天驚，直飛千仞一樣，情景勝，氣氛好，譚富英的憂調眞是「絕活」。

憶古蹟懷南京

——大報恩寺與琉璃寶塔——

．鐵峒．

在二十八回裏寫道：

『蕭金鉉道：「要僻地方，只有南門外報恩寺裏好，又不吵鬧，房子又寬，房錢又不十分貴，我們而今吃了飯，竟到那裏尋寓所」……三人一路走出了南門，那著報恩寺走進去，李恬逸道：「我們就在這門口尋下處罷」。蕭金鉉道：「不好，還要再向裏面些，方才僻靜」，當下又走了許多路，走過老退居，到一個和尚家——和尚一口價，定要三兩一月，講了半天，一厘也不肯讓——一會[illegible]地，明日下浮橋[illegible]裏擺酒，看見成[illegible]走了些路，到一[illegible]僧官迎了出來[illegible]蕭金鉉見他出語不俗，便道：「在老師父這裏打擾，每月送銀二金，休嫌輕意」。僧官連忙承應了……。

『次日，清早，僧官進來說道，昨日三位老爺駕到，貧僧今日備個腐飯，屈三位坐坐，就在我們這寺裏各處頑頑，[illegible]不當，僧官邀請到那邊樓底下坐著，辦出四大盤來吃早飯，吃過，同三位出來閒步，說道：「我們就到三藏禪林裏玩玩罷」。當下走進三藏禪林，第一進是極高的大殿，殿上金字匾額，天下第一祖庭，一直走兩廊房子，又曲曲折折的階級欄杆，走上一個樓去，只道是沒有地方了，僧官又把樓背後，開了兩扇門，叫三人進去看，那知還有一片平地，在極高的所在，四處都望著，內中又有參天的大木，幾萬竿竹子，那風吹的到處颼颼的響，中間便是唐玄奘法師的衣缽塔」……一會，僧官又邀回房裏，晚上九個盤子吃酒』。

遊了三藏禪林，還不過只玩了一個三藏禪林，琉璃寶塔，竟未曾玩到，其廟宇的宏闊可以想見。（十一）

從周作人說到陸放翁

．秋柳．

投共文人周啟明（作人）是最推重陸放翁的。據說因放翁是紹興的小[illegible]就是周氏兄弟祖家所在。[illegible]則周氏故居不過半里路之遙耳。[illegible]

[illegible]

[illegible]似的，最難爲懷！」數百年後[illegible]

『夢斷香消四十年，沈園柳老不吹綿！此身行作稽山土，猶弔遺蹤一泫然！』[illegible]

[illegible]問所註乃極不可靠也。（上）

中華民國僑務委員會頒發登記證台僑新字第一零二號
自由人
中華民國郵政登記第一類新聞紙類
THE FREEMAN
（第二七〇期）
每份港幣壹毫
督印人：李光華
社址：香港高士打道六六號
電話：七四〇五三
GLOUCESTER RD. HONG KONG TEL: 74053
承印者：南華印務出版社
台灣總經銷處：[illegible]

好官也要奮鬥

·滄波·

民主自由不是沒有代價的，人民須從奮鬥得來，此種論調如出於重要官員之口，便是巧言便給之詞，不是失態便是推諉責任。樹立民主憲政，做官的必須貫徹政策而奮鬥。官之佞媚巧猾，實為國家致敗之由。

民主自由的代價

這是近來聽到的幾句話：民主自由不是從天而降，民主自由由於奮鬥而來。人民就要民主自由，人民就要自己奮鬥。民主自由的歷史，就是一部奮鬥甚至流血的歷史。世間沒有不勞而獲之物，民主自由也是如此。我們今天只看見勞的國家人民所享的自由，而沒有去研究人家所得自由的代價。人家獲得自由的代價，是奮鬥甚至於流血。個人的自由如此，民族國家的自由也是如此。信仰自由，言論自由如此，免於匱乏，免於恐懼的自由也是如此。英美人民的自由是極豐富的，但是英美人民所付的代價不是低廉的。我們稍讀英國的歷史，就可明白英國國民今天所享的各種權利，如監督國家財政，言論自由，如人民身體自由及選舉權之普遍與平等，無一不是經過人民多年困苦奮鬥而得。美國從獨立戰爭開始，到今天國內對人民權利還在困苦奮鬥中。

有權力的必弄權

在民主憲政初創的局勢中，勉勵人民努力奮鬥，以獲取自由。這是樹立憲政保障自由之天經地義，絲毫不容懷疑。譬如就言論自由講，中國對這一種自由的奮鬥，遠則數千年，近則將及百年，始終在那裏奮鬥獲取。尤其在近百年的過程中，言論自由的奮鬥雖或緊或鬆，但這一奮鬥終是持續着。中國人民愛好自由的天性，與世界整個潮流，鞭策我們這一場奮鬥，終是向前進行。在我們奮鬥過程中，不要因奮鬥的艱苦而灰心氣沮。因為這不僅是中國獨有的現象。英國十九世紀史學家阿克頓勳爵說：「有權力的人，無不弄權，有絕對權力的人，無不絕對弄權。」這等於鼓勵為自由奮鬥的人們，奮鬥中的艱難困苦是當然的。有權力的人要弄權，是人類共同之弱點。我們要矯正這種弱點，只有對有權力者作不斷的奮鬥，使他不能弄權，使他不敢專權。

應反省奮鬥不足

記得去年胡適之先生在台時，他對輿論界，對民意代表，常常發表這一種言論。社會中對他這種言論，自有深厚的感應。平心而論，中國近年表現在紙面上的自由，比那一國還充分而豐富。現在美國衆議院議長瑪丁氏，前年秋季來台北訪問，立法院舉行盛大茶會招待，瑪丁看見許多女立法委員在場，他忽問我「貴國議會總共有多少女立法委員？」我答他在七百餘名立委中，女性立委共有八十餘位。他表示十分驚訝而佩慕。我反問他美國兩院中有若干女議員，他說總共只有八位。這說明婦女參政權，在別國經過多少奮鬥（尤其在英國）甚至流血而獲得。[illegible]婦女參政權如此，其他憲法上所規定人民自由，亦是如此。所以今天中國人民，[illegible]自由奮鬥得不足，是人民應為之反省，亦為人民間應相督責。

沒有誠意的官腔

但是近來我們另外聽到一部份重要的官員，常常也把這一套議論，向人民發抒。人民有時偶或向官員申訴某種不平或不自由。一部份官員的答覆必是你們要奮鬥呀！民主自由不會從天上墜下，你們要自由，你們便須奮鬥。[illegible]自由中國，已經漸普遍。我們[illegible]這一套議論，認為出諸人民之口，出諸輿論界人民代表之口，則是時代的好消息。但是這種議論，出諸大官之口，這是一種巧言便給之辭。[illegible]

文藝需要批評和論戰

·周慶·

文藝八股非一聲棒喝，便能改觀。自由中國文壇，因為缺乏批評和論戰風氣，以至模糊不清，很少可觀的作品。希望儘量解放禁書。

一、前言

我是一個愛好文藝的人，從小就酷嗜文藝書籍。但來到台灣以後，坊間買到藝文圈的東西，却不大能引起我的興趣，偶爾在朋友處看到些名家推荐的作品，也會順手翻翻，可是却始終無法看得下去，即令偉能終篇，而腦子裏也是一片模糊，沒有鮮明印象。這原因，想來當然是我的年事漸長，與生活不安大有關係。但最主要的，作品本身，是否能圓滿無缺，也是一個耐人尋味的問題。

我曾經就這問題[illegible]，他們也一致[illegible]。因此，我是[illegible]子，拉什的談一談[illegible]「[illegible]」之為。後[illegible]充分，且發表[illegible]隨手拐[illegible]的好。所[illegible]了陳紀瀅，高[illegible]「論自由中國文藝趨勢」「[illegible]藝概觀」二篇大文後，[illegible]

二、文藝與政治

首先，我想說的是文藝是不是政治的工具。在這一方面我是頗讚成陳先生的說法，[illegible]真實地說政治，是最[illegible]即在反影現實，政[illegible]走，而文藝却確有[illegible]個時代，有一個時代的文藝作品，[illegible]唯其有刻劃一個時代的政治，因此，在這裏我[illegible]政治的工具，更為[illegible]而問題是文藝本[illegible]，真正的做到「[illegible]」，我們都可以叫它「[illegible]」。

凡是[illegible]有自然的流露，有了深刻的認識，自然會發生愛。對於制度的良窳有了認識，也自然會產生力，這種愛與力的表現，就在作品裏就是「真」，如同「五四時期」「抗日時期」我們的文藝園裏也會產生過不少生龍活虎的作品一樣。同樣我們對於主義，也決不能缺乏認識（這裏所說的認識是指有條理，有系統的澈頭澈尾的認識）。否則，人云亦云，與「人是為宗教而設的」又有什麼分別，又豈能服人？話到這裏，我覺得有拿陳先生的話作參證的必要。陳先生在「論自由中國文藝趨勢」一文裏強調說：「……從四十年下半年起，我們曾號召我們的作家避免文藝作品八股化，兩年以來，含蓄而富有藝術的作品已經大量出版，而其水準之高，也非中國任何時代可比（恕我不便舉出書名有廣告嫌疑），同時其中不但沒有落入反共八股的窠臼，同時也沒有妨礙了創作的自由。……」

（下接第二版）

無抱負不能奮鬥

我們以平恕之心，對待今日一切大小官吏，今天時局如此艱難，國內外形勢如此錯綜複雜，做官自有其可以原諒之處。但我們對一切做官[illegible]有一個最低的要求，[illegible]

[illegible]不能奮鬥[illegible]不忠不信之官是不能奮鬥的。

責任政府的精義

近代憲政國家之[illegible]，一為政府與人民關係之確立。又一為政府責任之分明。政[illegible]任政府之精義。政[illegible]必將其所做之事向[illegible]為機關攤出來，[illegible]等於商店之經理，司[illegible]必須將賬攤出來。其營業盈虧出入[illegible]不經理司賬所管之[illegible]攤不出，報不出，為不盡責任。如果[illegible]來，報出來而不[illegible]人民代表之支持，政府乃為責任問題辭職。所謂內閣連帶負[illegible]

[illegible]實。其制度用意，都是鼓勵做官的人，先為制定某種政策而奮鬥，繼為貫徹某種政策而奮鬥。嘗見內閣制政府，某一個閣員因為政策而辭職，甚至於脫黨。這都是好官奮鬥的表現。我們為了樹立民主憲政，一方面要人民去奮鬥，同時更要好官也去奮鬥。如果今天的政府，某一位部長為了政策而辭職，或為了某一政策不能貫徹而辭職，那是國家前途極大之光明。

好官奮鬥的故事

中國歷史上沒有責任政府，也沒有所謂責任政治。但好官奮鬥的事例，則不勝枚舉。譬如漢文帝時的張釋之與馮唐，便是大家所熟知的。我暫舉一二事：（一）「頃之，太子與梁王共車入朝，不下司馬門，於是釋之追止太子梁王無得入殿門。遂劾不下公門不敬，奏之。薄太后聞之，文帝免冠謝曰：教兒子不謹。薄太后乃使使承詔赦太子梁王。然後得入。文帝由是奇釋之。」（二）「上行出中渭橋，有一人從橋下出走，乘輿馬驚。於是使騎捕屬之廷尉。釋之治問，曰：縣人來，聞蹕，匿橋下。久之，以為行已過，即出，見乘輿車騎，即走耳。廷尉奏當：一人犯蹕，當罰金。文帝怒曰：此人親驚吾馬，吾馬賴柔和，令他馬，固不敗傷我乎？而廷尉乃當之罰金！釋之曰：法者天子所與天下公共也。今法如此而更重之，是法不信於民也。且方其時，上使立誅之則已。今既下廷尉，廷尉天下之平也。一傾而天下用法皆為輕重，民安所錯其手足？惟陛下察之。良久，上曰：廷尉當是也。」（史記張釋之馮唐列傳。）

國家之敗由官邪

中國歷史上這類奮鬥的事積很多。這類奮鬥，時勢之盛衰，常與之為比例。國家富強，政治清明。好官能奮鬥，便省卻許多人民的奮鬥。官吏奮鬥，人民效果大，事蹟不顯，人民奮鬥，效果小而紛擾大。所以官吏之奮鬥，在過去是郡治之要素，在今天是民主自由之基石。

昔人說：「國家之敗，由官邪也。」我今為之說曰：國家之敗，由於官之佞，由於官之媚；由於官之巧，更由於官之猾。身居顯要，而號於人曰：某司政務，某政之不行，某意不然，某同如此，時再號於人曰：你們要奮鬥，才有自由。好像一國之中，政府內外，只有心做好官，任我自為之。我們要民主自由，必須養成能奮鬥之人民，也必須引用能奮鬥之官吏，否則民猶是也，官猶是也。一切都從何談起！

一週展望

·雷嘯岑·

史蒂文生的天真思想

美國民主黨名人史蒂文生，從歐洲游歷歸來之後，大倡其和平論調，主張美俄簽訂互不侵犯條約，如果蘇俄不同意，局勢亦可澄清了。

這真是天真得可愛的書生之見！蘇俄決不會對所謂互不侵犯協定正面表示拒絕的。君不見它對「四外長會議」之迭次表示乎？原則絕對贊成，而且希望及早完成對德奧的和約。可是，它要以東方的中共參加這西方的「四強會議」為條件，你說這是澄清局勢的作法嗎？杜魯門曾說過：跟蘇俄簽訂國際條約，其價值倘不及抄錄條約的那張紙的代價！二次大戰後，蘇俄曾與中華民國簽訂為期二十年的友好條約，約內並寫明：「蘇聯願以道義的，物質的援助給予中國國民政府」，中國即以放棄外蒙古的統治權為交換價值。然結果怎樣呢？羅斯福總統在二戰大戰末期，對史大林那麼遷就要好，無條件給予蘇俄以大量的財力物力援助。但，自雅爾達會以後，蘇俄對盟軍的疑忌心情，尤其對美國作出種種不信任的猜忌造謠，行動，使羅斯福也大為憤怒。試閱羅斯福當時拍給史大林的幾項電文，即可證明了。不料羅氏的黨徒們，今日竟忘却這些眼前的教訓，希望用條約來與蘇俄維持和平。這不僅是短視愚昧，而且糊塗得令人可驚哩！

我敢担保：美國如果向蘇俄提議訂立互不侵犯條約，它絕對大為贊成，且更進一步，要求美國跟中共，北韓，波蘭，捷克，乃至外蒙古，皆分別簽訂友好條約，以表現世界和平的景象，豈非盛事？條約在蘇俄的眼中是隨便都可以訂的，於它有利時，任何條約皆可訂，無利時，比廢紙都不如。當年的德蘇互不侵犯條約，日蘇互不侵犯協定，不是很好的說明嗎？

為政權而自貽伊戚

史蒂文生的互不侵犯論，邱吉爾的大國會議說，真正用意都不是為的世界和平，他們內心上何嘗不知道這樣決不會獲致和平呢！他們都是為的對國內取得選舉勝利，故作此違心的主張，以取悅於選民，打擊政敵的對抗力量。來年是美國國會議員的大選期，英國保守黨政府也非執行大選不可，他們各為本黨的政權前途設想，因而齊唱高調，反正蘇俄目前不敢發動大戰，在西歐暫時是平靜的，在遠東雖有中越共之禍亂，那離西方很遠，大可聽其自然。他們只是為着目前的政權得失，却忽視了未來的大患。「聖人不仁，以百姓為芻狗」，其斯之謂歟！

印兵槍殺戰俘

號稱「中立國」的印度監護戰俘軍隊，在韓國槍殺其管理下的北韓反共戰俘七人，這是一件驚人的暴行！主其事者是印度人，中立國遣俘委員會既頒佈替共黨作假的「解說」規則，這已赤裸裸地表現着印度決沒有「中立國」的資格了。繼之又有屠殺反共戰俘的流血慘劇，南韓與自由中國，此時皆應向聯合國提出嚴重抗議，不承認印度這個媚共袒共的偽中立國，否定它再有繼續執行遣俘事宜的權能，以維正義人道。

南韓當局尤其具有說話的權利，被印兵槍殺的都是反共的韓人，南韓政府負有保護其自由人民生命的職責，對此暴行，豈能漠視？

如果我是南韓政府的當局者，除向聯合國與聯軍總部嚴重抗議外，並特別聲明：若印度人不知自愛，再有類此暴行發生，即將實行過去的諾言，派軍驅逐這群共黨同路人的所謂「監俘」軍隊，不許他玷污大韓民國的自由乾淨土地！

中國籍的反共戰俘尚有萬餘人在印兵監護之下，防微杜漸，自由中國政府必須提高警覺，設法保障這些自由人民的安全纔是。

英國中立人士眼中 蘇俄的遠東新政策

惟生譯

亞洲政策分歧的原因

因共黨的遠東發展，蘇俄所能獲得的最大利益，恐怕還在牽制西方的力量，並藉此離間西方國家的內部結合。因爲要想阻止共黨勢力的發展，西方國家必須在重洋萬里之外，駐屯軍隊，從事非常艱苦而非常廣大的戰爭，要保持參加各國的氣力，頗爲不易。例如在越南與馬來亞，便是一種殖民統治的形式，在朝鮮則爲一種西方對亞洲的干涉。共黨可利用此種情勢以號召亞洲民族模糊不清的獨立思想與反西方國家的感情。然而此點對西方國家的困難，尚不十分重大。最難辦的，當是各國對遠東問題，尤其對華政策，彼此意見卻十分分歧。在歐洲，西方國家表面上雖有不同意見，他們到底以同一目的，結合而成爲大西洋聯盟。在太平洋方面，卻缺乏這種結合。英美法三國所以沒有共同的對華政策，並不是由於對中共承認問題意見不同，乃由於英法的地理關係，不得不重視歐洲方面的利益，與太平洋國家的美國，政策不同了。所以共黨在歐洲方面的加強壓力，可使歐美民主國家團結一致。反之，共黨在遠東加強壓力，結果便使他們趨於分裂。蘇俄可使西方一致，中共可使西方分裂。

緩和歐洲與擾亂亞洲

以上所說，便是蘇俄與中共同盟所造成的世界局勢。就蘇俄立場言，最好的政策，是使歐洲趨於緩和，使遠東常在動盪不安之中。蘇俄最大的危險，在大西洋聯盟的強化，德國武裝的出現，以及在歐洲發生衝突，因爲這便有演成大戰的可能。到時美國全部武力及原子武器，便將對蘇俄及其附庸國家，實行進攻。另一方面，蘇俄及附庸國若不斷地宣傳美帝的侵略野心，對於鐵幕國家亦不免發生不良影響。因爲獨裁國家爲了保持統治，固有使人民對外敵激起憤恨與恐懼感情的必要，但若長久保持緊張，而又無戰爭，其結果或反因不可遏止的愛國熱情，轉而成爲冷淡頹喪。因此馬倫可夫在繼承史太林以後，他感到對內對外政策太過緊張，現在是應該設法弛緩的時候了。

索詐西方國家的秘訣

因此他對外主張與西方國家成立和平，停止軍備競爭。尤其重要的，他想設法阻止德國建軍，使不至成爲大西洋聯盟的一部。對內，則巧妙地想使俄國人民得到休息，使他們對於未來生活有改善的希望，並保證政府求取和平的誠意。但是，這與在亞洲從事共產主義擴展的政策，並沒有關係的。因爲蘇俄不能代中共負責。馬倫可夫僅可表示：中共不僅是主權獨立的國家，並且還是自有其政策的大國。同樣，中共也可表示：不能代越盟負責，越盟是所有共黨國家一致公認的合法政權，對越盟援助，乃對兄弟國家的合法行爲。這樣無論蘇俄或中共，都可對亞洲所謂「民族解放運動」不負任何責任。他們的外交家，儘可明白的說，這只是殖民地或半殖民地民族對帝國主義者所發生的革命反抗。蘇俄對於歐洲，如果在其駐兵的德奧兩國發生什麼事情，便不能推卸責任了。關於中共方面的問題，西方國家就得直接向北京提出，迫使美國要承認中共政權，並許其出席聯合國，作爲任何問題解決的條件。不過到時，中共也儘可以說，他們對越盟不能負責，到了越盟政權被承認以後，如果又有了泰國人民政府，又可以同樣方法，來迫取西方承認。

馬格塞塞自信必勝

菲律賓大選定於十一月間舉行，自前外長羅慕洛自動退出候選後，目前競選總統的一是現任總統自由黨的季里諾，另一是前國防部長國民黨的馬格塞塞。近月來競選的氣氛表面上雖還平靜，但背子裏兩黨的鬥爭確已到了最緊張的頂點。觀察家認爲除非季里諾總統的政府能確保投票以公平和正直的進行，否則菲律賓大選很可能發生流血的慘劇，他們之作此揣測係根據馬格塞塞所提的警告，因爲馬格塞塞最近曾公告美國友人說，如果投票是自由而清白的，他可能以意外的多數擊敗季里諾總統。

杜魯門嘗試閉門羹

美國前總統杜魯門前乘參加大法官文生葬禮之便，曾順便往訪艾契遜律師事務所，艾契遜是杜魯門政府時代的國務卿，艾森豪上台後，他即執業律師，業務倒還不錯。杜魯門去看艾契遜的時候，守門人以不識這位前總統的眞面目，頗多簡慢之處。後來艾律師的祕書出見，杜魯門即告以「有一位失業的老夥伴在外求見」，祕書照話轉告，艾契遜一方面因公務繁忙，同時又不知道位「無名氏」到底是何方的訪客，乃拒絕接見。最後還是祕書提到來客酷似杜魯門，艾契遜知道這位老上司素來喜開玩笑，於是破顏出迎，果然就是風趣非常的前總統。

保加利亞共酋自承失敗

奧地利共黨中央委員會已向各省共黨領袖發出一道祕密指示，通知他們如何解釋最近蘇俄外交政策的相互矛盾之處。那道指令中扼要的說，戰術的改變並非意味着最後目標的變更，主要的一個目標仍爲在各國建立無產階級獨裁。

同時，保加利亞總理契爾文柯夫在保國政治局最高級會議中，承認他們的五年計劃業已完全失敗，主要問題他都無法解決，工廠和礦場工人不斷作有計劃的破壞。

華夫特黨與埃共狼狽為奸

埃及共黨的地下宣傳雖在那奎勃政府嚴厲壓制之下，仍然相當活躍，起初美國情報官員還以爲埃共的活動經費完全是由克里姆林宮撥付的，直到最近才知道其中部份竟爲華夫特黨所供給，華夫特黨是反對那奎勃總統的政黨，因此預料埃政府對華夫特黨整肅，將更會大刀闊斧地進行。（孟衡）

文藝需要批評和論戰（中）

周塵

（上接第一版）

陳先生是自由中國文壇大亨，他的話當然有相當份量，據我所知，創作的自由固然不容置疑，但是，文藝水準之高也非中國任何時代可比，卻未免有點夫子自道。沙皇時代的大文豪托爾斯泰畢其一生精力，只寫成幾部作品，而一部戰爭與和平就花費了他好幾年日子。我們沒有超人的智慧，超人的認識，而能在短短的二年內，把四十年以前尚停留在教條階級的文藝（引陳先生語），一躍而爲「避免文藝作品八股化」，就能大量出版含蓄而富有藝術的作品，這種神話，其誰能信？廣成子的翻天印如有知，也要自愧莫如！

文藝的趨向

但就我們的藝文壇看看，我們實不能不驚佩於陳先生說的當前文藝界大量出版的情形。如果有機會跑到書攤，面對著幾十百部各種各樣的文藝書刊，準會令你瞠目咋舌，歎爲觀止。不過，其中可能一讀的，卻不多見，就以稿費最優，背景最厚的××文藝而論，內容除了幾首大歌詞，幾條調調兒，幾個故事以外，便很少再有東西。至如其他文藝副刊什誌，因限於當前的各不同各相關的環境，不如此，很少例外。這種情形，文藝界的先進如陳先生，當然極爲清楚，儘管他們高聲疾呼：「我們不要吟風弄月」「不要文藝八股」，然而一些所謂無病呻吟的名士派文學，奶奶派文學，還是多少我行我素，不過在屁股上安上一條反共尾巴，便成爲四不相了。

問題的癥結

問題的癥結並不在教條式的[illegible]，而是要有好的辯證法[illegible]……許多文化人都[illegible]……

批評與論戰

[illegible]……在自由中國的文壇裏卻被忽視，打開書刊，單找不到論戰的文，而批評也絕無僅有，有之，斷唯稱揚，亦夠取而已。記得本年春間，××文藝，曾經在讀者作者一欄裏說好，大致是：因爲我們不忍心在讀者眼前再撒一把砂子，而同時我們也不願開罪於人，所以我們不願刊登批評一類的文字。

他們的動機固然是好。然而流風所及，實不免影響文藝風氣，沒有批評，那來進步，沒有論戰，怎見白何分。這種新的保守精神，實在要不得。雖然，他們儘可以沒有揠苗助長，沒有向讀者眼裏撒砂子爲自己辯護。但是「伯仁由我而死」的罪名，他們也是應該分擔一分的。何況，站在文藝工作者的立場，只要是有眞知灼見，只要是不含血噴人，又何所懼？無所恐懼的人，只有怯懦的人才肯說。於此，我不禁要說，我們的文藝需要批評，我們的文藝需要論戰。不過我們所要的批評與論戰，絕不是潑婦罵街式的無聊意氣攻訐，而是要有條理的理論，有事實作依據的理論。雖然這些理論多半帶有破壞性的。何以故呢？因爲有破壞才有建設，能夠忠誠地指出事物的危害而加以破壞，像摧枯拉朽似的，就無異是替建設舖了一條路，一條建設之路。這樣，我們的思想才能進步，我們的意識才能透闢，而出現在作品裏才有所謂「眞」「善」和「美」。

但是，這種眞善美的文藝並不是一蹴即至，像陳先生說的「目前自由中國的文藝作家們，大多數在埋首寫長篇，而且在寫可「留傳」的長篇，不只是「宣傳」」那樣容易。而是要靠我們掏出眞誠，不斷的批評，不斷的論戰。要使批評與論戰能夠做到「平理若衡，照詞如鏡」「見善若驚，疾惡如仇」的境界，勢必須豐富的學識，與夫高度的判斷力。要有高度的判斷力和豐富的學識。那就非有許許多多文化遺產——書本，不爲功。

一點希望

因此，我誠懇希望，希望我們的文藝界先進就此有所打算。在可能範圍內，盡量要求解放禁書（不含毒素的）。我們不能因人廢言。能如此，則我們自由中國的文藝自會蒸蒸日上，自會脫離政治的工具而能收「宣傳」「載道」的實效。否則，雖陳先生獎掖後進有心（引「假如高先生有寫好文稿可寄給我，我必設法代爲介紹發表」），其如自由中國文藝的脈搏貧乏何？

——四二・九・二三。寄自台中

編者讀者

讀者來函

「自由人」，希望辦成像過去努力周刊……今日「自由人」缺點甚多，第二三四版均須切實改進。如今日「大千論國醫」一稿則可不登。最好增加……三版大陸消息，多加人物介紹若干，再能頗不必每期均有，可延續。此外，似更海外讀者，可得一港地位特殊，最好或「香港三日」事，亦可作較詳之，記者在本刊亦可窺見大司擴充，此世界第四版各種輕鬆文圖均甚得宜。最好少「……」等圖片，最好少讀也。……九月二十日夜，一讀者。

編者的話

△讀者先生：高見甚佩，我們一定照這方向努力做去，我們更希望讀者在這方面多加指教。

△滌心先生：大作毀家文，既不是文藝作品，閣下的家庭糾紛，我們雖甚同情，但並未成爲一個社會問題，必須公開討論，大作還是不發表爲好。

△于幼誠先生：大作反共救國會議的我見，現在情勢已不同，似可不再發表，原稿璧還。

△下一期續揭孫先生的論政治與軍事的關係一文，他先討論政治應如何配合軍事的原則，再進而討論到目前自由中國的實際政治。他對於公共汽車加價，進口結匯加征防衛捐，法治現狀，貪污問題，均有痛切的論述。

△我們要陸續發表的文章：陳紀瀅先生論培養士氣，旭軍先生美國必須確定原子時代政略，台灣通訊台灣教育界二三事，容文先生投靠份子黃紹竑的末路，丁援先生朱可夫的謎。

△本報二五七期前稿酬均已清爰，惠稿諸先生如未領到，請函知。

整理文物的孔德成

——高清心——

人物評述

孔德成先生，現年三十三歲。已有子女四人，夫人孫琪方女士，安徽壽州人，美貌賢淑，善理家政。德成先生爲孔子第七十七代孫，受政府特任，爲「大成至聖先師奉祀官」，領特任官薪俸。他國學根底甚深，足爲孔門學淵源之傳。現時的工作，替政府整理存台文物。每日往來鄉間，星期日才得休息。現居台中，爲文化城增光不少。他擅長詩詞，工書法，爲當代不可多得的青年學人。三十八年二月，舉家從大陸遷居台灣。

筆者前後去訪德成先生三次。最後一次是本年九月二十日上午九時，在台中市南區復興路某巷宿舍中見面的。他現在身體很胖，軀幹頎長，是一個山東人的健壯體格。他戴着眼鏡，有學者風度。國語十分清暢流利。因爲他要出門，前往參加中部秋季詩人聯吟大會，所以這一次談話的時間並不很長。

孔夫人孫琪方女士，係北平的名媛。她的父親是實業銀行的主持人，北方經濟界名人。也是個詩書門弟，家學淵淵，所以她受過很好的教育。這對於德成先生的事業很有幫助。他們在戰前結婚，至今已十幾年了。抗戰軍興，他從山東省曲阜故鄉流亡到大後方，在山城的重慶住了八年之久，參加過許多抗戰工作。

他勝利後，曾回鄉一次，那時候，八路軍在那裏已經鬧得很厲害了。德成先生說：「全國姓孔的，都是一家人。現在曲阜很多族人被共匪清算，生死不卜，音信杳無。將來回去，眞不知情形變成怎樣子。」

關於孔子遺物，現在已不多見。大概除了家譜之外，甚麼都蕩然無存了。德成先生現在工作很忙，每天到鄉間，整理還台文物，有時又要出席演講，只有星期日比較空閒，但又要給人家寫字——對聯，屏幛，匾額之類不一而足，還要接見許多訪客，所謂空閒時間，實在有限，讀書閱報差不多都感到時間不夠了。

現在他居的房子，是公家的宿舍。他住的是十六號，招待客人，卻在隔壁十二號。佛教會李炳南老居士（前覺生月刊主編）也住在那裏。十二號的門口掛了一個木牌子，上書「大成至聖先師奉祀官府」。筆者在十二號門前，看見一個十歲左右的女孩子，她問「找誰？」這孩子長的跟他相仿，大概便是他的令嬡。

他寫文章概用文言，很少用白話，也不常寫作。五年前，筆者曾在某處見過他一次，那時候卻沒有現在肥胖，而且也較白晰，現在卻胖而黑了，大概因工作忙碌多走動的原故。

筆者問他：「看過自由人嗎？」他說：「看過！」「常看，內容很好。」又問：「現在整理的文物，只是四庫全書嗎？」他說：「四庫全書之外，還有其他文物。」本來還想談談國學問題，因爲時間倉卒，只好作罷。

中共自己招供——大陸經濟文教的眞面目

．沈　著．

據九月三十日中共報紙載，中共政府關於一九五二年國民經濟和文化教育恢復與發展情況的公報，中共在該一公報中竭盡誇大宣傳每一項「偉大」「成就」之後，因無法隱諱他們的缺點而有部份敷衍性的招供。這一部份招供，雖甚含混，如果我們能加以小心深入的觀察，便不難瞭解目前大陸經濟文化教育一般衰敗破落的狀況了。

工業生產

例如在工業生產方面，公報曾自誇一九五二年的「國家計劃」是「超額完成」，但是這種「完成」，僅不過是中共在盲目生產競賽及幹部好大喜功的情形之下所達成的一種表面數字。實際上，據大陸各地報紙所載：一方面，由於大部份工人的怠工、破壞、敷衍；一方面，由於幹部普遍的幼稚、低能及官僚作風；致生產了大量次品和廢品，損毀了許多機器，積壓了許多資金，耗費了許多原材料，所以並沒有眞正的完成計劃。尤其因由於盲目的生產競賽，奴役無度，不知曾死傷了多少工人的性命。種種事實，在該公報指出工業生產上的缺點時，就含混地有了認承，如：『許多企業還沒有建立起健全的計劃管理和責任制度，不能均衡生產；某些企業成本過高，產品並存在重量不重質的編向，次品率和廢品率很高；某些產品沒有考慮產銷平衡，以致有不足或積壓現象；一般企業中原材料和流動金的積壓現象還相當普遍；部份企業中的生產保安工作還未得到應有的重視』，這不是很明白的招供嗎？中共的工業狀況，實際上極爲混亂、虛弱。

農業生產

該公報說，一九五二年全國土改完成，中共掌握合理價格政策，積極領導和扶助農業生產，繼續展開了愛國增產節約運動，改進了耕作技術，並因雨水適時，自然災害比較輕微，使農業生產繼續獲得解放以來第三個年度的豐收。但事實上，去年自秋季至冬季在西南、西北和華北各省因有嚴重的旱災及雹災而損害了大量生產不去說它，即就該公報指出農業生產方面的缺點時，也足以反映與前述所說的豐收相反的情況。如：『沒有從小農經濟的生產現狀出發，致在領導互助合作運動，推廣新式農具和先進技術，以及興修水利等工作中，有急躁冒進，強迫命令，不切實際及一般化的毛病』。『國營農場經營不善，不少農場產量低，成本高，浪費大，沒有發揮示範和教育作用』。『林業方面，對私營林業管理過嚴，損害了農民造林』。大陸報紙已認承農場強併民地，地方機關強征民工，共幹強迫購肥、施肥、拔秧、拔稗等情，不知曾損害了多少農民的生產利益。

基本建設

中共所竭力誇大的「貢獻」是所謂基本建設。但該公報說：『在該一工作中還存在若干缺點，設建單位沒有完成計劃，主要原因是在幹部盲目表功，多冒進；勘察和設計力量薄弱，施工中缺乏[illegible]』。這清楚說明大陸整個基本建設已經到了極惡劣的情況。

鐵路交通郵電

在交通方面，該公報認承『潛在能力（至於在鐵路和公路方面）還沒有充分發揮』，[illegible]

國內外貿易

[illegible]面所宣傳的，也只是一些表面數字，事實上，運輸效率，與管理的方法還沒有改善，[illegible]

職工生活

關於職工生活，[illegible]低落，與工資、生活及生產安全等之間卻有着因果關係。

文化教育

關於文教，由於中共爲了大力推行其所謂「政治思想教育」，[illegible]總之，中共該一公報的目的在[illegible]各種「成就」，可是實際上，他們所宣傳的「成就」，都是[illegible]到底是甚麼一回事，也可想而知了。

赤色新聞淺釋

「體育和肺病」

據上月九日的本港大×報登載，說從前月十日起，中山大學愼重選擇了部份肺病學生三十人，在「中山大學肺結核體育療治委員會」領導下，根據蘇聯「先進醫療方法」——體育療法進行醫療肺病，實施三個星期以來，從病裏檢驗的効果看，已有初步成績云云。從這一則新聞來看，姑不論體育治療肺病是否確實有效，但破天荒認承大陸一般大中學生的肺病患者普遍而衆多。[illegible]大陸各地報紙一直在大叫肺病猖獗，認承一般大中學校的肺病患者，平均已有百份之二十云云（見人民日報）。

「採礦作報費」

同日的該報又說：廣東潮安縣[illegible]來加以宣傳的。[illegible]那就是：一、中共強迫讀報，民間報費的負擔沉重；二、人民普遍窮困，實無力償付報費；三、鄉村的普通知識份子被利用做讀報員，結果還要放棄了自己的生產去開了礦來付清報費，少不了中共一文錢。

警方採取安全措施　十月一日悄然溜過

從上月三十午夜十二時始，警務當局爲進一步維護港九二百多萬市民安全，採取一項周密的防衛措施。各區警署均奉令準備隨時出勤服務，中西各級員警休假，同時取消；並且派出特別巡邏隊分別在市區巡邏，配有鋼盔、籐牌、手提機槍。半島則自三十日下午八時起採取特別警戒，警察衝鋒車亦奉令出巡。而各區消防隊、後備警察、救護隊及民衆安全服務隊與其他有關安全機構，亦奉令作充分準備，必要時隨時可以立即出動協助。

十月一日港九顯得特別冷落，中華總商會的懸旗爭執，終由於正義克服專橫。反映出這一個港九工商界的領導機構，絕不容某一個親共的私人可以恃爲獻媚工具。事後有人說，高卓雄的主張，只是對某一方面應付的一種手段，雖然鬧得滿城風雨，結果，「旗」並沒有掛上。廠商會接收新址後，適日正加髹刷，「華商總會」既已成爲歷史陳迹，高卓雄之題署，恰在人們注視總商會是否掛旗之時陸續髹去。

港貨輸美尺度放寬

根據美國財政部與港府所擬致的協議，自香港輸美之製品項目，現續增加可摺疊之絲質及人造絲質字紙簍、片糖、冰糖、繡花鞋，及瑪利諾修女院所縫製的繡花祭衣等五項。依照協議，規定此種香港產中國式商品，由港府發給綜合來源證。其他有關港製的產品，放寬輸美尺度，據說美財政部正在考慮中，一俟批准，可望迅速公佈。

戰略物資走私猖獗

傳說近來由於大陸上的物資異常缺乏，而當局執行聯合國禁運令又極嚴格，牟利之徒，竟仍不惜冒險以逞。因此走私之風復告猖獗，私梟利用機帆，每當月黑風高，將物資搬向海岸，落貨之種類括有汽車輪胎、鐵環等等。此等走私之機帆，據說最少裝置有三副馬達，時速約二十一海哩。雖然行動非常祕密迅速，終不易全般逃過緝私警員之耳目，一艘正由寶珠潭駛向共區途中的機帆六五七一Y號機帆，被警方之快艇截住，搜出價值約達十萬港幣的汽車配件，二十七歲的艇主朱美華，現被解控於九龍裁判署審訊。

啓德機場怪事三樁　于伶父親攜款被扒

香港三日

在啓德機場偷乘菲航班機去菲的神經漢白平由菲押返香港時，機場上又發生了兩種怪事：一個因其父在大陸上被共黨殺害而神經失常的婦人竟然手持兩函要求搭乘飛機的旅客帶上「西天」；據說兩函其一爲致送已死的父親，另一爲向「玉皇大帝」告狀，索還她的老父。還有一個台山籍少婦則在機場胡言亂語，她說她的翁父將自加拿大派一架飛機來送她去和丈夫會面。除了白平現由警方扣留偵訊外，兩個少婦均被驅逐。菲航公司爲了杜絕偸渡，刻正與啓德機場當局人員籌商對策。

最近中區上環及繁盛區的銀行區剪綹及摸竊匪徒，非常活躍。平劇女伶于素秋之父於某銀行提款一千元，甫經出門突然被一陌生男子迎面一撞，初時尚不以爲意，旋發覺懷中之款已經失去。負責偵查摸竊案件的幹探，於永吉街附近發覺有一男子尾隨兩名美國軍官，隨即跟蹤查究，卒在其身上搜出現款一百十八元。即是兩美國軍官之一的蘆西失款。（衡）

各地重鬧「五反」

據最近光明日報披露的消息：自滬共重向私營工商者大搞「五反」以後，各地亦相繼紛紛向商人開刀。理由是各地商人已重犯「五毒」。指商人大多仍在偷稅、漏稅、造假賬、抗拒「國營」公司領導、抬高物價、偷工減料及腐蝕「國家幹部」。被中共指定控制商人的「中國民主建國會」尾巴黨已於本月一日向各地發出通知，要根據「五反」的原則，大整商人。該會指出：南京、上海、杭州、重慶、桂林、廣州及天津、青島、武漢等各大城市，業已率先進行調查處理云。

介紹：被告

．羅自芳．

原著：Alexander Weissberg

版者：友聯出版社

版次：四十二年三月初版

從一九三六年中至一九三八年尾，蘇聯在史太林統治下，舉行大清黨運動。在這段時間內，有若干八百萬人，都被秘密警察所逮捕，[illegible]

滿腔熱誠換來苦役

本書著者韋斯堡就是當時被捕者之一。他原籍奧大利，是一個科學家，也是一個共產黨員。他懷着一腔熱誠，從納粹統治下的德國，跑進蘇維埃聯邦，滿意替他的蘇維埃工作。但在一九三七年正月，他無端地被逮捕入獄了。此後，韋斯堡經過了所有各種不同形相的監禁：政治管轄的單獨監禁，懲戒牢，集體囚室，還有所謂「華貴牢」，歷時三年之久。

韋斯堡被控告的罪狀是：「主使一羣太粹林的恐怖份子，伏希洛夫乘史高加索作狩獵旅行時，暗殺他們；以及陰謀于蘇聯對外戰爭爆發時，炸毀烏克蘭頂部的主要工廠。」韋斯堡始終能夠堅持不肯認罪。所以最後，他還能根據蘇聯和納粹德國的互相引渡條約，被驅逐出境，引渡於德國（其時德國已併奧）。否則，[illegible]

疲勞審訊　摧毀抵抗

搾取認罪　尋找後補

慘酷手段　日新月異

謝六逸與『日本之文學』（下）

·舜生·

武者小路實篤還健在，且有新作出版，頗受歡迎，萬秋笑他是老樹開花。

谷崎潤一郎生於明治十九年（光緒十二年，一八八六），民國十五年（大正十五年，一九二六）春天，我曾在上海見過他，其時他還只四十，穿着中國花緞的袍子馬褂，一幅很神氣的樣子，現在也已經是接近七十的老人了。這位日本的波多野蕭翁，他不單只歡喜着中國衣服，在他的書房裏，也有不少中國的小陳設，同時，他對於中國的女人，似乎也有他的一種獨到之見。據他在某種隨筆中，有一段西洋，中國，日本女子的比較觀說：

『總而言之，從男人方面來說，西洋婦人是適於觀賞甚於擁抱的，但東洋婦人則相反。據我所知，皮膚之滑，肌理之細，以中國婦人爲第一；日本人的肌膚要比西洋人精細得多，色彩雖不白皙，但在某種場合上，帶有種淺黃色，却能更增深味，添加含蓄。……』

佐藤春夫也還存在，我不記得那一年也曾在上海見過他，好像比谷崎氏略年青一點。他現在除從事『水滸傳』的全譯以外，似乎沒有其他的新作發表。他這部全譯的『水滸』分訂十二冊，據我今年四月在神田所見，已出到第七冊，幾乎每一家書店都有得買，可見是很風行的。每冊定價日金二百五十元，全書出完，則須得港幣五十元左右，可謂甚貴。但裝釘頗精，還有若干日本風的插圖尤美，以佐藤對中國文學的修養，其譯筆也應該是不壞的。

鶴見祐輔出版他那本『思想，山水，人物』，已經差不多是三十年的事了（大正十三年，一九二四），今年我在東京，還見他在上野公園門前站在一部汽車上作參議員競選的演說，看樣子已經是六十左右的人了。他這次當選爲參議員，屬重光葵所領導的改進黨。

有一件出我意料之外的，是明治、大正，昭和三個時代的一位文學老將德富蘇峰氏，現在還居然健在，大約年紀已在九十以上了。最近他還出了一本書，書名好像是『我所讀過的書』，篇幅不多，[illegible]，這也許是他最後的產品吧。當盟軍進駐日本時，此公會以甲級戰犯的嫌疑被捕，何時釋放，則我不大明白。

[illegible]

花林樓隨筆

[illegible]

智利國歸客談：公民證的妙用

·承安·

前天遇見一個由智利回來的政治朋友，談到智利的風俗，有一段十分有趣。他先講了一個故事，說：

某晨上午十時，一個女僕推開旅館裏某房門，不禁大叫一聲，嚇得面如土色，原來有一具女屍直挺挺，躺在床上。沒有人知道她是誰，也沒有一件東西能指證她是誰，行李上的標籤早已撕去，旅館中職工沒有人記得她的來蹤去跡，唯一的綫索是梳粧台上的一瓶香水，玻璃瓶塞是打開了的，一個偵探在床上找到了瓶塞，這個長長的瓶塞折爲兩斷，斷口處滿着血跡。這案子發生在智利國首都，聖地牙哥，沒有人知道是謀殺還是自殺。

調查身世　簡單迅速

假使這事發生在英美，先得把屍首抬進驗屍所，再把她的衣飾、年齡、等等公佈，以便招人認領。但是聖地牙哥的警探們另有辦法：先把死者的面部洗拭乾淨，拍了照片再把指紋取下，只隔了一點零十分鐘，已把死者的身世打聽清清楚楚。原來智利「公民證明所」保存着每個智利公民的身份證，把她的指印和照片核對一下，很快的發現了她是何許人，另由一人考核香水瓶上的一些指印，於是這案子水落石出，這女人是從智利南部到首都來的，頭一夜會的是她的情人——替德國商做經紀的智利人，當晚痛飲之後就把她殺死了。香水瓶上的指紋屬於另一女郎，以美貌及性情乖僻著名。

甫滿七歲　即須領證

這裏不是偵探小說，用不着將這案子詳細描寫。現在所要知道的就是智利有一條法律，每一個人都得帶一張「身份證」，上有本人照片、指印、和親筆簽名式，是由「公民證明所」加印頒發的，這是一個公民註冊的機關。每個外國人也都有一張身份證。這個玩意兒的用途甚大，殺人犯休想逃走，也休想化裝避人耳目。當智利人到七歲的生日時，就得到本地「公民證明所」去走一趟；那裏有三間房子，第一間照相，第二間留指紋，第三間在卡片上填寫姓名，學校名稱，父母名字，等等。這卡片分爲兩張，一張歸入檔案，另一張交本人放在小皮夾裏帶回，從此，他們很高興，不會被人拐走，「寶貝」縱然迷失了路，也會有人送回的。

每隔五年　更換一次

此後每隔五年，必須赴「公民證明所」重行照相，打手印，簽字，換一張新的「身份證」，[illegible]，不能[illegible]，不能收電報，不能提款，不能參加任何需要證明身份的一切行動。[illegible]

用途利便　不可勝數

身份證爲便利於攜帶起見，現已縮小爲寬一、二五吋長兩吋半，約等於卡片大小。當推行這制度之初，智利有人用死人的名字冒領傷兵撫恤金，競選家用汽車把選民從甲區裝到乙區，以登記及投票兩三次，現在選民一定要事前登記，並且交出他的「身份證」，把證上的號數記下來，在選舉的那天，選民的身份證暫時被收去，到黃昏才發還，所以不能以一人投二三次票。

身份證的好處，不可勝數：沒有人能冒領款項，當汽車用完了油，而身邊沒有錢購買汽油的時候，汽車站看了身份證號碼可以賒給汽油。總之，這是一個賢明的制度。

論·副·刊

·超然·

報紙副刊或謂之報屁股，視之頗賤，此指五四文藝復興運動之前而言。自文學革命以後，[illegible]，副刊之文，遂成必讀之一頁。如北京晨報副刊，時事新報學燈，申報自由談之類，[illegible]。

香港的報紙近年尤其重視副刊，日報如此，晚報更無不如此。其間類多出奇制勝，爭欲出人頭地，以吸引多數讀者。於是副刊尚矣。

香港之副刊亦分多種，有專門的：如學術文化科學之專刊。有一般的：如小說，雜談，詩歌，趣味小品等。有宣傳的：如電影，戲劇界所辦之日報，其副刊作風亦多與其所辦之報之目的相同。總之，五光十色，不一而足。[illegible]

[illegible]

我覺得辦報之目的雖在宣傳與營業，而其最高之理想則在提高文化水準。如何提高文化水準？於是編輯尚矣。編輯如何物色？編輯之才難矣。雖然，以香港之大，豈無良好副刊編輯耶？最大原因還在財東不肯求，主事者不肯求，能者不強求，以故乃有才難之歎，斯亦不可以已也歟！如欲於無辦法中求辦法，則只有三途可循，其一創造，其二模仿，其三因襲。倘能截長補短，或棄短取長，當有建樹。吾言不高，幸明哲有以教之。

書感

·猬翁·

神州淪浩劫，撒旦執鈞衡。異說誇先覺，[illegible]。[illegible]（註），瓦釜作雷鳴，碌碌看餘子，中原孰主盟。

其二

陽虎桓魋輩，紛紛玷杏壇，[illegible]（借成句），沐是楚人冠（借叶平）；吾輩束高閣，群奴攻異端，昌黎今不作，誰與挽狂瀾？

（註）[illegible]

憶古蹟懷南京

——大報恩寺與琉璃寶塔——

·鐵頭·

那時江南名士，又是有錢的闊大少爺杜慎卿（即是影射著者吳敬梓的從兄吳青然）也住在寺裏，他的寓所自又不同，二十九回裏寫道：

『次日，杜慎卿寫個請帖來道：「小寓牡丹盛開，薄治杯茗，屈三兄到寓一談……」吃到月上時分，照耀得牡丹花色，越發精神。又有一樹大繡球，好像一堆白雪，三個人不覺的手舞足蹈起來，杜慎卿也頹然醉了，只見老和尚慢慢走進來，手裏拿着一個錦盒子，打開來，裏面拿出一串祁門小砲杖。口裏說道：「貧僧來替老爺醒酒」。就在席上點着，爆爆燦燦響起來，杜慎卿坐在椅子上大笑……』

又過了一天，三人還席，同時玩玩風景，寫道：『蕭金鉉道：「慎卿兄，我們還到雨花台崗兒上走走。」杜慎卿道：「這最有趣。」一同步上崗子在各廟宇裏，見方景諸公的祠，甚是巍峨，又走到山頂上，望着城內萬家煙火，那長江如一條白練，琉璃塔金碧輝煌，照人眼目……』

吳敬梓散財離鄉後，卜居南京，與諸名士往還，凡所描繪的情景，自是寫實，可以說：當時報恩寺是南京第一熱鬧的地方，因之，凡遇大的場面，必定假用，於是那有名的「南京條約」之議訂，自然就變作會場了。據盋山文錄卷二載稱：

『道光二十二年七月，中英雅片之役，假寺張筵講和。』

盋山文錄是顧雲著的，顧是與曾左同時代的人物，他對於雅片戰爭，痛心疾首，即借游報恩寺的機會，做了一篇四十韻古風，大可當作史詩一讀，題目爲：經報恩寺感成四十韻。（十二）

從周作人說到陸放翁

·秋柳·

陸放翁與周作人都是生在亂離憂患中的文士。他們對現狀老是不滿的，但却沒有勇氣來面對現實，以盡匹夫之責，當時代的潮流來了的時候，他們竟然不惜失身於權貴，例如陸放翁所痛恨的士林放翁就曾經依附過權相韓侂胄，而周作人更在抗戰的時候，落水做了僞組織的「教育督辦」，成爲千古以來兩個失節的文人。不過陸放翁的晚節畢竟還是可以告慰世的。至少他的詩，已使他的『家祭毋忘告乃翁』的詩首家祭取到了「民族詩人」，其次放翁對自己在寶座政治上的用處，也許有些難言之隱，他希望從世諒他，却故意拿「身後是非誰管得，滿村聽唱蔡中郎」的句子來解嘲，這是很可笑的。

至於周作人更喜用文字來掩蓋自己的醜處，例如他在「玄同紀念」一文就曾引用「東山談苑」所云『倪元鎮爲張士信所窘辱，絕口不言，或問之，元鎮曰：一說便俗。』於是，他乃得到一個結論說：

『在現今無論關於公私的事，有所聲說：都不免於俗，雖是講玄同也總要說到自己，不是我所願意的事。』

原來周作人是這樣有志於做一個雅人的，他的「雅」一部分事實了南京大成殿上公審的時候，也不得不一變而爲俗不可耐了。他的這種哲學，便較「身後是非誰管得」來得更可卑了。

那末周作人的氣節，又[illegible]。是放翁所不屑爲的！他記憶中有一位宋末元初的詩人方回，人格是非常卑下的。他曾經逢迎過賈似道，到後來賈失了勢，又加以痛罵。不過他的詩倒還不錯，足以代表大宋的詩界。詩中如：「每寅九日離，此情此景，七十年不曾是今日。」周作人在數年前寫了一首詠七夕的詩云：

『烏鵲呼號繞樹飛，天河暗淡小星稀，不須更讀枝巢記，如此秋光已可悲。』

這首詩的作品，但他一樣的淒苦之情，寫盡了世情，與方回的末日氣氛，對中國的看法[illegible]。是然暗淡，這只是他個人的悲哀，中國的前途，並沒有像他所設想的一樣。周作人終於是一個中國的文士，因爲他沒有勇氣一讀劍南詩集中那首「家祭毋忘告乃翁」的詩。（下）

中華民國僑務委員會頒發登記證台敎新字第一零二一號
中華民國郵政登記第一類新聞紙類

自由人

THE FREEMAN
（半週刊每星期三六出版）
（第二七一期）
每份港幣壹毫
督印人：李光鄲
社址：香港高士打道六六號
電話：七四〇五三
GLOUCESTER RD. HONG KONG
TEL: 74053
承印者：東南印務出版社
地址：高士打道六十四號
台灣特派員辦事處 台北市館前街五十號
台灣總經銷處 台北中華路新號五九四之一
台灣郵政劃撥儲金帳號 九二五二號

泛論政治與軍事的關係

·樓桐孫·

軍事與政治相配合為現代軍事的大原則。自由中國目前的努力方向已甚正確。然而實際政治上，經濟措施尚有失當，法治未臻完善，貪污情形並未消滅。真正的配合尚待更加努力。

現代軍事的原則

軍事本屬於政治的範圍之內。所以說：「戰爭是政治的延長」。而現代政治，一以法爲本。這猶之刑罰是補法治之不足，同一道理。自古大刑用兵；兵，刑原屬一義：都是政治的突出部份，都是變而不是常。近人王乃徵說得好：「國非兵不強，而強國非徒練兵一事。使內政一切不修，欲成強武之國，無是理也」。這原是中國悉古相傳的至理。蔣百里用現代術語加以說明道：「生活條件與戰鬥條件一致則強；相離則弱；相反則亡」。這可說是現代軍事的基本原則，而所謂「生活條件」，當然是指整個的政治現象和社會風氣而言。所謂「民心」，就是這政治現象與社會風氣一種混合的昇華而爲決定軍事成敗的要素。

總體戰的重要性

這在反共抗俄的艱鉅戰爭中，尤其有特別的重要性，共匪所獲暫時的勝利，可說是完全由於種種政治上和經濟上的陰謀和策略者多，而由於軍事鬪爭者少。吳起有言：「不和於國，不可以出軍；不和於軍，不可以出陣；不和於陣，不可以出戰；不和於戰，不可以決勝」。這所謂「和」，就是現在所說的「配合」或「總體戰」。共匪對於任何問題，都必先在陰謀上有一種極其縝密的「配合」，再加以必要的熟練，然後因人因時因地分別內事策動實行，替軍事造成有利的形勢……以我之和，對人之不和，勝負之數，已不難預卜。

馬來勝利的關鍵

「配合」的要素，舉一個例吧。最近美記者小查爾斯·弗爾滋氏，訪問英國高級專員譚普勒，問英國人在馬來亞究竟有什麼進步，譚普勒舉出一大堆的數字，據譚氏說：一九四一年戰爭發生以前，馬來亞入學學童只有二十六萬餘人。一九四八年戰事緊張時，爲五十三萬餘人。到了本年三月，則爲七十七萬人。若與一九四一年比較，十二年之間竟增加三倍！……弗爾滋聽得不免有點兒不對勁，於是追問一句：「將軍，你似乎把這件事也當成作戰的一部份嗎？」

譚氏很得意的答道：「我們很知道，打仗方面的困難，不過是整個的四分之一。最重要的還是其他的四分之三！我們知道必須得到民心，才能使他們起來反抗殘暴的共產主義。要得民心，必須對他們施以適當教育，使他們有保障他們健康的可能，同時也得推動社會的進步」。

譚普勒這種見解，在帝國主義的軍人中，確是高人一等。大概就是因爲他在那邊剿共，對政治重於對軍事，所以使他贏得「馬來森林戰英雄」的稱號。其實，在我們看來，這道理本極平常。這與我們從前剿匪時所標「三分軍事七分政治」的口號正復相同。不過問題在軍事雖已做到三分，政治是否做到七分。換句話說，就是政治能否配合軍事。如果軍事以外，其他各政治部門，實際上仍距配合的理想尚遠，便有問題了。就現代軍事制而言，人民日常的衣食住行，與財政金融，也是必須兼顧的事。我國古籍易經和書經，提到政治的道理，常常着重一個「和」字，指的完全是各政治部門的所謂「配合」，亦即前文所引吳起「不和於國」的「和」。可見政治的配合，實爲軍事的前提，而軍事的配合，又實應完全配合於政治之內，這是古今中外不刊的眞理。現在我們如果拿這個眞理來衡量我們各政治上的現象，社會上的風氣，是否已經做到完全配合的地步？是不是已經做到「和」？這還是很值得我們大家好好的警惕一番！

我們方向已正確

當然，任何國家要十分十的做到這一個「和」字，是很不容易的。尤其在民主制度下，自由發達，意見分歧，假使不知道，以「和」爲「強」，而一味「配合」，以「同」爲「和」，這反而會犯到很大的毛病，使政治弄得更糟，而軍事更難進展。我們是決不願如此的。我們深深知道「當前」我們的任務，一方面要爭取反共抗俄戰爭的勝利，一方面要確立收復大陸建設整個國家的規模。因此，我們必須適應反共抗俄的特殊需要，更要循着法治的常軌，[illegible]這是陳院長本年二月在立法院「施政報告」的結論，是大家所一致贊佩的。所說：「以軍事爲中心，以[illegible]來維持，來培養。」此必須努力生產，發展經濟力量，事業的發展尤須與經濟力量相支持。能使全國人民都在農業、工業，並且要在[illegible]方面，經有宗成的計劃，建[illegible]的力量，與「配合」。我們所說的「一致」與「偉大建設」的意義，完全相同。「偉大建設計劃」，在事實上，不論外交，財政，經濟，司法，僑務，都按照預定計劃，不少的事。可知我們的第一步在求各方面切實配合，第二步則在與軍事密切配合，第二步則[illegible]遵循這途徑自然是非常正確的。全國上下，正在這個方向不斷努力發展中。這是到過自由中國台灣的國內外人士所一致公認而深表贊揚的。

滿招損與謙受益

然而，「滿招損，謙受益」。「有其善，喪厥善；矜其能，喪厥功」。古訓昭垂，深堪儆戒。何况反攻正將開始，大敵當前，無數艱難險阻尚在後頭。我們於本春秋責備賢者之義，對於當前若干事實，稍加論列，共相惕勵：

自鐵路，電力，公路局，公共汽車陸續加價以後，繼續進口加征防衛捐的問題，又正成爲輿論熱烈討論的對象。這在主管機關，固然都有財政上不得已的苦衷。但如台北市公共汽車票價，平均增加百分之三十八，「非常普遍增加市民之負擔，且是引起刺激物價之後果」，「然若能整頓營業，撙節開支，經精確估計，可以相抵，而補充車輛，增加設備等問題，亦可從合理解決，實無提高票價之必要」（均見監察院交通委員會糾正文）。其實在人民的看法，凡屬公營事業，大都犯有這般同樣的情弊。至於進口結滙的加征防衛捐，或可增加財政上的收入，以藉一億至二億的預算。（如把美援物資一併加征，尚不止此數。）但這不但給予全面物價以嚴重的威脅，（事實上如棉紗，西藥等已見上漲），由於不肖商人乘機騷動，並可造成一般人民心理上的不安。其後果的嚴重，是有非金錢數字所能估計的。因爲自今夏以來，由於各種蔬菜價格的上漲，已使升斗小民的生活指數直綫上升。如果進口物品及市公共汽車，再於此時加價，實覺不合時宜。此其一。

應兼顧精神生活

又如社會上若干民刑事件，是非曲直，公理自在人心。可是一入衙門，則反正出入之間，往往弄得撲朔迷離，平添好事者不少談料。這與人民信仰，影響最深。蘇子由有言：「法行於賤而屈於貴，天下不服；天下不服而求法之行，不可得也」。我們曾說，民主制度，壹以法爲本。這關係實在太重大了！如果物質的問題，那只是屬於是非曲直的問題，就完全屬於正義與政治經濟一切建設的大本。我們實應並顧，使人民生活的物質與精神各有保障，「皆當其所而無所乖」，方能做到萬衆一心，完成復興的大業。此其二。

貪污之風未根絕

政治上最大的禍害，莫如貪污。「貪污自多欲始。小官俸廉，何以多欲？欲如意，不受賂，何從得？」（眞德秀五箴）「貪取之風，所以膠固於人心而不可去者，以俸給之薄而無以贍其家也」（顧亭林日知錄）。可知貪污原因，不外兩種：一是因公所得，實不足以資事畜；又一是小人得志，官僚既豐，則放僻邪侈，無所不爲，相習成風，又足以使少數意志薄弱而職司機要的中下級人員，因利乘便，政以賄成。後者如有些顯要，一旦下台，或行李纍纍，高飛遠走，或斥資納寵，有玷官箴，最爲目前自由中國政風的污點。此其三。

心所謂危故盡言

物價，士氣，民生，而貪污更足以敗壞正義，造成社會的罪惡：三者又互爲因果，循環無端，此種現象一日不能清除，則政治不但不能配合軍事，反將爲軍事之累。近年以來，我自由中國上下一心，勵精圖治，各種進步，極爲顯明，決不致再蹈覆轍，這是我們所確信不疑的。可是國父曾說：「政治之隳污，緊乎人心之振靡」。觀微可以知著，姑息足以養奸。古人有言：「任事者當置身利害之外；建言者當置身利害之中」。心所謂危，言無不盡。特草此文，以明政治與軍事的密切關連，實尚有加以統調整以期達成完善配合的必要。

民國四十二年中秋於台北古亭

美須確定原子時代政略

·旭軍·

最近的一個星期，最重大的新聞是艾森豪威爾總統考慮原子武器時代的新決策，和美國聯合參謀部根據蘇聯氫彈情報製訂全球新戰略觀念。

林肯與東河計劃

有了原子武器的戰略，還須有原子武器的政略。在蘇聯未有原子彈之前，美國獨佔原子武器時，美國的戰略與政略均未有周詳的打算。現在一旦蘇聯有氫彈，未免有點張皇失措的樣子。

在今年夏初艾森豪威爾總統在記者招待會中被人提出一個最富於爆炸性的問題來相詢問。那就是：他是否同意美國政府告訴她的盟國和美國人民，較多一點有關美國原子武器以及對蘇聯研究所有的估計情形。他當時表示他的政府比以往政府較爲坦白。但他盼望先要修改原子武器實情。數小時以後，才能有權披露原子武器實情的法案。國會聯合原子能委員會主席柯爾氏又被詢問關於此點的法律程序問題。他說：不必要修改法律。

一九四八年十月美國初次聞蘇聯有原子爆炸。一九四九年九月二十三日杜魯門總統宣佈：蘇聯第一次原子爆炸。至一九五一年十月蘇聯有原子爆炸。由此可知華府對蘇聯的對策，是在一九四八年十月以後即開始了的。一九五〇年春，美國國家安全委員會第六十八號文件，內容係論及蘇聯原子武器發展進度與美國所受侵害。經杜魯門批准，其後有所謂「林肯計劃」，由研究空軍防禦原子襲擊，以及「東河計劃」係論及民事防禦。

祇有消極的打算

爆炸一到了一九五二年十一月一日，第一次氫彈爆炸。一超級彈，即核子彈，普通稱爲氫彈之。其炸力之單位，其能力極大，以致必須另定一個爆炸單位，名MEGATON。即係等於一百萬噸的TNT炸藥的爆炸力。這樣當然跟着一個恐怖的名詞生了，此即DEATH。現在美國的科學家與政府人員，都在想知道[illegible]製成氫彈，科學家[illegible]

（下接第三版）

半週展望

·陳克文·

保證蘇聯的安全？

美國民主黨史蒂文生遊歷世界，回到美國發表談話，主張與蘇聯締結不侵犯條約，英外部發言人亦表示「關於與蘇聯締結安全保證協定，以緩和世界冷戰緊張情勢，英美法迄未放棄此種計劃」，我們希望英美法的政治家注意：如果和蘇俄簽訂了一張條約，便可以和緩冷戰的緊張局勢，中蘇卅年友好條約簽訂之後，便不至於把整個中國大陸淪陷於蘇俄懷抱之內了。殷鑒不遠，英美的政治家不應該健忘乃爾。美參議員共和黨領袖諾蘭說得好，這種協定「將是一種錯誤」，是「另一次的慕尼黑」。他又說：「美國祗應保障二次大戰前蘇聯疆界的安全」，這是最深刻公平的見解，如果就現狀保證蘇俄的安全，和承認強盜刼掠所得的贓物何異？

恢復舊外交方式？

聯合國現在有一種濃厚空氣，說韓國問題將進入祕密外交討論，英代表勞德之徒，倫敦（即公開辯論配合祕密談判），已引起蘇代表維辛斯基的反應，勞氏主張恢復舊式外交，維氏祕密外交與公開辯論配合。美報認爲不僅韓國問題，據說可能爲新外交行動之前奏，祕密外交可以解決世界問題嗎？祕密外交祇是便利強國宰割弱小國家，犧牲弱小國家的利益而已。問題總算得到一時的解決，亦不過醞釀未來更大的危機，和更多的糾紛而已。雅爾達協定，便是現代有名的祕密外交，當時羅斯福，邱吉爾爲討好於斯太林，便在這一次祕密會議中，出賣了戰時盟友中國，種下了近七八年來遠東糾紛局面的種子。我們不知道英美法的外交家現在是否要再來一次雅爾達，以出賣南韓和自由中國？

艾登外相恢復視事

英外相艾登於久病之後，現在已恢復視事。這也是英國政壇上一件大事。艾登恢復視事後，首與澳外長弦賽舉行談商，討論美澳紐三國太平洋安全協定問題，可見艾氏對遠東問題的注意。我們以爲太平洋三國安全協定之所以未請英國參加，最大的關鍵係英美對遠東政策的紛歧。艾氏今後的遠東政策能否與美國取得協調，應該是很重要之點。艾氏的外交經驗與其長才素爲世人所重，我們希望艾氏恢復視事之後，對於今後的英國遠東政策能夠根據實際情形，作一翻新的決定，再不要像過去工黨政府所定下進退失據的政策，以自尋煩惱，損失聲威。

中共何來資本？

中共現在正大事宣傳五年經濟建設計劃。經過三反，五反，大陸經濟已經破產，中共「人民日報」說：「必須加緊開展增產節約運動，這是解決目前的問題所必需，而且也是今後長期建設所必需的。」「爲實現工業化，發展重工業，我們必須有不斷增加的大量資金，資金從哪裏來？」又說：「只能從生產的增加和財政上的節約來逐漸積累。」這很明白，中共的資本要從農民身上剝削。現在大陸人民已經被中共搜刮剝削，尤其是對農民的剝削，已竭澤而漁，在「資金積累」的美名之下，大陸老百姓的生活，我們可以預料今後在中共五年建設計劃下，更加痛苦了。

反共戰俘的枉死

二萬二千五百名的反共戰俘，早已決心選擇自由，不再回去共黨統治的世界。現在移交到所謂中立的印軍看管之下，竟受到印軍的暴力壓迫，已被擊斃三名，傷卅名。這些戰士不死於戰場，竟死於非中立的共黨幫兇之手，眞是冤枉之至！聯合國必須出以積極行動。南韓政府要驅逐印軍，並舉行示威運動，自然是值得稱揚的。我們希望克拉克統帥能堅持自由的原則，否則爭論經年，才能成立的韓戰協定，固成爲毫無意義，美國政府之信譽亦不容破壞，更無以取信於天下。

台灣教育界一二三事

台大解聘餘波未了，留級學生走頭無路，增設大學非事實所需，台大錄取新生欠當，未能盡量發揮效用，標準教科書內容平常，影響出版商發行權，教部未盡職責。

台灣通訊

兩工院事件

台灣教育界，今年可說是多事之秋，暑假中先後發生了許多問題：（一）台灣大學校長錢思亮不續聘教授鄭學稼和盛成二人，引起輿論界及教育界的不滿。聞現已由當局派員訪問鄭盛二氏，請其提供在台大任經費稽核委員時，所得各種資料，以期明了錢氏處事是否失當。外傳鄭盛兩人已由政府另俾職務，尚非事實。（二）台中工學院事務人員販賣廢品，並虧空公款十餘萬元一事，已送法院辦理。該員係前任舊人，並非現任院長林一民任用；案發時，林適值在台北受訓，不在院中，故林氏未受重大影響，惟十餘萬元公款虧空，並非一朝一夕之事，林受訓不過四個星期，自亦不無責任。一說林氏之所以未設法撤換，因繼任人選難於物色，各方面介紹之人又甚多，致教育當局一時難於選擇云。（三）台南工學院本屆招生，因有額外錄取學生，至發生不合考試及格標準問題。經教育廳派員調查，對有關建教合作部份，從寬錄取之學生，准予承認。其餘由家長會保送，或本院教職員子弟，雖向例可從寬取錄，本年概予取消。建教合作，係生產事業機關現任工作人員，來院進修，年齡多在三十以上，並不佔原有學生名額，從寬辦理，自屬得宜。現代工業日在進步中，生產機關人員，已逾入學年齡，仍能來院重做學生，不肯故步自封，自應獎勵。

立委兼教職

（四）省立師範學院院長劉真，因兼任立法委員，為監察院糾舉，復以院內若干措施，為院內教授不滿，漸為社會注意。劉現赴美國考察，尚未返台。聞已函辭立法委員，以符立委不得兼任公職之規定。又省立女師校長任培道，亦係立委，已辭校長專任立委。最近大法官會議解釋，立監委員對公營事業機關職務，亦不得兼任，勢將有多人須辭去一職。立法院紀律委員會，曾詳列一表，對立委兼任其他職務者，一一註明，兩年前送請行政院查明解除公職。行政院祗復稱正在分別辦理中，足見法治之不易實行也。

留級生自殺

（五）上學期北投中學有二女生，因考試不及格留級，相約擒火車自殺，結果一死一傷。因此，輿論界對留級辦法，有所批評。省教廳遂訂定辦法，凡應行留級學生，如學年成績平均在五十分以上，准往其他同等學校，應考轉學。如成績及格，予以升級。否則降級錄取。用意蓋以成績只差十分，暑假中不難自修補足。惟教廳用意雖善，各校奉行則並不甚力。台北省立一女中，此次應轉學考試者三百餘人，結果只錄取一名。對可以降級錄取一點，謂為並無缺額，概予拒絕。教廳對如何維持原案亦未有辦法。

應增初中班

（六）今年各級升學比率，以國民小學畢業升入初中初職學校者為最少，只佔百分之三十三。以百分比言，固與去年相若，但今年小學畢業生人數，較去年增加甚多。小學畢業者年方十二三歲，並無自立技能，一旦失學，實可憂慮。初中畢業升入高中高職者，佔百分之五十餘，可以差強人意。高中畢業升入大學或學院或各軍事學校者，達百分之八十。今年高中畢業生全省只六千餘人，而報考台大者八千餘人，其中有一部份係前數年畢業者。故為台省教育前途計，明年勢宜先增設初中班次，而外間每謂宜增設大學，並非事實上實際需要。

台大的新生

（七）台大本年錄取新生，以入學考試五門功課總分達二百八十分以上者，錄取一千零五十二名。內文學院一九三名，外國文學系竟達一四九名，佔全校新生百分之十四，佔文學院新生百分之七十七。而中國文學系只取十四名，為外文系的十分之一。台灣現正以工業化與計劃教育號召於世，但台大今年新生，工學院新生每系只七十五名，理學院為科學的基礎，數學系只取三名，地質系及動物系只各取兩名。另有若干院系，三四年來，或則只取數名，或則一名不取。考生既如此之衆，而每人所填志願又竟十二項之多，在學校方面，自宜配合國策，妥為取錄，乃任輕重倒置，一至於此。學生所填志願先後次序，未必皆經過慎重考慮，更非不照其第一志願錄取，即別無可以造就之道。例如台灣農業的最大問題，為病虫害，但台大病虫害系學生人數特少，有時一個未取，坐令教授無學生可教，農場無人試驗。即令不足二百八十五分，降低標準，錄取若干人，亦係為地方育才之意。況入學考試，所考者為英文國文史地等，對於學理病虫害的功課，關係並不十分重大。外間每以台灣只有一個大學，不足以應需要，需知即此一個大學，亦尚未盡量發揮效用也。

標準之謂何

（八）最後尚有一大問題，即標準教科書是。先是暑假前，教部命令國立編譯館編輯初高中用國文公民歷史地理四種標準教科書，並成立編輯委員會從事編撰。因時間匆促，本學期先各出版初高中用一冊。編輯印刷等費，由台灣銀行借墊，發行則交由省教廳所屬台灣書店辦理。茲已如期出版，由各校採用。惟除售價較一般書店出版者低廉，可以減輕學生負擔外，若論內容，則並無特色。蓋編撰人員，即係平時各書局編書之人，各種課程標準，教育部均已訂定，編者只照標準編撰。編成後，尚須經過教部所屬國立編譯館初審，覆審，修改又修改，最後須教育部覆核核准，方可發行。故如以合于部定標準者為合格，則各書店出版者，固無一不可稱為標準教科書；如謂經過審定核准者，尚不足謂為標準，必須政府指定人員撰寫者，方得謂為標準，則撰寫者自應另有其人。今兩種教科書的編撰者，同為一人，乃謂必如此方為標準，實難自圓其說。

保障發行權

況以往各書店于送審時，須向國立編譯館繳納巨額之送審費（初中每冊五百六十元，高中每冊八百四十元），經教育部核定發行，已取得法律上之發行權。如竟以一紙命令，等於取消其發行權。誠如自由中國半月刊第九卷第六期社論所論：「發行權是出版家財產權之一，人民的財產權應予保障，憲法曾有明文規定……。這件事如果發生在真正的法治國家，出版家是會訴之於法律的。但在我國，人民寧願吃悶虧，而不敢與官署打官司」。有人說，這件事係教部再上級機關發動。果如此，教育部應將課程標準重經修改，完全符合國策，且將過去送審核准發行情形，向上級陳述。再就已核准發行的各種版本中，擇優予以獎勵，並呈送上級審閱。今不此之圖，竟自編撰標準本，其內容又不過如此，其何以副上級的原來希望。至售價低廉，乃因台灣銀行低利借款，政府機關人力不計算在內。如僅以印刷費而論，標準本經與合印刷廠承攬轉包，其單價且昂於一般書局云。

人物評述

廣大院長——黃毅芸

‧紹萃‧

上月中旬香港教授團回台，十教授之一的黃毅芸先生，由台灣回港後在大華飯店，曾受到廣大校友和在學同學的盛大歡迎，由他口中將給了我們若干新的希望，令人歡欣鼓舞！

黃氏是台山的望族，父親鼎珊，清朝孝廉，善經濟，能文章，深為邑人士所稱頌，著有受苦廬詩存行世。其於先天後天的環境陶冶，故此他自幼即養成一種良好品格，同時對於中國傳統文化，有深切的認識，奠定了以後做人為學的基礎。

民廿一年他放洋赴美留學，先後考取太平洋大學士。哈佛大學碩士，留美十年，日間讀書，晚間教書，精勤不倦，工作從未間斷一天。留美期間，任教於舊金山佐頓及波士頓等地的華僑學校，四邑土生華僑對於中國語文，原本生疎，他盡心輔導，循循善誘，提高他們學習興趣，態度與時俱增，更受到四邑父老們的歡迎。

民三十一年返國以後，即受金湘帆之聘，任教于廣州大學，一直到現在，沒有放棄過教書生活。當抗戰後期，由曲江疏散，廣州大學一部份遷羅定，一部份遷梅縣，他跟隨省府東遷，辛苦撐持，艱難受命，復員廣州，出任廣大訓導長。在國共和談期間，共黨的職業學生混進各院校，藉端鼓動風潮，打擊政府威信，但是他平日對於訓導方針，是採取感化式的輔導主義，而不是採取高壓式的干涉主義。凡事以身作則，潛移默化。因此那時候的風波得以安全渡過，沒有發生甚麼風潮，這是他人格教育的成功。

他生平以教育為職志，未曾充任過任何官職，或民意代表，中國的智識份子，多半抱着學而優則仕的念頭，把大學教授作為獵取官職的敲門磚，他只知謹守自己的崗位，教不倦，學不厭，視富貴如浮雲。他是書生習氣很深的人，不事應酬，以求八面玲瓏，做事只求實際，從不運用手段，或作誇大式的宣傳。

當赤氛南侵之際，他在港創辦廣大書院，並舉家遷港，以示決心，義無反顧。那時投機取巧者紛紛找尋門路，向中共叙攏，他獨毅然決然，堅定立場，為自由民主而努力，論語說「士不可以不宏毅，任重而道遠。」讀書人本色，應當如是。

黃氏平日很得學生愛戴，在他領導下的廣大學生，均富有愛民族，愛國家的精神，即散處台灣及港澳的廣大校友亦均受到他的精神感召，一致為復國救民而努力。他的著作，已問世的有政治學大綱，三民主義，倫理學綱要。他確是自由中國一位忠貞不貳的教育工作者。

（九月卅日）

英國中立人士眼中 蘇俄的遠東新政策（下）

‧惟生譯‧

投鼠忌器中共得橫行

今後數月世界局勢的總解決，倘真能從事開始談判，根據上面的情勢，中共顯然將比蘇俄更難應付。中共的頑強態度，並不是由於本身具有強大力量（蘇俄與中共的同盟中，中共仍是能力薄弱的國家），而是出於中共所處的地位，最不會發生危險，所以蘇俄必定要中共來負起這一份任務。中共賴蘇俄支援與保護，而裝作強大國家的樣子，橫行無忌。但其地位的安全，卻有蘇俄所不能相比者。例如，蘇俄若舉以其強大武力，憑藉自己的軍事工業，發動對西歐進軍，那就有爆發大戰的危險，西方國家必定予以反擊。中共雖然自己不能造一架飛機，卻儘可肆其侵略行為，不需顧慮發生什麼嚴重的後果。不會有飛機轟炸她的城市，不會有大砲攻打她的海口，也不會有中共船隻被人在海上扣留。這是什麼理由呢？因為西方國家以中共與蘇俄有同盟關係，深恐發生對蘇大戰，或者因太平洋戰事，使蘇俄得在西歐處有自由行動的機會，所以不管中共怎樣肆行無忌，他們都不敢反擊。

中共蓄謀侵略東南亞

在韓戰中中共曾被責為侵略者，但西方國家卻不敢擴大戰爭到大陸，或封鎖其沿海交通，就是這個道理。所以中共在這情勢之下，大可以繼續在境外從事冒險。這樣，中共若果武力干涉東南亞，西方國家是否仍作有限度的應付呢？最近一個越盟領袖加入了保大方面，據他說，中共與越盟有約，若越盟軍事順利，中共援助，將以供應軍火與技術訓練為限，若受到重大失敗，中共將和韓戰一樣，實行出兵。由此以觀，東南亞的局勢，若非越盟全勝，（這裏必須包括泰國在內），中共就將和一九五〇年參加韓戰一樣，出兵干涉。但和韓戰也有不同，現在西方沒有許多地面部隊，可以從各地調來，以阻止共軍的進攻了。並且聯軍在朝鮮雖不許對中共作直接行動，仍能橫過半島，守住一條戰線。這因為聯軍能徵集多數軍隊，以抵抗中共進攻的緣故。除一九五〇年底為短時期外，聯軍並無須抑以把共軍驅出半島，對直接攻擊中共呢，在這二者之間，作必須決定性的選擇。但在東南亞方面，西方國家便不能如此了，必須有所決定了。因為共同在韓作戰的國家，當時似已不須受派兵再來一次同樣的戰爭。但法國之在越南，已竭其所能，英國之在馬來，只能對付沒有外面大量援助的游擊隊。越南若一旦陷落，其意義將是整個東南亞或為共黨天下。中國僑民或將歡迎祖國的勝利，當地的投機政治家，也要迅速加入赤色隊伍了。

東南亞各國的大弱點

所以西方對於東南亞，必須及時造成安定的力量，但其間還有一個過渡時期。東南亞與中國大陸比鄰，地域與勢力當然不能相提並論。但內部若能團結統一，也儘有力量抵抗。不過實際情況並不是如此。緬甸、印尼及越南三國，係大戰結束後始獲獨立，他們有新國家的許多弱點。只有泰國在西方殖民地政策發展中，仍保持獨立主權，對外國侵略未嘗有過屈服順從的傳統。有殖民地國家崩潰的時期，即使在承平無事之時，本來已難應付，況在危機四伏，局勢動盪的局面，自更感困難。例如，英國今日雖保有馬來亞，但既已退出印度與緬甸，不久恐怕也惟有放棄之一途。法國之在越南，地位十分不穩，已經一半退出了。荷蘭退出印尼以後，仍對新幾內亞保有主權。這些地區到處都有華僑，他們多反對共產主義，但希望能在中共之下，取得優越地位，似乎認為今日已沒有力量阻止中共到來了。

保存東南亞有效辦法

因此，現在要設法保存東南亞，實非易事，只有嚴重警告中共，不許其出頭干涉。中共倘能覺悟武力干涉，將招致自身的不幸，決不是止限於若干志願兵的死傷而已，也許可以把局勢挽轉過來。決非空言恫嚇所能奏效，要使中共能夠相信西方的警告，大西洋聯盟國家的遠東政策必須確實一致，並且還要有一種決心，決不許中共再來一次安然事外的投機行動。並且單對中共提出警告也不一定能有效力，同時對莫斯科也要明白表示：西方的和平解決，並不允許朝鮮戰爭故事可以再演。局部解決誠然比沒有解決好些，但對蘇俄交涉，倘若缺乏解決的全球觀點，則所能成立的妥協，不過限於共黨集團認為無可發展的地方而已，至於他們認為可以發展的地方，還是不能成立協定，這危險就太大了。

怎樣阻止中共的侵略

中共出兵干涉東南亞，只有一種因素可加阻止，便是要中共明白將因此受到西方國家對大陸的反擊，蘇俄的軍事援助卻未必能夠辦到。所以西方國家對蘇談判，必須以此為目的，要求莫斯科提出確實保證，蘇俄與中共的同盟不適用於此類情事，並明白通知中共。此種談判，對中共支援越南，也許可能得到蘇俄同意，因越南與朝鮮不同。蘇俄對朝鮮，因境地相接，有直接利害關係。蘇俄對越南，則風馬牛不相及。蘇俄對東南亞既無直接利害關係，固然可以任由中共向那裏發展，但這樣，蘇俄就須多冒戰爭危險，這到底是和朝鮮不同的。

毛澤東不會變狄托的

西方國家不許中共侵略東南亞的決心，倘若不足以使蘇俄放棄其對中共的庇護，那末也就不能使他們的同盟側翼。蘇俄不會置共於不顧的。因此有許多幻想者，以為毛澤東將來有成為另一狄托的可能，於是他們認為必須對中共表示讓步妥協，不當加以壓力，反迫使他投入蘇俄懷抱之中，這完全是抹煞事實的想法。因為蘇俄的軍事同盟既能對中共的侵略政策，予以無限的庇護，自將獲得中共的全面支持，不敢加以反對。因為這個同盟，已使不能自己製造現代武器的中共，擁有大量武力，並且能在朝鮮與主要西方國家正面作戰。又因為蘇俄的庇護，竟使西方國家不敢對中共作報復行動。這樣有力的同盟，是以前所少有的。中共正可藉此以自詡其政策的正確，為什麼要加以反對呢？老實說來，只有在蘇俄不能或不願自動無限的給予中共庇護的時候，纔會在中共心目中失去對蘇俄的友好感情。

台灣的文藝是自由的
沒人主張文藝政治化　文藝思想可自由發展

余明

最近「自由人」刊載兩篇談自由中國文藝的文章：一是高淯心先生的「自由中國的文藝概況」，另一是陳紀瀅先生的「論自由中國文藝趨勢」，編者先生在陳先生的文章之前還加上按語，歡迎讀者對該問題的意見。因此我想淺淺談談，也來談談自由中國的文藝。

文藝與政治

共產黨是把文藝作爲政治留聲機的，他們硬要文藝歌頌獨裁，奴役和殘殺的血腥政治，這當然是天大的罪過。有些人因此走向另一極端，根本反對政治思想走進「藝術之宮」；誰要主張文藝與某種政治思想結合，誰就有利用文藝作「政治工具」的嫌疑。這樣的論調我也不敢苟同。不必講原理，引史實，不必舉例證，只要想想文藝作家的創作情形，就可明瞭問題的眞相。誰都知道，作家也是人，也是生活在時代社會中的人，是人就有政治思想，作家知識豐富，其政治思想在其一切觀念中更具重要性。他從事創作時，描寫生活，傳達思想感情，絕不能命令他的政治思想暫時避開，好讓他「自由描寫」。因此我們不能不承認：任何作家都與政治有關係，因此他寫出的任何文藝作品當然亦與政治有關係，只是性質和程度有些不同而已。

自由的風氣

自由中國文藝工作者因赤禍離鄉去國，誰不關切祖國的前途？誰不關切國內外的政治？如果在此時此地寫文藝作品，還要企圖遠離政治，對千萬同胞受苦受難的思想感情和大家的自由希望不聞不問，而去寫風花雪月才子佳人，則其血液究竟還有好多溫度，實在令人懷疑。所以自由中國文藝工作者不僅自然地關切政治，而且還有人積極闡揚文藝與政治的關係，從而提出具體的主張。陳紀瀅先生即是其中之一，他說任何時代的文藝都有「政治影響」，他要作家重視「現實」。高淯心先生也是其中之一，他主張自由民主，這就是政治思想；還在原則上贊成「文藝政策」，這是更顯著的文藝方面的政治主張。此外還有很多。他們的論點不盡相同，但是沒關係，這正是自由中國的自由風氣。

文藝政治化

高先生說：自由中國文藝「一面是保持固有的文藝作風，作家自由描寫。另一面也是文藝有趨於政治化的傾向，也就是純粹反共的宣傳文藝」。事實上自由中國受讀者歡迎的美好的文藝作品，其意識都是反共抗俄的，因爲這是人民的主要意識，有才能有良心的作家不能不注意。但是這種作品有高度的藝術的感人力量，不能說是政治化的東西。如果以藝術手段宣揚政治意識的作品就是政治化的文藝，那麼雨果的「悲慘世界」，易卜生的「國民公敵」，托爾斯泰的「戰爭與和平」……也是政治化的文藝了，這怎能使人信服？

不錯，自由中國還有「反共八股」的文藝創作，我們不必否認。但這是藝術才能較差的作品，不是個什麼「傾向」；是個人寫作修養的問題，不是文藝發展的方向問題。就文藝與政治的關係論，自由中國有各種主張：如反共抗俄文藝，自由民主文藝，愛國文藝，三民主義文藝，……等等，但這些主張都是基於某種立場寫作思想，感情，也表現某種藝術，並非提倡「文藝政治化」。誰主張「文藝政治化」呢？就是說文藝是「階級鬥爭的武器」，是「政治的留聲機」。在我們見聞中，自由中國還沒有這類論調。

欠妥的對比

高先生的大作一開始就說：「……現在大陸上的文藝變成什麼樣子，已經全般政治化了。……至於目前台灣的文藝呢？……另一面也是文藝有趨於政治化的傾向」。不是我故意咬文嚼字，這「也是」二字確是意味深長，它顯示自由中國至少有一部份文藝與大陸共黨的同一傾向：「政治化」。我覺得這比擬很欠妥當：第一、如前所說，自由中國並未有人主張文藝政治化，共產黨卻要文藝做「政治的留聲機」。第二文藝雖與政治有關，但專制的政治思想得不到多數人的共鳴，反而是毒害；共產黨獨裁、奴役、殘殺，其思想爲「政治」，當然毀滅文藝的生機，大陸那些作家在其統治下寫作品，其根本已死；自由中國的文藝主張雖有多種，都有其正確性，如需要文藝對多數的人民作，在時代氣氛下，都是寫人民的心聲，所以在短短數年間我們文藝有可觀的成就。第三、共產黨不惜強行其毒害文藝的文藝政策，而且暴力禁止他人發表不同的意見，毫無自由可言；自由中國任何一種文藝主張，雖也強調自己的正確，但並不禁止他人自由討論，更無人主張以政治力量統一文藝思想，所以文藝在這裏是自由的。看這三點，怎好把自由中國的文藝傾向與大陸共產黨的混爲一談呢？

僑團籌備盛大祝國慶

港九工商各業僑團及文化教育界人士，將以極高度愛國的熱忱，慶祝一年一度的雙十國慶，籌備工作正在積極進行。港九工團聯合總會，將於是日假英京酒家舉行第六屆理監事暨就職典禮，並於同時舉行慶祝大會，屆時邀請各僑團首長和各僑團領袖蒞會觀禮，設雞尾酒會招待來賓。其他各僑團及各文化教育界均將分別開會慶祝，各僑校及各大商號均將放假一天。港日各界訂製國旗，及市面另售國旗與紗燈店鋪，均應接不暇，金屬的國旗像章，國父像章，雙十紀念章的行銷數字也很驚人，今年的雙十節比過去更熱鬧。

懸旗事件餘波洶湧

「十、一」的懸旗事件雖然已經過去，但是，發生衝突的僑商劉鋼麟對於高卓雄在上次會員大會時一再提出質詢要求解決「十、一」懸旗問題，以「散水」，使被決「十、一」懸旗問題擱置。雖然事情已成過去，劉氏仍不甘休，十三日會員大會開會時，還提出質詢，會議上激辯難免。另一件相似的事也很轟動，著名粵語片權威張瑛，他是「華南電影工作者聯合會」的理事長，由於反對「十、一」懸掛共黨旗幟問題，憤然辭去該會理事長職務。關於拒絕掛旗問題，曾在七月間會員大會中一致公決的，他在掛旗的一天恰在澳門，返港後獲悉，認爲是莫大恥辱。這一位不懂得政治的粵語片巨星，共黨打算利用他的號召力來控制粵語片的，這麼一來，眞相暴露，完全失敗了。

大會堂模型今起展覽

中區新填地籌建「大會堂」之設計，始於一九四九年，現在該項計劃，經於今年二月間立法局通過後，交由工務局負責，香港大學哥頓布朗教授協助規劃，此項圖則及模型，將於今天起一連三天，在告羅士打行二樓英國文化委員會閱書室公開展覽，歡迎各界參觀。此一規模宏偉的大會堂，將耗費一千六百萬元的建築費，設有一千二百五十個座位，四週有寬曠之散步場所，並設休息室，酒吧間，皇家慶典及招待所，其後台除更衣室劇員休息室、工場外，設有廣大練習室二間，可用作歌詠、樂隊的演習；圖書館的門戶獨立，內有借書、參考書、中文書、兒童書籍部與一雜誌室，書架室可藏書十八萬本，合計可藏二十五萬本。其他尚有藝術陳列室、博物館、演講室、結婚登記室、市政局議事廳，記者室，小組會議室等，可容一百四十輛汽車之底層車房。這一規模龐大的建築，預計於一九五五年初開始奠基興築。

風浪擊沉走私船一艘

當局公布九月本港船隻出入口統計中，列出進口的船隻三百九十二艘，總噸位九十六萬八千八百噸，括有十四個國家，英國居首位，貨物六萬零二百三十四噸，搭客三萬一千零十三名；出口三百八十三艘，總噸位九十四萬三千一百零一十一噸，貨物九萬一千五百零九噸，乘客三萬一千二百零七名；其中括有來往大陸的船隻，除了掛有別國的旗幟之外，入口十五艘，六千一百四十六噸，貨物六千八百四十一噸；出口十六艘八千零三十八噸，貨物七千二百六十噸；並無乘客來往。以此對比，出口船隻與物資比進口的多。倘有走私的無從估計。一艘走私船，最近於荔枝角被風浪打沉，船中傳有資共鉛礦十噸，溺斃船員已有部份撈獲。（祝）

編者讀者

讀者來函

△編者先生：貴報第三版九月二十三日載：「蘭州消息，西北騎兵游擊隊活躍胭脂山」一文，其中某些論點及敘述與事實頗多出入，殊滋感慨。分敘如下：

一、對日抗戰中，敵騎被阻於豫晉綏等省，始終未能越雷池一步，擾及西北。所謂「當對日戰爭時期，日軍竄擾寧青一帶時，馬氏弟兄在屏障西北的大保衛戰中，予進犯的日軍以不少的打擊……」全屬虛構。

二、馬鴻逵統治寧夏，達十七年（民廿二——卅八），平時喝兵血，吸民脂，寧夏特產紅、黃、藍、白、黑，（枸杞、黃金、碱、鹽、皮毛、鴉片、）全爲馬氏一人所獨括。兵窮民困，怨聲載道，借亡之痛，早積人心。卅八年夏秋間大局逆轉，馬鴻逵無視軍令之尊嚴與戰事之吃緊，密令所部忠良軍，撤由陝甘前綫，向寧夏境內撤退。渠個人則由粵赴港，另作活動。以致蘭州保衛戰中，會戰王治岐馬鴻賓等軍，先後孤軍奮戰，遭受重創，無法支持。馬鴻逵則於戰局緊要關頭，潛返寧夏，攜其姬妾僕從多人及不可計數之金鈔珍寶，遠飛北美。事後論定，西北諸省的迅速陷落，馬鴻逵實應負最大責任，其罪惡絕無可逭，而爲西北軍民切齒痛恨者。

馬步芳承父叔餘蔭，統治青海，垂十餘年，措施苛暴，民不堪命。當卅八年八月蘭州保衛戰尚在進行之際，馬步芳遠處西寧，即行潛出走，蘭州甫失，即帶其家人親信等百餘人及大量金鈔，飛赴開羅。應對逃至西寧之甘青兩省要員耆老及軍要幹部多人，擯棄不顧，以致全被匪俘，兩省人文，一網打盡，實爲無法彌補之損失，亦係馬步芳不可寬恕之罪實。兩馬棄軍遠颺，純屬先謀異謀，臨難苟免。絕非所謂「在各種特殊的環境和不利的局面下，先後離開了建制部隊……」。馬等逃走後，所部廿餘萬人，即由軍師長馬惇靜，馬晉忠良，趙遂初，馬振武，譚成祥等率領，集體投匪。其中不甘附匪，自動逃散者，爲數甚少。所謂「部份投匪，大部星散」之說，並非事實。

但兩馬相較，步芳則略勝馬鴻逵一籌。蓋馬步芳治軍頗有成績，於剿匪作戰中多所表現，不容抹煞。馬子繼援率領之八十二軍及騎兵兩旅，轉戰甘陝，姪馬呈祥率領之騎五軍遠戍新疆，均屬紀律嚴明，戰績卓著，爲當時併肩作戰之各友軍所認爲莫及。兩小馬之思想作風，亦遠較大馬開明進步，博得各方一致讚譽，咸許爲回教青年將領中不可多得最有希望的人物，爲馬步芳補過爭光不少。馬呈祥馬繼援現均在台，深望其於將來反攻作戰時，有所表現。

三、西北地區遼闊，民族複雜，但仍以漢族居最大多數。各族民風強悍，普遍反共。數年來武裝反共的行動，此仆彼起，極爲激烈，從未間歇，參與此澎湃浪潮者，各族均有，不只限於回胞。遠處海外的人士，不明眞像，凡關西北反共武力的報導，不曰「馬家軍」，即曰「回騎」，予人以「惟回始反共」「反共必屬馬」之印象，以訛傳訛，影響殊大。即以本文所說的「蘭州消息」而言，筆者係西北籍，絕不知可供五萬游擊隊活躍的胭脂山五龍口究在何處。而陝西王曲附近的翠華山一帶地區，卅七年間，始終在國軍手中，安來共匪的「勞改營」。似此臆測虛構的言論，無論對外宣傳的效果，或對敵後人心的激勵，均不會有良好作用。本人爲熱愛貴報的讀者之一，創刊以來，訂讀未輟，殊不願貴報因刊載不實消息，影響信譽，更不願因此類消息之傳播，淆惑聽聞，因告所知，請賜披露。並請以後對於敵後消息之報導，詳審抉擇，務期翔實。曷勝幸！

讀者一知敬啓　十月一日

編者的話

△下期發表的有滄波先生邱吉爾哀詞（撰作）書後，他對於這一位現代大政治家，有很深刻的批評，也有極恰當的頌揚。還有穆穆先生的徐悲鴻軼事，和劉碩海先生的基督教與共產主義（書評）

△本報篇幅有限，作者來稿，請勿超過二千字。

美須確定原子時代政略

旭軍

（上接第一版）

（一）美國原子武器大概積存量，以及估計蘇聯的原子彈顆數。

（二）估計蘇聯空軍長距離飛行力量。

（三）估計目前美國目前防空力量，以及如何加強阻止敵機轟炸的機會如何。以及如何加強此種防禦。

（四）現代核子爆炸破壞力應如何以數學表示。

（五）美國工業及城市人口如遇原子彈襲擊，可能遭受的破壞。

以上是屬消極性的，到了現在才關懷，可見在原子彈獨佔時，美國卻沒有認眞預料到蘇聯終有一天製出原子武器的打算。現在民衆要求有『坦白的計算』（OPERATION CANDOR）了。

比較進一步的打算，是（一）美國作洲際的防禦原子閃擊。（二）如何用非軍事方法使工業及大都市的損害減少。（三）原子武器競爭中，國際局勢的演變如何。

應注意兩件事實

這些都是消極的小打算，依筆者愚見，認爲有兩件事實須注意。第一：是蘇聯的工業能力雖與美國作原子武器的競賽，必有長時期居於落後的劣勢。誠然，如原子能委員會主席迪吾氏所說：美國之原子武器雖遠超過蘇聯，但蘇聯只有一次的成功轟炸，美國便大吃虧了。這所謂『破壞力的無理數學』（PERVERSE MATHEMATICS OF DESTRUCTION）。但我們還須注意第二個事實，蘇聯必是報復而不敢施用原子武器。

我們認定蘇聯的原子武器的政略作用大於戰略作用，蘇聯必然是拿原子武器作敲詐手段，增加恐蘇病的蔓延，和鎮壓鐵幕內的反抗力。

據法新社十九日華盛頓電，據悉外交官員從心理上觀點分析，過份強調蘇聯之原子戰能力，可能發生一種氣氛，主張對共黨作無保證讓步之綏靖。彼等指出國務卿杜爾斯近日在聯大之演詞，已提出關於韓戰及越南和平，及統一德國與共黨協調之一般性條件。彼等相信艾總統在下月之演說，可使批評美國減卸領導抗共責任之議論爲之平息。

原子政略應如何

從上文，可以看到蘇聯的原子政略，實有敲生嚇詐離間自由世界之可能。美國目前持有原子武器優勢，應有適當的原子政略。原子政略如何？——

（一）實行更積極的解放政策。在蘇聯仍居劣勢之時期，敢斷其必不敢以原子彈發動世界大戰。最近美國與西班牙訂立之美西基地協定，是極有意義的措施。美國原子彈飛機可以直搗蘇聯的心臟。今後美國的原子彈必要分散各基地，不能聚積於美國一兩處地方。在蘇聯之飛機未能進入紐約時，圍繞而貼近蘇聯的美空軍基地即出動飛機以原子彈或氫彈摧毀蘇聯工業中心，與莫斯科。進行解放政略，不必用原子武器，不必要美國子弟流血，應如筆者在上期「建軍之道」一文所說的協助急於反奴役的人民即可。

（二）雖以原子彈爲後盾，但仍需以「自由彈」，去擊敗奴役人民的集團。要揭起反奴役的鮮明旗幟，不與奴役妥協，拿出新氣象，新理想，給整個人類以新希望，新信心。人人看見美國有反奴役與重建世界新秩序的決心，必然風起雲從。必須有大仁，大智，大勇的表現，才能開闢出一條人類免於刼運的道路來！（九月廿九日）

談簡體字

讓大衆自然製造　廊廟宜少加煩勞

·易與·

談簡體字，原是舊事重提，自滿清末年，就有人提倡簡體字，其實文字之爲用，何嘗不是出繁入簡，我們試就字形的演變，篆隸楷草，顯示着一個「⊙月山川」不如寫一個「日月山水」簡便，再說文字之爲物，也是如水火米薪般的日常之所不可缺少，當然也是應該大衆化爲妙，也就是能夠大衆都可使用方對。由於人類社會文物之日趨繁複，文字之爲數，便也日多其量，因此在應用上，就各有各的社會「適用性」和「適應性」，用不着廊廟之上的肉食者作「有意」的煩勞，老實說在廊廟之上什麼的，都不免有「館閣體」氣息，簡體字該由「市井」間的鄙夫們「自然」形成，先賢說得好，有大人之事，有小人之事，大人先生們頭腦裏的簡體字，絕不是市井大衆所適用的簡體字。想當年我也曾「趨炎附勢」的趁着官家鬧簡體字的機會，動過腦筋，寫過文章，而且還稿到手一個委員會之類的什麼，結果我們面對着許多意想不到的問題，我爲此翻閱過王小二豆腐店的帳册，翻閱過張成衣店的量身底簿，翻閱過大昌油鹽雜貨店的流水帳，有好多字，實在沒有一個標準，舉幾個例：

甲、鷄寫作「鸡」——這個「又」是代「奚」。

乙、權寫作「权」——這個「又」是代「雚」。

丙、難寫作「难」——這個「又」是代「𦰩」。

如果以甲例作爲「官定」的標準簡字，那原已普遍流行的乙丙兩例，讓其依舊存在呢，那豈不混淆「官令」。頒令取締嗎？也許在應用慣的人，早已「先入爲主」要改正也不是一件容易事。不僅此也，而且其中甚多字，如「汉」之爲「漢」而不爲「溪」又不爲「灌」，「戏」之爲「戲」而不爲「歡」，「观」之爲「觀」，但是無從「提摸」的雜作定準。此外在中國字裏許多地方性用字，尤其是地名，更是繁複得大傷腦筋，至于「專業」用字，像纖道工人用的「軋」字，裁縫用的「字」和「錦滾」，並不是一般人的所慣用字，如果簡體字的功用，是在便于教育的普及，也就是在便于大衆的應用，對于這類專業用字之于業外人的生疏晦澀，也就會成爲推行簡字體過程中的一大障礙。記得有人說過一回笑話，說有一位提倡明英語的大師，他想了甚多新語句，比方說鴿子，說是比小雞還小的鳥，以爲可以減少一個鴿子字句，實在說來是既不簡又不明，我們現在要求文字的大衆化，縱然不是出之于「賢明領袖」之口，我們也是采取「誰得而非之」的態度，不過就字論字，字的大衆適用性，却不一定在于簡體與繁體，最要的還是在字形的適當，不大經見的字，縱少筆畫也難認識，我不打誑語，我也曾讀過爾雅看過說文，可有不少的字我雖知其義，却讀不出其聲，如孑孓，如彳亍，再說如果不是玩乒乓球，乒乓兩個我還讀不清的。再者寫字，也該筆畫分明，在現代的今日，這一點說來也是足夠大人們關心的，比如寫「切」字，有人都寫做「切」，也許他還以爲切才是官文書裏的「官寫」，這個字該是一個通俗不過的字，由此論他，字形字義字聲，三者的配備應用，可不有其巧妙的作用，「土刀」能切嗎？「七刀」不就是切開了嗎？老實說，官家如果有「雅興」「餘致」來推行簡體字什麼的，倒不如「大力」的鼓勵小學師資，不，也許該說是中學師資，甚而還可以說是小學師資，對他們的「詳訓詁」，費一番功夫，引水就渠，簡體字什麼的，也自會在大家注意認字大家「少」寫錯字的進程，「路到橋邊自然直」，大衆需要什麼字，大衆自會製造出什麼字了。

南明黨爭召亡考述

·杵敵·

國府大員莫德惠，月前來港的任務，旨在團結海外各黨各派人士，一致反共救國，在大陸淪陷，僅存台灣一隅，號召團結，一致努力，以期復興，自爲當前急務。南明召致覆亡，實由于上下文武意志不能統一，滿清異種，遂能統一中華，這一恥辱的史實，言之尤有餘痛，前事不忘，後事之師，言之無罪，聞者足戒，玆考述之可爲前車之鑑。

「臣愛門戶君愛國，門戶成時國已亡」，王漁洋詠明季黨禍之詩，最爲恰當。朱明崇禎皇帝甲申自縊煤山，北都不守，一般王孫貴胄，紛紛南下，當南方有勢力人物，可分兩大系統，其一爲史可法所領導，東林黨人物都擁護他，這一派確是忠貞人士，擬擁潞王常淓爲帝。其一派爲馬士英所領導，奸臣魏忠賢餘黨阮大鋮等多附之，士英當時督師鳳陽，手中握有實力，近水樓台，就擁立福王由崧于南京，改元弘光，南明定局後，馬等攫得實權，把史可法排擠到揚州督師，當時就有『秦檜留之在朝，李綱嘱之在外的話』，弘光即位後不自振作，大敵當前，尤好飲酒觀劇，每嘆梨園子弟少有佳者，阮大鋮因欲媚君，編有「燕子箋」劇本以進，大獲賞識，東閣大學士王鐸，奉旨題宮中楹聯云：「凡事不如杯在手，一年幾見月當頭」，馬阮擅權納賄，賣官鬻爵，只要有錢，便可買官，當時有：「職方賤如狗，都督滿街跑」的話。僅都後把復興大業丟掉，史可法一旅孤軍，不給糧餉，史憤激上疏云：「自三月以來，大讎在目，一矢未加，昔晉之東也，其君臣日圖中原，而僅得保江左，宋之南也，其君臣盡力楚蜀，而僅保臨安。蓋偏安者，恢復之退步，未有志在偏安，而遂能自立者也。」（見明史通鑑附篇卷（下））可法雖有這痛激言論，而言辭藐藐，遂激惱了左良玉，那時良玉坐鎮武昌，在長江上游，率師東下，來「清君側」，內訌一起，清兵趁機南下，史可法在揚州殉國，弘光則于甲申三月在南京即位，到元年五月，出走蕪湖，清兵追擒，押至北京遇害，短期夭折，馬阮兩人，竟向清朝投降，而故明遺民，如非常激昂，嘉定的黃淳耀，侯峒曾，江陰典史閻應元，陳明昌，以一個小城池，和少數的老百姓，與清兵抵抗幾個月，眼看國破家亡，尚猶團結奮鬥，確是排夷史最光榮的一頁。

弘光亡後，明宵唐王聿鍵即位福州，建元隆武。魯王以海，監國于紹興，論輩序魯王是叔輩，但唐王不肯居其下，文字信使往復爭持，唐王的使者渡至浙東，魯王把他扣留，且檄數唐王罪狀，魯王使者陳謙至福州，唐王殺之以洩憤，閩浙處累卵之危，而偏鬪舌之怨，忘戴天之讎，而操同室之戈，而唐王不禮之，「見賜宴，鄭芝龍爵通侯，位道周上，衆議抑芝龍，文武由是不和，一書生上書詆道周，王斥出芝龍意，道周，下都學御史黃之，當時國勢衰，政歸鄭氏，大帥恃恩，驕望，不肯出關募兵，道周請自往江西募兵，圖恢復，以七月起行，所至遠近響應，得義旅九千餘人，由廣信出衢州，十二月進婺源，爲清兵戰敗被執」，鄭芝龍不久降清，唐王隆武二年在福州被清兵趕走，至汀州被戰遇害，同時魯王亦保不住紹興，退守舟山一帶島嶼，山堂水殿，作了行朝，漂泊海面，與水鷗落日爲伍，張滄水是擁魯王的孤臣，其與曾讓林監軍小詩云：「氋氃定擬浮家去，雁足虛傳屬國還」，又云：「平原一旅疇孤掌，可有天戈靈武間」，在偏安的局勢，王與王爭，臣與臣鬩，鷸蚌相持，漁人得利，寧不痛心疾首！

唐魯二王失敗後，桂王由榔即位于肇慶，改元永曆，因自己無基本部隊，爲強臣所挾持，奔波於梧州、桂林之間，朝中文臣結交武將，分爲二大派系，即所謂吳黨，與楚黨，壁壘森嚴，見續明史紀事本末云；「朝中分爲吳與楚兩黨，吳黨以朱天麟，王化澄，吳貞毓，郭之奇主之，皆內援馬吉翔，外倚陳邦傅，楚黨以金堡，袁彭年，丁時魁，劉湘客主之，皆外聯瞿式耜，內恃李成棟，」兩黨終年互鬨，不可開交，桂王知羣臣水火日甚，令「諸臣盟於太廟，然黨益固不可解」（見小腆紀年）結果楚黨一派被吳黨打垮，瞿式耜殉難桂林，王朝遂失張援，同時四川張獻忠已死，部將孫可望，李定國等饒勇善戰，出沒四川，雲，貴間，苦於名義不正，不能號召羣衆，遂相率投降永曆，李定國出師破沅、靖、武岡、全州，入桂林，收復全州，聲勢大振，桂王優禮有加，然孫可望惡李之強也，反忌之，兩人結成仇隙，孫索性把永曆帝劫到安籠，苛待之，可望鋸米捌報上稱：「皇帝一員，皇后一口，月支若干」，即此一端，便知永曆當時的狼狽，永曆十年，李定國把可望打敗，奉永曆走雲南，十五年，吳三桂率兵入雲南，把李定國打敗。桂王逃入緬甸，在初時，緬酋對他還好，後來緬酋的胞弟莽猛白弒兄自立，改變態度，在永曆十五年七月，把帝囚送吳三桂，不久遇害，南明國祚，至此宣告壽終。

總攬南明不祚，坐於黨爭，意志不集中，步調不一致，遂使異族得志中原，奴隸漢族，矚目當前，蘇聯紅賊，佈滿神州，其毒辣手段，比滿虜加強千百倍，我輩海外自由分子，若不願作亡明之續，舍團結一致，「反共抗俄」之道無他途！

憶古蹟懷南京

——大報恩寺與琉璃寶塔——

·鐵頭·

茲節錄若干句如左：『鴆毒請特禁，毋許來中邦，林公（文忠）奉天數，高駕粵海航……鄧公（廷楨）移閩疆，粲楚正魚爛……兩公設守禦，諸夷多傷亡……國是一朝變，告人走梟梟，婁敬策第一，魏絳功無雙，城下盟遂定，韜戈講承平，張鐙會此寺，夷酋來城行，青天白日下，鬼蜮森翱翔，犒金十千萬，予若宿負償，條約立數十，貽恐嗣世忘，一時務含垢，兵氣遂不揚……我來寺久燬，遺構餘荒涼，獨猬吠過客，心折禱險巷。』

頤雲是主戰派，認爲髮，捻，都可削平，何懼外人？他詩裏有：『試觀咸同世，粵捻曾披猖，海內沒大半，勢逾狂瀾狂，孺征十數載，重覩日月光，是豈有奇術，一心厲斧斯，無和但有戰，雖弱亦可強，兵法置死地，然後生可望……』所以詩的結句，是諷刺那屈辱求和的人，連狗也不如哩！」

這古寺，名塔，在擔任了歷史名劇的場所任務之後，僅越十四年，就全部焚燬了！燬前也有神話似的傳說，據毛祥麟墨餘錄上紀載：『道光二十四年，有一西人賀然登塔，頃聞有聲如雷，竟自塔尖墮地死，數日後，又有夷婦二人，赤身裸體，揉上直登巔頂，居民遙而望之，似取一木匣去者，未幾有一行腳僧過寺，仰覩塔頂而嘆，塗人問之，則云寶物被竊，此塔不久燬矣。』在中國民間，凡是一種名勝古蹟的興敗，都有此類照例的傳說，未足爲怪，不過外人極端重視此寺，此塔，確係事實，這只要看大英百科全書的紀錄，就可知道；其第九版南京條上說：『寺爲明永樂所建，以追念其母后恩德，在一千二百年前，有印度僧人，曾於此結一精舍，並建三層塔，元末時，寺塔同遭毀，明永樂建報恩寺，此乃承先代寺剎之址也，永樂十年六月十五日午時開始動工（一四一三）但此塔未及竣工而永樂已殂，其嗣主繼續建造，歷十九年訖工。（十三）

沁園春（月夜感懷）

彭遂民

永夜難眠，往事相煎，每自悄然；念朱顏漸損，交親莫問，邊城冷落，素月虛懸，三十功名，一番惡夢，枉記當年投大艱！何須哭!?縱柔腸如割，傲骨還堅。

頻年苦恨千千，笑世事顛狂常自寬，只悠然心會，幾曾我誤？神明穩健，意境長新，愧憶前賢，悲懷故國！何日雲帆同漢天？離欄外；看秦淮夜月，景物多妍！

時事述感

捐翁

贏劉李趙事陳陳，多士何勞奏美新，
座上金貂續狗尾，池邊瞎馬渡盲人；
媚秦事業工舐痔，詛楚文章笑效顰，
擱筆无言搓倦眼，靜觀滄海幾揚塵。

餘意未盡再賦一絕

修羅勢燄撼中原，麗且沈淪不忍言，
載鬼一車天板板；更誰赤手拯元元。

書「時事述感」後詩

鎮把幽懷訴窮辭，此情耿耿幾人知，
欲知靡詰傷心處，凝碧池頭一首詩。

（我從此止筆不作詩矣，直待大陸重光。）

論杜甫的近體詩

·王世昭·

詩家於古體與近體頗有分別，古體中包括五言古，七言古，樂府三體，而樂府中又分行，操，曲，吟，歌，哀，怨，調諧種種，這些體裁都屬於唐以前的體裁，所以叫作古體。到了唐朝，擴大了詩的形式，除了上列諸體之外，加上了五言律，五言絕，七言律，七言絕，五言排律等。所謂律，即中聯均加對句，首尾可以不論，此體創自唐人，所以又叫作近體。杜甫對於近體詩最擅長的，爲排律，五律，七律；至於絕句，根據後人批評，多數均承認李白優於杜甫，故近體詩中之絕句，以李白爲絕唱。絕句限定四句，不拘對仗，以清新優美爲上，現在讓我來談杜甫的律詩。

杜甫律詩之佳者，如五律中的「月夜」：

今夜鄜州月，閨中只獨看。
遙憐小兒女，未解憶長安。
香霧雲鬟濕，清輝玉臂寒。
何時倚虛幌，雙照淚痕乾。

又如「春望」：

國破山河在，城春草木深。
感時花濺淚，恨別鳥驚心。
烽火連三月，家書抵萬金。
白頭搔更短，渾欲不勝簪。

又如「陪鄭廣文遊何將軍山林十首」之一云：

萬里戎王子，何年別月支。
異花開絕域，滋蔓匝清池。
漢使徒空到，神農竟不知。
露翻兼雨打，開拆日離披。

這些詩不但聲調鏗鏘，而蘊蓄的情感尤其豐富，前二首我覺到極佳，所以把它選出來，以作杜甫的五言律代表作。

至於七律中「詠懷古跡五首」，「秋興八首」，「諸將五首」，泣血嘔心，堪稱絕作，茲各錄其一首。詠懷古跡云：

諸葛大名垂宇宙，宗臣遺像肅清高。
三分割據紆籌策，萬古雲霄一羽毛。
伯仲之間見伊呂，指揮若定失蕭曹。
運移漢祚終難復，志決身殲軍務勞。

秋興云：

夔府孤城落日斜，每依南斗望京華。
聽猿實下三聲淚，奉使虛隨八月槎。
畫省香爐違伏枕，山樓粉堞隱悲笳。
請看石上藤蘿月，已映洲前蘆荻花。

諸將云：

洛陽宮殿化爲烽，休道秦關百二重。
滄海未全歸禹貢，薊門何處盡堯封。
朝廷袞職雖多預，天下軍儲不自供。
稍喜臨邊王相國，肯銷金甲事春農。

以上諸詩，激昂慷慨，風格遒上，可以看出杜甫的胸次，也可以看出唐室的播遷，非杜甫無此詩，非遭播遷而衰的時代不能產生杜甫高亢偉壯的創作來。（上）

中華民國僑務委員會僑發登記證台僑新字第一零二號
中華民國郵政登記第一類新聞紙類

自由人

THE FREEMAN
（半週刊每星期三六出版）
（第二七二期）
每份港幣壹毫
督印人：李光平
社址：香港高士打道六十六號
電話：七四〇五三
GLOUCESTER RD. HONG KONG
TEL: 74053
承印者：東南印刷出版社
地址：高士打道六十四號
台灣特派員辦事處：台北市館前街五十號
台灣總經銷處：台北中華路新號五九四之一
台灣郵政劃撥儲金帳號九二五二號

本報啓事

今日本報增加國慶增刊一張，仍售港幣一毫，敬請讀者留意。

雙十感言

左舜生

今天是民國以來的第四十二度雙十，像我們這種已經到達六十的人，在四十二年前，即已接近書報，略知時事，可以說，這一時期的一切演變，大致都已耳熟能詳，國家的情況已敗壞至此，過着這樣一個好日子，想要搜索枯腸，舉出幾件可以令人樂觀的事，或說出一篇比較可以悅耳之言，實在也大不容易。

古人說：『殷憂啓聖，多難興邦』，我們在這四十二年中，所經歷的憂患，不爲不多；所遭遇的困難，也不算太少；但何以『啓聖』之說，至今不驗，而『興邦』之望，也愈去愈遠呢？

責任不可歸諸過去人物

有人解釋說：中國是一個特殊的國家，地太廣，人太多，歷史太長，百餘年來，早已造成一積弱之勢，一切腐化，落伍，都是五十年前的人所種下的因，在一個很短的時期，想要「化腐朽爲神奇」，談何容易？這一說是要把一切責任全部歸與死人，而所有現存人物，則可不必任咎，這不僅在理道上講不過去，也未免把現存人物，說得太無志氣。日本在明治以前，其晦盲否塞，正不下於中國，但自改革以還，三十年而小效，五十年而大效，後以軍人胡鬧，濫肆侵略，致召致一九四五年的屈辱投降，可是迄今不及十年，又已百廢具舉，居然可以自立。土耳其在第一次大戰以後，亦已殘破不堪，事實上已處於列强分割之下，國之不亡，殆已間不容髮，但凱末爾振臂一呼，不獨國土重光，近且舉足重輕，屹然爲防共之一有力屏障。佛朗哥始終搞他的法西斯，是我們所不贊成的，但他究竟還自成一套，對外應付有方，對內亦有其自存之道，今則美國爲加强歐洲防衛，亦不能不自動的拉他一手。狄托至今並未放棄共產，照常行使極權，但他卻敢於與蘇聯爲敵，而力亦足以自固，今日隱然爲巴爾幹之一霸，同時爲英美之所爭取。至二次大戰後亞洲若干的新興國家，雖說基礎未盡穩固，步調也相當凌亂，可是大抵欣欣向榮，隨時都想脫穎而出。惟獨中華民國，乃狼狽至於如此！這還不值得我們加以深切的反省嗎？

從謬誤觀念中自求解放

「國於天地，必有與立」，與立者何，豈不在乎人才？中國在這半世紀以來，也可以算得是人才輩出，比起歷史上任何時代，決無遜色，而方面只有加多，內容只有豐富。可是所有人才的力量，不是浪費於消極，即已陷溺於對銷；自黨派的利害超乎國家，人才的登用即已失其標準；自選擧成爲具文，人民的決擇即已無從表現；自武人萬能成爲風氣，文人便只好自降而爲輿台！本來，一種近乎理想的政治，即在使得一時代的人才能一一各得其所；在朝者既有職責，可積極的展其所長；在野者亦必使其感到社會的天地甚寬，隨時隨地，都不怕沒有自效於人羣，自效於國家的機會。能把培植與維繫人才的方法納入這樣一條正軌，消極的固可減少無數麻煩，避免許多災難；積極的亦必可使國家的一切建設，日趨於安定與繁榮。自從共產與法西斯兩種邪說流入中國以來，中國人乃發生一種極端謬誤的觀念，以爲全國的人才，必須統制於黨；所希望者『黨外無黨』，而結果則黨外必有黨；希望黨內無派，而黨內亦終必有派。所謂黨外無黨，是還可以求外才於黨內，[illegible]所必須排而去之者，亦只限於這一部份的黨外之才，已經相當危險，但只要黨內人才勉強可以得，總還可以造成一小康之局。等到黨內已經有派，則求才之道，更不能不捨黨而取之於派；求上不能，即只好求其中；求中不能，即只好取其下；亦只好濫竽充數，所謂『蜀中無大將，廖化作先鋒』，其勢然也。人才的分布，事實上是國家多於黨，黨多於派，[illegible]而不能捨國求才於所不信，則天下事[illegible]。今天我們反共復國，所要從事的，其艱難十倍於推翻滿清，摧毀帝制，[illegible]比較以上[illegible]個時期，[illegible]如何收拾殘局，[illegible]這是值得我們今天朝野人士共同研討的一大課題啊！

美蘇在非洲的外交戰

長林譯

美蘇兩國的觸角已達到非洲，正在那裏展開尖銳的神經戰。

非洲殖民地，保護地最多，民族獨立運動的需要最爲迫切；照列寧以至史太林的說法，這些地區早應該由民族解放鬥爭而轉入人民民主革命的階段」，但終史太林一生沒有見到這樣奇跡；最近馬倫可夫描述世界人民革命運動，完全沒有提到南非，這意味着蘇俄所能加於南非的影響，是微不足道的。因此到現在爲止，俄式革命，在非洲是沒有甚麼作用的。

美蘇外交戰

但克林姆宮對利用種族抗爭，挑撥殖民地對宗主國的革命，以困擾資本主義國家的目的，是時刻不能忘懷的。美國則認爲惟有對落後的殖民地給以合理的政治的自由和獨立，才可以抵抗共產主義的誘惑，杜魯門對落後地區的第四點計劃，固是有爲而發；現在杜爾斯國務卿對非洲的外交方針，也定型於下述兩點：（一）本傳統的人道主義的立場，通過傳教和醫療的方式，爭取當地人民的友誼，進而協助其提高生活水準，（二）在政治方面，是扶植真正的民主力量，防止共產主義的蔓延，但對這些地區雖然主張給予民族獨立的權利，惟不贊成馬上實現，認爲給予獨立太快，恐怕沒有足夠力量來防阻共產主義的侵襲。於是蘇俄便針對美國這個外交方策，展開宣傳戰。馬倫可夫認爲現在許多殖民地都要掙脫歐洲宗主國的羈絆，是由於美國間接直接的鼓勵，使脫離母國投向美國的懷抱，以便從中攫取政治經濟利益，初非有愛於這些有色民族，而衷心願其獨立；他引述美國戰後輸出額增加百分之三百，南非一隅便占百分之五十，可見美援的目的是在經濟利益，所以他强調主張當前的民族解放運動的目標，應有兩個：一是掙脫帝國主義的統治，爭取政治獨立；一是防止墮入美國的經濟圈套。美蘇兩國這種向非洲散播其政治影響，目的是在減損對方的威望，好讓自己安排次一步的行動。蘇俄的外交策略是夠辛辣的，一方面離間歐洲國家與美國的感情，一方面鼓勵非洲人民對美援發生戒懼；它已表現於行動的，除了在聯合國大會有關非洲問題的討論中，把僞善與自私，來醜詆美國，希冀激動非洲的民族感情外，便是故意挑撥英美的利害衝突，他們的前哨戰，就在英屬南非聯邦和怯尼亞（KENYA）兩個地區。

南非前哨戰

蘇俄的百科全書特別指出，在全非洲城市的居民平均只占百分之五，但人口中，南非聯邦的城市居民卻占百分之三十，這是說明南非聯邦的產業化程度高於本洲內其他地區，這不但是適宜於民族解放，而且是適宜於無產階級的革命的環境。在這觀點底下，歷史悠長的工會組織，便成共產黨的狩獵對象，馬蘭政府適時的「禁制共產主義法案」的頒行，雖曾發揮了防遏作用，但也間接暴露共產黨份子在社會的分量了。自從南非聯邦共產黨解散後，他們黨員已廣泛地滲入所謂聯合陣綫之內，他們不但反抗馬蘭政府，而且反對英美，但在兩者之間，對英還虛與委蛇，對美則用盡「攫取」「掠奪」的惡名。這當然是馬倫可夫的意旨；他們竭力描繪英美在南非市場消長的畫面，希冀由經濟利益的衝突導致兩國的政治反目。蘇聯的報章已避免對英國處置非洲殖民地的態度之譴責，而專致美國侵略之刻畫，有關南非的消息，也多採用路透社的報導，甘自追隨英國的觀點，用心所在，是希望英美關係惡化。

怯尼亞問題

其次，是關於怯尼亞（KENYA）的問題。這是英屬東非的殖民地和保護地，蘇聯對它的態度，比對南非聯邦更爲明朗，而其中也都有許多親蘇的政治傾向；雖然其中許多領袖，還徘徊於莫斯科與倫敦之間，但最近英共黨勞動月刊引述已下獄的民族運動領袖康雅泰（KENYATTA）的話：「唯一的途徑，是把各種族的工人和農民組織起來，只有在這組織上面，才可以作有力的反抗『掠奪』和『剝削』」，[illegible]表示反英的成份居多，竟不像過到的莫斯科的呼聲，[illegible]回顧過去，可促其存心反英美，[illegible]這地區想把英國[illegible]可以相當離間英美的關係。[illegible]南北羅西得亞的英聯邦運動[illegible]南非聯邦對美國在礦業的利益，[illegible]毛毛叛亂中是行動的人，[illegible]白人的剝削行動的反動，其轉向蘇俄赤化之餘，企圖恢復[illegible]一方面以[illegible]處境而向英[illegible]挑撥，一方面向土人宣傳，又謂美國之支持英國軍事行動，爲的是換取基地，與鈾鑛之開採，來掠土人對美國的友誼。蘇俄心懷叵測，儘管想把紅色的魔爪伸向非洲，但當地各種原始性的反抗運動，迄今還沒有和俄式革命接軌的跡象，而蘇俄鍥而不捨的神精，是值得自由國家對自己的警心，早謀聯合對策的。（取材於 CURRENT HISTORY）

本期稿擠「半週展望」暫停。

邱吉爾哀詞（擬作）書後

·滄波·

十日前美國合衆社電傳邱吉爾正在自擬訃聞並徵求哀悼文字。我於九月十九日在台北新生報發表一篇邱吉爾哀詞擬作，這篇文字發表後，屢承海外友人函詢內容，茲將該文原文附錄於後，並將未盡之意，再為申論於后：

埋葬得太早

合衆社消息發表後一星期，意大利一家報紙忽然登載邱吉爾逝世的消息，此時邱吉爾正在尼斯度假，當他聽到這一個消息時，他幽默地說：「他們把我埋葬得太早了。」好生惡死，是人類共同的心理，我們何必苛責邱翁貪生，但進一步觀察，邱翁不僅貪生，而且戀棧。他今天的心情：第一不願死；第二不願放棄政權。如果英國政情沒有大變化，邱吉爾是大概將「壽於位」了。他聽到報紙傳載他死的消息，說人家把他埋葬得太早了。照我們看，邱吉爾在精神上早已死了，已早已埋葬了。雅爾達會議時，邱吉爾在精神上第一次宣告死亡。一九四五夏間英國大選結果，這位已死的人暫時重蘇。一九四六年美國富爾頓演說，發明了鐵幕的名辭，是他死而復蘇的象徵。等他前年再度執政，直到現在，他在精神上始終昏迷未醒，等於第二次死亡。

應知的父訓

看邱吉爾的履歷，兩任首相，兩任海相，一任財相，五十年國會議員，他自己引為不足的，似在未做外相。而近年自負，便在外交。我在哀詞中特別提到邱家老子倫道夫老先生一八八六年的達德福演說（DARTFORD SPEECH）想把他老子五十年前的言論，藉對他兒子作當頭的棒喝，現再簡略引徵這篇演詞中的警句：

英國對於自由的擁護，對於其他民族及社會爭自由獨立之奮鬥，其輔助與共鳴，歷史久遠。而且已成為英國外交政策的傳統方針。

近代歐洲的人民自由，英國是一位有力的功臣。德意志與荷蘭能從西班牙飛利浦王暴政下圖解放，其後能免於法王路易十四的專制，都靠英國的力量，拿破崙戰爭時，全歐披靡，惟獨英國沒有投降，十九世紀歐洲的自由，是英國保持的。在我們的時代，維護道德的干涉或有力的道德支持，英國曾分別幫助意大利與希臘建立穩固之自由。三十年以前，德奧兩國並不十分認識政治自由的價值。他們也沒有十分了解政治自由所產生的穩定的秩序。英國有示範的責任，這個責任，是光榮而危險的。……如果英國政府一旦在某種環境下被迫而作一種抉擇，女王陛下的政府將無疑地盡力支持歐洲任何愛好和平的國家，與愛好自由的人民」。（邱吉爾著LORD RANDOLPH CHURCHILL第五三三——五三五頁）。

為自己功名

邱吉爾在他埋葬以前，苟能翻閱自己五十年前所寫的書，苟能溫誦他老子六十四年前所大聲疾呼的，必能自己省察他這幾年所做的是什麼？他對英國的傳統，對自己老子的遺訓，當自己有地位有權力的時候，究竟實現了幾分？你的錯誤。你的汗血。只為了你的功名，至多亦為英國一國一時的利害。你漠視了東方幾萬萬人民的自由，忘掉了全人類全世界的自由，所以今天還想和克里米宮做妥協的迷夢，今天還想對中共匪幫獻媚求和！我再引用你老子倫道夫老先生六十年前在國會中為愛爾蘭自治案對格蘭斯頓的幾句話：『什麼人民的威廉，什麼國家的大老，什麼滿口的信仰與人民，一切為你自己的選票，為你自己的功名！』這幾句話，好像是六十年後教訓他自己兒子的。

活埋了中國

邱吉爾先生今天聽見人家傳載他逝世的消息，會說「他們把我埋葬太早了」。這一句話，使自由中國人民頓時聯想到另一句話。當一九五〇年一月英國承認中共匪幫後，中華民國駐英大使鄭天錫於退出使館時招待記者說：「英國今天把自由中國活埋了，不久的將來，英國會想要自由中國的幫助」。這是英國外交史上最黑暗的一頁，一個舉動，正如你老子倫道夫老先生所說，違反了英國的正義傳統，今天使我們悲憤的，三年前英國工黨政府，把自由中國活埋了，但是自由中國至今沒有被埋，而且一天一天強大起來。邱吉爾執政，對三年前埋了的中國，沒有絲毫救助之意，而且天天想加上一把土，希望它早點死亡。這是邱吉爾最大之錯誤，也是他無可辯護的罪惡。邱吉爾今天或自歎其命運不如威靈吞，他要知須威靈吞當時的過失，（如反對改革）是無心之過，今天邱吉爾之罪，乃在明知而故犯。邱吉爾晚年的事與心，不能見諒於其國人，不能見諒於全世界，都是他自己造成的」。

附錄邱吉爾哀詞（擬作）原文

（一）

美國無線電評論家麥勒勸，新從英返美，在紐約透露：（合衆社紐約十五日電）邱吉爾正在安排如何宣布他逝世的消息。他說邱吉爾自知有生之年，為日無多。故以歷史家的感覺，準備他自己的訃聞與哀啓。關於死後的悼詞，將由不列顛聯邦的領袖及海內外友人發表。邱吉爾爵士正在遴選發表悼詞的人名錄。

我不是不列顛聯邦的領袖，也不是邱吉爾的海內外友人。我是一個研究英國歷史的人，還是一個研究英國傳記的人。我憑這個資格及興趣，替邱翁預擬一篇簡短的哀悼文字。

（二）

英國近百年的政治人物，論年壽，格蘭斯頓（WILLIAM EWART GLADSTON 1809—1896）享年最長。格蘭斯頓四次組閣，到八十九歲壽終，論勳望，威靈吞（DUKE OF WELLINGTON 1769—1852）到今天還是後無來者。格蘭斯頓死後，他的政敵保守黨領袖莎列斯柏雷（莎侯）有一句至今不朽的悼詞是：「一個偉大的基督徒政治家」。這一句悼詞至今傳誦於英國的文壇，格蘭斯頓傳記作者穆勒約翰說莎侯這一句悼詞，把格蘭斯頓一生的豐功偉業都說盡了。格蘭斯頓在死前七年，曾對穆勒約翰講，將來什麼人替他作傳，必須記住他本人的兩面：一面是他的衝動性、暴躁性、以及不易控制的性情；另一面是他的自制能力，他能排除一切旁生的枝節而集中在一個中心目的。他從二十三四歲起，漸漸養成這種自制的習慣，這種習慣之養成，起初由於他性格的自然能力，後來由於不斷的虔誠禱告。

威靈吞死於一八五二年，享壽八十三歲。威靈吞死後，維多利亞女皇寫信給比利時王（她的舅父）說：「公爵之死，是英國無可補償的損失。他是英國歷史上最偉大的人物；他是英國最可驕傲的國寶；他是皇室最忠誠的朋友與最有價值的顧問。梅爾蓬（MELBOURNE），裴爾（PEEL），利物浦（LIVERPOOL）——現在是老公爵——先後均棄我而去！」（維多利亞書扎，一八五二年九月十七日）

（三）

邱吉爾在英國的功勳，在近代英國歷史上，只有威靈吞可和他比擬。邱吉爾無疑地是英國二十世紀的大功臣。他對英國在第二次大戰中，眞是十足有再造國家的功勳。當一九三十年代最危急的階段，如果他不出來，英國是不堪設想的，歐洲也是不堪設想的。威靈吞的敵人是拿破崙，邱吉爾的敵人是法西斯軸心。歷史上的大事，事過境遷是不容易作對比的。十九世紀初年和二十世紀四十年代，其情勢安危，究竟那一段比那一段嚴重，事後是不易推論的。但是十九世紀初期的歐洲與二十世紀四十年代的歐洲，有一個顯著不同之點，便是在前一個時期的歐洲，反拿破崙陣營的聲勢壯大，人物整齊。而在後一個時期的歐洲，反法西斯陣營的聲勢與人物，都比較衰微而偶零。且在後一個時期，還夾着一個蘇聯的翻雲覆雨。所以論客觀的形勢，威靈吞所遭遇者，實較邱吉爾為優越。何況威靈吞在反拿破崙戰爭中，始終只管軍事，而且還是西葡兩國一隅的軍事，直到拿破崙從歐爾巴逃回，威靈吞方受聯軍統帥之職。威氏担統籌全局之職，已是敵人完全戰敗之後，而其全局亦僅限於前方。此與邱吉爾在二次大戰初起後所担當，自是不同。從這一點上說，邱吉爾對英國的功績，似較威靈吞為高。但是，二次大戰沒有全部結束，邱吉爾便黯然下臺，威靈吞從滑鐵盧戰後，雖亦經過政海上應有的曲折，但其勳望之高，主眷之隆，邱吉爾當自歎不如。即較格蘭斯頓晚年聲名，如「人民的威廉」（THE PEOPLE'S WILLIAM）及「大老」（THE GRAND OLD MAN）等稱號，亦相形見絀。

（四）

狄思雷利少年時，在一位諾頓夫人席中遇見梅爾蓬勛爵（當時格雷內閣的內相），梅爾蓬勛爵偶問狄思雷利「你要做什麼？」狄思雷利很鄭重地答覆：「我要做首相。」這是說明狄思雷利少年懷抱。邱吉爾少時行徑，十分像一個冒險家，然看其到印度、到南非、到古巴時種種，並沒有那樣固定大志。但是邱吉爾是一個十足的功名之士，是毫無疑問的。

（下接第三版）

基本經濟學

·陳克文·

樓桐孫撰述
台灣中國經濟月刊社發行
民國四十二年六月初版
每册台幣十二元

（一）

這是一本對了解經濟學基本原理最有幫助的著作，撰述者樓桐孫先生是我國有名經濟學家，現任立法委員。他是法國經濟學家季特教授（CHARLES GIDE 1847—1932）的學生。季特教授所著的「經濟學基本原理」，日本人譽為世界經濟原理三本精華作品之一。其餘兩本：一為德國福琪士（C. J. FUCHS）的「國民經濟學」，又一為英國茄布曼（S. CHAPMAN）的經濟大綱。樓先生這書便是根據季氏「經濟學的基本原理」來編撰的。「經濟學的基本原理」是世界三大名著之一，季氏自己也認為是生平最得意的著作。樓先生和季氏一樣，把最複雜，最艱澀的經濟學原理，用許多故事，許多譬喻，作深入淺出的說明，令讀者感覺津津有味，毫無艱深乾枯之苦。他說，『這本小册子除了提供經濟學上若干基本的原理以外，並沒有別的奢望』故書中行文亦力求淺近易明，使讀者容易了解。

（二）

全書分七章，首述需要及工作，次論交換及價值，其次關於貨幣，私產及遺產、佃租、利息、僱工制及利潤，均有詳細論述，最後論聯帶與合作。

樓氏自己於卷首有一篇「致讀者書（代序）」，先述本書編撰經過，並對馬克斯派的經濟學作簡單批評。最後概述本書內容要旨。我們如能一讀這篇長及十七頁的代序，全書要旨也差不多可以得個大概了。

（三）

全書結論也可從代序的末段看得出來。他說『……人類經濟制度的趨勢，必將日益提高「消費」和「生產」的代表地位，使他慢慢參加各種產業的組織，管理和運用，以共同籌畫「社會機能」的職責。……最足適應這種潮流，滿足道德要求的，綜觀現代各種社會學說和主義之中，實莫過於合作。……無論從學理上講，或從事實上講，這都是一個很自然的結論。』

他又說：『時至今日，「社會意識」已於個人利己主義身傍，在最完美優良的制度——合作制度形式下——覺醒過來，強壯起來，慢慢的必能組織一切，治理一切。這眞是人類歷史各種華美的景象之一——這前途很可樂觀。』

全書一百卅四頁，每面上端加附若干小標題，極便省覽。

編者與讀者

△近來收到有關人物評述的文字很多，於此，我們想說明，我們對於這一類文章的態度。我們最歡迎的是有關學術界，文藝界，教育界，工商界，以及社會事業，有實際貢獻的人物評述和介紹，並不限於政治上或國際間的時代聞人，希望惠稿諸君能够和我們合作。

△何雨文先生：大作收到，容後刊載，大作中共財政解剖一書，當另文介紹。

△本報二五八至二六七期稿酬，已分別奉送，惠稿諸君，如未收到請示知。

自由文藝是共產死敵

·董非葉·

讀了本刊先後登載高心濟和陳紀瀅兩先生討論自由中國文藝的文章，筆者很佩服兩先生的批判態度，並認爲今日自由中國的文藝應大家切實加以研討。爰就個人一得之見請教於諸先進：

（一）台灣社會，安寧恬靜，文藝作品可以多方面發展，這是不成問題，也是目前的事實。可是這社會風氣並不十分調和，一方面秣馬厲兵，一方面歌酒戲樂。因之，力主反共的有它肅穆的單調文藝。近享樂的也有它輕薄黃色文藝，都散見在報章雜誌刊物裏，這是民間最廉價的讀物。今日台灣報章雜誌刊物之多，確盛於往時，所以影響力和深入性都很大，自然去理想的要求還是很遠。反共的文藝不脫宣傳刻板的窠臼，不容易引起讀者的激興，最近有些人創作新詩，取材仍是平舖直敘的反共口號。黃色作品最爲一般社會讀者所歡迎。筆者承認，時下不少有深邃的文藝素養而意境表現得很有力的作品，但這些作品的銷路不廣，我們應該注視和民間最能接觸的大衆文藝，這方是問題的焦點。

（二）反共是確定的了，毋須多說，可是文藝不是一種御定式的詔告文章，文藝有它感人的潛力，有最高的意境，不求雕飾，也有淡遠淳樸之美。它指導人類尋求人生的真實價值，否定共產黨「人物一元」的謬論。反共要努力建立自由思維，文藝重視自由思維，故文藝毋寧是反共勁旅之一。文藝讚美博愛，讚美人類理性與互助互愛的精神，這便是共產主義的死敵。我們不必苛求所有的報章雜誌甚至學校團體部隊軍中的刊物壁報，都要在文字間表現強烈反共的火藥味。最近台灣軍中文藝工作，已有它新的趨向表現，在寫作及報導已有很顯著的新作風。聞名全省的『牛小妹』一劇，正不知賺得多少人的辛酸淚，我們所要努力的便是這些發揮人類最純潔的理性文藝作品。通過各種形式的表現，用淺出深入的技巧廣播於民衆之前。最富靈性的文藝工作者，他們的血汗應該普遍灑於自由社會之前。

邱吉爾哀詞（擬作）書後

·滄波·

（上接第二版）

在第二次大戰回憶錄中，邱氏自寫其初任首相時的情景，至於繞室徬徨，喜而不寐，十足流露此人的性情。歷觀英國近百年的首相，拜相以前，其政績必爲特殊表現之點，如帕瑪斯頓及莎利斯柏雷之於外交，如格蘭斯頓與狄思雷利之於財政，又如威靈吞之於軍事，都是各人功業的基礎。邱吉爾學習的是軍事，而起家於海軍，兩次大戰初期，他都担任海軍部長。邱氏覇才縱橫，功名心之濃厚，自不待言。然在二十世紀英國名相中，他比較勞合喬治要純正得多。從嚴格的眼光來看，邱吉爾是頭等的將才，而不是頭等的相才。他對世界的貢獻，是唐克車，對英國的貢獻，也是唐克車與空軍建軍。他是撥亂反正豪傑，而不是安邦定國的良相。我們舉幾個簡單的例子說明，歐波定「LORD ABERDEEN（1784–1860）」一生口號是「正義」，格蘭斯頓畢生提倡是「信仰」，狄思雷利在保守黨提倡的「保守民主」（TORY DEMOCRACY），帕瑪斯頓的外交唱穿了爲的是英國利益。邱吉爾的符號是一個V字（勝利）。今日建國的頭緒，難道「勝利」兩字所能包括？誰知內心修養，邱吉爾不能冠歐波定，與格蘭斯頓，又不能橫衝直撞如帕瑪斯頓。邱氏一生遺憾爲未做外相，然雅好談外交。今年艾登去美治病，邱氏暫理外部，逢人告訴，「我已到外交部」。可見其對此興趣之濃厚，但邱吉爾今天在英國，自認爲維多利亞時代碩果僅存的人物，但我們如果把他列在維多利亞時代的名臣中，其在生前的人望不如威靈吞，而在身後的遺愛，不如狄思雷利與格蘭斯頓。邱吉爾於內政固少表現，於外交謬誤尤多。他替他老子 LORD RANDOLPH CHURCHILL 作傳，一再強調他老子一生最重要之演說，爲一八八六年「達德福之演說」DARTFORD SPEECH。這篇演說，反覆申言英國霸權，建立於維護自由，尤其維護任何國家人民之自由。邱吉爾在二次大戰中救了英國，可是沒有替英國樹立一個外交政策，更沒有想到援助任何愛護自由的國家。邱吉爾雖揚名，到九原當有以自豪。可是沒有仰體他老子的理想。今天英國政府在國際上進退失據，邱吉爾對不起本國的傳統，更對不起他卓越的父親。

（五）威靈吞與邱吉爾，早年都在印度服役，威靈吞在印時間更久，其事業基礎，可說就在印度。邱吉爾早年除在印度外，倘在非洲有長時期的勾留。威靈吞因滑鐵盧一役，聲名蓋世。邱吉爾因二次大戰成爲英國救主，但兩人內心深處，種族優越感根深蒂固，牢不可破。威靈吞晚年反對擴大選舉權，反對一切改革，邱吉爾第二次執政，妄想做美蘇橋樑，妄想憑個人聲威，挽回克里米宮凶燄，是非順逆之辨不嚴，其出處大節遂無一可觀。邱吉爾歷事溫莎王朝六主，由[illegible]時代，正是帝國主義的時代，殖民主義的時代，東西人種歧視的時代，秘密外交時代，個人英雄主義的時代，正隨他的逝世而同歸於盡。

（六）邱吉爾是英國二十世紀中期一位大功臣。我對邱吉爾的估價，僅此而止。他只替英國救了一時的危亡，而並沒有替英國恢復的霸權。他是英國的良將，而不是英國的大政治家。英國的大政治家是不是二十世紀世界的大政治家，他只是時勢造成的英雄，而不是造時勢的聖傑。兩月後便滿七十九，以中國方法計算，他今年正是八十大壽。他的幸運，不如威靈吞，也不如格蘭斯頓！我以歷史家的客觀眼光哀悼此一英國二十世紀的豪傑。我對邱家父子，誦其言，讀其書，想見其爲人，使我悲歎而惋惜。邱家老子倫道夫，老先生不幸活得太短（四十六歲）。邱家兒子溫斯頓少先生，照現在看來，他不幸活得太長了。如果他在八年前死，又如果他在三年前死，他的榮光與遺憾，要好

人物

徐悲鴻軼事

·鐵髯·

一代畫人徐悲鴻，在中共暴政之下，難免於一死！他的死法，雖比梁宗岱等稍爲高明，而其實際上，也與囚禁無異。蓋徐自中華民國四十年以後，不堪中共的精神虐待與刺激，即以腦中風及神經麻木病入醫院長期療養。中共對他仍然不放鬆，今天向他要一幅，明天又要他畫一幅。因此他不勝其麻煩，最後終於氣絕身死。死的時候有信與中共當局說：「我的身體已經不行，你們一定要我畫畫，所以畫得很不好，這是沒有辦法的，現在一切都完了！」悲鴻的下場如此，頗有悔不當初之感！

追憶

記得民國三十八年秋，我和某夫人在桂林見面的時候，她對我說：「徐悲鴻回像，中共要他在北京城牆上作大幅壁畫，題材是中共指定的，目的當然在宣傳，而且與民衆有關，美其名曰『藝術大衆化！』徐悲鴻在北平不走，我怕他也夠受了！」我說：「某先生素不是和他關係很深的嗎？當時何不邀他出來？」她說：「那有什麼辦法？這是他（指徐）自己情願的。」所以，悲鴻的遭遇，是沒有了解自己，更沒有了解中共的作風，失足千古，悔亦晚了，這是無可奈何的事。

悲鴻的藝術基礎甚著，並非天才；可是他的成就既然很高，與稟賦當然也不能說沒有多少關係了。一班人多數都恭維悲鴻的畫馬，可是悲鴻卻對我說：「最難畫的是牛的力，與貓的神；其餘的都比較容易。」馬在中國人的心目中是很容易討好的，所以大家都歡喜悲鴻畫馬。其實，悲鴻說：「牛和貓才是我的工夫所在呢」！然而依我看，悲鴻的靈以工筆有基礎，西洋寫生又爲他拿手好戲，因此儘用氣備，無論那一幅無不精神灌注。我記得民國二十四年他爲我畫一幅「鵝戲」，題曰「悲鴻戲筆」，雖然是戲筆，也是惜墨如金的精品，幅面很小，宜於小客廳懸掛。

最近我碰到某君，與我談到他與第一夫人在巴黎的故事。他說：「悲鴻對我說：『我是留法的苦學生，有一次我的朋友在國內接濟我幾千法郎（當時約值四五百元國幣），我便劃出三千法郎給我的她（指某女士）。告訴她某家拍賣公司有二物，最合妳用；其一一某音樂家之梵華琳，價標三千法郎；其一一件海虎絨女大衣，亦標價三千法郎，不知妳要那一件？明天我和妳一道去看。到了第二日，我和她去看，二者不可得兼，躊躇莫決。又過一日，她一個人跑到公司去，把海虎絨大衣買回來了。』因此，悲鴻很感傷地對我說：『女人究竟不宜於當藝術家的呀！』這是二十年前的事了。」這一位某女士現已與某政要賦同居之愛，所以，悲鴻的死不死和她是沒有多大關係的了。

悲鴻的生活頹廢，鬧起於家庭糾紛，所以到了廣西以後，見到女人就愛，其原因爲了對於女人沒有信心，並非骨子裏自甘墮落。所以在表面上，我們看他追求伶官、追求某小姐、追求某某等，還是變態心理，這個創傷，不曉與廖靜文結婚以後有沒有平復過來。

悲鴻有熱情，有信心，有幹勁，這是藝術創造的源泉。我看他給我許多封信裏，有什麼話，說什麼話；而且，說到那裏，做到那裏，絕不含糊。這個人做朋友做工夫，都是很有益的。

總之，他是個有心胸，有魄力，有抱負的一個藝術家，路子即管走錯，但他的創作在藝術史上，是可以不朽的了。

港九各界歡祝國慶

港九各界慶祝四十二年度中華民國開國盛典。昨天是最後一天，青天白日滿地紅國旗，今天在每一條大街小巷都可見到，到處隨風飄揚；各式各樣的彩花牌樓，也一年比一年增多；深水埗木屋區十餘萬難胞也歡度這一中華民族歷史上最光輝的紀念日，在這洶湧澎湃的愛國熱情中，充分反映出港九二百餘萬市民的熱情；[illegible]

[illegible]餘難胞，籌備最久，準備從今天起，一連四天，在營內熱烈慶祝，營內兒童將分派國的小朋友捐贈他們的一筆慰問金。

[illegible]（港幣八百四十一元）：基督教會特別上午八時至九時舉行「慶祝雙十國慶聯合祈禱會」，並爲自由中國祈禱[illegible]晚上放映新聞電影。香港新聞攝影組成的返國觀光團，由莊玉甫領隊，已於七日首途，以一分同業的熱忱帶到自由祖國，並參加本月的四大慶典。

救濟難胞輔助生產

港九各界救濟調景嶺難民委員會，對[illegible]風災及推行生產工作；擬於日內開始建築[illegible]一萬五千元[illegible]的串珠，綉花工作，和織篩的成績均優，現已擬定計劃，當局爲適應生產上的需要，擬一步在一千二百平方呎之空地上，興建一小規模工廠。（祝）

雙十歌聲

•大明•

十多天來的×港沒有狂風，海面平靜如鏡；大街小巷依舊在人往人來，車水馬龍——是樂生營營，也似歌舞昇平！

然而這些日子却正是些不平常的日子，十月一日和十月十日剛有似短兵相接，使一般人們的心里泛起了波濤；儘管×港的表面依舊如昔，×港的裏層却到處顯明而劇烈地展開了自由與奴役，光明與黑暗之間的鬥爭。這種鬥爭，不知會給醖變自由的人們帶來了多少緊張、熱烈和勝利的愉快，以及光明終將取得最後全面勝利的啓示和信心。

就拿我們廠裏來說吧，那髣髴是一個倒洪，那髣髴是一陣妖風會向我們亂竄，但幾年來血淋淋的教訓已自然而然地在我們各個同伴的胸前掛起了「泰山石敢當」的擋妖鏡，於是妖風立即消散，大魔鬼的小嘍囉們哭喪着臉，遁形了！

我記得很清楚：在九月三十日那天，兩個穿了工裝假裝着「工人同志」的共產黨人員會來到我們廠里，指揮着幾個零零落落的「工人同志」到我們各車間來大力說教：

「工人兄弟姐妹們：新中國是你們的，你們明天應該參加新中國的國慶……」

「祖國工人階級的日子越來越幸福了，這是你們的福音，值得你們……」

「噓——！」

「噓——！」

但車間的同伴們並沒領教他們的盛情，却響起了一陣噓聲，將他們的說教打斷了。

「工人弟兄們：値……値得你們慶祝，明……明天……」他們在一陣噓聲後，還厚着臉皮仍繼續說教。

「噓——噓——噓——噓——噓——！」

但同伴們立刻響起了一陣更響更長的噓聲，這噓聲混和着機轉聲點根兒將他們的語聲淹沒了！

於是，他們慌了，也怕了！發出了阿Q式的恐嚇：

「不……不要受反……反動派的挑撥，誰反……反對祖國，等着瞧，有一天×港……」

「共產黨！不必夢想，×港不是你們的天堂……」然而一語未了，車間一角的同伴們已仿着保衛台灣的曲子唱了起來。

「共產黨！不必夢想，×港不是你們的天堂……」接着，整個車間也都跟着唱了起來。

於是，這有力的諷嘲的歌聲蓋倒了一切，他們終於鼠竄一般溜了！就這麼輕輕一棒，十月一日這血腥的日子，在我們廠里（也可說在整個×港）淒淒涼涼，冷冷清清地溜過去了！

×××

誰說包了糖衣的毒藥不會上當？我們很多人就曾一度受過「工人階級專政」的蠱惑；但曾幾何時，我們已從一個噩夢之中醒了過來。

「十、一」剛一溜去，同伴們就忙了起來；髣髴每個人心中有着一個切身利益的企求，出於一種自然的熱烈的心情，迎着雙十國慶的來臨。

這幾天，放夜工的氣笛剛一拉過，男男女女的同伴們，老李、老黃、老魏和阿猫、阿狗這幾位拿廠樣顯得最忙，他或她們跑出地在照顧每個工作組合着牌樓，剪着紙花，貼着標語，裝着電燈……

然而突然，當我們正在忙着的時候，飯廳外面出現了一羣陰鬱陰險的人羣，來向我們叫囂，說是不許打。雖然，初看上去多半是些囉仔模樣的陌生人，但看得很清楚：其中幾個領頭的，却正是那兩個共產黨爪牙和那幾個零零落落的「工人同志」。

「認識你們，赤色工棍！」

「我們選擇自由——去你們的！」

「不怕你們，來你們的！」

我們的同伴們顯得非常沉着而激昂，立刻在該廠內外集合成兩支隊伍，將他們夾在中間，罵了他們一陣痛罵。

「打！丟那媽！」他們喊出了打聲。

「打就打！」我們之中也喊出了打聲。

但我們之中的打聲剛一喊出，幾個聞風而來的廠方職員已出現在面前，於是，他們一鬨而散，又溜走了！

「不准你們在這裏胡鬧知道嗎？」這幾個職員，向我們飯廳內外的兩旗同伴看了一看之後，立即向我們發出命令。

「是！」善於應變的老黃自告奮勇地立即迎了上去，點頭稱是。

「收了這些！」這幾個職員，指着彩牌和標語。

「是！」老黃又點點頭，向大家做了一個手勢。

但，廠方並不能阻止我們慶祝國慶的行動。

「明天大家提早一個鐘頭上工，照樣準備慶祝我們的國慶！」老黃就這麼機敏地下了一個臨時通知。於是，大家說聲明天見，都走了。

×××

十月十日的前一天，東方的一角剛微微地閃出一綫白光，工廠後門的海濱曠場上就已擠滿了一羣羣一簇簇的同伴們，顯然每個人都充滿着非常愉快而興奮的心情。

廠方的規定不允許曠場上貼有標語就沒有貼，但已迅速地臨時豎起了彩牌和旗幟。

人一到齊，老黃就被推當了主席。隊伍沒有經過整理，但一聲「開會了」的傳話一發出，我們就緊緊地靠攏在一起，預演慶祝國慶大會的儀式就這麼開始了：

「唱國歌，一、二、三，唱」

「三民——主義——吾黨——所宗……貫徹——始終——！」莊嚴而悠揚的歌聲劃破了凌晨寂靜的長空！

「升旗，唱國旗歌，一、二、三，」

「國旗高高拍西風，十月十日，十月十日，當年革命大成功……我們要用烈士的精神，爭取國際的自由平等！」歌聲送着鮮豔奪目的國旗在熹微晨光徐徐上升，迎着呼呼的海風，飄揚在天空！

「朋友們：我們明天將在這樣的情形下慶祝國慶，太不平凡了！我們的國家正在空前無比的苦難中……」老黃在興奮而沉痛地作着主席報告。

凌晨的空氣是一片清芬，會場的秩序是一片肅靜，老黃的話有力地激動着同伴們清醒的頭腦，不知會激下了多少沉痛而慷慨的熱淚！

「嗚——」但老黃的報告還未終了，廠里上工的氣笛已經呼喚，於是，老黃的報告提前結束，完成了這不平凡盛典的最後準備。

我們上工了。

但留着松柏長青的雙十字的彩牌聳豎在海濱的曠坪，留着我們燦爛鮮豔的國旗在海濱迎風招展，留着我們勝利的歌聲在天空震盪，更留着我們的良知在期待和爭取自由祖國勝利復興的明天！

十月十日前夕

夢的傳奇

•由之•

夢境似眞似幻，幾年前有一個外國人夢見馬票頭獎的號碼，他依着這個號碼去買，果然中了頭獎立成巨富，成了報紙上一條絕好的花邊新聞，外國通訊社且發出電訊，一時遍傳世界各地。

近來，英國也有一位夢境靈驗的女人，兩年前，她夢見她的弟弟在韓國戰場上被俘，第二天就接到陸軍部通知其弟被俘的信件。她將這一則富有傳奇色彩的夢境道出後，左右鄰居都爲之鬨動。不過，當時還有許多人認爲這只是一種巧合。殊不知一月前，她又夢到她的弟弟已恢復了自由（她的智識程度不高，根本不知道有遣俘這回事），第二天，又接到陸軍部一封電報，折開一看，果眞證實了她的弟弟，已在板門店被共軍交給了聯軍。

調寄滿江紅

•狷翁•

錦繡河山，問今朝，是誰作主；四十載，征誅揖讓，杌戈破釜，猿鶴沙虫傷刧運，李牛洛蜀爭門戶，數青皇白帝幾推移，赤燐怒！滄桑改，情懷苦；蒲屈宋，餓李杜。竟輕拋錦瑟，爭鳴瓦釜，吾輩居然高閣置，何人更作中流柱？拔龍泉斫地以呼天，天無語！

憶古蹟懷南京

—大報恩寺與琉璃寶塔—

•鐵頭•

塔爲八角形，高約二百六十呎，中國尺爲三十二丈九尺四又十分之九寸，塔之外飾用最精白瓷磚砌成，塔頂有鐵棒，置以金球，棒之周圍有鐵圈九層，由塔頂至塔尖，聯以鐵鍊，綴以五巨珠，所以鎭南京全城之安寧，五珠爲一避災禍，一避火，一避風，一避雨，一避刀兵。其九級檐角計懸風鐸一百五十二，又在同一地點有燈無數，點綴其間，此絕美之偉大建築，惜毀於太平天國之亂。』

美國百科全書南京條也說：『報恩塔被毀於洪楊之役，建於一四一三年至一四三二年，歷十九年告成，塔爲八角形，高二百六十尺，凡九級，每級綴以行廊，覆以琉璃瓦，每角懸有風鐸，聲徹霄漢，塔心爲波羅形，上置金球，每級階梯作螺旋形。』

百年以前，中國民間，不但對於此塔神奇的傳說很多。而且還有戲劇流傳。據「南京才子」盧冀野在他著的涵芬樓讀曲小識卷三上說：『琉璃塔戲文，舊抄本一冊，共四齣，今存三齣，譜明成祖靖難本事，極爲罕見，第一齣起兵，第二齣燒宮，第三齣畫諫。蓋以琉璃塔爲全劇收場，故名琉璃塔。』

盧冀野在大陸淪陷時，留在南京，未曾出走，中共要他發表文章，他發表了一篇關於太平天國的故事章回小說，篇幅不長，內中描寫了許多內鬨情節，但未提到毀報恩寺，毀琉璃塔的事，或許是有所顧忌罷。然而不久還是被共幹壓迫抑鬱而死。聽說現在南京的戶口，不到已往的三分之一，一般人救死不遑，自然談不上什麼名勝風景，連和尚尼姑也沒有了，更將談不上什麼寺宇菴堂，將來我們如果回去的話，恐怕連以往的破廟也找不到一間了罷！

歷代故都的江南勝地呵！想現在更當是：『村郭蕭條，城對着夕陽道，野火長燒，蘆墓長楸多半焦……碎琉璃，瓦片多，爛翡翠，留得少——哀江南——』但吾人哀之無任，而又不禁夢魂繞之矣（完）

慶祝中華民國四十二年國慶增刊

慶祝中華民國四十二年國慶紀念

共和建國四十二年

中美初期國勢之比較

王雲五

語云：「他山之石可以攻錯」。誰都不能否認美國是最古和最强的共和國，也不能否認我國是最大而目前處境最苦的共和國。我國建立共和政體迄今歷年四十有二，其間變故頻仍，尤以自民國三十八年大陸淪陷，政府遷台以後，處境之苦不僅爲共和建國以來所僅見，即在中華民族數千年之歷史中亦鮮見。我們今日慶祝雙十國慶，其意義除追念革命先烈，建國前賢以外，似宜檢討過去之得失，並借助他山，以策復國大計。

四十二年的政局演變 ㈠

我國由二千餘年的專制政治，一變而爲共和政體，加以中經兩次世界大戰，舉世秩序爲之動搖，故此短短之四十二年間實爲最多事之時日。大概可以分爲六個時期。一爲袁世凱獨裁時期，自民國元年臨時政府北遷後，迄民國五年五月袁氏帝制失敗，憂鬱而死之時。二爲軍閥競爭時期，由民國五年袁世凱死後，迄民國十六七年之交，國民政府統一全國之時，其間直系，皖系，軍閥互爭地盤，並爭取中央政權，不惜彼此構兵多次，形成割據之局。三爲國民政府定都南京，繼續北伐，統一全國，以迄二十六年七月七日日本發動盧溝橋事變，釀成中日全面戰爭之時期。其間政治刷新，凡百進步，苟無中日之戰，今日國勢當大改觀。四爲二十六年秋對日作戰以迄三十四年秋日本對盟國投降之時；其間八年，始則孤軍奮鬥，沿海土地盡失，政府與人民咸向西南播遷，矢志不屈。及太平洋戰事發生，我國與美英等國聯合對德日作戰，構成同盟國，卒幸德日相繼投降，我國列於五强之一，地位提高固屬可喜，惟八年抗戰，一切基礎破壞，元氣剝喪至鉅；加以中國共產黨聽命蘇聯，反抗中央，國民政府雖力予容忍，卒仍不免破裂。五爲由三十五年復員迄於三十八年底之勦匪失敗時期。自三十七年以來，勦匪軍事逆轉，至三十八年底，我國大陸上之土地除若干游擊區外，盡爲共匪控制，國民政府被迫退守台灣，局促一隅，艱危萬狀。六爲三十九年春蔣總統復行視事，以台灣爲復興基地，積極準備復國以迄於現今之時，在此時期，一切政府勵精圖治，均有進步，尤以軍事之進步最大。又國際上的關係，自第五期之末段，由於勦共軍事節節失敗，美國對國民政府已採取撒手政策，英國及若干國家亦紛紛承認匪黨，我國在國際的地位危如累卵。而是年五月韓戰發生，激起世界公憤，由聯合國派軍至韓，與蘇聯指揮下之北韓及中共作戰，於是自由世界與共產世界之界明，我國爲遠東反共之最早與最力者，又能整軍經武，中共，遂日益獲得友邦之重視，美國對我國的撤手政策日漸修改，軍經援助年有增益。自今議韓戰停火後，由於英國之[illegible]主義與印度等若干國家之討好匪共，行見今後國際壇站上不免有動搖我國地位之企圖；然而得道者終必多助，自助者亦定能獲得他助，縱然在今後的若干時日中，我國處境艱困仍多，甚至還有前此未及逆料的困難，祗要我政府人民一心一德，孟晉不已，終久定能渡過難關。

美國獨立初期的情勢

以上是我自由中國四十二年來局勢演變的大概；至於可資攻錯的美國建國初期的四十二年局勢與其演變之迹象如何，亦請以概括之方式略述之。查美國於一七七六年七月四日由十三個殖民地組成之大陸會議發表獨立宣言，其前二日，十三個殖民地的邦聯條款業經提出於該會議，雖遲至次年十一月十五日邦聯條款始由會議通過，然美國後來既規定以獨立宣言發布之日爲其國慶日，自可以是年爲建國之基礎。由此而迄於一八一八年四十二年間，可分爲四個時期。第一爲獨立戰爭時期，其前奏爲一七七五年四月十九日美洲民兵在雷克星頓之對抗英軍，然大規模之戰爭則始於一七七六年八月二十七日長島之役，[illegible]

[illegible]

華盛頓就職後的美國

[illegible]

避戰爭以期努力建國

[illegible]

，咸公然指斥哲約翰賣國，卒因哈密爾敦之辯護得力，益以華盛頓之威望與支持，國會終予批准。事後輿論及史家公正評斷，美國在此協約中雖付出不少的代價，然因此而能於風雨飄搖之際確保美國的安全，所得畢竟多於所失。

泯派系嫉忌重視國家

及一七九六年九月十九日華盛頓因第二任屆滿，拒絕爲第三任的競選，預行公布其告別辭，力勸國人避免因派系的嫉忌，致漠視國家的安危，並力言美國的真正政策不宜與任何外國作恆久的同盟，必不得已祗可於必要時依賴暫時的同盟。其意即指對於英法戰爭嚴守中立之一段故事。及亞當士約翰繼華盛頓膺選爲第二任總統，由於法國偏袒美國之祖英，兩國感情惡化，一七七八年法美盟約宣布廢止，法國軍艦對美國船舶肆意捕獲沒收。其時多數的聯邦主義者雖與總統亞當士同一政黨，卻要求對法國宣戰甚力。亞當士總統仍本華盛頓之宗旨力避對外作戰，特派代表品克尼等三人前往法國商議解決爭端。法國首相塔力藍拒絕接見，卻使其代表人向品克尼等索賄，經拒絕後，品氏等返國報告，全國益譁然，視爲奇恥大辱，聯邦主義者以其敵黨反聯邦主義有袒法之嫌，攻擊不遺餘力；同時傳聞法軍已在查爾斯頓登陸，乃堅決要求備戰，並欲起下野之總統華盛頓爲陸軍統帥，一方面在海面上法美兩國艦隊已實行不宣而戰。但亞當士仍力圖維持和平，不肯屈服於同黨，乃特派委員三人赴法商議和平解決爭端，法國首相塔力藍亦知悔禍，允予接談；及美國委員到達巴黎，則拿破侖已代替五人執政團而控制政權，頓然表現妥協態度，卒於一八〇〇年九月三十日成立協議，兩國復歸於和好。十五年後，亞當士敘述此舉，力誓其彼時維持和平，不肯對法國決裂的苦心，並謂其死後的墓碑上刻上這一句話：「長眠於此者爲亞當士約翰，他在一八〇〇年獨力担負對法國和平的責任」。蓋事實也。

美威望最低劣的時期 ㈣

四爲一八〇〇年反聯邦主義者，即後來的共和黨，開始執政，迄於一八二二年間。對英戰爭後之數年間。自該黨之哲斐孫當選爲第四任總統後，雖曾按其黨綱發表種種諾言，實則在其首任四年結束時，僅僅變更政府的若干表面現象，其繼承自聯邦黨人的行政體系仍舊不變；他沒有改變哈密爾敦的任何基本政策，也不能攻破聯邦黨人對於司法部門的把持；幸而他對於美國西部的發展有很大的成就。因對於西部的路易士安那，由於西班牙與法國的複雜關係，幾有發生武力衝突之可能。但哲斐孫總統堅決不肯屈服於戰爭的要求，仍致力於和平交涉，結果卒於一八〇三年對法成立購買路易士安那全地區的協定，使美國增加了廣大的領土，又消泯對法西兩國的摩擦；因此在一八〇四年大選中哲斐孫又以壓倒的勝利獲得連選連任。於是在他的第二任期內，繼續注意西部的利益。然此時期內由於英國與拿破侖執政的法國已重開戰端，至一八〇六年五月納爾遜消滅了法國海軍後，英國，即宣布封鎖歐洲大陸，拿破侖採報復手段，並聲明任何船舶曾經停泊於英國港口者一律不准駛入法國口岸；於是英法兩國同樣漠視中立國船舶的權利，任意加以沒收，美國雖力向兩方抗議，均無效果。及哲斐孫第二任期滿，共和黨之麥迪生當選繼任。雖仍持和平主義，一面交涉，一面採取經濟壓力，但其演變之結果，終於惡化。史家稱在一八一一美國的黑暗時期中，美國的威望淪於其歷史的最低劣時期，一般人認爲英人侮辱美國的態度且較法人爲甚，於是對英主戰派日益抬頭，到了一八一二年的最初數月，對於戰爭的要求較前此任何時期更烈。麥迪生總統不得已於是年六月一日求國會對英宣戰，由兩院之先後決議，遂於六月十七日正式通過，雖英國已於美國宣戰前二日因對其新政府執政，即下令撤免戰爭，然已不足以影響美國商業的一切命令，祗以交通遲滯，竟無法制止戰事。

對英戰爭所生的影響

在此次戰爭的初期，英國因須以主力從事於歐洲的戰爭，僅留駐五千士兵在加拿大，祗以美國方面事前未作軍事上的準備，除海軍部部長亦均庸材，其尤甚者，則新英倫各地的商人不肯以銀行家與航運家同情的戰爭；他們在戰時貸借給英政府的錢，多於貸給自己的政府；因此，美國在戰爭的初期雖稍獲勝利，卻不能一舉而攻下加拿大。及一八一四年，由於拿破侖在歐洲的失敗，英國遂始以全力用於新世界的戰爭，企圖從四方面要點進攻美國。不久己，逼迫在美國政府部人員撤退後數小時，即於是年八月二十四日進攻該城，而自然的英人終是破壞美國大規模使館[illegible]在破壞美國大規模使士氣[illegible]

（下轉第七版）

國慶感言

楊暉亞

今天是中華民國四十二年的偉大雙十節，我們寄身海隅，望台灣，念大陸，有無限世變崎嶇，國事如麻之感。

雙十紀念日，是國父孫中山先生領導全民族，豐撫先烈志士，以血以淚以汗所灌溉而來的。我們紀念它，首先應該量辛亥革命推翻了滿清兩百六十餘年的專制統治；第二、辛亥革命誕生了四千餘年的部族統治；第三、辛亥革命結束了中華民國，奠定了由君權走向民權的基石，同時使中國從帝國主義的包圍中覺醒起來，強大起來，充份發揮了中國民族精神與民族特性，所以雙十國慶的意義在歷史上是偉大的，是空前的。

可是，在革命的歷程中，革命事業經過了許多艱難困苦與迂迴曲折。辛亥以後的四十餘年的艱苦奮鬥，討袁北伐，特別是八年的英勇抗戰，全民族在國父和總統領導下，終而獲得了偉大的成就，爲中國民族和中國人民寫出了[illegible]

[illegible]

猛省。大陸淪陷後，我們在香港紀念偉大的雙十國慶，已經是第四個年頭了。我們很冷靜地觀察過，而整個政局對於雙十的認識，卻一年比一年不同，亦由於漠視的情緒，也一年比一年熱烈，這種情形，是勉强不來的，正因爲人民的認識有是非善惡，知所抉擇，「人心思漢」與「吾欲與汝偕亡」，其間相去，何止天壤。

古語云：「民之所惡惡之，民之所好好之」。今日政府領導全民反共抗俄，是順乎天應乎人的義舉，決非黨派政權私爭，這是很清楚的。只要我們團結一致，反共復國的有利形勢，正在繼續發展中，我們應該及時把握有利的形勢，政府應當擴大民主，自須開誠佈公，使政府與海內外以及大陸同胞，誠心誠意集結所有力量以結成反共復國的聯合陣線，朝着同一目標勇往邁進，打倒我們頑強的敵人，走向復國的道路，光復的光輝，必然照耀於萬世。

雙十節和香港的光榮

·陳克文·

（一）

雙十節爲我們中華民國的開國紀念，亦即我中華民族擺脫君主專制政治，走上民主共和，完成民族獨立的紀念，這和美國的七月四日獨立紀念，法國七月十四日的革命紀念，一樣具有偉大光榮的歷史意義的。

香港這一彈丸小島，雖然遠在第一次雙十節誕生之前，於一八四二年便變成了英國的殖民地。然而這一小島對於雙十節誕生的歷史，是佔有其光榮之一頁的。

（二）

我們只要看一看中華民國的創造者國父孫中山先生的生平歷史，我們便知道雙十節的光榮史蹟和香港始終有不可分離的關係。中山先生於一八八七年到香港阿麗斯醫院習醫，這時候結識了陳少白，尤少紈和楊鶴齡，朝夕縱談革命，世稱四大寇，這是大家熟知的故事。後來辛亥革命，雙十節誕生，便是經中山先生在香港這裏的活動開始的。

後來中山先生在香港設立乾亨行做革命機關，逐漸展開實際的革命行動。一八九四年（甲午）中山先生創立興中會於檀香山，是年十二月歸國，往來於香港廣州之間，密謀革命。一八九五年九月發動第一次革命，因事洩失敗。嗣後革命團體踵起，大陸上均以華南一帶爲活動中心，而且沒有一次不是和香港沒有關係的。最著名的一九〇〇年的惠州起義，一九〇七年的欽廉起義，一九一一年三月廿九日的廣州起義，（黃花崗七十二烈士殉難之役）都是後來武昌起義，建立中華民國，誕生雙十節的前奏曲，而每一次的活動都離不開香港。因此香港在中華民國創建史上，實佔有其光榮的一頁。我們今日在香港慶祝雙十節，緬懷國民革命的往事，對於這一段光榮的歷史，特別感覺親切！

（三）

香港雖爲英國殖民地，但根據英國的傳統外交政策，（參看本期，澹盦先生邱吉爾哀詞（擬作）一文）以及長期發展的民主自由政制精神。同情民族獨立運動，扶植自由民主勢力，實爲香港政策的一部份。同時香港的地理位置，很自然的是中國大陸感受太平洋和大西洋風潮最便利最自然的門戶。故香港過去能夠對於中華民國開創的歷史，佔有其重要的地位，是有其必然性的。然香港對於中國大陸的影響，不在其有形的具體活動，尤在其無形的精神力量。這活動和力量是無法加以人工限制的，譬如南太平洋的季候颶風，一旦醞釀成熟，浩浩蕩蕩，吹經香港，橫掃大陸，決不是任何的人力所能阻擋得住的。

（四）

現在中國大陸又陷於專制獨裁的極權統治之下，獨裁的統治者正企圖以人工鐵幕，把大陸和香港隔絕，以免民主自由的偉大勢力經過香港，播蕩大陸，這只是一種徒勞的努力。如果可以隔絕外來的勢力，滿清專制政府禁止人民出洋的愚笨的政策，早已收到江山萬年不拔的效果了。

現在香港因爲英國外交關係，有其微妙複雜的關係，表面上雖不得不採取[illegible]……[illegible]高呼中華民國萬歲！

中共財政的大危機

何雨文

近美元百億預算無法平衡 勢將加強對農民剝削政策

韓戰拖垮中共的財政

韓戰結束的原因，我們不要忽略了中共財政上的難關限制了中共侵略行動的擴大。中共直接參加韓戰，是一九五〇年十一月，打了半年，財政就險被拖垮了。一九五一年五月以後，大陸物價就開始波動，如以一九五一年一月爲基期一〇〇，[illegible]……[illegible]

九十九億美元的預算

本年二月六日，中共財政部長薄一波報告一九五三年預算，[illegible]……[illegible]

財經人員更動的原因

[illegible]……[illegible]

中共招供的財政竭蹶

[illegible]……[illegible]我子和，向波的左右手，多重要財政是出他經手，他仍舊保[illegible]。另一「副[illegible]」陳國棟調[illegible]部副部長」[illegible]的中共想加強[illegible]糧食的聯繫，[illegible]地搜括糧食[illegible]財政上的安[illegible]。

[illegible]產品沒有完成計劃，有些產品質量不好，有些部門沒有完成減低成本的計劃。中央各工業部及地方企業完成上繳利潤，及折舊費計劃的情況，一般地說，完成太不夠好。

三、由於某些地區遭受水災、旱災和虫災，今年這些地區的秋收，可能減少產量。

四、國營商業方面，今年上半年因對市場估計不定，有些措施失當，完成銷售總額過少。下半年的銷售總額，必須大大地超過上半年的數字，方能配合原定計劃。

五、稅收方面，雖然上半年沒有完成計劃數字，但下半年的計劃數字，遠遠超過上半年，更需要更大的力量來完成。

六、由於某些地區遭受災害，今年這些地區的秋收，可能減少產量。因此，今後在糧食戰綫上的任務，還是很艱鉅的。必須十分注意提高今年農作物的收穫量，掌握及節約糧食。

主要收入均極見減少

以上六點，照中共口吻，似乎並不十分嚴重，但我們稍爲分析中共的預算對照一下，就知道中共財政的危機，是愈來愈嚴重；並且是無法解除的。在一九五三年中共預算中，主要的收入，只有三項：（一）國營企業收入與地方國營企業收入。這種收入就是中共所謂利潤和折舊費的上繳。既然中共自己認爲「有幾種工業品沒有完成計劃，有些產品質量不好，有些部門沒有完成減低成本的計劃。」自然無法完成上繳利潤和折舊費計劃。此項收入，在中共一九五三年預算中，佔第二位，達百分之二九·九七。如果此方面無法實現預算計劃，收入可能減少很多。（二）工商各稅，在中共一九五三年預算中，佔第一位，達百分之三七·四六。中國稅收的旺季在下半年，上半年既沒有完成計劃數字，下半年經濟情況更爲困難，實際收入與預算數字，一定距離更大。（三）農業稅實際上是中共財政的砥柱。但中共爲了誇大國營企業收入，特地把農業稅在預算中的地位，壓到第三位，只達百分之一〇·九九。作者在「中共財政解剖」一書中，已指明這完全是虛僞的數字。實際上，中共農業稅要佔到它的總收入百分之三二·五九以上。本年大陸的水旱災，據中共「政務院」副總理鄧小平報告，水災省份共十二省，旱災八省。此外在雲南日報上，我們也可以知道雲南的虫災很兇。所以中共自己也不能不承認今年秋收可能減少數量。實際上，秋收的減少，已是事實。作者根據中共各地報紙的透露，估計今年大陸農產量至少要減少百分之三十，這是極保守的估計。

勢將再加強剝削農民

以上三項收入，是互有關係的。中國人口百分之八十以上爲農民，主要收入就是秋收。秋收不好，工商各稅和國營商業也將連帶受到嚴重的影響。

放棄侵略行動減少支出，中共是無法實現的。節流既不可能，只有開源。大陸經濟基礎已殘破不堪，再搾也搾不出油來。故中共原定在本年內發行公債的，至今也不敢發行了。

中共目前最需要的是糧食。軍政人員的給養，和國內市場的操縱，乃至於用糧食換取戰略物資都非糧食不可。中共向錫蘭交換樹膠是用糧食，報効蘇聯更迫切需要糧食。最近蘇聯報公佈了蘇聯供給中共大批機器和設備，以實現中共的五年計劃，但蘇聯要向中共獲得本身所需要的原料及商品糧食。因此，中共今日的財政問題，便是要搜括更多的糧食，也便是大陸農民要受更大的痛苦。

中美初期國勢之比較

共和建國四十二年

王雲五

（上接第六版）

新英倫各州原反對戰爭，此時更集會討論脫離聯邦，聯邦政府不得已而與英國於一八一五年初締和，藉以消泯州內若干州的離貳。英國不欲過爲已甚，亦遂對同，於是所謂「根脫」和約便告成立。此一和約雖沒有消除戰爭所由起的任何原因，却成爲美國對歐洲關係的一個轉捩點。在一八一五年以後，美國遂能解決其與英國間的大多數歧見，迫令西班牙撤出佛羅里達，並劃定管理西半球各國與舊世界各國相互關係的全面政策。論者謂美國革命雖脫離了英國對於美國的政治約束，但遲至一八一二年之戰結束後，美國的獨立才得充分鞏固。嗣後美國人民始能於建國以後第一次集中精力，以從事於國內的發展，而不是對外的問題。於是在其建國的四十二年，即一八一八年，便開始戰後的建設，其第一事即爲重建一八一四年被英軍焚燬的國會與其他公共建築物。從此時[illegible]……[illegible]

中美兩國情勢之不同

從上文所列舉的事實，我們當不難推想而知美國建國的最初四十二年，[illegible]……[illegible]

經艱苦奮鬥方入坦途

[illegible]……[illegible]有約莫半世紀的安定時期，得以專事建設。我國則在其建國的第四十二年，正面對復興的重大任務，與負起全世界的[illegible]局勢，今後若干年間必須經過一番史無前例的艱苦奮鬥，方能進至坦途，終於安定。爲挽救中華民國的命運，自由中國的八百萬人民與海外二千萬的僑民，固人人當盡其應盡的責任；大陸上四萬萬受共匪壓迫奴役的同胞，爲自身的自由與民族的復興計，亦人人有其應盡的責任。

雙十國慶感賦

五律兩首

·紹莘·

開國吾曾記。於時四二秋。孫黃勛傷集。江漢日同流。拔幟摧堅壘。一壺繫客舟。無端歌哭事。西北望神州。

千家明火炬。瞻仰自由神。道路嗟殘暴。征誅揭至仁。少康惟一旅。劉季定三秦。民治兼民享。中和四海春。

恭祝國慶

中華民國僑務委員會頒發登記證台救新字第一零二號
中華郵政登記第一類新聞紙類

自由人

THE FREEMAN
（半週刊每星期三六出版）
（第二七三期）
每份港幣壹毫
督印人：李光巖
社址：香港高士打道六六號
電話：七四〇五三
GLOUCESTER RD. HONG KONG
TEL: 74053
承印者：東南印務出版社
地址：香港高士打道六十四號
台灣辦事處兼發行部：台北市館前街五十號
台灣總經銷處：台北市中華路新號九之一
台北郵政劃撥儲金帳戶九三五二號

論培養「士氣」

・陳紀瀅・

反共抗俄制勝之道，經緯萬端，但總不外乎集合我們所有力量壓到對方的力量，取得絕對的優勢，造成必勝之局，然後攻無不克，戰無不取。目前自由中國的內外形勢，大體上說，都極優越；但仔細檢討，尚有許多處本可以進步但不進步，或進步得太少。在時間上，我們應該爭取早日反攻大陸，否則師老兵疲，難以爲戰。幾百萬自大陸遷台的義民，也不宜長久留駐。至於中年以上的社會領導中堅份子更不能坐視其與台灣終老。

社會與文化改造不易

因此，我想到培養「士氣」之重要。我所說的「士氣」，不是六十萬國軍的士氣，乃是幾十萬知識份子的「士氣」。國軍士氣目前總算培養得不壞，足食足兵，士飽馬騰，一聲反攻令下，必然是氣貫長虹，所向無敵。但知識份子的士氣，顯然有差。蔣總統歷次講話常常提到在各項改造運動中，社會改造與文化改造最無成績。我們對於這種批評無可否認。但若問一問：爲什麼這些改造成績最差？毫不猶疑，我們可以回答：這種改造實在比政治，軍事，經濟的改造艱難。政治，軍事，經濟甚至於黨務，可以制度，人事，命令，政策求其刷新，在短期內可奏膚功，其成績也可有目共睹；但是社會與文化改造則不然，他是有民族傳統，歷史傳統，同時他又與當代各級領袖的言行社會風氣有關。其複雜情形，遠非一紙命令可以立見功效的。十年樹木，百年樹人，要求在這複雜的事物上收急效，當然不易。何況，任何一個大運動必須全力貫注，縱然不必模效別人拿出多少師的軍費來辦文化宣傳，但培養人也絕不是啪嘮可辦的，再如儲拿這種作陪襯，當然更難望其有成績了。

智識份子乃社會中堅

昔日的士大夫階級，也就是今日所稱的知識份子，照共產黨的分類，知識份子也可列爲小資產階級，他們把它列兵農之後，蘇俄並有知識階級（INTELLIGENTSIA）之稱。但在民主國家，知識份子（INTELLECTURES）的重要至少不低於兵農，而在我們這個國家，迄今毋寧仍是社會的中堅，具有甚大影響力的。在中國歷史上，士大夫階級無論在哪一朝代都佔有重要地位，於是在傳統的階級次序上，「士」便成了四民（士農工商）之首，雖在今天，在工業國家，一個單純的知識份子已不如一個產業工人的地位爲高，但在咱們工業落伍的社會中，仍不失其優勢。

今天的知識份子總包含大學教授，專家，學者，各級文武行政人員，自由職業及各級民意代表等等，這些人靠智靈，知識換取生活費，也就是覆日所謂勞心的，今日所謂勞文的人。有的有專長，有的無專長，但不依靠勞力而維持生活，這些人除公務生活以外，也不像作戰的士兵，卻另有各種不同的私生活慾望，或有名位的要求與才力的自負。假使我們不管這批人的情緒如何，只偏重一方，其結果至少將發生失去平衡與不配合的現象。也許會發生更嚴重的後果。清談可以亡國，意志消沉也可以使國家衰敗，歷史前鑑，不是沒有。

智識份子不是塡鴨命

足食足兵，軍隊士氣就可以提高。士大夫階級的士氣用物質來培養，來提高，當然也是要件之一，但非絕對的。如果一個國家只把他的知識份子打整得腦滿腸肥，而叫他終日無所事事，除非那些知識份子生就的是塡鴨命，否則他必不會覺得舒服。我們既然不能夠用物質來滿足知識份子（公務員加薪，嚷了兩年了，還辦不到。）必然更需要想辦法使「士氣」維持不墜，進而提高。然而這都要有魄力，有遠見來培養。

使好說話的人儘量說

那麼，如何培養「士氣」？當然首重精神鼓勵。假如好說話的人不叫他說話，這個人必不愉快；能寫文章的人，叫他不寫文章，他也不會舒服。儘是一邊許他說話，一邊許他寫文章，但若一邊則給他轆上轡頭，還不是和不許一樣？我認爲今天在大原則下不會有什麼紛歧，大家求勝的心理是一致的，打回大陸的信念也無不同，擁護領袖也不容懷疑，問題只在一些不屬於基本的事物上。既然如此，我認爲讓好說話的（特別是有說話責任的一些議員身份的人）儘管說好了，愛寫文章的，放開筆寫好了，只要不違背基本國策，不超越法律範圍。這樣不但可以提高議會場內的興趣，實在這就是民主自由的正常道路。使言論維持充分自由固然好，就是維持相當限度的自由，在任何一個時期，都有必要，如今似乎更爲迫切。這對於提高「士氣」更是一付有效的藥。

又要使人人有事可做

其次，使大家都有事作。目前自由中國有一個最值得顧慮的現象，就是一般人在表面上有職位，實際卻無事作。尤以民意代表爲然。上焉者，學學繪畫唸唸英文。次焉者，閉戶讀書，找朋友下棋。最要不得的是關上門打麻將，或到處發牢騷，飽食終日，言不及義。我們萬分同情其中大多數不甘墮落，卻無能自拔的時代弱者。但假若政府當局能針對這種現象給他們相當的事作，那怕是研究，調查，甚至於輔導工作，都可以減少病態的蔓延。

報刊應儘量吸收文章

再其次，台灣報紙雜誌在表面上看來，似乎洋洋大觀，一個八百萬人口，其中倒有半數是農民的地方，竟有這麼多的報刊，不能不算發達。如果仔細考察，究竟有多少報紙和刊物維持得很好，也不無問題，報紙因篇幅有限，不能充份容納專家學者的文章。刊物縱然五色繽紛，而銷路大都窄狹，維持困難。能夠以優厚稿酬吸收好作品的更不多見。如此以來，作品與刊物不能存在，互爲因果，權威的報刊就無法多培養出來。如新生報的闢每日專欄，使專家學者不但有發表的機會，同時所得稿酬也不無小補。的確是較聰明的安排。但其餘還有幾個大報，爲什麼不也採用這個辦法？難道捨不得這區區的費用嗎？這也模仿不得嗎？

關於期刊這兩年來受自然淘汰的已有幾十種，現在經常出版的尚有一百一十多種，即在申請登記的仍有三百多種。我以爲多並不是毛病，但怕得沒內容和沒風格才要不得。對於培養士氣，毫無關連，更是悲哀。政府雖予期刊配紙優待，但仍然有大多數無法維持。這種任其自生自滅的現象並不能就稱之爲「出版自由」。相反的給讀者添了許多自由上的損失。

政府應直接獎勵作家

我以爲政府也好，黨也好，未嘗不可選擇若干有益的，言論公正的刊物，除去配紙外，還可用直接獎助作者稿費辦法，鼓勵其發展。其最要就是，要不干涉報刊的言論，同時也並非是示惠。這種獎勵稿費的辦法，在抗戰時期曾有試驗，收效甚宏。這雖然不是一個頂完善的辦法，但對於直接鼓舞「士氣」，間接幫助刊物發展，不是毫無益處。

除此之外，對於一般知識份子士氣培養方法，自不只一端。如今日台灣各種函授學校的風行，雖然也如養來杭雞一樣成了一種風氣，無論目的何在，但總是向上的象徵，黨政應該扶持。培養知識份子也如培養士兵一樣，總得讓他孜孜不息，不容他荒散下去，黨政上層應該多引導，治標治本兼顧，使各安其位，各展所長，用於一朝，但養須千日。萬萬不可只怪其不長進，更不可給予過多的束縛！

（九月廿七日）

本週展望

・陳克文・

無用的老好人

英國銷流甚廣的觀察報，其專欄作家康乃爾於遊歷美國期中，發表言論，謂美國現有許多人自問，艾森豪總統恐怕祇是一個無用的老好人，他說艾氏做總統後，「似欲在同時在各處向每個人討好。」又說，「善意固爲一種重要德性，但以美國負責最重及最有權力的人物而有許多漫無目的之表現，可能爲一種災害」。這種坦率不客氣的指摘，我們還是第一次聽到。我們對美國近日的對外措施，也有多少同樣的憂慮。不過我們要問，艾氏之所以成爲老好人，是個人的德性能解釋得了嗎？你們英國的老好人張伯倫先生固然是過去了，但現在的邱吉爾先生還不是一樣要討好獨裁國家，以保持個人功名地位的老好人。因爲邱老先生的妥協綏靖政策，以至影響艾氏對國際問題不能貫徹解放鐵幕的堅定政策，這更是我們應該不容忽視的重要因素。老好人不能對付國際上的無賴流氓，歷史的教訓不遠，我們不止要警告艾森豪不要做張伯倫第二，更要警告邱吉爾切莫再演第二次的慕尼黑。

重開板門店會議

解決韓國問題的政治會議，原定本月廿八日開會，因爲組成的問題始終未能解決，世人預料不能如期開會。現在共方答覆，開會時間與地點以及參加國家問題，雙方應在板門店交換意見。美國及參加韓戰的十六盟國似有同意此一提議的可能了。於是板門店又成爲政治會議問題的討論中心。板門店這地方過去爲休戰會議的地點，經年問題不能解決，現在共方又選擇這地點作政治會議的地點，是否以爲這地點最適宜於拖延時間呢？休戰後，共方已經在北韓極力擴充韓共軍的作戰力量，還表示共方並無和平解決韓國問題的意向，他們選擇板門店多半是拖延時間的象徵。

的港問題日趨複雜

南斯拉夫增兵的港B區後，聲言如果意大利軍隊進入的港的A區，即南軍也一定進兵該區。同時英美聲明，的港A區必須交還意國。英美雖採慣軍態度，尚未作進兵之舉，但南國首都已經發生反美暴行，美國外交人員已被攻擊，美國新聞處亦被暴徒搗亂，這顯示的港問題情勢之嚴重。昨十二日蘇俄更向英美抗議，認爲的港A區交還意國，係「破壞意和約」。這一來的港問題便更加複雜了。蘇俄一方面想離間英美與南國，一方面想把脫離羈絆的南國拉了回來，兩國的關係，一石兩鳥，用心至爲歹毒。我們不但希望英美要慎重將事，更希望英美要善爲因應，南國如果不顧意大利的控制，對的港問題是萬萬不能走極端的。南國已提議請英美意三國與南國會議，以求消除對峙爭端的可能威脅，這是一線的和平的希望，我們虔祝這會議能夠成功。

真正的民意測驗

中華民國四十二年的雙十節國慶，港九僑胞熱烈慶祝的情形，爲海外近年所僅見，港九兩地還是我們目擊的事實，各地無異，據連日中外電訊報導，以「一次比一次熱烈」爲題，香港時報以「民意測驗」爲題，發抒議論，實可謂一針見血的名言。處處無地不假借人民名義的中共，也該自省。民心向背分明至此，中共還有何說？然我們絕有不可不加注意者，即國民之熱烈慶祝雙十節，固然由於極端憎恨中共專制獨裁之心理，可能一定即爲擁護自由中國，願意犧牲一切服從吾國政府的領導，以從事反共抗俄。此非吾人過慮，今日的民心確有一部份不如此的臨深履冰的恐懼，故吾人於興奮之中，也是最容易轉變的，民意是最可貴的，又曰「四海困窮，天祿永終」，中共之所以普遍遭受厭惡憎恨，便是「四海困窮」造成的。自由中國應如何接受這民意，如何滿足僑胞的期望，是我們於興奮之餘，應冷靜考慮的。

結匯征捐引起物價問題

進口外滙加捐不盡公允
閉門造車補苴自感困難

台灣通訊

停收保證金

穩定了多年的臺省物價，最近突有一部份上漲。其原因是省政府宣佈於進口貨的外滙結滙時，加征百分之二十的防衛捐。本來，有關國際貿易的事項，向由中央與省政府會同辦理。自經濟安定委員會成立，中央爲簡化貿易機構與結滙手續，乃改爲全部由省政府主持。台省府接管國際貿易之後，先則宣佈停收進口商申請結滙保證金，工商界反應一時甚爲良好。因過去申請外滙時，要先繳百分之百的保證金，進口商人遂有大批頭寸被壓在台灣銀行。無論日後批得的外滙額多少，須批保證金的利息負担已不能免。然進口商人決不會自己負担利息的損耗，仍就轉嫁到消費者身上，以致物價無法下跌。現在保證金取消，進口商人不再有利息損耗，消費者的負担可以減輕，故各方面皆備加讚揚，認爲俞鴻鈞徐柏園主持省政，究係金融界出身，與不恤商艱的作風，完全不同。

不同兩外滙

不意省府宣佈取消進口結滙申請保證金十餘日之後，忽宣佈進口貨品，除工業原料外，概於許可結滙時，加征防衛捐百分之二十。防衛捐是台灣原有的捐稅，如自來水電燈用戶本均帶收，又如關鹽等稅，也都附征。台省府公布加征的時期，適在中秋節前。秋節前後本來是物價容易波動的，商人樂得以防衛捐加收二成爲理由，將進口貨的物價向上哄抬。以致西藥、布匹、五金、奶粉等，均一度上漲三四成。在台灣省政府的原意，外滙滙率既曾一再宣稱決不變更，尤其是徐柏園接長省財政廳之初，也曾迭次公開如此表示。當時即曾有人在報紙上撰文，認爲國家的外滙滙率變更與否，不宜由省財政廳長宣布方針。其後徐氏謂係以中國銀行董長長資格發言。但台省外滙係由台灣銀行經辦，亦與中國銀行無涉。玆加征進口貨防衛捐，自可避免提高外滙調整滙率的名義，而獲得可靠收入。且只進口貨附加，出口貨不加，更可獲得壓制進口商暴利，維護出口利益的美名。其實進口貨加征防衛捐，即係調整了進口的外滙滙率。有許多國家對於進出口貨，本來就用兩種不同滙率，並非必定要兩種一致的。台灣省政府本來可以堂皇正大地對進出口貨，分別用兩種滙率，乃不此之圖，表面上謂滙率不變，而事實上另行用防衛捐加征名義收款，不免有掩耳盜鈴的嫌疑。

物價漲原因

至於出口商人的保證，在台灣並不成爲問題。因爲台灣最大的出口貿易，便是台糖，向由政府經營，私人所經營的出口業與出口貨，僅是微不足道。進口貨的防衛捐，雖則只加兩成，而商人向消費者的轉嫁，必在三成以上。此外還有印花營業稅等，因水漲船高，也增加負担，商人自也不免藉此更想從中取利。尤其便宜的，是進口貨已運到台灣尚未脫手的商人，其結滙時並不需要加征防衛捐，現在也可以隨同將手中的貨價抬高，坐獲暴利。在政府方面說，取消了保證金，已經爲商人減除了利息的負担，殊不知這利息本來就在消費者的身上，並非商人自己支出。台省市上且因爲保證金的取消，使進口商人不需要在手中準備現金，各銀行的頭寸乃無法借放。市場的利息因爲頭寸過多而再被壓低，目前黑市利息已與台灣銀行優利存款的利息相差無幾，固然是一可喜現象。但另一面，也正說明了使民間資本轉向工業的政策，尚未能實現。

兩種不公平

台省外滙的另一新辦法，便是進出口商行不准再行新設，只有過去業已獲准設立的，方可申請結滙。以往只要集資新台幣五萬元，就可以設立進口商行，形式上雖也要建設廳核准登記，但建設廳駁斥的情形，是極爲少有的。現在台省府忽然不准新設，便是完全保障已有行家的既得權益。而若干已登記行家的招牌，便在市場上成爲交易的對象，有漲至十餘萬元以上者。台省府又宣佈各行准予結滙的數額，按照各該行去年度的營業額爲標準，但如非自己進口而係代客買賣坐收佣金者，則不得視爲該行自己的營業額。因此遂發生了兩種現象：（一）各進出口行在最近數年來的營業數字，每年互有高低，現在只依其去年一年的數字爲準，對於以往者概不考慮，則在各行之間，顯失公平。（二）代客買賣的行家，未必不殷實可靠，玆概不承認其營業額，可能有若干信用昭著的公司，因而分配不到進口外滙。凡此種種，均難謂爲十分允當。

可採的辦法

現在立法院正在第十二會期開會期中，可能對於本問題向政府提出質詢案。蓋政府既一再宣佈外滙滙率決不變更，這是有關政策的問題，而隨便確定政策，隨便發表主張，隨便改易辦法，隨便放棄政策，竟視爲常事，實非立信之道。如果台省府認爲過去進口商人獲利太多，要使其對國家有所貢獻，本來也有兩個辦法可採：一是治本的，便是台省的外滙收入，大半是靠台糖的輸出。台糖是蔗農與糖工辛勞所製成，其所換得的外滙掌握在政府手中，而政府又有中央信託局與台灣省物資局兩大經營貿易的機構。則台省所需要進口的物資，可以由政府自己撥用外滙，向國外直接輸入，本無須經過進口商人。過去辛勤所得的外滙，撥給商人去利用進貨，而貨物進口後，售價又不予以管理，確屬不安。二是修改某部份貨物的進口關稅率，或某類進口商的營業稅與過份所得稅稅率，也一樣可以使省庫增加收入。照第一法，物價可以不漲；照第二法，物價還是要漲，但是政府不是掩耳盜鈴，用「加征防衛捐，不是調整外滙滙率，外滙滙率仍舊未動」的話，來文過飾非。如果此事發生在其他國家，國會中可能要求決定政策的人，負其進退上的責任。但立法院決不會有此過分的言論，即使提出質詢，也不過是不咎既往期慎將來的意思而已。

物價難回跌

在物價上漲聲中，政府有關人員均謂漲風乃基於人民的錯誤心理，不久仍必下降。又謂政府手中握有物資，隨時可以拋售，使漲風無法長久維持。這兩說當然都是人民所最希望與最歡迎的，惟如以數月前的糧食漲風的教訓來看，物價上升之後，要其再行回跌，實在不是一件容易的事情。政府手中握有大量的糧食，也曾一再拋售，但台灣的自由米價仍在每石一百八十餘元左右，並未能回跌到昔日的限價標準。糧食的情況如此，一般的進口貨能否回跌，目前尚不能過份樂觀。

進口結滙加征防衛捐百分之二十，是經濟安定委員會成立以後的第一件大事，其所引起的影響，已經如此。也足見得自由中國的任何措施，實在都需要在事前周密計劃，博採衆議。少數人的閉戶造車，固然是可以保持機密，但智者千慮，必有一失，與其事後再多方設法補苴，總不如愼之於始的好。

人物評述

黃紹竑裝瘋北平

—靠攏人士的悲哀—

·容文·

（一）

黃紹竑曾在國民政府任過中央大員，封疆大吏，後來竟以國民政府和談代表的身份，作一百八十度的轉變，投靠中共，這自然是他投機成性，不足爲怪。其實，黃紹竑給中共俘虜早已不下二十餘年了。

民國廿一年，他在內政部長任內，碰上了「部花」譚惕吾，使他神魂顛倒，終於在他的副官阿水擺佈之下，譚惕吾投進了他的懷抱。從此，他的女人生活，非譚不歡。那裏知道她正是中共特務首領李克農的得力助手！抗戰初期，黃在浙江以省主席兼抗敵自衛總團總司令。這個地方武力組織，還是譚惕吾的獻議。她對黃說：沒有兵權，你的主席怎麼幹下去；而且是戰時的主席，沒有兵，便等於秀才遇着兵，要拉你當伕，你這主席還是沒辦法。後來抗敵自衛總團由中央明令解散，但已有不少下級幹部率隊攜械投到中共新四軍去了。他那裏知道這是譚惕吾包藏禍心的借大政治陰謀？有一個時期正是新四軍在江南一天天壯大的時候，中共以及新四軍的地工人員，已滲進浙省的各級基層行政機構之中，好些專員縣長向黃控訴某人某人是共產黨，專事破壞國家行政，攻擊政府，請求予以撤換，他受譚惕吾的蠱惑，將控訴者予以嚴厲申斥或撤職，說控訴的人，才是真正努力工作的，我不管他是什麼黨。

（二）

本來黃紹竑自民十九年脫桂入京後，對其老伙伴李宗仁白崇禧，是懷着一股怨氣的，無時不打算重攬廣西政權，而李白對他的戒備，也從未放鬆。在國民政府明令行憲，選舉總統的時候，他已經丟掉了浙江主席，寂寞了一些時候，在譚惕吾慫恿之下，他放棄了對李白的積怨，替李宗仁競選副總統，奔走賤汗，施出渾身解數，促成國民黨內部人事的分裂。這些都是中共所付予譚惕吾的任務，而且是相當成功了的。

譚惕吾一直到「華北局部和平」，傅作義率部投降的時候，才在黃紹竑跟前除下二十多年的面幕，直率的告訴他，她是有相當的歷史和任務的中共黨員；而且一變常態，很嚴厲的責問他，要他選擇明天的路。於是他不得不踏下「前進」的深淵了。後來他被李宗仁遴選爲和平代表團團員，冒險向李勸降，並不是沒有原因的。

（三）

可是，他今天在紅朝中，除了一個「政務委員」的頭銜外，他獲得了什麼呢？

一九五〇年二月，中共廣西「人民政府」組織了一個考察團，由陳雄率領北上考察。那時，廣西「人民政府主席」張雲逸也到了北平，設宴爲考察團洗塵，黃紹竑李濟琛都被邀作陪。席間，黃自以爲善於詞令，滔滔講述其對於治理廣西的意見，詞未畢，已爲張雲逸起而阻止，而且說：

「季寬先生，你的意見，完全是違反唯物辯證的思想，還是國民黨的反動思想；我們的觀點，理論，法則，是不容許你那些意見存在的」。第三天，周恩來一個電話通知，便有兩個年青小夥子給他上大課，講解唯物哲學和學習中共的理論了。像他那樣目中無人，與人晤對，兩眼朝天的自大氣派，對這兩個年青小子，怎樣忍受下去，我們倒有點難於替他想像。

（四）

一九五〇年五月，他的第三夫人王××，以「夫榮妻貴」，由廣西容縣原籍到了北平，經過婦女小組學習後，在新婚姻法的鼓舞之下，竟對黃控訴以摧殘女性的罪行。說她原是黃部下的政工人員，於民十八年黃稱兵謀叛失敗，亡命香港，道經梧州時，給他看上強姦了，後來產下兒子，他才不得不娶爲第三夫人。可是聚少離多，竟遭遺棄。他初任湖北省主席時，她自動的跟隨，竟被拒不睬，而且以暴力驅逐出漢口，要求將黃予以嚴厲懲治。結果還是由周恩來打圓場，黃紹竑只在「人民日報」上坦白一番，承認了王××所指控的罪行，刊登離婚告白，總算了此風流公案。（上）

印度的赤色陰影

印度將成共黨世界

新聞週刊記者　迪丁　著

「印度終有一天會成爲共黨世界，且很快就會從這裏安特赫拉開始。」一個食不飽，衣不暖的小公務員在安特赫拉臨時首都康諾爾這樣對我感慨地說。

這一天是十月一日，正是安特赫拉正式成爲印度第二十九邦的時候，安特赫拉在土地及人口上佔全國各邦第七位，它是印度共和國第一個完全以語言而劃分的自治邦。（這裏的民族所用的是德魯格語TEIUGU。）但它也就第一個以共黨佔多數的自治邦。

從十七世紀的維加雅那加王朝以來，康諾爾從沒有如此熱鬧歡欣。在這臨時首府，十萬村民狂歡地慶祝著他們得到了屬於自己的自治邦。但這塊以語言而劃分的土地，其政府第一天執行公務就並沒有運用它自己的德魯格語，而竟仍用英文，安特赫拉熱烈擁護自治的人們，在希望着將來能發明德魯格語五十二個字母的打字機和速寫制度。

尼赫魯的憂慮

新政府成立沒有幾天，幾個高級職員即已起了思家之念，原來他們的家，都設在馬特拉斯邦的首府馬特拉斯市，安特赫拉從馬特拉斯邦分劃出來後，他們的家便屬於另一邦了。一個月入二十美元的公務員指着匆促建築起來的灰泥牌樓說：「這是他們專給尼赫魯看的，我們却連洗澡和食用的水都得不到。」

總統尼赫魯雖參加安特赫拉的成立典禮，但顯然並不愉快，他是在甘地的弟子斯里拉姆魯在去年十二月絕食五十八天不支而死，並以烈士儀式火葬以後，才勉强接受了安特赫拉闢爲自治邦的要求。他在康諾爾演說的時候，曾抨擊主張將毗鄰海德拉巴邦中德魯格語言的一半地區劃歸安特赫拉管轄的要求，他認爲這樣的率直論調雖未在這裏引起騷動，但等到他第二天再在馬特拉斯同樣指責要求以語文界限從新劃定邦區的不負責份子時，親共的德拉維特進步聯盟黨員，却手搖黑旗，大喊：「尼赫魯，滾回去！」警察出動彈壓示威行列，結果傷了五十人。

尼赫魯的憂慮，乃是要是印度果眞依照語言而改劃邦界，印度三億五千萬人口的一百七十九種方言勢將促使這共和國分成一百七十九個邦。尼赫魯本身的國大黨從前即以印度語言的分歧作爲反抗英人的武器，但今日，共黨却以同一武器來對付國大黨了。共產黨與要求以語言分界的狂熱份子，在印度南部的德拉維特區勢力最大，他們現正一致激烈要求將德魯格語與其他三種德拉維特主要語言的地區聯合起來，組織一個自治聯邦，擺脫新德里的統治。

共黨猖獗威脅國大黨

在安特赫拉，共黨是國大黨控制權的最大威脅，從馬特拉斯老議會分出來的安特赫特一院制議會中，共黨佔了全部議員一百四十六席的四十人，親共的所謂獨立份子又有十二席，而國大黨却僅佔四十一席。

邦政府是由國大黨及印度最反共的普拉加社會黨與其他若干小黨組成，但這個聯盟，基礎並不穩固，他們擁出別號「安特赫拉之虎」的普拉克山任邦總理，普氏已達八十四歲高齡，也是甘地信徒。

共黨領袖勒迪，現在正等待着首屆議會的召開，準備用盡方法削弱普氏的勢力，而自行組織印度的第一個共黨邦政府，要是他果然成功，則安特赫拉年產量三百卅萬噸的米，佔世界四分之一的雲母，幾處巨大水力發電及水利工程，印度最大的船塢，以及美國準備建築的煉油廠，將全入共黨掌握。在這種情形下，新德里勢將被迫宣佈安特赫拉「受總統直接管轄」，而迫定共黨，但一九五〇年的共黨革命暴動，也必將因此再度演出。

共黨現在業已指責普拉加山的政府違背憲法，他們對人民提出諾言說，如果他們執政，將立刻採取這些步驟：一、將臨時首都遷至共黨根據地維加雅瓦達；二、合併海特拉巴市，而改該市爲永久首都；三、撤銷禁酒法，開徵酒稅，以彌補該邦每年一千萬美元的赤字；四、開發礦藏用於本邦而不輸出。

在宣傳方面，安特赫拉唯一的日報「大安特赫拉報」即屬於共黨，人口中佔少數的識字的人，差不多無不受該報重大影響，而共黨的其他小說書刊，也無不暢銷，有的且甚至是直接由莫斯科運來的。（雜村譯）

編者讀者

△討論自由中國文藝問題的文章，已經收到不少，本報因篇幅關係，只能逐漸發表。這一類稿件，請暫勿再寄。

△下一期要發表的文章，有李秋生先生的圭亞那事變與拉丁美洲的共產威脅。翁波先生的一本引人入勝的學術專書。謝永研先生的邱尼通訊。王民昭先生的王充與老。

△彭遜民先生：大作收到較遲，不及刊入雙十增刊。容後補登。

△爲清心先生：來書指示各點，另行函覆。

△牟力非先生：大作稿酬請向本報台灣總經銷處張執中君洽取。

中共「普選」前夕——尾巴黨派面臨劫運

沈著

大陸各尾巴黨派，原係中共「統戰」策略之下所暫時利用的政治工具，以用以標榜「民主」，掩飾其極權統治；並用以搖旗吶喊，爲其打家刦舍，擂鼓助陣。但轉眼四年，中共「政權」既已僞定一時，便日漸暴露其鳥盡弓藏、兔死狗烹的真面目，使用「普選」手段，向走狗們磨刀霍霍了。

按最近來自北平消息，自中共揭開「普選」的假戲以後，因尾巴黨派份子不瞭解中共實行此種虛僞選舉的用意，曾在各地展開了競選活動，妄圖爭取各級「人民代表」席位，以遂其傀儡化的政治慾望，乃遭到了中共嚴厲的警告和打擊。

此一警告和打擊，主要係於八月卅一日由中共中央授意於光明日報，刊佈了一篇論「民主黨派工作的中心環節」的社論，斥各「民主黨派」份子的活動超越了範圍。當中共利用各尾巴黨們，原祗分別規定其一定的任務爲中共服務，並不賦予自由活動的政治權利。主要的，如李濟琛爲首的「民革」，中共授予的任務是控制國民黨的叛逆份子或投靠份子；並協助中共所派的政治幹部實行思想改造。如張瀾爲首的「民盟」，中共授予的任務是協助中共執行其文教政策，担任各級事務性的文教工作，並控制其成員，向中共學習，接受中共的改造。如章乃器爲首的「民建」，表面中共授予的任務是「代表」私營工商業及所謂「民族資產階級」，實際上則代表中共對私營工商業者及所謂「民族資本家」們作虛僞底溫和的間接控制，從而代替中共調查彼等之財富而加以搜刮、封鎖，並予以思想改造。但此等黨派在替中共「服務」之餘，如不忘情於政治活動，曾企圖在某一地區或某一單位自成一個小圈子勢力；尤其在中共「普選」的假戲揭開以後，曾在各級「選舉委員會」中與中共「協商」代表席位，乃招致了中共嚴厲的呵斥。中共呵斥他們企圖在某一地區或某一單位自成一個小勢力的行爲是「自搞一套」的「自發性」「盲目的「分散主義」，並警告他們必將招致「不良的後果」。中共含混地指斥他們參與競選是「留戀於舊的政治運動」，激烈地說他們是不知道「以國家工業化爲奮鬥目標的經濟建設和與之配合的文教建設，是全國人民當前最重大的政治任務，是加強國防，保衛和平，提高人民生活的物質基礎……」，說「脫離了這一點」，也就是「脫離了民主黨派的成員和所聯繫的群衆的實際」。

尾巴黨派受命　必須服從共黨

因此，中共命令他們：「各民主黨派應督促並幫助在文教機關服務的成員，學習蘇聯，做好教學工作，督促在國家機關服務的成員遵守紀律，聯繫群衆，完成任務；督促工商界的成員在工人階級和國家

經濟的領導下積極經營有利人民的工商業。」並嚴厲地指出：共產黨和人民政府是國家建設的領導者，民主黨派參加建設工作，必須在黨（作者按：指共黨）和政府的統一領導下進行。按：民主黨派的基層組織和成員，必須切實接受所在的地單位黨委（作者按：指中共各級黨委）和行政的領導。最後，更指出這些「民主黨派」的成員，還普遍存在着「政治是政治，業務是業務」的「錯誤」和「偏向」，要他們「認識」「業務就是政治」的「道理」，而乖乖地埋頭於純業務的工作，不得妄動。

各級普選名單　紛紛遭受排斥

由是，各尾巴黨派在各地各級「選舉委員會」「協商」候選人名單時，紛紛遭到了中共無情的排擠和打擊。這特別在縣級以下的各級「選舉委員會」中，雖例有各尾巴黨們的「委員」在內以資點綴，但自光明日報的社論提出嚴厲的警告以後，操縱一切的中共的「選舉委員」們既百般挑剔的將各尾巴黨們份子的候選人紛紛剔除；各尾巴黨們的「選舉委員們，亦已噤若寒蟬而紛紛退縮，喪失了「當選」「人民代表」的標籤。當中共「普選」把戲，在「關於基層選舉的指示」中，就曾公然「規定」候選人與「當選」人的名額相等，而由中共各地的黨委「會同」各「民主黨派，團體「協商」候選人名單，顯然候選人名單一定，就等於已經「選」定了。故各尾巴黨派的候選人資格一被排擠，便根本無「當選」的機會。

總之：大陸各尾巴黨派在中共實施「普選」的前夕，業已面臨排斥、監制的劫運。雖然，以中共「民主」的本質，「當選」「代表」與否原無兩樣，但這在自由作夢的尾巴黨派們而言，却是一大諷刺！

中共迫害遣返戰俘

樺

當韓境砲火剛剛獲得暫時停止的時候，一批一批交換俘虜工作，雙方都忙着進行。除了反共義俘一萬四千多名尚在竭力爭取自由外，中共俘虜都由聯軍把它們釋放了。這些被俘遣返人員，百分之七十以上目前都集中在東北境內，是分別監禁在瀋陽，安東，新立屯，南雜木等六個地區。他們的生活和囚犯一樣，營地都設在郊外，四週架起鐵絲網，荷槍實彈的共軍，監視他們的行動。

政治課．鬥爭會

被俘遣返人員，完全與外界隔絕消息，無通信或接見親友的自由；每日除上政治課外，並舉行各種群衆性的鬥爭會，坦白會，檢討會以及訴苦大會，以檢定被俘者的被俘原因，作爲分別個別管訓及組織管訓的根據。每當訴苦大會時，[illegible]

精神物質雙重迫害

[illegible]

一些已婚婦女，配給中共所指定的人——所謂前方有「功」的將士。遣返人員因此受了刺激，相率自殺，像這樣的自殺而死的，差不多每日都有所聞。

若干被俘遣返人員，被中共脅迫簽訂一項「立功書」「悔過書」，有些俘虜不肯簽訂，他們就以對付國內所謂「反革命份子」與「地主惡霸」的辦法，來對付這些俘虜，使遣返人員酷刑之下，哀號慘號而致死。受刑而喪生的人，又列上名單，僞稱是聯軍弄死的。影了照片，一方面描寫「美帝」的殘酷，「慘死」的家屬，掀起人民仇美浪潮；一方面把照片輪迴在鐵幕國家內展覽，擴大虛僞的宣傳，並鼓動國際性的對美國「罪行」的抗議，藉以響應製造恐怖，在教育士兵，在將來的戰爭中「寧可戰死，也不能向帝國主義投降」的狂呼大叫。

在被俘遣返人員[中]了有如下之特殊標語：「一，向美帝國主義索還血債；二，共產黨的字典上是沒有投降的詞句，投降就是反革命，我們要學習戰鬥至死的偉大精神；三，戰鬥是死裏求生，投降是生裏求死；四，立功贖罪，洗去被俘的恥辱；五，向堅持遣返的英雄致敬；六，向蘇聯英雄丹娘，夏伯陽學習；七，向全國世界人民控訴美帝違反國際公法的暴行；八，向祖國親人坦白一切；九，記着美國戰俘販子暴行。」這些標語，怵目驚心，使脫離戰場的俘虜，比在戰場上的遭遇，還要感到十倍的緊張，百倍的恐怖！

因爲中共頒布有一項所謂「被俘遣返人員處理辦法」，上面的條規定不說，單就其辦法中的序言文字所載者，即可以舉一反三了，他說：「被俘不同於投降，被俘者可以得到人民原諒和寬恕，而投降者須視其坦白與悔改程度，以定處罰的輕重……。」因此，在辦法規定中共兩個基本原則：凡被俘遣返之黨團人員，除特許外，一律停止其黨籍活動，或解除其黨團籍；凡被俘人員，除特許外，一律解除軍籍，其家屬亦不得享有軍屬的優待。先普遍地剝奪了遣返人員應享有權利，再按情節輕重來摧殘他們生命。凡認爲情節輕的遣返人員，即予以短期教育訓練，較重的即予以長期性的教育和勞役，其他大部份都判處了死刑，死緩刑或終身勞役；可憐那些遣返人員，被聯軍遣返回家，反而就此喪掉了性命。

國慶盛況在港九

港九僑胞的人心，對於正義與罪惡，光明與黑暗，自由與奴役之間的抉擇，在十月一日僞國慶與十月十日國慶之間，有了極端鮮明的表現。十月一日的汚腥旗，跑遍了整個港九只不過看到了一、二十張；十月十日的青天白日滿地紅國旗，則佈滿了整個港九的每一個角落，迎風招展，真是壯嚴熱烈，氣象萬千！據老香港人說，幾與抗戰勝利第一年的國慶日相等。而其最特出的現象，是各平民區和各工廠區的國旗掛得特別多，這對於善於欺騙和利用工人與窮人的中共，真是一個無言的諷刺和有力的打擊！

這一天的港九，除了國旗處處飄揚，還到處紮有許多大大小小的彩牌，雙十字紙燈和燈籠，一到晚間，各處的彩牌、紙燈、燈籠一開亮，上電燈或點上臘燭，那又是一番盛況。銅鑼灣最令人炫目的，要算亞洲出版社及其近鄰某工會和某學校所張的燈彩，眞是五色繽紛、鮮艷美麗。彌敦道一帶最令人注目的，要算英京酒家和六國飯店的大彩牌。尤其是英京酒家的，它的強烈的燈光配合着原有的五色霓虹燈，照耀着大幅的國旗和國父遺像，行人過時，幾乎無不加以仰望，尤其擠擁擠擁，依依不去。[illegible]那一端的大廈中還不斷播出了雄壯的音樂。

更出色的，還要算頭圍道北帝街口五洲織造廠自由工會的燈彩，不但高大光亮，而且相當別緻，兩旁大國旗下面裝着國父中山先生和總統的巨型畫像，中間下端裝着一個工人模樣的巨人在振臂高呼，四週裝滿了燦爛奪目的紅白電燈，路旁的空坪上擠滿了觀衆。這個動人的鏡頭英文虎報搶得最快，在當天該報的第一版就已刊了出來。

這一天港九各處興奮熱鬧的情形，眞好比是過新年，各馬路輪渡大街小巷人往人來，車水馬龍，擁擠比平日至少擁擠一倍。極大多數的工廠，學校和商店放了假，慶祝的慶祝，看戲的看戲，逛馬路的逛馬路，到處人頭擠擠。尤其是年青的學生們和天真快樂的兒童們，三五一羣，四五一隊，或揮着國旗，或放着鞭炮，或說或笑，或唱唱跳跳，更給這一天的氣氛，平添不少歡樂熱鬧。這一天的港九，事實很明顯，到處發出了一片興奮愉快的笑聲。很多團體都舉行了慶祝的盛會或盛宴。在六國飯店，在英京酒家，在各工廠里，在各學校里，商人們，工人們，學生們……總之，無論窮的富的，老的少的，男的女的，凡是愛好正義和自由的人們，都在香港所許可的情形下，爲中華民國的誕生，度過了感慨而興奮的一天。

當然，這決不是偶然的現象，這是幾年來在大陸腥風血雨的教訓和自由祖國日益壯大的鼓勵之下所必然產生的結果。這結果充分說明了港九僑胞的人心所向，自由正義復國救國的陣容和力量日益茁壯大；從港九看人心，可信中共的苦難必將即有解救的一天，可信反共復國的願望終將即有達成的一天。

基督教與共產主義

劉碩海

著者：約翰．百尼[illegible]
譯者：韓英士
出版：香港聖書公會
定價：港幣一元
一九五三年八月初版

錯誤混合物

我在本刊二六六期論述香港華人的反共觀念，曾經提出過一個有些人或許以爲迂腐的見解，那就是，我以爲反共是一個信仰的問題，共產黨（至少目前是這樣）的統治和戰爭，都是具有宗教的熱誠的。所以無論在目前或將來，共產黨最大的死敵不是美國或英國，也不是原子彈或鈷彈，而是比它有更超越的信仰的基督教。這一點，在未信仰基督教的人也許比較的難於領會，但基督教中人已經有了不少警覺了。

本書作者開宗明義就說：「作者相信共產主義，無論是一種信仰也好，是一種思想系統也好，總之，它是道理的半眞半假，和絕對錯誤的混合物；它是一種權力的運動；它威脅個人的和政治的自由。在世界上防堵共產主義的擴展，是基督徒的責任。」爲什麼呢？因爲「作者相信共產主義的猖獗，是由於基督徒和基督教會，不能忠於他們所信仰上所服膺的革命所招致的。」

因此，本書主要的大旨就是：（一）使人們知道共產黨是一個強力堅迫的組織，（二）說明基督的責任，在供給人們一個正確而更有意義的信仰，同時在言論上和行動上表證出來，使人因此而得覺悟，追求生活上所必須的真理。

獨裁無期限

共產黨徒所樂於稱道的，是蘇聯經濟計劃的成功，這也可以說是共產主義對於新秩序所許的兌現；同時也可以博得若干世界上受剝削和被遺棄的人民的同情。作者對他們這種「成就」提出一個一針見血的答案，那就是：「這些「成就」是並不能抵消得他們爲革命和獨裁所付出的代價的。可惜「那些沒有領受過政治和文化自由的人，就不會覺察他們所付出生命代價之大。」

他們付過些什麼代價呢？是獨裁政治無限期延長，是恐怖殘暴的統治的變本加厲。在這裏，我們又可以看到共產黨的一個大騙局。他們說「獨裁是暫時的」，但以蘇聯而論，這「暫時」一下子就「暫」了三十多年了，此後還要「暫」到什麼時間，恐怕連他們自己也不知道。獨裁政治要建立在恐怖和殘暴的統治之上，這種統治的第一個特點——除了殘忍不顧人道之外——就是不許有任何的自由。本書提到一個極端的例——管樂家蕭士達柯維契的道歉。[illegible]這位無辜的管樂家，承認了他的樂曲被認爲「有資產階級影響的痕跡」，於是樂曲被禁止演用，他本人要被迫的說：「我知道黨是對的，黨顧我好：……」。

列寧妻的話

說到共產黨的殘暴行爲，本書更有幾多詳實的舉例。他們對付他們所認爲仇敵的人，永不會再講什麼人道主義的。本書作者引述列寧的傳記作者所記的一段話，很可以包舉一切共產黨的暴行：據說在一九〇八年，列寧半開玩笑地說：「我將要怎樣把革命的敵人推回去？」他的妻子答說：「你將槍殺那些好人，爲的是他們有勇氣表示他們的見解。」

反共的方法

作者肯定的說：「如果我們能夠以思想認定它的好處和壞處——共產主義的好處和壞處……認定它的好處可以補救它的壞處，那末我們當感到十分滿意了。但共產黨控制國家機構以後，無論在經濟上，或在將來的許諾，都不能掩蓋共產主義的恐怖，他們理想的暴政！只是託辭，企圖掩飾他們的恐怖和虐政而已。」

本書指出共產主義，對社會改良不過是一種口頭上的許諾；本書着重抵禦共產主義的擴展和抵禦它的方法與條件。不能用宗教的鼓舞或資本主義的宣傳來抵禦，消極的作法也不能阻止，唯一的方法是用堅強的信心和以更好的計劃，來解決人類的問題：……「這些話，可以說明本書的內容，也足見本書有一讀的價值。

紀百屆同期雅集

·婆娑生·

赤嵌雖處南國，[illegible]盛夏，人生在梅雨夏天，想當些清涼樂趣，如[illegible]無地避[illegible]……月前，余承友朋之約，赴參加崑曲百屆同期雅集，也以[illegible]炎揮汗而辭。友人力勸去聽，云可祛暑解熱，怡性陶情，如入清涼靜境，[illegible]賢畢至，少長咸集，不可錯過機會，始欣然諾往。聽後歸來，覺得盛世之元音，能賞心而悅耳，既抵汗流之苦，且享清涼之樂。雅集以崑曲爲主，洵是雅韻。同期百屆，尤爲可貴。是不可以不紀，藉知忠國家，存國粹，大有彬彬君子在。

[illegible]濟北路鐵路局招待所舉行，[illegible]，亦頗拂而透涼。主人爲[illegible]徐炎之張善薌伉儷，嘉賓滿座，[illegible]。朱[illegible]約有八九十人。主[illegible]胡惠淵，何[illegible]人款接殷勤，和藹可親，方英達，蔣偉民，徐[illegible]名之儔，其伉儷偕[illegible]數年陳書纂，張玉麟[illegible]者，如浦[illegible]洪鳳翰，[illegible]琴，楊懷齡郭慶祺，朱其偉鄒同章，及李宗黃夫人梁瑞斐，[illegible]夫人[illegible]之許[illegible]，何文[illegible]王節如盛成之[illegible]包顯珠[illegible]諸名媛，名家如[illegible]虛白[illegible]子水朱佩[illegible]東閣郁元英焦承允[illegible]……

（哭像）王節如　（遊園）沈元璞　許[illegible]　張[illegible]　陳書纂　（彈[illegible]）郁元[illegible]　曾虛白　楊懷齡　夏煥[illegible]

散曲既畢，[illegible]落草坪，開[illegible]。夕陽已下，月鈎纔現，清風徐來，芬芳撲鼻，或坐而持碗，或立而捧觴，各盡其咀嚼。間以妙語笑聲，風趣盎然。飯後小憩片刻，鼓其餘勇，讀唱竪折，其次序如后。

（賜福）何文碁　包顯珠　焦承允　鍼子山

朱其偉　蔣偉民　陳永福

（定情）梁瑞斐　方英達　蔣偉民

（規奴）包顯珠　焦承允

（思鄉）盛成之　王鴻磐　徐炎之　蔣偉民

（絮閣）胡惠淵　方英達　孫競英　蔣偉民

度曲諸君，皆研究有素，頗多浸淫至十餘年者。音調高低慢，悉合尺譜。拍子快緩，皆及符節。而賜福一齣，幾位同時並唱，尤爲和聽。蔣偉民還配四盤折，而又獨唱別母，眞是多才。全場按節，多由徐炎之兄任之。間由朱佩[illegible]君助按。散曲，唱崑曲已極難，吹笛更難，因極易傷肺，無中氣者不敢試。兩君功夫，確屬不易。徐君嗜曲垂卅年，曾律極熟，大概任何一戲，皆能知之，可稱爲[illegible]殿靈光。曩在上海與俞粟廬穆藕初徐凌雲宋[illegible]蘇聲，時常往還，自灣西園於民廿南來，海上寓曲，頗具重興之象。卅八年來台，即與同好發起同期，每兩週舉行一期，由各位曲友輪流作東道，每次略備清名點心，風雨無阻，歷久未延，竟至百屆，皆徐君精誠所致。其夫人張善薌，精於旦，偶串小生，亦精於崑，夫唱婦隨，洵是佳話。現在所收門弟子甚衆，凡過其廬，往往曲聲悠揚，路人佇足。異日反攻，河山重光，中國二百年來，唯一的元始音樂，是全賴徐張之維繫，與諸曲友之發揚，庶可不墜。倘能不使磨滅，即今日之同期，當成爲曲苑重大的史跡，永垂竹帛。是爲記。

憶·安瀾索橋

·健超·

四川灌縣都江堰，是中國最大的水利工程，它灌溉着成都盆地二十餘縣，同時也沾惠此二十餘縣，成爲一肥沃膏腴之區，遠在兩千多年以前，秦太守李冰父子就完成這淘灘作堰的水功，和同一時期的長城建築，表現出中國人力的偉大。

由成都去灌縣，可通汽車，中經以「郫酒」（竹筒釀酒）和醬菜出名的郫縣，全程祇一小時。灌縣城是瀕水建築，中國的「城池」的作用，防禦敵寇的襲擊是一面，或多面，正具潮汛的泛溢也是一面。堰在縣城之西，相距約三華里，沿堰有許許多多關於李冰父子的「神話」遺蹟，西邊祀毅部的灌口二神，就是李冰之子，在中國的民間故事裏，二郎神的威靈，是勝過阿爹多多，世俗相傳，龍孽興波，洪水爲災，治水先伏龍，灌縣的伏龍觀，就是李冰父子鎖伏孽龍的地方，水勢洶激，春夏水泛時，登臨伏龍觀的樓上，憑欄俯視，簡直令人觸目驚心，想見當年李冰治水時，這一激流的所在，其施工的艱巨，可不知費却多少人命。

離江堰有二王廟，奉祀李冰父子的神主，「有功于民則祀之」，是值得萬古千秋「血食」不絕的。廟對着中國道教聖地的青城山，峯巒入眺，蔚藝蔥蔥，廟建于小阜之上，有石級數十階，登廟遠眺青城，正如一座屏障，大可入畫。廟裏的香火是由道士執掌，不過在附近的視綫裏，那佛教文化麤物，中國人的中庸之道，在這種「兩相爲容」的表現裏，令人格外具有和易親切之感。十九府的文昌塔，據傳爲南北朝時遺物，數代計年，也是千多年的工程，塔頂雖已稍殘塌，塔身可仍完整。

安瀾索橋，是溝通川西對雪山區的要道，在雪山那邊，居住着許多號稱番夷羌戎之族的人民，在中國歷史的記載裏，他們是崇武好鬥的民族，他們現在也正和大陸的人民同一的受着共匪的遭害，雪山區是有名的藥材產區，灌縣每年在秋多季有一個藥材市集，常時常有半月以上的熱鬧，客商雲集，做買做賣。在藥材市集裏，這些衣氈披裘的客人給內地人帶來了許許多多的珍貴名藥，如麝香，如冬虫夏草，如貝母等等。同時他們也帶去許許多多他們認爲適用的東西，譬如布疋和火柴等類，那是他們山區所沒有的東西，不過他們的婦女，也是會紡織的，山區的牛毛氈毯，又何嘗不是絕妙的家庭工業作品。

安瀾索橋長達一華里，橋面據說有七尺寬，分段立木於水中，木可祇飯碗來粗，橋面舖有薄板，兩旁用竹篾編組護欄，高可及肩，履行其上，飄飄然的難于立定，搖曳蕩漾，在不慣的人實在有點嚇怕煞人，不過許許多多肩挑重担的人，却「履險如夷」的漫不在乎，習慣成自然的俗語，在此處更顯然的具有至理。回念三十八年冬初，羽檄交馳的戎馬倉皇裏，我曾偸閒作青城遊，路經灌縣，灌縣上青城山坐竹輿，計程三十里，上山須四小時餘，下山方兩小時半。我在灌縣勾留一日，拾級都江堰各處勝蹟，時正多雨不休，鼙鼓聲中，絕少遊興，所未能忘懷此名蹟勝境的，祇是一片眷戀之情，而今細懷舊遊，聞道往日激遊地，刻有不少愛國的志士，活躍其間，在風晨雨夕，三五友好，閒談及此頁個「巴山巫峽」，更不勝其滿懷的哀感孤憤了。

（圖：灌縣都江堰）

談「搞」

·健軍·

抗戰時期產生了許多新字，「搞」便是其中之一，[illegible]「搞」字已跟我們「搞」得形影不離了，張口「搞」，閉口「搞」，「搞」字之用大矣哉！

與「搞」字有異曲同功之妙的，廣東人叫做「撈」，北方人叫做「弄」，[illegible]

……「搞」斬不能……「搞」的反面……現象也。當太平……大家祇開小差而……尿洗地去爭奪「……衰衰「搞公」之……「搞」者，曰「……搞」，不該「搞……死搞」；有機會……過去才瞭瞭瞪瞪……叫做「胡搞」，……「搞」，人爭蒐……搞」，是爲「搞

不搞倆可」。大門不出，二門不邁，是爲「埋頭去搞」，未始而先打鑼，叫作「張牙舞爪地去搞」；「搞」了半天，仍不知東西南北，如墜五里霧中，是爲「搞糊了方向」；事未「搞」成，而目無天地，六親不認者，是爲搞的陰陽怪氣；怕人「搞」成，而暗放冷箭，稱爲「勾心鬥角地去搞」；推出幾大綱領，幾大主義，口口聲聲國家民族的搞法，稱作「抗着招牌去搞」，不管死活，不顧人言的，叫做「明目張胆地去搞」；把國家民族拆在腦後，把正義道德棄如敝屣，除了鈔票，什麼也看不見的，是爲「搞得頭昏眼花，不知貴姓。」

浩浩乎衆人皆「搞」矣，爲名而「搞」者有之，爲利而「搞」者黑壓壓一片，爲義而「搞」者，似乎不多！善哉，吾不「搞」也。

阮郎歸

徐道鄰

玉容消瘦怯寒襦，深情怎負渠？一杯在手意躊躇，雙眉未肯舒。

蟬韻歇，雁聲孤，簾前花影疏。重陽烟雨兩模糊，風光不似初。

中頭獎的不幸

義大利人莫蕾的母親一生[illegible]府的彩票，但一再警告兒子不要學她的樣。莫蕾是個老實的農民，三十五歲，和太太安靜地住在日諾亞鄉下，去年他的愛礎謙氣的母親死了，享年七十五歲。七月，莫蕾進城，恰巧經過一個轉售「梅拉諾獎券」的小攤子，這是義大利歷史最久和銷路最廣的彩票。他記得這一天正是他母親的第一年死忌，爲了追念他母親，他有生以來第一次買了一張獎券，號碼是H六四三〇六。

這張獎票還附有一張號碼相同的免費獎券，是一家電影公司舉辦的，依照梅拉諾彩票的中獎號碼而開彩，得獎的人內此可獲得兩份獎金。莫蕾把這張免費獎券塡上姓名地址，投進了郵筒，但他卻忘記貼郵票。幾天後，他去遊湖渡假，一個扒手卻把他的皮袋摸了去，裏面除那張彩票外，還有二十四塊錢。

到開彩那天，電台廣播頭獎H六四三〇六號，獎金八千美元，但莫蕾卻無法證明這號碼彩票原是屬於他的。他請求那家發免費獎券的電影公司幫助，但他那張未貼郵票的獎券，電影公司並未收到，當然拒絕代爲證明。

義大利政府也同樣不能依法爲莫蕾出力申辯，因爲彩票背面明明寫着「還票領獎」的字樣。而那張彩票，即使未經遺失摧毀，仍在那個小偷手裏，他也自然不敢公然會出來，以致自投羅網。（敏之譯）

論杜甫的近體詩

·王世昭·

劉克莊評「諸葛」一首云：「臥龍沒已千載，而有志世道者，皆以三代之佐許之。此詩儕之伊呂伯仲間，而以蕭曹爲不足道，此論自子美發之，考亭南軒近代大儒不能廢也。」錢謙益評「夔府」一首云：「每依南斗望京華，皎然所謂截斷衆流句也；此句爲八章之鐵骨，章重文叠，不出於此。」清高宗評諸將五首云：「骨力如馬班，識論如董賈，……讀者於此沿洪流而窮深源，然後知甫之所以度越千古也。」

至然他的排律，亦多議論體，如「偶題」一首，即批評文學，以文入詩，則創自唐之李杜，李之古風五十九首，「大雅久不作」章，亦屬批評文學，杜甫之偶感，又不同於李白，其詩如後：

「文章千古事，得失寸心知。作者皆殊列，名聲豈浪垂。騷人嗟不見，漢道盛於斯。前輩飛騰入，餘波綺麗爲。後賢兼舊列，歷代各清規。法自儒家有，心從弱歲疲。永懷江左逸，多病鄴中奇。騄驥皆良馬，麒麟帶好兒。車輪徒已斲，堂構惜仍虧。漫作潛夫論，虛傳幼婦碑。緣情慰漂蕩，抱疾屢遷移。經濟慚長策，飛棲假一枝。塵沙傍蜂蠆，江峽繞蛟螭。蕭瑟唐虞遠，聯翩楚漢危。聖朝兼盜賊，異俗更喧卑。鬱鬱星辰劍，蒼蒼雲雨池。兩都開幕府，萬寓插軍麾。南海殘銅柱，東風避月支。管書恨鳥雀，號怒怪熊羆。稼穡分詩興，柴荊學士宜。故山迷白閣，秋水隱黃陂。不敢邀佳句，愁來賦別離。」

杜甫詩溫柔敦厚，得風人之旨，故所下批評，亦各有分寸，非如李白之一棍打倒，讓你不得出頭。清高宗於此詩又云：「『文章千古事，得失寸心知』，其識解可謂廣大精微；『前輩飛騰入，餘波綺麗爲』，則操觚詠要，當與陸機文賦爲儔。昔元稹爲甫誌曰：『上薄風騷，下該沈宋，言奪蘇李，氣吞曹劉，掩顏謝之孤高，雜徐庾之流麗，盡得古今之體勢，而兼文人之所獨專。』其推許誠不爲過，要未及此二十字之包括也。甫贈詩云：『讀書破萬卷，下筆如有神。』與此參觀而體會之，於甫之能事思過半矣。」韓愈贈張籍詩亦云：「李杜文章在，光芒萬丈長。」嗚呼杜甫，眞萬古一人耳。世之作者，每拾梁任公之餘唾，謂任公論詩，主今勝於古說。余讀任公飲冰室文集，及中等以上作文教學法二書，覺所言亦頗有出入，未必如今人立論之橫說豎說也。總之，好文章，眞詩賦，必自性情中來，必有血淚迸出，今人之不能超越古人，亦猶古人之不能度越千古也。余是子美之含蓄，余慨太白之放宕，余悲今人，余仰古人，余仰古人之著書立說，厚而且豐焉耳。（下）

中華民國僑務委員會頒發登記證台敎新字第一零二號
中華民國郵政登記第一類新聞紙類

自由人

THE FREEMAN
（中週刊每星期三六出版）
（第二七四期）
每份港幣壹毫
督印人：李光華
社址：香港高士打道六六號
電話：七四〇五三
GLOUCESTER RD. HONG KONG
TEL: 74053
承印者：東南印務出版社
地址：高士打道六十四號
台灣特派員辦事處　台北市館前街五十號
台灣總經銷處　台北中華路新號五九四之一
台灣郵政劃撥儲金帳　九二五二號

圭亞那事變與——拉丁美洲的共產威脅

·李秋生·

拉丁美洲的共產威脅不下於東南亞，圭亞那或其他中美國家赤化，即成為美國心腹大患，美國基本外交政策已受嚴重的警告。

克里姆林宮的陰謀眞是無微不至。適當全世界的視綫都集中在四強會議與韓國政治會議與戰俘問題之際，僻處南美洲東北隅的英屬圭亞那，竟傳出了共黨將陰謀奪取政權的警訊。此次幸賴英政府迅採斷然措置，一面派軍前往鎮壓，一面以迅雷不及掩耳手段，停止憲法的施行，罷免內閣中六名親共的人民進步黨閣員，這危機總算暫告消弭。但此一事變意義非常重大，值得自由世界深刻警惕。

圭亞那的戰略地位

英屬圭亞那是個人口僅有五十萬的蠻荒地區，除卻沿海一帶的沖積平原而外，全境都是原始森林或草原，因而曾被已故英小說家威爾斯採爲「洪荒世界」一書的背景。那地區種族複雜，貧富不均，近年經濟異常混亂，人民生活疾苦，正是共黨發展的良好溫床。另一方面，那原始森林可以供應無限的木材，鐵礬土是鍊鋁的主要原料，此外還有他種寶貴的豐富礦產。如果蘇俄在那裏建立一個共產國家，在經濟和資源上自然有重大價值，而更可注意的卻是戰略的意義。圭亞那距離美國命脈的巴拿馬運河只有五小時航程，在海上則控制着加利比安海和北非與美洲之間的航路。大戰期間，爲預防納粹海空軍活動，美國曾在此建立空軍和海軍基地，其重要性可以想見。此次英方採取斷然手段鎮平動亂，美政府立即表示熱烈支持，可見美國對此事的關切，並不下於英方。老實說來，在大英聯邦體系內發現了共產政權的意義，還不如其對於西半球的威脅更爲嚴重。

共產主義發展溫床

拉丁美洲是個不甚爲世人所注意的地區，有人不明內情，竟視同世外桃源，實爲莫大錯誤。在那二十幾個國家中，除墨西哥和烏拉乖極少數外，其餘各國都是危機四伏，政變迭起。經濟的艱困，種族的糾紛，已經構成共產主義發展的溫床，而若干獨裁統治者，爲鞏固一己政權，更不惜結納共黨或其外國勢力以自固，像阿根廷的貝隆和瓜地馬拉的阿利伐羅和阿爾來茲都是如此。在其他各國中，共黨勢力一般也都很活躍。如果說：在鐵幕以外，拉丁美洲的共黨威脅，絕不亞於東南亞洲，是過份的說法。雖然各該國多屬農業國家，且除圭亞那和洪都拉斯的一部分而外，都具有獨立主權，在經濟和政治雙方，都不足以構成實行共產主義的條件。

圭亞那的黨派分野

在英屬圭亞那，共產勢力是極猖獗的。今年四月的選舉，爲共黨所操縱的人民進步黨共獲七萬七千票，在議會二十四席中佔十八席，[illegible]只有五名[illegible]的支持。因此當英當局停止憲法，罷黜人民進步黨的六名閣員（包括總理耶幹在內）之後，圭亞那竟形成了政治的真空狀態，[illegible]

蘇打擊美國的策略

幸而圭亞那是英國殖民地，英政府可以施用斷然手段，停止憲法，罷免閣員，迅速平定共黨政權的陰謀。如果這種政變發生在任何其他一個拉丁美洲共和國，則自由世界只有束手。美國雖是泛美同盟的盟主，卻再不能像半世紀前對付古巴或墨西哥政變那樣，直接出兵鎮壓；如果那樣做，一定會在聯合國中被攻擊得體無完膚，並被加上帝國主義侵略者的頭銜。事實上，在二十幾個拉丁美洲國家中，共產政變都有充分可能。例如瓜地馬拉，現政權就是一個強烈親共的國家，[illegible]此外在智利巴西，共黨都擁有強大勢力。如果共黨在拉丁美洲任何一個國家得手，則西半球的團結立時遭受破壞，國防命脈的巴拿馬運河受到嚴重威脅。這是蘇俄打擊美國最有效的策略。

對美外交嚴重警告

克里姆林宮最擅長於聲東擊西或避實就虛的策略運用。在一九四八——一九四九年之間，封鎖柏林之役，聲勢洶洶，好像東西大戰即將在易北河畔爆發，當西方國家正在手忙腳亂，不惜重大消耗，以空運打破封鎖之際，[illegible]蘇俄能在西半球取得一二戰略據點，如中美或圭亞那等地，[illegible]削弱其在冷戰中的實力[illegible]反美運動，充其量只會使美國返到二十年前的孤立主義，[illegible]即使退到孤立也不足以自保。

西半球的動盪對於美國基本外交政策是一個嚴重的警告。對於一個無孔不入的共產威脅，關堵是無法生效的。進攻是最好的防禦，這原則也恰好適用於今日美蘇冷戰的場合。

南非排印風潮內幕

聯合國成立以來，對處理種族問題最感棘手的，莫如南非少數印度民族問題；而給聯合國憲章和人權宣言以最大的諷刺的，也是這個問題。

聯合國面臨考驗

一九四六年到現在，這問題投訴到聯合國大會已不知多少次，大會對這問題的決議，也不知多少次。但當事國充耳不聞，各行其是，始終議而不決，決而不行。據報載，成功湖開會的第八屆聯大議題中，這種族歧視問題可能又被提出，聯大又面臨一次考驗，這是世界種族和人權是否被重視的考驗，是不容我們不加正視的。

南非印人的厄運

非洲印度殖民雖散處各地，但以南非——尤其是撒哈拉以南的地區爲最集中；他們在整個南非的人口比例中僅是少數，約佔百分之二·五，計共三十六萬多，然在英屬南非聯邦內的幾個邦國中，主要的如納搭耳和德蘭士瓦兩邦，則其人口集中的密度，並不弱於歐洲白種人；而且變成世居此地的土著，據一九四九年南非聯邦政府年鑑所載，在南非出生的印度人，佔全人口百分之九十以上，在印度出生的僅在百分之九以下，可知印度人在南非的歷史，相當悠久。他們爲開發落後的南非，也流過無數的血汗，現以有色人種之故而遭歧視，自所難甘。這在納搭耳和德蘭士瓦的情形，最爲明顯。在納搭耳的印度人最多，幾佔印度人在南非總數的百分之八十，計共二十九萬八千人，比同區的白種人還要多。據統計，十個印度人中有七個是居住在納搭耳的八個最大城市裏面。百分之七十的印度人從事工商業，文化水準並不很低；但印度人所得待遇，與白種人比，則不啻天壤。那裏的白種人每年平均收入爲一百七十九鎊，印度人則平均爲四十二鎊，差不多有三分之二的印度人過着很低的生活水準，三分之一的人僅能維持生存，這是他們經濟生活的困窘。在文化方面，自一九一〇年起，白種兒童已受免費的強迫小學教育，混血種的兒童也於一九四二年獲得這個權利，印度兒童迄尚向隅。因此，多數印度兒童不能完成其應有的學程，他們得不到寄宿的許可，也無公寓收容；白種人返學時，有交通工具的供應，印度人則否；納搭耳大學對非白種人只許在「半日班」就讀，印度青年難得相當教養——以適應技術性的職業；要求深造的人，只有到海外去；政府在教育上的支出，白種兒童平均每人三十二鎊，混血兒童則二十一鎊，印度兒童則僅十鎊。這是多令人難堪的歧視！

白人怕霸權衰落

但不能便說納搭耳不需要印人，它是頂需要的，不過不希望他們長進。它最感興趣的是有僱傭契約的印人，而最憎恨自由執業的印人，因爲印人的勤勞精神是白種人所難爭不過的。說到德蘭士瓦的情形則更嚴重，不但嚴格限制印度移民，久居的印度人，他們的市民權也被剝奪，沒有處置自己財產的權利，而從事職業受地區的限制。同是大英帝國的人民，爲什麼印人受歧視呢？這是因爲一般印人比非洲土人有智識，深懼前進的印人一旦做了非洲土人的領袖，便形成反抗白種人的聯合陣綫，而給白種人的威脅，尤其印度獨立以後，這個論調更加以鼓揚。

聯合國處理經過

遠在一九一一年，聖雄甘地已爲此事盡了不少勞瘁，英帝國會議也費了不少唇舌，但仍然無補於事；直至一九二六年印度政府與南非政府締結開普敦協定，同意取消南非對印人的隔離措施，給予印人以平等權利，讓印人志願遣回印度或移往別處。但移出的不多，一九三二年，南非政府大爲失望，故態復萌，激起印人的怒潮。一九四六年，印度政府以破壞開普敦協定，違反聯合國憲章及人權宣言等理由控訴南非政府於聯合國，雖經後者以事屬內政爲理由提出抗辯，但仍由大會決議：各有關當事國應尊重條約和憲章精神，擬定可行的步驟，提交下次大會討論。

（下接第二版）

我們需要怎樣一個副總統？

這裏提出了四個起碼的條件

·左舜生·

明年二月決定召開國大，時間已經只有三個多月了。大家知道，這次國大最重要的任務，便是改選總統和副總統，總統不會有什麼問題，大家所注意的，只在如何產生一個適當的副總統。

副總統在原則上只是一個備員，在總統執行職權的時候，可以說不負任何重大的責任。可是，副總統的地位相當崇高，爲國內外的觀瞻所繫，在民國歷史上由副總統正位總統或代理總統的例子，也爲數不少。因此關於人選一層，仍得極端的慎重。

自國大的召集決定以後，港九各方面關於副總統人選的推測，[illegible]可能參加競選的人數，也由五六位增加到了八位十位不等，其實大抵不甚相干。

我們在目前討論這個問題，決不宜就某甲或某乙去身相宜或不相宜，而只能根據國家當前的需要來打算，換言之，大家對於人選之不必先有成見，只要看其人能不能具備必具的條件。

做今天自由中國的一個副總統，究竟其人要具備那些條件才算是比較相宜？這要把我們國家當前的情況[illegible]

國家當前的局勢怎樣？

我們當前的一大任務便是反共復國，完成這一任務所需要的時間可能很短，也可能很長，但艱鉅一定是非常的艱鉅，[illegible]

四個起碼條件的列舉

假如大家承認我上面這個簡單的分析大致不錯，我便可以把我考慮甚久的幾個具體的條件列舉出來：

一、其人的年事不宜太高，身體的健康，必須足以勝任未來的艱鉅。

二、其人必須有反共的堅強意志，赴湯蹈火，亦所不惜。

三、其人過去對國家或社會所表現的一切，必須內足以見信於國民，外足以見重於國際。

四、其人必須有恢宏的器度足以容物，高度的常識足以應變。

在我想來，像這樣四個平易近人的條件，決不算是太苛；可是今天人才難得，也許有十足具備這四條件的人，他可能[illegible]把這四條件中並不一定要十足一條，如果打到二十五分，只要這四條的分數平均在八十分左右，也就可以算做及格了。

對三方面人士的希望

在上一次副總統的選舉，好像除青年黨外各黨派和社會賢達都沒有提名，但最後的決定權，總還是操在大會的多數黨之手。因此我對國民黨不能不有這樣一種希望：[illegible]但在最低限度總要在黨內推出一個比較具有全國性的人才，因爲這是國民黨的光榮，也是國民黨最好的一次報國機會！

對一般的國大代表們，我也有這樣的一種期待：莫忘記你們是國民的代表，一般國民所要求於你們的，決不只是顧及你們個人的意見或關係，而是要求你們確實足以表現他們的意志。依據上次大會選舉的情形，我知道你們所代表的是有充分的自由的，惟其你們享有充分的自由，你們選出來的人如不適當，國民便會據事直批評你們對於國家的功罪。

最後，對於有資格被選爲候選人的各位，我也有一個[illegible]的忠告：以中國未來的局勢，像我上面所提出的四個條件，實在是起碼的，具備了這些條件的人，也未必能把反共復國的大業順利完成，假如太不夠格，便難免不使國民失望，國際灰心，因此我希望各位在[illegible]候選人以前，不妨自己嚴格的估量一下，如果覺得自己太無把握，便大可發揮一度讓德，不必去杜塞賢路！

南洋赤校內容一斑

—南榜華聯中學真相—

·謝永研·

國外通訊

罵教師為狗

【印尼特約通訊】要了解南洋各埠，赤色教育的狀況，可以看一看印尼南榜華聯中學的畢業紀念冊，這本刊物的目錄，一共有二十四項，第十三項纔是「我們的老師」，按照他們的次序，學生在先，教師在後，還便是他們「前進」的作風，尤其露骨的是一個筆名「鉛刃」的初中三下的學生所作的「本級簡史」，用了許多次「無恥的」「荒謬的」「反動」「教師」「反動集團」的字樣，稱從前的教師，甚至於還罵教師為「狗」，為「鬼」，眞是惡毒無比。

行蘇俄教規

其中有一位教務主任先生，他有一篇「本校教學方法設施概況」，竭力歌頌「共匪」「新中國」的成就，據他說：「華聯是「正式公佈採用蘇聯政府編定之學校規則」的。中國人竟公然宣佈採用蘇聯政府編定的學校規則，厚顏無恥，可謂達於極點。他們所謂「人民祖國」，大概也就是蘇聯祖國了。只有在中共一面倒的政府政策之下，才會有這種認賊作父的教育工作者。這種教育工作者毒害青年的思想，是無待贅言的。

向學生看齊

他這一篇文章，還有幾句妙論，不可不錄：他說「教師首先必須掌握着新民主主義的立場，方法，起帶頭作用，才不致有『我愛柏拉圖，更愛眞理』的亞里斯多德的師生思想底矛盾現象，因此教師們都熱情地展開了學習的風氣。」他以爲教師們要首先學習某種思想，然後纔能夠避免和學生們的思想相衝突。這，豈不等於說教師要學習學生所信仰的思想，或學生的思想，纔可以化矛盾爲統一嗎？這樣要教師追隨學生的現象，致教師思想先受控制，怎能說得上「教導」或「領導學生」？尤其要企圖以「毛澤東思想」來統制希臘聖哲思想的自由，更是擬不於倫，不成一個比喻了。他忘記了，也許根本不知道希臘文化對於人類偉大的貢獻，與思想自由有密切的關聯，思想自由是燦爛的花，而文化發達乃是輝煌的果，希臘文化，與中國春秋戰國時代的文化乃至近代歐美文化之所以卓然特出，而與專制獨裁政制下思想定於一尊者截然不同，也其根本就是基於這個思想自由的花所結成的果實，常道「眞理出於懷疑」，學問因切磋而進步，必然有「懷疑」，「審問，愼思，明辨」的工夫，然後纔能夠希望在學術上有所發明和建樹。柏拉圖說得好：「一個人在尋求知識時也應當是自由人」，所以思想定於一尊，便是思想的自殺。就是照辯證法看來，思想的發展也是正反合，只有正面而沒有反面的批評，決不能得到綜合的結論。所謂從矛盾對立的發展過程來觀察事物，也必然要兼顧到正反兩方面，而不能「墨守一先生之言」，「以姝姝而自悅」的。希臘三大哲人蘇格拉底，柏拉圖，亞里士多德師徒三代，各有千秋，永垂不朽，所以能如此者，也就是不一味株守師說，是能自由思想，發揚光大，創獲新知，便「青出於藍」，一代好過一代的，這種「我愛吾師，我更愛眞理」的偉大精神，遂成爲上古希臘及近代西洋學術文化，日新月異的進步的基本精神。這種態度，這種精神，現代民主國家正積極加以鼓勵，值得我們提倡仿效，決不是什麼「矛盾現象」，好像黎某說的應該加以避免的。

寢奴的肚皮

明白了這個道理，自然就會知道，今天共匪黨孳孳出「寢通人性」的蠻讕，叫人「攝取」「思想」來迷信馬克思的「一家之說」，以爲只有他一個人的言論才是對的，無論在什麼時候都一律「放諸天下而皆準」，都是百分之百地正確，不容懷疑或批判的思想，這種坐井觀天，以爲天小，唯我獨尊和入主出奴的見解，不知誤盡了天下多少青年！也不知「令人笑掉了多少褒姒的牙」！（借用黎某的話）南洋各地的赤化學校，大都和南榜華聯中學相似。這種戕害青年的學校當然不只是南榜，也不僅是南榜一地華僑社會的損失，其害[illegible]之烈，是很大的。

成績極低劣

這些赤徒所把持的學校，儘管自吹自擂說辦理如何進步，成績如何優良，但狐狸尾巴是遮不住的，自己露出來。這本紀念冊[illegible]便說：「課外活動太多[illegible]，或所謂「革命精神」「太緊張」的時候，不免妨礙正課。」又[illegible]然提到「課外活動[illegible]設施概況裏面，也說[illegible]學生不重視課外[illegible]，須「反動派」破壞[illegible]稿鬼等，終日放遊[illegible]要」（「反動派」）[illegible]譏諷中傷，幼稚淺見，因而「令人笑掉褒姒的肚皮」。[illegible]書第七六頁「中三下級會動態」一文裏面，却有下面的話（照錄原文，一字不改）：「學藝股在這學期幾乎是較少活動。同學們幾何學習得非常貧乏，因此用補習方式……到了下半年開始，便又鬆懈下去，無形消散了。」「政治歷史小組」[illegible]

偷看美帝片

最後，試看「風紀部」報告說：「愛國公約，不能好好的去實行，甚至最高班的同學，也偷看美帝毒片，這毛病可說是普遍性的流行」，又說：「校中的秩序一天天的惡劣化，甚至非學生幹的事情也鬧出來，放學回家的秩序非常混亂」。夠了，不必多引了。蘇南榜聯中，不過是南洋各地的赤化教育一點例證而已，嗚呼，喪心病狂！厚顏無恥的赤化僑校，無知謬妄的赤徒，毒化青年，製造他們的信徒，嗚呼！青年何辜？嗚呼！華僑教育？

稿寫完後，接閱天聲日報南榜特訊據悉當地政府已限令黎[illegible]

人物評述

靠攏人士的悲哀——

黃紹竑裝瘋北平

·容文·

（六）

一九五〇年冬天，毛澤東奉到史達林「抗美援朝」的命令，兵員已開始調動了。風聲吹到李濟深黃紹竑的耳裏，二人曾私下非議此舉，十二月八日「國務院」的「政務會議」上，毛澤東特別親自出席，宣佈「抗美援朝」。黃紹竑繼周恩來陳雲之後起立發言，說：「人民共和國」國基未固，人民久苦兵亂，還是集中力量，建設國家，爲當務之急。毛澤東立刻很冷靜的告訴他，這是我們黨的最高決策，請回去靜靜思慮思慮好了。從這一天以後，他的「勤務員」便由兩名增加至六名。聽說雖不曾限制行動，但他那輛破舊的福特汽車，已很少在市上發現，他那昂然闊步的雄姿，更不易在街頭一睹了。

他自從吃了毛澤東這一記悶棍後，北平的南方人士，都聽到說，黃紹竑瘋了。說他對醬油有特殊愛好，可以一大碗一大碗的喝下去。一次，周恩來去看他，他說，他正在研究「醬油」的改良製造。周勸慰他說：研究發明的人，要有精神上慰藉，周又勸他函促住香港的夫人來京？不久，周又派人問他夫人已到京否。於是他不斷催促僑居香港的夫人蔡××北上。蔡原已摒擋一切，準備就道，後來覺得來函有點蹊蹺，於是就商於一些故舊，大都主張她暫觀一些時候。遂蹉跎至今。聽說，黃在北平，近更失了常態，對於喝醬油愈來愈多，飯後又常把器皿打破，和來客談話，也有些瘋瘋癲癲的樣子。聽說，周恩來還是不斷派人詢問他的夫人已否到京？他也照例發函催促。蔡××初時認爲僑居香港物業變賣，即攜兒女前往，後來北平來信說，變賣物業，既一時不易脫手，可由香港××銀行承受。蔡知道這一來無異捐獻，曾求計于黃的心腹親將黃某，謂捐獻財產而能保存性命，本無問題，唯恐一到北平，李寬的情形更爲不妙。黃某再三考慮之後，曾獻議「假離婚」的辦法，離了婚，便可各聽自由，辦法倒也可以。但不知黃紹竑能否接受。

（七）

黃紹竑原籍廣西容縣，財雄族大，他於北上投靠時，曾勸諭族人，切勿驚疑逃逸，不久他便可重掌廣西政權。及中共土改鬥爭時期，以容縣爲廣西最封建落後地區，特設置專員公署，實成辦理。黃的叔伯兄弟被殺戮者無數，髮室韋氏，掃地出門，行乞度日。平[illegible]（曾任廣西大學校[illegible]朱朝森（曾任廣西政廳長）等，都早[illegible]胞姪黃柳會被扣獄中[illegible]復信說，只與你承[illegible]無事。不久，柳會[illegible]另一姪兒嶸芳（曾[illegible]長）告黃旅港的朋[illegible]千百冤魂環繞着他[illegible]是瘋了，也太便宜[illegible]黃的胞姪祖芳[illegible]陷落後，曾任資源委員[illegible]共科學院長李四光[illegible]究新疆的鈾礦開採[illegible]四光再三關說，曾[illegible]務員」的眈眈注視[illegible]言。第二次晤見時[illegible]情不自禁，抱頭痛[illegible]員隔離寓所。

（下）

讀者來函

談中學標準教科書及其他

·薛光增·

編者先生：本報二十七一期合經通訊教育界二三事一文，對於華僑教科書，曾有報導，[illegible]有不同，茲將函意發表如左，藉供讀者參考。——編者

[illegible]

南非排印風潮內幕

上接第一版

[illegible]

編者讀者

△黃兆棟先生：關於目前的世界民族運動，有極深刻的動向，現已爲本報寫就「民族運動新形勢」及「民族運動與共產鬥爭」兩篇，下期先發表前一篇。

△[illegible]

△南潛心先生：稿酬，[illegible]本報[illegible]，惟目前尙難做到。

文藝和政治

·辛力非·

讀過二六三期高濟心先生的「自由中國文藝概論」及二六六期陳紀瀅先生的「論自由中國文藝趨勢」兩文後，我覺得兩文重點既不在「概觀」，亦不在「趨勢」，而是一個所謂「文藝政治化」的問題。

請先抉取兩文的要點來看：

高先生反對「文藝政治化」。據他的解釋，以爲不可單純只重反共文藝而「把文藝弄成政治化」，反對公式和口號式的文章，反對「把文藝塗上顏色」變成「反共的宣傳工具」；他主張「自由創作」，強調文藝「不是政治的工具」。

陳先生也反對文藝政治化，並提出：（一）台灣的「山水遊樂文字」已由中國文藝協會「鼓勵」「號召」之下而變爲「帶有火熾宣傳性的作品」，並再而「避免文藝作品八股化」。（二）任何時代的文藝都有它對政治上的影響，因爲它不能離開現實。

何謂政治化？

我們對兩文歸納比較之後，首先要疑惑的是何謂「政治化」。反共文藝就是政治化的產物嗎？公式和口號式的文章（所謂八股）能發生政治工具的力量嗎？反共文藝是塗上顏色的文藝嗎？反共文藝是宣傳工具嗎？我熟讀兩文，並未得到否定的解答。假設答案都是肯定的，則我寧願犧牲一切來反對所標榜的文藝趨勢。假使「帶有火熾宣傳性的作品」就是反共文藝的眞面目，而且獨霸文藝界的寶座，掃蕩肅清一切「非火熾宣傳性」的作品，則我不禁更爲反共文藝的命運和前途而痛哭！

雖然，這涉牽到反共文藝本身性格的問題。我堅信，反共文藝本身無罪，壞在有人投機吃「反共飯」，而粗製濫造，卻稱之爲「反共文藝」。這類文字一多，難免不惹人由厭惡而誤會就是反共文藝的眞面目。反共文藝必有佳作，否則不會選得文藝獎金會的鉅額獎金；可惜陳先生竟不肯以公佈獲獎的佳作爲例證。（其實已經公佈了，當不致有代作廣告之嫌。）若果粗製濫造的反共作品算做「政治化」的產物，我覺得不僅有辱反共，敗壞文藝，甚且是侮辱了「政治」。所謂反共八股，決不是反共文藝，（甚至不是文藝）反共文藝也不是「塗了顏色」或「政治化」了的文藝。歷代的「反胡」、「反金」、反一切外族侵略及反盜賊變亂的文藝，難道非人民呼聲，難道可稱之爲「政治化」的文藝麼？

自由創作與政治化

文藝作品的選材，若不合報刊的政治眼光（假定以政見爲重的編者來核稿），充其量是文章被退回，大可不必遽指爲全面文藝已趨向政治化。高先生既明白「文藝是文藝，政治是政治」，就不必希望陳先生代爲介紹發表作品。陳先生說，「任何時代的作品都有它對政治上的影響」，我覺得那僅是影響而已。文藝不能獨力改革政治，政治亦絕難控制文藝，兩者原具有不相協調的必然性，我們固不必強其對立，亦無需強其聯姻。高尚藝術作品不是供人欣賞，而是針砭醜惡、啓導社會進步的；即使不與政治相協調，至少亦非罪行。同時，陳先生雖強調任何作品都不離「現實」，但我認爲「現實」終非「政治」，文字符合現實的要求易，適應政治的要求難。「山水遊樂文字」自難適應政治，卻不必強制肅清。這該是創作自由的基本精神吧。

我不是文協會員，但我熟知自由中國決沒有創作的不自由；至於發表的自由與否，於刊物的立場見解有關，不單是作者自己的事。我覺得自由中國的刊物雖多，但格調的種類卻太少；反共文藝之外，似應創作各種不同格調的刊物，因爲民主社會最怕書刊言論文學藝術等都流於「統一的格調」，不要害怕各種格調會影響到國家政策的推行。反共文藝應該多，惟宜嚴防其剝奪其他類型的文藝創作自由發展。我們卑視大陸赤色文藝，也不必過份重視有些「藉反共之名而無反共之勞」的低劣作品。高先生不必避政治若蛇蠍，強令文藝與政治對立，也無須擔心自由中國文藝會走上赤色文藝那樣統一而膚淺的道路。

嚴格說來，文藝根本不可能政治化。我們都反對文藝政治化，猶如都反對政治文藝化一樣。日本近在眼前，當年曾瘋狂實行過「文藝軍事化」，也厲行過「侵略八股」，而今結局如何？高先生文尾結論最正確：我們要發揚愛國思想的文藝，提倡自由民主的精神。因此，我們正渴望陳先生所說「自由中國文藝作家大多數在埋首寫作」的可以「流傳」的鉅著出現。

閩南鹽農話辛酸

【廈門通訊】閩南沿海，南安、晉江、同安、惠安、等縣稱海鹽的天府之國，尤其是南安，南安的鹽農佔全縣人口百份之五十以上，全年產鹽量二萬萬噸，除供本省全省需要外，在福建輸出產品中，南安鹽也是重要的一項。

冬天裏春天

在太平日子裏，鹽農是靠天吃飯的，所謂三時風二時雨，有太陽笑嘻嘻，就可以知道鹽農在太平的日子內已經是要靠太陽吃飯的，如果天公不作美，把鹽農們已曬了十天八天的海鹽，下了一陣雨，就又把已曬成九成的鹽復原變爲溶液了，所以大量產鹽的季節，皆是在每年的冬天，鹽農的生命史，那才是名附其實地冬天裏的春天！

中共不斷喊喝增加生產，提高效率的口號，但海鹽的生產除了人工大部是要靠天的，鹽農除了多曬幾塊水尾鹽園，來補助萬無把握和固定收成之外，就沒有第二條路來滿足共產黨的要求，共產黨認爲人力可以克服一切，他們只會打如意算盤，一點不管事實如何。他們並不會製造會曬鹽的農民，是不會製造太陽出來曬乾海鹽的。

鹽變成了沙

正常的鹽園每一畝每年大約能產鹽一千斤，然而在共產政府的統治下，要人民個個變成三頭六臂，他們的獎勵和策勵的方式，要把鹽農當爲曬鹽的太陽。

他們要鹽農超額達成任務，鹽農爲了要達成任務和表達「感謝」而又不會製造太陽，只好耕曬粗鹽，或鹽中滲沙，去完成「感謝」。所以每年一千斤的產量，現在已增至一千三百斤左右，如果，共產黨還要逐日增產，也不是不可能的，只恐怕慢慢地鹽農爲了要繳消任務而把鹽變爲沙了，所以目前已經找不到雪白細變的雪鹽一樣。

偷鹽的風氣

鹽農自己耕鹽，但食鹽還須拿錢去買，並且耕曬出來的鹽，要以「政府」公價售賣給「政府」。鹽農自己要用售得的公價鹽款去向他們以市價購買進來，雖然這是普遍的情形，與人民所定的律法，但在方式上及過程中，鹽農的心理實在太不甘心。以自己用血汗耕曬出來的成鹽，廉價大批出售，自己要高價另星購入，心理和經濟的剝削誰都受不了的，所以，造成偷鹽的現象。偷鹽，只要是鹽農就沒有一個不去犯這所謂「嚴重的錯誤」，共產政府管制雖萬分嚴密；也防止不了，不偷出來售賣，而只偷來供給自己的需要，已是鹽農們的十分安份了。因爲鹽農只要每天偷帶一把回家，已供足家中一天之用了。鹽農偷鹽「政府管理員」並不是不知道，但實際情形是這樣，他們也無可奈何了。（凌峇九月卅日）

生活指數高壓市民

香港生活程度正一天天上升，如以一九四七年三月爲基準與上月指數比較，增高達百分之三十。據當局統計，去年九月分已高至百分之二十三；其後各月僅稍有增減，至七月，縮低至百分之二十一；八月增至百分二十六，至九月份高至百分三十；後此續漲的趨勢已甚明顯，此予受薪階級與貧苦之小市民均感受莫大之威脅。就當局之統計表列各項物價指數中看來，蓋日需之飲食指數激增較著；其他僅屋租、教育、醫藥、稍有增加，此係受前者之影響所致；衣着、電力、潔淨等項則告回縮。物價指數高漲之主要原因，係由於港九市民所需之食糧大部分仰賴於大陸。中共對香港的冷戰加甚之時，壟斷，操縱物價，殆爲必然趨勢，以此一導致人民生活的不安定，企圖醞釀內亂的一種陰謀手段。但此中尚有兩大因素：一、大陸上的食糧、生產萎縮，普遍感到缺乏，影響外銷；二、輸出數字的減縮，吸收外滙自更迫切，於是，祇能隨意提高輸出價值。今後如不另闢來途，共匪減少輸出，供求不能平衡，物價跟着續漲，勢所必然，就一九四九年廣州陷共時的情形而言，本港菜蔬曾遠向日本採辦，可見本港食糧自非必須大陸來途，而今後中共極可能利用壟斷主要物資，陰謀困擾港九市民。生猪來途既已壟斷，肉商已經另闢來源，其他食糧尤應及早擺脫向大陸採購，別尋蹊徑。

公務員將普遍加薪

前此港府經將各級公務員薪給將隨普遍的生活指數調整，二百元以上月薪的因生活指數增加獲得改善後，二百元以下的低級公務員隨即提出加薪要求，當局已允加考慮。關於公務員貸款建屋計劃，已經殖民地部批准，港府華員會已成立委員會進行籌備工作，貸款辦法共分六項，如五十三歲以上的，一次過攤還貸款；五十至五十三歲則先還一部分，再每月平均攤還；如距退休尚有五年至二十年者，五年至二十年內每月平均攤還，不足之尾數則在退休金內扣除。建屋之地點業經勘定香港之薄扶林道，九龍的漆咸道，屋宇分甲、乙、丙三種；建築費由八千元至一萬八千元。借款人每年另須繳納利息百分之三，至借款建築物。

港府籌建公務員宿舍

港府爲了安定公務員的生活，擬陸續興建可容二百二十四名不受公費遣送之歐籍公務員眷屬之宿舍，香港已擇定西環半山區卑路乍街砲台舊址，預計一年落成；第二步勘定九龍漆咸道一個適當地段興築，此等宿舍，括有半獨立式房舍十六幢，每幢四層高，一共二百二十二層，比較大的有九十六層，內有客廳，餐廳各一，三睡房、浴室、廚房、工人房及陽台兩個；其餘較小的，則客廳兼餐廳一，睡房二，浴室，廚房，及貯物室各一，大小陽台各一，沒有工人房。各幢宿舍分半獨立式屋二所或四所，六所不等，但四周均有花園，並有兒童遊戲之曠地，祇是沒有車房；均係平頂三合土的建築物。

一本引人入勝的學術專書

——評樓桐孫「基本經濟學」——

·滄波·

基本經濟學
撰述者　樓桐孫
發行者　中國經濟月刊社
定價　每本新台幣拾二元正
經售處　商務、中華、正中、三省、各書局。

本報二七二期陳克文先生關於樓先生這一書的書評發表後，又收到滄波先生這篇文章，本文對此書的介紹更爲詳盡深入，故爲發表如左——編者

（一）

樓桐孫先生新著「基本經濟學」，今年夏天在台北出版。二十餘年前我曾讀過他所翻譯的季特教授所著「經濟學的基本原理」。在這一本譯著以前，我更在二十七八年前於上海東方雜誌讀過他許多著作。我對樓先生影象最深的一篇著作，是「對政治學上幾個名辭的解釋」，這篇文章也是在東方雜誌發表的。我當時讀了這篇文章，對許多朋友說：「這是戴又陵章秋桐之繼起者」。那篇文章的內容，我至今還是記得清楚。他把政治學上許多混淆不清，流傳多年的名辭，如「集權」，「分權」，「分治」，「集治」，「聯邦」，「邦聯」等名詞，一一分析區別，而其文字的簡潔雅純，尤爲當時留學生中所罕見。我爲這篇文章，特地去訪錢智修先生（當時東方雜誌的主編），打聽這位樓先生是怎樣一位學人。錢先生當時答覆我：他也不認識樓先生，他只知道樓先生當時還在法國讀書。民國十七年我在上海法政大學授課，樓先生當時是該校的教務長，季特教授「經濟學的基本原理」，最初譯稿是他發給該校預科學生，作爲參考讀物，我初讀此譯稿，也是從一位學生處看到。季特教授「經濟學的基本原理」一書，其最大特點，是將極枯燥艱深的經濟學，用輕鬆的筆調，與講述故事的組織，把經濟學中最主要的實質，一段一段敍述出來。

（二）

樓先生近著「基本經濟學」，大致是根據季特教授「經濟學的基本原理」，他在代序（致讀者書）中說：「……如果讀者有這樣的感覺，（與季書雷同），我不但不諱過，而且我將很高興，因爲我此番費了不少功夫，用這本小冊子在這情形下和讀者見面，除了想對自由中國青年朋友聊儘介紹和貢獻的義務以外，同時，實在也是爲要紀念我的業師季特教授CHARLES GIDE的。」樓先生著書態度的忠實，是首先值得我們欽佩的。照我國學術界的貧乏，本來能由翻譯去介紹外國名著，已經很好。若再能根據外國名著另加許多本國的材料去說明，使讀者格外容易發生興趣，對世界學術的介紹是極有幫助的，這是我對樓先生著書態度表示欽佩的一點。

（三）

著書和寫文一樣，大題目比較容易寫，小題目比較難做好的。長文容易寫，短文不易寫。如果用大題目寫短文章，用嚴肅的題目去寫輕鬆的文章，這實非大手筆不辦。在社會科學之中，經濟學是比較最複雜的一科，學生在初進大學時，對這一門功課感覺頭痛，在三十年前，尤其如此。許多經濟學上的專門術語，尚無適當與通俗的譯名，而其所採用的事例，亦幾爲中國學生不易一索即解。「基本經濟學」一書，根據季特教授原書的方法，用輕鬆諧詼的筆法，油鹽柴米的事例，一段一段說出經濟學中各部門的要義。使讀者讀他這本書，好像是看小說而不是看的一部經濟學基本原理。我在此書出版時，化一整天功夫，完全將他看完了。因爲這一本書有那一種特點，使你一上手，就不肯放去，等於小時候看章回小說，看完一回，一口氣要看第二回，直至看完全書爲止。如果社會科學或自然科學中許多嚴肅的科學，能用這種方法去啓發學生，眞是事半而功倍。但是，要寫這種書，著者眞要把那一門學科讀破萬卷書，而且能將該學科中各問題消化融會得爛熟。然後方可有此成果。季特教授的開創發明，固不可及，樓先生對學術界有重大的貢獻。

（四）

本書全書共分七章：（一）需要及工作；（二）交換及價值；（三）貨幣；（四）私產及遺產；（五）佃租及利息；（六）傭工及利潤；（七）競爭與合作。誠如樓先生代序中說：「這本書的原著者季特教授曾說，這是他在巴黎某中學的演講，講的幾乎是故事式的。如同一八七四年起，在波爾都大學任政治經濟學教授時所講的，並不是「供求律」或「放任主義」那一套，而卻是「仙女史」，「莫爾滿的教堂」，「日本維新」和「尼羅河的源泉」那些表面上與經濟學全不相干的東西，費了三個月工夫，別出心裁的組織起來，以供平民教育之用。」這一段話，正可用到樓先生這本書上。這本書的特長，一方面是故事式的文字作品，同時卻將各種理論變遷，又能在輕鬆中指出時代潮流的趨勢，如全書中第四章所謂「財產」問題，是何等一個大問題，而在該章第四節「私產」中，把私產「社會化」，「社會化」的理論與事業托出來，更用寫小說的手筆，列出那點睛的效果，末章「競爭與合作」，是全書結論，也是當今世界經濟潮流的歸束。

（五）

在本書各章節以外，樓先生那幅代序，也是極有價値的文章，在近代出版界中是少見的。我十分愛慕他這幾句話：「今天我們所過的「生活」，所採取的「生活方式」，正是本乎人性的自然，經過對於人性原始的粗野和缺陷，以及人類社會在進化過程中所發生的差錯，如何繼續不斷的加以研究——這就是各種不同學說之所以被提出，——加以糾正——這就是各種不同的法制所以被創立，順着時代的巨輪迂迴曲折，似斷而實續，似逆而實順，一點一滴，一板一眼的，累積成功，爲我們目前全世界自由人類正要出全力來加以護衛的現代文明，根深蒂固，無數才智，無數血汗，在漫長時間所努力而得的結晶。而今天共產匪幫，處心積慮，恐怖的毒辣手段所想摧毀的，不多不少，恰恰就是這個寶貴的結晶品。」這一段話的正確、崇高與優美，是不能多贊一辭的。

（六）

代序中末尾把本書內容向讀者作一個簡單介紹，這是中國史家的筆法，非熟讀史記漢書的人不能有此文章組織。樓先生在中國文壇成名已三十年，這一本書，雖然是述而不作，但非有邃深的學力不能臻此。今當自由世界言論龐雜思想混淆之際，尤其一位經濟學者所負的使命與責任爲重大，因爲社會科學中過去許多問題，如「主權論」，「民族問題」，「權力問題」，「地方制度」等等，現在都被一筆抹煞了。經濟問題，則東西兩個世界的鬥爭，未來勝負之數，必將歸結於雙方對經濟問題的可能處置及解決，這是無可懷疑的。我們希望世界經濟學名家，如樓先生者，對這一方面，更有偉大的著作與發明，來啓發自由世界的文化。

王充與老子

·王世昭·

（一）

錢穆先生懷疑老子一書非老聃所著，且以為後於莊子，（見民主評論），我在天文台報曾根據呂氏春秋，韓非子，莊子，論語，左傳，史記諸書予以駁辯，又根據陳元德所著的中國古代哲學史以及蒲墩的老子通記予以列正。最近再讀王充論衡，從頭至尾讀一遍，知王充是紹述司馬遷，上溯屈原的懷疑精神，把六經諸子逐部都研究過，然後論過，他最後的結論是：

「漢興，收五經，經書缺滅而不明，篇章弃散而不具。晁錯之輩，各以私意分拆文字，師徒相因相授，不知何者為是。亡秦無道，敗亂之也。秦雖無道，不燔諸子。諸子尺書，文篇具在，可觀讀以正說，可採掇以示後人。」

又云：「知屋漏者在宇下，知政失者在草野，知經誤者在諸子。諸子尺書，文明實是。」

（二）

由這兩段的文字來看，王仲任明明告訴我們，子書無可疑，經書有可疑，經書之闕疑，尤非諸子莫屬。而諸子中如老子，其書之有無，可從王仲任旁徵博引中以求證。王仲任在論衡八十篇談到老子者，有如下諸引得：

「傳稱老子二百餘歲。」——氣壽篇

「世或以老子之道，為可以度世。」——道虛篇

「夫如是，老子之術，以恬淡無欲，延壽度世者。」——同上

「……又聞其恬淡，謂老子以術度世矣。」——同上

「老聃得以壽矣，老聃稟之於天，使天無此氣，老聃安所稟受此性。」——自然篇

「賢之純者，黃老是也。黃者，黃帝也；老者，老子也。黃老之操，身中恬淡，其治無為，正身共己，而陰陽自和，無心於為，而物自化；無意於生，而物自成。」——同上

「上德治之，皆恚小鄙耳，與天地同操也。……道家德厚，下當其上，上安其下，純蒙無為，何復譴告？故曰：『政之適也，君臣相忘於治，魚相忘於水，獸相忘於林，人相忘於世』，故曰『天也』。」——同上

孔子謂顏淵曰：「吾服汝，忘也；汝之服於我，亦忘也。以孔子為君，顏淵為臣，尚不能譴告，況以老子為君，文子為臣乎？老子文子，似天地者也。」……儒家之說，合黃老之義也。」——同上

（三）

在王仲任現存創作中，引證老子之言與事，竟達八次之多，而用「老子」或「老聃」及「黃老」之名亦達十五次，而且言其有所為道德經上下篇者，如「無為」和「上德不德」；如「治大國若烹小鮮」；如「禮者忠信之薄，亂之首也」；至「下當其上，上安其下」；又與下篇之「聖人欲上人，以其言下之，欲先人，以其身後之，是以處上而人不重，處前而人不害」，又云：「善用人者，為之下。是謂不爭之德」。總之，自然全篇所引證的，有些地方，且足以補今本老子之所不及。如今日如果以據日本人的論說，「老子」一書為清人所偽作，我們將全力加以反駁。我們生於王充之後，將近二千年，竟批評王充以前七百年的老子，而說其人其書為偽，這實在是武斷，不是懷疑，這實在是盲從，不是考證，這實在是破壞中國學術思想史，不是創造中國學術思想史。依王充的結論，惟有諸子可證經書之誤，斷不可用經以證子謂其偽！日本人的見解不可信，今人的見解亦不可信。我不是好辯，我是不得已的！

新漁夫恨

·亞泰·

「爸爸，這樣的日子，我實在不願意再活下去了，人是要死的，死了倒還爽脆吧！」一個臉色焦黃，髮亂蓬蓬的大姑娘，手拿着破殘的漁網，向着正在嗚咽的老頭子喊着。「耐煩點吧！」老頭子抬起頭來，向站在籬笆邊的女兒——阿翠，瞄了一眼。

他是當地土司的後代，在明朝朱洪武年代，遂在明朝屬下，雖在這個地方……之長，帶着他族中子弟，備有蘿藤，特製有蘿藤，以及有各色各樣的網罟。掛釣、鯰鈎、扳竿等各種獵魚的器具。尤其到了秋水寒潭以後，迄至還山封雪的那一個階段，他們使用的所謂絕代網，每一網的漁獲量，照常是四五千担；這一段河流，不僅維持了他一家的生活，也是他族人將近三百多戶的養命之源。

自從赤餓的火舌，捲進這塊原始的溪山，凡是一些有生之物，都被燒得焦頭爛額，何況這一源源不絕的漁夫寶藏呢？當然變成了赤色魔鬼們刀俎上的魚肉，是牠們唯一搜刮的好對象。

最初，是區「人民政府」建立在古司市那個鎮上，那所建築有百餘年歷史的「千總衙門」，做了「區政府」的紅色官署；區長謝海濤，雖是大老粗出身，曾經受過赤色洗禮，搾取人民血汗，是有相當訓練的。牠看中了這筆財源，藉口防「國特」，保護人民，開始把所有的漁民，用精神一步，鐵鍊，管制起來。第一步，清查漁民戶口，編組漁船，登記漁器具，無異對漁民財產，來一次總清查，先有個具體了解；第二步，限制漁船行動，對漁民每一戶和每一天的捕魚數額，勒令毫無遺漏的造報，一俟「區政府」派共幹挨戶核查後，才能運往市場販賣；第三步，魚貨收入，勒繳百分之五十至六十的魚稅，作為整理漁業的經常費用。這樣一來，被枷鎖的漁民，就已經叫苦連天了。

貪婪無厭的共幹們，猶然並不因此而饜足；毒辣的手段，還擺在最後面的。牠們看到漁民的團結力，是有相當的堅固，要摧毀漁民們的團結，利用「仇」與「恨」，是最好的方法。於是開始在漁民圈中，掀起了血和肉的「鬥爭」。

像洪流巨浪的「鬥爭」漩渦，首當其衝被捲入者，就是鳴鍋的老頭子。老頭子叫瞿善恩，他的年齡、知識、聲望，以及做人做事的公正態度，無形中變成了漁夫之長；共產黨專講打垮「把頭人物」，所以，目標的第一砲，就瞄始向他發射了。

老頭子禁不起「鬥」，房子「鬥」光了，公公遺德下來的一點產業，也挖根挖底的被沒收了，這是身外之物，還沒有創傷到老頭子的曠達胸襟；但是「鬥爭」並未停止，仍是不斷的「鬥」下去，把兩個兒子也被迫得參了軍，因為骨肉關係的生離死別，老頭子的老伴侶——翠大婆，就終日懨懨而與世長辭了，僅剩下他和他的女兒阿翠，相依為命被掃地出門了，居住在萬壽宮廟側的土地祠內，侵些掘來的苞草，度着殘餘的生命。

經過長期的「鬥爭」和「清算」，不僅漁霸瞿善恩這個老頭子倒了下去，三百多戶漁民，年青的參了軍，婦女們大部改了嫁，只剩下老弱殘廢，天天啃着樹皮和草根，漁業產權，也轉到「人民」手中，一片哀際，震動了這百里溪山，七年來的草木是憔悴了，漁民更憔悴了。

仙槎夜泛，珠灘漁火，是古司鎮的八景之一，阿翠一想到往日，偕同老父逍遙河下那種快樂情景，眼看到今日的滄桑，怎不淚珠雙拋，嚷着：「死了還爽脆」啊！

賽金花與曾孟樸

·秋柳·

讀書拜集，除了寫出了許多「隱蔽激濤」的詩，說到明白點，就是「對人歡樂背人愁」的寫照。尤其當變亂的世紀末，看到酸溜溜的歎語。從他們的筆下，我們都會想到一個國家，如隋末的江都，南唐以後的詩詞，差不多都有名女人點綴其間，宋末的李香君，董小宛，陳圓圓，一般詩人墨客，都有不同的感觸，紀錄下來，造成了「一代紅妝照汗青」的故事和雕像。清末，當變亂之際，賽金花一個傳奇的女人，她的生平，更多曲折，與當時的國際外交糾纏在一起，出現了空前的名妓，然也有更多的為她而嘔心瀝血的文學作品。數十年來，我們看到了許多關於她的文學作品，有「前後彩雲曲」，有劇作家的「賽金花」，小說有曾孟樸的「孽海花」，傳記有劉半農和商鴻逵的「賽金花本事」。

這一部書，充滿了歷史意義與那一個時代的精神表現。無怪數十年來的讀者，看了都會感動。曾氏出版此書，是在清光緒三十一年，為了怕得罪當朝，所以他用「東亞病夫」的筆名，首先揭開這個份子的……「作者之肆」的署名，同時表示他對於這部書的估價：「孽海花非小說也，乃三十年之歷史也。」林氏畢竟是一位當時代的文人，他推重這一部書，都不願意把它看成小說，他心目中的曾孟樸，是應當追步司馬遷之流的歷史家也。

而曾氏的文學思想則已超過於當時的所謂「老新黨」，由於他一度醉心於法國的文化生活，受大小仲馬的影響很深，一向並不輕視小說的地位，所以他由自己供認的孽海花是小說，而不是傳記。他的這種寫法不但一般讀者不能領略其深意，而被他着力描寫的賽金花本人，更多誤會，她晚年在北平的時候，甚至向新聞記者一再抨擊曾氏造謠，說曾只曾經在她下嫁洪文卿之前極力追求而失敗，因而寫這一部小說來報復她。這種說法一時流傳甚廣，事實上卻是「莫須有」的。

曾氏與賽金花認識，是由於他和洪文卿的關係，洪是孟樸父親的盟兄，又是孟樸闈師之師，故稱洪為「太老師」，想像賽為「小太師母」。在當時的禮教社會中，決沒有追求她的可能，而在兩人的年齡上，相差了三四歲，她隨洪氏出國時不過十九歲，而孟樸只有十六歲而已。

賀聖朝

（中華民國四十二年雙十節獻詞）

彭遂民

良辰樂事神州外，正中華雙十，滿天漢幟國魂回，看今朝多媚?!秧歌狐臉，豬臀藏尾，料炎黃來歲，石頭城上賀千秋，好風雲齊會。

鷓鴣天

口占和栗秋韻　鐵巷

發篋秋詞賦感傷。閒除瓶菊與誰商。病軀君正憐吟咏。羈世吾羞較短長。　憑班宋，譜齊梁，醉殘睡穩入無鄉。憂聽飛下雲邊雁。起取懸瓢再注觴。

前調

璞翁

栗秋多思鄉之作，其聲甚苦，賦此慰之兼寄懷冰

多病工愁各自傷。新詞一曲苦吟商。驚心歲月入應老。入夢家山路倍長。　從落月，照空梁，但隨行腳莫思鄉。秋風處處鱸魚美。好待黃花勸客觴。

伊朗國王矯枉過正

伊朗國王巴勒維原是一位好好先生，在摩沙德執政時代，他的優柔寡斷，缺乏魄力，遂造成後來摩沙德的驕橫跋扈，終且被逼出奔伊拉克，幾乎流亡海外，作了幾天流亡國王。經過這次事變，巴勒維王受了很大的教訓，所以回國後，他處處保持主動，遇事均加干涉，殊不知矯枉過正，又和他的新總理柴赫第將軍起了嚴重的摩擦。據說：伊王直接向軍隊下達命令，而且任命陸軍軍官，事前不與柴赫第磋商，已引起後者深深的不快。柴赫第原是軍人出身，他性情的暴燥在陸軍中又是有名的。所以儘管美大使韓德遜往來於伊王和總理之間，奔走調解，但熟悉內幕的人士報導，巴勒維王和柴赫第間的決裂，隨時可以爆發。

西德共黨領袖不能自保

西德共產黨在今年九月間的西德大選中慘遭挫敗，事後曾受到克里姆林宮一頓很嚴厲的申斥。他們的領袖雷曼為推諉責任起見，特召集中央執行委員會，把失敗的責任全部諉歸於該黨著名理論家克洛克一人，指責他向「階級的敵人」屈服而予以開除處分。然而雷曼本人雖找到了替罪羔羊，而僥倖躲過莫斯科方面的譴責，但不久以後，他仍會受到西德當局的拘捕。原來幾個月前，西德政府就已準備好了逮捕令，只因雷曼是下院議員，享有豁免權，一時不便動手。可是現在雷曼已競選失敗，再沒有這種特殊的保障了。等到他被捕的時候，西德共產黨群龍無首，大概只有轉入地下活動的一條路。

美尋求基地是臨時舉措

近年來，美國致力在海外尋求海空軍基地，最近美西簽訂基地協定，更使得美國原子轟炸機得以出擊蘇俄烏拉爾山脈下工業區域，但據美國防部的專家說，這些尋求基地的努力只是一種臨時性的措施，到了一九五八年，所有的海外基地就將失去原有的價值。因為那時候，美國已擁有足量的B——52巨型噴射轟炸機，可以自四千哩外或更遠的美國本土基地起飛，直搗俄國心臟。

羅共機師飛奔南斯拉夫

北韓飛行員駕着俄製米格機飛降金浦機場，是一個月前的重大新聞之一，但就在不久以後，另有一個羅馬尼亞飛行員名叫米海的，也駕着一架米格機降落在南斯拉夫境內。不過前者已公開宣佈，後者則嚴守祕密，而且南政府還決定米格機決不交還羅國，除非羅馬尼亞把拘禁的南國人通通釋放，那時再作考慮。（孟衡）

中華民國僑務委員會頒發[illegible]新字第一〇二號
中華民國郵政登記第一類新聞紙類

自由人

THE FREEMAN
（中華週刊每星期三六出版）
（第二七五期）
每份港幣壹毫
督印人：李光軍
社址：香港高士打道六六號
電話：七四〇五三
GLOUCESTER RD. HONG KONG
TEL: 74053
承印者：東南印務出版社
地址：高士打道六十四號
台灣特派員辦事處：台北市館前街五十號
台灣總經銷處：台北中華路新號五九四之一
台灣郵政劃撥儲金帳戶：九二五二號

論治道，並試作治道新釋

（一）對於儒，法，黃老三家治道的歷史觀

陳伯莊

治．道．三．體．系

在西方政治思想未侵入前的中國，兩千多年人們所談的治道，不外三大體系：即孔孟的儒家治道，申韓的法家治道，和黃老治道。嘗中國談論到三家治道，大抵都側重在道德的批判，很少研究到這些治道的歷史解釋。又因中國的社會結構SOCIAL STRUCTURE自漢以來，靜止於一治一亂的循環，誤認此靜止的結構爲必然的，不變的。因此，便覺得治道也該是不變的，「雖百世，可知也」的。觀中國沒有機會知道別的歷史系統——如西方歷史系統——從比較的研究，體會出「動」DYNAMIC才是社會的正常性，體會出中國社會結構之靜止爲偶然，而非必然。因此，未能了解到治道，是要適合社會動的需要的，是引導社會的動到一種理想境界的政治境理。

本文試從純歷史觀來討論三家治道，並指出從前錯覺之所以發生的理由，

孔孟的儒家治道，亦即所謂王道。其核心思想爲「仁」的一字，爲「先王有不忍人之心，斯有不忍人之政」。其治道的要旨，爲父式的仁慈，爲理想化的堯舜禹湯文武周公之政。其理論體系，成於孟子，而其被統治者之接受，直到漢武帝時才開始。先於儒家治道而實行的，爲法家治道和黃老治道。

最先實行法家治道的爲商鞅，他要富國強兵，毫不留情的摧毀了發展耕戰的障礙。這些障礙，也就是貴族階級的特權，也就是還藉着「先王之制」的威靈而存在的封建制度。人們對於古老的東西，是抱有「殺老牛，莫之敢尸」的畏懼的。所以他先拿徙木示信鼓勵觀聽的行動，來建立信賞必罰的新觀念。新觀念一立，他便立刻向貴族特權進攻，不分貴賤，一律施以齊之以刑的禁。他的變法是變制度，尚法是任刑，都以摧毀貴族特權封建制度爲目的的。變法的結果，是以絕對的權力，歸於君主，爲了權力一元化的新局面。

法．家．的．功．過

秦自孝公至始皇，用了法家，造成了強力統於一尊的大統一。從此以後，中國能夠發揮統一的大力，成爲東方的羅馬，是法家之功。同時，掃清了可以約制王室的任何權力，使英國式的憲政民主發展，無由出現於中國，這種發展在初期所憑藉的封建基礎毀盡了，是法家之罪。不分貴賤，一律齊之以刑，說爲「廷尉者，天下之平也」的法治觀念，是法家之功。（與繇之對漢文帝說：案件沒有交廷尉之前，天子隨便可以處理，交後便不得干涉。這正是法家的精義。[illegible]表示天子是制法者，不是行法者。）富國強兵而統一，養成了力的勝利感；絕對權力，歸於一人，養成了太阿在握的自肆感。初期毫不猶豫的打倒貴族，後期便肆無忌憚的酸刑峻法來防範人民造反，成了「力」的迷信者，是法家之罪。儒家的核心思想是「仁」，法家的核心思想是「力」。所以一則被尊爲王道，一則被斥爲霸道。

黃．老．的．治．術

至於黃老治道，實爲承法家「糅雜都要管」的大失敗之後，在感情上痛恨苛擾，（[illegible]來自民間，身受其痛）在理智上認識了力的限度（[illegible]之窮）來了一個百八十度的大轉向，[illegible]爲「一切最好不要管」。在漢初七十年後，恰恰碰上了大戰後農業復興的順境，大統一後版面擴張的順境。[illegible]

[illegible]嗎？老百姓最好是混混噩噩，一輩子不見可欲而「動腦筋」。明明是人事日繁的，他却想最好是小國寡民老死不相往來，這豈不是妄想停止了歷史動輪，揮其魯陽反日之戈嗎？英國十九世紀初期的放任主義（LAISSER-FAIRE）剛碰上了工業初期的發展，西漢[illegible]

儒．家．不．變．觀

儒家治道，是父式的仁慈，[illegible]

不．變．的．原．因

[illegible]遭遇，加強了儒家的理念，認爲得道則治，失道則亂，認爲治亂有循環，而治道是不變的，方式的政體是不變的，由於沒有另一個歷史系統，來做比較，沒有能夠從另一觀念找出社會內容循環。因此，本體的不變觀，動象的循環觀，而結構不變的真因。[illegible]

[illegible]才管，不易管而且不易收效的，一概不管」恰恰對這樣的客觀環境，非常適用。大一統的治術，最要者爲二。一爲不容人[illegible]

[illegible]民有生殺之權，一切以選舉制度來殺豬秀傑的「天民」。「從車千乘」，「俠以武犯禁」在所必消滅，這是收回生殺權的初步。操有致鉅富之源者，即有生人之權，鹽鐵國有，養士之資。官管均輸，在其始雖爲了財用，後來的鹽茶權政，其始亦雖爲了財用，而其效則把這些致鉅富之源收回，至少必使由此致富的鉅商，必須仰承官家的鼻息，（如鹽業制度）如此便收回生權。人民出入邊塞則難管，所以禁民出入邊塞，又把幾餘的生殺之權收回。選舉制度，在其始原爲設官分職之需，到其後，便得到「天下英雄入我彀中」的自覺。

不．變．的．結．果

這幾樣要政的結立，生產農村，商業，是怎樣呢？是窒塞了獨立商業的發展，窒息了殖民運動，窒擱了秀傑天民，窒塞了下層階級的自覺。於是在大山限其西，大海限其東的地理位置下，老在蔽塞孤立，微弱經過兩千年不變的社會結構中，演出一治一亂的循環。而其循環的基本動因，祗有兩個。一爲人口的消長，又其一爲王室傳子制度。

（以下轉第二版）

民族運動的新形勢（上）

黃兆棣

自由世界和極權集團的鬥爭過程中，民族主義的狂飆明晦起伏，它不論在民主陣營或在共黨體系內，都要求雙方同樣須要加以有效處理的嚴重問題。在共黨控制下的少數民族，要獲得合理的待遇；可是，民[illegible]抑爲自由平等的理想，概[illegible]

狂潮遍世界

熟識蘇俄少數民族運動的專家都認定最近蘇俄頭目馬遁可夫和特務頭子貝利亞的內閧悲劇，根本就與鐵幕後的民族主義的暗流，密切相連，因爲鬼影幢幢的克里姆林宮中赤魔們每感鄰國反叛心堅的少數民族，早就束手無策，連史太林生前也盡殘殺的鎮壓手段，依然解決不了[illegible]

越南三聯邦

[illegible]要求獨立的偏激行動。[illegible]

老撾王竟然靜居古色古香的王城內；難道他不怕共黨嗎？這不是怕不怕的問題，而是老撾要求獨立不果的消極表示；假如這個老眼昏花的小邦元首如此表現其臨危的消極態度，仍然不足以表達越南聯邦民族份子擺住獨立的憤激心懷，則高棉王施亞努亡命泰國於前，高棉政府七月二十二日要求法國立即許與獨立地位於後，法國總理內閣一面要應付越南共黨秋季大規模攻勢即將來臨，一面又不得不應付法國十八年來最嚴重的工潮，才迫而答應許與越南老撾和高棉三聯邦以大同小異的獨立！假如法國不是內有越南民族運動以叛會不會慨然許越南聯邦獨立呢？這是另一個使人滋疑的未決問題，用不着在這裏借題發揮，司馬懿過已失去強邦實力的法人執迷不悟，一誤再誤，其影響東南亞反共鬥爭的嚴重，任何人稍具識力的，都看得份外明白。

本週展望

雷嘯岑

共產黨人的造謠伎倆

在韓境板門店間戰俘們從事所謂「解釋」工作的中國共產黨徒，當着若干國際人士在場目擊耳聞的環境中，竟敢公然造謠，對華籍戰俘聲言台灣已在共黨統治之下了。這種當面造謠的惡劣伎倆，激怒了在場旁聽的西方友邦人士，大爲不平，認爲是可恥的說謊！

共黨本來是以說謊造謠起家的黑社會組織，試看列寧對其黨徒們指示的革命策略，只要是對本黨有利的，一切昧良心，傷天理，無廉恥的言行，都應該儘量發揮，才算是一個忠於革命布爾雪維克份子。中國人聽慣了，也看膩了共黨人物閉目造謠說謊的言行，對於他們在板門店所作無恥的謠言，並不感覺稀罕。他們在大陸上能夠對人民說原子彈用報紙就可以擋住的；在海外能夠將飢餓恐怖的大陸情形，說成家給人足的天堂。爲着要想騙回韓戰被俘的士兵，說台灣已經他們佔領了，這就是說原子彈可用報紙擋住的騙術一樣，是他們的拿手傑作！在文明社會的文化思想中，說謊是犯罪的行爲，然在共產世界却是革命者的最高道德表現呢！西方自由世界的人士，看清楚這項驚人的可恥事實後，對中共的本質可能得到進一步的認識和理解了吧！

秋毫的明見

在板門店被迫接受「解釋」的中國籍戰俘，百分之九十五以上，都堅決表示要回到自由祖國去。如是乎之駐在日本東京的西方人士，認爲現在台灣領導反共救國大業的自由中國政府的國際聲望已大增了！

衷心表示反共，擁戴中華民國政府的中國人，多着呢！姑不談大陸上的人民，即在海外的僑胞和流亡的政治難民，就不下兩千萬名。這些中國人類年不斷地冒險犯難，擁護台灣中國政府的言論主張，表現其崇尚自由，擁護台灣中國政府的萬餘戰俘。可是西方國家的政治人物似乎漠然無所介意，至今還要想把中國四億人類的生命作犧品，以換取中共的「和平」代價——不再侵犯西方強國利益的代價！

這足以察秋毫，而不見輿薪，我們對於這種「不慧之譽」，並不感覺特別興趣哩！

且聽下回分解

我們對於這次倫敦三外長會議的一項誠意諒解，却很感興趣，而且特別關心，那就是：「五强會議」代替韓國政治會議之說。

這一特別驚人消息，可與中共黨徒說台灣已經他們佔領了的謠詞，相媲美。共黨想藉此出賣反共的中國戰士，西方列強難道想以「五强會議」來出賣韓國的中國人民嗎？空穴來風自有因，我們自從板門店和談時，美國突然轉變，杜魯門時代的和談原則以來，關於美英政治家對遠東問題的用心，即已懷有莫大的戒心了。儘管杜爾斯回到華府時聲言美國對韓戰善後政策並無改變，並不足以澄清世人的疑慮，是假是真，要看事實纔敢相信啦！

美國終歸脫不了身

艾森豪政府對韓戰問題之軟化態度，完全爲的要在遠東實行「脫身主義」（DISENGAGEMENTISM）不願跟中共糾纏。在原則上，我們是不否認美國這項決策的。然若專以對共妥協姑息手段，以期脫身，結果是永遠脫不了身！

遠東的唯一大患就是中共，以姑息養奸的方法，求一時的擺脫禍事，這就有如用餌食誘使豺虎走入竹籬圍欄之內，而希望牠莫再出來傷害人。可能嗎？

美國駐在韓境的大軍數十萬，既證明非恢復韓國和平秩序，決不撤退，韓越戰又特予鼎援，沒有中共暴力，韓越之毀，根本即不會產生的，現在讓中共喘息於中國大陸，而欲遠東得到和平，固屬幻想，美國今後想在遠東脫身，更不可能，明知其不可能，又要試嘗，難道這也是「解放政策」不成？

祝華僑節

王世昭

（一）

華僑節何以可祝？從我個人來說，有如下諸理由：第一、我與華僑發生關係將近三十年，無論是旅行，無論是服務，前後也這五年以上。如果說到旅行，只算是關心僑務，如果說是服務，那我的本身就是華僑的一份子。而且，我在安南納過身稅，我在荷屬領過[illegible]書，我在馬來亞領過居留民證。今天為了受限制雖然不得入口，但我之為華僑是事實。所以，站在華僑方面來說，華僑亦有節，自當為之祝。站在華僑一份子來說，我不得不為自己祝，更應為華僑祝，因為自由中國政府並沒有忘掉我們身居海外的一千二百萬華僑。

（二）

第二、我記得在抗戰期間，七七蘆溝橋事變一開始，我曾在曼谷幾個學校演講過，如中華中學，如新民中學，如潮州公學，如黃魂中學，如其他數不清的學校，及其次至檳榔嶼，至實先達，至怡保，至吉隆坡，至新加坡，不是演講，即是串論抗戰必勝的大道理，前後學生，教徒，以及僑胞，我計算似亦不下五萬人。至於讀我論考的人，因報紙流通，更廣，人數當然更多，這就算我和東南亞僑胞直接接觸的開始，所以，我見到「華僑節」三字，使我不能自已，非說幾句話不可。

（三）

第三、為了抗戰時期，各地華僑所表現的情緒極熱烈，如歸賑，如捐輸，不一而足。至於一般青年學生，更復到處奔走號呼，思投効祖國而不可得。因此，我向當局建議，招收中央陸軍軍官學校學生前後逾千人以上，俱是破天荒的工作。過去唐繼堯、宋哲元、李濟深、海軍部，以及其他多少有心人想做而做不到的事，我終於做到了。為國家廣開招考了，為國家蒐羅人才，本也值不得自吹自擂，[illegible]我的目的，在希望政府培植僑生，不但從事於政治，經濟，以及其他工業方面，也都應該注意。過去日本人為了培養南洋以及東北的人才，曾開辦拓殖大學，以培養海外專材。我們政府為了事事落後，也許健忘，所以我不妨在這裏再提一提，多少總是有益的。

（四）

小的說完之後，現在讓我再說大的。依大的來說：第一、「華僑為革命之母」，這見於中華民國開國史。中山先生理解開國，非華僑，救國事業不能開展，所以鄭重地提出上面這一句話。今天，中華民族已到了存亡絕續之交，大陸上有賣國賊向新帝國主義者獻媚，為民主，為自由而奮鬥的中國人民，無論在台灣，在海外，所肩負的責任，我們無法加以估計，我們應該本着過去大無畏的精神，向自由世界申訴，向中國政府歡迎，反抗極權主義者進攻，以爭取國家民族真正的獨立，自由與平等，此其一。

（五）

第二、華僑向外發展，始於周秦，盛於漢唐，於東北及西北，如日本，如朝鮮，如印度。唐以後，偏於西南及東南海外，如安南，如暹羅，如緬甸，如馬來亞，如印尼，如菲律賓，遠假及於西班牙與歐美諸大洲。英國人以「日不落」自誇，我們華僑亦可以「日不落」自誇，今日居留海外一千二百萬華僑作為黃帝子孫的華僑，自可當之而無愧，此其二。

（六）

第三、華僑在海外發展之歷史，誠如史冊之所昭示，則日本與朝鮮，均為中國古代之殖民地。暹羅，如緬甸，如馬來亞，亦有與中國不可分之關係。至於其他，如波斯，北印，蘇俄，葡萄牙，西班牙，均曾有華僑足跡。一七七七年（清乾隆四十二年），有中國人羅芳伯，於婆羅洲建立大總制共和國，立國一百零八年，至民國元年（一九一二年），方正式歸併於荷蘭。這都是華僑在海外拓荒事業上的豐功偉績。自由中國政府於青年節，婦女節，詩人節，工程師節，教師節，雙十節……之外，定十月廿一日為華僑節，作為華僑向外發展歷史上的一個大鼓勵，在華僑創造歷史上是一種[illegible]，凡是欲為中國人，以及太平洋，印度洋，波羅的海海，總該靜靜地回想一下，此其三。為了我愛祖國，我愛華僑，我更珍重華僑歷史，所以當華僑節慶祝的今天，我不能不表白個人的感想，更不能不加以說明，華僑節在民族發展上，是有其深長意義的一

論治道並試作治道新釋

（上接第一版）不論孔孟治道怎樣好，不論開國英主，怎樣想盡方法，立盡制度，希望能夠維持政權之久，而無奈一傳再傳，必然產生昏君之主，三千粉黛的腐化，跟著來的外戚攬權，宦寺縱恣，僚紳，會變害民，一天甚一天的增加了人民的痛苦，增加了承平既久，人口日增而耕地緊迫，所帶來的痛苦。因此，治而再亂，成為必然的。亂後人口大減，易於施治，英主再出，政權有力，因此，亂後再治，又成為必然的。二千年來政權之轉移，不外循了三個方式：（一）人民革命，（二）外族征服，（三）權臣篡奪。而藩鎮割據，祇是權臣篡奪的局部化。

綜·合·的·說·明

以上對三家治道的歷史觀，是想說明幾點：（一）法家的治道，是促成了戰國至秦始皇這期內社會結構之轉變。（二）漢初的黃老治道，碰上了農業復興的順境。（三）漢武後的儒家治道，一、因為他道德精神的崇高，致生了權威的崇拜。二、因為大一統的治術，和地理位置，演出結構不變，內容循環，發生了社會本體不變的錯覺。合起來成了治道永恆的錯覺。「仁」是人心所同然的道德範疇，「父式的仁慈」，祇是合乎君主政體的治道。前者有永恆的價值，後者祇有制度的價值，而不能有永恆的價值。認明這點，和認明舊中國社會結構的靜止發生於兩個偶然的條件：（一，大統一治術；二，地理位置）再認明法家治道和黃老治道的過渡作用，我們便可想到今後實現民主，所該採取的治道是如何的。

（二）試作治道的新釋，附論王道

「道」的原始字義，是一條路，引伸言之，有韓愈的「由是而之焉之謂道」的抽象意義。把近代的話說來，便有「行動總路線」的意義。

為便於說明起見，現先以三民主義為例，指出中山先生對實現民權和民生主義的治道。民權主義給我們一個理想的政治結構，民生主義給我們一個理想的經濟結構。兩者都是存於理想中而冀其實現的社會結構。中山先生的「從訓政到憲政」是實現民權主義的行動總路線，他的「平均地權，節制資本，和發達國家資本」，是實現民生主義的行動總路線。假如我們可以說前者是實現民權的治道，後者是實現民生的治道，那末，「治道」兩字可以得到新含義，新解釋了。

民·主·的·治·道

為甚麼要把「行動總路線」作為「治道」的新解釋呢？驟然看來，這不是太過勉強附會嗎？不是削足適履嗎？唯唯否否。筆者之試作這個新釋，其理由是基於下列的當前一個迫切的要求，和把這要求略加分析後，便要碰到的兩個重要觀念。

實現自由民主，這是當前最迫切的要求。如何實現民主，如何在對共產黨作殊死戰的過程中實現民主；對這個最迫切問題的答案，便是在今天特殊環境下，到民主之路的行動總路線的前瞻藍圖。這必須是切中實際而又具有歷史透視（HISTORICAL PERSPECTIVE）的前瞻。是任重道遠的施政之道，所以我們便可以說，這是今後實現民主的治道。

從這個問題觀點，便立刻碰到兩個重要觀念：一，（甲）為「治道」或「行動總路線」，在政治理論上，應該怎樣安排其地位，二，（乙）中山先生對於王道是稱許的。王道就是儒家治道的精神。在人類進步的全面觀方面，和在中國歷史延續性的個別觀方面，對王道精神，該作怎樣的批判。

實·現·社·會·價·值

（甲）政治是以心服（說服）和力服（強制力）來實現社會價值的行動。如自由、平等、博愛等等社會價值是政治行動之目的。所謂「政者正也」，係以行動來建立所以實現社會價值的制度，來糾正或禁止一切防害這制度的行為。民權主義所想像的政治制度，和民生主義所想像的經濟制度，即所以實現自由，平等，博愛等社會價值的社會結構。社會結構是邏構，政治及經濟制度即為構成社會結構的各別個體。社會價值是人心之所同然的。主義所想像的社會結構是超個別國家，超個別歷史系統的。因為他所要實現的社會價值，為人心之所同然同尚，故其所想像的社會結構有普遍的可用性。但一到施用於一個具體社會，一個個別國家，便要理會那個別的國情，個別的國際環境，歷史延續的和其當前的社會結構與內容；針對這個別的種種，而談到其行動的總路線，總指向，這是何等重要的東西。從當前的起點結構，走到理想結構，在施政上要行得通，必須要有透視歷史的遠識。這樣的總路線總指向，其概括性自然要很大的。愈概括，則愈抽象，但以其針對實際，又不能不有具體性。總路線總指向為更具體的政策所由生，所以他比政策為更抽象。他既為「由是而之焉」的政治總路線，何妨稱之為治道。正以其極端重要，所以要特別注意，正因為要吸引注意，所以才試提出一個生硬名稱把他絆住。

治·道·是·變·動·的

再以民權主義為例，「從訓政到憲政」是治道，而建國大綱即為由此而生的政策。而以後種種自治法令又為根據這政策所發生的實際行動。如作圖解說明之，可如次：

社會價值＝政治目的
↓
主義＝＝理想的結構
↓
治道＝＝行動總路線
↓
政策＝＝具體方案
↓
法令＝＝實際行動

由此觀之，「治道」為承上起下的關鍵。顯然的今後在對共產黨作殊死戰的過程中，必須有一個切中實際透視歷史的「治道」，以實現民主的治道，以為今後政策法令的總指向。

再把舊日的儒家政治思想，作一個圖解，可如左：

社會價值＝仁澤
↓
主義＝不變的君主政體
↓
治道＝父式的仁慈

從這兩個圖解比觀，[illegible]

王·道·與·霸·道

（乙）[illegible]

愛特諾爾不參加路透葬禮

西柏林市長路透逝世，各方哀悼這位偉大的反共鬥士者頗不乏人，當路透市長卜葬的那天，盟國和德國的重要官員紛紛前往執紼，甚至許多東柏林和東德的民衆也偷偷跑入西柏林去瞻仰路透遺容的。在執紼的重要人物中，唯獨西德總理愛特諾爾沒有參加，當時政府發言人解釋愛氏不會出席的原因，是因為「患病在床深感不適」，但另一方面的消息卻證明愛特諾爾在療養地談笑自若，了無病狀，這一件事傳開來後，西德重要人物中對愛氏不滿的日漸增多，本來愛特諾爾與路透面和心不和，早已是公開的秘密，原因之一是愛特諾爾在國際間有崇高的聲望，全德國中唯一能和他比擬的，只有這位已過世的路透市長。因此愛特諾爾沒有參加路透的葬禮，表面上雖然平常，但在一般西德重要人物的眼中，卻也一件足以顯示愛特諾爾風度與容量的大事哩。

捷克京城成為共諜中心

義大利警察最近在西北部的重要工商業中心都靈捕獲七個共黨特務，由這件共諜案更發現了一樁重大的秘密，據這些被捕的共諜招供說，捷京布拉格現已成為蘇俄在歐洲的間諜總部，共諜們都在那裏接受特別的訓練，訓練完畢後由校方發給假護照，金錢和其他必要的應用物品，然後潛赴西歐各國，執行其破壞與偵查機密的使命。

美英設計低飛快速轟炸機

美英兩國的飛機設計專家日前曾舉行秘密會議，討論的主題是如何製造一種能避過雷達偵察網的轟炸機。他們認為目前的防空武器日新月異，進攻的飛機一經雷達網發現，鮮有不被擊落的。因此要達成轟炸敵方目標的任務首須保持行動的秘密。經過大辯論的結論，他們決定唯有一種低飛而速度奇高的轟炸機，始能避開雷達的追蹤，出其不意地完成轟炸的使命。參加這種飛機設計的，除美英專家外，還有加拿大飛機業鉅子。（孟衡）

編者讀者

[illegible]

災荒嚴重生產銳減 中共財經空前恐慌

急令厲行節約緊縮開支

據北平消息：中共官方最近公開承認，目前中共之財政經濟狀況，業已困難至恐慌的程度，由是，上月初偽政務院和人民日報曾同時分別發出緊急命令和社論，要全大陸所有機關，立即緊縮開支，要全大陸所有軍公人員及人民加緊「節約」；要全大陸所有各「國營」工商機構及稅務機構努力增加生產，增加利潤收入，增加各項稅收，超額完成各項計劃；並要各級地方「政府」督促各地農民加緊救災、保種、搶種、護流。接着，偽政務院特於上月十四日召開「中央人民政府委員會」第二十五次會議，由偽政務院副總理兼偽財政經濟委員會主任陳雲提出財政經濟報告，進行研討，力圖應付危機。報告及會議內容，中共堅守祕密，未曾公佈。惟據北平若干官方新聞透露，中共將於短期內進一步採取若干非常措施。

關於造成中共財經空前恐慌的原因，據上月十五日天津大公報透露的消息及人民日報在社論中所檢討的情形，主要有下列數點：

農村多災

一在農村方面，由於大部地區連續遭受水、旱、虫、風、霜、雹等災害，及使去年的冬耕，大部受損，造成夏收的荒歉，影響了中共「農業稅」夏季征借的收入。尤以因上述災害之故，今年大部地區的春耕甚多未曾完成，已註定今年的秋收，為空前未有的荒歉，勢將更嚴重地影響中共大部份的農入預算，造成財政經濟上空前的支絀。

工業衰落

一在工業方面，今年上半年的工業生產大多沒有完成計劃，而且大部產品質量低劣，成本昂貴，浪費嚴重。尤以中共中央各工業部門及地方企業完成上繳利潤及折舊費計劃的情況，一般的都很差。因此，往往都影響了中共工業方面的收入，也造成財政經濟上的困難。

商業虧蝕

一在「國營」商業方面，因今年上半年對市場估計不足，大多沒有完成銷售計劃。且大多管理不善，措施失當，損耗甚大，虧蝕甚多，致大多無法上繳利潤，影響了中共在商業方面的收入，也增加了財經的困難。

稅收銳減

一在稅收方面，既因農村災荒而減少了「農業稅」的收入；復又私營工商業的日漸萎縮而影響了中共在城市方面的稅收，也增加了財經的困難。

一是在所謂「基本建設」方面，因為中共執行第一個五年計劃，已在今年第一個年頭盲目地支付了大量資金，從事各種工程建築，一旦遭遇到經濟上的困難時，已無法緊縮，亦為中共財經上的上一大困難。

最後，另有一個極大的原因，而為中共所諱言者，即[illegible]的驚人消耗，顯然會逐年加重中共在財經上的虧負。

開源節流

當然，中共已在財經上遭受了如此嚴重的困難，自須竭力設法加以掙扎，但偽其掙扎的方法，仍是側重於節流，而所謂開源，仍以加緊奴役及搜刮算不二法門。

關於節流方面，據人民日報的社論所論：要節約的人再不能作揀要論，節約完全是一句空話外，主要的，還是要中共所有的機關和企業厲行節約，緊縮開支。社論指出：第一，一切部門，都要堅決削減那些可以削減的，可以推遲的事業投資和可不辦的事業投資。第二，一切機構，都要精簡、併縮，節約行政支出；原擬增加人員，所有冗員，予以裁撤；各部門編制，重新調整。第三，要動員幹部、軍民，並注意節約糧食，要各機關部門提出節約糧食的具體措施和主要要求。

最後，人民日報的社論曾大聲疾呼的提出，要各級黨的組織和各級幹部，保持清醒的頭腦，精確的計算和掌握收入與支出，克服一切困難，由此以觀，中共的財經困難，確已空前嚴重。

加緊搜刮壓榨

關於開源方面，其一是要社論提出「增產節約」計劃，俾增加收入。方法是：一方面加緊工人的奴役，再度展開「增產節約」競賽運動。總工會於六月十五日發出緊急通知，並已逐步展開宣傳及挑戰應戰。其一是加緊對農民，要各地縣區鄉動員農民，救災、搶種、護流，並要農民自動增產，以應付秋收後的「農業稅」征借，其二是加緊對城市的工商業者加緊「整頓」秋季稅收，一方面重新調查城市的稅源，增加工商稅的征收。其三是要加緊對所有「國營」一企業大力組織物資交流，擴大購銷計劃，增加利潤收入。

江蘇強併集市 造成農民流血

江蘇省錫山一帶各縣鄉，中共為了便於買賣農產品及各種生活資料，例有甚多大小集市按期進行，已成習慣，極為便利。惟最近共當局，為企圖嚴密統制市場，控制貨源，突下令各縣強併各處若干小集市合併為大集市，實施監督交易，乃造成甚多不必要之流血事件。據悉造成流血之原因，係各小集市農民往各大集市買賣甚感不便，且損耗甚大，乃仍多就近覓地祕密交易，卽為共幹採悉時，竟派大批民兵荷槍實彈，大肆圍捕，農民乃紛紛驚慌張中逃避時，發生甚多跌傷、踏傷、誤傷等事故，甚至發生因民兵用槍過猛而死人的慘案。

祖國搶救失學僑生

海外青年學生高中畢業以後，繼續升學或就業，確是一般僑生極感嚴重的問題。許多僑生都有意於就地升學，但格於環境，易得尚在籌備中。香港唯一最高學府「港大」，每年學額有限，而升學青年，大多被擯於門外。自由中國的大專學校，容量有限，也不能盡量收容以萬計的高中畢業生。今年港九各校畢業及格的港澳學生共六百餘名，已分兩批返國。這是解除了僑生心頭的一個結。他們頻年在子弟們高中畢業之時，耽心被共特們誘往大陸，因不獨斷送了學業前途，甚至被迫着送上火線去當肉彈。一般青年學生對大陸上的真實情況，顯然不甚明瞭，以為只要有書可讀，有學可升」，很易惑於共黨「回國升學」的宣傳，然一經蠱惑，後悔已經不及。假如一個頭腦清醒的學生，他就不難意識到共黨大專學校容納學額漫無限制，不加考試的原因何在；以此與比自由祖國在海外招生的有一定限度和嚴格的考試，即可獲得結論。今年暑期中南洋各地被共特們誘騙回去，離開了家庭出走運往大陸的僑生，除少數被共黨外圍組織之職業學生接受共黨教育外，均被置於「招待所」或「甄別」，此種「甄別」，乃係清算鬥爭而已。

中西名流救助青年

失學與失業青年的數字增加，足以形成一個嚴重的社會問題。香港熱心慈善與社會福利的中西人士，最近籌設了一個救濟失業青年協進會；旨在救助十八至二十五歲的失業青年，免於誤入歧途，淪為社會的敗類。此一純救濟性的機構，在政治上僅具有重大意義，對於共黨的陰謀，不啻當頭一棒，今後將無機會誘惑無知青年作犯罪的勾當。根據當局統計，五千零三十九名青年囚犯，正進行感化教育，百分之九十七可望於習藝所中接受管教並重視的生產技術教育，各界人士對救助失業青年協進會前途，咸寄於莫大的期待，相信對於社會安寧的貢獻極大。第一期登記日期自本月二十三日開始，至十一月二十二日截止。中學程度，本身技能，家庭實況與登記目的各欄均特別注重。

教司修訂小教課程

港九中文學校的小學一至六年級標準課程，將自下學年開始時採用。港九教育司署委出官員與邀約專家及現任教師組成的「中文學校課程及課本研究委員會」，最近已將部分的課程訂定，採取漸進辦法，由教師酌助逐漸更改。此種標準課程，現經擬定算術、社會國科，除「社會」有顯著的修改，「算術」大致與目前的課本無大差別。

讀者來書

文壇兩蠹

·東日堯。

（一）

如今「門羅主義」作風在自由中國文壇上，確令一般無名作者戰慄了！台灣出版的文藝刊物不在少數。雖然照例堂堂皇皇刊出徵稿辦法，表示歡迎投稿，發掘新作家，可是當你受了這樣的鼓勵，大膽嘗試，——把寶貴的「心血」下了郵信筒後。一星期，兩星期，往往石沉大海，下落不明！有時一個多月稿子方被退還！這一連碰了幾次釘子，你自己會感覺到太沒面子了，換一家試試看吧！也同樣的一兩次失敗下來。這是氣餒了，對自己寫作能力起了懷疑，是自己的修養還不夠，文章不登，不能怪別人，應怪自己。然而你若把那些已發表的文章一一拜讀，不能不使你倒抽一口冷氣。再把這些事多請教一些有經驗的朋友，你便會恍然大悟，不至再把自己看得過份無能了。

（二）

打開四五本不同的文藝刊物，作者大名，都很熟悉，一期，二期，幾期元老，從不缺席。這裏是他們，那裏也是他們。往往會使讀者感覺到自由中國寫作人材實太缺乏，除了這幾位就再沒有別的人了！「朝裏無人莫做官！」這句老話似乎也適用於文藝圈子裏。包辦式的文藝，是永遠無法發掘新人材的。不但如此，多少有希望的作者，在這種情形下，誤認自己真的不行，也再沒有勇氣執筆，只有改行了！

（三）

此外還有「偏見主義」也是窒息新作家的一個大敵。編者有他自己的一套觀念，來稿不合他的口胃，一概拒之千里外。推此偏見種類：不外政治性空喊口號，劇式的反共八股，變言情和七拉八扯的趣味文字，作一個實的文藝刊物編者，決不能插入自己個人的私見，他只能根據，為人生而文藝，為反映現實而文藝，為具有價值性的反共工作而文藝，為文藝本身達到真善美而文藝。若為原則來觀察投來的作品，來稿只要是在這些範圍內，能做到合乎水準的，不論他的中心思想是什麼，表達是用什麼方式，如何發揮，都可以被接納，「偏見主義」將會使作者變為他的傳聲筒和應聲虫，把自己的面目失去了，因為怕自己的作品不被採用，於是便不得不遷就刊物的內容和作風，××刊物是「反共八股」，於是作者便用盡寫作的技巧，來構成一個幼稚可笑的反共故事。結果，作品固然是被刊登了，可是已經失去了作者原來的靈魂，變成一個無血無肉的東西？

文藝是獨立性的東西，他有他的自由，決不能受制於政治和金錢以及一般低級人們的脾胃。

（四）

「門羅主義」和「偏見主義」造成了今天自由中國虛有其表的文壇，老作家一天天地陳腐，新作家永遠抬不了頭！就是因為那些有希望的作家們沒有機會讓他們發揮。不然今天是一個富有歷史性動亂的時代，照理應該有驚人好作品產生的，何以還是那麼地死氣沉沉呢？

新書評介

評：祖國江山戀

著者：易君左　出版者：平安書店

定價：港幣二元

前言

在香港林林總總的出版界當中，我發現了一部是有文藝性的山水遊記。這便是易君左著，最近出版的祖國江山戀。他在題詞裏說：「隔一重河，一重海，一重山，一重天，祖國的大地啊！你是這樣的慘變。這三四年來，你的哀淚湧成奔泉；雲霞般的美夢。我依然想把夢幻作了天旋地轉爛，讓年青的人在海外和祖國相見。用最大的熱情，蜜吻我們土壤，永遠不會失去的愛，像花一般豔。」只從這些詩句，給我們描上一個明麗的輪廓，閉目遐思，神遊九塞，震動了我們的心弦，騰沸了我們的熱血。

樂山與樂水

祖國江山戀，內容包括廿六篇遊記，他遊過的名山勝地，計有、泰山、廬山、黃山、九華山、衡山、青城山、峨嵋山等，此外又有江南的風景，塞上的風景，和遊台心影，依他的遊蹤來說，中國東西南北的地方都走遍了。他所寫的遊記，完全打破舊式山水遊記型，從舊文體中解放出來。譬如我們讀過清人姚鼐，薛福成、張裕釗、林紓的遊泰山記，總覺得他們之間，「神理氣味，聲色格律，」有點相似，如果讀作者泰山絕頂觀日出一篇，描寫的手法便完全不同了。他用畫家的手法來攝取遊山玩水的精華，他用攝影家手法表現東方的藝術美，他在山水文學方面，給我們創造出新的體裁和風格，不讓酈道元的水經注專美於前。

論語上說「仁者樂山，智者樂水，智者動，仁者靜，智者樂，仁者壽，」從這幾句話，我們可以悟人生大道理。人們種種慾念、妄想、憎恨、貪癡，如果接受山水的陶冶，自然能夠把它洗刷淨盡。使我們「悠悠乎，與灝氣俱而莫得其涯，洋洋乎，與造物者遊而不知其所窮」（見柳文始得西山宴遊記）使到我們人格美化，流亡和僑寄海外的青年，以及台灣八百萬同胞，還記起祖國江山的美麗雄奇嗎？「一寸山河，一寸傷心地。」大家想起這句話。應該作什麼感想。因此我們應該由樂山樂水，進一步到管山管水。應該具有岳武穆待從頭收拾舊山河的信念。不應徒效古人的臥遊。這便是我推薦本書的用意。

情調與意境

寫山水遊記的，前人多推柳宗元，如曾滌生求闕齋日記說「柳子厚山水記，似有得陶淵明冲淡之趣，文境最高，不易及。」王鎏震澤長語亦說「吾讀柳子厚集，尤愛山水諸記，而在永州為多，子厚之文字益工其得山水之助耶」，不過柳宗元的時代和環境，和我們不同，今天我們更須要揮動淋漓的大筆，把描寫範圍擴大，把山水的特徵發掘出來，去激勵青年們熱戀祖國土地的情緒。

作者對於事物景象的欣賞性和批判力是相當高強的，因此他能夠發掘山水最佳處，使到情景交融，像辛稼軒說「我見青山多嫵媚，料青山看我亦如是」。這便是情能生文，文能生情。這非對哲學和文學有豐富修養說不出來的。書中記江南風景如松江的鱸魚，南湖煙雨樓等篇，充滿了詩情畫意、至於描寫塞上風景，如大草原情調蒼涼，「踏破賀蘭山缺」等篇，則渾浩流轉，跌蕩陽剛有奇氣，說到他的文字，陽剛與陰柔之美，實兼而有之。

解放與創造

尾聲

這部書插入了不少詩歌，那是君左詩選中曾經登載過的，在某些地方獲得一強烈的對照，使人對他的詩歌獲得進一步的瞭解。登載的圖片卻嫌過少，不及旅行雜誌圖片的豐富玲瓏。在整部遊記來說，我個人最喜歡的還是有關西北的記載。

·王君實·

瓦爾加的末路

•且文•

游羅•瓦爾加，匈牙利的著名馬克斯經濟學家，在蘇聯一向是個顯赫的人物。共產國際時代所出版的國際通訊宗期刊物，每年照例要刊載四篇世界經濟與國際政治報告，每三個月一篇，向來都由瓦氏執筆。他同時又是史達林有關經濟問題的私人顧問，[illegible]濟政策的主要設計人。在共產世界的「學者」羣中，像瓦氏擁有那樣崇高地位，並博得世界性的聲譽者，還找不出第二個人。

從共產國際解散，瓦爾加的名字，也不大見於報端了。戰後第二年，一九四六年，他出版了一本，稱爲「世界第二次大戰後資本主義的經濟變動」的著作，[illegible]

[illegible]更高。當時自然立即遭受共黨官方駁斥與圍攻。到一九四八年，他又[illegible]，認爲美國可以把經濟繁榮延續到二十年之後，因而斷定蘇俄在冷戰中沒有迅速取得勝利的希望。結果他又遭嚴譴，被罷免了一切職務，[illegible]

[illegible]這是他的眞知灼見嗎？老境頹唐，不能不阿取容，這是瓦爾加的悲哀，也是蘇聯學人共同的悲哀。

日光的利用

科學家預料，日光的熱力，可能代原子能而成爲改善人類生活的主要因素。

蒙覗譯

法國科學家最近舉行了一種驚人的表演，他們把一根鐵支放到陽光下，幾分鐘後，鐵支便開始冒煙，再過一瞬，又像牛油般地溶化了。

他們是在耍魔術嗎？不是，這是全靠鏡子之功。

這些鏡子是世界最大的陽光爐的一部份，這座爐子設在四千八百呎的路易士峯，法國邊境庇里牛斯山峯，四圍風景優美。

法國建造這個陽光爐，是在三年前，所運用鏡子，有的高達十四呎。這三年來，法國在利用陽光以產生高熱方面，已有實大進展。

此爐的熱力來源，全賴陽光，其結構並不複雜，但具有大小鏡子三千五百面之多，形成一個碗狀物，使陽光得以集中，遠看起來，它頗像一個巨型湯盆。

法國科學家[illegible]，已產生攝氏六千度高熱，而鐵熔解點僅爲二千七百九十五度。

[illegible]

不過，今日的科學家卻要將陽光的熱力用於工業方面。陽光如以特殊器械予以吸收而不集中，將能供給房屋、煮水、產生冷藏，和推動陽光馬達。如予集中，陽光更能溶化堅金屬，即通常熱度所不能溶解的金屬，並能試驗化學品，製造玻璃，以及產生[illegible]業所需的[illegible]

[illegible]

路易士峯的陽光爐，建造費用達五萬美元，不過科學家設計，將來大量生產後，其造價即可大量降低，而且不需要燃料支出，其維持費也極低，故仍較普通爐子爲合算。

法國在路易士峯實際還有三具陽光爐，都設在路易十四世的偉大軍事工程師伏邦所建的古堡內。最大的一個，高四十尺，另外兩具較小，它們運用防空探照燈的蔡斯反光鏡作爲集中陽光的反射器。

那具最大的，具有二面反光鏡，其一是個固定的碗形鏡子，其工作是集中陽光，反射到一個導熱體，將[illegible]的高熱傳導到需要的地方，另一是由五百塊普通門窗玻璃拼成，形成平板狀，擊日隨太陽旋轉，將日光反照到那碗形鏡上。

這三個日光爐的作用都極爲成功，因此，法國的科學家正準備再造一具更大的，其鏡子將達一百呎闊，二百呎長。

最近蘇俄曾宣佈也已製成日光爐，可見東西雙方，除了原子能競爭外，對於這一個免費的自然熱能來源，也正在激烈競爭哩！

金縷曲

次韻蘅約　•懷冰•

醉撥胭中鏗。賞詞仙流傳麗句。殷勤求索。暫息居龍懷絕技。吾愛吾廬今吾。問俗士。可殊褊蟲。美譽華空同水月。笑紛紛辯說徒堅白。能御萬。宜持一。瓊樓宴罷無消息。想當傷麟怨鳳。我亦狂客。崔顥題詩誰繼唱。擱了賸粉詞筆。恨苦雨。殘英狼藉。日上枝頭春睡足。寫新聲。恰爲嬌嬈憶。多少事。付潮汐。

送友赴台灣

•紹華•

平居思故國。握手語悲辛。
陳勝能張楚。魯連不帝秦。
青春須作伴。白日沒星辰。
笛並蘭舟發。滄波縱錦鱗。

街頭出現失業漢　援手請早

美僑義務做帶街　壯士就範

在港美國僑民與教會方面人士，爲了使他們這些異地的海上健兒來到香港渡假時，得到適當照顧與便利，免得這些久蟄艦中的壯士登陸後縱情恣慾，沈湎於酒色之中，予人以不良印象，特地於早時組織了一個機構，專門指導登陸休假的士兵遊樂購物，派人陪同觀光這東方佛灣的景色。這機構雖尚未有固定的工作處所，正式開始工作，但最近已可見到穿着便服的美僑伴同着一羣白衣勇士們經過大街，實際上是已在爲他們同胞義務服務了。此後這些海上英雄將就範了吧！這是値得稱道的事。

這一機構在告士打道海傍分域道口修建的碼頭與辦公室，不久即可完竣，碼頭上蓋已築好；等待接連碼頭建造的小屋最後工程結束，加以佈置後，即可開放使用。

× × ×

近來港九各地的街頭騎樓下，不論白天或是夜晚，多可以見到三五一羣，或單獨一人的年青漢子，躑躅徘徊，也有蹲踞一隅或蟠縮街邊；他們當然衣着襤褸，面露菜色，看見行人經過時，會伸着手，羞怯的，低聲地向你申訴他的遭遇，希望得到一點施捨。

他們是我們慣見的乞丐嗎？不！他們中間也許有些是逃出鐵幕流浪此地的避難者，但大部份是失去了工作，沒處棲身的失業漢，度着求乞的日子！他們多數是年青力壯能夠工作的人，目前是因找不到職業才潦倒路旁，是値得社會人士同情的一羣。

這是不景氣籠罩下的香港必然現象，但不是不可消除的。希望此間的勞工團體與慈善機構，快些籌商善策，對這羣人予以援手，安頓他們。秋涼了，多天快將來臨，趁現在問題還不嚴重的時候，設法解決，否則「狗急」尚且會「跳牆」，人到了絕路的時候，何事不可爲哩！

島上風光

如要過波癮　乃可飛簷走壁

一九五三年——五四年度的香港足球季雖已開始至今將近一月，但可以使球迷一飫眼福的比賽，仍是未有舉辦，有的僅是屬於「水皮」之類而已。原因是新建南大球場工程尚未完工，還得假以時日，才能使迷哥迷姐們，雄踞石屎看台之上飽嘗球味。不過很多「餓波」之人，已急不及待，不管「水皮波」及球場高掛「拒絕觀戰」的擋駕牌，他們可好少理，竟顯出「飛簷走壁」「上山落草」本領，照樣一過球癮，令人可佩！

南華場完工　尚有一月開放

嘉山南華會的工程已大部完工，即可使用；惟據說按照工務局規定，依照建築法例，一件建築物需要經過六個星期才能准許入住或使用。故如此看來，距開放尚有一個月的時間，那時，好戲碼將連續演出，使到愛好此道者看到眼倦，好波太多了。愉園場據說本月二十四日即可啟用，南傑大戰月底定可該場演出。

溥儀出宮目擊談（上）

•狷士•

民國十三年多天，筆者在北平，那時正是喧傳溥儀被馮玉祥逼出清宮，過後不久，故宮開放了，任人參觀，我原和被故宮的人員張玉衡先生有世誼，他的引述，所知的情形，比較道聽途說的稍爲詳盡，那天我隨張氏參觀了溥儀所居的宮室如養心殿等處地方，最有趣的是溥儀的臥室，被褥尚未整理平正，好像才睡起的情形，檯上還有咬了一口的蘋果，盤內的刀上還遺着果皮，顯然是他出宮前的餘餘，看完出來，張君約我到他暫住宮中的小屋內吃羊肉刷鍋，（這小屋在神武門內，窗外正對煤山）我們爐邊談話，我曾詳細的問他溥儀出宮的經過，一面我用日記本，將其所談重要的部分記出，現在將以前整理好的談話，摘要刊布如下。

張氏說「十一月初四晚上八點鐘，馮煥章（玉祥）忽來電話叫我和鹿瑞伯（鍾麟）去他軍部，鹿那時有病，於是我一個人去到廟檀寺馮的軍部，（那時稱國民軍總司令部），見馮後，馮說，咱們前天談的事，現在到時候可以辦了，我當時愕然，一時摸不着頭腦，他看見我不大明白，又說，就是那個小孩兒的事，我就問馮如何辦理，馮說你可以和瑞伯便宜行事，我說這事體重大，應該由你下命令才妥當，不然以衛戍總部和警察廳去辦一定要引起外界誤會，馮連說好，好，並叫我立訪黃郛，我到黃宅，告以此事，黃立刻召集臨時閣議，我亦列席，半夜才散會，議決修改清室優待條件，命令衛戍總部及警察總監執行，我當時又到鹿處，告以此事，並將命令留在他處，分令各警備部門。初五早上八點，我又到鹿處，鹿說，「就是我們二人進去嗎？」我答，「是的」，鹿說，「只我二人不甚妥當」，我說，「你是否怕外人造謠，處於嫌疑地位，想人來作證人嗎」？鹿說對的，我說，「請許多人，事實上做不到，只好請社會上所信仰的一二人來作證，比如李石曾先生，他主張驅逐溥儀出宮以完成革命，且與國民軍諸公常談及的，所以我想到了他，」鹿甚贊成，即電話約李氏來天安門，告訴他這事原委請他作證，李甚贊成，於是同入故宮，那時已經九點半，我們又調保安隊二隊布列神武門外，那時守衛故宮的禁衛軍已調往北苑改編了。

談「莫須有」

•秋柳•

——讀史劄記之一——

岳飛之死，爲宋代的一大冤獄，因爲他只是死於「莫須有」三字，歷史上稱爲「三字獄」。這莫須有三個字究竟又是什麼解釋呢？

按照宋史岳飛傳上說，那時万俟卨等誣告岳飛之子岳雲，及女壻張憲虛申軍報，作爲岳飛企圖恢復兵權的罪證。韓世忠跑去質問秦檜，而秦檜對他說：「雲，憲書雖不明，其事體莫須有！」世忠曰：「莫須有三字，何以服天下？」

莫須有三個字翻成白話文，是未必沒有這件事吧，有人嫌他口氣不夠強硬，以秦檜處心積慮要殺岳飛，（事實上韓世忠來質問時，他已殺了岳飛啦。）而別人向他詰問其事，要他拿罪證出的時候，他豈能還帶着這種保留的語氣，似乎不是秦檜之當日所處地位來說的話。

因而清人徐乾學的資治通鑑後編中，爲了進一步刻畫秦檜的猙獰面目，確證其害賢之出於陰謀，曾把「莫須有」三字改爲「必須有」。但這種改法畢竟曾使歷史失眞，未免有畫蛇添足及削足就履之譏。

又據前清的考古家俞理初（正燮）的「癸巳存稿」一書中，指出乃是古代斷句斷錯了，致使後人感覺其分量不夠。他的意見，其正確的斷句應如下：

「檜曰：雲，憲書雖不明，其事體莫，須有！……」

意思則說，秦檜當時是說，「這事體沒有嗎？是有的。」俞氏認爲：「秦檜驕蹇，反詰世忠，謂其事體莫？似若疑遲審度之，而復自決言其須有，而世忠不服，橫截其語，牽連爲一句，言莫須有三字何以服天下」也。他爲了證明「其事體莫」可以斷句，並舉了論語上的「文莫」爲例，又旁證宋人劄記數種爲證，亦均似有所本。（上）

中華郵政登記認爲第一類新聞紙類
自由人
THE FREEMAN
（中週刊逢星期三六出版）
（第二七六期）
每份港幣壹毫
督印人：李光軍
社址：香港高士打道六十六號
電話：七四〇五三
GLOUCESTER RD. HONG KONG
TEL: 74053
承印者：東南印務出版社　地址：高士打道六十四號
台灣特派員辦事處　台北市館前街五十號
台灣總經銷處　台北中華路新號五九四之一
台灣郵政劃撥儲金帳戶九二五二號

政治家需要些什麼學問？

現代政治家需要：通曉社會學和廣泛深刻的經濟學識，對各項科學專家要能夠熟悉。

．徐道鄰．

在中國的傳統文化裏，政治和學問是分不開的。讀書人所學所習的，無一不是搞政治——即所謂『修齊治平』，所以他們自然的發展，是『學而優則仕』。他們全是在『修其天爵以要人爵』，所以他們的『學問』，也可以說無一不是政治學問。

政治和學問分家

在西洋的文化裏，除了柏拉圖主張過哲人王國之外，政治和學問，一直是分家的。有七八百年歷史的大學教育，神哲法醫四科中，一直沒有所謂『政治學』。所以啟明時代的哲人，無一不醉心中國文化者，中國之以政治爲一切學問中心，無疑是使他們最嚮往的一點（就是說，他們自嘆政治學問之缺乏）。

從十八世紀起，經濟學的發展，才使西洋學術中開始有一門比較有政治性的學科。十九世紀末，德國有『國家科學』STAATSW ISSENS CHAFTEN 一個名稱，實際上就是經濟學。法國並且有一個『政治大學』ECOLE DES SCIENCES POLITIQUES，許多外交官和中下級公務員，都是這個學校出身。不過在政治和學術上，似乎全都沒有多大成就。美國許多大學裏，全都設有政治學系，政治學的課程，更十分普遍，但是在政治上有地位的人，則似乎大多數是法科出身。

有計劃的運用學術

可是無論如何，到了二十世紀的五十年代，在一切學術發展的迅速化和專門化之下，我們前面的問題，恰恰是一個倒轉：就是說，我們的困難，不是在政治上爲了解決某一些問題，缺乏種種專門學問，而是我們缺乏知識和勇氣來運用種種專門學問來解決我們許多重要的問題。我們所缺乏的，不是學問，而是學問的運用。我們有了足夠的研究學術的經驗，但是還沒有足夠的運用學術的經驗。

本來學術之被有計劃的運用，還是人類進化史中比較晚近的事實。西洋的物理科學，從十六世紀起[illegible]到了二十世紀初，跟着泰勒主義 TAYLORISM 而興起的『科學管理』SCIENTIFIC MANAGEMENT 運動，把心理學和心理技術[illegible]

戰爭和科學的運用

[illegible]

社會科學的新武器

[illegible]

巴爾幹的新形勢

[illegible]的港問題的重大意義，不在的港本身，而在它與西方在巴爾幹建立防蘇陣線的關係。

本年二月二十八日土、希、南三國訂立三角同盟公約，是西方對抗蘇聯的一個可貴的勝利。難怪邱吉爾首相說：這個新巴爾幹公約是北大西洋公約陣線的一個重大的發展。因爲該線的南側翼防禦立刻加強起來了。不但三國本身防禦加強，而且西方實有欲由此而發生吸力，而擴大一聯個巴爾幹眞正的結合，隨而破壞了蘇聯在東歐建立的鐵幕。

我們看地圖，知道所謂巴爾幹含有六個國家，即羅馬尼亞，保加利亞，阿爾巴尼亞，南斯拉夫，希臘與歐洲部份的土耳其。前三國現在還是屬蘇附庸國。後三國今已訂立了新巴爾幹公約了。此三附庸國中的阿爾巴尼亞，自南斯拉夫脫離了鐵幕後便孤處在鐵幕外。[illegible]南希兩國的關係大有改進，它處在兩國勢力的包圍中，形勢孤立，與蘇聯的來往則只有[illegible]

南義關係亟應改善

——促使巴爾幹抗俄堡壘擴大起來

旭　軍

[illegible]

蘇聯的心腹大患

[illegible]

蘇對的港問題的陰謀

[illegible]

中共和蘇聯爭奪北韓

[illegible]

半週展望

．陳克文．

邱吉爾可以休矣

今年六月以來，英首相邱吉爾始終抱着一種幻想，以爲舉行四巨首會議，可以和緩世界緊張局面，[illegible]

亞洲國際理事會的困難

美參議員諾蘭遊歷世界回美後，將向美政府提議組織一由亞洲國家[illegible]

不中立的中立委員會

[illegible]

新貴族階級的興起

[illegible]

國民黨將召開三全大會

會議內容之預測

臺灣通訊

國民黨中央委員會第二次全體會議，於本年五月五日舉行後，現已半年。照規定應每半年舉行一次會議。以時間計算，最近應當舉行第三次會議。據一般推測，十一月十二日國父誕辰紀念，當爲召集第三次全會的最好時機。

二次全會，會決定召集國民大會及反共抗俄救國會議……

副總統彈劾案

[illegible]……彈劾案已提出經年，立法院院長始終未召集國大臨時會議，是否違憲，似屬疑問。惟國大臨時會議人數未能足額，以至立法院院長無從召集，亦係事實。現國大代表遞補問題解決，人數已不成問題，立法院院長已無延不召集臨時會議之理由。但在半年之內，分別召集臨時會及大會，亦屬浪費。不如明年二月大會之前，先舉行臨時會議，較大，以解決彈劾案。如此，則兩方可以兼顧。且亦有人認爲大會期已屆，憲法並未規定大會不許討論彈劾案件，臨時會議自可免開，概由大會討論者。

副總統候選人

國大會議所當關及的問題，最重要者自然是總統副總統的選舉。總統任期六年，憲法已有明文，今已屆滿，非選不可。以今日對外對內情勢言，蔣總統之續得重選，已可預卜。至副總統一職，李宗仁已有彈劾案件，再加以李氏年來的言論行動，非另選新人不可。但比間雖有人議論，總統人選問題，並不若當年南京時代之熱烈，當年衆人心目中認爲可充副總統候選之人士，亦始終無所表示。各方面雖有猜測，亦無所根據。一般意見，希望由國民黨提名。惟三中全會距國大開會之期尚有一百天之久，現在就做提名的決定，似乎太早。好在本屆中央委員人數不多，集合甚易，如至選舉前夕亦可召集臨時中全會，討論提名事項。

救國會議日期

至反共抗俄救國會議，政府屢次表示願具誠意，向來對政府持批評態度者，均將邀請參加。今日所成問題者，爲召集時間。二中全會決議案，祇謂適當時期召集，究以何時爲適當，自有各種說法。時至今日，已較國大開會之期爲近。不是在國大開會之前，即在其後。國大開會之前，自較適合。蓋出席此一會議者將包括海內外一切反共非共人士，彼等如在國大開會時集會，則對於選舉問題，及其他事項有事先表示意見之機會，亦可爲增強團結力量之一道。該會議之召集既爲二中全會所決定，已籌備至若何程度，以何時開會爲宜，自亦爲三中全會之主要議題。

反共抗俄綱領

中央對於反共抗俄救國會議之希望，首在制定一反共抗俄綱領，以爲政府及國民團結奮鬥之標準，並爲收復大陸初期施政之方針。此綱領之性質，等於抗戰初期之抗戰建國綱領，惟其內容，自必更具有戰鬥性與革命性。現在中樞有無腹案，尚不得而知。但一般意見認爲此項綱要，必須針對匪情，適應現狀，條目宜簡明，內容必須切實可行。故條文不宜過多，總的不可過於空泛，對於大陸人心，必須具有號召力量。此外各反共非共黨派的政治地位與權力問題，綱領亦不能不有所涉及，但並非十分重要。蓋一般意見，參加此一會議之人士，最關心者爲如何收復大陸，其他無不可留待大陸收復後，再行詳細釐定也。此項綱領如何起草，其方式與要點如何，似亦爲三中全會一項重要課題。

人物評述

謎一樣的朱可夫

·丁捷·

（一）

史達林死後，朱可夫返莫斯科膺任國防部第一副部長。朱氏重新抬頭，西方新聞界爲之轟動一時，新聞記者的預卜說，未來世界將是艾森豪和朱可夫分庭抗禮對峙統率的局面。

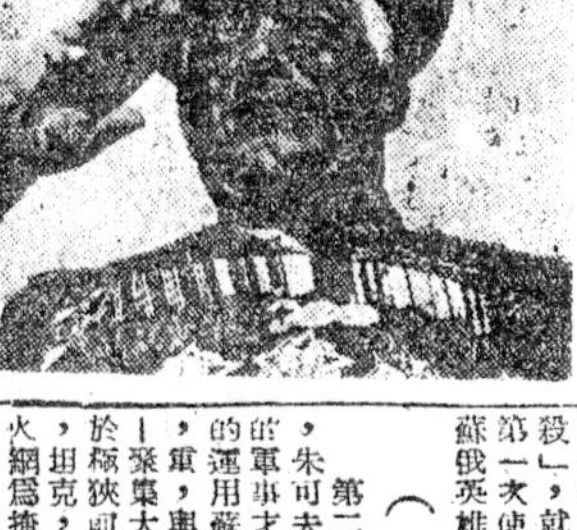

貝里亞整肅事件，據說便是朱可夫支持馬倫柯夫，朱的聲勢更見顯赫，西方人士心目中，儼然認爲朱氏即將成爲軍事獨裁者的首腦。只是自八月以來，朱可夫不僅在重要大場合迄未露臉，甚至共黨報紙對他名字也不一提。這現象是意義朱可夫的再度失勢？抑是預有緣故？至爲撲朔迷離。這位名望很高的蘇俄軍事領袖，遂成爲謎一樣的人物了。

（二）

朱可夫的容貌，西方記者說是「俄國式歐瑪·布萊德雷將軍」一個農人的像，身壯，兩道目光銳利，其臉龐寬大，身軀不高。堅強，傲慢，殘忍，秉賦斯拉夫民族的傳統性格。各種宴會上，常見他放聲縱飲伏爾加，大聲高唱俄國歌謠，或發表一篇熱情淋漓的粗豪演講。他所給予西方人士的印象是：直爽，粗暴而豪強。

他今年約五十餘歲，出生莫斯科之南的克魯克，幼年貧困，曾在製革店當學徒。第一次大戰期間，他加入沙皇騎兵作戰，獲得聖喬治十字章。一九一七年，朱投降了紅軍，並被委爲下級軍官。自此以勇敢多謀，而[illegible]

△朱可夫▽

（三）

第二次大戰期間，朱可夫表現了非凡的軍事才能，[illegible]

（四）

[illegible]

（五）

[illegible]……甚至未被人認出。

最近，朱可夫再度神秘失蹤，西方記者臆測，這可能是失勢的徵候。極權獨裁國度，個人地位榮辱的決定，既不憑本身才能，亦不在於對國家民族的貢獻，唯全權操縱於獨裁者私心的好惡與利害的得失，這永恆是朱可夫們的悲哀！

民族運動的新形勢（下）

·黃兆棟·

蘇聯的隱患

關於昧於疏導民族運動洪流的貽患，不分任何國家任何集團，同樣自食惡果，當然係唯一的結論，而對此點的闡述，可從反面的事實找到更有力的證據。誰說李承晚誓死反對那個不光榮的休戰不是爲了民族獨立自主的最高目標？北韓共黨不遲不早，偏偏就在停火之際大事整肅，誰說事與韓境民族主義份子的抬頭無關？從韓共的流血整肅又可以反映出蘇俄馬貝二氏的搏鬥整個過程中，始終顯現着所謂大俄羅斯主義的特質，這種特質是由職業軍人在整肅貝利亞的變故中乘時抬頭而充份表現出來。也就因爲這種特殊的意義，如果紅軍參謀系統得勢，世界大戰的危機日形迫近；所謂大俄羅斯主義與熱望獲得自由獨立的民族主義，實完全背道而馳。關於此點，自亦可舉貝利亞罪狀之一爲證明。我們知道貝氏雖然殺人不眨眼，可是他爲了便於控制，減少反抗的壓力，卻主張許與蘇俄國內少數民族以較大的自主權利，其具體實例至多。例如本年喬治亞共和國大舉清黨時，大俄羅斯主義的當權人物便倒霉了；另一更明顯之例則係醫生寃獄的平反。這個行動百分之一百，表示此舉有意停止對於弱小民族的壓迫。貝氏未垮台前，赤色帝國內的民族主義似乎稍見天日，而此人造的天日，旨在運用變戲法，以達成威迫利誘弱小民族的目的而已。馬連可夫一經佈置好了，而於拘捕貝氏之後，立即斥責他挑撥民族感情和妄想勾結資本主義國家，隨而大事清除貝氏前此安置的少數民族領袖。亞塞爾拜然共和國領袖巴吉洛夫，貴爲聯共主席團候補主席，可是他出身回教家族，這次亦遭清算，自係意料中事。

自掘其墳墓

綜觀蘇俄對付國內少數民族，早就不惜用盡種種手法，直到現在，依然沒有真正解決此一難題，甚足以說明任何強邦企圖施行高壓手段以懾服被奴役中的少數民族或弱小者，無異自掘墳墓！蘇聯如此，西方列強亦然。第二次世界大戰後的民族運動，風起雲湧，較諸第一次世界大戰結束以後的情形，更形緊張，尤以東方的民族主義在蘇俄挑撥離間的魔術煽動之下，不但完全有利於蘇俄的擴張政策，而且強烈地意味着自由世界抗共的內顧隱憂。戰後法共的得勢，自與法政府堅守殖民政策有其不可分的關係，而其國內政潮迭作的暗流，更與各殖民地的反叛結爲一體。如果英國工黨沒有壯士斷腕的決心，於大戰後毅然擯棄目的殘破局面，許可印緬獨立，同樣的，如果荷蘭對於印尼也不採取類似的措置，則今天東方動亂，一定更見兇險。光是越南和馬來亞的赤共教訓，不是很好的證明嗎？爲什麼英法兩國不早一點宣布許可當地人民獲有更大的自主權，而於今天治絲益亂的窮態百出之餘，才勉強公布越馬二區將獲有限度獨立的建議？彼此爭持，無異自削實力，而被屈辱已久的一方，竟願飲鴆止渴，不恤吞下共黨的迷魂湯，企圖越出囚籠，心情迫切，其愚可哀，其情更屬可憫。

政治家需要些什麼學問、

（上接第一版）

·徐道鄰·

政治家輕視專家意見

[illegible]……八月六日，因爲在七月中，軍事當局尚認爲日本的士氣，沒有衰敗的跡象，他們至少可以打到一九四六的年底，然而他們心理作戰部的研究，則在同年正月中，已經發現日本內部士氣有降落的趨勢，在五月中，他們正式提出報[illegible]本的投降，大概可能在七月和九月之間。可惜這些專家們的意見，沒有能夠達到政治和軍事當局們的耳朵裏。（就是達到了些，也許他們會認爲這些『專家』們的『科學研究』，不如他們大人物的直覺靈感比較靠得住些！）

政治家需要的學問

在現代各種科學日新月異的情形之下，一位政治家勢不能對所有的專門學問，一一加以學習，那麼他應該知道些什麼？我認爲一位現代政治家所最需要的，有三種學問：（一）他須要十分通曉現代社會學（尤其是現在已經溝通心理學和人種學的社會學），這樣他才能了解社會的本體和其行爲。（二）他需要廣泛的深刻的經濟學識，因爲現代的政治問題，無一不牽涉到經濟觀點。（三）他需要有充份的對於科學和科學家，工程和工程師的熟悉，因爲這是現代知識主要的發展的範圍。他的學術功夫，須要十二分的切實，這樣他才能習慣於一種有訓練的觀察 DISCIPLINED OBSERRATION 和有系統的思考 SYSTEMATIC THINKING。他有了這些基本學識之後，遇見了各種政策的爭執，他才能有所決定，遇見了各方面的專門人才，他才能有所鑒別，遇見了各種疑難問題發生，他才能從正確的途徑上加以思考和研究。

半部論語不足治天下

二十世紀的五十年代，不但再不能有不認識一個字的開國君王，也再不容許有以『半部論語』治天下的當朝宰相。一個現代的政治家，他所需要的知識的範圍和深度，和五十年前的政治家之不能相比，和一隻五萬噸遠洋巨輪的艦長的知識，和一條三桅帆船的舵手之不能相比，正是一樣。

生在科學時代而不知道利用科學，如生了白喉猩紅熱而去請人寫符念咒一樣。不具備利用科學的知識而自命能運用科學，最近許許多多害了傷風咳嗽而去注射有問題的配尼西林以致輕輕送命的一羣冤鬼，就是再恰當沒有的說明。

編者讀者

讀者來書

編輯先生：近因功課甚忙，未能按期閱讀貴報……今有向學告知，貴報徵求流亡青年實際生活情形的文章未知確否，我就是一個流亡學生，於三十六年由哈爾濱逃出，先到北平，南京，上海，重慶等地，最後逃到香港。願意爲貴報寫我所經歷和知道的事情……朱振北敬上十月十八日

編者的話

△朱振北先生，我們歡迎你的文章。

△下一期有一篇胡秋原先生的「艾森豪政府之可能危機」，對艾總統就職後的措施作極深刻的和有遠見的批評。還有一篇王可先生的閉羅通訊，將埃及革命後一年來的內政外交作客觀的分析報導。

△我們很感謝文抄公先生，將大陸報章雜誌許多奇文妙語，辛勤抄送我們，題爲「不打自招文抄」，以後將陸續在本報發表。

文藝必須表現精神形態

——自由中國文藝界的缺點——

●孫　旗●

拜讀「自由人」刊出高宿心和陳紀瀅兩先生關於自由中國文藝的文章後，我覺得該文藝問題是良心，不可說錯。我同情高宿心先生的感覺，他的看法也很對，但我覺得陳紀瀅先生的文章，說得很委婉，卻有些違心之論。

[illegible]千千萬萬的讀[illegible]是有數的。

文藝不該政治手段化

高先生說：「一有些用文藝作爲干預文藝事業[illegible]，今日也不可知道，文藝絕不是政治的工具。」這話是對的，他的各種疑點，是得了這一問題。我以爲應該說成「文藝不應該成爲政治手段化。」不但古代文人[illegible]。有些人（恕我不點名字）因爲一篇文章，一直詩而飛黃騰達，可是從此就再也寫不出東西了，是否是「江郎才盡」呢？

文藝與宣傳應分開

至於高先生提出「文藝政策」一詞，我以爲只有極權國家才有所謂「文藝政策」，政治可以有政策，軍事有策略，可以指揮運用，文藝決不[illegible]工具」，這也是有語病的。[illegible]時代，在今天反共抗俄時代，文藝自然要服務於反共的宣傳工作[illegible]一切宣傳是文藝。」文藝固然有宣傳作用，但宣傳品絕不是文藝。「公式和口號式的文章」其根源乃是由此。

[illegible]優秀的作品，作家不是機器，所以不能服從命令大量生產某種作品。至於「不必在台灣上將文藝政治化，變成一種反共的宣傳」[illegible]

文藝獎金會的短見

「但我們不能說反共文藝的『其他』，除了反共文藝之外，其他文藝作品都不必要嗎？」必要的！[illegible]以外的表現：自由的，愛的，人性的等作品，其精神本質是反共的，文藝會似忽略此點，不能不說是短見。

[illegible]「反共文藝」不應該是專指標語口號式的反共，而還是反共的[illegible]共產黨的一切統治[illegible]

陳先生的文章，並不是代表任何方面發言，而又「關於這些問題，我所知道的，也許比高先生多」，似乎自相矛盾；他負責中國文藝協會，何必躲躲藏藏呢？他

文藝八股的三原因

他說，未落八股窠臼，這也許是他的希望，事實上已經陷入[illegible]作家寫此類作品[illegible]生活！—共幹來[illegible]—被壓迫者[illegible]，打外共幹。第[illegible]家寫此類作品而壁虛構，故[illegible]云；第三、寫[illegible]修養不够，不[illegible]容而變換形式[illegible]爲形式而變換[illegible]

[illegible]實的再現，同時面臨虛構，加以技巧拙劣，所反應出來的真實感不够，也就失去宣傳作用了。希望他能重視文藝前途，努力拔出這個可怕的窠臼！

應該表現精神形態

[illegible]以形象表現出[illegible]態，絕不是事[illegible]

「目前自由中國大多數的文藝作家們，大多數在埋首寫長篇，而且在寫可以『流傳』的長篇。」文藝作品之可以流傳，不一定長篇才可以；還沒有寫出的長篇，怎能知道可以「流傳」呢？

小組織的封鎖打擊

「假如高先生有文稿可以寄給[illegible]必須設法代爲[illegible]表。」根據這句[illegible]的「文藝政治[illegible]」；爲什麼寄給就可以發表呢？那是因陳先生是立法委員，還是有左右文藝界的權力嗎？這就是說要發表作品必須通過組織嗎？文藝界爲何發表不能自由呢？事實上小組織是潛在的，因此讓用口頭約定的同盟，來作封鎖與打擊；我曾把一位朋友的作品（恕我不提名字），拿給某刊物的編者，他（或她）不用；是不好嗎？不是，就因爲他的名字，據說發表了就違反盟約。這位朋友寫過很多反共的文藝理論，他的作品竟被封鎖了呢！各報刊各雜誌經常都是發表少數幾個人的作品，文藝獎金委員會每次也都是少數幾個人得獎，陳先生不能不承認的。

文藝界不應有小圈子

我以爲文藝界成立集團與小圈子，是代表了兩種東西：一是學說；一是政治；大陸時期代表共產黨政治背景的有胡風派的集團；各國各時代有很多學派的小圈子。封鎖與打擊政策代表集團的獨裁，自無不可；而目前台灣，匪諜之不能讓其存在，文藝匪諜自亦應消滅；那麼，像我那位朋友，既非匪諜、漢奸、又沒有作過漢奸，所寫作品又是反共的，封鎖與打擊，究竟爲文藝政治化不是？

我深深感到高先生的文章大部份是良心話；而陳先生的發言，有很多不爲是邪心之論；如果要正視文藝前途，堅強反共鬥志，發揮文藝爲民族革命戰鬥服務，我寄予陳先生以十二萬分的期望。

中共展開強購「餘糧」

民間糧食被刮奪一空

農民甫收割即須購米下炊

中共壓榨農民的手段，顯已日形酷厲，已不容民間存有隔宿之糧，頃據北平人民日報及天津大公報透露的消息：各地大肆強迫進行的「夏征」工作甫近尾聲，各糧食公司及合作社大肆強迫農民出售所謂「餘糧」（當作除上的農民根本已無餘糧）的暴政又相繼展開，務使民間一升一勺的糧食盡予搜刮，納入中共糧倉而後已。

中共的盜搶收購農民的糧食而不使有絲毫保留，已成爲一種既定的「政策」。天津大公報就曾很明顯地說：「收購糧食，是合作社當前最重大的任務，必須十分耐心的向農民講清政策，說明道理，使他們自願（當中共的「自願」即是「說服」，「說服」即是強迫）的把糧食賣給國家」。由是，「收購任務」即由僞糧食部向各大行政區，各省、市、縣的糧管機關、糧食公司及合作社等，分層分配下去，並不是少能收多少，即收多少，而是硬性規定了必須收購的數字，決非民間所能出售的數量，而是民間所能滿足其要求。亦由是，各級爲了完成此種「收購任務」，也不得不乾脆地採取了一貫強迫攤派的手段。其中最主要的一環，是縣級的合作社，將上級分配下來的收購數量，在「區委會」上分攤給各區幹部的所謂工作甚點；各基層幹部向去召開鄉幹部會分攤給各鄉，再分攤到各村，一直層層的分攤到各戶，不管有糧無糧，一律都要「出售」。如天津大公報所舉的河間縣牛莊鄉牛莊村爲例：該村共有五十七戶，就規定沒有一戶能免予賣麥。由鄉合作社規定各戶的「出售」數量，公佈日期，指定地點，要各戶農民按分攤數上台作社去繳糧，少一斤都不成。但因大多數已無餘糧可賣而無法上合作社去繳糧，由是便被幹部指爲逃避售糧而大加迫害。共最普通的迫害手段，是抄家或押繳，兇一點的，便是綑綁吊打。誠有如草里抹油，兒罪罰預，令人乍舌！因此，一般農民即有一升一勺的保留，亦被指爲「餘糧」而盡予刮奪，致雖由此割，即須向中共之合作社去買了穀糧下炊，其實是中共對大陸農民的一大剝削。

誰殺害了勞工邱和

中共在大陸上的清算鬥爭一天甚於一天，使香港人口的密度增加，二百多萬市民因仰給於大陸的食糧，受到中共嚴格的統制與居間共幹的操縱，供應失調，使生活感受重大威脅。然中共尚不以此爲滿足，「五反」期間，對僑商在大陸上之分支機構鬥爭清光，尚須徵將僑有資金滙返共區取贈養膽生命。工商界受此打擊，益感不支，規模較大的追得裁員減薪，縮小範圍，資本小的被迫得收歇了。因而失業職工大增，社會問題日趨嚴重，壯健的鋌而走險，懦弱的走上消極自殺之途。二十三歲的自由工人邱和之自殺，便是一個有力的反證，他家誼係世代住在廣州，因不堪中共接二連三的迫害清算鬥爭，避囚來港謀生；這一個青年工人，獲得了在一家茶室工作後，滿以爲可暫安度歲月了，誰知我家茶室同遭工商業不景氣打擊，使他和其他的伙伴一樣受到裁員厄運。失業以後，雖獲自由工會的救濟；但面對着貧苦的家境，又患了疾病，把他磨折得喘不過氣來，而加强了他棄世的決心，然而他的理智依舊很清醒，以血淚寫就了四封分致父親、姊姊、工會辦事員及自由工友們的絕命書，大致是：痛斥共黨的迫害，感激工會的照顧；希望自由工友不受工棍欺騙；誆取血的教訓，團結一致，爲反共復國奮鬥。然後他悄然從四樓躍下；並智牘茶室工會分部開聲出觀，已返魂之術。此一不甘奴役，爲自由爭生存的自由工人，雖然掙脫了共黨壓奪，仍被中共以困竊的陰謀手段，間接地把邱和殺害了。很多的自由工人忿怒地說：「誰殺害了邱和？邱和爲何而死？我們要記取這一血的教訓，提高警惕，誓爲邱和復仇。」

趙夫人的無聲抗議

另一爲中共迫害而憂時傷國的老婦跳海自殺了，死者是一九五二年十二月二十九日榮獲英女皇伊利沙伯二世頒授「自由與勇敢」勳章的趙共休之德配林氏夫人。當五十八歲的趙將軍在報端刊出了尋要啓事，即繼又登出「元配林氏，因憂時傷國，含恨終身……」的訃告之後，使港九大多數市民聞之悲憤交集，而那一位曾經抗日，轉戰穗南，協助盟國人士奔向自由的老英雄，遽失老伴，宴慟欲絕。他雖然當時看到她憂時傷國的激勵情緒，與憤激怨懟的語調，絕未防到她會縱身跳向海裏的。然而年高的人却竟受不住深重的刺激，她不僅丟不下傳統的民族觀念，更擺不掉對故鄉的眷戀，怎經得起噩耗頻頻傳來，親友們慘遭共黨迫害，家宅田園被清算鬥爭，數十年的辛勤勞績，盡在赤潮中淹沒了。這一位年老的婦人終於忍受不了共黨的精神虐待而舍棄了人世。可是五年來一如趙夫人之無聲的抗議，正不知有多少呢？

中共財政解剖

沈著。

作者：何雨文　出版：亞洲出版社

版次：四十二年六月初版

（一）

共產黨人的唯物觀點，認爲歷史演變，社會形態，政治制度，皆決於經濟。中共竊奪政權後，除了軍事專制，鎮壓反動勢力外。更從國家財政上極力控制社會經濟，支配人民生活，以達其剝削聚歛之目的。故了解中共財政經濟的措施，更可對中共的獨裁統治作風，以及目前大陸的社會形態，人民生活的困苦情形，得到一個較明確的認識。

何雨文君，一向專研財經，極有心得，尤其對中共於全面竊據大陸之後的一切財政經濟資料及其一切有關的活動情形，作精細的推算，詳盡的統計，及有系統的編述、分析、評論而成。功夫極深，內容豐富。文字雖稍嫌枯澀，乃數字使然，以紀錄。本書之作，即以保中共所宣布的資

（二）

本書所列資料，均係中共自己歷年所公佈大陸各報刊雜誌所公佈者，有極可靠根據；且各項資料，均註明公佈時間、刊名及所公佈的機關或人名，極便參考。本書的分析、推斷、評論，態度亦全是根據事實，並不存心宣傳，歪曲事實，純爲研究性的著述。本書首論中共的財政思想，以證中共毛澤東背刻人民生活，共何以殺，如何封刻民間財富，消滅私營工商業，壟斷

價值論，當不失爲一研究中共問題的佳構。

（三）

本書除大部在提供中共歷年及目前的財經狀況外，最後並對中共今後財政經濟政策的趨勢，「五年計劃」的作用及難題，均加以推測、分析。全書共分總論、公共支出與公共收入、租稅、「國營」企業、地方財政、財政金融等六章，計三十二節，約五十萬言，目目分明，印刷精良，每冊售價港幣[illegible]元

介紹：同向人道

作者：孟伯謙　出版者：亞洲出版社

出版時間：一九五三年八月

本書作者孟伯謙，是中國共產黨成立以前之西北共產主義小組的組織者之一，爲前中共西北蘇區紅軍司令員，所以本書的出版，對於中共初期的活動，特別是中共在西北方面的活動，提供了很多寶貴的內幕資料。

本書寫出某一時期中國落後地區農村知識份子的悲劇，作者的思想，正如他在本書所述，他是一個以中國儒家精神爲基本思想的人道主義者，他參加中共最初的儒家的大同主義，在中國初期共產主義運動中，類似本書作者之農村知識份子甚多。

本書計分十章：一、共產主義在中國西北的播種；二、西北蘇區的開拓；三、反帝同盟軍與西北蘇區；四、立三路綫失敗時的西北蘇區；五、抗日同盟軍；六、紅軍長征中的西北蘇區；七、中共在陝北的黨內鬥爭；八、我怎樣脫離了中國共產黨；九、舌耕十年；十、回向人道。自第一章至第七章均爲作者在中共黨內活動之忠實報導。其中以第一章之第四節，第二章之第三節，第三章之第三節，第四章之第四節，第五章之第二節，第六章之二三兩節，第七章之一四兩節，寫中共西北蘇區最爲特色。第八章以下，爲作者脫離共黨以後個人思想轉變之經過。

本書資料豐富，惜在文字未能充份發揮。

社會經濟，應大「國家」財政，有極明確的說明。次論中共的財政政策，對中共預決算制度，中央與地方財政範圍的劃分，「平衡財政收支及積累國家」生產資金的「方法」等等，亦有詳盡的敘述。再次論蘇俄對中共財政的影響，關係，蘇俄顧問對中共財經的監督，且對中共與蘇俄之間各項有關財經的條約或協議，均曾一一紀錄，極便查考的。又次敘述中共歷年的收支狀況，對於中共歷年收支總額的統計，分析收入來源、支出內容，及「五年計劃」的推算，軍隊人數，以及「五年」以及租稅，財政等，均剖析甚詳。此外，對於中共財政經濟的各級組織，及中共對於韓戰的消耗情形，亦均有確切的說明。

美老報人的榮譽

芝加哥「論壇」報發行人，七十三歲的麥柯密克上校，最近當選了一九五三年「老報人」獎銜，芝加哥報人協會，特舉行盛宴，大開筵席，老友或敵人們同集一堂，一致向他致敬，將他頌爲「我們這一代的中西部美國先生」。晚宴後，還放映了一部關於麥氏事蹟的傳記影片。

「解釋地區」二三事

這次中共對反共戰俘的解釋工作，是個奇慘的失敗。宣傳本是共黨所特別擅長。此次共方動員了大批工作人員，處在極有利的環境，所收到的效果，不過是百分之二的，這眞是共黨最大的蝕本生意。相形之下，其在韓戰中的軍事失敗又不算一回事了。

從記者們身歷其境的報道看來，受解釋的戰俘個個人都非常堅決英勇，意氣衝天，相形之下，到顯得共方解釋人員的忐忑蹣跚。然而，即使那些洗腦人員都是頑冥不靈的共黨份子，在戰俘大聲疾呼「這是你自己走向自由的最後機會」之下，他們是否心裏也會動一動呢？這一個刺激，對於共黨眞是太危險了。據我看來，除非另出其他花樣，照前幾天那種方式的洗腦方式，大概共方不會再繼續下去了。一則功效太低，十分丟臉；二則萬一說服不動戰俘，到有一兩個解釋工作人員被反說服了去，共方就更無以自處了。

× × ×

在中立委員會中只有瑞典瑞士是眞的中立國家，兩國都是小國，且都已承認了中共，世人本不敢對這兩國代表抱多大期望。但事實上兩國在中立委員會中間却頗能主持一點正義，初非一面倒之流。從捷波代表對瑞典瑞士的攻擊，可見兩國在中立委員會中也還發揮了相當作用。

史達林一向看不起小國，總覺得蘇俄不屑與科斯達黎加一流國家為伍。然而蘇俄的對外侵略，在芬蘭遭受過重大敗衂。結果芬蘭雖然兩度戰敗，至今還能卓然自立，並未被關入鐵幕，可見國家雖小，自有其立國之道。也許這便正是史達林討厭小國的原因。

·且文·

俘虜營慘遇

英國長談親身經歷　·智譯·

在韓戰初期，敵人對戰俘的待遇，祇能使他們勉強活命，食物惡劣不堪，許多人都難於下嚥，更談不到維持健康所需的營養了。

等到英軍高級士[illegible]的被俘官兵們被押到北韓北端的俘虜營後，他們的待遇才慢慢的稍有改善，可是在以後數個月中，我們許多人便患了腳氣病，或其他因缺乏維他命而致的病症。

在這種情況下，健康與生命，已不能全靠衣食住三項因素來維持，而必須依賴個人的決心與樂觀，英國官兵在被俘期間死亡者很少，這是一個主要原因。

在一九五一至五二年的冬天，我們多數的人尚能獲得溫暖的住處，食物也改善了一點，但和英人普通的食物比較起來，自仍有天壤之別。

每一個俘虜營都擁擠不堪，生活的舒適自絕對談不到。這樣直到我們被遣回前的時期，情況才稍改善，他們這樣做，自然是有理由的。

我們也不能完全抹煞共黨改善戰俘待遇的行動，不過這種行動，決不是出於人道觀點，而是要讓俘們知道他們的「寬大」，希望他們的思想訓練能較易為戰俘們吸收。

他們表示，我們（戰俘）是參與一個「侵略戰爭」，因此我們就是「戰犯」，但在他們的「寬大政策」下，我們祇算是被資本主義政府所欺騙，成了「戰爭販子」的工具，這樣受愚的人，是可能加以改造的。

共黨也許完全由於怕在國際輿論的指責，所以才實施「寬大政策」的對象，不一定是完全接受了他們這種說法戰俘，否則我們多數的人，其處境將更不堪設想了。可是他們的「寬大政策」，並沒有對一個堅信自己有權保持健康和生命的人留下深刻印象。

我們最初被押入俘虜營時就立刻依照軍階而被分開，軍官同入一個俘虜營，士兵又關入另一處，因此，士兵們便喪失了他們向他們長官求取領導和忠告的習慣，但他們却並未完全失去領導者。

許多意志堅強的人挺身而出，領導其同伴，並向他們揭破了共黨宣傳的虛偽，還對他們提出合理的意見。但這樣的領導者，多數都因表露了他們的主意而遭虐待。

俘虜在[illegible]，處處都因政治原因而被歪曲，凡能影響其同伴的戰俘，必會被共黨加上某種罪名而予處罰，這種處罰，無疑在相當時期內能使這些人失去了對其同伴的影響力。

中共的處罰方法通常極為野蠻，若干被俘的軍官和士兵都曾有過可怖的經驗，決不是任何英國人所能想像。

一部份戰俘想到這種處罰則不寒而慄，因而間接受到一種壓力，這無疑正是共黨制度的一部份，企圖藉此迫使戰俘們轉變過來，傾向共產主義，或至少在戰俘腦中種下懷疑，嫉妒，和不忠的種子，日後能開出赤色花朵。

我們唯一可以說到的共黨的好處，祇是我們多數的人在遣回時尚相當健康，但那種生活於共黨政治偏見及不顧法律規例之下的經驗，却決不會使我們對共黨產生任何好感。

這種待遇對我們有什麼影響呢？據我所知，有極少數人是轉變而傾向共產主義了，可是也有人却遠較未被俘以前更激烈的反共。當然大多數介乎這兩者之間。

有人說，這些人中對政治發生了疑問，因此，他們已和別人不同。我雖沒有直接詢問，可是我相信這意見，可能這種說法是錯誤的。我們認為，戰俘們大多數是並沒有因被俘而受到若何影響，他們的看法還是普通的英國人的看法，我也相信他們的家人也一定會同意我的看法，他們在政治上或其他方面，都不會有和別人不同的地方。

我曾見到一些戰俘在已獲釋的返國途中軍艦上的報導，我以為這是過份誇大了某些問題的事件。我們希望趕快回家，從俘虜營回來之後，經過一段時間，對我們也有好處，使我們能獲得較多的與家人團聚的歡樂，並重新負起我們的責任。

我們的被俘已經喪失了寶貴的時光，它已消逝過去，我們正抬起頭來，迎接光明的未來。

我的結論是：被俘使我又獲得一次新的認識，為英國的光榮，也使我減輕了一點虛榮，這句話，相信會得到多數同伴的同意。

寄語

·徐訏·

在你認識的自由的國度裏，
請保留別人善意的批評，
請你敬高貴的友誼，
還請你珍貴神聖的愛情。

請不要用政治的尺度，
來衡量倫理的道德的人心，
更不要戴牛皮的眼鏡，
說繁星都沒有你見過的光明。

不要在和煖的爐邊忘去風雪，
不要在平安的岸上說海中浪靜，
莫還熱帶的天氣笑寒帶的衣服，
莫依自己的興趣量別人的年齡。

個人的信仰決非整個的眞理，
一己的偶像也難為萬人的神明，
民主的力量不在思想的統一，
文化的芸薇還在理智的澄清。

一九五三，十，一三。

島上風光

已涼天氣未寒時　郊遊當令
大地上橙黃橘綠　滌除溽暑

十月按說是深秋了，但在這南國的島上，早晚雖有點涼風習習，有點秋意，而到了中午，依然驕陽似火，使人汗流浹背，一如夏日。無怪有人說香港沒有春天，也沒有秋天的地方。

不過，從人們的服飾上看來，尤其是婦女們的裝飾，長衣的太太小姐們，差不多都在加着一件薄薄的短衣或絨衫，她也必搭在臂上，表示是秋天了。因此，好事的人還說香港婦女們才是最好的季節表。

其實，在這已涼天氣未寒時，久蟄鬧市的人們，不妨到郊區走走，看看橙黃橘綠，大自然的景色會告訴你眞實的節令，更可以滌除溽暑之感的。

× × ×

成為「籬頓球場第二」的鋼鐵新填地，不久將有一番熱鬧了。報上近日出現一則馬戲團即將來港獻藝的廣告，據說將在這塊廣大的舊遊樂場上興建。這個馬戲團來自南洋，有猛獸，有高空飛人，單車各種驚險表演，對本港居民倒是一大興趣。

耳目的，尤以兒童所歡迎的少樂場的「天堂」，但人們早就遊樂場尤其貧乏。

健身事業蓬勃　本少利錢多
婦女為纖條美　操練恐不勤

健身院和俱樂部的事業，近年來在香港是新興事業，各處新建的樓宇，開設健身院的也有不少，可見一般人對此頗有興趣。此種所謂「學院」的組織，實際上不過是購置了幾件運動器具，諸如不等份的槓鈴，拉力，啞鈴之類而已，由教練指導「學員」練習各種器械運動或柔軟體操。一家即能招收到百餘學員，每人繳費十至廿元，每月即有一二千元收入，本少利大，大有可為。

據說參加的人其中婦女不少，她們是想保持苗條體態，每日去運動一二小時，而她們平時却是好逸惡勞的，在家裏不掃地，認為太辛苦的事，但在付了學費的健身房中，又唯恐操練不勤。

天下事

埃及總統稱病內幕

埃及革命委員會最近開會，著名的埃及總統納吉布將軍稱病不出席，官方發表說那吉勃因為國政辛勞染病在床，致無法出席。其實據熟悉內幕的人士說，事實上這純粹是一種藉口，埃總統不參加的原因決非這樣簡單，眞正的理由乃是革命委員會最近意見分歧，關於審判埃及前政要的問題，關於與英方談判蘇彝士運河區糾紛的立場問題，委員會內意見諸多齟齬。有時候雙方的爭持不下，竟使那吉布總統不便作左右袒，因此總統索性暫不出席，待雙方爭辯有了一點眉目時再說。

目前在革委員會中擁有龐大勢力的，是副總統那塞爾中校，西方觀察家都認為那塞爾是埃及現政府的重心，擁有眞正的權力；他的一舉一動，均值得密切注意。

溥儀出宮目擊談

·狷士·

由英華殿旁直入，將到隆宗門，即遇寶熙，紹英，耆齡，榮源四人，衣著冠帶，很驚惶，因為溥儀看見調開了禁衛軍，很惶恐，召他們滿大臣入宮討論之故，四人見我們來，即問「諸位駕到，必有緣故，即請到我們的「他坦」坐談何如？」（他坦即宮內勞小憩）我們坐定，即將國令與他四人看，紹說，「其實說起來，優待條件大而無當，甚難實行，縮小範圍，實行稍易，想上頭沒有不贊成的，容我們進內一商」，四人去後約半句鐘，回來說，「贊成，但還在頤和園，須加修理，非短期所能辦理，須期三個月」，我說，「三個月太長了，實在外面情形，實在如此，且如不解決，鹿李二先生亦難交令，」於是四人又第二次入內，許久出來說，三個月之期，可否改為一個月，我們堅持不可，榮源說，「小戶人家遷居，尚須幾天，何況此特別之局，」我說「惟其特別，非小戶可比，乃不得不快，」鹿也怒說，「方才已說過外面情形不好，如今天不搬，

煤山也換了國民軍駐守，我們到神武門，率同警察四十名，軍士二十名，繼在我罷，此事主動，既非我們，也非內閣，實因你們的處上，處現今的時勢而享有特權，為新潮流所不能容，教育界及軍方，都不以為然，現在如此辦理，實是一番好意，請你們出宮，以免意外的發生，否則人情洶洶，雖負保護的責任，以後李石曾氏又說很多的話並且鄭重的說，今天的事，非今天解決不可，我即將軍隊移開，榮先生敢担保不發生意外嗎？我則絕對不負責，」紹等見鹿氏這樣說，即將一個月減為十天，又說瑜妃死後未葬，瑜妃等皆死不出宮，皆須慢慢設法，此皆不是立刻所能辦到的，故要寬幾時，我們說此等事都可緩辦，只要你們皇上一出宮，群情自然緩和，其餘不妨慢慢商量，四人於是第三次入內商議，回復說，收拾物品須三天完成，三天後才能搬，李石曾說「物品不必收拾，有關歷史文化之物品，以不動為宜，因是國寶，不宜歸一人一姓，你們今天出去以後，只將無職守的太監開去，各宮殿仍交原人看守，并加封條，以專責成」，我和鹿氏初來只注意令其出宮，還沒有想到物品，經李氏此番提醒，大為贊成，爭辯許久，時已下午三時了。

（中）

韓境共軍招兵買馬

韓國休戰的局面愈弄愈複雜，甚至在解釋工作舉行之前，美國的情報官員就已促請聯合國軍司令部密切注意，謹防全面大戰的再起。據他們說，在停戰期間，共軍破壞休戰協定的事也迭有發生。共方不僅已偷偷運入八百架噴射機，而且還在北韓建築了三十五個新機場，成立了十五師的作戰部隊。共軍既然蓄意開戰，任何一件微小的藉口就足以使韓戰全面再起。因此情報人員已緊急通知聯軍總部採取預防措施，嚴加戒備。

美共和黨鼎足三分

美國「老虎」參議員塔虎脫去世後，他所留下的空隙共有兩個，一方面是國會中共和黨員彼此之間的隔閡，另一方面是艾森豪智囊團中所遺下的重要地位。如何填補這兩大空隙，艾森豪總統確實費過一番斟酌。加州參議員諾蘭雖當選為多數黨領袖，也參院中受勃里奇領導的六七位共和黨參議員却依然以勃氏的意志為意志。艾森豪經幾個月冷靜考慮後，已作了如下的初步決定，他計劃將共和黨和國會的大任暫交給副總統尼克遜，衆院議長馬丁和參院共和黨領袖諾蘭三人共同負責主持參院立法事務。馬丁為衆院比較清閑，使多負一點責任，再由尼克遜從旁協助他們兩人。（孟衡）

談「莫須有」

·秋柳·

——讀史劄記之一——

至於中共的御用歷史家范文瀾按近代語解莫須有為「也許有」，則更與原意的「未必沒有」大有出入，而不足為訓。又許立齋所做的中國史話，記及此事，却說「秦檜回答得很妙，他說其實莫須有」，把其事體變化為其事，又不知道究竟何所據而云然！甚矣若輩之善於曲解歷史也。

我以為或者秦檜殺岳飛以後，尚未及羅造一個適當的罪證出來，對於韓世忠突如其來的指責，因而不加考慮，說出莫須有三字。實則，莫須有三字，在古代專制政權的獨斷主義以下，已可毫無問題的便可羅織一個人的罪名。天下的服不服，他是在所不顧的。在他們心目中，犯罪與處罰，不必預以法律明白規定，而一任審問者之自由心證。莫須有者，不過是秦檜的自由心證所表現之一語而已。

至於現代的莫須有主義者，自然已較宋代的人聰敏得多了，他們不再用什麼武斷的「莫須有」三字名詞，而用種種好聽的新名詞來代替。韓世忠駁秦檜以「莫須有三字，何以服天下？」秦檜便得啞口無言。但今天的莫須有主義者，他若給你帶了帽子，定了刑罰以後，就永遠沒有給他人置喙的餘地。時代已經變了，即是莫須有主義者生在今天，也會大大地進步的。雖然骨子裏却仍舊是那一套老法子。（下）

自由人

中華民國內政部登記證[illegible]
中華民國郵政登記第一類新聞紙類

THE FREEMAN
（逢星期三六出版）
（第二七七期）
每份港幣壹毫
督印人：[illegible]
社址：香港高士打道六十六號
電話：七四〇五三
GLOUCESTER RD. HONG KONG
TEL: 74053
承印者：[illegible]

艾森豪政府之可能危機

·胡秋原·

艾森豪政府就職以來，已過了一年的四分之三。由於我們對艾森豪政府期望甚高，現在不能不有所批評了。

個人聲望非政治成功

至今爲止，艾森豪個人的威望，據美國人的測驗，不僅未衰，且較競選之時，只有過之無不及。但問題也就在這裏。我們外國人在美國報紙雜誌上看到的艾森豪總統，不是各種表情的鏡頭，就是打球的姿態，這是一種競選的風度，誠然是使人感到極好印象的。但今日美國總統固不能不注意選民的情緒，也不能經常處於競選蜜月之中。好印象不一定等於成功的政治家。艾森豪總統作了幾次政治演說。這些演說未嘗不措詞得體。但在我們外國人看，其中似乎缺乏某種東西。

如問這某種東西是什麼，那可說是對於美國在今天世界上的責任的明確觀念。由於這種觀念之缺乏，我們在九個月來艾森豪政府的政策中，看出似乎缺乏三種東西。

缺乏創制性

第一，一般而言，缺乏創制性（INITIATIVE）。我們知道，在美國兩黨競選中，題目是外交不是內政。艾森豪自稱對于世界和戰，最有心得，因此，頗攻民主黨。民主黨在其執政過程中，提出馬歇爾計劃，大西洋公約，第四點計劃，各種防禦組織，共同安全計劃。最重要的，發動了韓國抗戰。九月以來，在對外政策上，艾森豪大體上是杜規艾隨。如有不同，不過是韓國的停戰協定。這種停戰的方式，到底是成功還是失敗，且不許論。但即使是成功，這功績亦在杜魯門政府的三年苦戰，艾森豪政府亦不過收穫戰果而已。

缺乏主動性

第二，缺乏主動性，積極目標和堅定重點。九個月來，俄人發動和平攻勢，氫彈攻勢，英國人要求互開會議，法國人要求援助越戰，不干涉北非糾紛，以及修改歐洲軍公約。其他各國，也紛紛對美國提出要求。但艾森豪政府除了對於援越，不許中共加入聯合國二事表示毫不含糊的堅定之外，美國外交，九個月來陷入日常問題應付之中，各種會議糾纏之中，對各國要求之講價還價之中。究竟什麼是美國長期的短期的目標，反而使大家印象模糊起來了。所謂巨頭會議，所謂不侵犯條約者，也是由當初艾森豪表示了較之杜魯門更遷就的態度，可以「中途會晤」而來的。

失去好機會

第三，因以上兩個原因，我們甚至可說，艾森豪政府失去了很多的好機會。九個月來，史達林死亡，柏林及捷克抗暴，貝里亞事件，莫沙狄克之倒台，亞登諾勝利，都是自由世界的佳音。但這些事不是艾森豪政府做出的。反之，美國沒有好好利用。例如，「艾森豪麵包袋」對東德抗暴，不能不承認是成功的。然而，艾森豪卻沒有乘此機會對共黨暴行作更有力的抗議，去擴大戰果[illegible]表示美國決不容忍屠殺德人的行爲，我[illegible]過度的賣弄，固然不好，而過度的謹慎也不是很好的。[illegible]爲艾森豪政府外交政策之能手，是杜勒斯。他曾高唱「勇敢政策」。但他對台灣的聲明，對德國選舉的談話，尤其是最近在聯大的演說，實表示反不如艾其遜之老練與堅定。而今天的美國是如何需要堅定啊！

沒有作爲的原因

然而這是可以原諒的。[illegible]第二，也因爲[illegible]年在野，一旦上台，一切情形，皆不熟悉，又有許多人事安排問題。尤其是共和黨會以減稅爲號召，這和人事安排可聯合起來，要吸收現政府許多精力。會爲選舉時期諾言的韓國停戰問題，在現政府處理解決的問題中自亦列於優先地位，亦增加現政府之顧忌。

第三，當杜魯門政府時代，英國人對美國政策之困擾尚少。而在艾森豪時代，艾森豪愈表示其政策之有彈性，倫敦來的困擾也就愈大。而在史蒂文生海外歸來之後，也增加對艾森豪的困擾。

不能長此下去

假使如此，則九個月來艾森豪政府只表示其世界政策之缺乏堅定目標，陷於臨時應付，是可原諒的。

但是，九個月過去了，轉瞬就是一年。到了明年，如果艾森豪總統還是忙於照相打球，而不能以大號召大政策來統一美國輿論，集結自由世界力量，對蘇俄採有效的主動的政策，則艾森豪總統個人以及美國在世界的威望，都會削弱的。迄今爲止，艾森豪之威望，不僅是美國的財產，也是自由世界的財產。但威望需要實際的成功支持，不能專靠好好先生的辦法，以維持於不凋謝的。

局勢不許游移

其次，何況世局迫使艾森豪作重大決策，馬林可夫在和平攻勢後，繼之以氫彈攻勢。如果是假的，他的地位已經穩定了。如果是真的，那更是非同小可的事。最近艾森豪兩三篇有關氫彈之發言，不僅不足確保美國安全，且不足澄清當前[illegible]。

再其次，邱吉爾在得了諾貝爾獎金以後，印度人在担任中立國遣俘委員會後，都將以更多的「獨立」姿態，「中立」口號，給美國以更大的困擾，而外面的困擾，也會增加內面的困擾。

【下接第二版】

國家與自由

·張丕介·

當我早晨拿起當天出版的報紙，匆匆翻閱一下之後，有兩件新聞，不斷的引起我無限的感慨。一個是關係世界和平和我們民族國家的大事件，那就是目前在南北韓之間中立地帶進行的遣俘問題。一個是那位在海上流浪了兩年之久，到處都拒其入境，始終找不到一個可以獲得自己國家的男人的故事。表面上看起來，兩件事是風馬牛各不相干的，但實際的意義都極其重要的共同之點，那就是國家與自由的問題。

（一）

自從法國大革命，現代式的民族國家出現，國家這一觀念便取得了空前未有的重要地位。在國家中，人人都必須是某一國家的公民，而且必須在某一國家對他國籍沒有問題的時候，他的生存才有了第一個最基本的保障。一個失去了國籍的人，不管他有多大的能力或多少財產，他都變得和空中的飛鳥一樣，任何人都得而捕獲，得而擺佈。一個失去了國籍的人，最迫切的唯一的要求，便是重新獲得自己國籍的原籍，恢復他的國籍。他們寧可坐牢受苦，也不肯變成一個無國籍的人。否則，他必須請求另一個國家入籍，變成該國的國民。

近百年間，雖有種種國際性的大小組織，卻沒有一個組織是屬於無國籍者的團體，也沒有一個組織是爲無國籍者請求一個國籍的團體。第二次世界大戰後的聯合國會對人權之保障作了不少的努力，然那所謂「人」者，也只是有國籍之人，當然那個「權」也只限於有國籍的人的權利。總之，我們既已生存在一個民族化了的國家觀念的時代，國家的存在已經是每個人存在的先決條件了。[illegible]君的不幸事件，將是文明歷史的一件絕大諷刺。我們不必追問他過去的生活如何，總之，他很久以來便以無國籍的身份而生活於中華民國的領土之上，中國政府沒有因此而歧視他，他也沒有因無國籍而受到任何的麻煩。天下一家或世界大同的思想，使中國人不肯走上[illegible]巷子，在我們並沒有錯誤，但在[illegible]的國家觀念之時代，我們卻吃了無數的大虧。走出中國大門之後，中國人才恍然明瞭，原來我們所抱的[illegible]，竟成了自己莫大的災難。成千成萬的華僑，莫明其妙的受着異族異國的排斥。當他們一旦覺悟了，明白國家之重要，而表現其熱愛祖國的時候，不幸自己的祖國并沒有同一的認識，更缺少保護自己弟兄的力量。

（二）

當中國政府與中國同胞一旦覺悟，知道國家觀念之重要的時候，第二個困難問題又來了，那是自由的問題，換言之：國家與自由之間出現了奇怪的紛歧。中共篡取大陸政權之後，形式上未嘗不是一個獨立國家。根據人人應愛其祖國的原則，中國人儘管不願接受共產主義統治，但沒有理由不作中國國民，沒有理由逃避自己的國土。然而另方面的事實，卻使許多愛國的中國人不得不爲了選擇自由，而設法逃避了自己的國家。這是海外千萬流亡者的動機，也是那數萬中共戰俘成爲國際間大爭執的原因。

愛祖國與愛自由之間，應該有矛盾嗎？這大批的流亡者與數萬不肯遣返的戰俘，又當如何呢？

（三）

不錯，我們有一個自由中國的所在地——台灣。萬千流亡者與數萬反對遣返的戰俘，都在希望重回祖國懷抱，讓祖國與自由兩個觀念互相一致之下，保障他們的生存與幸福。然而這又談何容易啊！請求入台不是人人可以批准的，窄窄的一條海峽，限制了多少愛國者的熱情！更糟的是，那些爲了祖國與自由兩軍之變，不惜與共產主義決裂的義俘們，還居然被扣押在外國領土，聽候殘酷無聊的「解釋」。五萬萬的中國同胞在大陸上天天引領東望，希望有一天聽到眞正解放的號聲，但他們同時不能不在愛國名義之下，爲匪致死，爲敵效命。這是多末可悲的現實，可悲的矛盾啊！

（四）

國家與自由兩個觀念之不一致是我們大悲劇的造因。只把國家觀念強調到神話化的地步，而把人民的自由一腳踢開的國家，是得不到人民的愛護的。中共的國家，向外一面倒，已成了可憐傀儡，連國家的資格，獨立的資格都已喪失，而對內卻橫施極權，剝奪人民一切的自由，其不值人民的愛護，更無疑義。我們只有希望在未來的復興中，能出現一個與自由觀念完全一致的新國家，讓我們萬千東方的風自遠獲得一個最後的安身立命之地。台灣，你是這個希望的種子，我們希望你在事實上能證明國家與自由之完全的一致。

半週展望

·左舜生·

板門店所潛伏的絕大危機！

所謂『政治會議』的預備會，已於前天（廿六）在板門店揭幕了。

我們老早便已警告過：不問任何人任何國家，凡願意和共產黨坐在桌子上和他們去開會，他們便[illegible]：共產黨充分了解，只要你願意和他們去開會，他們便一定你們是準備和他們妥協；同時他們也意識到你們既願意和他們妥協，當然你們一定是怕打仗，既怕打仗，則他們便算是已經勝利，勝利者當然以勝利者自居，豈有不屈服於弱者而屈服於霸壞之理？因此他們的要求一定是得步進步，層出不窮，不等到你們全盤接受他們的意見，決不中止！

現在共方所提的第一個要求，便是准許所謂中立國，尤其是亞洲的所謂中立國，參加政治會議。

假定聯合國的代表們對這一點慨然許諾，政治會議是不是便可以開成呢？不，絕對不，共方的第二第三第四……的要求，一定會要陸續的提出：

一、政治會議不能單純的討論韓國善後的問題，一定要討論亞洲其他的問題。

二、所謂韓國統一問題，在共方的意思不是以南韓統一北韓，而是以北韓統一南韓。

三、要達到以北韓統一南韓的目的，共方在未來政治會議中的第一個要求，便是美軍包括所有聯合國的軍隊，全部退出韓國，所謂中共志願軍的退[illegible]

四、中共在未來的政治會議中，當然要堅持加入聯合國。

五、如美國對中共加入聯合國表示讓步，其他民主國家當然[illegible]聯合國並存於[illegible]國代表[illegible]

六、[illegible]便會正式[illegible]要求把台[illegible]讓步到把台[illegible]時候，中[illegible]也可能會[illegible]

七、還[illegible]和中共在[illegible]，我們只[illegible]便應該了解[illegible]的成功。我們看問題，[illegible]我們的朋友們那樣[illegible]大家不要誤會我專向最壞的方面去着想[illegible]國的議員們，軍事家們，一[illegible]位的人物都聯袂赴台，便把[illegible]艾森豪杜爾斯各位當可附死[illegible]肯徹底的解決中共問題，還[illegible]成的可能！而且不是沒有由[illegible]美國有一部分的名流，不[illegible]示要他堅持不許中共加入聯合國[illegible]看法：

一、他們眞是在擁護艾森豪的原有主張，而去特別提高他的信念。

二、他們多少窺見了艾克的意識，確實有些放心不下。

三、聯合國內的議論相當紛雜，其前途確實令人可慮。

四、當此政治會議將開未開之際，也可能只是一種遷就中共相當讓步的姿態。

我很憂慮：台灣的政治現狀與外交陣容，還不一定有衝破這一難關的把握。

埃及革命一年

前途是可以樂觀的 革命軍人應加警惕

·王可·

國外通訊

【開羅特約通訊】去年七月納吉布所領導的革命，可算爲埃及歷史上前所未有的奇變，當時國際輿論，對於此次革命先是驚異，繼則喝彩頌揚。納氏本人亦覺氣象萬千，想在幾個月或一年內，把整個埃及改革得面目一新。時至今日已歷一年零兩個月，成效如何？這是本文所要說的。大體言之，革命後有不少可以報導的新政，然亦有無數正待打破的難關。

軍人內部步調不齊

和納吉布從事革命的，都是一些年輕軍人，一股作氣的硬幹精神有餘，惟學識經驗尙嫌不夠，所以反映到政策上的，不是欠穩定沉着，即是缺少一貫精神。革命軍人委員會爲一切政治改革的中心，國家大事均由這個機構決定執行，會中十三位人物都是從前起義的幹部，他們開始的態度，如在宣傳方面，祇捧出納吉布一人，其他相約「永遠」躲在幕後，作無名英雄，並且宣佈他們的聲言，謂「革命的目的，不是尋求個人榮華，而在造成整個國家的光明前途」，其言可嘉，其志亦嘉壯。

然而兩三個月後，他們的行動就漸漸離形走樣了。這些無名英雄，終於不甘寂寞，競求作報紙上的風雲人物了。最堪注意的，即拉沙（LT. COL. GAMAL NASSER）的大名，已一躍而與納吉布並齊驅。因之外間揣測紛紜，有謂拉沙已內定爲納吉布繼承人選；有謂總統不過傀儡，實權操之拉沙的；又有謂兩人貌不相能，遲早必將火拚的。這些傳說如果係屬謠言，則其產生的主因，顯係在彼等不能實激利害所致。

由攝政變爲共和

遜王法魯克出走後，他們本來宣佈維持君主立憲，以攝政三人執行政務。三人中有革命元勳米赫拉（COL. MEHANNA）代表軍部，儼然是已定的不變政策。那曉得當米氏要做到名符其實「攝政」時，納吉布的態度便不同了。於是米氏懇切表示：「你是總司令，管的是軍事，我既身爲攝政，自然管的是政治，你不要我管，難道我天天坐在亞布丁宮中作傀儡不成」？這樣的衝突，十足表現軍人內部沒有一致的打算。如果當時確定「攝政」僅爲過渡，則他們彼此間應有諒解。這一幕滑稽劇發生後，局勢便急轉直下，由三人攝政減爲一人。到本年六月，忽然又宣佈共和，廢除君主。

閃電式的演變

革命後，納吉布担任的是海陸空軍總司令，他曾說過：「軍人對於國政僅負監督之責，實際政治仍當由富有經驗的政治家掌握。」此種軍政分離的論調，當時頗得一班好評。但曾幾何時，首相馬赫爾正努力土地問題解決時，因意見上與軍部稍有參差，納氏即迫不及待的請馬氏辭職，自己當仁不讓的加上了首相頭銜，從此軍政大權集於一身。不到幾個月，百尺竿頭更進一步，又宣佈共和，自己坐上總統寶座。這種閃電式的演變，弄得埃人目眩神迷，都驚疑「明天又會有什麼新花樣出現」。此外類此的事情尙多，如憲法的修改，政黨的整理等，始則鑼鼓喧天，熱鬧異常，終則虎頭蛇尾，所謂取消解散都無下文，這一連串出爾反爾的作法，譽之者，謂爲「嘗試」政策應有的結果，毀之者則譏爲政府威信墜落象徵。

土地改革的困難

納吉布內政上的大改革，當然爲土地權的限制。據官方估計，政府應收購的土地總額，爲六十萬英畝，現在收購的僅八萬一千英畝。本年七月革命週年紀念時，納氏曾親自發給農民地契，如照上額分配完畢，則直接受益的農民當爲七千戶，包括人數三萬五千人，這是値得欣喜的一件大事。不過因此帶來的麻煩也不少，第一，地主們目視這個等於沒收性質政策的實施，雖敢怒不敢言，但未經收購的土地爲數尙多，他們屬於主佃關係業已惡化，土地遲早不能復爲已有，當然不肯和從前那樣熱心投資去下種耕耘，但農本身又無能力可以彌補此種缺憾。再新得土地的農民也困難重重，合作社雖可貸款，而資金有限，難以做到全部挹注，週轉靈活，所以生產方面，最近便有形成靑黃不接的嚴重形勢。

工業生產亦低落

再就工業言，埃及工業甚落後，除了密斯里銀行所設的幾個大工廠外，其他民營工廠大都規模狹小。就亞歷山大的紗廠織布廠言，因年來一般大力購買減，棉紗棉布銷路停滯，小本經營的工廠當然首當其衝，往年原可關門大吉，一了百了。但在今日，因爲政府優待工人，避免失業增加，規定所有工廠不得停業，這樣一來，有些忍氣吞聲照付工資，暗中卻將生產減少，或者將一部分工作停頓。

平價政策的失效

[illegible]

財政拮据萬分

目前埃政府爲財政拮据，以前的財政赤字，至一九五二年度，數達六千八百萬鎊（包括棉花賠貼），國庫的準備金僅餘一千二百萬鎊，尚短五千二百萬鎊，捉襟見肘，已達極點。本年度預算，雖費九牛二虎之力，勉強成立，然必須繼之以嚴格的節約，增加生產以及繁榮貿易等，方能維持下去，這是多麼艱苦的一件工作。

人物評述

史學權威——羅香林

·紹華·

在香港，中國的史學權威人士有二位：其一是新亞書院院長錢賓四（穆），另一是担任香港大學歷史講座的羅香林教授。

（一）

他是北京清華大學和研究院出身，曾跟過梁啓超的中國歷史研究法，和中國文化史，朱希祖的南明史和蒙古史，陳寅恪的隋唐五代史，王國維的殷周史，以上幾位導師，都是中國史學界權威人物，在他們指導之下，經過六年艱苦研究工夫，獲得了優異的成績。他治歷史學，曾做了基本的工夫，如年代學，考古學，民俗學，社會學，政治學，經濟學，宗教學，這些和歷史有關的科學，多數是他曾經選讀的。

在清華研究院結業之後，他便回到廣州任中山大學校長室秘書，那時鄒海濱（魯）任中大校長，兼廣東通志館館長，鄒氏並手修理通志，請他任通志館分纂，羅致徐甘棠，張學華，溫丹銘，朱希祖任編纂：香林平日對於方志學研究有素，故其所草條例，獲得通過。

（二）

他任職通志館時，於其餘暇，著客家研究導論，全書十餘萬言，書成，中大聘他任歷史系副教授。日本學者對他的新著，刮目相看，譯爲日文。這是一部研究客族的發祥和分佈，客族和中原文化的關係的權威著述。

民廿三年，朱希祖應中央大學之聘，任該校歷史系主任，香林亦同時應聘，往南京，那時在中央大學任教的如繆鳳林，張其昀，向達等均出身東大，已負盛名，獨香林出身清華，未免孤立，因徒自奮厲，下帷苦讀。他有感於章實齋「六經皆史也」這句說話，以爲研究古史，宜從儒經入手，因此讀經攻讀，對於尙書，毛詩，尤三復注意，頗有創獲。他教授的功課，材料豐富，批判正確，於是張其昀等深爲折服，常促各學系的學生往選羅氏的課，一洗黨同伐異之風。他在南京一住數年，除教課外，並應正中書局之約，編了一部高中本國史教科書，這部書是用文言文寫的，他的觀點，是傾向於中國歷史正統派的。現在台灣正中書局主人，把該書改爲[illegible]

（三）

抗戰軍興前，香林由南京回廣州，再到中山大學教書，[illegible]

[illegible]

（四）

抗戰勝利那一年，香林出任廣東省府委員，兼廣東省立文理學院院長，一年，卸去院長職，主持省府研究委員會，每月約請專家學者到南關舊址作專題演講，並從議設立廣東文獻館，時學人稱道之。他忘不了文化工作。後來省府改組，他又恢復他的教書生涯，在中山大學任教，並常到各校作學術性的專題演講。

（五）

中共入粵前，他挈婦將雛，舉家赴港，刻苦自厲，先後担任香港大書院，文商專科學校的功課。民國四十一年夏，入港大担任歷史講座，有中國民族史，中國經濟史，目前著作已經脫稿的有中國與印度佛教的關係，和從前未脫稿的有中國經濟史，整理就緒。他平日論學，拈出「德術兼修」八個字，和從前顧亭林「博學以文，行己有恥」的主張，同旨。他治學的注意點，首先注意物，舉例言之，如文理深遠，而後研究，他便注意到尼陀羅碑的考據，在香港，他便注意近年來香港中國文學的演進，足徵一事一物他都細心，這便是考據家求實的精神。

國語運動在台灣

葉非葉

[illegible]

現全省各縣市也有國語推行委員會的組織，[illegible]

最高指導機構

[illegible]

語文學專家

[illegible]該會常務委員魏建功先生担任，從民國三十六年起，註音符號和國語播講，和用閩南語學理研究等，都由齊氏播講。（上）

一種社會運動

現各公民營廣播電台，均以使用標準國語爲主，這也是推行社會國語運動的有力工具。國語運動若專以學校爲主，最易形成不均衡的畸形現象。故國民學校勝於中等學校，中等學校強於高等學府。現時小學教師講解課一律採用國語且推行文具效及於一般山地學校；中等學校則採取較放鬆態度，因之操方言或不純正的國語講解，易滋學生困惑，專科學校則完全放任態度。今年政府當局廣泛推行國語運動，規定山地學校及師範學校應切實輔導縣區內國民學校國語推行工作。講訓不諳國語教員，及山地行政人員，定期考核國語成績，以定其成績，均是良好措施。

編者讀者

讀者來書

編輯先生：我從大陸流亡過來，兩度參加雙十國慶。今年看到總統閱兵，覺得反攻是時候了。……時間是有限的，不能讓敵人根深蒂固……我們丟失大陸，不應該自己承認。應該以往抱着消極心情，等待國家自由和正義的千萬人民，負起責任？……希望全國國民，非身所逆睹，兵法云，置之死地而後生，我們應該遞行反攻，有時不是我們應該等待的時機了。時間要以雷霆萬鈞的力量出軍事，配合宣傳攻勢，沿海敵前登陸，擴展戰果……下一步就是心戰……全年來人字的勝利……不過我們是否可以從自己的方案，不能只是等待……

編者的話

△下一期本刊的文章：陶百川先生的「論公營事業」，美好的夢；方雅先生的「論館人做一結論」，以爲敍述，以及到我國認識公營事業的人……

△台南葉非葉先生：稿酬已經寄出。

△王世昭先生：大作的「詩」，請向張執中君接洽，本報郵址如舊。

艾森豪政府之可能危機

（上接第一版）

這便是艾森豪政府之可能危機。我們認爲，美國不能長期許其懷疑的態度，這是艾森豪政府必須有先決定的力量，時間將要迫急的。艾森豪有責任，證明西方的徒弟，能保證其自由世界的力量與智慧。

可能的危機

這三種因素結合起來，將增加自由世界之紛擾。例如港口問題之類，可能與馬林的不斷以更多的時間與精力，實際的利益。而自由世界之團結——這是美國當前目標之最大者——縱不解體，亦將渙散。而當時美國民意如何反應，是很難說的。

也許美國人會說：難道你們中國人比美國人更懂美國自己的問題，更懂艾森豪自己的事？我將答道：第一，由於我們了解我們的政策，同時了解美國以世界領導者自居，而我們亦以此相期，我們就看出美國現在作爲，既不能對俄帝挑戰爲有力還擊，且亦未能與美國自許大家相符。第二，世界者，古諺所云：「當局者迷，旁觀者清」。我們未來的期望「艾森豪奇蹟」，但我們不能不對艾森豪和美國人善用其力量，齊其責任，以保障美國和自由世界的安全與勝利，抱有合理的期望。然則我們對艾森豪政府抱有何種期望呢？

當局者迷傍觀者清

寫至此處，據美國專欄作家艾倫說，艾森豪已親自擬就冷戰新計劃，然就他的報導看，這還不足以消除我們對美國今後……

我將爲本刊續寫二文，討論這個問題。

杜威訪台觀感錄（上）（節錄）

‧陳克文譯‧

杜威州長這篇訪台觀感錄，是一九五一年，訪問遠東那時候寫的。其中所見所聞，自然有些已成明日黃花，也有許多現在依然是事實。朋友諍言，值得我們反省。因將全部譯文三萬餘言，節為萬餘言，刊登本報，藉供讀者參考。——譯者。

自由中國的領袖人物

十四世紀，葡萄牙航海家初次看見這一個海島，大呼 THE LA FORMOSA（美麗的海島）。故台灣又稱 FORMOSA。台灣長約二百哩，寬一百哩，面積比美國衛門地州大一倍半，人口和美國新英格蘭約略相等。

有共同的決心

這是中國文化薈萃的地方，了解自由的男女，有聲譽的老政治家、青年政治領袖、軍人、科學家、學者、詩人、企業家其間。人人都經過軍事和政治的慘痛失敗教訓，人人都嘗過可怖的精神打擊滋味，人人都有過灰心絕望的觀念，不過他們却有一個共同的決心，要收復大陸，解放受共產奴役的國家。

做過英文教師

我正式和台灣[illegible]，係在行政院陳院長的宴會席上。我的車子，並無警衛，經過台北街道，前往陳院長的寓所住宅，宅門僅有士兵兩人警衛。我們一直走進一間客廳和飯廳相連的房子，陳院長便在這裏歡迎我們。陳院長身體清癯短小，高僅及耳際。穿灰色褲，樸素中山裝。若非那一雙和藹有光的眼睛，端正的姿態，我一副冷靜的威嚴，在衆人廣衆中是不會引人注目的。

陳院長和其他許多自由中國的領袖不同，他不說英語。不過卅年前，他曾在某一間學校做過英文教師。我覺得他的英語和我的法語一樣，已經荒廢太久了。他於一九二〇年放棄教席，參加革命運動，漸漸成為斬釘有聲望的軍事領袖。撇開他的軍事成就，他的基本興趣却在哲學和政治。以他現在的位地，一旦時機到來，他要認眞應付的是如何恢復大陸秩序，和人民自由問題，以及一切緊急行的政事務。他現在已經準備一套改革大陸土地的完整計劃，計劃基礎在於盡力減低租稅。如擁護國民政府的，特別保證他們的土地所有權。

中國人的英語

在使用英語上，中國人和日本人很有分別。我所會見受過高尚教育的日本人，差不多都能操英語，多數說得很好，但少數人的英語實在不易了解，必須經過翻譯才易清楚。但提到通譯，任何日本人似乎都會認為是一種侮辱。中國領袖許多是美國留學生，英語非常流暢，有些從來到過美國的，也能說流暢英語。中國人和日本人的分別，在於中國人如果英語說得不好，便老實不說，中國人的作法自較妥當些。

領袖多屬年青

在一郵愉快宴會中，我注意到國民政府的高級人物，現在掌握權力的，全是年青人。政府發言人沈昌煥，密芝根大學畢業，卅八歲。省主席吳國楨，格林納爾和甫林斯頓大學畢業，四十八歲。陸軍總司令孫立人，彼杜和維吉尼亞陸軍學院畢業，五十一歲。外交部長葉公超安諾斯特大學畢業，四十七歲。院長陳誠五十四歲。這些人都富有朝氣，飽經憂患，具進取心。

大陸失敗原因

共產黨在中國大陸的成功，我覺得還有一個原因內。便是在亞洲大多數人眼中，所有政府都是腐敗無能的象徵。若干世紀來，人民接受政府治理，對於政府沒有什麼期望，得不到很多好處，公共衛生極劣，公共的設備貧乏。普通美國政府所辦理的工作，例如肺病院，保險計劃，公共房屋，良好公路，各項公用事業，各級學校，大學等均一無所有。

近年蘇俄及其附庸國，實行屠殺或誘捕反對者，已經發生效力。台灣的中國人也承認共黨集體屠殺的恐怖主義，很有力量，使人民不易反抗。若干共黨暴行，幾於令人不敢相信。不久我到香港，有機會和新從赤色統治下出來的人談話，從他們目擊耳聞的事實，得到證印。

台灣也承認，過去不能抑制通貨膨脹，給共黨以成功的機會。初時政府推動儲蓄，剝奪人民，以期解決通貨問題。共黨利用此一機會，攻擊政府，國民政府遂成衆矢之的。

戰爭破壞的痛苦

世上很少知道中國受戰爭和破壞的痛苦，歷時究竟幾許年月。日人偷襲珍珠港前四年，即一九三七年，日軍已進攻中國。戰禍延續八年，世界各地經已和平，中國仍無和平可言。中共軍隊從俄手中接受繳自日本的武器，變成新武器，從此飽經戰陣，筋疲力竭的政府軍，再受新裝備的共軍攻擊。蔣介石和史達林所訂的卅年友好盟約，墨瀋未乾，即為史達林於一九四五年撕毀。同時國民政府又為戰時盟友美國所背棄，斷絕援助，指謫紛來，醜譽為之大喪。

美援延緩原因

中國人聽到有關軍[illegible]禮貌，當我提出有關美國不能供應中國所迫切需要的武器這一問題時，他們對我的答覆，便充分顯露這一點。初時沒有人提及此事，待我發出，一位政府重要官員很委婉的說道：「我們接到若干重砲，砲彈，和飛機。但不知什麼原因，砲彈往往和砲不符，並且總是遲到。我們有了飛機，沒有零件。接到的飛機總是欠缺尾舵或其他重要零件的。我們不敢相信這是美政府的政策，也不敢相信是任何個人的過失。必定是戰後鬆弛，官僚辦事失當的結果，我們自己也有同樣的情形」。

我全部旅程，幾乎沒有得不到坦白答覆的問題。或者因我當我是朋友，或者他們生性審飾，不會隨便歪曲事實作爲特殊詳述，因此他們盡情推測朋友的心理，對我直說，我不願意所報告的都是他們說過的話。

立監兩院午餐

業生邀們記時。哥我同會
生六現們憶的我林逐學，
八十有很的獨尼比一聚樂立
十人得高同事談那會會乎監
人，林興儀，到大見無和兩
，常比的學以大學常與我院
多之那說友及學的之。的的
數很場，。間同根發大午
是都業合他夠書衛和前學餐

立法委員。

過一天兩院委員共到五百餘人，少數穿中國服裝，多數穿洋服。有的是商人，有的是學者，有的是軍人，有農民，少數生也是婦女。和他們來自中國，有[illegible]史，構成立法第五，一千集合年來，已歷[illegible]

于張兩院長風度

感要話以的史
，劉興，是。
我們我的難是
的人的我能力
話的言不全我
受友詞能力支道
演譜。為支持他
熱而我他他們
烈讚說們的頗

，也着我的。清議革邊監
高發立的人是雅。命。察
我國表法鄉物政，長，于院
彼默一院重。府身髯現第于
還氣需張歡餐中穿飄長院
演味節院迎與其中拂已一長
認的短長詞，有國，七生右
，演講道，他精長袍十年白
頗人熱感跟力素三力傍
港餐時候，我坐

鼓掌，出於禮貌抑或出於眞誠，我認爲需要加以保證：中美人民已不少友誼，歷史悠久，現在，還今後美國和自由表現，中國以自由平等地位，共同合作，定可克服彼困難，一同更可證明此關係我之深厚，反友誼的信念，我們說明乃地位平等關係，是一種伴侶。我全部旅程之間，努力證明，彼此相互之間的利益，是人類和平地位大道。

評：「祖國愛」‧儀

作者：唐薛民

「祖國愛」是華僑作家唐薛民先生的一本短篇小說集。

這本集子共包括：「南中國海的怒潮」、「馬來亞森林的愛戀」、「祖國愛」、「星島之夜」、「生活在海外的孩子」等五個短篇小說。薛民先生是透過他親身的經驗，尖銳細密的思想和文筆，表達了華僑同胞的愛國的心情。這是現階段自由文藝一本好書。

本書描寫的是南洋各地華僑的背景，[illegible]

[illegible]

孩子們，是報導無孔不入的共匪們想污染不可動搖的赤心！「星島之夜」是[illegible]天眞無邪的學童心靈的無染的行爲。[illegible]

民國名人小傳

著作者：唐耀增

出版時間：一九五三年九月

出版者：新世紀出版社

約計字數：十一萬字

[illegible]

落月湖 —短篇小說—

作者：黃思騁

出版時間：四十二年七月

出版者：人人出版社

本書作者黃思騁先生主編「人人文學」，其另一著作名「當春天再來的時候」。[illegible]

本書計十五篇：一，初出茅廬；二，在文明世界中；三，古怪的病人；四，鄉村姑娘；五，天才法官；六，人壽保險；七，羊腸中的神跡；八，明星夢；九，落月湖；十，失眠者與更夫；十一，老馬；十二，南洋的菓園；十三，出獄；十四，新的一課；十五，急流。[illegible]（劉己之）

未來的房屋

·由之譯·

你想知道未來房屋的情形嗎？在美國，下面的一種房屋可能就在幾年內實現。

這種未來的房屋幾乎完全是電動的，無論烹飪，照明和空氣調節，統統由電動操縱。屋中將安有電動空氣清潔器，可以除去空氣中的塵埃。主婦們只要一按電鈕，就可把所有的昆虫殺死，因爲殺虫粉已藉空氣調節設備播入空氣中，屋內的昆虫無不先後喪命。洗濯碗碟也是電動，但不僅洗洗而已，跟着還用電動來抹乾和消毒。同時，還可能有一套很好的電動洗衣設備。

用不着掉換燈泡，就可改變燈光的顏色，臥室裏面是粉紅的，餐廳裏面是淡藍色的，一切都憑自己的愛好，如果你的太太不同意，她盡可一按開關，把原來粉紅的臥室變成爲淡黃的睡房。

更將令你感到驚異的，那是宛如有生命一樣的窗戶設備，每逢開始下雨的時候，用不着主人或僕人的操勞，氣扇窗戶就會自動地關閉。

不打自招文鈔

·文抄公·

·序·

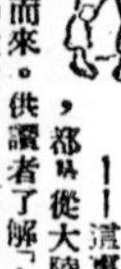

——這裏所收集的文字，都是從大陸上出版的報紙和刊物上照抄而來。供讀者了解「人民民主專政」之下，在各項「建設」方面的「成就」；反映「解放」後經過「改造」的「人民」所過的「幸福生活」情形；介紹「新社會」中的「新人」，「新事」。

讀者不妨細細咀嚼一下每篇文字的味道。作爲「新大陸」的妙文共賞可，作爲中共「坦白」的自供也可；閱後：是太息痛恨，還是作會心的微笑，也只有讀者自知了。是爲序。

帶耳朵和屁股去開會

本年十月一日，「北京」出版的「新觀察」半月刊，有一篇題目叫做「寂靜的會議」的文章，署名「中央紡織工業部南天」，這當然是一篇實在的文字，我把它一字不易的照抄如下：

下午七時整，開會時間到了。鋪着潔白桌布的長桌前，只有我和主持會議的科長同志靜靜地對面坐着。

半晌，他不高興的說：「這些同志太不重視會議了，真是沒有辦法。」我說：「是不是沒有接到開會的通知？我要不是剛才碰上你，也不知道今晚還有這樣重要的會議呢！」科長一面嘀咕着下班以前就發了通知；一面拉我一道去催同志們來開會。

我們剛走出門，小王，小趙匆匆忙忙迎面走來，「怎麼？不是開會麼？通知怎麼總是發得這樣晚？」「是的，是的！趕快過去吧，椅子在那兒等着你們坐哩！」科長有些不耐煩地揮着手，不等他們說完，科長已走得老遠了。

我們最先找到了小蕭，看樣子他正準備出去。科長喊道：「哎！開會了！」小蕭一呆：「開會？不知道呀！」旁邊走出老李來：「開什麼會？我們沒接到通知呀！」「討論生產指標偏高偏低問題，快到會議室去坐吧！」科長一邊回答，一邊又大踏步地向前走了。

許多同志被我們從閱覽室、俱樂部、寢室等等地方喊出來開會。有的同志說：「你這會才通知我們，一點準備也沒有，怎麼辦？」科長央求道：「只要你帶個耳朵去就行了。」有的同志說：「半天空一聲雷，會議內容都沒有搞清，乾脆我就不參加！」科長央求道：「只要你帶一副屁股去就成了。」

科長的話說到底了，大家不去也得去。

開會了，主席提高嗓門講話：

「爲了保證完成國家計劃，我們要好好研究我們廠子裏的生產指標數字是否切合實際，既不能冒進，又不能保守。請大家多多發表意見。」

等了老半天，會場仍然是一片寂靜。

「我來『點將』、小李！你開頭砲。」主席的老套又來了。

「沒有準備，提不出意見。」小李說。

他按着次序，又喊另一位同志：「你談談你的意見吧。」

「沒有！」

主席又有些不耐煩了，但他按着肝火，很平靜地說：「今天開會通知得晚一點，有的同志臨時才接到通知，可能有些意見醞釀得還不夠成熟，這也沒有什麼關係，大家隨便談談，有什麼說什麼吧！」

會場仍然是一片寂靜。

時間在寂靜中溜去，會議糊里糊塗的結束了。科長同志氣虎虎地說：「說起來嚷，要集體領導；但是一再徵求大家意見，都沒人吭聲！」言下大有與其這樣，倒不如過去一樣閉着眼睛領導的好。

我忍不住說：「你本來就只要求同志們帶耳朵帶屁股來開會的呀！」

科長沒有言語，臉刷地一下紅到耳根了。

·世界趣聞·

女生長褲糾紛

——自由與法律之爭

自由與法律界限之分，本是一個複雜微妙的問題，最近這個問題又在英國因女學生在學校穿長褲一事而引起全國爭論，以致牽動了司法大臣。

這宗新聞的主角是十四歲的女孩子伊伐·史密斯，她父親是個鋼釘工人。五年前，她患了風濕症，到一九五〇年八月才稍痊癒，能恢復讀書，於是她進費克勞夫中學，起先，她和其他同學一般，穿着藍裙白衫的校服，但到了秋天，她因受寒而風濕復發，兩膝疼痛，到十一月竟弄得不能起床。

等到再次復元而重回學校時，她因穿着長褲，以保暖風濕痛，免得再引起舊病，但校長費特女士認爲她衣着不整，把她送回家去。她母親大爲不滿，對旁人說：「她回家時，面孔都哭得通紅。」

她母親帶着她往教育局申訴，事後，這位老太太對外界抱怨說：「我氣得要瘋了。教育局的人要我和勞特女士懇切的談判一次。我照辦了，但她說這是校規，我問她校規在那裏。她又說：『他們不許可。』我問他們是誰，她說：『學校』，我說：『這是什麼話，學校是磚泥做的，它不會說話。』她接着又說：『依伐穿制服要好看些。』我說：『她病倒在床上卻未必好看了』。」

第一年冬和第二年秋天，依伐還是聽她母親的話穿着長褲到學校去，但在每星期一的週會中，校長便把她叫出來，這一星期內不准她再回學校。

到去年十二月，她父親被市政府召去，並問他爲什麼不把他女兒送進學校讀書。她父親也火氣直冒，對政府說：「有人還會比我更希望我這女兒能進學校呢？不論下雨落雪，她都可以到學校去，但她所穿的衣服卻必須照我的辦法。天氣冷了，女皇便替她的女兒安娜公主穿上長褲，可是我替我女兒穿了長褲卻被政府提訴。」法官問他何不替依伐找一張醫生證明書，但他卻堅決拒絕，說這是自由原則問題。法官表示，他們雖表同情，仍必須依法判他罰款十先令，還要他把女兒送回學校，照校規穿着制服。

可是他提出上訴，請了律師，女兒並穿着長褲上法庭，陪審員會同意「長褲是校服」，指責法律未免過份，推翻原判。於是最後學校又提出上訴，由皇家首席法官戈達親審此案。兩位醫師出庭證明依伐患風濕，身體必須保持溫暖，但戈達爵士說：「保暖和穿長褲並無關係，蘇格蘭式的短裙也是在夏天最暖的衣服。」他們認爲父母們說起健康，不見得是不能穿短衣到學校去，該校校長准許學生穿長褲與否，是紀律問題。也命令依伐照校規穿着制服到學校。父母卻還不肯屈服，父親說：「我將堅持我的決定，我是一個英國人，且會替英國人打過仗。」她母親也支持丈夫的主張，決定抗拒到底，她說：「我要讓依伐穿着長褲到學校去，且等他們來對付好了。」（銘之譯自「時代週刊」）

曉發黃水塘遇雨

·雷寶華·

細雨霏霏灑荻洲。濕雲如夢護林丘。炊烟欲起渾無力。才出茅簷又掉頭。

烟雲處處寫秋思。回首孤村亂柳絲。細雨溟濛江畔路。今朝喜得是歸期。

青山半被白雲收。一練寒泉天際流。澗底山巔渾一色。泉聲雲影不勝秋。

香爐峯下遍銀紙　勉人努力

南丫島發現藏金　禍耶福耶

△香爐峯下遍地有黃金，已經「掘」到「金」的不是大有人在嗎？但他們並不是靠有如電影中描寫美國建國初期那樣，人們只要發現了金鑛，立可致富的事，從此享用不盡，完全是機會「好彩」並無金鑛存在，祇不過告訴人們這地方只要你肯努力發掘，黃金有的是，等你去檢拾，可是主要的還是看你能不能努力，不勞而獲的事世上是沒有的。然而知所努力的人又不限於在這塊彈丸之地，上進邁遠，那裏都不是一樣！

此間雖然沒有金鑛，不過最近在新界南丫島的索罟灣，卻傳說發現了一個藏有大量黃金的地方。據說，在日軍佔領香港時期，這索罟灣曾經爲日軍「自殺艇」的基地，建有十多個地窖，即在這些一個已經倒塌了的地窖中，藏有約三噸的黃金八十箱，價值達港幣二千多萬元。這些藏金的來源，傳說是日軍佔領香港時自滙豐銀行盜出，未及運返日本的一部份。最近始由一個日本人向當局告發，現在已有警員駐守並派人發掘中。

這一發現，假定不是政府當局而是一個私人的話，如果他得了這些而又不爲外人獲悉，當然可以成爲暴富；但是這究竟是犯法的行爲，給人知道後是會鋃鐺入獄，變成階下囚哩。

島上風光

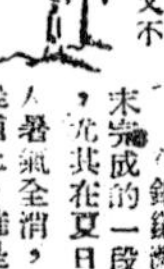

情侶拍拖勝地　愈來愈稀少

堤上旖旎風光　一去不復返

△可作爲情侶們「拍拖」之遊的綠道愈來愈少了。法國醫院後面沿掃桿埔球場的這條道路，最近又因修建工程禁止通行；而曾經熱鬧一時，風光旖旎的告士打道通往加列山的海堤，亦將現已下，使人有景物依舊，面目全非之感。

前者想來是短期的事，工程完畢後仍可恢復本來面目，說不定新建築物將使那地方更美化些；加列島海堤的風光卻是一去不復返了。

在銅鑼灣新避風塘工程開始建築尚未完成的一段期間，這條海堤着實不錯，尤其在夏日夜間，堤上清風徐來，令人暑氣全消，雙雙情侶漫步於這平坦的堤道上，確是一個談情勝地。可惜現在已因寄泊船艇，成了船上人家的起落岸，變成一個小碼頭，使得情侶們裹足不前。不過對於「艇仔粥」有興趣的人，仍不妨去光顧一番，蹲在堤上嚐嚐這南國特有食品，也是別有一種風味的。

狄托中途變卦內幕

英美決定將的里雅斯德A區移交意大利管，這件事，引起南斯拉夫的風波。義大利國大軍紛紛馳往邊境，蘇俄也在報上抨擊英美破壞義國和約。或者有人說，在此東西冷戰正劇的時際，英美爲什麼要自討麻煩，釀成西方集團中自身的分裂，而徒然貽笑蘇俄集團，令仇者快而親者痛呢。如果不明其中的內幕，這幾句責備的言辭實在是堂堂正正，必會引出絕大多數西方國家人民的同感。然而事實上，英美的決定引起如此重大糾紛，對南國本身來說，也完全出乎意外，因爲一年前英外相艾登訪問南都貝爾格萊德的時候，曾當面和狄托討論此項意見，並已得狄托滿口同意的。爲什麼在一年之後，英美正式宣佈的時候，狄托會突然翻了面孔，中途變起卦來了呢？據熟悉狄托性情與南國內部情形的觀察家推測：（一）史達林去世，減輕了狄托對蘇俄的恐懼，並逐漸增強了他本人的地位。（二）義國強烈親西方的辟斯貝里政府登台，削弱了英美兩國在義大利的地位，據格內說，狄托的作風一向近於投機，他當然不肯放過這千載難逢的機會，而希望藉此多爭到一點地方的。

軍刀機優於米格機？

不要太相信蘇俄米格噴射機不及美國F-86軍刀式噴射機優越的說法，說米格機遜於軍刀機的人，多半是根據最近駕機投奔南韓金浦機場之北韓飛行員的意見，以及美軍試飛繳獲米格機的結果。本來，將雙方的飛機（軍刀與米格機）同時作種種試驗飛行後，優劣立可判然，所謂軍刀機優於米格機總是可以相信的判斷。但據情報人員說，這架米格機是三年前出產的舊式米格機，俄國人決不會把最新型的飛機交給北韓人駕駛。而且在某幾方面，那位北韓飛行員的供詞也頗多令人懷疑的地方。我們固不能說米格機較軍刀式機爲優，但一定說軍刀機比米格機如何如何，卻也有點近似掩耳盜鈴的說法。

穆沙狄克虛報年齡

女人不肯說出自己的真實年齡，這原是一般人都知道的公開秘密，說是基於「社會上」的原因倒可，說是基於「經濟上」的理由也無不可。但伊朗的前總理穆沙狄克已是一個六七十歲的老頭兒，他爲什麼還要虛報年齡呢？原來他的虛報年齡完全是基於政治上的理由。當他一九五一年出任伊朗總理的時候，那時他已經七十四歲，但卻自稱只有六十七歲，因爲伊朗的法律規定，任何公務員年逾七十歲者即行強迫退休。如果穆沙狄克報出自己真實的年齡，豈不這總理的地位馬上就不可保。但六十七歲距七十歲的退休期究竟只有短短的三個年頭，所以，在過去兩年中，他一面隱諱自己的真正年齡，一面卻在力求廢除這條強迫退休的法律。

（孟衡）

溥儀出宮目擊談

·猾士·

溥儀當時已電話告知醇王載灃，載灃來的時候，坐兩人抬的轎子，直入隆宗門，載灃此來，甚促成出宮的辦法，他初入宮來，見到許多軍警關守，甚爲驚惶，恐與溥儀不利，路上數次問內監皇上安否，所以力勸出宮，邵等四人見載灃來亦隨入宮會商大約一小時，始出來宣布，「立即出宮」，往北府「即醇王府」，我們就在順貞門等候，時正五時，見溥儀夫婦及其妾，後隨宮女太監等，邵等四人，載灃也隨同由後門御花園出來，溥妻妾宮人內監手中各人都提有小布包，料想包內必是珠寶之類，而不是衣服，（按傳聞故宮珠寶最少，都是由此布包出去了）邵等介紹溥儀載灃和我們相見，各握手，然後登車，鹿氏車居前，溥儀和紹英一車，其妻妾一車，載灃等一車，我車最後，到醇王府後，溥儀再和我們握手，載灃又鄭重問保護情形，鹿說，不成問題，警察已經派來，即刻就到，我們辭出後，又到宮內巡視，再到馮處報告，回想那天談人中，說話最多的是邵英和耆齡，榮源次之，寶熙始終默然，初六那天，溥儀電話約我及鹿往醇王府，到後，坐於一個圓桌前面，我坐左，鹿居右，溥儀坐對面，載灃在溥右，載濤立侍溥儀旁邊，耆齡等遠遠侍立，溥儀向耆曰「大哥，到了今天，還鬧這個玩意幹麼，大家都坐下罷，」耆齡聽到，甚爲驚惶，載濤說，「我看就坐下罷，」於是比溥儀長一輩的都坐下，其餘仍舊侍立，此次請我們的來意，因他們聽說北京學生將圍醇王府，所以甚爲恐慌，請我們保護，當時我們竭力安慰，鹿氏立即電話叫軍隊來保護，那個時期，溥儀的舉動尚好，一直到九一八事變，於是風雲詭譎，又變幻無窮了。

（下）

中華民國僑務委員會頒發登記證台僑新字第一零二號
中華民國郵政登記第一類新聞紙類

自由人

THE FREEMAN
（中週刊每星期三六出版）
（第二七八期）
每份港幣壹毫
督印人：李光華
社址：香港高士打道六十六號
電話：七四〇五三
GLOUCESTER RD. HONG KONG
TEL: 74053
承印者：東南印務出版社
地址：香港高士打道六十四號
台北特約發行處：台北市館前街五十號
台灣總經銷處：台北市中華路新號第九五四之一
郵政劃撥儲金：九二五二

公營事業好夢難圓

美國人多數反對國營，英國國營事業亦江河日下。台灣國營更浪費腐敗，公營事業已面臨歧途。

‧陶百川‧

三十年來，我一直做着公營事業的好夢。我夢見國家以公債票收購了而不是以暴力刼收了私人的銀行工廠和礦場，並向國內外募集借款加以發展，於是財富平均，民間不再見有大腹賈和凍餒者。我夢見全國人民以愉快的情緒和緊張的精神在增加生產，而大家國營『貨惡其棄於地也，不必藏諸己，力惡其不出於身也，不必爲己』。我夢見一個福利的國家，和平的世界，人民生活安樂，工作時間從八小時逐漸減到四小時。

但是年來受着外界不斷的干擾，我的夢雖未醒，可是已經不夠甜蜜。破碎之期，當不在遠吧。

美國人的答案「不！」

我急於要想知道別人對這問題的看法如何。在最近（十月十九日）出版的美國時代週刊上，我發現了這樣一個標題：『國營麼？不！』文中報導蓋洛普民意測驗所曾向多人詢問：『你贊成國家來經營銀行鐵路和煤礦麼？』統計結果，贊成的少，反對的多，而贊成的人數且較前三次減少。請看下表：

測驗年份	贊成銀行國營的	贊成鐵路國營的	贊成煤礦國營的
一九三六	百分之三六	百分之三〇	百分之二七
一九四五	百分之二七	百分之二〇	百分之二九
一九四九	百分之二二	百分之二二	百分之二五
一九五三	百分之一四	百分之一四	百分之一五

在答覆的人們中，教育程度低的人贊成國營者，多於程度高的人；計大學程度贊成的人數是百分之十，中學是百分之十三，小學是百分之二十。工人贊成者多於農人，農人多於文化人。以煤礦而論，民主黨黨員贊成者佔百分之十六，共和黨黨員佔百分之十二。

美國人一向崇拜資本主義，贊成國營的，自必不多。但其逐年減少的趨勢，則頗可注意。

英國人的夢早破碎了

再看英國：在第二次世界大戰後，英人國民會選擇了以國營企業爲標榜的工黨。工黨因此宣布要在五年內把百分之廿的企業收歸國營，並列舉煤、鋼、電、中央銀行、鐵路、化學工業、糧食工業、工業保險、糖、水泥等必須首先實施。但結果只實施了一半，後五年任滿，工黨雖再度當選，但社會主義的國營成績却是江河日下。我在本刊第十八期（四十年五月五日）曾寫一文（『民主社會主義及其危機』）加以檢討，並預測工黨快將垮台。後來國會改選，英國人民果然背棄了工黨及其國營政策而擇取了保守黨。

英國人對於國營事業的好夢顯然已經破碎了。

中國情形令人沮喪

中國的情形如何？台灣約有百分之八十的工業是公營的，公營範圍的廣大，在自由世界中可說是首屈一指。但其成績並不怎樣令人興奮。以生產而論，大多數產品雖年有增加，但因成本過高，增產有時反成爲負累。至於生產成本高昂的原因雖不止一端，然作爲張僞惡因之一的浪費和腐敗，說來也着實驚人。這種浪費腐敗的情形，可以監察院審計部中央總決算審核報告書[illegible]字來表示。公營事業機關的[illegible]三十九年度是美金[illegible]，港幣[illegible]，合幣二七四三，四七三元；四十年度的數字最可驚，竟達合幣三一，四二二，七七九元之多，（港幣等並未併入）；四十一年度較有進步，但尚有八，〇五〇，三五三元。

至其繳與國庫的盈餘（從這裏也可看到公營事業的成效）三十九年度預算數是四一，五三九，一七一元，決算數僅二六，〇三一，〇五七元，決算數是預算數的百分之六二强；四十年度的情形較好，預算數是一八九，五四五，七八一元，決算數是一七九，一六四，九三八元，百分比是九四强；四十一年度又退步，預算數是九六，三五三，〇五三元，決算數是七三，五三六，六八五元，百分比是七六强。三年來所繳的盈餘，沒有一年達到預算的數額。

此外，四十一年度的賬上，尚有幾個數字也極可注意：

（一）四十一年度盈餘決算數，較上年度減少一〇五，六二八，三五二元。

（二）四十一年度每資本一元年獲盈利一角二分七厘，較上年度平均數減少八分二厘。

（三）以四十一年度的營業收入營業支出與四十年度的比較，收入增加百分之四十，支出增加百分之五十八。支出增加速度，大於收入增加的速度。

（四）四十一年度解庫收入，約佔中央總決算收入總數百分之三．八三，較上年度的百分之十二．四八，減少百分之八．六五。公營事業資本的獲利能力和對國家財政的幫助，可說小得可憐。

（五）四十一年度公營事業中負債最大的，是台糖公司、台電公司和招商局。

（六）各公營事業機關可向台灣銀行經常借款，以四十二年六月爲例，總數達八一五，六四一，〇〇〇元，最高利息一分二厘。若以此巨額資金貸與民營機構，則可收取高出一倍的利息。這就等於國家以減讓利息的方式每年貼補公營事業台幣一億一千萬元以上。

（七）盈利的來源，往往是公營產品漲價之所得，有時且大漲特漲。以台灣紙業公司的白報紙爲例，香港每令售價是港幣二十一元五角（等於台幣五十六元一角一分），運到台灣加上關稅和運費亦僅合台幣七十餘元。而台紙公司的官價每令一百九十元。政府爲保護台紙公司，嚴禁外國白報紙進口，坐視消費者横遭剝削而無動於中。台灣報價貴，這也是一個原因。

看了這些觸目驚心的數字，公營事業本身的理論無論怎樣動人，其引人入夢的魔力無論怎樣强大，對於公營事業無論怎樣熱心和同情，寫到這裏，也要爲之擲筆長嘆了。

蘇聯有秘訣但不可用

但是公營事業也有辦得較好的，那就是蘇聯。我爲研究這個問題，曾經不避艱危，親往考察。我在莫斯科和列寧格勒兩地所看的雖祇是十幾個樣本，但我已發現了她的若干祕訣，其中最重要的一個，就是鞭子。她以鞭子不斷地無情地鞭策着國民，使他們不能浪費，不敢疏懶，而且她的鞭子或是恥辱，或是皮鞭，或是凍餓，或是饑饉，于是大都得爲着生活和生命拚命地工作。這種鞭子政策，在道德上的價值如何，在政治上的影響如何，看法雖有不同，但它施之於國營事業，則能收效於一時，則是鐵的事實。

我是反對這個鞭子政策的。無論在民族質素方面，在民主精神方面，在道德價值方面，在政治影響方面，——無論在那一方面看，——我們都不能採用這個政策。於是我們便不容易把公營事業辦得更好。因爲國營事業淵源於馬列主義，而馬列主義是整套的，而其主要的幾個政策是互爲條件的，國營政策與鞭子政策，似乎不便只採用其一，似乎不可偏廢。我們放棄了鞭子，似乎也當放棄它的國營政策。然則爲求公營事業的成功而舉起鞭子呢？還是爲尊重民族精神從而放棄公營事業呢？我們似乎應當有所選擇了。

法國政局又在動盪中

——蘭尼爾內閣恐將傾倒

‧林生‧

歐洲病夫的法國，戰後千瘡百孔，國民精神萎靡，經濟日趨紊亂；加上政黨緊訟紛紜，莫衷一是，所以內閣壽命總是不長的。現任蘭尼爾內閣，生來命若，面臨內憂外患，結局當然早已鑄定。倒閣風潮大概不會很久，便要發生。現在是國會開會期間。觀察家對於蘭尼爾內閣，早已替它担心，若不是因爲暑期休假，恐怕已在最近大罷工風潮洶湧之時，壽終正寢了。他的壽命總算拖延了三兩個月。可是大限難逃，蘭尼爾能有回天之力嗎？人們相信他掙扎也掙扎不來的；若掙扎得來，那反是法國政治的奇蹟了。

戰後的法國經濟

戰後的法國，經濟問題當然是政治重心。過去幾任內閣都因此而先後塌台。歷任內閣都是對此問題，作施政目標，如修正關稅，管制產銷，劃定配額，厘訂價格，收購剩餘……等等。目的固然希望能夠樹立起一個永久性的制度，把衰落中的小型生產機構，從新扶起，使繼續維持下去。目的雖如此，不過有事情來得急了，在不暇擇，只能頭痛醫頭，腳痛醫腳了。在別的方面，法國人不是不好新的，可是二十世紀經濟學理論，所謂向左向右兩途，他們都不要。農工商三者之中，規模過小，資本不充的單位，本來是要受淘汰的，他們却要使之存在。農民約佔國民總數三分之一，有天賦的保守性，政府對於他們，也只能任令因循下去。法國的工商業不合理的地方太多了，竟把天演公例所謂適者生存的道理打破。工商業的現狀並不是見諸明文，而是一種默契，最有影響的便是財政當局之苟且敷衍。

蘭尼爾的手腕

蘭尼爾對症下藥的地方就在這裏，他的政策得不到左翼份子的同情自是意中事，他的設施和前任並無多大分別，故很多社會黨人對他不予支持。夏間因公務員養老金問題，掀起軒然大波，罷工的怒潮又風起雲湧，幸而他手腕好。一面分化工聯會，一面預防共產黨人搗亂。同時，對於財政弊端，和物價兩大問題，也尋求解決辦法。對前者以減稅來減輕人民負担，對後者促商聯會自動降價。薪微俸薄的公務員待遇也提高了，他還頒佈了一連串命令，目標是使國民生活得以逐漸改善。更有巨額的撥款，儼是喜從天降。可是一九五四年度預算的平衡問題，却可能仍爲蘭尼爾的難關。

難望國會的支持

這些措施，都是一時權宜之計，只能和緩局勢於一時，不是根本求源的辦法。這也不是蘭尼爾的過失，話雖如此，任他有蓮花妙舌，也不能告無罪於國人，更不能把國會說服。國會對於這些問題，總免不了要來一次激烈辯論的。辯論的開始，便是蘭尼爾內閣受嚴重試驗的開始。試驗的結果，在未來數星期內總可見到了。要說蘭尼爾內閣能夠繼續維持下去，大概是過於樂觀。私營工業家未必允肯跟着公營企業，將紅利給工人。私營工聯會多數是在共產黨人支配下的，即使老闆們允肯照給，他們也一定要求更大的數目，以便挑起鬥爭。在政府方面說，爲着討好工人，使工人恢復對政府的信心，一定要表示政府的誠意，要冒着大不韙而行一件矛盾的事，要從支持政府的人的手上，爭取利益給予工人。這樣一來，有誰敢相信國會願意撐持政府呢？誰敢相信國會過去因同樣的事件打倒了皮奈內閣，這一次竟會撐持蘭尼爾內閣呢？

尤其是經濟和政治，是有直接關係的，一國的經濟敗的時候，政治一有動盪，經濟便會每況愈下。法國政局之多事，便成了經濟的催命符。法國的政黨五花八門，複什萬分。國會議員的特點是叫嚣擾攘，內閣的特點是頻頻更易。說因說果，是不足爲怪的，可悲嘆的是國計民生。

半週展望

‧雷嘯岑‧

何以向暴力低頭？

美國陸軍部發表中韓共黨以殘暴野蠻手段——如死亡進軍，反縛倒懸，疲勞飢餓等方法，大量屠殺聯軍俘虜和西方國家的傳教師各項證據確鑿的報告書，引起國會議員們無比的憤慨。共黨的殘暴行爲，麥克阿瑟統帥早已提出過嚴重警告，說將來要他們負刑事責任；意思即是要他們跟日本皇軍大將的山下奉文在菲律賓所表演的暴行一樣，最後必須處以應得之罪的。可是，以美國爲主體的交戰國家，却千方百計地向暴力低頭言和，最近爲着中立國參加政治會議的問題，聯合國代表還要對共方特別讓步，表示可請印度出席討論戰俘事項。這種遮羞掩醜的示弱口實，更使殘暴之徒的氣燄梟張，對大局毫無裨益。

共黨早知如此，他們悔不該未將所有的聯軍俘虜全部屠殺掉，因爲敵人是可以用暴力懾服的！李承晚釋放了一批反共的戰俘，邱吉爾大駡是「叛逆」行爲，共黨非人道的屠殺聯軍大批俘虜，你看他說話不說話？

印度參加政治會議之外

從種種迹象研究，我們相信最近這次三外長會議中，對遠東問題已有祕密的默契的決策，除藉詞邀印度參加韓戰政治會議之外，中共如果願意坐下來跟西方國家開談判，第一步的代價即請它進入聯合國。所以，法國政府亦聲明在政治會議中談判越戰問題；英國居然表示擁護聯合國對韓戰善後問題的決議，與美國並無歧見，再也不吵鬧印度的出席問題了。美國的政界名人，國會議員，退伍軍人，勞工協會等，近來紛紛向政府要求不許中共進入聯合國，決非無病呻吟，他們是有所爲而發的，他們已探悉了倫敦會議的祕密勾當！

因此，板門店的預備會議中，聯軍代表必對共方再讓步，只要政治會議能開成，一切犧牲都在所不惜的。

我們必須破釜沉舟

「人爲刀俎，我爲魚肉」的情勢已很顯然，南韓與自由中國隨時有被出賣的可能，我們豈可束手待斃？

這幾天中韓菲軍事聯盟之說甚囂，對於未來可能發生的慕尼赫醜劇，我們一定要有所戒備。板門店的中立國遣俘事宜，必須嚴密注視，且在限期內結束；政治會議決不容許俄共及其哈巴狗式的所謂中立國參加，絕對否認它將來有討論韓戰以外各問題的效力。否則南韓自有不遵守休戰協定的權利，自由中國有與南韓共患難的理由和責任。

南韓休戰協定若因東亞自由國家的正義行動而不能實現，英國當然指爲「叛逆」，却不自省其究有甚末權利來安排別國的命運？究竟誰是正義人道的叛逆者，只有後世的歷史家才有資格來裁定吧！美國先其量表示不支持南韓的行動，甚至以停止援助作武器。如果南韓與自由中國皆被關進了鐵幕，美國除了棄甲曳兵，倉皇放棄日本而退出東方外，尚有甚末路好走呢？援助朋友並非施捨性的慈善事業，是彼此互助互利的。中國大陸已被民主黨的「進步政策」所陷害，大韓民國自不願再爲共和黨的「脫身主義」所斷送。我們要爲着正義與民族人格而奮鬥犧牲，不惜破釜沉舟的幹，才有生路！

中立主義就是投降主義！

美國副總統尼克遜在星加坡講演，說「中立主義就是投降主義」，這話是對的。可是，亞洲人對尼氏這項高見感到有些外交詞令的意味，不敢相信這是美國堅定不移的主張，怕是與艾森豪總統的「解放政策」一樣，解放其名，妥協其實。印度是亞洲一個十足的「中立主義者」，也就是標準的「投降主義者」，美國爲甚末那樣的重視遷就它呢？一面教別人不要中立，一面又對中立者捧場要好，豈不令人惶惑之至！

埃及革命一年

前途是可以樂觀的　革命軍人應加警惕

・王可・

國外通訊

公務員生活清苦

【開羅特約通訊】（續上期）就節約而言，納氏本人的生活已够清苦了。他住的是幾間平房，每天唯一的嗜好是抽幾斗旱烟。他自動將薪俸一半獻給國家，以示倡導。多少部次長的汽車已經撤掉了，上下班祇得擠坐街車。一般公務員的薪金和福利金亦大打折扣，辦公時間反規定更嚴。每一單位，都派有軍官坐鎮監督，向來過慣舒適生活的公務員，自然滿腹牢騷大感頭痛了。

上帝特賜的白金

以往埃及的經濟命脈在棉花。埃棉纖維長，質料好，所以國際市價高，銷路暢時，每年的積蓄埃及鎊一大筆外匯收入。再用來購買其他一切應用舶來品，尙綽有餘裕，所以埃人稱棉花爲上帝所特賜的「白金」。萬不料昔日的白金現在竟成了無法脫手的包袱。埃政府爲打破此難關計，特於本年八月與糧農組織（FAO）專家在開羅舉行技術會議。結果決定將種棉的地區減少，稻米的地區加大，由這個生產原則上的改弦易轍，卻增高了埃及財源的希望。

外交上的波折

談到埃及的外交，當然馬上想到英埃糾紛。蘇丹問題解決後，祇剩了一個運河區英兵撤退的問題。關於這個問題，現在所爭執的，不過是些技術人員多少，與停留久暫，以及國際局勢緊急時，准許英軍回防條件中，對於「局勢緊急」一詞解釋能否一致而已。

英國對於談判，向來採取拖延政策。從前所唱的拿手戲是一方面對各黨派做分化離間工作，他方面對埃王施以挾持利誘。革命後環境不同，手段亦變，最明顯的莫如使用經濟壓力。英國本爲埃及的債務國，每年分別撥還的數額，便藉故延付。又英國紡織業原爲埃棉的最大的主顧，近年來，英國故意冷淡，寧願從別國購買價格較高的棉花，雖經埃方無數次呼籲，亦置之不理，這是對埃及一種可怕的打擊，也是埃及在財政與經濟上面臨危機之主要原因。

埃及開墾新地，增大生產，勢必多建水閘，最近此項工程之進行，乃利用德國資本與技術。英國抓到了此一弱點，暗中向西德政府提出警告，於是已經動手的工程又有半途而廢之虞。

政治上的威脅

經濟壓力之外，再加上了政治的威脅。因埃及政黨雖已解散，而其中最大的瓦夫黨及沙地黨人等仍然企圖死灰復燃，共黨份子人數雖少，組織力極強，也是天天蠢蠢思動，這種情形，自然造成了混水摸魚的最好機會。據埃及當局本年九月十四日宣稱，某國暗中勾結失意政客，散佈謠言，製造紊亂，更慫恿不良份子滲透軍隊，企圖推翻現政府等語。究竟此中內容如何，雖無法加以證實，而揆諸埃政府近來大捕政客，弄得滿城風雨的狀況，不能概以庸人自擾一笑置之。

美埃的關係如何

現在要問美埃的關係怎樣？一句話，美國欲顧全英國利益，對埃不能單獨有何作爲。原來埃政府久已努力拉攏美國，美國駐埃大使自亦有意幫忙，因此在某一時中，雙方會保持最密切的聯繫，也即去年十月蘇丹問題解決之前後。當時美國曾許考慮裝備埃軍兩師，作爲英軍撤出運河區後，接防之用。這一堅援助，確予納吉布以極大興奮，增加他在國內的威信不少。不料自國務卿杜勒斯訪問開羅以後，情形就起了變化，不但新的發展，毫無徵象，即舊的諾言，亦頓成泡影。此事除證明英國政策勝利之外，也顯示美國在中東的作爲始終跳不出英國的手掌。蓋最近英外部發言人表示「在美國共和黨政權之下，吾人的合作基礎較之以往艾奇遜時代尤爲鞏固，中東政策，兩國已經沒有距離，希望將來對遠東政策，也能達到同樣的結果」，便可以想見了。

阿剌伯各國團結問題

談到阿拉伯各國的團結，一部廿四史不知從何說起。伊拉克與約丹兩國，英國的勢力很大，他們都是哈希米王朝，對於共和政體自不滿意，並且認爲埃及最近所有措施，如與蘇俄及其附庸國家通商，購買俄國貨，看俄國電影等等，傾向共產，如不及時設法阻止，則難保阿拉伯國家的青年及一般民衆將受此種思想毒化，故曾迭次向埃及政府提出口頭抗議。至沙地阿拉伯乃屬君主專制，美國有汽油的特權，在經濟政治上均有相當的支配能力。該國國王與遜王法魯克友情深厚，曾相約爲兄弟，對於埃及之新政權，自多冷淡。土地改革等政策，沙王更看作極端的危險，認爲此乃脫胎於共產主義，因此五國之中，除了敘利亞、黎巴嫩的態度尙無多大問題外，以上三國僅是保持了貌合神離的外表。此納氏之所以於本年八月藉朝聖名義先訪問沙地阿拉伯國王，解釋一切誤會的理由。

關鍵在運河區撤兵

以上所述雖千頭萬緒，最大關鍵仍在解決運河區撤兵問題，這是埃及第一道難關，此關一破，則萬路皆通，其他問題便可迎刃而解了。埃政府深知此中奧妙，故對此全力以赴，現在更趨積極。因爲國內財政經濟的情形狼狽已達極點，有不能維持下去之勢，再遷延於英美業已形成同一戰綫，如果事件擴大，混亂發生，則英美對埃態度，恐將與對伊朗無異，莫薩德的失敗，已是殷鑒。再英國方面亦深知局面嚴重，不能久留，志在爭取時間，擱低埃及氣燄，使其不至過高，故不惜運用種種政治與經濟力，還更就範。英埃問題解決後，美國即可無所顧忌，對埃經濟援助，從此源源而至。改革建設，可能不至再生阻礙，埃及前途，是可以大樂觀的。

吾人亦不妨對於革命軍人略作忠告。他們的精神確是不錯，是硬幹的。往往一天工作十八小時至二十小時，晚上睡眠四五小時，氣概大可馬上得之，不能馬上治之，專靠硬幹，有時是行不通。政策上必須有深思遠慮的打算，時時警惕，執行上必須有緩急輕重之分，庶幾法令不至朝更夕改，治絲愈棼。（下）

自由中國的文藝演變

——台灣文藝界的三個時期

許苑

在自由人讀過高清心先生論「自由中國文藝趨勢概觀」和陳紀瀅先生「論自由中國文藝的兩文，立意都非常準確，對自由中國文藝的熱心建議，使人感到萬分敬佩。

我讀過兩先生的大作後，心裏癢了起來。我要先說明，我和高陳兩先生都素昧平生，我想在大家都不認識之間，來研究一個問題，這是最好的事，大家都會開誠相向，即使說錯了，也是無所謂事的，這樣，會更容易在兩者之間取得研究的晶品。

三個時期的演變

近五年來，自由中國的文藝，的確劇變使人驚，這是一個好現象。五年來台灣文藝演變，大約可分三個時期：

第一期，在卅九年以前，在那個時期，台灣的報章雜誌，正如陳先生所說的，的確是消閒陶情的文字，爲什麼會這樣呢？這不是沒有原因的，那時候不外有兩種人，一種是逃難的文人，因爲他們神經過敏地只作逃難打算。爲什麼只作逃難打算呢？也是有原因的，當時台灣在軍事的陰霾氣壓下，國際情況又很惡劣，共匪像瘋犬一樣在陽江亂吠，於是把逃難的文人流嚇得個個都動搖了，政府雖早已宣佈戡亂，堅決反共，可是誰也無心附和呼應。他們似乎都受了動搖的影響，各抱觀望。

三利文人的產生

另外一種人，先是患了神經過敏病，又因背着生活的包袱，不得不在筆桿上打主意，在不刺激和「干犯」原則下求生存之道，於是大家都向黃色的文字上絞腦汁，從雕氈中粉飾安閒，以爲消遣自賞。這時期台灣的報章雜誌，便很普遍的是消閒陶情和黃色文字了。這樣的文字，既覺揑筆輕快，又容易受人採用，而且生活也得解決，何不就此一舉三利，那時候就是所謂「三利的文人」。正因如此，自由中國的文藝一直在破產着。

文藝協會的影響

四十年下半年以後，國際局勢漸趨明朗，台灣社會也安定起來，共匪對這個金湯的寶島實在不敢妄想了，於是逃難的文人流心情鎮定安定下來，自由中國當局鑑於台灣各報章雜誌黃色文字這樣流行，這對反共前途影響實在太大了，而且確也是一個極大的社會諷刺，必須加以嚴厲洗刷。這時候第一時期稍過去了，來代替的，全是普遍的火藥性文字，政府敲起了反共的警鐘，驚醒了痲痺的人心，於是三利文人也神經正常起來，還有自由中國文藝協會產生，努力於這一個偉大的革命時代文化戰場的工作。自由寶島，好像沉靜已久的灘頭，突然來了一陣巨浪，把寂寞的灘頭激起巨浪來。在這一時期裏，確也一般性的是反共文章，滿布着自由中國。自由中國的文化戰場因此熱鬧起來，社會上也因此有了蓬勃的朝氣，這功勞不能不歸功於反共八股的。

已向自由境域發展

不過時間一久，人們便會忘記過去的，吃東西也是一樣，吃久了一樣的東西便會生厭。四十一年開始，自由中國的文藝是一個轉變的時期，這算是第三時期了。這個時期文化界都厭棄了反共八股，同時也健忘地對八股不但不作恩源感恩，而且還加以攻擊，於是八股祇好認晦氣，銷聲斂跡。現在呢？平心而論，自由中國的文藝，確實進步不少，同時確實也向眞正自由的境域發展了。至於藝『術』水準方面，我卻不敢如陳紀瀅先生那樣說：『其水準之高也非中國任何時代可比』的話。因爲在一個時期，文化破產以後的社會，我想這是不會有的事情。陳先生又引證了『抗戰初期那些報告文學不也是很幼稚的』一語，這話也不能一概而論，似嫌籠統一點，不過陳先生是有相當學術修養的文化界前輩，自然另有見地，我們是未便置評的。

總之，文藝不能離開現實太遠這是對的，從來任何時代的最上乘文藝創作，決沒有脫離社會和政治影響的，因爲文藝的方式不同，技巧不一，如高清心先生所說的朱自清的背影描述家庭骨肉之愛才爲之文藝，自然，不過這是文藝中的方式之一種，至於說自由中國的文藝太接近於政治色素，其實有修養的文化人士，不但不喜歡政治，而且更不願意考慮自己的仕宦之一途啊！

人物評述

矢志溝通東西文化的學者・賀光中・

（一）

賀光中，這一位中國的純粹學人，他一向虛懷內斂，韜光含潛的做着實事求是的樸學工夫，埋頭鑽研，不求聞達。因此，以前在國內提起他的名字，有些人可能有陌生之感。今天他到了海外，特別是英屬殖民地——香港和馬來亞，中外人士，對於他都一致景仰。多少年來，他在埋頭苦幹，一顆熱情，溝通東西學術思想的隔閡，填平中外文化的鴻溝。他認爲百餘年來，東西兩方的隔閡，在於學術文化；這一隔閡，遂爲人類文明進步的障礙，如果能夠雙方交流，融會貫通，增加瞭解，不難促進四海一家的崇高理想。特別是這幾個年頭，他在香港大學，澳洲大學，和馬來亞大學，致力的文教工作，是值得我們珍視的。

（二）

他是湖北蒲圻人，父親賀芝才，前北京大學化學系教授，母親是比利時人，稟受優良的遺傳，自幼即聰穎過人。及長在震旦大學肄業，其後留學比京，肄業於魯文大學，專攻生物化學，獲化學博士學位。繼又遊學法德兩國，精通英法德語文，日文造詣亦不錯，他本身具備了這麼多的優良條件，就研究工作來說，自然是棋高一着了。

（三）

返國之後，他先後在南京金陵大學和東方藝專擔任功課。一方面入支那內學院從歐陽竟無研究法相宗。他隨日本人塚本善隆研究北魏佛學，山崎宏研究隋唐佛教制度，成績斐然，因此急起直追，從經典裏和許多寺院的志書裏，找尋了不少材料，着手研究僧官制度，考訂了僧官表；在他發現的材料裏，又補正了陳援菴的釋氏疑年錄。他雖不精於梵文，但從德文本中迻譯 UPONISHA（鄔婆尼沙中譯奧義書）所包含的印度的思想生活方式，深深的影響了德國大哲叔本華，造成他的悲觀哲學。同時他更明白了佛教的出世法實實在在和人類生活脫節，不及儒家思想的平實，入情入理，從平常日用做起。因此他在大澈悟之下，於是由佛入儒，這是他的思想轉變的一大關鍵，經此轉變，他矢志復興儒家文化，提倡儒家文化。他願參照宋明諸儒，從體驗上做工夫，這是他生平得力之處。

（四）

抗戰時期，政府西遷，他在重慶工作了一段時期。在大陸竹幕低垂之前，他到了香港。一九五〇年，倫敦大學中文部主任西門到香港考察，和他傾談之下，對於他的工作和目標，深爲讚許，剛巧港大中文主任賴歐死於水，西門氏乃介紹他到港大，接了賴歐的缺。他擔任中國文學的課程，着手編了一本詞選講義。這部詞選，便是文藝的號角。他在序文中這樣說：「噫呼！日暮途遠，人間何世，恢宏士氣，振起頹靡，非其時耶！」可見他的語長心重。同時他編了一本港大入學試國文參考材料，取材自先秦兩漢魏晉以至明清各代，每一篇都够份量，可以代表那一時期的文化思想，共得三十七篇。只要讀過這本文選的人，便可以了解我們國家民族過去文化演進的跡象，認識中國過去政治社會道德倫理嬗變的軌跡。

（五）

一九五二年，他辭掉港大的職務前往澳洲，担任澳洲大學圖書館中文部主任，臨行前在港搜購了二大批圖書前往。本年上半年他應馬來亞大學之聘，担任該校的中文系主任。馬來亞大學中文系現只有一年級的學生，但該校的圖書館中文參考書甚感缺乏。因此他又不惜長途跋涉之苦，於去月經過香港，飛往東京，搜購了古書數萬冊，除大部的叢書外，尚有精本的元版，明版的詩文集，和手鈔本的譜，詞譜等，他對於保存中國文化的苦心孤詣，是值得讚許的。

（六）

他懂得科學方法，又懂得數種外國語文做他的治學工具，因此他對於每一項問題，都能够用分析，比較的方法，獲得正確的結論。譬如他極力主張儒家的倫理觀點，這並不同學究先生的講法，而是從心理衛生種種學理來說明的，又這不是膚淺的立論，而是深刻的觀察，使我們獲得更有力的證據，這一點是提倡新儒學的馮友蘭之流望塵莫及的。如他推論古人文以載道之說，以爲道即是事物之理，即是尋常日用之理，而不是一種空談和假象，文須有益於天下，風雲月露之詞，是不足取的，這是他的精闢見解。他又精研西北地理，對於大唐西域記曾有新的考證。譯述有佛教唯心論（日本村岡典嗣著）著述有心理衛生與儒家倫理觀點，均未出版。

（七）

他現年四十多歲，身體異常康健，充滿着活力，因爲他天賦極厚，所以他的吸收力和容量特別大。他絕不浪費時間，淡於名利，立志獻身文教工作，對於中西學術造詣極深，將來成爲溝通東西文化的一座橋樑，當然毫無疑問了。

・紹華・

台灣的經濟狀況（中）

杜威訪台觀感錄（中）

陳克文譯

移民台灣的歷史

十七世紀動亂不寧的時代，福建省的中國人民移殖到台灣，移殖人口近二百萬們。他帶同中國文明和技術到這一個人煙稀少，未經開發的地方來。隨後大陸不靖，中國移民逐漸增加一百數十萬。一八五〇年，台灣劃讓於日本，中國移民繼續不斷。日本佔領五十年，學校教授日語，但至現在，基本語言仍爲十七世紀上半期的福建口音。

台灣原稱大灣

台灣名稱起自中國移民未來之前的土著人，初稱「大灣」，經數百年演變，「大」變爲「台」。中國和日本的正式名稱，久已乎是「台灣」了。

土著人民現仍存在島中，爲殘暴的原始鐵頭民族，居島中高山。過去若干年內，日本曾五次派遣軍隊，深入征剿，兩次全軍覆沒。但經日本經濟和軍事壓迫，土著民族，估計已由卅五萬人減爲十五萬人。日本始終不能加以征服，亦不能使其開化。中國人和鐵頭民族則並無糾紛，互不相擾。

人口大量增加

台灣因通貨膨脹曾起紛擾。戰時美機轟炸，地方破壞不少。工廠和電力廠，均遭毀壞，機場破碎不堪，運輸幾同停頓。糧食供應，糧食和工業生產，均陷於癱瘓狀態。以前供給五百萬人口，僅有餘裕。國民政府遷台後，突增軍隊六十萬，其他新來人口又二百萬以上。一九五一年，全台人口已增至九百萬以上。於是糧食供應，房屋和衛生設備，問題日見嚴重。

官員士兵生活苦

中立者見，現時政府官員確屬清廉自守，從前大陸時期，官員貪污亦無可諱言。現時公務人員待遇菲薄。例如立法委員每月收入約等美金五十元，其他政府官長，生活均甚艱苦。蔣總統的山上房子，亦異常簡樸。普通公務員，月入約等美金十元，維持生活殊屬不易，許多人必須夜間兼做其他職業。但一家庭通常不能只靠一人工作。一等兵每月所得等於美金二元，加上公家供給的伙食，衣服，醫藥，約共值美金十二元。少校軍官月入等於美金十五元，加上個人及家庭的燃料及其他配給，比一等兵好不了多少。

生產超戰前水準

米爲基本糧食，係用人力壓低價格。茶葉和菜蔬，島上產量甚豐，價格亦合理，其他食物價錢頗高。牛肉和鮮蛋幾同禁用品。牛乳甚少，牛油須從澳洲運來，咖啡每磅美金三元。美國問團極力增進漁類生產，以期增進營養缺乏的人民食料，情形日有進步，有待改良的地方亦多。在省政府領導下，得美工程師及援造家的協助，被戰爭破壞的電力，飛機場，公路，及其他運輸設備，已逐漸恢復，生產力已超過戰前水準。新的灌溉方法已使蔗糖產量大增。學校日見擴充，以國語爲正式語言。醫藥衛生中心已加擴充，並增設新單位。

稅收和土地改革

稅收機關改革，成效甚著。營業稅額原爲百分之三，現減爲百分之一的十分之六，結果稅收大爲增加。

土地改革又爲另一大事，尚在討論中。討論中的計劃，擬將大地主土地收買，再賣給耕種的農民，但一項廣泛步驟已付實行。以前地租曾高至全收穫品半數以上，現法律規定，減租百分之卅七點五。這對耕種農民發生極大好感。因此項新刺激，米的生產大增，前所未有。除供給本島民食外，尚有餘糧輸出。

農村經濟及改革情形

台灣進步的地方，中美人士所說都一樣。照例，我自己要到農村裏親自看看農村改革情形。

物價漲農民訴苦

第一處訪問的農莊爲台北附近約廿里地方。一個中年農人身體挺直，蓄着鬍子，穿一件灰色襯衫，布短褲，是個典型亞洲農民。這時候並無政府人員在傍，譯員是本地人，口音是十七世紀的福建音，英語很好。農人招待我們到他屋裏，……全家的農田只有一畝半，供養全家十七口。政府減租，這農夫很覺欣慰。不過他說：「穀米換回來的錢，比以前少了。百物漲價，比以前高上兩三倍，世界實在艱難。」

我們走到一家商店，在那裏知道很多事情。不久，我們明白，這並非商店，過是政府稅收機構，農民到這裏用米繳稅，這裏也把種籽，豆餅，及其他供應品賣給農民。有時並用信用方式發售。

通貨膨脹苦了台灣

我在台灣所看見的信用業務都很不好，因商業或農業而借款，通常年利百分之百。因通貨膨脹，台灣銀行給予存戶的利息，月息四分半，即年息近百分之六十。這使我大爲吃驚，但仍有理由可以解釋的。據該商店的經理說，「通貨膨脹害苦了台灣，放款人放出百元債款，心裏必須料及到了年底，這一百元的購買力也許變成五十元了。因此他要放款，最少要收取百分之百的利息。縱這樣，年底才可保存相等數目的購買力，眞正的利息還是沒有的。如果得不到百分之百利息，不如買一袋或數袋米，需要出賣時，最少還值得同樣的購買力。」

比土改前更見惡劣

「農民也受通貨膨脹的苦」，這經理說，許多地方比土地改革前更見惡劣。例如，以前地主常常修理堤壩，稻田不至受淤水淹沒。現在因地主已經納稅，再沒有餘錢修築了。「米價也很壞，米本來有世界市價的，現因米價受管制，農民得到的比世界價低，有時低到一半。我們明白政府不讓米價上漲，是怕增加城市人民負擔，但土地，農器，肥料，一切皆漲價，農民便因此叫苦通天了」。

台灣肥料價格很高，普通農民不得不用糞類。台灣和日本一樣，農民從鄉村收集糞便，用糞桶運到自己農莊，賣給隣家。台灣的車子和耕犁均用水牛拖曳，我從未仔細看過這種皮色光澤，力猛性悍，龐然巨物的水牛。

粒粒皆辛苦

跟着大路，看見五六家人家，這是附近最窮苦的農家，我們落車，看他們。看一個農人在一邊犁田，水深及膝。另一邊的農人正在收割，這家是全的工作。兩個小孩用鐮刀割稻，又兩個小孩拿着稻把向小木桶（便是台灣的打穀機）用力拖打。蓬蓬發響。另外的人挑運穀粒送到曬場，攤放地上。曬穀是女人工作，母親或女兒用耙翻動場上穀粒，經一兩日太陽熱力蒸曬，變成乾硬。自耕耘以至收穫全用人力，無限辛勞，要從耕作中，完糧納稅，自給自足，眞是何等艱難啊！

路盡頭，又到一家農戶。屋前豬圈內有豬四隻，鷄七八隻散在場地上。一高大愉快的農婦出來，問可否到屋子裏看看。她很溫和的笑說『歡迎之至。』到小屋子裏，她很得意的指給我們看一架舊衣車，傍邊堆放許多棉布衣服，她說，『我替鄰家縫點衣服，幫助收入。』

傭農日入極微薄

她丈夫已外出做活，但並非種自己的田，也不是一個佃農，只是屬農而已。他在村裏做散工——是最低層的經濟階級。她說，『丈夫在附近農家幫傭，每年大概有半年時間的工可做。工資用米計算。』我略的計算一下，他有工做的時候，每日收入約等美金五角。

一個真正的民意考驗

香港無疑是一個民主自由與極權奴役的分水嶺。二百多萬僑胞，他們處大陸的邊緣與自由祖國基地的台灣相距也僅二三小時航空旅程，對本國政治感應最爲敏銳。假如要舉行一次公民投票，或是眞正民意測驗的話，可以在本月間民衆所表現之許多事實中獲得一次重大的考驗。雖然十月一日冷清慘厲的僞國慶與熱情洋溢之雙十節國慶觀念不能相提並論；然以民主自命如尼赫魯貝萬艾德禮之流，每當談及中國問題之時，輒盲目發爲讕言，謂「中國政府已被人民所棄，只有中共能代表中國」之邪說，自可以此作一對照。何況尚有二十一日的華僑節與今天響應自由祖國勞軍祝壽運動之熱烈情緒，這些都是發自內心的意向；也是有力的暗示，倘使尼赫魯之流還想認識中國眞正民意的話。一元勞軍與遙祝蔣總統華誕比去年更爲熱烈，如球隊參加介壽盃賽，萬人簽名祝壽獻辭，各大僑團舉行盛大慶祝會，調景嶺難胞發行特刊，表揚祝壽意義。旅居英屬婆羅乃代表僑胞四千餘之平西佛等七人回國觀光團，在港候辦入台手續。此種愛國熱情，與中共以拉伕式手段硬把一個眞正僑商逼進鐵幕是無可比擬的。由王元龍等組成的影星回國觀光團一行十六人，已抵台灣，並以一幅「臥薪嘗膽」圖作壽禮，呈獻蔣總統。

中共套匯伎倆已敗露

共產主義在亞洲擴張活動之資金，顯非中共濫發無準備金之紙幣可以支持的，一九五零年以來，除了向自由市場套取外匯，更以僞造美鈔伎倆變易美金，企圖擾亂美國在遠東的金融，與維持各地龐大之支出。僞美鈔之祕密已陸續揭穿，套匯更積極。據說有若干銀行及商行，或爲中共控制，間有接受委託與被利用，經常套取美元。傳美國財政部外國資產管理處現已查明若干在美國有資產之商業機構，將其資金全部凍結，就中括有港資銀行在內的華比銀行等一共六家，已獲澳府消息證實。但華比銀行發言人則力加否認曾代共黨套匯；然中共套匯之方法不同，據說若干商業機構極易被共黨伎倆所蒙蔽，而不易自己所發覺。美國採取此種「執滙」之有效對策，予中共今後在海外之活動，自是一個致命的打擊。對目前亞洲之抗共貢獻，無論在軍事上、政治上、經濟上均有重大的意義。

各私校待遇將獲調整

港九各私立學校教職員的待遇向極清苦，據說當局繼調整津貼學校檢定甲級教師的薪津後。正考慮進行改善檢定津貼學校乙級教師待遇。依據現行教育新則例：凡教師薪俸過低之私立學校將被作爲拒絕接納及撤銷註册之理由。對私校教職員待遇無疑將隨之調整。

中共壓迫工人的新花樣
「同志審判會」

據最近北平「人民日報」透露：由於大陸各部門工人怠工、曠工、抗拒命令及竊密破壞現象普遍嚴重，而中共在「整飭勞動紀律」大肆迫害工人之際，因須處理審訊之案件過多，一時不暇應付，已由僞最高人民法院擬定一「權宜措施」，飭由各工廠所在地「人民法院」派遣司法幹部至各工廠組設「同志審判會」，以就地審辦工人一切所謂「違紀」的或個人間的案件。現此一「權宜措施」，已首先飭由第一工業區的東北瀋陽、鞍山、撫順等地進行試辦，一俟短期內取得經驗後，再行「推廣全國各地」。

據該報披露：所謂「同志審判會」的內容是：由當地「人民法院」所派司法幹部會同工廠行政、黨團、工會領導幹部先行建立組織，作爲領導監督機構，然後進一步以工段或車間爲單位，選派基層幹部及工人中之「積極份子」組成「同志審判會」。而會議的召開，由工人全體參加，以進行所謂「羣衆性」檢討、批評、或審判。其形式上，實爲變相的「鬥爭大會」，決定的權力，則尤有過之。

編者　讀者

△下一期的文章預告。

包華國先生——國際現勢的基本動向

黎晉偉先生——爲尼克遜先生進一言

滄波先生——維多利亞及其首相（書評）

王鈞先生——文藝的反叛性

相綺先生——永遇樂（詞）

△鄒荊，劉人，張鼎，力行諸先生：大作均收到。

△鄭士介先生：承惠中共在邵陽搶田交市暴行實錄一稿，隨後刊載。來示稱尚存資料甚多，請繼續撰稿見寄。

△上期徐訏先生大名，誤植爲「徐商訏」，又「埃及革命一年」一文題下漏植「一上」字合併更正。

美蘇對立問題（三次大戰蘇聯必敗論）　·儀·

著作者：胡國偉　出版者：自由出版社　出版時間：一九五三年七月

約計字數：六萬字

本書作者胡國偉，爲中國早年留法學生，中國青年黨發起人之一，現任革新派青年黨中央祕書長。本書根據兩個原則，研究整個問題：一、蘇聯以世界革命爲最高目標，非赤化世界，不會停止；二、美國以民主自由爲最高理想，非予以保障，無以生存。作者認爲民主主義與共產主義，絕對無法協調，作者從思想信仰、言論、行動、社會習慣、生活方式、以至政治制度，軍事部署，說明兩國的對立狀態，說明美蘇必戰。更從心理作戰，大陸性戰爭，海洋性戰爭，戰略性物資，軍事工業生產，軍事地理，軍事歷史，以至戰爭科學，戰略形勢，說明美居上游，蘇處下坡，而斷言三次大戰中，美必勝，蘇必敗。本書在近來出版的一般研究國際問題專著中，算是一本比較有見地的小册子，但因全書約六萬字，而涉及問題極多，故多有頭重脚輕之感，許多問題標題甚大，而回答則不够深入。

北窗集　·之翟·

作者：百木　出版時間：一九五三年七月　出版者：人人出版社　字數：大約五萬

本書作者百木是人人文學的編者力匡，其另一著作名「燕語」——詩集。作者在這本集子裏，想以樸實的筆調，寫出人類的同情心、可愛的人性、不渝的信心和苦難中的掙扎者。他崇拜上帝，痛恨魔鬼，愛好自然，本書各篇都有表現。

全集計分三篇：一、人文篇——包括散文九篇，作者追憶過去値得留戀的情感，表明本身過去和現在的心境，並痛斥大陸上狂妄的政權。二、自然篇——包括散文六篇，作者以細膩的筆觸，寫出小河、海、山、天候的心情，寫出小花、風、沙灘的可愛處。三、宗教篇——包括散文三篇，作者以嚴正的態度，寫出上帝與魔鬼的分野，文明與野蠻的區別。他一再指出唯有具有信心的人才會懺悔，沒有信心的人便無惡不作。全集各篇中，以「弟弟的來信」和「加爾髮略」兩篇最爲精采。前者說出共黨政權把作者和他的弟弟拆散，讀之令人下淚；後者描寫耶穌被祭司處死，實際上是影射共產黨徒的「公審」。

不打自招文鈔
新聞淨是假的
·文抄公·

「北京」「新觀察」半月刊第十九期，有一篇記載兩個紅色新聞記者採訪農村新聞的方法，原題爲「兩個記者」，署名爲「中共河南禹縣十二區委會副書記楊恒珊」，原文一字不易照鈔如下：

魯山縣蘇殿選農業生產合作社先後派了兩個記者到社去採訪。一個採訪「夏收夏種如何結合」；一個拍攝「奪苗補苗」的照片。

不巧得很，當採訪前一問題的記者到達蘇殿選農業生產合作社時，正值乾旱時期。社員們準備等麥收後再抗旱種秋，因此夏收夏種沒有結合進行。却觸怒了記者同志，他氣忿忿地找社長，找幹部，責問他們：爲什麼不執行過去訂的「邊收邊種計劃」呢？這樣做怎麼能傳播經驗，指導全面呢？社長說：「地太乾，實在犂不動。」記者聲色俱厲的說：「犂不動也得犂幾下試試！」

從熱的夏天，乾硬的土地，社長費了九牛二虎之力才動員來的幾個社員，放下突擊收麥的工作，執行記者的「命令」。累得人和牛滿身大汗，喘不過氣來，犂的地也種不上秋。社員不滿意地說：「他倒輕鬆，只是動動嘴，可把我們自累個半死。」可是我們這位記者同志却沒有時間管這些閒事，他白天忙着收集材料，晚上還要在豆油燈下開夜車寫報道。他把報道寫出來了，心滿意足地完成了採訪任務。

當攝影記者到社時，社員們正在鋤苗，禾苗一般都不缺，部份缺苗的也早已補齊。攝影記者大失所望，但是「不缺苗也得補苗」的話，他說不出口。爲了完成任務，他只有好話多說，苦口婆心地進行說服動員，要求社員們到非社員的地裏補苗。社員只好同意了。他洋洋得意地拍了照片，帶回報社去了。

不久該報刊登出了這兩位記者採訪蘇殿選農業生產合作社的報導和照片。蘇殿選農業合作社的社員和附近的羣衆看了報紙，給它下了個結論：「報導的，照的，淨是假的。」

死亡的預約
·逸文譯·

在法國小鎮安哥萊姆，馬克．章柏夏是個頗難取悅的人物，他身材魁梧，過去曾任職鐵道，現在告老退休，太太已離婚而去，自己是個美食家，經常和幾位密友會集在一個叫「普拉蒂克」的小飯店，致使這個飯店有了「章柏夏俱樂部」的別名，他還一羣友人，有一個殯葬師，一個魚販，當地的鎮長，一個律師的書記，和一位校長，在耳酣酒熱時，他會滔滔不絕大談他的人生哲學，以至他過去的愛人，他的烹飪和釣魚的癖好，和他在戰場的驚險遭遇，甚至他所喜歡的一頭小狗，也躺在他身旁，對他的高談闊論似感到無限興趣，在他朋友們被他的話題惹得大笑時，搖着尾巴，敲得地板拍拍作響。

四年前的一天，他說了一個笑話，却使在座的人並不大爲震驚，他雖像在說笑，但話中的含意却十分嚴重。他說：「我以爲一個人不應該活得超過六十歲，你們都知道，今年十月三日我就五十六歲了。現在我已儲蓄了四百萬法郎，我準備每年平均化一百萬，到一九五三年九月底，便自殺，到十月一日即行下葬，安然入土。」朋友當時拍拍他的肩膀，要他再來一杯，對他說：「到明天就會把這種思想忘得一乾二淨的」，可是章柏夏却絕未把它遺忘。

時光一年年過去，馬克一再提到他這個「笑話」，直到幾個朋友都聽得膩了。他甚至和那個殯葬師談妥他死後葬在他家墓的手續。有一天，那個魚販踏着車子送他一程，半途對他警告說：「如果你這樣死去，你的靈魂便將永遠不獲超昇，」但馬克祇淡淡地說：「我應該做的事，自己該去做。」

馬克繼續住在他那環境幽美愉快的房子，飲酒作樂，生活並無任何異態，心情平靜，似乎與世無爭。他還是常到附近溪邊垂釣，慷慨地借錢給境況不好的親朋，又不時在家裏招待友人，親自入廚，所做的菜肴，幾可比擬巴黎名廚的拿手傑出，盛宴散後，朋友們回家時，他還會拿出幾瓶家釀美酒，硬要他們帶回家去。甚至鄰居們每天在他門前經過，也必會被他拖入屋內，饗以一杯佳釀。他的朋友，多數早想忘記他所說的快要自殺的玩笑，可是馬克却還是常在他們面前提起。約在幾星期前，他對經常陪他釣魚的知己說：「我想起一件事了，我要把我的魚竿等東西送給你。你該知道吧，我在月底就要自殺了，反正再用不着它們。」

到了他預定自殺的那天，朋友都來極力勸他改變主意，可是絕無成效。在九月二十八日早晨，「普拉蒂克」飯店裏的人，看到馬克沉重，人面有憂色，甚至那條小狗也安靜地躺着，蜷縮於一角。但突然間，有人朝窗外望一眼，立刻大叫起來說：「大家快看，馬克來了！」果然馬克穿得整整齊齊的從容走入飯店，態度平靜的說：「我決定讓自己餓死。」接着他又平靜地說：「太太，給我一客各種辣椒牛肉。看到你們都在這裏，我真開心。」

馬克那餐吃得很好，還與大家開玩笑，是不是就此得到了一個愉快的結局呢？事實上一點也不。第二天，朋友們在那小飯店等他，他却未按時到來，他們趕緊趕到他屋子，發現他已服了安眠藥，陷於昏迷狀態。到十月二日清晨，馬克便死在醫院裏，正是他六十歲誕辰的前夕。他在遺書[illegible]：「你們都知道[illegible]我的一生[illegible]都好。我現在死了，感到十分滿足。」

給
·徐訏·

飛蛾無從認識太陽，
誤認光明祇是燈光；
流螢迷戀自己的尾巴，
以爲有星斗同樣的光芒。

青蛙在田野大聲嘶喊，
恨無人對他鼓掌，
因怪夜鶯夜來的低吟，
創造了林間無數的歌唱。

守門的小犬長日狂吠，
架上的鸚鵡整天摸倣，
說不理牠的人是怕牠[illegible]，
理牠的人是對牠欣賞。

如果你懂得這些，
你在井底不會如此荒唐，
以爲昊天蓋在你井口，
而星月不許你爬進天堂。

一九五三，一〇，三，晨。

佳節公臨未易得　每教[illegible]侍香煙　[illegible]
[illegible]
故國[illegible]松菊[illegible]　[illegible]
[illegible]

造成兇殺案癥結　尋根問底
老香港一針見血　共黨之罪

△這地方究竟是人們生活艱困呢？抑是人心太險惡了？還是因氣候的關係使人容易暴躁發狠？毆打、盜刼、兇殺事件與自殺案，幾乎沒有一天不在報章新聞報道中出現，人們大概也因見到聽到得太多，對它已到了漠不關心地步，反而一天中如果見不到這類事情發生，倒是會覺得意外似的，誠是一件值得關心社會問題人士加以研究的事！

上面所舉原因當然不能包括造成這類事情的全部因素，尚有其他各種原因存在的。那最主要的原因又是什麼呢？照一般人籠統的說：香港的人與人之間是太缺乏同情與互助精神了！

但老香港是不同意以上說法的，因爲這還是近年來才有的現象，[illegible]去雖有，可沒有現在這樣多。人們缺乏情同與互助精神嗎？港九的慈善事業與街坊組織，不是辦理得挺有成績，比之他地方是有過之而無不及的，所以，原因是難以成立的。……這樣尋根問底追究下去，問題的癥結是：

共黨暴徒纔是元兇！因爲大陸的清算鬥爭，使人們不能安居樂業，出國逃亡，香港人口始於年來驟然增加，人浮於事，求生不易，由於中共的滅絕倫常，破壞固有道德，唯力是視，造成人們的好武勇鬥，爲惡作歹；因赤色騙嘍的一貫作風——竭澤而漁，[illegible]取利，只顧眼前——影響人們心理，而[illegible]極惡；

島上風光

秋風起兮五蛇肥　引人食慾
生活匪易爲食難　可省則省

△夏季[illegible]，今天終止，多令時出明日開始，在江南，這時正是[illegible]颯颯，[illegible]子，但在此間天氣還是[illegible]，街頭的百貨公司却早已[illegible]年，一食品店中亦開始出售[illegible]一度品以燉品、蛇膳招[illegible]後，現在是進補的時候，[illegible]味也確實不錯，此生雖[illegible]句，令人食指大動，「五蛇肥矣」，言是多[illegible]，並不能引起人們興趣，儘[illegible]享句，大事鼓吹蛇的有[illegible]保生意，而人們却因生活[illegible]認爲吃蛇是奢侈事了！

談「朽」
鐵頭

「沙藨」，是廣東人形容人們神氣活現的一句通地話，與上海人的「意氣揚揚」彷彿類似，而又不盡相同，這[illegible]非親至當地或與當地的人士多接觸，遇當說此種話的時候，細加體味，則各有分別，亦不能得其傳神的妙處。

實際上，各地方都有類此的形容詞，以揣摩那種小題大做[illegible]然而又不可說得太多[illegible]和沒有太膽，例如「令箭當雞毛」，「雞毛當令箭」，這句話即嫌累墜，說來就不便，又如，遇着緊張的場合「花椒兩上抖擻起」——「又酸又麻」——縱然只說上句，也是一樣太長，若爲下面「又酸又麻」一句解釋的，一併說出，則既話長而又未免過於露骨殊，失幽默的風趣。故各地方儘管因爲這類的人很多，表演的也很頻繁，而到處有這種專用的形容詞，但含義微妙，詞句復簡單明瞭，則莫如湖南長沙人的所謂「朽」。（一）

穆沙狄克死裏逃生

伊朗前總理穆沙狄克被捕後原定兩三週前正式開審，當局且透露他將被以叛國及違抗國王命令等罪，要求處以死刑。但消息發佈後，久久未見下文，原因之一，據說是伊朗國王巴勒維和現任總理柴赫第少將間的意見分歧，前者主張穆沙狄克罪不致死，後者則認爲民族主義者的勢力尚很強盛，前總理在國內還有一部份潛勢力，需斬草除根，[illegible]會引起新動亂的結果。一直到最近，巴勒維王和柴赫第總理[illegible]穆沙狄克的[illegible]，[illegible]一方面實行讓步，[illegible]的一句話的結果，[illegible]法典中發現一條凡年滿六十歲的犯人[illegible]的條文。就因爲這一項重要的發現，穆沙狄克（自稱六十九歲）不僅可以死裏逃生，只將受到兩年至十年的徒刑，而他的繼任者柴赫第更是謝天謝地，因爲一方面他担憂引起民族主義份子新暴動的顧慮已無形中消失，另方面他與國王間的裂隙不致愈演愈深。

美原子機再「炸」俄國

美國戰略空軍指揮部於兩月前曾在全球各基地同時舉行「進攻蘇俄」的原子假想演習，那一次演習的結果據說相當滿意。現在李梅將軍又打算就在這兩天內再舉行一次規模更大的「原子進攻」，試驗如何始能以最高度的效率達到摧毀蘇俄的目的。當然，這一次空前的演習又將和上次一樣，是要祕密進行的。只要戰略指揮部的號令一下，分佈在國內外各基地的數百架B—36式機和其他原子轟炸機將一齊升空出動，在預定的地區上往返盤旋飛行，等到飛够各基地至預定目標的路程時，即分別在八十個假想轟炸目標上投下假製的原子彈，而後開足馬力迅速逃逸。

蘇俄極力討好瑞典

不久前，蘇俄報章上對於瑞典還有許多不客氣的抨擊，但最近一兩個星期來俄國的態度竟來個九十度的急轉，對於瑞典京城斯德哥爾摩大加讚揚起來。美國的決策人士相信，此中原因大概與四國會議有關，因爲克里姆林宮認爲英、美、法、蘇四外長會議遲早終不可免，而斯德哥爾摩却是最有利於蘇俄的會議場合，因此，俄國人特別開始向瑞典討好，他們未嘗不把此當作一種投資。

李範奭將膺練軍新命

前大韓民國駐華大使李範奭將軍自交卸內政部長後，久已未聽到他的消息，他在台灣的友人很多，掛念他的人相信大有人在。他在韓國當代要人中，本以精悍幹練見稱，連李承晚總統對他，也敬佩與猜忌兼而有之。據說，休戰以後，韓國的建軍工作更是重要，也因而使李承晚想起了這位練軍的能手，而決定把建軍的重任交他負担。李範奭雖心勁勃，他在新命內定後，業已前赴西德，一方面考察韓軍購買裝備，一方面邀請德國技術專家協助建軍及復興工作。（孟衡）

我逃出了竹幕
華中撤退之回憶
王世昭

一、前言

華中綏伍既歸廣西，中共林彪及劉伯誠部即節節進逼，於是逐分二支南行。其一張淦兵團自桂東南下，擬由雷州半島入海南。其一徐啓明兵團，黃杰兵團，魯道源兵團（人數極少）自柳州經南甯之原定均出欽州渡海往海南。以寇追過亟，至十萬大山附近乃分爲二支。一支即黃杰兵團斜出龍州入越南，一支即在小董欽州一綫被俘之徐啓明軍，全部並軍官眷屬在內約七千人。欽州被俘者送南甯，小董被俘者送貴縣。筆者在小董被俘，故得送貴縣。貴縣熟人少，因幸得脫。倘是南甯，則生存必無望，蓋筆者居南甯自抗戰以還，居甯時間甚久，識人太多也。

把當時軍事態勢說明之後，現在讓我說說撤退及被俘的經過。

二、過河

從三十八年十二月二日起，南甯已陷入混亂狀態中。我於混亂之中，帶着內子及小姪孫三人於萬份困難中渡過邕江，第一晚宿亭子圩。

到亭子圩約在下午三時，此時江邊一帶已人山人海，行李到處堆積，全數都是軍政各機關人員的所有物。疏散的汽車多到五百輛以上，全部過江至少要五六天才走得完。秩序的紊亂，情況的緊張，從每個人面部表情上流露出來。有許多軍事機關的人員，打聽前方的軍事形勢不大好，敵人似乎已越來越近，於是連忙放火焚燒重要文件，減輕路上的負擔。

我們在亭子圩露宿一晚，好容易第二日（三日）下午十時才搭上一架汽車。管車的是一位中校，領教以後才知道他是湖北人，姓王，大家都稱他「王股長」。

亭子圩到欽縣的公路久已失修，爲了軍用需要，由廣西綏署撥款臨時重修。既是臨時，當然修得不大好；數百輛汽車又要渡過幾條河，其速度之慢可想而知。計自南甯到欽州二百四十華里的路程，竟然三天三夜才到小董，還步行都趕不上。

（一）

中華郵政登記認爲第一類新聞紙類
中華民國內政部登記證台誌字第一零二號

自由人

THE FREEMAN
（半週刊逢星期三六出版）
（第二七九期）
每份港幣壹毫
督印人：李光華
社址：香港高士打道六六號
電話：七四〇五三
GLOUCESTER RD. HONG KONG
TEL: 74053
承印者：東南印務出版社
地址：高士打道六十四號
台灣特派員辦事處 台北市館前街五十號
台灣總經銷處 台北中華路新號五九四之一
台灣郵政劃撥儲金帳 九二五二

國際現勢的基本動向

·包華國·

美國對蘇政策始終堅定，邱吉爾史蒂文生的妥協政策，絕難有成功希望。德奧問題爲東西衝突之關鍵所在。第三次大戰不論是否爆發，共產集團已註定失敗的命運。

和平不可分

我們對國際的變化，雖要刻刻保持戒懼的態度；但筆者個人在另一篇文字中曾指出：「最好的觀察是把握着國際的基本動向，以客觀方法分析每一種國際變化。假若基本動向尚未發生重大改變，則其間變幻，只是暫時的表面現象，絕不可認爲是基本動向的改變。故我們也不能因一時的交權，或一人的言論，或某一事件的解決，便認爲壁壘分明的集團能夠長期共存」。民主與集權兩大集團爲何不能長期和平共存呢？爲解答這個問題，我們應首先認識今天的世界。

今天的世界，誠如威爾基在第二次大戰中所說的是「一個世界」。各國間的距離已大爲縮小，彼此間的關係日趨密切，而相互間的依賴也大爲增加。任何國家，無論其富强至何種程度，均無法離世而自存。以富强甲天下的美國而論，其資源雖較任何一國爲富足，但尚須百分之百的錫與橡皮，百分之七十的鎢及別種物資的進口。其他的國家更不必說了。各國不僅彼此依存，且互相影響，故「和平不可分」與「繁榮不可分」已成爲一般外交官的口頭禪。

蘇俄對人類的威脅

這樣的一個世界自然需要組織起來，以從事國際的合作與集體的安全。但二次大戰後蘇俄利用均勢破壞的機會，以種種方法實施其征服世界的企圖，數年以來被其侵佔的國家全部或一部已有十三國之多，其土地面積共爲四百九十一萬七千方英里以上，奴役了將近六萬萬的人民，成爲人類歷史上威脅世界和平的一個最大力量。同時，世界已進入原子能的時代，蘇俄既已擁有原子彈的貯存，據云已獲得氫氣彈的製造，則蘇俄集團對民主國家的威脅，可能成爲人類生死的關頭。

這樣一個共產極權的集團，絕不可能與其他國家和平共處。因此，戰後的世界需要全面的和平，而事實上則冷戰繼續不已，對德奧的和約至今不能締結。戰後的世界需要建立國際合作與集體安全制度，但蘇俄濫用否決權，使聯合國一籌莫展。雖然客觀上今日的世界要成爲「一個世界」，事實上則成爲彼此水火不能相容的兩大集團。

蘇俄和平攻勢的分析

在一個世界內「兩强不並立」，本來是歷史的慣例。列寧早就承認這一事實，故於一九一九年即告誡其黨徒說：「蘇聯與各帝國主義國家不能長期並存，在最後的關頭是絕不能避免可怕的衝突」。這一認定是國際世界共黨革命政策的基礎，至今還是絲毫不變。雖然在二次大戰中，史達林爲欺騙西方國家，曾經解散第三國際，高唱共產主義與資本主義能夠和平共存，這僅是策略的運用，並不是政策的改變。戰後事實已充分表露無遺。以後史氏雖數度重彈舊調，亦已無人相信。

馬倫可夫繼任後，不僅於三月十五日宣佈東西間一切問題均可和平解決，并且以後繼以各種不同的和平姿態與攻勢，儼然煞有介事。雖然有很多的人對於馬倫可夫的和平攻勢根本懷疑，認爲是另一次的欺騙，但也有天眞的人以爲馬倫可夫畢竟不是史達林，可能有相當誠意。這幾月來的事實已證實蘇俄的和平是另一次騙局。

馬倫可夫的和平攻勢，其用心不外：一則藉和平以安定其政權。馬氏聲威地位遠不及史達林，馬氏繼任後，內部勢必發生權力爭奪，貝利亞之被捕即證實此一情況，故馬氏必須高唱和平，俾藉得喘息的機會，以鞏固其政權。

再則，蘇俄的經濟景況尙不容許其從事大戰，故不能不做出和平姿態。關於俄共經濟的衰弱情形，四月三日美國新聞與世界報導已有分析，茲不贅述。

三則，以和平攻勢來和緩美國的積極政策。美國自宣佈杜魯門主義後，對俄共集團即逐步採取對付的政策。本年艾森豪登台後，對俄政策更較民主黨爲積極。蘇俄企圖以和平手法，再謀欺騙美國，藉以緩和美國積極政策。

四則，蘇俄欲以假和平分化民主國家的團結。近年來民主國家在「異中求同」一過程中，常表現[illegible]政見不同，蘇俄以爲[illegible]確實存有[illegible]利害衝突[illegible]和平姿態[illegible]

鐵幕內部的可能變化

於此，筆者要指出，鐵幕內的眞實情況，幫助我們推測今後[illegible]生的變化，鐵幕內部誠現不安的情況，鐵幕的武力雖在第一線佔有比較優勢，但資源與生產力，實無法[illegible]作長時期[illegible]，我們預[illegible]今後可能[illegible]的變化：[illegible]馬倫可夫[illegible]況下，爲[illegible]可能採取攘外以安內的策略，發動局部或全面的戰爭，藉以控制紅軍及各附庸國家。第二，馬氏不能戰又不能和，因內部的矛盾與國際局勢的影響，以至爆發內亂，形成內戰。第三，馬氏縱能於短期內維持其國內政權，但對附庸國家的控制力日漸減少，各附庸國內部不安與反抗力量逐漸增加。結果不僅附庸國多數能夠重獲自由獨立，最後且將使蘇俄集團解體，蘇俄內部亦將發生革命。

美國是否再會上當

我們分析蘇俄情勢後，自應研究美國對於馬倫可夫和平攻勢的反應。大家所最關心的問題是美國能否不再受蘇俄的欺騙？在二次大戰中美國當局一再被史達林玩弄，戰後杜魯門政府也一再被欺，但林肯說得好：「你可以欺騙全部人於一時，你也可以欺騙少數人於永久，但你絕不能欺騙全部人於永久」。美國人民在逐漸認識蘇俄眞面目後，是再不會上當的了。雖然美國當局爲部份友邦輿論，爲團結友邦起見，不能立即採行一貫具體與積極的對付共產集團政策，但自一九四七年三月起直至今日，我們不能不承認美國的政策已逐漸明朗，依次加强的。由杜魯門主義而馬歇爾計劃，而北大西洋公約的訂立；以至對韓用兵，締結對日和約，成立美澳紐三國聯防公約，美菲及美日的安全協定，以及西歐聯防的組成，均對德奧和約的成立，均是民主黨政府的重大具體措施。艾森豪就任，以積極外交政策爲號召。就艾氏與杜勒斯在競選時及就職後所宣佈對極權集團的外交政策而言，其要目計有六項：一爲强大美國，二爲集體安全，三爲歐亞並重，四爲反擊防衛，五爲解放政策，六爲兩黨外交。這六大政策，在美國對內對外的情況下雖未能順利推行，但我們不能不對艾森豪政府關於蘇俄集團的認識，決心與應付表示欽佩。

以馬倫可夫發動和平攻勢後美國的反應而論，即可證實美國態度的堅絕與一致。艾氏於四月十六日對美國報紙編輯人協會發表演講答復蘇俄的和平攻勢。艾氏要求蘇俄領袖以八項具體行動而不是以言詞來證明其願與其他國家共同促進和平的誠意。艾氏對當前的局勢更提出警告，謂若不能改弦易轍，則「最壞的結果是原子戰爭，最好的結果則是：永遠充滿恐怖與緊張的生活；軍備的重擔將搾乾所有人民的財富和勞力；浪費精力，使那些企圖實現世界人民的眞正富饒與幸福的美國制度，或蘇聯制度或任何其他制度，都告落空」。這表示美國對局勢的焦急，也說明美國是深知當前的危機，自不能坐視人類的滅亡，美國勢必領導其他愛好民主自由的國家對此人類最大挑釁予以適當而成功的反擊。

德奧問題蘇難讓步

艾氏希望蘇俄以行動表示誠意的具體工作中，雖未闡明各項工作的先後緩急，以及是否希望蘇俄必須全部接受。但以後經美國當局的疏解，艾森豪政府似擬將德國的問題，奧國的和約以及德國的統一作爲與俄共商討全部和平的先決條件。

論者或以馬倫可夫目前對德奧問題可能以「退一步進兩步」的辦法，使美國再受欺騙，使民主國家發生紛歧，以坐收漁人之利。筆者認爲在目前情勢下，這種推測實無實現可能。姑無論東德與奧國在蘇俄集團中所佔軍事政治的重要地位，蘇俄絕不敢讓步，使東南歐以至整個鐵幕解體。縱蘇俄欲冒此危險，馬倫可夫今日的處境，也絕不敢作此重大讓步，使其聲威地位大受打擊，以至影響其政權的保持。

蘇俄若對德奧問題不能讓步，則美國政府絕不可能與蘇俄商談其他問題。因此邱翁雖欲重溫雅爾達的舊夢，史蒂文生力倡與俄訂立所謂的互不侵犯條約，但畢竟時代變了，邱翁與史蒂文生的計畫儘是個人的幻想，大劇中的插曲而已。

今後可能的演化

根據以上分析，可知今日的世界實爲一個整體，絕不能長期內允許兩種不相容的制度同時並存，況且蘇俄集團深信不能並存之理，而日以推翻民主自由國家爲目的。民主國家縱想與之共存，在事實上已證明其爲不可能。邱吉爾與史蒂文生之流想以劃分地區，訂立互不侵犯條約，互相保障「現有」疆域，恢復國際均勢，雖求苟安於一時，但人類已進入原子能的時代，此種均勢究能保持多久，已令人懷疑。而原子彈與氫氣彈的毀壞力量則已使任何國家，包括美國在內，均無法能於遭受一次類似珍珠港的襲擊後仍能從事有勝利把握的戰爭。然而極權國家進行偸襲不僅甚爲利便且實易爲之。俄共目前的準備尙未完成，若假以數年，則民主國家將何以自處？此諸蘭所以於上月五日警告世界，謂時間的拖延對自由世界並非有利。

（下轉第二版）

吳稚老壽終台北

·舜生·

（一）

吳稚老生於前淸同治四年乙丑，（一八六五）以上月三十日壽終台北，享年八十有九。他和蔡孑民，張靜江，李石曾三位，有黨國四元老之稱。蔡張早逝，現在稚老又歸道山，四老之碩果僅存者，惟一李石曾而已。

他們四位的個性不同，出處之節不盡一致，即世人對他們的觀感，似乎也有種種差別，但同爲與國民黨歷史有甚深關係之人則自屬毫無疑義。

（二）

一個人能活到近九十的高齡，倒也不大容易，以稚老而論，即從他加入同盟會算起，也已超過了五十年，雖說他不會正式服過官，但他卻始終與政治保持一種不即不離的關係，尤其以最後的三十年爲然。他對中山先生固然是最敬仰的；即對今天的蔣先生，也始終維護甚力；關於五十年來國民黨的種種演變，他即不躬與其役，至少也耳熟能詳。因此在稚老七十以後，我對他頗存一種希望：即對中山先生能寫一本詳實可信的傳記，或進一步能提挈若干同志爲國民黨寫出一本富有客觀價值的歷史。今天的黨國人物，有材料者未必能著書，能著書者，又未必能從這一大堆的材料中，知所鑒別去取，而一一能說出其關鍵，只有稚老能具備這兩種資格，——即能著書而又不難搜集這些材料而正確的加以運用，假如他以十年之力來成就這一工作，我相信必有可觀，其對國家的貢獻，豈不更大？可是他畢竟把這一責任輕輕的放棄了。

（三）

記得在抗戰中途，我曾提議成立一個像樣子的『戰史編纂委員會』，後來張仲仁先生（一麐），也於參政會有此類似的提案，但我們所得到的反應，卻是當時的軍委會已經有了這樣一個機構，用不着再來架床疊屋。我們雖明知這樣一件大事，決不是軍委會一個附屬機構所能勝任，可是當局的意見如此，我們當然無可奈何，只好把這一書生之見從此擱置。

今天的共產黨，在那裏顛倒黑白，淆亂是非，他們敢把『中華民國』四字一筆勾銷，同時卻又頂着一個中山先生不肯放下，當他們平日的議論，不僅要盜竊抗日領導權，同時還想霸佔這半世紀以來中國革命的正統，此其志不在小！其所以釀成這種現象，部分的原因：何嘗不是由於國民黨太不寶愛自己的歷史，給了他們一個篡奪的機會呢？

（四）

歷史不是一種普通的宣傳文件，可是一切歪曲事實的宣傳，必須有正確的紀錄去予以澄淸。現在隔世界第二次大戰結束還不到十年，邱吉爾先生卻已經有了六卷的『回憶錄』出版；當日指揮歐洲盟軍的統帥艾森豪，也已經有了他的著作；日本是上次大戰的一個戰敗國家，現在也已有若干的歷史家，在那裏從事檢討，甚至對廣島長崎所投下的兩顆原子彈，他們也動員了若干的科學家而著有成書；今日中國的青年，能從翻譯本子中，讀到若干種不同的列寧傳記，惟獨想讀到一部中山先生的詳傳而不可得！想讀到一部正確精詳的中國革命史而不可得！這是我個人因吳稚老之去世所感到一件最痛心的事，同時以愛惜國民黨這一段歷史之故，也終希望國民黨後繼中能崛起有人，好好的來成就這一工作，及今圖之，猶有可爲，如果再要因循十年二十年，恐怕一切零篇斷簡的資料，也將喪失殆盡呵！

關於稚老個人的行誼，港台報紙論列的已經很多，大家認爲他始終不失一個書生本色這一點，最値得世人欽佩，我對這一看法，也毫無異議。

（五）

此外有兩件小事値得一述的：在章太炎先生未去世前，我曾有兩年以上的時間隨時向他有所請益，他和稚老間的一段故事，我是大體早知道的，但他晩年對稚老，半句未提；有一封責難稚老的信，最早由右文社印行的章氏叢書中正式刊行，這部叢書到他晩年卻已刪去，還可看出太炎終不失爲一位長者。

記得在抗戰中我去遊峨眉，由重慶坐民生公司的船去嘉定，曾和稚老同船，而且同受民生公司的優待，吃了他們的「特灶」，我和稚老同桌吃飯，至少在三天以上，但我始終不曾向稚老請教，這時候我還有一個怪脾氣：別人的船不向我這邊開，我這隻小船也就決不去「靠攏」，即對稚老，亦不能例外。現在想來，究竟是我的不是。

敬悼吳稚暉先生

·陳伯莊·

大同主義的篤信者；近代科學的立幟者；鄙馬克斯爲半克斯，知其爲行歧道而終不至的小成，洞燭紅帝陰謀「兒皇」定命，燃犀照渚，履霜知冰，絕不爲任何一時形勢所眩惑的大智者；知白而守黑，習若不言非，如程嬰杵臼之深心；可言而後言，慮言訥必言，若鄴侯鄴侯之慧眼；甯乎遠乎，稚暉先生！汪洋動以明，先生之應變術智如是，其海若乎。

嗟乎，死有重於泰山，是從自由中國需要先生之健在而言也。大道之行也，天下爲公，期以萬年，大同終屆，「世界尚七十次大戰，七十二次祇打了兩次，」（先生語）一切災難，所以至人類於成也。正是從大道不朽，先生亦不朽而言也。

雖然，「鴟鴞鴟鴞，既取我子，毋毀我室，」風雨正飄搖，而先生竟去，先生其有憾乎。

為尼克遜先生進一言

黎晉偉

尼克遜先生有明日到港之說，黎先生此文，可說既表示歡迎之意，也表示對尼氏個人及美國的一種適時合理期望。——編者。

我對于自二次大戰以來，即作爲自由世界中流砥柱的美國，一向抱有善意的期待，我所以覺得美國「可愛」，並不是因它有很多資金，和最先發明原子彈，更不是如一些要獻媚「勢力」的人們，希望能從美國方面獲得短期的津貼。我祇覺得在歐洲文化已經衰老的今天，能夠爲西方文明負起繼往開來之責的，祇有美國，因爲美國年紀青，對追求理想的熱誠，遠非那些老大國家所能比擬。

（一）

但是國家也如個人，年紀太青了，會因爲閱歷不深，性情衝動，而做錯事，像二次大戰末期，美國因對蘇俄判斷錯誤，而簽訂了嚴重損害中國的「雅爾達密約」，和在中國當抗共不利關頭而發表對華白皮書，這些都是屬於年青衝動之病，我也曾經爲此寫過不少文章，對美國當局提出嚴正的指責。但雖如此，我還是絲毫沒有動搖過對美國期待的心情，我總是這麼想，希望美國能夠改正它的錯誤，在亞世界中，它始終是值得中國引爲公平合作的盟國。

（二）

不過，我認爲美國值得期待是一件事，而中國已與美國密切合作也是一件事，但我對於許多人所共同抱有的莫明其妙的「恐美思想」，則一直不表同情，我覺得與美國人相處，起碼那種平等精神就不應喪失，因爲美國人也是「人」，是人就總得有缺點，有錯誤，如果美國人有了某種缺點和錯誤，我們就應毫不客氣的給他糾正，不必因爲它目前正援助自由中國，就諱莫如深，讓他們累積更多的缺點和錯誤。而我也敢相信，一個受過正常教育的美國人，是一定願意接受人家的善意批評，並且勇於改正的。

（三）

最近，美國副總統尼克遜先生到亞洲旅行，對各自由國家作親善性的訪問，一方面藉此表示美國對亞洲的關懷，一方面也希望更確切的瞭解亞洲局勢，因爲美國的文武官員，名流學者，儘管到過東方的人很多，但是屬於總統，副總統的身份，如此經帶輕裝的到亞洲「周遊列國」，在歷史上尚屬創見。我們記得，在二次大戰期間，美國副總統華萊士，也曾在淺天烽火中，經中東而到過抗戰中的中國，最後且去蘇俄訪問過一次，但像東南亞及西南太平洋的廣大地區，當時由於戰爭關係，華氏卻沒有機會到過。艾森豪總統在其競選獲勝之後，爲了實踐諾言，雖然也不辭遠涉重洋的到南韓訪問了一次，這一次，無疑已開了美國總統訪問遠東的紀錄，但可惜，艾氏行色匆匆，他所看到的「亞洲」現象，也僅限於南韓戰線。惟有此次尼克遜先生之東來，不僅時間充分，即訪問地區亦極爲廣泛，以足跡所至，各地朝野人士，均有機會與其接觸，這種接觸，對於增加美國領袖的瞭解亞洲的實際情勢，實關係至大，如果我們說美國人對於亞洲的文化本質與民族性格尚有隔膜，則尼克遜先生此行，必定有大的裨益，並且能夠從他的親歷觀察中，知道怎樣去糾正。

（四）

美國對自由世界出財出力，濟弱扶傾，這是美國的偉大，[illegible]

不能保證美國人無錯[illegible]。這裏，我願特別指出一件最近在香港發生的屬於美國人錯誤的事實，那就是當香港文化界在雙十國慶前夕，爲了舉行一個慶祝茶會，而需要向各文化機關請求贊助時，由美國人主持的「中國知識份子救助協會」屬下的「中美編譯所」，因爲中美兩國目前正密切[illegible]，由那個編譯所的美籍高級職員負責人，以私人名義贊助了一點大會的經費，雖然爲數不多，但總算已經顯出中國讀書人那種自尊自愛的本色。

（五）

此事本來很細微，原不值得加以討論，不過我覺得那個美國籍負責人，[illegible]趾高氣揚的人物而到遠東工作，是否適宜，實是值得美國有識之士的考慮。因此我願意在尼克遜先生訪問亞洲期間，特別舉出此事，這個例子，希望美國政府方面予以注意到，這個例子的本身，實包含有不少美國人受批評的因素。」

共黨「細菌戰」誣控的幫兇

——兩名英聯邦共黨記者——

同審美空軍上校

兩名英聯邦的記者，今日已被美國外交官及軍人視若仇敵，他們在韓戰期間，曾積極爲敵張目，在共黨「細菌戰」運動中佔有重要地位，淆亂國際聽聞，大損美國聲譽。共黨對美國空軍施酷刑追取的「口供」，曾由他們加以修改，其中一人，甚至與共黨同審一位美空軍上校。

這兩人一是體態肥胖的英人文林頓，倫敦英共機關報「每日勞工」的記者，三十年代中入黨的老黨員，他仍是英國公民，執有英國護照。

另一是面形如斧的澳洲籍的布契特：巴黎法共機關報「人道報」記者。一九四四到四五年間，布契特曾以倫敦保守黨報紙「每日快報」記者身份，在太平洋區美國軍中任隨軍記者，在美國艦隊母艦上度過相當時日。他至今仍保留澳洲籍，也有澳洲護照。

他們都曾在韓協助敵人，且竭盡全力破壞聯軍，企圖造成聯軍失敗。但他們所撰報道，竟仍能在參加韓戰國家之報紙刊出。而第二次大戰中，英國對納粹份子威廉•裘艾斯對敵人的「功勞」，尚不如他們兩人，卻在大戰結束時受審而被處絞刑。

韓國聯軍現已發出命令，且附錄文林頓的照片與容貌說明，如他們以合法記者身份越過戰綫，即立予拘捕。

他們的罪行，是等於在戰時叛國，但對英國與澳洲而言，韓戰並非戰爭，它們都認爲對一個會議協助敵人，且在停戰時期仍處處爲中共宣傳的公民，並無予以懲誡或採取行動的理由。

到目前爲止，根據已獲得的證據，他們兩人並非追取聯軍戰俘口供的共黨爪牙，但是共黨唯命是聽的工具和重要幫兇，他們能對美國空軍戰俘所作的口供，潤飾成共黨確實的罪狀。他們且甚至能僞造「口供」，使世界甚多人士以爲美國空軍飛行員曾進行細菌戰。

剪接戰俘錄音

文林頓及布契特曾將他們與美國飛行員的談話加以錄音，並將談話情形攝成頗能動人的電影，向世界廣播，進行宣傳，在這種談話中，美軍飛行員說，他們曾將「細菌炸彈」投擲於北韓軍民所住的地區。這些美軍飛行員，有些且地位頗高。這種宣傳錄音與電影所以看來似頗能令人置信，全因爲詢問這些西方人的也是西方人。

曾遭共黨酷刑逼供的美空軍上校馬赫林說：「文林頓曾坐在軍事法庭審問席上，參加審問我關於軍事情報的問題。審問完畢後，他說和我談了十五分鐘，告訴我他對我的看法，他那種輕狂傲慢，及對我鄙藐的態度，自不當可喻：……」

布契特曾「訪問」美空軍中尉奧尼爾，將他關於細菌戰的供詞加以錄音。據奧尼爾遣回後說：「在錄音的時候，一切問題都由布契特提出，我祇可作答，絕無反問餘地，我相信我的供詞，他都曾加剪接。」錄音完畢後，布契特和文林頓都對他說，他這樣作供，是完成了一件「大事」。

馬赫林在談完他的遭遇後，對文林頓仍恨之入骨，他形容一個軍人被出賣後必會感到的那種憤怒說：「要是我再碰見這個混蛋，我一定一棍把他打死。」

文林頓與布契特，且曾同樣的企圖誘勸聯軍戰俘接受共產主義，他們這種行動，是想討好中共主子毛澤東，但在這方面他們是徒費心機。

他們曾訪問多數俘虜營，但祇有囚禁多數所謂「進步份子」的第五營，他們才敢進去對戰俘演說。文林頓在第五營顯然未受戰俘們排斥，他能任意在戰俘間走動。在第一批遣俘時，一個遣回的英國兵頗奇曾評論關於細菌戰的指控說：「是的，我相信，我所認識的戰俘們，也多數相信。」但在美軍戰俘中，他們遣回時卻絕無一人相信細菌戰的說法。只有少數人曾說，他們意志動搖，難以斷定美國飛行員是不是的確沒有投擲細菌炸彈。

說英語的中國共產黨

布契特曾守在開城，想和遣回前的戰俘們交談，但碰了一鼻子灰。文林頓又要對他們說教，卻大受一位戰俘上士所奚落。這位上士說：「你變成中國共產黨了，可是英語卻說得不錯。」

本年九月六日，當所謂「進行細菌戰」的美軍飛行員自北韓遣返時，布契特曾發出了一篇專文說：「無疑的，美軍當局必會運用一切迫害，壓力與威脅，強逼他們否認他們的供詞。在過去，細菌戰是聯合國新聞記者絕對不許觸及的問題，他們不准走近那些進行細菌戰的幾百名空軍人員與駕駛員。一個記者如不怕麻煩，向有關當局提出關於細菌戰的探詢，不但如石沉大海，且會當遭恫嚇。」

事實上，西方記者確曾調查有關於共黨所稱「細菌戰」的消息，但他們既不受聯軍當局阻撓，更沒有得到任何證據，可支持共黨的指控。

文林頓與布契特對共黨最大的功勞，是在和談中對聯合國記者作爲共黨的傳言人。文林頓則儼如共軍指揮部的官方發言人，他曾對記者們提供共方消息，並解釋和談背景，在這種行動下，他們對世界傳播了效果頗好的共黨宣傳。（優溫譯自「美國新聞及世界報道」）

狄托騎虎難下（上）

修衡

八月二十八日以來，的里雅斯德港之緊張形勢，迄未稍弛。[illegible]

的港地位之爭，義南兩國直接折衝，四年來曾經三次談判，迄未有過圓滿結果。然而南國月來的態度，[illegible]

[illegible]訊社發表了一項聲明：「由於義大利合併的里雅斯德港；南斯拉夫嚴重的考慮的港地位實屬必要。」消息傳到羅馬，貝拉政府誤會南國此項聲明，係屬南斯拉夫他意，從佔B區的先聲，既不向南提出照會質詢，即遽行作口頭上的駁斥，隨又下令義軍沿南國邊境增防，派遣艦隊巡弋的港外。這在南斯拉夫看來，義大利確有進佔的港可能。於是雙方互相責難，誤會亦在彼此往返之電文中已經形成了瀕臨開火之局。

的港糾紛係由一九四六年對義和約而來，此一幅員三百哩位於亞得里亞海岸的港口，二千年來，幾無時不在東西爭逐之中。首次大戰奧匈帝國瓦解，的港歸義所有。但在二次大戰期間，義因參加軸心；西方國家於戰後主張的港由聯合國監督管理，劃分南北兩（AB）區；北部A區由美英兩國組成一個軍政府管理；B區則由南斯拉夫管理；中央爲國際自由市。終因蘇俄的杯葛，聯合國無法選派一個總督主持。南國擬將的港據爲己有，早有用心，一九四八年狄托未背俄之時，據說會與義共首領托格里亞帝訂有密約，規定義大利除了港城之外，其他「自由市」之周圍地區，均屬南國；迨一九四八年狄托掙脫俄帝枷鎖以及美英法三國主張修改對義和約，發表聯合聲明，將的港撤退英美駐軍後還予義大利之後；這項（南義共）密約，不僅義大利不能承認，國際間自亦不能生效，且義共於大選中，托格里亞帝爲加斯貝利擊敗，義共勢力日見衰頹。三強所以主張修改對義和約（蘇俄一直反對不予承認），一方面因「自由市」名不副實，另一方面可使義大利建立一受拘束，成爲大西洋公約國南歐較堅強之一員。發布聲明之時，南斯拉夫尙未背棄蘇俄。一九四九年，三強對的港問題之態度，因南國獨立稍加改變，不再提及一九四八年之聯合聲明，而向義國建議與南斯拉夫直接談判。但四年來義南三次折衝，談判終無接近可能。

編者　讀者

△下一期的文章：

王雲五先生——提防蘇聯一種潛伏的武器

旭軍先生——義大利政治危機

台灣通訊——社會新風氣

薛大可——詩二首

△杜威防台觀感錄，除已刊載三期外，尙有關於軍事問題，會見蔣總統情形，美國對華政策，台灣安全措施，中立觀察家之意見等，不下七八千字，因篇幅關係，且其中事實多有改變，經商得譯者陳先生同意，停止續刊。

△王鈞先生「文藝的反叛性」一文，因本期稿擠，移下期發表。

△猶士，葉非甍，胡搖，李子平諸先生：新作均收到。

國際現勢的基本動向

（上接第一版）

艾森豪政府對於這種情況的危急知之甚詳，故對於蘇俄之不斷和平攻勢，雖然予以拒絕，而提出以行動表示誠意的要求。而艾氏要求對俄以行動表示的八項具體工作，即是說明不能承認「現有」的疆域，不能容許鐵幕的存在，更不讓侵略戰爭尙有發生的可能。根據我們的分析，馬倫可夫對於美國此種要求絕不能接受。如此，則兩集團分立的局面在短期內勢必繼續，一切綏靖妥協的議論與方案雖可時時提出，但事實上均無成功的可能。

惟兩強並立的局勢無論如何總不能長期存在。美國雖不能亦不願進行「預防戰爭」的戰爭，只能備戰應戰，但美國絕不能坐待蘇俄的襲擊，故美國積極對俄的政策是廣結盟邦，解放鐵幕與反擊防衛。馬倫可夫上台以來，俄共內部以及東歐各附庸國內既均先後發生變亂與不安，即美國的解放政策與不妥協的決心，在相當時期內，必在鐵幕內產生重大的結果。馬林可夫將來面對這種情況爲保持其政權，不能不採取行動。其可能的行動不外是發動局部或全面的戰爭，抑或爲安撫其人民及其附庸國家而實行讓步妥協的政策。若蘇俄發動戰爭，則美國與其盟國必被迫而實行反擊的防禦政策，如此則將爆發第三次大戰。若馬倫可夫對內採取綏撫政策，則根據歷史的例證，在極權政治下，當權者的被迫讓步，更將產生廣大的革命。無論馬氏將來採取那一種辦法，蘇俄及其附庸各國同歸於盡的命運，則是已經注定的了。（完）

農村經濟及改革情形（續）

杜威訪台觀感錄（下）

·陳克文譯·

養豬為儲蓄

我們區到門前，指着圈子裏的豬問道，「你們怎樣養豬？園圃在那裏？」她答道：「沒有園圃，無力買地，也沒有田地可租，飼豬的飼物是買來的。」我很詫異問道：「購買飼料養豬，一定虧蝕，如何有利可圖呢？」她大笑笑道：「我們並不希望賺錢，只是儲錢而已。不管怎樣，豬長肥大後，還總可賣得好價錢，這樣便可多買豬隻，多購飼料。」這女人雖沒有甚麼學識，但懂得應付通貨膨脹祕訣。這些豬是便是規避紙幣貶值的武器。她知道丈夫辛苦節省下來的錢，存在銀行裏，價值會一直減少，放在豬身上，反會逐漸增大。

亞洲人的智慧

歸途，我把對亞洲人的觀念從新加以整理。我覺得我們如果把智慧和教育混為一談，或者是最大的錯誤，亞洲人卻沒有這樣的錯誤。亞洲各國的農民雖沒有讀書識字，但他們對於耕種方法很為了解，對於政府的優劣，以及人類互相的關係，知得很清楚。還不止此，他們看來雖似落後，缺乏技術。但他們對家庭的仁慈愛護，和維繫家庭力量的堅強，是有許多道理的。亞洲容易維持生活，自然不錯，但亞洲家庭關係的密切，也非其他地方可比。

中國前途的新希望

目前的台灣是以代表新中國的前途，這是中共未勝利以前，便已逐漸滋長的新希望。若半世紀以來，中國都是男人世界，新憲法頒布後，婦女已被選為立法委員，并可受任官職，婦女地位和力量已經大為增進，此即余所說中國前途的新希望。

朱王戀愛慘案

婦女解放，也發生了一些有趣的事情。最近一個台灣遊客，說到朱珍嫦（譯音）小姐自殺的慘劇。朱小姐躍入日月潭自殺，消息發表後，引起各方注意。朱小姐是工科學院有名教師，自殺前曾和該校教務長王世安（譯音）有過戀愛關係，王的太太從大陸到台灣後，關係便已斷絕。大家相信朱自殺是為受不了失戀打擊。因此激起婦女團體的憤怒，舉行會議，通過決議案，要求逮捕王世安。王雖未犯刑章，但亞洲的刑事法，不必明白見諸文字，法官可認為依法必須如此辦理。

婦女團體的壓力，卒使警察拘捕王氏，交付審訊，控以激成朱氏自殺和「利用權位誘姦」的罪名。經過公開審訊，法官認為第一項罪名缺乏證據，不能成立。僅判王以誘姦罪，入獄三年。

這一判決，使全台分成兩大營陣，爭辯不休。男人方面，認王無罪，頗形憤慨。女人方面亦覺不平，認王不僅已觸犯刑事，且處罰過輕。據最後報告，檢察官已向最高法院提出上訴，亦認為處罰過輕。

西醫和藥草醫生

台灣衛生水準頗好，惟一切東方風土病依然未滅。台灣醫生可別為三：受英美訓練的，使用現代科學技術治療，人數不多。日本和德國學校出身的，使用舊式治療方法，參以若干現代技術和科學實驗工作。另一種便是中國舊時的藥草醫生。此等醫生仍用中國古代基本醫藥治病。他們專講五行，以為人身不外金木水火土五行。照他們的理論，疾病係由五行失調所至。他們用切脈方法，診斷失調屬於那一行，然後使用舊藥物處方。這些醫生有許多人對病人心理有相當作用，可以發生若干效力。不過他們的藥物，據現代醫生意見，是全無用處的。他們如果斷定病人臟腑鐵質過旺，便用火藥一服和犀角混合一起，使病人日服三次，約兩星期。據希理保博士（係與杜氏同行的醫生——譯者）說：「病人若當時不因服此藥喪命，則不論所服何藥，均將全愈，藥草醫生便因此而博得信譽。」

藥草醫生何故存在

過去各項有關取締藥草醫生的努力，均告失敗。最大原因在中國大部份地方舊有此種藥草醫生。現在又增加一種新因素，立法委員中有些是藥草醫生。於是有關取締的案件，都加上一條主要條款，即保障該項職業已經執業的人或從事研究的人。

鄉村醫院的可怕

台北有幾所現代的醫院，惟只限於少數人享用。希理保博士參觀過一間老百姓治病的鄉村普通醫院。他報告說：「堂屋污穢不堪，幾隻狗流蕩屋內，窗戶沒有紗障，病房和屋子裏充滿臭味。病人租用病房一間或病牀一張，請外面的醫生來診治。院內並無伙食供給，亦沒有護士。家人同住病房內，在地上設置木炭爐子為病人烹調食物。若病勢嚴重，親朋聚集，坐臥均在病房。病人便溺及嘔吐，均由家人處理。這樣，即使醫生竭盡能事，病人一定死亡多於全愈。」

衛生建設令人興奮

台灣鄉村衛生建設，據希理保博士調查所得，亦有令人興奮之處。台灣現全省有衛生中心廿二處，[illegible]

亞洲衛生模範區

「有衛生中心的護士長，係美國訓練。他們忠於職務，工作繁忙不堪，似乎停頓下來從事考慮的時間都沒有了，否則他們恐怕早已辭職不幹了。」據一位經美國訓練的本土醫生說，現時每二千四百人便有一個受過訓練的醫生，比亞洲各處標準為高，雖困難甚多，衛生的進步仍為前所未見。他說：「如果假以時日，人才加多，美國醫藥供應不絕，我們可使台灣成為全亞洲的衛生模範地區。」（完）

維多利亞及其首相

·滄波·

書名 QUEEN VICTORIA AND HER PRIME MINISTERS　著者 ALGERNON CECIL　出版者 倫敦 EYRE & SPOTTIS WOODE 書店　出版年月 一九五三年

原書的優點

這一本書的書名，是相當引人注意的。因為維多利亞這一個朝代，不僅在英國，即在近代史上，是一個極大的時代。這一個時代的歷任首相，每一個人大半都是「名垂丹青」。每一個人都有他專門的傳記。這許多傳記中，至今已成為英國文字上的古典文學。有心研究這一時代的歷史人物，單就當時幾個名相的傳記去看，已不是一件輕易的事。這一本書的長處，不僅把維多利亞一朝十位名相，分別及綜合的論述。而且把這一個時代精神，在論述人物中，到處襯托透露出來。

著者的生平和環境

如果說本書的書名引人的注意，那末，本書著者的名氏，更會引起人的注意。辭西爾CECIL這一家人家，在近年的英國，簡是「世代簪纓，五世三公」。中國留心近代外交史的人們，大概沒有不對李鴻章發生興趣，尤其李鴻章去遊聘歐洲及美國那一幕。李鴻章當時到德國，俾斯麥已罷相退休。他到英國時，英國的首相兼外相是莎侯（莎利斯柏雷侯爵）THE THIRD MARQUESS OF SALISBURY。許多英國人著的李鴻章傳，都附印一張照相，是李鴻章與莎侯及日爾羅同攝的，本書的著者辭西爾•阿爾傑儂 ALGERNON CECIL便是莎侯的胞姪。這位莎侯已是莎利斯柏雷伯爵襲位者的第三代。他是維多利亞一朝最後一位首相。本書著者的父親辭西爾尤斯德斯勳爵 LORD EUSTACE CECIL，早年學習海軍，在國會做過議員，在政府中担任過許多要職，最後經營實業，積資甚富。他是一八三四年誕生。所以維多利亞鼎盛時，他已是三歲。這一位人物無論在時代上，或在思想精神上，而以說完完全全是一位維多利亞時代的人物。著者在這種家庭環境中生長。他早年見聞及交游，可說是現在英國人物中最有資格記述維多利亞時代的人。過去我曾讀過著者所著的「梅特涅」METTERNICH。我深喜其評述歷史與評述人物的空靈超脫。他的筆法，他的情調氣氛，真十足代表英國，猶如聽倫敦人講話，其神情音調，使人聽了有說不出的欣賞及愉快。我對辭西爾阿爾傑儂的著作，也是同樣的感想。

無一章不可精讀

著者在自序中說：這一本書，除了評述十位首相以外，加上維多利亞女王一章，維多利亞時代精神一章，及其家傳一章。並不是一本研究傳記的書，更不是想對這一朝的政治歷史，有所闡發。他說本書目的是十分簡單的主旨：第一，加以論述，維多利亞與她十位首相的關係；第二，評述十位首相在政治社會及文化方面微妙的合作。假如用我們的話，這是一本「史論」。他是以人物為經的一本史論。因為著者對於文學修養的深厚，——不但對於英國文學，——從他書中到處征引，可知道他對於古典文學，均有深厚的根底。更因為著者對於高級政治的耳濡目染，實際與交遊的環境，他對這一期的人物，政治，社會，與文化等等，無一不瞭如指掌。所以這一本書雖然不到四百頁，而其內容，實在無一章不可精讀。

英國政治人物的風標

本書共分十三章：（一）維多利亞人物的縮像（著者家傳）；（二）維多利亞時代精神；（三）維多利亞；（四）梅爾本邁LORD MELBOURNE；（五）比耳SIR ROBERT PEEL；（六）羅素LORD JOHN RUSSELL；（七）德培LORD DERBY；（八）歐培芝LORD ABERDEEN；（九）帕莫斯頓LORD PALMERSTON；（十）狄思雷利LORD BEACONFIELD；（十一）格蘭斯頓M. GLADSTONE；（十二）羅斯柏里LORD ROSEBERY；（十三）莎利斯柏里LORD SALISBURY。這十位首相，稍讀西史的人，名氏都相當熟悉。對英國人，尤為家喻戶曉。著者年逾七十，已屆垂暮之年，書中傷感，到處流露。這是英國人在百年中所有之盛衰感慨。照我的觀察，在維多利亞統治六十四年中，其鼎盛的時期，不在前半期，而在後半期。大概帕莫斯登是一個時代界綫。英國在這一個時期蓬勃擴展，固是一個特徵，但在內政方面的勵精圖治，尤為富強之本。英國政治人物的風標，尤其在維多利亞後期，正是氣象崢嶸，不同凡響。當時政治上雖有許多人物，為了理想，為了主張，寧可犧牲地位，犧牲私人情感。如保守黨的老邱吉爾，如自由黨的老張伯倫，都是為了自己的理想，放棄高官，甚至放棄私人友誼而至於脫黨。這種政治上獨立的風格，實在是民主自由憲政的基本條件。一個國家，一個社會的細胞組織如何能夠健全，就看國家社會中能多培養幾個人格獨立的人。著者在第一章記述他的家世，將他父親的家訓特別記載出來。「人生之大事，在於獨立。人格獨立後，你方可自由地做你願做的事。」著者認為這是維多利亞時代重要精神之一。（上）

中共新教育政策
大批青年遭失學

【本報特訊】中共在大陸對教育界所施種種措施行為，與及目前在大陸各學校實際情形，本報已迭有報道，茲據確息：由於中共自本學期開始實行新教育政策之後，已使大批高中及大學青年，遭受失學之痛，無書可讀，為狀至慘。中共為對跟隨共諜反作亂之軍人加以安撫，及鼓勵在其「節約增產」口號下賣命之所謂勞動模範、生產英雄起見，自本學期，各學校開始招生之前，由偽教育部發出通令，硬性規定各初中以上學校，必須優先錄取烈軍屬及勞模子弟，即使其考試成績低劣，亦應盡量收容；在有餘額後，再行招收其他學生。因此一般高初中畢業生，大部被摒棄校門之外，無法繼續升學。

商人節熱情洋溢
華商會改選事忙

前天是中華民國第七屆商人節，港九工商團體，為了紀念他們自己這一個一年一度的佳節，除了熱烈開會慶祝外，各大商行並放假一天；參加人數，今年特多，九龍總商會與中華廠商聯合會共約五萬人之譜，盛況空前。作為領導僑商象徵的中華總商會，在各方傳說它因受到某一方面的壓力而不敢慶祝商人節之時，商卓維解說「改選事忙」，停止慶祝。引起了大多數會員們的不滿，然而他們雖然未能參與集體的慶祝，仍各自個別放假狂歡；對該會的信仰則已大為減低。從商人們的熱忱過節，九龍總商會及中華廠商聯合會的隆重慶祝與中華總商會所的冷落情景看來，不管分處兩個世界，更足說明中共對僑商們所施的迫害，不僅是商業上，還存在着政治潛力，但是這種潛力僅能向某一能對其領導機構起影響作用的人，不能迫使大多數商人低頭。且因此反而激起了極普遍的商人們憤慨，也正反映出共黨的手段及其陰謀伎倆拙劣。

放棄對大陸貿易
工商業復甦可期

禁運政策對港九商人們有何損害，這是每一個受過中共在貿易上打擊的人皆可找到答案的。禁運開始係一九五零年韓戰發生以後，聯合國在韓負起了膺懲侵略的任務，為了防止自由世界戰略物資流向共區，頒布了禁運命令。港府嚴格執行，可從緝私人員經常在海面或是岸邊查獲許多不唯出口的戰略物資紀錄中，獲得顯著的例證。然而美國參院麥卡錫調查小組，不久以前提出了許多證據，力斥香港是禁運中的一個大漏洞。

但禁運對香港究竟有無影響，可以禁運未曾執行之前，本港與大陸貿易紀錄來做答復。一九四八年與一九四九年數字項目的紀錄對照一下，不難立即獲得一個結論，這是已經過去久遠的事情，[illegible]的。去年九月大陸與香港貿易，港進口額達一億零五十萬元；今年同期降為五千三百二十萬元。港輸出方面，今年正月之總額八千一百八十萬元；今年九月則跌至二千五百三十萬元。這些數字中，其中的原因不外下列的幾點：一、中共控制下的物資，因生產萎縮，外匯週竭，輸港數量銳減，價格提高（如一度造成港九豬肉售格狂漲），港商不能不另闢來途，放棄來自大陸的供源；二、港貨輸往大陸，大筆直接貿易早自一九四九年告終，此與港九之商業打擊殊重，亦為中共缺之外匯以供消耗；雖然以易貨為準，除非戰略物資，軍需原料以及西藥，其他即一枝牙刷之微亦不准旅客帶入（還言以一般性的貿易），但此種限制，遠自一九四九年開始即已嚴格執行，此後便逐漸緊縮，這種對港商直接的打擊，顯然與禁運無關。三、禁運對港九工商界并無直接關係，只有若干間接貿易的經紀受到打擊；然而中共自海外輸入戰略物資的統計表上，一九五零年以來逐月上升，未受聯合國禁運影響。四、去月本港貿易統計，進出口總值較前一個月增加百分之六點；這是港商放棄大陸貿易以後向自由國家拓展貿易之結果。依據歷年來商業的習慣，從本月開始，到明年一月這三個月係暢旺的季節。然而今年上半年港九工商界因受中共退貨以及抑價的影響，比之往年更為冷落。一般預料今後三個月中，必會好轉，第一、美國放寬對港物資輸出後，來貨比前便利，而且必會增加；第二、本港輸美物資批准的項目增多，大量農產品在年終以前可發大量輸出。他如南洋印尼各地對港貿易，倘易貨辦法一經批准公布，今後兩地物資交流，工商業復甦可期。以此反映本港過去貿易之萎縮，主要係受中共之打擊，與禁運並無直接影響。

簡體字與代用字

·易與·

前些時，曾經「談簡體字」，現在想來，覺得在一般「習用」上，許許多多的「代用字」，代用字即所謂「俗體字」，俗體字通俗簡易，確實便利「大衆」不少，經常慣見的，如「蘿蔔」之寫作「罗卜」或「萝卜」，「豆腐」之寫作「豆付」，「老爺」之寫作「老卩」，「生薑」之寫作「生姜」，「竊」之寫作「窃」，「竄」之寫作「窜」，「廟」之寫作「庙」，「龜」之寫作「龟」，「歸」之寫作「归」，「裏」之寫作「里」，比比皆是，不勝枚舉。至於「攤擺」之寫作「垃圾」，「爭鬥」之寫作「争鬥」，銀圓之「圓」寫「元」，爾汝之「爾」寫「尔」，和「穀」之寫「谷」，那已是「官式」的代用字。若夫「忘八蛋」之爲「王八旦」，老烏龜之爲「老五圭」，更是通俗之「俗」而至於偽「雅」了。

在甚多的大衆化的習用文字裏，尤其是在那些市井鄉野匹夫匹婦們的「萬金家書」裏，不少的「語彙」，是只能「體際」「想象」「會意」，他或她根本不能步入「書香門第」，和老夫子先生談什麼「訛體」「俗體」以至於「正體」什麼的，可是不拘若何的俗寫訛寫，在讀書不多和識字太少的人瞧來，倒也一樣的「心領神會」，老實說文字的效用，也無非「紀事」而已，當然文字還有另一麽用的「戲道」效能，不論那僅是「學人」「專家」之事，在大衆的普遍需求下，還是紀事至要，若然能達成彼此間的領會要求，也就算是功德莫大焉的濟世瑞徵。

今日也者，廟廊之上的袞袞諸公，眷顧市井之間文盲小民的「無字」困用，來作「簡體字」的倡導，以我的愚見，與其「遷就」什麼「簡體字」，轉不若就這類經常慣見的「代用字」整理起來，推供選用，文字原與日常水火同屬日常之不可少物，果眞能由字之簡體而得普遍應用，盛功大德，又誰不同聲歌頌？惟是文字的應用，實在有其「需求」與「供應」的「自然」途徑，譬如像上所舉的那些「訛體」「俗寫」代用字，它得所以能夠爲世「代用」，原其所「自」，絕不是一紙公文變更詔命的所導示，猶之乎小民在饑荒時，摘樹葉掘草根挖觀音土類來果腹，自有其不得已的「必要」。「代用字」，不拘其爲訛體或俗寫以至同音假借的「會意」字，也當然是在有其不得已的「必要」，「黃牛當馬騎」，原也是出於不得已呀！不過，這些代用字，在大多數的小民之間是已經「大衆化的爲世採用。或許，在大人先生們，尤其「衛道」之士輩的心眼兒裏，不免有「斯文掃地」之嘆息。其實呢，衡以「民主」精神的要旨，所謂「多數的」是良好的，那我們放眼看今日的中國人，究竟是用那些代用字的人多，還是會用形正義嚴的正體字的人多？多人行走的路是大路，少人行走的路是小路，若然，我們何不「反其道而行之」，大家都以代用字權且作爲簡體字的先導，當然在此談作文代，還只是一時的「權宜」，還是針對官家熱心倡導簡體字「運動」一下時的「權宜」，圓個「如欲簡體」，乃可代用」，文不在茲乎？斯文斯文，又誰得而非之？

不打自招文抄

中共改造思想成績

·文抄公·

本年八月份「中央人民政府教育部人民教育編輯委員會」出版的「官報」「人民教育」上有一篇評論大中學校師生政治教育的文章。

從這篇評論所引的事實看來，我們很明顯地看出中共洗腦工作主要課程「政治教育」的成績是怎麼一回事！我們不由得不發問：爲什麼中共經過多年的努力許多教師會不知道僅僅十六個字的「文教方針」？也不知道「今年的全國三大任務」？甚至於把前任聯合國的祕書長變成了中共最重要的機構——「全國總工會」的「主席」？又爲什麼「北京大學」的學生，對「新民主主義論」的「根本性質的問題」如：「中國革命的性質」，「中國革命的領導」等，都會「認識模糊或完全錯誤」？更奇怪的，一百七十九名中學教師，有百分之六十三「政治常識」不及格，但這些教師卻都是學習過「中國共產黨史」，「馬克思主義與語言學問題」的呀！

這篇評論的作者認爲：「這種情況並不是個別的或偶然的」，我們同意他的說法，在中共實踐萬鈞的壓力之下經過六七年時間的洗腦工作，思想改造，教育界的反應竟是這樣的對「新民主主義」的基本常識不了解，這是多令人喪氣呵，這到底是智識分子不堪造就，還是一種無言的反抗，或者在答覆問題的時候，有意開玩笑呢？很值得我們玩味的。以下照鈔該評論原文，一字不易：

『從近來的許多材料來看，有不少學校的政治教育和教師的時事政治學習，還是非常不夠的。『本刊這一期發表的東北地質學院弋金同志來信反映該校「新民主主義論」考試中，有百分之七十的學生不及格，甚至在某一班中只有一個學生及格。這樣嚴重情況竟未引起授課教師的注意。

『另一封信揭露遼西昌圖中學教師學習時事政策的情況：在一次測驗中十七名教師有九名不及格。對一九五三年的十六個字的文教方針，許多教師答不上來；對今年的全國三大任務，也有三位教師不知道；對中國工會第七次全國代表大會召開的地點（北京）有人答是「斯德哥爾摩」；對大會選出的全國總工會主席（賴若愚），竟有人答是「賴伊」。』

『這種情況並不是個別的或偶然的。本刊今年四月號發表的北京大學「新民主主義論」測驗中所看到的情況，同樣說明許多學生對中國革命的性質，中國革命的領導權等根本性質的問題認識模糊或完全錯誤。在中學教師方面，據我們接到黑龍江省教育廳王雁冰同志的一份材料指出：該省有十四處中學（其中四處是該省的重點學校）的一百七十九名教師參加了東北師大函授進修學院入學考試，結果是百分之六十三的教師政治常識不及格。例如：有許多教師根本不知道什麼是「新建築」，答案五花八門，笑話百出。據說：該省過去曾經在中學教師中進行了關於「中國共產黨史」「馬克思主義與語言學問題」等學習，從上述考試結果看來，過去的學習對於某些教師可以說是沒有什麼效果的。「黑龍江省雖然比較偏僻，但它是老區，從一九四六年到一九五三年經過了六、七年的時間，還有一些中學教師對「新民主主義論」的基本常識不了解，這是非常值得我們注意的問題。』

捷克工農醞釀大暴動

最近的將來，我們就可能聽到捷克境內發生大規模反共暴動的消息，據盟國情報人員的報告，捷克的工人委員會已在全國各工廠、農場、甚至文化機構中組織分會，並訂有設計週詳的「行動計劃」。共黨特務機關聽取報告後，急忙召開會議，七級，十級的幹部來參加，但據說來論去，依然得不到結果，原因是反共的工人太多，如果採取鎮壓的辦法，則工農兵將完全停頓，如果以「開導」，他們又充耳不聞。結果共黨們只好聽其自然，決定等到事發時再派兵鎮壓了事。

邱吉爾修改回憶錄

大家只知道邱吉爾的大戰回憶錄榮獲了諾貝爾文學獎金，卻不知道回憶錄的第六卷，亦即最後一卷付梓時，還有一點小小的糾紛。第六卷名叫「勝利與悲劇」，所記的多是二次大戰後期的事情，其中涉及艾森豪的地方頗多。當時的艾森豪已是一位叱咤風雲的將軍，指揮數百萬盟軍反攻歐陸，而邱吉爾寫回憶錄時，艾森豪還不過是一位退休後的文官擔任哥倫比亞大學校長，後來雖然擔任北大西洋公約部隊統帥，但在邱吉爾看起來，仍不過是他的後輩，所以寫回憶錄的時候，對當時的艾森豪將軍頗不乏貶摘的地方。想不到第六卷付印時，艾森豪已受美國人的推戴，出任美國大總統，地位且在作爲英國首相的邱吉爾之上，於是邱吉爾在付印前，急忙重新校閱一過，對於一些批評艾森豪的語句，不得不親加刪改。

阿剌伯冷淡詹士頓

艾森豪總統任命詹士頓爲中東調解特使以後，一般阿剌伯國家的反應相當冷淡，甚至詹士頓還未啓程，伊拉克就發表拒絕詹氏入境的聲明，害得國務院連忙宣佈，詹士頓的使命只在調解以色列和約但間的糾紛，並無訪問伊拉克的本意。對於詹士頓的訪問中東，阿剌伯國家爲什麼如此感到不快呢？據駐華府的阿剌伯高級人士說，詹士頓是美國電影協會的主席，而在阿剌伯人的眼中，電影卻是代表着親以色列和猶太的工業。因此艾森豪派詹士頓出膺此一新命，阿剌伯國家認爲一開始就含有一種袒護以色列的意味。

復交問題英伊各有立場

英外相艾登和伊朗外長最近先後發表贊成恢復兩國邦交的聲明，一般的人士聽來，大多會以爲英伊復交只是指顧間的事。事實上，在此之前，兩國就已經由瑞士討論恢復邦交的可能性。英國方面需要在談判石油問題之前，先行恢復兩國外交關係。而直到現在爲止，伊朗卻堅持須先解決石油問題以緩和國內緊張情緒後，始可談到復交問題。所以除非一方面或雙方面互作讓步，否則英伊關係，還看不見眞正的曙光。（孟衡）

天下小事

談「朽」

·鐵頭·

「朽」的本義，是大家都知道的，用不着說明。然聰明的湖南人，不知從什麼時候開始，單取此字，拿來形容那些「沙庾」及「儼然有介事」的朋友，其含蓄的意義，非常複雜，好像並非專指表面上的作態，還其內心的自滿，與其識見的淺薄，乃至精神上，甚於自卑感，而倒激出來的自大狂，都包括在內。所以初期聽到用這個形容字的時候，是很難了解其奧妙的。我就曾經請教過好幾位湖南朋友，他們的解答，亦各有繁簡不同，結論均說：「可只意會，難以言傳」。其後有位朋友，不作正面解釋，而說了幾個故事，我才恍然大悟，莫逆於心。

這朋友道：「湖南有一個很有名的故事，說的是：民國初年有一位先生，做了長沙稅局的局長，到任後，就寫了一封信與他的鄉下老婆，這信怎麼說呢？開頭自然有幾句照例的套頭，中間要緊的一段是如此：『予年未四十，即已身爲局長，則前途之無量可知矣！汝本小家之女，宜習大家之風，即如小便一事，萬不可滴滴搭搭，直流下，使人聞之，頓起淫心也……』」

我聽到此處，不禁捧腹大笑，那朋友隨又補充一段，說是：「這位局長先生，後來參加一次大規模的追悼會，那次會是爲聯合追悼蔡鍔與黃興而開的，湖南所有要人，名流，自然全到。等到自由演說的時候，此公也登壇致詞，說道：『松坡既逝，克強云亡，我湖南的老成，竟遂漸凋謝了……』說到此處，停頓了一下，他通通暖嗽了幾聲，接着他就說：『……就是我兄弟這幾天也有些暖嗽，精神很不好，今天勉強來參加……』」

於其凡聽到這故事的人，不但鬨然狂笑，就是對於「朽」的意義，也用不着再加解釋了。

湖南人對於「朽」，自然人人心領神會，每逢這種場合，只要有人眯眯眼睛，輕輕的對另外朋友說一個「朽」字彼此就亮照不宣，或者借別的題目笑上一陣，不管當時怎麼肉麻，也就很輕鬆了。而那「朽」了的本人，縱然遇到別人在笑話他，也只好裝糊塗，因爲這是很文雅的諷刺，雖然用意深刻，卻是難以憤火的，好似遭受蜈蚣刺了一下的時候，又痛，又癢，又酸又麻，雖道你微的有點痛，雖道你發脾氣不成？因之，湖南人縱屬勇猛，卻從來沒有因說「朽」而打架的。

湖南的「朽」既普遍流行，後來又有人陸續起來，不直接說出，而好像打謎語似的，用折字格，說是「木于鉈子」。「鉈子」是湖南的土話，有譏諷的意思，左面木旁，右面于字一邊，豈不依然還是一個「朽」字？不過外行初聽不懂罷了。

有一個在湖南做過事的東北人，所交湖南朋友很多，抗戰時期，他在財政部做參事，一天他從張家花園步行至部上班，正走之間，忽見一位湖南老友坐在一輛黃包車上，從兩路口那面拉來，那車夫雖拚命爬着上坡，鼓亮與胸部幾乎匍伏在地，但車子仍然只像蝸牛一般，蠕蠕難前，那湖南朋友是一位中委，正在北方某省官居廳長之職。（一）

清夜書懷

·雷寶華·

世外蕭然寄此身。無端春夢惹芳塵。十年冷暖陳滋味。當作明珠又贈人。

顢頇潘郎鬢已絲。流連春夜強矜持。當歌對酒還珍重。多少塵緣未了期。

永遇樂　重九

·桐綺·

黃菊成叢，紫萸盈把，重陽時候。驛路車喧，鳥途人嘖，都是登高去。千崖秋色，萬木蕭聲，一片蒼涼如許。問行人，新寒天氣，客感羈愁添否。　青山峯下，屯門渡口，往歲來囘無數。拂拂鞭絲，垂垂帽影，已熟新界路。書生白髮，江湖困老，辜負良辰遊侶。舉頭望，乾坤莽莽，中原何處。

我逃出了竹幕

——華中撤退之回憶——

·王世昭·

三、被俘

十二月五日下午五時我們到達小董，睡了一晚，六日上午六時照常前進，下午三時才到距離欽州區有四十華里的一個地方。這時前面的炮聲和機槍聲以及空中的飛機聲，合奏着交響的樂曲，全部汽車停留在半路進不過，指揮官告訴我們要回小董。公路是那樣的窄，歸心是那樣的急，前面有輛車因司機控制失靈，倒在田心，接着另有一輛車將涵洞塞塌，倒在那裏，於是其他的車子都無法開行。車既開不了，百忙中拿也帶不了，隨身衣服和棉被了，最重要的有一小箱，家藏精品書畫，叫小姪孫子揹起來。我自己也揹上美製軍用旅行袋，裏面裝着重要文件及印信圖章，拉着我的太太，一行三人，跟着亂兵難民一起回小董。

到了小董已是晚上九時，弄點稻草在田心煮粥，依情況判斷自是凶多吉少，因此將文件及印信當作柴火燒。吃了兩碗粥之後，這時王股長主張我們大家搬到圩裏去，於是全體又復移動。路上遇到南寧中央日報記者某君，他說：「王先生，情況很不好，你爲什麼向裏面走？」我說：「那邊也走不通，橫豎大家都在釜裏，有什麼辦法？」

到了圩裏，看見空地上放着幾輛大車，有些人就在車裏打起鋪蓋就睡覺。我們就在大卡車尾端放下綿被，我拿軍用旅行袋做枕頭，準備休息，這時約莫已是夜半一時了。忽見有人跑來向王股長附耳說幾句話，於是王股長等數人連忙捲起鋪蓋，說是怕下雨，所以搬到老百姓家裏去住。我雖有些懷疑，但未便多問，只好讓他走了。王股長去後不及一小時，槍聲卜卜，人聲也非常嘈雜，我料想情況大概不很好，有些人跑來說：「解放軍來了，趕快去！」。

我連忙起來捲鋪蓋，爲了破財保命起見，家藏的一百九十七件小幅精品字畫，拋在車輪底下，讓有福的人去享受，去寶藏。於是我們離開原位置跑到街心，跟着人潮向前流去，這時紅星的帽子已經出現了，在月影底下看過去，他們的衣服是灰的，帽徽是黑的，而孔就像藍靛一樣。他們喊道：「有槍的把槍放下，一起向那邊去！」街口轉角處站着幾個解放軍，於是我們被集合在一個體育場上。（下）

中華民國僑務委員會頒發登記證台敎新字第一零二號

自由人

中華民國郵政登記第一類新聞紙類

THE FREEMAN

（半週刊每逢星期三六出版）

（第二八〇期）

每份港幣壹毫

督印人：李光華

社址：香港高士打道六十六號

電話：七四〇五三

GLOUCESTER RD. HONG KONG

TEL: 74053

承印者：東南印務出版社

地址：高士打道六十四號

台灣特派員辦事處：台北市館前街五十號

台灣總經銷處：台北中華路新號五九四之一

台灣郵政劃撥儲金帳號：九二五二號

提防蘇聯一種潛伏的武器

·王雲五·

蘇聯黃金產量已佔世界第二位，積存量亦復不少。因自由世界過份重視貿易，蘇俄大可利用黃金為武器，大量吸收戰略物資及消費品，暗中加強軍備，突襲自由世界。

自從不久以前馬林可夫宣布蘇聯已有氫彈後，西方國家殊爲悚然。夙持安撫主義者，益因此而認爲非早日達成東西兩世界和平相處不可；即向持強硬態度者，亦頗憬憬然，主張不一。以美國爲例，其當局中有謂蘇聯確有氫彈，美國爲謀減少損害，必須迅速加強防衛者；又有謂蘇聯至少在目前尚未能製成可供應用之氫彈者。實則以蘇聯之陰險狡獪，其宣傳與措施輒欲使人無從捉摸。克里姆林宮的主宰者，深知以美國的財富與工業基礎，一有警惕，自必加緊準備。況氫彈本爲美國最先製成，使其廢懸蘇俄已能製造，自必加速大量生產，以保持其優勢，是則蘇聯倘眞能製造氫彈，特別是在製造初期，其積聚量無多之時，定必韜莫如深，俾美國不加注意，一旦蘇聯決定突襲美國之際，出其不意，利用氫彈，則可對美國作大規模之破壞，今竟自行宣傳，使美國有所警惕與戒備，殊與蘇聯本性不符，其必出於虛聲恫嚇，使西方陣營因此分裂，美國有所顧忌，藉此而延長不戰不和之局勢，爲蘇聯爭取準備之時日，殆可斷言。

蘇俄的黃金產量

假使我的推測爲不謬，則西方世界所當畏懼的，並不是馬林可夫自行宣傳的武器，而是尚未宣傳，而隨時可以利用，而且足使人蒙受的另一種武器，那便是潛伏的武器。潛伏的武器，表面上不會直接殺人，但侵略者將它利用，卻可以殺人不見血。尤其是這種武器對共產主義國家的關係不大，倒是對於資本主義的國家有更密切的關係。質言之，此項潛伏的武器，不是一般別的，祇是世人一般崇拜的黃金而已。

在近二十年來，蘇聯每年所產的黃金，居全世界的第二位。據美國礦務局所發表世界各國或各地區除蘇聯外在一九四七及四八兩年的黃金產量如左：

國名 地區名	年分	產量（單位兩）	年分	產量（單位兩）
南非	一九四七	一一、二〇〇、〇〇〇	一九四八	一一、五八五、〇〇〇
加拿大	一九四七	三、〇七〇、〇〇〇	一九四八	三、五二八、〇〇〇
美國	一九四七	二、一六五、〇〇〇	一九四八	二、〇二五、〇〇〇
南美洲	一九四七	九八二、〇〇〇	一九四八	九三五、〇〇〇
澳大利	一九四七	九三八、〇〇〇	一九四八	八九〇、〇〇〇
金岸	一九四七	五〇五、〇〇〇	一九四八	六七二、〇〇〇
南洛特西亞	一九四七	五二三、〇〇〇	一九四八	五一四、〇〇〇
墨西哥	一九四七	四六五、〇〇〇	一九四八	三六八、〇〇〇
比屬剛果	一九四七	三〇一、〇〇〇	一九四八	三〇〇、〇〇〇
中美洲	一九四七	二五〇、〇〇〇	一九四八	二六二、〇〇〇
印度	一九四七	一七二、〇〇〇	一九四八	一八〇、〇〇〇

蘇聯產量所以未列入上表者，係因不能獲得其近年眞實可靠的資料，故該局的報告姑從闕。但美國對蘇經濟研究專家史華滋氏HARRY SCHWARTZ於其所著『蘇俄經濟』一書中採取一九三五年美國造幣廠監督的報告及其後出之CHEE HSIEN—WU氏所著『蘇聯對外貿易二十年』所述，編爲一九一八——一九四〇蘇聯黃金估計產量表，茲爲節省篇幅，酌錄其中數年的產量如左：

年分	產量（單位兩）
一九一九	一七三、六一〇
一九二一	六五、九〇七
一九二六	七六〇、〇〇五
一九三〇	一、五〇一、〇八三
一九三五	四、七八四、〇三〇
一九三八	五、二三五、九〇九
一九四〇	約四、〇〇〇、〇〇〇

自德蘇戰爭發生以迄於現在，蘇聯逐年的黃金產量雖未嘗由蘇聯特別宣傳，外間知者較少，惟一九四四年美國副總統華萊士訪問俄國時，曾參觀產金地區KOLYMA，獲悉其產量絕未較戰前減少（見華氏所著『蘇維亞亞洲之行』）。假定其近年產量仍能維持一九三八，甚至一九四〇年之額，則比諸上開之世界各國黃金產量表，除南非外，蘇聯實居第二位。

至以積聚量而論，就種種觀察，蘇聯黃金之外流者[illegible]，又因其對人民的經濟實施剝削，黃金散入人民手中者亦甚少。[illegible] F ISHER最近在『美國對外政策在轉變中』一文（載HARPER'S雜誌本年九月號）調估計蘇聯目前的黃金積聚量總值在美金六十億元以上，比諸美國財政部在一九五一年四月保有及瑞士平衡黃金之活用部分（據聯合國統計）總值二百十億元者，已達乎其後。若通同其大量散在民間的黃金合併比較，更不能同日而語。然若由蘇聯以其積聚黃金之一重要部分投入國際貿易市場，而向西方國家搜購戰略物資及特別是英國亟需的物品，其影響之大，殊值得我人注意。

英對中共的貿易

英國宿以商人國家見稱，其現實政治家亦多重視現實，其政策一經決定，往往頑強不變。其承認中共偽政權，原非欲擁護共產主義，僅欲藉此恢復其遠東商業，並保持香港安全。初以爲承認後即可締交通商，而不料中共對英之使領僑民，極盡迫害侮辱，經過數年，英國駐華領館陸續封閉，僑民紛紛撤退，英國在大陸上的資產亦等於放棄，但香港方面仍繼續以種種物資供應中共，甚至中共侵入韓國後，聯合國決議禁運戰略物資於中共，然而英國不肯遵行，英國政府輒予迴護。舉例言之，一九四九年美國對中共匪區之輸出爲美金八二、〇〇〇、〇〇〇元，而同年英國對匪區的輸出，經由香港者爲美金一二八、八六二、〇〇〇元。一九五〇年，美國對匪區的輸出，雖降至美金三七、〇〇〇、〇〇〇元，而香港對匪區的輸出轉增至二五五、七〇〇、〇〇〇元；是年尚有英國直接對匪區的輸出計美金一〇、〇〇〇、〇〇〇元，而由英屬地輸往者約爲[illegible]元。英國與其屬地輸出於匪共的物資，既於韓戰發生後轉有增加，甚至不以一般消費品爲限，而以戰略物資如橡膠、汽油與金屬等，仍然源源供給，使中共得利用英人的供應，以殘殺在韓國對中共作戰的英國人民。

△韓境美籍共戰俘迪根遜經過勸說後，終於改變初衷，露出笑容，願意重過自由生活。

其措施出乎常理有如此者。無怪美國持正論之議員與輿論，數詞詰責英國，至有要求政府撤銷對英援助者。

西歐各國飲鴆止渴

其在歐洲方面，東西兩世界處於目前緊張的狀態，西歐各國本不應以戰略物資供應蘇聯與其附屬國家。然事實上則西歐國家在一九五一年以機器、電機、鋼器及紡織品供應蘇聯及東歐者約共六億元，其中除紡織品外，餘千六百萬元與軍用攸關。甚至有若干國家爲蘇聯其附庸國建造船艦。去年七月間美國發見大西洋公約國之丹麥爲蘇聯建造一艘大型之油輪，曾經丹國抗議，但同時發見西方各國正爲蘇聯建造中的船艦，不下六十艘。西方國家一面集體自衛，以抗蘇聯，一面卻不惜供給戰略物資；考其原因，實以西歐各國由東歐輸入之煤炭、穀物，其他糧食與木材等，每年不下十億美元，由於金錢之短缺，不得不就其中大部分採以貨易貨辦法，而蘇聯所急需者即爲上述之戰略物資，西歐各國遂不惜飲鴆止渴。

以貨易貨之故，尚有如許戰略物資供應於蘇聯集團；設若蘇聯不惜（實則在蘇並無可惜）以多量之黃金拋入西歐市場，則其對於許多物資，甚至戰略物資，可以予取予求，自不待言。姑擬一事爲例。假使蘇聯就其所儲積之黃金提出二十億美元，向英國訂立貿易協定，以購取相當於此價值之製造品。以英人之重金錢與現實，其對此無異福從天降。它立時可以解救了循環性的財政危機，免除了其所謂對於美國的依賴，取消了其人民歷年被迫忍受節約的生活。

蘇聯的黃金武器

其在蘇聯方面，此舉更有莫大之利。由於它所開採的黃金礦，幾乎全以放逐于西伯利亞的政治犯任其勞，這些政治犯之生命犧牲在所不惜，而維持其生活之費亦極微薄。故黃金之成本極廉。今利用此項廉值的黃金，一面輸入消費品，以安撫其在反側中的附屬國，一面輸入機器，以工業化赤色中國；此外更輸入種種工具以製造蘇聯自已所需要的戰爭機器。這樣一來，在英國與蘇聯皆大歡喜，其他西方國家也不免垂涎。於是西方各國的團結，無待正式解散，先已懈弛。西方的陣營，在蘇聯而且猙獰，兩手持刀之際，尚可鞏固一時；今若假裝笑容，口唱和平，一手持金錠，另一手藏在袋裏，暗中把握着氫彈的手槍，其能不受誘惑而漸漸解體乎？那時候英國就其得自蘇聯的黃金，騰出一小部分向美國購取過剩的原料，由自己加工製造後，以之供應俄國，用爲將來屠宰世界的利器。在美國所分得的若干噸黃金，對於自己所保有的大量黃金，無異滄海增加一粟，而其許多有用的原料，經過英國及其他西歐國家加工製造之後，客客氣氣送入共產帝國境內，以安其反側，以增其實力；在西方各國方深幸兩世界可以和平相處，又有大宗貿易可以經營，第二次大戰後若干年的緊張情緒頓然寬舒。美國雖然不希罕這些黃金，然在[illegible]美皆非之下，不得不將有用之原料，由西歐加工後轉入蘇俄，其具有遠見之政治家雖心所謂危，不敢苟安，無如外則盟國陣營已無形解散，內則安撫主義者益抬頭，爲繼續加強軍備，以防萬一，即國內反對之聲浪日高，盟邦之冷視日甚。在此進退維谷之際，時間便蹉跎過去，軍備縱不大減退，至少是毫無進步。反之，在蘇俄方面，既以其無用之黃金易取大量有用的消費物品與戰略物資；一面暗中加強軍備，一俟時機成熟，出人不意，突然大舉襲擊，先對最強大之美英等國下手，使其工業擴殘，精華蕩盡；於是此潛伏的武器，便大收其效，而世界的命運便成注定了。言念及此，不寒而慄。西方諸強不乏遠見之政治家，其亦能燭照機先早爲之計乎？

半週展望

·雷嘯岑·

韓戰問題勢必妥協

在前一期的「半週展望」中，我推測韓戰問題將由雙方面的再三讓步而趨於妥協。理由是：邱吉爾放棄巨頭會議的堅決主張，以換取美國在遠東的和平政策，這種意圖是在倫敦三外長會議時決定的。現有若干跡象證明，邱吉爾忽然聲稱巨頭會議可能招致比現在更惡化的結果，自己否定過去不惜單騎赴莫斯科談判的壯語；法國會議和政府在取得三億多美元援助後，正在越南採取主動攻勢，[illegible]際，決議與越共言和；聯軍代表方面，[illegible]又一套的妥協方案。另一方面，中共[illegible]絕無討價還價的表示；蘇俄拒絕舉行以中共參加爲條件的「五強會議」[illegible]各個問題，而美英法還要再度發文[illegible]而看來，幾乎是美英法一味地遷就[illegible]恐，堅持己見，絲毫不肯讓步。因此之故，韓戰善後問題之必將來的政治會議，不但可以變更組[illegible]加，而且可能演化出變相的「五強會議」來！

目的是在等待與觀望

英美素來對中共具有幻想，史大林一死，這幻想更[illegible]出政治消息，說甚麼[illegible]能對韓國善後問題與美英達成協議，即可繼續[illegible]合國席位[illegible]與心理，毫無二致[illegible]不願意韓戰[illegible]了。如是，乃[illegible]以引起中俄共之[illegible]幻想[illegible]不到黃河心不死[illegible]在歐洲[illegible]以等待[illegible]「拆散」中俄共[illegible]同到[illegible]美國共和黨[illegible]選所說明的「等待與觀望」的作風，[illegible]沿用！

後悔何益？

最近由中國大陸退到香港來的英國商人，曾向美國新聞記者敘述中共不許外商存在的各種痛苦事實，認爲當年他們促成英國政府承認中共政權之舉，實是一大錯誤，而指出麥克阿瑟對韓戰的主張是對的。他們希望倫敦方面的人不要再說那些「從盲人中聽來的廢話」！

大錯既已鑄成，後悔有何用處？[illegible]的上海法商水電公司產業亦被沒收了，法國政治家目前正對中共百般妥協，不[illegible]們對於商人們的後悔之詞，實在提不起同情心。雖然，將來西方人對東方後悔的事，多着哩！

民主社會中不可少的人物

美國參議員麥卡錫近日又發表驚人的言論，指哈佛大學教授法赫有向學生傳播共產主義思想的事實，要求予以免職。共產黨在美國並非非法團體，談共產主義的人更不犯法。可是，在民主國家裏這類人物卻不可少。[illegible]卡錫這一「調查」判斷，一定要引起[illegible]夫人與史蒂文生等，早已指他的[illegible]院所[illegible]「美國政府的共產黨」一書[illegible]活情形，實屬可憫。若不是[illegible]議院一些人，至今尚在國務院[illegible]

義大利政治危機
——中間路綫的人誤人誤己
·旭 軍·

記者曾撰文議論及義大利與南斯拉夫嘗改善關係，今三強亦擬在倫敦開會勸說南義息爭。上次曾論及的祇問題與西方謀在巴爾幹建立反共堡壘，今更談及義大利本身危機，足證中立思想之作祟，予人極大之警惕。

中間路綫的牽制

義大利是北大西洋公約一盟國。未來反蘇戰爭，地中海與中東之控制，是足以決定西方民主國家之勝敗。美國第六艦隊駐守地中海。義大利不論在戰略上與政略上，都是地中海上一主要國家。實際上，今天北大西洋公約，除了英法之外，有那一國的力量能夠及得上義大利與西德之强大呢？西德今年在大選中，反共最力的阿丹諾之基督教民主黨以絕大優勢壓倒妄圖走中間路綫的社會民主黨。然而義大利在今夏大選中喀斯貝里之基督教民主黨，雖然獲票數最多，但比去屆大減，因多數票差額太微，幾乎歷整個夏季無法組成政府。這是吃了那中間偏左的共黨同路人南尼PIETRO NENNI所領導的社會黨的虧。

我看歐洲英德法義的社會主義者，有一種通病，好像硬要擺出中立的架子，不顧面對現實，妄想反美，或模稜兩可，或似是而非，或色厲內荏，一無是處。本來溫和的改革社會經濟，是社會主義的良好理想。但在今天，面對絕對排他性以征服全球爲終極目的的蘇俄共產集團，妄圖中立，實屬誤人誤己。

義大利太窮苦了

義大利自一九四八年以來，是西歐唯一讓共產黨勢力膨脹的國家。在英國在野之反對黨仍爲民主的。執政的政黨在國會多數席位雖然微，備無大礙。但在義大利，共產黨佔有甚多之席位，此種情形便危險了。

義大利人民多數太窮了。貧窮是共產主義溫床。義國人口四千餘萬，當中有六百餘萬人居於窮苦生涯，平均五口之家，每月收入祗值美金四十元。有一百萬人係四人住一房，或住於窰洞或居於地窖，或被轟炸過的兵房倉庫。有四百五十萬家一年都買不起肉來吃的。

此次大選有六百萬票選共產黨的。投共的社會黨（南尼所領導的）有三百五十萬票，兩數相加起來，佔選票總數百分之三十五，支持基督教民主黨的一千一百萬票。

從人民生活與大選投票看，義大利有向左走之趨勢。目前之培拉政府的政綱，也採取了南尼社會黨九項政綱之七項。

社會黨南尼性格

南尼是一個够風度擅口才，滑頭政客。所以有人說，如果他和共產黨脫離了，則大戰後即可爲總理，也許一直到現在。他說：他的性格近工黨的貝凡，他不大信任共產黨人凡三十年。他也深知萬一義大利成了共黨的「人民共和國」，他會被清算的。

雖然南尼本人也承認這種說法。但他維持與共黨頭目陶格列蒂訂的一項聯合協定。他情願被社會主義國際所驅逐出來，而不敢得罪共產國際情報局。他曾獲得史太林和平獎金。他拒絕放棄和共黨訂立的協定。但也曾表示不願加入或支持沒有共黨加入的基督教民主黨內閣。他永遠贊同親蘇聯的中立主義之外交政策。但亦表示：以大西洋公約係既成事實，他不再堅持要義大利退出該公約。

他所得的選票，有許多是來自親共的，但來自那些想脫離共黨而獨立黨會社的人的，佔大多數。

南尼出世在義大利的羅馬納，也在那裏長大。其地在義大利東北隅。當地人民性格剽悍，好作反。自從義大利統一以來，凡反叛薩伏皇室，反對資本主義，或反抗政府時，羅馬納人都是打先鋒的。羅馬納人墨索里尼自羅馬納發動第一次之政治鬥爭。墨氏是南尼的政敵，但維持着私交友情。墨索里尼當時是社會革命黨的領袖。而南尼是反皇室憎恨教會僧侶的共和黨員。墨索里尼在生時和他的私交未嘗斷絕過。南尼會記着：『縱然我和他拚命鬥爭，但我感覺我和他的接近，過於和我的社會黨中溫和改革派。』

南尼反對集中主義

他一直到一九一九年墨索里尼開始作法西斯主義運動時，他才自共和黨轉入社會黨。他雖然與共產結盟，但不大研究馬克斯主義。甚至到了現在的六十二歲年紀，他還是看社會主義是很顯淺明朗的，一如在少年被吸引時的一般。祗知是工人反對資本家，貧窮人反抗富人，解放對抗壓迫。他看俄國三十年代清黨是整個世代的大屠殺。他說：他反對列寧的絕對集中主義。

前總理喀斯貝里問南尼道：『爲什麼一切自由人如此關懷你的黨和共產黨有如臍帶之連繫？爲什麼不怕共產黨會在義大利建立政權便失却我們的自由呢？你的社會黨究竟是否和共產黨脫離而獨立呢？』

南尼答道：『我不覺得共產黨掌握政權是一悲劇。而我却很寧靜的等候着。你意思中的共黨政權是好像在匈牙利保加利亞等國家的。但他們是紅軍佔領後產生的。但義大利的情形是兩樣。……將來社會主義可能走另一條路。但共產黨今日極端能並根深的存在我們國民的生活中。我們社會黨不違背現實。如欲採取任何動議，必須要共產黨支持。』南尼又說：在和平時期與共黨對抗若用反動的方法，是錯誤的。如果局勢緊張，反有助於共黨的增長勢力。」南尼實可代表歐洲一般的中間思想。有人說在歐洲「同路人」比共產黨還更可怕。由此看來是有相當理由的。

文藝的反叛性
——對反共文藝，技巧可批評，原則不應反對。
·王 鈞·

不可有磕頭文學

我最喜瀏覽文藝作品，常思討論文藝問題，「自由人」最近對自由中國文藝的評論，給予我頗大的誘惑，因此也想一抒管見。

要想個深握要的剖析出自由中國文藝界的「自由」本質，是煞費思考的；因爲它的確是自由文藝，可是拿歐美的自由尺度來衡量它，未免有些地方又覺不合，這是反共文藝工作者內省不疚，而旁人可能言之成理加以指責的原因。從創作心理而言，作品發生於作家意識與社會現實之衝突，作家必須忠實的表現自己，這就是周癡先生所稱「自然的流露」。所以自古以來優秀的作品，「除夕多於元旦，吊輓多於頌壽，兵馬多於太平」。（見鳥獻吉郎語）所以「可以有搖頭文學，不可有磕頭文學」（香港時報社論中語）「即使是歌頌共產主義的作品，美國人寫的也比俄國人寫的好」（自由中國一位批評家的話）因此，多少人有意無意的主張，文藝中有反叛的天性，以致柏拉圖在其理想國內驅逐詩人。他們看到在反共國策下的反共文藝，便禁不住振振有詞。

情願不自由態度

其實這種誤解是非常可惜的，他們忽略了自大陸撤退以來，作家們心理上激烈的變化，在抗戰勝利以後，反叛性的文藝可謂達於極盛，但其後果，則爲大家有目所共覩。中國的文藝何以這樣恰恰配合了共黨的需要，使人錯謬不已。論者多以爲這是出於左翼文人的操縱，但是其中也許有更深邃的因素，有待未來的史家探索。此刻作家們所意識到的，就是放棄其對政治的厭惡，自動加以配合。因爲在作家心目中，本來永遠沒十全十美的政治，大陸上匪偽政權出入意料的醜態，不覺促成了他們對現實政府的變惜。一位知名的作家曾經很清楚的說過：「我先做幾年願志兵，以後再退伍」，就是指自己熱心從事反共文藝工作，等勝利後再恢復其「爲藝術而藝術」的興趣而言。抱這類態度的人，一時非常之多，其心境頗有胡適博士所說：「情願不自由，也是自由了」。高清心先生曾經提到蕭伯納一生不入仕宦，但他忘了在大戰期間，蕭伯納曾指斥納粹的罪惡。評論自由中國的文藝，而不曾察及上述作家的心理，（這也許就是陳紀瀅先生所謂「戒路」，）是不能精當的。

再從另一個角度觀察，尤其是青年作家，觀察自由中國的作家，又可以發現他們的反共，與「文藝的反叛性」並不衝突，不過他們攻擊的對象是大陸現狀而已。本來作家有所擁護與有所反對的，大半因於自己對生活，例如高循心先生，生活在自由中國，貧病交迫，因而有憤懣之情；和另外的人曾經生活在匪區，從迫害下逃出，因而有熱烈的反共的主張，二者同樣是情見乎詞，誠中形外。這樣的反共作品，就完全合乎周癡先生所謂「自然流露」的原則了。評論自由中國的文藝問題而察不及此，也是失之粗疏。

說不上誰是誰工具

台灣並未實行文藝統制，反共文藝的陣容，大半是出於作家自動的結合，小部份是受到影響而自動贊助。既然文藝界有這種趨向，當然政府樂予支持，使之更易發揮力量，這也是事實；但如果說政府絕不支持他們，倒也是非常費解的！從歷史上看，有時文藝思潮在前，政治理論在後；有時政治理論在前，文藝作品在後，二者相輔相成，無所謂誰是誰的工具。（上）

台灣的社會風氣
台灣通訊

台灣最近舉行全省警政會議，閉會次日，蔣總統復召集中央及省級各機關首長，全省警政會議出席人員，與治安責任各單位幹部，加以訓勉。對軍警憲各界努力備加嘉許。並指出應待改進之點，尤其對環境衛生與交通秩序兩端，特爲注意。末謂各縣市警政，互有優劣，各地警察同人，須大公無私，不畏强梁，爲國家執行政令，各地民意機關，不可有牽制警政之事，文武機關首長，更須重視警政，切不可再如大陸時代以馬弁副官，視警察人員云。

風氣漸奢靡

台省目前社會問題，最值要者，爲社會風氣漸流奢靡，其次爲交通秩序日趨紊亂，再次則爲環境衛生漸趨退步。台省同胞，素尚儉樸。光復以後，大陸來人日多，流品複雜。尤其所謂海派商人，將所謂海派風帶入台灣後，影響更大。行政院陳院長任台省府主席時，已指出台省同胞不怕颱風，只怕海風。惟近兩年來，大陸來人，或則坐吃山空，或則經營失敗，除極少數外，多數生活已日益降低。但台省同胞則以農村繁榮，工商業振興，經濟狀況，已較往昔遠勝，因此一般生活水準，日漸提高，奢靡風氣日益普遍。最近監察院所發表糾舉台北市公共汽車管理處長徐砥中案，即列擧該處與台北市議會議員在酒家酬酢賬目，徵花侑酒往往一擲千金，公然開列發票，由公家開支。其實，台省工商金融各界，以及每屆選舉競選，情況多屬如此。進出口商與民營或公私合營之廠家及金融界之交際酬應，亦皆非借酒家不可。此種風氣，雖有人覺得不可長，但主管財政稅收者，則認爲取締席捐及消費稅之良好機會，並不贊成予以取締。自政府規定台灣民間耗銀最多之拜拜，每年集中於陰曆七月十五日擧行之後，已節約甚多，更有人主張政府每年所擧行之紀念節，及各種酒會記念會或酒會之所耗，亦宜集中一日，以示節約，蓋以政府之所耗，與民間拜拜之所耗不相上下也。此不過是一種思想，當然是做不到的。

交通失事原因

至交通秩序，近日台北市車禍頻仍，已引起各方重視。政府遷台後，車輛人口，迅速增加，原有道路不敷行駛，逐爲到處現擁擠之象，交通失事日多，這自然結果。連日台省有關機關，迭次召集會議，邀請警察學校學生，臨時到交通要道擔任勤務，指揮交通。然此乃係治標辦法。治本之法，應減少車輛行人於同一時間內之流通量。現時各機關均自備交通車，接送工作人員，每逢上下班，路上突增若干交通車，其中且多屬十輪大卡車，同時各級學校上下課時間，又適與機關上下班時間相同，數萬大中小學生，或乘自行車，或乘三輪車，或步行，同時出現市面，而道路既非十分寬闊，如值陰雨晦暗，擁擠自屬更甚。各級學校上下課時間，如能與文武機關上下班時間相隔二三十分鐘，則市上擁擠情形將立見減少，學生路上安全，亦獲得保障，近因迭次車禍，學生時有受害之事，家長禁止子弟乘坐自行車往來，於是公共汽車更見擁擠。故此乘教育當局亦應加以重視，不宜純委於交通機關也。當局有聘請外國顧問來台研究改進交通之說，外國顧問之建議，恐因細於經費，無法實行。若能將學校上下課時間，酌爲更動，即可收相當效果，此乃教育當局之事，無須徵詢外國顧問者也。

環境衛生應改進

環境衛生，蔣總統最所重視。從前提倡新生活運動，即以清潔整齊爲基本工作。合省年來對環境衛生不免偏重通都大邑之通衢大道，偏僻地區荒穢如故。譬如台北廣州街，爲中心診所之所在地。診所之內，固極清潔，但診所之外，則髒溷條件甚遠。省政府近擬撥款二十萬元，獎勵辦理環境衛生最有成績之警察人員，特優者每人可得獎金千元。惟環境衛生之最大問題，一爲水肥，一爲垃圾，一爲下水道，此三者如不能澈底整理，獎勵之法，恐難收效。合省民選縣市長，不久即任滿，需辦改選，各地選民，如能以任內對社會風氣，秩序，衛生之建樹成績，作爲繼續推選之標準，亦改進之一法也。

編者 讀者

△陳紀瀅先生來教，以本刊討論文藝問題的文章，已經不少，今後宜多介紹創作文字，高明甚佩。南借此說明，我們歡迎不超過三千字的創作文章，請陳先生和愛護本刊的，不吝賜稿。

△本期「海上客初試蛇演」一文，是一篇頗有風趣的文章，我們很歡迎這一類描寫真人實際生活經驗的輕鬆文字，但以不超過「千字爲限。

△下期文章預告：

鄭竹園先生——日本的經濟出路（論所謂「中日貿易協議」）

合逸通訊——吳稚暉先生的遺囑

阮毅成先生——論治反攻（書評）

獨士先生——戲劇的主題

衛挺生先生——過渡時期的事情

△直接定閱的讀者，如果遇到派報遲到等事情，務請隨時通知本報，以便改進我們的發行工作。

狄托騎虎難下
·修 衡·

此次嚴重局勢，雖未釀成大患，各方面之損失，已屬不貲。推源禍始，可以歸納爲兩點：一，義南間之誤會，純係歷史中來由談判造成猜疑隔閡所致，這是一大遠因；二，韓戰停火後，西方對西歐防衛問題重加注視，但如義南兩國能對的港懸案迅速解決，合作相處，則北大西洋公約防禦邊系，可以從義大利通過南斯拉夫與南希土（巴爾幹聯盟）結合，使南歐側翼的防禦更爲堅強。這對於蘇俄有侵計劃，換巴爾幹橫掃西歐，席捲中東之企圖，無疑是一個致命打擊。故此蘇俄贊助第五縱隊乘機散布謠言，一面挑撥義南，一面又煽動斯拉夫族起來反英美，使美英兩國來與南斯拉夫間由於此一事件而生裂痕。目前局勢雖未澄清，事實真相已逐漸明朗，義南雙方均能懸崖勒馬，審慎考慮，事態之嚴重大致可望消弭。可是，儘管三強已不再堅持的港國際化，並邀請義南兩國擧行五國會議之時，但托狄之處境已是「騎虎難下」之勢，因爲南斯拉夫畢竟是一個共產國家，親俄的第五縱隊正迫使托狄改變對西方之態度，因其在過去，據說，曾對的港問題向艾登提出保證：A或B區歸南斯拉夫；除南國作象徵性的抗議之後，即可接受。就目前之情勢看來，此種可能性已不復存在，顯非擧行「五國會議」作公平之商榷，殊非易於排難解紛的。（續完）

中共指商人又犯「五毒」
如火如荼再搞五反
拘捕判刑自查補報雙管齊下

近據上海、廣州等地陷區及大陸各地中共報紙披露消息：自中共於八月間上海物價狂漲之際指責商人哄抬物價並首先藉口「偷稅」、「偷工減料」、「抗拒領導」及「腐蝕國家幹部」等「五毒」行為以後，北平、天津、武漢、南京、杭州、鄭州、南昌、廣州、重慶等各大都市及東北、綏遠、江西等地區之中共工商管理機構及稅務機關即相繼紛紛大肆指責商人亦重犯「五毒」行為，乃即再度大規模展開一新的「五反」運動，將一般範圍較大之私營工商業者紛紛拘捕審訊、鬥爭，同時並還飭各私營工商業者務將重犯「五毒」情形，進行「自查補報」。聲勢浩大，一時如火如荼，情形殊為慘烈，乃使去年「五反」以後尚存一時的大陸商人，又罹悲慘的厄運。

私營工商業名存實亡

[illegible]

北平一地勒索廿五億

[illegible]

軟硬並施全力控制

[illegible]

上述數字，中共並未明顯透露，而係出於推算及傳聞。除被捕者，除部份被判刑外，部份將「學習、改造」，部份將「管制教育」，已被令「學習改造」的，據上月二十六日光明日報透露：江西省已達一萬二千二百餘人。

關於「五反原則的教育」，係由各地「民建」分會會同「工商聯」召開會員大會，或私營工商人大會，進行宣傳、講解、坦白、檢討、批判等，以藉此制止彼等在此次「五反」以後再犯「五毒」。此等大會，現北平、天津、上海等大都市，已率先開始。

所謂「自查補報」，係由各地「民建」「分會、「工商聯」及當地稅務機關會同派出大批共幹還飭各私營工廠商號自行查明偷漏稅款及偷工減料等數額，分別向當地中共稅務機關或「國營公司」補報，然後限期補繳。從表面看，既謂「自查補報」，似乎頗為「民主」，然實際上又為中共外柔內剛異常毒辣的新壓榨手法。蓋個商人補報數額較多，能一時填足中共慾壑，固可倖免罪行；倘報補數額不足以適合中共所需，則可藉詞「不夠坦白」，予以鬥爭，照例直至「超額完成」而後已。此可謂至為巧妙。現「自查補報」工作，各地已全面展開。

最後，大陸各地新「五反」運動所顯示之一般情勢，為商人情緒，已普遍恐慌不安，其中範圍較大者尤然；生產及市場亦已大受影響。且從一般情節看，此實為中共又一有計劃有步驟的新政治陰謀。

大陸商人四年來之剝削、捐獻、重稅等等壓榨後，實已到了山窮水盡，膏枯油乾的地步，今日再遭受中共政權此種「新五反」，變相清算手段後，結果如何，當可想見，大陸私營工商業者被一個個消滅的日子，當不在遠。（著）

新書介

[illegible] 美國精神（THE AMERICAN MIND）與英國培克教授 ERNEST BARKER 所著的「英國性格」（THE CHARACTER OF ENGLAND, OXFORD PRESS 1953）[illegible]

[illegible] LESLIE STEPHEN [illegible] EARLY VICTORIAN ENGLAND EDITED BY G.M. YOUNG [illegible] SHAKESPEAR'S ENGLAND [illegible] JOHNSON'S ENGLAND EDITED BY A.S.T. [illegible] HENRY STEELE COMMAGER [illegible] CLARENDON [illegible]

維多利亞及其首相
滄波

名相為興衰關鍵所在

[illegible]

憲政與用人行政

[illegible]

……僅是文物制度的問題。

英國外交關係的感慨

維多利亞於一八三七年即位，於一九〇一年逝世。（正值中國清代，道光，咸豐，同治，光緒四朝），這六十四年中，除內政外交的難關問題，終算一一克服度過，惟餘一個愛爾蘭問題，終於沒有解決而至於破裂，大英帝國的瓦解種因於此。維多利亞最後一任首相莎侯是這一朝代管理外交最久的人，他的外交政策，是「睦鄰」而不是締盟。後來「協約」之締結，終至造成第一次世界大戰，英國史家於此至今猶有餘憾，以為莎侯國策如果不變，大戰之禍或可幸免。其對帝國政策始終主張帝國的團結統一與完整。「假使愛爾蘭離英而獨立，五十年後，印度亦將追蹤而去。」這是莎侯當時的名言。也是維多利亞第一任首相梅爾邦所諄諄叮囑女王必須重視愛爾蘭。如今愛爾蘭離英而去，不到五十年，印度亦追蹤而去。這是著者所反覆慨歎的。這是故家喬木，麗黍與衰，應有的感慨。讀者正不必自己來維主觀意識，以譏評。

最後，我替維多利亞十位首相做一個年壽統計：（一）梅爾邦六十九歲；（二）比耳六十二歲；（三）羅素八十歲；（四）德培七十歲；（五）歐培定七十六歲；（六）帕莫斯登八十一歲；（七）狄思雷利七十三歲；（八）格蘭斯頓八十九歲；（九）羅斯柏里八十二歲；（十）莎利柏雷七十三歲。十位首相中，除了格蘭斯頓，其餘九，皆有勳爵，惟格蘭斯頓四任首相，享年八十九歲，以「格蘭斯頓先生」終。格蘭斯頓之思想風格，在維多利亞人物中，其爵偶乎！（下。完）

四二、十、十一。台北

尼克遜不虛此行
市民多願提供資料

美國副總統尼克遜，前天偕其夫人巴脫離西貢及隨員等蒞港；打破了美國在位元首訪問香港之歷史紀錄，不僅是一件很有意義的事，重要性不難概見。香港在竹幕邊緣，其安危均為世人所關切。三年來中共在港海邊製造之事端，已使英人感到困惑，自由世界大為震驚。此與工黨政府曾承認中共，妄想與共黨建立「友好關係」無異是一大諷刺。尼氏此次蒞港，除了官式酬酢之外，大可利用此一機會，搜集中共在竹幕外暴行之資料。即以香港本身而論，中共侵擾港海之騎劫，綁架案件，已指不勝數，其中最重大的驚人暴行，世人記憶猶新：一、一九五一年三月十一日，三個英國籍男女及三個中國籍船員，乘遊艇由港赴澳途中，被中共截擄，拘禁廣州監獄，至同年六月始釋。二、一九五二年十一月二日，兩個英籍水手，在近海航遊時遭中共武裝機帆劫持，繫獄四個半月，直至今年三月十九日釋回。三、今年三月二十一日，美記者艾普爾格特，狄克遜和美航海商加拉士納及一個中國籍女子同乘遊艇「客特」號赴澳門（按：該艇即係一九五一年三月十一日被中共截擄之艇，於艇主被釋返港後售與艾普爾格特），於距港西南海面遭中共砲艇擄劫而去。四、九月九日，一艘英國快艇遭中共砲艇攔截，發砲轟擊，造成了七人斃命，五名負傷（僅三名無恙）的慘劇。此等重大事件，迭經英國政府向中共交涉；結果非被反噬，即竟不予理會」。

香港三日

關於聯合國禁運與香港對外貿易有無影響，雖為身受中共迫害之商人們才能體會而已堅決採取放棄與大陸交易行動；尼氏與工商界名流岑載華、余達之、徐季良等交談，已不難深切瞭解。但是，港九二百餘萬市民對尼氏此來不僅具有歡迎之忱，同時更對美國抱有無限希望。先就工商界說，他們既已放棄對中共貿易。港美貿易限制仍盼進一步放寬。

第二、甚多僑眷對美國財政部放寬旅美華僑滙款接濟港九眷屬辦法（將收款人身份證號碼寄美）公布之後；甚多未領有身份證等待去美國之僑眷仍感失望，而且生活又陷入了窘境，他們亟盼美國之移民政策作進一步改善。

第三、美國對香港流亡知識分子的救濟，因限於基金，尚有數逾千計的知識分子亟待援手。

第四、港九目前失學失業青年衆多，已成為現社會一個極嚴重問題；香港救助失業青年協進會自上月二十五日起接受申請登記之後，雖然第一期計劃救助失業青年僅一百名，截止登記之日，函索登記表申請之信件已收到二千六百封之多；但相信失業待助的青年決不止二、三千人，這雖然是港九各界人士均有支持該會的義務，倘獲美國支持，則此一嚴重之問題不難迅速解決。

尼氏對於有關上述之問題，樂予聽取各方提供意見。儘管他在上月六日離開華府東來，三萬八千哩行程已結束其半，而極力避免與各地元首作任何有關政治談判。但是他畢竟是一位著名的反共人物，在參院兩黨之間具有決定性之作用。此行絕非單純的如彼所言：「余此行目的在擬將美國對世界自由人民之深情熱意表達於（遠東）諸國人民之前……」博採周諮，對於美國未來之政策，却有甚大裨助。從尼氏身伴所攜的兩大鉅著上反映尤為顯著。一部是史蒂文生的著作，另一部是杜威的「亞洲」新著，前者曾於環球旅行之後，向艾森豪建議締結互不「侵犯」協定；而後者則堅決反共之地方首長。顯然，尼氏將就史、杜之不同見解與親身的體驗中去抉擇。留港三天，忙於接見各方人士。誰都希望他能夠多帶一些資料繼續他的行程。看來，這一位年輕的政治家，他不致辜負人們對他的期待啊！

共黨暴行不勝數計　失業衆多救助難周

不打自招文鈔

文抄公

文抄公曰：「一連抄了幾篇『不打自招文』後，現在替讀者換換口味，抄一首不打自招詩吧。」這一首署名歐耳寫的「忙首長」詩，載中共「郵電部北京郵局」總發行的「新觀察雜誌」本年十月十六日出版的「總數第七十五期」上的。下面便是這一首詩的原文，讀者不僅可以欣賞中共『新文藝』的傑作，還可以想像中共政權行政效率是如何驚人！

忙首長

歐耳

在我們機關裏，
有一位李主任，
誰也不稱呼他的名字，
人人都叫他「忙首長」。

上午他很忙：
桌上文件一大堆，
請示報告排成行，
他簡直伏倒在紙堆上，
仔細研究十天半月也看不光。

還好，他辦法有的是：
前頭瞥一眼，
後面看幾行，
朱筆一批，
存檔！

下午他很忙：
每一個會
他都得講一講。
這也不妨，
有的是「靈丹妙藥」，
無論那套都用得上。
「同志們，
我們的缺點很嚴重，
一、二、三、四……
甲、乙、丙、丁……
我們的成績輝煌，
大家的意見很好，
希望以後努力改進。」

晚上他也很忙：
許多同志來彙報，
還要請示——
明天幹些什麼工作。

他聚精會神地處理，
又是批評又是表揚：
王科長多買了一瓶墨水，
不顧浪費國家財産；
何必書簡用了三個信封，
愛護國家財産觀點差。
不知不覺，
壁上時鐘敲了十二響。

不幸的是：
辦公室的文件堆，
瞪瞪地又在增長。
有一件揭露某處錯誤的施工，
損失成千上億；
一個命運却也沒有例外——
存檔！

他心裏滿是個恨！
一天到晚不知忙的什麼名堂。
唉，沒有幹部呀
什麼工作只有自己抗。
老幹部——
文化水平低；
新幹部——
簡直沒有「立場」；
男幹部——
性情急燥；
女幹部——
能力不強。
天呀，
怎能叫我不忙？

上海佬——初試蛇羹

海上客

「秋風起兮，三蛇肥矣」，到了秋冬季節，這樣的引人廣告，在香港這地方，是隨處可以看到的。

我們初到「貴境」的外江客，久居這東方之珠的南方人，統稱我們做「上海佬」。「上海佬」到了這裏，自然一切都覺得新奇，也一切都抱着冒險嘗試的心理。對於吃蛇當然也不例外。我就是抱着這種態度去嘗試過一次蛇羹的人。不過嘗試的結果，對牠並無好感，只覺得蛇羹不過如此，和一般羹湯，並沒有甚麼特別可口之處。也許這只是第一次，還未嘗到眞正的美味罷！

去年多天，一個雨天的夜晚，天氣使人感到略有寒意，據說吃蛇之後，能夠祛除嚴冷，通體生溫，於是我和同事三人，受了這種說法的引誘，加上了好奇心理，便由「坐談」而「起行」了。四人帶着雨具，專誠去訪問「蛇窩」。

「蛇窩」這名稱雖然有點杜撰，不過用來形容那條小街道，却是非常適合的。在上環乍畏街附近有條叫做畢街的小巷子，便是售賣蛇羹出名的地方。短短只有二三十家房屋的小街道，其中就有六七家出賣蛇羹的檔口。據說有些大酒家的蛇羹，也是從那裏定製的。

我們光顧的那一家，除了街邊擺有檔口外，鋪子裏二樓上還設「雅座」。所謂雅座，當然很簡陋，談不到設備，只是小騎樓上，擺上幾張活動小桌，使得顧客免於風吹雨打罷了。

蛇羹製法很多，我們所嘗試的是一種最普通的「五蛇羹」，據說係五種不同名稱的蛇肉製成。檔口伙計雖會向我們一一介紹五蛇的種類，和附加作料名稱，我們吃起來只知道裏面有蛇肉絲，雞肉絲，猪肉絲，和木耳絲，是主要的材料，至於是不是眞有五種名稱不同的蛇肉，那是「大舞台」對面，「天曉得」。

蛇羹很像沒有醬色的北方食品「酸辣湯」，所不同的切絲較精細，白色肉絲好似豆腐干絲，黑色的木耳絲有如雞鴨血和海參絲。湯的濃度，也好像上了「獻」似的帶有膠質。和蛇羹同時併進的另有兩小碟子東西，一爲檸檬葉，一爲薄脆（即油炸的馬鈴薯片）。這兩樣東西拌入蛇羹，使與湯調和，便可以減少一些黏性。檸檬葉一如普通常用的「香菜」，愛好的視爲清香可口，不喜歡的覺有怪味。檸檬葉在初次嘗試者的口中，好似有一股近似肥皂的氣味，刺鼻刺喉，怪不好受，初嘗試蛇羹的，不妨免用，否則反將原有的蛇羹香味破壞無遺。

如果要問我，吃過之後蛇羹的眞正滋味究竟又怎樣？抱歉得很，上海佬終究是上海佬，我對於這種膾炙人口的南方風味，實在欣賞不了，我只覺得蛇羹和一般湯類無異，一點分別不出蛇肉的味道來。吃過後，是不是通體生暖有祛寒之功呢？也許因爲我們同時飲上幾杯蛇胆酒，藉酒精的作用，血液循環加速，的確感到暖溫異常。現在又到了吃蛇季節，沒有吃過的不妨試試，看是否和我的經驗一樣。

島上風光

尖沙咀之夜　充滿異國情調
特殊風光中　映出戰時景色

尖沙咀這地方，凡是居住港九或到過香港的人，怕沒有不知道它的；但是多數人經過這地方時，都是行色匆匆，忙着趕船乘車，很少會悠閒地在那裏徘徊躑躅，對四周景色加以注意欣賞的。然而這區域却是最富於異國情調，才是能夠代表香港的地方，尤其在夜幕籠罩後的晚上，更是充滿了特殊風光。

香港雖是英國屬地，而實際上却是中國人的世界，百分之九十五以上的居民，都是黃帝子孫。可是，唯獨在這區域中，它會使你很敏銳的嗅觸到一種氣息，體會到自由港口的特有風情和誰是此地的眞正主人。

在晚間，最好是週末之夜，你不妨去這區域作一番巡禮，漫步街頭，相信它會使你領略到前面所說的。那時，雖然還有少量的人在往來於碼頭和車站之間，却已沒有白天那樣熙熙攘攘，川流不息的熱鬧情形了，幽綠的燈光下，顯得冷清得多，人們也比較從容悠暇。並且在這中間可以見到穿了晚禮服的紳士們，和雍容華貴的太太小姐，挺胸凸肚，高視闊步地去參加爲他們所舉行的盛會，他們之間當然也有所謂高等華人在內，不過那是鳳毛麟角，極其稀少，大部份是來自「祖家」的天之驕子，從他們傲慢的神態中，你可以意會到他們是此間的統治者哩！

離開碼頭沿着人行道走去，這一帶是充滿着浪漫情調和戰時後方景色的。操着各種字形步伐的各國水手和流浪漢，酒氣沖天醉眼惺忪，使到行人望而生畏，避之大吉；黯淡的街邊散散落落站立着爲了生活，不惜出賣人類最原始肉體生涯的阻街女郎，會使你不敢凝視，感到人間何世？異國鴛鴦的親熱鏡頭，只令人覺得人與人間的虛情假意，愛情何價！而進出於爲他們專設的俱樂部和普通酒吧，穿着制服或便裝的士兵，或三五成羣的哼着歌曲，也有孤獨的躑躅於僻靜街頭，似在期待什麼。由於這批壯士的穿插其間，造成了那地區的不尋常情況，反映出這海島正受着侵略者的威脅，他們是隨時準備着保衛自由而流血，使你肅然起敬，感到他們也和我們一樣地爲反抗極權而遠適異地，啊！我們和他們雖不是同文同種，目標却是一致的。

再看看附近的商店情形吧，它們的主顧對象是與一般不同的，它的東主也各異的，有的是印度人葡萄牙人和以色列人，那家以經營「羅宋菜」出名的餐室，七十年紀的猶太老闆，凸了個肚子很費力地在招呼着顧客，一個滿腮長得全是鬍子的印度人也在親自照料生意，別以爲他們擁有了相當資產，在這夜深的時候，他們可沒有放棄最後一筆交易呢！

談「朽」

鐵頭

因中央全會，特到重慶來開會的，一見參事朋友，便連忙跳下車來，兩人一面握手，一面彼此搶着說話，參事問：『你幾時來的？爲什麼不來看我？……』中委則連連跳腳，說『眞糟糕！眞糟糕！眞糟糕！我告訴你，我一到此地，軍委會就撥了一部汽車與我乘坐，恰恰今天拋錨，你看！在重慶沒有汽車還行？這黃包車把人不要急死……』

參事聽罷擺擺他道：『不要只管說這一套！我問你：你今天晚上到我家裏吃餃子成不成？』中委眉頭一皺道：『不行啦！今晚陳部長特約我奧便密談』。參事道：『那末，明天晚上來吃，我們好談談啊。』中委又道：『還是不行啦！明晚何總長請酒』。參事已經有點不耐，即大聲說：『就是後天晚上罷』！『後天晚上更不行，委員長請吃飯哩！』中委越發得意的說。參事一聽即道：『你一定到我這裏來，因爲委員長也要到我家裏，前兩天委員長見了我笑嘻嘻的對我說道：「某參事；聽說你家裏餃子做得挺好的，某天，我要到你家裏吃餃子去」。委員長說的就是後天的日子，你一定來……』一面說，參事即一面開步走，一面走，又一面回頭向中委招手連說：「你一定……」。只弄得那中委張大了兩眼呆望着他的背影，不知所措。

事後，那參事對人說：『我深知有一種湖南人的「木于乾子」，乃發明了應付的方法，這叫作「以朽制朽法」。』

古今來，此類故事，不知多少，而形容的名詞，也各種各色，例如項羽到了成陽，燒了阿房宮，封了各路諸侯後，有人勸他即建都關中，他却偏要回都彭城，說是：富貴不還鄉，好像穿了花衣裳在夜裏走路一樣，那時沒有電燈，鄉下人看不見，自然無法擺闊，用句廣東話來說，就是：「架勢有人睇」，豈不大煞風景！可是有人譏他「沐猴而冠」，實在不如用一個「朽」字來得傳神。又來得恰當，你想，一件事「朽」了之後，還有什麼呢？一個人「朽」一次，已經很夠了——例如項羽一建都彭城之後，就算完了。經常「朽」下去，更還有什麼呢？

然而實際說來，他的對頭劉邦，亦未嘗不「朽」，當他做了皇帝後，蕭何替他起造了一座豪華的未央宮，他初猶把蕭何責罵一頓，經蕭何加以解釋，說是：「天子以四海爲家，不得不比別人特別闊綽」心中甚喜，隨即『大朝諸侯羣臣，置酒未央前殿，高祖奉玉卮，起爲太上皇壽曰：「始，大人常以臣無賴，不能治產業，不如仲力，（不如二哥有用）今某之業所就孰與仲多？」（而今我發的財，比二哥誰少，誰多？）羣臣皆呼萬歲，大笑爲樂』。這竟是向老子「朽」起來！那些臣子，是很識相的，高呼萬歲一喊，又大笑一陣，這尷尬的局面不就混過去了。而在項羽「朽」得毫無道理之後，劉邦小「朽」一下，也只好落得由他咧！

而今的人進步了，只要做了大王，用不着你當衆發表演說來「朽」，自然會有人替你寫自傳，把那已死了的老子，也可以「木于乾子」一個，甚至於臭罵一番，本人如果高興，自更隨時可以做詩塡詞，來表示高度的「朽」勁，那什麼「數風流人物，還看今朝」，不體道不是和「富貴還鄉，如錦衣夜行」，異曲同工嗎？

（續完）

癸巳重九士林雅集

薛大可

五載羈留天一方。籬邊又覩菊花黃。喜聞海角濤聲壯。愁見神州赤燄張。對泣應爲王相叱。誓江休笑祖生狂。明年我擬登高處。華岳峯頭望八荒。

壽向構甫兼以自壽

幽燕俠士酒中仙。擊筑悲歌兩少年。無限豪情猶在抱。生憎白髮忽盈顛。歷觀起伏如棋奕。剩有經綸付管絃。老驥尚存千里志。聞雞相對舞龍泉。

我逃出了竹幕

這時已是雨夜，我們聚在牆角下，天上有些星光，北風吹得我們發抖，大家都靜悄悄地。我明白問題極爲嚴重，我必須隱蔽身份，或且可以度過難關。我囑咐我的太太以及姪孫子說，我承認是一個中學教員，國內的不興，廣西的更加不興，我應該說我是南洋新加坡華僑中學教員，其理由因爲暑假回到長沙接家眷，經衡陽、桂林、柳州、南寧，淪陷在這裏。

爲了人多，情況也相當複雜，所以「解放軍」對我們第一步工作當然是分別主管與機構，這時有個人喊道：

「總統府的請集中到這邊來！」

「華中長官部的請到這邊來！」

「廣西省政府的請到這邊來！」

「廣西綏署的請到這邊來！」

但始終沒有人答應，一切都照舊。若論我的身份，總統府參議，廣西省反共大會主席團主席，反共宣傳委員會副主任委員，中國青年黨廣西省黨部主席，廣西綏署參議，應該歸到那一類去？

於是他們又出新花樣，喊道：「總統府，華中長官部，廣西省政府，廣西綏署，最高級的官長請出來，準備編隊。」這時華中方面頗有些高級的官長走出來，承認了自己的身份，起了帶頭作用。但編隊還未成問題，擾來擾去，東方已經發白，大家才稍稍舒了一口氣，他們似乎也有些疲倦了，正在這個時候，國軍飛機已在天空出現，我們大家就亂穿亂跑，一時秩序大亂。有些人趁着這個機會沿着公路方面逃去，我的太太也主張我們趕快逃。但我想起來，逃比跟着他們可能更要危險。第一，路徑不熟，第二，老百姓亂剿，第三，到處是土八路，還加上散兵遊勇，這一關更難過。我們如果跟着他們走，所怕危險大概沒有，這些的是身份暴露，如果身份不暴露，我想可能總有機會脫險的，因此，我沒有贊成太太的意見，到後來才知道這個決心沒有錯。以後聽說當時逃走的軍官眷屬，有些不但錢被搶光，衣被剝光，還有多少的男女穿着草衣草裙回到南寧去。（三）

王世昭。

中華民國僑務委員會頒發登記證台數新字第一零二號
中華民國郵政登記第一類新聞紙類

自由人

THE FREEMAN
（半週刊每星期三六出版）
（第二八一期）
每份港幣壹毫
督印人：李光華
社址：香港高士打道六六號
電話：七四〇五三
GLOUCESTER RD. HONG KONG TEL: 74053
承印者：東南印務出版社
地址：高士打道六十四號
台灣特派員辦事處　台北市館前街五十號
台灣總經銷處　台北中正路新號五九四之一
台灣郵政劃撥儲金帳戶　九二五二號

日本的經濟出路
——論「中日貿易協議」——

・鄭竹章・

以日本左翼份子池田正之輔，帆足計等為首的所謂「國會議員促進日中貿易聯盟」，繼英法商人之後，最近又與中共簽訂所謂「中日貿易協議」，聲稱雙方將在一年內進行各值三千萬英鎊的物資交換。這是中共與日本左派份子，針對池田勇人與蘆田均等在華盛頓經援及建軍談判的反間手法，為緊接遣送日僑以後的另一政治攻勢。凡留心中共動態的人，都會瞭澈其幕後的動機。

貿易攻勢的陰謀

自前年舊金山和會以來，共產國際對日本的和平攻勢即一步緊迫一步。他們針對着日本經濟上的若干問題，不斷以貿易為釣餌。去年六月一日，以高良富、帆足計、及宮腰喜助等為代表的同路人，即曾與中共簽訂所謂「貿易協議」。在禁運政策之下，這一「協議」只成紙上空談。但雖然如此，中共仍認為貿易攻勢乃征服日本朝野的萬靈靈丹。因此，一面宣佈延長「協議」的有效期間，一面再度鼓勵左翼份子訪問大陸。中共既以此為爭取日本的基本手法，而日共及其同路人亦藉此以張大聲勢。因此舊的「協議」尚未履行，新的「協議」又告產生。

這次的「貿易協議」，從其所發表的內容而言，與舊協議並無多大分野。其重點在策動日本工商界突破禁運陣綫。因此在「協議」中，特別規定由日本輸出的「甲類」物資，應佔總值百分之三十五，「乙類」物資，應佔總值百分之四十，而「丙類」物資僅佔百分之二十五。其所謂「甲類」物資，包括紫銅、鋁錠、鋼板、鋼管、馬口鐵、黑鐵皮、建築鋼材、鐵路器材、各種大型機器，遠洋航輪等，幾全屬禁運範圍。「乙類」物資中，如無綫電器材、卡車、汽車及零件、各種馬達機器自行車等，亦屬於禁運範圍。而此二項物資的輸出，佔全部貿易總值百分之七十五。只有七百五十萬英鎊的「丙類」物資不全屬於禁運範圍。這種明知其不可為而為的做法，完全在刺激日本工商人士對禁運的反抗，藉此來達成其「反美」的目的。

得不償失的協議

為了引誘日本商人上鈎，因此針對日本工業的需要，提出願意以鐵砂、錳砂、大豆及煤來交換日本的「甲類」物資。以鹽、鎂砂、鎂石、礬土、焦寶石、耐火黏土、硼石、礬灰石、石棉、錫、豬鬃、桐油等交換日本的「乙類」物資。上述這張貨單，對日本工業界當然具有極大的吸引力，因而更可加強其刺激作用，其用心至為刻毒。

中共這一貿易攻勢，在日本內部不免引起若干波瀾，增加若干商人對大陸貿易的嚮往。但從日本的基本立場而言，發展對大陸貿易，不但得不償失，而且亦不會有遠大的前途。

蘇俄東歐的禁臠

首先，今天的大陸市場，絕非「七七」事變以前所可比。凡稍明中共經濟實況的人，都知道目前大陸貿易的最大特點：是蘇俄及東歐集團的獨佔市場。一九五二年中，中共對蘇貿易在進口方面已佔百分之五三點四二，出口方面佔百分之五四，對蘇及東歐集團貿易總值，已佔其總額百分之七十八點九（見本年九月二十七日人民日報）。今年十個月來，中共對蘇聯及東歐各國所簽訂的協定中，所有貿易總額不比上年度為少。據中共「對外貿易部副部長」徐雪寒八月十三日在「人民日報」所發表的數字，本年度除繼續擴大對蘇貿易外，對保加利亞、羅馬尼亞、匈牙利、東德、捷克及波蘭的貿易總額，與一九五二年相較，計增百分之三七點四二。而對蘇貿易，按照本年九月十五日蘇俄「真理報」發表伊凡諾夫和米赫耶夫的文章中所透露：在九月所簽訂的「中蘇經濟協定」中，「蘇聯將從中國獲得本身所需的原料和商品，以作為蘇聯供給中國的設備和其他幫助的報償」。假定蘇聯本年度「經援」的數額為十億盧布，則中共償付的糧食及礦產，必超過十億盧布。因此本年度中共對外貿易總值中，對西方國家貿易，決不會多於百分之二十，在蘇俄及東歐貿易協定的束縛下，無論英、法、日本的商人，如何鑽營，亦只能在這百分之二十的冷飯殘羹中分得百分之五以上的貿易。根據我們的研究，現階段中共的對外貿易總值，每年決不可能超過二十五億美元，其中有二十億左右乃屬對蘇聯及東歐集團的貿易，其對西方國家的貿易額，僅合五億美元。即使禁運陣綫被突破，日本對大陸的貿易額，充其量亦不會超過一億美元。

日本要付三項代價

為了爭取這一筆有限的生意，日本必須付出三項代價：第一是放棄對台灣每年約八千五百萬美元的貿易；第二，日本的兩面手法必引起海外華僑的強烈反感，其對東亞的貿易，可能遭受海外華僑的杯葛的；第三，接受中共政治滲透，包括容許中共特務的自由進出及中共對日共的公然資助等。兩相對照，日本在經濟上固得不償失，在政治上更將自毀藩籬，變為不設防的地區。一九四八年前後，中國政府在大陸上所受的教訓，將全部降臨在日本政府的頭上。

上述的情形，絕非危言聳聽，而係最客觀的現實。照今天遠東局勢觀察，日本與美國的關係固根深蒂固，決非中共的小惠所克動搖；而日本的進行建軍，亦為大勢所必趨。因此今後日本經濟的正當出路，將不出下列二途：

日經濟的真正出路

第一、積極改善對東南亞國家的政治關係，向東南亞市場求原料的來源及消費品的出路；

第二、加強對美國及台灣的軍事合作，以謀特需工業的發榮，維持重工業的發展。

假如不此之圖，而寄望於可望而不可即的大陸貿易，但勢將如美參議員諾蘭所說的「蝶陷蛛網」，永難脫身」。遠見的日本人士，當不會捨正路而弗由的！（十一月二日）

本週展望

・左舜生・

尼克遜去來

尼克遜八號離開香港，到了台灣，據說預備在台灣停留五天，又將他去。

一個可能成為國家元首的副總統，藉着機會作一種地區廣泛的旅行，以增加閱歷，吸收常識，這對於美國這樣一個國家，自然是很有益處，即對一個少壯有為如尼克遜其人者，亦確有其必要。

美國一個有名人物，在全世界各地跑一跑，回去寫一本遊記式或感想式的書，一經出版，銷上幾十萬冊或幾百萬冊也不太稀奇，不但能使一個有名人物更為有名，即就版稅一項而論，也頗不菲。聽說艾森豪的「歐洲十字軍」，已抽得近百萬的版稅，邱吉爾的『大戰回憶錄』，便所得更多，而且接受了諾貝爾獎金的榮譽，這些都是當代名流以著書而名利兼收的實例。

今天的亞洲，眞是既窮且亂，其所以鬧成如此景象，亞洲人自然應該負大部分的責任，但三十年來，名與實都處在一個領導自由世界地位的美國，又豈能置身於責任以外？

這幾天蘇聯正在慶祝他們三十六週年的十月革命，我們眼看蘇聯作了長期赤化世界的工作，單拿中國來說，他們已經下了三十年以上的工夫。他們懂得：要赤化世界，必先赤化亞洲，赤化亞洲，又必須首先奪取中國，現在奪取中國的工作已告一段落，今後便必以全力爭取日本。我決不願『長他人的志氣，滅自己的威風』，可是看蘇聯這三十年所下赤化中國的工夫，卻不能不使人不寒而慄：第一，他們確有一個絕對不變的方針，不達目的不止；第二，他們的手段儘管時軟時硬，但一旦時機成熟，他們都不惜出以斷然的一擊；第三，他們自然也講究宣傳，但宣傳後面必繼以實際的行動，決不是專靠宣傳而宣傳。現在他們對於爭取日本，已由宣傳階段，進入實行階段，而如何去遏止他們這種實際行動的方略，我們卻還是看不出一種切實有效的把握。

現在要說明蘇聯的亞洲政策，大致幾句話足以盡之：即確保中國大陸；讓韓國與越南兩地，僵持下去，小打而不大打；以全力爭取日本，必要時不惜付出相當代價；對東南亞則利用印度目前這種心理狀態，脅迫與利誘兼施而以分化英美為一附帶手段。

現在美國政事的要人，儘管不斷的在亞洲各地視察，可是美國對亞洲確定的基本政策究竟是什麼？卻還是無從捉摸！如果美國自己下深水，而只是從旁幫助，去對付亞洲；對中共不願以實力加以推倒，最高限度只是不讓她進入聯合國；同時以當前這種不痛不癢的方式，希望求得韓國與越南的統一；說一句老實不客氣的話，這一局棋是注定要失敗的。

有不少的人對尼克遜此次的東行，寄以莫大的希望，但[illegible]部中他所說若干安慰亞洲人的好話，對於美國的實際行動，並無何種拘束的力量，不得已而思其次，則希望他能以此行所得，去修正一部份美國人對亞洲的觀感；或參與關於美國對亞洲政策的檢討，而發為較有力量的言論。據我看，恐怕最大的作用，亦只是如此而已。

民族運動與反共鬥爭

黃兆棟

本報二七五及二七六期，曾刊載王兆棟教授「民族運動的新形勢」一文，該文對當前民族運動的實際形勢作極精闢敍述。本篇係該文的姊妹篇，必須全面觀之始能盡得作者立論原旨。——編者。

美國的兩重外交政策

自私的宗主國，根本否定了弱小民族的正當要求，其不識大體，昧於當前事實的必然發展，自係見利忘義，始終迷戀着既得權利而致。同樣，標榜自由平等的聯合國，竟亦拒絕被壓迫者的合理控訴，任令危機日見深重，又為現代文明的一大諷刺！假如宗主國和有關的強邦，一如蘇俄的本身，雖然害着內部少數民族問題的盲腸炎而暫時依然具有暴力鎮壓的餘力，則這些自私的強國悍然獨行其是，反動到底，或猶有自私的短期打算可言。其實它們為本身的安全抑着弱小民族的前途着想，絕不應該而且不可能和被奴役求解放者爭持下去，否則，一旦同歸於盡，後悔也就來不及了！另一方面領導自由世界的美國一向以獨立自由為其立國的精神，而且對於民族運動的獨立要求，素表同情，今天面臨共黨大敵當前，竟對早具不惜任何犧牲代價以換取獨立自主的民族運動，反而漠不關心，而於弱小者向聯合國迫切陳詞，提出理直氣壯的控訴的時候，也不敢仗義執言，良堪浩歎！美國隱忍以待，希望西方對待弱小民族的態度逐漸好轉，以免操之過急，反而招致自由陣營內部分裂，用心良苦。其實，美國在第二次世界大戰後的兩重外交政策，每每造成機會使蘇俄更易於實行擴張政策，顯屬失策。美國標榜的[illegible]理運動，言猶在耳，惟對北非民族最近發出的緊急呼籲，依然裝聾作啞，又將何以繼續領導全世界大小各國抵抗蘇俄集團的陰謀和侵略？阿剌伯聯盟助理秘書長涉凱里說的好：「美國認識摩洛哥問題目前不宜提交聯合國安全理事會仲裁，不啻鼓勵摩洛哥的反法暴動！」這個抨擊可說一針見血；不過，莎氏的看法另有危機在；他說：「美國為了取得摩洛哥的軍事基地，不惜袒護法國。」阿剌伯人由仇法而轉為憎恨美國，對美不但失去信心，而且暗藏反側的打算，予中東防衛的部署以莫大的威脅。

中東和北非局勢堪虞

中東和北非的戰略地位，在列強的爭霸局面中，關係甚重，尤其蘇俄勢力在第二次世界大戰後猛向外伸，則分駐於英倫和北非的美國戰略空軍更需借重北非和中東的穩定力量，而美國近年力圖安定這個地區，始終沒有漠視中東防務的加強，益以宗主國或佔有特殊利益的國家迄仍以狹小的目光看待弱小民族的要求，可說自私愚昧，達於極點！在開羅擁有一千年歷史的回教最高學府「亞爾阿資爾哈」八月二十一日籲請全世界回教徒進行反法的十字軍征戰，表面上對抗法國，實則暗中策動，進行回教徒大團結的計劃，以謀獨立，因為聯合國安全理事會直到現在仍以「內政」的託詞，拒不受理摩洛哥問題。這種離心的傾向，一旦遇到決戰大戰的緊張局面，自起局部的決定性作用。如果北非與中東突然發生意外，則地中海的爭霸戰和歐洲的防衛將立呈危殆！埃及總統納傑伯將軍此刻正在麥加朝聖，這個打倒埃王法魯克的埃及少壯軍人首腦，逐漸取得了回教徒內擁護的，他立於回教徒最神聖的古廟「卡柏」之前，誓告神明說：「上帝將替摩洛哥人復仇」。阿剌伯民族早懷復仇之志，而整個仇恨已由西方頑固自私的主政者促發為弱小民族誓死抵抗的大亂子。然則美國一面援助它的盟邦，一面坐視這些自顧不暇的盟國自毀對抗共黨侵略的長城。自由世界今日要想不由美國領導，大勢所迫，不復可能，而美國為了本身乃至整個人類的前途着想，自亦不容擺脫領導人類爭取永久自由的仔肩。我們眞不了解美國何以坐視聯合國堅拒討論弱小民族的問題而不加以迅速有效的處理；同時，緬甸懾於中共，竟將中國少數游擊隊在中國西南邊陲反共的活動，提出控訴，聯合國掉以輕心，未能洞察弱小民族的呼聲有時迫於共黨的威脅，不得不作違心之論，遂將控案列入議程，最後決定我軍撤出中緬邊區，無異自毀中南半島反共第一綫，印緬處境益形危殆！（以下轉第二版）

入台人數加多

昨天在某處，又看見一羣青年集體入台。這本來是我們幾年來在本刊的一貫主張，希望台灣把入境的尺度放寬，讓願意入台的人都有入台機會。我們的理由很簡單：以港九一隅之地，三五年來，以不足百萬的人口，驟然增加到兩百萬，事實上也沒有發生什麼了不起的問題，則台灣七八百萬的人口，即增加到一千萬，只要有相當的安排，也應該沒有什麼問題。不過話雖如此，我們之所以希望有多人入台，其目的在加強台灣的人力，決不希望大家入台以後，便閒坐下來去吃台灣，不要說政府的財力十分有限，即令財力充裕，也決無以有用的金錢拿來專養閒人的道理！因此我們現在進一步希望：政府和社會，應該從長考慮如何使大家能夠就業的問題，什麼業都可以，但千萬不可以叫大家向公務員一方面去擠！

美痛責共黨在韓暴行 發動強大心理戰攻勢

·宜銘譯·

心理攻勢雙管齊下

美國經過長時期的準備，已於上月下旬對共黨發動強有力的心理戰攻勢，這攻勢分成兩面：

一、十月二十六日，在聯合國政治安全委員會中，美國代表著名外科醫生梅育博士提出了一個冗長、冷靜而詳盡的報告，用以駁斥「世界共產主義的首要主題」——共黨之指責盟軍在韓進行細菌戰。梅育指出，這關於細菌戰的指責，是根據三十六名被俘美空軍人員的所謂「供詞」，但他們在這些「供詞」上簽字承認，完全是由於殘忍的威逼，其中二十名且「遭受過長而慘酷的精神與肉體上的苦刑」。此外，至少有四十人，曾拒絕了迫取口供的同樣壓力。在某一次，一位美飛行員因堅拒合作而被判死刑十二次之多；另一位且曾在共黨堅迫下自掘墳墓，並押至行刑者面前，但仍堅不屈服。

二、兩天後，在十二月二十八日，美陸軍當局也發表韓國戰爭罪行委員會所編製的報告，長達八十七頁，附有二十八幅令人驚心動魄的紀錄照片。其中最驚人的事件可以下述幾樁爲例：在順川隧道大屠殺中，至少有一百三十八名美軍戰俘被集押體出，予以慘殺。一九五〇年十二月在茂朱所發現的五具美飛行員屍體，顯然都曾受酷刑摧殘，體上滿佈尖棍竹矛所戳刺的瘡孔，血肉模糊。其他典型案件，尚有支解戰俘的手足及砍首，並將囚在牢獄的戰俘們活活燒死。

狄恩支持暴行指責

美國調查人員的報告最後說，共黨暴行下的犧牲者，共有三萬人左右，其中美軍戰俘佔六千一百十三名。並說：「此種情形充份表現共黨暴行是一個預謀的政策」。

在十月三十日美軍前第二十四師師長狄恩少將在全國記者協會演說時，亦支持這個共黨暴行的報告，他本人即曾經受共軍冗長的疲勞審問，且不斷遭受施以酷刑的恫嚇，精神大受威脅，以致曾想以偷得的共黨槍械飲彈自殺。

美國出席聯合國首席代表洛奇，立刻要求將這報告列入聯大議程。同時，國防部亦發表反駁共黨宣傳，以及遣歸的空軍戰俘否認其「供詞」的影片。「美國之音」與國外美國新聞處亦展開大規模宣傳運動，使這雙管齊下的心理戰攻勢獲得最大效果。

周密準備耗時兩載

華盛頓這些行動，並非臨時想出，乃是經過周密準備的結果。戰爭罪行委員會遠在一九五〇年秋即開始搜集關於共黨在韓暴行的資料，它蒐集報告的編製，也至少耗時二年之久。至於實際的心理戰攻勢，則是本年三月才由華盛頓的業務協調局議成決策，該局在五六月間，曾與洛奇舉行多次會議，並加強了遠征小組。其後，政府各部門的心理戰專家們，經過數月的研究，才完成了這計劃的正式實行。（譯自新聞週刊）

文藝的反叛性

——對反共文藝，技巧可批評，原則不應反對。

·王鈞·

哥德曾說：「宗教團作爲文藝的題材，正如其他事物都已作爲文藝題材一樣」。目前正有不少的作家，對政治也作如是觀。既然男女戀愛成功可以在文藝裏表現，爲什麼游擊隊抗戰成功便不宜在文藝裏表現？因此「反共八股」一詞的出現，頗使人痛心。八股文體，在清末即已廢除，在今日稱反共作品爲八股，無疑的是根據修辭學的「借代」，認爲反共文藝與明清八股同樣是有助於統治的文化政策。發明這個名詞的人，用心是可怕的，我要求海內外的批評家們，不要使用它。

一 技巧低不容悲觀

反共文藝的作品不好，這是事實。不過，究竟是原則不好，抑或技巧不好？如果是技巧不好，那是要分辨清楚的。如果說反共文藝的技巧不夠，我以爲作家們應該虛心接受批評者的意見。其水準之高，非中國任何時代所能比擬，引起周作人先生的憤怒。對自己的估價，無妨稍爲保守，不過，對反共文藝的技巧，也不必過份悲觀。因爲反共文藝的前途，由史坦培克、卡山、畢卡索、紀德等人聲明反對共黨一事來看，這個幼年期幾乎是世界性的。以幼年無可怨尤。

以期相比較，則郁達夫、巴金等人早期的作品，在技巧上不見得比今日某些反共青年作家的作品強，這例證，是可信的。我們且讀陳紀瀅先生所說：「最初的反共文藝，好多作品都不好。」我對目前的反共文藝，好比肥料，它們可能是「綠肥」，但其作品可以作爲將來優秀作品的肥料，以便於將來文藝的肥料作品的出現。從文化史的觀點看，目前中國是新興的偉大的革命後若干年後始有轉機。

文藝技術的三害

目前反共文藝的技巧，正有不少的阻力，大勢所需要的量太多，量產生產是必須的，時由於作家的宣傳熱中（通常稱此爲「戰鬥意識」），每有一題材即急於發表，決不能在一幕戲劇一篇小說上冗冗窮年。在目前自由中國的反共作家，是否有人打算像托爾斯泰寫八年之力寫戰爭與和平？是否有人打算如哥德積六十年之光陰寫浮士德？如果有，那也是我們目前所不及知。目前所能看到的，雖免大半是粗雜而質不純，也就不能使偶爾來一番的人得到作家們辛苦耕耘的印象。第二，是具體暴露太多。陳紀瀅先生說：「一切藝術作品的最高境界在含蓄」，這話是可佩的。大多數的反共文藝，常被人指爲含蓄不夠。依我的觀察，是：宣傳文字最怕被人誤解，而含蓄最易造成誤解。一部紅樓夢，一部浮士德，可有千萬種注釋，一個杜思妥也斯基，至今蘇俄尚在辯論他「是革命的」抑是「反革命的」，反共文藝如果如此，豈不糟糕？於是便大部份喪失它的含蓄了。結果，使劉號自由中國反共文藝的人，不易體會到作家們信誓旦旦的精誠。最後一點，是金達凱先生指出，是部份作家生活經驗不夠，不能不「憑報上片斷的記載，採合寫出來」，文藝界許多人士，稱這種先定主題再搜集資料然後組織成故事的寫作，爲「計劃寫作」，我個人本是贊成計劃寫作的，認爲寫作方法之一種的，但如沒有高度的藝術修養，頗難爲功；而且有高度藝術修養的人，又往往無從事計劃寫作之必要，所以變成一個難題。這三項阻礙進步的因素，在退守台灣的初期最爲嚴重，其後經過幾年的安定，第一二兩項逐漸減消，第三項也正在竭力克服。如能澈底除此「三害」，反共文藝的收獲才能豐滿。

結論

觀察了上述的事實，我們自由的讀者和自由的批評家，應該對自由中國的文藝工作者，有更具體的看法。第一，從事反共文藝工作的人，他們對自由比一般人更瞭解，爲了有助自由，他們逃出鐵幕，也需要深入了敵後；第二，對反共文藝的原則，不應反對，技巧則可以批評，否則作家便須一概「反共」，那又是時代悲劇的淵源。（下）

吳稚暉先生的遺囑

人物評述

·意誠·

（一）

黨國元老吳稚暉先生以八十九歲高齡，於久病之餘於上月底在台北逝世，飾終典禮極隆。國父以後，未曾有由黨部主持喪葬者。吳氏遺體在革命實踐研究院之實踐堂舉行公祭，各界來在台逝世之黨國元老，如陳果夫、居正、李文範等，均在殯儀館舉行喪禮，與國父遺體在北京中央公園供萬人瞻仰者，後先媲美。吳氏病中曾立就遺囑兩件，自加固封，由蔣總統遵囑三字。逝世後，蔣總統會同王世杰氏在中央黨部拆閱。內容除答念國事外，並述及爲病魔纏繞，曾一度有意自殺。至身後之事，遺體須火葬，骨灰樣要用登陸艇載至某地海面，投入海中。此外對於近年私人經濟賬目，亦列有清單，交代明白。吳畢生從事革命，不治家人生產。來台後，以鬻書爲生，去年顧希平以合作社名目吸收存款，其後宣告倒閉。吳氏賣字所入，被顧倒去兩萬元，生活遂日艱窘。

（二）

蔣總統對吳濟逝哀悼甚深，親自主典並題「痛失師表」輓詞，認爲係國家大損失。吳氏爲中國新文化運動之先鋒。民國初年，即提倡註音符號，以爲普及教育之工具。今日國語運動順利推行，與註音符號之力有關。今日台省同胞經日人統治五十年，以使用註音符號之故，數年內講國語普遍全省。吳氏提倡科學注重實踐。會客室中，向少爲掛字畫，或陳列古玩，多擺木匠鐵匠工具。九一八後，吳氏在南京，即倡導家庭掛鐮刀錘子，要以勞動替代享受。民國十三年前，吳氏稱勸革命黨人，要脫下長衫，穿起軍服，上前綫或入兵工廠。吳氏重實踐，反對紙上談兵，於此可見。

（三）

蔣總統曾言，往年每逢疑難問題，諷與戴季陶、葉楚傖等說「卜卦去」。所謂「卜卦」，即請與吳稚暉先生解決疑難之謂。蓋吳氏博讀古今經籍，智識豐富，對於易理，更深了解。但解答問題，並非純粹根據易理，現代智識之應用更多。故往往能一言決疑。吳早年周遊世界，對國際情勢，所知甚詳。縱談天下大勢，瞭如指掌。近一年因病體衰，訪者雖多，已少有以軍大問題見詢者矣。

（四）

吳逝世後，黨國元老中以鈕永建氏，最爲年長，今年已八十有四，鈕今夏偕夫人飛美，現尚留彼邦。其次則爲丁維汾氏，本月四日，爲丁氏八十生辰，中國文化出版事業委員會，特刊行中華民國大學誌一書，以爲丁氏壽辰之紀念。

俄航空業大造冰箱

蘇俄國內不安的情緒已愈來愈顯著，遇一向剝削人民盡量擴充軍備的克里姆林宮頭領們也不得不有所顧忌起來，最近共黨領袖們已採取一連串「飛絡」人民的行動，如開辦百貨商場、增產消費物品等等無一不在緩和人民的不滿情緒。而尤其使到西方國家感到驚訝的，是目前俄政府當局已向俄航空工業訂購床四百二十萬具，冰箱一十一萬個，並向俄國其他國防工業定造冰箱九萬個，腳踏車五十萬輛。大家如以爲這是蘇俄將軍備工業轉爲民用工業的開始，那就錯了，這只是他們萬不得已的措施。因爲作了許多年奴隸的俄人已漸漸覺醒，而迫得共酋們不得不忍痛採取這一著哩。

越盟訓練噴射機師

法國情報人員現在獲得準確的情報，知道有一批越盟青年正在中共基地接受噴射戰鬥機訓練，短期內就可畢業，爲越盟駕駛噴射機作戰。如果越盟擁有噴射機，而法軍仍以現在的螺旋推進機來和它們週旋，目下的空中優勢便會全部被越盟奪去，所以法軍接獲上述情報後，立由總司令納伐爾將軍電巴黎報告，請政府立即向美國要求援助噴射機，以保持空中優勢。

狄托面臨蘇俄圈套

的里雅斯德事件已愈演愈嚴重，一方面南國的總統狄托也對英美的措置大表不滿，他在激怒之餘，已打算和蘇俄「修好」來作爲討價還價的威脅，預料不久以後我們就會聽到南國建議和蘇俄恢復「正常」關係的報導。當然那時候，狄托會解釋此舉純粹是出自國內的壓力，國內的輿論與民意迫得他非如此不可，但事實上，這並非真正的原因，識者的猜料紛紜，其中的原因之一，另一個是蘇俄恢復邦交的騙術，以及報章電台上攻擊狄托及南國的言論已減少了大半，也是使狄托作如此想法的一大因素。

安德遜請教雷德福

大家不妨注意一下美國海陸空三位部長中，他現在是最走紅的一人，艾森豪總統信任他的好感，一日多過一日，連國防部長威爾遜對他也都對德遜，在國防部中的高級軍官也對他具有很深的印象。自他任以來，許多事實已證明他有超人的判斷，隨時能抓到問題的核心。他和聯合參謀部主席雷德福上將有很好的交情，他是一位有名的企業家，對海軍本是門外漢，但經過幾個月的研究和觀察，現在談起海軍問題來，居然頭頭是道，據說他的悟性很強，不輕易接受海軍部內科班出身僚屬的意見，但遇到真正的大問題，卻有不去請教聯參部主席雷德福將軍一下的。（孟衡）

天下小事

民族運動與反共鬥爭

（上接第一版）

弱小民族的飢不擇食。

國際間稍具遠識之士早就看清楚過去許多民族爭取自由獨立，最易爲蘇俄的陰謀詭計中之所利用。七分政治三分軍事的擴張政策，每以民族主義的狂瀾冲缺西方資本主義國家見利忘義的反共堤壩。緬甸，印度和印尼都是戰後的新興國家，它們原是弱小民族的一員，直到現在依然惑於蘇俄的魔術，大抵係因飽受強邦盡情剝削所致；南未獨立的，例如越南諸聯邦和馬來亞民族，一時急於擺脫被奴役的枷鎖，於是飢不擇食，已獨立的乃爲共黨所乘，而鑑於向共黨求得生活的解脫。

反共陣營的內部危機。

從民族運動本身看，不論反抗自身民族的專制或反抗外族侵略，我們都有很明確的認識。

民族主義的時代潮流抬頭，是必然的，無可遏止的，尤以東方的民族運動最有力量的同時，所受共黨蠱惑的可能性也最大。因此，列強今後對東方民族的安全和人類的前途，勢非積極疏導不可；同時，民族運動也必須尊重自由世界，而各宗主國和有關的強國勿再迷戀於過份的既得利益，以民族主義爲推動世界的力量，解放被奴役的各民族，才能共同結合，實現「天下一家」的平等世界，必須從速行動，以遏止共黨的侵略陰謀，而求民族徹底解放。

小啟

本期稿擠，「編者與讀者」專欄，移二三版中繼續。

中共勞動競賽內幕

加班加點，提高勞動強度　勞動競爭，壓低生產指標

·沈著·

自九月間北平「人民日報」發出了財經恐慌的呼聲，要全「國」總動員厲行節約，緊縮開支，增加生產，增加收入，超額完成「國家」計劃以後，偽全國總工會即相繼向各地各部門工會發出了全力發動勞動競賽的緊急通知，從而又到處響起了一片勞動競賽的叫囂，眞是如火如荼，如瘋如狂！

中共的「勞動競賽」，已是我們幾年來聽慣了的名詞；但「勞動競賽」的內幕究竟怎樣？迄未見大陸或海外任何報章雜誌加以揭露。筆者幸運於日前往某醫院探訪友人時，巧與一因工受傷而甫自廣西平桂來港投靠親戚的煤礦工人相值，經與敍談後，方悉中共「勞動競賽」內幕，至爲醜惡、荒誕、而又虛妄！茲特綜述如下，以饗讀者。

提高勞動強度

據說，以平桂煤礦爲例，第一部份，可稱之爲眞正的「勞動競賽」，除了一聲命令即可做到的「加班加點」外，並盲目的實行提高勞動強度。例如在挖煤方面：原來每人每日可挖煤約一噸的，就硬性規定要在與平時相等的時間內挖掘約一、五噸，加上加班加點，就必須挖掘約兩噸，等於提高一倍。例如在人力運輸方面：煤塊自礦穴上運須爬越幾十公尺長的三十度以上的斜坡，故平時規定每人每次的挑負量以六十市斤爲標準；但一舉行「勞動競賽」，就斷然盲目地規定每人每次的挑負量立即增加到一百二十市斤。例如在車輛運輸方面：原來的軌推車，每輛約裝二噸；但一舉行「勞動競賽」，便硬性規定超量裝載達三噸左右。

但人是血肉之身，車輛的裝載量也有一定的限度，這樣盲目提高勞動強度的結果，挖煤的體力也只能支持，車輛運輸也發生事故。挖煤的一般的都只能支持到三天，體力最強健的也支持不到一個星期，於是挨不了三天，就請病假的也有；當場暈倒在礦地的也有；當場因精神恍惚而致煤塊墜傷的也有。挑煤的一般的都只能硬撐挑到三次，最強健的也至多挑上幾次，於是挑上幾次就不支，在被逼硬撐中因不支得不請病假的也有；最後硬撐，推車從斜坡上連人帶煤一起滾下去跌傷跌死的也有。推車的，因裝煤過多，堆積過高，煤一滾動，煤

工人拉夫補充

塊紛紛塌陷，不但阻礙交通，而且壓傷推車工人的腿足，據該工人說，他就是如此壓傷的）。但工人如此大量地受傷、乃至死亡，中共的幹部卻漠不關心，而照常繼續「競賽」，設法補充工人，加以硬撐。工人的補充，則便臨時就地向農民拉伕，[illegible]礦與當地行政機關勾結衝突，行政機關指煤礦當局破壞農村生產，而煤礦當局則指着「勞動競賽」的大帽子以相對抗，各執一詞，往往不相容。

壓低生產指標

但無論如何，這樣的「競賽」能持久，而且會受到「檢討」；惟「競賽」「增產」爲全「國」性的中心「大政」，既不能不搞，便不得另找「竅門」（中共術語），「竅門」的辦法，是在欺騙上級，將生產的指標壓低。這可稱之爲第二部份所謂壓低生產指標，是將原來每人每日可挖煤一噸的標準，降爲〇．八噸，挑負從六十市斤降爲五十市斤，推車裝載量由二噸降爲一噸半，每一礦車由原每日產礦砂一噸的標準，降爲六百公斤等，而此種指標的降低，係由共幹召開工人大會「民主評定」，然後向上報備。倘遇日後揭穿而遭指斥，領導幹部便將此種說大謊的責任推在工人手上。倘不被揭穿，則照此種指標「競賽」，當然容易超額生產到五成左右。既可持久，「模範」的「競賽」「成績」又好；工人不太痛苦，幹部可以得獎，堪稱皆大歡喜。

競賽獎金主義

此外，據說：中共的「勞動競賽」，完全是對工人一種[illegible]力的剝削，加班加點，[illegible]平工人的心，打[illegible]工資並不增加，或[illegible]而增加量極微，工[illegible]用工人的個人英雄主[illegible]稱讚，以「英雄」，「模範」等頭銜及「紅旗」，「錦標」等虛榮品去掀此工人「挑戰競賽」的「熱情」；後來日子一久，工人們已得了乖巧，對這些頭銜或虛榮品已不感興趣，中共乃改以獎金去誘使工人們「競賽」增產。但工人們既已摸到了共產黨的「巧門」（係中共實用術語），一樣的有問題，問題就在使「競賽」產生了「獎金主義」。據說：該礦在最近的「競賽」中，一座捲揚機出了毛病，共中有個技工能修，但非先給他三百萬元獎金，他就說劃不來，他說非先把身體搞一搞好，就幹不了這件事。又據說在採礦間，每天個別「競賽」的獎金是八萬元，誰挖得最多，算誰得獎。但工人們一算，得獎一次，會生一場病，八萬塊錢吃補也不夠，於是誰也不肯拚命的「競賽」。至於班與班間的集體「競賽」，據說情形更糟，如兩班以上進行競賽，在任何一個班感到將失敗時，便索性中途鬼混，敷衍了事，比不「競賽」的產量都還要低。因而，他說：工人們對於「競賽」，除了被強迫幹一陣，拿身體碰碰運氣外，一般的，都已有「划得來就競賽，划不來就不幹」的觀念了。

準此，中共的「勞動競賽」，實甚殘酷，荒謬而又虛妄。但雖然如此，中共多少有些好處，故目前各地又在大規模地搞起來了。

賀龍與金日成進行秘密會談

【本報訊】頃據北平新華社透露平壤方面消息：中共之「中國人民第三屆赴朝慰問團總團長」賀龍曾於上月二[illegible]「中國人民援朝志願軍」[illegible]消息透示：在未開始會談時，[illegible]均在座，略事寒暄後即辭出，[illegible]會談時間，長達兩小時，[illegible]會談內容，[illegible]爲機密。惟以會談人員之身份度之，當係軍事機密。

尼克遜民主作風感人　鼓舞港人民反共決心

[illegible]

香港三日

邵陽塘田市慘案實錄

·邵伊·

【本報訊】最近從大陸逃出來的某君，述他目擊耳聞的邵陽塘田市卅八年被中共屠殺的實際情形如下：

三十八年秋天，中共鐵蹄已經踏遍了整個湖南。湘中的邵陽，自然不能例外。中共先把武岡向邵陽凸出的塘田市，劃歸邵陽管轄。在該處設「邵陽第八區區公所」，機關設置於清季名將席寶田的家裏。三十九年四月間，該區所派共幹李某，稱「指導員」，赴塘渡口村策動「退租」和「反霸」工作。當地的地主聞李將至，先行逃避。只張工陶和張德生兩人被捕。該李姓共幹大爲震怒，馬上發動農民，將村內所有大小地主的一切傢俬，抄擄一空，堆積到農會去。其中家用什物，衣服，被帳，布疋，綫紮，共五百餘件，牛猪一百七十餘頭，還有皮箱共一百八十餘口。以中共過去「鬥爭」「清算」的慣例，這些果實應分給農民，這一次臨出發時，李姓共幹也這樣宣佈過的。但事過半月，未見兌現，因該村「農會主席」彭傑、「副主席」張得輔、「村長」張玉林等已利用職務上的方便，深夜陸續偸竊，皮箱多已空空如也了。事爲農民識破，據實向該李姓共幹報告。當時李大怒，聲言非嚴究不可。彭等見事已洩露，設法彌縫，還贓物之珍貴的送李。李遂於第二日脫去灰布列寧裝，改穿嶄新的羅斯福呢。所謂嚴究也就沒有下文。後來因爲張工陶和張德生兩人，開「鬥爭」會。到會農民，初時閉口不說話，纔覺爲呼「鬥爭地主，不如鬥爭農會」！會場立即大亂，一哄而散。李姓共幹老羞成怒，先向區所報告，說地主唆使農民，破壞農會。農民不甘就範，還推派代表張運韜、張晚交等十六人，前往區所訴冤，詎「區長」楊華亭，不由分說，立將十六人收押。村內農民，聞此消息，大爲憤怒，於四月十七日，每戶一人，無分男女，共五百餘人，齊集「區所」請願。但「區所」已預於門前一荒田內，四面架設機槍，農民一到，盡驅田內，佯言聽區長講話，剎時槍聲四起。農民逃命不及。事後清查，當堂斃命的有張運西、張太同等十九人。受傷的一百八十餘人，墜入養江溺斃的十三人，失蹤的十五人，受傷不治身死的十三人。

事後「區長」楊華亭誣報「縣府」，「謂地主煽惑農民，勾結武崗土匪張雲卿（因張不肯與中共合作）圍攻區所，幸事先有備，預防得力，斃匪甚衆，餘衆逃散。」云云。此次受傷農民，前往邵陽醫院醫治，均閉門不納。載運受傷農民的船伕，亦被「縣府」扣押十餘日。案發後「縣府」派員調查，不下十餘次，調查員人數，一次一十二十不等，最多達三十餘人。每次調查，傳喚農民個別談話，只許說「打死的是土匪」，不許說是農民。並強迫簽字負責。最後一次，「縣長」白熙春，攜帶大批油印表格，親自下鄉，督促農民照填，也只許填寫「打死的是土匪」。這一場慘案，竟這樣隨一紙油印表格而結束了。

新書評介

論·政·治·反·攻

·阮毅成·

盧伯炎著：四十二年六月出版　總經銷處：台灣省嘉義縣闢井街一八一號建國書店　定價：每一冊新台幣十元

（一）

在反攻大陸的前夕，盧伯炎先生，新著「政治反攻」一書，是值得向讀者推薦的一本好書。著者在本書提要裏說：「目前一般人士，對於反攻的軍事問題，均很重視；對於政治問題，尙多忽略，故特提出這個政治反攻問題。」又說：「政治的基礎在下層，尤其反攻時，要從下層做起。……一切軍事打下一個地方，政治就要接收一個地方，建設一個地方……所以特就此點，作爲論列，其目的，在於反攻時，藉供從事反攻政治的地方幹部，配合軍事的發展，於接收一個地方政治，及建設一個地方政治的參攷」。本書要旨，已可瞭然。

（二）

全書共分三篇，十章，二十四節；上篇論政治反攻，包括地方政治概括性的問題，如反攻政治的號召，反攻政治的人才準備，地方各級政治組織的建立等。中篇論地方政治各部門實際工作，係全書最重要部份，如地方治安的掌握，肅清匪諜，地方政治各部門的接收與工作之設施等。警政，兵役，民衆組訓，人民團體，戶政，地政，婚姻問題，偽幣處理，金融，田糧，稅捐，公營民營事業，農業，郵電，交通，教育，文化，衛生，救濟，匪幹管訓，忠貞褒揚等，均有詳明論述。下篇論述非地方政治範圍，而與地方政治有密切關係諸問題，如地方各級民意機關之建立，地方司法機構的恢復等。

（三）

全書有三優點：（一）討論每一問題，必先詳究匪情，以期知己知彼。（二）檢討過去大陸及今日台灣政治設施的得失，以期鑒往知來，不至再蹈覆轍。此種精神甚爲重要。（三）論事必依據主義，國策，法令，加以著者從事地方行政二十餘年的經驗。故所論列也均切於實際，不流空談。

「政治反攻」，並不是新名詞，抗戰時期，浙江省政府即經使用，當時浙江地處前綫，浙西十四縣淪陷最早，全省在敵人勢力包圍之下，隨時有全境淪陷的可能，故倡爲「政治反攻」，以期瓦解敵偽勢力的發展。且敵所佔者，只爲點綫，敵後廣大平面，不應棄而不顧，必須於建立敵後政權，掌握民衆，使不至爲敵偽所用。今日以台灣爲基地反攻大陸，必須於軍事力量之外，兼重政治的力量，更顯毫無疑問。著者在書中說：「政治的本身，是含有革命性的，具有革命精神的。……一般人把革命與政治看作兩件事，以爲具有戰鬥性的，破壞性的，毀滅性的行動，算是革命。……把革命視爲屬於軍事行動的領域。不知文書詔令法制規章，也是革命的工具，興利除弊，親民得衆，也是革命的收穫。」可謂深知軍事和政治的關係。

（四）

惟本書不是沒有缺點的，著者說：「以革命的精神，來實施政治，政治要隨軍事而進展，隨軍事而完成。」便是說政治要隨同軍事而反攻，實先軍事而後政治，未足以充分發揮「政治反攻」的眞意義。因爲：（一）軍事反攻的行動，何時開始，未易斷言，但政治反攻應該先行登陸，不宜等待軍事行動，此其一。（二）收復大陸，除軍事掃蕩外，必需大陸上的民衆，羣起抗暴，共幹共軍起義反正，故嚴格來說，並不是政治隨軍事登陸，乃是政治作軍事的先導。本書對於此點，未能加以注意，實爲美中不足。

台灣籌設醫藥學校

自由中國爲培養高級醫藥人員起見，現已批准杜聰明與何禮棟兩博士籌創醫藥專校之議，該校在教育當局贊許與鼓勵下，已於台灣光復節日成立籌委會，現正積極展開籌建工作。

文醜及文醜的讀衆

·浮·

香港時報十一月五日淺水灣欄內「尚方」先生的「無定形的妄人」明眼人一讀便知道「妄人」為誰。我先向「妄人」仁兄鄙學步，說一句「尚方」兒的「打諢腔調」，倒有趣。

我到「腔調」，便聯想到國劇長篇馬陷陣斬顏良文醜於萬軍之中。「文醜」兩字，可以形容是非之心喪盡的作家，在今天言論自由的香港，尊稱「妄人」仁兄一人，所以「文醜」是一個社會現象。我想皈依耶穌救免人間一切罪惡的精神，不談個別「文醜」，而將「文醜」擁有讀衆這一社會現象加以檢討。

先說許多文醜的根據地，是早晚報的副刊一欄。港中報紙，副刊一欄特別的多，幾乎各國報紙所無。龐大副刊，便是社會現象之一，理由何在？「妄人」仁兄在這根據地能獨擅一幟，成為偶像作家，成為醜中佼佼，便是這社會現象中一項重要子目，其理由又何在？都很值得檢討。至於副刊若無讀衆，文醜若無「衆」，報紙老闆又誰肯花錢寬狂鈔？

常言道，「各花入各眼」。偶一過市，看見「原子行」，覺得他幼稚得可笑；看見「參茂行」，覺得他「自己擺耳」，可笑；看見某機器以「聖人牌」做商標，蠢！一個穿上黃袍的尼山大聖，心中不免[illegible]，有人敢在[illegible]商標，[illegible]。這裏[illegible]的社會，我們所處的，就是這樣的社會。[illegible]牌名和商標的仁兄們，又是「各花入各眼」。而副刊一欄內，芳菲雜陳，更是「各花入各眼」了。阿彌陀佛。[illegible]「妄人」仁兄，無心譽東鴻。「意鴻乎，哀鴻乎，」「如得其情，則哀矜而勿（怒）。」（恕我改竄聖經。）

共幹的逃亡

——一個東德青年難民的自述

·敏須譯·

今夏的一天，氣候燠熱，一輛破舊的的士從波茨坦疾馳而出。這裏過去是德國普魯士軍國主義的發源地，現在卻成了柏林附近蘇俄佔領軍的基地。的士儘足馬力向前直駛，車中坐着一對青年男女，男的穿着一套「國營」工廠出產的劣質薄絨做的西服，早已陳舊，女的是他的妻子。

他們忐忑不安地望着前面的道路，車子駛到城外的俄軍檢查站，便停了下來。一個俄軍哨兵，手指握着自動步槍扳機，用懷疑的目光搜索了這對男女後，還對司機查看了一番。

「你們那裏去？」他用蹩腳的德語兇狠地問道。「我要趕去柏林醫院看病，這是我的太太」。說着，他拿出了一個身份證。

這張身份證，證明他是德人聞之生畏的東德軍隊化的「人民警察」，他們的主要任務祇是保衛共黨官員，和殘酷地撲毀東德人民因不滿與飢餓而發動的任何騷動。

俄兵對這身份證輕蔑地望了一眼，這張證紙決不會對他引起任何好感，在俄人心目中，這些東德軍隊，不過是一批屈兵，他們的唯一用途，祇有對付他們自己的同胞而已。

但他還是讓這輛的士通過了。在以後的二十五哩路程中，這個青年迅速地改變了身份，在他的經歷中，這是第一次變成了另外一個人；這時他用那的士司機的身份證來證明他在這旅途的身份了，他的太太也變成了他的「女朋友」。

他從這個司機那裏得到這張身份證，自然化了極大精力和極大財產，但這是唯一得到自由的希望。當的士駛入東柏林郊區，放慢了速度，他知道他已面臨嚴重攷驗。如果失敗，他無疑將死於行刑者的槍彈下。

等到車子駛近俄軍哨兵面前，他謹慎地拿出那張的士司機的身份證，而那個司機卻懸出了他的駕車證，小聲小氣地說，他的身份證忘記在家裏了。這個計劃居然地把那哨兵瞞了過去，不過他堅持那司機要把他的駕車證留在檢查站，使他不能不回來，且等他回去時再行發還。

緩慢地，這輛的士駛過東柏林區，街道兩旁擱着無數共黨標語：「自由、和平、一切國家友好，」看到這些，這對男女相互作了一個會心的微笑。

還沒有到柏林東西區交界處的布蘭德堡門檢查站，他們就叫車子停下，把司機打發了回去。為逃掩耳目，避免引起注意起見，他們改乘了通到柏林英管區的地下火車。十分鐘後，他們終於得到了安全和自由。

這個青年，不過是今年初以來不顧留在鐵幕內，而甯願冒死逃至西區爭取自由的二萬四千名東德警官與警員中的一分子。但要促使西柏林當局相信他們是被迫逃亡的難民，卻相當困難，而要他們相信他並不是扮作難民偷渡入境的共產黨間諜，則更加困難。對西柏林當局來說，他們自需要十分謹慎，因為向他們天花亂墜地編出驚險逃亡故事的共產間諜，每星期就有成千人之多。

現在，這個青年已在西柏林住下來，他已通過英美法德四國人員的最後解查。必也會獲得許可，即可乘英國客機到西德去，他希望在那裏能得到一個新生活，埋頭開闢出回到正常生活的途徑。

這個二十一歲的青年並不是一個普通難民，他名叫漢斯．巴炎奇，是蘇俄和它的傀儡所選擇的對其德國同胞灌輸政治訓練的青年幹部之一，共黨對他十分信任，且將無數關於宣傳工作的秘密告訴了他，教他如何去對莫斯科德的軍新軍實行說謊和欺騙，使他們都信仰共產主義。

漢斯逃亡的第二天，坐在一個西柏林警官的辦公室裏，開始說出了他一生的故事。這故事講了好幾天才完，它從希特勒的青年團開始，而結束於他的理解武力、暴力和說謊決不是他所能忍受的生活方式。而愛情也是使他永遠擯棄共產主義的主要因素。

「我生命的最初十三年，是在納粹之下度過，」他對那個溫和沉靜的警官說：「我從小就受嚴格軍訓，甚至我小學時代的教育，就要我甘願為元首，為建立光榮而更大的德國而倒下犧牲。

「今天在東德，這種不容質疑的紀律就是保持着，不過現在已不是為了納粹，而是為了共產黨。」

「我父母帶我住在東普魯士，直到一九四四年俄軍攻入德國，德軍迅速潰退的時候，我們才遷出。我跟着步兵團撤退到德國的心臟地區薩克遜尼。

「穿着希特勒青年團的制服，這時候我感到納粹王國雖已瀕臨崩潰，但我還是它的忠誠的保衛者。後來俄軍來了，共產黨在一九四五年取得政權，我也經過了相當時期才能使自己適應新的生活方式——共產黨的生活方式。

當我看到史達林的相片時，我每會不自覺地又像見到希特勒像那樣作納粹式的舉手禮，要我改用歡呼的方式來致敬，初時我感到十分困難。」

但漢斯不久即發現，生活於共黨青年團中，和希特勒青年團時代並沒有什麼不同，祇是在共產政權下，所能吃到的東西更少了。他說：

「大戰結束時，我在十四歲，我進了共黨學校，校中一切課程都含有共產宣傳，甚至數學也不能例外。不到一年，我雖失學，祇好到我所住的地方鎮公所去做事。我正式參加共黨青年團，是從一九四九年開始的。（一）

過波斯灣懷古

有序　民卅三、十二月

·衛挺生·

自由艦過波斯灣口，見白雲在天，憶周穆王西遊事而作。『白雲在天』，為西王母贈穆王詩原句。而波斯北部米地亞即昔西王母之邦所在地也。

浩浩碧瀛，穆穆清風。鐵艦孤往，我歸亞東。
白雲在天，杲杲日中。尚懷穆王，八駿蟠空。
蔥嶺以西，遍其遊蹤。王有迷路，玉帛非攻。
坦蕩至道，古誰比隆。我過西土，西王母封。
念茲前烈，我心忡忡。高山巍峨，仰止益崇。

島上風光

孖沙街盛況不再　冷落凄涼
貿易場好景難常　風平浪靜

兩年前曾經到過孖沙街的人，如果現在再行經那地方時，定會覺得這條街清靜得多，已沒有以往那樣人聲鼎沸，嘈雜不堪，也不像過去那樣萬頭鑽動，人潮擁塞得水洩不通的情形，能夠使你從容不迫地通過了。

這條被人們稱為「颶風」「風眼」，也有形容成為金市「前哨」或「角逐場」的街道，在香港是有相當重要地位的。它的一舉一動，不但可以左右整個港九金融市價的上落，而且會使距此間有着四小時航程的澳門金市也隨之波動，可見其力量之大。不過那是兩年前的事情。

如今設在此一街道中的「金銀貿易場」雖還依然存在，並且也照常活動交易，但它已沒有昔日那種興風作浪，翻天覆地，使得整個市場為之震動的作為了；目前即使偶爾掀出一個小風波，也是柔弱無力，有驚無險，不為人們所重視，還可由場裏場外冷落景況，證明它的今非昔比，實在情形如何！

在韓戰初起時，市場裏面固是擠滿了各個金號所派出的「戰鬥列兵」在肉搏鬥爭，由於浪潮洶湧，大家作着生死鬥，殺搏得浪花滾滾，潮頭起伏，直得日月無光，有時為了一筆買賣得手，大家像打架似的攪成一團，搶着成交，英勇壯烈，實不亞於飽嘔沙場戰士殺敵；而場外街心，「散兵」們也是在成羣結隊的跟着場內的上落，湧來湧去，好不緊張熱鬧；可是現在已是烟消雲散，盛況不再了。市場內的人是稀稀落落，坐着聊天，失去戰意；場外也是「門前冷落車馬稀」，不見做街外交易的人羣了。據說這生意已到沒落的日子，目前還幹着的也是混兩頓飯罷了，好日子已經過去。

造成這種情形的原因，當然和商場不景有關，但主要還是時局少有變化，失去投機事業的原動力，游資已經有了正當出路，人們不願再幹這冒險玩意兒了；惟據熟悉行內實情的人透露，事實上是過去爭中握有資金的人，大半已多在幾個浪潮中被吞噬了，沒有這些人的攪風攪雨，它是只有靜寂的。

回憶兩年前孖沙街的熱鬧情形，和現在相比較，令人有不勝今昔之感的。想當年有多少人藉着這條街的「波濤起伏」，轉手之間，立成鉅富；也有很多人瞬息之間，大好資財在「風眼」中被吹得無影無蹤，由鉅富變為赤貧，潦倒街頭，同樣使人覺得好景易逝世事變化無常。不過從這裏卻給了人們一個很好的教訓：一個人的成功，決不是投機取巧，在這種悻入悻出的場合中可以獲致的，一切還是得腳踏實地，打定基礎做起不可。它——孖沙街的盛衰，正是一個極好的寫照。

惡作劇的生意眼

·狷士·

（一）

日前一位從美國回來的朋友，談到托利多地方一間飯店，以侮辱客人出名，也以侮辱客人而生意興隆。說得好像不近人情，但是信不信由你，他說，「花錢的哥兒，總是要侍者服侍得周到，只有美國託利多地方的一間飯店花錢買到侮辱。

戴帽子的侍者，有時用皮帶向神氣十足的顧客像放鞭炮的聲音，有時把湯故意不小心，倒滴客人的衣上，有時將奶油蛋糕從甲拋到乙，故意拋從客人頭上經過，使客人提心弔膽，菜牌上刻上兩句話：「這裏不招待猥屑的客人，但其餘的客人我們一般招待。」

有一天，一位著名作家行入這酒店，侍者問他要什麼？那客人正在用手巾抹臉，未及答話。侍者便高聲說道，「你不點菜嗎，喂伙計們，這個怪人不點菜，他不高興這個地方。」一會兒所有的侍者都跑來，將這客人抬起來，送出店門。登時所有的顧客，哄堂大笑。這就是他們惡作劇的目的，類此的事，在該店是常有的，這店的生意眼就在於此。

（二）

侍者由特別挑選而來，其條件為活潑與大膽，開始服務的時候，店主就叫他們增碗碟，拋擲刀叉以增客人的興趣。他們吸挺大的雪茄，狂呼大叫，有時和客人坐在一道，表示大家平等。你若是禿頭，他們會叫你鄉父，若是禿得光光地，他們會用手巾把你的頭皮擦亮，甚至塗上一些牛油。你若是不當心，他們把小孩子的口圍布套在你的頸上，引得衆人捧腹。

有一次發現一個右手麻痺了的人，用左手拿匙，侍者大呼道：「喂看這個人不懂使用右手，」弄得那人怪難為情，但其他二百餘人都會放聲大笑。

一天，有一位油業鉅子穿一套白色夏服走入來，託利多本來很熱，他喜歡比較涼爽的衣服，但是客人都是穿深色的常服。一個侍者立刻拿一把掃把，放在這人手裏，自己跳在椅上說：看呀，一個清道夫，混在上等人當中，油業大王不禁臉紅，但奇怪的是他第二天還是該到店吃飯。

（三）

這飯店不怕別人駡他惡作劇，他們開玩美的政策，確能使生意興隆，常常有人打電話定座，因為生意好得無以復加，到後一點就得輪班候補，他們每天食客有二千以上，二次大戰後，門面也改大了，地點也改得適中了。

有一次因為侍者剪去了客人的鬍子，客人看得很重要，就去打官司，該店付了一筆挺大的賠償，然而，美國人好活潑的習性，偏喜歡這調兒，夠刺激，這就是該店的生意經。

貝隆對美軟化

阿根廷獨裁者貝隆過去對於外國報章雜誌，凡報導不利於他及其獨裁政權的，自有一個簡單的對付辦法，即禁止它們進口。六年前，他禁止了時代週刊，後來又逐步取締其他新聞週刊十五種美國雜誌，到本年初，即連美國最著名的「紐約時報」亦不准進口，但從艾森豪派其弟弟米爾登赴阿根廷訪問後，貝隆對美國態度突然改變，最近對這些被禁的雜誌報章，已由郵局作正式宣佈可恢復進口，但這些美國刊物所售得的款項，是不是能取得外滙，滙回美國，卻仍成疑問。（衣譯）

我逃出了竹幕

·王世昭·

飛機飛走之後，我們被集中關在江西會館。我因為環境太無聊，不免東走走西蕩蕩，遇着熟朋友當然要照呼一下，因此啓了共幹的疑竇，到處調查我的身份，大家都心照不宣，不是說「才見過」，就是說「不知道麼」，或許說「不曉得他姓什」？也有或「他姓王」，不曉得什麼名字」，這樣的答覆，使共幹們丈八和尚摸不着頭，就算過了一天。

八日（第二天）有些朋友偷偷地告訴我：「王先生，你得就心，他們在調查你！」我心裏明白，點點頭。

這個時候，我把總統府領薪的綠玉圖章也扔了。

上午集合一次，下午集合一次又是編隊，我們混進老百姓隊伍中去。我的鬍子一長，頭髮一亂，漫漫地使他也弄不清我是什麼身份了。

今天他發給我們每人一碗燥米，三四根青菜。

四、出發

九日（第三天），五時起床，六時以前吃飯，十時集合，又是編隊，每隊二十五人，舉一班長。我們編第二營，第十二連，第四排，第三班。每次編隊都要我們重新登記：姓名，年齡，籍貫。在籍貫一項裏要填明省，縣，城或鄉，以及村街門牌的號數，每次我都沒有寫錯。

編隊以後沒有解散，到了下午一時，突然宣佈「出發」。為了第一天走路，所以開頭很精神；到後來漸漸不興了。約莫下午四時，過一獨木橋，解放軍被老百姓打死了兩個，他們只有抬着尸首走，在路上說：「兩廣的老百姓好利害呀！」

五時到了宿營地，另附帶了兩根稻草，並自己去搬來。無米的無菜，煮不飯，就在門口，包你還好。天冷，半夜裏他們集合，有兩個青年男女哭哭啼啼被他們拉走了。（四）

自由人
中華民國僑務委員會頒發登記證台政新字第一三二號
中華民國郵政登記第一類新聞紙類
THE FREEMAN
（中華每週星期三六出版）
（第二八二期）
每份港幣壹毫
督印人：李光雄
社址 香港高士打道六十六號
電話：七四〇五三
GLOUCESTER RD. HONG KONG
TEL: 74053
承印者：東南印務出版社
地址：高士打道六十四號
台灣特派員辦事處 台北市館前街五十號
台灣總經銷處 台北中華路新號五九四之一
台灣郵政劃撥儲金帳 九二五二號

國是第一着——遵守憲法，召開國民大會

·程滄波·

美國副總統尼克森先生訪問台灣，九日在立監委及國代聯誼會的歡迎會中，同日中午在自由中國二十二個民眾團體的歡宴席上。一則說：「在座的都是美國人民所承認的中國人民的代表，你們所代表的政府是美國政府及人民所承認的唯一的合法政府。因爲各位是中國人民根據自由意志選舉出來的。」再則說：「共產黨決不容許人民依據自由意志組成社團，人民能否憑其自由意志組成社團，便是自由民主的和極權獨裁的分野。」

決定國是的條件

尼克森副總統在台灣公開所講的話，當然我們不必一定奉爲解決國是的唯一科律。但我們卻亦不能否認他這種代表美國政策與民意的言論，對我們國是可作重大的參考，對我們國是的決策有重大的影響。一個國家的國是——根本國策，其形成與決定的條件，一方面是人民的意志，另一方面是國家的利益。民族觀念，政體組織，是屬於前者。社會機構，國際環境等考慮是屬於後者。今天中國的國是，拋開黨派的觀念與私人的感情，暫時不說。其根本問題，實在不是誰來統治中國，也不是那一個黨派來治理中國；而是用什麼方法來統治中國。換句話說，我們的統治者，是否根據人民自由意志所抉擇的政府方式來統治我們。竊據大陸的共匪政權，中國人民爲什麼必須誓死反對，不能與之共存，就因爲他們的統治方式，是違反人民的意志，他們的政府權力源泉，不是民意而是暴力。僞政府所表現的各種統治方式，無論它用什麼名詞來裝飾，其本質是用暴力的控制，而不是由人民自由意志的選擇。

維繫民心的重大力量

所以今天國是的第一義，是反極權，反獨裁，反暴力。從正面說：我們今天撥亂反正，光復國家民族生命，便在實踐民主自由；確立憲政與法治。國家從三十七年以來，有憲法，有根據憲法而產生之政府與民意立法機關。四五年來，共產匪徒憑其國際雄厚的背景，逞其窮兇極惡之罪惡。全世界蒙其荼毒，而中國亦受禍五千年來空前的浩劫。今天大陸淪陷，全國上下，一方面對共匪禍患之深鉅，固當勵心忍性痛加惕勵。另一方面也應想到：在此危疑震撼中，我們保存了一塊乾淨土地，民族生命猶有所寄，九死中起死回生，固由於民族領袖之大智大慧，但是我們的憲法，我們的法統，根據憲法而成立之政府，實在是這一個危疑關頭中維繫全國人心重大的力量，另外在國際方面，我們的政府，所以至今爲多數自由國家所承認與擁護，也就因爲我們政府的基礎，是有法律根據的，是有全國自由民意所支持的。正如尼克森副總統所說，我們的民意機關是全國人民自由意志所選舉出來的代表所組織，而我們今天的政府，是按照憲法經過民意機關同意而成立的。

無價寶的精神資產

談論今天的國是，千萬不可忽略了自由中國這一筆不可估計的資產。這一筆資產，比任何有形的軍事力量或經濟力量要寶貴。這筆「無價之寶」的精神資產，過去維繫內外的人心，使我們在時代洪流中，保持我們一綫的生機。未來的時間，還靠它鼓舞全國的軍民，去反攻大陸，光復故土。更靠他支持全國上下，同德一心，建設國家。這個精神資產，就是我們今天這一部神聖的憲法。在過去，反對這部憲法的，只有共產匪徒。在今天，處心積慮想毀滅這部憲法的，也只有共產匪徒。惟有共產匪徒知道最清楚：這部憲法過去現在及將來的力量。中國民族的優良傳統，國父建國的遺教與世界三百年民主自由的思想菁華，實在都籠罩包括在這部憲法裏面。還可以簡單一點說，今天我們的反共抗俄，把什麼在「反」，「抗」，老實說，就是把這部憲法的精神去反共去抗俄。這部憲法就是我們反共抗俄的原子彈與噴射機。誰說不要這部憲法的，誰說不要根據憲法而產生的政府，便等於自己繳自己的械，亦便等於向敵人舉手投降。

今天國際政治上的大問題，便是自由與民主與極權的決戰。沒有中間路綫，沒有中立主義，更沒有調和理想。所謂順逆是非，涇渭分明，不容含混。今天中國的國是也是如此。甘心做奴隸的，到共產匪黨去。要國家民族的，要自由中國來。甘心做奴隸的，不要憲法，要自由民主要法治。愛國家愛民族的，便應當珍重我們現有的憲法。而且應督促政府上下去奉行憲法。今天國家的國是，應該在憲法上去尋求解決，在憲法法文內尋不到解決的辦法，還應在憲法的精神中去尋覓辦法。

根據憲法解決問題

「國民大會代表每六年改選一次。每屆國民大會之任期，至次屆國民大會開會之日爲止」這是憲法第二十八條的規定。「總統副總統之任期爲六年，連選得連任一次」這是憲法第四十七條的規定。國民大會是民國三十七年三月廿九日在南京集會，到明年三月，已任屆滿，按照憲法第四十七條之規定，總統與副總統到明年五月五日任期完滿，按照憲法第二十八條第一項「國民大會代表每六年改選一次，每屆國民大會之任期，至次屆國民大會開會之日爲止。」憲法第二十九條「國民大會於每屆總統任滿前九十日集會，由總統召集之。」所以，當前的國是，憲法第二十八條第二十九條及第四十七條，都很明白的規定。每一個問題，都有法律明文的解決辦法。根據憲法，在明年二月召集國民大會，實在是法律上及情勢上最正當的辦法。這是愛國家愛自由民主的每一國民，應當督促政府，規規矩矩，按照憲法條文去奉行實現的。

破壞憲法即自壞長城

遵守憲法不僅是國家元首的責任，也同爲全體人民的責任。奉行憲法，發揮憲政，更應爲今日每一個愛國家愛自由者的責任。國是中一切問題，今天只容許在憲法中，在憲法軌道上去求解決。如果有人感於國是的錯綜複雜，想超過憲法再尋覓途徑，或放棄了憲法，這是自亂步伐，自壞長城。贊成或擁護這種主張的人，只有存心破壞國家的人。不然，此其人口頭雖或反共抗俄，心中雖亦反共抗俄，實是極端昏聵糊塗，智識見解落伍愚陋到極可憐的地步。這是我們對此類人物最忠厚的批評。我們想像今天鐵幕以外的中國人民，不會有此種想法，也不會有此種人物。

今天國是的第一着，是按照憲法去解決一切問題。召開國民大會改選總統副總統，憲法法文均有明文規定，遵守憲法，政府只有按照憲法去執行，不去執行憲法條文，便是不遵守憲法，便是違憲。今天國是問題實在不少，而這許多問題實在能一一予以解決。所以在國民的立場，我們只有高呼擁護憲法，我們也只有督促政府實行憲政，發揮憲政，這是復國建國的大路，這是反共抗俄成功的關鍵。

問題究竟在哪裏？——讀了幾篇文藝論文以後——（上）

·陳紀瀅·

自從本年九月九日高濟心先生發表了「自由中國的文藝應該說話」一文，我對高先生有所補充說明後，數至現在止，已連續拜讀了金瀛凱、周棄、余明、辛力非與東日等五位先生，對於環繞目前自由中國文藝動向的各種大文。大家這樣熱心參加討論，尤其是不在台灣出版的刊物上，而獨在海外出版的「自由人」上展開，一面欽佩「自由人」編者的重視文藝，肯每出篇幅來容納各方面的意見，一面也不能不欽佩執筆的人竟肯爲文藝下這番工夫考慮。這實是可喜的現象。假若因這番討論，能對自由中國的文藝發生那怕僅僅一點推進的影響，也該額手稱慶。我虔誠地希望大家從此方向努力，否則，糟蹋了許多篇幅，還摸不到實質問題，則不惟辜負了編者好意，也是一種筆墨的浪費，尤其不須多佔海外報刊的寶貴篇幅。

非不自由亦未政治化

如果讀者不健忘的話，可以翻一翻高濟心先生的原文，高先生說「今日的台灣，白話文學還不盛行。我們首先要推廣白話文學，其次不必把文藝搞成政治化。」又說：「我們的自由描寫家庭骨肉之愛和階級合作。共產黨的文藝是反對有家庭骨肉之愛的，挑撥階級鬥爭的。因此不必在表面上將文藝政治化，變成一種反共的宣傳工具。……千萬不要學共產黨的作風，把文藝塗上顏色，變成政治的工具。……因此我們反對文藝政治化，我們主張自由創作，我們要打倒歌頌史毛的無恥文藝。」

高先生的主張是不錯的。他的顧慮縱是善意，但和實際情形並不符合，所以才有我那封信的補充說明。我的說明也僅是我個人的看法，既無代表性，更無權威。假如有人一口咬定要說：「自由中國的文藝已經政治化了。自由創作不可能。」或意味着有那種傾向，我們雖無權不讓他那麼說，但不能不提出抗議。因爲這是對於自由中國文藝界的一種錯誤看法，也是對政府實行民主的一種污辱。除非對「政治化」與「自由創作」有杜撰的解釋，否則，[illegible]……托爾斯泰的「戰爭與和平」……（以下轉第二版）

如何能躍進一步

今天反映反共抗俄意識的作品，決不可隨意……[illegible]

因此我覺得如果站在欣賞者的立場也好，站在作者的立場也好，由中國文藝如何使……[illegible]……托爾斯泰的「戰爭與和平」……[illegible]

半週展望

·雷嘯岑·

不必惶惑

因爲美國國務卿杜爾斯講「共和黨政府並未永遠不承認中共政權」的話，這幾天，在世界輿論上引起紛紛議論，外國記者由台灣發出消息，說自由中國政府中人，頗爲惶惑，希望華府對杜爾斯這話的意義有所澄清云云。就我個人的想法和看法，卻認爲毫無惶惑之處。

美國人士近來常感覺到美國在自由世界——特別在亞洲——的聲譽日見低落了。艾森豪總統派尼克森副總統代表他到亞洲來訪問各國，贈送各國元首的相片，要大家相信美國的領導，用意即在提高美國在亞洲的聲譽。尼克森正在台灣訪問，大談其中美友好關係，華府的人並不是不知道的。既然知道，而其國務卿乃有此「前面喊了一聲，後面叫不辣」的外交言論，自有他們的一套板眼，決非隨便充口而出的無聊的談話。尼克森此行在東方的作用，就美國來說，被一筆勾消了，這是他自作自受的一大損失，於我何傷乎？

杜說的用意之一

杜爾斯何以在此時而有此言呢？我們應知道：美國對亞洲的軍略，是決定採取抽身主義了，這一決策，任何人，任何情況也動搖不了的。試看美參院軍委會主席史密斯前天所發表的言論，強調軍事上今後必須由中，日，韓各反共國家來担負抵抗共黨的責任，說這樣比較由美國調兵遠來作戰的效用大得多，即可窺知美國對亞洲新軍略的梗概了。

因此，美國即急於要結束韓戰，希望政治會議能夠召開。然共黨對狄恩在板門店的暗盤交易，尚未有成交的迹象，如是乎，杜爾斯乃對共黨發出這張遠期支票，企圖引誘它就範。這與艾契遜當年希望中共不要參加韓戰，而口口聲聲說美國對中共加入聯合國問題無意見，並且表示願意討論「台灣地位」問題的玩藝，是同一藍本的再版，結果還是一樣的失望，自無須乎惶惑。

還有下文

我早就推測上月的倫敦三外長會議，對東亞問題已有默契諒解，即和綏（也可說犧牲）東亞，綏靖中共，加強西歐的佈署。現在蘇俄已堅拒討論德奧問題的四外長會議，又表示對「五頭會議」不感興趣，這才漏出了下月初的百慕達會議來。在這會議中，所謂「和綏東亞」的主張更要抬頭，請看經常反映官方意見的倫敦路透社本月十二日的電訊：

一、外交人士說，歐洲今天的局勢，可能促使艾森豪與邱吉爾首相，關尼總理，不得不用遠東來與共產世界「調和」；

二、此間沒有官員準備說，國際性承認中共政權將解決問題。但他們又相信，純真解決的希望，祇繫於最後承認中共爲一世界強國；

三、此間也無人相信，韓戰政治會議對統一該半島的主要目標上，會有出色的成功。但衷心盼望中共與美國，以及其他拒絕承認北京政權各國的接觸，或可在東方達成暫時性的和約。

這個「此地」三百慕達會議中的主要課題。美國固然未必同意這類作法，但她卻有兩點相同的心事：即「韓戰必求結束，中共有可能脫離蘇俄」的情緒，當然即有杜爾斯的談話，是也可怪之有？美英既具此「同病相憐」的情緒……

全看自己的作法

美國對蘇俄政權是經過了十四年才承認的，此刻要承認中共政權，決不是那末簡單容易的事。但她要從東亞抽身，又認爲中共可能脫離蘇俄，加以盟邦的慫恿，一定要嘗試妥協一下，以資究竟。我們東亞的自由國家，只有提高警覺，切實團結，加強實力，有所作爲，以待他們焦頭爛額之後，再來說話。形勢很明白，胡爲乎惶惑呢？

馬倫科夫復露強硬面目
西方調整對俄政策
偏重建立德軍強化西歐防務

．雨洛譯．

對俄召開四強會議，及東西互作不侵犯保證的呼聲，在西歐曾一度甚囂塵上，目前雖已稍見低沉，但尚未完全消散，這個要求，原是邱吉爾所提出，他認為馬倫科夫曾有此暗示，而美國則始終反對，尤因蘇俄最近的態度已自所謂「溫和」復轉強硬，美國的立場也更為堅定。這問題所牽涉的最主要二點，乃是蘇俄是不是願與西方訂立所謂「互不侵犯條約」，以及這種條約是不是能給予西方以安全感。

東西不侵保證的呼聲

關於對俄成立不侵條約的意見，是起於邱吉爾在本年五月間對下院的演說，他說：「我認為，不論世界大局如何混亂，強國間召開最高階層會議實已刻不容緩。」他提到一九二五年的羅加諾條約，認為或可作為未來對俄行動的借鏡，使蘇俄對於非共世界的意向，能獲得較大安全感。起先，蘇俄對邱吉爾這建議的反應異常冷淡，不過西德總理愛特諾在訪問倫敦時，却對此意見發表談話說，「羅加諾條約的精神」應該恢復，「全面性保證的精神」，仍可由西方提出，供蘇俄考慮。但他的主張，是以西歐六國「歐洲防禦集團」（即歐洲軍組織）為基礎，他認為這組織本身對蘇俄構成了一個非侵略條約。這一點，他且曾以正式公函方式，向杜爾斯提出。

[illegible]議，他在環球旅行後謁見艾森豪時，即曾向艾氏表示，「我們[illegible]却要邱吉爾的提議向蘇俄提出不侵略保證，而蘇俄也應該對我們作同樣的保證。」

西方商討對俄政策

美官方的立場可見於杜爾斯的聲明，他曾謹慎地說，[illegible]正與其他盟國研究「保證德國不致再度侵略」的方式，[illegible]實際上，美國和歐洲[illegible]俄已有一個不侵犯條約，它們都是聯合國會員國，[illegible]憲章的簽署國，這憲章上已規定一切會員國應禁止使用威脅或武力。但他也提到，[illegible]

[illegible]，反對西德建軍，以免增加蘇俄對西歐的恐懼，所以，這些人士感到，為了爭取西歐民意支持歐洲軍，便不得不考慮對俄談判的可能，如談判不成，或蘇俄拒絕談判，則至少可以打消西歐的幻覺，使他們回頭來，重新加緊建立抗俄防力，也贊同將西德未來新軍括入聯防嚮範。

目前美國與英法討論者，乃是斷定蘇俄是不是要求和平，如蘇俄連德國問題亦拒絕談判的話，其意向已極為顯明，不侵保證一點自毋需再談了。（節譯「美國新聞及世界報導」）

美努力消除西歐幻覺

但在另一方面，[illegible]馬倫科夫這聲明的重要目標，是在分化美國及其盟國的立場，並[illegible]批准歐洲軍條約，但也有一部份人士認為這是馬倫科夫和西方談判成立互相安全保證的暗示。[illegible]極大多數人士感到，共黨在德國及其他地區的侵略行為，已足夠證明今日最受威脅者是非共世界而非共黨集團，因此，[illegible]主動向西方作不侵犯保證，西方則由於[illegible]的諾言是否可能履行，[illegible]民主黨領袖史蒂文森[illegible]

衛挺生任泰赴菲島講學

【本報訊】衛挺生任泰兩教授應菲律賓國家大學之邀請前往講學。頃悉，任教授已於本月十一日動程，衛教授及其夫人亦定於本月十八日飛往馬尼剌。聞兩教授講學期約均為一年。

談國大和立委的法理問題

編者先生：

上月二十三日，本港某報載「覆金山通訊」一則，係由一位署名端木良的寄贈者，對最近台北通過的幾件法案，妄加指摘，[illegible]人稱痛心疾首，因就其所指各點，加以駁斥。

（一）

該通訊首引吳尚鷹在舊金山日報談話：「依據中華民國憲法第二十九條規定，總統任期滿前九十日應由總統召開國民大會，選舉正副總統，連選得連任之。現任總統任期至明年五月二十日止，故依法必須於明年二月間召開國民大會重選。按憲法規定，國民大會開會法定人數應為全體代表之過半數，第一屆國大代表總數為三千○四十四名，故必須有一千五百○二十三名到台灣開會，始能符合規定。」跟着吳尚鷹強調『現在台北國大代表不足一千人數。』他又說『蔣欲連任總統』，他以為這樣，選舉便不合法了，而且以為蔣總統想連任總統，才召開國大會的。試問吳尚鷹，總統任滿是否應重選？不重選又如何辦？重選如果說是「不合法」的，難道不選便合法了嗎？

（二）

由總統依法咨請立法院修改國民大會組織法，將國大代表法定出席名額減至一千名，或以遞補代表選充代表，以湊足法定人數。原是一種根據事實，符合法律的辦法，吳尚鷹也承認『目前國大代表散居台灣港澳及大陸共區的事實』，如果死抱憲法條文，能行得通嗎？既經依法修改組織法，何得謂為『其目的在欺騙海內外人民』？事實如此，法律手續又無不完備之處，將來蔣總統獲得重選，又安能謂為『使蔣之重任總統，名義上為合法』，此種說法豈非近乎荒唐？

（三）

吳氏又謂『現在台灣之立法委員，自行於屆滿前通過延長任期，實為不合憲法規定。』按憲法六十五條規定：『立法委員任期每次三年，新委員之選舉須在舊任滿期前三個月為之』。當前在台開會之立法委員係一九四八年所選出，其第一次任期於一九五一年屆滿。年前由總統根據中華民國憲法「動員戡亂時期臨時條款」之規定，咨請立法院延長任期，決無不合之處。因為緊急條款規定：『總統在動員戡亂時期，為避免國家或人民遭遇緊急危難，或應付財政經濟上重大變故，得經行政院會議之決議，為緊急處分不受憲法第三十九條或四十三條規定之程序限制』，根據憲法的行動，當然非『下一道命令便可改變立法委員任期』的，又焉得謂為不合法？

（四）

憲法及臨時條款頒行已經近七年，到今天還來翻案嗎？而且說『不合法』的吳尚鷹他自己就做過根據這一部憲法和臨時條款而產生的立法委員的，何以他做立法委員的時候不說這話呢？（中略）誠如本港香港時報九月十三日社論所云『臨時條款與憲法有同等效力的：……』『立監委任期屆滿，是事實，政空間之大陸全在共賊竊據中不能使人民行使選舉權也是事實。』政府面對這樣一個局面，正所謂『國家與人民遭遇緊急危難』的局面，這時運用臨時條款，以延長立委任期，於法絕不相悖。如果說濫用臨時條款為不合法，難道由政府指派才為合法嗎？足見吳尚鷹、李大明等的指摘是無理取鬧而已。（中略）

總之今天台北發動的「國代」集會是絕對合法的，因為它經過立法程序的。立委任期延長也是合法的，因為它有「臨時條款」的法理根據，明春所舉行的「大選」也是（成問題的，是循着立法手續而進行的。（下略）

李成續上十一月八日

問題究竟在哪裏呢？
自由文藝的普遍發展

（上接第一版）

周先生這種殷切期望原無可厚非，但[illegible]也忘記了我們的新文學史上到現在只有三十多年，試請問：三十多年來，中國文學史上究竟哪部作品夠得上偉大[illegible]」相比？但誰也不能保證中國永遠沒一本東西可趕得上「戰爭與和平」？也不能說不能相比，中國文學就連一本可看的沒有。假有完全以欣賞外國作品的眼光來評騰中國作品，要求中國作品達到國際水準，這是一種殷切希望。自學一點說：慢慢來。等我們整個文化水準提高之後，文學作品也不能不隨之提高了。再說我們在舊小說中不是沒有超越國際水準的，是他們生的時代與環境，不像外國作品被我們崇拜罷了。

因此，就台灣論台灣，就台灣論大陸，我們的作家們可以堂堂正正挺着胸膛，向一切人們宣告：對於文藝工作我們是在努力耕耘中。你說我們低能，我們承認。甚至於誰也不是在追求個人的成功，而是在求文藝工作的負責於失敗。也許這幾年來，眞的沒一本可值得如周先生所想像的那樣偉大的作品，但誰希望這些渺少的作品能被多數人接受，發揮它普遍深入的影響。在立場上，大陸上任何一個附匪作家，我們都不屑與之相比。因為文藝與人一樣，都應表現品格，失掉了品格，縱然不應以人廢言，但那是後人的事，不是今天我們處在生死搏鬥關頭，不分敵友，而反對敵人過去文采予以歌頌，這種「雅量」，是值得攻擊的。如就作品而論，除非是盲目地崇拜大陸作者，目前自由中國文壇的一切，否則也不難找到一些優秀的作品可讀。

試舉若干例子

假如讀者和周先生不以我舉例為「夫子自道」的話，我樂意先舉出一些人的作品來，請試作一比較。以女作家來說中國文學史上黃廬隱，謝冰心，丁玲，蕭紅等，被一般人推崇為代表中國新文學寫作的幾個不同時代，如以今天自由中國女作家徐鍾珮，鍾梅英，張秀亞，艾雯，潘人木，孟瑤，林海音，劉枋，郭良蕙，王潔心等的作品相比，我覺得無論散文，小說都無遜色，而且過之。而老作家如蘇雪林，謝冰瑩，沈櫻等，迄今仍在努力寫作中。男作家如潘壘，穆穆，師範，依洛，鍾雷，張自英，劉禹平，禾平，馬各，王書川，楊念慈等的作品，我覺得其中也有相當優秀作品可讀。老作家王平陵，孫陵，王藍，趙友培，李辰冬，盧君賀，鍾鼎文，覃子豪，葛賢寧，紀弦，梁中銘，梁又銘昆仲，鳳兮，王集叢，尹雪曼，王夢鷗，梁實秋，何容，杜衡等的作品決不至於「不可能一讀」。以上舉例，隨手寫來，自掛一漏萬。當然，自由中國文壇上今日努力的表現，絕不限於這少數人，毋寧說，其餘三四千人，（據我們切實調查，經常從事文藝工作而有紀錄的，包括文藝各部門文藝工作者，有三千至四千人之多），才是自由中國文藝工作普遍發展的象徵，他們才代表自由中國文壇的繁榮。而海外無數愛好自由的文藝工作者，當然應包括在自由中國旗幟之下，他們的努力，因為關係着一千三百萬僑胞心嚮祖國的熱烈表現，尤不可輕估。

不敢苟同的兩點

若把這些的人心血，一概抹煞，我覺非但不是事實，且欠公道！尤其假設以開放書禁，以引起論爭為促進文藝進步的手段，有待考慮。關於前者，我們無權主張，因為那是政府的事，但我們不敢苟同。因為我們覺得那並不是好辦法。所謂參考書，不知何指？如果像是共產黨的作品可以隨意進口，這問題並不簡單。這等於咱們的作品為什麼不能隨意進入大陸作他們參考的道理相同。若僅是工具參考書，政府應做考慮。關於後者，假如眞有不同的主張，而這主張關係着許多大問題，自然可以論戰。我以為今天文藝界對於基本理論上還沒有主張上的紛歧，若有不同的主張，而且這主張的確值得提出供大家論戰，自然不妨集思廣益，以求結論。如果討論一些不甚相干的瑣屑問題，我以為實在不值得浪費時間與筆墨。請大家不要以過去生過什麼多大的論戰，其中大半是共產黨的政治手腕，藉機會打擊政府，摧殘文化。但我不反對以嚴正的批評促進文藝的進步，尤其需要文藝界外的人能作嚴正的、客觀的批評。

小啟

本期稿擠，「編者與讀者」專欄，移二三版間中縫。

美訂定轟炸蘇俄計劃

美國空軍部根據兩次原子轟炸演習的經驗，最近已繪製一張祕密的轟炸藍圖，上面列明得一個蘇俄的重要目標，要毀滅這些目標所需要之原子武器的型式與數目，以及所應出動的飛彈種類和數量，無不一一列載得清清楚楚。此外，圖上還附有應在何種高度下投下原子彈或氫彈始可產生最大的效果，選擇何種路線方能避免俄國的攔擊，投彈以後，又如何迅速逃避等等。不過，這只是一種初稿，美空軍部打算再舉行多次「轟炸蘇俄」演習，並參照最新的情報，來訂立更正確的計劃，以備第三次大戰爆發後能立即付諸實行。

艾克主持原子彈揭幕

蘇俄的原子實力究竟如何？美國的原子力量又是如何？這是美國證實俄國舉行熱核子爆炸後許多人心目中所欲知道的一個疑問。前些時，美國報章盛傳艾森豪總統將發表聲明，澄清這些疑慮，一方面透露美國本身的威力，並鄭重告訴國民，那些地方自己還應該更加努力，以保持原子方面的優勢。據熟悉白宮內情的人士報導，艾氏現已計劃於十一月十七日萊特兄弟第一次飛行五十週年紀念日，向全國發表這項重要的廣播，並主持初期原子彈模型的揭幕典禮，原子彈的眞面目到底怎樣？美國人民當天就可在電視中看到。

捷克鼓動北非騷亂

克里姆林宮現慫恿共產捷克出頭，極力在法屬北非製造動亂。捷共政府除了派遣大批特務挑撥當地土人和法屬當局的感情外，還允許那些與法當局鬧得很僵的民族主義者領袖入捷克作政治避難。只要那些阿剌伯的領袖們提出申請，捷克政府無不照准，而且經濟不太充裕的，他們還可以津貼旅費，至於入境後的生活費用，他們也可以代為負責，但是有一個附帶條件，那就是將來捷政府請這些流亡領袖回國時，他們一定要遵命照辦，至於所負的任務為何，也沒有證實的餘地。

天下小事

共黨滲入中東油田

共產黨除在北非活動外，現在還大舉滲入了中東的石油工業和工會，伊朗前總理摩沙德垮台後，新總理柴赫第少將厲行反共措施，逼得共黨特務不得不自伊朗撤退，但他們立即轉移陣地，渡過波斯灣滲入波斯灣頂端的科威特。自從英伊斷絕邦交，伊朗石油生產陷入停頓狀態以來，科威特的石油生產已取代了伊朗的重要地位，所以共黨滲入科威特的陰謀，是絕不容予以忽視的。最近共黨在維也納召開世界工聯大會時，科威特的工會領袖卡美爾也被邀參加，他到達維也納以後，受盡了共黨當局的熱烈招待，共幹們的諂媚阿諛，更是溢於言表。（孟衡）

中共的鴉片政策

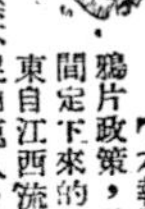

【本報訊】中共的鴉片政策,是在抗日期間定下來的毒策。毛澤東自江西流竄到了陝北延安,所剩殘餘不足四萬人,延安是個山城,地瘠民貧,資源極度貧乏。毛澤東一籌莫展。七七事變,中共即定下種植鴉片以圖生存的計策。當時董必武曾一度表示反對,莫懷古附和其議,終歸無效。

中共種植毒品開始於民國二十六年冬。二十七年更擴大地區,二年之間,積存售餘鴉片數量,已大可觀。當時毛派四川灌縣人楊誠書其人者負責國內推銷。主要市場是——上海——武漢——平津等地。當時日軍在佔領區大開烟禁,到處設立鴉片專賣局,鴉片來源除安東熱河外,大部份來自共黨的陝甘甯區,八年抗戰,中共作了八年陣前鴉片交易,大發其財。

中共那時在延安一帶,宣傳種鴉片的利益說:「葉可飼猪,籽可榨油,漿可製烟,桿可當柴」。中共在抗戰期間藉鴉片的收入,擴大共匪種植活動。抗戰勝利前後,中共鴉片的銷售已遠達佳木斯,熱河等農村地區,中共的鴉片質地比他省爲優,售價也高,名之爲「一三八」牌。當時毛澤東在所謂解放區設立銀行,發行紙幣,並沒有黃金白銀作準備金,鴉片烟土便是他們的準備。

中共竊據了整個大陸之後,鴉片政策並未放棄,現在從東北到西北有十省之多依然種植。每一家農民土地上,都要種植一部份鴉片,口頭上說明「政府」與種戶是三七分成,但實際收割後,農民所得的鴉片須全數交給政府,給以最低的評價收買,人民方面所得很微末。人民生產合作社,是鴉片統收統銷的機構,任何人不得私販私售,共軍司令員——亦不能例外,東北所產的,名爲「一三八」牌,西北所產的,名爲「駱駝」牌,華東蘇皖邊區所產的,名爲「雄雞」牌。最近以鴉片推銷國際吸收外匯,鑒於私運路多不便,特在天津大規模設廠製造海洛因,俗稱(白粉),此種毒粉,來自海外各國輪船,其中不肯海員,到津埠時,均以祕密手續購買。毒品銷路,近即爲港澳,遠則爲日本東南亞而至美洲各國。據外國通訊社報導,推銷麻醉毒品數量最多的,中共要算首居第一位。韓戰發生後,中共植毒運動,更加積極。三年戰爭中,中共物資消耗甚大,但得鴉片利益之補助亦不少。毒品出口基地爲天津,廣州及澳門。(張鼎)

中共批評勞資關係

私營事業再受迫害

中共於大肆指斥大陸私營工商業者重犯「五毒」而再度展開「五反」以後,目前接着又提出了「勞資關係」的檢討和批評。中共認爲目前一般私營廠商的「勞資關係」很不正常。

本報曾一再指出:大陸私營工商業,以由於中共工商管理機關統制的嚴密,中共「國營企業」(即國營公司或工廠、礦場等)原料、物資和市場壟斷的嚴格,以及各私營廠商中中共黨團和工會操縱、干涉的瘋狂,實早已名存實亡。惟因爲尚有「名存」,故仍有所謂「資方」一詞,亦由是仍有所謂「勞資關係」。但此種關係,以由於環境特殊,利害渾淆,已不若先前簡單。質言之:目前大陸的「勞資關係」已陷於異常微妙複雜的狀態中。擇要言之,約有下述各方面:

工人領導

首先是在領導權問題上,相當尷尬。因爲中共標榜「工人階級專政」,於是自然一切要以「工人階級爲領導」。這表現在政權上,中共自詡代表工人階級君臨天下;其表現在私營工商業單位的領導監督權上,自然以職工會高於一切。但職工會的一切行爲,大多自然而然地忽略了對工人的正當領導和團結,而集中興趣於與資方爭權,工人則自以爲「翻」了「身」,「當」了「家」,便集中思想於與資方爭利。於是,在起初的時候,自然便多方面干涉資方的經營和管理,與資方斤斤較量,迨至後來經過「公債」、「捐獻」,特別是經過「五反」以後,資方已變成空頭的資方,既已無權可爭,亦已無利可奪,乃轉而從消極怠工上減少勞力的使用以佔資方的便宜。資方對於工人這種行爲當然非常憂慮,但因工人「高於一切」,資方當然只好隱忍,坐視其腐蝕直至倒閉。因此這種「工人階級」的「領導」方式,實造成了不少「勞資同歸於盡」的悲劇。但後來因工人消極怠工的風氣已一直從私營廠商瀰漫到了所有「國營」廠商,引起了中共的注意,隨展開了「整飭勞動紀律運動」,大整工人,資方乃乘機向中共訴苦,說:「願意『服從『大』的工人階級領導,卻不能再服從這種不倫不類的『小』的工人階級的領導」,(見天津大公報)中共當然知道這是一個事實問題,必須設法補救,但爲避免「工人階級專政」那句話,故說:「原則不能變更,技術可以考慮」(亦見天津大公報)。這一方面,可以說是在中共統治下的「勞資關係」的過程。

三權和兩權

經過上述這一個過程之後,中共提出了一個糾正辦法,規定了一個新的「勞資關係」。這個新的「勞資關係」規定資方擁有三權:一、財產所有權,二、經營管理權,三、人事任免權;規定勞方擁有兩權:一、經營管理監督權,二、賬目、盈利、稅款監視權、但這個規定所予資方的全是空的,那因爲:一、資方的機器財產,事實上業已等於供中共所沒收,他們已沒有資力和權利生產或經營自己的貨品,而只能替中共代購代銷和加工定貨。這,爲工商聯主席陳叔通在最近工商聯代表大會上就曾說私營廠的機器財產絕不能純粹認爲是自己的,而應認爲是社會大衆的。二、現在私營廠的「經營管理」的內容,因純係代購代銷、加工定貨之故,等於在替中共當庶務人員,根本無利可圖。三、至於人事任免「須按照政策法令和集體合同行使」的,事實上根本無法自由任免一人。而共所予勞方的不僅是假的,而且還是代替中共在控制資方的,那因爲:一、勞方因擁有監督權,隨時可以鎖閉資方的經營管理。二、勞方隨時可以查檢資方的賬目和盈利。三、勞方代替中共監視了資方的稅額申報,甚至還因規定組織了「稅額協繳委員會」而代替中共向資方逼催繳稅。這方面可說是目前大陸「勞資關係」的一般情形。(睿)

暴露奴工慘狀的巨著

蘇聯的強迫勞工(上)

羅自芳

新書評介

原著:David J. Dallin
編譯:蘇聯問題叢書編委會
出版:人人出版社
版次:四十一年六月初版

共產黨人每每誇說蘇聯是天堂,但當我們讀了這一本「蘇聯的強迫勞工」之後,就可以窺見「天堂」的假面目究竟是怎樣的。這本厚達二百七十餘頁的巨書,它收集了許多珍貴的資料,足幫助我們對於蘇聯所謂「革命建設」這名詞,獲得一個確切的解釋,就是:建設的成果,所耗費的不是資金,而是無數的人命。

奴工命賤如草芥

此書名就原文 FORCED LABOR IN SOVIET RUSSIA 直接譯出,我們感覺這名稱未能充分表露蘇聯對付奴工的殘暴罪惡。實際上那些被強制奴役的人,簡直牛馬不如,僅稱之曰勞工,未免和被役者身受的痛苦待遇不稱。因爲役使牛馬的人,也知愛護牛馬的生命。惟有蘇俄奴工營的殘暴管理者,卻絕不顧慮那些被奴役者的死活,眞是視人命如草芥的。

書分上下兩篇:上篇共六章,屬於現狀的描述;下篇共九章,是蘇俄此一制度——強迫奴工制度——之歷史發展情形。其中除大部分爲著者所寫的之外,並有許多地方,是蒐集別人親身經歷的記載。如第一章關於監獄營生活的敍述,是 ERNST TALLGREN 教授寫的;第二及第三章關於強迫勞工之目擊報告及強迫勞工方式,裏面包括 SERGEI MALAKHOV, DR. E. FELIX, LEOUID SHOHEKAOH, DR. JULIUS MARGOLIN, MRS. ANNA FALK 諸人的親歷記述;第六章白死病之鄉,是描寫西比利亞極東部的奴工營建立始末的,原作者爲 BORIS I. NIGALEAVSKY,又第八章關於極北地區以及在荒島上諸特殊集中營的描寫,則爲 BORIS SAPIR 所撰。這許多作者的經歷,其時間地點,容有不同,然其遭遇的慘酷程度,則衆口一辭,並無二致。

蘇俄奴工二千萬

蘇俄自史太林執掌政權以還,便一直運用清黨的方式,把大量異己的男女,加以拘捕,除開一部份置諸死地之外,其餘都被放逐到不毛之地,強迫做着種種苦工。這些被管制在監獄中的奴工,數目逐年增加不已,依照各種不同的估計,其總數在一千二百萬至四千萬之間,大抵不會少於二千萬。一九三九年被放逐到俄國去的波蘭人,曾聽到那些誇說俄國偉大的獄卒說:「波蘭人口不過三千五百萬,在我們俄國,單是犯人就有那樣多。」俄國這種偉大果然了不起!

使用役奴的代價異常低廉,據一九三二——三三年蘇俄官方的公布:「養活一個人,每年需費五百盧布以上」。在同一時期,依官方統計,蘇聯平均工資爲一千四百九十六盧布。故奴工的代價,僅及自由工人的三分之一。其次,使用奴工,大部分是手工,不需要現代的工業設備,因此幾乎可以完全不必投資,只耗費些微的口糧就成了。由白海至波羅的海那條大運河,便是完全用人工造成的,當時奉到命令:「不許動用分文外匯」,所以要用人,不能用機器,因爲機器要向外國購買。因此,在蘇俄的經濟體系裏,凡是簡單手工可以應付的各部門,如森林、運河、築路等等,無不是利用奴工完成,至於開礦工作,那更不在話下了。還有一點,對待奴工,可以施行最嚴格的紀律,並且有極大的流動性,甲地工作完成,即可隨時調往任何遙遠的乙區工作,至爲便利。

我們讀了上面的敍述,(見第五章)就可以明白中共所大肆宣傳的「治黃」、「治淮」等建設成績,不外全部依照蘇俄的藍本,毫無獨異之處。也許此後中共所能造成的成績,更比蘇俄輝煌,因爲在中國,有着比蘇俄更多的人口,可供奴役與消耗。共產黨當然願意消耗無數的人口,來建築他們自己黨的專制王國。

慘無天日的生活

說到奴工營裏的生活,眞是慘無天日,每一個到了那裏的人,便是與死爲鄰,墜入了人間的地獄。每日每人的口糧配給,須按照其工作生產量爲標準,第一等的(生產量達百分之一百二十五以上者)可獲得麵包一千格關姆,低者僅得三百格關姆(不及一磅),還要受許多非刑的虐待,甚則處死。而所謂生產量的標準,如以挖地爲例:在一個夜班中,即須完成挖掘一個十二立方碼的地洞,并且要把泥土運到十二碼以外去。其實就是「勞動英雄」,也無法挖過八立方碼以上的,所以想要超過生產,簡直是夢話。

營中醫藥設備,不只劣陋而且缺乏,而在那惡劣的天氣與環境底下,須要毫無休止地工作,疾病傳染十分等閒,病了想不死亡就更難了,所以這些奴工的死亡率,通常是非常高的,而因食物缺乏饑餓而死者,成千成百地餓死,更是常見。

所有的營房,就在幾棟用樹幹樹葉隨便搭成的原始建築物裏,又小又髒又沒有鋪地的院落,營中的圓木做成的床舖,便是睡覺的設備。沒有水,沒有陰溝,沒有燈……許多人擠在一間小屋子,每人找不到一席地,只有依着工作的上下班,兩人在一床輪流睡覺。

奴工的種類有三

在勞工營裏有顯明的三類犯人:(一)職業犯,(二)風紀犯,(三)政治犯。職業犯包括竊賊、強盜、殺人犯等,他們是絕對的少數,但在營裏橫行無忌,常常侵害其他犯人。他們繼續從事偷竊搶奪的行爲,別人的麵包、衣物,就是他們竊奪的目標。營中的管理當局,閉着眼睛加以默許,被害者毫無辦法抵抗,只有把食物趕快吞到肚裏去。他們說:「貯藏麵包最安全的地方,就是你的胃。」營中的所謂紀律,只是對工作而言,工作以外的,他們就不管了。

風紀犯,大部份是公共機關的瀆職人員。他們常被營的管理當局派給一些職務,地位亦較優越於政治犯。政治犯則又可分爲下列幾類:(一)不滿於集中農場的農人;(二)到過外國或有家屬在外國而時常通信者,這類以猶太人爲多;(三)以前邊界的居民,波蘭人爲多,中國人,高麗人都有;(四)爲了宗教信仰而判罪的;(五)政府官吏因政治過失而判罪的;(六)因特殊的蘇維埃戰時刑罰而被判刑的人,如被佔領期間與敵人合作者,俘虜,戰爭末期被蘇軍佔領國家的人民等等。

華總立場曖昧不明 純正商人紛紛退會

香港號稱民主櫥窗,人民對本國政治的感應最爲敏銳,一位最近飛返自由祖國觀光的影人,曾經說過這樣一句話;「我們距離大陸僅一分鐘旅程;來自由祖國基地的台灣,卻要三小時又五十分鐘的時間。但是我們爲什麼舍一分鐘的短途而不去,偏偏選擇了三時五十分的長途呢?」他說,「這就是厭棄極權奴役與嚮往於民主自由的一個很好說明。」

港九工商界屢遭中共迫害,對中共的暴行罪惡,認識最清,知之尤切。本屆的商人節裏,已經充分反映出來。作爲一部分商人們領導象徵的中華總商會,據說會因某一領導者受到中共的壓力,使會務陷入了停滯狀態中,而會長高卓雄近來的私務似比過去忙迫,開會時不若過去那樣準時出席了。過去每有人會向他質詢爲何不準備慶祝商人節,他推說是「改選事忙」。

最近美國副總統尼克遜及美國工商業考察團抵港;港九工商界各大僑團首長如中華廠商聯合會、九龍總商會等均曾分別聯合歡迎,他們並且替會員們請求解決有關業務困難問題,但中華總商會卻一無表示,高卓雄前天在會董月會中似乎怕人提出來質詢,首先說明了「時間來不及。」

自從爲了選舉會長,懸旗問題的爭執,停止慶祝商人節這一連串不愉快的事件發生後,有正義感的會員們對中華總商會的信仰大爲降低,他們爲了本身利害的得失,過去曾表示無聲的抗議,但現在已由暗示退會而逐漸採取正式行動了。相反的,九龍總商會會務,卻有驚人的發展。該會向來所採取的立場,凡屬本港華人的經營商業者,均可加入爲會員。因爲她創辦於九龍半島,而定名「九龍總商會」,實際亦爲香港之一部分,然以香港方面商人及團體最近陸續申請入會已逾百餘單位,該會爲了擴大會員福利以及商業前途設想,自不能存有地域區分,近擬冠以「香港」兩字,改爲「香港九龍總商會」,倘獲當局認可,然後正式提交理監會完成合法手續。

關於九總上冠「香港」兩字,則經該會大多數理監事贊成,藥行商會理事長劉仲麟日前發表書面談話,指證中華總商會對會員福利忽略。他說明退出中華總商會之理由,強調他的藥房入會數年仍毫無是處;故改選會長,高卓雄又不履行諾言。最後,他力言加入九總,是因爲欽佩該會之立場純正。

鄂工業混亂

獨佔生產盲目經營 成本高昂貨品難銷

據中共漢口長江日報透露:目前湖北省之中共黨政機關,正在大喊「整頓地方國營工業」的口號,已由該省的「工商廳」派出大批幹部分往各地作所謂「全面的深入檢查」,原因是該省所辦的地方性「國」營各工廠,在獨佔生產及盲目的經營之下,已弄得一敗塗地,不僅損失慘重,且因大多虧蝕過鉅,組織紊亂,已有紛紛垮台之勢。據該報指出造成此一結果的主要現象,約如下述:

其一是盲目擴大工廠門面及生產任務,如亂造不合實用的廠房,購置不合實用的機器等設備,擴大生產規模,缺乏原料,造成停工待料;造不切實用的成品,或出產大批次貨,無法推銷,造成嚴重的積壓;上述情形,均使各廠的大部資金耗於廢物,或陷於凍結。

其二是生產的成本過高,質量太差,浪費現象非常嚴重。如孝感專區農具廠給雲夢電油米廠打地螺絲帽,一個合兩萬零二百元僞幣,而過去私營工廠出品的東西,只需僞幣四千元。

萬竹樓隨筆

「談余叔岩」

・舜生・

仔細想來，我似乎對任何一種藝也不曾好好鑽過，可是偶然遇着一部對我有相當吸引力的東西，卻又總想拿來翻翻。

同樣情形，對任何一類戲劇我都沒有深澈的了解，但我却已有了四十年聽戲的經驗。

北平人對於戲，不歡喜說『看戲』，而歡喜說『聽戲』。從民國十五年後開始，到二十五年爲止，我先後去過北平十次以上，每次總以聽戲爲附帶目的之一。在北平那些戲院中，我眞看見有不少的人，在那裏閉目靜聽，有的還在他們蹺着的一隻右腿上，用兩個指頭輕輕的敲着，神氣確是怪有趣的。

其實一個眞正的名角，決不單只中聽，同時也必然中看，換言之，像他那樣的字正腔圓，固然值得我們領味，就是他那一舉手，一投足，乃至一個很細微的表情，又何嘗不值得我們欣賞？

凡藝術都必得講規矩，離開了規矩，便直是沒有藝術。在文字，繪畫，雕刻，……這些方面能够開派的大家，大抵都是在基本工夫上經過千錘百鍊，然後才能憑藉他們的天才，以開出新的意境，換言之，他們只是神其用於規矩之中，而絕不是超越於規矩之外。『鴛鴦繡好從君看，不把金針度與人，』其實就把金針度給你，假如你自己不去繼續的鍾鍊，磨，也還是沒有多大用處的。三四十年來，我見過不少天分很高的人，但其成就，往往不及一般的中材，這便完全是由於肯下苦工與不肯下苦工的結果。

去年冬天，我看過一部許姬傳所述梅蘭芳的『舞台生活四十年』，頗感興趣；因爲我不僅從這部書得了不少聽戲或看戲的常識，同時從演戲的這一角度，也使得我對清末民初北平和上海這兩大都會的生活情況，增加了許多親切的印證。

最近，又看見一本孫養農君在香港印行的『談余叔岩』，我也以看梅書的同樣心情翻了一遍。我覺得孫君這本書也寫得很好：關於這一代藝人的家世，師友淵源，他在北平和上海演戲的經過，以及他本身藝術所得人傳的，乃至他的私生活，……都源源本本有頗詳盡的敍述，作者雖只標着『談余叔岩』這樣一個書名，但實際不啻是一篇余叔岩的詳傳。

余氏在抗戰中（民國三十二年）死於北平，據孫君所述，余氏一共到過上海三次，我大概是在他最後一次到上海的時候，聽過他的一齣『打棍出箱』。在這一劇中飾范仲禹這一腳的，應該在憂憤焦急中，仍不失讀書人雍容的本色，我生平聽過這齣戲多次，眞正當得起『爐火純靑』四字批評的，恐怕仍應推余氏首屈一指。孟小冬盛時，我也看她演過這齣戲，其爲余派嫡傳，自屬毫無疑義，但她與乃師的比較究如何，這便不是我這樣一個絕對外行所敢亂說的了。

不打自招文抄

・文抄公

以下是經中共的出版物抄來的一篇文章，我們從這一篇文章可以看出大陸工人對於中共的「文教委員」是怎樣的態度，所謂「文教委員」也者平常又做些甚麽工作。以下的題目和作者姓名銜頭全是原文：

×　×　×

我們的文教委員

上海店員工會　周燕炎

星期一，一週的工作開始了，可是我們公司工會的文教委員，因爲籌備上週的週末晚會忙了好幾天，精神還沒有恢復過來。工作時，不是打瞌睡，就是喊頭昏。好歹過了兩三天，他又鼓起精神，動員了幾個人爬上高梯，張燈結彩，佈置會場，準備在這一個週末開個更盛大的跳舞晚會。我們的文教委員確實非常忙碌，他忽而跑到這邊，忽而跑到那邊，指手劃脚的指揮着一切：「這個掛偏了，左邊再高一點。」「還要配上個綠燈泡，光綫才協調。」處處表現出他用盡了心機。

爲了印刷入場劵，文教委員整整跑了半天。他跑了許多紙張店選擇紙張，又跑了幾家印刷廠接洽印刷的事情。粉紅色的入場劵和請柬一樣大，而且是鉛印的，要不細看的話，一定會當是結婚的喜帖。

爲了邀請伴奏的樂隊，文教委員奔波了一天。多虧他的誠懇態度，委婉的詞令；最主要的，據文教委員自己說：還是由於他的「情面」，才請到這班高明的樂隊。主要的事情都辦妥啦，文教委員還仔細地考慮了一番：是否還有未盡事宜？沒有了，一切都準備妥當了。於是打電話催促印刷廠快將入場劵送來。接着他坐下來擬分發給各單位，各兄弟公司入場劵的數量單。

印刷廠送來的入場劵。文教委員又數票，又裝封，還忙送到收發室，並要通訊員作急件送出。

一切事情都辦好了，文教委員懷着輕鬆愉快的心情來到辦公室，準備趕快辦一辦他的業務工作，因爲積壓得太多了。可是辦公桌上的電話鈴響個不停，像有意跟他搗亂似地不允許他工作。

「喂，文教委員嗎？發給我們科裏的入場劵太少了，我們還要四張才够分配。」

「老李嗎？這次眞對不起同志們，還有兄弟公司不能不照顧一下，請向同志們解釋解釋吧！下次一定辦到。」

「你送來的入場劵已經收到了，希望再送我們幾張？」

「請你們原諒，這次實在不够分配了，下次一定給你們公司多送幾張。」

我們的文教委員眞有好耐性，向這個解釋，向那個說明，又向各兄弟公司道歉，把電話一個個都婉言打發過去。

星期六到了，雖然有許多積壓的業務工作等着文教委員去辦，可是他迫不及待地盼望晚上早早來臨。他已經無法控制自己安心工作了，走進走出，不知忙些什麽。

會場五彩繽紛，燈光陰暗而幽美，樂隊伴奏着輕快，悠揚的歌曲，滿場熱烈的空氣，人們在擁擠地舞着。

這是文教委員最高興最滿意的時刻，因爲在他看來，現有的人都帶着感激的眼光望着他。

時間在熱鬧中過的特別快，原定十點半鐘結束的舞會，文教委員一再宣佈再延長一小時，再延長一小時……。

一星期又過去了，文教委員仍然由於過分疲勞，頭腦昏昏沉沉。他忽然想起職工業餘學校上個星期請他去作關於增產節約的報告，可是他還沒有準備哩。

不景氣籠罩下　東方之珠失色

旺季成爲淡季　各行業嘆苦經

島上風光如昔，但造成這都市繁榮的各種行業，却是日走下坡，大不如前，即以往年每屆秋後便轉臨旺季的幾家行業，今年也是吹遍淡風，毫無起色，並且有反不及淡季的，難怪他們要搖頭歎息。即拿金飾業、服裝與保險公司的業務來說，現在本是步入一年中最興旺的季節，可是它們的實際情形如何呢？農曆中秋以後，按說是金飾業開始轉向旺季，直到翌年的新春。但今年完全不同，反而成爲一年中生意最少的日子，多數要斷蝕皮費；有的竟辭去技師，由幾個學徒在維持門面。據行內人士談：該業多數行家平時主要顧客，都是中下階層人士，特別是工人與水上居民，他們以購買金飾當作儲蓄。然而因爲工人失業人數增加；往來貨物的減少，船隻的起卸工作也跟着不行，他們已沒有餘錢來添購不必要的裝飾品了，所以，該業因失去這些主要顧客，生意當然也大受影響。

服裝業也並不因天涼而好轉，生意只有往年的一半，甚至還要少。因爲香港的服裝業，單靠本地交易是不够的，主要的對象是外銷和過埠客，才是它們餘錢所在，而現在大陸鐵幕深垂，其他地區亦少出路，往來的旅客愈來愈少，一次添置四季衣服的過埠客已絕無僅有，光是當地的門市生意本來不多，何況目前逼得這些本地佬也因在整個市場普遍不景氣籠罩下，生活爲難，雖是「全家都在秋風裏，九月寒衣未剪裁」，也祗有將就馬虎了，服裝業那來生意呢！

每年秋後原是保險業欣欣向榮的時候，秋末的盜刦險漸趨旺盛，冬季火險投保照例也必增加。但今年不同往年，火險在表面上雖說是比前增加約一二成，而因爲保險率由千分之八減爲千分之四，實際的生意是在減退；盜刦險也因各行業維持不易，商人都在「能慳則慳」的打算下猶豫不前；其他水險、滙險更是普遍降落，業務大爲萎縮。

僅從這些行業的旺季變成淡季中，可以見到商場的一般情形，不景氣下的東方之珠是黯然失色了！

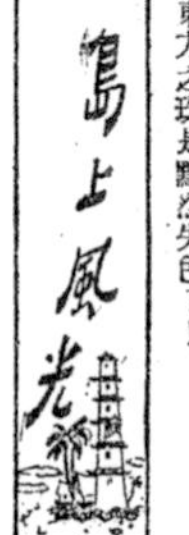

秋日感懷

・彭又彭・

無復當年叔夜狂，霸才詩譽屬誰揚!? 離家骨肉三春夢，隔岸呻吟六月霜，腔裏丹心元皎潔，眼中龍血盡玄黃，休嫌六翮清風弱，只願平仇返故鄉。

前題

郭晴

三載清秋海外過，荏苒歲月感蹉跎，魚龍欲化無雲雨，燕雀思歸有網羅，萬里鄉心隨夢遠，一年愁緒入秋多，今朝分外光明月，照澈神州淨赤魔。

共幹的逃亡

一個東德青年的自述

・敏須譯・

「參加共產黨青年團，是日後進入東德共軍——人民警察——的準備，我之參加青年團，實際也是使我最後擺脫共產主義的起端。共產黨的青年團，實際和希特勒的青年團並無分別。

「今日，穿着藍色制服的共產青年團團員，才是眞正的共黨狂熱份子。過去使我參加希特勒青年團的英雄崇拜心理，使一九四九年同樣的使我參加了史達林的青年團，後來更使我在青年團得到了一個相當重要的地位。

「到這時候我才發覺，很早以前，青年團的負責者即已認淸，我是一個狂熱而不惜犧牲一切的青年，正是他們所需要的。當青年團開始組織兒童助耕隊的時候，我便成了他們的指揮官，帶領他們下鄉協助農民收割，我對他們叫喊，發佈命令，一切都與我在希特勒青年團中所學到的無異。

「後來，東德的「藍衫青年團」便是史達林在蘇俄以外的第一支青年軍。除了正規訓練外，他們還需經常到野外作打靶演習，他們所用的武器，是大量生產的步槍，每十五人一支，打靶距離是一百碼，這種軍訓雖不算澈底，但至少已可敎會下一代的新人如何去殺人。

「這種演習還常害死這些孩子們。他們所用的槍，由於大量生產之故，質地惡劣，在射擊時，槍銃每會炸裂，以致炸死發槍的孩子。

「共黨青年團是一個半軍事化的組織，男女都有，也含有一點童子軍的性質。一九四九年，共黨把從青年團中徵召志願投軍的團員，把他們組織成他們早經密籌劃的新軍。這支新軍，表面上稱爲「人民警察」，凡自願參加者，也需經過嚴密審查才能獲准，即使他們所學的不過是如何運用蘇俄坦克的大砲和其他裝備的軍事技術，但政治思想卻最爲重要，非被負責者認爲「政治上可靠」不能成爲所謂「人民警察」。

「我的資格正好符合他們的要求，我是在一個獨裁制度下長大的，要使我去適應另一種獨裁制度，他們自毋需費力。我後來發現，所謂「政治上的可靠」，竟還包括不能與美國、英國、或法國人有過接觸，凡在戰時被西方俘虜過的人，即自動喪失參加人民警察的資格。在共黨心目中，有過接觸，不論是由於被俘，抑或其他原因，便必然已染上一種危險的細菌——自由思想。對此共黨來說，這種想法也許是對的。

「不過，我的情形不同，正合共黨的希望。我被批准後，便被調到土爾加市從前的納粹騎兵軍營受訓，營中紀律，與以前在希特勒青年團所見的同樣嚴苛，事實上，這也是全部抄襲希特勒的國防軍，但這樣的生活我早已習慣，所以不感苦痛，甚至還喜歡它。我們在正式經常住在軍營裏以前，還需要到街市中幫助掃除戰時被毀房屋的垃圾砂泥，再重新建造或修理它們。

「這時候，東德的新軍每連僅六十至七十人，紙上正式編制所規定的半數，但到今日，甚至每營祇八十至一百人，兵員更不足了，這是因爲共黨慣於在紙上擬定隊伍數字，沒有顧到能不能召足所需要的兵員人數，或訓練出來的人是不是能有這麽多。

「人力不足一直是東德共產黨所遭遇的嚴重問題。今年，克里姆林宮爲了要在東德擴大軍事潛力，以便隨時擴軍，已命令東德共黨全部黨每一百二十萬人，員人都需受三個月的軍訓。

「但東柏林及東德各地在六月間發生大暴動後，共黨不得不提出所謂「溫和的新政策」，因此，這個軍訓計劃已暫時擱置。可是它仍在紙上，祇要俄人決定他們需要更多的砲灰，隨時都可付諸實行。

「在我從青年團轉到「人民警察」的時候，新軍的建立甫告開始，共黨所急切需要的，乃是一批百分之百的狂熱份子，可以任由他們訓練，教以一切學自蘇俄的共產主義敎條，要他們學習如何去偵察他們的朋友，親人和鄰人，如何把他們的行動向共黨告密。」（二）

我逃出了竹幕

十日（第四天）沒有開拔，連指喊我的姪子去問話，地說：「老頭是你什麽人？你是不是他的勤務兵？老實說！」我的姪孫子答：「老頭是我叔公，在南洋當敎員，我不是他的勤務兵，是他的姪孫子！」

「你不要說假話！」——連指警告他。

「我那裏敢說假話？他是我的叔公！」——我的姪孫子答。

「你是那裏人？」——連指問。

「我是福建人。」——我的姪孫子答。

「眞的嗎？」——連指又問。

「我那裏敢說假話！」——我的姪孫又答。

連指笑了，叫他回到原處。回來的時候，他把問答經過告訴我。

這裏叫作板村，我們一住就是五天（十日至十四日），天天下着小雨，氣候更加冷了。在這幾天中，沒有那天不點名，也沒有那天不編隊，而編隊的時候，又沒有那天不塡寫姓名，年齡與籍貫。柴米兩天一發，菜日發一次，豬肉有時也有，每次三兩到四兩。

十二月十五日，我們又復編隊出發。今日他們故意和我們爲難，一路上大雨如注，泥濘滿路，走的又都是鳥道羊腸，還要扒山，婦女與小孩就非常作孽，如果拖兒帶女的，更加吃不消，落後與脫節自在意中。可是，他們並不同情，屁股背後跟的是槍筒，拳頭，狗腿，時時都要提防猛可來個襲擊。天快要黑，才到宿營地，身心均感困頓。有許多人告訴我，不少軍官眷屬拚着兒女在半路，眞慘！因爲今天太辛苦，有人要休息一天，沒有得到批准。

四野官兵服裝完全一律，所不同的，褲襠底下有一塊斜車的紋路，他們說：「這是下級官。」中級官和上級官都掛有手槍，槍柄末梢吊有一塊布，紅的是團營長級，黃的是軍師長級，營長以上有馬騎，連長以下沒有馬騎。

今日行六十里到橫縣境，爲了昨天走得太累，所今天走得很慢，天黑了才到達宿營地。迎面見二野的劉伯承隊伍，個個都穿着單衣，服裝及面色均不及四野，似乎有些凍壞了。

進了宿營地，衣履盡濕。利用同路人升的火，將濕衣烤乾，被窩太厚沒有辦法，只好將就睡一晚。（五）

・王世昭・

中華民國僑務委員會頒發登記證台教新字第一零二號
中華民國郵政登記第一類新聞紙類

自由人

THE FREEMAN
（中週刊每逢星期三六出版）
（第二八三期）
每份港幣壹毫
督印人：李光華
社址：香港告士打道六六號
電話：七四〇五三
GLOUCESTER RD.
HONG KONG
TEL: 74053
承印者：東南印務出版社
地址：高士打道六十四號
台灣特派員辦事處：台北市館前街五十號
台灣總經銷處：台北中華路新號五九四之一
台灣郵政劃撥儲金帳：九二五二號

德慧與智慧

·伍憲子·

此是當前一個重要問題。自海通以來，一百餘年，中西文化交流，由衝突而漸趨於有所偏重，甚至主張消滅其所固有，而倒向一方，始終不懂得調和，其最大原因，就是德慧消失，智慧不夠。

德慧與智慧應融和

要了解此義，當先求出德慧與智慧所含之內容，然後明白德慧與智慧應該融和，而不應該離異。在尋常眼光觀察，德是道德，智是才智，道德重修養，多向內省察，才智重經驗，多向外發展。不錯，此是表面形態。我們要鑽入深思，還須了解慧字。佛家最歡喜解慧，慧之意義，是內心空明，光明澈照，如此，方能智周萬物。假令德而不慧，則德流於迂，智而不慧，則智流於詐。如此，則講道德者與逞才智者遇，講道德者當然會吃虧，但逞才智者亦未必得勝利。然此風一長，此途便分，道德與才智，遂不能融和。逞才智者可以絕塵而奔，去路大澤，講道德者抱殘守缺，搖頭嘆息，結果亦無能補救。

我們試細察西方文化，因爲才智太發達之故，自然而然就趨向於人權。接着人權伸張，又自然而然趨向於權力，而且趨向於權利。力與力相碰，無可避免，必出於鬥爭，利與利相接，各欲負之而奔，必至於分裂。在此緊要關頭，假令慧不足以看破之，判斷之，則才智之用窮。即使不窮，亦必停滯於苦悶之中，而彷徨失措。

同時國務卿杜爾斯發表新聞記者，又謂中共政權倘不再犯指揮北韓支持越盟之侵略罪狀，亦能開始遵守聯合國憲章，則美國可能考慮承認中共政府。此兩種極端矛盾之言論，不是出於尋常人，而是出於副總統與國務卿，到底誰假誰真，誰非誰是，確令世界人士聞之疑惑。同時美國許多有地位人物，如馬歇爾與一百萬人之簽名者，正在要發動反對中共加入聯合國，而杜爾斯忽發此考慮承認中共之奇想，不祇是對副總統與心，亦是對國內許多反共人士開玩笑。當然，杜爾斯之言，是說得很有技術的，是等於對小孩子，示以一粒朱古力糖之可欲，小孩子未到乖乖聽教之時，一粒朱古力糖是不容易到口的。但對一個持械劫財開槍殺人之兇犯，錯認爲一個天真爛漫之小孩，杜爾斯先生未免不智。此無他，就是根本未把握着德慧，因此不夠智慧。

德慧的真正意義

然則德慧之解釋如何，德慧是從人性中出發，其心中空朗，徹照大廓，其才智，時或許利於大羣，而害於一己，亦不願以私害公。故在朋友間之運用，全注在大羣，下會友求榮，在國際間，不徇強國巨頭，而不是爲一小圈，出賣弱小民族。能更不是爲一己。故其判斷事物，不問利害，祇問是非，於大多數之人羣利，則是之，於大多數之人羣害，則非之。是非既定之後，不再游移，有把握住此，方是德慧。由此德慧以發生智慧，則道德不迂，才智非詐。否則「人皆曰予智」，結果弄巧反拙，徒勞無功。

中西文化不是相反

說到此，要歸結到中國文化。我是提倡中國文化者，然有人或以爲迂。誠然，一百年來，中國對外，節節失敗，中國文化似乎不能應付世界之變。但此不能歸罪於中國文化本身，完全是中國人自己失去德慧，故不懂得運用智慧。孟子云：「人之有德慧術智者」，我們不應棄德慧，而偏求術智，更不應矜術智，而歸罪德慧。假令術智而無德慧爲之根，則不成其爲智慧，德慧而不懂得運用術智，亦不成其爲德慧。故中西文化不是相反，而是相成，不是衝突，而可以調和。

東亞文化的短長

素沐西方文化之人民，其對政府常處對立地位，人民雖選出政府，亦不輕易信任政府，政府要取得人民信用，甚難。現在民主國家之當局，不能如身使臂臂使指之活動，以團結其人民，使犧牲私利，抵抗侵略者，其受病就在此。西方國家之人民，視其政府，常以爲是利用權力，壓迫人民，平日給予政府權力，總想壓縮小愈好，其理想且流爲無政府主義。此無他，就是文化太趨重於才智，而忽略道德之故，是才智太集中於人權，而不肯放鬆權力之故。中國文化則人民與政府，不是對立，而是打成一片，政府對人民，不重用權力壓迫，而重用人格感化，所以說「惟仁者宜在高位」，所以說「天生民而立之君，使司牧之，勿使失性」，此是中國文化之德慧。不幸歷來負政治責任者，多失去此德慧，現在要學西方政治者，則遺取西方之智慧，到底智慧不足，德慧全失，致令人民與政府，都如一盤散沙，[illegible]化，中國人更應虛心德慧，以運用現代之智慧，自尊重其文化，恢復智慧。

德慧應領導智慧

勿以爲科學發達之原子時代，而鄙視道德爲迂腐。須知道德而無慧，道德誠迂，有慧，道德誠不迂。術智必從德慧而來，方可以成其智慧。雖然科學家明之原子放射，其不可思議之妙用，寄在一切物體。然人爲萬物之靈，亦應有一種不可思議之放射作用，此就是中庸所謂「誠者物之終始」，「不誠無物」，「至誠而不動者未之有」。人們日在虛僞中，勾心鬥角，或冥然罔覺耳。根據物理學家之[illegible]能常住其心，則德慧彌佈人間，隨處可以感動。由九十三種化學原素，化成ABC[illegible]者，皆由種種細胞維他命，[illegible]不同之[illegible]原子仍不是物質的基[illegible]科學[illegible]宇宙之光。故單靠食物滋養，以維持生命，與醫療疾病，而忘却空氣與陽光，忘却所有食物與藥物，皆須空氣與陽光長養而成，是茫昧了原子之來源。明白此義，則德慧就是空氣與陽光，有此而後可以成就其智慧之原子。

世界如未到末日，人類尚希望安存，則科學家之智慧，終須受哲學家之德慧領導之。我願勝才智者稍斂鋒鋩，無妄作聰明，自損其德慧，中國文化尚未衰老也。

美領袖言論矛盾原因

即如現在，領導民主國家阻止共產帝國侵略世界之美國，其才智不可謂不具備。然而不能運用其才智，感動各民主國家，使之步驟齊一，並且不能運用其才智，和融國內各領袖，使之合力貫澈其主張。於是各勵才智，往往跑出軌道。最近副總統尼克遜訪問台灣，發表態度之際，謂中華民國政府是美國所承認之中國唯一政府，並謂共黨政權在中國實不能持久。而

一週展望

·陳克文·

屏棄等待依賴心理

中國國民黨於本月十二日舉行七屆三中全會，最關重要的政治報告決議案及黨務報告決議案均已於十五日的報章發表。這雖是一黨的會議，但因爲國民黨今日所處的地位，這些決議與反攻大陸復興民國有莫大關係，是不待說的。

兩項決議的重要精神可於「對敵人展開黨的組織戰，思想戰，心理戰，以掀起大陸民衆反共革命的怒潮，創造反攻勝利機會的來臨……！屏棄一切等待依賴心理」這幾句決議文看出來。在這變幻莫測的世界大局之下，我們如果缺乏這種盡其在我，不等待，不依賴的心理，是不會有反攻大陸，復興民國的機會的。

這種精神不只負國家實際責任的國民黨要始終信守不渝，即一般非共反共，愛護中華民國的人士，也何嘗不要抱着同樣的決心，力求實踐呢？

召開救國會議的誠意

兩項決議案，對於未來的國民大會和救國會議，均一再強調，力求其順利有成。這兩個會議都有關團結國力，展開反共救國大計，最能使海內外同胞所集中注意。政府既已再三表示重視與誠意，於此吾人更不能不懇切祈求非共反共的各方領袖，出以言論和行動的共鳴。政府既能以「最大誠意，寬大精神，不計恩怨，捐棄前嫌」，號召「團結海內外一切非共反共力量，共同參加救國大業」，我們相信非共反共的海內外人士必不至於袖手傍觀，漠然無動於中。

有人以政治決議案中，有「建立反共救國聯合戰綫」之語，認爲救國會議有採「請客」方式之嫌，其實所謂「聯合戰綫者」，乃促成反共青年團結而言，與救國會議無關，似不應以此引起誤會也。

中共民族政策的破產

中共最近正式發表其所謂民族政策執行的結果，並加以檢討（見本期本刊第二版），及最近本港各報所載，在「漢族幹部」的專橫凌虐之下，已引起國內少數民族的極大仇恨。共產黨的民族政策根本以挑撥民族感情，施展控制和剝奪的陰謀爲目的，決沒有半點民族平等的意義存在，故赤潮所至，少數民族的權利決無保障之可言。中共此次的公開發表，不過作事實上的正式招認而已。

於此，我們可以決言，共產主義和民族主義是水火不相容的，共產黨的失敗，也將失敗於民族主義的滋長。中共的崩潰，已經於其民族政策的破產，見其先兆。散佈各省的少數民族不下數千萬衆，今後必將因不堪中共的欺凌壓迫而更加團結，以至出諸實際的革命行動，這也是中共心腹大患之一。

政治會議能妥協乎？

政治會議的議程問題，[illegible]會議之後，聯軍方面似乎已作讓步表示。不願意討論的成員問題，（組成國家）竟可以參加小委員會討論了，美代表狄恩[illegible]經軍中休戰協定第六十段的規定，祇限參戰國出席政治會議，共方已不作此許。我們懷疑政治會議中聯方能否有所讓步。跟着共方提出要求「彼此決定自己方面的代表國家」，又「必須由五個中立國，參與討論」，[illegible]作爲「參加[illegible]」以蘇聯的地[illegible]加接受[illegible]於這顧一，[illegible]更不待的

日本的兩面貿易政策

許漢劍

日本要打開中國大陸貿易的通路，除了經濟的作用，還有政治的作用，那就是想釜底抽薪，打擊日共的經濟來源。

考察團滿天飛

最近從日本旅行回來的朋友談起，日本朝野上下，都有一個共同的憧憬，就是打開輸出輸入，尤其是對中國大陸的貿易，中共最近，舉行中日友好週，歡迎日本左傾而至中間偏左的份子參加，日本居然欣然如約，組織了一個產業考察團到大陸去，日本雖聲明此舉並非官方授意，但既由外務省發給護照，則日方把打開對中國大陸貿易通路的拓荒責任期諸這班冒險家已昭然若揭。

這兩個月來日本組成的考察團滿天飛，到美國，到荷印，到台灣，到中國大陸，當然他們的任務不祇是考察，而是打開貿易的通路。

企圖打開貿易難關

日本要打開貿易難關的理由無須贅述，日本是一個工業資本主義國家，原料與銷場兩個問題不能解決，這個國家便缺乏生存的條件。日本是戰前因攫取到東北煤鐵大豆的大量供應，又以中國大陸爲其傾銷之市場，於是日本資本主義才能步步高升，一日千里。日本曾提出一個口號是「日本工業，中國農業」。日本戰敗，中國擺脫日本資本主義的枷鎖，日本又面臨生存邊緣的危機了。

今年八月廿九日，日本勞動省發表勞工白皮書，到今年六月底止，失業人數四百萬，比去年增加一百萬，失業人口所以劇增，主要的原因是由於出口不振，做成出口不振，除一部分原因由於政治的因素，戰前的市場被他國奪去外，原料缺乏成本增加以致影響輸出品價昂，也是重要的因素之一。

祇談生意不涉政治

戰前日本的中國輸出食品、紡織品、五金、火車頭等，由中國輸入煤、鐵砂、大豆、鹽等。目前這些原料既來源斷絕，影響許多工廠要被迫減少生產，甚至停工。

日本既需要打開中國大陸的通路，中共又何嘗沒有同感！自從聯合國執行封鎖中國大陸後，中共祇能把原料與工業品轉輸出蘇聯與其衛星國家，由於風土好尚之不同，加以運輸費用的昂貴，已感到此路不通，於是想到這位戰前的老主顧——日本。郎有心，妾有意，生意自然一拍即合。

從中作梗的是政治問題，日本政府的立場是傾向民主集團方面，不祇政府態度如此，根據國內民意的測驗，也大部份支持政府的主張，最近吉田與重光葵會面，進步黨以全力支持自由黨整軍的政策，尤足表示政府政策獲得民意的支持。

不過政治立場爲一事，經濟需要又爲一事。日本最上算的如意算盤，世界上不管那一個集團的國家，大家都撇開政治立場不談，儘可在商言商，大談生意經。台灣來商貿易協定固然歡迎，中共來簽貿易協定也欣然同意。這就是日本的兩面貿易政策。

打擊日共經濟來源

日本政府積極要打開對中國大陸貿易的通路，除了經濟的作用，還有政治的作用，那就是想釜底抽薪，打擊日共的經濟來源。

根據日本政府獲得的情報：日共的經濟來源，除國內日共黨員的維持，其餘一數目有限的，一部份是由蘇聯與中共通過日共的關係匯回國內的，另一部份是靠國內工商界的資助，尤以後者佔額最巨。工商界爲什麼要資助日共呢？工商界大部分的政治意識是反共的，但他們要維持其經濟的生命，便要從事與中國大陸的貿易，在實施對中國大陸禁運的政策下，日本工商界必須在其中找尋縫隙的綫索，縫隙的綫索就緊於日共的手上，日共等如是中共在日本的經紀，如想和中共做生意，必須找日共「搭綫」，日共就利用這種綫索發展日本與中國大陸的生意，他本身就坐收百分之若干名正言順的「佣」，日本工商界中的「大陸派」財源亨通，日共經濟來源也不虞匱乏了。

（下轉第二版）

台灣的報紙（上）

·高清心·

大小共二十三家，每日發行總量共十九萬份，平均每五十人看一份。

報紙雜誌不祗是國家民族的精神食糧，而且是近代戰爭的利器。二次大戰期間，英國的「紙彈」威力超過盟國的「砲彈」威力，報紙的貢獻可想而知。

台灣的報紙，一般而論，尚稱良好，內容比日據時代已大有進步，但印刷技術上，有的報紙還相差很遠，略述如下，想亦當關心自由中國者所樂知的。

台北市

一、中央日報——發行人陳訓畬，三十八年由大陸遷台出版。每日出版四開大一張半，內容豐富，漫畫精美，有中央副刊、及兒童、婦女與家庭，軍事等週刊。另有其他專刊，發行量約四萬份左右，僅台中市一處即有四千份。

二、新生報——發行人謝東閔，設有股東會，光復後在台灣出版。每日出版四開一大張半，內容亦豐富。有新生文藝、自由婦女、青年生活、電影、兒童等週刊，及其他專刊，發行量約二萬餘份，發行以台中地區為止；嘉義以南另為南版發行地區，以上兩報均與政府有關，可視為機關報。

三、公論報——發行人李萬居，此報為民營，與青年黨有關。三十六年十月二十五日創刊，已歷七年。每日出版一大張半，副刊有日月潭、及小朋友週刊、台北婦女月刊；發行量一萬餘份。銷行遍台灣各地。

四、聯合報——主任委員林頂立，此報由民族報，全民日報，經濟時報三家合併而成，亦屬民營性質。每日出版四開一大張半，只有一聯合副刊。發行量約一萬五千份，銷行地區前為全島各地，現限於北部、中部、東部；另在嘉義發行南版。

五、中華日報北版——發行人[illegible]，為國民黨主辦，有股東會組織。光復後即在台灣發行。每日出版一大張半，內容甚佳，有中華副刊、及中華兒童、婦女家庭、電影等週刊。發行量約有一萬餘份，地區為北部中部。

六、徵信新聞——發行人余紀忠，為私人創辦。每日出版四開一大張。內容偏重經濟新聞，商業行情，有工業專刊及商業專刊。發行量在七千份左右，讀者大都為工商界人士。

七、華報——發行人朱庭筠，亦為私人創辦。本在上海出版，三十八年遷台發行。每日出版八開一小張，新聞簡明，副刊着重趣味化，幽默化，為台灣小型報紙之先鋒。發行量約六千份，地區為全島各地。

八、自立晚報——發行人李玉階，此報為民營。每日出版四開一大張，為台灣唯一的大張晚報。內容豐富，編排醒目，在公論報印刷廠印刷，副刊最近加強改革，有新公園（綜合性）、及小說天地，頗受讀者歡迎。發行量約五千份左右，地區為全台灣。

九、大華晚報——發行人耿修業，亦為私人創辦。每日出版八開一小張，內容很好，副刊有淡水河及紫星；尤其是以傳記小說連載漫畫，號召讀者。發行全島，約四千份左右。

十、民族晚報——發行人王惕吾，民營。原為民族報與全民日報在民族報合併發行後，改出晚報，即以副刊及傳奇小說號召讀者的。發行三千份以上，每日出版四開一小張，印刷清晰。

十一、國語日報——國語日報社發行，教育部主辦，每日出版八開一小張。三十四年勝利後，在北平復刊；三十七年由平遷台，所有國語運動的仿宋鉛字及銅模、注音符號，印刷機，鉛字等物資，均搶救運台，[illegible]由北平運來的。該報發行的目的在協助台灣同胞，推行國語運動，文章通俗，人人易解。社址本在台中，後遷台北。發行量約三萬份左右，全台各縣市各學校及所有公私機關團體均有訂閱，在學校等於小學生課外補充讀物。該報字體印刷，字傍加注國音符號，印刷精美，人人愛讀。

國外通訊

美國政情的剖視

·華胄·

【華盛頓特約通訊】艾森豪威爾作了白宮主人以來，已滿九個月。各方批評[illegible]此一般局勢，簡單敍述，以供讀者參考：

兩黨均勢

在國會中的席次：上院民主黨佔四八席，共和黨佔四七席，獨立份子一席，[illegible]下院共和黨佔二二〇席，民主黨佔二一四席，[illegible]其差額為五票（編者按：[illegible]）[illegible]

[illegible]務，故政府所提要案，亦幾獲得民主黨議員全體支持，此實為美國有史以來所少見。反之共和黨且有不少投反對票的。因此有人謂此係共和黨在野日久，反對成性，積習難改所致。

外交政策

艾氏就任總統之始，揚言要解放鐵幕內的人民，當時予全世界嚮受共黨壓迫的人民與愛好自由的人士，以莫大鼓舞，後來因受國內人民厭戰情緒的壓抑，及英法等同盟國家的多方牽制，此一政策已不復再提，仍然退守杜魯門之圍堵路線，大有聽任邱吉爾自由擺佈之勢，至對於克里姆林宮的獨裁者更不敢觸怒。自韓境停戰，政治會議的舉行，尚在試探階段，和平渺不可期。近來且有與蘇聯訂立互不侵犯條約之議，對共產黨人不守信約的紀錄，似已淡然忘之矣。

農工政策

艾氏目前最感頭痛的，為對付農民及工會兩方面，勞工部長民主黨黨員水匠杜斌以修改勞資調解法無望，憤而去職。農業部長彭森復以主張與共和黨政綱不符，遭受各方猛烈攻擊。加以農產品價格下跌，農民怨聲載道，勢將影響下一屆國會議員選舉。艾氏雖有意左袒，恐亦無能為力。

游子歸來

現當國會休會期間，議員紛紛作國內外旅行，藉以考察政情，以作提案參考，訪問民間疾苦，以便輿情上達，此為民主國家富有意義之舉。

民主黨總統候選人史蒂文生，競自選失敗，決定作環球旅行，以培養其政治威望，作為他日東山再起的張本，史氏回國後曾訪謁艾氏，建議與蘇聯訂立互不侵犯條約，以結束冷戰局面。聞國務卿杜勒斯在英倫與英法外長會商，即有求實現史氏主張之意。

共和黨上院領袖諾蘭，近亦自遠東歸來，見解與史氏迥異，認為蘇俄與中共威脅遠東安全，絕非空言所能濟事，非實現艾總統解放鐵幕國家人民之主張，則世界和平難有希望。到底艾氏何去何從，有待以後的事實證明。

遠東之行

尼克遜遠東之行，意義如何，頗為世人重視。美國的副總統原為虛位，無論尼氏青年有為，艾氏有意加以培植，雖屬虛位，權力並不小，彼在華盛頓公務忙碌，除艾氏外，恐無可與比者。艾氏交辦事件，尼氏亦無不圓滿達成任務，以故極獲艾氏信任。尼氏此次奉命作遠東之行，旨在代表總統，作親善使節。預料尼氏將與遠東各國領袖及其人民，作廣泛接觸，以增進美國當局對於遠東實情之瞭解，此對於世界大局，及美國將來決策，實有裨益。（十月廿日寄）

問題究竟在哪裏？

讀了幾篇文藝論文以後（下）

·陳紀瀅·

問題究竟在哪裏？

說了半天，問題究竟在哪裏？我想凡有良心，求前進的人，決不可自我陶醉，以現狀為滿足。特別是這種瀰漫無邊的文藝工作，任何時候，[illegible]

政府的提倡尚嫌不夠

[illegible]

政府與黨非無更大量，何況還有若干地方金錢浪費了？如果當是把「重視文藝」擱置在點綴意義上，其所能發揮的力量當然有限。我們希望當局痛定思痛，認清過去在大陸的種種失敗中，文化宣傳失敗得最慘，文藝這一環失敗得更慘。抱定決心，從各方面培植文藝事業，為反共復國也好，為文化命脈也好，趕快增長文藝的力量！誰也不能不承認，在目前階段，政府有提倡幫助的責任，而且比較容易收效。

希望成立管理機構

第二，共黨搞份的自由，但另一方面，也就是沒人管！在政府機構中，教育部只有一個社教司，勉強可拉來說它與文藝有點關連，在已通過的政府新機構中新聞局也僅包括一部份文藝業務，但這個機構還遲遲不成立，因此把這種關係不小的事業落在民衆團體的肩膀上，固然是團體的榮譽，但委實也不勝有負荷之感。我們曾經不斷呼籲，請政府趕快成立一個負責輔導，執行文藝工作的機構，另由民間團體予以配合，但迄無成案。這不能不說是多年以來的缺點。

[illegible]實在太微弱了，不用說拿出等於若干部隊的[illegible]一輔導組織。我們今天的文藝固然享到了充[illegible]

文藝刊物太少了

第三，文藝刊物太少了。台灣各種期刊，儘管五色繽紛，但純文藝性的刊物實在說來太少了，因此就不免發生如東日發先生所說「門羅主義」和「偏見主義」。我想若位有經驗的編輯先生決不會故意捨好文章不要，反而刊取壞文章的。如今在台灣出版的新作家遠超過老作家為多。這是大家公認的。但是我們還不能滿意的是刊物太少，還有大量作品無法容納，使許多作家不能得到充分發表作品的機會。因此也就不能提高寫作水準。「發表」是作者追求稿費的更大慾望，也是更大的權利。但以目前情形而論，刊物與可用的稿件比例，恐怕相差太遠。這是當前最令作家煩悶的問題。

刊物何以滯銷呢？

第四，滯銷是期刊的致命傷。若問為什麼刊物少？答曰：維持刊物太困難。別說純文藝性的，就是那第一流的政治性雜誌不也是相當嚴肅嗎？難道說那裏邊沒有一篇文章可讀嗎？外國一本雜誌可銷到幾百萬份，我們銷行幾千份仍不容易。但美國新聞處所辦的「今日世界」在台灣可銷三萬多份，在東南亞共銷十七萬份。可見不是不能銷，是政策問題。請問我們那個刊物有足夠實現那種政策廉價（而內容充實）力量？既不能銷，刊物就越來越少。這樣銷行與創作便成了正比，不但量上成正比，質上也是正比。這種互為因果的現象，不單純是文藝上的問題（新聞紙亦復如此，而是整個文化的問題）。譬如有人指摘為什麼刊物不向海外推銷？但反問一句：哪一位辦刊物的，不樂意推廣發行？可是一談到如何能收回成本來？即歸入實際的問題。但這些困難事實不能不設法克服，如何克服？須[illegible]大家努力。

如何才是上進正軌

第五，我們自己努力不夠。在任何方面說，無論寫作，無論推動工作，距離滿意的境地相差尚遠。我們深切瞭解文藝工作是自由意志發揮下的產物，是影響社會前進的有力輪齒。一部成功的作品不但影響當代，更可傳之千秋百世，使人類思想發生巨大變化。當前困難重重，自我陶醉，固然絕對要不得，自怨自艾，甚至於氣憤別人，都不是上進的正軌，只有加倍努力，互相勉勵，才能得到進步。

再創作！創作創作再創作！

或者有人要說：你所指的都不是問題，[illegible]

[illegible]（十月廿六日於台北）

日本的兩面貿易政策

（接第一版）

譬如一九五〇年一年中，日本對華輸出一千九百萬美元，輸入三千九百萬美元，其中百分之九十五是經由香港市場的，在這龐大的數字中一部分是通過日共經紀關係的，至於不是經由正常貿易的途徑，運用各種走私及祕密運輸的方法而成交的，也佔一個相當大的數額，當然中共居間接給介紹之功不可沒。

兩面貿易一石二鳥

日本政府自從宣佈日共為非法政黨以後，日共已轉趨為地下組織，他們利用日本政治的動盪與人民生活普遍困苦從事作各種反政府的活動，一波未平一波又起，使政府疲於奔命，於是便想到杜絕其經濟來源實為正本清源的上策，一方面嚴密檢查從國外滙返國內的金額，無論滙給團體與私人的，一律注意其用途。另一方面就是盡量放寬禁運物品的項目，以不公開的方式默許工商界與中共做生意，如果貿易的門大開，日本與中國大陸的貨物可以暢通無阻，日共無法從中居奇，過去的特殊地位自然喪失，日本的一石二鳥的政策便可以得心應手。中共但求稍甦國內經濟困，原無依靠日共的從中斡旋之必要，這次中共舉行中日友好[illegible]

編者讀者

△下一期的文章：阮毅成先生：[illegible]陳伯莊先生：[illegible]李化成先生：[illegible]謝康先生：「旅歐回憶錄」[illegible]

△杜宇，鄭知三先生：大稿均已收到，隨後發表。

△高清心先生：「台灣的報紙」一文今日發表，稿酬當函知台方轉發，餘如囑辦理。

△熱心愛護本報的各位文友：承惠大稿因本報篇幅關係，有時不免刊載稍遲，至以為歉，乞亮察為感。

中共民族政策的破產

中共利用「漢族幹部」政策，實行控制和歧視少數民族的惡毒政策。少數民族因此而發生極大的反感與仇恨。本文係根據中共的正式發表撮要寫成的。

大漢族主義

據上月十日及十四日北平「人民日報」透露：中共爲了明瞭所謂「民族政策」的執行情況，曾於九月間遍飭各居有少數民族地區的黨委大規模地進行一次深入的檢查；但檢查結果發現一般派往各少數民族「自治區」實行統治的中共漢族幹部，都犯有嚴重的所謂「大漢族主義」思想，行爲顢頇，[illegible]專斷弄權，甚至隨便排斥少數民族幹部，致引起少數民族[illegible]而造成傾軋，且因此漢族幹部普遍犯有歧視少數民族的觀念和工作中盲目急躁的錯誤，任意欺迫少數民族，致引起了各少數民族的恐恨和反抗，乃使中共與各少數民族間發生了深刻裂痕。因此，中共中央特授意「人民日報」發出以「貫徹民族政策，糾正大漢族主義思想」爲題的社論，提出嚴厲的批判與檢討。

歧視少數民族

該社論照例說了一篇偉大的成就之後，首先指出：「各地在執行民族政策中所發生的錯誤和缺點也是不少的，有些而且是很嚴重的。比較突出的是大部漢族幹部中還存在着大漢族主義思想或其殘餘；有些幹部中還存在着急躁冒進，或機械搬用漢族區經驗的現象。此外，在一般基層幹部中還有強迫命令違法亂紀的現象。」

對於這些現象，「人民日報」在另一篇批判性的報導中曾有詳細的說明，大致可括爲三大部份：

其一、中共認承有大漢族主義思想的幹部看不起少數民族，不以平等的精神對待少數民族，最嚴重的是歧視少數民族，嚴重侵犯少數民族人民的權利，其具體表現，有下列三方面：

吃肉是思想落伍

一、盲目干涉少數民族的宗教信仰、風俗、習慣、和語言文字。據舉例：如四川省興文縣之麒秀，曾管兩鄉漢族幹部，曾禁止苗族羣衆說苗話。古宗、白臘兩鄉「土地改革」時，漢族幹部曾強迫苗族婦女剪髮和改穿漢裝。河南、安徽等省回漢雜居地區，很多漢族幹部竟譏諷回民不吃肉是「思想落伍」。據認承類似此種情形，各地皆曾或多或少地發生。

二、侵害少數民族的生活和經濟利益。據舉例：如貴州省和廣西省的某些縣，山東省泰安縣，甘肅省靖遠縣，浙江省臨洮縣等地在「土地改革」中，有些漢族鄉幹部故意給少數民族少分田，分壞田，甚至不分給田。有些地區因災荒而在發放救濟款或貸款時，對少數民族就故意少發，少貸，甚至不發，不貸，對中央總結少數民族地區的專款，竟隨便挪用，凍結。如廣西省少數民族救濟費，一九五二年積壓上繳的就達百分之三十八之多。

三、看不起少數民族幹部。不尊重少數民族幹部所應有的職權，凡事實行包辦代替，獨斷專行，大肆排擠少數民族幹部。中共曾認承：此種現象，各地所存在的，尤爲普遍。

削足適履的土改

其二大部漢族幹部在民族工作中的急躁冒進和盲目搬用漢族地區經驗的情形，主要是違背「中央」對少數民族地區因情形特殊而採取穩重漸進的方針，擅自在不具備條件的情況下進行「土改」，[illegible]

任意吊打拷逼

其三、甚層幹部[illegible]糧，收稅等項工作，會隨意使用押繳手段，乃至施行吊打拷逼。即使在對少數民族進行醫療、貿易、貸款、儲蓄等項工作中，[illegible]

中共也「大吃一驚」了

這些現象當然發生嚴重的後果，也當然使中共中央大爲驚恐，因此社論隨後指出：「大漢族主義和少數民族中各種各式的狹隘民族主義，都不利於我國各民族人民的團結合作，而在全國範圍來說：大漢族主義已成爲當前民族關係和民族工作中的主要危險！」并說「大漢族主義已損害少數民族對漢族人民（實即指中共）的信任。正因爲如此，大漢族主義已妨礙少數民族中各種狹隘民族主義的克服，甚至助長了有些少數民族的狹隘民族主義。」尤其在另一篇批判性的報導中說：「經過這次檢查，使若干過去對民族問題不夠重視的有關地區的黨委和「人民政府」，不能不由於檢查中所揭發的出來許多嚴重的問題，大吃一驚！」

中共政策必然失敗

最後必須附帶加以報導者，即中共於一九五〇年制定「民族政策」欲澈底控制少數民族，改造少數民族，係以培養民族幹部爲其基本方法之一，中共爲此曾於同年十一月制定「培養民族幹部試行方案」，首先在「中央民族事務委員會」之下設立一「中央民族學院」，然後相繼在西南、西北、中南等大行政區及新疆、甘肅、青海、西康、四川、雲南、貴州、綏遠、廣西等居有較多少數民族的省份設立「民族學院」或「民族幹部學校」，分別訓練縣級以上的民族幹部。訓練此種幹部初時的一兩期，係以漢族佔絕對大多數，爲控制各少數民族的所謂「自治區」的基本幹部。中共爲玩弄「民族自治」的政治把戲，除各「自治區」的象徵性的統治者——主席——（實即傀儡）由各少數民族担任外，其餘掌實際大權的副主席、秘書、廳、局、科長等根本皆係「漢族幹部」担任，至相當時期以後，一方在少數民族中選拔一部所謂「積極份子」予以訓練，既有少數民族的幹部，乃有所謂「漢族幹部」與「少數民族幹部」之分，於是產生兩種幹部權力的衝突或傾軋。明乎此，乃知中共各少數民族間造成衝突，實係培養大批「漢族幹部」控制少數民族的必然結果。亦即中共民族政策必歸於失敗。（沈著）

英汽車出口仍受限制
史密斯談美立場堅定

港督葛量洪爵士於[illegible]年會中對當前情勢發表觀感。力言香港之安全可以無虞。[illegible]

[illegible]美國外交政策，絕無改變意向，美國永遠不承認中共，並峻拒其打入聯合國。

×　×　×

旅港司法界人士，最近於史密斯訪港期中，曾以一個具體的難民救助計劃，帶返美國請求援助，該計劃書源[illegible]青年與司法界人士及華僑們的支[illegible]。力言目前若干救濟組織尚未能充分服務。因此擬具了一個方案，提交聯合國主管機構考慮。同時救濟中國知識人士協會香港分會本年度遣送赴台就學學生總數已[illegible]三百餘人，[illegible]香港難民總[illegible]，自不可謂[illegible]在目前環境[illegible]此成績，爲[illegible]主服務，亦[illegible]矣。

（香港三日）

浙東鶴唳

頃據最近來自杭州旅客談，雙十國慶日，台灣國機確曾飛到浙東沿海一帶，散發傳單及食米。是日杭州曾發出空襲警報五次，共幹紛紛逃竄，唯居民皆極鎮定。私自檢取傳單，互相傳閱，希望國軍反攻大陸。

今春以來，中共預防國軍反攻，軍事上有所準備。浙東沿海一帶如大陳島對面之溫州、溫嶺、樂清諸縣之共幹眷屬及重要文件，已疏散至慶元、龍泉、泰順、等山僻縣份。

以縉雲、黃岩、仙居交界之括蒼山區一帶爲根據地之反共游擊隊，年來雖經中共多次圍攻，因得地利之宜，及民衆協助，反有日形茁壯之勢。近復與大陳島胡部取得聯繫，時獲補給，故日趨活躍。

今年浙東各縣水旱災情嚴重，爲近百年所罕見。惟中共對農業稅之搾取，並未稍減。故中共取消國內旅行之通行證辦法後，一般鄉間農民，因無法生活，均紛紛湧入城市求生。唯地主及其他被管制之戶籍，一切行動，仍受管制如故，並無放寬。（卜一）

新書評介

暴露奴工慘狀的巨著

蘇聯的強迫勞工（下）

羅自芳

原著：David J. Dallin
編譯：蘇聯問題叢書編委會
出版：人人出版社

奴工營無道德可言

在這些奴工集中營內，簡直毫無道德可言。職業犯們之橫行偷竊搶奪，固無論了，而其他犯人與犯人之間，由於他們向來所受的教育是尊敬間諜與告密人，因此每有爭執，便互相以向特務告密爲要脅。好些人曾被自己的親屬朋友及他們素所善待的人所出賣，所以在營裏的人，大都抱着互相猜疑敵視的態度。無原無故的毆打比幫忙還常見得多，甚至加在病弱者的身上，一個強壯的看見一個孱弱的人，他會問他：「你什麼時候完蛋？」病人通常被迫睡在最壞的地方。那些職業犯的蘇維埃盜賊，眞是渣滓中的渣滓，簡直是一批衣冠禽獸，他們除掉偷竊搶奪之外，同性相交是很平常的事，而且公開舉行。每遇過界犯人（如波蘭人之類）到來，盜賊們就向他們自由行動起來。

可恥的女奴童奴

營中女性犯人也不少，管理人員把她們分成兩類：受過較好教育的和一白淨的人，住在「女賓營房」，低一級的就稱爲「婦女」。「女賓」不用做苦工，但須對營中官吏「服務」，「婦女」雖然也不免要「服務」，卻更要做苦重的工夫。

有些犯人被挑選充任技術或行政職務的人，如廚子、理髮匠、醫藥人員等，因爲他們工作比較輕閑，也時時把注意力集中在營中所拘留的女人身上，他們往往幾個人合謀弄致一個女人。他們設法給她較好的食物，她也以「照料」他們作報酬。一個女人被問及她的丈夫時，常常會這樣回答哪：「一個？是營裏的哪一個，還是自由的哪一個？」「營妻」這名詞是很通行的。

就一般說，營裏的女人，實在就在娼妓。談起了性交，那些女人和男人一般的玩世不恭，她們所用的語言，和男人一樣不顧羞恥。他們使用咒罵語和猥褻語，毫無窘態。這種可恥的現象，唯有偉大的蘇聯才能創造得出來！

全家男女老幼被放逐到奴工營裏的，在所多有，但他們被分散在遙遠的地區，永沒相見的機會。在營中，如以爲犯人們也可以捉摸到一點家庭生活的幻影，那麼就只能在上述那種墮落的形式當中，看見這麼的一幅家庭漫畫！

蘇俄在一九三五年以前的法律，十二歲上的孩子，原是可以免除死刑，甚至不加拘禁的，但根據一九三五年四月七日的命令，孩子也適用普通的刑法了。並且明白規定：每種懲罰措施，均適用於兒童。自此之後，究竟有若干兒童被處死，固然是個祕密，但集中營裏的奴工，同樣有兒童存在。不過那些被磨折的兒童，他們生存的期限是非常短暫的罷了。實際上大多以不幸的兒童，當他們的家長被拘禁放逐以後，即令不加以同樣的懲罰拘禁放逐，也要給活生生地餓死的了。

奴工爲甚麼不逃跑

或有人懷疑蘇俄的奴工集中營既然散佈如此之多，而又多設在偏僻遙遠的地區，何以那些犯人們不會逃走呢？是的，當奴工營創立的最初幾年，頗多逃亡事件發生。然而，逃亡引起極大危險，而且成功與生還的機會極小。犯人被看管得很嚴密，如果企圖脫逃，捕獲後即行槍斃。最有效的防守辦法，還是附近農民捕獲每一逃犯，均可領獎，以糧食爲酬（活捉者得糧一百八十磅，擊死者酬一百零八磅）在那到處饑餓的年頭裏，這種酬糧的引誘的確太大了，誰不盡力去做義務的看管者呢？再則，那些地區的普通被管制得異常嚴密，有些地方則根本對外沒有交通，沒有車、沒有馬、沒有鐵路，同時也無法獲得糧食，要想逃走，談何容易？何況就使逃到了有鐵路交通的地方，但火車上的旅客，均須向警察繳驗身份證。而犯人一到城市，他的出現立刻又引起猜疑了。至於沿北方一帶海港，雖然也有些裝貨的外國輪船往來，但受極嚴密監視，犯人甚少可能從那些輪船逃脫。

雖則如此，但企圖嘗試逃亡的人，仍在所多有。不過其中眞能逃脫成功的，極其有限，大多數是命中註定地被消滅了。現在營中的監管，更越來越周密，逃脫已幾乎近於不可能之概。那些奴工是永遠無法再見天日的，除非等到蘇俄這個共產專制制度的整個解體的時候。

還有一件事值得我們儆惕的，就是蘇俄對待那些因戰爭而被敵國俘虜的官兵，以及被迫與敵合作的淪陷區人民，一律施以極苛酷的刑罰後，再流放到奴工集中營去，甚至置諸死地，必難倖免。這足以說明了，現在韓戰中的北韓中共戰俘，所以誓死不願遣返的緣故。而民主國家假如由衛共方強迫遣俘的話，簡直就是把那千千萬萬的人送命，實是最不人道的所爲。

數百萬的外國俘虜

最後我們更應指出，蘇俄不奴役其本身範圍內的人民，對於其在戰爭俘獲的外國俘虜，不下二三百萬人（德國戰俘有百餘萬，日本有九十餘萬，意奧諸國合計亦數十萬），他們通通被羈留於奴工營中，強迫工作。在蘇俄那個好聽的「建設社會主義國家」的名詞下，它的唯一目標，就是積極培植侵略擴張的實力，一切殘酷無人道的手段，絕對不顧，而盡量運用。好些膚淺的西方政治家，妄想以「和平」去和蘇俄談判，直是與虎謀皮。

原書本來還有許多地圖，文件攝影，以及各種資料的附錄，譯本一律刪而未備，至爲可惜。尤其是沒有地圖，對於那些不大熟悉蘇聯地理的讀者們，有許多不方便之處，這是此書唯一的缺憾。至於譯筆文字方面，可稱活潑流暢，篇幅雖多，讀者仍有不忍釋手之概。這確是一本值得鄭重推薦的好書，未讀者不可不讀。

愛國詩人——韓偓及其作品

·王·耀·荆·

十歲裁詩走馬成，冷灰殘燭動離情。桐花萬里丹山路，雛鳳清於老鳳聲。劍棧風檣各苦辛，別時冰雪到時春。爲憑何遜休聯句，瘦盡東陽姓沈人。

李商隱：「贈韓冬郎」。

無論誰讀到李商隱這兩首詩，都會對這「十歲裁詩走馬成」的天才詩人發致景慕吧！但，他不僅是「香匳體」的創始者，卻更是一個有着崇高的愛國思想的詩人，也是一個「內猶忠憤，外學國是，死生患難，百折不渝」的完人。

韓冬郎名偓，字致光，冬郎是他的乳名，京兆萬年人。據全唐詩錄云：「偓十歲能詩，嘗即席爲詩送父友李商隱，一座盡驚。初專意香匳詩，後遂放浪遁跡，出語依於忠義之旨，得詩人之正焉。」又云：「商隱寄贈冬郎句，有雛鳳清於老鳳聲之語，蓋冬郎偓小字，父瞻，商隱同年也。」從這裏我們可以知道韓偓的父親韓瞻，和李商隱同年登進士第（唐文宗開成二年），他那時也是一個負有文名的人，他承受了美好的遺傳，有幼時常在充盈了文學氣氛的家庭裏面，天才和環境，便促成了他文學的高度發展，所以十歲時就能寫出清新婉麗的詩篇，贏得了他父親詩友李商隱的賞識，這位年青的詩人，自然便聲名大噪了。

他在唐昭宗龍紀元年己酉（公元八八九）擢進士第，佐河中幕府，召拜左拾遺，累遷諫議大夫，翰林學士，中書舍人。他於「劉季述之變」，佐崔胤反正，爲功臣。[illegible]

[illegible]……就前面所紀，對於韓偓生平的事跡，以及其忠諫事上和熱愛國家的一片赤誠，可略知梗概了。（一）

進一香

·冷明·

「龍山寺又可以進香了！」這個消息好像一陣春風，在附近的鄉與鄉之間流轉着。

這該是經過鬪爭的「清算」與土改以後底好消息，生活在苦難裏的人民，而今又有機會獲得一個精神寄託的處所了，雖然各鄉的文工團員，咧大了嘴向人們強調着共產黨的好處：「……人民政府是尊重宗教的，並不干涉老百姓的任何信仰，以前，因為在『清鬪』和土改時期，為使大家專心一意的參加鬥爭，所以暫時把廟宇封閉，現在那兩個任務完成了，生活安定了，大家自然仍舊可以一樣的進香，一樣的拜佛，一樣的求籤……」許多老年人的心，重新開始有了一些溫暖，她們終於又拾回了禮佛的權利和自由。當現實的痛苦已超過她們所能忍受的限度時，便只有把希望和快樂寄托在未來的美麗憧憬上，而這種憧憬又只能向宗教方面去尋求，所以不少老年人臉上掠過了一絲笑意，六十二歲的李家婆婆便是其中的一個。

李家婆婆度過了超過半世紀的生活，備受苦難，而須次又經此共黨巨變，患難一次比一次大，痛苦一次比一次深，她自然希望還有一個好的明天，她也隨了進香的人羣擁進了龍山寺。

果然，龍山寺又恢復了往日的熱鬧，不！進香者比往時還要熱烈得多，黑黝黝的擠成一片，雖然那寺宇的外貌和內部都增加了衰敗的程度。不過，在民兵的管理下，進香都非常有順序，一個輪一個，民兵們也只遠遠地站着看，而且，態度也嶄新的，更難得的，是政府準備有一大桶菜油，每個進香者都可以不再化錢而給菩薩的香燈上油，這種優待，確是數十年來所沒有的。

於是，李婆婆在關着紅色桌布的神龕前跪下，一再叩頭以後，輕輕的許願了：「大士！大慈大悲的觀世音，很久沒有來參拜了，但那是沒有辦法的事啊！……我們的生活只有一天比一天苦，若得我這條久經磨折的老命也捱受不了，何況還有不少年幼的子孫，還有不少被迫參軍去朝鮮打仗的壯丁，還有不少被『積極份子』誣為『特務』的無辜者呢！我虔誠的懇求，大士！保祐政府快點打回來，把這可惡的共產黨趕走，使我們能夠過着平安的日子！如果大士有靈，我將來一定為大士重塑金身，……」[illegible]

[illegible]下了，當晚，李家婆婆做了一個夢，她夢到政府已經回來了，[illegible]她卻是從夢中笑了醒來。

但是，第二天中午，她和民兵碰到了，[illegible]不可知的遭遇。[illegible]

[illegible]悶的，已經有好些人[illegible]，大家低了頭，[illegible]都閉在心裏。

李家婆婆被傳進農會的辦公廳，她才聽到共幹在她怒吼地宣佈她的罪狀：

「老婆子，妳是活得不耐煩了，居然希望反動政府再回來，妳簡直是反革命……」

李家婆婆一驚，全身打戰，祗好囁嚅地道：「同志！我……我並沒有這個希望啊！」

「我沒有？還敢說沒有？這是妳昨天在龍山寺觀音前說的話，還敢說不是？」

「我……沒有說……」

「妳！沒有說？」共幹睜圓了眼睛，拍着桌子：「我們的人躲在神龕裏聽得清清楚楚，還要賴！……」

終於，六十二歲的李家婆婆，和其他好些鄰里一般，被判處了三年的勞動改造，因為她再也繳不出那一筆可觀的罰款。

陶雷士的享受

最近法國著名勝地堪納突然來了一位遊客，[illegible]在近郊租了一所巨大別墅，花園廣大，且有一個巨型游泳池，出入有五輛汽車可供隨意選擇。這位巨富[illegible]的人物，自稱是[illegible]，他在閑中散步時，常穿着一件長領大衣，頭上戴一頂軟帽，步履緩慢，很少外出。別墅內外，整日夜有大批警衛攜槍守護，並養着警犬多頭，慎防生人闖入。這位怪客，才被人探明，他原是法共首腦陶雷士，他是在養病，他的病，曾到莫斯科求醫，但治了幾年卻仍未治好。（明）

酒家茶樓有多少　堪稱第一
粵人喜食原因外　與住有關

港九兩地酒家茶樓餐室食肆之多，無正確統計數字，指出實際究有多少，然以一般說來，相信可以雄居首位，沒有其他行業能夠與之比擬的，這固然是和「食在廣州」，「粵人喜食」有關，但另一原因，卻是和此地人口衆多，是使飲食業特別發達的主要原因。

因為，廣東人雖以好食出名，但「食」並不一定非得上酒樓茶樓不可，在家中同樣可以辦到，而且還經濟實惠，何況酒家的東西也不一定做得好，講究化錢去光顧它們呢？可是，香港人明知道是不上算的事，在住的問題壓迫威脅之下，為了食，也只有上門去。目前[illegible]有不少新樓無人入住，按說房屋問題已較兩三年前容易解決，但由於租金昂貴，還是只有將就現實，大多數人仍是擠在如鴿子籠的房子中，過着沙丁魚式的生活，一層樓房裏住着不少家，每家三五口或十幾廿幾口人，單是用作睡房，擠一些還可以，如果每家一天都弄上兩三餐飯菜，其擠迫情形已經可以想見，要想吃得舒服，當然無法辦得到。因此人們一有機會就只有向外發展了。

此外香港是一個以工商業為基礎的都市，有幾十萬人每天都離家外出工作，工作處所距住處較遠的，至少午餐必須在茶樓餐室中渡過，同時他們的住處也許僅有一個床位，即使在家也無法炊煮，[illegible]外出一天工作使人疲勞不堪，於是店員和勞工大衆，收工之後，睡眠嫌太早，而房中又是因天熱悶得使人發昏，無法久耽，只得上街，但在街頭游蕩，豈非疲上加疲，無已，又得上茶樓去「嘆」其一盅兩件。

由於以上與住的問題有關原因，造成了飲食業的發達，不過最近一年來，亦因市面呆滯，人們進益減少，化在吃方面的金錢也相等減少，受到很大的影響。尤其是規模較大，員工衆多的大酒家，所受影響最重，維持不易，小規模，人手不多，平時開支少的茶樓餐室，倘無多大問題，仍能照常維持，有些開設在繁盛區中的，反而生意興隆，比過去更好，這是因為從前進出大酒家的人，現在也改上小餐室小茶樓了。

島上風光

共幹的逃亡

·羅須譯·

「共黨訓練我們如何告密，如何出賣朋友，我們這批人住處的四週，任何鄰人凡不替這個『制度』担任祕密工作的，無不人人自危。現在我承認我是第一批被共黨挑選担任工作的人，瞞地自容。不過以遠大目光來看，這倒有好處，因為我因此知道和理解了這機構的腐敗與歹惡，使我終於[illegible]

「當時我的第一[illegible]被調到捷克邊境附近士加市的『政治文化學校』，在這裏，我便墮入背誦、多疑及撒謊的羅網。這間學校名稱雖為『政治文化』，但既與政治無關，更絕不牽涉文化。其課程是莫斯科用以改造人類思想的工具，使受訓者顛倒是非，淆亂黑白。共黨認為需要一年的時間才能確定一個人充份受了莫斯科的這種精神『鍛鍊』。

「我於一九五〇年十一月參加政治文化學校，一年後出來時，我已成為一個狂熱的『政治指導員』了。訓練班中的生活，絕對軍隊化，祗是在軍中，偶或尚有休假，每一個學員都不會單獨的時候，他日夜感到有人在身邊監視着。這是一種難以忍受的壓迫，唯一可能擺脫此種緊張情緒的辦法，祗有以牙還牙，去注意別人的一切談話和行動。

「我們的時間表決無變通可言，清晨六時即須起身，早操至七時十五分，接着是半小時的早餐，從八時至十二時，是四小時的『政治訓練』，下午從二時開始至六時結束，仍為政治訓練，其後我們即需趕做我們的夜課，研究馬克思理論，晚上十一時熄燈。

「政治訓練課目完全是關於共產主義的，主要是歷史——蘇俄共產黨的歷史及德國從馬克思誕生開始至目前的歷史；除了與這兩種歷史有關的東西外，其他世界上任何事項，都全部摒棄不顧。

「我們每星期工作五天，在理論上，我們週末可以休息，但事實上，我們卻不許離開營房，以防在外面遇到了什麼人對我們偷偷地灌輸了某種反共意識（在共黨術語中，這種人稱作『階級敵人』），或者我們去看電影時，可能得到某種背叛思想。

「共黨雖對東德一切宣傳方法都予堅強控制，但他們卻不得不容許少數外國電影在東德放映，這是因為羣衆對那些專映枯燥之味，攝製惡劣的蘇俄片和其他共產國家影片的戲院，大家都裹足不前。這種外國影片，有些是英國的，特別是那些含有不利於西方的影片，它們經過檢查刪節後，並加以德語配合後，倘能作為香餌，以吸引羣衆到戲院裏一起看同時放映的宣傳性影片和新聞片。但就是這種影片，共黨也認為仍有『煽動』思想，對我們這些人是不容接觸的。我們乃是新的共產主義意識形態的先鋒。

「可是共黨卻無法任所欲為地控制人類的情感，在一九五〇年中，我愛上了一個女郎，她就是我現在的太太，我能有勇氣脫離共產主義，而忍受逃亡的一切者難也不能不歸功於她。

「起先，我們的戀愛絕對保守祕密，每到週末，我總想出藉口，設法請假出來和她會面，但東德的間諜和祕密工作者廣佈，我們的事情不久便被查出了。這時我十八歲，她二十一歲，像我們這樣的[illegible]，這戀愛[illegible]是犯罪的，而[illegible]方面卻更為嚴重，因為她出身於中產階級，而且從沒有參加過任何共產組織。」（三）

送瓊任就學台大

·紹莘·

揚帆滄海去，賓島冠吾軍。創物思鵬舉，吮墨勵吾文。關山愁漢月，邊塞黯秋雲。應似奇男子，收京策大勛。

訪岫雲山館

遠岫孤雲出，餘暉向覺炎。漫隨三徑隱，獨處一身潛。霧氣浮高蔓，花枝故壓檐。往來寡酬欵，隨分亦何嫌。

我逃出了竹幕

·王世昭·

十七日天將拂曉又出發，雲山低垂，道路濘滑，多數人都跌交。我還好，手執兩竹杖，子不而行，他們還是催着快走。有個軍官走得慢些，又和他們頂撞了兩句，被他們打得滿身是血，鼻子也歪了，看來好不怕人。

這時我心裏想，游擊隊何以還不出來？假使在隊裏有一彪軍馬殺出，我相信他們非披盔掉甲不可。

下午三時我們經過榜縣前進，宿營地在鄉下。

十八日我們又復縣城，目的地在貴縣，今日走七十里，下午到達村。

晚上七時又復辦登記，夜半二時又要我們集合，總之，點名、登記、集合，是我們日常的三部曲。

五、問話

二十一日下午二時，通指到我們班裏來，以次又問各人姓名、年齡、籍貫和經歷，大家當然都一一照答。但是對於我，卻特別提出問我為什麼到小董？我說：「我於今年暑假由新加坡回長沙探家眷，八月間我們由長沙起程到衡陽，適值粵漢路車在英德出事，又聽說坪石附近有土匪劫車，因此我便取道桂林，擬由柳州搭船經梧州往香港。不料我們到了[illegible]州，你們又解放了廣州，這一條路又走不通，逼得我們只好到南寧取道欽州轉北海再到香港了。近一年來廣西地方情況你們是知道的，沒有軍隊保護絕對行不通，所以我們一家三口只好跟着華中軍車南下了。那曉得我們離開南寧剛三天，你們的軍隊就到達了小董，又有什麼辦法。我只有跟他們一起做俘虜了，這便是我到小董的原因。」

這指證我說得很有理由，無法指駁，便又轉了語氣問我：「你在新加坡華僑中學教的是那門功課？」

「國文」，我答。

「你教的是高中還是初中？」他又問。

我心裏想，如果說高中，恐怕思想太成熟，不如說初中。因此我答：「初中。」

他說：「初中那一年級？」

我說：「初中畢業班。」

他說：「初中畢業班國文教科書第一課是什麼？」這卻把我難住了，一時答不出，於是他站起來說：「你不老實，吃了飯到連部來！」（六）

中華民國僑務委員會頒發登記證台數新字第一零二號
中華民國郵政登記第一類新聞紙類

自由人

THE FREEMAN
（每逢星期三星期六出版）
（第二八四期）
每份港幣壹毫
督印人：李光羅
社址
香港告羅士打道六十六號
電話：七四〇五三
GLOUCESTER RD. HONG KONG TEL: 74053
承印者：東南印務出版社
地址：高士打道六十四號
台灣總經銷處
台北市館前街五十號
台灣經銷處
台北中華郵政[illegible]
九二五[illegible]

美蘇爭取日本的白熱化

——吉田政府在夾縫的奮鬥中

·左舜生·

自從一九五〇年二月，蘇聯和中共，在蘇聯的意旨之下，成立了一個所謂『中蘇友好同盟互助條約』以後，我們便知道美蘇兩國爲了爭取日本，必將在亞洲展開一個空前激烈的鬥爭。

自從本報發行以來，尤其自蘇聯發動了對韓國侵略的戰爭以後，我們更不斷的提出警告：認爲蘇聯對別的事還可做到某種程度的忍耐，惟獨對於日本的正式建軍則斷乎不能袖手；如果美國沒有更大的決心，而吉田政府的對內對外又不能採取一個堅定的決策，則可能引起國內的紛擾，乃至發生非常的困難。

自從一九五一年九月八日日本簽定了舊金山和約以後，這已經給了蘇聯和中共一個非常的刺激；尤其一九五二年四月二十八日日本又和中華民國簽定了和約，即令中國方面已經算是非常的讓步，而簽約以後又無任何積極行動，但更足以引起中共對日本的敵意和蘇聯的難堪，卻依然是無可懷疑的。

韓戰已在停頓中，政治會議不容易開成，即開成也斷不能談到韓國和平統一的目的；可是美國既具有將戰停止的誠意，同時她也還想把她自己的實力從亞洲的紛擾局面中抽出，以減低大戰加速爆發的可能；於是美國所採的國策，乃在如何加強亞洲反共各國的力量，而她自己則不到萬不得已時，總還是竭力避免正式捲入亞洲的擾攘之局，因此促成日本的正面建軍，乃成了美國全部亞洲政策中的主要課題之一。

以日本的情況而論，在自由黨擅政，而又以吉田其人擔任首相的現狀之下，要她擺脫和美國的密切關係，乃是不可能的；而日本的保守派，（包括自由黨，鳩山派，乃至改進黨，社會黨右派，……）乃至將逐漸的趨於團結；也於此一個必然的歸宿；因此吉田儘管對於國會，對人民，對於正式建軍這一件大事的解釋，都還在那裏咬文嚼字，但日本之終於一加速建軍，也絕對是一個無可閃避的事實。

吉田的兩面政策

不過，吉田是受過去軍閥的壓迫的，把日本從一堆瓦礫中重新建起，吉田也確曾受過無限的刺激，經過無限的艱辛；他現在還在一個負責的地位，要他不顧一切，把國民生命作孤注的一擲，不論在吉田的性格無此可能，即明治以來一切日本政治人物的作風，也斷然不肯採取這樣一個過度冒險的途徑；現在他眼看見美蘇間的直接衝突，一時尚無爆發的可能，而日本負起建立三十萬以上的可戰之兵，卻也並不如一般不了解日本實況者的說法那樣容易，（因爲一面要樹立新的軍事教育，一面又不願起用舊日的軍人）當然他只好在一個內外拖延的期間執行他這一政策。以最近的事實來說，他一面派遣他的親信池田勇人到華盛頓去接洽軍援，一面卻又支持一個所謂『國會議員促進中日貿易聯盟』由池田正之輔和帆足計所領導的代表團到北平簽訂商約；這個代表團包括二十人以上的議員，假如不得吉田政府的默許，在行動上如何能有這樣的自由？可是日本人有時要把戲，不免露出馬腳，即以在執行這一兩面政策的代表人物而論，派到東邊去的是一位『池田』，派到西方去的也還是一位『池田』，但以國際的[illegible]卻不免相[illegible]

幾件具體的事實

本週一蘇聯[illegible]

日本人並非小孩

不過，今天日本朝野的政治人物，並不都是小孩子，他們回憶過去的日蘇關係，回憶斯大林曾對松岡洋右表示過的那一副親善面孔，同時回想到上次大戰將告結束，蘇聯出兵東北的那一副猙獰面目，我想除非蘇聯把從六大頁的千島、庫頁島，以及所搶去的南庫頁島「庫頁島」乃至大連、旅順，一律好好的交出，同時把在遠東的威脅日本的陸海空大軍全部撤退，日本人是不會相信蘇聯不是道地侵略的帝國主義的！

十足證明這是話仍然說回頭，蘇聯和中共這一套分化日本的設計，雖然不一定是十分的幼稚，也不一定是絕對無效的，但因爲日本還有一部分左傾幼稚的分子，如果吉田的態度欠缺積極，在日本正式建軍的期間，由他們在國會中若干次小小的風波，並不是不可以造成根本的傷害。（十一月廿日）

應予共黨自新機會

綱領對於共軍共幹，也應有所規定，制定鼓勵投誠來歸的辦法。我們所要拒絕的，是共產邪說的罪魁，與賣國殘民的中共政權，故除羅政府公告的少數元兇首惡必須懲治外，務從寬大，不究既往。其正式脫離共黨組織者，應准予自新。能悔罪立功，應論功行賞，並保障其安全。

論反共救國綱領

·阮毅成·

綱領的重要性

去年十月，中國國民黨第七次全國代表大會通過的宣言及政綱，鄭重宣佈一建立反共抗俄聯合陣綫」。本年五月，二中全會又決議於適當時期召開此項會議，本月十二日，三中全會的決議案也有召集該項會議的決定。惟所謂適當時期，不外三說：一國民大會開會前；二國民大會開會後；三反攻大陸的前夕。各說均有理由，究竟政府將採何說，現尚不得而知。

無論何時召集，開會後必將制定一項反共救國綱領，自爲各方所期待的事。這個綱領的目標，一方面在反共抗俄，一方面在建立統一民主的國家，其功用與影響，可比抗戰時期的抗戰建國綱領。過去長期抗戰之所以能獲得全國民衆支持，過去長期抗戰所以終能實現，得力於抗戰建國綱領，乃爲紛紜複雜之事。因爲有了這個綱領，才能集中全國的意見和力量。做到

軍事第一勝利第一的齊一步驟。今日反共抗俄鬥爭，其艱巨更甚於當年抗戰，故今日反共非共力量之必須團結，其重要性也有甚於當年抗戰，反共救國綱領之重要性自更超於抗戰建國綱領之上。此一綱領自應由救國會議從長商討制定。但其內容如何，現在不妨先由各界人士盡量提供意見，劇收集思廣益之效。茲就個人意見，略加臚列，以就正於海內外賢達。

綱領要簡明易行

綱領反共救國綱領的最高原則有三：（一）以三民主義爲指導方針；（二）遵守憲政與法治常軌；（三）貫徹反共抗俄國策。因此，綱領的條文，不可過多，一切的規定，必須求其簡明易行，易爲全國人民（包括海外僑胞與大陸同胞）瞭解，切忌文句冗長，以及理論空泛。與共黨的百科全書式文件，時效的種種擬訂的目前之主要作用，在於一時團結國內外同胞，以結束鬥爭的標準，國救國的行動，故綱領的意義，應爲政府及海內外同胞團結奮鬥的標準，及收復大

陸初期的施政方針。關於建國，似可暫不列入。蓋建國百年大計，遺教及憲法中，均已有所規定，從後，再根據遺教及憲法，從長計議，施行方法，亦未爲遲。

綱領的制定，必須針對當前反共復國戰綫，完成消滅中共與蘇俄集團，爭取全面勝利，本不是一件容易的事，自須解除敵情，本不是一件容易的事。紙雖上雖常看到匪情報導，但都缺乏系統，共匪機密，斷續資料，缺乏系統，一般人對匪情隔閡不通，偶相不易透露。但據說，共官方文件，與其他自行發表的東西論，而實際上均不甚大。現在大陸淪陷前，一切都變了。有形的與無形的觀念與關係也變了，所以我們要注意匪區的現象，也要注意變的結果。

有關政治的各要點

綱領的具體條文，尚不宜多。個人意見，以爲軍事一項，抗戰時期，因有中共軍隊存在，故需專節條文。今日反共陣綫已非當時，似無須專列有關機密，實不宜寫入綱領之內。其餘如政治經濟教育文化社會僑務，自屬必不可

條文既不宜多，似亦無須分列政治方面：各方面所屬目的，一是各黨派的合法地位，一是人民的自由權利。能在綱領中再加保障，黨派已有規定，其重要性自有必要。關於後者，目前主張應該對海內外一切反共人士予以切實支持。因反共行動，亟應予以有力援助。一節，現在既邀請參加反共救國會議，已具有承認之意。惟所謂黨派一般民主國家中，主要在選舉競爭，而目前大陸尚未收復，任何全國性的選舉，均應待大陸收復後，再行規定。

共黨賣國條約無效

至於中共與蘇俄集團所簽訂的一切賣國條約，概爲無效，應在綱領中聲明。在大陸上的公私財產，爲中共所沒收者，應予以發還，並明友邦人士所辦的慈善，教育，生產事業，均予以保護。總之，反共救國綱領，是一個行動的準則。不必過分求其完備，但求政府與人民均能遵守實行。這樣就不會成爲紙上文章，而可與英國大憲章，美國獨立宣言，法國人權宣言，同樣成爲爭民主自由的歷史上不朽文獻。

號召與鼓勵大陸同胞

綱領對於大陸同胞，必須具有號召與鼓勵的力量。因此，凡大陸同胞現有財產，已經規定，一概予以保護。並依據耕者有其田的政綱，保障農地由現耕農繼續耕作，爲公有或國家侵佔的土地財產，應分配於反共有功的軍民，或耕地不足[illegible]

韓戰中蘇聯增兵

蘇聯在韓戰的延宕期間，已在遠東加強共軍部署，在表面上看，好像只是支援中共與北韓，實際則直接的威脅日本，間接的威脅美國。目前

一週展望

·雷嘯岑·

板門店的爭執

板門店聯軍代表與共方的政治會議預備會，現在已集中到「中立國」參加這一點問題了。雙方爭執甚力，彼此都表示不讓步，似有不歡而散的模樣。實則這是表面的做作，結果是要成立協議的。

成立協議的最大因素，是聯軍——也就是美國——將特別讓步，接納共方的要求，把蘇俄，印度都列爲參加的中立國，而以有表決權爲條件。這在美國看來，對未來政治會議的決議，然對共黨的面子問題又敷衍了，當然可以妥協的。

蘇俄正從擔下月的百慕達會議而着急，生怕因此促成美英法進一步的團結。一面由莫洛托夫發出挑撥美國的方法，破例舉行記者招待會，聲明蘇俄並無拒絕四外長會議之意，一面由維辛斯基在聯合國大聲疾呼，說百慕達會議是爲對付蘇俄的。在這種形勢下，克里姆林宮對板門店的爭執，亦當暗示中共，不要趨於決裂，只要俄國和印度等國能以「中立國」地位，出席未來的政治會議，即不愁沒有戲唱，屆時自可利用各種機會與國際，表演一番哩！

因此之故，板門店現在所爭執的，必是「中立國」的數目問題，共方若堅持原有主張，非使印尼、緬甸、巴基斯坦參加不可，美國也將提出日本與中華民國同樣參加。這樣討價還價的最後結果，共方可能放棄印尼和緬甸，巴基斯坦參加的要求，以換取美國同意蘇俄與印度出席的協議。

一句總話：板門店之會是不致破裂的！

澄清不必要的謠諑吧！

這幾天由於台灣國府祕書長王世杰氏之去職，國際與輿論界鬧得謠諑紛紛，合衆、美聯、路透、法新等外國通訊社，遂續發出消息，報導不一，陳納德也發佈聲明，表示與他無關。

其實一個公務人員之去留，原係極平常的事，那裏值得這樣大驚小怪，多所揣測呢？既然因此而引起了國際間的紛紛議論，不管內容如何，我認爲政府當局有澄清種種無謂的謠傳之必要。自己只是外交部一句「絕無其事」的否認，對「無根據」的謠言，不特不是息謠之道，反而更增加外間謠言的濃厚性。我們政府向來的作風，還有一種不願向本國人民公開說明，卻讓外國新聞記者發表「內幕」新聞材料，給作不實不盡的報導，本國人只好從外國人的口中，去探聽本國的政治消息。我們如果是在的民主政治，這作風似乎應予改革，現在發生的這項政潮，就是改革作風的機會。

美國近來爲着一個已經去世四五年的政府大員——懷特——的辭職升職問題，連前任總統亦不得不出來向人民作公開的說明，即是很好的例證。民主政治就是遇事公開，不怕批評辯論，必要時，訴甚是非曲直於社會輿論，即令一時發生吵鬧，也無損於政府的尊嚴。事實上，除了特殊而又特殊的國家機密事項外，政府是隱瞞不了的，尤其是我國，許多事情本國人尚無所聞，外國記者早已發出電訊了。光就新聞記者的職權而言，我們殊有「利權外溢」的遺憾呵！

這次王世杰先生之去職，如果是個人的出處進退關係，王氏本人即不妨公開聲明其所以然，沒有甚麼不可發表說的地方。若係爲着國家政策問題，則行政院長不妨出來說明一下。諱莫如深的辦法，於公於私，都覺得有些不妥當！

參觀演習

在台灣訓練中的新軍，每一個到台訪問或旅行的外賓，幾乎都與參觀演習一次。軍隊演習原是日常應有的課題，但若專爲外賓而舉行，那就大可不必，因爲國軍並非裝置用的！除非友邦當局大員來考察我們的軍力，或者像尼克遜這類地位的外賓蒞臨，自不妨請其參觀演習，此外的人，以後應該毋須乎有此一舉了。

文壇風範

·陳伯莊·

（一）

「方事之殷也，有韎韋之跗注，君子也，識見不穀，免冑而趨風。」又「對面各位先生，請先放排槍！」一個是晉楚大戰鄢陵，戰場上晉大夫郤至看見敵軍楚王，立脫戰帽，疾走致敬。一個是去中古騎士風範未遠時候的英軍和敵軍彼此列成對陣之時，開火前，先來這番客氣。

（二）

到了如今，英國會兩黨互相激辯時，左一個YOUR RIGHT HONORABLE，右一個YOUR RIGHT HONORABLE。詞令之美，彬彬焉與春秋行人同風。貴族社會那一套雅使有禮之遺，的是可人。

變相的貴族，門第時代的魏晉便不同了。儘管極爭上游，雅得要命，而矜誇衝動之突出，好不傷人！主人說：「何所聞而來，何所見而去。」客人立刻回敬他：「聞所聞而來，見所見而去。」主人說的是：「你這傢伙，配來見我，慕名相訪，來了一個鋸了嘴的葫蘆，問得出甚麼。」客人立答的是：「不錯，聽見你有點虛名，原來一見便認得祗是個寶貝，還問甚麼。」

（三）

西方當代大哲，怎樣吵嘴呢？羅素與杜威兩人的哲學基點是無法相容的。羅素引了杜威論研究的要句，原句是：「研究是把一個不確定的情狀，經過有控制和有指向的轉換，使其各構成部份的判別與關係，井然確定，而致令原來情狀的各要素變為一個統一的全體。」羅素引了原句之後說：「我想這句並不能完滿表達杜威先生心中的意思。假如可，那研究豈不成為一個武弁拿步兵操典致練入伍新兵，或者一個泥水匠把一堆散磚，砌成屋子嗎？」羅素又往往說杜威哲學，祗是美國工商社會成功第一的心理之反映。這，杜威最生氣了。有一次發狠了，回敬一番說：「如這樣立論，那末，豈不是英國數理哲學（指羅素，羅是貴族）是貴族高自位置的反映，而許多法國人有了太太還要有個外室，所以，又愛主張二元論了嗎？（笛卡兒為二元論開山大師）」這已經不太「春秋」風味了。然而還是論理不論人。雖然人與其人所持之論，祗隔一層薄紗，畢竟有界限分別的。

（四）

香港年來文壇上，往往一經激辯，總要抹煞分寸，總要「飛象過河，」總要傷犯對方個人。即使筆墨官司停了，大概不是相喻於無言，而是像兩個雅得要死怡然在樓上下圍棋的朋友。另兩個在樓下下象棋的朋友，爭吵到推盤拍桌打架，一忽兒彼此一想，樓上兩個圍棋迷果然雅些，一齊一聲不響，一齊上樓看去，原來一個手持所拔棋子，一個一口咬住他的手，所以說不出話。

一經傷人，肝火過了，目標變了，陣地移轉了，如何能研究真理呢。

台灣的報紙（下）

高清心

台中市

十二、民聲日報——發行人徐成，民營性質，每日出版四開一大張半，副刊有民聲副刊，及學生園地，戰士，電影等週刊，均無酬稿刊載為務發表性質。三十五年一月一日創刊，先為三日刊；後改日刊。印刷稍差，最近由日到捲筒機一架値四十餘萬新台幣，以後印刷可能進步。加上新近建成三層大廈，是台灣民營報紙中最具規模的一家。發行量七千份左右，發行地區為中部及南部。

十三、新中國報——發行人黨伯勤，為民營股份性質。每日出版四開一大張。副刊有新中國副刊，及新青年，文藝等週二，均無稿費。另有台中縣政府公報，稅務專刊。均附該報，印刷欠佳，發行量約三千份，地區為中部一帶。

十四、民權導報——為三日刊，八開一小張，內容注重內幕新聞特稿。發行一千多份。已停刊二月，是否復刊，尚難確定。

台南市

十五、中華日報南版——發行人連震東，每日出版四開一大張半。內容尚佳，有中華副刊，及中華兒童，婦女，電影等週刊。發行量約七八千份，銷行南部一帶。

嘉義市

十六、商工日報——發行人吳萬恭，民營性質，與花蓮更生報為姊妹報。每日出版四開一大張。今年九月創刊。發行量二千份左右。內容着重經濟商業。

十七、聯合報南版——在計劃中，定本年十月十日國慶出版。

高雄市

十八、新生報南版——發行人謝東閔，每日出版一大張半，副刊與北版相同。為高雄唯一的報紙，發行量約一萬份，銷行南部各地。

基隆市

十九、民衆日報——發行人李瑞標，民營，已有三年歷史，每日出版四開一大張。有民衆副刊及社會服務週刊，另以社會內幕新聞特稿，號召讀者。發行量在五千份以上，以北部地區為最多。

二十、東方日報——一度停刊，現已復刊。筆者未見其報，故無從調查，每日出版四開半張。發行僅在基隆市，其他地方無分社。

花蓮市

二十一、更生報——發行人謝膺毅，民營性質，每日出版四開一大張。以老五號字印刷，適合台胞閱讀。副刊有寶島春秋。發行量三千份左右，銷行地區在東部一帶。

二十二、東台日報——發行人吳萬恭，民營性質。每日出版四開半張，用老五號鉛字印刷。發行量約二千餘份，銷行花蓮台東一帶。

澎湖

二十三、建國日報——當地防守區政治部發行，多免費贈送商戶住民閱覽。每日出版八開一小張。已有三年歷史。發行量在三千份左右，發行通於澎湖群島，及金門。此報在馬公島出版，頗受當地商民歡迎。

全台灣共有報紙二十三家，總發行量十九萬份。和過去上海的申報及新聞報兩家發行量相等。可見台省文化教育發達之一般。以中央日報第一，國語日報次之，新生報居第三位。平均每五十人，看一份報紙。自由中國的新聞紙，可以說都站在水平綫上。但以全台灣八百五十萬軍民來說，每天發行十九萬份報紙，並不算多。如能達到總發行量三十萬份的程度，則近於理想了。

赴菲講學的衛挺生教授

·沈東文·

人物評述

（一）

衛挺生教授的名字，在中國學術界不會是陌生的。他已經於本月十八日和他的夫人一同赴菲，應菲律賓國立大學之聘，在彼邦講學一年。幾年來，他孜孜不倦的担任香港各學校的教學工作，極少與外界接觸。他的關於日本史及香港史地的兩部新著，都是這幾年在香港完成的。

他在國內担任二十年左右的立法委員及中央銀行祕書，顧問等官職，但並沒有間斷過研究及作育後輩的工作。他做過南京高等師範、燕京、交通、中央、復旦等大學的教授，他任政府官職的時候，專以研究經濟問題，和策劃財政制度，可以說始終是一個道地的學者。

（二）

他對於財政經濟頗有獨到見解，嘗以爲中國積弱，多半在於工業落後，當務之急，惟建立工業不可。鑒於南美阿根廷、巴西、智利借用外資的成功。故他在美國哈佛大學研究院研究期間，即著成「南美三國利用外資與國事例」一書。

他對於歷史、教育、文學、語言學等均有基礎。大陸淪陷避難來港，除講課外，即以較多心力從事於歷史的研究。尤以東方歷史，用力最勤。他認爲亞洲過去幾十年的紛擾，以及今日的支離破碎情形，多半與歷史的曲解和隔閡有關。他認爲借助歷史的正確了解，可以有利於亞洲的團結與和平。他此次應聘赴菲講學，即以講授東方歷史問題爲主。

（三）

衛氏是山西人，出身世代書香，自幼即好學不倦，智慧過人。十二三歲，鑒於國內尙無新制中學，偕其堂兄及姐丈，赴日本東京大成中學就讀，奠定了他的學業基礎，他對日文的造詣很深。畢業後，適逢美國放棄庚子賠款，發充文化基金。清廷設立遊美學務處，考選學生赴美留學。衛氏返國投考。其時第一二兩批（梅貽琦、胡適等皆係第一二批考取留美者）業已出國，於是趕考第三批，（時爲一九一一年，宣統三年）；當時考選以後，須入留美預備學校（設北平清華園）加以補習。翌年重加考選，才得出國。該預備學校後來改名清華大學，故以國內學歷言，衛氏實爲清大第一期畢業生。

衛氏抵美後，選入密西根大學專攻文科及教育，旋於一九一三年轉入哈佛大學改攻經濟及歷史，先後得經濟學士及商學碩士等學位。學業完成後，續在哈佛大學研究院研究國際金融問題，並研究俄文、德文、及梵文，均有相當造詣。由於他攻讀多門功課，又精通多國語文，再加上不斷深入鑽研，自然就博學精深，貢獻不少了。

（四）

他於一九二〇年回國後，曾任南京高師教授，後來續在燕京、交通、中央、復旦等大學執教。在燕大時，兼任中央銀行祕書，負責社會經濟調查工作。一九二八年，任立法委員，並兼該院財政經濟兩委員會委員。民國三十七年立委民選後，衛氏仍兼中央銀行顧問。綜計自學成歸國至大陸淪陷，三十年間，衛氏無時不在爲中國經濟建設及作育青年而孜孜終日。其中值得特別一提的，是他任立委期間，曾一手主持，制定財務行政制度、審計制度、主計制度、財政收支系統等重要法案。使我國的財政措施，漸入制度化軌道，衛氏的貢獻不少。其次，民國二十二年，他已見到我國與日本遲早不免一戰，倡議應作戰時財政準備，曾赴中央軍需學校講授戰時財政一課，同時又著述戰時財政一書。他認爲戰時經濟最大的危機，莫如幣值紊亂，通貨膨脹，可謂早具隻眼。抗戰以後，通貨雖仍不免膨脹，惟我國在極度貧困的情形下，能夠支持長期抗戰，以迄勝利，衛氏不無勞績。

（五）

他的著作相當豐富：早期有「南美三國利用外資與國事例」、「財政改造」、「計政制度論」、「今日中國之財政」、「戰時財政」等書。近年有「徐福與日本」、「日本神武開國新考」及其「補編」、「香港地理」、「香港歷史」多種。衛氏秉性儉實，不善交游，始終潛心學術。他已年近六旬，但精神健旺，活力充沛。相信他今後對於學術上必定有更多更大的貢獻。現因應菲律賓國家大學之聘，已辭去各院校教職。據筆者所知：他尙有一部香港志及完整的東方歷史在編著中，或將在菲完成問世。

天下小事

蘇俄釋放德元帥內幕

在史達林格勒一役中因兵敗投降的前德國第六軍軍長鮑魯斯元帥被蘇俄囚禁十年後，居然在月前獲釋返國，而且被東德政府聘為軍事顧問。蘇俄為什麼肯釋放這位「投降元帥」？據英國情報人員所獲的消息說，此中原因完全是出於蘇俄的主動。原來克里姆林宮看到東德的軍隊（就是所謂人民警察）風紀日趨敗壞，逃亡西柏林的愈來愈多，他們亟欲重整東德的陸軍，但在現有的東德將官中，又找不出一個有領導能力的將領，後來他們想來想去，竟想到鮑魯斯的身上，於是要求鮑魯斯出而改組東德的軍隊，而以釋放他為交換的條件。鮑魯斯一口應允後，才脫離十年來暗無天日的監獄，當起東德軍事顧問來。同時，這些英國情報人員還說，他們獲悉在[illegible]東德陸軍成功後，蘇俄將與東德[illegible]提議撤退佔領部隊。最近[illegible]新行動，也許這些就是未來的趨勢。

南斯拉夫求助與地利

在義南的里雅斯德糾紛日趨嚴重聲中，南斯拉夫的狄托總統除向英美討價還價外，最近又祕密採取另一步驟，要求奧國支持南國對的港糾紛的立場。狄托認為奧國的對外貿易主要以的里雅斯德為進出港口，奧國的發言對的港糾紛的解決必有重大的力量。只可惜奧國總理納普事事以慎重為上，他在考慮之後，深覺得為了狄托的片面言詞，而得罪英美義三國殊不值得，因而婉言謝絕，迄今還不肯涉身在複雜之的港糾紛中。

克里姆林宮左右為難

蘇俄的糧食缺乏近來已到了極嚴重的態度，迫得克里姆林宮不得不動用黃金儲備來購買外國的糧食，共黨們為了安撫騷動的人心，還採用「望梅止渴」的辦法，向人民保證肉類的產量至一九五五年將增加二．三倍。但不料順得哥情失嫂意，紅軍元帥們對於共黨的寬大政策却至表不滿，他們顯然就要增產更多的消費品，就無異表示需軍事預算的減削。（孟衡）

談函授學校

讀者來函

（上略）台灣的教育，由小學以至于大學，雖不能說盡善盡美，大致都說得上已建立一套制度。惟近一年來，由于補習學校和函授學校，（尤其函授學校），紛紛出現，實在有點畸形化發展了。本來實用科學的學理較比社會科學的學理，容易用圖表文字分析解釋，不過講義寫得如何詳盡，例證如何廣博，總不若「耳提面命」爲佳。現在這些函授學校偏於如社會科學的範圍爲多，所謂「法科函授學校」，「新聞函授學校」等——如果祗是幾頁講義，即可譬成「授道」「解惑」的功用，那多讀幾本類比的專著，豈不更見簡便？

至于補習學校，由于正規學校不能盡量容納有志攻學的青年，或由于考試成績，及取錄名額關係，以至落第的和錄遺的學生，無書可讀，補習學校因此應運而生，固然無可厚非。不過，台北許多補習學校，都是就「生意眼」的功利觀念而設置的，對於學生程度絕少注意，繳錢上課，來者不拒，不計其他，補習學校的師資，一般說來，又未免浮濫。這不能不令人太息了。

我得表明，我不反對補習學校，我以爲補習學校的師資較正規學校尤應注意，同時補習學校應該屬於義務教育的範疇，不能作爲牟利取財之具。我也不反對函授學校，不過我覺得函授祗適宜技藝性的教育，如養雞、養兎、織染、蒔花，以至於工業之類。再者，如果教育當局認爲補習學校，和函授學校，有助于教育事業，就該來一套法規章則；使之制度化，總比目下的執外行動要「合理」些。（下略）

易與上十月廿五日

編者的話

編者按：李先生評「盲戀」的文章，已於今日在本報發表。

△本期發表的「旅歐回憶錄」是謝康先生遠從[illegible]寄來的。[illegible]

△下期[illegible]

讀者來書

編輯先生：寄上一般人評徐訏先生「盲戀」小說一稿，……絕非帶有色眼鏡，或有何政治意味，純為中華民族文藝前途設想。……徐先生作品甚多，然從「風蕭蕭」始至最近之「盲戀」，似無多大進展，有之，只是文字比前流利，結構較前美，如描寫人物背景之技巧，亦較前深刻，並不比以前的高超，[illegible]想像並不比以前偉大……

曹雪芹的「紅樓夢」，法國大仲馬的「基度山恩仇記」，[illegible]

李化成拜　十月卅日

中共積極策畫南侵
賀龍謀組國際志願軍
分由越馬緬泰菲共分担半數

【本報訊】據悉：今年八月間，以共產國際遠東局政委陳紹禹爲首，同賀龍，以及高崗斯特基與中共作戰部部長張震等五人自莫斯科飛南寧，在「中越邊區支局」舉行一次中共、越共、馬共、緬共、泰共、菲共等首領會議。共商心戰計劃「共產國際遠東局」之下設置中共、緬、越、馬、菲共「統一作戰部」，直接指揮東南亞各地共黨活動，以次各共黨地發動，迅速完成武裝力量，並在軍事上爭取主動，增派大量幹部入菲、緬、越、馬等地，先一步完成政治佔領工作，並掌握各地區的基層[illegible]。至於擴大軍隊組織係一項決議，其侵略行動的實際措施，亦經決定組織一支「共產國際志願軍」，這一支侵略軍規定一百萬人，其中以中共爲主體，人數佔二分之一，其餘半數則由越、馬、緬、泰、菲共分別徵充。

實施辦法，仍有待於第二步會議中決定，到了十月初，南寧的「中越邊區支局」，再度集合各地共黨的首要分子會議，就上次會議所討論的問題，再加檢討。

統一作戰局已成立

據說這一次的會議不單是陳紹禹主持，而係「西南軍區」司令員賀龍，當然已被任爲「共產國際[illegible]志願軍」總司令，他擬有一個計畫，依照此一計畫規定，東南亞各地分別組成一個「兵團」，由賀龍指揮，與會者，計「援越軍」司令員陳賡，「援越軍政委」[illegible]白，「共產國際駐越軍政特派員」韋逸，中共雲南公安廳長[illegible]，「援越軍參謀長」[illegible]田，越盟軍總司令武元甲，越盟軍政部長黎廣達，越盟勞工黨總書記長征，越盟軍政治部主任黃文泰，馬共總書記陳平，緬共領袖德欽丹敦，泰共[illegible]，菲共虎克[illegible]等。此項會議係由[illegible]主持，就「西南軍區」計劃內容，向與會者作報告，該項計劃，所屬的侵略部隊，由中共分撥五十萬人，除了四十萬正規軍，十萬[illegible]有政工的各級軍事幹部之外，尚有五十萬則緬、越、泰、馬、菲共各十萬人，此十萬人都是士兵，軍官自副排長到司令員以下，均由中共之十萬軍事、政治幹部分別充任，劃分五個地區，成立「統一作戰局」，除緬甸已於今年一月間成立之外，其他越盟成立於今年（一九五〇年十月），泰、馬、菲則定於今年十月以前全部成立。現中共撥於緬甸、越南的正規軍各約萬人，緬師則已有部分參入境內；越盟軍中則已由李天佑率領潛入，配合越盟與法越軍作戰。第一個「共產國際志願軍」便決定十月一日前聯衛正式成立。

[illegible]跟隨擴張，會議中並決定三項原則：一、極力擴充各活動區域；二、支持各地共黨[illegible]員分發至各地區推進工作；三、[illegible]。

第五縱隊深入滲透

除了成立「共產國際志願軍」之外，關於中共第五縱隊向海外活動地區亦[illegible]加入共黨的外圍組織，並派幾個[illegible]。最近從這[illegible]派出來的一批共幹已分發至五個地區。此項共特原先係在[illegible]的五個地區學[illegible]化東南的中[illegible]一年前[illegible]幹部學校訓練，校長係王震，[illegible]訓練主任。[illegible]的地區，計有「伊斯蘭教組」三百零四名，派往新德里及暹羅；「馬來亞組」一百八十二名，指有暹羅、馬來亞等地；「越南組」一百二十名，指有高棉、寮國；「緬甸組」五十二名，派往曼谷及滇南車里（「自由泰國」所在地），「菲律賓組」八十五名，派在仰光。彼等之任務很是：參入社會甚層組織，其主要任務爲推毀當地政府之政治勢力，調查社會團的活動情形，當地之軍事配備實力，暗殺反共領袖，施行綁架，搶劫等之恐怖行動，並散布謠言，造成社會秩序紊亂[illegible]擾亂社會秩序等陰謀。（梅樂貽）

菜農上書港督訴苦
地窖舖户呼籲免遷

據九龍菜蔬[illegible]，向能足夠市民需求，如在旺月，每天供應菜蔬六千担之譜，大部分仍須仰賴外埠輸入；[illegible]中國糾例，以及肥料有充分與適當關照，[illegible]加。然以因此受到鼓勵，可能逐漸增[illegible]九龍新界[illegible]菜農，[illegible]售價（零售價格）[illegible]。但菜農[illegible]一談。只求：（一）[illegible]；（四）貨[illegible]決定。

第九名界救濟[illegible]會，前因鼓勵蔬菜生產，擬訂了一個生產救濟的具體計劃，積極推行，已獲初步效果。參加此項工作的[illegible]現已增至三百餘人，[illegible]。

香港[illegible]各「地窖性質」[illegible]戶的舖面[illegible]長將有二十五家[illegible]但他們[illegible]久違，遂擬通知，大舊拆毀，此不僅予身受者有破產威脅，然類有此等形式之商號住戶自不止二十五家，因此向商會投訴，轉請立法局非官守議員要求當局重行檢討土庫法例。當局設館過及搬入住戶將受到失業、破產與市面蕭條之不良後果，殊將節個通令緩期，並考慮修正現行之土庫法例。

高唱「國家資本主義」
中共將沒收私營工廠
範圍較大商號亦將被沒收

據最近大陸各報披露消息：中共於上月二十五日在北京召開[illegible]工商聯[illegible]會時正式提出「國家資本主義」的口號。此一口號係僞政協[illegible]工商聯主席[illegible]國務院副總理兼財政經濟委員[illegible]在該大會所作的報告中號召[illegible]，本月十四日北平「人民日報」專就此社論，加以宣傳、指示。中共稱此一措施係在「改造」私營工商業，使其通過國家資本主義，逐漸走向社會主義。中共稱此一措施有理論和政綱上的根據，謂毛澤東的「新民主主義論」中曾提出四大階級的聯合立建[illegible]。

惟據中共報載，中共對「國家資本主義」一詞的解釋與當前[illegible]巧妙圓滑，與其原有定義頗有出入。按「國家資本主義」（STATE CAPITALISM）的定義，係政府沒收所有私營生產機構，由國家直接統制，管理生產，以謀國家資本的積累和發展。中共的解釋則謂「國家資本主義，就是社會主義成份同資本主義成份按照不同條件，採取各種形式，在不同程度上進行聯繫或合作的企業。」顯然已將「國家資本主義」解釋爲一種「公私合營」的經濟制度，並在合營與不合營的程度上，却有極圓滑的伸縮性。此一解說，係李維漢在僞工商聯會員代表大會席上作「過渡時期總路線等問題」的報告時所稱，且得「人民日報」社論所支持，可見完全代表中共的意態。中共對「國家資本主義」一詞的解釋所以如此巧妙圓滑，據李維漢的報告及「人民日報」的社論不難窺的透示，顯然有兩大作用：一方面似在減低私營工商業的反感與恐懼，以免過早發現有被沒收的私有資本；一面則在說明其需要的統急，從容擺脫而進，以免紊亂秩序及徒負暫時不必要的負擔。蓋「人民日報」社論曾指斥部份私營工商業者於中共宣佈實行國家資本主義以後，則有抽逃資金或攫取分紅現象，且曾就此加以佈辦，大意謂國家資本主義係逐漸改造私營工商業，由國家資本主義進入社會主義尚有甚長時期，藉以鎖定私營工商業者之浮氾情緒。李維漢更謂國家資本主義之實現，將依據資本家們的「自願」及依據國家的需要和可能，有步驟、有計劃、有區別的先將所謂有利於「國計民生」的資本主義工商業基本上納入國家資本主義的軌道。是以不僅其解說至爲巧妙，且顧慮至爲週到。

但中共對國家資本主義的解釋雖如此巧妙，諸仍不能掩飾其真正之目的在沒收私營廠商。蓋中共此次在僞工商聯合會代表大會中曾決議：「一般應通過國家資本[illegible]時期的總路綫，[illegible]務於對私營工商業所採取的利用、限制和改造的政策。」此間「全國私營工商業者必須積極經營有利於國計民生的事，接受人民政府的管理，國營經濟的領導和工人羣衆的監督，並積極的適應國家的社會主義改造的要求。」中共對此等決議原則的解釋，謂係改進加工訂貨的關係，並謂此種關係係實行國家資本主義的計劃經濟第一步。而此種關係，已使私營工商業完全受中共支配和利用，根本已入於半沒收狀態；若再進一步，則此種關係勢將即由「公私合營」所替代。而「公私合營」的方法，據天津大公報記者在步管說：任何廠商在「公私合營」以後，其經營管理權，即在公股（即中共）代表領導下行使，私營工商業者則爲該單位內的股東或職員一份子，行使其份內的職權。並謂公股代表是政府代表，代表公股達繼，必然居於領導地位，必然從保證國家計劃的貫徹執行上來考慮。據熟悉已說明：「公私合營」，廠商的主權和經營，生變成普通股東或職員，此後一切經營，生產，則完全以中共的利益爲利益。是以「合營」，來實上即爲沒收。尤其照顧私營工商業的說法，私營工商業者握必須繼續其一切貢獻，要做到實質「人民當了忙」，擁的在過渡入社會主義以後有其生活（實則生存）的機會。是以不生僅在中共實行國家資本主義時，將被沒收私營工商業，凡在實現所謂社會主義之後，私營工商業者是否還有生活的機會都成問題！

此外，根據目前大陸種種跡象看，中共於此時高喊實行國家資本主義，熱與財經恐慌及擴大軍工建設有關。且從「人民日報」的社論看，所謂私營工商業亦即在國家過渡時期（亦即指實行國家資本主義）替國家工業代價果資金一節，關係簡詞，目的必在進一步集中民間財富以彌補其目前財經極度恐慌的迫切需要。同時，中共替國家生產建設的美名，正是以爲其目前龐大的軍工建設的消耗加以掩飾。當以中共的慣例，每一措施，必與其當前政治情況有密切關聯。（沈著）

評：「盲戀」（上）
·李化成·

新著評介（一）

著作者：徐訏　發表：「今日世界」第二十五期至三十七期

我要首先說明的，就是評論徐訏先生的作品，不是一件容易事。因爲徐訏先生是現代中國小說作家中的泰斗。雖然現代中國小說作家中，有許多第一流的名作家，可惜大部份都被關在鐵幕裏，在自由世界的，除了在美國的林語堂，以及在自由中國的台灣有幾位外，能像徐訏先生這樣的作品，眞是不多，在量上來說，別人都僅只三部或五部，徐訏先生的作品汗牛充棟擺滿了書店。

像我這樣一本小說也沒有寫過的人，竟敢對一位大師置評，但是有點不度德不量力。不過我對小說很喜歡，所以我對它就特別留意，只要是有一部好小說發表了，或出版了，我一定要與讀而仔細的讀它。當我看到美國名作家海明威的「老人與海」的時候，我很細心的讀了兩遍之後，給我很大一個感慨！我們的科學不如別人，[illegible]限於環境和機器，[illegible]；可是一向稱爲禮文明之邦的我國，文學就過於落後，是我們最感到慚愧的一件事！

中國傳統對小說並不重視，以致小說在文學中不能佔一席位，所以從前的士大夫以及才智之士，多不肯提筆寫小說，寫小說的人大部份爲當時一些名不見經傳的文人，以之做爲消遣，正牌文人，對小說都只稱官野史目之。致使我國的小說，在質和量兩方面，都不及詩文和其他文學那樣發達。我今天評徐訏先生的「盲戀」不是以這種眼光，是以現代小說能代表一個國家的文學，以創作的最高水準，而「[illegible]」的加以評論。

現在自由中國文藝界，正對文藝批評很感興趣的時候，我也淺談幾點。

（二）

徐訏先生還寫東西，在結構上是很好的，可以說得上是天衣無縫。尤其是用第一人稱寫長篇，像是火車被限制在軌道上，不能超出那個範圍，是一件很難的事，並沒有像用第三人稱來寫，那樣[illegible]的容易和隨便。這部小說整個的結構，可以與小仲馬的「茶花女」媲美。

人物的創造，也相當成功。那個以瞎的夢放自稱的男人，他的醜陋，讀者都有些討厭，可以說是一個醜陋的典型。那個女主角盧微翠，雖然是盲目；但她是一個最美的美女。張世發是一個漂亮而有錢紳士派頭的外國留學生。這幾個都是本篇裏很成功的凸出人物。就是那幾個配角也都寫的很適當，尤其是那個叫「拉茜」的狗，從頭至尾都活躍在紙上！

其餘如背景的描寫：無論在輪船上，或者上海虹橋路張家的洋房、花園、草地、白楊、月色和雲、以及唱片等等，都是隨故事的發展，必須有的，不是生吞活剝硬加造作的。至於三個與衆人物高貴的心靈，和作者流利而熟練的文字，爛熟的技巧，詩般的情節，不是普通作家所能寫出的，還些優點，是讀者有目共睹，不必我個人來恭維。

故事的發展，像行雲流水，極其自然。在我個人看來，有點美中不足的，是後面的結尾。

（三）

後面的結尾，徐先生把他寫成了悲劇，這裏我須先把這篇東西幾個重要人物的情節，簡要的來說一下：

當張世發還未出國的時候，他是很喜歡[illegible]的女兒盧微翠。盧微翠雖然是一個盲女，可是她天生的美麗，所以當盧微翠生肺病的時候，張世發曾在她床邊，給她讀詩歌小說聽。他下意識的總當她是自己的親妹妹。待他回國介紹了一位與大利的眼科醫師，給盧微翠換了一雙眼，她復明了，他更愛她，可惜當時盧已嫁給醜陋而說的小說家陸夢放，張亦無可如何。他雖內心愛她，因爲她已結婚，所以他有高貴的心靈，所以他對她始終未說過一個愛字。最後成了這一個悲劇的主要角色。

悲劇的男主角陸夢放，因爲生來就醜陋，所以不爲父母所愛，不爲兄弟姊妹所喜，被客人鄙視，被人虐待，到成人以後，就成了一個孤獨而自卑的人。後來遇到一個叫林稻門的圖文教員，被他帶到上海營在報紙雜誌上發表文章，後來還創作小說。由林稻門給介紹當家庭教師，才遇到了美貌的盲女盧微翠。盧微翠是個悲劇的女主角。待盧微翠雙目重明之後，看到夢放的醜陋，設法再同他生活下去；但是盧既被他感動，一直在未重明之前，並且[illegible]重明之後對愛情絕無妨礙，之後，她雖然看待[illegible]那樣醜陋，可是她也法改變原來的諾言。最後她還到上海去一次，雖然對陸過的張世發留戀，可是也始終未說過一愛字，但是也無法再同[illegible]不堪的陸夢放生活下去。見過張世發以後回到蘇州自殺，做爲這篇故事的結束。

旅歐回憶錄

·謝康·

九一八事變震驚全世界，於是歐洲報紙大書特書，僑胞們奔走驚汗，變色相告，且有痛哭流涕至於失聲者，國家民族危亡的觀念，不覺油然生長於每個人的良心深處，於是「抗日救國」，「國際宣傳」一類的愛國性的團體，先後成立，往往不分黨派，拋除宿怨，一致團結，如今回憶起來，已經是二十年前的事體了。

這二十二年當中，世界風雲變幻，回首轉綠，險象叠呈，個人事，家國事乃至世界事，許多令人心悸，不堪回首，單就中日兩民族而論，變化之多，恐怕比較以往的兩三百年還要厲害，日本由竊據武力佔領半個亞洲和太平洋羣島，至於解除武裝，被人佔領，到現在又要預新武裝，準備第三次世界大戰時扮演一名重要角色！中國則由被侵略之東亞病夫，一躍而登五強之一的寶座，誰知經過了幾年內戰，大陸上風雲變色，和台灣成個對峙局面，在事實上成爲兩個中國，同時也代表東西兩個集團的對立，和兩種文化的衝突。

日本過去曾經想獨霸東亞，以武力爲國家強盛的象徵，孰知竟因濫用武力而亡其國，與德意兩強，同一覆轍！佳兵不祥，老氏早引爲深戒，不料第二次世界大戰的血跡未乾，仍然有野心家經常保持強大無比的兵員，想逐步完成其武力征服世界的迷夢，國聯盟約開羅公約以及聯合國大憲章簽訂後的今天，戰爭氣氛，仍迷漫於全世界，茫茫宇宙，只見軍事活動，於是人類和平仁愛之美德和傳統優秀文化，又遭受一次嚴重的摧殘！事之可痛，孰逾於斯？

記得一九三三年春，英工黨聯合內閣閣員，士諾登爵士(LORD SNOWDEN)曾因中日事件大聲疾呼，認爲「西方文化已大受日本的威脅」，如果「日本眞的佔了中國，她就成爲世界上最富強的國家，遠東的主人翁和半個亞洲的支配者，…：然而中國在缺少西方援助的失望當中，可以投入蘇聯的懷抱，從而共產主義可能瀰漫亞洲大陸……」他還肯定地說「國聯能不能使日本民主政治眞正發展與世界和諧一致？因爲只有日本民主思潮的勝利，纔是避免世界戰爭慘禍的唯一方法！」

士諾登這番話，由今日看來，大體粗當不錯，在三次大戰的前夜，西方文化——更正確地說世界文化又重新受到暴力的威脅，這一回，究竟將是西方的沉淪呢？還是眞正民主思潮的勝利？明眼人自能判別吧。

（一）

布拉格記遊

·式一譯·

在布拉格，除了捲心菜和椰菜以外，一棵青菜都吃不到，甚至最便宜的馬鈴薯亦沒有，可是城外的收穫則好像是很不錯的。

很明顯的，我們坐着汽車穿過鄉間的小路，就找着警察了，意外的，一個乘電單車的警官突然而來忙揮手把我們攔住。

我們是外國人，獨自做的旅行，是要把我們扣留嗎？那是太可能的，警官問我們，要等候五分鐘，讓那輛「康拜因」過去吧？

我們等了不多久，似乎有一輛錫色的大汽車，立刻搖搖擺擺的橫行而過，警官趕快的跟在前面。

捷克政府驅迫反共農民，將農產物由警察管制，負責運給蘇俄。

在百貨店裏，大概每一個櫃台上，有一個紙卡，上面印着，「工作和不僅更多的工作」，把捷克的生產，提高到滿意的水平上，在許多的標價紙卡上，顯然可見，不論捷克人民工作了多少，他們還是少不得穿着破爛衣服。

工廠的工人每月工資，從貨幣改革以來，平均爲一百十四元，他怎麼能够給他的太太買得了十三元五角一雙的吊襪子呢？

他做兩星期的工，才能給她買一雙結實的皮鞋，（由五十元漲到八十元纖維的十四元）襪錢，在那一個國家裏，留爲最好的，亦就是二元，走過六層樓的商店，看一下從高到低的物價，普通人一件綫衫十四元，內衣八元，好羊毛的衣料，一百四十元一公尺，三公尺做一身。

玩具多是木製的，很少有一個塗上顏料的，最要不得的是那些塡滿了東西的動物。一隻熊八十元，一個塡棉花的洋娃娃卅元。

看了雜貨部更明白了。國產的酒十元一瓶，肥皂二元二角五一塊，咖啡廿三元一磅。咖啡和可可成了貴重品，像戰時香烟一樣，變爲交易的媒介。

罐頭製品的標籤，不是蘇俄，就是衛星國家，蝦肉四元，保加利亞的茄子，小豌豆一元四角。

與美國相同的「熱狗」，是切開了的麵包捲，有一薄片火腿，幾根萵苣，價值一元，我們買了一塊蘇俄的朱古力，只有餅乾大小，價值八角，嘗不到一點朱古力味的。

我們問「捷克人吃什麼呢」？他們說「燒餅，和捲心菜，椰菜」。

「絕別喝香檳酒」，有經驗的外交官提醒我們說，他買過十元一瓶的蘇俄的酒，「他們用些可怕，而混濁的液體，幾滿在空瓶裏，」

我們領略過布拉格的夜生活，有許多地方仍舊開着，不是國營，就是市有，在我們周圍的許多桌子，爲一羣不大起勁的食客和名舞女所佔據，女子們穿着裙子和上衣，他們年青的朋友沒有外衣，而且多是滿不在乎的不繫領帶。

提琴和鋼琴的合奏，亂成一團「一星期以前，有四個音樂家」外交官批評的說，「兩個人是先了軍的，認爲他們是社會的落後份子，就是那些孩子們不太好好工作的原因。」

在布拉格，除了幾個小孩笑笑而外，一無所有，古老廣場上，一個晴朗的日子，小孩子看着傀儡要的頑笑，父母安閒的看守他們，傾聽要傀儡人的噱頭，有某些宣傳的偏差。

市會室對面，有一羣青年來結婚，婚禮確是一件大事，因爲不得政府許可，沒有一個人能够結婚的。今天得到許可的新娘子舉行婚禮，穿了一身樸素的衣服，有穿白鞋的，還有戴一頂白帽的，整楚勳花是頂上了面紗，新娘子拿着租用一小時的白菊花一束。

自從一九四八年共產黨政變以後，布拉格已改觀，很少一個門口或窗櫥上有經過油漆的，大街上冷靜，不事生產的總計四萬人，已被充軍了，汽油一加侖四元四角，限制消費的貨品，從前擺滿了精美的玻璃器皿，毛貨，好看的東西，現在剛是裝飾品，還有許多宣傳書籍，有些行人被吸引站住了，則信注視陳列的食物。

我們問過一度成功的中產階級的人，他幸福的兒子打算甚麼職業，那人是一個冷淡的回答，他免於充軍的生產工人。冷淡的回答，他能打算甚麼職業。想，任何不是工人的兒子全受十五年教育，十五年以後，可以有工作。

「確是很幸福呢」，我問的話使他驚駭。

每一個不是工人階級出身的，除非有某種理由，小孩子要受共產黨學說的。

（譯自「美國新聞及世界報導」）

憂國詩人——韓偓及其作品

王耀荊

現在應該提到他的作品：除了香奩記和內翰別集之外，他的詩自然是最有名的香奩集，所以爲了後來所謂「香奩體」的肇始。他以極旖旎側艷的詞句，詠寫有關於閨幃的情事，最寫得好的，是女子的嬌柔羞怯，但却不是輕薄，倒可說是同情於女人的怯弱與不自由。如「偶見」云：

秋千打困解羅裙，指點醍醐索一尊；見客入來和笑走，手搓梅子映中門。

又如「嬾起」云：

百舌喚朝眠，春心動幾般，枕痕霞黯淡，淚粉玉闌珊。籠繡香煙歇，屏山燭焰殘，暖嫌羅襪窄，瘦覺錦衣寬。昨夜三更雨，今朝一陣寒。海棠花在否，側臥捲簾看。

細緻綺膩，頗得風人之旨，楊誠齋詩話把上引詩末四句截作一首，他說：「五七字絕句最少而最難工，雖作者亦難得四句全好者，晚唐諸子與王介甫最工於此。」如「昨夜三更雨」四句是好作品。他如「幽窗」，也是極香艷的好作品：

刺繡非無暇，幽窗自鮮歡，手香江橘嫩，齒軟越梅酸，密約臨行怯，私書欲報難，無憑諳鵲語，猶得暫心寬。

韓偓在他的香奩集序裏說：「余溺章句，信有年矣，誠知非丈夫所爲，不能忘情，天所賦也。自庚辰辛巳之際，迄庚子辛丑之間，所著歌詩，不啻千首，其間以綺麗得意者，亦數百篇，往往在士大夫之口，或樂工配入聲律，粉牆椒壁，斜行小字，竊詠者不可勝記。……」可見他的香奩詩在當時已極膾炙人口了。但在道學傳統的詩論家，卻極力排這一類的作品，除了「太和正音譜」列於「香奩體裙裾脂粉」，明將王權稱樂府十五體之一，不把正眼來估評之外，沈德潛對於詩更加以貶視，他說：

詩本六藝之一，王者以之觀民風，考得失，非爲豔情設也。雖三百篇以後，離騷興美人之思，平子有定情之詠，然辭則託之男女，義實關乎君臣朋友，自子夜讀曲，專詠豔情，而唐末香奩體，抑又甚焉，去風人遠矣，淫僻私褻，概從刪如。（唐詩別裁凡例）。

（二）

輓吳稚暉先生

·羅香林·

黨國之元老，學術之明燈，猶憶夜雨巴山，談史論文，勉我重修總理傳。

民族失導師，總統失諍友，太息西風台北，沉星落月，惜公遺語放翁詩。

共幹的逃亡

·羅須譯·

「我女朋友的父親，開一所小麵包鋪，他雖然也在裏面做工，但在黨人心目中，他仍是『階級敵人』，他的女兒自然也逃不脫這個罪名。我們的戀愛被我上級發現時，我便日夜被受監視。這時我仍在熱烈信仰共產主義的理想，可是我不免感到我所身處的制度，是只顧目的，不擇手段的，他們決心破壞我的戀愛，即使這戀愛無損於他們。

「被這個制度利用的工具之一，是我們這『政治文化』訓練班的主任貝烈克中校，他曾在莫斯科受訓，是個激頭激尾的共產黨員，雖然年紀才三十五歲。他在時在納粹軍中於俄境被俘，便參加了德國共產黨所組織的『自由德國委員會』，受過思想改造。

「貝烈克決計要我打消我的婚約。這時我已和她訂了婚，她在一家餐室作女侍，因爲她父親的工廠已被政府沒收，她不能不出去工作維持全家生活。

「貝烈克打聽到她的家世和生活情況後，便跑到她工作的飯店找她，且對她做出許多不正當行動，有一次她祇得逃而避之，不敢再回到店裏去。這到後來我才知道。

「不過，這還祇是他的計劃的一部份。有一天，他把我叫到他辦公室，滿臉怒容，對我申斥了一頓，還說，我完全忘却我的責任，去和一個『階級敵人』談戀愛：『你竟和一個放蕩的女人胡搞，你要知道在公共飯店裏工作的女侍，沒有一個不受我們的政治幹部注意的！』我已記不清楚後來怎麼樣，可是我卻不能忘記我和貝烈克的一場大衝突，我大概是和他衝突了五分鐘左右，他跑到辦公桌後面，想起一張椅子，想對我擲來，我卻跳過去，扼住他的喉嚨。我們這次衝突雖對我身體並無損傷，可是我卻禁閉了一星期，後來祇有水和麵包，這是德國納粹軍隊中處罰士兵違抗命令最通常的辦法。」

（四）

不打自招文抄

·文抄公·

下面這一篇對話式的「文章」刊載於「北京」「新中國婦女社」今年十月九日出版的「新中國婦女」月刊上的。我們從這一篇對話裏，可以看出中共的報紙整天宣傳大陸農村如何豐收，到底是怎麼一回事。更可看到「幹部」們是怎樣「認眞」地「爲人民服務」；還可以「了解」「反官僚主義」「反」之後，所謂「高度的工作責任心」又是怎樣的情形。以下的題目和作者銜頭署名，全係原文，一字不易。

說空話的人

江平縣委辦公室

湖南省平江縣六區區委副主任陳同志，在元平鄉領導羣衆抗旱，對旱災情況不去具體了解，只憑道聽途說，下去了好久也不向區上彙報。（文抄公註：原文如此。）該片片組長單彤雲同志親自到了元平鄉檢查工作，發現災情嚴重，從一聯組就有兩百多石穀田過白，（即：中田因無水，泥土曬得發白發硬。）五十多石穀石田受傷。下面是他檢查工作時與陳的一段對話：

問：過白的田有沒有？

答：我的看法是白了，羣衆說沒有田白。

問：你說有田白了，爲什麼不發動羣衆車水救禾呢？

答：羣衆都說不車水沒關係？

問：全鄉抗旱情形如何？

答：據了解有一張水車和二個人在車水灌苗

問：你在第一組的情況怎樣？

答：乾了好多田現在搞不清楚。

問：你在這鄉如何領導羣衆救災呢？

答：開了兩個會，抗旱工作一切都佈置下去了。

問：其他情況怎樣？

答：不大了解。

再問她如何搞呢？什麼也說不出來了。

我逃出了竹幕

·王世昭·

吃了飯，約莫下午五時半，我到運部，這時運部已站了許多人，揹槍的揹槍，怒目的怒目，形勢頗爲嚴重。這時運指導員對我說：「你說老實話！究竟在什麼機關做事？說出來沒有關係，不然，我們送你到師部去，由他們去處理！」七八個解放軍更用眼睛釘着我。

我知道這是嚴重關頭，既然說謊率性說到底。我說：「指導員！我今年五十四歲了，從來不教學生說假話，豈有又來騙你少年英俊的官長。我的確在新加坡華僑中學教書，教的初中三年級。三年級是畢業班，我編的是講義，不是教科書，所以你問我的時候，無從置答。我的話沒有說完你就走了，我想你既叫我到運部來，當然我還有聲明的機會，現在告訴你了，請你相信我！」

這時另有一人出來打圓一場，他說：「老頭子，你慢慢的說，不要緊。」於是我滔滔不絕地把華僑在海外的苦況告訴他，冀引起他們的同情。最後我給他們戴上高帽子，作了四首打油詩，詩云：

「解放軍，眞正好；愛人民？愛俘虜？」

「解放軍，眞正好；不拉伕？不勒索？」

「解放軍，眞正好；不姦淫？不擄掠？」

「解放軍，眞正好；風不怕？雨不躲？」

他聽了十分高興，說「老先生！你是教員，你是教員，你是一位很標準的華僑中學教員。」

這時，我爲堅定他的信念，接着又說：「指導員假使你們有書給我教，我也不回新加坡了，我跟你們學習好不好？」

他笑笑地對我說：「老先生，得了，得了，你回到班裏去吧！」

到了大門口我鬆了一口氣，同路的留傑學生老柴爲我捏把一汗，事後對我說：「王先生，你眞有天才，危險呀！危險呀！」

我笑了一笑！（七）

自由人
中華民國僑務委員會僑務登記證台教新字第一零二號
中華民國郵政登記第一類新聞紙類
THE FREEMAN
（每逢星期三星期六出版）
（第二八五期）
每份港幣壹毫
督印人：李光華
社址：香港高士打道六十六號
電話：七四〇五三
GLOUCESTER RD. HONG KONG
TEL: 74053
承印者：東南印務出版社
地址：高士打道六十六號
台北市衡陽街六十號聯合書報發行處
中華郵政台字第四五九號之一
九二五二

艾森豪進退兩難

·邱昌渭·

艾森豪的內政和外交政策互相矛盾，造成民主黨與共和黨的爭執，國會與總統的僵持。艾氏必須先解決自己主觀上的矛盾，才能解決國內政治的僵局。

一九五二年十一月四日美國大選的結果，產生兩種非凡的現象。第一，艾森豪威爾以空前的多數票當選總統。第二，共和黨在國會中不但取得安穩的大多數議位，以參議員數論，名額上比民主黨多一人。嗣因死亡補選，目前民主黨員四十八名，與共和黨四八對四八，眾議院全體議員四三五名之中，共和黨議員二二一名，亦因死亡辭職而補選之結果，目前共和黨議員人數減少至二一九名，比民主黨二一五名，只多四名。[illegible]是美國南北戰爭後的第一次。

總統與國會的僵局

美國大多數的選民，選舉艾森豪威爾為總統。為的是要「變」。他是政治上的新人，是一張白紙。是家喻戶曉的戰爭英雄，是適合「變」的理想人物。但對於他[illegible]信心。選民只[illegible]未給以同樣的支持與[illegible]所領導的共和黨[illegible]

美國總統與國會，處於平等對立的地位，全靠政黨的運用，使行政與立法間的意志，趨於協調一致。但政治的重心，在白宮抑在京山（CAPTTOL HILL），則隨總統個人為轉移。

一部美國政治史，就是總統與國會彼此間力量的消長史。總統如屬於傑克遜林肯型，則國會低首服從。總統如[illegible]，則政治重心轉向京山。歷史上，美國總統，不屬於此一典型，即屬於彼一典型。過去十餘年，總統與國會間的關係，已進入僵持的狀態中。[illegible]艾森豪威爾就職後九個月所造成的形勢，已使國內的人民漸表不滿。[illegible]杜魯門的總統。有決斷、有辦法，領導國會，以遂行其主張。美國第一流的總統，都是屬于傑克遜林肯型的總統。艾氏能否打破與國會的僵局，須看此後的作法。

國會缺乏有力多數黨

[illegible]

付表決的時，共和黨議員贊成的二一人，民主黨議員贊成的二一三人，反對的二六人被否決。這又是得民主黨議員的支持，艾森豪威爾才不至陷於窘境。國會中缺乏明確堅定的大多數派，為總統的後盾，總統

內政與外交政策矛盾

艾森豪威爾，在內政方面，最要的是減稅，主張平衡預算，緊縮政府支出。在外交方面，主張建立民主國家力量，對外繼續軍事經濟的援助。對內維持強大的軍事力量。這些都非錢不行。但如實行前項主張，則須削減外援，減少國防預算。若果如此，則民主國家的力量不能增強，亦即無以阻止蘇聯帝國的侵略。但如照後一主張做去，即須繼續增加大量的用錢，增加人民負担。則平衡預算，減輕租稅等等競選的諾言，即無法履行。這是兩種不能並行的主張，過去國會內政治僵局的主因在此。民主黨與共和黨主要的爭執在此。因此，國會如何使兩主張兼顧，以達到「允執厥中」的境地，在未來的世界局勢下，還是一個問題。艾森豪威爾實現的先決條件，必須解決自己主觀上的矛盾，然後才能解決國會內的僵局！[illegible]既要強大，又必省錢，既要省錢又不能強大的局勢。

由於主觀上的矛盾，主張不堅定，形成了上下不一致的措施，使美國以政策內政治間上的混亂。[illegible]增加反共集團世界上的人士，十萬不勝憂慮之至。（十一月十五日於台北）

即不能採取大膽的行動與強有力的政策。艾森豪威爾要求國會通過決議案，譴責蘇俄，破壞雅爾達與波斯坦密約。參議院不予同意。後以史達林之死，艾氏遂將決議案擱置。參議[illegible]上台後，不易貫徹其外交政策，已甚明顯。

危地馬拉墮入紅色圈套

值得鑑戒的事例

·長林·

紅潮泛濫於歐亞大陸的時候，人們目視加拿大和美國遍生活於安定和自由空氣中，便以為美洲國家在傳統民主自由的環境中，對於赤禍，具備先天的抗毒素。實際並不盡然，其中如危地馬拉，已感染上了嚴重的赤化病菌。

落後的危地馬拉

[illegible]

經濟侵略的反抗

[illegible]

他在眾怒難犯之下，只得悄然辭職；繼起是非烈將軍，更爲糊塗，客歲十月爲軍人暴動所[illegible]去。改由兩軍人一文員組成的委員會來統治，完成一個民族性的憲法，選行新總統的選舉。

現在新總統是阿里凡路，是個大學教授，[illegible]行政經驗，自稱是一個精神的社會主義者（觀念似社會主義，與馬克思主義有別）。大膽提出一系列的社會，政治和經濟的改革，但剛開始，便遭地主資本家的反對，尤其一個軍人都不肯支持。光是一些漫無組織的智識份子在捧場，自難與舊勢力抗衡；面對着一大堆的改革計劃，只感心餘力絀。

共產黨怎樣進來

阿里凡路總統在孤立狀態下，認爲職工會的力量可作應援。以前工會組織是被禁止的，現在阿里凡路總統根據新憲法，鼓勵工會組織，但以成員的質素關係，久無成效，不得不發展到異地。墨西哥勞工領袖便派他的活動份子前來協助，很快便完成了包含十萬以上的農工業工人的全國總工會。殊不知墨西哥派下來人都是共產黨員，在總工會的組織過程中，大多數單位都給共產黨赤化了。阿里凡路總統的社會基礎在工會，實質上是在共黨的小組上面。雖然政府否認共黨的影響力，但政治進展的支點却在工會，而工會由共黨領導的事實，最明顯的，就是政府機關報「中美」和另外一個「十月」報，就是操在著名的共產人手上。許多反共的示威運動，都被禁止。「十月」報的讀者會，政府要人也去參加。內閣雖會封閉「十月」報和其他共產學校，但旋又被議會所反對而撤回命令。

面臨內外大危機

就整個政府言，雖非盲目跟共黨走，例如對韓戰，譴責北韓而支持聯合國，對泛美共同安全協定，很迅速便批准了。但對於社會改良施政，則非靠共黨的力量支持不可。因此引起保守集團的激烈反對，視一切改良運動爲共黨的挑戰。其中以外國企業家最爲敏感。實際上擁有支配力量的聯合菓品公司所遭遇的勞資糾紛亦最多，不管該公司對勞工條件怎樣優越，還免不了無情的鬥爭。該公司原有的各種優待和租讓權之修訂，在別的中美國家已很順利完成，在危國政府却提出苛刻的條件，使不能接受。其他外國企業也有同感。原來危境內還有許多工礦業資源尚待開發，現在已多裹足不前。國際重建和開發銀行原定在危國有一套投資計劃，也因此而擱置了。

目前危國已面臨兩個危機：一是因對現實不滿而激起另一次革命；一是外國資本的撤退而導入經濟的崩潰！（長林節譯CURRENT HISTORY）

一週展望

·陳克文·

中共北韓的經濟協定

本月廿三日中共宣佈了一項和北韓簽訂的十年經濟協定，根據該協定，中共取銷北韓對中共的全部債務。中共在未來四年內給北韓以價值三億五千萬美元的經濟援助。中共拿甚麼東西給北韓呢？據說是煤，棉布，棉花，食糧，建築材料，交通器材，五金，機械，農具，漁艇，紙張和文具。

中共自身現在不是要靠蘇俄的經濟援助嗎？那裏還有餘力援助北韓？上面所說的物資在中共自身都是欠缺的，又那裏有東西供給北韓？因此這協定不是紙上空談，便是中共要加強對大陸老百姓的剝削。使本來已臨破產的大陸經濟，更加崩潰的速度而已。

韓國的統一更爲渺茫

然而這協定是另有其意義的，這表明蘇俄和中共已決心阻止南北韓的統一。不久以前，金日成已從蘇俄那裏拿回來一筆援助，現在中共又在羅掘俱窮的情况之下，給北韓締訂經濟協定，姑勿論此一協定能否名符其實，確實給北韓以實惠。蘇俄和中共之不許北韓和南韓統一起來，已是洞若觀火的了。

除此一協定外，共產集團現在更進行組織赤色的亞洲聯盟，中共越盟北韓自然是主要角色，還希望把印度和緬甸也拉在一起。據說此一聯盟將於下月在北平開會。北韓在這一形勢之下，是絕對不會和南韓妥協的了。李承晚總統儘管宣佈以普選謀求韓國統一，也是絕對不可實現的了。政治會議的籌備工作，經五星期會議，仍一無成就，反共戰俘洗腦工作又一再陷於停頓，都顯示韓國問題是無法從談判求得解決的。然則是否會因此而恢復熱戰呢？照目前形勢是不會的，不過將來的演變所至，誰也不敢輕易作判斷。

英國人的反美情緒

英國工黨議員阿蘭布及保守黨議員蒂斯最近在美發表言論，請美國了解英人反美情緒的原因。其中最重要的幾句話說，『美國不能因其施惠於人而得到別人喜愛……我等對美援感激心腸內恩及我等地位降低而消失……此非忘恩，乃係人類本性。』以英國這樣的國家，因本身地位降低，以至對美國的領導態度尚且有此反感，別的國家更可想而知。亞洲各國對美國的遠東政策往往不敢輕易接受，其原因亦即在此。美國人對此也不是全然不知道的，最近尼克遜副總統在馬尼拉對新聞記者便說：『美國及其他自由國家必須認識，對亞洲的政策不能以殖民地主義及利用作基礎，亦不能以西方優越感作基礎』。於此，我們不只希望美國要從速改變其領導世界的態度，其實英國人也未嘗不要自行檢討其本身的態度呢？英國人爲自己的地位降低而抱怨，他們對於亞洲及其他落後國家，爲甚麼還要保持過去對待殖民地那種自高自大的態度呢？己所不欲勿施於人，不懂得這種恕道的人，是不配爲現代領導的國家，也不配於責備他人！耶穌對舉起石頭打擊罪人的人說，你們自己先要想想有沒有罪。我們希望英國人也得自己先行反躬自省！

三全會的收穫

台灣通訊

中國國民黨三中全會，於本月十二日開幕，十四日閉幕，爲期三天。本刊以前所報道，此次會議不致討論總統副總統的候選人問題。現已證實。再就已經發表的文件看，此次會議，黨部提案最重大的爲大陸革命運動指導綱領。至有關國民大會，及反共救國會議兩案，中常會只向全會提出兩個報告，並未另作提案。蓋就黨的立場言，研究決策已告一段落，此後實行召集係屬政府工作，全會不必再作任何決定。該兩報告由全會交付審查，並經出席人員交換意見。茲從各方所得印象，可報告者約有七點：

可報告者七點

（一）明年二月二十日召集的國民大會，係憲法第二十九條所規定的常會，第三十條並非臨時的會。

（二）第一屆國大遞補條例，已由立法院通過。政府原擬的條例第五條，本甚具體，後立法院修改爲「遞補辦法，由行政院定之」。此似爲立法授權行政院。事實上立法院亦不欲在條文中過分作具體的硬性規定，俾行政院得因事制宜。聞行政院方面，亦不欲在法律之外，過分放寬。一切遞補條例，仍須依照法律規定辦理。外傳可以如何通融之說，恐屬不確。例如國大代表選舉罷免第二十九條規定，每一選舉單位候補當選人只有三名，當時列入候補當選人名册者，亦只有此三名。其餘無論得票多少，均不視同候補當選人，即未列於名册之內。現有若干得票名次在四名五名以下者，亦欲乘機遞補，恐難爲行政院所接受。凡正式當選之代表，現在已死亡，附逆，或陷在匪區音訊不明達三年以上者，可由候補當選人依次遞補，此乃遵照法定條件辦理，並非爲湊足開會法定人數，而作無限制的通融者。

國大法定開會人數

（三）國大集會法定人數，依國大組織法第八條規定，非有代表過半數出席，不得開會，與立法院組織法第五條規定若只須五分之一人數出席即可開會作比較，似覺過於嚴格。立法院有議決法律案，預算案，戒嚴案，大赦案，宣戰案，媾和案，條約案，及國家其他重要事項之權，出席人數只須五分之一，即可開會。國民大會之開會人數何必限以過高之法定人數？至修改憲法，爲鄭重計，憲法第一七四條已另有規定，出席人數較過半數爲高，已不必顧慮有輕率改憲之事。現時在台與可能來台之國大代表，已達二分之一以上，但爲會議進行順利計，能改出席人數爲三分之一以上，自較合宜。國大組織法係普通法律，只須立法院通過即可生效。聞行政院可能向立法院，提出此項修正案。

（四）國大開會之法定人數，雖有人主張降低，但總統副總統之當選票數，並不主張更動。依總統副總統選舉罷免法第四條規定，須得代表總額（三〇四五人）過半數之票數，始爲當選。換言之，必須各得一五二三票。故主張降低法定開會人數，純爲便於開會，並非爲便於選舉。當選票數不降低，使足以代表全國半數以上之民意所歸屬也。

國大會期問題

（五）國大開會期間，依憲法第二十九條規定，總統任滿前九十日集會。又依總統副總統選舉罷免法第二條規定，總統副總統任滿前六十日，舉行選舉。如是則最初國民大會開會後，三十日並無其他職權可以行使。即使聽取政府報告等，亦無需一個月時間。故有人主張，修改爲任滿前七十五日選舉，俾節省開會時間，並使下屆總統副總統能早日產生。

（六）反共救國會議之召開日期似將在國大開會之後，但其時間似不致超出明年上半年。行政院方面，可能先行設立一籌備機構。

（七）反共救國會議雖非常設機關，但亦不致舉行一次即告解散，遇有必要，仍將繼續召集。所有決議各案，政府認爲應行採擇者，即予施行。其有應行經過立法程序者，仍將送由立法院，照法定手續完成立法程序。

人事無變動

以往中全會後，黨部及政府人事每有異動。今次三全會既決議常委十人連任。[illegible]

蔣總統新著——樂育兩篇內容一斑

【本報特訊】國民黨三全會開幕之日，蔣總裁提出民生主義育樂兩篇補述的新著，文長五萬餘言。會中宣讀只及一半，其餘因時間不足，未及盡讀。憶國父當年講民生主義，關於衣食住行樂育六項，只講完衣食兩項，其餘因北上商討國是，旋逝世北平，未及完稿。蔣總裁於今年年初，開始著述此一新著，歷時十月。其間曾一度徵詢黨內人士意見，共得修改意見三十餘件，復據以補充，現方定稿。因全文太長，各報只登載提要，序言及目錄。不久全書即公開發行。于右任氏曾於大會中讚揚此書，謂爲中國國民黨反攻大陸與同胞重見的禮品。蔣書關於育的部份，分爲生育、養育、教育三節，尤注意於國民生育率與人口數量一點。馬爾薩斯謂人口爲幾何級數的增加，糧食爲算術級數的增加。書中引台灣近年統計，人口增加率爲千分之三十七，糧食之增加率則爲百分之一百三十二，足見馬氏之說未足信。年來中共在大陸上還以屠殺爲常事，欲將中國人口數減至二億以下，自由中國似當獎勵生育，方可免國父在民族主義中所謂人口過分缺乏之危險。現時台灣因農復會主任委員蔣夢麟等提倡限制生育，不免使人誤信中國人口過多者，蔣總裁此書告成，此種疑慮當可豁釋矣。此書主旨在指示中國社會轉變的方向，當將來重建大陸的藍圖。末段引春秋三世之說，使孔子思想與國父思想互相溝通，尤爲學術上一大創見。

人物評述　當代詞人——劉伯端（上）

紹莘

（一）

當代詞人，而且是香港詞壇祭酒的劉伯端氏，原名景堂，番禺人；少時和胡毅生、朱大符、汪仲器昆季等同就讀於廣州城北大館，他們的先代以遊宦來居廣州。聰明才力都比較一般優異。毅生等後來東渡留學，伯端沒有同去。他年紀很輕，便在學務公所任職，年少練達，蘊情灑落。

民國二年的時候，他到了香港，供職於政府機關，公餘之暇，開始學詞。他在黎季裴玉棲詞鈔的敘語說：「余癸丑甲寅間，旅居香港，與六禾丈比鄰，丈喜余爲詞，析四聲，辨雅俗，春秋佳日，唱酬無間，忽忽三十餘年，雖無所成，然得稍窺詞之奧窔。」從這一點，可見到他詞學功夫之深。但是他對于創作方面怎樣呢？廖懺庵影樹與滄海樓合印詞稿序說「從廣還庵所贈廣篋中詞中讀伯端詞瑞龍吟云：天涯慣見飛花，又云：明日滄洲路，分付與離魂，依約低語。水龍吟云：歌一遍，歡娛短，不及花。天仙子云：綠窗燕子樓梁上燕，知其得力於小山，白石，梅溪者深。」又說「伯端錄近作十餘首，並心影詞續稿見示，抹澄疊卷，一讀一擊節，嘆爲絕稿後，梅詞家舐鄉，堪稱作者。」[illegible]二人。」可見這一位老詞人對於伯端的折服。

（二）

伯端對於詞學造詣極高，舉凡分析流別，批評得失，演繹詞心，都有獨到的見解。大概他的作品，小令，是由歐陽永叔、晏小山來，慢詞是由蘇東坡，姜白石來。他認填詞不宜字斟句酌一字一句填上去，應當注重[illegible]

[illegible]地步。他早年曾[illegible]

論副總統人選（一）

鄭啟

來論

自從「自由人」發表一篇「我們需要怎樣一個副總統？」（十月十七日）「新聞天地」先後刊出「副總統競選奏調場曲」（第二九六期、二九八期）兩篇報導後，立即引起台、港[illegible]

[illegible]

（二）

[illegible]

（三）

[illegible]

（四）

[illegible]

邱相健康變化莫測

[illegible]

加對艾森豪訪問失望

[illegible]

原子彈「肥」「瘦」不同

[illegible]

美擬邀俄參觀氫彈

[illegible]

小啟

本期稿擠，「編者與讀者」專欄、「二三版中縮」[illegible]

德工程師口中的中共

・樂濟世・

最近一個住在中國大陸，已有十六年之久的德國籍機械工程師，從中共驅逐出境，帶着家眷到了香港，住在九龍飯店幾天，不久便乘輪回歐了。這個德國人，抗戰時期到過東北，勝利後回到上海，說得滿口中國話，娶着一位蘇州太太，還生有二子一女。因爲大陸淪陷時，不及撤出，就在中共壓迫下，苦撐四年之久，因爲他具有優良的工程技術，所以中共利用他到各地修理機械，他到過北平，天津，瀋陽，新疆，漢口，上海好多地方，幾年中，他接觸了不少中共各級幹部，對他們所作所爲，有深刻的觀察，同時對中共的軍事工業，也看到了大部份。

「五子登科」的共幹

他首先談起大小共幹，都是訓練有素，具備兩副面孔的魔鬼，好話說盡，壞事做絕的。中共進入城市之初，共幹不敢公然貪污舞弊，生活也比較清苦，對付老百姓也表面客氣。最近二年，不管上中下級共幹，都全部暴露出他們本來的面目了。高級共幹要條子，搞車子，搶女子，蓋房子，走路子，一樣是「五子登科」。到處找錢，沒有一點「革命紀律」？而中下級共幹，因爲要避免上級與特務的管束，所謂檢討會，小組會，原是上級控制下級的工具。於是比較隱藏些，白天着破舊不堪的「人民裝」，晚上才換着式樣合時的新洋服，有的外面穿上粗布衣，裏面襯的却是美製的純羊毛衫褲，這已經不是新聞了。

婦女抹粉與重修廟宇

從本年三月起，有些「前進」的青年婦女，因中共「組織上」的指示，重新塗脂、抹粉、燙髮、修指甲，着高跟鞋，穿各式的時裝，好多女共幹，更把「人民裝」，「解放裝」，一起撕得粉碎，丟進垃圾桶了。據這個德國工程師說這一個措施，中共是受命於蘇俄的，到底是粉飾太平，抑或還有其他因原，便不可得而知了。

中共得勢後，大陸上的和尚、尼姑大都還了俗。廟堂寺院，自然沒有人加以修葺，有的作營兵，有的原來就是荒涼的山野，便成了廢墟幾棟，空空洞洞，一無所有。

去年中共一紙命令，派北洋軍閥時期做僞財政總長的李思浩，担任寺院廟宇重新修葺的欽差大員，不惜人民券支銷，修葺的修葺，重建的重建，許多樓臺亭閣，油漆全新，中共標榜着與民同樂的招牌，自然也是一種粉飾太平的用心。

發還存款的新騙局

發還人民戰前銀行存款，這是一件多麼好聽的「德政」？中共「人民銀行」規定，凡民國卅七年以前存入的款項，大約每元可以還「人民券」一九千元。若果真有這麼一回事，恐怕「人民券」發行額，馬上要增加一倍。但一般人都知道中共想假借這一「號召」，來收拾些被「三反五反」所創傷太甚的民心。實際中共的陰謀還不止此。他們要拿這一比率，向大陸各外商銀行，追還近五十年來，所有全部人民所未拿出的存款，做成一次向外商徹底總清算。據一個負責經濟部門工作的高級共幹，無意中透露，說英美人在中國全部資產沒收之後，怕還抵消不了應發還人民存款數字的一半。中共把外商無形扣押在大陸，原想作爲清算的「人質」，後來怕他們知道得太多了，所以逐步把他們分批釋放出來。然而一切財產，休想帶出來。中共誰都清楚，萬變不離其宗的把戲，不但外商財產，將在名正言順下「公正」處理，而人民的存款，又誰敢去討呢？尤其是繼續儲存，有名無實，即發還以後，也休想不「涓滴歸公」的。

「抗美援朝」的把戲

所謂「抗美援朝」，在大陸上，足足地鬧了八國多月。報紙上拚命鼓吹，暗地裏更採種種手段強獻迫捐。被捐獻所迫死的冤魂，至少幾千萬倍於報刊上所揭出的「捐獻英雄」！

捐獻結束未幾，報紙上即宣傳各省市擴與跑道修築機場的新聞。當時北平搶先來了俄製噴射飛機四五十架。電動高射砲，說是附有雷達指揮器的，俄製輕重機槍及遠程射擊炮等等，在北平市內，排列遊行個幾星期。「新華社」從北平發電到大小城市的報紙，算是向捐獻出錢的人民，交代清楚了。

噴射機，一天之內，可以橫貫整個大陸，在北平看的噴射機二三天後，便到全國各地飛機場上上落落了。有人把各地報紙所記載的飛機數字計算一下，總計自然會超過千架以上。於是中共加緊製成新聞，說俄國噴射機到了一千架，二千架，甚至有說三千架五千架的。

西洋鏡總要戳穿的，有一次，上海一架俄製噴射機發生障礙，大鼻子召僱很多機械師協助修理，這位德籍工程師也在內，他竟發現俄製噴射機的引擎，刻上英國製造字樣，那個使他有些驚恐失措！幸虧在旁的大鼻子，沒有注意。他急於要脫離虎口，與這種恐怖也不無關係。

莫洛托夫牌的隱喻

近二、三年來，大陸都市上所陳列的軋米機，無線電，抽水機，縫衣車，電風扇，電話機等，因爲英美出品，全被禁止輸運。市面上所陳列的，大部份是俄國產品，但粗製濫造，與笨重程度，簡直比不上中國貨。

最奇特的一件笑話，發生於漢口中共當時「中南軍區委會」，「漢口貿易局」，奉命向蘇俄定購汽車一大批，總計一百多輛，僅機械的人早已發現汽車引擎是捷克斯拉夫的，不是蘇俄自製。誰知用不到半年，這一批汽車，都停擺起來了。後來才聽得俄國汽車工廠，因爲趕造軍用車，沒有多大設備，製造各種配件，所以汽車一有損壞，祇能停着不用，變成樣品。好在英美出產的汽車，也爲着配件奇缺，遭遇同時的命運，沒有引起人民特別注意。

最多的，那時候漢口市上，有一句流行的暗語，凡是一家人家死了人，並不說是喪事。祇說「某某莫洛托夫」，那個人就會知道某某是已經停止呼吸了。

大鼻子的天堂

這個德國工程師說，他在東北時期，曾接觸到很多俄國大鼻子，有軍事人員，有政務人員，有技術人員，有特務人員。因爲他是德國人，很多大鼻子以爲他是紅色的德國籍技工，有時說話，並無顧忌。有一次他看見新從蘇俄來的大鼻子二三十人，盡是面黃肌瘦，衣衫破爛不堪，下飛機後，就各奔前程，向市上商店趕買東西，應有盡有。

後來他知道凡是大鼻子，新從俄區來的，都是一樣貧困，所以很多大鼻子到了中國，都不想回去。他們眞把中國看成天堂了。大鼻子都希望有機會派到中國南部諸省，他們有句很流行的口號說「中國的南方，是中國的天堂」。

新著評介

評「盲戀」（下）

・李化成・

（四）

我覺得徐先生把這篇故事演繹結束，寫「盲戀」。演繹結束，等於告訴世人，你要想成了醜陋的面貌，無論有多麼高貴的心靈，都逃不了命運的悲劇！就像本書中的陸夢放，爲了要使盲妻重明，不惜自殺把雙目奉獻於盲妻微翠。這修多麼感動人了！他有這樣高貴的愛情，論思想，依然不能不算高貴，論事業他是一個作家，也算是高貴的職業，就只爲了是天就的醜陋面貌，竟不能給生來就醜陋的人一個無情的致命的打擊嗎？

徐先生這樣寫法，只認定了先天的條件，先天生來就俊逸，沒有事業也是幸福的，先天生來醜陋就是再有多好的事業，也不能改變先天的缺陷，把後天的努力一筆抹煞。

（五）

徐先生在創造陸夢放這個人物時，也有點失「嚴」。把陸夢放寫的有點沒有人樣，怕是在現在這個世界尋找這樣一個醜陋的人還不大容易立時就找得到。你看他的長相：一、鼻子是紅腫的酒糟鼻子，還歪曲的鼻梁。二、嘴凸出着像個猴猻，二排厚腫的嘴唇，似乎無法閉攏，露出黃長的撩牙。三、參差不齊的鬍鬚，像似斑爛了的板刷。四、髮角捲亂，分不開來。五、面頰一面高一面低，高的一面像是多了一根骨頭，低的一面像是缺少了一根骨頭。六、倒掛着眉。七、脫下眼鏡，露出紅沿帶睫毛的肉眼。八、他很瘦，肚子很大。九、我說他的手是牛蹄。

這些都是從本篇中第一簡摘錄下來的，可以說把世上所有的醜陋相貌，都集中在陸夢放的身上。

（六）

我看文學這東西，應當給人一個鼓勵，如果作者只是在文字美上用功夫，還是不夠的。必須有更高貴的心靈，和偉大而崇高的思想。

在我看來徐先生這篇東西，如結尾不把它寫成悲劇，而把它寫成喜劇，那給讀者的印象就大不相同了。陸夢放這個人物，還是寫成一個醜陋的人物，只有徐先生寫的那多樣裏把所有的醜都集中，把他眼睛，獻給盧微翠後，盧微翠深受陸夢放的醜陋，不像人樣，她又進一步完成了蒸微翠盲目時，他把張世髮寫成一個以後，他看盧微翠復明以後，他就向盧微翠追逐，但盧微翠不爲他所動。盧微翠這時想起了他過去對待她的情形，他並不是眞愛她，他雖漂亮可是他並沒有事業。陸夢放雖醜，但是他有事業。過去他爲了要使她復明，曾自殺想把雙目獻給她，這是多高貴的愛情！在她內心比較之後，她對陸的愛情更加深了，以後不理張世髮的追求。況且她已結婚，她對張世髮現在的追求很鄙視。這樣更襯托出盧微翠心靈的高貴。

（七）

在寫作技巧上，長篇小說人物多了，也要把人物寫的有好有壞，給讀者一個鮮明的對照，這樣使讀者印像又深收效又大，就像在黃金一旁放一塊黃土，你不必再加解說，已經把黃金襯托的光耀可貴。如果一塊是黃金，另一個是明珠，又一個是鑽石。固然三者全好，可是使人眼花撩亂，更顯現不出那一個好來。

綜合上述，若照我所假設的喜劇這樣結束，就可以給容貌不大漂亮的人一個鼓勵。也就是暗示不管先天生來容貌如何，只要在事業上有成就，還是有前途的，美貌的小姐也會愛你的。把張世髮寫成卑下人物，也可以鼓舞讀者對生理有缺陷的人，應當予以同情。我的意見如此，不知徐先生以爲然否？（十月廿五日於台北）

徹底解決難民問題 美撥鉅款從事研究

自由世界除了籌謀抵抗共產主義擴張對策之外，眼前最大的問題，就無過於幾及四千萬的難民救濟更爲重要了。據美國難民問題專家諾里斯說，香港已成爲來自中國大陸的難民避難所；福特基金會撥款四萬三千美元，交由聯合國救濟難民駐港專員，用以研究港九之中國籍難民問題。港九約有十四萬一千難民，但確數現仍無法統計；港督葛量洪爵士對於難民問題的嚴重性亦屢加提出敦促世人注意。最近世界基督教救濟會香港分會特以奶粉十二大桶贈與調景嶺難胞，今後仍將陸續接濟，此批奶粉俟無造冊即可按名分派。中國大陸災胞救濟總會已匯到賑款二萬元，指定作爲該會購買食米用度，港九救濟難民委員會目前舉行第八次常務委員會會議中，會決定於今年耶誕節期間舉行慈善遊藝大會；現由謝伯昌等組成之籌備小組研究策劃進行，屆時倘非假用修頓球場，即商借鐘聲游泳場的露天劇場舉行。

東華三院每屆寒多，製備大批棉衣散發街頭露宿難胞，今年製成的棉衣二千件，原定自前（二十一日）晚十時派員分區散發，茲因天氣轉暖，暫時擱置。此外，其他各大僑團亦正計劃積極性的救濟辦法。

美國援助中國知識人士協會香港分會的援助鏈鎖，向少公開說明，自亦難免引起若干人士誤解，現經該會解釋設立之基本性質，係輔導而非救濟，故無救濟之權；但該會就力之所及，對貧病救助，船費補助亦盡其可能加以援助。當不能視作一般性之救濟機構，如留美旅港學生及忠貞人士經查明有據的，給予船費的補助；抵台之後且可獲零費補助。至於申請入台，如持有台灣公教機關之任用證件者，該會即可辦理申請入境手續，但在極需時，該會力有不逮，自難盡如人意。然該會每次接受申請，例不就延或會集登台；隨到隨轉，手續不合與輾轉費時，當非該會稽責，然恆以愛莫能助，該會亦甚表遺憾。

港九中西各界熱心社會人士所組成的救助失業青年協進會，接受失業青年登記求職的表格，現時已逾四千多份，與該會原先決定第一期救助名額一百名相距數額過遠。該會頃就力能所及，已將名額放寬至一百五十名。目前該會正慎重抉擇登記者之處境，視其緩急，分別先後設法安置，首期的一百五十名經決定錄用之後，被遣派的工作將係裝釘港九各街道之門牌。此項工作，共分三部分：調查、製造、釘製；第二期之名額尚難作決定。

中共與藏民爭利 祁連強闢牧場

藏民忿怒發生暴動

【本報訊】棄居在甘肅民樂縣祁連鄉的藏民，曾因忿於中共在該地強闢的「國營牧場」剝奪了藏民的畜牧權利，生計大受壓迫而激起暴動，當場有五百餘青壯藏民，以農具作武器，進攻牧場，搗毀牧場設備，驅散牲畜，並毆傷共幹十餘人。

據中共爲與民爭利，曾於今年春間，仿照各地「國營農場」的方式，開始在甘肅、青海、新疆、西藏等等畜牧區擇地設立甚多大規模的「國營牧場」。因此等牧場所選擇的地方，不僅均係各該地最好的草原，且強行劃定範圍，建立關隘，不准當地牧民至此種優良草地放牧，乃使該等地牧民大受損害。

介紹「文藝新地」

・陵君・

書刊介紹

看香港文壇的沉悶，正如他的氣候一樣。此時還有強風颶風，影響着季節的變化，而文壇仍是沉悶如昔，一任許多不健全的作品泛濫侵蝕，許多愛好文藝的讀者們莫不心痛太息。

「文藝新地」的出版，就希望打破這沉悶氣氛，參加這個組合的人，雖然不乏有名望有成就的作家，可是他們不以作家的桂冠號召，而想拿充實健全的作品去爭取讀者，這第一個動機便很正確。其次，在作品的選擇上，他們要求嚴肅向上，要求藝術的創造精神，不但反對流行的洋場小說與頹廢情調，同時也不願藉口號標語作爲文學的形式與內容。他們有一定的水準，有高度的要求，但不徒事標榜，而是希望拿實內容拓墾文藝的新園地。

這本雜誌爲半月刊，已定二十五號出版，其創刊號的內容，有莊水介紹伏爾德的論文，艾林侶倫路易士和黎瑜的短篇小說，嚴尚鳳的「本年度歐美名作一斑」，貝娜苔彭邦禎及子諸家的詩作，趙滋蕃的故事話，尹雪曼沙千夢鷹滿天穗珊等人的散文和通訊，全書六萬餘字，在質和量的兩方面，都夠得上稱爲充實的文學讀物。

紅·閨·封

·亞秦·

「的確！」牆上的掛鐘在擺動着，在長夜漫漫的閨寂中，跳動的聲音更顯得淸晰而使人感到難熬。

每晚到了這個時候，正是碧珍渡過心神交憔的難關，蒼淚，滴滴血，濕透了衾褥，正像秒針一樣地沒有休止；秋蟲唧唧，節奏那荒野的哀鳴，與深宵鬼魅的呼聲交織而成的幽怨，使她感到人間地獄，是如何恐怖可怕！

早三年前，還地方，內面貌就改變了；一幕爲「人民服務」的官員，隨着地方面貌的改變，齊脩美而隨做地神色，都爬上「人民舞台」，表演他們空前絕後的拿手傑作。那時候，碧珍隨着一個黝黑而矮胖的男人，走入這個城市，開始，他們的「解放」工作，由於「同志愛」的增到了了彿點，野鴛鴦變成了假夫妻，爲紅朝「新婚姻法」作了試驗的先例。

A城，是西南半壁中一個軍鎮，「解放」也比較遲些。那個常伴着碧珍黝黑而矮胖的老同志——張宏光，早四十八年前出生在這個城市；民國二十三年，爲克賀龍導演西北大流竄大悲劇的時候，張宏光混到流氓羣中被裹脅「長征」。如今，他變做了「人民功臣」，自恃是紅朝寵兒，一股土包子驕橫氣習，使他愈顯得兇醜高熾。

張宏光曾在陝西「華大」剛剛訓練出來一批青年男女幹部，回到自己家鄉來辦「接收」工作；碧珍是幹部中的一個，她是西安于午鎮吳家的嬌女，今年才十九歲，被迫接受紅色訓練，被迫加入迢迢長途的跋涉，同時也被迫接受張老同志的「同志愛」。

在「新中國」「新設建」的氣圍裏，「幹部」們的思想麻痺了，搜刮人民膏脂，花天酒地，恣意享受；張宏光是A城人民政府縣長，常常就藉澄紅潤綠裝而起了興奮作用。

誰料好景不常，土包子只能作打江山的砲灰；張宏光正是十足土包子羣中的一個，終於被新派來的都光華，把他現有地位攫佔了。

那時候，吳碧珍是縣糧食部副部長，在業務勞觸，與縣長的時間比較多，有一天，老都說要了解碧珍身世，單獨談話，她在一間密室裏，碧珍才帶着的時間的神情渡出了來，頰，變得到碧珍出來時候，被看的人，她滿噙着兩餘包淚水，眼眶也紅了。

張宏光雖被剝削了掌握A城十五萬人口的生殺予奪大權，一份「老太爺」糧，還甚讓享受；他現出A城百貨公司的總理，仍法採取報復，自從碧珍被老都召在密室個別談話後，碧珍爲他相愛，一再向他提出要求，一再提這個環境，另謀出路，他的懷。一覺裏驕橫地狂呼道：「誰敢欺侮我，誰就是反革命。」

又過了些日子，正是「三反」「五反」運動，瘋狂在赤區裏展開，幾次「檢討會」，張便成了「鬥爭」中的對象，任你是「人民功臣」，也抵不住衆口灼金，終於以「思想腐化」的罪名，被拘解赴省處理；碧珍知道禍將臨頭。自從張宏光事件發生後，在A城誰都知道是都搗的鬼，誰也知道是碧珍是發生事件的導火線。

碧珍頭單了，留在A城，時時擔心吊膽，加上個別談話的次數漸漸多，好像老都對她總是摸不清底，料想她期間長短，外間也與對面流長起來。

張宏光，就此一去無信訊；碧珍幾次想辭掉職務，得不到許可，又不敢反犯上級命令而擅自溜去；內心創痛，到了極點；她環境如火燃燒，煎熬。每天二十四小時，除在辦公室過七至八個小時外，其餘的時間，都悶擊地在一間斗室中徘徊，形影相弔；一到夜晚，伴着一盞孤燈，流着那不乾的淚水，過着可怖的生活。

旅歐回憶錄

·謝康·

二、

從國際輿論的反映來研究各黨派人士對於一個國際問題的觀感，似乎也是一種集思廣益聽取各方意見的辦法，如其是與本國有關而尙未解決的重大問題，則他山之石，或尙可爲吾人攻錯之資，旁觀者淸，有時片言之批評，亦可作當局者的一服淸涼散，迷途津梁，彌往往不在少。至若千夫所指，國際輿論幾乎一致的指摘，亦可覘公道尙在人心。道義同情，也可發生精神支援，輿論鬭戰的力量，此種見解，早在一九二九年多，余爲友人鄒彥余先生整理中俄中東路問題底國際輿論的報資料並從事評述爲中文時，頗認識其重要性。迨一九三四年蘇聯加入國聯，亡友王芃生爲外交月報向余索稿，余則以「蘇聯加入國聯之國際輿論」爲題，寫成一篇長約兩萬字的文章，交出該月刊發表，這算是用同一方法寫成的第二篇文章。至於第三次，要算一九三七年抗日戰爭的國際輿論，至一九三九年止，我所譯寫的關於本問題的稿件，大約已積了三十萬言，一直沒有機會出版。另外，用法文譯寫的中日衝突的中國輿論，也可說是同性質的一本書，這書於一九三八年在巴黎出版。此外一九三九年與丘正歐兄合編的一本「中日戰爭與國際輿論」，在同年八月我離開歐洲之前，業經交付印刷，但後來就不曉得怎樣了。總計同類的工作，前後編譯不下四五次，積稿數十萬言，佔了我個人留歐時期的不少光陰，如今想來，似乎還値得作爲一個紀念！遙夢湖邊，軟雨輕雲，巴黎城畔繁花似錦，隔重洋回臨故國之阽危，每聽取異邦人士的諍言或忠告，其一片惻愴之心，至今彷彿猶縈繞不止呢！（二）

艾斯勒無地容身

[illegible]艾斯勒，一九四九年[illegible]逃出美國，偸渡赴東柏林後，曾一度紅得發紫，[illegible]，但史達林死後[illegible]，艾斯勒[illegible]，與往昔已不可同日而語，過去他所[illegible]，今日已使他深感無地容身之苦，他不但已不能以自己的名字公開[illegible]，[illegible]由東德新的紅人關德林芬氏擬了逃去。（啟）

憂國詩人——韓偓及其作品

·王耀剛·

[illegible]韓偓[illegible]，更顯得十足的道神氣，如：

詩有歸魂者三，[illegible]

[illegible]

風入松

（和寶繪宗夜泊桃花江韻）

·彭遂民·

春江綠水漾蒲蘺，底事上花溪？蹣跚沉醉吟高曲，稍情過。憑悲沉迷，月夜淒淒怨懷，暗香浮動神移。瀟湘遊子板橋西，米芾踏江堤，春風歷盡干戈，看殺時不見鶯啼，無語金樽對月，誰教愁鎖雙眉？

風光綺麗衡微漪，小舸受清溪，恣忽去，賞心事：那管津迷，天上蟬娟長夢，青禽傳語魂移。萋萋芳草綠江堤，極目楊柳西，攜手上江隄，國林吐蕊花如錦，好時光，且聽鶯啼，有酒當歌須醉，今生不讓愁眉。

猶人的悲哀

奧地利猶太人伊森巴，在第二次大戰前，在維也納開了一間肉鋪，生活裕如，自己也頗感滿足，但納粹黨徒來了以後，他和其他猶太人一樣，全家都被關入集中營，[illegible]

[illegible]

這些可憐蟲。」同時另一個人也說：「我」願重新在這裏建立我[illegible]，在猶人收容所裏的一是一個德國人，我過一的那時生活。」（莫知）

共幹的逃亡

·羅須譯·

「這個事件，是我最後脫離共產主義的開端，雖然我當時並未了解。我開始收聽西方無綫電節目。讀些謠密的反共刊物，因此逐步知道，在間諜、告密者、和共黨歷史外，還另有一個世界。

「一個人發生自由思想，是最危險的事。在東德如有人被發現身藏一份反共報紙，通常的處罰是徒刑十二年，不過我經常接到一個叫『秦關杜拉』的週刊，這是在西柏林英管區印刷而偸運入共東德的。它對黨的冷嘲熱諷，引起我心底裏的共鳴，更鼓勵了我懷疑未久的反共情緒。

「我要我的父母，也都憎恨共產獨裁，他們告訴我許多關於自由世界的事物，使我與世界大局保持接觸。他們後來由地對我說，他們不希望兒女做一個共產黨的特務。

「隨我對共產黨的信仰愈來愈動搖，他們口中所說的一切，在我頭腦中，已不像以前那麼可靠了。我們是德國青年未來的訓練者，所以我們所受的共黨宣傳，遠比其他德人強烈，共黨教官製造了種種怪誕的故事向我們灌輸，他們說，英國已成了一個次等國家，勢力大降，在國際局勢上已起不了多少作用，國內的勞工們對政府與本身生活的不滿已瀕臨爆炸點，流血革命已迫在眉睫。這樣的革命所以還沒有發生，全靠政府的刺刀和警棍的鎭壓。

「但今日我在西方世界這一角所看到的事物，已足夠證明這些話和共黨其他許多宣傳都是荒謬的謊言了。可是我們看到共黨說這些話時[illegible]不使我們感到他們的話不可信，一旦我們相信了他們的話，便都能符合共產黨的說法了。例如共黨對我們說，邱吉爾五月間在下院發表的演說，並不是藉蘇希望和蘇聯談判，這祇是對英國勞工們的欺騙，藉以遏止他們的革命情緒，他的諾言，從沒有誠意付諸實行。

「我在『政治文化』學校中與校官吵了一架，我還是正式畢了業，踏出校門，我便獲得了『政治指導員』的名義，階級等於軍中的中尉，不過我的權力卻比東德人民警察中同等階級的軍官更大。在我管理下的警察有一百二十七人，我有權呵斥他們，公開或暗中調查他們的行動，甚至警官們也不敢不向我低頭。我且可以借『政治』理由讓實施提長階級的警官。

「當我調到東德人民警訊號隊總部時，我組織了一個內部間諜網，每十人中挑一個人受我指揮去監視其餘九人，如有特別敏感的情況，甚至一個人監視二三個人。」（五）

× × ×

我逃出了竹幕

·王世昭·

班裏的朋友送我出來，驟，只好很們地走了。

都爲我歡喜；同行的新聞記者處君對我說：「王先生，你好險呀！」

廿二三兩日我們遊是住在林村，廿四日與第一營官換宿營地。今天是祭灶（新曆）。鄉間聽不到送灶的爆竹聲。晚飯的時候，連指對我們說：「過新年每人有兩斤豬肉發。」這是活見鬼的話，始終沒有兌現。

廿九日早晨，我們又出發，今天換了一個排長，年齡二十來歲，完全是個土包子，只曉得服從上級命令，其他一概不管。能追得上我們必須跟上隊伍走，脫，隊，他就「就鬧」，一路上弄到大家都不得安樂。

今日步行六十里，三時半到達貴縣的江口地方。江口距貴縣二十五里，最多三小時可以到達。

六、脫險

三十日，早晨起得太忽忙，把黃日光先生送給我的駁飛利價，曾用來水綫失掉了。滿地下都是稻草，找也無法找，集合的哨子吹過又

上午十時抵達貴縣，隊伍在出心排好，約莫一小時後，連指說，「凡是老百姓都在貴縣『解放』。」

他把我們的行李全部檢查過，這時我們除隨身衣服外，惟一的家當是三個飯碗，三雙筷子，一個水壺，一床破絮。此外還有大頭二十五元，中央銀行鑄的塊金一小塊，（這塊金子，我的太太藏在襪底，沒有查出。）如果沒有這塊小金塊，我時無法走出廣西半步。

我們留在貴縣城內，住在桃源酒店三樓，老柴已先一小時到達。在匆匆忙忙中，他帶了他的太太和小孩子兩個，不曉得什麼時候走了。

恰好這時遇見老同事國民黨廣西省黨部代書記長周鼓興，他由南寧逃到貴縣來，預備三十一晨搭民船到梧州。我拜託他給我買三張船票，共用袁大頭十八元，除了旅館房金與買些白米上船，上煮食之外，我身上的現洋只剩得兩元多了。（八）

中華民國內政部登記證台敎新字第一〇二號
中華民國郵政登記第一類新聞紙類

自由人

THE FREEMAN
（半週刊每星期三六出版）
（第二八六期）
每份港幣壹毫
督印人：李光華
社址：香港高士打道六六號
電話：七四〇五三
GLOUCESTER RD. HONG KONG
TEL: 74053
承印者：東南印務出版社
地址：高士打道六十四號
台灣特派員辦事處
台北市館前街五十號
台灣總經銷處
台北中華路五九四號之一
台灣郵政劃撥儲金帳戶
九二五二號

經濟思想的新啟示

——恭讀蔣總統「民生主義育樂兩章補述」有感——

·樓桐孫·

蔣總統以中國國民黨總裁的身份，最近發表「民生主義育樂兩章補述」初稿一種，共四章，都凡四萬餘言。

一本啟蒙哲學讀本

這在中國經濟學術思想上是一種極偉大的著作；一種繼往開來的啟迪！如果此後我們中國所有教育文化經濟社會各方面的設施，都能照着這個啟示的方向去計劃實行，則我們也不妨說這是揭開與歐洲從前所謂啟蒙時代在本質上迥不相同的另一個啟蒙時代。所以這一本著述，雖然只有四萬餘言，但從時代意義的角度來說，實在是一本啟蒙哲學（ILLUMINATION，ENLIGHTENMENT）的讀本，務使與三民主義本身一樣的普遍流傳，家喻而戶曉，以作爲建設康樂富強新中國，並而實現大同世界的鵠的。

原書第一章序言，第二章育的問題，第三章樂的問題，第四章，結論，以民生主義建設的最高理想——大同社會爲總歸宿：舉凡我國從農業社會向工業社會轉移時期中所必然發生的問題，自人口問題，兒童問題，鰥寡孤獨問題，疾病殘廢問題，以至教育、衛生、城鄉建設和文藝娛樂等等，都一樣樣的加以扼要敘述和明確指點，範圍綦廣，決非本文所能詳論。筆者於此，祇想先從經濟觀點來談談個人的感想。

民族信心的復活

我國自前清末葉，迭遭外患，變辱之餘，頓使全國人心由自大自尊，一變而爲自卑自怯。百餘年來，一種盲目媚外的失常心理，幾乎俯昏了極大多數人的頭腦，就是甚至連月亮都會說是沒有外國的好。這叫「心死」！這才是中華民族莫大的危機！到今天，大陸淪陷，赤禍滔天，溯本追源，這種蔑視自己固有文化的卑怯心理，未始不是一個主要的原因。在民生主義補述中，無論講到任何問題，處處都以我國自己的歷史背景爲根據，自己的社會環境爲對象，而所提示的辦法，也沒有一樣不是擷取現代的精華，適切自己的需要。這是民族信心的復活！這是民族智慧的更生！唯一問題，只看我們此後能不能夠獲致順利的建設環境和實行的政治能力。

中心思想未能確立

外國的經濟學說是以外國的經濟狀況爲依據的。自工業革命到第一次世界大戰，歐美的工商企業，實際上早已由古典派的所謂自由競爭，一步步的轉變爲集中與獨佔。而其中最激烈的變化，當莫過於自誇爲科學的社會主義——而以打倒資本主義爲號召的共產極權的奴役經濟。科學發明和工業革命，爲人類帶來了難以估計的幸福。但是伴隨着科學工業而來的思想混亂和學說紛歧，激盪迴還，相爲因果，也不幸終於使三分之一的人類，在小半個地球上，遭受了共產黨空前的慘禍！

毫無疑問，共產主義必將消滅，自勿待論。然而橫在我們面前的經濟思想問題，一般說來，大家還在瞻顧徘徊，彷徨於十字路口，大有[illegible]乎？左乎右乎？莫知所從之勢。是以依個人觀察，中國近若干年來的動亂不安，實以中心思想之未能確立，爲內在的癥結。經濟如此，政治又何嘗不如此？殊不知我們中國自有悠久的歷史文化和特殊的地理環境，因之民族所賴以綿延，民生所賴以立命的經濟思想和建制規模，亦自有與外國迥不相同的所在。

人我共存的文化

別的不說，單說中國幾千年來，每逢天災人禍，換朝易代，變化儘可很多，疾苦儘可很烈，但都可說是短時的，局部的，而決不致演成什麼全面的，在外國所謂生的貧富的尖銳對立和階級的慘酷鬥爭。這到底是什麼原因呢？這道理很深邃，很複雜。但大致而言，這是因爲我們中國的文化是一種人我共存，天人合一的，最合於人性之所本然與天理之所當然的整體文化。浸潤於這種文化裏面[illegible]

……禮運大同一章，[illegible]百零七字中，關於經濟的僅佔四分之一——「貨惡其棄於地也，不必藏於己。力惡其不出於身也，不必爲己」凡二十四字：這是何等大公無我的崇高精神！大學所論經濟的原理，不但更多，而且更具體而又精微。自程、朱、相傳，「致知在格物」——[illegible]知，必須即物而窮其理。因爲凡是具有性靈的人類，莫不有知；而天下的物質，亦莫不各有其理。這正說明「人爲萬物之靈」，一切都得要站在「人」的本位來研究物，控制物，以「養人之欲，給人之求」（荀子語）。而人類的欲求，又完全是理[illegible]

中國的中心經濟思想

[illegible]（下轉第二版）

論人事制度要在「機會主義」中突圍

·鄭知三·

「你爲什麼不是他」？

最近立法院通過了人事制度新三法（公務人員任用法、俸給法和考績法），不禁使我想起一個故事來。

那是我童年的時候，一天見警察抓賭，四個賭徒中祇抓走三個，這被抓走的三個當然覺得非常不平，乃憤然質問警察：「你爲什麼不抓他」？警察若無其事地回他一句：「你爲什麼不是他」？

談人事制度而扯起這個故事，似乎未免不倫，不過「你爲什麼不是他」這句話，在政治上好像被有意無意地利用着，而人事制度亦正復如是，所以我就把這個問題當作一個開場白。

人事制度的重要性

近世的行政已由放任主義漸趨於積極的干涉主義，行政事務已日見煩雜而擴大，辦理此種行政事務的公務員（一般稱之爲事務官），在政治上可以說與決定政策人員（一般稱之爲政務官，包括選舉的與提任的）具有同樣的重要性（二者同是國家的公僕）。人事制度即是管理公務員的制度，故其健全與否關係民主政治的前途極大。我國人事制度的基本精神原在考試用人（在昔上至宰輔下至一命之官莫不以考試爲其出身之正途，造成當時人民參政機會之均等），時至今日我們的憲法仍然基於此一精神以專條規定公務人員非經考試及格不得任用。而前所說的新三法也就是根據這個規定來制訂的，立法原意當然好得很，我之所以又有本文之作，蓋實有感於新三法與舊三法相同之處太多，而舊三法不合理之處又太多故也。

不知其所以然的規定

且讓我先來舉個例子來說：首先使我感到驚異的，就是新三法施行後的公務員還是跟過去一樣分成「有官等」和「無官等」兩大類，前者謂之任用人員，後者謂之聘用或派用人員，其所以有此區別，據說是爲了公務員有永久性及臨時性之分的緣故。凡是永久性的爲「有官等」，臨時性的則爲「無官等」[illegible]

……其次，還有一件很滑稽的事，就是資格相同而所任職務不同的公務員，其階級係視其所任職務而定，例如甲乙二人同爲高考及格，甲任經濟局長便能銓敘爲簡任十級，乙任警察局之人事主任只可銓敘爲薦任九級，[illegible]

是非與緩急

「西門豹性急，故佩韋以自緩；董安于性緩，故佩弦以自急。」韋是製就得很柔軟的一種皮革，其象徵爲遲緩或從容；弦是上緊得很緊的那一根直線，其象徵爲緊張或急切。韓非子述這一個有趣味的故事，乃是教我們在處理一件事務的時候，最好在緩急之際，多下一番斟酌的工夫。

在我們日常生活的經驗中，往往所遭遇的，只是涉及個人瑣屑的一些小事，可是有時候碰着一件不能不加以緊急處理的事項，一因循便可能發生毛病；反之，在我們情緒上一時受着非常的刺激，儘管對某一事件非加以應付不可，可是當心境還沒有完全平復的時候，便急於操刀一割，也每每可能把事情弄糟。一個人處理一件尋常的小事，尚且不免發生這一類景象，至於國家的事務，則更是錯綜複雜，利害多方，如何求得一個適當的處置，當然是更難更難了。

「明是非」，在原則上完全是對的。假如一個國家個值弄到是非不明，那還了得！可是這裏有一點必須注意：但是當是非失了準則，久已成爲一個積重難返的風氣以後，一旦要把它扭轉過來，似乎便只能行之以漸，否則求治過急的心情即令能爲有識者所共諒，然而所得在此，而所失在彼，其所給予國家不良的影響，所加於政治上的若干困難，又是一時所不容易彌補得過來的哩！

每週展望

·左舜生·

『要人』出洋

凡是接近權勢或作過大官的人，在一般尋常老百姓的眼中，都是所謂『要人』。『要人』所包含的成分，與學問，道德，事功，並無何等關係；祇要他有權勢，或曾經有過權勢；是大官，或曾經做過大官；大家便從而『要』之而已。

中國近年的所謂『要人』，有一個爲中國歷史上那班人物所不會有過的毛病，便是一旦在政治上失勢以後，往往藉出洋爲一個暫時的歸宿。

『要人』原不是一定貪污，可是能夠出洋的『要人』，能夠攜家出洋的『要人』，又能夠在那種現代生活最標準的國家，過着最標準生活的『要人』，便恐怕非貪污分子莫辦！

最近報紙盛傳，說曾經做過市長主席多年的某『要人』，曾攜帶美鈔與鉅款遠遁海外，而且據美國新聞記者一再報導，說把這個祕密揭穿的，便是最近和台灣作親善訪問的尼克遜副總統。

我記得尼克遜在競選的時候，也曾因銀錢關係遭受他政敵的攻擊，後來他把他私人的收支的賬目和盤托出，公諸社會，然後才眞相大白，據說他在事後還向艾森豪流過他的一股熱淚哩！從他的這一故事，使我們得到兩點的啟示：第一，美國畢竟是一個講是非，重事實的民主國家，即令被人指爲貪污，只要他能夠提出有力的證據，便可無損於他的清譽；第二，尼克遜畢竟是一個世故不深，青年氣很重，而又確實愛護中國的政治人物，否則這種話他便不說也是未嘗不可的。這幾天尼克遜還在緬甸一帶訪問，美國新聞記者的報導，他一定早已過目，假定他沒有說這種話，或說了而無切實的根據，他一定不會默然而息的。

『成都有桑八百株，薄田十五頃，子弟衣食，自有餘饒，至於臣在外任，無別調度，隨身衣食，悉仰於官，不別治生，以長尺寸。若臣死之日，不使內有餘帛，外有贏財，以負陛下。』這是諸葛亮在他臨死以前，向後主所報的一筆帳。新近去世的吳稚暉先生，也曾經把他在革命與留學期間，孫中山先生所給他的幾筆錢，在報上披露過，所給我的印象頗深。

近年中國的出洋『要人』，被人指目爲貪污分子的頗不在少數，可是我從來沒有看見那一位『要人』，敢於把他自己現有的財產及其來源也老老實實的在報上公布過一回！近來某『要人』所攜去的五十萬，假如不是一個太大的數目，假如我們不注意這種風氣之所以養成，還不是從基本上去講求『明是非』以整飭紀綱，只是對秋毫之末，一件臨時偶發的事件看着急，我看不見得會有什麼好影響的。

大選後的菲律賓政治

・祝修衡・

菲律賓介於太平、印度兩洋與南中國海之間，經濟與戰略上，與中南、馬來半島，同佔重要地位。一九四六年菲律賓宣布獨立之後，由於共產主義入侵，且內政不修，致應大選舉，充滿恐怖與流血慘劇。外交上亦並不能團結與國，祇有美國；與中華民國是比較友好的國家。

季里諾失敗原因

回溯一九四九年季里諾當選總統後，因菲共（胡克黨）日形猖獗，政府（自由）黨與反對（國民）黨政見不能協調，且地方官吏貪污橫行，政府黨內部意見亦不一致。加以季里諾受私人包圍，組織「核心內閣」，排斥異己，在反共戰爭中有大貢獻的馬獅獅亦遭見外，以至衆叛親離，政治日趨腐敗，本屆大選，季氏之所以失敗，不爲無因。

本來羅慕洛與馬獅獅乃自由黨中兩大支柱，也是季里諾的股肱鐵臂。前者曾任外長，半年前任駐美大使兼駐聯合國代表；後者乃國防部長，曾任內會議員，國內外均具聲望，但均被季氏擯棄於「核心內閣」之外，自損其實力。他以爲國民黨領袖羅里爾（一九四九年選舉中以一百廿九萬五千對一百七十五萬二千票）曾在他的手中敗北，且羅氏在菲島淪陷期間做過十八個月傀儡總統，聲望既差，絕非他的對手。自恃至馬獅獅與羅慕洛均係自由黨員，可以受他支配。

但政治局勢的發展，竟出季里諾的意料。國民黨因已往兩次失敗教訓，改變政策，先將馬獅獅說服，使馬氏於二月廿八日向季里諾提出辭職，同時宣布退出自由黨，而加入國民黨。四月十二日國民黨舉行全體大會，羅里爾正式宣布放棄競選，正式提名馬氏爲該黨（本屆）總統候選人。到了五月二十四日，自由黨全國大會開會時，季里諾竟自稱爲總統候選人；並辭職參加競選的羅慕洛大爲忿怒，極力反對以祕密投票來決定總統候選人，反對無效，遂憤然借助選潮退出會場。隨即另行組織（民主）黨和季里諾對抗。

自由黨竟與菲共妥協

羅慕洛於民主黨組成後，宣布本人被提名爲（本屆）總統候選人，跟着飛美，希望爭取國際間的友情支持。可是，自由黨政府不承認民主黨爲合法政黨，更不許該黨在各省市籌設分支機構。於是羅氏退出競選，轉而與國民黨合作，國民黨的勢力因此更爲堅強。此時季里諾雖正在病中，他的「核心內閣」，對於競選計劃，採取各種不同手段打擊政敵，以期鞏固本身力量。自由國民兩黨因此互相攻擊，不遺餘力。此時自由黨竟暗中與菲共進行妥協談判；八月間，季里諾政府即正式宣布：「如果菲共分子能夠投降，政府準備給與耕地。」此後，談判一直在不斷進行。上月，傳說菲共領袖塔魯克曾向其黨徒聲言：「不論政方與政府的談判如何，均須支持自由黨競選。」不久，塔氏正式聲明，他的黨願意和任何採取堅決反對「美帝國主義」的[illegible]黨合作。至此人們對自由黨未來的立場，遂發生疑懼，以爲自由黨已放棄其原來立場，否則不會取得菲共的合作。

馬獅獅的勝利基礎

馬獅獅是著名的反共人物，他對自由黨與菲共合作，本可在競選中大加攻擊，可是他並不揭穿季里諾這種陰謀，他只指出此舉至多予自由黨政府，在國際上名譽的打擊。在國內它能促使菲共叛徒更大和更多的恐怖與流血事件。他過去對共鬥爭，是採取[illegible]施政策的。他對投降與自首的共黨分子，不僅給與自新機會；且於施行感化之後，或對他們配給耕地，或借款營商。此等被感化之共產黨徒，變爲小商人與小資產階級的已不少，對塔魯克領導之民抗軍打擊，極爲有利。八年[illegible]的諾言，他又擬訂一拓荒的計畫，無奈未獲政府接受，固無時不在爭取機會，從事進行。此一計畫如能實現，大多數菲平民將有所安頓，菲共亦將無從發展。[illegible]政府對此不能不予支持，反而努力阻撓，甚至將許多已入拓荒的平民加以驅逐，因此人民對自由黨政府，更加恐懼。

中非今後的關係

[illegible]

現在新總統就職期間有月餘，自由中國對於這一位[illegible]，無疑寄予極大的希望，中菲兩國邦交，自將有更進一步成就。

馬氏今後政策的推測

[illegible]時日，不能立見有所成就。[illegible]懲治貪污必會嚴厲執行，總統也不能例外。但更重要的是繼續進行反共鬥爭，菲共現時雖偏處一隅，但自由黨與之妥協，仍然不可輕視。稍加疏忽，不難坐大成爲心腹之患。其次土地改革，是用來對付共黨的基本辦法，馬氏當然亦不能掉以輕心。又其次則促成亞洲自由國家的反共軍事聯盟，當爲馬氏外交政策上一重要課題。最後，吾人希望馬氏對於旅菲華僑能較過去季里諾政府採取更爲賢明的政策。旅菲華僑對菲島經濟貢獻甚大，今後不論爲中菲兩國邦交計，抑爲菲島本身利益計，過去歧視華僑的措施都非盡力改善不可。

經濟思想的新啟示

——恭讀蔣總統「民生主義育樂兩章補述」有感

・樓桐孫・

（上接第一版）

至於古聖賢所說：「獲得衆則得國，失衆則失國」的「道」，「有德此有人，有人此有土，有土此有財，有財此有用」，以及「德者本也，財者末也」，「亡人無以爲寶，仁親以爲寶」，和「仁者以財發身，不仁者以身發財」，與夫「國不以利爲利，以義爲利」，和「不義而富且貴，於我如浮雲」等等！──沒有一個「義」字不可作爲中國經濟思想的最高指導原理嗎？

這很顯然都是與外國的唯物主義，尤其共產黨的唯物論的經濟思想根本不同的所在。而我們近數十年來，一談經濟，便偏偏要去拾人牙慧，數典忘祖，不作買辦洋奴，即成狂徒亂賊，流風所及，竟使大好河山，整個淪於鐵幕，天下最可痛心的事，寧莫過於此！

西方文化的大破綻

當然！這不免有人會笑我過於迂腐。我雖然迂腐，却自決不會愚昧到睜開眼說夢話，完全無視於近代自然科學的發明和生產技術的精進。我是相信科學一如我相信民主一樣。但是所謂科學，除了一二種純粹的學理可以作爲幫助人類的智慧的工具之外，舉凡工商企業上一切的發明──經濟，難道與政治無關？舉凡一切經濟的與政治的制度，難道又與人類社會日常的生活無關？

依我們看法，一切對物的關係，無非爲的是「人」。假使由於對物的控制，開發和發展──這本來是很好的──反而發生對人的損害，甚至使整個人類的生存和文明都遭遇着莫大的威脅，這正將有合於我們中國所謂「忘本逐末」，「率獸食人」的道理。而近來外國的經濟思想，經濟學說，以及跟着這些思想學說所形成的若干主義和制度，似乎恰恰就有這種的傾向和可慮！

這正是今天西方文化的大破綻和大悲哀！

我們今天站在反共抗俄的尖哨，老實說，基本的歷史意義和艱鉅的神聖使命就在於此！

用合作社改革經濟

然則我們在這全世界經濟思想的眞空中，究竟有沒有什麼東西可予以充實呢？有！這東西國父早已倡導於前，今蔣總統在民生主義補述中，又加以發揚於後。這就是我們自己古聖賢一向所揭櫫，而最近百餘年來西洋若干思想家所認爲一種新的發明，新的經濟組織制度的新的社會理想：「合作」（COOPERATION）！這個崇高的理想，雖然到了一八四四年始由英國羅虛戴爾地方二十八位紡織工人創立了一個「公平先驅社」（ROCHDALE SOCIETY OF EQUITABLE PIONEERS）而告具體化，制度化；但在我國經籍以及歷代賢哲若干的著作中，殆無一不以「合作」作爲貫串全部的中心思想。直至國父發明三民主義，就很具體的提倡「合作」，要用「合作社」來實行「分配社會化」，要用「合作社」來改革經濟制度，解決社會問題。而國父在「中國之鐵路計劃與民生主義」一文中，更強調說明：「將來中國之實業，建設於合作的基礎之上，政治與實業皆民主化，每一階級皆依賴其他階級，而共同生活於互信互愛的情形之下。……對於待開發之實業，人人皆得按其應得之比例以分沾其利益，享受其勞力結果之全部。……」所以蔣總統在民生主義補述中，一開頭便說明「民生主義的社會不是以競爭爲基礎，而是以合作爲基礎」。對於育樂兩章的全般問題，無一不以這個思想作爲骨幹，作爲中心：──「自由安全的社會，健全的精神生活更比豐富的物質生活爲重要。要知道物質生活的進步並不就是精神生活的進步……」──「以合作互助爲根本的個人修養，在家庭與社會中和諧共處」，──「我們的民生主義社會建設，最緊要的是一般國民能夠協和合作」，──要大家「培養合作精神，……像音樂那樣有節奏和規律的集體生活」，……而在結論中特別指出「大同社會的勞力是社會服務而不是工資勞動。所以大同社會的經濟制度是以合作爲基礎，以服務爲目的。」這就是民生主義的經濟制度了。

筆者在一年以前，曾寫過一本「民生主義與合作制度」的小冊子，對這問題曾作過一番探索，所以今天談到民生主義補述，不覺有深切的領悟和感想。至若實行上的詳細設計，乃爲全自由中國合作主義者所應參加担負的光榮責任。總之：政治民主，要「以民爲本」；則經濟民主，更必須「以人爲本」。因爲合作社是「人的結合」（ASSOCIATION DE PERSONNES）而不是「資本的結合」。所以我們反共，也是反資本主義，同時也決不贊成資本主義：唯一中正和平的坦途，祇有合作經濟制度是最能挽救「人」的價值和尊嚴！這就是蔣總統在民生主義育樂兩章補述中主要的提示：「社會理想」！（民國四十二年十一月二十日於台北古亭）

人物評述

當代詞人──劉伯端（下）

・紹華・

（四）

太平洋戰爭爆發前，他已經從香港政府退休，但日軍攻陷香港後，即率同家人赴澳門，把澳門一所房子變賣了，籌集款項，冒險偷渡，返回內地，在廣西桂林一住數年。直至抗戰勝利，才經由廣州回港。在廣州時，市府會歡宴他，他的詞社的同人亦設宴歡迎他，他的詞在廣東日報副刊發表，傾倒一時。

伯端相貌清癯，精神爽朗，雖年已古稀，還不像七十歲的老人。他原先住在香港，病後，住在鄉間，[illegible]經常的要上西山，[illegible]腳力。他說：「自到了澳門後，詞境一變。」這和[illegible]變同符，江山與文學，是從中國國土根出來，開花結實的。

他回到香港不久之後，[illegible]

安於恬淡，這是老年人的處世哲學，[illegible]

[illegible]這一首詞，最能夠說明他的心境。這是一首壯詞，可是沒有一點粗獷氣。[illegible]於纏綿，說「滄溟外，[illegible]東注。喻鵬鑽[illegible]。千萬語，却[illegible]。」又齊天樂詞說[illegible]。這兩首詞眞是叫[illegible]，是王沂孫碧山[illegible]。他於辛卯年（民四十）和廖懺菴合[illegible]，現在他打算另用宋體字排印[illegible]，不久可以面世。

編者　讀者

△張維翰先生來書：「弟於「自由人」毫無文字貢獻，歉仄至深，稍緩亦當有所撰作。茲因港友欲閱登高雅作，因併最近士林秋禊之詩，分錄三紙，寄「自由人」分三日刊載，俾友人得閱，而弟亦免手抄之勞……」。

△周衡謐先生來書：「貴報在台頗爲大多數人士所歡迎，殊非偶然，昨見貴報登有秋日感懷詩三首，鄙人最近適有此作，特錄寄上……十一月廿日」

△張先生大作，本日起在本報分期刊出，周先生大作亦將陸續發表。

－編者的話－

△李秋生「艾森豪政權的低潮」改下一期發表。下一期文章尚有余明先生的「自由中國的小說，詩歌，戲劇和評論」，葉非葉先生的「台灣的廣播事業」，台灣通訊「香港學生初讀台大的印象」。

△惟生先生：請示通訊地址，俾卓季刊一冊即托劉先生奉還。

邊境共黨威脅嚴重　印度震驚了

印度雖在經濟上有西方傾向，政制也採議會民主，司法與軍事上依循英國的傳統，可是却處處都表現親共色彩，尼赫魯曾說：「我們願與其他國家保持密切友好，除非他們自己先製造麻煩。」可是在最近，印度畢竟表露了一些稍行脫離親共趨向的跡象，即使它的「中立主義」並未因此鬆弛，其主要原因，是印度已在韓國看見共黨在戰俘「解釋」上的殘忍實況，以及中共之結集印度北部邊境，並大事劫掠與滲入印邊。

在印軍赴韓之初，他們曾以爲反共戰俘是聯軍所「脅迫」，才拒絕遣回，但等到實地目擊戰俘們的反共堅強意志後，他們已恍然大悟，印度的「印度時報」立刻改變論調說：「反共戰俘們都寧死不屈堅拒遣回」，「印度快報」也說：「共黨的態度不僅是無理阻礙，且充滿危險性。」

同時，共黨對印度三國邦尼泊爾、不丹、錫金的大舉滲入，亦已引起印度的驚駭，最近，邊境上一個印度軍事代表團已對新德里提出報告說：「山嶺重疊的邊境，過去以爲難于穿越的，今日却已成爲可能的滲入路線，敵人甚至可能由此進攻。」（四維節譯「時代週刊」）

反共理論的新著

讀蔣總統著「民生主義育樂兩篇補述」後

·金達凱·

（一）

國民黨七屆三中全會已于本月十四日閉幕，此次會議議決的案件，計有依法召開國民大會，確立反共救國聯合戰綫，加強海外工作，加強大陸民衆反共抗俄革命運動等方案。在當前環境與反共復國的措置來說，這是十分需要的。但此種種政策與行動方針方面的決定，而在思想指導上則有蔣總統手著的「民生主義育樂兩篇補述」一書的宣讀與發表，系統地說明了反共抗俄戰爭乃是爲建設自由民主的中國社會，標示出民生主義社會建設的步驟與理想，給奮鬥中的國民黨人和奮鬥中的全國軍民以思想上的啓示。

我們知道：今日反共戰爭，雖然是軍事、政治、經濟、文化各方面的總體戰爭，但基本上却是一思想戰爭。因爲共黨的踐踏人類文明，奴役自由民主，摧殘歷史文化，毀滅社會倫理，以及壓制人民生活諸種罪行，都是根源于馬列主義及其所謂「辯證唯物主義」「歷史唯物主義」的荒謬思想。因此反共的先決條件，是建立一道堅強的思想防綫。

（二）

國民革命是以三民主義爲最高思想準繩的。三民主義的理論體系淵源于中國固有哲學傳統，採擷歐西學說精華，尤其是依據近百年來的歷史特質，社會情况與環境需要。這是一部嚴整的思想經典，是一個正確的革命指標。但是中山先生當日在策劃國民革命的過程中，艱辛歲月裏，使他僅完成民族主義六講，民權主義六講，民生主義部份只講完民生主義原理，平均地權與節制資本，及民生四大需要的衣食問題。住行問題已在實業計劃裏說出一個輪廓，而育樂兩方面的意義，則還沒有闡發出來。此不僅是中山先生個人的遺憾，亦是中國國民黨的缺憾。現經蔣總統加以闡述補充，完成三民主義的全部理論，當此革命大業正在進行之時，當中國人民正遭受共產主義荼毒凌虐之際，此一偉大思想體系的補述，應該是中國國民黨及自由中國軍民一個極大的喜訊。

（三）

蔣總統手著的「民生主義育樂兩篇補述」的精義，孕育于民國二十四年峨嵋軍訓團講述的「政治建設的要義」。其理論卓見已具規模，以後經歷八年的對日抗戰，四年的戡亂戰爭，以及三年來的反共復國的艱鬥準備的長期革命生活，對于育樂篇義更有深進的發揮。總統在補述的序言中說：「我們在反共抗俄的戰爭中，欲恢復中國國家爲獨立自由的民主國家，必須有計劃有步驟重建中國社會，爲自由安全的社會來說，這是獨立民主的國家的基礎。所以民生主義的社會政策之研究和確立，刻不容緩，而育樂兩篇的補述，也就成爲重要的工作了。」

育樂兩篇補述的內容方面，除序言一章說明補述經過及自由安全社會之建立諸種重義外，第二章爲「育的問題」，第三章爲「樂的問題」，第四章結論。

「育的問題」提出生育、養育、教育三個問題。「生育」一節，着重于人口問題的研討與分析，從人口數量與品質的研究上，指出人口問題的所在及其解決的方法。

「養育」一節，着重于兒童問題，生產與疾病殘廢問題，鰥寡孤獨問題，老年的養護與喪葬問題。說明此一問題的本質，並提示解決此一問題的方針。

關于「教育」一節，則指示教育改革的必要。指出過去教育的缺點，爲升學主義、形式主義、孤立主義。從而確定民生主義教育方針，並就教育內容，舉要說明，以爲今後教育改革的準則。

「樂的問題」。所謂樂，係指國民身心方面的康樂。因之對于國民康樂環境的計劃，保持國民心理康樂的方法，增進國民身體康樂的方案，有明確的提示。

（四）

在結論一章中，則特別指出民生主義社會建設最重要的精神條件，是社會道德，國民智識與學問各方面的綜合。並根據禮記禮運篇，說明民生主義社會建設的要點、步驟、及其亮麗的遠景。這一段意見，不僅是「育樂兩篇補述」的結論，且實爲國父中山先生整個民生主義講演的總結。

「民生主義育樂兩篇補述」，具體地解決了數十年來民生主義解釋最紛歧、爭論最激烈的思想系統，對于錯雜的社會思想界，亦予以澄清。發揮了「老有所終，壯有所用，幼有所長，鰥寡孤獨廢疾者皆有所養」的大同精義。充實了人民生活、社會生存、國民生計、羣衆生命諸原理所形成的民生史觀。因而對于摧毀人性，蔑視民生的共產主義者所信奉的唯物史觀，予以有力的打擊。在推動國民革命與復國大業及堅定羣衆心理的問題上，均有其決定性的影響。恭讀之餘，預祝並且相信：有偉大的設計，必有偉大的成功。

中共兩湖暴行實錄

【本報特訊】一個新近從竹幕逃出的湖南老百姓，其所親見親聞的中共這幾年來在兩湖所犯的罪行，慘絕人寰。茲擇其較爲顯著的分述如下：

隕縣幾幕血債

三十七年冬，中共在湖北隕縣曾演出幾幕血腥慘劇。

馬文錦與王梅軒兩人，曾經都在第五綏靖公署做過事，中共軍部到隕縣的時候，將他兩人拿獲，於縣城魁星路附近漢水之傍一廣闊沙灘上，栽植兩十字架，分將馬、王釘於十字架上，強迫民衆，一人一刀，公開剮死，被害者叫痛之聲，慘不忍聞。

李漢人與李鵬舉是同胞兄弟，共幹說他兩人是「地主」，用繩索捆綁，召集鄉民，人手一石，向他們猛擊。打擊較輕者，即斥爲與「地主」妥協。李[illegible]，血肉模糊而已。

他兩的父親叫李七爺，也被強迫他參加。李七爺眼見親生兒子，被人擊斃，當場昏倒，隨即氣絕，共幹說這是「超額」完成。

楊武鄉趙蘖璧，家有雜貨，看見勢頭不對，老早溜走了。可是，他母親六十多，一雙三寸金蓮小脚，走不動，共幹因此遷怒於他母親，燒紅了磚十餘隻，距離相當尺寸，擺成圓形，強迫他母親，脚踏火磚，循迴行走。趙母年老脚小，走不到幾步，就倒下來死了」。

龍安鄉軍人張隆雲，年紀已六十多，不知與共黨有甚麼怨仇。共幹將他上身脫光，用一桶煤油貼肉背於背上，下留火種。裝上木炭，於桶的另一面開一小孔。強令他在軍地街上背桶遊行，共幹從背後搧風，「風助火勢，火仗風威」，油桶燒紅，肉油直流，中途而亡。

城內翁子仁兩夫婦，與兒子翁松年，早被中共慘殺了。家餘寡媳（翁松年之妻）被共幹逼迫下嫁一個平日在她家僱用的老工人。在洞房花燭之夜，懸樑自殺而死。

華容縣小孩被慘殺

中共竊據大陸以來，大肆屠殺，屠殺對象，所謂「地主」階級，「資產」階級，「知識」份子，以及「惡霸」、「善霸」、「富農」、「奸商」等，自不在話下。即一班小孩子也所不免，三十八年與三十九年之間，便有小孩子被中共慘殺的故事。

劉黎左是湖南華容三封寺人，家有薄產，過去也在地方上做過事。三十八年冬，被中共在華容縣城拿獲。他的命運則已列入死籍。中共爲要玩些花樣，於同年十一月三日，將他解回三封寺，打算第二天召集人民大會，交「人民公審」。劉黎左不知是否命不該絕，在解到三封寺的當晚，暗中得人民幫助，不知怎樣就逃脫了。共幹老羞成怒，馬上率隊到劉家大捕親屬。劉家人口本來簡單，且又聞風藏匿，僅拿獲劉黎左年未七歲的小孩。共幹以「子替父罪」的名義，把他槍斃了。

呂永壽，是江蘇六合通永鄉人，過去任過鄉長，他在中共「寬大政策」的號召之下，參加「自新登記」。「自新登記」就是誘魚上釣的圈套，六合偽政府，打算於三十八年底，來一次全縣大逮捕。呂永壽於大捕前夕，聞風逃匿，共幹率領人馬，上門逮捕時，祇將呂永壽的家眷與五歲小孩，以及呂永壽在「自新登記」時十餘宗担保人同時拘捕，押回通永鄉公所，於三十九年一月八日，一併捆綁，解赴一荒塚之前，集體槍斃。五歲小孩因一槍未斃命，慘聲慘叫，令人不忍卒睹。

瀏陽公審蕭質卿慘劇

三十八年秋，共匪勢力伸入湖南後，即普遍展開「控制購買」工作——大肆征糧，征額的苛重，難於使人置信。瀏陽西鄉塘地方，本來不是一個產糧地方，豐收年成，勉強自給自足。三十九年二月初間，共匪打算將此地的糧食運往他處，人民已聞風大驚。同月十二日，匪幹唐德政來到塘地，煽動人民送糧，鄉民一致拒絕。唐德政改派鄉人民前來挑運，鄉民蜂擁而起，武力阻止。共幹竟扮一幕「殺雞給猴子看」的把戲。十八日即將當地士紳蕭質卿，由瀏陽偽縣府派差拘拿，解進偽縣城，對塘地人民[illegible]阻糧事件，一口咬住是他的陰謀。蕭質卿年紀已近七十，過去做過瀏陽縣商會的常務和書記。爲人正直，縣人稱之爲「賢老」。二月二十二日，瀏陽偽縣政府，召集一個公審大會，召集城鄉人民萬餘人，將蕭質卿交「人民公審」。共幹將蕭質卿押置高台上，捏造「破壞人民利益」一大串犯罪事實，當衆宣佈；塘地人民推劉福和爲代表，登台替蕭力辯。馬上遭共幹制止，拘押縣府，會場立時騷亂，當場被逮捕的五十餘人。蕭質卿也在「砰！砰！」槍聲之下，送了性命。「人民公審」散場後，所謂「蕭質卿破壞人民利益，經人民公審決定，予以槍決」的石印罪狀，張貼滿了全城，附近鄉村，也無處不貼。（劭伊述）

從置區計畫不洽輿情

議員無權過問遷木屋

港府的徙置計劃，牛是整飾市容，配合了都市建設規劃而來的；另一半則是爲了安全——木屋區的火災災難——安頓木屋區的迫遷居民。而那一個徙置計劃，原來的設想不可謂不周到，祗要有一張木屋證（人情紙）就可以去申請廉價的平民屋宇，雖然這種屋宇建築的速度並不能適應衆多的申請迅速建築，要等待當局抽籤來決定配屋的先後。這種辦法也是無可厚非的。然而，木屋區的居民，大多數都很貧苦，他們並不是不想享受廉價的避火屋宇，而係沒有能力去購買。因此，雖有許多有經常固定收入的小市民去想念它，希望於以一筆租賃小間屋的代價，換取一間平民屋。可是，想念畢竟是沒有用處的；於是，有人便乘此機會來幹那房屋經紀的行當，向木屋區收買「人情紙」，火災區搜購「難民證」，居間賺取了一些利潤，再轉售於原無資格而有意申請的小市民，使大部分平民屋落到了非木屋居民們手裏，這一個公開的祕密，決不是流言所謂某夫人或是某政要的操縱。普天下許多不合理的事情，或多或少受「人情」包圍。

誠如某報於抨擊徙置計劃文中，特別地舉出了一個例子：「有一個新聞從業員，憑着他平日對新聞事業的一種不健全的看法，以他的獨立經濟的職業，來替徙置區的事務宣揚。結果呢，他在徙置區中，得到了一間屋。他本來是中區的一家小房子的住客，他本來與木屋無緣的。」由於這一個實例，其他的也就不難想像得到了。

最近，何文田有一間徙置區的住宅，承建商奉命拆掉重建，理由是：建築商偷工減料。這是不是一如小律敦治所謂徙置區內弊竇叢生。組織不能健全的緣故呢？一個建築商人曾經說過：「一千六百元一間平民屋，它的成本祗花一千零五十元就夠了，而石棉瓦的上蓋，砂礫的牆壁，這種屋宇在五年以後，即使不倒塌，也難免要漏水。」然而，它的外表既漂亮，環境又很好，依然還挑逗着小市民的心。雖然付了過去有些後悔，由於自己的身份有問題，其他的問題也就被遮蓋了。

市政衛生局的非官守議員來自民間，他們自身感到選民們託付之重，與徙置區的不合理設施，貢獻改善意見是應當的。日前例會中，由貝納祺和小律治提出兩項改善的議案，前者認爲徙置區管理冗員過多，現有職員四十三名，實際二十名已足。後者主張重新改組徙置區計畫，經過一番激辯後卒獲通過，由該局的徙置區小組委員會重加改組。區達年在議會席上曾經發表了一篇冗長演辭，他抨擊徙置區設施，而支持小律治之提案時，曾遭主席彭[illegible]制止，彭氏反對延長木屋拆遷計畫，力言議員無權過問。

黑龍江林務共幹 集體大貪污

虛報名額藏匿糧食

【本報訊】最近中共之「人民日報」曾揭露並大肆指斥一驚人之集體大貪污案件，該一大貪污案件係東北黑龍江省「森林工業管理局」所演出，進行已達兩年，方於最近自內部發生[illegible]，祕密外洩，爲「人民日報」所揭露，加以嚴厲指責，用以促起其他各地有關高級領導幹部之注意，並予以所謂實際的「政治教育」。

據黑龍江「森林工業管理局」轄屬極大，凡該省各地森林工場，皆設有管理機構及工場，職員及工人人數極爲衆多，規定由黑龍江「糧食公司」配撥糧食之數至鉅，該處乃於去年以擴大生產爲名，向「糧食公司」虛報大批增加工人之名額，冒領大批糧食加以藏匿，以圖利用作爲該機關之活動金，改善私人之福利享受。當時以未被上級及「糧食公司」發覺，以爲大有可爲，乃於今年第一季度撥糧開始時，再虛報更多之工人名單一批，合計全部虛報名單，竟超過原有名額約百分之一百八十之多，故今年第一季度實際需糧二千三百七十餘噸，而經偽黑龍江省財政經濟委員會批准向省「糧食公司」撥取者，竟達七千一百八十餘噸，共虛領並藏匿達四千八百餘噸；第二季度實際需糧一千八百餘噸，而經偽黑龍江省財經委員會批准向省「糧食公司」撥取者，竟達三千九百餘噸，共虛領並藏匿達二千一百餘噸；連同去年虛領藏匿者，共達七千餘噸之多。該「森林工業管理局」，於撥得巨額糧食後，並以其中較粗劣者撥發其所屬機關及工場，而以較細白者大量堆存於各倉庫中，惟以數量過多，目標過大，處置不易，乃設法祕密分批疏散，以便於撥付工地爲名，在各大森林中設置甚多小糧倉，祕密分批移出，並以部份陸續祕密售給民間，以換取幣鈔用，減小目標，但因數量巨大，一時無法大量銷售；民間亦過於窮困，乃以較低於市場之價格，分給予民間，對此，民間自極樂意接受，[illegible]去未及兩百噸，此一祕密已自內部洩漏，爲省財經委員會及省監察委員會聞悉後，即分別派員前往調查，結果：不但屬實，且發覺因藏匿過久，而且時間之糧食過多，其中已有約四分之一發生霉爛，成爲實際損失。事發，中共中央大爲震怒，即嚴飭中共中央東北局及黑龍江偽政權機關迅即追查責任，嚴厲處置。據「人民日報」云，尚在審辦中，將如何處置，尚不得而知。

中共幹部之貪污情事，年來中共在各大小檢討中所披露之事例已極衆多，惟貪污人數之多，如此巨額糧食者，實屬僅見。此與目前大陸民間飢荒及中共因財經上的情形加以對照，實爲一極大諷刺。

·出版消息·

童話歌舞劇

「春」，是一本新出的劇本；是以童話式的寫幕象徵歌舞劇爲其外型，內容是描寫春的奮鬥，她象徵着慈祥、柔和、自由、愛，向魔鬼殘酷、暴虐、黑暗、壓迫、掙扎的多作正義的抵抗，終於獲得最後的勝利。它原來是一篇徵文的題名，爲當選首名的傑作，原文僅三千字，惟以其有豐富的想像，新穎的題材，美麗的詞句和嚴謹的組織，深爲丁文淵、易君左兩先生及其他一班文壇先進所讚許，乃由易君左先生負責予以擴充、充實，並由戲劇專家和名導演姚辛農先生及名音樂家范恭先生就綜合效果上和音樂價值上，作完密的補充，遂成爲一內容豐富，意義深刻的劇本。該書現已由新世紀出版社出版，每本售價僅港幣一元，極適宜於學校團體採用排演。誠如易君左先生所言，這在今天展開新的戲劇運動中，未始不是一種貢獻。

愛國詩人——韓偓及其作品

・王耀莉・

又如：

中宵忽見動葭灰，料得南枝有早梅，四野便應枯草綠，九重先覺凍雲開。陰冰莫向河源塞，陽氣今從地底迴，不道慘舒無定分，卻憂蚊響又成雷。　—冬至夜作—

惜春連日醉昏昏，醒後衣裳見酒痕，細水浮花歸別澗，斷雲含雨入孤村。人閒易得芳時恨，地迥難招自古魂，慚愧流鶯相厚意，清晨猶為到西園。　—春盡—

這兩首詠物寄興的詩，愛國憂時之意，盎然紙上，誰說他不是「風人之旨」嗎？至其寫景寫情，別具餘事，然亦逼切動人，如：

兩岸綠蕪齊似翦，掩映雲山相向晚，船頭獨立望長空，日豔波光逼人眼。　—[illegible]—

水自潺湲日自斜，盡無鷄犬有啼鴉，千村萬落如寒食，不見人煙空見花。　—[illegible]—

對於亂後蒼涼的光景，孤懷惆悵，宛然如見。所以四庫全書提要說：「韓偓詩雖局於風氣，渾厚不及前人，而忠憤之氣，時時溢於語外。性情既摯，風骨自遒。慷慨激昂，迥異當時靡靡之音。」可謂持平之論。

我以為韓偓的詩，應該把它分作兩期來研究。前期的作品，是以綺麗香豔為主，後期的作品，所謂局於風氣，而不失其流麗的情調，抒發愛國的思想，是以懷念宗邦，有君臣知遇之感，而其心情激動又復悲越不凡，一個詩人面對着世局的顛危及國家的衰亂的現實，絕不會無動於衷，任天下湯自己那徇律於象牙塔裏自賞桂冠的。

此外有人說，香奩集傳是五代須昌人和凝所作的豔詞，凝後「貴」，乃嫁其名為韓偓。和凝是甚麼人物呢？據五代史載他「為文以多為富，好為曲子詞，歷任晉漢周，契丹入夷門，號曰曲子相公，著有演綸、游藝、疑獄等集。」所謂「貴」不過是個辟心仕宦向「新朝」靠攏的歷仕晉漢周的無恥傢伙，被稱為「曲子相公」又以「多文為富」，還會顧慮到後人多此一個議論而嫁名給別人嗎？和凝這種人的人格固是「一文不值」，而且也是文以多為富，也不見得會有高深的文學修養，決做不出好詩來。宋朝類苑所紀云云，不知何據？如果真的有這麼回事，那幸因韓偓以傳；何況古今來僅有這麼一說？韓偓在自序裏不明明說着他的詩句早已「往往在士大夫之口，或樂工配入管律」嗎？並不是「死無對證」的。恐滋僞惑，併誌於後。

（全文完）

「忙首長」與「開會迷」

——介紹一篇大鼻子詩人的詩——

・余從衆・

本七日本刊「不自打招文鈔」裏，抄了一篇中共「新觀察雜志」署名歐耳寫的「忙首長」詩，對中共官僚、浪費、官僚主義的攻治形態，作赤裸的暴露，有深刻的諷刺。詩的好壞，且不必去管它，倒是像這樣的暴露文學，並不是中共所要鼓勵的作品。

原來「毛澤東文藝路綫」對寫作態度是早已有過硬性規定的：他說「有幾種諷刺：有對付敵人的，有對付朋友的，有對付自己隊伍的，三種態度各不相同。我們並不廢除一般諷刺，但必須廢除諷刺的亂用。」便是對自己應該歌頌，對敵人才應該暴露。

可是這篇「忙首長」詩，對「自己的隊伍」諷刺了，對自己的醜惡瘡疤暴露了，難道是「毛澤東文藝路綫」，有了轉變？難道今日的大陸有寫作自由，不！都不是，這不過是「光明的陪襯」而已！何況「忙首長」更是其來有自的。

第一這是「欽定」的「三反」題材，第二尤其重要的，是學習「蘇聯先進文學」呀。

早在本年七月十九日的「人民日報」上，就曾刊載過一篇「蘇聯」詩人馬耶可夫斯基作的諷刺官僚主義的詩，題目是「開會迷」，歐耳「同志」正是一字一句地在學習「蘇聯先進文學」呀，那還有什麼可說的？

現在我也學「文抄公」把這篇題為「開會迷」的俄國詩照抄於下，一經比較便會恍然大悟，「忙首長」這篇傑作是「其來有自的」，並更可看出在共產黨的統治之下，這種「風土病」是很自然，很普遍，而不可避免的。以下是「人民日報」所載的原文：

「開會迷」

每天，當黑夜剛剛化為黎明，
我就看見：
有人去總署，
有人去委員會，
有人去政治部，
有人去教育局，
人們都分別去上班。
剛一走進房裏，
公文就雨點兒似地飛來：
挑揀出　五十來份——
都是最重要的公文！——
職員們就分頭去開會。
每次來到，我都請求：
「能不能給我一個接見的機會？
我老早老早就來等候。」
「伊萬・萬內奇開會去了——
討論戲劇局和倒馬局合併的問題。」
一百級樓梯爬上了好幾次，
心中厭煩透了。
可又給你說：
「叫你一個鐘頭以後再來。」
「伊萬・萬內奇在開會：
省合作社要買一小瓶墨水。」
一個鐘頭以後，
女祕書，男祕書，
全都不在——
室內空無一人！
二十二歲以下的青年
都在開共青團的會議。
當天色傍晚，我又爬上
七層樓的最高一層：
「伊萬・萬內奇同志來了沒有？」
「正在出席甲、乙、丙、丁、戊、己、庚、辛委員會。」
我憤怒萬分，
像雪崩似地，
衝向會場，
一路上噴吐着野蠻的咒駡。
可是，我看到：
坐着的都是半截的人。
噢，活道鬼！
那半截在哪兒呢？
「砍死人了！
殺死人了！」
我滿屋亂轉着，
大聲叫喊。
這可怕的景象使我的理智失去了常軌，
這時，我卻聽見祕書異常平靜的聲音：
「他們一下子要出席兩個會。
一天要趕二十個會。
不得已，才把身子劈開，
齊腰以上留在這裏。
下半截在那裏。」
我激動得整夜都沒有睡着覺。
一大清早，
我就滿懷希望地迎接黎明：
「噢，假使能再召開一次會議，
來討論根絕一切會議，
那該多好。」

（一九二二年）

旅歐回憶錄

・謝康・

（三）

十三年前旅居瑞士三年餘，足跡幾遍各大城市，如白爾尼首都，如朱利克工業城市，如洛桑如佛利堡，如紐沙迭爾，如四州湖等風景名勝之區，皆嘗流連鑒賞，作數日勾留，至日內瓦則因在國際祕書廳及中國駐國聯代表團情報處工作之故，數度居留，為時三年半以上，巴黎而外，此殆為歐洲城市中使余繫念最深之名城，頗令人有第二故鄉之感！

日內瓦城居民不及二十萬，論其地位，略如我國的桂林，昆明，貴陽，衡陽，嘉定，曲江，南寧，汕頭，鎮江，安慶等不甚繁盛之區，然而日內瓦之重要性及美麗繁華，不獨非中國三四等城市所可企及，即頭二等城市如漢口，重慶，廣州，南京等，在國際上的地位，似亦不足與日內瓦相比擬，即以國際機構來說，日內瓦曾經是國際的都城，為國際聯盟，國際勞工局及世界紅十字總會所在地，如今國聯雖成為歷史上的陳蹟，而國勞及紅十字總會仍然無恙，且為國際衛生機關的總站，每年國際性的會議，仍有舉行，使佳麗湖山，依然保持其國際都城的氣象！至於公園的佈置，街道之整潔，湖堤之廣闊平坦，湖船的清麗，博物館，戲院，大學，圖書館等文化機構的規模完備，大旅館，火車站，旅行社等設備，皆彷彿世界頭等城市之所有，使人有賓至如歸之樂。其風景名勝，可供游客流連鑑賞者，至少足够三五日的盤桓，令人不覺得厭倦。

總觀日內瓦之可愛，大約有下列幾點，值得特別留戀：第一，因為她是二千年前的小共和國，又是加爾文改革宗教的聖地，盧梭的故鄉，羅爾德及詩人擺倫蕾游之地，名勝古蹟頗多，可供游人流連憑弔，第二，因為她背山面湖，山光水色，風景佳勝，跑夢湖邊，朱雷山畔，朝夕晴雨，光景常新，大小沙烈芙嶺可作郊游散步，或乘纜車懸空登臨，或於週末登山，一宿美景酒店，遠近湖山，歷歷在目，樂山樂水，到處有會心的微笑，第三，城市的整齊，清潔，美觀和有秩序，亦令人有觀止之嘆！日內瓦城湖濱堤岸之建築物，固屬美觀整潔，一間肉店，一片水菓雜貨攤，一個菜市場，都時時收拾得那麼乾淨，那麼光耀奪目，甚至一個停車場，一個火車上的卡位，一個湖邊的游泳場，凡有人來往出進的地方，都時時勤於拂拭，淨無纖塵，然而一比較她既近鄰法國邊界地方，就似乎不如這個小國家民的整潔有序了！第四，日內瓦的得人讚美，多少由因為做了國際都城的緣故。國聯新宮的瑰奇壯麗，勞工局大廈的樸質單純，都能引人入勝，男女游客，衣香鬢影，不時徘徊其間，令人無限感慨！第五，說到生活的安靜，也是許多可等大城市所趕不上的，適於住家或講求修養的人，該是一個難得的環境，圖書館相當不錯，難得的收藏，也有幾個，如國聯圖書館，日內瓦大學圖書館及市立民衆圖書館，都可供雅俗共賞，其他社教機關，似乎遠東大城市還趕不上呢！（三）

辛卯九日台北寄盧書感

・張維翰・

無風無雨過重陽。台嶠秋炎菊未黃。籬下白衣誰送酒。林間綠葉那知霜。萬方多難傷今日。兩度登高憶故鄉。不審吟儔淪浩劫。幾人凍餒幾人亡。

（註）丙子重九。余自南京旋滇。曾邀耆舊六十餘人。登高螺峯。越十年丙戌。歸自重慶。復於九日邀集山莊賞菊。到者七十人。先後分韻賦詩。皆已刊行。因有十年一舉秋禊之約。自大陸變色。國人淪入鐵幕。當年滇中吟侶。祇年齒最高今已九十五之馬荇坡先生。避地香港。近猶健在。餘皆音訊隔絕。料非已亡。亦必備遭磨折。逢此佳節。豈復尚得遲勝登臨。自由吟詠耶。思之愴然。

共幹的逃亡

・須羅譯・

「這些軍中特務的任務，是向我報告他們的同伴任何有背叛傾向的言語行動。軍中的每個人，我都保存着一份所謂『傾向指示報告』，對他的一舉一動都記載得清清楚楚，尤注意他的政治經歷，我當然也記錄下他的任何反共談吐。這份報告，經常按照那些特務所提供的情報而加補充。

「如果我接到不利於某人的情報，我便把他召來，親自盤問他，我想法了解他，探查出他是偶而不慎吐出一句不滿共黨的批評，還是確實反對共黨制度。

「倘若他被證明確有可疑思想，我有權把他送到一所『懲戒營』，到那裏後，他們無不遭受酷刑拷打，迫取口供，許多人都不堪虐待而自殺身死，每一個『懲戒營』，約有一百至二百人。凡被送到這裏的人，很少能活得很久，他們從清晨八時早晨被押上營房到各處做苦工，直到下午六時才押回營房。那裏都的處管理者殘忍著名，沒有殘忍的性格根本沒有被派到那裏去的資格，而且他們如不虐待這些『階級敵人』，本身即可能受罰。

「我和曾許多懲戒營的管理者談過，他們自誇把營中的囚犯逼得自殺，是他們的樂趣，是他們的特[illegible]

「我不久即發現這些部隊裏的人很久即已察覺他們已被人監視，一些特務，平均在三月後就會被人察覺，此後他便失去作用，同伴都對他遠而避之，於是我祇會把他們調到別的部隊去。

「要是我不再把他調走，他的同伴會尋找種種機會，借故先和他吵嘴，然後毒打兒毆，把他打得半死。在我的經歷中，我手下祇有二三個特務特別聰明機警，幹了六個月還未被發現，不過這種情形是例外。

「在一個嫌疑份子被送入懲戒營以前，我總會給他一次最後的悔改機會，『軟禁』是我們部隊中懲處任何『政治不穩分子』的最輕辦法，不過這也够受的了，十四天的軟禁，就是說他十四次不獲休假，因為每星期祇有一天休假，他便十四個星期不能外出。

「結果東德中最普遍的罪行便是假造休假外出證，假造證上的監印章，他們的唯一困難就是外出證的舊印鑑，他們通常是把過期外出證的舊印鑑印刷，但他們的方法異常巧妙，通常是把一個剛煮熟的雞蛋，剝掉殼後趁熱的蛋白在舊印鑑上滾一滾，於是蛋白上便印上一層藍印，再把蛋白印到那張假證上。」（六）

我逃出了竹幕

・王世昭・

沿途經過桂平江口，八路要徵用輪船，船家費了九牛二虎之力交涉的結果，船頭兩個艙，無論如何要徵用，我們只好退到廚房裏去。白天曬坐，晚上打舖，因為人多，頭挨頭，腳挨腳，胡亂睡了兩晚。

三日下午二時到達梧州，聽說四時有船開廣州，我連忙出街換錢，中央銀行的金塊，因成色太差，一兩只值得六十八元港幣，為了急於下船，所以吃虧也不管了。

到了船上，船票買不到，恰好有人願讓，以四十元港幣買了兩張船票，於是喊着我的太太和姪孫子一起下船，艙內人擠人，像沙丁魚一樣，船艙盡滿水，危險萬分。

周岐興先生送我到船上，揮手為別；聽說回到岑溪以後，也被中共清算鬥爭送了命了？

由蒼梧到盤龍這一帶水路最不好走，一路上船家和土匪打了三次仗，船上搭客二死一傷，其中死了一個小孩在母親懷抱中。他們中槍的地方距離我們只一尺，算又渡過一個難關。

六日上午十一時船到廣州，泊珠江鐵橋下，我們匆忙登岸，寓長堤金門酒店。旅館侍者要我們填寫詳細的來去事由，我當然照填。下午出街找熟朋友，一個都不在。有些門面已經改換，有些住客告訴我說：「他們已經到香港去了！」我點點頭，我們的朋友究竟多數都是很有骨氣的。

七日上午七時半我出街買個小籐箱，八時算妥了旅館房租，計三元港幣，九時我們搭小車到廣九車站，下午二時才得上車，晚上八時到達深圳，即時檢查行李過河，在羅湖買車票三張，坐在車廂裏，笑對我的太太說：

「現在我們才算呼吸到新鮮而自由的空氣。」

不可無詩，爲賦一律，詩云：

「回首中原意惘然，
獨憐多難過深圳，
誰教此地分南北，
我亦何心問晉燕。
亡命已衝三面網，
窮途幸到自由邊。
春風畢竟開羅幕，
迎得爾八上九天。」

（全文完）

中華民國僑務委員會頒發登記證台教新字第一零二號
中華民國郵政登記第一類新聞紙類

自由人

THE FREEMAN
（半週刊每星期三六出版）
（第二八七期）
每份港幣壹毫
督印人：李光業
社址：香港高士打道六十六號
電話：七四〇五三
GLOUCESTER RD. HONG KONG
TEL: 74053
承印者：華南印版社
地址：高士打道六十四號
台灣特派員辦事處：台北市館前街五十號
台灣總經銷處：台北市中華路五九四號之一
台灣郵政劃撥儲金帳戶九二五二號

艾森豪政權的低潮

李秋生

李先生這一篇文章和二八五期邱昌渭先生。「艾森豪威爾進退兩難」一文，觀點極爲接近，請讀者參看。編者

最近美國政界爲追究前財政部助理部長懷特共諜案，引起軒然大波，使美國內外人士都感到驚愕。政府中如有共諜，自然應加追究清除，然而對於一個業已死去四年有餘的人，實在不值得如此勞師動衆，甚至一定要把一位均在國家和世界的前任總統傳到衆議院作證，追究他是否有意袒護共諜的責任。反對共和黨的人士說，這些只是一種策略，用意在打擊民主黨威望，以補償共和黨在最近局部選舉中所蒙受的損失，大概是有幾分道理。

共和黨地方選舉失敗

共和黨在十月和十一月初四個地方的選舉中遭受了挫折，祇在一處得到勝利。威斯康辛州第九區補選衆議員，那一向是共和黨的地盤，兩黨對於此次選舉都極重視，認爲是雙方今後實力消長的指標。共和黨的巨頭威利（參院外交委員會主席）和布里治斯都親自出馬協助競選，民主黨則動員了去年競選過總統的齊名競選會聘的參議員凱福佛，兩位前任農業部長布蘭南和威克德。布里治斯說，「此次選舉如有任何變化都是對政府的嚴重打擊」。結果變化居然發生了，民主黨候選人約翰遜獲得了一[illegible]餘票。紐傑州選舉州長，補選第六區衆議員，該州位置在紐約附近，是工業地區，與威斯康辛之爲農業區者不同，結果又都被民主黨候選人奪去原來共和黨人的位置。原來是共和黨的維金尼亞州長，在改選中也落在民主黨手中。還有紐約市長的選舉，那號稱僅亞於美國總統的重要位置，多年來都是民主黨的禁臠，此次仍舊未許共和黨染指。祇有十一月間加里福尼亞州第二十四區的衆議員補選是共和黨得勝，該黨雖沾沾自喜勝利，認爲是明年國會選舉的佳兆，其實只是保有原來議席未失而已，是不能和民主黨在他處的勝利比擬的。

艾克物望在低落

就連艾克自身的物望也在低落。據十月底蓋洛普的民意測驗，擁護艾氏做法的人，已從百分之七十近降到百分之六十。他的內閣也充滿了危機。國務卿杜勒斯是個莽撞而輕率的人，他的外交政策脆弱而動搖，容易向仇敵低頭而使朋友失望。傳議威選舉，的港問題，他所講的話只會發生壞的影響。在西德，幸而阿台諾爾物望正隆，未因他的躁急公開宣言支持而失掉選票。對於自由中國，他有過兩次的拙劣「失言」，一次是四月間莫名其妙的透露出托管台灣的考慮，一次是最近對記者說美國從未說過永遠不承認中共的話。我們不管他這種「失言」是有心還是無心，都都未能代表美政府現行的外交政策——一個正決定外交政策的是全國民意和參議院——但他應該體會到這種輕率發言所可能發生的後果。十一月十八日，杜爾斯在工業國議全國聯合會演說，揭櫫美國決不和鐵幕統治者談判，承認他們的奴役統治。紐約時報社評深加讚譽，稱爲杜爾斯主義，說可和孟祿主義史汀生主義媲美。其實杜氏所言，只是其過去所標榜「解放政策」的修正，從「近一年來」的經驗看來，他的話能兌現幾分，很是一個疑問。杜氏將要去職的傳說已不止傳過一次。據說艾森豪對他信任，正有如過去杜魯門總統之在參議院圍攻中維護艾奇遜一樣。若就這十個月的業績而言，杜勒斯尙難望艾奇遜項背。雖然在國會中，他的攻擊最烈者是保守派，但他對保守派的讓步又失掉了若干自由主義者的支持。此外，勞工部長杜爾金爲修正塔虎脫哈特萊法案問題憤而辭職，使政府失掉全國兩大勞工團體的支持。農業部長班遜又因反對農業品補貼案被農民攻擊得體無完膚，都是威斯康辛州補選中共和黨失敗的主要原因，現雖勉強繼續留職，事實已勢在必去。據一般看法，艾克的蜜月已告終結了。

艾氏所標榜的政策

美國政治慣例，一個新政權上台後的第一年是個艱苦關頭。胡佛在第一年中遭逢大經濟恐慌，他無力作有效補救，致使共和黨失掉政權二十年。杜魯門初就職的十五個月中，他的人望竟從百分之八十七減低到三十二。在總統四年任期中間的一次國會改選，照例總是朝黨失敗，野黨抬頭。然而這情形也並非沒有例外。一九三三年羅斯福在美國經濟景況空前衰慘之際就任總統，一上台就有驚人決定，全國銀行休假，從危機中把公私銀行拯救出來。繼復相繼提出種種法令，以克服經濟恐慌。[illegible]，還令人拍案叫絕。艾克在美國內外聲望[illegible]之中，以人民的熱烈擁護擊敗民主黨而上台，他所標榜的中間之道，似乎只做到一個廣字。世人應該還記得他的就職演說，他表示美國政策的主要決定，是爲世界自由而戰鬥，是以信義換取安全的見解。他允諾援助友邦，[illegible]協助落後國家的進步，解放鐵幕中被奴役的人民，他更要世界不能長此一半自由，另一半則爲奴役。他又提出一句名言：「兵士的背囊並不比奴隸的鎖鏈更重」。當時頗引起自由世界的歡欣，覺得艾克畢竟不凡，尤是掙扎於共產奴役下的鐵幕人民，更掀起了新的光明遠景和希望。

艾政府成就了些什麼

[illegible]

……作艾克自身，也許他備極勤勞，外人看起來卻眞有點像顧里治總統的無爲而治；休假太多，釣魚太多，高爾夫球打得太多，卻沒有運用一個偉大總統應有的領導權，他沒有成就什麼事物，而照這樣造成的聲望低落，選舉失敗，政策上尋求挽救之道，調查共諜是國會和政府份內的事，至多祇能引起一時的刺激，卻無補於政府的低正威望。

對艾克的期望

也許有人認爲上面的話是過份吹求的，但是愛之深所以責之切，我們對於艾克只是失望，認爲他應該大有成就，即使不能媲美羅斯福的克服大經濟恐慌，至少也應如杜魯門之以北大西洋公約援外法案和第四點計劃與毅然在韓出兵遏阻侵略，在冷戰中爲民主世界爭得了上風。他以解放政策獲得鐵幕人民的希望，並掀起東德人民的起義，到東德人民揭竿而起，卻只有觀望坐視東德無辜工人一一被捕屠殺，並眼看良好機會時一一過去，在道義上和政策上，都不能不說是白圭之玷。

艾克並非庸才，他能統率歷史上空前未有的國際聯軍，擊敗納粹的鋼鐵壁壘，他也應能夠領導美國政府，打擊冷戰，領導解放鐵幕內被奴役的人民。他不見得缺乏遠大的政治理想，卻患左右缺少傑出的人才，他有領導的才能，又嫌過於忠厚，太喜多協調，不願樹敵，不肯傷害任何人的感情。他應該擺脫國內外任何牽制，不再牽就任何人與任何國家協調，也不一味求協調，而失卻自身立場。艾克就職不到一年，也許這正是他的一個學習期間；好自爲之，他仍舊可能成爲美國一個成功的總統。

自由中國的小說、詩歌、戲劇、和評論

余　明

自由中國文藝情況如何？近來有些不同的看法。我想理論的爭辯自然有其意義，但是若無事實證明，實難闡明是非。因此我想就個人所知，作一事實報道和批判，以供參考。

小說

大家知道，戰後美國流行一種小說形式——「眞實故事」。因爲他們的社會情形不同，那些眞實故事的題材多是關於家庭生活和男女關係的。自由中國也產生了許多眞實故事，在台灣和香港的出版物中隨時可以見到。由於大家感受的國土的變色，同胞的被奴役，這些眞實故事有的描寫國賊的嘴臉，有的追求抗戰勝利後的情形，有的控訴現在大陸的血腥統治者罪惡，老實說，都是反共的。然而與「反共八股」無關；它們都是血淚寫成，不僅故事眞實動人，而且思想純正，情感眞誠，文筆流暢，富價值。如劉紹唐的「紅色中國的叛徒」，自述他脫離共黨工作奔向自由的經過。其中對於共黨作風的說明，共黨幹部的描寫，都近情近理，老老實實，不曲解，不誇張，而赤色魔鬼狡詐，殘忍，醜惡的原形畢露在讀者的眼前。說它是美好的報告文藝固無不可，但我以爲說它是動人的眞實故事更有意義。又如老驥的「故都蒙難記」，寫抗戰勝利和北平淪陷一頁傷心史。主題在暴露共黨的陰謀殘暴和我們的錯誤弱點，故事眞實，人物有衆所周知的社會人，也有根據實際想像的小說人，但都活躍紙上。形式是章回體，具有章回小說的趣味。文詞優美，看來似一篇於說書的人在那裏講故事，覺得娓娓動聽。此外，還有許多眞實故事，都能打動讀者的心弦。人們常常激動地講着許多與反共有關的故事，都是從眞實故事的文藝作品中來的，由此可知這類文藝發生了多大的影響。

一般的小說作品，也有許多是美好而合時代的。如潘人木的「蓮漪表妹」和「如夢記」，孟瑤的「心園」和「美虹」，郭衣洞的「蝕虫東南飛」，孫陵的「大風雪」（共四部，六十餘萬字，已印出第一部），陳紀瀅的「荻村傳」，潘壘的「紅河三部曲」，師範的「走不完的路」……都是感人力頗大的長篇，或中篇小說。至於短篇小說的佳作，更是多得很，不僅常見於各種副刊和文藝刊物，許多綜合性雜誌亦常有美好的短篇小說。如大家知道的「幼獅」，「自由中國」……等刊物，其每期刊載的短篇小說可說都是水準較高的佳作。這些作品大多是暴露共黨罪行表現人民反共意志的，也有些是表現一般人性的，但表現人性不是和無人性的共黨走着相反的道路嗎？所以自由中國的小說特色是反共，這點確有事實根據，且有深刻意義。

還有一事値得提說，就是有些愛文藝的台灣青年，他們在光復後才開始學國語，但由於祖國的召喚，由於自身的努力，寫出了許多小說佳作。如廖清秀的長篇「恩仇血淚記」和短篇「冤獄」不僅充滿了民族熱情，表現了偉大的民族愛與恨，而且描寫生動，結構美好，確有相當高的藝術水準。

詩歌

人們若談的和自由中國文藝工作者所努力的，都是新文藝運動的新詩，所以這裏應該說的是新的詩歌，不是舊的律絕。

舊詩有數千年的歷史，其形式已經固定。新詩歷史很短，還沒有一定的形式。所以評價新詩的好壞，很難決定標準。不過我們從詩的意境和節奏看，自由中國詩壇實有許多頗有希望的詩人，如墨人，上官予，余光中，覃子豪……等的新詩，都是富有詩意的。覃子豪的「海洋詩抄」，尤得好評，其中有新詩四十七首，雖不能說首首美妙，但有些意境極佳，熱情橫溢，且有自然韻律的好詩。此外常見於各文藝刊物的新詩，雖然有宣傳作用，但也有許多是富詩意的。因爲篇幅關係我不能多舉例證，只隨便舉出一首短詩——

（以下轉第二版）

事週展望

。雷嘯岑。

亞洲人之亞洲

中韓兩國總統最近在台灣發表聯合聲明，號召亞洲自由國家團結反共，自力圖存。這一號召要使其普遍地實踐化，自然不是一蹴可幾的事。但在政治意義上，已揭示着亞洲人有其自由命運的覺悟與能力，把二百年來西方列強視亞洲人爲被支配犧牲的祭品那種舊歷史撕毀了。首先就給西方帝國主義會議一點警告，教他們莫再作「雅爾達會議」的一場好夢！

非島方面表示響應這一號召，但希望美國能直接參加亞洲聯盟，才有力量。這是太過於重視現實的看法，值得研究。美國朝野人士早有希望亞洲自由國家團結奮鬥的表示，我們能自助聯盟，她當然樂觀厥成，道義的支持與物質援助，更不待言。她現在不是對亞洲反共國家已經從精神與物質方面熱心支援着嗎？在西方民主陣營對遠東政策的歧見尚未調協以前，美國對亞洲聯盟工作自有難於挺身參預的苦衷，我們應該諒解。我們也不應該處處拉着美國出面，事事仰仗她來作正面的撐腰人，我們自己先得挺起胸膛來幹，她沒有不喝采贊助的。這亦是美國民族性之一，我們必須認識理解！

中韓菲三國在反共的國策上，在地緣政治的形勢上，在西方列強對遠東政策的利害因素上，都有其共患難同休戚的一致不可分割的關係，此刻應率先團結，無所瞻顧。「需者，事之賊也」，沒有自力更生的勇氣，即時時有被人出賣之可能！

眼前的事證

在上一期的本刊中，我談到「板門店的爭執」，即認定聯軍代表最後必然接受共方建議，讓蘇俄、印度、緬甸、印尼、巴基斯坦這些所謂「中立國」參加政治會議，板門店上一切爭執，都祇是表面做作的廢話！現在只剩下蘇俄是否以眞正的「中立國」名義參加這一點，但聯軍代表已悍然變更聯大的決議，答應蘇俄在政治會議中有投票權，但不代表某一方面。這類鬼把戲，就是十足地表現西方列強以亞洲人爲祭品的心情。可憐那些以「國際政治商人」尼赫魯爲首的幾個鴕鳥式的亞洲國家，不知禍至之無日，甘受俄共集團愚弄，而自以爲是民族主義者。他們根本不理解共產主義與民族主義是絕對不相容的對立物哩！

南韓業已發出反對政治會議在新德里舉行的聲明，這不但是南韓應有的一個主張，也是亞洲人不能永被支配犧牲的正義之聲，凡屬反共的亞洲人，即應爲南韓作後盾，表示我們的良心血性。一個以解決東北亞的戰禍，且以亞洲禍首——中共爲對象的政治會議，既無自由中國和日本參加，而當事國受害最甚抗戰最烈的南韓亦拒絕預會，無論那政治會議將來寫下些何等樣兒的白紙黑字，它能約束誰呢？此時此事，正是發抒「亞洲人之亞洲」的意志與勇氣的機會了！

再一個相反的事證

越共胡志明表示願意和談，無論他是否出於眞誠，抑是俄共集團互相配合的和平魔術，若以西方列強對韓戰那種含垢忍辱，百般乞和的政策來衡量，他們應該是如獲大赦，驚喜若狂的！

然而，這兩天從倫敦巴黎透出來的消息，卻表示不感興趣的模樣，有些「權威人士」，根本即反對和談之說，不亦怪哉？

實則並不足怪，越戰如果實行和談，不管結局如何，法國在越南三邦的殖民地統治權，目前是名存實亡，將來均連根拔去，此其一。越共一經和談，取得合法國民的地位以後，加以中共的支援，東南亞從此多事，直接影響到緬甸、馬來亞等地區，使西方列強在這方面的利益感受莫大威脅，此其二。因此，自然對和談不感興趣了。法國政府之表示歡迎和談，是對美國一種要價的政治手段，不可信也。

見諸這兩項眼前事證，亞洲人還不警覺自救嗎？

台灣的廣播事業

全台收音機已逾四十萬具
海外僑胞望改善廣播內容

【台灣通訊】台灣的廣播事業，今日已邁入坦途，要擴展正常發展，當然還需要更大的努力與耐心。台灣的廣播事業可說是幾年來許多漸趨進步事業中之一。

全台廣播台共卅家

目前台灣廣播電台，從公營、民營、軍中，三種播音計算，將近卅家，[illegible]中國廣播公司，下轄台北廣播電台[illegible]

亟應改革諸點

[illegible]

[illegible]大衆。（振菲）

蘇發動增產
目的在長時期備戰

蘇俄最近大吹大擂的「民用消費品增產計劃」，據西方外交官觀察，[illegible]蘇俄願意向西方任何國家購買牛油、肉類及電氣機，以蘇俄的黃金、戰略性礦物交換，[illegible]

[illegible]

香港學生——初讀台大的印象

【本報訊】香港某中學畢業生多人，今年暑假赴台升學，現有已入台大者，於十一月十八日致書該校教員，承以原函見示，摘錄其要點如下：

「我們同學七人，於上月十九日抵台，現已一個多月了，上課時間亦已不少。[illegible]一切入境入校手續均順利辦好……

「學校內（台大）設備完善，圖書館藏書亦多，[illegible]台灣學生的苦讀精神，雖使人驚異，但普通知識，並不十分[illegible]

『學期考試開始了，又是一件討厭的事，在中學所用的讀書方法，又得重用起來，所以我對台大各方面並不存希望，僅對此考試制度不滿意。』

「母校來台同學共十六人，入台大的八人，成績均極佳，多列前茅，實堪告慰。我和×××同學共住一宿舍，上下共床（架床），功課上既可切磋，且在陌生環境中，亦覺增加溫暖。……」

某君升學台大不過一個多月，對台大觀察難免膚淺，惟其所得印象，亦可注意。例如台大學生宿舍空氣濃厚，圖書館及學校設備極爲豐富，對各方面存希望，生活安適，精神溫暖等，皆可顯示台大實爲海外青年升學的理想最高學府。

至關於過重考試成績，輕視課外閱讀，學生普通智識不高，圖書館未能充分利用諸點，是否一時觀察未深，判斷有無錯誤，局外人不易致評，此則值得學校當局考慮者也。

張之洞詆曾國藩

·絹士·

人物評述

（一）

[illegible]

（二）

[illegible]

（三）

[illegible]迎之曰：「三儒業已從祀，聞外間將以曾文正請矣」。謂顧炎武，黃梨洲，王船山三儒從祀文廟，卅之洞所請也。不意之洞作色曰：「曾國藩亦將入文廟乎？曾國藩將從祀武廟。」坐客愕然，之洞曰：「天津教案，曾國藩至殺十六人。是時德兵已入巴黎，曾氏倘非須祀武廟乎？」蓋之洞舉遂大夫有譏文正者，之洞亦必在老猶譏於詞色。實則同治初，德兵入巴黎，文正固未能知之，天津教案，雖以法爲對手有人，不速了，糾紛益甚。文身殉事之心，皆在早了，以徵。之洞蘇諱前輩，追其所爲，使知德兵入法，亦未必改，此，且晚不同。以作官遊炎之術安，以視文正，臨乎遠矣。

史密斯擬掛冠求去

美國會內的消息靈通人士預言，副國務卿史密斯將在明年初提出辭職。史密斯因爲健康欠佳，近月來很少在公開場合露面，因此他的辭職純因個人健康，別無其他政治關係。但一向借重他的美總統艾克却不擬讓他告退，艾森豪私下向人表示，如果史密斯竟辭職者，他決意將其挽留。國會人士一直把史密斯認爲國務院中反麥卡賽的主流，因而又有人揣測史密斯辭職與麥卡賽不無關係，而艾森豪力挽史密斯，也許與對付麥卡賽有關。

尼克遜啼笑皆非

尼克遜副總統行抵日本後，臨走前曾發表過一段「認錯」的談話，表示第二次大戰終了，美國銷毀日本軍備的政策，是當時美國決策人士的錯誤，並說錯誤的起因是當局沒有看清蘇俄戰後的企圖，這一段話刊出後，在國際間引起很大的反響，大多數人士認爲這種認錯的聲明對促進日本的整軍極有益處，換一句話說，消除反對整軍人士的敵意。殊不知道這一聲明的效果却離大家的想像很遠，那些反對整軍的日人現在更多了一種藉口，他們說，如果美國在一九四六年犯了錯誤，那麼誰也不敢保證美國今天會不再做出錯事。美國「新聞週刊」把這件事傳出後，剛在錫蘭訪問的尼克遜爲之哭笑不得。

國際救濟深入鐵幕

有一件大家不知道也不肯相信的事情：國際救濟委員會正以糧食及衣服援助那些在鐵幕後面支持西方的難民。這些義民們反共的意識堅強，他們本想投向自由，逃出鐵幕，但因爲個人的原因無法離開家園，致被迫在鐵幕裏做些消極反共的工作，國際救濟委員會如何救助這些義士，這是一個很大的秘密，他們基於種種理由，不將辦法公開宣佈，但却鄭重表示，這是千眞萬確的事，並表示事情終有公開的一日。

西歐防務漏洞尚多

西歐的防務經過盟國當局多年來的籌建，到現在還有許多漏洞，這裏所說的漏洞並非指尚未建設的空隙，而是說已建好的防務上，現在發現了頗多缺點。舉一個最顯明的例，盟國當局在德國及法國建了許多新機場，爲了省錢，這些機場却修建得過於接近，據研究這件事的盟國空軍專家所提的秘密報告，祗要敵人投下一顆炸彈，就可使盟機受到七架到十架的損失。這件報告提出後，北大西洋公約組織的高級官員們相當驚動，認爲這是一樁很大的冒險行爲，不能不亟求改正。現在有關當局正在草擬改建的計劃，期使戰時的損失能減至最低的程度。而且還訓令機場當局，採取預防措施，在修建工程沒有完成以前，遇有大戰爆發，務使盟機於敵機飛抵前，一律迅速升空，以免無謂的損失。（孟衡）

自由中國的——小說、詩歌、戲劇、和評論

（上接第一版）田疇，灌成無際的海洋，土壤、潤濕的脂樣的油類，我們快樂也在田裏插秧，水裏蒸出泥土的芳香。秧苗是我們的碧嫩的生命！秧苗的芳香，泥土的芳香，是我們的命根！命根啊，握在自己的手掌心，我們才有自由的生命！三七五，露出了理想的曙光，耕者有其田遂到我們的理想！青天白日下，民有民治民享，我們要加緊生產使國力增強！微風輕舞在我們的身旁，瀰洋溢了歡笑的波浪，綠油油的秧苗迎風搖蕩，我們一齊歡唱；三民主義的好中央！（文藝創作三十一期作者老農）。

這雖然不能說是如何的美妙的佳作，但寫出了農民的眞情，讀起來頗覺有味。

戲劇　誰都知道戲劇的感人最現實，最有力，所以自由中國文藝工作者對之亦很注意。王平陵，盧君賀，鄧綏寧，王紹清，王宇清，上官予，唐紹華，方守謙，郭嗣汾……都努力寫出合時代要求的劇本或參加演出工作。到現在爲止，雖還沒有理想的劇場，但在劇人們的艱苦努力中常有話劇演出。演出的不是富民族意識的歷史劇，便是反共抗俄的現代劇，這些都與自由中國人民有切身關係，所以每一演出都有廣大的觀衆。前此一個並不算頂好的反映劇本「牛小妹」演出，接連一兩個月，場場客滿，許多觀衆感動得痛哭流涕。那就是因爲該劇情是暴露共黨迫害大陸同胞的罪行，使人有切身之感。

除社會的劇運正在開展外，軍中的康樂活動戲劇工作亦居重要的地位。在政治部的「兵寫兵，兵畫兵，兵唱兵，兵演兵」的號召下，軍隊中產生了許多優秀的劇作家、導演和演員。最近舉行的三軍康樂競賽，話劇的演出得到了廣大觀衆的大喝彩。榮獲冠軍的「天倫淚」，情感眞摯，演出自然，更大大地激動了觀衆的感情，博得了一般的好評。

評論　文藝評論在自由中國，也非一張白紙，如藍[illegible]，盧君賀，梁宗之，王集叢……的文藝論著不僅見解正確，而且內容豐富，議論深刻，確有學術價值。同時還有大部的文藝理論書籍，闡述新時代的文藝理論，這也是值得注意的。不過批評還不普遍，公開的論戰也沒有，我同意有些朋友的看法：這是一個缺點。據我所知，現在已有刊物特別注意評論，還有一羣熱心的文藝工作者正在交換意見，展開各種問題的討論，以打破文壇的沉悶，最近「自由人」不斷刊出文藝評論，檢討自由中國文藝工作，這也是一個很大的推動力量。我相信自由中國的文藝論壇將益活躍起來，與文藝創作配合發展，以完成時代的任務。

結論　根據這些事實，我們可以得出一個結論：自由中國的文藝是反共的，而並未政治化，[illegible]富文藝價值的小說、詩歌、戲劇和富學術性的評論已產生了不少，且正在產生，其前途未可限量。我不同意自由中國文藝創作水準已高過「中國任何時代」之說，但大家短短數年的努力，確有可觀的成績，這是完全合事實的論斷。自然，反共八股和黃色文藝還未絕跡，老實說也不會絕跡，因爲任何文藝運動的作品都不會一般的高，劣貨色是免不了的。但，如見到一些反共八股和黃色文藝就說自由中國的文藝作品是這類東西，以偏概全的胡說，那便是不顧事實！」

編者　讀者

△衛挺生先生馬尼拉來書：「自由人社同仁諸先生：十八日下午四點鐘前到達，途中三小時甚平安，堪以告慰。菲島共和新建，紙數少壯，此次選舉，尤爲民衆所滿意。菲大戰後遷移至松城，校園八千畝，宏大建築十餘座，有學生一萬五千餘人，圖書設備雖不全，都在進步中……十一月廿五日」

編者的話

△我們下一期要發表的文章：

（一）黎晉偉先生——論反共救國會議

（二）祝修衡先生——國民黨與領袖

（三）萬鴻明先生——評「葛蘭達會議」（書評）

（四）啟杅先生——古今奴才與同考

（五）文抄公先生——中共的統計資料

△楊增梯先生：「承示智利國歸客談：『公民證的妙用』一文，係從某隱書抄襲而來。愛護之意，至深感謝。

李承燁等難免一死！

——北韓公審醜劇內幕

【本報漢城通訊】近數月共產集團的內鬨，最引人注目的，除蘇聯的貝利亞事件以外，要算北韓的李承燁事件了。但貝利亞的眞正結果如何？至今還是一個謎；李承燁等則終於被北韓「特別軍事法庭」判處死刑，並經北韓「最高人民會議常任委員會」批准執行死刑，宣告壽終正寢。

花樣翻新的公審

李承燁等以所謂「叛國」罪名，被捕而提付「公審」，係八月三日開始，八月六日結束。當場判處死刑。北韓「最高人民會議常任委員會」批准執行，係十一月十四日。其全部「公審」內容和批准執行的正式消息，則遲至十一月二十二日方由北韓中央通訊社發出報導。

在此以前，關於「公審」的內幕，和批准死刑與否的爭論，此間曾獲得一些來自平壤民間的傳說。據傳八月三日至六日由北韓最高裁判所所長金益鐘，判事朴京浩、朴龍游，和最高檢察所檢察總長金東學，檢事李昌浩，金元禎等六人組成「特別軍事法庭」，進行「公審」時，因恐洩披機密，故實際上係完全祕密審訊。但爲符合「公審」的名義，特將「公審」的內容加以改編，由法庭派人作闡解性的廣播，並將平壤居民，趕往各處裝有擴音器的地方，聆聽此種廣播。

供詞的一斑

據播出來的各「被告」「自白」供詞，都是「自白」得超乎人情之常。例如轉播李承燁的供詞稱：「一九五〇年五月十日，我在黨中央我的辦公室裏，和安永達、趙鏞福一起討論過，關於執行諾布爾（美駐韓大使館顧問）指示的問題。討論結果，我和趙鏞福繼續在平壤搜集黨和政府的機密。安永達回到漢城（按：安永達現仍在南韓），潛入『新派遣到南部的指導部』，負責經常向諾布爾提供情報，並對指導部的幹部們進行瞭解。白亨福潛入共和國的內務機關，保護美國及李承晚政府派到北朝鮮來的間諜，並在和我的聯繫下，負責搜集情報；……」又例如趙一明的供詞稱：「一九四六年二月下旬的一天，那個把我介紹到美國特務機關的美國憲兵隊的詹遜，帶着他的翻譯到解放日報社來找我。要我忠實地執行和他約定的間諜活動任務。並指示我今後和李承燁取得聯絡，在他的指導下，提供機密材料。一九四六年二月底，我向李承燁報告了詹遜的指示，並約定提供黨內的情報，……」云云，這些供詞，一看便知道，這是令人難以置信的。

爲何遲遲不批准

當然，這一案子事實上是北韓共黨的權力傾軋，失敗者必死無疑，口供一律都是編造的，一定是「死有餘辜」。不過據平壤傳說，因此案案情重大，牽連甚廣，除了牽涉到正在獄中的朴憲永外，還可能牽涉到空頭元首的金日成，因此，雖經判決死刑，而在「最高人民會議常任委員會」的批准與否的討論中，相當猶豫難決；據說數度討論的結果，金日成主張等他朝俄回來以後再說，於是從判決到批准之間，一共就延了兩個多月之久，直到金日成在莫斯科請示了主子，回到平壤以後，纔再開會批准。最後結果：他們終於難逃一死，作了權力鬥爭中的犧牲品！至於他們在批准死刑以後，是否已經執行，平壤的官方報導，不曾提到；此間的猜測，則認爲以北韓政權先做後說的慣例度之，大致當已在本月二十二日發出報導以前經已執行了。

朝爲座上客暮作階下囚

死刑的理由，亦頗堪玩味。不管他們在解放以前都還是北韓政權中的顯要，但一律宣布他們本來就是一些「壞人」。例如：

李承燁，原爲朝鮮勞動黨中央委員會書記，兼朝鮮民主主義人民共和國人民檢察委員會委員長。但說他的罪狀早在一九三四年，他在釜山刑務所寫悔過書，背叛革命。……一九四五年「八。一五」朝鮮解放後，隱瞞自己醜惡的歷史和身份，鑽進革命隊伍，竊據黨、政軍要職位。……

趙一明，原爲文化宣傳省副相兼解放日報編輯局局長，但說他一九三四年就已背叛革命，充當日本帝國主義的走狗。……

林和，原爲朝蘇文化協會中央委員會副委員長，但說他在解放以前曾充日本帝國主義的走狗，解放[illegible]務機構，……

李康國，曾任北韓人民委員會外務局長及貿易省一般製品收入商社社長等職，但卻說他在一九三五年從德國柏林大學畢業回國以後，就充當了美國特務機關的走狗。

裴哲，原爲朝鮮勞動黨中央委員會連絡部長，但說他在一九五一年八月起就已進行武裝暴動陰謀和擴大叛國集團勢力的組織活動。……

薛貞植，原爲北韓名作家，但說他很早就參加南朝鮮民主運動和出賣情報的叛國，製造叛國的反動文學作品。

其他，除白亨福潛入北韓的間諜外，其餘朴勝源、趙鏞福、孟鍾鎬等，雖未指爲早已反叛，但卻都指爲參加李承燁的叛國間諜活動的要犯。

共黨這樣宣傳的用意，似乎說「反叛的，原來就是壞人，好人不會反叛」。但他們忘記了「壞人」而竟能先任他們特務政權的顯要，那就很太可悲而又復可笑了！（孫堅十一月廿六日寄）

自由主義者的信念

·段景瑞·

新書介紹

出版者：友聯出版社

美國亨柯教授的「自由主義者的信念」，在今日介紹到中國來，是有其深刻意義的。

作者本身是抱持自由主義哲學觀念的，他有光明磊落的學者風度；他的論著更顯示他的勇邁精神。彼所言論自由尺度的闊大也從此可以看出來。

（一）

這本書是從著者馬立斯·拉佛爾·柯亨（MORRIS RAPHAEL COHEN）1880.7.25—1947.1.28. 的論文集五十一篇中，選譯出來的十二篇，內容範圍很廣，確是一本完整底，富有青年精神，思想豐富的學術性著作。這十二篇文章：第一是「我相信什麼？」第二是「斯賓諾沙——自由主義的先知」，第三是「個人主義的理論基礎」，第四是「哲學在戰時——一對自白書」，第五是「我爲什麼不是一個共產主義者」，第六是「消弭社會的衝突」，第七是「自由——它的意義」，第八是「美國批評界的力量」，第九是「自由主義與[illegible]國人的意識」，第十是「[illegible]生活態度」，第十一是「古道猶存」，第十二是「美國自由主義的將來」。

（二）

這一本書揭示了我們一個理念，那便是站在思想路線的十九世紀六十年代的人，應該醒覺自由主義正向人們招手。因此，新的一代，就得重新估計一下自己的信仰，即使是宗教，亦應如此。柯亨說：「一個科學家[illegible]……但是他卻無權將他個人的[illegible]」[illegible]

（三）

他主張個人主義與集體主義調和，[illegible]

而竟能得到幸福，我們可以回答他說，彩票的成功，並不是爲彩票辯護的論[illegible]傾向不依從習俗的先鋒試驗者，又到什麼樣的程度？」

（四）

五十七頁以後，概要地介紹了美國的生活方式——這些並不是時下共產黨徒或同路人所渲染的「美式生活」，而是眞正能夠代表思想和文化的方式——美國的文藝思潮，美國的哲學觀念。最後一章：「美國自由主義的將來」，引證了歷史的傳統，與歐洲各學派的比較，以說明一種顯著。他說「服從傳統的看法，自由主義是一向被認爲就是個人主義的一種形式。經濟學中的自由主義，曾經[illegible]對集體管制生產與分配的論調相提並論。在政治上，自由主義在歷史上久經與尊崇個人權利的主張併爲一談的。」于此，使我們恍然今日世界問題的癥結，完全在于形式主義的誤解，而人類本身由于概念化的主觀觀念，造成了普遍對自由觀念的誤解。如果說，要從這本書去尋求解救現世紀的危難，這是失敗的。但，如果東西的人類，爲着消除傳統的隔膜，以建立一個對新興美國的經濟以及文化的意識形態，能夠了解的基礎，這將是有裨于自由世界的一本學術著作。

中共的兒童教育

兒童教育，向被中共視爲未來徹底赤化及長期鞏固其特務統治的最基本的工作，極端重視。故以往幾年中，特曾指定由「新民主主義青年團」全力從事兒童的組織及訓練工作，揠苗助長，極見猖狂；但在最近中共喊出了「國家過渡時期總路綫」的口號以後，澈底赤化的要求益見殷切，認爲以往少年兒童的組訓工作尚感不足，乃於上月三日由偽青年團中央委員會召開了歷時達九日之久的第二次「全國少年兒童工作會議」（見新華社十日訊），舉行了冗長的研討。上月十一日的「人民日報」並特爲此撰就社論，着力指示。由此，中共自己暴露了今後他對所謂「兒童教育」工作的方法、內容和目的。

組織化和紀律化

中共今後施行所謂「兒童教育」的第一個原則是使之一律納入組織並加強紀律的控制。所謂組織，中共有一個自上而下的完整的系統，即以黨掌握各層政權；由黨指揮青年團組織並訓練青年以鞏固各層政權；而由青年團控制「少年先鋒隊」組織並訓練少年兒童以逐步造成純粹的赤色政權。是以「少年先鋒隊」的組織及兒童的赤化和奴化教育，爲中共政權鞏固與延續最基本的一層。

中共對「少年先鋒隊」的組織係以學校爲單位，以一校一個分隊，一鄉或一區爲一個中隊，一縣或一個大隊，一縣或一市爲一個總隊，均由各市縣青年團支部分層派員控制，負責控制分隊之基本幹部稱爲「輔導員」，均在所在學校教職員中擇任。實爲專任職。中共現有「少年先鋒隊」的隊員據公佈已有七百萬人，輔導員共已有十六萬餘人。但中共認爲距理想要求尚遠，已決定照在學兒童五千萬人（此一數字，似極誇張）之標準，今後至少尚須擴充一倍。並認爲過去一般「少年先鋒隊」之組織尚嫌散漫，幹部與隊員之紀律尚嫌鬆弛，尤認爲一般輔導員對「少年先鋒隊」之領導頗有偏差，不是過度以「勞動服務教育」危害了兒童的身體和功課，便是使兒童任意曠課，擾亂了學校的教學和秩序，因此「人民日報」社論曾指出：今後還須加強「少年先鋒隊」的「正常紀律」訓練。

軍事化和特務化

中共今後「教育」兒童的第二個原則，是使之訓練成軍事和特務的後備軍。這次中共召開「全國少年兒童工作會議」時，中共之最高軍事首領朱德曾到會「指示」與會代表，強調軍事在今後世界局勢中的重要。（著）（上）

逃港共軍可獲庇護　大陸無法壟斷猪源

沒有失去自由的人，固不知自由的可貴，中共在大陸上的控制力越嚴一步緊似一步，四年來自大陸各地逃港澳謀生的中外難民已逾二十萬人。最近一年中奔向自由的，要求政治庇護的中共軍官，數字也逐漸增多。上月十二日由深圳伺機越過羅湖鐵橋逃入新界的第五名中共軍官，傳將受到政治庇護。這一名隸屬於「四野」軍官，在離於人羣中奔向英界之時，會向彼岸之同伴高呼：「隨我來脫離」之時，深圳頓時起了一陣騷動。但在消息傳佈之後，各方人士對此非常關切：要求港府會否接受中共要求，引渡解返，抑將視爲政治難民予以庇護。茲悉此一爭取自由之中共軍官，業由新界警察總部解交港政治部調查後，將轉解軍事當局辦理。至於其餘四名先後逃港的共黨軍官，其一係從沙頭角而來，另外的三名則循打鼓嶺方面越境。彼等均已獲港府當局依照國際慣例，視爲政治難民予以庇護。

近中共嚴格限制旅客出入，經羅湖橋頭又甚冷落。由港赴穗旅客，大多均遭退回；前者係由於中共在大陸上正在進行新「五反」鬥爭，不准攜帶被指爲「洋貨」的貨物出入口；後者則因各地普遍徵兵，不准壯丁出口；老弱婦孺來港，有的因大陸無法生存，間或係被迫來港向親友借貸，匯款回去取贖親屬，被扣爲人質者，加以莫須有的罪名。

中共企圖操縱港九肉價，一度禁止生猪輸港，四個月來猪肉售價步步上漲。港九人因不堪其壟斷之苦，堅決地放棄大陸猪源，向台灣、泰國另闢來源，台灣首批生猪二千頭濟港後，北歐互撥冷藏猪肉，可望於本月中運到。但是中共以詭計無法得手；而且因此喪失了一筆鉅額外滙，而企圖恢復生猪出口了，市面肉價一再經受刺激，已由高峯回落。

香港三日

港九工商界人士恪遵聯合國禁運命令，曾獲港督葛量洪爵士嘉勉讚佩。然亦爲中共迫害港商具體事實之反映，使港九商人對大陸貿易普遍戒懼，各大廠商產品均已放棄向大陸供銷，另向南洋各埠開闢市場競爭，經年來之努力，已見成效。本年度第十一屆華資工業出品展覽會，已決定本月十四日開幕，其中心工作爲喚起市民購買港貨，加強向海外宣傳，在港府協助下，投擲「紙彈」，擴及歐西、南北美、加拿大及澳洲，預料將會獲致更大更廣大之效果，港九工商業前途可期。

九龍總商會前因香港國貨與個人會員紛紛加入，爲了對外謀使會員業務發展，決定上冠「香港」兩字，經由該會向有關當局接洽之後，業經正式開會通過，完成了法定程序，正名爲「香港九龍總商會」。在另一方面，領導香港工商業的中華總商會，該會原有的會員卻紛紛退會；該會會長高卓雄過去常誇稱「中華總商會是香港唯一的華人社團」，現實的趨勢，儘管高氏認爲「九龍」的擴大組織對中華總商會並無影響。然而相形之下，畢竟今非昔比了。

美援助中國知識人士總會主席周以德（美衆院外委會主席）日前蒞港視察香港分會業務之時，曾分別訪問各難民救濟機構，各留港難民以周氏難得來港，紛紛提出書面建議，經周氏一一閱讀，允予同情的考慮，惟如設立流亡新村，移民，貸款等，將視赴紐約總會後籌得款項多寡，視其緩急規劃舉辦。目前該會迅作決定，現由港分會主任納德爾寫見，草擬計畫，並送紐約總會採納施行。

不打自招文抄

·文抄公·

下面是一篇描寫中共「增產節約」運動，最好的寫實文章，我們對於那一位「勤務同志」的舉動一定覺得他是一個最大的幽默傢伙。作者楊清濤用「大桶漏香油和遍地撿芝蔴」來作「節約」運動描寫的題目，也可謂極盡諷刺的能事了。以下是在北平出版某雜誌的原文！

大桶漏香油和遍地撿芝蔴

「北京」華北商業局楊清濤

最近各單位都開展了「增產節約」運動，我們機關是行政單位，因此重點放在節約行政費用支出面。然而正當大家熱烈地響應號召，紛紛訂出本部門或個人的節約計劃時，却出現了這樣一種論調：人家工礦企業單位，一件工程返了工，一批產品不合規格，損失就是多少億，咱們這個行政機關，少用幾個大頭針，少使幾個信封，能省幾個錢！真是「大桶漏香油，遍地撿芝蔴」。當下對機關節約很不感興趣。

一位從部隊轉業來到機關當勤務員的同志，每天在打掃辦公室時發現地上有不少大頭針、迴形針和用過一兩次甚至完全嶄新的鋼筆尖。但大家都以爲這是「小事」，誰也沒有注意。於是這位勤務員就不聲不響地把每天撿到的大頭針等收集起來，大約兩三月後，他把所有撿到的東西，用茶盤托起送到辦公室主任那裏。

在全體幹部大會上，辦公室主任宣佈了這件事情，並作了自我檢討。同志們看見桌子上明晃晃的一大茶盤大頭針、迴形針和鋼筆尖，不禁大吃一驚，說：「怎麼會這樣多呀！」

這只是一個機關裏的一件事情，而類似的事情每天在很多地方、很多單位發生着，幾乎不要用什麼思想，很多現象就會在眼前浮起：電燈，常常照着寂靜無人的辦公室。水管，像小溪裏的流水，日以繼夜地涓涓流着。飯廳裏，似乎沒有滿桌的飯粒、饅頭皮，就不成其爲飯廳了。假如有人批評：你們真不愛惜國家財富，浪費！我們的同志一定會滿腹委屈地說：浪費？你不知道我爲響應節約號召而付出了多大的努力！這些零碎的小事，我真是注意不過來。好像他的腦子裏都給大事塞滿了，這些事不應該和他計較。

新鵲橋會

·元仁·

曙光照遍了嶺上，草上的露珠，發出五彩的虹光，嶺脚的海面，潮水已退，三五一簇的小孩，正涮聚在潮濕的沙石上，撿拾那些螺作玩具的貝殼；男女們已恢復了昨天的疲倦，起身刺繡那未完成的紗花，俾可換取些少的工資來維持今晚的伙食！老弱一點的，則紛紛提着鉛桶，去山間接取瀑布的清澈流水，用作煮茶燒飯。

這是一大羣不願忍受奴役的人們聚居着的所在，嶺上的房屋，土地雖不平曠，但屋舍櫛比，儼然村落。他們來自北國的松花江邊，明媚的西子湖畔，遙遠的蒙疆康藏，富饒的八閩白粵，過去有的當政或從軍，有的務農或作工，包括着各階層人士。現在他們生活上雖在萬分艱苦中掙扎搏鬥，而精神上却充滿了溫暖自由。他們只是千百萬中的一個，還有千百萬人，渴望着來這裏過這艱苦的流亡生活而竟不可得！

這時，村落中間一家叫做洪福茶室的主人丁子功，也正在收拾碗碟，燃起爐子，準備開始營業的時候，突然接到一個消息，留大陸年餘的妻子，現已逃抵深圳的訊息，使他不禁驚喜交集，掉下淚來！

丁子功是南昌人，早年畢業軍校，曾歷在軍政界做過事。當卅八年赤禍捲遍南昌這天，倉卒間他只好丟下妻子，單身衝出了陷落的城市，輾轉逃抵海隅。

幸虧他身邊還帶着一點錢，到海隅後，就搬到這嶺上，化費有限，蓋起了一間四周泥壁上糊油紙的房屋，開設着一家洪福茶室，博取什一之利來餬口。

這種茶室，在嶺上原有七八家之多，不但售賣清茶，同時還兼營着價廉大餅麵食等北國口味的點心。住在嶺上的人們，在工作餘暇，化費了一二毫子，上茶室泡上一杯「龍井」，閑坐品茗，眺望前面漁油海面那些往來的船隻，讓霧張起時點點的漁火，倒可在破碎的心田中，得到一點滋潤的甘露。

當下，丁子功就請了一位同鄉代他照顧舖子，一個人逕自跑了羅湖。

羅湖是九龍轄境與大陸的深圳，中間只隔着一座鐵橋，遙遙相對。但是擱那端的深圳北向伸展到整個大陸，却是一個恐怖殘殺，弒父鬥夫的地獄！橋的這邊，則是一個自由民主，快樂溫暖的天地！因此這座橋不啻是生與死的交叉點，光明與黑暗的分界綫！

經過這鐵橋來到這邊的人，沒有一個不感到空氣突然清新，而深深的吐出一肚的穢氣，吸取一口新鮮的空氣，好像做了一個深呼吸一樣的。

那邊多少反抗強權追求自由的人，曾千險萬難的溜到了橋邊，但多少人都被管門的鷹犬拖了回去加以吞噬！丁太太挈着四歲的孩子小萍，歷盡險阻到達了橋邊，也就這樣的被阻住了！經丁太太再三說明她的丈夫是在香港作工的，好容易才准她將孩子放過來的要求。

當下丁子功到橋邊，就遙見他的太太和小萍正在橋的那端，正在向這邊東張西望，丁太太一見丈夫，只是不住的揮着手，這動作不知是表示驚呢？喜呢？辛呢？酸呢？此時！丁子功有千言萬語要對丁太太細說，丁太太也有無限淒楚要對丁子功傾訴，可是，此地！咫尺天涯，他們竟默無一語！

接着，小萍總算穩停的跑過了鐵橋，投入爸爸的懷抱，嘴裏却不住的叫着：「媽媽快來！媽媽快來！媽媽要奶！」但那端的鷹犬們已經用槍桿將她強迫着回去了！

夕陽已收獲池投入了西山的懷裏，屋頂已炊烟四起，丁子功還徘徊橋邊，未肯竟去！咫隔橋渺渺，悲思難收！他懷疑這是不是還是人間？幫着的是不是還是小萍？還是丁子功？甚至他自己是不是還是丁子功？歸鴉的叫聲，終于將他在鳥丈的夢淵喚了回來，他懷着淒亂的心境，抱着小萍回嶺。

丁太太是否還在人間？從此就杳無消息！倒有一次，丁子功是這樣的苦惱：「鵲橋會一年倒有一次！」幾年來鵲橋會一年一年付着！

共幹的逃亡

·羅須譯·

「後來當我要逃出營房和我未婚妻一起計劃逃亡時，我就是運用這辦法造了一張外出證，以前我被人家的這種辦法所欺騙，這次却輪到我用同樣辦法去欺弄別人了。

「東德軍中一個小單位的特務活動，和全國各處的龐大特務情報體系比較起來，這是小巫見大巫，我在自己的單位雖然已算得上一個『高級特務』，可是我也知道得很清楚，不僅我自己，就是我手下的那些小特務，也都受別的特務組織所派的情報員隨時監視偵探着。這種偵察和被偵察的複雜制度，已使牽涉這制度的任何人都逐漸喪失了人性，它的基礎是建設在個人絕無反抗及自衛的權力。

「我雖很早就發現已被人監視，却從未發現我的監視者是誰，最先，我的上級有一次突然把我傳去問話，問我有沒有說過某一句話，幸而這句話並不嚴重，我並沒有受到懲處或申斥，他竟叫我以後特別留意。後來我發現，在我到飯廳進餐時，似乎有幾個同僚（也都是軍官階級）對我的談話異常注意，他們或是直接跟着我，或假裝吃東西，實際却在低頭諦聽。

「一天，一個上校把我叫去，他對我恨之入骨，就因爲我愛上了一個『階級敵人』。他對我冷酷地說：『我聽說有些官員爲我們部隊裏有蘇聯顧問的大發牢騷，這些人如不自願找麻煩，最好還是多研究一下德蘇友好的原則。』

「這句話無疑是針對我的，其含意我自然明瞭，這時起，我就加倍小心。這些蘇聯顧問，都因兇狠冷酷纔有派來這裏的資格，他們都穿東德軍隊制服，全是上校階級。他們從不說德語，用『人民警官』做翻譯。

「他們的任務，是指揮比較低級的特務、間諜、和像這樣的政治指導員。但他們掌握生殺之權，我們的自由，當然被他們剝奪得一乾二淨。『趕快改正你們的工作，否則當心被捕』，這是他們通過翻譯員對我們提出的慣常恫嚇，且決不是說說而已，隨時隨地都可付諸實行。

「每個月我必須親去向這些俄人報告一次，除了這個月我的工作外，我還得提出關於我所管的每個人情報，我的政治演講時間表和宣傳計劃。未獲俄人批准，我們即不能命令部隊任何命令。他們每個東德士兵的主子。沒有人敢和他抗爭，共產黨常宣傳他們的『人民警』完全『獨立』，實際上，他們的『獨立』完全操諸俄人之手。

「俄人所提出的

癸巳重九士林登高

·張維翰·

渡海東來歲屢更。一年一度醉秋英。登高望遠臨平楚。作賦多才勝舊京。漸陸霜鴻猶寂寞。滄堤赤蟻正縱橫。淡風驅影揚天際。不禁中流擊楫情。

（註）是日由于賓鐸先生東召。到者四百餘人。臨堀空前。

癸酉九日集掃葉樓分韻得神字

清涼山色靜無塵。掃葉樓頭秋氣新。半畝荒園懷舊隱。東陽嘉會屬高人。江流不盡詩情遠。寺壁長留畫稿真。一老主盟居上座。九天風露鶴精神。

（註）是日到者百餘人。陳散原先生爲會主盟。

旅歐回憶錄

·謝康·

生活程度高，似乎是惟一的缺點：日內瓦生活費略如倫敦、柏林，較巴黎及法國任何城市爲昂貴。其原因由於瑞幣之滙兌價值太半，由於食物生產之供不應求者亦居其一半也。瑞士佛郎在戰前之價值，等於法國佛郎。戰後法幣低落，僅值瑞幣五分之一，對星小費細賞日報坐電車購郵票之類支出至少十生丁（即一佛郎之十分一）者，不知不覺之間已積法幣半佛郎以上，按諸一九三〇年國際滙兌價格，合吾國銀幣大洋一角矣。復次，日內瓦一隅，山多湖廣，遊客及外國人多而本地人少，糧食生產，常若不足，雞鴨肉菜之屬，恒由法國輸入，雞一隻約合大洋十元，雞子一枚在大洋二角以上，白菜一株有時售洋六七角，其他食物大略類是，游客非花費大洋兩三元，不得一飽，房飯合計，普通學生生活，每月至少在二百五十佛郎以上，合國幣二百餘元矣。其餘買書籍，做衣服，零用等費，亦無一不貴。此地學校多用法文書，法國書在巴黎可以照訂價九折買到者，至此次須照碼加百分之二十五售出。有軌電車及鐵路之費，較世界各大城市，有過之無不及，惟鐘錶、花邊、手巾之類爲此間特產者，價較他處爲廉，但須識貨及善於議價，否則有時亦喫虧不小，因日內瓦商店特別是猶太人經營之鐘錶及寶石店，款遊客及外國人生活，往往高抬市價故也。

關於日內瓦，國際聯盟時代，二十年間冠蓋往來，繼掌時有紀載，爲國人所週知，我自己也曾經在天津大公報和桂林公餘生活雜誌，先後發表了一些紀念的文字和詩詞，藉留一點雪鴻爪印罷了，下面一首律詩，更談不上創作，姑且錄出來，請讀者指政：

我來日內瓦，僦寓對名湖，
朝挹朱霞內，夕登沙烈芙，
松風一水隔，閒景萬花殊，
信美非吾土，杭垣西子圖。

（四）

紐沙透爾（NEUCHATEL）爲瑞士另一個法語之湖濱城市，風景清幽，以鐘錶著名，每年十一月葡萄節，化裝遊行，萬人空巷，極一時之盛，余適於是時往遊，觀風問俗，所見所聞，頗足賞心游目，加以女友M·B·生長是邦，作余嚮導，使余頓忘人地生疏之苦，且有他鄉故知之樂，回首當年，至今仍留良好印象，則愛屋及烏，因愛其人而更覺山水之多情了！

M·B·與我相處，時逾三年，良宵夜月，水際山巔，每作良伴，互慰寂寥，某誌春假，暑假消夏，維琪，安西湖及白山冰海之游，曾作法境里昂，亦曾赴水鄉都維爾（D.AUVILLE）及聖馬羅與蘭斯（RANCE）河濱一帶，作游水浴，共消永晝，M·B·長於游泳及滑雪滑冰，極愛運動，冬天山巔積雪，雪深有時沒脛，經旬日不消，於是週末休暇，踏雪爬山，遂成吾儕多日消遣的常課，或於星六上山一宿，或於日曜日早出晚歸，盡一日之讌，得山村逸趣，至今思之，猶堪回味，獨惜好景不常，聚會之緣有限！余既準備回國服務，「共赴國難」，M·B·亦因病回紐沙透爾娘家休養，死別生離，黯然銷魂而已！回國後雖曾通音問，稍慰相思，屢屆東來，惟詞懇摯，然余因環境及能力限制，無法玉成其心願！每誦昔人「只我生涯太零落，護花無計覓金鈴」，及元稹詩「同穴窅冥何所望，他生緣會更難期！」之句，不禁悵然不怡者久之。（四）

光緒臨終之謎

·狷士·

日前天文台記珍妃事，妃稱帝當留京一語，人或以爲疑，按當時光緒實欲留京，與妃意合，羅癭公成「庚子國變記」有云：「懷晨從某官云，西后自出跡，即諧侍臣云，吾不意乃爲帝笑，至太原，帝稍感舒，一日召載漪爾穀痛罵，欲正其罪，西后曰，我先發，敵則要爲首者，帝曰論國法，彼罪不赦，不論敵如何，西后問王文韶意如何，文韶迎合西后婉解之；帝退輸咨嗟不已，定議往西安，帝云我能往寇亦能往，即入獨無益，太后老宜避西安，我擬獨歸，否則兵不解，西后以下雖不以爲然，但無話折服，次日西后仍命西行，帝臨行淚搶下也，又「王小航德宗遺事」云，太后之將奔也，帝求之曰，無須出走，外人皆友邦，其兵來討拳匪，對我國非無意，我獨往東交民巷使館，必無事，太后不許，帝還宮，著朝服欲赴使館，太監奔告太后，太后自來，命除去朝服，帝出，旋即帶往出奔，云，駐太原多日，上仍求獨歸議和，太后堅不放，甚帝早歸，略款必少，而平等條約，亦決不至如此之酷，亦伴爲不知者，諸臣嚴[illegible]抵消之亡，雖有[illegible]，而西后實一九[illegible]帝后相仇，西后以[illegible]緒后，即以[illegible]而與珍妃[illegible]，權，嬌留時王柱不許之要，「崔玉桂推珍妃入井」此一段因果相乘，亦勢有必然者，光緒之非善終，世多疑之，[illegible]帝比西后先死，后竟光一夕死也。

中華民國內政部登記證台誌字第一零二號
中華郵政登記認爲第一類新聞紙類

自由人

THE FREEMAN
（半週刊每星期三六出版）
（第二八八期）
每份港幣壹毫
督印人：李光譯
社址：香港高士打道六十六號
電話：七四〇五三
GLOUCESTER RD. HONG KONG TEL: 74053
承印者：東南印務出版社
地址：高士打道六十四號
台灣特派員辦事處：台北市館前街五十號
台灣總經銷處：台北中華路五九四號之一
台灣郵政劃撥儲金帳戶：九二五二〇

論「反共救國會議」

・黎晉偉・

高度政治作用

最近張其昀先生在國民黨三中全會的黨務報告上，曾經提到召開反共救國會議的問題。據稱：該會議之構成分子，將包括大陸愛國人民，反共武裝，海內外之文化學術界，農工商各界，宗教團體，及一切反共政黨、政團、社團以及各方反共之領導人士。又該會議雖非定期集合之組織，但如有必要時，政府亦得隨時召開之。這一出自國民黨負責方面的宣示，其對未來海內外反共力量的團結，將會產生良好影響，我們應該可以相信。

過去各方對反共救國會議之召開，時有所聞，人持論不一，有認爲這是一種政治反攻，能愈早召開，則收效愈大者；則亦有認爲自由中國正日趨安定，似不宜於舉行這種衆論雜陳的政治會議，以增加紛擾者。政府當局爲了博採輿情，故對此事一直採取審愼態度，而不敢作最後決定，迄至最近，始算在許多不同的意見之中，體認出這個會議係有「高度的政治作用」，且亦是大多數愛國人士所期望，因而決定在最近之將來，即召開會議，俾各方賢達有提供意見的機會。

要出以真誠和忍耐

我對反共救國會議之召開，可算是熱心倡導者之一人，我們以爲這個會議值得倡導，第一是可以把年來存在於若干方面的政治歧見，能夠公開討論，藉此溝通了朝野的隔膜。第二是這個會議如果安排得當，必能對海內外發生影響，對目前台灣的生存來說，有利而無害。第三是政府可以透過這個會議，網羅更多的救國志士與新興人才，以爲他日反攻復國之大用，第四是如能由此建立起一條反共聯合戰綫，在力量發揮上，無論如何總比目前那種各自爲戰的現象爲佳。有此四項理由，所以我覺得反共救國會議之召開，決不會對自由中國產生不良後果。

不過，政府召開這個會議，也必須出以眞誠，持以忍耐，方足使其應有的功能日漸發揮，而最後則成爲一種鼓舞人心的力量。故在開始之初，政府自應本着虛己下人的襟抱，出以大公無私之至誠，使雖有桀傲不馴之士，也無法不在這種共同目標與誠懇氣氛中，爲政府所感化。這一點，當是政府導致這個會議成功的主要因素，就看政府能否善爲表現。至於有資格被邀請參加會議的人，不管平日說話如何響亮，主張如何得體，也應該忘記小我，眞正的把「反共」「救國」列爲第一目標，而不應再以權利之爭，自鳴得意，必須如此，然後方能[illegible]見，產生共[illegible]，使中外觀感，爲之一新。

無損於憲法與法統

有些對救國會議懷有顧慮的人，是恐怕它會損害到現有憲法的尊嚴，削弱了政府法統的地位，這種顧慮，即使不是多餘，也未必能適應現實，今日之事，眞所謂「萬事莫如救國急」，任何對救國會議之事，則可謂，也不「違憲」，因爲最高精神是主權之完整，[illegible]土大部淪亡，已有未能充[illegible]法賦予職權之嫌[illegible]

[illegible]

有利於團結與民主

[illegible]

太小，一個眞正大方大智的人，決不至於爲這個小局面而爭[illegible]

[illegible]民主，但更需要的卻是團結，因爲民主政治之徹底實行，有待於許多客觀條件的具備，並非一蹴可幾，但團結則只是人們覺悟與否的問題，只要朝野均能放棄其自我中心的成見，則團結便不難於實現。況團結之後也並非不要民主，甚至可以說是有助於民主推行的一大動力，亦不爲過。問題端在我們的民主觀念，是顯然永[illegible]勇氣去諒解，抑或去督促政府實[illegible]？我們知道，過去[illegible]些喜歡鬧什麼「[illegible]力」的朋友，也不是[illegible]立異鳴高，也不想[illegible]團結的，關於這一[illegible]，我們得丁文淵[illegible]在今年雙十國慶[illegible]曾在日報所寫的文章（題爲「國慶給我們的鼓勵和責任」），他[illegible]間已提供「很好的[illegible]，那就是：「你[illegible]大不能成爲反共中[illegible]的時候，你就決不[illegible]能毀壞我們現有的[illegible]中心！」這種仁者之言，倒是值得我們[illegible]取的。

不要存奇蹟幻想

再說，救國會議既又可稱之爲「國是會談」，則一種「大家談」與「大家來」的觀念，更應該在我們之中確立。因爲國家的好壞，對我們實有切身利害的影響，所以有資格參加救國會議的人，便要認清本身的責任，對政府看不到的地方，固然要一一提出來談，使政府知所改正，而對政府所有些做不到的事情（如外交），也不妨挺身而出，以「大家來」的姿態，給予這個反共中心以更多支持的力量。

上面所說，自然都是「老生常談」，不過卑之無甚高論，太陽之下本來就沒有新的事物，我們必須認清，救國會議能否成功，主要就在我們能否向平實之處用工夫，而少存產生奇蹟的幻想，如果我們懂得這個道理，則救國會議的成功，是應該可以預期的。

中韓聯盟反共之勢

[illegible; the gist of the following was read from a blurry scan and is uncertain: Soviet aggression and the differing national interests that divide the free nations, with the nations' relations to the Soviet Union classified as (一)…(五)]

位到底比中韓兩國優越。故中韓實係同病相憐，患難之交，自然的形勢促成。

中立思想作祟的世局

・旭軍・

[illegible]

西德何以有中立思想

[illegible]

[illegible]了。集體武裝中立去防衛那潛在的侵略者蘇聯。

新洛迦諾公約的用意

當本年五月十一日英首相邱吉爾發表其有歷史性的演說，建議與蘇俄談判成立一新洛迦諾公約時，據稱當時西德大感恚憤，因爲在目前它看德國作一潛在的侵略者，實爲德國人所不滿。數日後，阿丹諾總理親訪邱翁，邱翁當然向他解釋這「新洛迦諾」的含義。到了五月十七日據報紙消息說：阿丹諾總理對於「洛迦諾」並不以爲是很壞。大概目前「洛迦諾」是一象徵名詞，就是「對於美國保證獨立自主的地位，而不致削弱了大西洋集團的力量」這一個意義。

在過去數月阿丹諾總理曾提出建議，歐洲防衛集團大可以對蘇聯提出一非侵略公約。美國國務卿似大爲不悅。對外宣說未有收到阿丹諾這一項建議書。但此種計劃並非被視作反美與反大西洋同盟，因大西洋防衛集團本身係使蘇聯不敢作軍事進攻之冒險。

民主國家間一大弱點

阿丹諾的建議祗係意味着歐洲防衛集團保證該集團之原則，但此種保證將引起一種行動，即歐洲自治政府，其意即他們有權決定蘇聯是否已進行侵略進攻。因爲歐洲的中立主義除畏懼蘇聯外，有一種疑懼，即有時，也許不是有意的，由於美國經驗不足或魯莽而發動一較大規模甚至世界大戰。阿丹諾建議是有意消除歐洲中立主義者的一種杞人之憂。他欲藉此團結歐洲，使[illegible]會進行歐洲[illegible]團結一和中立。因爲他認爲歐洲中立主義者顯道若欲免於可怕之大戰，必須集體對蘇聯談判，若想個別向蘇聯討價還價，各人作免戰牌的打算，勢必失敗。目前歐洲面臨兩歧途。其一無武裝的中立，其二即有武裝的集體中立。必須對此有所抉擇。這是阿丹諾的立場想法。至少他有意使歐洲中立主義者免除被美國拖累之慮。在西歐大多數人看他們的統一團結是與他們生存攸關的眞正自然事實。而非係由美國強與給他們的人爲思想。

總之，今日民主國家未能徹底覺悟到在奴役與自由兩個世界中，在兩營間無中立的地位，在時間而言，無間歇之休息。而德國阿丹諾總理是被迫以「中立」與鄰邦周旋。但亦未覺悟到對敵人鬥爭之無間歇性。民主國家未能團結爭取時間，乃一至大弱點。

半週展望

・左舜生・

百慕達會議與美國責任

千呼萬喚的百慕達會議，終於在今天開幕了！這次會議有一明顯的宗旨：在如何更有效的求得對蘇妥協，決不在如何有效的準備戰爭。妥協最惡劣的方式可能犧牲弱小，其理想的方式，也不外繼續冷戰。犧牲弱小爲蘇聯所歡迎，但她決不因爲有所得而放棄對英美的敵視；繼續冷戰爲蘇聯所不怕，她反可利用時機徹底運用衛星多方搗亂；加強實力，應付未來。對付蘇聯，尤其站在我們亞洲人的立場來看，決不是戰爭以外的方法所能有效，百慕達會議的宗旨既在妥協，因此對於亞洲是可能有損，斷然無益。

以今天整個世界的形勢來說，亞洲的自由國家應該加強自身的團結，但日本對台灣與南韓既意存輕視，且心理上有一種不可告人的癥結所在；菲律賓新當國對此一亞洲國家的傾向，並不願加以切實的鼓勵。

今天大家有一誤會：以爲世間最熱心妥協者莫如英國，其實美國的熱心妥協也至少可與英國相當。英國的妥協在口頭，但沒有忘懷於自身實力的增強，尤其沒有忘懷了歐洲；美國的強硬也僅在嘴上，但至今看不出她有一個堅強不屈的意志，也找不出她有一個準備始終貫徹的重點。

蘇聯侵略中國，有三十年不變的宗旨，有一套條理細密的手法，然後她才能造成如今天在亞洲的這個形勢。美國是民主國家的領導者，在天天在從事團結，也天天在幫助別人，但我們卻隨時都擔心她在主張上會起變化，在步驟上會陷於凌亂。

假定這次百慕達會議開得一無結果，或進一步還發生許多毛病，其主要的原因可能是由於美國的態度軟弱，考慮粗疏，舉棋不定，與英法並沒有什麼相干。

新德里開政治會議？

一個結束韓戰的政治會議，本來隨處都可開，但中共卻偏偏要提出印度的新德里。

尼克遜最近在印度曾恭維尼赫魯爲當前世界的領袖之一，本來，假定尼赫魯能本着爭取印度獨立的一貫精神，對中華民國不以怨報德，對中共不輕予承認，少說閒話，少管閒事，而埋頭於國內的和平建設，靜觀世界之變，以完成印度的復興，則尼赫魯確不失爲一代人傑，其領袖資格，孰得而否認之。

可是他偏偏不肯這樣做。在國內原也不許共產黨的存在，但卻去歡媚蘇聯，取悅中共，愛人之所惡，惡人之所好，一個簡單的監視遣俘工作，也居然調動幾千的大兵，耀武揚威，且不惜槍殺反共的俘虜，以造成舉世的憤慨。蘇聯窺破了他這種補償心理，乃嗾使中共有新德里開會的提出，這無非要滿足尼赫魯的虛榮，一面予南韓以難堪，一面進一步造成亞洲的分裂，以便分途宰割，而最後即印度亦不免大上其當。

看樣子，南韓是決不願再有許多討價還價的工作可做；美代表迪恩既決心不要打仗，當然只好一議再議，堅持到底。[illegible]共又[illegible]，於是中[illegible]，好[illegible]打了三年的戰，以反抗侵略始，以縱容侵略終，我眞不懂得美國將何以自解？

三個團結

爲穩定台灣的形勢，爲加速反攻復國的進行，今天有三步工作必要做：第一爲加強台灣的團結，第二爲造成舉國一致的團結，第三爲達到亞洲反共各國的團結。這三步工作表面上似不相干，但精神上卻是一貫，一步做不好，二步便很難，三步更難辦；我總希望大家平心靜氣的想一想，要從團結的觀點去找辦法，千萬不可從不惜分裂的觀點去逞意氣。

人物評述

國父與歐美之友好

——紹華——

（一）

當去月吳稚暉先生在台北逝世的消息，傳至本港後，左舜生先生曾在本刊發表他哀悼的意思，並且說稚老加入同盟會近五十年，追隨中山先生的日子亦不少，最適合寫一本中山先生傳記，如果再過一二十年，文獻不足徵，着手亦困難了。（原文大意如此）當時，筆者曾就這一個意見向羅香林教授請教。他說抗戰時在重慶，曾數度會見稚老，稚老常鼓勵他寫中山先生的傳記，這是羅氏輓稚老聯中「猶憶夜雨巴山，談史論文，勉我重修總理傳」本事的由來。那天，他把他的大著「國父與歐美之友好」一書送給我，我慢慢的把它讀了一遍。昨天閱報，知道稚老的骨灰業經安葬於中國的南海，恰值彤雲密佈，風雨交加，不禁打動了我的心坎，「撫懷舊之蓄念，發思古的幽情。」於是肩手寫這篇文字。

（二）

中國古諺說得好「得道者多助，失道者寡助」。又說「得民者昌，失民者亡」。中山先生致力革命四十年，尤其是在辛亥革命成功以前的一段歷史中，經常獲得歐美友好的贊助，因此能夠鼓動風潮，出生入死，化險爲夷。有些人在革命進行中予以外交上支援，有些人在國際壇坫上予以積極的幫忙。著者搜集了豐富的材料，把和中山先生最有關係的十二位歐美友好的事蹟加以敘述，不啻是十二篇歐美名人傳記。這十二人是韋禮士主教，喜嘉理牧師，康德黎博士，翟理斯教授，加爾根先生，卜力總督，咸馬里將軍，韜美總督，格利門梭總理，林百克先生，摩根先生和威廉博士，他們當中有宗教家，有政治家，有軍事家，有專門學者，有新聞記者，國籍包括英美法三國，可見當年歐美人士對於中國革命事業贊助的熱忱，筆者認爲本書的特點有二：

（三）

（一）材料正確：作史之難，難於蒐集史料，和鑑別史料，作者本書所根據的資料，除中西的史料，尚有一部份珍貴的史料，爲外人所不及知的。這一部是關於紀載康德黎博士的部份。康德黎博士是香港西醫書院的教務長，中山先生在那裏肄業時，成績優異，深得這位博士賞識，所有該院一切紀錄文件檔案，後來都送給中國政府，政府當局就委托羅氏根據這些資料寫成「國父的大學時代」一書，其餘一部份就寫成康德黎博士的傳記，無怪有些人驚於本書的淵博翔實了。又如關於翟理斯教授的紀載，作者從朋友那裏看見他的信札，證明他研究漢學精神，至老不衰；於加爾根先生的記載，他從香港大學西文圖書館中獲讀加爾根的著作如（一）中國的變化（二）由陸路到中國（三）中國的問題和英國的政策等書，加深了對於這一位言論界和出版界重要人物的認識。

（四）

（二）態度嚴謹：本書關於格利門梭一章內附法國駐漢口領事羅氏的事蹟，這一位領事對於辛亥武昌起義，幫忙很大。當時瑞澂對於革命軍起事，竟誣蔑領事團說是義和團暴動，駐漢口德國領事偏袒滿清政府，主張開砲干涉，幸羅氏深明這是革命行動，力主維持中立，不久由領事團承認雙方是交戰團體。但是這一位羅氏畢竟做了「無名英雄」，因爲他的地位關係，國際名人詞典中找不出他的生平事略，只好從略，「君子於其所不知，蓋闕如也」。這是作者的謹嚴態度。又如有些書評家提到中山先生倫敦蒙難時的清使館的英僕柯爾，沒有敘述他的事蹟，亦是這個緣故。本書各篇所引的材料，如專著，如函件，如文告，如演說詞，都是真實的憑據，一切游說無根之詞，郢書燕說之類，一掃而空，確實史家的謹嚴態度。實錄具存，足資稽考，諸言未遠，足資討論，這才符合文獻學的原則。現收藏在台灣國民黨中央黨部的中山先生傳記，林林總總，不下百數十種，除了吳稚暉，羅家倫，張其昀所撰的三四種外，大多綴拾成書，很少別識心裁，最奇怪的如共產黨徒高爾松，高爾柏撰的「孫逸仙先生與中國」一書，亦視同家珍，不免碔砆亂玉。

（五）

作者曾對筆者說昔年他草成國父家世源流考一書，從他搜集的族譜，志書的材料中證明中山孫姓那一枝，是由紫金遷去，稿子由教育部學術評議會送給吳稚暉審查，稚老先入爲主，惑於鄧慕韓說中山孫姓這一枝係由東莞遷去，不過後來他仔細審查，才發覺作者的論據沒有法子推翻，才加折服。以此例彼，可見作者態度謹嚴了。

作者寫書的目的，係從旁而去描寫中山先生的偉大，這是烘雲托月的手法。作者在序文中曾說明中山先生爲什麼能夠成就他的偉大，是由於把仁愛、友愛的精神作革命事業的出發點。如果我們讀完本書，只知道本書內容過於瑣碎，那就不免買櫝還珠，忽略了作者重要的提示。

（介紹羅香林教授所著「國父與歐美之友好」一書──中央文物供應社出版──因涉及國父歐美友好的事跡，同時又涉及國父的家世源流，故移在這裏發表──編者附誌）

百慕達會議縱橫談

祝修衡

英美法三國的巨頭，從本月四日起，在百慕達舉行會議。這一會議的醞釀，爲時甚久，祝先生這篇文章，將會議醞釀的經過，作縱合性的報導和分析，在會議進行中的今日，很值得我們一讀的。──編者

西方和蘇聯對於雅爾達會議時雙方許下的諾言，至今仍有爭執。假如以同樣的在非正式情形之下又來一次巨頭會議，其結果將使東西間的關係弄得更壞了。──杜爾斯

英法的用心

百慕達會議的目標，從擬議到決定的期間，屢經變遷。變遷的原因是隨着東西冷戰的變化而來的：今年五月十一日邱吉爾首相在下院發表外交政策演說，主張西方國家與蘇俄舉行巨頭會議，以祕密方式解決東西間的爭端；並主張在瑞士召開「四強會議」談判簽訂新魯加諾公約。本來羅加諾公約係兩次大戰中間簽訂的，旨在保證互不侵犯。惟此種保證並不能阻止第二次大戰。邱氏並不以此爲殷鑑，認爲當時美國沒有參加這公約，如果參加，就不致釀成二次大戰了。邱氏的意思，新魯加諾公約，不祇要包括美國、蘇聯、英國、法國，而且還要包括西德。幻想「共同反對侵略」，可能獲致同意，這對「歐洲和平計劃」將有大收穫。

當時法國政局正值危殆，總理梅耶，爲了解救國困危機，便在五月二十日向華府提出美英法三國舉行一次「三巨頭會議」的建議，作爲括有蘇俄在內的「四強會議」的梯階，梅耶的想法：假如美國同意，他一經宣布後，則法國巨頭非彼莫屬，如是即可延長他的內閣壽命。

法國政潮的影響

然而艾森豪向來主張：在蘇俄以實際行動表示願意結束冷戰之前；無意與蘇俄從事任何談判。故法國提出建議之後，大爲苦惱。不過，美國若斷然拒絕，不免予人以「壓抑和平機會」的口實。於是先向英表示，三強會議，頗爲需要。邱吉爾得訊自然大喜，經過相當時日的觀察，即通知艾克，表示同意，同時提出百慕達爲開會地點的建議。百慕達距紐約僅六百七十五英浬。邱吉爾所以選擇這一個孤懸大西洋的島嶼作開會地點，是有作用的：第一是顧慮到美國總統不至遠離本國；第二這一個百萬富翁的遊憩地，它在傳統上，是効忠英國，受英國管轄的。

英美兩方面對百慕達會議大體同意了，但法國政局動盪，梅耶畢竟無法挽救內閣的命運；當美國助理國務卿史密斯奉命電請梅耶擬訂具體辦法，並分電駐俄大使波倫，通知蘇聯政府，百慕達會議已遍傳世界，梅耶內閣，便在這時候宣告垮台。此後更因爲東德暴動，貝里亞的被黜，以至於邱吉爾害病，這一連串的事件，百慕達會議，便擱下來。

病後的邱吉爾，仍未打消巨頭會議的計劃。在十月十五至十八日的倫敦會議中，邱吉爾終被杜爾斯說服了。美國當時對百慕達會議已不再存幻想，杜爾斯告訴邱氏：「西方和蘇聯在雅爾達會議時，雙方許下的諾言，至今仍有爭執。假如現在以同樣方式又來一次巨頭會議，其結果將使東西間的關係弄得更壞。」這時候邱吉爾自承「老朽」，對蘇也不再存奢望了。

蘇俄主開五國會議

十一月三日，蘇俄向西方致送第三次照會，這一次照會，係八月四日答復西方七月十五日建議舉行外長會議解決德奧問題以來，態度最强硬與作質迥異的一次照會。全文逾五千言，多達十八頁，內容：自韓戰停火，西方在西歐的防衛；主張解散大西洋公約組織，以及當前國際間重大問題，幾於無一不列入。但對任何問題，均無妥協意向。然其重點，卻在括有中共參加的「五國會議」，要在四外長會議之先召開，以及其他亞洲問題在內。此一建議，若獲實現，了政治會議的安排，延宕現時板門店路線工作。蘇俄有意迫使承認中共，……議」，蘇俄召開「五國會議」問題先行解決，再談德奧問題；主張四國會議除北大西洋公約，對德和平契約，歐洲軍備，海外基地……條件。

艾森豪總統上月底又獲得美國天主教大學法學博士學位

蘇俄新照會的用意

十一月三日蘇俄致送西方強硬的照會，本意企圖把「三巨頭」會議推翻，使法國會反因此而提早投票；卻不知造成了相反的效果，美英法三國因此決定召開「巨頭會議」。莫洛托夫忽促召集記者招待會，即爲蘇俄忙亂的表現。西方國家在過去多次照會之中，態度不容以前的緩和，只是把措詞改爲強硬，再舉行四國外長會議，於十二月四日在柏林堅持中共參加「五國外長會議」。……

百慕達會議與亞洲

冷戰七年，東方與西方，一方面固希望歐洲安寧，另一方面尤盼實力向太平洋。然而美國佔先一步，歐洲已成立「北大西洋公約」的組織，而太平洋公約，卻不能以北大西洋組織的方法聯防。但因英美政策不和諧，美澳紐公約的太平洋聯防，英國卻認爲未能參加。……

談反共文藝

李先生原函甚長，謹節錄其要點如左──編者。

讀者來書

編者先生：

近年習讀「自由人」，屢想有所稱述，都因俗務紛擾，缺乏執筆機緣。近閱貴刊第二七五期，見「文壇兩議」與「論治道」兩文，針砭時弊，殊有覺聾啓聵之義。因此不辭駑鈍，略抒個人私感。

「文壇兩議」指斥「門羅主義」和「偏見主義」，大致合於客觀事實；但有待商榷者尚有兩點：

反共文藝必須深入民間，激發心理或情感的共鳴，以團結意志，集中力量，使文藝成爲心理作戰的武器，摧陷敵人的鬥志。

第一、因門羅主義與偏見主義的存在，將失去普遍深入的作用，「新作家」以至一般青年作品，往往被錯誤閉關的政策所壓抑。少數人在象牙塔中，高唱陽春白雪，「自我陶醉」，形成所謂「衛道」派，或「孤芳自賞」集團，以此產生「點」或「線」的宣傳作用，以言反共，實在尚嫌不足。

第二、共產黨的宣傳是「世界性」的，在技術上，是鎖與困與擴其毒蠱……則我們的大多數作品，在反共的戰鬥上，……深深高式的自限一隅，供一小部份人士的欣賞，更談不上外線的反攻。……所以論治道，……上，必須確立治道的正軌。我們必須根據變動的新治道，是變動的新政策，這樣才能產生新文藝的效果。……李志仁啓──香港

編者讀者

△鄭獻行先生來書：「……年來讀在自由人發表文章，詳見宏論，尤深拜佩。台灣詩風至萎，唯多屬酬應之作，隨大題目輒少見執筆，殊可怪也。晚自去年起，……乃讀憤吟哦，半年中得詩詳百首，多爲憂憤與愁苦語，唯自從頗，絕不無病呻吟，與作無聊應酬也。茲錄近作數首，請予指正，倘有可取，並懇惠借自由人版地一角，刊以就正有道。……十一月廿四。」

△郭先生大作即將在本報發表。

△文章預告：丁文淵先生遊台觀感（題目未定），沈乘文先生從緬入日本國考（書評），胡士宗先生敝處流集外遺詩，王世昭先生民族詩人鄭所南，胡士云先生從詩歌振興說到今日平劇中小生人材。

△孫甄先生：承惠贈余長文，拜讀後另函請益。

△謝壽飛，易興，周靡，高清心，楊傳芳，葉非雲諸先生：惠稿均收到，至感謝。

日考察團讚台進步　願與港商攜手合作

日本著名的文化、出版、工商界人士所組成的自由中國及香港（文化經濟）訪問團一行十七人，由該團團長（中外製藥會社董事長）上野十藏率領，於自由中國結束旬日訪問之後來港。據稱自由中國之經濟文化事業，比兩年前大有發展，而中日貿易關係增進，尤有顯著成就。他們對台灣的紡織、鋼鐵業之偉大鉅獻，印象最深。該團此次來港，因擬往於香港爲自由商埠，扼東南亞貿易樞機，就整個亞洲而言，經濟上佔一重要地位。故此在港有一星期的勾留（上野即於昨天先行返日），以便考察香港對外貿易的情況，而從事研究產品資料和外銷的情形；並訪問各大工廠與文化事業機構。港九文化出版以及工商界領袖於該團抵港之次日，分別舉行酒會表示歡迎。由於文化思想與政治立場相同，各大僑領希望於中日兩國人士今後攜手合作，確認自由中國與日本自可成爲亞洲的安定力；故兩國文化經濟上的合作，尤爲必要。這是上野特別提出的意見。

×××港九僑團以該團此次自由國而來，衷心非常愉快，日本戰後獨立，亞洲各國間，中日兩國首先恢復邦交，如今又係站在同一立場，同受共產主義侵略的威脅，面對同一敵人，只有朝向同一目標，爲求生存爭自由而奮鬥，唯有團結努力，打擊共同的敵人。況且香港工業產品與日本之工業原料，也有部分不可分割的關係，而港九人士對日貨銷港不僅並不歧視，且能增強競爭改善品質之向榮心理。然港貨唯一的銷路爲東南亞市場，港日工業家設能從大處着想，顧全雙方利益，拓展更廣大的市場，前途必可樂觀。上野十藏表示，願與合港日三地人士合作，加緊促進三角貿易。尤具深重意義。

勞工保險正式實施　失業救濟開始登記

×××港府爲保障勞工合法利益，特頒布勞工賠償法例，已自本月一日起正式實施。今後勞工如遇意外傷害，僱主應依照法案規定負責賠償。據統計：一九五一年，工業意外事故發生六六五次，受傷工人六七七人；一九五二年五六六次，傷五一〇人；一九五三年（上半年）三〇七次，傷三〇九人。由於此一法例之頒布，保險業大感興趣，但其收費辦法係依據英倫保險業總公會所定標準參酌當地情形釐訂。然收費過低，前途未可樂觀；若一千人投保，倘一人受傷，保險公司勢將斷本。各業公會現正擬訂聯保辦法，繼印刷業商會舉辦「會員聯保勞工補償」後，建造商會現已設置小組研究。

×××香港救助失業青年協進會第二期登記已開始，登記者可投函九龍郵局信箱一七四九號該會索取表格填寫，交該會；等候審查工作。第一期報表者竟逾四千封之多，可見港九失業人數之衆，問題之嚴重，該會經審查之後，決定名額，就其緩急，此次獲得救助的

加緊特務統治·鎮壓勞工反共

中共設專門法院　先在各鐵道開始實行

【本報特訊】儘管中共迄今並無一部完整成文的法律，但其「司法」工作，則無時不在力求普遍而深入之發展，以密切配合其特務統治日益嚴密的迫切需要。此種「司法」工作的發展，到目前止，除已在各縣或大鎮普遍設立「人民法院」並已在各工廠、礦場普遍設立「同志審判會」外，最近據北平「人民日報」透露：且已開始在各鐵路沿綫籌設所謂「專門法院」及其「專門檢查署」，以進一步鎮壓各鐵路中情緒日見浮動的一般職員和工人，以及各鐵路沿綫被認爲有「反動破壞嫌疑」的人民。

大批「反革命」案件

據該報透露：各鐵路普遍設置此種「專門法院」和「專門檢查署」的籌備工作，大致已將進入完成階段，惟爲發揮示範作用，並爭先行取得經驗以幫助各路順利建立此種機構順利推進審理工作計，特指定天津鐵路率先籌備完成，首先成立，並迅即開始執行審理工作。據云因此，天津鐵路的「專門法院」及「專門檢查署」已於本月十六日在天津文化宮「隆重」成立，並即於次日開始審理二十四件關於「反革命破壞」、貪污、盜竊、怠工破壞及其他重大事故等案件。

又據該報透露：各鐵路沿綫「專門法院」及「專門檢察署」之地位，一般的皆相當於縣級或市級之「人民法院」及檢察署。在其上級之鐵路管理局中，亦設置同等性質之法院及檢察署，其職權與省「人民法院」及省檢察署相等。再上級，在僞中央之鐵道部中亦設有同等性質之法院及檢察署，其職權頗似最高法院及最高檢察署，故儼然自成一司法系統，所不同者，僞交通部中之「專門法院」或「專門檢察署」，似受中共中央「最高人民法院」或「最高人民檢察署」之節制。

關於中共在各鐵路沿綫設置「專門法院」及「專門檢察署」之用意，在其所列舉此一機構之任務中，有極明顯的說明。據云：一、在檢察和審判與鐵路運輸有關的反革命破壞案件；二、在檢察和審判在鐵路運輸區內的貪污和盜竊等案件；三、在檢察和審判在鐵路運輸區內的消極怠工、玩忽職務，以及因此而使國家財產和生命遭受重大損失或使其他職工和旅客等受到危害的責任事故。

暴露面臨嚴重危機

上列三者，從中共報紙若干有關重要人員的批判中透示，顯然確爲當前中共鐵路機構中的嚴重問題。蓋天津鐵路管理局副局長孫洲在天津鐵路沿綫「專門法院」及「專門檢察署」成立時既曾說此三者皆目前鐵路工作中之嚴重缺點；「人民日報」之「政法工作評述」中更說此三者爲目前鐵路工作及「國家經濟建設」發展前途上的最大障礙。

工長破壞鐵道

其中關於第一點：顯然反映出今日大陸人民的反共鬥爭，正以多方面及多種手段乘中共內虛隙拚命進行中，破壞鐵路及鐵路部門中的工作，而爲其重要的一環。且此種破壞，並不限於人民，尤其鐵路工作人員在工作的便利上隨時乘機進行，故亦附帶反映着今日大陸的「工人階級」確實業已自附共日漸轉向反共。

如此次天津鐵路沿綫「專門法院」所判決的第一件所謂「反革命破壞」案件中所指的破壞者，即爲該鐵路內邱車站第三綫橋工程隊的一個整路工長（名白鳳岐）。該工長於今年六月二十九日以修路爲名，即擅自將該站附近岔道枕木間內石塊全部挖去，並拆去控制鐵軌的鍋王鐵四根，終於上月二日使一輛列車出軌傾覆造成極慘重的損失！此種現象，乃使中共的鐵路部門中造成鬼影幢幢的景象，極見恐慌。例如，「人民日報」在「政法工作評述」中說：「我們的國家雖已取得了人民民主的偉大勝利……然而由於帝國主義還存在，……還盤踞着台灣，……他們必然會千方百計地進行搗亂和破壞，特別是破壞我國的交通經濟建設事業。」因此，又特別引用史太林的遺言說：「我們的勝利愈多，則被擊潰了的剝削階級殘餘將愈加兇惡，將愈要採用更尖銳的鬥爭形式……」云云，即可見其恐慌之一斑。

普遍貪污舞弊

其中關於第二點，顯然反映今日中共鐵路部門（其他部門亦然）中的幹部貪污舞弊情形已普遍嚴重。如此次天津鐵路沿綫「專門法院」判決的另一案中，即明顯地說明了此一現象。該案判決者係一天津鐵路管理局天津站人事室之人事助理員（名閻靜山），該員「三反」前曾犯貪污案，嗣後仍繼續照常貪污，偷取車票，偷取推銷貨物結餘款前後達千萬元，常與其女同事馬淑芳逛青島、瀋陽、濟南、南京、上海、杭州等處恣意揮耗，極其腐敗。尤明顯者，此次天津之「專門法院」首先辦理之二十四件案件中，貪污案幾佔半數之多。

其中關於第三點：在中共乃統稱爲「違反勞動紀律」者，或因此而造成之損害，或其所予中共破壞之作用，並不下於第一、第二兩點。中共在「人民日報」之「政法工作評述」中即明白指出：「違反勞動紀律或因造成重大事故者，必須視爲一種嚴重的犯罪行爲，應依法予以嚴懲」，並說：「違反勞動紀律在性質上雖然和反革命的暗殺破壞行爲有所區別，但在客觀上，却同樣損害了國家和人民的利益，同樣對國家的經濟建設事業和國家的安全起了嚴重的破壞作用」云云。

綜此以觀：中共此次之普遍設立鐵路沿綫「專門法院」及「專門檢察署」，勢將對鐵道部門內之員工及鐵路沿綫之人民，更施行其嚴厲殘酷的鎮壓和迫害。（乘文）

中共的兒童教育

朱德對「全國少年兒童工作會議」的演說，另一段也值得注意，他強調現代兒童授予基本軍事訓練的重要性，要該會在討論今後的兒童教育方針時，確立一個組訓軍事化的方案。同時，在該會議中，所謂蘇聯專家楷可夫曾到會作「蘇聯學校與少年先鋒隊」的報告，竭力鼓勵中共對「少年先鋒隊」隊員的訓練，應接受蘇聯的「經驗」。誰都知道：蘇聯的「少年先鋒隊」隊員，都被訓練成特務小嘍囉，在各地各處監視其家人及隣居等等的行動。接受所謂蘇聯的經驗，當指此種特務訓練無疑。是以中共今後「教育」兒童的重要內容，當爲軍事化和特務化無疑。

爲兒童思想性格定型

中共今後「教育」兒童的第三個原則，照中共在社論中指出，是要使少年兒童「一代成爲「社會主義」的新人」，並指出這種「新人」的標準，「必須是全面發展的人，必須具有愛祖國、愛人民、愛勞動、愛護公共財物的道德品質，必須是健康的，勇敢的和誠實的。」這種「新人」怎樣造法呢？社論又說：「必須堅持長期的正確的教育方針，必須用啓發、誘導、說服和示範的方法，反覆地、連續地進行教育。」這種「教育」方法和標準的結果是什麼呢？社論更曾坦白地認承，說是「在使他們的思想性格逐漸趨有定型」。非常明顯：即是說，今後中共「教育」兒童的方針，是要將他們一律造成極端效忠和聽從中共的機械化人的。

一面倒思想的灌輸

但這還不算，中共進一步還要將他們一律塑造成永遠效忠於蘇聯的奴才。蓋社論曾指出：必須在兒童「教育」的過程中，逐步深入的灌輸「國際主義」的「政治思想教育」。並謂這種「教育」必須用生動的形象的方法去進行，不可依靠抽象的報告，演講，或機械地，生硬地進行。所謂「國際主義」，一向是中共效忠國際獨治局面的裝飾詞。中共千方百計要下一代都根深蒂固地具有「一面倒」的思想，實在是最令人費解的也是最不可恕的罪惡。（下）（寄

評：「燕語」

·萬燭明·

作者：力匡
出版：人人出版社

我已經第三次重讀這本書——在清晨，在黃昏，這當我把工作的重擔卸下時，我懷着一顆無比愉快輕鬆的心情，在窗前，在燈下，朗誦或者是細細的咀嚼着力匡這一本「燕語」。

（一）

不知怎樣，「燕語」和我總像結下了一種如膠似漆的感情，我愛它那種純美的天籟，我愛它那種不勉強的自然流露的感情，我愛它那種沒有嬌飾的率真。雖然，它只是薄薄的一冊（九十九頁），但假如你能用多一點想像，多一點心去看它，你會覺得它的份量是如何的沉重，比看一幹徒有虛名的長篇鉅構，「無病呻吟」或「無的放矢」的「[illegible]」的畫稿要受益得多。

「燕語」——是一本出版不久的詩集，而它底著者——力匡，更是一個嶄新的名字。收集在「燕語」內的詩，大部份都是發表於本港星島晚報內「星晚」副刊的。那還是一二年前的事，當作者底作品陸續在「星晚」推出後，便獲得無數讀者的推崇、讚許，更瘋魔了一般愛好新詩的青年男女，一時對它底推測附會很多，更有不少讀者還饒有趣地去追問它底「小匡」。（力匡詩作中常常提到一個女孩子的名字。）

（二）

無可諱言，今日的青年和學生們所作的新詩，無論在修辭、音韻方面，都多多少少的受到作者作品的影響，這種影響是好是壞我們姑且不談，但他底影響所及是如何的深且廣是由此可以概見了。

談到詩，我們倒不能不感慨交加。新詩的歷史雖不算長，但也不能算短。從五四的新文化運動以後，新詩也緊跟隨着小說之後揭竿而起，胡適、劉大白、沈尹默等更極力鼓吹，胡適的第一本詩作「嘗試集」便在這時面世。此後繼起的雖多，但因新詩漫無標準，所以不是流於歐化的晦澀難懂的冗長句子，便是還帶濃濃厚舊詩詞的氣息，成爲半新半舊也新也舊的怪物，好像剛「解放」的小腳一樣，新詩終於由高潮而陷入深淵。徐志摩——這位被人譽爲新詩泰斗的一位，也不幸因飛機失事而死亡。遺作除了「猛虎集」寥寥數種外，其他作品尚不多見。他的慘死，無疑是中國新詩界的一種不可計算的損失。至於此時此地的香港，成熟的新詩可謂極少。不是「標語」式「口號」式「呼喊」式的所謂「詩作」，便是一些發洩牢騷的「懷舊」「思鄉」的無病呻吟作品。我無意於譽「燕語」爲成熟的新詩作，但它的態度比較嚴肅則確是事實。

（三）

據作者自己說，他選在「燕語」的新詩是經過精選的，這是事實。單以作者在「星晚」所刊的新詩來說也不祇此數，而作者只選出比較愜意的四十六首，從這裏，作者的態度如何不難想見了。

大致說來：「燕語」裏面的詩，都是含有音韻的，這更增進了著者詩作之美。本來新詩音韻的有無，直至如今，還在爭論。但不管如何，只要不是勉強填上的音律，只要是合乎自然的音節，韻律確是詩作的一種美的特色。

「燕語」是不是毫無瑕疵呢？不，有的，據我的意見，我認爲作者生活的深度和廣度還是比較窄淺，作品內容還不免局限於一隅。但在詩壇長滿了蔓草的今日，「燕語」不能不算是一株生氣勃勃的奇葩。我不能再詳細評論作者的優點，我只願引歐陽天先生在序文裏所說的一段中肯的話：「力匡兄的詩是純美的天籟，精煉的詩句放射出纖細的旋律，使你笑，使你哭，使你高歌，使你低吟！它的情感要不自私，即使有時摻雜些兒女私情，但也足以引起時代青年的共鳴……。」

「詩人的聲音也就是時代的聲音」，讓我們以渴望的心，期待著作者有更好的作品面世，也讓我們青年的一代，循着詩人的腳步踏上真、善、美的道路吧！」

·不打自招文抄·

中共的統計資料

·文抄公·

中共報紙時常發表許多統計資料，證明中共統治下經濟如何如何進步，他們的統計是怎樣得來的？確實的程度如何？請讀今年十月九日在「北京」出版的「新中國婦女」雜誌上一篇多英先生寫的，題爲「不要做思想懶漢」的大文。以下便是這篇大文章的原文：

不要做思想懶漢

多英

今年甘肅省婦聯在進行「新三反」的檢查中，曾較深刻地揭發了一些問題，這裏，舉出報告中的兩個小例子來談談。

第一個是發調查表格的例子：

「去年六月生產福利部發了一個『婦女生產情況調查統計表』，其中關於『打土塊』一欄內分『塊數』『畝數』『人數』等項。下邊同志爲了填寫『塊數』，就不得不到田裏去數土塊，或捏造土塊數目。去年省委宣傳工作會議時，有一位縣宣傳部長提出了這個問題，當時婦聯負責同志堅決否認：『不是我們搞的，我們再幼稚也不致如此。』但回來一查，確實如此。」

第二個是發通報的例子：

「去年六月生產福利部通報涇川縣重視組織抱娃娃組和農忙托兒所而提高了生產效率時，其中有一個區上統計組織了抱娃組二百零三個，又托兒室二百零五個（即一個組一個孩子），更可笑的是解決了九百三十六個母親的拖累，每個孩子平均有四個母親還多。生產福利部的同志不但沒有看出統計數是錯誤的，而且滿足於該地組織了這麼多的抱娃娃組，就將這些錯誤數字和其他區加起來通報了。」

爲什麼發這樣錯誤的表格和通報呢？甘肅省婦聯檢討的很對，是由於思想上懶惰，不用腦筋所產生的。

古今奴才異同考

·敵杵·

古之奴才是罪犯，今之奴才是被迫，又有自求爲奴才者，分類述之：

（一）古時的刑法

吾國奴才之制，其發源皆肇端而起，考其最初，所以爲奴者有二義，一即犯罪發配，二則戰敗被俘；總之皆刑戮所赦之人，說文云，「奴婢皆古之辜人也」。周禮曰；「其奴男子入于辜隸，女子入于舂藁」。蓋罪人爲奴，本由國家收籍，秋官辜隸，地官舂藁，專收容此奴，配役而給以食，其後役、勝部，亦食不及給，則分遣仕宦之家共嗇之。又在風俗者口；「古制本無奴才，即犯事者或原之，減者被減罪，沒入官奴婢，獲者逃亡，獲得爲奴婢」，舒者以獲之爲義指俘獲，要之奴制之由來，初不爲利，最爲明顯。

（二）奴才亦有自願者

蘇州府誌載有大名鼎鼎才子唐寅解元，爲秋香豔色，不惜求爲員外奴才以追逐。又民族敗類：「吳三桂取亡錄」七，載有賣身契文一張，其文云；「立賣身婚書人楚雄府知府馮甦，本籍浙江臨海縣，今同母某氏賣到平西王府下，當日得受身價銀一萬七千兩，後娶婢入胡國柱」，那位馮甦是能文的名士，那本「奴衣錄」是其手筆，上述二人，一個好色，一個貪財，遂甘屈居下流，別饒一格。

（三）趨炎附勢之奴才

清趙翼廿二史劄記卷之十四；「前明一代風氣，不獨地方有司私派橫征，民不堪命，而縉紳居鄉者，多倚勢恃強，視細民爲魚肉，上下相護，無所控訴，」又顧公燮消夏閒記云，「前明縉紳，雖負清名者，其華屋園亭，佳城南畝，無不攬名勝，連阡陌，推其原故，皆係門生故吏代爲經營，豪奴悍僕倚勢橫行，里黨不能安居，而市井小民，計惟投身門下，得與上下水乳交融，且可憑爲城狐社鼠，由是而一邑一鄉之地，掛名奴僕者十有二三」小民一經掛名顯者爲奴，遂得不交錢糧，可以爲虎作倀，明末董其昌，由進士昇爲部尚書，是個書畫名手，爲援救江府生員翁元升等提倡，北略云；「松江鄉宦董其昌，海內但聞其虐名之赫奕，而不知其心術之奸邪，折柬日用數十張，無非關說公事，迎賓館月過八九次，要皆漁獵民脂，朘田萬頃，納稅不過三分，遊船百艘，投靠居其大半，收納叛主之奴，而世業遭其籍沒，就滅三倉之役，而軍士幾至脫巾」，當時士大夫利用奴才以爲爪牙，爲奴才者趨炎附勢以肥己，闢主影響國庫稅收，豪門恃擁凌虐百姓，遂至[illegible]，在主奴有利之下，明社終至覆亡。

（四）今之奴才是迫你當奴才！

[illegible]大陸四億多同胞，頭腦、腸胃、思想、言[illegible]則多餘，恃才而傲物，任你自高自傲，而共黨仁兄，祇當你是奴才看待，有如[illegible]一位「秀才」被[illegible]送至南洋「日里」煙園內充苦工，[illegible]執鞭驅趕下開植，[illegible]秀才堅執不肯[illegible]：「我秀才也」[illegible]曰：「秀才還你[illegible]，三百六工做來[illegible]工作稍遲，鞭撻[illegible]，大辯徐悲鴻是[illegible]得鞭撻，捨不得[illegible]，過不得奴才生[illegible]迷闊致死是實。[illegible]主張畜奴與放奴[illegible]，南北亳州曾造成大戰，卒由大英雄大義士之奮鬥，美國總統林肯獲得勝利，又水滸傳六十二回載有拚命三郎石秀陷身大名府，套上枷鎖，大罵梁中書曰：「你這爲奴才作奴才的奴才」，他日義師到來，把你這奴才碎屍萬段，此又出于罵奴才者之一格，天生中國人，誰願生來當奴才的？沒奈套上「枷鎖」，若是一旦枷鎖打開，那個爲奴才作奴才的人，定然與梁中書同一命運了。

共幹的逃亡

·羅須譯·

「偵察部下的活動，只是我『政治指導員』份內工作的一部份，我還須對部屬講演共產主義理論，又要適應蘇聯政策的迅速改變向他們提出解釋，使他們也能適應。還有後一種工作，有時簡直不是人力所能完成。例如，共黨原定今夏訓練一百二十萬黨員準備挑選其中精粹加入新軍，但莫斯科突然對西方改動和平攻勢，政策擺出『新面目』，於是，東德軍隊的實力目標，從十二萬人減到三萬，對於這樣的激變，我竟不許向部屬提出任何理由。我只好運用我所熟悉的所謂辯證法對他們說：

「一件事今天是正確的，明天也許可能變爲錯誤』，他們必須不管一切接受黨的命令，聽從命令必然正確無誤。

「這些新兵，都出身共黨青年運動，也是『醒覺幹部』，早已學會對共黨一切命令措施不表疑問的習慣，他們對我這樣的解釋，自感滿意，不過其中至少半數以上心中不免仍表懷疑。

「當黨當局決定大規模軍訓時，我曾對他們說，這計劃完全因爲『西方帝國主義』的威脅之故，可是如今的轉變已過於激烈，他們無法在瞬息之間跟着轉變過來。

「東德軍隊的軍官，多數幾乎都不識字，教育水準甚至比他們所管的士兵更低，他們當軍官的資格，並不是因爲他們的能力，而以共產主義的信仰熱誠而定。我這訊識隊中，這現象尤其嚴重，士兵們發出的技術問題，軍官大多木然不知如何答覆。

「還有一個令人詫異的現象，我們發現常常派到我們這裏來的蘇聯空軍軍官，『顧問』，其中也有不很令人厭惡的，他們相當和藹，一般水準要比普通部隊裏的俄人高得多。

「東德軍隊中的特務組織，屬於設於柏林內部秘密警察總部，命令由師本部的『政治部』轉發。這『政治部』由一名中校管制，職員約有十名，都是經過精選的狂熱黨員。他們有兩人負責宣傳，也就是所謂『政治教官』，將黨的路線設法促使全師官兵接受。其餘的人，他們的頭銜在外人聽起來也許頗爲怪異，例如：『黨務高級指導員』，『管制委員會主席』，『共黨德意志自由青年團區部主席』，『文工團主席』，『小組集會組織部長』等，可是他們都有極大的權力。

「所謂『文卷部長』，就是師部共黨支部的書記，他們是收集黨費和管理行政。這是龐大的宣傳體系，其唯一目的只是在東德軍隊播植共產主義思想，不容任何自由世界的危險思想滲入這部隊的鐵絲網。

「我們無時不需學習共產黨種種古怪的名詞，一個名詞在這裏的意義，可能絕對不適用於外面的世界。譬如『客觀主義』，這是共產國家裏的一種罪名，我們不容犯有『客觀主義』，可是客觀卻又不是罪狀，有時採取客觀態度反會大加讚揚，這眞是令人莫明其妙的矛盾。玩弄名詞，是共產黨的拿手好戲，聽一下外國廣播，也是『客觀主義』的一種，而聽共黨對西方的攻擊卻算客觀。（八）

甲戌九日雞鳴寺登高

（分韻拈得時字）

·張維翰·

又屆登高把酒時。寺樓分韻共搴詩。塞天雁影蕭森陣。荒埭雞鳴懷古思。山到秋來多瘦削。樹當霜盡倍斜欹。行吟繞遍臺城路。孤傲園花正滿籬。

（註）是日主盟爲陳石遺先生。到者亦百數十人。

丙戌九日邀集昆明螺翠山莊賞菊

（拈韻得傾字）

歸來重踐舊詩盟。劫後園廬幸未傾。九日羣賢仍畢至。十年世事幾紛更。傲霜猶有花三徑。話雨還酬酒一觥。且喜人能如菊淡。屢賡晚節爵昇平。

（註）十年前丙子九日。余所作爲七言古。詞長不能盡記。

旅歐回憶錄

·謝康·

（五）

洛桑（LAUSANNE）位於[illegible]湖的北岸中心，爲瑞士第二大城，以景物清麗，湖山明媚，空氣爽潔，環境優美，[illegible]然自得之樂！在此機械化世界充滿煩囂擾攘的氛圍當中，得此湖山佳氣名城，爲情侶勞人棲遲息肩之所，有古代之園林景致及現代之物質文明，而無工業都市如煙瀰漫的毒氣，[illegible]亦非吾儕東方平民勞苦終年，猶得浮生半日清閒者所能想像！

洛桑州立大學規模雖小，頗負時名，蓋因得名教授爲大學台柱，外國學子負笈來游者，大不乏人，其他私立學校或專學習語言而寄膳宿之學校，亦各收容多少學生就讀，洛桑因此，有教育城之譽！

從日內瓦至洛桑，用電氣的火車約一小時可達，汽車往返更爲便捷，計一九二九至一九三九十年之間，余偕友人游洛桑或路過其地稍事休息，前後不下六七次，每盤桓數時，而從未留宿，孤負名城多矣！

（六）

余以一九三九年八月第二次大戰將爆發時乘法國郵船ANDRE LEBON東航歸國，同船者猶太人男男女女共約六十餘人，此輩大抵爲德國難民，爲納粹黨所驅逐，無家可歸，於是相率轉移生活陣地，圖向香港上海等處謀一棲身之所，納粹恃強凌弱，以殘暴爲事，使此等少數民族破家蕩產，轉徙流離，一幅難民圖，處境至堪憐憫，較差利所扮演的大獨裁者一幕電影，同樣能引起對被欺凌者之同情和對獨裁者之憤怒感！我想，希特拉的失敗，和他這種非人道的殘忍手段，所引起的世人的反感，有相當關係。

猶太某君，醫學博士，爲余具言一九三九年上半年猶太難民在希特拉勢力發展到德國近鄰的若干國家以後，他們於是到處被人驅逐，受人虐待，猶太教教會和教堂，輒遭納粹黨人的焚燒，搗毀或劫掠，在捷克的波希米亞和莫拉維兩地，大約有一十一萬七千猶太人的財產受德軍沒收，另外三萬猶太人被取銷了捷克斯拉夫的國籍，保加利亞受德國的壓力，驅逐外國籍猶太人出境，日本也因德意日軸心關係，也宣佈不准猶太人入入「滿洲國」，在南美洲，差不多也發生同樣的情形，智利、玻利維亞、哥倫比亞等國已宣佈禁止猶太人入口，至少是在最近一年或六個月暫爲厲禁，以後能否解除禁令，尚未可知，言下不勝感慨！（五）

金陵報恩寺塔紀遺

·王右青·

鐵頭先生「憶古蹟懷南京」一文，對於大報恩寺與琉璃塔考證甚詳，閱之不特使發思古之幽情，益以堅匡復之信念。因就所憶，藉補闕遺，續貂之誚，知不免也，閱者諒之！

明成祖爲紀念其生母碽妃而建寺，傅斯年博引證據，斷定朱棣爲碽妃所生，此事在明代已成公案，據明詩綜沈遐禮南都奉先殿紀事詩云：「高后配在天，御幄神所棲，衆妃位東序，一妃獨在西，成祖重所生，嬪德莫敢齊……」馬后平生從未懷孕，朱棣生母，春和軒隨筆未記其姓名，靜志居詩話，謂妃爲碽氏，詩話云：「長陵每自稱曰，朕高皇后第四子也。然奉先廟制，高后南向，諸妃盡東列，西序惟碽妃一人，蓋高后從未懷姙，豈惟長陵，即懿文太子亦非后所生也。」陶庵夢憶亦記有：「近閣下一座，稍前爲碽妃，是成祖生母。成祖生，孝慈高后妣爲己子，事甚密。」足補徵引之遺。

琉璃塔，在清初嘗有魚入塔頂之事，半舫齋偶記云：「康熙中，金陵報恩寺塔，無故搖動，招匠登頂視之，頂有鎮塔鐵釜形二，下盞可容數百斛，上盞有裂縫，蓋日久雨淋其中，有一巨魚翻騰，每動，則塔亦隨動，乃使匠架木而上，於下釜鑿孔，令水瀉盡，魚出，重數百斤，此蓋爲鳥啣魚子墜落縫中而生者。」按此事容或有之，然語太不經，當是傳聞失實耳。（上）

陳耀雲教授挽詩

·懷冰·

非生化蝶夢蘧蘧。閒耗徒膩淚濕裾。臨穴送君慳一面。操觚憶子惜三餘。坐視風雨元變世，欲挽狂瀾待復初。後此艱難吾誰任。不堪哀痛過黃壚。

（註）陳耀雲博士珠海書院教授，香港知用學社社員，沒於本年六月，本月六日友好曁假座珠海書院舉行追悼會，陳氏遺著有社會學概論，倫理學等書，刊行及未刊行約百萬言。

中華民國僑務委員會登記證台警新字第一零二一號
中華民國郵政登記第一類新聞紙類

自由人

THE FREEMAN

（每逢星期三六出版）（第二八九期）
每份港幣壹毫
督印人：李光華
社址：香港高士打道六六號
電話：七四○五三
GLOUCESTER RD HONG KONG TEL: 74053
承印者：南東出版社　地址：高士打道六十四號
臺灣特派員辦事處：台北市館前街五十號
臺灣總經銷處：台北市中華路九五號之一
臺灣郵政劃撥儲金帳戶九二五二號

民主平議——依層推進觀

陳伯莊

（一）

孔子的政治思想，有兩個主要觀點。（一）有一個存於理想中固定的終極的鵠；這是和許多思想家相同的，黑格耳的終極的鵠，是普魯士庶幾而達的政治精神，馬克斯的終極的鵠是共產社會，而孔子的終極的鵠是西周極盛王制的復興，一種加以修正的復興，所謂「行夏之時，乘殷之輅，服周之冕，樂則韶舞。」他念茲在茲的就是這個的鵠，所以慨然興歎說：「如有用我者，吾其為東周乎」第二個主要觀點是：（二）依層推進的治道。如（甲）既庶矣，又何加焉，曰，富之。既富矣，又何加焉，曰，教之。（乙）齊一變，至於魯；魯一變，至於道。而一切推進，需要相當時間，也是他的一個重要觀念；所以又說：「善人為邦百年，亦可以勝殘去殺矣。」

依層推進 EVOLUTION BY STAGES，是孔子的一個極重要觀念。前者為繼者所必需的先具條件 NECESSARY；ANTECEDENT CONDITION，後者為前者可能的結果 POSSIBLE CONSEQUENCE。這一點，是對社會行為SOCIAL ACTION之漸進的一個極重要的認識。政治演進，不過是社會行為的一種。至於依層推進，這觀念，並不否定某一種革命行動。所謂「湯武革命，順乎天而應乎人。」這是孔子所贊許的。這樣的革命行動，祇是以戰爭手段更換政權，祇是把對於良好政治成為最大障礙的條件施用特種手段——武力——予以掃除。不改革政體，不算政治革命，不改造社會結構，不算社會革命。孔子為時代所限，不可能有這樣的革命概念。所謂「魯一變，至於道。」的道，即指上溯於地的文武之道；而他的史觀還是循環於治亂兩極的易理觀。所以他的依層推進，還是一陽已復之後的依層推進；所以他又說：「雖百世可知也。」

（二）

重要的是在依層推進過程中證明前者為繼者所必需的先具條件的一意念。這一意念，是和近代一切科學，不論為自然即物理的，或為人文即社會的科學所認識的是一樣的。

中山先生的由軍政到訓政由訓政到憲政的依層推進，亦復明顯地說明前者為繼者所需的先具條件。因為事實總不能和理想一致的，所以國民黨主持的政權，到今天在法制上雖已邁入憲政階段，而事實上民主並未如預期的實現。

除非我們認為這到民主之路已窮，非武力手段革了現今統治權之命不可的話，依我看來，都沒有適當的理由和論據，所以我要向依層推進觀中，尋求（A）建樹有利於發展民主的各條件（B）掃除有礙於發展民主的各條件。

這是坦白地承認三點：（一）我們既未能順利而完滿地依照中山先生依層推進的遺業建立了民主，（二）局處台灣之際，無法依憲選舉國民代表，無論如何舉措，總無法超越這臨時的客觀障礙。（三）更阻於[illegible]隔之地，實行民主所需要各種社會力量尚未建立。

「齊一變，至於魯，魯一變，至於道。」這就是執政當局，和每一個自由公民所應共同努力的。

（三）

筆者於十月廿日「自由人」發表了一篇「論治道，非試作治道新解」，揭出了一個急切問題，就是：「如何在對共產黨作殊死戰的過程中，實現民主。」基於以上三點的坦白承認了實現真正民主所需的先具條件尚未具備，這就是說實行真正民主所需的各種社會力量尚未建立。在今日政府和公民應協力一心努力做去的端在

如何在對共產黨作殊死戰的過程中，樹建有利於發展民主的各條件，掃除有礙於發展民主的各條件。

吉凶未卜的百慕達會議

鄧慶析

會議的主要任務何在

美英法三國領袖，此刻在百慕達商談世界有關問題。[illegible]決蘇俄與西方國家間各種爭端，這裏包涵的問題非常廣泛，而世所關注。我們認為三國領袖此次會議之主要課題，不在乎對目前各種問題取得協議，而在對蘇俄共產集團的認識應取得一致的諒解；再由認識一致，以建立共同的守勢全球性的反共政略，這樣，會議才是有效的、成功的，否則必然是無效的、失敗的！這應該是三國商談的根本問題，就自由世界的整體需要論，可以說再沒有比這件事重要的了。

均勢觀念已落伍了

本來巨頭會議這一種方式，現在不適於自由民主時代；不過三國如為協調彼此現存不同的觀點，期求建立共同反共信念，當然是無可非議的。但倘若固執舊時代處理國際事務的觀念，希圖以建立世界的均勢（BALONCE OF POWER）來和蘇俄共產帝國妥協，這種思想意識不特陳腐悖謬，而且是自由世界人們堅決反對的！我們確信美國對共產主義的侵略深惡痛絕！基本上美國無論在文化或制度上，根本沒有接受共產主義的可能，美國應該是堅決反共的。但是她的歐洲伙伴，如英法等國的政治家，似乎充滿了恐共、媚共的情調；不到黃河心不死，這些人總想和蘇俄進行妥協，甚至不惜以重大代價換取一時的苟安，這種不正確的想法，是愚蠢的、違反自由世界立場的！

向蘇妥協即政略失敗

我們要忠告三國領袖，自由世界的反共陣營，是一個整體，具有共同的利害與成敗。因此三國領袖在會商，原則上應在如何堅定反共信念、如何加強反共陣營，以及如何展開反共行動這一方面覓取協議。絕不應在向蘇俄共產帝國妥協投降方面，求取默契。這是會議成敗的關鍵，也是自由世界整個生存的前提。若不幸誤聽了邱吉爾的話，同意和馬林可夫舉行所謂高階層會議，那末在政略上必然會陷於失敗地！

按邱吉爾的想法，在高階層會議中，西方國家以建立世界新均勢為誘敵之餌，保證蘇帝國獨霸世界的果實，以緩和東西緊張情勢，希冀換取暫時的苟安。至於中共參加聯合國一事，在邱氏心目中，似乎是不成問題的。邱吉爾曾經表示，高階層會議縱然一事無成，也可試探馬林可夫的真正意向，結果也是有代價的。這種觀點，驟然看似乎言之成理，其實隱伏很大危機，後果之嚴重，是不可估計的。

共產黨的權謀術數

我們知道共產主義者在政治鬥爭上，一向巧於因應情勢運用策略。布雷維克的鬥爭歷史，整個玩的一套策略把戲，可以說，它的勝利是基於策略，成功也是基於策略。策略者何？就是權謀加詐術。權謀其內，詐術其外，只要權衡了利害，運用策略，它是無往不利的。

把握利害，運用策略，從事鬥爭，是共產主義侵略世界的利器；利之所在，能強硬，又能示弱；能爭取，又能退讓；能勝利，又能失敗。但示弱、退讓與失敗，都是共產主義者主動的意志，而非被動為脅迫。惟其共產主義者精於此道，它認為只要無損於自身的生存發展，成功固然是成功，即使失敗也是成功。因此它對利害的權衡，完全基於主客觀形勢的發展，適當的因應，這是共產主義者的鬥爭教條（DOGAMA）。這一種權謀詐術，是政治作戰極精密極科學的邪術。邱吉爾欲以大英帝國的家傳法寶——紳士式的外交經驗，企圖在所謂高階層會議向克里姆林宮新主人領教一番，誠恐墮入無底深淵，不能自拔！

蘇俄分化西方毒計

根據目前形勢之發展，我們應解蘇俄的用心，不僅在破壞百慕達會議的成功，而且在利用百慕達會議，給予蘇俄以不斷侵略世界的時間與機會。很明顯的，它在百慕達會議之前，居然同意召開四強外長會議，這一佈局，暗示了蘇俄對舉行所謂高階層會議的意向；在以美麗的幻景誘惑邱吉爾這樣落後政治家的心田。此一暗示，不啻給邱氏說服艾森豪威爾總統以有力依據；必需要把舉行高階層會議列為百慕達會議的主題。在此情勢下，艾森豪威爾將軍如何自處呢？實為此次會議決定成敗的因素。如果美國領袖毅服了邱吉爾懇獲得法國的支持，放棄或冲淡舉行高階層會議的幻想，會議是成功的；弟國領袖們破反說服或不得已而有所默契，那末會議一定是失敗了；假定三國領袖對此問題的爭持不決，氣氛自然不會和諧，氣氛既不和諧，會議必陷於無結果狀態。這三種假設，我們希望最好能使邱吉爾放棄了他的幻想，可能嗎？似乎成分不大。其餘兩種結果，都是有利於蘇俄的。所以蘇俄同意舉行四外長會議的一著棋局，正所謂「一彈射三鳥」的做法，不但具有分化美英法三國領袖的作用，更可怕的，深將破壞了百慕達會議的積極性、完整性，使西方國家今後永無團結協力對付共產集團的可能。除非局面改觀，情勢逼迫西方政治家共同根本覺悟共產主義之不能共處。

吉凶禍福由人自擇

克里姆林宮洞悉美英法在反共觀點上的矛盾，由此矛盾而演成政策上的矛盾，更影響到行動上的矛盾，這種種矛盾之不能統一，永遠是共產主義者侵略世界的保障，蘇俄共產集團就是憑了此一人為的天賦壯大發展的。

我們期望三國領袖抱着沈重的心情，堅定的態度，老老實實商量如何防止並消滅禍害人類的公敵，萬不可把此一大敵當作普通敵人，企圖用談判方式解決問題，這是萬萬不可能的。公平而論，邱吉爾先生對付共產主義者那一套見解，距離今日的時代已經遙遠，我們根本不敢恭維，還是規規矩矩收藏起來，作為個人從政的資本則可，以此和蘇俄肆應，期望扭轉世局，我們認為其禍無窮！

百慕達會議的吉凶禍福，就在此一關鍵上；三國領袖究竟在歷史上的救星或罪人，也在此一關鍵上。在目前陰霾密佈的氣氛當中，我們靜觀會議的成就，預示今後的否極泰來，還是因化吉為禍為禍！

華週展望

雷嘯岑

黯然無光的百慕達會議

美英法三巨頭的百慕達之會，今天已告結束了。在公開的消息發表中，除却共同草擬聯俄關於四外長會議的覆文一事，算是這次會議的成就外，沒有其他值得注意的問題。當然，他們尚有若干不便公開的秘密商談和諒解，但由於[illegible]抱病，至少對歐洲軍問題尚無具體的結論，乃可想見。關於東方問題，對韓戰的妥協主義，是美英早已胸有成竹的既定政策，試看聯大否決印韓論韓戰案，即可知也，解決越戰的意見，美英與法國並不一致，[illegible]關尼爾託病，即一切皆要等到俄共集團的反應，情勢再說，也就是艾森豪所謂「蘇俄須有和平誠意」的方針。此外的一項大事，就是邱吉爾必然向艾森豪所主張非與中共妥協不可，艾依然是以韓戰政治會議誠意來作答，使邱[illegible]巨頭會議，除當面交電或外交代表口頭的兩方的重要問題，都表現着黯然無光的[illegible]

李承晚的幹勁

美英既以姑息妥協主義，急求達成[illegible]韓戰的幻想能否實現？其「只[illegible]南韓與自由中國[illegible]是不會被注意的。[illegible]李承晚的堅持其三大主張，在九十天內完成，過時如無成就，即須將不願遣回原籍的戰俘一律釋放，一也；反對以中共片面提出的印度等所謂中立國家參加政治會議，二也；拒絕以印度新德里為政治會議地點，三也。這三大主張，不但是在南韓立場上應該如此，即就自由世界立場上說，亦為正義之聲，無可非議。須知上述兩大問題，美國代表狄安正與李承晚密談，目的無非是勸李承晚氏顧全大局，莫再堅持己見，假如南韓承認印度等為中立國，我想李氏決不會有所聽就，即不能拒絕以新德里為會議地點的建議，而這些建議又全是俄共集團方面片面提出的。作為一個抗禦共黨侵略最強烈，犧牲最大的主要當事人，作為一個有正義公道精神的民族，如果甘願接受這類和談條件，豈是可思議之事？他若顧全了英美的大局利益，即犧牲了南韓的未來生存權利，可[illegible]！自由中國雖未直接派軍參加韓戰，但有一萬[illegible]誓死不願回到共區的華籍俘虜，尚在集中營，而中共又是自由中國不兩立的敵人，此時對李承晚總統表示積極支持的態度呢？[illegible]強國專門講現實，弱國就得靠正義公道作護符，才可以免於刀俎下的魚肉，獲致國際上的多助共鳴。

痛。況且，美國今天是自由世界的領袖，有些地方她不能不有所遷就顧忌，明知其不可為而為之，以顧全國際間的關係，許多事別人做了，她心裏是贊同的，却不便出面提倡。即如去年南韓自由釋放俘虜之舉，邱吉爾指為「叛逆」行為，美國若干有聲望的國會議員和統兵將帥，却說李承晚是愛國的民主主義者哩！得意時不必做的事隨便做，失意時理直氣壯的事也不敢做，過與不及，皆非適當的外交政策吧！

真正的「人民」當家！

美國反共健將麥卡錫參議員，最近因為清查共產間諜，受到黨外與黨內人士的攻訐批評，他即在電視與廣播中，訴之於民意，請人民自動向白宮表示對「麥卡錫主義」的意見。近日據白宮新聞祕書哈格蒂說，已接到一萬七千多封函電了，但這些函電當然不盡是贊成麥氏主張的。多數意見必可左右政府的政治行為，毫無疑問。真正的民主國家，人民確是主權者，執政當局若不聽大家的話，就得準備下野，決無戀棧之可能。這才是不折不扣的人民當家，共產極權標榜者亦自稱為「人民當家」，放屁！

機帆衝破鐵幕

·杜鹿譯·

鐵幕後尚有人性的人，千方百計冒險逃出赤色魔掌的故事，已屢見不鮮，有時乘坐飛機，有時躲裝甲車，這裏又是一對兄弟偷駕機帆衝出鐵幕的驚險故事。

母親被共警踢死

安塞納斯是蘇俄控制下最小附庸國阿爾巴尼亞一個二十六歲的青年，他五十歲的母親在去年被一個共黨警察殘暴亂踢而致死後，他便決心逃出這座赤色煉獄。他說：「我寧願自殺也不能再在阿爾巴尼亞生活下去。」可是衝出鐵幕決非易事。據他後來說，阿爾巴尼亞一切都在俄人掌握，政府和經濟，受四百個蘇俄顧問緊緊控制，軍隊與警察則在另外一百五十個蘇俄軍官掌中。人民大部份陷於飢餓，肺癆蔓延日廣，且時時處於嚴重的心理恐怖中。他說：「共黨保安警察遍佈各處，人民沒有人可能逃避他們的偵察，就是自己的兄弟，也無法再予信任。」雖然一般人都不敢信任他們的兄弟，安塞納斯卻信賴他自己的兄弟克烈斯泰，並相信必能帶着他逃出鐵幕，兩人都嚮往自由。安塞納斯是一艘小機帆「達納莫」號的機械技師，經常載貨來往於阿爾巴尼亞各埠。本月初某晚，「達納莫」號泊於伐洛納港，升火待發，船長柯蒂斯已完成啓碇準備，二名派來押運麵粉及罐頭的共黨士兵，亦已登船。

下毒美酒麻醉共兵

這時，安塞納斯突然抱着一大包麵包、乾酪和紅酒從甲板上跑來，這是阿爾巴尼亞生活中罕見的精美食品，全船的人無不大爲驚訝，也自然歡喜萬分。「這是我表兄結婚宴的『剩餘物資』，」安塞納斯微笑着說，說完便跑進艙去，準備安排「盛宴」，和同船的人一起大嚼一頓了。

船長和那兩位衛兵圍了餐桌坐了下來，安塞納斯取出麵包乾酪，切好後擺陳在各人面前，接着打開瓶塞，拿起酒杯，滿斟了四杯，三杯拿給面前三人，一杯留給自己。但在他們不注意的時候，他已在這三隻酒杯中放了麻醉藥。船長先嘗了一口，大讚好酒，但再飲一口，卻覺得酒中有某種特殊香氣，他詫異地問安塞納斯爲什麼這酒有點異味。他卻泰然帶着玩笑口吻說：「噢，這個嗎？大概是染着了婚禮中的一點香氣……」

被迫開槍共兵傷腿

一個衛兵在一杯下肚後便昏迷過去，船長和另一個衛兵只以爲他已醉倒，還是自顧自大飲特飲，到他們已飲得差不多的時候，阿塞納斯乘添酒機會，又在他們酒杯裏放下了一撮嗎啡。不到五分鐘，兩人也醉倒了。於是安塞納斯點起二盞燈作爲暗號。這時候，他的兄弟克烈斯泰已在岸上等着，他竄入一家門口，避過了二個走近來的共黨巡邏兵後，趕緊脫下衣衫，跑了五十呎，跳到港口冰冷的水中。安塞納斯在船上接應着，等他潛水游到船旁，便把他撈了起來。他們便開動引擎，點起了指路燈，直向自由世界的希臘駛去。船身開始移動時，那個船長和二名衛兵還在呼呼酣睡。第二天早晨，這三個囚徒都醒過來，一個衛兵發覺自己被困，頓時放聲大哭，還懇求克烈斯達把他的槍還給他，好用來自殺。克烈斯達後來說：「當時他嘮叨不休，死不肯止哭，我祇好給了他一槍，射傷了他大腿。我本想槍殺船長，因爲是他把這衛兵喚醒的，但我實在不想殺人。」到午刻，機帆駛到希臘的柯夫島，兄弟倆向希臘當局說明逃亡原委，請求政治庇護。記者們紛紛前來探問他們逃出鐵幕的情形，兩名衛兵堅拒置答，而那個船長卻同這兩位兄弟同樣絮絮而談，又對共黨破口大罵。他說：「我當然喜歡希臘，這裏是自由的，和阿爾巴尼亞比較，我喜歡這裏要多過一萬七千倍。」

△希臘皇后佛雷特莉加偕夫訪華府時，記者們設宴招待，饗以「雪糕蘇打」一杯（圖右），但被拒絕了。

船長哭訴要救妻兒

可是他的堅持要回來，旁人自然大感詫異，問他什麼緣故。他於是解釋道：「我不是共產黨，我是沒有知識的人，我在家裏還有妻子和四個孩子，要是我不回去，他們必然受害。不管共黨是不是會把我殺死，但我不能不設法救我家人。」聽了他這哭訴，希臘官員一時無詞以措，都原諒這位老船主，但即使他回去，也無法救出他的妻子和孩子們，使他們不受害了。（譯自時代週刊）

政府對新聞事業的扶植

【台灣通訊】自由人十一月十八日及二十一日所發表的「台灣的報紙」一文，係筆者九月寫作，該稿距今三月，台灣報紙略有變動，同時，因有當地縣市政府的公告，通告二三份報紙，以前未能顧及者，故敬作此文，加以補充，以饗讀者。

基隆東方日報：發行人爲……世先，該報係今年（四十二）五月十一日創刊。出刊後，每日出版四開一大張，有東方副刊及社會服務等欄，發行量約計三千份。

花蓮的更生報，花蓮縣政府每月付津貼新台幣二萬元，一切可以維持。台中的新中國報社亦按月領有台中縣政府的津貼，數目不詳。

其次，各報社的新聞工作人員，生活清苦，薪金難夠維持者，幸省政府新聞處按月配給每人米五十斤，價格比市面價格低三分之二，對於生活略有補助。

台北自立晚報：自十月十九日起，自動停刊，三月後，是否復刊，尚難確定。

台中新力報：發行人羅君，在籌備出版中。此報爲已停刊之民聲報所改組發行，由副刊代印。

嘉義商工日報：發行人爲潔，與花蓮之東台日報爲姊妹報。副刊有「關子嶺」及「文藝週刊」，該報以老五號字印刷。

全台灣除二十二家報紙（已停刊一份）另外尚有一份「英文中國日報」，發行人爲一女性，每日出版四開半張，現已改爲四開一大張。每日報費三十元，比中文報紙貴一倍。專供給外僑及研究英文者閱讀。

台灣報紙，筆者已將作了佳，一綜合報導；讀者看後，當可寄於台中。（高清心十一月二十五日）

海·葬·頌

·王世昭·

海葬是偉大而有趣的葬禮，比風葬、土葬、火葬、野葬富麗堂皇，而且廣大的多。風葬以尸餵鳥，土葬以尸合泥，火葬以尸成灰，野葬以尸供獸，不是殘蹋就是污穢。惟有海葬，既不殘蹋也不污穢；卜通一聲，一棺附身，萬事都已。從此之後，伴他的是海底潮汐，是天上星辰。沒有風也沒有雨，沒有空氣也沒有塵埃，只有魚龍漫衍，只有草花縈身。魚龍是美麗的魚龍，草花是美麗的草花；有紅如噴血的，有青如藍靛的，有黃如金粟的，有黑如髹漆的，有綠如春草的，有紫如珊瑚的，有白如蹁躚的，諸色繽紛，迴環左右。

夜叉小鬼爲他護法，龍公龍母爲他居停，鮫仙龍女伴他遊止，落月不驚，海天無恙，自在逍遙，朧潮伊夕。

而且，海底的山又那麼高，海底的原野又那麼闊，海底的樹又那麼茁壯，海底的草又那麼妖嬈。那裏雖然沒有人造的道路，可是水力的浮轉足使他的身體操縱自如。如魚之悠，如龍之衍化，如舞蹈之輕清，如落英之飄忽。靈魂是完全自由的，生命是永久無盡的，多麼美！多麼美！

無怪印度聖雄甘地要把骨灰揚入恒河；曾琦先生囑靑年黨人俟自由中國光復大陸時，把他的尸灰運回中國，分投於長江、黃河、黑龍江、西江之中。吳稚暉先生更現實，死後遺囑將他的尸首投入金門島大海，一面使他得以望見國門，一面使他又有機會反顧台灣，看看自由中國是不是還有力量回到大陸去。

而且，——又是一個而且，——佔領地面，也不佔領天空，只是在地球上面無人關照的地方，——管他領海好，公海也好，橫豎沒有人干涉，也沒有人討價還價，撲下了便算。這是何等簡單，這是何等經濟，這是何等新鮮的玩意兒。

這是寫過「宇宙新信仰，漆黑一團人生觀」的中國近代大哲學家吳稚暉先生的歸宿，也就是作爲國民黨黨國元老大政論家吳稚暉先生留給後人的去思。我覺得這個去思，比寫一篇祭文頌儀，這個去思比任何人陰悄悄地去自殺有味得多。普通人只懂得死了就算，（那是何等含糊！）吳稚暉先生臨死還有一篇遺囑，這篇遺囑等於自悼，也用以悼中國人。換一句話說，如果再不努力，只有海葬，海葬，就是死無葬身之地的別稱！不要小看這個老頭子，不要小看這個偉大的哲學家，臨死的遺囑還帶有「尸諫」的意義，臨死的遺囑也還帶有宗留守「渡河三呼」的餘響，以及岳武穆「還我河山」的氣概，這比陸放翁「家祭勿忘告乃翁」似乎又悲壯得多了。

自由中國的人聽着，勿忘海葬！

憂時孤憤

讀者來書

我們身幸託庇于自由寶島之上的人，除對共匪同深「敵愾」外，還有何憤之可抒？此之所謂孤憤云者，老實說與其說是憤，毋寧說是惋惜。近年台灣進步很多，尤其是三軍士氣的激昂，這是大可欣幸的事。不過在另一面，仍有許多難於令人誠歎的地方。例如政府官吏，身負軍實的大員，爲甚麼有些人是逍遙海外，度其高貴生活？如前任台灣省政府主席，現任行政院政務委員的吳國楨，他爲什麼忍心到美國去，在那裏過「美國生活」？再次，有許多大員子弟中學讀未畢業，爲什麼跑到美國去「讀書」？我們的「外匯」不易得，他們的外匯是怎樣得來的？又是不是完全由他們父兄的官俸官祿得來的？還有，台灣商場的「繁榮」情形，有些與官吏的消費力量有關，不過我們又覺得政府俸給表冊，今日的台灣公職人員，待遇實在是「大可哀」的。文職最高月俸不過五百台幣，武職「將軍」階級，月入才三百多台幣。可是文職官員的實際收入，卻不少人是月入千元以上的，你說他是「分外」的會計所得嗎？不是的，乃是「份內」的正當「津給」。但這情形並非一律，許多冷衙門的工作人員是沒有份的。因此「不患寡而患不均」的哀號，不免彌漫乎官場之間了。再看市場的「景氣」，給予我們很大刺激。洋煙洋酒，女人時裝，女人花粧品，和舶來品的皮鞋，乃至于千元以上的一桌菜，到處可以看見。例如台北市公共汽車管理處請六位市議員吃一頓飯，就花費三千六七百元。這類有目共睹有耳共聞的事實，不知多少。又以立國大本的教育而言，今日台灣的「函授學校」，雖如雨後春筍，但其後果如何？老實說，「貽害社會」的多，有益社會的少。教育當局曾加以計慮嗎？（編者按前日報載教育當局已對辦理不善的函授學校採取統行動）。再以國家經濟命脈的財政而言，目前的稅收機關已做到涓滴歸公了嗎？我們不忍肆意指摘目前台灣的稅捐官吏，但我們不明白爲什麼一個稅捐處小吏，可以月獎得金達五千元以上（這是任顯寮處長任內的事）。還有所謂拿「美金」的人，他們給予社會心理的影響，似乎對于國家民族的自尊觀念，要打上一個大折扣。這一切都是令人憂心嘆息的現象。

自己是一個教書匠，月入比文職官吏雖優厚一點，我爲什麼能夠口吸三五烟，身着純毛西服，當然也得有其生財之道。寫稿其一也，教學生補習又其一也，認真說來，這也是不應該的事。因爲這樣會影響我的研究時間，會影響我的教學精神，在健全的社會組織之下，是不應有的。我的孤憤反躬自問，我的孤憤云者，又不免「丈八蠟台」照見人家，照不見自己了。可嘆！易與敬上　十一月廿九日台北。

泰國王誤傷警察總監

泰國警察總監乃砲上將近來不見在公共場合出現，乃砲總監原是泰國軍政要人中一位極活躍的人物，他不參加公共集會，自然要引起許多人的疑慮，就在泰京謠言盛行的時候，泰國政府忽然發表聲明，說是乃砲患病，經醫生悉心調治後，已在康復中云云。

乃砲果是生病嗎？據最誠實的內幕消息說，乃砲並非患病，而實是被泰王蒲密蓬射傷的。原來有一天，乃砲總監掛着手槍無意踱到王宮內廷裏去，適被年青的泰王瞥見了，他猛然記起他的哥哥哈瑪八世是被人謀殺的，正在猜疑不定的時候，乃砲已漸漸走近，於是他倉皇拔出經常攜帶的零點四五吋口徑手槍，瞄準乃砲射擊，槍聲響處，乃砲總監應聲倒地，幸而未中要害，否則不僅堂堂的警察總監就此一命嗚呼，而乃砲的枉冤也將永無洗雪的一日。

美空軍雷達發現怪物

雖然美國空軍對所謂「飛碟」及「空中飛船」的謠言，一直表示沒有重視的必要，但最近美空軍雷達站所提出的報告，卻已使空軍部官員的意見有了若干改變。因爲據雷達站的報告，迄今爲止約有百分之十三的雷達幕上的物體無法辨明其性質。既然雷達發現了這麼多不能辨認的「怪物」，誰又敢斷定果真斷定沒有「飛碟」及「飛船」哩。

克里姆林宮提心吊膽

據希臘所獲的情報說，蘇俄最近突然加強阿爾巴尼亞沿海的防務，如北部的都拉柴以及南部的發羅那都配置了重兵，發羅那海外的薩斯諾島且運到許多門要塞大砲，無數的蘇俄保安警察已改着便服開進這些軍要的區域。據說這些行動與阿爾巴尼亞內部不穩大有關係。阿國位於南斯拉夫與希臘的中間，在地理上，與蘇俄及俄國的附庸國家完全隔絕。怪不得在東歐附庸國普遍不穩的今日，克里姆林宮要特別注意這一塊脆弱的地方。

塔虎脫夫人賣房子

美國「老虎參議員」塔虎脫逝世後，他多病的遺孀即搬居在星星納地的故居，因此塔虎脫生前所鍾愛的喬治城住宅至今仍被閒空着。現在塔虎脫夫人已決意將這所三層樓的磚屋出賣，索價是七萬美元，並已托房屋經紀分途找尋買主。據說這一幢房子共有房間二十六個，地窖中還有舊小煤爐，安有自動添煤的裝置，塔虎脫生前，常愛到地窖裏烤火。現時人亡物在，想起這位敢作敢爲的參議員，倒確實令人有許多傷感呢。（孟衡）

天下小事

編者讀者

△本期鄧攖析先生「吉凶未卜之百慕達會議」一文，因收到稍遲，今日始能與讀者相見。百慕達會議現已閉幕，鄧先生所憂慮於該會議者，能否避免，尚有待於今後事實證明。惟鄧先生的觀點極爲正確，仍非明日黃花可比也。

△陳伯莊先生將於「民主平議」一文之後，續撰五六千字發揮其對本題見解，謹先預告。

△下期將發表的文章：丁文淵先生「對台灣的觀感」，劉錫先生「救救香港中學生」，太平洋先生「翁同龢張之洞李鴻章派系之爭」。

△許演、吳彥傑、敏杵、愈英諸先生：承惠大作均收到，謝謝。許先生請向台北本報總經銷處洽領稿酬。

△稿酬已奉送至二七八期，請惠稿諸君留意，如未收到請示知。

中共高等教育的眞相

·沈　著·

本報二六三期（九月九日），曾載俞壘先生的「中共高等教育的剖視」一文，指出中共把教育當作政治工具，絕無學術文化之可言，更無自由之可能。沈先生此文更根據中共所發表的資料，指出中共在蘇俄「專家」控制之下，將大陸高等教育全盤俄化，以期鞏固秧歌王朝政權。前後兩文，均對於中共滅絕我國固有文明之惡毒政策，剖析甚深，值得一讀。——編者

中共統踞大陸，已及四年，向視控制高等教育，爲鞏固政權的基本手段之一。但中共高等教育政策如何？尚未見明文公佈。最近，中共「中國人民大學」校長吳玉章發表了一篇長達萬餘言的有關該校三年來工作總結報告，中共又提出「國家過渡時期總路綫」的口號，再由僞高等教育部副部長黃松齡發表「高等教育必須服從國家過渡時期總路綫」一文，中共的高等教育政策已有較明顯的透示。惟其所透示者，僅係若干原則，筆者特就所得資料，加以撮述，俾見中共高等教育政策之眞相。

俄化的改造

中共高等教育的一個總原則，乃一律俄化改造。將全「國」所有高等學校的組織、教學制度、教學方式，以及教學課本等等，無條件的一律接受蘇俄標準加以改造，美其名爲「接受蘇聯的先進經驗」。不過此種「改造」，雖係一律的，卻亦有其重心，有計劃地逐步進行；他們首先自中央設定藍本，「中國人民大學」的設立，主要用意即在此。然後在各大行政區指定一所規模較大，條件較優的高等學校照「中國人民大學」的基本改造，再後以各大行政區首經改造了的高等學校爲重心，逐步指導區內各省市高等學校改造。此種改造工作，目前正在加緊進行中。

關於改造的進行，幾乎完全直接由所謂「蘇聯專家」主持。「中國人民大學」成立時，蘇俄派到該校的「專家」就有四十餘人之多。目前以該校已完成了俄式規模，於是大部「專家」又轉往各區主持改造，少數人則仍留該校負責全「國」改造的最高指導之責。

關於改造的內容：在組織方面：學校一律設置校務委員會，爲最高議事機關，師生雙方均有委員產生，表面極爲「民主」。學校設校長一人，爲象徵性的負責人，副校長二人，一人爲實主持校務行政，一人代表中共控制全校政治思想教育，爲全校唯一的權威人物。學校的院系全部調整，完全以蘇俄的方式分科，主要在增加專業分科，並係本科專業分科；在本科中，亦以經濟計劃、統計、會計、工廠管理、財政信用借貸、貿易、合作等行政技術爲主，至文、歷史、地理、常識等一般基本學問，概不重視；各院系的組織、行政、教學，統一於整個學校之計劃管理之內。在教學制度和教學方式方面：採取所謂「政治理論與業務相結合的方針」，從講授到自習、輔導、課堂討論或練習、生產實習、測驗或考試等各個教學環節，都作緊密聯繫，並實行教員負責制，教學行政檢查制，（並有一套詳細的報表制度）以及採用一套嚴格的「勞動紀律」，使師生雙方都在俄格的所謂「計劃管理」之下過其緊張的教學生活。在教學課本方面，除國文、法律、史地等課有中共的一套外，其餘幾乎全改用了俄國教材。此種教材，係在俄國「專家」的主持下翻譯或編訂。據中共統計，三年來由「中國人民大學」編譯供給其他各高等學校改用的業務教材、政治理論教材及有關參考材料，已達一千二百餘種之多。

但中共對高等教育俄化改造中，首先會遭遇一個極大的困難，就是新舊教授中，精通俄文的人太少，故俄國「專家」們在改造中共高等學校的初期，幾乎係集中全部精力先對中共的教授們進行俄文的教學，此一工作，當然相當困難，但爲俄化改造所必不可少的先決條件。據宣布，「中國人民大學」已造就大批共本俄文教員分在該校及其他各地學校擴大教授俄文。

新舊師資改造更替

隨着前一總原則，當然須澈底改造師資。大陸淪陷時，國內大部教授倉卒間未及越出鐵幕，照理是足夠中共利用的，但中共幾年來一直在大喊師資荒，問題就在中共急於要淘汰這些學問淵博但不適合於中共的「政治思想」的老教授，故幾年來除一面使用暴力拚命「改造」這些老教授以爲暫時利用作爲過渡外，一面即以「中國人民大學」爲培養新教授的搖籃。該校在開辦之初，中共黨內抽調文化程度高的幹部五十餘人爲該校的基本教員，抽調文化水準較高的幹部兩千人爲該校的研究生，「蘇聯專家」們的教授工作，並不及一般學生，而僅在培養師資，故中共曾稱「蘇聯專家」爲「工作的母機」。此等新教授在所謂「學成」以後，即分派其他各校逐漸更替老教授。但此等教授中共亦不得不坦然認承：「政治水平」（即赤化課程）雖高；而其學術水平則遠不可與老教授相比（中共又曾認承：新舊教授間互有極深歧見，頗不「團結」），惟雖然如此，中共仍在竭力培養此種新教授以替代舊教授。其目的，即在深入並推廣機械化的「政治思想教育」，學術水平之低落，則在所不計。

學生成份的限制

中共爲了鞏固他的政權，對於幹部培養和任用的選擇標準，極端嚴格。尤以高等學校爲中共中堅幹部的養成所，故學生成份嚴格限制其爲高等教育的基本政策之一，其限制的情形，大致如下：一、一般大學，以輪番抽調中共現有的青年幹部予以深造爲主，照中共的統計，約佔百分之六十，幹部子弟及產業工人次之，約佔百分之二十八；知識青年又次之，約佔百分之十二；但此等知識青年，以工農子弟及黨團員爲限，倘其出身非屬工農階級或非黨團員，便視爲成份不佳而不予入學。故目前大陸一般被認爲「資產階級」子弟而又未確認其爲「前進」者，已被剝奪享受高等教育的權利。二、一般專業化學校，以培養工農幹部及產業工人爲主，照中共統計，約佔百分之七十二；如前述之知識青年次之，約佔百分之二十八。但無論幹部也好，工農也好，子弟也好，知識青年也好，皆非黨員不行，故中共之高等教育，嚴格講來，並非爲社會教育而教育，乃係爲中共教育而教育。

以政治訓練爲本

再嚴格地講，中共高等教育的目的，並不在提高學術水準，而是在使其馬、列、史、毛的政治思想給青年們定型，故並不能稱爲「教育」，而只能稱爲「訓練」。按目前中共高等學校的課程中，皆以「馬克斯列寧主義」，「政治經濟學」，「辯證唯物主義」，「政治經濟學」，「中國革命史」，「辯證唯物主義與歷史唯物主義」以及毛澤東的著作爲必修課，並以「黨的日常思想工作」，黨的各種政策和政治理論，以及所謂「反資產階級的思想教育」相結合，爲一切活動，批判的重心和考驗的標準。這種訓練的宗旨，照僞高等教育部部長黃松齡所說，乃在培養「有工人階級的立場和工人階級的思想」的人才。他們在這一個宗旨之下，乃把一切科學技術都牽強地附會在所謂「馬列主義的眞理」之下，以工人階級的立場，唯物主義的現象和辯證法的方法加以教學，加以利用。

綜觀中共高等教育的基本政策，即爲上述各點。惟在此種政策之下，中共亦不否認尚有嚴重的困難存在，扼要言之，即俄文水準尚不足以全面學習所謂「蘇聯的先進經驗」；新的師資，學術能力不足，且尚未能及時更替舊的師資；而部份新的師資，雖爲蘇俄「專家」所一手訓練，但對此種「先進經驗」亦有懷疑態度；俄化的課業過重，師生雙方都有不勝負荷之苦；學校設備簡陋，各種儀器補充不易，教學實驗，深感困難等。

九龍神秘謀刺血案
撲朔迷離牽涉政治

香港自一九四九年到現在，被認爲具有政治性的謀殺案，如楊杰、李國璋、陳經波與王新衡的遇刺，佔有年來紀錄中較重大的案件。年來當局加強防衛的結果，已使此種恐怖事件大爲減少。今年入多以後，當局循例實施冬防，表面上看來，似乎比已往周密得多。

×　×　×　×

一九五一年三月台北中央日報曾以「香港會成爲越南第二嗎？」爲題，刊出一篇專欄文章，作者引述當時港九各警署門前所張貼的圖照，指爲防範恐怖分子活動的措施。對於本年度治安當局在多防期間所採取之各項行動：破獲電台，突擊搜查等等，是不是意味着同樣的情形，現時當沒有人加以揣測。不過，中央日報的那篇專欄中，它特別提到：一九五零年五月西貢警方在破獲那個共諜機關中檢出中共華南局一紙命令，責成潛伏海外各埠共特執行括有暗殺、爆破、縱火等五項恐怖活動。雖然共黨的報紙搶圖辯護，然已引起各方人士提高警覺。

上月間，越南續在北圻破獲一大共諜機構，許多文件中，發現中共華南局的新企圖，據稱香港設有電台等。當各地突然加強戒備，採取緊急措施的情形看來，中共對海外各埠殆有新陰謀了。香港係遠東國際重要商埠，顯然比較其他各地慎重得多。

×　×　×　×

前（五）日傍晚九龍城聯合道的血案，就傷者身上的財物未遭損失判斷，決不是一件搶劫案，易於教人認爲「政治謀殺」復起了。被狙受傷的郭大可現仍留醫院，時在昏迷的狀態中，因爲彈中腹部，一時尚難脫離險境，使警方調查他的身世和狙擊的實情大感麻煩。雖然案發後在八號巴士中拘獲一個涉嫌藏械的疑兇馬兆文，似非直接開槍之人，前（七日）晨解交九龍裁判署控以藏械罪。因爲這一個廣西籍（二十二歲）青年的那支二號左輪槍（實彈五顆）未經放射，只是被疑與狙擊血案有關，現時共有五名疑犯被捕；全案眞相不難在最短的期間會有新發展。傳說兩天來警方分途追緝眞兇結果，已拘獲涉嫌與本案有關者多名，其中兩人疑係主謀，經盤詰後落案。

×　×　×　×

出事地點所留下的綫索，祗有牆上的一顆彈痕，以及半張血污的報紙；前者僅能決斷兇者所用何種武器；後者雖也可以從新舊破損與摺痕中去推斷是否屬於受傷者，而以報紙立場很光去衡量讀者的身分，更不難分辨這半張報紙先前是否用以裹物，而於案發之前經過一番搶奪。從報紙上遺有血漬去判斷，當能確定負傷者遇狙以前曾經手執用報紙裹有物件，假郭中槍時，用手撫腹，然後失卻知覺倒地，致被擄上血漬，兇徒攫取物件棄擲血污報紙，事有必然。這種假想當爲來揣測，再作進一步發掘此一血案構成的因素，倘如傳說郭大可係拒絕交出「一封信件及一疊文件」而起，那末血案的性質，決不是一件普通的謀殺案了。

共幹死母開喪
村民攤錢戴孝

最近北平「人民日報」在一次批判中，曾透露一件中共之政治黑暗事件，係上月間有一華北軍區政治部之高級幹部龔伍會，因遭母喪自該部請假返回原籍河北省獲河縣南珠莊村治喪，惟返村時，見其母已由家人將就安葬十餘日，認爲有損其地位與顏面，大爲羞怒，乃不顧當地正在農忙，即着令當地「村政府」召集全村男女老少二百餘人爲其母補開「追悼大會」一整天，並在事前着「村政府」墊款兩百多萬元動員村民大糊紙人紙馬等迷信物，於追悼時着村民擡起紙人紙馬，浩浩蕩蕩自其家中出發，補行殯葬儀式，極爲其母後之「哀榮」，後方引爲滿意。臨去時，並飭「村政府」將墊款兩百餘萬元向村民攤派歸還，村民對此，無可奈何，莫不自認晦氣！此等事，實曠古未有之奇聞！

評··鍾鍊詩集

·葉非菜·

書·評

著者：王岩
出版者：台灣新創作出版社

這本書是台灣高雄新創作出版社發行的，著者王岩，名爲鍾鍊詩集，列入該社創作叢刊第三種，今年五月付梓，十月間發售。這本詩集，彙集著者個人幾年來在台灣一些刊物發表的若干新詩，全書共新詩五十二首，最長一首，二百五十字，最短的祗寥寥二十個字。現在試摘一篇最短的，未在任何報刊發表過的，『生命的船』，原詩如下：「生命是船，意志是能，人海波瀾，迴綫，歐甯顯望起落」。這樣短短的句子，無含蓄的文字，似乎去詩尚遠，如果說這是新詩，那新詩太容易，詩也太多了。詩是重境界和氣魄，新詩似乎也不能例外。也可以說，凡是詩，都要有它的意境，意境有造境和寫境之分。也便是理想與寫實二派的分別。集中有「斷想」一首，上段是：「你是豬，不用感激！主人的慇懃照顧，爲了養你肥碩。酬勞？自有你的身體」。它的主題啓示了甚麼呢？

本來出版書籍是個人的自由，但這本新詩，是由自由中國最佳社徵集自由創作出版文藝小說新詩叢刊之一。這似乎過於隨便一點了。

我讀完這一本集子，心中有莫名的感慨，不能不借「自由人」的篇幅，略抒所見，以就教於作者和讀者。

英偉大小說新選集出版

最近英國出版界出現了一本文學界所矚目的新書，這是柯諾萊氏編的「英國偉大短篇小說選」，此書包羅甚廣，不僅各名家的著名短篇小說都已收集在內，且括入了不出名小說家不甚著名的作品，而性質也廣泛，從偵探小說到戀愛故事樣樣都有。（一知）

嚴幾道集外遺詩

何邊於第一次歐戰奉令往歐觀戰，歸出紀念冊請嚴氏題詩，得口占四絕句，其一云：

『太息春秋無義戰，羣雄何苦自相殘，歐洲三百年科學，盡作殘屠食肉看』。

自註云：戰時公法，徒虛語耳，甲寅歐戰以來，利器極殺人之能事，皆所得於科學者也，孟子曰率獸食人，非是謂歟。其二云：

『汰弱存強亦不能，可憐橫草盡飛騰，十年生聚談何易，偏遲丁男作射繃』。

自註云，德之言兵者，以戰爲進化之大具，謂可汰弱存強，顧適得其反。其三云：

『洄漩螺旋指潛淵，突兀奇肱上九天，長與扶搖三百里，更看綠氣陳飛鳶』。

自註云，自有潛艇，而海戰之術一變，又以飛車，而陸戰之術亦一變，砲可及三百里外，而綠氣諸霰彈，又益進獰厲，況未有艾耶！其四云：

『牛女中間出彗星，天公如喚世人醒，三千萬衆原野死，可是耶穌欲現形』。

自註云，本年六月一日，有彗星見於牛女之分，光芒過於一等星，此自晚近星學家言之，固無與於人事也，而其所以異者，獨見於此時而已！四年苦戰，死傷總數，過三千萬，宗教家疑世界已近末日，抑救主有復臨之機，其然乎其不然乎，天道固遠，然地球等八行星，爲太陽系，不得謂其不相關，自哈雷彗星毀壞地球而不果，詎後共產思潮流行全球，間以歐戰，安知非彗星戾氣所感觸也。按抗戰前一年，華北亦有彗星出現，彼時嚴先生已故，倘其及見，更當詫爲異事。此四詩不收集中，想爲隨筆所書，自不留稿，歐戰至今，三十餘年，中歷二次大戰近年爛大殺機，勃勃欲發，假使先生猶在者觀此烈火奔迸，衆生同盡，正不知如何悲憫也。（損士）

從俞振飛說到——平劇小生人材

·胡士方·

（一）

自從馬連良、張君秋進入鐵幕後，香港的平劇似乎沉寂多了。可是還有使愛好平劇者得以苦聽的地方——即孟小冬與俞振飛的留港是也。因爲孟是余叔岩的傳人，連馬連良、譚富英都要甘拜下風的。俞振飛更不用說，自楊寶森們後也成了小生的首席。所以，平劇在香港雖不弱，雖少，有了他們在，戲還有得不弱之存。他們兩位能不露演，是大憾事。俞和時常登台，非得演必是很得意之作，這個有點叫座平劇的人們，於此時此地能看到這樣的戲，不免有「三生於幸」之感了。

（二）

說起平劇小生，程繼仙已是死去十多年了。如果數起小生的元老來，今日無異是姜妙香、金仲仁、俞振飛。姜是馮蕙林的子乘女婿，佐梅蘭芳最久。當年與朱桂芳、蕭長華，被稱爲梅劇團四傑，工力頗佳。然一向脂粉氣太重，現在年紀大了，更有點中聽不中看了。金仲仁玩藝是不弱的，現在年紀也不小了。是有名的「肥佬」，與佐程硯秋的小生顧珏蓀，都算肥夠塊頭的。他配戲多與荀慧生合作，那時荀派的配角向來較弱，只有他與老生王文源，武生鐘鳴岐，花旦何佩華，花臉將少奎，及寒于陳喜與支持着留香社的不垮。他久居江南，是名譽南北的一位難得之才。他的家世及習藝經過，當然香港嗜劇者都知道。他最拔疏空乎姜、金之上的，崑曲底子，本身學囊亦深，台上的玩藝，一舉一動都非他人可及的。尤其演馬記的超絕，金山寺的許仙，成爲一時絕唱。況且年齡又比金、姜爲輕，扮相英俊，瀟灑儒雅，可謂今日首屈一指的小生人材。

（三）

除了元老派的三人外，應該數到所謂時髦派的後進了。像富連成出身的倘富龍、杜富隆、陳盛泰、江世玉；北平戲校的李德彬、徐和才、儲金鵬、趙玉華（即趙玉瑱）；以及高維廉、王維翁、莊紹仙、童藝苓、吳心萍，都算是比較知名的。這些人中的成就，以葉盛蘭、高維廉、倘富龍、儲金鵬較佳。葉扮相甚美，武工根底亦深，唱唸俱佳，做工倘有過人之處，因是青衣改，故有時也唱旦，久歸扶風社，成了馬的左右手。曾一度挑大樑，可是終失敗了。他可以說是最有前途的一位小生。高維廉也是時下紅得很的一個，[illegible]下的三大弟子。台兒莊有孫……[illegible]……秋爲了自己太胖，找個瘦子便被拉去，於是他金鵬這個大胖子倒演得很好……[illegible]……明麗絕倫，[illegible]的南北大戲院。金鵬的叫座[illegible]……戲生。（上）

墟市談

·楊力行·

看到十月廿一日自由人半週刊第二七五期第三版所刊「中共匪幫在江蘇强併集市」內報導農民泣血慘案，不禁黯然神傷！因而想起大陸各地，尤其是西南苗猺之區的墟會，在那些中共狐羣狗黨統治之下，其慘狀當更不堪聞問了！因寫成這篇短文，俾自由人的讀者對於墟市，更形熟悉……[illegible]

墟，古謂之務，又名之曰集。過去大抵都市指鄉村集市而言，范成大詩有「墟市集」之句……[illegible]……不僅東南各省城鄉，村現時還有定期的大小城市——趕集，即東北、西南、西北各省也一樣有大小不同的定期「市日」，尤其是湘、川、桂、黔……[illegible]

……遠百數十里，來的人日場，計以日挑各種農產品和手工業品，如五穀雜糧、水果、蔬菜、牲畜、山貨、藥材、陶器，以及鐵器、繩索、竹器等等……[illegible]……

看了苗民的集場，使人想像到古代「日中爲市」的情景，使人體驗到古代生民社會狀況，眞是嗒於看了一部活生生的古代文化史或社會生活史呢。

我們讀過英國史，知道墟市在英國自古也有，他們稱之爲MARKET，直到現在，這種殘餘的古老的貿易制度，在英國的鄉村中也還存在着，其定期趕集情形，也和我們的墟會大致相同。（首屆華僑節寫於台北聯合大樓）

邱吉爾唱歌

邱翁在溫太盛大聚會中與高采烈與校友們同聲大唱校歌，唱得滿頭汗珠滿滿而下。校友們還按照原譜，編了一段新詞，特別向邱翁致敬，這段新詞說：「我們與群濟時日相間，仍然敬我們國家的當位領袖；邱吉爾的名字將永遠讚揚，不論是什麼年代。」（節譯自「時代週刊」）

旅歐回憶錄

·謝康·

據調查在希特勒消害猶太民族以前，德國約有純血統（？）猶太人六十五萬，奧國二十二萬，捷克約二十萬，這三處共約一百萬的猶太人，在希魔消害以後能逃命到外國的，不及半數，逃出的大約分散在三十五個國家，其中美國大約收容了五萬人，巴拉斯坦和南美洲也各收容了五萬，上海收容了一萬，南非五千，澳洲六千，尚有十七萬人散在歐洲其他各國，惟一的例外，是號稱歐洲第一個大國蘇聯，農民和工人的祖國，這幾年來不准一個猶太難民入境，船上的猶太人同我談及，都不明白爲什麼共產主義的祖國，對於他們沒有一點人道主義的同情？

據說：猶太難民之中，有不少技術人才，好像醫生和工程師之類，本爲許多國家所需要，但因爲要保護本地醫生和工程師或同行的職業者之故，這些有專門技術的猶太人，也不容易獲得入境許可證，即幸能入境，到也不容易找工作的機會。

這幅悲慘的難民圖，雖然在他們的强敵希特勒失敗戰死之餘，站在人道主義的立場，事隔十一年還値得我們追憶！尤其在大陸上大規模鬥爭流亡的今天，許多大學教授智識分子流亡港澳，窮着無依的情況下，令我對於昔年同舟共濟的猶太難民，更不勝同病相憐之感了！

（七）

貫通歐亞非三洲而爲東西交通孔道的蘇彝士運河，也是現代世界上頗傷腦筋的一個問題，尤其是當世界戰爭正在醞釀或進行當中的時節，這條運河更是最傷腦筋的所在。

這條運輸生意最大的運河，自一八五九年由法國工程師雷賽卜創始籌備到現在還不到一百年，其後因資本不足歸於停頓，於一八六八年歸入埃及人之手，其後又從埃及轉讓大部份股票給英國，於是運河的管理權，大部份操在英國人手上。

蘇彝士運河全部股本爲兩億佛郎，分成八十萬股，每股二百五十佛郎（第一次戰前的金佛郎），在這八十萬股份當中，大約有三十五萬股在英國政府手裏，另外四十五萬股，在各交易所裏流通買賣和私人手中，意大利政府因佔領阿比西尼亞之後，對運河的關係，日加密切，也就設法收買了兩千七百多股，比起英政府的股份，尙不及百分之一，按照一般股份公司的規例，小股東的發言權，自然遠不及大股東的力量，然而意大利在二次大戰發生以前，竟然屢次提議修改蘇彝士運河管理規程，頗引起英國的不安，此外埃及和法國，一個是地主兼大股東，一個是創始者和普通股東，對於英國獨霸運河及獲利最多，也未免懷着不滿。（六）

秋·日·感·懷

·周樹聲·

深鎖秋光閉院門。東籬把酒到黃昏。多情普照天邊月。如夢來居海上村。顯隱難收擾國淚。相期共挽忠魂。他年整頓還鄉去。寶島猶留爪印痕。

台南登赤嵌樓懷古

（樓上祀鄭成功像）

跨海東來不事仇。延平大義炳千秋。當年叱咤風雲地。今日空餘赤嵌樓。臺員虎視永留芳。偉列豐功異姓王。假使當年非蚤死。明淸局勢正難量。

金陵報恩寺塔紀遺

·王右青·

……惟塔之故實有二，見於五雜俎：一「南京勵實家，畜猴甚馴。旣久，甑戲其侍婢，主怒欲殺之，猴匿報恩寺塔頂，出沒遲捷，人無之何。或致放鷹擊之，猴見鷹至，即裂其爪，鷹反斃焉。如是數四，主怒甚，募有能擊者，予百金。一遼東人應募，解縱縱鷹，鷹形甚小，盤塔頂飛良久，儵然遠逝，不知所之。萬目相視，罔測。良久，乃從天際而下，將至猴身，乘其張目熟視將毛一抖，黃沙蔽天而下，猴兩目眯不能開，一擊而隕地矣。鷹之智如此。」主大喜，厚賜之。又載：「南京報恩寺塔頂，有蜘蛛，大如斗，垂絲數百丈，直至南城樓，後爲雷所擊。」

淸彻張尙瑗記「報恩寺叟」一文甚奇。文曰：「康熙丁丑，江寧報恩寺塔毀。相傳建塔之初，有關材藏於地，僧如記發之，不爽，擇吉重構焉。塔十三級崔巍造霄，一匠架木登其顚，失足而墜，暈絕不能救，肢體傷爛，膏血淋漓，僧乃羣於門曰：能活匠者，酬二十金。日且將晡矣，有叟曳杖躑躅而至，叩僧所懸購金，陳於前，乃出藥七一，扶死者之口，以湯灌之，爲時而蘇，復以藥敷傷處，逐懷金而去。」

報恩寺遊記及詩甚夥，錄各一，以殿文末：

王士正遊報恩寺記云：「二十二日由烏衣巷出聚寶門，逐遊報恩寺，即古長干寺，明金陵八大寺之一，龍象巨麗，甲於諸剎。登九級塔，俯視金陵城闕，旭日飛薨，參差可見，雨霽靑溪三十六曲，才若一綫，銀濤出波下，鳥俯其背，誠如唐詩曰，塔寺如湧出，連山若波濤，所謂眼前有景道不出也。」

陳文述登報恩寺浮屠詩云：「靖難師來軌閉門，孝陵雲樹黯銷魂，忠臣已盡甘逃死，却建浮圖說報恩。」把朱棣何留甚亦有詩云：「六代血流到有明，欲憑併力發京。報恩寺塔成焦土，畢竟堅牢是石城。」可見用暴力篡取政權者終不可恃，卽易代亦難免遭人嘲罵。然而甚麼時候讓我們歸去這堅牢的石城呢？（下）

共幹的逃亡

·羅須譯·

「於是我只好這樣對部除羅的政治文化學習班解釋了：客觀就是切勿直接注意西方的觀念而去研究共產黨對西方的看法。忍是你懂了這個訣竅，也就十分容易。我再可舉個簡單的例子來說明。在一個口渴的人面前，放着兩個瓶子，一個註明啤酒，另一個註明毒藥，毒藥代表西方報紙和廣播，啤酒就是對西方的看法。個人內心自然希望去選拿這毒藥的瓶，但照共黨理論，一個『聰明的德國人』就該拒絕這個瓶子而去拿另一瓶。」

「『大同主義』也是共黨的一種罪名，主張世界大同有甚麼罪呢？原來這就是贊成各國有其自由行動的權利，這是共黨所最反對的。他們說，如果每個國家都有此自由，它們必要落入『美帝掌握』的。」（九）

美國雖也口倡自由，但完全是爲了歹毒目……

服裝問題

·淳·

香港時報十二月一日世說新語倘方先生論服裝，覺有未盡意處，故續其貂。

問：人們何以穿衣裳？
答：自形慚穢。

問：我不信！
答：謂余不信，試請倘方先生到淺水灣入泳。

問：中西服裝的異同。
答：中國人多天穿屋子，西洋人多天住衣服。

問：何謂彼旣之子，不稱其服。
答：民十七，國民革命軍入北平後，北方官僚們馬上穿起中山裝。

問：殖民地華紳何以中服赴總督宴會？
答：不視狐居壯，焉知犬子榮。

問：猴子背心
答：禮服也

問：何故細腰
答：愛因斯坦相對論

問：何謂領袖
答：福開洗衣店司也

中華民國僑務委員會頒發登記證台敎新字第一零二號

自由人

中華民國郵政登記第一類新聞紙類

THE FREEMAN

（半週刊每星期三六出版）

（第二九〇期）

每份港幣壹毫

督印人；李光華

社址 香港高士打道六六號

電話：七四〇五三

GLOUCESTER RD HONG KONG TEL: 74053

承印者：東南印務出版社

地址：高士打道六十四號

台灣特派員辦事處 台北市館前街五十號

台灣總經銷處 台北中華路五九四號之一

台灣郵政劃撥儲金帳號 二五二九

評艾森豪聯合國演說

——一篇動人而不會有效的文章——

左舜生

艾森豪總統本月八日在聯合國大會的一篇演說，初聽下來，誠然是一篇足以令人興奮的大文；可是反覆玩味一番，則所得印象，却剛剛相反。而且同時使我們意識到：這位領導世界民主國家的領袖，截至現在爲止，依然沒有找着一套可以解放世界一切被侵略被奴役國家的具體辦法，而僅僅只有一個難於實行的理想。

現狀必須打破

在今天這一個險象環生的世界局勢中，有一基本觀念必須確立：那便是說，在世界第二次大戰後，由蘇聯運用巧取豪奪的方法所形成目前這一險惡的局勢，必須用智慧與實力去加以改造糾正，決不能以一種畏縮或苟安的心理去予以承認或維持。假定世界的和平只能建築在蘇聯所造成的既成事實以上，老實說，這種和平決不是人類的光榮，而只是人類的恥辱，一種史無前例的恥辱！

今天全世界已有三分之一以上的人類被蘇聯關閉在鐵幕以內，在不到十年的時間，被屠殺，被奴役，被虐待而死亡的數字，決不是任何武器可能造成的事實所能比擬，艾森豪先生只看見若干有形的氫彈十分可怕，而把蘇聯在最近若干年來不斷所投下的無形氫彈視爲過眼烟雲，在我們這些目擊身受者看來，實在不認爲人類的一大悲劇而不可得！

一個可寶貴的世界和平，只能建築在人類可以自由生存的原則之上。假定把整個人類劃分爲兩大部分，其一部分可能享有充分的自由，而另一部分則絕對沒有，在這樣一種現實之下，猶且侈言於樂，說這就是和平，這就正是我們所應該爭取的和平，老實說，像我們這樣一個不了解和平眞義的人，實在期期以爲不可。

另有破壞和平的武器

進一步來看，世界和平之能否維持，乃繫於侵略者之是否存在，決不繫於原子武器之有無。發動世界第一第二兩次世界大戰的德國與日本，他們並沒有所謂原子武器，但是何礙於他們之破壞世界和平？最近不到十年的時間，蘇聯已經造成無數侵略的事實，難道是因爲她已經擁有若干的原子武器才敢於是這樣做，否則她便不敢這樣做？艾森豪先生不肯眼於這一侵略者的如何改造與消滅，而斤斤於原子武器的銷除，此所謂「不揣其本而齊其末」，作爲冷戰的方法之一，未嘗不可，但實際是不會有多大效用的。

中國兩千年前的孟子曾與當時一位國王有過這樣的問答：「殺人以梃與刃，有以異乎？」曰無以異也。以刃與政，有以異乎？曰無以異也。」今天的共產黨因爲推行他們荒唐的主義與荒謬的政策，已經殺了幾千萬人，艾森豪先生好像是熟視無睹，惟獨對原子武器殺人的威力乃不憚煩的描摹得淋漓盡致，這實在是沒有抓着蘇聯的要害，宜乎雖辛辣若馬力克之流，也不惜報以一種禮貌上的掌聲也。

蘇聯斷然不睬

艾森豪這篇演說的對象當然是蘇聯，所希望得到一種良好的反應，當然也以來自蘇聯的爲最有意義，可是蘇聯一定要加以斷然的拒絕，乃事屬顯然。我們現在所要研究的，乃是蘇聯這種所以必須加以拒絕的心理：

一、蘇聯早已把美國看成一個最大的敵人，不獨原子武器爲然，實際一切，莫不以美國爲競爭的對象。蘇聯自己覺得，她在若干方面，與美國相差甚遠，（例如電力，鋼鐵，煤炭等等）惟獨對於武力，乃比較有相當的把握，假如她把她發展原子武器的命脈掌握在自己手裏，這無異棄其所長，而專露其所短，你叫她拿什麼去和美國競賽，既不能與美國競賽，則惟有屈服而已，還搞什麼世界革命？

二、蘇聯在不到十年的時間，已經控制着世界八億以上的人口，她在這一大羣衛星國中其所以能夠繼續維持她的威望，自然因素很多，但仍然以強有力的武力爲一主要的骨幹，削弱她的武力，即無異減低她的威望，減低她的威望即無異促其陣綫的瓦解，這在今天的蘇聯，是寧死也不幹的。

三、艾森豪總統強調美國實驗原子武器的次數最多，進步的也最普遍，[illegible]

加強原子武器才是辦法

[illegible]……存在若干人類的文化，有更加速的發展……武器；過去美國丟了兩顆原子彈，至少已經少死一百萬人，還不是一個最有效的實驗嗎？

兩千年前的一個故事

至於艾森豪總統[illegible]……能維持永久的和平統一，乃是由於武器散在人民手裏的太多，[illegible]……他下一道嚴厲的命令，叫把當時中國的武器搜集中[illegible]……一一加以銷毀，鑄爲金人十二，[illegible]……從此可以天下太平，可是不出幾年，[illegible]……依然紛紛擾亂，[illegible]……期待的子孫帝王萬世之業，也就化爲[illegible]……！這並不是一個[illegible]……，而是一個可靠的歷史故事，艾森豪[illegible]……這一計劃，我想是可以和這位大[illegible]……比美的。

對台灣的觀感（上）

丁文淵

台灣已經有四年多不見了，這一次因爲回國觀光團的關係，在短短三星期的時候，得參觀了許多平時不輕易能夠看到的機構，參加了許多文化界及政府首要的招待，當然聽見了和看見了的事實不少。雖說是走馬看花，却也得到了一個觀念。

現在才讓我把我觀察所得，忠實地敍述出來。

交通和國語的進步

一般說來，台灣的進步，確是驚人。譬如說交通，城內的或市外的公共汽車，在四年前已近破爛的狀態，現在則都已煥然一新了。牠的清潔情形，決不下於香港九龍的巴士。牠的裝備可能沒有九龍巴士的精緻，然而坐位的舒適，只有過之，而無不及。從台北南下的火車，經常分爲二三等，頭等也有，可是位子極少，我們沒有坐過，不可亂談。我們所坐的是新設的一種「平等車」。車無等次，是謂平等。票價低過二等，超過三等，多爲旅客所喜乘。車內的佈置及舒適，並不下於京滬車的二等，清潔醒目，或且有過之。還附有飯車，可以供應旅客的需要。其他市內的交通工具，如三輪車、脚車等等，還是仍然如常。三輪車每次短程的價錢，平均三元臺幣，稍遠則須四五元。

外省人一到台灣，立刻就感到的，是國語的推進，大有進步。我們所接近的台灣青年，都能講很清楚的國語。就是民選的市長縣長議長，我們也見到了好幾位，他們也都能用國語交談。其他各商店的店員以及旅館的下女，三輪車夫等都不例外。據說省教育廳對此極爲重視，教育部還有一個國語推進委員會。曾舉辦了各校國語教員的訓練班，教他們能熟練的運用注音字母，才能使學生發音準確。

教育普及進展甚速

在台灣中等以下的學校特別有人滿之患，這就是學生逐年增加的現象。教育普及的程度，已經達到將近百分之九十的數目。一般人認爲是農村經濟狀況改善的結果。據謝東閔先生所說，他在勝利以後回到他家鄉（在台中去日月潭的途中）的時候，本鄉子弟能入中學讀書，僅僅有四十多人，現在可是已經有二百五十人了。台灣大學在日治時代的學生，只有數百名，今年已經增到四千人之數。在港澳一千餘的名額考的學生當中，今年就錄取了六百人，[illegible]……所盛傳的華僑大學，一時恐怕沒法實現。教育部長程天放先生認爲[illegible]……學校當然很好，不過需要一筆巨款，決不是政府現在可以籌得出的，[illegible]……想辦一個華僑學校，上自大學，下至小學，都包括在內。看僑生的程度分別他們的班次。[illegible]……委會送入台大借讀。看起來這個辦法的可能性是有的，他們現在所缺少的，就是校舍和宿舍。

文化界蓬勃有生氣

文化工作的發展，看來已很迅速。四年前我在台北，想要買一本可讀的書，不是一件容易的事。有名的書局如商務，中華等等，既沒有新書，存貨也很少，沒有選擇的餘地，其他的小書店，也是同樣如此。現在的情形，就大不相同了。各書店的內部充實，而書店的數量也大的增加。在台北市區內，到處可以看到書店。

正中書局早已恢復出書，雜誌編輯由吳俊升先生主持。除教科書以外，也出版了不少的參考書籍。此外新興的生力軍，就要算[illegible]……出版社和張其昀先生主持的[illegible]……委員會了。他們在短短數年之中，已經出版了大量的書籍，可以看出他們的如何努力。其他各機關以及聯合國中國同志會也出版了若干書籍。[illegible]……國際間的歡迎。文藝協會對於創作及戲劇方面，亦正在努力。我們在文協招待會上，遇見了許多青年作家，他們的作品，也多能勃勃然有生氣。[illegible]……重視，我曾讀到[illegible]……作品。綜合看來，[illegible]……是一種好的現象。

軍事教育突飛猛進

我們這個觀光團在台灣得到了政府的優待，到處給了我們許多方便，因此我們也參加了其他團體的節目，參觀了三軍基地及士兵學校。[illegible]……他們所收的學生，[illegible]……他們所授的課程，以我們觀察所得，覺得他們是理論與實習並重。我們參觀了許多教室，每一教室都有他授課的特別目的。

×　×　×

「原子和平」有可能嗎？

——論艾森豪在聯大的建議——

李秋生

從初夏遲延到現在的百慕大會議，已經忽忽開過，從開會經過，會畢公報，以迄所謂「祕密諒解」，都缺少新的創獲。縱是皮杜爾固然鍛羽而歸，邱翁的滿腹「經綸」也未獲展布。如果不是在會議結束期間，在邱吉爾和法方領袖贊同之下，由艾森豪總統在聯大休會之前發布了原子時代的世界危機演說，這會議將更形黯淡無色。

年來各方都在侈談國際局勢緊張問題，也提出過許多解救的方案。像邱翁就把對俄巨頭會議視做萬應靈丹，好像只要西方領袖與馬倫科夫會晤成功，世局即澄清可待。蘇俄則厚誣北大西洋公約西歐防衛協定與美國在海外的基地，說那是造成緊張局勢的原因。另外美國若干人士和印度尼赫魯之流，又附和着克里姆林宮的意旨，說中共一天不進聯合國則世界一天不安。其實這些不是故作欺人之談，就是幻妄的錯覺；如果上述種種要求都一一做到，結果也許到是替人類帶來更多的災禍。甚至於深藏在緊張的世局背後一個陰沉暗影，使有識之士深感不安的，是原子武器的威脅問題。

錯過了原子優勢

原子能的解放是五十年來許多科學家心智結晶的最高成就。不幸的是原子對裂現象是在歐陸戰雲瀰漫之際所發現（一九三八年底），第一個原子鏈鎖反應又是在試製原子武器過程中獲得成功，原子能的首次「偉大」貢獻是毀滅了廣島長崎兩大城市，殺傷二十萬左右的生靈，並促成了對日戰爭的結束。因此原子能即與軍事毀滅密切結合，其對於人類文明進步所可能發揮的功效反而放在次要地位去考慮。在大戰初停以後的四年中，美國原子武器的獨占和優勢確替自由世界發揮了保障和平安全的功能，正有如邱吉爾氏所說，如果不是那一優勢，可能西歐早被捲入了鐵幕。所惜好景不常，由二十億美元和無數科學頭腦所造成的美國原子優勢並未在政治發揮更積極的效果，奠定世界永久的安定和平，反而在討價還價的國際原子能管制談判中虛耗了可貴光陰，替蘇俄造成迎頭趕上的機會。從一九四九年秋季蘇俄試爆原子彈起，整個世界即進入了原子武器瘋狂競賽時代，一方面擁有原子武器的國家從美國一國擴大到美英蘇三國，另一方面原子武器的種類與威力也與日俱進，像艾克此次演說所提到的五十萬噸TNT威力的原子彈，與以百萬噸威力計的氫彈，確使現代人士不勝戰慄，感到那只能造成人類與文明的毀滅，正有如艾克所指出的「文明被摧毀，宣判人類重新再開始往昔經久的鬥爭，從野蠻到禮儀，正義和公平。」即使在克里姆林宮的存心，是不惜宇宙化爲邱墟，只求共產黨與共產主義能征服世界，在民主世界的領袖們，到底不忍見人類自己走進毀滅的死谷。以此之故，美國在原子彈將近製成的同時，已開始考慮有效的國際管制問題。也由同樣悲天憫人的存心，艾森豪纔在聯大提出這一動人心魄的演說，並獲得自由世界的普遍讚譽。

不失爲一偉大理想

艾克在演說中忠實的道出了美國原子武器實力，一般都高出了普通的估計。相信他的存心並不是在對蘇俄誇耀威力，如杜魯門總統之於年初國情咨文那樣，而是要使蘇俄侵略有所戒懼，收斂野心，共爲人類和世界前途着想。他鑒於過去聯合國原子能委員會的爭持不休，主要由於若要管制原子武器，便必須要涉及超國界的監督與視察，又必須定出嚴密的懲罰辦法以制裁違反國際協定的國家，因而又要涉及安理會中的否決權問題。

（以下轉第二版）

救救香港中學生

·許漢釗·

（一）

香港的中學生，在香港無法升學，台灣方面對僑生返國升學，事實上不能盡量收容，剩下一條路就是走回大陸去，難道我們忍心看着一批一批青年前途斷送的路走嗎？

戰前有人說過「救救小孩子」的口號，在目前的香港，倒有提出救救大孩子口號的必要。

目前香港居民做父兄的，最感頭痛的，就是子弟的中學階段讀書問題，小學畢業無法升中學，中學畢業了無法升大學。

香港的中學，數量當然不少，官立的，教會設立的，社團設立的，一般私立的，有些學校招生還不足額，爲什麼說小學畢業無法升中學呢？要解答這個問題，要從英文中學和中文中學說起。這是香港教育制度的特殊，遵照英國學制，特別偏重英文的是英文中學，遵照中國學制，注重各科均衡發展的是中文中學。

（二）

戰前香港英文中學不比中文中學特別發達，原因是僑居香港的居民並不打算在香港住一輩子，他們希望他們的子弟到祖國升學，回國服務，所以他們子弟在香港讀書，必須入中文學校，以便與國內的學制銜接，將來回國升學，就很容易。所以戰前香港的中文中學，多數在國內教育部立案。

現在因爲時局遽變，大陸淪陷，雖然反攻之說甚囂塵上，畢竟不是短期內能夠實現，引頸王師，一年又一年，不知何時才能實現，於是有些心灰意冷，初則存隨遇而安之想，繼則有終老他鄉之感，他們爲子弟的前途打算，倒希望他們將來做個「華官」，於是……

因爲學制及程度的歧異，中文小學畢業生，只能升中文中學，英文中學也不容易入；因爲英文中學的學額有限，……

（三）

中文中學校數雖然是增加了，但程度日見低下，因爲做父兄的，都把子弟的前途放在英文學校去，……中文中學初中三年，……英文中學，由一年級……

也因爲無法籌措一筆學費而至停學。

在香港既無法升學，台灣方面對僑生返國，事實上不能盡量收容，因名額所限，能收容香港僑生的學額不多。上次香港一班教授組織返國考察團，帶回來一個喜訊，就是僑生返國的名額將加放寬，而招生的名額也酌量放寬，也許明年香港中學畢業生有較多回國升學機會。但因爲許多做父兄的不願意子弟遠離，和家庭關係經濟因素，還是不容易成行。

（四）

剩下一條路，就是走回大陸去，返中國大陸升學去，每年暑假中共在深圳設立一個機構，誘致香港的學生回到大陸去，美其名曰歸國升學，……

坐觀其長年失學，他們有一個聊以自慰的：做父兄的責任供給子弟讀書到有成可以自立，畢業後政治信仰，則士各有志，不能相強了。筆者認識幾個朋友都是堅決反共的，可是他們都以無可奈何的心情把他們的子弟送回大陸去。

那些回大陸去的，固然有些是志願的，有些是誤聽中共宣傳的。一個十七八歲的大孩子他們雖有自由選擇的權力，但到底經驗不足，見聞有限，是很容易上當的。但說他們都已深中中共宣傳的毒素，則又未必盡然。從教育的觀點說，這樣年紀的大孩子可塑性是很大的，他們爲着自己前途着想，在香港獃在家裏不能升學，這種精神上的虐待是無法解除的，他們寧願冒一次險在人生途上作次一新的摸索，也是有的。

他從此一去不回，做父親的失去一個兒子，做哥哥的失去一個弟弟，從國家來說，就是毀滅了一個有用的人才。一個孺子失足墮井，我們會立刻援引以手，難道我們就忍心看着一批一批前途似錦的青年朝着火坑跑還去嗎？

救救可憐的香港無數大孩子們啊！

「原子和平」有可能嗎？

——論艾森豪在聯大的建議

·李秋生·

（上接第一版）因而他想避重就輕，把原子武器問題交給聯合國裁軍委員會，預料那必然是長期的經驗和爭論，一時決無效果可言。另一方面，則提出積極建議，要在聯合國之下設置原子和平的計劃機構，以求如何使原子能能充分發揮和平用途，造福人類。等到積有成效之後，則一方面是血淋淋的毀滅危機，另一方面是安康進步與福利，兩兩相形之下，世人自然會作贊助抉擇，「引導世界脫離恐懼，導入和平」。這是無辦法當中的辦法，但不失爲一項崇高而偉大的理想。

新的第四點計劃

艾克所提的具體建議，要在聯合國之下設置一個國際原子能機構，由各主要有關政府將其所有的鈾鑛與可分裂性的物料提供於此一機構，使該機構成爲可分裂性物料或鈾鑛的保藏庫，並分配此等物料以供原子能的和平用途。數年來歐科學家的努力，原子能在醫藥農業工業方面都已有極寶貴的貢獻，原子能動力的試驗也在進展中，此其發展可使缺乏水力煤炭石油的不毛之地獲得動力供應，實行變沙漠爲綠洲。原子能主要原料是鈾，其次是釷。現在世界上最豐富的鈾鑛只有比屬剛果，加拿大北部，和澳洲中部三處，釷的重要鑛源在印度，幸喜都集中在自由世界手中。至於鐵幕地區雖廣，蘇俄對於東德和捷克將近枯竭的鈾鑛至今仍窮採不休，可以證明大致迄今尚未擁有更豐富的鑛源。則自由世界既擁有原子能的原料資源，若在國際管理下從事和平性原子能用途的發展，其效果可認與杜魯門的第四點計劃並駕齊驅，因而從艾克發布演說之日，在聯合國中就有人錫以「艾森豪第四點計劃」的嘉名。

蘇聯根本無意妥協

其實這並不是新的創舉。遠自一九四六年三月間，艾契遜李連撒委員會所提報告書，已提到原子原料的國際擁有和管理問題。去年歐陸十餘國家共同進行一項原子能計劃，準備在瑞士日內瓦設置原子反應爐以供和平用途。可說都是此次艾克建議的先聲。在美國大力倡導之下，無論蘇俄是否參加，這計劃都會有相當成就。但問題的纏結並不在和平原子能的發展，而在原子武器競賽的前途。即使原子和平方案獲有百分之百的成功，一時仍無補於原子戰爭的危機。在艾氏演說中，把原子武器問題推到裁軍委員會，而在裁軍委員會又有什麼辦法打破僵局？過去在美國獨佔原子武器，蘇俄只在試製中途，尚且不肯輕易接受國際視察方法，爲世界免除原子災禍而犧牲一點在安理會中的否決權，則在業已試爆過原子彈或氫彈裝置之後，克里姆林宮自認爲身價陡增，當更不肯輕易就範。就蘇俄近頃對西方政策來分析，可斷定其根本無意從事談判或妥協。原子武器競賽若照舊是僵局，則原子戰爭的暗影也依然無法從世人心頭除去。

國際管制　斷難成功

連日莫斯科電台的謾罵，與維辛斯基在聯合國的叫囂，也許只是一種初步的反應，但蘇俄手中「銷毀一切原子武器」與「宣布原子武器非法化」的兩張王牌，預料決不肯輕易放鬆。美蘇原子武器競賽愈激化，西歐各國恐懼心情愈甚，也愈對蘇俄有利。另一方面，在經過深長考慮之下，也許蘇俄對艾克建立「國際鈾庫」之類作有條件的贊同，因爲俄國並非擁有豐富鈾源的國家，參加之後，損失是沒有的，到也許還有意外的收穫，例如分得若干鈾鑛或鈾——二三五之類。但在骨子裏，站在共產主義者的立場，也不會由衷贊助利用原子能以「解決人類的需要」，供應匱乏的地區。假使中東和印度都以原子能的協助改善了人民的困窮，則共黨宣傳也只有從那地區退却了。

如果用以測探克里姆林宮存心，艾克的演講是有用的，那也許比柏林會議或韓國政治會議更能考驗俄共有無誠意。但若想藉以消除原子恐怖，解決僵持八年的國際原子管制問題，卻可斷言其完全無能爲力。（十二月十一日）

共黨滲入伊朗空軍

共產黨在中美洲及加勒比海的活動已一天比一天厲害，這件事很令白宮的高級領袖們驚首，因爲事實上，共產黨在當地的陰謀顯然與美國的安全，尤其是貫通大西洋與太平洋的巴拿馬運河的安全大有關係，但另一方面，美國又不便直接出面干涉共黨的活動，現在中美洲的共黨活動中心是瓜地馬拉，克里姆林宮爲了加強中美洲的共黨勢力，最近還邀請四位瓜地馬拉的高級左翼領袖訪問莫斯科，對他們的過去一番「功績」，大加誇獎一陣。

此外，伊朗的親共總理摩沙狄克被憤怒的羣衆推倒後，莫斯科仍未放棄攫取伊朗的陰謀，如果伊朗有何新動亂發生，大家可以注意伊朗的空軍，根據可靠的情報，共黨滲入伊空軍者遠比陸軍爲多。

南攝影員闖下大禍

南斯拉夫官方攝影員最近已神祕失蹤，有些人說他被「炒魷魚」，有的說他不僅免職而已，意思是說，可能已被狄托總統下令關起來了，總之，據熟悉貝爾格萊德內幕的人士看來，這還是一樁比較神祕的事情，據說這位攝影員因爲技術優良，知道採用角度，爭取鏡頭，過去很受狄托總統的信寵。但在最近的南國選舉中，狄托爲了表示一己的民主風度，特別跑到小小的選舉所中去投票，並命手下預爲佈置，攝影員也預先取好鏡頭，只待狄托把票投向籍中，「卡擦」一聲，便將這富有宣傳及歷史趣味的鏡頭攝入鏡裏，當初狄托的本意原不僅想把自己的投票像片在國內廣爲翻印，而且還打算分送國外各大報章及雜誌普遍刊載，但不料就在那一剎那間，攝影機忽然出了毛病，致未留下這珍重的一幕。當然，事後狄托盛怒的程度是可想而知的，就這樣那位一度受寵的攝影員也跟着離奇地失蹤了。

蘇俄加緊擴充潛艇

美國全國安全委員會最近接獲一件令人憂慮的報告，這報告是美國情報機關經過審慎考慮後所提出的，報告上說，蘇俄潛艇及水雷的實力已超出西方國家的意料之外，只要第三次世界大戰發生，俄國人就可以潛艇及水雷封鎖每一個歐洲港口，來完成切斷美國對北大西洋公約組織盟國的供應。全國安全委員會接獲這一報告後，正在研究事情的嚴重性，並討論可能的對策。這件事非同小可，因爲北大西洋公約組織的整個戰略也可能因了這一報告而有根本的變動。

天下小事

印駐埃大使甘作幫兇

蘇俄正在把美巴間的軍事基地協定當作宣傳的資本。駐在鐵幕諸國的赤色外交代表正暗地裏向阿剌伯國家的官員挑撥說，美國擬在巴基斯坦取得軍事基地，眞正的目的乃企圖使巴基斯坦成爲中東的領袖。這些話果然發生了效力，印度駐埃及大使巴里加就響應了俄國的論調，美駐埃大使加弗里聽到後，內心的憎恨與憂慮自是可想而知的。（孟衡）

人物評述

翁同龢張之洞李鴻章派系之爭

·太希·

傳辛丑中日和約時，之洞當力爭，鴻章笑曰：「香濤作官數十年，猶是書生之見耳。」此語爲之洞所銜，忿然曰：「少荃議和二三次，遂以前輩自居乎。」當時有人以此二十八字，偶對天成，傳爲絕對。之洞之詆李張二語，孰爲中肯，同論李事，以議和。同龢當時與鴻章爭，亦以和戰主張不同之故，細考之亦有不同。之洞之恣作色，乃恨鴻章窺視之，而翁則一意與李立異，欲以主戰相爭，此沈葆楨所謂因循之害，必須夙夜經營，如沈葆楨自量力，未有不以國家爲孤注者。

至之洞與翁交惡，則見之洞廣雅堂詩集，[illegible]一首，下有之洞自註，「藥房先生在詔獄時，余兩次入獄視之，錄此詩以見余與翁氏分誼不淺，後來叔平相國一意傾陷，僅免於死，不張奇章之與贊皇，此等孽緣不可解也。」敍述明晰，翁之厄張，余所聞，之洞在光緒中已有入軍機之議，翁力反對，其後學督報銷一案，亦翁極惡，外此則不能知，此自註五十餘字，乃之洞晚年自加，幕府勸其刪去，之洞執不可，其後又有過張櫃尾宅四詩，末二句「知有衛公精爽在，可能示夢儆令狐，」亦指翁氏也。

宣統初，之洞入軍機，年七十餘，則亦躬逢黨爭，而化爲調停者，集中有新舊絕句云「門戶都忘薊肚事，調停頭白范純仁，」是其證也。之洞歿，汪榮寶挽以一聯云，「匡時頭白調停策，絕筆心傷黨論詩，」稱爲當時稱誦，蓋即隱括此二詩之大意，竊歎，以臥薪嘗膽之詩，而猶惡爲黨系門戶之計，嗚呼，其毋使後人而復哀後人也。

編者讀者

△讀者來書▽

△編者先生：我是「自由人」忠實讀者，因此才能從它得到想像不到的幫助。……忽於最近五期上看到「旅歐回憶錄」的作者謝康這名字。……他是我的堂兄，任過西南聯大文學院院長，亦即我所懷念的人。經過亂後，忽然知道了親人下落，心中何等高興……請將附信轉交，感激不淺……謝庭萱上，十二月八日。

△庭萱先生：謝康先生，現任我駐葡屬帝汶島領事，附函已轉寄——編者。

△編者的話▽

△下期將發表：（一）丁文淵先生對台灣的觀感下篇，（二）紹華先生洪煨蓮講學哈佛（人物述評），龔嬰先生蘇俄農業政策的演變，隨客先生自由可貴。

△莫紀彭先生爲本報撰寫有關吳稚暉先生的生平行誼長文，莫先生爲老革命黨員與稚老交情甚深，相信文章一定很有價值，謹先預告。

△周鷹，余明，婆娑生，牟力飛，孫波，許苑，王鈞，王耀荊，高清心，鄧路，余從衆諸先生：請到本報台北總代售處領取稿酬。

△丹先生請到本報領取稿酬。

中共改造農村經濟

·秉文·

中共自從為了急於完成其所謂「社會主義」底改造，以迫切適應其政治經濟上的需要，所喊出了「國家過渡時期總路線」的口號以後，即根據此一口號對今後農村經濟的改造方向，提出了新的原則。此種新的原則，實為中共今後的「農業政策」。

中共深知我國大陸農民因佔國家成員的百分之八十以上，為社會經濟構成的主體。故在其實行所謂「國家經濟的改造」中，特別重視農業的生產形式、農民的組織、農民生活的控制、農業發展的傾向、以及農業稅源的控制和農產品統購統銷的利潤等等。

消滅個體農民

中共中央機關的「人民日報」曾連續撰刊：「必須大張旗鼓地向農民宣傳過渡時期的總路線」、「幫助農民算三筆賬」、「領導農民走大家富裕的道路」、「鞏固工農聯盟是實現總路線的保證」等四篇社論（筆者按：中共為一項問題，連續撰刊四篇社論者，為歷來所罕見）。在該四篇社論中，對今後的「農業政策」曾反覆加以申述，亦因此對其以往農業社會的黑暗和今後加緊控制農業生產及其組織的陰謀，有所暴露。

中共今後「農業政策」的第一個原則是要消滅個體農民。實際上此一原則並不新穎，毛澤東在「新民主主義論」中早已提出，中共稱之為「個體農民的改造」；社論且指稱此時提出此一「改造」的要求為時並不算過早。惟為什麼要消滅個體農民，則方於此時有所透示。

為什麼要消滅個體農民？有三大原因：

一、中共闡承在「土改」完成以後，土地私有制及個別自由生產，已使一般農村中逐漸發生了資本主義的傾向。土地得以轉讓買賣，已使甚多遭受災害或人禍的農民失去在「土改」中所分得的土地（據稱土改中平均每一農民分得的土地為顯畝餘），依然有土地集中而產生新富翁的現象，依然有高利貸的剝削，依然有少數人控制多數人生產利益的現象。中共認為此等現象已嚴重地損害了「國家」的利益，故必須加以制止。而制止最徹底有效的方法，莫如消滅個體農民，廢除個別生產的生產形式。惟吾人必須注意者：前述新的剝削者，並非普通農民，而是新的特權階級的中共農村幹部、農村黨團員及回鄉軍人和所謂烈軍屬，新的被剝削者才是普通農民。此在社論中指許多黨員、幹部對此種傾向「隨波逐流」及許多農村宣傳工作人員在無形中宣傳個體農民的利益即為一證明。故此節實際上與其說是對一般農民而行的話，毋寧說係對此種新特權階級而行的來得恰當得多。

二、中共透示：都市、工業及其他（當係指大量的軍隊及公務人員而言）方面的糧食需要量大量增加，個體農民的生產力和生產量已遠不足以適應此一現象的需要。故必須消滅個體農民，促進集體生產，加增產量，以適應此一迫切需要。此一現象所反映的，目前大陸農村的勞動力已因中共歷年從事瘋狂的戰爭和維持龐大的特務統治而日見恐慌，此實為中共的一大危機！現雖欲消滅個體農民，促進集體生產，推進機械化的生產方式以圖挽救人力的恐慌，但中共的工業條件尚遠不足以配合此一要求，故前途仍荊棘重重！

三、中共認為以往個體農民的生產方式，對農民的組織，產品和稅源的控制，都不足以滿足中共的需要，尤其不能滿足中共財政上的需要，故必須消滅個體農民及其個別生產的形式，以絕對納入統制生產的狀態而適應其財政上的需要。

實行集體操作

那麼中共將怎樣消滅個體農民呢？總括的說：是實行集體操作，禁止土地轉讓買賣，採用按勞分利制。但其實行的方式，有三種不同的程度，順序而進。

第一步是將農民及其土地一律納入「生產互助組」的組織。此種組織，開始試行已有一年光景，因管理不善，方法欠妥，故垮了台的相當多，至今據中共統計，尚只約百分之十左右的農民個體納入此種組織，惟中共為了實行其農業生產品集體的統制，故不管怎樣，已規定今後必須一律納入此種組織。此種組織，係以一個戶籍組合（相當於保甲制度中的一甲）為單位，係以中共農村黨員或所謂「積極份子」為組長，將農民的土地、勞力、耕具統歸該組長統一調派使用，實行集體生產，收成以後，除去農業等稅（包括公積金、福利金等）再行分享產品，比為集體生產的基本組織，中共稱之為「農業社會主義改造的低級形式」。農民入組以後，完全受組的控制，組則受生產合作社或鄉村「政府」的管制，故此一組織，既為經濟性的，亦為政治性的。農民納入此種組織以後，不僅農業等稅已由該組扣除統一繳納，且還將所產主要糧食（指米、麥等）加以控制，並不一次分給農民，俾得隨時以中共的需要冠以「餘糧」的名義統一售給「糧食公司」。故農民於納入此種組織以後，已一切入於中共的統制，毫無勵彈餘地。惟中共對於此種組織的分利方法，迄今尚無一定的規定，有以按勞分利者，有以按工計酬者，有以按地分利者，秩序混亂糾紛甚多，因此，中共目前正在研究制定一統一辦法中。

第二步是由「生產互助組」擴大為「生產合作社」。此種組織，開始試行，亦已有一年光景，亦因生產和分利等等的管理不善，方法欠妥，垮台更多。惟中共為其本身利益計，乃硬性規定今後必須在相當時期內將「互助組」擴大為「合作社」。此一組織，大致係以村為單位，由轄區內的所有「互助組」合併而成，以組織較大，故中共特訓練大批合作幹部直接掌握組織。農民於被納入此種組織以後，對身體的自由和生產的權益，即被更進一步的管制和剝奪，已入於僱佣狀態，中共稱此種組織為「半社會主義」的農村經濟組織。

第三步是由前述的「生產合作社」發展到目前蘇聯式的「集體農場」或「農村農莊」。到該階段，個體農民及私有土地已徹底消滅，農民已完全變成中共所僱佣的工人。更可說是已徹底變成中共的農奴。但中共的宣傳，當然竭力強調這是使農民進入幸福生活的社會主義的機械化生產的農業社會。

中共的這種農業政策，完全是對農民步步而進的劫奪，對農民無疑是絕對不利的。惟在中共而言，機械化的條件尚未具備，過去「國營農場」既多失敗，對生產互助與合作的方法亦多弊病，急於要學蘇聯，飲鴆止渴，實日躁進，其必焦頭爛額，敢斷言乃意料中事。

澈底控制農村資源

中共為什麼要這樣急於將農業生產進行所謂「社會主義的」改造」呢？總括一句話說：是要澈底控制農村資源。若加以分析，則主要有如下各點：

一、澈底控制糧食，以供應中共本身大量的需要。亦藉以澈底控制農民（亦可說所有人民）生活，絕對消滅私人買賣，並藉此澈底消滅民間的反抗活動（此種手段，比之秦始王搜繳民間鐵器進步而澈底得何止千百倍）。

二、直接掌握農村稅源，不使因任何天災人禍而影響中共農業稅的收入。

三、藉「互助」或「合作」等組織的控制，由供銷合作社壟斷農村的商業活動，以使其買賣之間的利潤，充為中共財政的一大收入。

四、掠奪農村的全部生產利益以支持其所謂「五年計劃」的工業建設，尤其支持其龐大的軍工業建設、國防建設，擴充軍備，及龐大的行政支出。

不過，除此以外，如本文第一節第二項所述，目前大陸農村大量的人力為工礦、軍隊、公務員等所移用或浪費，糧食的消耗量大為增加，而生產量則反而大為低落，問題自極嚴重，當然也可能為中共急於實行農業集體生產的一大原因，以試圖從農業逐步機械化的生產中補救此種人力的恐慌。

總之：中共為了鞏固其政權上的迫切需要，已在「國家過渡時期的總路線」的口號下加速其高度化特務統治的形式演進。此種演進，以經濟為重心，尤以農村經濟為重心之重心。是以大陸農民今後在中共前述的新「農業政策」之下，將更陷於萬劫不復之境！

一面高喊精簡 一面浪費人力

·大陸怪現象·

【本報訊】據北平消息：自中共因財經恐慌，為厲行節約而於本年九月間由偽政務院發出精簡機關人員的通令以後，各地一般機關即行緊縮編制，減少工作人員。惟緊縮以後，有大批冗員既無處安排，亦因一般機關主管因有「本位主義思想」而不願將此等冗員任意他調，乃發生一怪現象：一面因實行精簡而使部份工作人員增加繁忙，一面則因捨不得裁餘的人員仍以其他名義留用，結果卻使此等人員無所事事，大為浪費。尤其今年夏季有大批高等學校畢業生派至各中等學校任教，更為浪費，如大通工學院及北平地質學院一個教員竟只教了三個學生，一個教室竟派了十五個助教，而部份派去任教的學生則當了校工。寧非怪事！

徹底解決難民問題 擴大生產替代救濟

香港許多現實問題中，除了治安，勞工福利，失業，失學與改善徙置區設施之外，數逾十四萬人的難民救助，似無比它更為重要了。經濟上、物質上的救濟，僅偏於治標的消極性措施，且徒增救濟當局的困惑與熱心人士的負担；因此港九各界救濟調景嶺難民委員會決定了一項生產救濟的辦法，使難民憑其自身之勞力爭取生活資料的來源，經過半年來的實際考驗，已有很大進展；舉凡編織籐質用具，刺繡等都有很好效果。現時該會經第十次常會決議，籌備設立一生產合作社，並以演劇方式籌款十萬元，作為基金。擬於本月二十七日假高陞戲院演劇，門券分：榮譽券一百元，名譽券五十元、三十元、二十元、十元，多種）。預料在該會全體委員努力結果，當可如期實現；該社業已草擬自力更生計劃，使難民普遍從事生產。第一步是分設織繡（繡花，編織，縫紉）、籐器、穿珠、織籐、畜植等五部，如有成績，再作進一步擴展。業務方面除正副經理外，下設總務工務營業倉庫等四股。迨該會全體委員大會通過後，即可規劃進行。

×

邇日寒流襲港，港九各熱心人士與各大團體，對露宿街頭難民均紛施救濟，或贈毛毯，或施棉衣。英國婦女志願服務隊，募贈一批衣鞋物資已抵港，由港府撥付二百五十六船噸位（衣物）運費，現經九龍倉免費貯存。關於這一批衣物的施賑辦法，除了部分已贈與火災難民及街坊福利會規劃派送外，餘由五十八個社團分派，以備在緊急時動用。因為這一批衣物並不是作為廣泛的救濟用度，而係天寒救災應急之需，一般難民均非救濟對象。因此，許多待援者難民如調景嶺等均望衣興歎。

×

港九自被劃定「徙置區」後，因管理不善，曾受各方指摘，然被指定為木屋區，如富斗村等因幅度太小木屋又多，無法容納日漸眾多的木屋居民，還有很多陷於無家可歸的狼狽窘境，他們綜有少許財力，打算買一塊「窮主地」來搭蓋一間石屋尤不能為當局允許，必須申請購買「平民屋」，在生活條件上大多均受限制，因此，這種原無構成難民因素的難民，正在陸續增加。上次立法局辯論徙置區問題時，非官守議員區達年除了主張改善設施之外，要求暫緩消遷木屋，竟遭主席彭德峻拒，他說議員沒有過問權力。然而大多數木屋居民被迫遷的結果，勢將增加社會間的嚴重性，這些基本原因，當局無暇兼顧，豈非一大遺憾！

×

徙置區的環境與衛生安全措施固無甚可置厚非，平民屋居民身分一度被指摘，有人說：「納稅人花了錢，讓不相干的難民去享受。」儘管也有人說，並不是對難民歧視，事實上有沒有難民這樣投機取巧，而剝奪了真正具有資格者的權利，當有事實可證明的。最近日市政局徙置區監察委員李有璇和區達年兩議員突擊巡視的結果看來，並未發現到類似這種情形，自非議員們的疏忽，與投機者的僥幸啊！

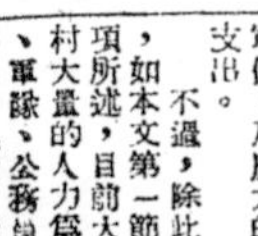

誌謝

本報承華夏書局及新世紀出版社贈送下列最近出版新書，謹此誌謝：中國文人新論（王世昭）；瘋女奇緣（南郭）；日本的資源（黃馮明）；人類的演進（王聿修審訂許冠三譯）；春——獨幕劇（梁石）；陰山烽火（黃飄之）；新土耳其之成長與發展（馬兆貞）；現代民主政治（毛以亨）；太平洋紀行（杜威著，華夏書局出版）。

中國文化精神之價值

·瞿林·

著作者：唐君毅
出版者：台灣正中書局
約計字數：二十五萬

中國自新文化運動推展迄今，一般研究中國文化之學者，因其基本精神，是在求推翻歷史文化之精神，而不是在求瞭解歷史文化之精神，故雖有其悟入處，然於中國文化之中肯處，與獨到處，然於中國文化之本源，及中西文化精神之融異通滙處，皆未能致廣大而盡精微地充分開拓出來。本書作者中國名哲學家唐君毅先生，從事研理中國文化學術工作多年，有鑒及此，遂致力於該書之著述。

（一）

該書首即溯本推源西方文化之徹上徹下的主要特徵，及其主幹，如：希臘的傳統，基督教的傳統，與中國文化生命之主流（儒家）及旁流（道家佛家）。次及古希臘的理性主義，中世紀的神學（經院哲學），及近代的理性主義，把握其真實的義理，取其對照，以盡中國文化生命之蘊，更進而打碎因近代科學精神之所限，而停滯在隨此等精神下來的經驗主義，自然主義，唯物論，進化論等之枷鎖，以求了解西方文化生命之主流，及反省中國文化精神蘊藏之所在。復而批評中國自清末接觸西方文化而以英國經驗主義為傳統，雖對中國文化收補偏救弊之功，然未能通以貫之。迨五四運動，又以科學與民主為號召及廣泛的理智主義為基本精神，以至與中國文化陷於對立的地步。經此否定階段，稍沉滑而歸於切實，然大違仍以理智主義，實在論為基本精神。時至今日，而對共黨，唯物史觀之澈底反文化，毀文化，實需積極主張從理智主義，實在論更進一步，上通希臘的理性主義，中世紀的宗教精神，及近代的理性主義，德國的理想主義，藉以盡通透其文化生命之全幅內蘊，再而返觀中國文化生命之內蘊，始能融會貫通，全然瞭然。作者更指出以理想主義，人文主義開闢價值之源，實通道於宗教，與科學民主為基本精神，是為其獨具慧眼之處。

（二）

該書第九至第十三章，尤對中國文化之各方面；人間世界，日常生活，社會政治，講學精神，藝術精神，文學精神，均有詳述，以見中國文化生命全體大用之一斑。第十四章論中國之宗教精神，不取時賢之無宗教之說，而主中國之哲學與道德政治之精神，皆直接自原始敬天精神而蛻出，故中國文化非無宗教，而是宗教融攝於人文。最後該書復指出今日之了解中西文化，實是疏通中西傳統文化生命而復甦之，以重開文運，始能一面重開文運，抵住共黨之邪魔道，一面重建支離破碎之文化世界，故於重開文運中，尤必一面立教化，整風俗，一面創政制，開國體，使中西文化融會而走上康莊諸和之道。

（三）

本書之價值，為作者多年來研究東西文化哲學思想貫通之最有系統者。惟限於作者立論較高，陳義較深，其影響所及，反限於一部份較高級的知識份子。

美陸軍專家編纂大戰史

在第二次大戰結束時，美國陸軍所儲積的此次戰爭種種檔案及記錄達一萬七千一二十噸之多，自一九四五年因，陸軍所任命的三十至五十名一歷史家即根據此項巨大資料從事編纂一部總纂第二次大戰美陸軍戰史，迄今為止已完成者有十九本，到全部完成預料將達八十七本。這是近代最大的編史工作。同時，陸軍方面的戰略及補給專家亦紛紛自寫戰時經歷，但多數偏重於軍事技術問題，不能使一般讀者興趣，少數富有實感的戰爭生活，躍然紙上。（凌裕取材時代週刊）

迎日本漢學家安岡正篤先生

兼呈芳澤大使暨中日文化經濟協會理事長張（岳軍）何（敬之）兩先生

·郭敏行·

高使遠洋來，聞之頗欣喜，欲假文字緣，重結弟兄美，學祖王陽明，行法宋舜水，藤源開其先，德川繼其軌，奉之以爲師，用是國乃起。無何王勢削，殺略向鄰里，師老終無功，國基幾一燬，往者宏嗟嘆，來者審爲理，幸相宏敎化，自此共榮祉。

（其二）

立國五千年，悠矣誰能似？漢武迄隋唐，濟濟嗟多士，羣國運朔漢，貢進遍邇遐。何以中道微？分崩各深壘，世人好詭辯，邪說任奔駛，獨有王陽明，抗力闢儒旨，人貴有良知，行貴知所恥，殺身以成仁，捨生求一死。孔孟栖栖者，所憂厥唯是！大道竟不行，神靈爲切齒，及瞻兄弟邦，朱王珍實視，言之令人慚，思之令人痞，神州哀陸沉，其源亦蓋此！賢者不飾非，丈夫寧畏鬻？開心布公誠，臥薪請卿仕。三戶尚亡秦，一旅終承祀，赤眉絕人倫，暴棄當可俟，同心滌東流，攜手發皇氏。

烏龍會與洪門會異同考

·敵忤·

明末清初有兩個社會組織；其一爲烏龍會，是奴隸階層組成，爲階級鬥爭之達組，用以打倒家主，其一爲洪門會，是以反清復明；用把民族主義寄在社會下層階級。「鐘龍虫于朽木，雖錦綉於裝潢」，流播至今，其所影響，各有千秋，值得加以考述。

烏龍會之起源；肇于崇禎末葉，當時武將則多蓄家丁，文官多收奴僕，江南士大夫，蓄奴常至數百人，又再廣收投靠，桀黠之流，一經蓋擁豪門，便得拒稅抗租，又可憑藉城社，橫行鄉井，詐欺人民，遂造成世隸之邑，幾無王民。若在鼎頭有統治勢力，則豪奴悍隸，不敢與弱主抗，遇到社會傾崙，主人失勢，則糾黨向主人索賣身契，討回投靠的券，又再乘機掠奪，作亂稱兵，殺人擄奪，當甲申崇禎殉國以後，清兵尚未南下之時，六神無主，江南奴變之禍，蠭見叠出，事見佚名氏所撰之「研堂雜記」云；「甲申五月十一日，清兵渡江之訊方傳，我鎮（即太倉）無賴子即起有「烏龍會」，蠹推顧慎卿爲首領，招收黨羽，市井傭奴，倡有拳勇，即收麾下，各備兵器，先造謠言，嘷狐鳴火，魚腹緘書，若陳勝王故事，其魁裴東如天神，嗚鑼呐喊，遊行街中，嘂弱嗜肥，大家富戶合鎮詛破，聽其飽掠」。見黃淳耀送趙少府還松江詩序云；「崇禎十七年六月（弘光立後一日）於滑趙公來攝嘉定縣事，時賊陷京師，海內震驚，蕩定沿海不逞之民，結爲「烏龍會」，適村民見弒于僕，並其家七人皆被殺，於是酒傭灶養，皆起爲亂，什什伍伍，白晝持兵迫脅主父，使出券以獻，僕坐堂上，飲啖自若，主跪堂下，搏顙呼號，乞一日之命！幸不即殺，即燒廬舍，盡搶財物以去」。迨至清兵南下，明祚覆亡之後，大儒顧亭林，第一次受家奴陸恩之害，第二次受奴才黃培有詩獄之攻訐，被縈諸豪奴之家，見（日知錄）又文人呂留良家裏，亦受奴變之害，見呂公忠撰呂晚村行略云：「二伯父家，豫有家奴之變，奴變百餘人，坦明靈室，二伯父受劃，先君爲密書擒治之」迄至清朝定鼎以後，與豪奴叛主，猶力騁抑剛平，這個階級鬥爭，才告平靜，烏龍會不久烟消雨散，迄今竟存有「擺烏龍」之名詞，供爲驚新聞之標題。溯其起源，實在明末。

洪門會之起源：是在順治十八年（永曆十五年）鄭成功得台灣，那時永曆帝亡，仍奉明朝正朔，鄭氏眼見當時士大夫，覥顏投靠，博取功名利祿，爲謀取民族思想于不墜，寄存勢力在下層社會，旦溫雅雄南洋通史十二章云：「鄭氏在台灣，奉忘故主，仍奉永曆年號，而陳永華尤爲苦心孤詣，創立「天地會」于台灣，誘徒組織，四出傳播反清復明思想，天地會又名洪門會。」又見陶成章教會源流考云：「何謂洪門，因明太祖年號洪武，故取以爲名，指天爲父，指地爲母，故名天地會，始倡者，爲鄭成功，繼述而修整者，陳近南（即永華），至今南洋[illegible]，要皆洪門會之派，[illegible]有勢力，其不可侮之[illegible]者之苦心。因其主流純正，流傳至今[illegible]的烏龍會，其所標榜；不外階級鬥爭，馬克思、列寧、史太林之輩，鑑乎其後！中共以馬列爲鮑翻，實有錯翻祖宗之嫌，若能數典而不忘祖，[illegible]海外，自今天下洶洶，盼敗[illegible]有待洪門，攜今追昔，有志[illegible]。[illegible]不有無恥的文武官員，紛紛投靠中共，國民政府不至遷都台灣，本國人如不把江山出賣，蘇聯大鼻子安得縱橫中夏了？偏向中共者，請入烏龍會去！有志光復華夏者，請入洪門會來！

·不打自招文抄·
老幹部的威風

·文抄公·

文抄公按：下面這篇譯上中共衙門名稱的文章，是今年十月中旬北平某雜誌發表的。我們讀過之後，不僅可以了解中共的「國營」機構是怎樣做生意的，同時更可以看出「老幹部」的嘴臉是怎樣的。

摸底

江西省商業廳　言昭

在一個國營百貨公司的行政會議上，討論着修訂第三季度的購銷計劃；討論中，大家在擴大計劃和不擴大計劃的問題上展開了爭論。最後，經理提高了嗓子說：「同志們，我幹貿易工作十年啦，從在山溝裏打游擊那時候就幹起，我是和農民有過密切聯系的。我懂得他們的習慣，知道他們愛用些什麼，穿些什麼，他們是省吃儉用，粗布淡飯，愛買便宜貨的。而這些情況，你們都是不熟悉的，你們還該摸摸農民的『底』，不要心中無數地喊什麼擴大計劃，說什麼農民要買價錢高質量好的貨。要知道，我們現在是實行經濟核算制了呢，賣不了誰負責？積壓了資金誰負責？」說到這裏，經理停頓了一下，又接上說：「我們的計劃已經不小了。大家總記得去年同期沒有完成計劃的經驗教訓吧，所以現在是不能再擴大了！」

經理這麼一說，再也沒有人吱聲了。大家想：經理是老幹部，在農村也確實做了很多年工作，是個「老內行」，他的話總不大會錯；而且，他畢竟是經理啊。於是，會議就在經理結論性的發言之後結束了。

共幹的逃亡

·羅須譯·

「就是說，在蘇俄集團內，你決不能懷有大同思想，也沒有任何自由。

「在各種新名詞造成的這種迷霧中，我開始理解，我是不適宜在這種組織工作的。[illegible]

「我所訓練出來的[illegible]

[illegible]的軍官殘暴粗野，對我時加欺辱。克莉絲泰自然尤受侮凌，因[illegible]

[illegible]一九五二年十[illegible]結了婚，數[illegible]又調到一個[illegible]，這裏有一[illegible]，設在所謂[illegible]義模範市」[illegible]附近，此市以前稱作埃尼茨，是個紡織業區。

「次年六月我又[illegible]這團部的團長竟不識字，[illegible]

[illegible]被調走了，這次是調到波茨坦，這使我大爲欣喜，我和克莉絲泰和柏林祇隔着二十五哩了，我們是如此接近自由。

「我在波茨坦的任務是佈置共產主義的圖書館，放映共黨的宣佈影片，總之一切娛樂事項，從供應共黨雜誌到安排棋賽，我都須處理。下棋是東德鼓勵的，因爲俄人也下棋。

「這樣的工作，對一個尚有進取心的共黨政治指導員來說，顯然是最下等的了，幸而對我共黨已不存任何進取希望，而且我的頭銜也改了，變成『羣衆活動指導員』。我的上司是埃施納上校，他是個狂熱共產黨員，我和他也時有齟齬。不久，六月十七日的東德大暴動發生了，波茨坦的德軍匆促調往柏林衛護東德政府領袖，我且親見暴動人民把共黨官員活活吊死，或就奉共軍的手提機槍當場將他槍殺。我調到柏林時，克莉絲泰也跟了來，就在這時，我們決定了逃亡的最後計劃。

「東德的反共大暴動更加強了我們的決心，我已洞察東德這個制度的腐化和殘酷，東德一千七百萬人民已起來反抗它了，我不能繼續下來。

「六月暴動發生時，我發現甚至德軍軍官也並不是多實正支持共黨政權。在這次暴動前，膽敢對共黨行徑表示不滿的人還不到四分之一，但在暴動後，我親見以前是忠誠黨員的人，有三分之二都激烈動搖，成了某種程度的反共者。這使東德共軍失去了戰鬥效率，如果它正式赴戰場作戰，必然可在旦夕之間全面崩潰。」（十）

美女兵絲襪糾紛

·一知·

美國陸軍部過去曾頒發軍中男女待遇一律平等的命令，婦女輔助隊的內衣，也跟男兵相同，祗發棉紗的，但終因女兵們反對而撤銷成命。最近軍方要發紗襪，又同樣遭女兵拒絕，祗得另定新辦法，改爲每年發六雙尼龍絲襪，但穿破後不得請求再發，祗能自己掏腰包去買了。

從俞振飛說到——平劇小生人材

·胡士方·

（四）

俞富蘭杜富興，還是同位早期富社的著名小生。尚是尚小雲的弟弟，近十幾年來可以說始終就未離開乃兄。玩藝結實，唱作有根底，這是人多知道的。出來演過，『尚小雲八年未出京』，北平人沒有不知道的。所以，尚富霞與老生王鳳卿，武生楊盛春，以及武生沈富貴，都在『北京』[illegible]印象。杜富興，名稍次，出科後便始終未見大紅。民國二十一二年間，黃桂秋演戲時代，杜富興正是得力題角，也可以說是他的黃金時代。可是，與黃分手後，便開始跑龍套而無聞了。

陳盛泰，與葉盛蘭同科，然天賦所限，[illegible]比葉差有餘，才華不足，故只能平常，雖能出衆。

江世玉與四小名旦中的李世芳，毛世來，是同期同學。所以，出科後多搭李世芳，毛世來，以及宋德珠等班中。後來與荀派傳人許翰英也合作甚久，唱做都比坐科時代爲佳，已成知名小生之一。

（五）

李德彬是北平戲校的老大哥，在校中與武生傅德威，花旦宋德珠，老生關德咸，可謂四大台柱。出科後，佐吳素秋很久，唱工不錯，唯身段略嫌僵硬。

徐和才是繼金仲仁之後，隸荀慧生班中的一位小生，技不弱，演雉尾不如扇子來得好，人緣也甚佳。通天教主王瑤卿對其頗賞識。有一次王的女兒王鐵瑛拍演電影孔雀東南飛，竟以其飾焦仲卿，配其女兒所飾之劉蘭芝，結果演來竟甚佳，從此聲譽也高。

趙玉華，個頭太高一點，嗓子頗高亢。他的羅成叫關唱來，有時比嗩吶都高。可月却不能字正腔圓，所以，譚派之味，[illegible]只是中材而已。勝利後，自隨許翰英到濟南後，與武生袁金凱，花臉蔣少奎，小丑于金驊，已成了濟南北洋戲院的班底。那時許走，北洋約的角兒如張曼君，白玉薇、黃玉芩、張艷卿、鄭冰如，小生一角可說都是他來充任。一直到鄭冰如南返，他才算離開而去北平。

童壽苓，是名花旦童芷苓的哥哥，扮相甚佳，有時竟與童芷苓大唱特唱，兄妹扮演夫妻。後來跟吳素秋也配戲很久，所以，在平津一帶的小生中，成了一時的佼佼者。

姜心萍，也是當年黃桂秋班中的小生。扮相英俊，除小生戲外，武生還能來兩下子。八大錘的陸文龍，是其拿手戲，不過嗓子還於尖銳，唱來很少味兒。以後多走灑、漢、湘、黔等地，致流爲外江，也寂寂無聞。

莊紹仙，是王泊生延爲濟南省立劇院的敎師，論唱工，論做派，都不失上選，唯後隨政府走川、貴，竟不知其名，今更難知其若何了。（中）

旅歐回憶錄

要是從船隻運貨經過蘇彝士運河的數量，即僱主方面對運河所繳納的經過稅而言，也常常是英國居首，這就是說英國船隻每年繳納給運河管理處的「買路錢」爲世界第一，據一九三八年一月至九月的統計，英國船所納的過河錢佔百分之五十以上，而意大利船不過佔百分之十三，所以即使從僱客的利益而言，英國也是這條運河最大的主顧，（消費者）意大利船所付的錢，還不及英國三分之一，這如何能夠同英國爭取同等地位的發言權呢？然而每逢運河公司開股東代表大會的時候，意方代表總是嘵嘵爭辯，想和英國平分運河的管理權，有時還鬧到日內瓦國際聯盟，成爲國際間題上的一種糾紛。

二次大戰，消滅了意大利法西斯政權，同時也減低了她對蘇彝士的覬覦，如今英埃兩國對蘇彝士問題，也還有爭論，最近報載，埃政府尚禁止赴海法油輪，通過蘇彝士，爲着此事，英國在國會質問英工黨政府，雖然不及英伊油田爭執的嚴重，然而也知山雨欲來的三次大戰，有相當的關係，上兩次大戰，德國軍隊都曾經企圖爭奪蘇彝士運河而出動很大的力量，結果都爲蘇聯所阻止，於此我們可以說，誰掌握蘇彝士，誰就對地中海和印度洋有辦法，同時也就可以保持歐亞非海洋四洲的聯絡，這和美國的必須掌握巴拿馬運河，以維持兩洋交通一般重要，我想，要想和英美爭霸的國家，必不會忘却這兩條運河對下一次戰爭的決定性！

我兩次經過蘇彝士，一方面佩服白種人征服自然的努力，一方面也害怕他們時刻在製造戰爭的危機！

（八）

紅海是世界上最炎熱的一個地方，而左邊西岸上的支布的爲尤甚。支布的是法屬東非洲索謀里蘭的首府，有鐵路長一千六百餘里，直通阿比西尼亞的京城，因此使得支布的成爲交通運輸的重鎮。

（七）·謝康·

自由人
THE FREEMAN
中華民國郵政登記第一類新聞紙類
（半週刊每星期三六出版）
（第二九一期）
每份港幣壹毫
督印人：李光華
社址：香港高士打道六十六號
電話：七四〇五三
GLOUCESTER RD
HONG KONG
TEL: 74053
承印者：東南印務出版社
地址：高士打道六十四號
台灣特派員辦事處：台北市館前街五十號
台灣總經銷處：台北市中華路九五號之一
台灣郵政劃撥儲金帳號九二五二號

政治家的思考訓練

·徐道鄰·

如若說馬戲團的大力士的本錢是體力，電影明星的本錢是美貌，那麼政治家的本錢就是思考的能力。體力的訓練，要舉鐵球，推沙袋，跑步，盤槓子；美貌的培植，要按摩，要潤膚，要化裝，要裝飾；那麼思考的訓練和培植用什麼呢？

思考的訓練首重邏輯

思考的訓練，第一是邏輯。邏輯不能產生知識，但它是訓練思考最有效的方法。現代學者中，不是沒有反對「邏輯第一」的人，但是就拿他們，要不能不承認邏輯有下列幾個優點。（一）它具有毫無妥協的追求眞理的意志；（二）它集中力量於（A）容言（B）信仰（C）判斷三者的基本分別；（三）它強調的劃分（A）模糊概念（B）模糊推廣和（C）精確敍說的不同；（四）它發展了一套形式工具，用以發現和測驗思考中的錯誤，如同不合理的推廣，越級的結論等等；（五）它強調於證據的提出；（六）它提出嚴格辯論的規矩；（七）它注重到思考過程中每一步驟的強迫性和嚴格性（以上引MAX WERTHEIMER語）。據我們人的看法，邏輯的訓練，使人（一）注意和容易辨別一個問題對於其他問題的有關性（即重要性）；（二）使人對於一套理論和看法中不和協之點，特別具有敏感；（三）使人對於一個必需的條件和一個足夠的條件，馬上辨別清楚。而這三點——集中力量於並不能解決困難的枝節問題，採用與目的並不一致甚至於相反的方法，把必需的條件錯認成足夠的條件——正是人類在一般思考和行爲上最常暴露的弱點，而在政治的思考和行爲上，尤不例外。

邏輯對政治家更重要

一個人在日常生活上之必須運用邏輯，如同他之必須運用數學一樣。一個鄉村農婦，可能不懂什麼是加減乘除，而在買雞蛋扯洋布時也並不一定會受人欺騙的。但是作工程師而絲毫不懂數學，恐怕就有了問題。社會上誠然不少有事業有地位的人，根本連什麼是邏輯上的基本四則都不知道。但因此就說可見邏輯是無用的，說它頂多是一種消耗腦力的小玩意兒，那就等於說，『世界上有很多力氣大的人，並不是天天在舉鐵球，而且他比許多天天舉鐵球的人力氣大的多，因此可見舉鐵球對於體力是無用的』，正是一樣，徒表示沒有邏輯的常識而已。（女人們是不大講邏輯的，但是對於美容和化裝的運用，她們個個都非常邏輯！）還有，邏輯是思考的方式，思考是理智的基礎，理智是情感的敵人。那麼，多致力於邏輯的訓練，即是在加強理智，也就是在增加抑制情感的能力。如果這個能力在事實上也是對的話（在邏輯上是對的，在事實上容有例外），那麼這一點對於政治家的作用，更是特別重要了。

思考脫不了語意學

要作比較嚴格一點的思考訓練，邏輯之外，語意學SEMANTICS是最不可缺少的。人類的思考，脫離不了語言。所以語言是人類生活上最主要的工具。語言是什麼？[illegible]是代表一個東西或一種動作或一種事情的符號。但是它實在是一套非常不完全非常不準確非常靠不住的符號。除了極簡單的情形以外，它所代表的都不是太多，就是太少，或者完全是另外一件東西。在我認爲非常清楚明白，但是對方的人，卻可以作完全不同的了解，大有出入，但是我們所用的語言符號，卻是完全一樣。[illegible]大也爭辯，打的頭破血出。而事實上是兩個人各在說明兩個不同的問題。[illegible]唯物，唯心，精神，[illegible]過許多世紀的各種字眼，事實上正好像一些憑空描畫的地圖，它們所表示的地方和街道根本不存在，可是偏有許多人在那裏[illegible]用種種巧妙的方法，來『證明』這些地圖的正確或錯誤的或大或小的百分比！

語意學對政治的重要

最先知道重視語意學的意義的，是極權政黨的統治者和民主國家的大商人，因爲不管政治宣傳也好，商業廣告也好，他們都知道人類是一種最容易接受語言暗示的動物，而他們所研究的某些字眼和語調的影響，正是語意學中的一重要部份。語意學是一門比較晚近的學問，到現在還不過只有二十年左右的歷史，但是卻有很快的發展，更十分時髦，好像二十年代裏的心理學一樣。（事實上語意學對於一般人的重要性，確實不下於心理學，而對於作學問的人，其重要性還超過心理學。）從事政治工作的人，倘能對於語意學下一番功夫，我能認爲可得到下面幾個好處：（一）他辨別出每個問題的語言部份和事實部份（即眞問題和假問題的區分）；（二）在討論問題時，他能使大家集中精力來研究相干事實，而不去在不相干的語言問題上相互爭執而引起許多不需要的誤會和磨擦。（三）[illegible]而了解對方所眞正想[illegible]表達的意志，因而取得對方的好感和友誼；（四）凡他說話時，他能有把握的使對方了解他的眞正的意志，而不至有任何的誤解，因而使他的命令，增加了至少百分之三十的實際效力。（五）他能在各種不同的情況之下，對於各種不同的人物，採用各種不同的語言方式，以求對方了解，接受和執行他的意思，見解，和命令（譬如一個人再不至於穿了賽跑的釘鞋去跳舞，或者穿了溜冰用的刀鞋去爬山。）

邏輯和語意並非難學

沒有學過現代邏輯和語意學的朋友，聽了這兩門學問，千萬不要膽怯。這兩門學問雖然都很新，但並不怎樣深奧難學。我們不要忘記：九九數表比畢塔哥拉斯原理要晚上好幾百年。早先希臘人深通幾何，卻對於算術，十分幼稚。而我們今天學數學的，卻都是從算術入門的。我想現代邏輯和語意學，也許將來有一天會變成中學或小學的課程，也未可知。同時，任何人只要肯用，都能很快的發生興趣，加上二三十個鐘點來研究，我不相信他會不十分感覺有所得的。

對台灣的觀感（下）

·丁文淵·

授課所需要的，如圖表、儀器、機械、模型、圖書等等都應有儘有。實習試驗也有一充分的經費。在這方面，好似空軍最爲優厚。每一試驗室的管理員對於室內的儀器，都能解釋和應用自如，對英文也有相當的程度。我們也曾有機會參觀了他們室內和室外授課的情形。講師對於所授的課程，講解得極爲詳細。學生對於聽講，也能全神貫注。我們在他們旁邊走過，學生並沒有好奇的偷看，他們仍然在記錄他們的講義。室外運動我們也看到了一個大概。無論是軍事或體育訓練，他們都能做到了實事求是。有一班台大畢業生在軍事訓練期中正在上體育課，一個個全身都被太陽曬成咖啡色，肌肉充滿有力，每一個動作的主要肌肉，就飽滿地透露出來。男性的健美，普遍可以看到。回想當年學校的軍訓，眞不可同日而語矣。

國軍已達國際水準

陸軍方面特爲我們表演了野外射擊實習，主要是如何躲避手榴彈及大砲的射擊。兵士的動作迅熟，非訓練有素不可能。海軍方面特派了三艘巡洋艦出海，演習打靶。向空射擊汽球，均極準確。當時我們參觀所得的印象，感覺我們中華民國的國軍，確實已經把牠的基礎建立起來了。他不是如黃埔的草創時代，精神重於物質。現在因爲有了美援，配備極佳，全體士兵，又復充滿了反共抗俄的精神，士氣極盛，再加以有計劃的訓練，所以才能成爲眞正的勁旅。如果我們說現在的國軍已經達到了國際水準，大概是不會錯的。在海軍軍艦上，我曾和一位一等士兵談過他們的工作。他當時敍述他個人的職守，充滿了信心，充滿了興趣，充滿了熱忱，也充滿了自信心，眞是一位可愛的士兵。他本是大學學生，抗戰時，他曾應召從軍，加入了海軍。他本來有希望派到英國去接收軍艦，可是沒有實現。終於到了美國，接收了美國贈與我國的軍艦，開回台灣。他能說英語，他自以他們對於訓練瞭解的能力，決不下於美人。回想到從前士兵的水準，不能不承認是有天淵之別了。

地方政治面目一新

南遊之行，除了參觀三軍基地以外，還到了台南、屏東、台中、日月潭。前三個的地方政府，對我們都有很熱誠的招待。在這個機會，我們也認識了民選第一屆的市長縣長。他們對於政府施行的三七五減租以及耕者有其田，都異口同聲的贊許。屏東縣縣長張山鍾先生本來是本地的大地主。他自己早就提創實行耕者有其田，所以屏東縣成了土地改革的模範縣。當地人都認爲是張縣長以身作則的結果。張先生本人並不以此自居，我們和他接觸的感想，認爲他確實是一位恂恂君子，能篤行其道的人物。地方政府還有一個表示，就是充分擁護中央政府。台南市長葉廷珪先生認爲一旦反攻大陸，他願任爲前驅先鋒。看來地方政府和中央相處極好，很能和衷合作。這也實在增加了反共抗俄的精神。

動人的軍事演習

我們從南方回到台北的時候，剛巧美國副總統尼克遜先生來台聘問。政府招待他的節目中，有一個大檢閱，規模極大。據說：參加的士兵共有五萬人。我們也幸運地碰巧趕到，能夠參加這樣一個盛會。檢閱各種部隊，共歷時兩小時有餘。所有的士兵都能做到步法和行列整齊，絲毫不亂。精神飽滿，大有對共黨滅此朝食的氣概。我想一定能夠給尼克遜先生一個很好的印象。當各隊兵士分列到檢閱台前的時候，只見全體士兵，從老遠的地方，整隊的，迅速地用搶步移動前來。各行各隊爲漆漆的人頭，前前後後的擺動着，在行列絲毫不亂的情況下，一層一層的推浪而來。全體數萬人鴉雀無聲地，一剎那間，整個的隊伍，已經擺在面前，這眞是一個奇觀。當時參加的僑團以及在場的外賓，沒有一個不報以熱烈的掌聲。

夜不閉戶的治安

台灣軍事的進步，已如上述。他一方面兵力充實，一方面因爲美國第七艦隊的關係，所以不怕外來的侵略。而內部的治安，也有他很大的成就。近年來破獲了幾件大的匪諜案子，所以使得台灣全省的居民，都有了一種切實的安全感。人民確能做到安居樂業，夜不閉戶。報紙上也看不到關於盜劫，小偷的報道。至於像香港常常見到的打劫、殺人、強姦、搶汽車等等事件，更是絕無僅有的了。一般人之所以如此安定，最大的緣由，大概還是因爲幣制穩固，生活沒有波動。這種安全感，在香港可能以爲是不可能的，而在台灣卻是很普遍的。

（下轉第二版）

半週展望

·雷嘯岑·

板門店的暗影

韓國板門店上的政治會議預備會，突然宣告停擺了。據說是聯軍代表狄安指共方故意侮辱美國，謂美國串通南韓釋放戰俘，乃憤而宣告停會的！

跟共產黨人開會談判，受其言詞侮辱乃是應有現象，狄安早有此覺悟，所受共黨的口頭侮辱也不自今日始，何以突然有此絕裾割席的驚人舉動？難道是故要一拍兩散不成麼？非也！非也！

美國之必須設法停止現存態勢的韓戰（如以美軍爲主力的戰爭），那是絕對性的決策，無可動搖的。只要俄共集團對韓戰願意和解，任何忍讓犧牲都無妨，幾句口頭言語上的空話又算甚末呢？狄安之突然回國，可能是百慕達會議中另已訂下了錦囊妙計，繼續作半宣傳性的談判，而以副手楊格代替其職務，準備跟共黨把板門店會議延擱到來月的柏林四外長會議時，再作最後決定。由四外長會議中與俄共切實協商，看看俄共是否有眞正的和平誠意？如其有，所謂「五強會議」馬上出現，韓國問題即是主要議題之一，韓戰反正是停了火的，多談些時間沒有關係；如其無，東西局面都更見緊張，美國對韓戰的「抽身主義」，自然與目前的作法稍有不同，然其大原則決不會變的。

至於雙方尚未遣回的俘虜問題，大家都心裏有數，所謂「解釋」工作，不過是戲劇性的玩藝，不會有重大的收穫。聯軍把反共的戰俘釋放了也無所謂，不過讓共黨多叫囂宣傳一番而已。共方扣留着的戰俘卻不會釋放，要備作宣傳和滲透戰術的工具。總而言之，決不致於爲戰俘問題而使政治會議開不成。

日本「東京新聞」駐華盛頓記者報導：尼克遜曾向印度總理尼赫魯保證，如中共同意解決韓戰問題，美國即可考慮與中共建立外交關係云云。這決非道聽途說之詞，乃是美國急於要在韓戰中抽身的現實策略，想教尼赫魯把意思轉達到北平去，以觀後效。

韓戰能否結束，主動權完全操在共方，狄安的做作，沒有甚麼重要意義！

杜爾斯的獅子吼聲

美國務卿杜爾斯在巴黎的北大西洋公約理事會議中，呼籲各關係國家及早批准歐洲軍條約，否則美國對歐洲的防衛與援助問題，將作「痛苦的重新考慮」。又說：「西方各國——尤其是法國與西德——若決定自殺，他們可以單獨的自殺！」這一種獅子吼聲，震撼了巴黎倫敦政治人物的心靈，認爲是「晴天霹靂」！

英國的政治家一定又要說美國太衝動幼稚，不是領導者的作法了！實則美國的毛病不是幼稚衝動，而是太富有慷慨。大家都想以表面恭維「美國大少爺」的方法，索取一些財力物力再說。法意之延不通過歐洲軍條約，目的就在需索過份利得，其他的任何說詞都是廢話！從杜爾斯諸席不客氣的談話中，即看出美國當局並未對俄共世界一味地作妥協之夢。西德與日本這東西兩大堡壘如不堅強地建立起來，即無談判和平的資本。美國已公開攤牌了，法蘭西面臨最後關頭，是否願意「單獨自殺」呢？

尼赫魯的苦悶

印度總理尼赫魯最近的心情大感苦悶。一方面怕美國援助巴基斯坦充實國際力量，將來可能以武力收復失土——喀什米爾；一方面對美國政策大表不滿，說美國對蘇俄的「圍堵政策」太厲害，因而對蘇俄大使孟希切夫所提兩國訂立「軍備貿易計劃」（等於軍援協定）又疑懼不敢接受，怕的是玩火自焚，引「熊」入室。

這是高談「中立主義」的必然報應，痛苦還在後頭咧！所謂「國際第三勢力」，就是這種結局，對尼赫魯實爲最好的當頭棒喝，活該活該！

麥卡錫再接再厲

·華胄·

國外通訊

懷特案已告結束

【華盛頓特約通訊】十二月四日

自共和黨在紐澤西州及紐約市競選州長市長失敗後，前任共和黨主席現任司法部長布朗尼爾，爲挽回頹勢起見，於司法部舊檔中查出懷特案，作爲反攻武器，一時各報轟傳，相驚伯有，前任總統杜魯門，即首當其衝，老將「黃忠」來回衝殺，頗爲吃力。

懷特曾於杜魯門任內任財政部次長，主持貨幣政策，與國務院助理國務卿希斯，（著名俄諜，案發已繫獄），狼狽爲奸，出賣美國情報，甘作蘇俄鷹犬，爲聯邦調查局揭發；曾七上報告於總統府，均未獲注意。杜魯門反於一九四六年春間，於接獲第二次報告後，不顧國務卿貝爾納斯諫阻，升任懷特爲國際銀行美國執行董事，以主持國際金融事。直至一九四七年希斯案作，方辭職，旋即逝世。今日舊話重提，旨在攻擊民主黨政府昏憒無能，致令共諜囂張於政府之內，並非故意與杜魯門爲難也。

事經旬日交鬨，民主共和兩黨劍拔弩張，殺氣騰騰，經聯邦調查局長胡佛出席國會國家安全小組作證指實後，杜魯門論據頓失，立見不支，旋由艾森豪總統聲明不咎既往，方鳴鑼收兵。

百慕達會議

英相邱吉爾曾於今年春間史太林暴亡後，倡議英美法三國政府首長開會於百慕達島，謀解除目前國際緊張局面，並爲與馬倫可夫舉行四巨頭會議鋪平道路。無奈好事多磨，邱氏旋因病休養數月，再加以法閣崩潰，遂一再延期。今復調重彈，已定於十二月五日集會，當前議題，除協調英美法歧見外，其主要目的，似在提出對四巨頭會議之共同意見：如承認中共及准許其加入聯合國，德國統一，奧國和約簽字，韓國和平統一，越南停戰，及控制原子武器與裁軍，結束冷戰等，均在邱氏憧憬之中。結果如何？且看美總統艾森豪有無當年臨陣勇氣，突破此又一「張伯倫之新雨傘」。

杜麥交惡

參議員麥卡錫，向爲反共重鎮，其所主持之參院調查小組，年來揭發共諜，不遺餘力，極得人民擁護，艾森豪登台後，清除政府內不穩份子，達一千五百人之多。麥氏對於現政府的努力，仍認爲不足，尤對於外交政策，多所指摘。日前發表談話，主張凡與中共通商之同盟國家，美國應即停止援助，[illegible]「香餌」，坐令美國子弟流血沙場。國務卿杜爾斯，[illegible]有傷美國傳統立國精神，損害同盟國對美國觀感，反對以經濟壓力爲手段，淪同盟國爲衛星國家。艾森豪遂出而左袒杜氏，[illegible]持，遂使杜麥兩氏立於正面衝突狀態。麥氏本日發表書面聲明，[illegible]諸民意，籲請全國人民，直接上書總統，[illegible]

對台灣的觀感（下）

·丁文淵·

（上接第一版）

起初我們看了這樣的情形，深恐怕這種安全感太過分，影響所及，將使一般人發生一種偏安的心理。可是以後和政府各機關首長及各界人士接觸之下，又覺得這種顧慮是多餘的了。

我們所接觸的各機關首長，非但表示有反攻大陸的決心，而且他們對於反攻的困難，決不加以輕視。關於準備的週詳，和如何適合環境，都有詳細的考慮。這種誠懇的態度，頗具有朝氣。因此對於偏安的顧慮，確已是無須存在了。台灣方面，自認爲在克難的精神之下苦幹。從各機關看來，也確實有這種現象，只不過各有多少不同之處而已。

中美是患難朋友

總統蔣先生在召見僑團以後，又曾接見了少數若干人談話。他認爲過去在大陸的錯誤，不可再犯，現在則應當一方面力求改善，一方面則希望各黨派能團結，上下一心。政府必定盡他最大的努力，以圖反攻大陸，決不致有負海外僑胞對祖國切望的心情。並謂希望不久在大陸和各僑胞再行團聚。最後還請僑胞對於所看到的，儘量加以批評。蔣先生雖已經有六十七歲，然而他的精神極好。我親身看見他招待尼克遜先生檢閱三軍的時候，曾站立將近兩個鐘頭，絲毫沒有倦容。跟後午餐的時候，他陪同尼克遜先生出席，向與會的諸賓招呼，仍然是精神飽滿，行動便捷。席間尼克遜先生致詞，曾有：今天同席中美兩國的高級將領，這就是兩國合作的象徵。又謂：特別提出向自由中國表示謝意的，就是：如果第二次大戰的時候，中國不是由蔣總統領導長期抗日，拖住大量的日軍，則美國青年喪命的，決不止此數。因爲中國的艱苦抗戰，才替美國保全了千萬青年的生命，這是不能不向自由中國表示謝忱的。又說：今後美國對於自由中國的援助，非但不能減少，而且更應當加多。蔣總統特別提出感謝尼克遜先生，說他能瞭解中國的情形，而實是一位患難之交的朋友。

幾種新制度的推行

行政院院長陳辭修先生在行政院的席上，也曾說明過：大陸的淪陷，中國的人民和士兵，決不能負責。應當負責的，是政府的高級官員，以及黨政的高級官員。[illegible]

台灣報業實況

讀者來書

編輯先生：……貴報十一月十八日高信先生「台灣的報紙」（上篇）一文[illegible]

[illegible]

（A.B.C.）（AUDIT BUREAU OF CIRCULATIONS）[illegible]

讀者·編者

△本月廿日爲徐霞客先生逝世三百十二周年紀念，承楊力行先生惠寄「神州陸沉懷霞客」一文，將於本刊下期發表，藉以紀念此一代之文學家探險家。

△[illegible]

△台北縣[illegible]先生來函，對韓國反共義士[illegible]，並附所作反共義士詩[illegible]，原詩如下：

（一）[illegible]

（二）[illegible]

△晃仁，劭伊，吳雲峰三先生：[illegible]

蔣總統離昆明經過

[illegible]明的不穩，所以蔣先生一定要去昆明，實踐諾言時，經國先生曾加以勸阻。然而蔣先生認爲國家的前途太大，他想以至誠去感動盧漢，因爲他還不相信盧漢已是無能爲力。經國先生則認爲稍一不慎，就將是西安事變的重演，因此他向蔣先生力爭，他先飛昆明，探視情形。如果他認爲一時無礙，就以電話報告蔣先生再去，否則作罷。

盧漢爲蔣總統所感

他這次到了昆明，頗出盧漢的意料。盧漢和他並不談及任何政治問題，僅招呼他到郊外去遊玩，吃喝跳舞。經國先生看看昆明城內還安定，所以就祕密的報告了蔣先生，蔣先生即日就飛昆明。

（下轉第三版）

洪煨蓮講學哈佛大學

人物評述（一）

以前燕京大學的重要人物，自司徒雷登以次，有洪煨蓮、陸志韋等，他們都是燕大的台柱。後來司徒雷登出任美國駐華大使，調解國共紛爭無功，於中共威迫，悄然離華歸國；以痼疾纏綿，臥床不起。陸志韋本人，起初遭受中共清算；但後來經過「改造」後，仍「優准」在北大教書。祇有洪煨蓮，見機而作，飄然遠引，在美國哈佛講學，他是哈佛的寵兒，而且是自由中國實幹的教育工作者。

（二）

洪煨蓮，原名業，以字行，福建閩侯人。他的上代是南宋洪邁的後裔；後來分支，一枝遷閩，一枝遷粵。遷粵的一支，在花縣開基，這是洪秀全的遠祖；他們的祖宗，是富有堅忍不拔的反抗精神，（如洪皓）和多材多藝的偉大成就，（如洪邁）這是我們首先要指出的。

洪氏在美國攻讀，考取哈佛大學文學碩士，歸國後，即在燕京大學任教，曾充文學院院長兼史學系主任，由民二十年起，至民三十年，日軍發動太平洋戰爭，封閉燕大止，整整十個年頭，他對於燕大，具有特殊的貢獻。

（三）

首先他說動了美國的煤油大王，每年撥助一筆基金補助燕大作研究費。他組織了哈佛燕京社，集合人力，去推動工作。

他是一個歷史學者，他對於最近這二個世紀客家系活動的史蹟異常留意，他認爲客族從言語、風俗、文物精神各方面都保留着中原文化的優良傳統；而且客族有一種堅苦卓絕的精神，能夠冒險，能夠進取，如葉來在南洋吉隆坡，羅芳伯在坤甸，具有一種開疆闢土的毅力；加以金田起義和推翻滿清的革命領袖，都具有客族的血統，因此他接納了羅香林氏提出的客家研究計劃，交哈佛燕京社通過，付諸實施。[illegible]了一年多的功夫，回到南方，實地調查，[illegible]可惜這種嘗試，只是淺嘗輒止，和原來的期待相差尚遠。

（四）

洪氏推動的另一項計劃，便是在燕大成立國學研究所，刊行國學季刊，這一項刊物，和北大以前刊行的國學季刊，同是整理國故具有權威性的雜誌。自從五四新文化運動發生之後，揭櫫「國故」之說，甚囂塵上，這時之士，羣起唾棄中土的學術文化。矯枉過正之流，甚且主張把綫裝書扔在毛厠裏，洪氏獨具千古隻眼，羅致舊京一般學者，以科學的方法，整理國故，發揚國粹，對於學術界的貢獻，實在不少啊！

他又兼任了哈佛燕京社引得編纂處主任，著有引得說（民國二十年刊本）。以後陸續着手編纂：（一）歷代同姓名錄引得，（二）佛藏子目引得，（三）全上古三代六朝文作者引得，（四）宋詩紀事著者引得，（五）唐詩紀事著者引得，（六）元詩紀事著者引得，（七）四庫全書總目及未收書目引得，（八）藝文志二十種綜合引得，（九）清畫傳輯佚三種附引得。（以上各書均由燕大哈佛燕京學社引得編纂處出版。）這一項工作對於研究學術文化，是有很大幫助的。

（五）

司徒雷登這位老人，對洪氏雖寵任不衰，倚之如左右手，但他同時又扶植劉廷方一派的勢力，這兩派的勢力，可謂旗鼓相當。陸志韋是劉廷方的妹夫，後來獲得司徒雷登的信任，完全由於劉廷方從中斡旋之力。當七七事件發生，北平陷落，燕大以外交特殊關係，仍然絃歌不輟。不過中共的游擊隊，那時已活躍於妙峯山，地工人員，亦在北平城內大肆活動，燕大師生，已爲中共爭取的對象，當局不能控制整個的局面，所謂孤城講學，落得這般結果。及後日本發動太平洋戰爭，北平日軍奉命封閉燕大，洪氏和司徒雷登，陸志韋等幾個負責人，一同被關進入集中營，渡過悠長的三年零八個月的牢獄生活。他在獄裏安閒地讀書，消磨歲月，靜待勝利的來臨。

（六）

抗戰勝利，司徒雷登以馬歇爾的推薦出任美國駐華大使，放棄了教務長的地位，洪氏則仍到燕大繼續他的教書生涯，當林彪統率的共軍入關，北平局部和平運動發生之前，他攜同他的家小飛往美國，在哈佛大學講授中國文學，對於溝通中西文化思想之異同，想又有一番貢獻。

（七）

洪氏爲人短小精悍，面部表情很有毅力，表現實幹苦幹的本色，同時他還富於熱情，因他的太太是一位寶安籍的[illegible]，因此他對於廣東人頗具好感。我想，這一位具有堅忍不拔和多材多藝的學者，是值得我們敬仰的。

據說司徒雷登最近在病榻中囑他的助手傅涇波完成他的自傳，回憶總是值得珍貴的。筆者寫了這篇「燕大人」，這裏的事實，無論是光榮的，艱苦的，辛酸的，恐怕值得我們慢慢的去咀嚼回味吧！

·紹辛·

大陸糧荒的透視

・劉竊如・

糧食需要的迫切

中國雖然是以農立國，但是可耕的面積太少，人口的繁殖，半世紀以來，沿海各省，由於交通的便利，總是要向東南亞的糧食倉庫，輸入若干的糧食，儘管每年的數字或多或少，有人統計平均約在一萬五千噸以上。

中國原是缺乏糧食的國家，近年來由於中共的參戰，一千萬正規軍和民兵的消耗，二千餘萬幹部的供給，再加上錫蘭換取樹膠的輸出，救濟印度災荒的施予，而且從明年起，爲了履行中蘇協定的新約，又要開始向北韓投送糧食。這種鉅額的支出，正是空前未有，中共爲了準備這一切的需要，自然必須加以事先準備，將全力用於大事搜括。

今年秋徵以後，各地就加緊修建新糧倉，並高喊「迎接新糧入庫」的口號，據十月十日天津大公報的報導：「西南各地修建了三十一處規模較大，堅固耐久，並附設有職工的辦公室和宿舍的倉庫，其中，雲南省的六個倉庫，貴州省的兩個倉庫附近還建有大米加工廠」。從此可見共黨[illegible]之大。

農民不願賣糧的真象

中共爲了要達到上述目的，所以一再大聲疾呼，要農民「踴躍地把糧食賣給國家，幫助國家建設」！可是這種「號召」一點沒有用處，農民除了被搜查脅迫賣出外，誰也不肯把私有糧食賣給中共「糧食公司」的「糧食收購站」，或各地中共組設的合作社。

農民不肯賣糧的主要原因：第一事實上沒有餘糧，全國各地，普遍荒荒，中共自承四月份開始災象越來愈嚴重，尤以廣東、廣西、河南、安徽、江蘇、山東，以及西南等省受害最慘。五月三十日穗共南方日報稱：上述各省受災農民達八千萬人，各地暴亂不斷發生。大陸各省今年各種糧食生產都歉收，中共自己也不能不承認，「全國現在差不多有兩億萬人是要買糧食吃」（見十一月二十日中共的人民日報社論）。這可證明大陸上有半數以上農民不能自給，荒歉情況十分嚴重！

第二，是中共收購的糧價太低：中共收購糧食，去年訂定的所謂「公價」，每担只爲共幣六萬四千元（中港紙祇合十六元），今年雖提高至八萬五千元（中港紙約合廿一元），但這種公價，如果與一般日用品售價比較，實在低賤多了。而共區黑市的糧價，每担可賣到十萬元或十一萬元，有餘糧的少數人民，自然樂得暗中賣給糧商們。

第三，是共幹收購時的繁瑣挑剔：中共收購稻麥，不但要粒粒充實，而且還要十分乾燥，沒有砂粒雜質。此外還要親自挑送到指定處所候收驗。糧民們往往費時失業，呆等了一兩天，還不能把糧賣出；又在條件上如稍有不愜共幹的意旨，便被喝令挑回，不予收買。這種苛虐，絕不是農民所能長期忍受。因此他們便觸冒禁令，暗與私商交易。

第四，作爲低價貸款的還償：中共所謂收購糧倉，只是迫令人民以糧食償還農業貸款的本利，大多數人民在「寅食卯糧」之後，購糧時祇是抵償，實際上得不到一點現款，因此除被迫都得設法逃避者外，拒絕售糧，因爲除完賦外，如果再將償餘的食糧交出，他們便就要立刻挨餓了。據中共報導，在貸出一千二百億元的農業貸款中，已有百分之四十取得實物償還了，這也就是說，中共已強奪了農民相當於四百八十億元共幣的口糧。如果追償過去發放而未收回的農業貸款九萬八千八百億元的數目，則農民更非半數以上餓死不可了！

預購 套購 搶購

根據上述的實際情況，中共的收購工作，自然要受到很大的影響。於是中共移轉目標，避重就輕，認爲這是受了不法奸商進行投機破壞活動，嚴重地影響了國家收購糧食的工作。據十一月十九日人民日報的本報訊，就說是由於奸商在市場上預購套購和搶購的一些行爲。

預購方面：他說今年新糧上市前，湖北、江西、安徽、江蘇、雲南等地，都發現有投機奸商在部份農民「青黃不接」的時候，暗地裏用「放青苗」的辦法剝削農民。江西省南城縣奸商在八月底以前所放青苗即達八千担以上。四川、湖北等省有些地區的投機私商，在秋糧剛上市的時候，搶着壓低糧價向農民收買黃穀，有的一石穀價低於牌價一萬元。江西江蘇等省有些商販到比較偏僻的農村中，利用農民不了解工業品合理價格的弱點，提高布疋、食鹽、火柴等的價格，套換農民的糧食。

套購方面：北京、天津、瀋陽、武漢、西安、廣州、本溪、南昌等大中城市和許多縣城，都發現投機奸商套購糧食，囤積居奇，破壞糧食供應工作。陝西省大荔縣最近被逮捕的萬義和糧行經理姚建亭，曾全家出動，並利用親戚，鄰居，雇用婦女，向國營糧食公司套購糧食。這些不法奸商將糧食套購到手後，便私運到外地，或囤積起來高價出售。武漢市私商和湖南各地商人勾結，向國營糧食公司大量套購麵粉。僅十月四日一天，該市楊桐記、李樹記等四家米店就向國營糧食公司套購了八百袋麵粉。

搶購方面：他說投機奸商常常哄抬糧價，破壞國家價格政策，甚至攔路搶購。江蘇省無錫市大奸商王雨農在徐州專區勾結和收買小糧販到交通不便的農村殺價購糧食，並派「代理人」到交通綫附近路口截買糧。奸商在鄉村方面，用花言巧語和請農民吸烟等辦法，騙購糧食的現象，各地都有發現。陝西省渭南四部，經常有幾十家奸商私設「收購堡壘」，攔路收買糧食。

從上面的通訊報導，一面說糧商壓低糧價；但另一面又說糧商哄抬糧價，這都是極爲矛盾的說法。總之，在購糧未完成以前，只許公家徵購，不許商人經營，這是鐵的事實，所以他們的最後結論，各地人民紛紛要求政府，嚴厲懲辦奸商活動。（上）

工商業繁榮遠景湧現

僑領聞共「債」震駭

港九工商界不堪容忍中共的迫害，和商業上剝削與打擊，毅然放棄了大陸上市場，向海外競爭。已獲得了聯合國禁運令的美譽，榮獲港督葛量洪爵士的嘉許與鼓勵。今年的第十一屆僑資工業出品展覽會，意義自是十分重大的。許多報紙都替她出版特刊，港府協助他們把宣傳品寄向世界各地去宣揚，比過去顯然不同了。這不僅是產品的改良與比往年豐富，以及攤位增加了一百多個；而且工商業向榮前途已呈現出美麗遠景。就一年來對外貿易數字上去看，說明了聯合國禁止以戰略物資輸往共區，港商並沒有受到重大影響。由於工商界領袖們努力開闢銷途的結果，將會帶來新景氣。

×

最近中共在大陸慘厲進行新「五反」之時，宣佈自明年一月起發行一種變相勒索式的「經濟建設公債」，額定（六萬億元）相等於港幣十五億元，視各地經濟情況作硬性（攤派式）規定，廣州一地竟佔約值港幣五十萬元數字，商號攤五分之三。港九各大商行，在穗大都設有聯號的，他們已接到共方的通知，紛紛來信乞援，要求迅速預備款項過「關」，否則到時無法應付，聯號負責人會遭酷烈刑罰。因此，這一個晴天霹靂，震撼得港九若干工商界領袖喘不過氣來，他們說：中共所謂加速「國家」經濟建設，實無異悉力消滅民族資產階級的一種段手；雖然，共方規定股東、資方代理人爲攤派的對象，事實上廣州的聯號，早已沒有生意可做，報請閉歇又難邀批准，苟延殘喘的代理人，只不過是看守門戶而已。「經建公債」，不啻雪上加霜，沒有銀，只有拚一條命了。

×

大陸上嚴格禁止壯丁出口之時，每天由羅湖湧入英界的婦女，卻相反的增加，她們都攜有「回鄉證」的；來港的主要原因係向親友們告貸，回去贖「五反」中被捕的親屬。許多僑團領袖，對此事非常關切，他們說：在「新五反」中，僑眷們的苦已經受够了，僑商間接遭到重重剝削，尤見慘重；所謂「經建公債」，竹幕後面的僑眷，將是被攤派的一大目標，現時固無人去想像他們的處境，但由於無錢購買「公債」所受到之後果，衆認總不免有一場大禍臨到頭上。

×

流亡港九的旅美僑胞眷屬，曾於美國財部頒布滙款管制條例後，赴美既不可能，生活陷於困窘，最近該項條例已獲放寬，領有港府身份證的，大致已獲接濟，但申請赴美仍極困難。八月七日美國總統正式簽署公布新難民（移民法）案後，特准外國難民二十一萬四千於三年內（一九五六年十二月底止）移美居留，其中具有中國血統的規定有二千名，此項法案，已自本月三日起生效。今後僑眷或難胞除其妻室及二十一歲以下未婚之子女，或在一九五三年七月一日以前收養之子女外，須有美國公民一人或兩人担保，與中華民國政府發給護照或（駐外機構）簽證；塡具申請赴美表格，此項手續可逕與當地美國使領館接洽辦理，惟申請人必須交繳最近兩年來的生活紀錄。

半下流社會

・子羽・

作者 趙滋蕃

出版者 亞洲出版社

這次亞洲出版社一口氣出了四本創作，看到了的只有三本，一本是現在要介紹的「半下流社會」，另兩本是林適存的「無字天書」和沙千夢的「長巷」。前書的作者曾經寫過「鴕鳥」，這書我也問過，據說頗受海外華僑讚賞，而「無字天書」係以另一風格寫出，問題應在「創作形式」的運用，爲了不願扯得太遠，姑且留到以後詳細討論。

關於「半下流社會」的寫成，作者企圖將一個人生問題和社會問題，綜合在一道寫，便是作者的序文中所提到的時代的刻劃問題。單由這觀點去看，寫作的動機和方向都是正確的。問題值得研究的，只有兩點：一是文章隱示着的結論，也就是作者暗示給讀者的路向。二是作品在文學上的估價，筆者願意就自己的看法提出來討論，但是談不上批評。

本書的作者，大約便是作品裏面的張弓。他是數學系的講師，也如你我許多流亡的知識份子一樣，由鐵幕逃亡，在此處聚合。因而他接觸了許多天台上騎樓下的人物，是這一個集團裏的領袖；其他作者彫塑了許多典型，從過氣的大地主鄭風，下野的處長，賣文爲生的文人，拾烟蒂的，敲石子的，擺公仔書攤的，讀聖人一面和生活戰鬥，一面需求活得更有些意義。經過許多苦難和掙扎，過氣地主死在自私的鐵棒上，追求靈魂安慰的張輝遠跳海而死。雖然作者極力強調着鼓勵着活着的人向上，一份沉默的悲劇氣氛，終是這樣令人感到窒息。這一方面是作品的力量，爲了作者有過這些親身體驗，所以他的筆下纔能顯出這些生動的人物，然而在另一方面，作者的企圖（鼓勵人生向上），仍不免爲這逾量的凄涼之感所消蝕；這不是一個矛盾，但我卻無法指出求得調和的方法。因爲這一點，也就影響了結論的明朗堅強。

「烟草路」的作者歐斯金・加德維爾在他自傳裏說：「小說是個人的心向和情緒的產物，由創造它的人去寫才會成功的。」又說：「小說的人物雖是虛構的，但卻是活生生的而非全部的虛構。」這兩句話成爲一切文學作品寫作的金科玉律。沒有實生活的體驗和觀察是寫不出真內容的小說的。以本書來說，作者第一個條件是够了，他是這集團中的過來人，而且他不是旁觀的觀察與嘗試的體驗，因爲他有着豐富的見聞與感受，再經過寫作技巧的剪裁，所以書裏的王亮張弓等，才能活躍紙上。

第二，作者對數學、哲學和社會科學都研究過。所以他在許多素材的處理，能够把握焦點和重點；這是作品的實際價值。正如加德維爾所說的：「寫小說的目的，是造一面讓大家可以看見的鏡子。」讀者面對鏡子，也就看到原作者埋伏在作品裏的意向。（主題或指示）

這是三年來罕有的一部創作，值得重視和紹介。但有另兩位對文學有修養的朋友說，他們以爲作者的詞彙豐富，但逾度的描寫和運用，不免形成雕琢，有時使得文學的真實感遭受破損，有時阻礙作品的氣勢。細將本書推敲，話是有理由和根據的。但是筆者終覺得不應太苛求，在此時此地說，能如「半下流社會」的創作，顯然不易多得了。

對台灣的觀感（下）

・丁文渊・

（上接第二版）到時經國先生一個人去看盧漢，總統已乘飛機來此，約他同去相接，盧漢當時大驚失措。經國先生告以不會有問題，而最安全的辦法，就是絕對祕密，不告知任何人。盧漢也無如之何，就偕同經國先生去飛機場。蔣先生到達後，處處更表示惶恐，蔣先生的態度則很輕鬆，先生說還未吃飯。經國先生想就在機場餐室買飯來機上同食，而蔣先生不可，說這裏沒有好東西可吃，還是到盧主席家去吃便飯的好。盧不能推辭，三人就同驅車回府。經國先生說：當時總統所帶的隨從連他自己僅有六個人，一到了盧漢公館，盧漢就命將鐵門關閉，盧說：這樣才能保護總統。飯時蔣先生的興緻極佳，飯後還要出城遊玩名勝，盧則堅決表示不可，他請經國先生轉告總統，情勢嚴重，不能再負保護的責任，時間拖長，經國先生因此力勸蔣先生及早離開昆明。蔣先生好似也有所感，蔣先生才答應即飛廣州，仍由盧親自陪至飛機場。這一段歷史，充分表現蔣先生苦心孤詣，想保持西南，所以不畏艱難，冒險而行。可惜爲時已遲，盧的處境，已經力不從心。當時盧還肯盡力衛護蔣先生的安全，不能不說是盧爲蔣先生推誠相待所感動。

美國的民主潛勢力

經國先生又曾談到他在美國參觀的故事。他說有一次美國人把最新式的武器和最新發明的機械給他看，並且問他的感想如何。他回答說：這一切當然很了不起，然而你們最偉大的地方，並不是這種軍事器械，而是你們普遍的民主潛勢力。從他這一次的答話看來，足以充分表示他的聰明。同時也應當承認，這確是他對美國的正確認識。這種認識，足以發生很大的影響，我們希望經國先生對他本人的這個認識，要十分重視。我們所接觸的機關首長，當然不止上述的幾位，不過他們反共的決心，態度的謙和，都是一樣，這也是和在大陸不同的一點。

召開救國會議問題

關於反共抗俄救國會議，我們也曾有機會，聽到各部分負責人的意見。一般說來，都認爲這個會議有召開的必要，並且說明政府確有此決心和誠意。現在所研究的，就是如何準備而已。他們在原則上預備邀請各黨各派的反共人士同來參加這個會議。聲明只要一致反共，對於任何人從前的政治立場，都將不再過問。就是曾有反對政府的言論，也與此毫不相干。只要願意合作反共，政府將無不歡迎。並說這會議將來關係反共抗俄的工作太大，可能不僅僅開會一次，就能結束。必要時二次三次以至無數次，都可以召開。在現在這樣的局面之下，政府和人民都應當站在一條陣線，因爲我們現在是在生死存亡的鬥爭當中。中共的佔據大陸，並不是內亂，而是共產國際的侵略。抵抗這種國際的侵略，是任何自由人民應有的任務。我們對政府，當然應當有批評，然而應當處處從大處着想。我們所爭的是政策，不是人事。反共需要大團結，所有的反共力量都應當團結起來發生作用，必須承認有一個反共中心。在大團結之下，反共力量最大的當然就是這個具有最大力量的反共中心，必須要顧全到各種反共力量的利害，以極大的容忍，來衛護他們，聯繫他們。使他們感覺到只有在這個大團結之下，才能充分發揮他們的力量，才能完成他們自救的任務。我們希望反共抗俄救國會議，對這種利害關頭，予以慎重的考慮，這也是我們觀光所得，值得研究的。（完）

開場白

馬五先生

馬五先生與讀者久違了。他好談現代掌故，不怕近時犯禁，只求談自己的天，說自己的話。偶爾寫寫打油詩，塡塡亂彈詞，用意也在藉他人酒盃，澆自己塊壘。知我者謂我心憂，不知我者謂我窮閑，呼馬呼牛，皆無不可。

靜極思動，人之常情，現在且來作自由談，與讀者閒話別後。自由談者，上天下地，古往今來，無所不談也。但也有我的精神與軌範。記得當年胡適之陳獨秀等文學革命家，隨時在文壇上跟人作思想鬥爭，對時事論戰，然其精神與軌範却迥然不同。有人說：胡氏的論壇上好似懸着一塊招帖——「內無武器，來者莫怕」，溫文爾雅，純粹是學者風度。陳氏的筆陣之前，就像是高掛着兩句警語——「內有戈矛，來者當心」，劍拔弩張，完全是革命戰士的面目。

居今日之中國而談自由，不問即知其目的是在反極權奴役，爭自由民主。今之極權主義者是無人性無理性，專講唯物戰鬥的，文質彬彬的學者作風，已不頂事了。要爭取自由，就得提起戈矛，衝向前去。所以，我的言論精神，自然是私淑「獨秀大將軍」，而不能作「胡學官」的博士弟子員。

陳獨秀在生時，對現實政治自命爲永遠的「反對派」。今日我們要創進民主生活，最需要的條件，即莫過於反對派！我固然沒有「陳大將軍」那種學識智能，不配作反對派，却死心眼兒的愛好民主，雖不能至，心嚮往之，對於社會上一切不民主的現象，管它有效與否，一定要予以反對，而且，反對就是反對，無所謂善意惡意。豈能盡如人意，但求無愧我心，良心話是要談談的！

這就是我的開場白，即爲今後寫自由談的精神與軌範。

× × ×

秦慧芬與胡夢霞的藝術

·周景彝·

（一）

息影已久的秦慧芬女士，在目前自由中國劇壇上，應該不會爲愛好平劇的人們所遺忘？慧芬是厲家班的正科生，除該班五虎將之一的厲慧敏，做戲略較慧芬熟練外，其扮相嗓音均遠不如慧芬爲佳，而慧芬的唱工確實是較慧敏略高了一籌，唯以慧芬在坐科時因受種種關係所限制，以致未能盡量發揮其藝術天才，余不免爲之遺憾！

（二）

在十多年以前，慧芬就紅遍了渝、蓉諸城，以至滇省，當在民國廿五年之間，筆者旅居大武漢時，正値抗戰開端之際，其時大舞台便邀集了一班小伶工，名爲厲家班，許多童伶亦均相當活躍而可觀，其中當以慧芬、慧良、慧敏，三位爲最優，而三位之中並分演旦生丑等各行，却屬精到。余在業餘的時期頗往顧曲，此時已知其非池中物，民國廿六年大武漢不保西撤，該班全體人馬亦均遷往最後基地的重慶，余接渝蓉友人來鴻，均告慧芬聲譽大振，於是名滿巴州。始知所斷不誣，三十八年朱毛竊據整個大陸，乃避居至台灣，今早已適人，並兒女成行，且家境甚爲清苦，其夫現服務國防機構，慧芬之唱頗多似梅而極正派，扮相尤佳，台風雍容華貴，可算得個中翹楚。惜乎此人已隱，不易再見矣。

（三）

胡夢霞乃爲慧芬嫡傳門人，未見師傳，未聞人言，但出意料之外，竟未遜於其他幾位夫人，本年六月間，爲台灣省警務處，警察學校學員結業典禮、同樂晚會並演出平劇節目爲「金錢豹」，「釣金龜」等劇，大軸戲爲胡夢霞之「春秋配」，筆者承化龍君惠贈，始得一飽耳福，胡夢霞在該劇中去姜秋蓮，配李景嵐之李春發，徐昭禮之乳娘，此均爲票友中之佼佼者，演出頗爲生動活潑，堪稱精湛相得益彰，而夢霞的演技是台風之滿，站場之穩，此皆其他坤票不及之處，亦是夢霞演技可取之長，論其扮相、身段、台步、表情、眼神，祗念白稍差，唱腔，水袖等等都能達到藝術的相當水平，而且做作方面亦甚瀟灑自然，有條有理，有規有矩，不慌不張，完全一副斷輪老手，竟與行內伶人相抗衡，更爲驚異！其嗓音越唱越見流利，吐字含蓄，宛如珠走玉盤，圓潤無比，如此才技即在向之京滬亦不多見，遑論在台乎？誠屬鳳毛麟角。願百尺竿頭，再進一步，多作苦練一番，前程會當無量矣。

（四）

南京余化龍君出身書香、服務樂界有年，素稱喜愛文藝，其文學修養尤深；對平劇尤爲酷愛，余君從事研究平劇工作積十數年之經驗，而演技亦相當精湛，唱做極臻上選，素以馬派傳人著稱，筆者曾於本年四月見其演出烏龍院一劇，確有精異獨到之處，許爲非票友之人物，後又見露演其生平傑作「羣英會」，去劇中魯大夫，由蔣幹盜書起至周公瑾怒殺諸葛亮時，而魯肅在劇中向周瑜求情，以及草船借箭，舟中魯大夫與孔明飲酒等幾場驚險而又能應付裕如並恐怖場面，顯示余君的技能不過譽獎？不顯斧琢，而腔調音韻尤爲清脆圓潤，並無澀滯之嫌，與較李心佛諸輩，允不多讓，此時此地所謂老生名票，余君確可佔據二把交椅，當之無愧，絕非諛言，際此多季時節，可能與人於舞台再見，夢霞，化龍，同屬友誼，洵是難得，故以藉告嗜曾君子，而留自由中國之鴻爪。

西溪蘆花

·逸士·

從杭州到西溪，可以走杭州到莫干山的公路，僅八公里許，抵留下，舟即入西溪。

西溪中的舟楫輕巧玲瓏，划起來特別快。划船的是一個鄉村少女，一個「翠翠」那樣的嬌憨天眞。在碧波中，辨得出她垂在胸前的雙辮與亮晶晶的雙瞳。再進，一片片蘆草，夾岸蘆生，少女划舟到這裏，正是黃昏時分，看蘆叢深處升起大的月亮，微微的西風拂着她的香鬢，也拂着兩岸蘆花。她吹一個口哨，把一朶蘆花吹在空中，像飄絮，像鑽白雪，在空中飄着，頗有飄飄欲仙之致。

當靄靄蘆花中，有一個秋雪庵，環境幽絕。秋雪庵畔，還有歷代詞人祠，祠內供奉「兩浙詞人」「兩浙宦游詞人」「流寓詞人」「閨閣詞人」及「方外詞人」之位凡五。上有彈指樓，登高遠眺蒼茫，則一片秋雪，浸無邊際，這樣清麗絕俗的地方，確乎最適合那般詞人的流連詠歎，萬千俗慮，到此俱消失於無形。

又是西風颯爽的日子，西溪蘆花還怒放似雪吧？此日作客天涯，迴憶舊遊，恍如隔世之感。

東遊雜詩

·舜生·

遊小田原古稀庵山縣有朋故居

好句『寒梅自在香』，元戎勳業亦堂堂。五十年間彈指頃，忍令遺寇又披猖！

（山縣爲日俄戰爭元勛，去今四十九年矣。古稀庵壁有橫披一，題『寒梅自在香』五字，伊藤博文手筆也。）

謁乃木神社歸途得兩絕句

虎牢天險血玄黃，一將功成慟國殤，子死沙場妻死節，滿門忠義報君王。

碧血留千古，忠肝奉至尊，英靈可憑式？遺寇又窺門！

（乃木希典大將，以日俄戰爭攻旅順一役享大名，其二子均死於是役。一九一二年九月十三日，明治天皇舉行葬禮，乃木夫婦乃同時以自殺聞，其自殺之一室，至今保持原狀，『踏踏米』上猶血跡殷然。）

贈山本女士

十年我自悔蹉跎，待得重來奈老何！看罷櫻花望顏色，情詩琴意爲誰多？

（女士爲故相某之女孫，現任某酒肆經理，應客雅容，不掩閨家閨秀之美。）

遊後樂園

三百年間事，思之一惘然，園林猶靜好，芳躅仰前賢。

（園爲朱舜水先生所營，內有小廬山，六橋，三笠等名目，今開放爲公園。舜水名之瑜，字魯璵，浙江餘姚人，（1600—1682）滿兵陷南都，舜水避地交趾，已乃返舟山，轉赴日本乞師，爲藩主德川光圀所賓禮。事不就，即留日以學授日人，卒年八十有三，日本學者私謚文恭先生。）

此行所見櫻花，以小田原箱根道中者爲最好

明媚幽姿襯晚霞，幾株疏落傍人家，羞將香色矜凡豔，淡白輕盈少女花！

旅歐回憶錄

·謝康·

當一九二八年我第一次經過的時候，她底人口，只有八千，但在一九五九年我第二次拜訪她的時節，已經增加到兩萬，意大利一九三五年佔領阿比西尼亞，不獨無礙於支布的底地位，而且轉使她日趨於繁榮，這是許多法國人所不及料的一宗事體。

支布的雖小，也可稱爲一個國際的城市，人口雖僅有兩萬，但是居民種族的複雜，頗能令人驚異，在這個炎熱的小城裏，你可以看見歐洲的白種人，非洲的黑人，亞洲的阿拉伯人，印度人，五方雜處，奇風異俗，宗教派別，有基督教會，猶太教堂，印度教堂和回回教堂，尤其是全白色廣闊方形的回教大寺院，最能代表當地的氣氛。

支布的蒼蠅和她的陽光一樣可怕，行人受蒼蠅的追逐釘啄，更甚於頭頂上太陽的威脅，這兩件東西只有到黑夜的時節才能避免，在黑夜裏代之而起的是黑人女子當土娼的對於旅客的誘惑！這一層倒好似運河口的波賽和蘇彝士城一樣。

最令人不能忘懷的是善於游泳的黑種小乞兒，你要是施捨幾個小銅錢，或銀毫，投到海裏去，他們一定能夠在水裏面拿出來，好像金魚在水裏捕食孑孓一般，同時口中念念有詞，在向施主表示謝意。

意大利在強盛時，曾向法國要求歸還尼斯及科西嘉島，並重新分配殖民地，又在索里蘭兩國邊界上製造糾紛，大有以阿比西尼亞高原直取支布的之勢，法國當局忍讓從事，恥而不校，極力避免造成國際戰爭，殊知法西斯紙糊作樣，不堪一擊，支布的至今還在法國手中，墨索里尼一世之雄於今安在？

（九）

留歐時間較久，所參加的學生團體活動亦夥，就中記憶所及印象較爲清楚者，約有數事：（一）巴黎中國書報社之創辦（二）旅歐中國學生之組織（三）羅馬參觀團之主辦（四）東方各國留歐學生會之參加（五）全歐中國學生會之邀請（六）巴黎中國學生會之參加（七）萊法教育會之參議（八）與世界學生會之聯絡（九）瑞士日內瓦國際會議的工作（十）駐歐國際宣傳委員會的任務（十一）青年勵志會的活動（十二）世界雜誌社和日內瓦僑學術座談會之舉行，茲略記其一鱗一爪，以爲紀念。

巴黎中國書報社，創辦於一九三三年春，由余與吾同志好友聯合組織，其初社員僅四五十人，且限於在巴黎者，後逐漸推廣，最多時達三四百人，社友所在地，亦不限於巴黎，社中事務以供給書報爲主，漸推廣學問，舉行學術演講會，時事座談會，旅行參觀等等，均有益身心的學術運動，由一九三三至三五，這三年之間，大概由余負責，爲當然書報事之一員，書報社文化活動頗多，幾成當時留法同學及華僑聚集之中心，本社成立兩年，然後有巴黎中國學生會的組織。（八）

共幹的逃亡

·羅須譯·

「士兵反共情形，較軍官尤嚴重，他們甚多公開表現了他們的反共態度，我相信士兵中眞正同情共黨的，尙不足百分之十。

「他們和軍官一樣，所以留在東德軍隊，就因爲軍中生活比一般平民生活好些，而他們的薪給，也較外面普通的小職員爲高。

「如撇開個人自由不談，軍中一般情況還不算太壞，祇是日夜遭受監視偵察，却不是容易忍受的，至於看電影，他們畢竟還能看到一些蘇俄片子，即使他們大多不要看，照軍方規則是容許看的。

「軍中伙食雖不好，尙不讓短絀，每個人每星期可得到一磅牛肉、四之三磅牛油，每天有二磅馬鈴薯，麵包和果醬都不受限制。

「不過肉類很少見到新鮮的，而且都是老得咬不動，再不然就是肥得難以下咽，軍中的廚子也太不高明，烹飪惡劣萬分。軍官們比較有錢，通常總是在外面的官營飯店進餐。

「東德共軍的普通兵士，週餉約合兩英鎊，（港幣三十元左右），上士多一倍，一個中尉的底薪是每週三鎊左右，但通各種津貼加起來，可達八鎊。

「這樣的薪水已不算不低，可是在東德，舖子可買的東西却太少，而各樣東西質地也太差。」（十一）

從俞振飛說到——平劇小生人材（六）

·胡士方·

此外還有兩位崑腔出身的小生，是白雲生與馬祥麟。白是韓世昌的老搭擋。後來崑曲漸漸不時興，所以，他也棄『雅部』，而改『亂彈』，唱起皮黃小生來。最初搭榮花倣，梁秀娟的所謂梁家班。因崑曲根底，自然有勝人之處，可是比起『江南俞五』之有書卷氣來，却遜之遠矣了。馬祥麟是崑旦出身，也是韓世昌戲演才改小生的。結果不佳，出台落步，都難受到歡迎。後來竟淪於濟南大國劇第一劇場，成了孟麗君班中的底包，連過去之聲名也丟光了。

記憶所及，拉雜寫出，無疑時下馳名的小生還有一時想不起的，從上面所提到的角色中，也可看出一個大概了。那麼到底現在是誰最好呢？當然有時各有所長，難分高低。不過說起來，能到達爐火純青地步的，可以說只有俞振飛一人。其次才能談到姜妙香、金仲仁、葉盛蘭、高維廉等人。所以，在平劇向來稱羣的香港能看到俞振飛的戲，還確是難得的。像今日平劇的小生人材，老者已矣，後起者雖有此火候，舍俞而外，僅是無此造詣的了。（下）

自由人

中華民國郵政登記第一類新聞紙類

登記證台誌字第一零二號

THE FREEMAN

（半週刊每星期三六出版）

（第二九二期）

每份港幣壹毫

督印人：李光鄴

社址：香港高士打道六六號

電話：七○四五三

GLOUCESTER RD HONG KONG TEL: 74053

承印者：東南印務出版社　地址：高士打道六十四號

台灣特派辦事處　台北市館前街五十號

台灣總經銷處　台北中華路五九四號之一

台灣郵政劃撥儲金帳戶九二五二號

是精神，還是軀殼？

·徐復觀·

精神與形式，不能完全分開。有某種精神，總會有某種形式，有某種形式，後面總是出於某種精神。但如果現實上所要求的形式，並不合乎口頭上或意念上所要求的精神，甚至於是相反，則這種形式，爲了避免混淆起見，我方便稱之爲「軀殼」；軀殼是沒有靈魂的身體，換言之，即是「死體」。我不否定形式，卻不能不否定這種軀殼，這種死體。

一個錢當十個錢用

以台灣一隅之地，要背起反共抗俄的重實，這裏所要求的自然是堅苦卓絕的精神，由堅苦卓絕的精神所表現出來的形式，應該是將總統所說的「一個錢當十個錢用」的形式。一個錢當十個錢用的意思，第一，是一個錢的東西，要發揮太平時候十個錢的效用；第二是在太平時候要花十個錢的，現在只花一個錢；內而第三是太平時候要擺設的東西，現在依然要擺出它最後一滴的效力來用。其所以能如此，係因太平時候花錢的標準是實用之外還要加上美觀、壯觀等等的外部的副次作用；而現在則須要把這些副次的作用盡量減去，以便將的一切物力集中到反共抗俄的實用上去。所以一個錢當十個錢用的形式，是只講實用，不講外觀的形式，是「茅茨土堦」的形式，是「篳路藍縷」的形式，是「大布之衣，大帛之冠」的形式，是「饔飧不繼，而絃歌不絕」的形式，是「竹頭木屑」的形式，是「臥薪嘗膽」的形式。我總括之名爲「一個錢當十個錢用」的形式。只有這種形式，才表現得出堅苦卓絕的精神；有堅苦卓絕的精神，也自然會流露爲這種形式。

擺場面的風氣

台灣近年來彷彿有一種風氣，特別注重「場面」；若干人甚至以爲「場面」之大，便可以補償局面之小。常常花多少光臉和金錢去擺一個「偉大場面」，好像這種場面一經擺出，便可使俄寇褫膽，共匪落膽。但茲事體大，議論雖多，其是非得失，我不敢輕易下結論。現僅就耳目所及的學校中的情形稍爲提一點，以作時下風氣診斷之一例。

學校軍訓，一以集結青年的精神，一以增加殺敵的技術，我是非常贊成的。但學生雖受軍訓，而受軍訓的依然是學生。所以學生穿學生服上軍訓，不僅無礙於軍訓，尤可表現「學生軍訓」的本色。從前我在日本時，日本的

軍訓的服裝問題

軍訓是從高等小學便開始；在演習場上遇當小學生中學生「打野外」是常事；但都是穿青黑色學生服。台灣的學生制服，先是草黃色，後來政府又規定男生灰色，女生夏白冬青，可說是相當的整齊劃一。今年開始軍訓時，命令一律改爲黃色，並且式樣也有所更改，這在我這種愚拙人看來，已經不十分了解其意義之所在。但教育廳本來的規定是高中初中一年級生必須掉換，其餘的可換可不換，這一面是體恤民衆的負担，一面是覺得幾十萬套現成的學生制服，比之竹頭木屑，同有愛惜之情；此種彈性的措施，頗算合情合理。可是有許多學校的校長，和軍訓教官，逼着三年級的學生也非掉換不可。有錢的人不說，鄉公教人員的子弟，尤其是難民的子弟，在校裏看校長們的臉色，回家來看看父母的苦臉。而作父母的一面苦於負累太重，一面又痛心兒女的可憐；而對這種假實問題，真是恨與愛交流，淚與汗並下。假定站在反共抗俄的實效上，非如此不可，我想大家也會者而無怨；但實際，只是出於少數人向「上級」邀功之一念罷了。而這種作法，何以可以邀功，則祗有上帝知道。更奇者，某校第一次做新制服，每套七十五元；第二次還需再做，時隔不及一月，每套便要九十元，一套確賺十五元，絕無人過問。

膠鞋不可以受校閱嗎？

現在問題又來了，正忙着準備年終校閱，每個學生要新添皮鞋一雙，皮帶一條，手套、鞋袋等（救護袋是一尺布縫攏來，可作象徵之用，校代做，定價三元五角）於是爲了這一次校閱，每個學生又平添百元左右的負担。作這些規定的校長教官們，好像是從另一星球下來的東西，完全不知今是何世。難說這樣就增加了軍訓的效能嗎？校閱時，胸口挺得起，兩腿伸得直，步法整齊，注目嚴正，學生即使是打着赤脚，正可表現此時此地的精神，增加軍訓的價值。何況台灣的學生都有現成的膠鞋呢？是那一本教令上，或者是那一個軍事家，說膠鞋不可受校閱呢？有的學生向學校訴苦，所得的反問是「你的思想有問題」，「有反動份子在操縱」；這是目前若干學校流行的新式邏輯。

要精神還是要軀殼

試問這一套，所代表的到底還是精神，還是軀殼？這和總統所說的「一個錢當十個錢用」，眞是恰得其反。當然，像這樣的只是校長教官中的一部份，此外掌握任務重心，脚踏實地去幹的校長教官並不少。但大家留心觀察，凡是眞正做事負責的校長教官，越不來這一套去邀寵的。而以這一套去邀寵的，是實在能力薄弱四體不動的傢伙。假定他們以這一套去邀寵，而便眞正得了寵，則軍訓和全般教育，恐怕不會有什麼前途。我相信領導人物的本來用心，不會是如此。現在可說正是一個歧途。我希望領導的機關，沉下心，平下氣，在精神與軀殼之間，趕快有一抉擇。（十二月十二日夜于台中）

蘇俄農業政策的演變（上）

·俞嬰·

自從蘇俄宣佈將集體農場及其他農業徵稅，減低百分之四十三，並大吹特擂地倡言改進人民生活，而進行其龐大的經濟和文化建設後，有些人，尤其是西方國家的政治人物，便認定蘇俄已改變了它的政策，不僅外交政策改變，連國內的農業政策也改變了。這一種認識未免太過天眞和淺陋。蘇俄新統治者馬倫科夫，粉墨登場不久，竟有這個膽量和能力，去推翻他的老祖宗的教條嗎？事實上，不論列寧也好、史太林也好、甚或現在的馬倫科夫，他們都一貫地執行無產階級革命而終要達到全世界赤化的政策的。在這一大前提之下，不過是枝枝節節的變轉花樣而已，所以，它在每一個小政策的改變，係配合外在及內在的因素而決定的。很明顯的，這次農業政策的改變，乃由於附庸國及其國內有些地區農民暴動反抗而來的。想明白蘇俄統治者的玩弄花樣，不妨檢討一下它對這個政策一貫的演變，便可以看出它所謂矛盾發展規律了。

統制與管理政策

在一九一八年二月十九日蘇俄頒佈一個命令，把全國土地收歸國有，取銷土地私有權，所有農業資本由地方上農民委員會保管，在這個期間——一九一八至一九二一年，蘇俄政府試驗國家統治和管理。實際上市場關係終止了，糧食則向農民征用而來，平時又不給予代價，所謂政府管理，僅靠一紙命令。那時通貨逐漸膨脹，生產量跌落甚大，貨幣已失其交換計算價值，加以管理人員濫藉官威，殘暴虐民，又缺乏管理經驗和技術，來處理這個混亂的局面，招致了不可避免的結果：農民普遍不滿，武裝反抗，在城市工業紀律低劣，在工廠工及反蘇維埃情緒增長。一九二一年哥隴斯達（KRONSTADT）海軍叛變，表示人民的憤怒和蘇俄政權的危殆。

爲平靜和緩人民的情緒，新經濟政策出現了。它允許私人企業在某種場合爲合法。替代從前暴政時沒收充公農民穀物的辦法，是要求農民將農產品提出一部交給國家，其餘的則任由農民以任何價格在公開市場出售；稅率定爲從前征收的一半，如有征用，則視紅軍及政府所需要而定。私人貿易再次被允許，新零沽商人階級在各地又活躍起來，又有人迅速地佔總批發的重要角色。在一九二二——二三年間，大約有百分之七十五零沽貿易，是由私人經營；政府經營的是百分之十五；合作社經營的是百分之十。其他工業、銀行，也准許自由買賣和獲取利潤。

列甯指稱新經濟政策爲「國家資本主義」，但他又覺得很危險，因爲敵對的資本主義因素滑力在蘇俄增加了。所以，它的政策又要改變了。這時，它採用兩方夾擊的辦法：第一、爲減輕私人經營需要，它鼓勵發成和擴大國家及合作社總批發與零沽網，迅速地增加交易地點，以及人數的需求；相反的，對於私人貿易利潤，增加甚重的稅，限制他向政府企業購買商品，甚至不准將貨物在政府鐵路通過，以增加私人貿易的困難。這個辦法施行後，得到明顯的效果。由一九二二——二三年百分之七十五私人的零沽貿易，一九二八年跌至百分之五點六，此後私人零沽貿易爲渺不可言。直至一九三二年，則全部被禁止，甚且訂立條文，如私人買賣獲利，視爲犯了投機罪，判監五年。

農業完全改變爲政府完全統制，大部份在一九三○年初期完成，但堅強的抵抗，需用重大的代價來克服。如果農民准許他們自己爲主人，國家如要取得他們的穀物，以供給城市人口的需要，就得接納他們的條件。這樣一來，蘇俄政府對於消費品大量供給農民的需要。如此，政府要消投資迅速擴展工業的目的，勢將被延緩，只有打破農民的獨立性，政府才能得到行動的自由。

在新經濟政策最初幾年，因改征用爲抽收穀稅，農民有自由處理他的多餘產品，而鼓勵他們增加生產，同時准許農民租田，耕田工具及其他生產資本，和准許每一家僱用一定數量的人員。一九二七年蘇俄政府估計貧農約五百萬人，中農約一千四百三十萬人，僱人代耕的有八十九萬六千人。其中有最高的一羣，在美國農民生活標準看來，還是很窮的，可是在蘇俄的農民中，卻是相當富有了。

著名的「較剪危機」

一九二二年及一九二三年，爲通貨膨脹價格上升之年。一九二二年第一個半期，農產品價格相對的上升，工業品價格相對的下降。在一九二二年五月一日，這個裂痕最闊，農產品對工業品購買力，大過一九一三年許多。城市和鄉村的交易條件，是對農民有利的，一部份由于工業組織急於取得流動資金，將工業品大量向市場傾銷。在一九二二年五月以後，工業價格增加迅速過農產品價格，故此在一九二二年八月一日，農產品與工業品價格比率，實際上與一九一三年相同。相反的動向，繼續一年，結果在一九二三年大部份時期，工業品對農產品的交易條件，對農村人民有重大的不利。當這兩種價格在統計圖表示出來，有如一對較剪的叉開，所謂「較剪危機」，乃因此現象而著名。

半週展望

·陳克文·

美國的強硬外交政策

美國的對外政策，從最近艾總統向聯合國大會的演說，國務卿杜爾斯對歐洲軍的露骨表示，板門店談判特使狄恩的斷然歸國，對巴基斯坦軍事協定的訂定，都可以看出是一種堅定的強硬政策，絲毫沒有和共產侵略集團妥協的意思。這一種政策的由來自然是基於領袖人物智慧的抉擇，同時也基於全國人心和輿論的向背。然而這政策的貫澈，還不免要受英國和法國的極大阻撓。邱吉爾正高呼蘇俄有權提出安全的保證，「承認中共不等於贊成」的主張也反覆在英國方面發出來，法國則始終不願意歐洲軍計劃的實現。在這種情勢下，美國的強硬外交政策如何可以求其貫澈？英法政治家的苟安心理和短見自私，造成目前這樣局面，美國如果過於瞻顧遷就，一定要爲克里姆林宮的奸計陰謀所乘。於此吾人不能不期望美國領袖善爲抉擇。

西方對東南亞的歧見

邱吉爾首相最近告訴英國下議院，說西方國家對遠東及東南亞地區的政策有若干的紛歧。他雖沒有說紛歧之點何在，但吾人不難推斷，紛歧的最大原因在於英國主張承認既成事實，主張承認中共，使之加入聯合國。邱氏認爲蘇俄有權提出安全的要求，也是由這一觀念而來的。承認侵略者所造成的既成事實，無異承認強盜擁有贓物。英國以爲不承認中共爲遠東局面不安之源，不知承認中共即種下未來世界禍亂的更大根源，要造成整個世界更大的不安。英國口口聲聲說既成事實不可否認，這無怪埃及之不肯和英國談判運河問題，埃及亦不過希望先造成事實而已。

巴基斯坦的獅子吼

美巴軍事協定的消息傳播後，蘇俄首先揚出抗議，中共亦隨聲附和，尼赫魯更再三表示關懷，隱具反對之意。現在巴總理阿里已公開承認此一事實，並堅決表示不會爲任何抗議所撼倒。他又說如果共黨侵略西南亞或中東，巴基斯坦覺得有應盡的義務。這是巴基斯坦正義的吼聲。這一個從艱苦奮鬥中成長起來獨立還不到十年的青年回教國家，精神勇邁，正義磅礴，實在值得世人景仰，即此一端已可預見其國運前途正未可量！巴基斯坦這一勇敢賢明的決策，不啻對印度尼赫魯的騎牆投機政策，予以極大打擊，也是對共產集團在亞洲的侵略發展，予以有力的阻擊。巴基斯坦這一呼，全世界的回教國家對於共產集團的態度一定會發生很大的改變，這無怪蘇俄和中共不能不提出其焦急的抗議了。

太平洋聯防能成立嗎

李承晚總統和蔣總統會晤，共同發表宣言之後，太平洋聯防會議的呼聲即甚囂塵上，李總統並已派遣代表團前往東南亞各國接洽磋商。但美國方面認爲聯防的中堅分子菲律賓，其新選總統麥獅獅於此時表示冷淡，其他各國也沒有若何熱烈反應，最大原因似乎在美國採取觀望的態度。今日太平洋反共運動的成敗，美國決不能置身事外。本來照舊金山對日和約成立的時候，組織太平洋聯防協約已經成爲美國遠東政策的一部份。現在美國如果改變了這一政策，主張以亞洲人對亞洲，又如何能希望此一會議能成立起來？即勉強成立，又如何能求其眞實有力量？試問美國縱決聯防，假使美國退了出來，還能有作用可言嗎？

神州陸沉懷霞客

——徐霞客逝世三百十二週年紀念祭——

·楊力行·

人物評述

前言

我自幼愛讀遊記，亦喜旅行，而「徐霞客遊記」這一部中國最早的也是最好的遊記書籍，常爲我旅行途中不可或缺的旅伴。因而，對於霞客的生平比較有點認識。台灣雖然四季如春，最宜於旅行。但今年入冬以來，經常淒風苦雨，難得出門。重讀徐霞客遊記，痛念神州陸沉，血淚遍地，老百姓由甲村到乙村，必須取得共匪的路條，才能通過，即行乞也不能越出村外。因此，益增吾人對於徐霞客，這位三百多年前，處在專制帝王時代尚且通行無阻，走遍大陸的偉大旅行家，也是探險家的懷念。

徐霞客名宏祖，江蘇江陰人，生於明萬曆十四年（西元一五八六），卒於明崇禎十四年（一六四一），享年僅五十五歲。記得民國三十年十二月二十日，國立浙江大學史地學系張其昀（曉峯）教授等，曾在遵義該校舉行過一次徐霞客逝世三百週年紀念會，集抗戰時期大後方史地學者於一堂，並宣讀竺可楨校長和方豪（杰人）神甫等專家之紀念論文多篇，誠屬我國史地學界的盛事。可惜的是在此前後，卻很少有人紀念過霞客。因而，研究霞客的生平與思想及其探奇歷險成就，也更少。至於典籍的紀載，除他自己的遊記與近人丁文江爲訂年譜外，也不多見了。

徐霞客的時代背景

許多人徒知徐霞客遊蹤之廣，行旅之艱，記錄之詳確，見地之新穎，而不知其志潔行芳，獨足珍貴。他孝於父母，忠於國家，義於朋友，待人接物，則尚寬恕；其操守又極爲謹嚴，具有中國古代的舊德，而又富於西洋近世科學研究的新精神。霞客生當明之季世，何以能具中西文化之所長？欲探求其理，則不能不審察霞客所處的時代背景。因爲，他深受東林學派的薰陶，同時，亦染有西洋科學的色彩。在歐洲和霞客同時的哲人，有倍根、凱白爾和伽利略，此三人皆近世科學的鼻祖。至歐人遠渡重洋，以經營海外殖民地者，亦發韌於此時。然十七世紀歐洲探險家們無一不惟利是圖，其下焉者形同海盜，其上焉者亦無不殫精竭慮，以攫奪他人之所有以爲己有，巧取豪奪，無所不用其極！終至滅人之國，甚至亡人之種而後快。吾人讀世界史地，先例極多，不勝枚舉。欲求如徐霞客之專以求知而探險者，舉目斯世，實在不多。所以紀念霞客者，亦正以其求知精神能增長於不朽也。

徐霞客的偉大成就

正誼明道，實事求是，是我中華民族固有的偉大的精神，亦爲古代賢哲治學的嚴正態度，此種精神實極適宜於科學研究。近世西洋人從事於中亞和印度一帶的史地研究，和考古發掘者，莫不以唐僧玄奘法師所著「大唐西域記」等爲其嚮導，書中所述皆信而有徵，所以，據以探索歷險不爽。漢文典籍信譽極高。徐霞客所著遊記，乃我國先賢求是精神之一種最高的表現。徐氏之到處遊歷，遍訪神州名山大川，純然爲學術上的興趣作出發點，既無其任何使命，亦無其他目的，更無所謂野心可言。此種無所爲而爲之的求知精神，即是科學精神。其自十五歲起，即隻身遠遊，探奇歷險四十年如一日，時人稱其「健如牛，捷如猿」。多方探險，處以壯志之堅忍不拔的恢宏志願，至可敬佩。可惜的是他於崇禎十三年（一六四〇）初冬，自滇南得病東歸後，沒有好久，即於十二月二十日與世長辭，哲人其萎，可謂以身殉其道了。

我國古代志書，詳於水而略於山，霞客於海內各山，既作個別深邃的探討，復有廣博淵遍的觀察。當時雖沒有地形、地質、植物地理、和聚落地理等名稱；而霞客足跡所經，對以上各項都有透澈精闢的分析。吾人觀其所述，與現代科學原理，多可互相印證。他的萬里長征，乃欲究明各山岳區域的相互關係，和共同理解。所以徐霞客實爲我國山岳地理的開創者。於分析綜合二法均所注意，分類研究與通論研究相輔並進，爲其旨趣所在。夫科學研究，事實之證明較學理之結論尤爲重要。是故徐霞客遊記實爲其畢生精力所聚，精微明晰，忠實紀錄。凡有在大陸旅行經驗的人，攜書（霞客遊記）對照，咸嘗讚歎不已。我國學者素重人格，凡偉大學者都具有崇高修養。霞客遊記之作，備極佳妙，於語句必於徵實之中，別具宏美的風格和意境。故披卷欣賞，而灑樸蕩漾，於青年修養亦爲有用之書。

十六七世紀之交，在西洋爲自然科學萌芽時期，在中國亦有相同之趨勢。與霞客同時者，如著「天工開物」的宋應星之於工藝，著「物理小識」的方以智之於物質，著「本草綱目」的李時珍之於博物，與朱載堉所發明的二等律，且已流入西洋。劉復（半農）已有專書證明。以上諸氏學說似並未受明末西教士之直接影響，反而有自中國傳入西洋的事跡。而參考徐霞客遊記所編製的中國地圖，在當時的西洋亦甚爲流行。惜自明亡以後，民族失其自由，學術遂致消沉，而西洋科學此後則迅速發展，一長一消，深堪悲惜。西洋之科學方法工具設備及研究機關的組織，現皆遠勝於我國。然科學種子必須由於自發，方爲有本有源，如果種子優良，一旦植於適宜之土壤與氣候，必能欣欣向榮。我國人認爲研究科學，乃最近五十年來之事，近二十五年來進步較速，而抗戰八年的結果，百年來民族屈辱的歷史雖告一段落，但共匪叛亂，俄寇入侵，神州大陸全部陸沉，抗戰成果，功虧一簣；大陸學人受盡了共匪的折磨，不死便已成爲活屍，除紅色教條外已無所謂學術可言，更談不到研究了。只有自由中國的學人才有研究學術的自由。霞客精神永在，昔賢求是的精神，皆爲寶貴的種子，吾人今日追懷霞客逝世三百十二週年紀念，實具有深長的意義。

胡適之博士常論治學之道是「大膽假設，小心求證」，有一次在私人談話中，曾說：「徐霞客是我國近三百年來最偉大的學者和探險家，他的遊記便百分之百地作到了大膽假設，小心求證的功夫」。霞客有知，將謂「吾道不孤」矣。

·文壇趣劇·

愛德樂佛事件因果談

·牟力非·

（一）

月前自由中國文藝界有一個人用「愛德樂佛」的洋名出版了一部名爲「世界永久沒戰爭」的書，文首排印着五十位黨政軍和文藝界名流的簽名，鄭重推荐這本書是「結構奇美，正義參天，以金翅擘海之筆，野鶴翻雲之風」而創作的一部「極有價值的反共文藝代表作」（推荐詞原文）。出版前大登廣告，徵求預約，震動了自由中國文壇。不料出書後，讀者疾呼上當，並在刊物上揭發該書文筆不通，內容荒唐；繼之文藝界亦加鼓譟。於是許多推荐人便先後在自由中國雜誌上聲明撤銷推荐，表示遺憾。這事到現在，似還未了結。而且有人指摘到作者的籍貫了。

（二）

因爲這件事的發生，有幾個現實問題，我想提出來談談。我並未單純把此事當笑話來看的。

爲什麼會發生這件事呢？那位作者或許深知自己的作品不夠水準，因而拿去請教名流，名流們慷慨地簽了名，才給他以勇氣，敢於出書，敢於宣傳。這推測無如錯誤，則我們不能不承認目前的文化環境害了他，更不能不承認今日的文壇是在一個不健康的「人情關係」中使讀者只信仰推荐，而不去正視作品。

這一場笑話，第一證明過去文藝界隨意捧場和輕率推荐的毛病；第二證明讀者確實有崇拜文壇偶像的毛病。本來愛德樂佛是不是「名作家」，該書是不是「反共文藝的代表作」，應該由讀者的客觀衡量，自由取捨，和多數人的批評來決定的。

不是我藉此責備推荐該書的名流，實在是推荐的各位先生太過隨便，太過不負責任了。書有好壞，出版有自由；比這更好的書自不需推荐，比這更壞的書多得很，爲何大家不加指責？原因在於此書曾經名流的「鄭重推荐」！

由此可見今日人人所深惡痛絕者，第一是隨意的推荐，第二才是欺騙的作品。

這是今日文藝界一件應該大反省的事情。

（三）

有人指名流的「撤銷聲明」是「悔過書」。我遍覽各篇聲明，重點盡在解說如何上當被騙，好像責任應全歸作者，到底是名流害了作者，還是作者害了名流？這且不管。現在試考慮其後果有何影響？我覺得撤銷比緘默更糟。何以言之？因爲讀者將懷疑，從前名流們所推荐的「名作家」是否也和推荐愛德樂佛的著作一樣？讀者的物質損失還是小事，因此使自由文壇的景仰與信賴的精神發生損害，是不容易補償得過來的。

當然名流有推荐和撤銷的自由。但輕率的推荐卻加強了讀者不信任的心理了。

（四）

假使這一次事件，能夠促成文壇的新風氣——不分親疏，不講私情，不圖圈子，不自負，不自誇，不自我陶醉，則愛德樂佛事件，也未嘗沒有意義。如其不然，今天撤銷了，明天還有第二第三的愛德樂佛事件出來，於文藝何補，於國家何益？

這樣的鬧劇在自由社會裏，本不足奇。不過，舉五十名要人而聯體簽名推荐一本沒有價值的書，是不應該有的。有的，應該是個人負責到底的自由評論。由此可以觸發我們一點覺悟，就是自由創作、自由發表、自由出版、和自由評論的可貴，端在於說眞話和做實事。「貨眞價實」，怕沒有讀者嗎？因此可以知道文藝界必須開拓眞純而自由的大路。這樣人們的眼睛才會睜得明亮，錢不至亂花，人不至胡捧。愛德樂佛儘可天天出書，也是不妨事的。

記得有人殷切企望有人出來「管」文藝，想「拉」社教司，又想拉新聞局；我覺得這辦法也實在值得商榷。今且假設政府延聘一百位名流來「管」文藝，陣容不爲不強，聲勢不爲不壯，但能免不發生愛德樂佛事件嗎？若果發生，當用何「法」治之，何「刑」罰之？否則「管」的意義更喪盡了。

文藝非政治，似乎不需要官來管文藝。有人以爲「管」可以糾正散漫，但治散漫的良藥，決非管制可以奏效的。作家的成名，全由讀者依據作品來決定的，別人實在在管不得的。作家在文壇上的地位，只有作品可以奠定。倖致的作家名譽，便是自由文藝的反常現象。在反常現象中，就會有許許多多的愛德樂佛出現。（十二月五日）

丁文江和徐霞客

我國已故地質學權威丁文江博士，是最欣慕徐霞客的人格與學問的，他爲了勘查中國大陸的地質和礦藏，足跡也踏遍了大陸的每一角落，常攜霞客遊記以行，實地引證對照，極佩霞客的卓識遠見。曾於民國十七年爲徐霞客作年譜，因之，霞客遊記流傳更廣。丁氏之所以爲霞客著年譜而爲之表彰者，其要旨有二：（一）外邦人士每謂我國文人不能吃苦耐勞以從事實地研究，而霞客即爲三百多年來慣於實地研究，堅苦卓絕身體力行的代表人物，可爲吾民族揚眉吐氣。（二）丁氏於民初三次深入西南考察，證明霞客遊記所敍述之精微，紀事之詳實，描寫之工雅，分析當時現狀之清晰，理解之正確，雖然當時尚未有現代之地理學，地質學，而其紀述及推算，無不與地學原理相脗合。換言之，三百餘年前的徐霞客，即已具有現代科學家的修養。霞客能獲丁氏的知遇如此，可見他一生的價值之崇高了。（四十二年十二月十二日民族復興節寫於台北陋室）

天下小事

邱吉爾寵愛山羊

邱吉爾的健康太差，這是本月初在百慕大島採訪三巨頭會議新聞的記者所共同獲得的深切印象。當邱吉爾步下飛機的時候，那種步履蹣跚搖搖欲墜的鏡頭簡直令記者們担心不置，有些敏感的人對會議之能否舉行，甚至也担心起來。幸好經過一晚充足的睡眠後，邱吉爾又表露了他頑強的神態，一晚之隔，他實在判若兩人。有些記者們對英外相艾登的健康也有疑問，他們以爲艾登經過兩次重大的手術後，健康是否恢復頗成問題，但不料艾登的臉色紅潤，看起來比早幾個月好得多了，他的步履輕快，宛若一個年青人一樣。由邱吉爾和艾登的健康情形看，前者正式退休，後者繼任保守黨領袖及內閣首相，可能就是最近將來的事。

在會議舉行的前一天下午，邱吉爾和兩位首領坐在海邊，他把鞋子脫掉，以足伸入水裏，望着浩瀚的大海沉思了許久許久。當地英駐軍有一頭山羊名叫比利，邱吉爾對之特別興趣，無事的時候，他總是戲要比利作樂，甚至有一次還帶它出席官式晚宴，在宴會中，邱吉爾用一隻銀碟子盛了一根香烟餵給比利，艾森豪總統見獵心喜，忙拿着一杯香檳餵它，比利初次嘗到名貴的香檳，一時狼吞虎嚥，但一個不小心，卻把剩餘的一半通通潑在艾克的褲子上。

聯合國搬出美國？

如果蘇俄要求把聯合國遷出美國，搬到另一處「中立」的地點，大家不要詫異，由種種跡象看來，俄國正打算採取這一項行動，如果明年一月四國的柏林四外長會議能如期舉行，蘇俄就可能提出這種狂妄的要求。據說，俄國所根據的理由是，如果要減少美國對聯合國控制及統治的力量，將聯合國總部遷出美國是必要的途徑。當然這種要求絕不會獲得英美法或大多數會員國的贊同，充其量只可能在四外長會議中叫囂一陣而已。

艾森豪的五種娛樂

艾森豪總統的工餘有些什麼消遣？這必是許多人所高興知道的事。據白宮人士報導，他消遣的方法可分五種：

一、打高爾夫球　最先艾克每週玩球兩次，但由於外間的抨擊（有人稱他爲高爾夫總統），現在最多每星期只打一次。

二、游泳　艾克的游泳雖不高明，但他卻很喜歡這種運動，但他也自知藏拙，只在白宮室內游泳池練習。

三、釣魚　艾克很愛釣魚，他釣魚的時候有一個特色，那便是一面垂釣，一面喃喃自語。

四、繪畫　他的畫還算不錯，但仍不夠邱吉爾那一皮。

五、玩橋牌　艾森豪橋牌的技術高明，和他有過交道的人，無不同聲稱讚。他玩牌的時候，喜歡全神貫注，表現得很緊張的樣子，他打牌的時候，不高興和人談天，而且看得出他有優良的記憶力。（孟衡）

編者　讀者

△編者的話▽

△三個月來，本刊陸續刊載了許多討論自由中國文藝問題的文章，引起文壇不少注意。最近我們又收到兩篇這類的長文，字數均近兩萬。兩位作者對目前文藝界作了許多嚴正批評，同時還提出許多建設性的意見，語重心長，切中時弊，極可佩仰。惜以篇幅關係，無法刊出，深覺有負作者雅意，特此致歉。

△關於中共毀滅文明，出賣國家的各種報導文字，我們向極重視，一經收到，無不盡量刊載。惟來稿因哀心痛恨共產黨，字裏行間往往夾雜感情詞句過多，以至掩蓋了事實眞相，實在可惜。我們希望今後這一類來稿，務以事實爲主，我們相信以事實報告讀者，則是非眞僞，讀者必加以判斷。熱心投稿諸君，乞亟察爲幸。

△吳彥傑先生：請示尊址，或請來敝社一談。

△田蕙蘭先生：函悉，尊囑俟査明後再覆。

大陸糧荒的透視

·劉蘅如·

向糧商鬥爭了

所以當天人民日報的社論，也就以「消滅糧食投機，保障國家建設」爲題，大聲疾呼要加強糧食市場管理，打擊投機糧商。而且說得關係異常嚴重，有關於全體人民每天的生活，也關於國家的工業化的建設——工農聯盟。列舉在「無產階級專政時代的經濟和政治」一文曾經指出：「農民經濟仍舊是小商品生產的經濟。這裏有非常廣闊而且根深蒂固的資本主義基礎，在這個基礎上，資本主義得以保留和復活起來，當然是不免要同共產主義進行極激烈的鬥爭。這個鬥爭形式就是私貨投機和商品活動來反對國家採辦糧食（以及其他農產品），一般說就是反對由國家分配農產品。」他基於這種立論，他認爲今天的出現糧食投機，實質上就是反映了資本主義因素與社會主義因素之間的矛盾，反映了資本主義勢力對於社會主義經濟和工農聯盟的破壞和進攻。對於這些糧食投機奸商的罪行，他們必須給以嚴重的打擊。

因此，在十一月廿三日的人民日報，就披露了在江蘇徐州逮捕了四名糧商，他的報導，說是無錫的大奸商王雨農在邳縣、新沂等縣的集鎮上安排了十多家的「代理店」，收買了二十多個小販子，先後搶購黃豆和雜糧三十多萬斤。奸商陳生勾結投機糧商，以比國家收購黃豆牌價每斤高一百五十元到二百元的價格，一次就搶購了六萬斤黃豆。邳縣和新沂縣人民政府爲了保障人民的利益，穩定市場，打擊投機份子，日前已呈請「徐州區專員公署」批准，將奸商王雨農、馬彥清，陳生，黃榮等四人逮捕，現正依法處理中。

同日的社論，更以「加強糧食收購中的政治工作」爲題，強調只要各級黨組織善於根據新的情況來改進和擴大我們的政治工作，我們就不僅能夠順利完成糧食收購的任務，而且將使我們國家對農業的社會主義改造的工作推進一步。

另一方面，再宣傳中共河南省安陽縣四區郭王度村支部，向農民宣傳國家過渡時期總路線，勞動模範帶頭，把餘糧賣給國家。浙江關谿的農民，批轉了「看漲惜售」的思想，踴躍售糧。山西芮城縣小麥上市時，受了宣傳的影響，搶購糧食的現象停止了，小麥收購工作順利展開了。湖南衡陽縣三塘鄉的農民，受了宣傳，不將糧食賣與高價的商人。山東膠縣十區後毛鄉農民周宗致到供銷合作社賣糧食，也不賣給出高價的商人。以上歪曲的宣傳，農民受到了感勵，寧可不賣高價，得低下的價錢，賣給國家，這眞是荒謬不經絕無僅有的現象。實質上，商人受到了鬥爭，農民受到了監視，強迫出賣，忍痛應徵，嚴刑威脅之下，何求而不得，農民又安敢「看漲惜售」，「匹夫無罪，懷璧其罪」呢！

結論

我們根據以上的實況，中共對於本年的徵購糧食，自然是極端重視和爭取，他將不惜用盡種種卑劣手段，用來達到完成徵購的目的。若干的糧商和善良的農民，又將繼新五反之後，受到殘酷的鬥爭和數制，用來殺雞取卵，以遂其予取予求。這一種新的鬥爭運動，正在繼續演進不斷的發生。

只是中共分田的結果，普遍怠耕的心理仍然潛伏滋生；更兼之一年以來的災荒，增產有限，人民的蓄藏已盡其所有，再事搜括，將無青草。任令中共有「偷天換日」的技倆，但絕不能「無中生有」，演出自古未有的奇蹟。所以雖令再四強調，取締糧商，人民早已過半面臨饑餓邊緣，又安有餘糧，用來供給中共無厭搾取呢？我們再環顧世界的遭遇，今年的美國農業品有過剩的現象，東南亞的倉庫亦告豐收，倉廩存儲，均已達到飽和點。而號稱以農立國的大陸，糧荒的險象已經暴露無餘，事實具在，斷不容吾人以粉飾，中共當亦無法自圓其說，又來加以否認。

這是自由世界與極權政治的分野，鐵幕國家的饑饉窮困，固不獨大陸爲然，蘇俄以及他的衛星國家，均無法例外，大陸的糧荒險象，實屬必然的趨勢。（下）

中共對瞿秋白的新褒貶

·沈著·

瞿秋白雖已死了多年；一代優撰，也落得個埋骨荒邱；但今天看來，國難方殷，瞿秋白未始非給中國製造災難、禍亂的罪魁之一。就事論事，不論其當年的心迹如何？其咎實是百世莫贖！

（一）

瞿秋白當年在中共中的地位，爲道地的國際派的首領之一，曾貴爲「蘇維埃中國」的「副主席」。論其對赤色政治言論和文學作品的「貢獻」，似乎不下於被利用而捧上半邊天的魯迅。但爲了他死前「多餘的話」那篇自怨自艾的文章，當年頗爲中共黨內所非難。如果不是蘇俄主子的關係，他在中共黨內的「功蹟」勢必被一筆勾銷！

然而如今，似乎已時過境遷，或者，仍是蘇俄主子的惠及九泉，在赤色王朝中論功追贈的時候，他也有了份兒了。只是，在他們的褒獎之中，仍帶上一些致命的貶詞。

（二）

中共現在對於瞿秋白的新的褒貶，是表現在「瞿秋白文集」的序言中。無論如何？中共認爲瞿秋白的一些遺著，總含有：「在過去和今天的戰鬥作用及對於青年文藝工作者的深刻的教育意義」。因此，曾組織了一個「瞿秋白文集」編輯委員會，將瞿的大部遺著編印成集，並由該委員會鄭重其事的撰寫序言。

序言中給瞿秋白的褒獎，說他是「不屈不撓的共產黨員，不朽的烈士。」說他的一生是「完全獻給了祖國人民的解放事業」。說他的「革命」活動，主要是在黨的工作和實際的政治鬥爭方面。又說他是一個「著名的有大才的革命作家」。說他所遺留下來的政治的、社會的、文學的著述和譯品，是「中國現代文學中的十分寶貴的財產」。中共現在編印他的文集並褒獎他，是因爲他的作品「對於舊文化、舊中國和人民敵人的態度，始終是挑戰的，進攻的」！說他的作品，貫串着一種「革命民主主義思想」和共產主義思想的「啓蒙精神」。

（三）

中共認爲文學都是戰爭的工具，用它來「打擊人民的敵人」，也用它來「啓發和教育人民，鼓勵人民的鬥爭」。瞿秋白就被稱頌爲執行此種「文學工作」的「最先驅者之一」。序言中還提到魯迅，稱頌瞿秋白與魯迅的同一形式的雜文，都是中共「文學鬥爭形式」的「示範」。但中共今日特別褒獎瞿秋白的，還並不是遠在瞿秋白在「文學」上擔當了鼓勵「鬥爭」的任務，而還在他最早的也是最有系統的介紹了馬克斯、恩格斯和列寧的「經典理論」，並在他自己的作品中，滲透了這種「經典理論」。

瞿秋白似乎已被褒揚得夠「偉大」了；但這種褒揚，我們若從中共今日「國」內的政治情況上加以探討，則似乎這種褒揚的意義並不單純。最低限度，蘇俄的嫡派寵兒固不能冷落；今日中共黨內的士氣，也着實還需要瞿秋白的這種瀰漫火藥氣味的東西來振作、來鼓勵他們的鬥爭情緒！

（四）

然而在另一方面，瞿秋白在受了這些褒獎之後，根據史太林和毛澤東的思想標準和事物的觀點再加以衡量，便不免要遭到貶議了。最低限度，毛澤東認爲瞿秋白對於「五四」文學革命（請讀者注意：中共所指的五四文學革命，並非指中國的文學革命，而是指中共在五四時乘機掀起的赤色文學鬥爭）的成績和意義的評價，頗有「偏差」。並認爲與此有關的，對於五四以後的所謂普羅文學在語言上的成就，也是估價過低了的。尤其，認爲瞿秋白對語言的認爲有階級性及對於民族統一語（漢語）的發展過程的分析上都是有偏差的。不過毛澤東似乎對瞿秋白的這些部份上的「偏差」認爲還不致有什麼大礙，而其全部作品在「階級鬥爭」中的作用則多屬可取，故仍予編印全集。祗是序文中特別指出，對於瞿秋白作品中的被認爲「偏差」部份，必須根據史太林和毛澤東的所有有關著作，加以參證、辨別。這事實反應瞿秋白的思想已合上馬、恩、列的「經典思想」，而不曾合上史、毛的「新經典思想」！設瞿秋白泉下有知，像他那樣剛愎的人，又將作何感想？總括的說來，瞿秋白在今日中共的筆下總算是褒多於貶？祗是在這一褒一貶之間，不知已流了我們中國人多少的血？

選擧議員增投票名額

香港革新會曾要求於立法局增加二位民選議員席，曾發動市民簽名，向英女皇伊利沙伯二世請願，[illegible]在將市民心目中，以立法局非官守議員權力較市政局議員權力爲大，不能無憾於懷，革新會目前已向英下院力爭。然由於此一建議，已使當局對一般市民之選民意見，不能不感到重視了。於是每次選舉市政局議員時，參加投票的人數增加，依據市政局主席所提的修訂市政局（第二號）條例建議，規定四項辦法，打破了過去只限於懂英語的納稅人始有投票的資格。以後凡不懂英語，滿二十一歲的市民，如果是陪審團，以後凡依稅滿四年的人，教師、各種緊急服務隊（防衛軍、消防）隊員，港府公務員（警察例外），具有上述身份，均可登記，列入第三部選民冊，參加投票，但無被選舉權。預料三月選舉時，將有二萬選民投票，比過去增加[illegible]分之三，雖然僅佔全人數百分之二，但由此可見當局對於政制改革，已具決心，今後當可漸趨向於民主化途徑。這一個重要建議，已由立法局例會首讀通過。

徙置區改善面臨考驗

最近有關當局及新委任的徙置區監察專員，正銳意加強對徙置區的監督，以澄清一切不合理現象，各方人士對此非常重視，但在此際，市政局民選議員區達年接到一宗恐嚇勒索而令人憤慨的投訴，區氏除將原文轉送小律敦治外，已對投訴者加以撫慰。這一個投訴者是何文田區第十三號寓[illegible]調查中。市民僉認這是徙置區改善的一大考驗，依據港府現仍施行的緊急處置法例，凡有危害政府[illegible]者，包括恐嚇滋事，警方可能隨時將其[illegible]看待，遞解出境。寡婦孤兒均受法律保障，違法之徒必受法律制裁。

× × ×

港九菜農爲了自由販運，曾經聯合簽名呈訴港督，要求制止中間剝削，奔走投訴有關社團請予支持，輾轉經月，市場方面終於接納了港九菜農革新會建議，允予試辦一月，港九兩方[illegible]雙重佣金，但必須運入市場登記及領取[illegible]對市場這種舉措，仍表懷疑。且因運菜[illegible]佐頓道碼頭過海，除此將被視爲「走私」[illegible]允需場方驗明所運菜蔬並非批發，而係[illegible]市場對批發與零沽量額，在停稅期間，又[illegible]前此要求港九菜蔬互運及自由買賣原旨[illegible]嚴硬性規定，搬運途徑又受嚴格限制，時[illegible]自非以免稅之惠可以彌補。因此攤販公[illegible]局，要求場方派員[illegible]明由香港運往之菜[illegible]。但場方則以現下[illegible]收入，派員赴碼頭[illegible]由，斷然拒絕。試[illegible]通辦法。菜農只能[illegible]當局考慮了。

中共湘潭合作社 榨取勞工血汗

盲目生產粗製濫造

中共利用合作社企圖壟斷生產，已發生嚴重後果，最近湖南湘潭一合作社的情形，便是一個顯著例證。據共黨機關報自己承認：湘潭「製帽業生產合作社」，在生產上盲目性和粗製濫造的現象很嚴重，不僅在貿易的淡季裏，貨品推銷不出，平時認爲是貿易旺季的市場，也因出品太壞，無人問津，打不開銷路；這對於湘潭全市手工業生產前途以及工人們的福利，都有極大的危險。這個合作社，是共黨在沒收各製帽業商號私人財產後，該業完全陷於停頓狀態，工人流離失所，共黨遂又假「擺脫停頓狀態」，於一九五一年十月間組織該「製帽生產合作社」，實際是榨取勞工血汗。（鑑）

TV間諜網

·瞿之·

著者鄒郎　自由出版社

（一）

全書長約四萬字，是一部以諜報事跡爲背景的小說，內容敘述中國政府自大陸撤退後，特工人員在荊有麟烈士領導下與共黨鬥爭的經過。

著者自稱也是特工人員，而且曾參與機要，書中共分七章，是由七個突出故事集成，所述故事也先後由共報及海外報紙公佈過，只是內容稍有出入。

按照作者在篇首「小白」（代序）中說：「四十年多季，……我虎口餘生歸來之後，立意想把自出中國的地工人員，在大陸與共諜鬥爭的故事，寫成兩篇中篇小說，可是「半路出家」的我，拿起筆桿，總覺不如抓起槍桿那樣得心應手，之後在多讀、多寫的摸索下，首先便完成了我親歷的一篇血淚的紀載——「廿五號情報網」。

（二）

根據這段說法，可知作者本意是當作「回憶錄」一類東西來寫的，但是，擺在讀者眼前的，仍然是一部純文藝的小說，雖然故事都有些眞實性。

全書由七個故事集成，按原書秩序分列如下：

一火葬噴射機——敘述特工人員火燒廣州白雲機場四十架MIG噴射機的故事。

二砲轟天安門——敘述中華民國三十九年砲轟天安門失敗經過。

三鬧翻了中南區——敘述火燒漢口及謀刺林彪的經過。

四浴血天津衛——敘述指示飛機轟炸目標，炸毀天津共軍倉庫事。

五滬濱英雄淚——敘述在上海海軍碼頭炸斃俄共特工份子及偷竊共方軍事計劃經過。

六金陵忠魂——敘述荊有麟烈士在南京刺齊燕銘受傷殉職事。中間夾有刺斃偽長沙市長閻××經過。

七海島天羅地網——敘述台灣反間諜戰成功，捕獲共黨特務事。

（三）

這本來是七件事蹟，可是作者却以荊有麟烈士及其領導的V字號及T字號人員做線索把它連貫起來。這本來是一個很成功的嘗試，可是因爲每件故事都有根據，作者有意當內幕新聞報導，所以文藝性的價值不高。而組織方面也欠嚴謹，就文藝小說本身來說，是不夠成功的。

若是當作內幕新聞來看，也同樣不夠要求，所述的故事都含有極大的矛盾性，例如第一章火葬噴射機，敘述在白雲機場焚毀四十架俄式噴射機，所說時間是在三十九年八月一日砲轟天安門之前，而中共參加韓戰是在十月廿五日，俄製噴射機出現北韓天空還是四十年春天以後的事。而在是年八月一日之前就會有四十架噴射機運去廣州，實在是絕無可能之事。

（四）

關於第二段砲轟天安門，本是共黨有意羅織的寃獄，中外報紙均斥爲不經之談。是次除去意大利人安東尼之外，還有一個日本人山口隆吉也被判處死刑，而且被明令槍決，「人民日報」還攝有照片，書中只說安東尼（書中作X安尼）而未提山口隆吉，也是疏忽處，至於說安東尼係負傷被俘，抬進協和醫院兩小時後被刺身死，尤於事實不符。

本章結尾說到安東尼係李立三指揮之特務，安東尼之妻係受毛澤東指揮之特工份子，又說當日天安門檢閱，「國際派」人馬並未出席，可見作者對中共認識仍不脫一般「國際派」「民族派」之窠臼，其身份是否如其自稱者，不能無疑。

（五）

其餘五章，大體都有事實根據，例如火燒漢口共軍倉庫，刺斃長沙僞市長閻老虎，均先後經共報自行宣佈，當然係我方忠勇地工人員所爲，作者能把這件故事演繹鋪揮出來，當然是難得的事，不過寫間諜小說以僅當故事作背景，總是失敗的成份較大，自不必苛責作者。

撇開文字技術不談，作者本身實具有充沛的熱情，例如：「不要難過，革命是免不了犧牲，我們站在前綫的捨不得自己，在後面的弟兄急得跟着叫「上來」！」（八十五頁）是最值得擊節的。

民主的幽默　馬五先生

（自由談）

法國總統大選之時，巴黎有個經營旅行社的商人葛杜，也向社會大衆發表競選演說，提出兩大政綱：先把政府大小公務人員中受過中等教育的「聰明人」一律革除，讓頭腦簡單些的人物來担任國事，財政收支預算就可以簡化了；再把年俸在三萬法郎以上的一切官職，公開實行「投標」主義，以標價較低者得任。如是，即可使政府的預算平衡，少征苛捐雜稅。

這是民主政治生活中的一段幽默言論，清新雋逸，的有如讀六朝人的小品文，可以怡神益智，大曠心胸。的確，政治上許許多多的紛擾爭議問題，都是一些自命爲聰明才智之士搞出來的，此老子所以有「聖人不死，大盜不止」的慨嘆語也。政治生涯原是玩把戲，看穿了不値半文錢。然而，一般讀聖賢書有得的聰明人，偏偏以作官從政爲正業，一朝得位，即像煞有介事，挖空心思，絞盡腦汁，以鬬爭擺恰勢，合夥求財，專門對着老百姓的袋袋轉念頭，而美其名曰「國計民生」，實屬可哂之至！

我尤其贊成官職實行投標主義，這才眞是天下爲公的精神。像如今大家說是依甚末人事法規來登庸人才這套玩藝，誰無標準，一個特任官的才智，並不見得比在他頤指氣使下的一名科員高強了多少，而越是低能鄙陋之徒，越就容易飛黃騰達。放眼政界，四向觀察一下，眞正適才適位的官吏究有幾個呢？還不是只講人事關係！與其讓大官們徇私玩法，何如公開投標以定取捨，事實上比較公道些。

不要以爲法國這位旅行社商人的話是開頑笑，頑笑中實有至理，也有價値。而且，民主社會中乃有此開頑笑的自由，若在極權政治生活下而有此言，旅行社就得查抄充公，如果是出於新聞記者之口，哼，對不起，報館馬上關門大吉！

說專家

·淳·

我又要來續尙方先生之貂了。本月十二日他在香港時報「說專家」說：「凡是眞有專門研究而自成一家言的專家，必爲好學深思的書生無疑。書生之見往往是重理想而忽實際的，教他來指導或設計現實政治問題，多半格格不相入。」因爲拉鐵摩爾讀中國通害死人，因爲肯楠讀蘇聯通也是「尙方」之劍要斬的，所以憤詞知其所偏。

所謂專家無非是SPECIALIST或EXPERT的中譯。在文官制度確立的國家，大小事務官仿佛像我國前代的吏一樣，都是專於其任，對一法一例一案都要能說所執所掌有本有源，綱目並舉的擬議，纔是專家。學府中對任何部門學問，有專研的成就，與其說是專家，毋寧說是專門學者。胡適之先生教他的子弟曾有一對子：「爲學要如金字塔，要能廣大要能高。」這樣的博約觀念，是近代專門學者所必應具備的條件。完全與事實脫節的意見是幻想，和事實有多少根據，而其全部意見尙無事實爲之印證的爲假設，全部意見已有事實爲之印證，因而言之而可通的，則爲理論。經過無限印證，確然卓立的，則爲法則。而幻想、假設、理論、法則的共同性，則皆爲思想。其有害於理智的了解則稱爲空想。如在近代學府而可稱爲學者，必須具有金字塔式的博約，其學又必不許離開事實。而且理甚於事，所以一言理想，便有實驗的和事實的基礎在其中。如以爲書本上的理想可以直接運用於臨世之用的，既不知理想的性質，也不知當前實際的性質。在中國這種「讀壞詩書包壞腳」的「書包」，實在太多了，難怪尙方先生慨乎言之。至於「格格不相入」是相對的。「王之所大欲，可知矣」。所以孟子和齊宣王格格不相入。「陳恒弒其君，請討之」。所以孔子和魯哀公格格不相入。「箕子佯狂，伯夷玩世。」明知其不相入所以不入。「亡國之君，自賢其臣。」十分的格格相入。「濫竽充數」，格格相入。」又是趙馬的格格相入。「天下英雄，入我彀中。」嗚呼哀哉，入得慘！所以，這些「讀壞詩書包壞腳」的書生，居然能夠格格不相入，反而覺得難能可愛了。有賀人戲多結婚的對子，上聯是「雪裏梅花，今夜不知五六出。」如有出入，必有相對，尙方先生以爲如何。

共幹的逃亡

·羅須譯·

「今日，我和我太太雖已身無長物，而一日三餐也全靠柏杜美管區紅十字會難民營供應，但這種物質上的苦難，與共產極權下的瀰漫恐怖、憎恨、和特務的魘夢般生活比較起來，已不可同日而語。」

「不論前途如何，而我們也並沒有預料自由世界中的生活可立刻舒適安定，對於這次乘的士衝出鐵幕，我們絕無遺憾。」

這對夫婦，今日雖已自由在握，但他們雖身在柏林西區，共黨的陰影卻仍然時時籠罩着他們。他們既須慎防，勿誤入東區，且甚至柏林的郊區火車亦不能隨便乘坐。這鐵路雖伸入柏林的美英法共管區，但仍受東德共黨鐵道管理局所控制。

共黨的鐵道護路警在西區火車上抓走已由東德逃出的難民，已屢見不鮮，這些人一旦被抓走，便從此音訊全無。

漢斯和他的太太克莉絲達如走錯一步，踏進了分隔柏林市的鐵幕界限，漢斯便必被處死，克莉絲達也至少將坐牢二十五年。

在過去一年中，共黨在柏林西區大膽橫行，綁架其敵人，曾發生過數次，其中多數也是由於難民本身的不慎，有時偶一疏忽，便又重新投入共黨羅網。但多數逃出鐵幕的難民，進入西柏林以後，就有機會由盟方或西德政府派飛機送往西德，或再轉送出國，另尋新生活了。

東德共產黨的祕密警察組系，不論組織得如何嚴密，其手段如何可怖，却始終無法遏阻如潮湧的逃亡者。這些祕密終於不得不承認，他們的恐怖制度的內在祕密，今日已由無數難民向西方的德國同胞揭露，這更加強了西德人民要求爭取東德解放的普遍決心。西德總理愛特諾爾之堅持全德統一選由全德人民自由選舉來決定，就因爲他深知一旦舉行自由選舉時，全國人民必會以壓倒多數的選票擯絕共產政權而傾向西方的民主。這些身受八年共黨迫害的人民，自然決不會再找一個圈子來套在自己頭上了。

漢斯和他太太克莉斯的故事，不過是數以萬計的赤色政權下逃亡者中一個小小的例子，可是這類例子却已發揮了重大力量，使西德的共黨勢力大受打擊。在最近西德大選中，共黨候選人之全盤慘敗，便須歸功於漢斯他們所身受的現實故事。

最近，漢斯和他太太，已乘了一架銀色的英國航空公司客機，從柏林鄧普荷夫機場起飛，經過八百哩的旅程而到了西德。他們的旅費都由西德政府負担，到了西德後，他們的生活雖暫時仍極艱苦，但想起他們過去那種充滿恐怖氣氛的日子，再盼望這自由空氣中未來的日子，他們不禁感到已如身登天堂，因而露出了一個愉快甜美的笑容。（完）

旅歐回憶錄

·謝康·

荷印華僑子弟，留學荷蘭各大城市者常約三百餘人，彼等多爲土生，不諳中國語言文學，甚至不識自己姓名在中文裏當如何寫讀，但彼等渴慕祖國文化，思與各國中國學生接觸，於是有留歐中國學生會的發起和組織，一通利用兩國的暑假期間，在荷蘭開代表會議，於一九三四年成立，此舉華僑子弟之熱忱，至可欣感！余因是兩度有荷蘭之行。

旅荷華僑，以阿姆斯特丹及羅特丹兩地爲多，尤以航海業者佔多數，時値歐洲經濟恐慌，船舶停航者頗多，水手失業，則麕集兩大埠唐人聚居處；有從事開設番攤賭博者，據說賭錢有來往，可以流通金融，往往使失業者亦有飯喫云。水手們閒居無聊，有以賣糖餅爲生者，其法，以獨式枕頭箱，繫之於肩上，中實花生糖若干，散步公園附近，而大呼「PINDA PINDA」，蓋荷語花生糖之意也，公園小兒頗多，一聞PINDA，則向其母親或保姆，牽衣索食，遊鬧不已，荷蘭人好潔，爲母親者覩此華工之枕頭箱油膩可嚶，認爲不潔，不肯買糖，爲不使小兒攏遊鬧計，輒給予買糖之華工一兩角錢，囑其莫再呼PINDA，失業華工知花生糖之不能賣出，即已有收穫，於是棄賣花生糖之「無本生意」者頗多，小孩無知，遂以PINDA，代稱此輩華工，於是中國人變爲花生糖矣！

余嘗偕友人在阿姆斯特丹公園散步，有小孩尾隨在後呼余爲PINDA，余不知所謂，以問友人，友人遂爲余言如此，余問有何對策，友人即教余以德語駡此輩小孩爲「牛奶油之頭」，「牛奶油之頭者」，德人譏斥荷蘭語也，余遂如法泡製，小孩聞言，皆相率散去，他日，獨自行街，聞「品打」聲，輒用此法，亦驗。

羅馬參觀團者，中國留法學生團體旅行人數最多之一次也，事緣意大利政府，既爲當時歐洲四强之一，而羅馬文化地位，尙不足與巴黎倫敦柏林相頡頏，爲提高羅馬的學術地位計，意大利學生總會遂授意留學羅馬之若干印度波斯學生，到巴黎邀請東方各國留法學生代表各數人赴羅馬旅行，同時由我國駐意大使劉文島電知駐法使館轉達羅馬市政府招待之意，駐法使館委托巴黎中國書報社代辦此事，遂擴大組織羅馬參觀團，免費旅行羅馬一星期，參加者達一百六十餘人，於一九三三年十二月廿日出發，廿九日回巴黎，團體旅行，浩浩蕩蕩，極一時之盛！意方招待及導游亦頗客氣，同人皆乘興而來，高興而返，其中經過，余另編羅馬參觀團報告書，用油印印發，俾關心此事者有所參考，文長不能備錄。（九）

讀「小山詞」（一）

·舜生·

晏同叔（殊）叔原（幾道）父子，同以詞名。以處境不同，其所表現於詞者，亦差別甚大。

同叔生宋太宗淳化二年（991），卒仁宗至和二年（1055），得年六十五。歷事眞宗仁宗兩朝，官至宰相。生平好客，未嘗一日不讌飲。歐陽修稱其『爲人剛簡，遇人必以誠，雖處富貴如寒士，尊酒相對歡如也。』所爲詩文甚富，多不傳，（宋詩鈔即無晏殊詩）惟所遺『珠玉詞』一卷，至今猶膾炙人口。胡適之先生稱其詞：『閑雅富麗之中帶着一種淒婉的意味，風格自高。』然余終覺其富貴氣太重，如頌聖祝壽諸作，尤意味索然，不能與『小山詞』相提並論也。

叔原爲同叔第七子，官不過監潁昌府許田鎭。少時襲乃父餘蔭，處境甚優，惟晚年則似頗潦倒。近人宛敏灝所輯晏殊年譜，（見宛著二晏及其詞）甚詳密，叔原生卒，則終無法考定。但『小山詞』有兩首『生查子』提及李師師，宋徽宗兩度幸李師師家，在大觀三年四年，（1109—1110）其時去同叔之死已五十五年，叔原之年齡，至少已近六十。讀兩首『生查子』的下半闋是這樣的：

『歸去鳳城時，說與靑樓道：徧看潁川花，不似師師好。』

『幾時花裏閒，看得花枝足，醉後莫思家，借取師師宿。』

少年狂態，頗不類六十老翁之作，然則吾人只能假定叔原之見師師，當在徽宗幸師師家以前，而叔原之卒年，亦不能假定得太高，最多或不能超過七十也。

『小山詞』原名『樂府補亡集』，作者的生平既非吾人所得而詳，則我們要了解『小山詞』的風格，最好先看叔原自己所寫的這篇跋：

『補亡一編，補樂府之亡也。叔原往者浮沈酒中，病世之歌詞，不足以析酲解慍，試續南部諸賢餘緒，作五七字語，期以自娛。不獨敍其所懷，兼寫一時杯酒間聞見，所同遊者意中事。嘗思感物之情，古今不易，竊以謂篇中之意，昔人所不能遺，第于今無傳爾。故今所製，通以補亡名之。始時沈十二廉叔，陳十君寵，家有蓮，鴻，蘋，雲，品清謳娛客，每得一解，即以草授諸兒，吾三人持酒聽之，以爲笑樂。已而君寵疾廢臥家，廉叔下世，昔之狂篇醉句，遂與兩家歌兒酒使，俱流轉于人間。自爾郵傳滋多，積有竄易。七月已巳，爲高平公綴緝成編。追維往昔過從飲酒之人，或壠木已長，或病不偶，考其篇中所紀悲歡合離之事，如幻如電，如昨夢前塵，但能掩卷憮然，感光陰之易遷，嘆境緣之無實也。』

△更正▽　上期所登『東遊雜詩』『詩情琴意爲誰多』一句，詩情兩字排顚倒了。

病人與醫生

最近，美國一個小市民到聯合國新廈參觀，在委員會中聽了譯成五種語言的辯論後，感到毫無興趣，正想退出，忽然碰到他那一州的議員，兼任出席聯合國代表，於是向他說出了一個久儲心頭的問題。對這位代表說：「自大戰結束以來，我們將無數金元給了其他國家，希望他們自力更生。但等到在聯合國辯論，如韓國政治會議等重要問題，有些國家在投票時支持我們，還有一些不是反對，就是棄權，這是什麼道理？」

這代表想了一回，答道：「且讓我告訴你一個故事。假如你是一個醫生，去診治一個患重病的病人，你盡心盡力爲他療治，但有一天，他突然從床上爬起來，拿起一個花瓶朝你擲來。你當然感到憤怒，但當你想到這病人已因爲你的療治而有了力氣，搬起花瓶來擲了你，作爲一個醫生，你一定會感到自慰愉快吧？」

對一般美國人民來說，這樣一個故事，顯然已透澈了美國援外問題的中心。（一知譯）

誌·謝

本報收到下列贈書，特此誌謝：亞洲與亞洲問題（魯格等著，自由出版社）；中共工業經濟要論（范清平，自由）；無字天書（林適存，亞洲）；半下流社會（趙滋蕃，亞洲）；長巷（沙千夢，亞洲）；「回國升學」記，夏芸伯（亞洲）；洪甄木刻集（台灣陳洪甄）

自由可貴

——世紀末閒話之一

·駱客·

現代人多講現實主義，凡未見及的無形之事物自然不肯相信。對于耶穌，不信者死必入地獄，信者則升天堂，死後既已無知，當然許多現代人不肯置信。

「自由」是什麼東西？亦無形之物耳。西人雖有詩云：「生命誠可貴，愛情價亦高，若爲自由故，兩者皆可拋。」究竟許多人不知道自由什麼樣？探本窮源，現代人的懷疑態度實在難怪。

影星洪波最近在三軍球場說：「香港人不懂政治，連我這個電影從業人也不懂。香港和大陸僅一秒鐘可達，從香港到台灣，乘飛王號要三小時零五十分鐘，雖遠還是要來。」此言甚味深長，大陸乃共匪統治地區，無自由可言，台灣雖距香港遙，因爲可以呼吸到自由空氣，所以不辭遙遠。

王元龍說：「從前政府在，說它壞，政府走了，說它好。現在呢？壞的變好，好的更變壞了。」這就是說，政府在大陸時，中共匪惡意宣傳，任意說話批評，現在的大陸，連說話批評也不准了，所以代表自由的政府走了，才知道自由之可貴。

兩位影星和政治無關，實在是大陸人民的代表。他們說，政府未到台灣前，有人說政府不好，共產黨好。現在親身經歷之後，才辨出好壞來了。

天下事理都是比較出來的，自由未失去，不覺其可貴，一旦無自由，則覺其可貴了。

中華民國行政院新聞局登記證　中華郵政登記認為第一類新聞紙類

自由人

THE FREEMAN

（半週刊逢星期三六出版）（第二九三期）

每份港幣壹毫

督印人：李光華
社址：香港高士打道六六號
電話：七○四五三
GLOUCESTER RD HONG KONG TEL: 74053

承印者：東南印務出版社　地址：高士打道六十四號
台灣特約總代理處　台北市館前街五十號
台灣總經銷處　台北市重慶南路一段九十九號之一
台灣郵政劃撥儲金帳戶九二五二號

從現在看百慕達會議

——美國應珍重百慕達的成就

·黃華表·

自百慕達三巨頭會議閉幕以後，論列其成敗得失的文章，經已很多了！但我卻認為在這一個時代，舉行的這一類巨頭會議，要從其表面或其官式聲明中，評論其得失是非，是不可能正確的；而且多會與其內容恰恰相反！因為這一次三巨頭會議，明明是對付「蘇聯」及其附庸「中共」的。「蘇聯」以至其附庸「中共」，一貫是最詭詐的！邱吉爾先生深知這是如何狙詐，艾森豪總統亦深知如何詭移，都不至於不知「蘇聯」「中共」一貫詭詐的作風，而會坦白的告訴「蘇聯」「中共」，他們所會議的是什麼？所決定的是什麼？所以他們所能發表的「聲明」，一定只是一篇慣例的文章，絕不會與其所會議的內容一致的。他們當然也肯定「蘇聯」「中共」絕不會相信他們的聲明就是他們會議的內容；形式上也不能不發表一篇慣例的聲明。而我們如將他們聲明作為百分之百的代表他們會議的內容，我們不特是必然將為「蘇聯」「中共」所笑！也必將為艾森豪邱吉爾所笑！

英美主張已相當一致

因此之故，我且不必理會三巨頭會議後的聲明如何，只就會議後緊接在東西兩方所表現的事實，以推論這一次三巨頭百慕達會議的結果，我們先須假定：第一，我們不能看得邱吉爾艾森豪太過糊塗，以為三巨頭也和「蘇聯」「中共」一樣，一切都可以不講信義的；第二，艾森豪總統一切都要顧到美國民意，邱吉爾首相亦非在對英國有利的條件下，不能與美國一致的；第三，我們認定了這三個假定，便可以分析會議後的事實。我們認為這一次三巨頭會議的結果，可能為：（一）英美對於在東西兩方反共的主張，已相當趨於一致；可能美國在西歐方面，對英國的領導讓步；英國則在東亞方面，由美國負責保衛英國在遠東的利益，包括不斥責其與「中共」貿易的事實，而對美國讓步；（二）美國於越南在不防害其扶助越南三邦獨立主張下，軍事援助法國；而在歐洲方面，必須法國批准北太西洋防禦公約為條件；英國則同意美國這種主張；（三）英法同意遠東美國領導，對「中共」攤牌。

法國沒有反共決心

我們試看英國對於艾森豪在聯合國關於原子能的獻議，杜勒斯施於法國必須批准北太西洋防禦公約的壓力，都不猶豫的表示支持；同時美國一向對英國禁運不力的指責，又一旦改變為滿意的口吻，便是英美兩方「反共」的主張在百慕達會議已取得一致的佐證。法國本來是不「反共」的，也絕未嘗有「反共」的意識，其所以在越南與胡志明作戰，只是為保衛其在越南殖民地的利益，絕對不是「反共」！在歐洲方面，法國只是「反德」，也絲毫沒有「反共」！在其國家的利害上，也絕對不能產生「反共」的意識！更安能有「反共」的決心？美國要法國「反共」，根本是認識不清，不論美國要在西德「反共」，或要在東南亞「反共」，對於法國都必須再檢討，再認識；這次美國決然在東南亞反對越盟求和，支持法國對胡志明作戰，及在西歐要迫法國必須批准太西洋防禦公約，是為了「反共」，與法國的利害企圖，實恰恰相反；試問美國在越南要扶助三邦獨立，增強三邦實力，三邦強大了，獨立了，便是法國在越南殖民地利益的終了，豈不是與法國要保衛其殖民地利益的心理根本刺謬？在西歐，法國所要反的是「西德」，並非共產的蘇聯；而美國要的是扶助西德，反對蘇聯，又豈不是正與法國「反德」的利害根本相反？而美國竟不顧一切，斷然為之，英國又從而附和迫之，如果在百慕達會議中，英、美兩方不是得到了充分的一致，是斷斷不會有這一樣的事實的；英國協助美國在西歐要迫法國的作為，也足以作為美國在西歐的領導已相當讓與英國的證據。至於法國雖不願意這樣做，而其國力的衰弱，究竟亦不能不這樣做，竊得三巨頭名義以自娛，即作為陪客也罷了！而美國在這一次會議，能取得英國的妥協，而拋棄了法國，因之又獲得西歐的盟軍，在「反共」的外交上，不能不算是巨大的成功。反之英國雖屈居第二領導的地位，畢竟比之向馬倫可夫獻媚，絕無所得，反以失卻美國的助力，好得多了；故此也當然是英國巨大的成功！

美對遠東將有何行動

由於百慕達會議，美國在西歐將可以建成強固的對蘇聯侵略的防禦；在東亞因獲得英國的一致，獲得了行動的自由；我們就可以進一步推論美國在遠東將有何作為？就美國「反共」的主張和「反共」的利害上論，美國是沒有理由可以讓「中共」存在，所以也沒有理由不先把「中共」打垮的，要打垮「中共」，完全不是像三四年前「恐共分子」所想像那麼困難！我們從韓戰的經過，已充分看出蘇聯並不像其同路人所誇耀的強大，而且是絕不會犧牲了她自己而挺身出而為保衛「中共」而作戰。中共要失了蘇聯物資的支持，其自身業已民窮財盡，兵疲力竭，是不堪美國一擊的！退一步說，美國是不願和「中共」直接作戰的。我們也不須美國直接和「中共」作戰；（我們主張美國應該像蘇聯一樣退在幕後，監視蘇聯不敢助彈。蘇聯從什麼方面，都不是美國的對手！美國若對蘇聯採取監視的態度，更可保證蘇聯絕不敢挺身出而為保衛「中共」而作戰）！我們只希望美總積極援助，積極裝備南韓，自由中國，越南，泰國，以及這四個受「中共」威脅傷害最甚的國家，對付「中共」，這四個國家不獨是具有堅強不可摧毀的「反共」意識，他們所有的武力，也將是中共所不能抵禦的。

一日縱敵數世之患

我們只要看看南韓的前事。南韓只有美式裝備的部隊一百萬人，已牽制了中共俄式裝備最精銳的部隊三百萬人，不能脫離北韓戰場，和東北地區。假定美國在東南亞裝備了越南泰國的部隊五十萬人，牽制中共駐在西南兩廣地區的軍隊；又裝備自由中國部隊五十至一百萬人，沿海反攻！試問中共有多少俄式裝備的精兵？可以應付幾個戰場？可以防禦綿長的海岸綫？就使有蘇聯的援濟，到底陸路不比海道容易，也是不能與南韓自由中國越南泰國相比的！其中最重要的因素是台灣反攻！以目前大陸四億五千萬人民所受「中共」的慘害，只要國軍反攻，包是到處響應的！我們要請美國看看在北韓的中共俘虜，有百分之幾是願意遣返「中共」的？就可以證大陸的人民有多少是反共的？美國要當機立斷！實得羅伯遜急急的要在聖誕節前後訪台，是不是美國決定大計的先聲？美國應該珍重其在百慕達會議中所獲得的成功；中國有句老話，「一日縱敵，數世之患也」。「中共」正是美國一日縱敵之「患」，美國可以一誤再誤乎？敢請艾森豪總統下一轉語！

亞拉斯加——美國的北極屏障（上）

——根據巴黎FIGARO日報特派員PAUL GHAIZE的最新報導。

·謝康·

亞拉斯加與美蘇爭霸

因為接近蘇俄和美蘇兩國在北極爭雄長的緣故，造成亞拉斯加的戰略價值和它底欣欣向榮景象。

一塊比廣東省還大七倍的土地，八十五年前，俄國以三千八百萬金盧布的代價，出讓給美國，想不到八十五年後的今天，美國可以利用這塊地方，作為準備進攻蘇聯或防禦蘇俄侵略美國的基地。在這塊不到二十萬人口的土地上，建立了三百五十六個空軍基地，還有七十三處水上飛機站和若干陸海軍的據點。這些數目字，充份顯出美國政府如何重視這荒漠的亞拉斯加。

亞拉斯加的首府哲尼島（JUNEAU）距離紐約五千多公里，但是，空中的交通和運輸，來往頻繁，好像和內地各大城市的聯絡一般方便。

哲尼島市，傍山而近海，建築在山腳斜坡，宛如歐洲亞爾卑斯山間的一個小城。雖則它的高度與海面相差不多，然而山坡上經常積雪（至少一年中有九個月是這樣），好像高出海面二千公尺的亞爾卑斯山地一樣呢。

亞拉斯加附近許多島嶼，也都成為今日美國國防最前綫根據地，尤其是羅列白令海南岸延長二千五百公里至三千公里的阿留申群島一帶的海空軍設備，正遙遙接應着日本東北部的海防，同時也就使得蘇俄的堪察加半島，和東部西伯利亞，感受到威脅。

如果有人以為亞拉斯加今天還沒有國防設備而想輕易發動侵略，使它重入俄國的版圖，那是絕對不合事實的夢想。

或者說北冰洋是一道天然的國防綫，因為終年厚積冰雪，交通太過困難的緣故，於是，使得蘇聯和加拿大與美國，截然地分開，成為互相不能侵犯的鴻溝天塹，這也是不合事實的空談罷了。

因為，從今日空運的發達情況看來，只有經過北冰洋，纔是從美國到蘇聯最短而最快捷的一條路。

但是，有一個重要的因素，須得特別注意：就是「北極的氣流」底力量，這氣流所造成的風力，還相當強大的，飛機如果順着氣流的方向飛去，就是「御風而行」，一路順風，沒有什麼阻礙，倘若逆風而行，一定是走得很慢，而且要遇着若干阻礙或困難。在這方面，天公卻幫助了美國，而不利於蘇聯，因為從美國飛向蘇聯的西北部是順着北極風的，而從蘇俄西北飛向紐約的航程，卻是逆北極風的。這也可說是美國比較蘇聯得天獨厚的一點，也可說是美蘇爭霸中美國所佔有的天時和地利。

美國的攻守計劃

美蘇兩國的接壤處是亞拉斯加極西端和西伯利亞極東端之間的兩個小島，在白令海峽的正北面。島名叫做大小聖狄阿美德島（ST. DIOMEDE）。大聖狄阿美德島屬蘇俄，小聖狄阿美德島屬美國，兩島距離只有三英里，大半的時候，是給冰雪把它們連在一塊的，住在這裏的人，多用冰橇來做交通工具，有時也坐着狗拖的雪上小車，近年來，很多土人卻坐着飛機旅行了，這兩小島相隔雖然只有三英里這點路程，但是因為它們位置在東經一百八十度上，是新舊兩大陸的分界處，所以人為的時間相差卻有一天這麼大。也就因為這個緣故，在亞拉斯加居住的哀斯基摩土人叫西伯利亞為「明日之土地」。因為在亞拉斯加是禮拜日，而在西伯利亞東部，已經是禮拜一了。

美蘇戰爭一旦爆發的話，俄兵要從亞拉斯加登陸，困難要比較從加拿大的北方海岸登陸，不知加多少倍。因為亞拉斯加的地形和防禦的鞏固，已造成了美國的北極屏障了。不過，它底戰略價值，還是守勢的多於攻勢的，在攻勢方面，美國的注重點，是在加拿大東北角上的格陵蘭。美國在這個世界第一大島上，已建立了許多進攻蘇聯的基地。因為飛機從這裏出動，同時可以威脅莫斯科、列寧格勒和東尼茲（DOUETZ）一帶地區。

法國的總統選舉

截至我現在執筆為止，法國的總統選舉，已經投了十次票，依然沒有把一個未來的總統抬得出來。法國國內的輿論固然表示不滿，即世界輿論也似乎對法國的前途增加了無限的悲觀。法蘭西在世界文化史上，確曾有過她了不起的光榮；即今天在歐洲所處的地位，也不能說不重要；情況如此，當然不能說不相當的尷尬。

可是話仍得說回頭：現在法國兩院九百多個議員，依然在凡爾賽宮從容集會，會外除輿論表示相當的不滿以外，並無任何一種暴力，敢去加以干涉。咱們當年的袁世凱，因為他非做正式的總統不可，而議員們又不大聽話，他便發動所謂公民團把議會包圍起來，限定不把他們所要的總統立即選出，便不許議員們越雷池一步。於是議員們無可奈何，只好一致推選。再看當代的極權國家，斯達林要做一輩子的獨裁者，便除他一直做到死，蘇聯人民也不敢放一個屁；乃至在他臨死以前，他要指定馬倫科夫繼承他，蘇聯人民也就只好俯首聽命。推而至於今天的毛澤東金日成，除非蘇聯主子叫他們滾蛋他們不能不滾，或世界爆發一次大戰，逼着他們走路他們不能不走以外，看樣子他們也大可一直的做下去。上次美國的總統選舉，艾森豪和斯蒂文生，事前彼此都無絕對的把握；即最近菲律賓的選舉，事前也沒有人敢於斷定季里諾一定要失敗；這才算是民主國家的正軌。

拿袁世凱的故事來說，咱們中國人大可不必去嘲笑法蘭西；拿極權國家的事實來說，共產黨也無嘲笑法蘭西的資格。我相信，法蘭西還是會要依據正當的選舉方式去產生他們的總統的，十次選不出，便選二十次，又有什麼妨礙呢？只要還有自由選舉，法蘭西便仍不失為一個民主國家，即令她不是一個太健全的民主國家。

半週展望

·左舜生·

蘇聯的答覆來了！

本月八日艾森豪總統的一篇原子彈演說，我估計最多只有繼續冷戰的意義，別無其他。現在蘇聯居然有了答覆了。

截至今天早上我看見的報導為止，這一答覆的詳細內容還不大明白，但已經可以看出一個大致的輪廓：

一、蘇聯樂於與美國從事祕密的商談；

二、她仍然要求所謂『五強會議』；

三、她要求艾森豪就他的建議，再作一度詳盡的說明；

四、她將要求立即停止原子武器的生產與運用。

關於第一點，正是蘇聯多年以來所求之不得的，艾森豪這次為她開了這個方便之門，她今後必將咬定不放，不僅原子彈問題，以後一切世界重大問題，她都會要求由二三大國用祕密方式解決，這本來是蘇聯的一貫政策的一個骨幹。

關於第二點，在今後五年，蘇聯要把中共捧成『五強之一』，也給予中共若干的原子武器，甚至在中國大陸建立一二個製造原子武器的工廠也不一定，到那時候，她便可以宣言中共也有了原子武器。美國既然認定原子武器十分可怕，而以為必須加以制止，如果中共也有了這樣東西，美國更有何種理由拒絕中共不很恭順的請求呢？

其請她來參加祕密會議，這將使美國的專家們十分為難，因為發表一篇演說十分容易，要就這件事提出一具體計劃，卻非常困難；果然如此，便花上三五年的工夫也決定討論不好，到那時候，原子武器又發展到了何種程度，然則演說不等於白說？我不知道世界上有何原子武器專家可以提出，蘇聯可以承認應該停止製造與運用，如果美國只大可以停止，則蘇聯目前所趕不上美國的，乃正是製造的速率與運用的普遍，一旦停止，在蘇聯豈不得其所哉！

我始終覺得艾森豪這篇演說一無是處，且看他對蘇聯這一答覆作何應付？如果他容我們說，好，我們便來開會議，我想邱吉爾先生一定首先舉手贊成，因為他是老早就想和蘇聯去談談的啊？

鮮卑利亞問題的研究

俄人侵略亞洲的一頁

鮮卑利亞學會將成立

・吳傑・

【台灣通訊】貴刊二六期所載台北近成立鮮卑利亞學會，主持人有著名之蒙史學者秋濤、丁謙等，他們經過長期研究中俄關係史，認爲鮮卑利亞云云。記者對於鮮卑利亞學會情形稍有所知，現略述該會近來情形，以供讀者參考，想爲貴刊所樂於刊載者。

毛澤東是石敬塘

三十八年大陸淪陷的時候，研究鮮卑史及蒙古史十餘年並主講過蒙古史的趙尺子教授，避滿來台，應孫立人將軍之邀到鳳山第四軍訓班任教。趙先生根據他的研究，確知當時以及現在大陸上的變局，不是黨爭，不是內亂，更不是內戰，純係俄帝爲了吞併整個中國，因而扶植毛澤東爲石敬塘型的人物，用中國人打中國人以奪取中國，使她成爲俄帝的一個附庸。所以他到鳳山後，自開「俄帝侵華史」一課，並介紹和研究俄帝共匪關係很多的學者王非、劉珍兩先生到鳳山任教官。四年以來，他們將「俄帝侵華史」一課，傳授給自由中國的全部陸軍。趙先生著有「因國史」一種，四十年一月出版，研究歷代的石敬塘人物，直到毛澤東爲止；王先生著有「俄帝侵華史」，現已發行三版；劉先生著有「蘇俄研究」及「坦白的故事」，也均流行很廣。

鮮卑的歷史考證

他們三位根據鮮卑史、蒙古史及「俄帝侵華史」的研究，並參證清史學者何秋濤、丁謙的著作，於三十八年五月起開始講授「俄帝侵華史」的時候，便算定俄帝侵華的開始年代爲一五五二年，即俄帝伊凡第四佔領烏拉山侵入鮮卑利亞的一年，至一六八九年中俄簽訂尼布楚條約，俄國已將鮮卑利亞外興安嶺以西，外蒙古以北的一大塊土地侵略以去，所以他們認爲尼布楚條約是中國和外國所訂的第一個喪權失地的條約。他們考定，今天地圖上所謂「西伯利亞」（SIBERIA）即元史上的「失必兒」，也就是書經禹貢上的「織皮」（讀織蔽），左傳上的「姺邳」，楚辭大招上的「鮮卑」（讀鮮析），後漢書、三國志、晉書均稱「鮮卑」，至晉末「鮮卑」拓跋氏建立北魏，成爲中國歷史上的正統王朝，留有正史魏書在廿四史中。

北魏西北部國境，據英國史家韋爾斯世界史綱所記，北到北極海，西到烏拉山。北魏以後，「鮮卑」未同化者仍留烏拉山東西，東即「失必兒」，西即「烏拉」，九世紀時，俄國已侵入「烏拉」，建立首都，稱「兀剌的迷兒」（「兀剌的」即「烏拉特」，「迷兒」即「族」），合爲「烏拉特族」。其留於今額爾一帶者，又併入「滿洲」，我史稱爲「西鮮卑」，後併入蒙古。留於今吉林省、熱河省者，也併入蒙古，即今之「錫伯」。留於今外蒙古西北者則稱爲「烏梁海」，也就是元史上的「兀良哈」，明史上的「瓦剌」及「衛拉特」。「鮮卑」人的分布地區是很大的，和中華民族的關係也是很深的。據他們三位一致同意：我國史上的「夏」，殆爲「鮮卑」最早遊牧到中原來的一支。他們考證：禹王就是「鮮卑」人，禹王的祖先軒轅黃帝更是魏書、北史所一致認係「鮮卑」的祖先。至北宋時，「鮮卑」拓跋氏的後人在今陝西西北，綏遠西南，烏梁海以南，甘肅東部建國，仍自稱「西夏」，都足以證明「鮮卑」即「夏」。可以說，中華民族和「鮮卑」是分不開的，「鮮卑」在五千年以前殆即是「夏」。

關於鮮卑史的著作

四十一年一月，他們首次發表上述的研究，借台北有名的戰鬥青年半月刊，列出「俄帝侵華史實特輯」，在這一專號裏，趙先生撰文「俄帝侵華的原因」，提出「鮮卑利亞」是中國「歷史的領土」，王先生撰文題爲「鮮卑利亞是中國領土」，劉先生文裏也強調這一點。這個專號刊出後，引起台灣出版界和史學家的注意。到今年九月中，他們又假戰鬥青年半月刊刊出「鮮卑利亞是中國領土專號」，撰文者有名史家秋原、胡[illegible]及蔣君章等，趙、王、劉三位，也均有論文，最特殊的是在台灣的三位鮮卑籍學者立法委員兼台大教授哈廉，評校教官李文林，醫士那琦（鮮卑史專家）都有文字發表，出版五千冊，一週便售罄了。

鮮卑利亞學會的籌備

在「俄帝侵華史實特輯」刊出以後，「鮮卑利亞是中國領土專號」刊行以前，趙先生等各位籌備成立鮮卑利亞學會。現在已有足法定人數的發起人，預定明年便申請立案。這個學會的宗旨是「研究鮮卑，解放鮮卑」。他們主張，使鮮卑利亞歸聯合國託管，久後達到鮮卑民族自決，必須使鮮卑利亞永遠脫離俄帝的奴役，方能保障世界的和平。美國新聞處已把這些埋藏很久的「鮮卑」史實介紹給美洲的讀者，他們感覺很有興趣。自由中國的某戰略家，則認爲「鮮卑自決」合於全球戰略的立場。

趙先生近作「幾個地理名詞的誤譯」（十二月中旬出版的反攻半月刊），對「西伯利亞」係「鮮卑利亞」的誤譯及「赤塔」係「契丹」的誤譯等等，根據史實地實作詳細的說明，可供讀者參考。三百年來，由於鮮卑利亞之誤譯爲「西伯利亞」，致令我國人士不明鮮卑利亞和我國的關係，鑄成簽訂尼布楚條約的大錯，失地一千二百萬平方哩，今後如能因鮮卑利亞學會的正式成立，使世界人士多加注意，多加研究，俾鮮卑利亞的地位，能够恢復舊觀。這是記者所最切望的。（十二月十五日台北）

紐約最近報紙電版工人大罷工，因爲紐約時報工人在門外遊行

蘇俄農業政策的演變（中）

・俞嬰・

一九二三年不平衡的價格，對於農產品不利，有其嚴重的結果。農民要求城市高價格的消費品銳減，而致城市發生堆積的貨物；可是工業品因托辣斯價格統制，阻止貨物跌價。農民購買力減低，不願將糧食售給城市，且城市又必需依靠鄉村糧食的供給。蘇俄政府想解除這些危機，造成它的農工合作的政策，消得將工業品價格降低，將農產品價格提高，掌握工業品貨物不交出市場，並將有些貨物規定最高價格。另一方面改變購買穀物政策，將農產品價格提高，結果對一九一三年工業與農業產品價格比較平衡。雖然蘇俄政府努力於克服「鋏剪危機」，但實際上困難仍然存在。主要的問題，是穀物的供給量自一九二〇年後的百分比縮得很厲害，一九二六——二七年只有百分之十三點三，與第一次大戰前百分之二十五相比。重要的因素，是貧農和中農在一九二六年生產全俄百分之八十五點三的穀物，而出售的只有百分之十一點二。富農的收穫原爲百分之十三，但出售他們的穀物百分之二十。同時比較不重要的國家和集體農場生產所有穀物只百分之一點七，銷售他們的穀物百分之四十七點二。在一九二七及二八年，蘇政府再次遇着極大的困難，它要依賴緊急處置，即如將富農的穀物充公，同時一般農民也不肯出售穀物，因爲將穀物改爲飼養其他牲畜，賣肉或賣乳，還是比較有利可圖，勝過將穀物依照規定價格出售的。

三條鬥爭路綫

第一、蘇俄政府爲急要進行工業計劃，工業建設工人迅速增加，需要穀物供給甚急，只有施行由政府統制來給養。

第二、主要鬥爭的對象爲富農，改變過去的寬容態度，在一九二〇年下半期，增加甚重的賦稅在富農肩上。這樣仍認爲不够，及至一九二九年，則「由限制富農剝削傾向，轉爲消滅富農階級」的政策。

第三、迅速協助組織集體農場，幫助貧僱農民，借款給他們購買農具，使之加入集體農場。由一九二七年至二九年，爲高速度的增加。一九二七年十一月，只有一萬四千八百三十二個集體農場，一十九萬零五千農民，但至一九二九年六月一日，已有五萬七千如此的農場，及一百萬零零三千個農民家庭了。

集體農場的暴風雨

蘇俄政府認爲迅速地組織集體農場，就可以控制農民，掌握穀物。可是，集體農場的過程，在蘇俄歷史中，是一個最大的暴風雨時期。

一九二九年十一月，共產黨中央委員會決議，命令二萬五千個可信任的工業工人，調往鄉間領導這個集體運動，並且推動建設大規模生產農場工具的工廠，俾能迅速組成新的集體農場。各區政府和省政府當局也接到命令，「授權用任何方法來鬥爭富農，包括將富農的財產全部充公，及將他們放逐到遙遠的邊界以外」。集體運動的命令要迅速執行，除第一次五年計劃原有模型外，由那時起，事情變遷得很快。一九三〇年二月二十日，有五萬九千四百個集體農場，四百四十萬個農民家庭；六個星期以後，有一十一萬零二百個集體農場，一千四百三十萬個農民家庭，佔所有農民家庭百分之五十五。歷史上最迅速的農業改變，顯然是造成了。

可是，實際上這樣迅速增加的數字的後面，卻蘊藏着許多不安的因素。集體行動，實際上是城市工人由共黨黨部及政府機關遣派落鄉，塞入農民的喉嚨。他們沒有取得農民的同意，硬將他們的財產及土地，混入集體農場；或者威脅着一般農民加入，如不贊同加入則受到嚴重的處罰。富農及其他反抗的被槍決或被迫入勞動營。整個農村，瀰漫恐怖的氣氛。農民們爲對付此種恐怖，或將牲畜殺害了，或將財產毀滅了，卻不肯給他們所憎恨的集體農場。因此，引起了農民普遍不滿，而將一九三〇年的春耕破壞，結果那年的穀物，受到重大的災害。據有資格觀察的人估計，這次損失包括全俄一般百分之五十的牲畜，其他許多農具，使農業廢弛，引致一九三一年的歉收，和一九三二年跟隨而來的大饑荒，有五百萬個富農家庭，被放逐到西伯利亞及北極去。

台大僑生生活

【台灣大學通訊】（上略）去月台南工學院舊同學因事到台北，知道他們功課非常忙，連吃飯睡眠的時候也被剝削了，真有點吃不消。理工科事實上功課是很忙的，每星期廿八堂，不像我們政治系功課，較爲輕鬆。校裏同學感情不錯，尤以僑生和同學，都能合得來。[illegible]

讀者來書

文藝雜感

・樹人・

拜讀了自由人上幾篇關於討論文藝的文章，不禁有些感想：

文藝要能够在一般社會獲得共鳴，使作品的喜怒哀樂獲得讀者欣賞，而有所慰藉。另一面，一篇好的作品，其所以能流傳後世，除了美好的文字之外，它本身的內容和道理的傾向，最關重要。既大鐵的燕子箋，文字不可說不美，結構不能說不謹嚴，但終不能說是上乘的作品。

從事文藝工作者要負起一個重大的責任，要不斷鑽研，不斷進步，不能爲眼前一點浮名而感滿足，而且許多作品，當時或被人忽略，過了若干年，才被人發掘的。

所以文藝工作者，並不要多產，而是要精審。不要熱中浮名，隨便涉筆。我時常在所謂第一張大報上，看到文字，有些甚而模倣都多不上，簡直是抄襲，因爲模倣，最低限度還有自己的意識，和主觀的認識，而抄襲，祇是人云亦云，把人家的意思換一個名字寫出來。

文藝圈中，不應有小組織，對於這點，亦不敢相信沒有小組織存在。有時在報紙雜誌上看到一兩篇妙文，連文字都寫得不通順，引證無聊的惡心；還有些作品，引證古書，備用一些典故來堆砌。這些作品，實在不敢領教。

一個成功的作家，必須在四十歲以後，到了四十歲，才有豐富的生活經驗，和文藝的修養。至於天才，還在其次，最重要的是琢磨。美玉不經琢磨，不能成器。

文藝工作者，要共同攜起手來，現今是反共抗俄之大時代，我們要在文藝上發揮一股強大的力量，向着共同的目標前進，絕不容許有成見和小組織的存在，要負起改造時代的使命。[illegible]

× × ×

編者・讀者

△讀者來函

我覺得[illegible]「評鍾詩集」一文，犯了四個毛病：[illegible]二詩缺點，不多，詩評家欲以少數詩篇遮蔽全[illegible]，到底怎樣，只有懂得的人最好作品，但也絕非[illegible]含蓄。「斷崖」一明，明在[illegible]。（下略）莊采珠

△鍾鍊：「鍾詩集」隨後在本刊[illegible]答復。

△編者：貴刊主張民主、自由，更愛讀貴刊和性格淘冶，神益甚大。一面讀書，一面寫稿，間或寫稿，[illegible]失了良好導師，今欲訂閱者張鎧先生：十二月十八日上報已照[illegible]

△編者的話▽

△本月廿五日爲雲南起義[illegible]周年，本刊將於下一期刊載張維翰先生的「雲南[illegible]」[illegible]

△下一期的文章[illegible]

「祠壇祭酉[illegible]」[illegible]

△胡越潮[illegible]

△王鈞先生：[illegible]

中共工人冬訓的剖視（上）

沈著

本月一日北平「人民日報」社論，業已發出「工人冬訓工作」的「指示」；接着，僞總工會及各地各業部門即展開了此一工作的準備工作，計算目前當已紛紛進入實施階段。爲此，筆者特就中共此一措施的內容和用意作一探討剖述。

所謂工人冬訓工作

所謂「工人冬訓工作」，係中共利用冬閑時期大規模訓練工人的一種政治措施，業已制成制度，係於去年冬間所創立；訓練的範圍甚廣，進度嚴格，爲中共定期「改造」工人「政治思想」和「操作思想」的一大手段。

中共利用冬閑時期實施其臨時訓練工作，原並不僅限於工人，如城市或鄉村的低級黨團務幹部及一般黨團員，鄉村低級行政幹部，城市或鄉村的婦運幹部等等亦同樣舉行冬訓工作；惟「工人冬訓工作」，則係專指訓練工業部門之員工而言，爲中共冬訓工作之重心所在，其中包括：各地低級工會幹部，各地工業單位之低級管理幹部，各地工廠、礦場、或工程之技術工人或普通之固定工人等。係採行分科訓練制。

此種訓練之期間，一般的皆爲一個月至一個半月，開始略有前後，期間略有短長，但均須於農曆春節以前訓練完成，一律結束，俾春節以後，恢復操作。

此種訓練之組織，爲臨時性之短期訓練班。訓練工作，由各部門之行政領導幹部所主持，另由該單位內之黨務、行政、工會、青年團等負責幹部組成「冬訓委員會」，派定專職幹部，組成辦事機構，專司其事。但此種訓練工作，係受當地黨之領導幹部所嚴密統一計劃，指揮和掌握。

其訓練之方法，先爲總結並檢討一年中的工作、生活、和思想，提出其中所遺漏或發生的問題加以研究教育，或提出其中所發生的過失、偏差、缺點或嚴重的錯誤加以批判。倘係工人，則還須整一整（中共語）所謂「勞動紀律」。然後，纔以講授、實習，正式進行其訓練工作。

訓練的重心和用意

事實所顯示者極爲明顯，不管中共在高喊「工人階級領導政」與「工人階級專政」一類的口號，而工人始終是被利用爲推行共黨極權統治的幌子和工具；被其美其名爲「新中國主人翁」的工人們不但被驅迫從事於違反人道的勞役，且還須在「政治思想」上整套地被迫接受中共的「改造」。中共大規模的實施工人冬訓工作的用意，就在彌補平時黨幹所執行的「政治教育」的不足，對其不合於中共標準的思想和行爲集體性的整肅，並從而進一步「改造」工人之「政治思想」和操作的作風。

基於此種用意，因此，對低級工幹和工人之間的訓練顯然有其不同的重心。

對工會低級幹部方面，着重在政治情勢的「認識」和工人基層控制技能的提高。所謂政治情勢的「認識」，目前主要是對所謂「國家過渡時期總路綫」含義的了解，俾使其平時根據此一原則加緊控制並「改造」工人向所謂「社會主義的方向」進展。其次爲對於「工農聯盟政策」及「工資政策」的了解，俾使其切實控制工人鞏固中共的政治基礎，並得以巧詞飾辯對工人因工資微薄所引起的不滿和糾紛進行說服。同時，因工會幹部皆係中共之黨員，故還須着重共黨的基本知識的訓練，如黨的性質，黨與工人階級的關係，黨員標準的八大條件，黨對工人的宣傳和教育任務，俾使其平時執行工會工作時，貫徹其原有的黨性。所謂工人基層控制技能的提高，主要是訓練其「勞動紀律」的執行能力及「勞動競賽」的策動和組織的能力，加強其運用組織、控制工人的知識和技能，其用意，乃在加緊對工人的控制和「改造」。

對工業單位之低級管理幹部方面的訓練，則以提高其業務管理能力爲主，除了訓練其在所謂「總路綫任務」之下的「工業建設」的「政策方針」以外，即以施工管理，技術控制（按：係指控制操作、技術標準而言），財務處理，技術保安，責任制度，和政治工作等爲訓練之重心，一方面在提高生產技能，但一方面也在加強其管理工人生活，控制工人勞力，監視工人操作，防止工人怠工，曠工及消極反抗和秘密破壞等等的能力，故部份爲生產業務而訓練外，大半依舊以工人爲訓練之對象。

對一般技術工人和普通固定工人方面，可說大半着重在「政治思想」的「改造」，其次乃爲「操作作風」的「改造」。「政治思想改造」的主要內容，爲解釋「過渡時期總路綫」，強調「國家利益」和「長遠利益」以及所謂「共產主義的前途教育」；繼續加強「工人階級」是「國家的領導階級」所虛僞宣傳，俾掃除所謂「工人的保守思想」，克服工人的和目前的利益觀念，及其因此所產生的對中共的怨恨情緒，以及克服工人普遍而深刻的對「工人階級專政」和「共產主義前途」的懷疑心理，以從而爲中共的思想標準予以定型。「操作作風改造」的主要內容，一爲徹底掃除其所謂「帝國主義」的技術觀念；二爲克服其消極怠工，數衍塞職的作風，三爲防範其違反「勞動紀律」的行爲，從而大力推廣其「蘇聯先進經驗」，「端正」其勞力勞動和認眞操作的態度，爲中共拼命生產。受此種訓練的人數最多，爲中共「工人冬訓工作」最重要的一環。

這種訓練工作，當然爲中共所極端需要的，但也因此而反映出了一些對他們甚爲不利的情況。這些情況，部份是中共自己所透露的，部份是據情加以推斷的。

中共大張旗鼓宣傳「總路綫」

【本報訊】綜合最近大陸各地消息：自中共僞財經委員會副主任兼統戰部長李維漢在僞工商聯代表大會喊出「國家過渡時期總路綫」口號以後，中共各地黨務幹部即首先展開此一新「政策」的學習，接着各級行政機關、部隊、學校、團體亦在有組織、有計劃的情形下紛紛展開學習，一時如火如荼。及至目前，此一新「政策」已由學習階段進入大規模宣傳階段。宣傳的對象，以廣大農民爲主，都城之市民次之。宣傳的目的，即在要求人民服從此一「政策」之「號召」，供獻出人力、財力及一切生產利益，擁護中共的所謂「社會主義工業化」，順利進行其「國家建設」。此種宣傳工作，係由各地黨委統一領導，動員全部宣傳工作人員及城鄉基層幹部全面展開，極見瘋狂。（沈）

香港三日

香港縮影搬上電視

教徒赴美優先洽辦

香港的地位逐漸被人重視，港九情況也爲世人關切；美國國家廣播公司及哥倫比亞廣播公司電視組，他們都打算把港九各項設施和動態搬上電視銀幕，在半月之前派了一批攝影工作者來港，搜集許多平時很少被人看到想到的資料。這些珍貴的鏡頭，大致均被攝取。開始是從太平山之巔遙望着遠處海港風景，沿着大道中最繁盛商業區，經過銀行區的摩天大廈；訪問每一位具有聲望的人士，傾聽有關當局對於流亡港九十四萬難民如何處置問題。從簡陋的木屋區轉到徙置區，與港府建築公務員宿舍相互輝映；乘火車到新界，在中英邊區的小孔中透過竹幕背後，在熙攘往來旅客們表情裏，勾畫出各個不同的輪廓。這是每個美國人感到十分驚異的一件事，這一條「蜀道」，連攝影者也非常詫異。所遺憾的，他們卻無法穿過羅湖橋去，否則這一部影片將更爲充實，更有意義與更有價值了。那長達一萬八千呎的膠片裏，除了這些走馬看花的各種情景，還有許多辛酸的淚痕，酒杯中的笑聲。並且反映出調景嶺難民所過的是怎樣的生活，推出懸縮於街邊流亡者具體的畫面，歷數夜總會飄蕩着的輕鬆旋律，描寫出紳士淑女們放浪的形態；九廣車站爭逐着來自華界的旅客，要他們彈出發自眞誠的心聲；鏡頭又移向渡輪上下行人的身上，每個人臉上掩映出緊張碌忙的神情；再轉到了水上艇家的生活，重又回復到人烟稠密的鬧市。他們確實費了很大力氣，在短短的半月間，把各式人等的臉譜，各種不同的形態，全部吸入了鏡頭。這一部極眞實珍貴的紀錄片，在明年初將與美國二千萬觀衆見面，是社會的縮影，抑是一首辛酸史詩，那時候，當有一個明白的結論。

×　×　×

美國批准難民入境的法案之後，居留港九要求赴美的難民，又湧現出一個高潮，分向台灣及當地美國領事館詢問。可是，美國駐外機構最近才接受申請的訓令，準備工作也只剛剛開始。但中國難民入境僅限二千名，如何打破名額上的困難，已成爲中國外交部一件迫切的問題。中國流亡知識分子救助協會登記的流亡知識分子，在香港登記的有一萬一千餘名，其中有教育家、工程師、新聞工作者、司法行政官、醫生等，其中四分之一係天主教人士。國徙僑的，可以自行投函香港難民救濟協會第二五六九號，向威夫特士（MR. L. WILFDES）先生申請。該會過去所救助的流亡知識分子，據稱已有五千名登記，已在台灣分發適當工作。其餘半數，或因證件不全，或在辦理申請手續。

×　×　×

港九工商業淡風未盡，今年僑資工業展覽會參觀人數比去年大大增加，一般以爲這是景氣的先兆。去年工商業雖然淡風彌吹，一片衰頹聲中，地方稅收卻反而增加，這是令人驚異的一件事。根據當局統計至今年三月卅一日止的歲收，比較預收額表披露，去年度全年地方稅實收一億六千一百二十八萬四千一百四十三元，比較預收額超出六千一百五十八萬四千二百四十三元。其中除了鄉院稅，飲食稅比預收額稍短少之外，餘如博彩、商業登記、印花稅、差餉、遺產、娛樂、牌照等稅已均超過預收額。

爭取金日成

中共搾取人民膏血　鉅額物資支援韓共

【本報訊】據北平消息：北韓共首腦金日成，於上月到北平，與中共作爲時甚久的各項談判以後，業於上月二十八日離平東返。事後中共官方透露：此次會談除先訂立一項軍事同盟協定外，並與北韓簽訂「中朝經濟及文化合作協定」。在此「協定」中，中共除決定將自北韓南侵之日（一九五〇年六月二十五日）起至今年十二月底止之一切物資援助和作戰費用全部贈給北韓不取分文價款外，並決定自明年起至一九五七年四年內再無償的給予八萬億元（約合港幣二十億元，美金三億五千萬元）「人民幣」價值的「援助」。其中包括：煤炭、棉花、糧食、建築器材、交通器材、金屬製品、機器、農具、漁船、紙張和文具，以及大量生活日用品等。此項無償「援助」，參超過「中共經濟協定」三億款的數額，堪稱龐大之至；而中共目前之財經狀況既正在恐慌之中，人民的生活情形亦正在饑荒聲中，故實令人不可思議。中共對北韓如此慷人民之慨，意義殊不平常，顯然圖爭取金日成。

從『洪甄木刻集』看自由中國藝術

孫旗

「洪甄木刻集」　陳洪甄著　世界書局經售

（一）

「洪甄木刻集」在台灣以十六開本問世了，讀過後，我突然的想起三十五年在上海出版的「抗戰八年木刻選集」，眞使我感慨萬千。

「抗戰八年木刻選集」出版的時候，共產黨已經很明顯地叛亂起來了。那本東西能夠在當時的政府地區很容易的出版，不能不說政府寬大爲懷，尊重出版的自由。那本東西完全是共產黨利用木刻作爲政治武器的。它的作品十之七八是屬於共產黨的「聲響」，其他作者也都是依從左傾作風，以爲搖旗吶喊的。集中所選的木刻大大小小共一〇三幅，少說也有一百幅是代表共產黨文化滲透政策，一部份捧魯迅，高爾基，共產地區的官和勞動英雄（？）與議有。一部份是日本人佔領區的酷虐，一部份共區農民生活的美景，和共產黨領導戰鬥場面，一部份政府區人民的窮苦。因此集中所表現的「抗戰」只是共產黨的抗戰，勝利也只是共產黨的光榮。假如現在一般木刻家能夠自由地翻開來這一本「抗戰八年木刻選集」和大陸鐵幕下人民生活作對照，便會覺得共產黨的宣傳，到底是甚麼一回事了。

現在大陸的木刻家，是不會有翻閱的自由的。如果眞有的話，不妨買一本「洪甄木刻集」偷偷翻閱，看看今日的台灣農民生活，是不是比「抗戰八年木刻選集」所描寫的共區農民生活好些？來過台灣觀光的人，自然可以實地對證一下。

（二）

任何藝術，如果違反了眞善美的原則，恐怕連存在都不可能了。但是，美而不眞不善，與人無益；故此一個藝術家首先該具有國家民族思想，忠實於國家民族，忠實於社會，忠實於人生，忠實於生活，否則都是假的。「洪甄木刻集」的作者陳洪甄，他是一個反共抗俄的鬥士，他很選集的作品十之八九是軍民友愛，農村復興後改善了的農民生活，再則便是人倫之愛，這些都是共產黨所拚命反對破壞，而爲自由人類所珍惜的。共產黨的殘暴統治，以怨與恨毀滅人倫，抹煞人性。洪甄所表現的，則是自由，民主，愛，人倫，和人性的溫暖。根據這些思想情緒所產生的木刻藝術，也便是反共抗俄的偉大力量。所以，這本木刻集也就具有很大的時代價值。

（三）

談到木刻的藝術問題，「抗戰八年木刻選集」還沒有脫掉模彷版畫的痕迹，作爲中國的木刻家，是必須脫離版畫窠臼，淨盡版畫的痕迹，去充份發揮民族思想情緒，民族的文化精神，以創造中國藝術作風與氣派的。陳洪甄是一位國畫家，首先彰顯他木刻的是國畫，在這本「洪甄木刻集」中，版畫痕迹少得幾乎沒有。但是，他本人卻沒有進過任何美術學校，我們讀到他這一本很有成就的木刻集眞是難於置信的。他的藝術修養和成就，是靠他的天才和辛苦自修得來的。他每一幅木刻均有重心點，強調畫面的主題，氣氛渾厚，態度嚴肅，決沒有投機取巧或者賣弄技巧的地方。一切構圖都恰到和處，綫條很明快，刀法也很熟練。他在木刻方面的前途是不可限量的。

（四）

洪甄集中如「擁護領袖」代表自由人民的心聲；「前哨」顯示戰鬥精神；「鄉村小景」「夜渡」「阿里山雲海」屬於寫景一類；「母與子」「祖母的愛」現示人類天性之愛；「現實」「故鄉之夢」屬於寫實一類；「合作」描寫軍民友愛；「夜笛」寫台灣盲女演操的按摩職業，其餘則是農村生活的建設，娛樂，修理農具，耕種，豐收，農婦生活等。每一幅作品都有其很高的價值。

我們對於這麼一個有天才而潛心藝術的木刻家，大家應該對他加意的愛護與鼓勵，也就是對新興木刻藝術的愛護與協助。這樣才能夠使作者更努力，更不斷產生輝煌的作品。自由中國木刻藝術的光輝成就，也就可以繼續發揚光大了。

一本英文文藝讀物

在英文世界中，最近有一本「袋裝書」的文藝刊物殊值得注意，這是「新美國圖書館」出版社所出的「袋裝叢書」中的「新的世界讀物」，其收集作品範圍頗廣，每半年出版一期，現已出至第二期，這裏面包括美國作家二十四位，英作家四位，法作家三位，意作家二位，希臘作家四位，菲律賓、英屬西印度群島、巴基斯坦、印度、澳洲、丹麥及波蘭作家各一位，文章性質亦各種俱有，內有批評、論文、詩、小說、戲劇等等，定價美金五角，在港售港幣五元，尚不算貴，確是今日對世界文藝動態有興趣者所值得一看的書。（明之）

過與不及

自由談

法國國民會議舉行總統大選，選舉了八九次，尚無人能得到法定的票數而當選。世人指爲這是法國的黨派林立之故，此話自然有理。但我卻贊成他們再投上十次八次票也無所謂，反正法國總統原是象徵式的元首，跟我國過去的林主席相伯仲。上屆法國總統的名字叫甚麼？連我還記得，記者亦須翻看報紙，即不知道，普通人更不用說了。議員老爺們競投選舉人民代表的權威，多投幾次票，又不妨害國家大事，有何不可呢？

有人說，民主國家的人民權力，只有在投票選舉的一霎那間才是真正行使的，法國的人民代表多投幾次票，即是要充分地行使人權，理直氣壯。選舉完後，讓別人來表演政治把戲了。因此之故，凡屬競標爲實行民主政治的國家，起碼條件應該讓那些人民代表在集會時熱烈爭吵一番，發揮他們的「代表人權」，會議一事，誰也「好地」了。試看我國在抗戰時期的國民參政會，開會之時，氣概何等軒昂激張，爭辯何等激烈不苟？然而，開會之後，他們當時爭得面紅耳赤的決議案究竟執行了多少，誰也無心過問了。但是通開會吵鬧一下的自由都要不可，那就非讓出其他的脾氣就是如此！一般智識分子的脾氣就是如此！

搞政治把戲的人如果不懂得智識份子這種性能，因勢利導，當局共產仁兄的方法，即不如乾脆實施任何會議，討論問題全場一致通過，投票選舉是按照指定名單清一色的選舉，既整齊，又劃一，直切了當，不亦快哉！

無吵鬧，不算民主。法國的情形固然未免過甚，我們又似乎太不及哩！

馬五先生

讀梁節菴先生遺詩

·懷冰·

（一）

前些日子，看見某刊紀念陳散原百年生辰的文字，提到近代嶺南詩人黃公度，曾剛父，羅癭公，黃晦聞，而忽略了梁節菴（鼎芬），對於嶺南詩壇，惜未能够窺其全貌。

散原老人序節菴先生的詩說：「梁子之詩既工矣，憤悱之情，噍殺之旨，亦頗時時畢露，而不復自遏。（中略）梁子志稱於犬壤，詔關於國故，瘠躬瀝血，抗言永嘆，不府苟私其躬，用一己之得失進退爲忻慍」。這是說明他的志事。又說「梁子於詩喜宋王蘇氏，亦喜歐陽氏，遂及於杜韓云」。這是說明他的詩淵源所自。

（二）

詩大序說：「詩者，志之所之也；在心爲志，發言爲詩。」孟子說：「誦其詩，讀其書，不知其人可乎？是以論其世也」。我們如果要評論節菴的詩，且一談他的生平。

節菴先生，廣東番禺人，生於公元一八五九年（咸豐九年）卒於公元一九一九年（民國八年），光緒六年成進士，授職翰林院編修。光緒十一年，以彈劾李鴻章降職，放歸鄉里，那時他才二十七歲，大抵少年氣盛，敢作敢爲。後來乘鄉里，獨居焦山海西菴三四年，折節讀書，所學益進。歷任肇慶端溪書院，惠州豐湖書院，廣州廣雅書院山長，張香濤督鄂，他又聘任武昌兩湖書院山長，不久經張保舉，擢升湖北按察使。他曾一度參與鄂垣的幕府，工於籌札，有遺直。辛亥清室遜位，癸丑（民二）節菴先生有三良之志，未遂。以後結廬於保定梁格莊，看守德宗陵，讀書植樹，以終餘年，己未（民八）病歿棄世。

（三）

節菴先生當年彈劾李鴻章，自然是一種批評精神，持虛惡的一種行動，集中有傷心一首「臨人曲直須詮，布被公孫世所譏，擲水龜魚竟何有？靈來鳳竟安能稀，三司論列嫌害無，上相咸稱讀受書，誰識傷心孤受孤，無因援」以說明他的心情。又出都留別詩在還一首『瀟湘諸子賦臨歧，折盡秋亭楊柳枝，此日孤忠在眼，白生犬馬竟無期，白頭遊」憑心先往，黃鶴飛，燕臘見知，思量止是負恩時」。殊有深婉不又初宿海西庵五律一首『難地亦云淺，入山猶未深，殘夢幾人夢，芳樹十年陰，清認議微字，蹴騎傳秋心，前蹤漸迷，獨立一追尋。」他的詩中有憑吊的人律句，頗張香濤，頗有所感。集中有招同陳（三立）陳（衍）楊（銳）梁（鼎芬）集八展重陽作一首「萬家煙火入秦臨，想見諸公作鎮心，江國水寒花寂寂，湖陽秋綠柳毿毿，浮雲不散大如墨，夢雨初收酒滿襟，留得他年好相憶，一時觸處動悲吟。」備極沉鬱頓挫。晚年他居於梁格莊，護陵植樹，集中有燕隱一首「秀夫赴海心靡滅，正則沉淵志可哀，很帝千秋若混在，崇陵階下有人來。」則哀婉欲絕。還裏所引證的詩，足以幫助說明節生平的志事。

（四）

根據散原老人的評語，節菴先生的詩，是由北宋入唐，於宋取洪半山，東坡，兼及歐陽永叔，於唐則取法工部，昌黎。實則除此數家之外，並旁及李義山，韓致堯，融會唐宋，自成一家，故此能够曼蔚獨造。集中五言律宗杜，七言律宗半山、東坡、義山、致堯，六言絕句宗半山，七言絕句宗東坡，五七言古詩宗昌黎、永叔、東坡。他的詩，悲

四十二年台灣光復節感賦

·郭敏行·

五律四首

卷卷傷心史。儒儒帶淚看。構園招敗績。伏起波瀾。割土雖堪慾。興兵邊措端。八年終克敵。一戰復前觀。

浩蕩還都日。壺漿夾道迎。豈知三歲後。又哭官行。始失誤調處。終因喪內爭。追思仍有淚。何以慰蒼生。

炎州眞盛世。歌舞慶昇平。閭閻無驚恐。官衙少賦征。均田齊富樂。自治盼清明。併力推新政。復興第一程。

萬方欣復位。三載建猷宏。環島布堅壘。依山屯甲兵。軍威揚四海。使節滿蓬瀛。握錐迎佳訊。爲君謳太平。

讀『小山詞』（二）

·彝生·

讀了這篇短跋，不僅可以知道叔原寫詞的背景，也可略見宋時士大夫生活之一斑，直接教胡寫歌『枝上柳棉』，白石吹簫，小紅低唱，大率皆此類也。

近人朱古微先生選『宋詞三百首』，錄『小山詞』『臨江仙』以次十八調，其分量僅次於周邦彥與吳文英，還可看出朱先生欣賞的重點所在。胡適之先生的『詞選』，則選叔原的『臨江仙』『夢後樓臺高鎖』一調，『生查子』『關山魂夢長』一調，『清平樂』『玄絃寫意』一調，『玉樓春』『雕鞍好爲鶯花住』『當年信道情無價』兩調，『菩薩蠻』『個人輕似低飛燕』一調，『點絳唇』『花信來時』一調，『采桑子』『秋來更覺銷魂苦』，其得八首，其同於朱選者，僅『臨江仙』一調而已。

關於文學的欣賞，依於讀者的修養，性分，以及某一時期的心情而有所不同，原無一定尺度。現在所流行的『小山詞』，計二百六十餘首，（宋六十名家詞本爲二百六十二首）其嘔心之作，決非朱胡兩家所選的這二十五首所能盡，自屬顯然。以我現在的心情來說，例如八調『臨江仙』，除朱胡同選的『夢後樓臺高鎖』一首而外，至少『身外閒愁空滿』『淺淺餘寒春半』這兩首我也很歡喜。『蝶戀花』十五調，除朱先生所選的『夢入江南煙水路』和『醉別西樓醒不記』兩首我無異辭外，至少『卷絮風頭寒欲盡』，『喜鵲橋成催鳳駕』，『千葉早梅誇百媚』，『碧玉高樓臨水住』，『笑豔秋蓮生綠浦』這幾首，我也很難割愛。如『新酒又添殘酒困，今春不減前春恨』，『月臉冰肌香細膩，風流新稱東君意』，『夢魂長在分襟處』這類的句子，確實也足以沁人心脾啊！

『淮海詞』有一首『鵲橋仙』，其詠牛郎織女這一故事是這樣的：『纖雲弄巧，飛星傳恨，銀漢迢迢暗度。金風玉露一相逢，便勝卻人間無數。柔情似水，佳期如夢，忍顧鵲橋歸路！兩情若是久長時，又豈在朝朝暮暮？』『小山詞』以『蝶戀花』來表現這同一的題目，寫來卻又是這樣：『喜鵲橋成催鳳駕，天爲歡遲，乞與初涼夜。乞巧雙蛾加意畫，玉鉤斜傍西南掛。分鈿擘釵涼葉下，香袖憑肩，誰記當時話？路隔銀河猶可借，世間離恨何年罷?！』

雖不一定說是異曲同工，但至少可看出文人的錦心繡口眞是無所不可。我想，一個初讀詞的朋友，如果能採用我這種比較方法，或許能得到不少的啓發。

萬竹樓隨筆

中共的小學教師

下面是今年在北平出版的「新觀察」第二十一期的一篇敍述中共教育情形一斑的文章，我們讀過後，不要笑這兩位教師推諉責任，他們說出了一句頂重要的話說：『現在教師不准多參加社會活動，別管他吧！』只這一句話已經可以看出在中共統治之下，做小學教師的精神上是如何的不自由，如何痛苦了。以下全是原文：

兩個教師

如城職工業餘學校蔡長發

立秋已經好久了，天氣仍然很熱。晚飯過後，許多人到河岸空地上乘涼。

有兩個人沿着河岸散步。一個是小學教師，一個是職工業餘學校的教師。經常在一起。此刻，他們正談着個人半年來工作中的收穫。

他們剛打算到河那邊去，卻遇到一個男人在「教育」他的孩子。不知道孩子犯了什麼過失，只見這人一邊打着孩子一邊問道：「你說，你還敢不敢？」孩子大聲地嚎哭着。工人抬眼一看，原來這人正是業餘職工學校的學員，孩子卻是這位小學教師的學生。這兩位教師，目睹此情，都感到這種粗暴對待孩子的行爲是不對的，但是該誰去制止呢？他倆卻發生一場小小的爭論。

「無論如何，這應該你去。因爲你的學生在挨打。應該教育這個人，使他懂得這種教育兒童的方式是極端錯誤的。」做職工教師的同志首先這樣說。

「不對，那位工人是你的學生，你的學生打我的學生，首先你應該對你的學生進行教育。你是曉得的，我是教小學生的呀！我不便插手管這件事情。」小學教師說。

「是的，我是教工人的。不過，有一點恐怕你對瞭解不够清楚，就是那個工人正在生氣，講道理是很難糾纏得清楚的。」職工教師又補充了這些話。

於是他們爭論起來，他叫他去，他又教他去，但誰也沒去。孩子的哭聲，隨着他們向前散步的腳步，漸漸在他們耳邊消逝了。

這一場小小的爭論，並未損害他們倆的友誼。因爲，他們很快就得到非常一致的看法了。

「隨他去吧！反正是他自己的孩子。一家子的事，過去也就算了！對這種事情不能十分認眞的。」職工教師這樣說。

「不是說過的嗎！現在教師不准多參加社會活動，別管他吧！走，到河那邊走走吧！」小學教師說。

於是，他們便很安閒地在河邊散步，仍然談着自己的收穫。

不打自招文抄

·文抄公·

美報的國際新聞

美國報館每天接到的外國電訊，平均達八萬字，但其中多數丟進了紙簍，各報所採用的國際新聞，通常每天祇四欄地位，約三千二百字。爲什麼國際新聞所佔的地位這麼少？國際新聞這種處理方法對不對？外國又如何處理別國的新聞？爲回答這些問題，美國國際新聞研究院發表了一個二百六十六頁的報告，題爲「新聞的流動」，這是美報界對國際新聞歷來最透澈廣泛的一次研究。協助該院進行這個研究工作的，有十所新聞學校，一百七十七家日報，四十五家通訊社，及數百位外國記者，編輯，和通訊社的行政人員。

這報告說，讀者通常不喜歡讀一宗新聞，是因爲「這事的發生，與他的社會相隔太遠。地理上的接近性，是讀者興趣的主要因素。」該院發現，每天平均，以十八分鐘看報的讀者，僅以二分鐘化在外國新聞上，他們對外國事情的認識，令人震驚。受該院訪問的讀者，有百分之五十六不知李承晚是誰，百分之四十不知誰是史達林的繼承者，而對英國，也祇有百分之二十七知道目前那黨執政。（一知節錄時代週刊）

旅歐回憶錄

翌年十二月，德國學生會因慶祝波斯詩人費都西（PERDOUSI）誕生一千年紀念，邀請東方學生代表旅行德國，參加慶祝，其意實欲借此機會對各國學子宣傳凡爾賽條約之不平等也，此次參加之中國學生凡四人，歷時約一週餘，游蹤所及，除柏林及波茨坦而外，曾遊東普魯士及丹齊走廊，觀坦能堡與興登堡墓及興登堡博物館，憑吊第一次歐戰時德俄兩軍惡戰處，當時興登堡將軍以較少數部隊，破滅帝俄百萬大軍，故有坦能堡英雄之譽，至今觀電影所示戰況，英風颯爽，如見其人，如聞其語，與德人得意之作也。至德波兩國界線，受凡爾賽條約束縛及波蘭人之貪得無厭，德人痛恨至深，遲早總有以武力解決之一日，德國學生爲余言：「德法兩國之視阿爾薩斯，猶德波兩民族之視丹齊走廊，俱認爲生命綫，各不相讓，譬若兩狗爭一有肉之肥骨，戰爭必不可避免。」德國人有此信念，人類命運之悲慘可知了！此行收穫頗多，除參加費都西紀念會外，並參觀德國青年訓練各種機構，及勞動服務營，彼等生活均刻苦努力而有規律，頗有新興之朝氣。

巴黎華法教育會組織已久，由中法兩國名流蔡孑民、李石曾諸人所發起，旨在推動中法兩國有共同關係之教育及兩國文化之交流，用意至善，余因服務學生團體之故，亦被邀列席會議，與法國政界及教育界若干名人相交談，亦不易得之良好機會也。

世界學生會，大概是左派學生的一種國際組織，當我國抗日戰爭的第一年，該會曾派代表到我國觀光，極讚揚我抗戰精神，嗣後凡遇國際間同情中國支援中國抗戰的集會，在巴黎、倫敦、日內瓦、布魯塞爾各處舉行的，該會必設法參加，余亦因此類集會的緣故，有機會與該會的祕書長柯樂滿見面交談，並商量出版中國抗戰情報計劃，惜余匆匆歸國，未及目覩此事的成功。（十）

·謝康·

中華民國僑務委員會僑發登記證台教新字第一零二號
中華民國郵政登記第一類新聞紙類
自由人
THE FREEMAN
（半週刊每星期三六出版）
（第二九四期）
每份港幣壹毫
督印人：李光華
社址
香港高士打道六六號
電話：七四〇五三
GLOUCESTER RD
HONG KONG
TEL: 74053
承印者：東南印務出版社
地址：高士打道六十四號
台灣特派員辦事處
台北市館前街五十號
台灣總經銷處
台北中華路五九四號之一
台灣郵政劃撥儲金帳
九二五二號

論所謂美國不景氣危險象徵

——自由世界應舉行經濟會議——

旭　軍

鐵幕內外雙方均預言美國將發生經濟不景，而且說可能在明年發生。在上月英國『曼徹斯德導報』發表了經濟學權威學者柯林斯．克拉克的一篇文章，分兩期登載，令到全世界經濟界人士震驚。這文章篇的題目是：『美國不景氣的危險象徵』（DANGER SIGN ON AMERICAN SLUMP）

不景氣的重演情景

柯林斯克拉克說美國這一次慘重的不景氣是不可避免的。他根據數學的計算，預料在明年（一九五四年）的中部，情形迅速惡化。美國有六百萬至七百萬人失業，重演一九二九年不景氣開始的情景。

柯林斯克拉克在十年前曾著作一書，名「一九六〇年的經濟」，曾預料二次大戰後美國有一相當長時期的繁榮，但其後跟着一個相當嚴重而拖延很久的不景氣。他的推測有許多已應驗。

他說：明年的美國不景氣的最嚴重之情形，是所謂『不景氣的連鎖反應』，（THE CHAIN REACTION OF DEPRESSION）。例如一間公司對於銷售比例而言，在積存太多，便懷疑到他們鄰近的公司也是一樣，於是他們減少定貨，引起其他公司或工廠的預料商業前途不景氣，而減購原料，或減少投資計劃，以此類推下去，使成了連鎖關係的不氣景，擴大便迅速非常了。

柯林斯又說：在一九四九年曾演變成最近十年來美國商業活動最低潮，已有這種連鎖作用的開始象徵。幸而一九五〇年韓國戰爭發生。但在明年若沒有這種情形則不景氣的觀念更易釀成這種連鎖反應。

推測尚欠事實因素

然而在十一月二十八日之『經濟學人』週報說：柯林斯克拉克的由數字公式推測，尚欠缺若干的事實因素。縱然在一九二九—三〇的大不景氣，尚有抵抗不景氣的力量，不致如柯林斯的公式所計算。以往經濟學家的理論，認爲到了繁榮時，全民就業的高峯，便有通貨膨脹和通貨緊縮的兩面深淵，稍一不愼便發生此兩種惡劣情況中之一。但一九四九年的美國和一九五二年的英國，已證明這是不確。全民就業並非山峯脊而是高原的狀態。大有伸縮改善餘地。

由於二次大戰和韓戰關係，美國表面上生活程度很高，德克薩斯，加利福尼亞，和北達克塔各州發現新油礦，亦助長生活程度上漲。其他如塑膠人造纖維工業之繁榮，新奇汽車飛機之製造，日新月異，自一九五四年，各國[illegible]求貿易，[illegible]

發生新工業革命，成爲新資本主義，已推翻了「昔日不患寡而患不均」的原則，而[illegible]只因其海外投資力量，能達到[illegible]美元[illegible]缺少新工業革命，不能移植[illegible]

勿陷共黨宣傳陷阱

固然，經濟生活如騎單車不能停頓的，不景氣是一種停頓的現象而已。但世界共產黨徒撥非論理，作刻舟求劍的謬誤解釋，以發揮其反資本主義的論調，誘人入其國家集中經濟主義（其實即寡頭的經濟主義）的陷阱。

在自由世界[illegible]打破[illegible]復自由資源[illegible]易，反而夢想與[illegible]貿的鐵幕經濟[illegible]求貿易[illegible]

[illegible]制，入口等等，辦法，管制外滙等，資本主義都是加深了矛盾。認真說來的不景氣，在美國內部是不由然有的。但美國內部和不大工商界們的經濟[illegible]政府[illegible]美國[illegible]景氣的力量[illegible]美國大政府[illegible]目前[illegible]裝非退[illegible]所以[illegible]因爲[illegible]自由世界各[illegible]

雲南起義與雲南士習

——爲起義三十八週年紀念而作——

張維翰

距今三十八年前，雲南起義護國，以不滿三萬兵力，分道出師，與在川湘十倍以上之北洋軍隊，惡戰數月，竟能以寡敵衆，節節勝利，博得各方響應，卒使袁世凱聞風喪膽，自行取消帝制，憂鬱而死，民國得以重光，共和絕而復續。最大原因，第一、由國父孫中山先生革命精誠之普遍感召。其次，則雲南軍隊之士氣。惟士氣之外，尤不可不注意者，即爲士習。何謂士習？即當時首義人士之習尙，也可以說是一種風尙。曾子曰：「士不可以不弘毅，任重而道遠」，弘字的意義，是寬廣，毅字的意義，是强忍，非弘即不能任重，非毅即無以致遠。雲南起義之能獲成功，就是當時首義者多爲弘毅之士。

雲南起義，大家都知道是由當時手握雲南軍權之唐繼堯，及其同學與部屬多主動。而蔡鍔李烈鈞諸人相繼入滇，正是如膠投漆，相得益彰。得力處，就是他們都不愧爲弘毅之士。因爲士欲任重道遠，必要能弘毅，士而不能弘毅，則秀才造反，決難成功。

起義的中堅人物

雲南丙辰起義，與辛亥革命有其一貫之歷史淵源，都可以說是秀才造反。辛亥光復與雲南之發難者，半多是秀才出身的留日士官學生。這些秀才，自科舉停止後，都加入雲南由五華書院改設的高等學堂。其時正在新舊過渡期間，八股策論，固已成爲廢物，而新的科學，因缺乏師資，所講習者，多半是經史百家及宋明學案，與[illegible]

夫其他偏於修養勵志方面之書。又因新潮激盪，志氣非常發揚，受到「秀才以天下爲己任」，「天下興亡匹夫有責」[illegible]名言之影響甚大。[illegible]雲南大批選派[illegible]士官學校者，[illegible]人。畢業回到雲南[illegible]十九鎭，或任[illegible]雲南，就是出他[illegible]以我說，是秀才[illegible]够成功，也是得[illegible]

蔡鍔入滇之經過

辛亥光復雲南，大家都知道是以蔡鍔爲領袖，所以後來推他爲雲南都督。[illegible]何時，因何關係入滇，[illegible]少。我尙略知梗概，[illegible]堂，曾任陸軍十九鎭[illegible]督爲羅佩金，[illegible]人，一爲鄂籍之[illegible]川籍之彭家珍，[illegible]之彭烈士。二年，[illegible]七協羅佩金調任[illegible]

士習弘毅之一段故事

[illegible]在北京，及丙辰雲南起義，蔡已出走日本，轉道越南入滇。時雲南出兵討袁之佈置已定[illegible]

蔡抵滇後，唐繼堯即願以滇督之位相讓，而自願率兵出發，蔡感動至泣下，堅欲身赴前敵，仍請唐坐鎭後方。此種公忠爲國，雍容揖讓之風，不遜於古人。於此更足見雲南士習之弘毅，而此役倡義之角色，亦即辛亥革命之原班人材，可以說是第二次秀才造反。其結果也是成功。到今天已屆三十八週年紀念了。雲南起義這一段歷史，誠然是雲南人士在中華民國歷史上最光榮的一頁，値得紀念。因爲我們雲南人士的性習，一向是弘毅忠貞，崇尙氣節，只重公義而輕私利，論是非不計成敗的。只要事情合乎正義，便勇往直前，不計得失利害。可以說是爲而不有的精神。

只問是非不問利害

就以起義護國一役來說，當時袁國謀稱帝，其腹心爪牙，佈滿全國，所最顧慮者僅爲雲南一隅。當時一般的看法，都以爲只要雲南不反對帝制，袁世凱就可以安然登極，所以他對雲南用了不少心機。在軍事方面，固以陳宧督川，龍濟光督粵，[illegible]西南，但當時西南各省革命勢力，[illegible]只有雲南[illegible]暗中活動，[illegible]英國公使朱爾典[illegible]百萬[illegible]全在唐掌握之中，[illegible]利害，甘爲袁世凱所用，在其個人固可安富尊榮，而雲南人民亦可不受出兵出餉的

軍大犧牲。況雲南所有的精兵，不過兩師，數量上何能與袁世凱之北洋勢力抗衡。就像與已入川湘之張敬堯曹錕等部相較，也是衆寡懸殊的。按當時形勢，爲雲南自身利害打算，誠不宜輕於發難，而竟敢於首先起義，毫不游移，分遣出師，就是當時首義之士，都有弘毅之習，有如曾子所說「任重而道遠，仁以爲己任，不亦重乎，死而後已，不亦遠乎」。所以當時的決策，只問是非，不計利害，其動機完全基於正義。畢竟得道多助，一舉成功。因此我們對於首義諸先烈，[illegible]節，而輕權位，[illegible]義，而忘私利，[illegible]國，而不知有家，[illegible]大人格，衷心敬佩。認爲這就是雲南士[illegible]

投靠叛國爲土人所爲

滇籍崇高的士習，自是讀書明義，有修養者始能有之，相當於後來有因緣時會，至於擁兵干進，受中樞優容培養，倚做雲南軍政首腦，安富尊榮，竟一變而甘心叛國，爭向共匪投靠之一二敗類，（龍雲盧漢）他們原是出身土族，從不讀書，未聞君子之大道，根本無士人之習。我狠希望國人，從雲南起義史實，而知見義勇爲之雲南士習，不要因一二不學無術之土人所爲，而抹殺了可貴之士習，因彼一二土人之所爲，根本不能與雲南士習相提並論。就是在雲南土著少數民族中，也有多少讀書明義，忠貞愛國之人，亦絕不甘被此一二敗類之無恥行爲所掩蓋的。

半週展望

・陳克文・

假中立發生動搖了

巴基斯坦之不足以威脅印度，美國對印度[illegible]明白，[illegible]尼赫魯[illegible]中立政策[illegible]坐收漁人之利而已。[illegible]蘇俄和中共[illegible]其焦慘憂恐之情[illegible]

巴基斯坦的精神力量

巴基斯坦雖不足以爲印度的威脅，[illegible]精神力量，[illegible]宗教信仰精神[illegible]一九四八年，巴基斯坦首都喀拉蚩[illegible]六國，代表六億三千[illegible]百萬[illegible]回教人民，[illegible]大會通過了一個決議案，[illegible]侵略勢力攻擊任何回教國家。[illegible]也說明了巴基斯坦在回教世界和亞洲的地位。

尼赫魯徬徨歧路

[illegible]

尼赫魯鼓動反美風潮

美國對巴基斯坦軍事援助的談判，自美國副總統尼克遜訪問巴基斯坦後，[illegible]印度總理尼赫魯首先出來反對，[illegible]反美運動[illegible]

[illegible]

蘇俄農業政策的演變（下）

·俞嬰·

暫時退却生效

當時史太林面臨這個局面，乃提出了一個警告，于一九三○年三月二日在眞理報刊出一篇「得意忘形」的文告，他說：「這些曲解事實是誰得到利益？這些集體運動的官僚命令，是不是威脅農民？沒有的，祗有我們的敵人獲得利益？祗有增加我們敵人的力量，以及損壞了集體農場的意義。」至此，不能不要和緩農民的情緒，准許農民退出集體農場。結果，在一九三○年三月一日及一九三○年五月一日，集體農場數字由十一萬○二百個，跌爲八萬二千三百個；農民家庭由一千四百三十萬，跌爲約五百八十萬。

暫時的退却，並不是放棄集體運動，不外是[illegible]它的策略，加强[illegible]給集體農場，並且幫助給機器，種籽，放款等優待條件。同時加重私人的農民負担，繼續努力鬥爭富農。[illegible]如此，那些離開集體農場的農民，祗得[illegible]小部份原有的工具[illegible]的剛柔發施，[illegible]後來，蘇俄政府却可以爲所欲爲了。在一九三一年七月一日，有二十一萬一千一百個集體農場，包括一半以上農民家庭，及包括農民耕地三分之二。兩年以後，農民百分之六十[illegible]，農民耕地超過百分之六十三是屬[illegible]的，到一九三六年，大約百分之九十農民，實際上所有耕地包括在二十四萬五千七百個集體農場。

這次暫時的退却策略，蘇俄政府完全戰勝獨立性的富農，而完成它的集體農場制度了。這個制度，推行到東波蘭，拉脫維亞，愛沙尼亞，立陶宛，彼沙拉巴，布哥維納以及二次世界大戰以後所統馭的附庸國去。

今次減稅的目的

史太林爲永遠保持「世界革命祖國」的強大，就要永遠保持國防的鞏固，所以蘇俄國內的建設都指向軍事的目標，在這一目標下，不惜施用任何鐵堅榨取的方法取得鄉村的糧物，以供給紅軍和工業建設工人的需要。二十多年來，集體農場的農民在他的殘酷壓榨方法下，實在沒有很好地過着比較享受的生活，栖栖惶惶苟延殘性命從事競賽的生產勞動。二次世界大戰以後，對東歐各附庸國的掠奪擄取以及鐵幕集體農場的農民，同樣也喘不過氣來。路透社由斯德哥爾摩發出的通訊，證明東歐各附庸國人民過着悲慘的命運。路透社的通訊描述道：「『給我們糧食，不要口號』。東歐各附庸國今年勢將如此呼喊。」通常消息靈通方面的報導，加以各附庸國本身報章及電台的消息，已表示蘇俄正對其附庸國從事大規模掠奪。食物爲蘇俄對此等國最需求的進口貨。若干附庸國在戰後不久最艱苦的數年中，尚能獲得相當糧食，而今日則主婦正[illegible]隊，排列于空洞的店鋪外。」不惜忍耐着最大的飢餓，最大的憤怒，給史太林壯大蘇俄的物力。而蘇俄在一九三二年的大飢荒大死亡，却同樣出現于史太林魔手統治下的地方。

這種憤怒和忍受，隨時有爆發的可能，不過由於史太林的特務和黨組織的嚴厲鎮壓，一時未能爆發，英國作家克倫棱在一篇文章中有這樣的批評：「蘇俄在一九三○年代已接近破產點，但安全渡過；大戰期間也接近破產點，一樣獲得安全。今天，我相信他又接近破產點了，仍否安全渡過，未可預知。我想指出的唯一要點是：因努力爭取糧食而努力壓制若干少數民族，及努力建立起有力量的工業，史太林是大有應付不了之勢的。」

由於史太林的死亡，蘇俄共產黨最高層的統治人物起動了，跟着共產黨組織內的爭權互鬩，顯示了政治和特務的控制力，沒有從前的嚴密，於是，火山爆發了，人民的憤怒爆發了。東柏林，東德，捷克，匈牙利，波蘭各附庸國地方，接連發生暴動事件，反抗蘇俄統治的偉大行列，和湧現爭取自由生存而無比勇敢。這些附庸國人民的叛變活動，無疑[illegible]蘇[illegible]內的人民當可以見到或聽到，然他們也許不一樣的來爭取自由而反抗劇嗎？

這些反抗暴政將要掀起革命的怒潮，就是最高蘇維埃會議宣佈減低農業稅和廢除積欠農業稅，以及所謂提高人民生活水準的最確切的答覆了。蘇俄當前濁顯着此嚴重的威脅，想以「減稅」爲策略而達到它「暫時退却」的戰略，這就是它放棄掠向農民的目標，也就是它所謂提高生活水準的最好說明了。不過，蘇俄今次已遭逢第三次破產的邊際了，且看新統治者馬倫科夫如何渡過吧！

人物評述

詞壇祭酒——廖懺菴（上）

·紹羊·

廖恩燾，字鳳舒，別號懺菴，廣東惠陽人。他是中國外交界的老前輩，亦是當今詞壇的祭酒。他的作品，一定能夠流傳久遠，他的領導，一定能夠開創詞派的先路。

（一）

懺菴先生和廖仲愷先生是同懷兄弟。他父親竹濱先生，[illegible]任職，[illegible]金山分行服務。他[illegible]早年招商局的總辦[illegible]洋務，得風氣之先。他生於清同治二年癸亥，（公元一八六三年），九歲即赴美求學，在加利福尼亞州九年，攻治洋文。於光緒[illegible]年[illegible]美回國，時年十七，從東莞探花陳伯陶研究國學。在陳氏[illegible]館攻讀數年，學問大進。[illegible]初入外交界，[illegible]以擅外務部侍郎[illegible]保薦，簡派爲駐西班牙公使，因革命軍起，未到任。入民國後，北京政府派他任駐古巴代辦，民十四段祺瑞執政擢升公使，計在古巴任職達二十年之久。民二十二退休返國，隱居求志，息影林泉，寄寓於南京、上海、廣州、香港等地，坐對扇史，塡詞唱好，南北詞壇，都奉他爲祭酒。

（二）

懺菴先生曾對筆者說：「他五十歲才開始學塡詞，是在駐古巴代辦任內，先後積得長短句一百四十首，及辭職回國，攜同詞稿往訪朱彊村，彊村讀完後，大加激賞，認爲必傳之作。彊村說：「以前我們在非洲相會過，認爲你是辦理洋務的人，現在才知道是同調，海綃（陳述叔）之外，又得一人」。彊村將詞稿評閱後交還他，於是他開始印懺菴詞正集。」

政治家不能不讀書

·羅則·

編輯先生：貴刊本月十六日，徐蔭鄰先生的「政治家的思考訓練」是一篇好文章。大官兒看見，也許拂然作色，心裏說：你沒有本事做官做到我這樣大，你配教訓我！是的，大官先生，也許徐先生確沒有你那套本事，然而徐先生所說的那一套的是對的。你試虛心學學，便會錦上添花，更扶搖而直上。

何以見得呢？徐先生這一套邏輯和語意學並不是徐先生自創的，徐先生無功。這一套是當代一羣大思想家絞腦汁後出來的。可以學學，這是基本學問。

學問不同於智慧，智慧不同於做官本領，做官本領又不同於政治家的本領。道並行而不相悖。學問和智慧與及這兩套本領，全得者全昌。何以見得，蘇東坡不教訓過死了千多年的大政治家賈誼，說他不會做官嗎。

往年唐少川嘗從容和一個朋友談：老兄，你知道我憑甚麼本事做了許多大官？朋友故作訣辭。唐少川連連搖首，搖到忍不住了說：「我的本領就在瞎大又糊塗！」

司馬懿又會裝老聾，人說到荊州做官來辭行，司馬懿說：「哎呀，并州近胡，好爲之備！」這是司馬的語意學，阿彌陀佛。學了語意學，果然能知白而守黑，那才了不得。

我曾見過那天才胡笠僧，（胡景翼），他蠻肥到聽不到三句話連打瞌。他儘管打瞌，你儘管說下去，一會兒他會要言不煩的答復你。好傢伙！這是胡笠僧的語意學。

徐先生已經說的是運思的正則，與思想的內容無涉。老實說，我們的大官，近代知識似乎「美哉猶有憾。」徐先生何不再做一篇文章。

「稷契皋陶，何書可讀」。誠然，他們是中國文化鴻濛初闢的創作者，不必讀書，也無書可讀。然而在今日二十世紀文化落後的國家的政治家，則不能不讀書。而且讀之時，不要祗讀資治通鑑。

十二月廿日

亞拉斯加——美國的北極屏障（中）

——根據巴黎FIGARO日報特派員 PAUL OHAIZE 的最新報導·

·謝康·

更因爲從格陵蘭到蘇俄本土北部一帶，是順着很强烈的極風走的，而這種極風的速度，每小時大的在六百公里左右，和飛機的速度相差不多呢。在相反方面，蘇俄本土西北接近芬蘭一帶的空軍，要想飛炸美國的五大湖區工業城市，必然要逆着這風向而行，這可能給予它很多的阻礙。

如上所述，北極的氣流和亞拉斯加的崎嶇地形，都幫助美國鞏固了北方的屏障。然而美蘇戰爭的初期，蘇聯也必然竭盡全力，摧毀美國在亞拉斯加的軍事設備，而企圖把它佔據，那是可以斷言的。

美國深知道蘇聯侵略的野心，早晚都得提防它來這一着，因而亞拉斯加的防禦工事，逐年增加，過去幾年，已經花了超過十萬萬元的美金。如今每年大約以兩億元的數目，投擲到這個角落，來加强她北方的保障。在這個國防建設的時期，亞拉斯加有些重要城市，特別顯出繁榮的現象。

除卻空軍的襲擊而外，亞拉斯加的危險，可能還是從西伯利亞大陸上來的，因爲新舊兩大陸的距離，最短處只有一百二十五公里，而在多天結冰的時候，兩大陸更是連在一塊的，西伯利亞的紅軍，何嘗不可以在冰雪上行軍呢？而且亞拉斯加是這麼遼闊而人口這麼稀少的地方，要處處設防，的確也是很不容易。

雖則亞拉斯加是老早就有防禦工事的，但是否能夠抵禦敵人的侵略，那只有等候事實來證明，此刻尚難下一個判斷。

亞拉斯加常駐的陸軍，大概是兩萬至兩萬五千人，分爲三個或四個作戰單位，另外大約有一百多架驅逐機，隨時可以集合起來空作戰，至於空中運輸機，偵察機，救護機等數目也相當可觀，雷達站高射防空站，北極航空學校，空軍醫藥實驗研究所等設備，自然也應有盡有，不在話下。

上述這些軍事力量，大約是爲戰爭爆發時初次接觸而用的。跟着還有大量援軍，馬上從美國本部可以趕到，譬如說，現乃亞拉斯加的軍營堡壘，每一處只駐紮五百人，但是，這些堡壘的容量，每個都可以駐紮一千五百人以上的部隊。根據美國國防部的設計，一個空軍旅（即航空部隊），可能在兩天之內，被輸運到二千公里以外的地方，而且即刻可以參加戰鬥。據說：每一架驅逐機，在有掩蔽的機場內，僅需三分多鐘就可以升空作戰。這就不用害怕西伯利亞敵人閃電式的襲擊。

亞拉斯加的繁榮原因

當日軍侵佔阿留申羣島的時期，亞拉斯加曾經有一度的繁榮（一九四二）許多島上居民都搬到大陸上來居住。同樣，自一九五○韓戰爆發到如今，亞拉斯加又進入了它底黃金時代，一方面人口增加了，另一方面，美國也更加認識這塊地方的戰略價值，每年花費[illegible]了許多的人口從六萬五千（一九四○）增加到一十六萬（一九五三）造成一種畸形發展的狀態，這是戰爭或戰爭準備的賜與，却不是一種正常的狀態。正常的狀態應該是自然的經濟資源的開發，促成它的繁榮。然而亞拉斯加至今還不會算爲美國正式的一省，它底代表在國會裏面只能列席而沒有表決權。因此，很難使得聯邦議會通過一筆開發亞拉斯加的龐大預算，尤其是南部各州的議員，對於極北地方的開發，常常認爲不重要。

在這個國防工事積極建設的時期，一切以國防上的需要爲前提，有些國防中心的城市，人口急遽的增加，特別是從每年五月到九月這五個月較爲暖和的季節，建築工人最爲忙碌。因爲軍營要建築，民房也一樣要建築，同時採金礦的人，也在這些時候大爲活動。捕魚的人也加緊工作，旅客大量的增加，商人和旅館老板都利市三倍。因此，生活費也比較美國其他城市來得昂貴。士兵的薪餉雖高，同時還有軍人消費供應站廉價供應他們的需要。

亞拉斯加的空中交通相當發達，單是民用航機，經常就有六百五十架。其中有二百架係水上飛機。在十六萬人口當中，至少有一千四百人是以駕駛飛機爲職業的，就是每百人中有一個飛機師。這塊地方的氣候，雖則在多天冷到零下四五十度，然而空中旅行，並不如同人們所想像的這麼壞，不過，在夏天的時候，却很多雲霧，加上崎嶇不平的地形，阿留申羣島的山峯，過於偏遠遼闊的鄉區，氣候的驟然間的變化，無綫電播音有時受暴風雨的影響，多季底特別漫長的夜，……這一切對於亞拉斯加的飛行，都給予不少的困難，同時也使得旅客變成一種冒險。

編者讀者

讀者來函

台大學生來函：

（上略）我們來台二個月，見聞甚少，對一切尚不很詳細，只略知其一二。此地一切都有進步，市政警政都辦得非常好，尤其是軍人彬彬有禮的態度，非常使人佩服。台大的風氣極好，較之以前大陸大學的學生不斷鬧風潮者眞不可以道里計。離鄉別井去到一個陌生地方，在我們尚是初次，所幸同學很好，所以尚不至感到寂寞。……台大學生　時××上十二、十二。

高清心答俞式嘉及太桂先生

十二月十六日貴刊有讀者「俞式嘉」先生函，涉及拙作「台灣的報紙」一文，他說我那篇文章是「洗水賬」，又說我所報各報銷數不實。其實我說：新生報北版二萬餘份，這「餘」字，當然是不敢確定之意，南版一「萬餘」份，也一樣意思。他說我的報導對於國際聲譽不無損害。說得太嚴重了。本來各報對於發行數目，嚴守祕密，絕不能作詳細的報導。就連新聞處及台紙公司的人，都不詳細，不能以配紙多寡而論。除非是印報的工頭及發行員，才知道確實數目。

其次我報導台灣報紙發行量十九萬份，平均每五十人看一份報紙（八五○萬軍民）不多也不少，已在水平線上。日治時代平均每一百人看一份報，現在已經很進步了。何況是還有一百多種雜誌呢？

其次，我還要借貴刊答復一下讀報的太桂先生，他說我的報導不實。請我承認。然而華報雖在台灣創刊，但發行人朱庭筠先生是由上海還來台灣的，他三十八年在台灣招待上海新聞界座談會說：「他是上海的報業之一。」他在上海辦報，撤退來台也辦報，不過換了報名，不能說不是還台出版。當時筆者也在座上，曾問朱先生：「印刷器材還來台否？」他答：「還來一部份，開了一家印刷廠，華報即在這家印刷廠印刷。因爲台灣的印刷設備不够。」這樣說來我的報導並未完全失實。四二，十二，十八，台中

△許苑先生：尊囑容當代辦，隨後奉聞。

△高清心先生：請向本報總經售處洽領稿酬。

讀者來書

歌頌香港（上）

·毛以亨·

一、前程似錦

（一）

近來有爲香港耽憂者，因其生存，端於自由港之地位，而自由貿易，已成爲十九世紀歷史上之名詞，今日自由港已無地位了。香港本爲南洋與大陸之轉口站，顧各國貿易，多由國家統制，中共之大陸，則其統制尤甚。依近來之趨勢，香港已變爲不自由的死港，其商業，必漸漸萎縮而僵化下去。

（二）

但香港商業的萎縮，不過近五年事，以短期的不景氣，而斷其一定走下坡路，而永無抬頭之望，雖亦理所當然，顧在事實上則未免言之過早。自一八四二年香港割讓後開埠以來，直至十九世紀末年之五六十年間，其合法貿易，始終在不景氣的氣氛中。其最初不過爲數十百艘漁船停泊之所，後來則靠販賣雅片，與走私盜匪的淵藪，只要不在香港本地犯法即得。二十年前我猶看見英人與葡人在深圳所設的賭場，利用廣東的禁賭，而招徠好賭的人來賭。大概日本人之經營大連，德國人之經營青島，皆師此意。在無法維持當地商業時，固不惜用不合法的貿易手段。以前赫德在中國海關時，派出英人關員至香港附近緝私，此尚倫敦政府與北京英國公使所支持者。無如香港當局竟拘捕此等英人關員而下之獄，只認爲反對港政府之英人，不認其爲中國官吏。赫德無法，只好以因公出差與受傷論，不特使在獄中支原薪，且賠償其損失，始終無法根絕香港之走私。（語見英文本赫德傳）

（三）

惟香港一待賴合法貿易可以支持時，即自動的放棄走私及其他不合法的貿易。但只是等到二十世紀初年，甚至民國以後，香港之經濟基礎始行穩固。在整個十九世紀，英人多主張放棄香港，因爲無法使香港賴合法貿易以自存，爲正人君子所不取。英國政治家，宗教家之言曰，「難道爲這些犯法者 OUTLAWS 的利益而濫費國帑於香港，以保持之麼？」此等說法在英國幾造成一種輿論，使自由黨賴以反對保守黨政府，甚至身任香港之總督，亦作此語。但英國人的行動是慢的，其態度總是等等看，惟並非呆等，而是用銳敏的眼光以把握着有利的機會。其內心的活潑，適與其遲鈍的行動成反比例，所以終能等到香港的繁榮。而不放棄。

（四）

建築於蠻山惡水之荒島上的香港繁榮，其先天條件是不足的。然其後天之條件，則有人爲的優越基礎，而建立在中國之不幸上。但英國人與日本人之不同處，日本人喜製造中國之不幸以從中取利，英國人則對中國之內亂常守中立。因中國人自己不爭氣，而使人投到其懷抱中去，英國人固未嘗積極而大規模的製造中國人的不幸。在日本人那裏之下者，率與有互相利用的關係，人數不會太多，而在英人那裏之下者，威不召自致，彼此並無特別關係。來者既多，不擲其金錢，即擲其勞力以繁榮香港，於是其後天之優越基礎。顧香港當局必須做到者：第一其本身大處必須較不爭氣的中國人強，在小處即不如中國人亦無所謂；第二其本身必須求進步，從不合法貿易，變爲合法貿易，從轉口商變爲工業與文化的建設者。德人經營青島之失敗，即爲只有文化與閥，而無工商業之故。

二、中國內亂引起繁榮

（五）

能在香港忍耐至五六十年的英國人，而謂過五六十年的不景氣都不能忍耐者，殊無法使人置信。至少英國人現在，尚無如十九世紀強烈的放棄香港的輿論，國際上則稱爲東方之珠，熟悉怕遠美國人亦有同感。香港能以存在的基礎，既在中國人之不幸上，只要中國人之不幸，並未減輕，而且有加甚，則香港之前程似錦，是可斷言的。

（六）

大凡如香港澳門之割讓地，如九龍與旅順大連，威海衛之租借地，以及如上海、漢口、寧波、廈門、福州、廣州的租界，其法律上地位雖各不同，然其經濟上的地位則完全相同。換言之，即由於中國之不幸，以換得上各地的繁榮而已。中國之不幸，情形越厲害，則這些地方的繁榮，發展得愈迅速。而中國最大的不幸莫如內亂，所以各埠的經濟繁榮，都在內亂時期發達，過到和平時期，則要取得以維持的條件而已。

（七）

上海地方，是在太平天國時期發展起來的。大批的中國人，爲了逃性命，而攜其資本與勞力蜂擁而至，這就是上海賴以發展之唯一本錢。和平時期，在農村的中國人，都是安土重遷的，決不會到上海來落腳。因爲衣食之需，都是從內地運來，至少當比內地貴二三倍，大多不願受到高物價的侵襲。而且住大房子住慣的鄉下人，至少對亭子間，閣樓，地牢等，有點不習慣，非不得已是不肯來的。以上海租界言，本在外灘至河南路一狹長地帶上，忽因太平之亂，擁至租界者百餘萬人，馬路兩邊以及住宅門口，都睡滿着難民了。不過在太平亂時，中國國際貿易之出口，在福州而不在上海，太平天國與外人在上海一帶以貨易貨的國營貿易，其數量殊不算大。而亂定以後上海之繼續繁榮起來，還賴其水路運輸之便利，至發展爲工業區，所以福州，寧波終於在亂後衰落，而上海代之以興。中國經過內亂一次，上海租界即擴大一次，而其人口即增多一次。一經在上海住定之後，即不願回到故鄉去，不特工業發達，即中西文化，亦隨以俱來了。

毛以亨啟事

斷足臥病八個月，李提摩太傳中斷，久未續稿爲歉。一俟能步行至圖書館，即當續撰發表。現以敬與讀者相見，先撰「歌頌香港」一文，諸希亮察至感。

耶誕惠及街頭貧童　港督夫婦親自招待

耶誕節，今年比往年熱鬧得多。它不僅給人們帶來了喜悅，連終日愁眉苦臉踯躅街頭的貧童，也被邀請享受了幸福。這是社會局給予他們一年一度的一份溫暖，巧妙地安排了許多節目，分批招待數以千計的小朋友；他們除了領到一份禮物之外，還有港督夫婦的親自撫慰；還有遠自美國而來的那一艘「威斯康辛」號巨型主力艦，也招待他們；精神上愉快，令人意識到這真是自由民主的新天地。然而，港督這幾天除了迎接耶誕，招待貧童之外，生活是忙碌的一年吧，他對社會福利，如與市民日常生活有關的蔬菜免稅、解除魚荒等等，更表關切。連日且到各有關機構巡視，召各單位負責人談話，他過着這些例行政務，但在這狂歡季節裏，似乎顯得更關懷醫院中病人，當局對他們「每逢佳節倍思親」的病人們，也有同情之感。昨天在瑪麗醫院和兩個陸軍醫院的病人們，每人都獲得聖約翰及紅十字會醫會福利部送出的禮物，此外，還有樂隊，聖士提反中學的頌聖歌隊的演奏，醫務總監親往訪問各病人。但在另一面，若干慈善性的醫院，他們的設備既差，而收容病人又復眾多，對這個佳節，祇是一些裝飾門面的點綴，床上的病人，依然輾轉悲泣，還耽心於耶誕給予醫護者的休假會增加自身的痛苦。這一個諷刺有力的對照，也許是環境習俗的不同，宗教信仰迥殊使然。不過廣華醫院貴字（小兒）病房卻另有一番新氣象，三十個（三歲至十六歲）男女病童，都參加柏立基夫人主持的招待會，他們把玩着各式玩具，看銀幕上的教育性卡通片，傾聽着電唱機播送出來的「耶誕」樂曲。「貴」字房更顯得驕傲與華貴了。

×　×　×

中共工人冬訓的剖視

·沈著·

所反映的一些情況（下）

一、中共工業部門中低級管理幹部的來源，大部份從工人及農民之「積極份子」中提拔而來，一部份係招僱而來，也有少數是留用人員。其中佔極大多數的「積極份子」的「政治熱情」（即赤化成份）雖然很高，但知識水準及工作能力却很低：其中佔少數的招僱而來的及留用的人員，固然能力較佳，但爲數量既太少，在中共一套飄以政治爲前提的生產管理及複雜的政治環境中，實在也無法放手施展其能力。而中共的生產組織既龐大又複雜，上層的領導復多偏差矛盾，致使此種不足以勝任其所擔負之任務。結果：乃造成施工管理現場混亂，工人窩工，技術失常，質量事故（指產品走樣、低劣、損失等）及傷亡事故不斷發生；乃不僅使中共的生產計劃未能完成，且反使中共的一切工業生產（包括建築工程）及政治威信（因工人傷亡過多）蒙受嚴重的損失。

二、從對工人強調「國家利益」和「長遠利益」而要克服工人的個體利益及目前利益看，證明目前大陸工人的待遇確甚微薄，生活確甚困苦。這一點，最近「人民日報」在一篇鞏固「工農聯盟」的社論中辯說農民的負擔時，也曾承認目前工人的待遇情形並不比農民爲優。但大多農民却正掙扎在饑餓線上。

三、大致工人們由於待遇微薄，生活困苦，操作過度，傷亡衆多等等所引起的反感，已對中共一切欺騙工人利用工人的謊言根本拆穿，「幸福」的幻想已普遍破滅，共產主義的「前途」已完全動搖。再由此而普遍激起來的怠工、及消極抵抗，祕密破壞等等的行動，雖經一再「勞動紀律」的整飭仍屬無效。

四、大部工人對「蘇聯先進經驗」工作技術的懷疑態度及抵制行爲，似已日趨普遍，這對於中共一切俄化的工業設備及生產方式，乃爲一嚴重的障礙。

對此一措施的評斷

因此，我們可對中共的此一措施獲得如下的結論：一、中共對工業生產人員的統制業已日趨嚴格；工業部門的所謂「社會主義改造」正在加緊演進。二、因工業幹部的低能而加以訓練固有必要，但正暴露了中共工業基礎與生產機能的脆弱。三、中共自稱「工人階級專政」，而工人則普遍產生了消極的抵抗或積極的破壞，非予以嚴格的訓練和激底的「改造」即不足以適合中共的需要，正暴露了中共所謂「政治基礎」（中共稱工人階級爲其政治基礎）上的大弱點。四、這種訓練在技術上的自可能獲得其部份成就，但在「政治思想」的則因受現實對照的影響而終將徒勞無功。五、這種訓練的意義，依舊不脫爲鞏固其集權統治的一大法門。（完）

中共公開承認　西北教育失敗

中共爲加強媚俄針，特對西北教育行政部門及有關業務領導部門，三年來的領導「建設」工作提出四項指責。據北平光明日報最近報導稱：「西北區的中等技術學校存在的問題主要有以下幾點：一、領導關係不明確，教育行政部門與有關業務部門的聯繫不夠密切，對中等技術學校，形成都管都不澈底管的情況。由於缺乏領導，和領導薄弱，以致許多學校發生和長期存在着混亂現象。二、各中等技術學校的分佈狀況及科學的設置，未能密切配合經濟的需要；發展重點也不夠明確。如重工業方面的重型機器，電氣和石油鑽井，採油等科共有學生一千二百九十五人，祇佔學生總數的百分之五強，遠趕不上西北工礦建設的需要。農業學校中的森林科學生數量也不能適應林業發展的需要。三、各校在科的設置方面，既重複又分散，多數學校的任務和培養人材的目標不夠明確。四、有些學校的設置地點和廠礦、企業、農場、牧場等距離較遠，學生進行校外參觀，實驗很不方便。此外在師資方面，專業技術課程教師嚴重缺乏，一般課程教師數量和質量趕不上中等技術學校教育的客觀需要。教材缺乏，多數內容不能密切聯繫生產建設的實際，教材的繁簡、深淺不一，不能適合學生的知識水平和接受能力，科學的系統性也不夠完整，學校各項設備，尤其是專業課程方面的教學設備很差。」

評：無字天書

·朱惡紫·

林適存著　亞洲出版社出版

用故事新編的手法去寫小說，看來似乎比創作易，其實則比創作難，因爲透過舊的故事，刻劃新的內容，或者利用舊的人物去注入新的生命，這不但需要卓越的剪裁工夫，更需要成熟的文字技巧，否則不流於淺薄，即失之胡鬧，我想也許這就是此類作品產生甚少之故。

最近却連續讀到兩本林適存所寫的此類的書，在內容上都不錯，一本是在新世紀出版的「瘋女奇緣」（又名南郭）一本即現在要談的「無字天書」。

在本書的十三個短篇中，「無字天書」是諷刺毛澤東的妄念，「石秀殺嫂」與「宋江大鳥龍」則是描寫極權人物的悲劇，「女兒城」是刻劃中共壓迫青年參軍後的社會慘況，「化子棄金」「秋胡戲女」「高老莊招親」同是暴露共幹的貪婪與無恥，「鬼劫」與「芳娘外記」則在揭發中共對人民屠殺和迫害之狠毒，「阿Q翻身」指出中共是怎樣的推行流氓政治，「莊周出妻」暗示中共是如何的迫害學術，「古城新會」嚴肅地啓示着反共武力的結合與成長，而「鼠世界」則寓言地諷刺了極權主義的政治權術與陰謀。由於這十三篇描寫內容的不同，因此作者所運用的筆也有異，以直筆出之的有「古城新會」，以曲筆出之的有「莊周出妻」，以俏皮幽默出之的有「鼠世界」，以冷諷熱嘲出之的有「無字天書」，但不管作者的筆如何運用，都表現得成熟，也尚嚴密，至結構方面，刻劃現實的部份，故事的進行固很合理，而象徵描寫的部份，也不胡鬧草率，可見作者寫這書必費了一番苦心。

據作者在本書後記所說，其中「女兒城」，「阿Q翻身」，「秋胡戲女」三篇都是突破成規，大膽追求故事的變化者。現在特別提出其中二篇來談談，筆者於此也願意貢獻一點愚見。

「秋胡戲女」脫胎自平劇「秋胡戲妻」的故事，作者爲強調共幹婚姻法的思想及暴露新婚姻法的罪惡，因而描寫衣錦榮歸的共幹秋胡，連自己的親女亦不放過。本來自中共實行所謂新婚姻法後，翁姑寡婦迫嫁，兄妹、叔嫂結婚已屢見不鮮，亦未始無此可能結婚，不過，作者在本篇描寫中，對秋胡這種逆倫行爲，事先似乎缺乏一點心理準備，因爲秋胡雖已「前進」，但由於「文化」差，「山東大漢死心眼兒」的性格還沒有脫去，既然不大願意過「一杯水」的生活而堅持要結婚，可見性格保守，倫理觀念尚未完全泯滅，這種性格未改變前要其突發親女似不可能，如果能在秋胡未回鄉前有一個機會來表現其對倫理觀念的否定，則其回家見女美而動心，則比較不突兀，而順理成章，未悉作者以爲然否？

至於「阿Q翻身」這一篇，作者認爲最失敗，則我們是不同意的，我們覺得作者的主題把握得非常正確，正如作者所說：阿Q雖不足以代表我們的民族典型，但中共却有心誇大了魯迅的阿Q，讓阿Q思想與主義普遍存在，傳繼續其毒素作用，另方面則真正的利用了中國同胞善良、怯懦、無知，逆來順受諸弱點，以甜言騙其力量，以鞏固其血腥統治。因此，作者在本文中讓阿Q翻身之後，終由於其一點農民的正義感，受到了撤職的遭遇，這不但與魯迅描寫的阿Q性格沒有矛盾，也與民族性格相符，中共誠然是需要阿Q的愚昧與逆來順受，但決不需要阿Q的正義感，所以阿Q翻身後終不免如此下場，而中共要訓練出白眼小D這批人變成更忠實的阿Q，自然更事有必至了。

稿約

本報園地公開，歡迎讀者投稿，性質不拘，稿最好勿超過二千字，譯作請註明出處，來稿請附郵票，如不合刊用時，當盡量退還。

——編輯室——

真正的忠貞之士

自由談

馬五先生

在最近一期的「新聞天地」週刊上，讀到西藏同胞楊世傑所寫的「我跨越大雪山死亡綫」那篇報告文字，看他那種受盡千辛萬苦，死裏逃生，雖不從賊的忠貞意志，以及被人謀財害命，流離印度大吉嶺，進退維谷，熱望祖國搭救的情節，不覺肅然起敬，十分同情。再讀到他最後所說：「我請求我的政府給我以命令，讓我為祖國同胞完成反共抗俄的任務於萬一。我的政府！我在喜馬拉雅山的雲天中，恭候大命的賁臨」這幾句話，令我潸然泣下了。想到在天涯海角，在荒山野間為自由掙扎的義民，不知多少，這些人纔是真正的忠貞之士，因為他們雖站在死亡綫上，而屹然不屈啊！

據楊君自述，他是國民黨員，中政校畢業生，國大代表。這種人的歷史很容易清查，如果不虛，無論從那方面講，都應該讓他先回到祖國來。即令他現在已是被人虐害過，成為無用之人了，更應該予以搭救。一個革命的政黨，對於有歷史有勞績而又在危難中的忠實同志若不照顧，誰還願意為黨拚命奮鬥？一個政府對於冒萬死以來歸的義民，不予以入境證的便利，憑甚末來收拾全國反共非共的人心呢？

以反共復國的前提作尺度，凡屬在大陸各地及接近大陸各海島上打游擊的，才算是真正的頭等忠貞之士。只坐在大後方，衡量別人是否忠貞的人，在沒有事實考驗以前，對於他的「忠貞分數」，我認為只可暫予及格而已。因此，希望大家研究忠貞問題時，把眼光多多朝外面觀察，不要害着近視病！

靜穆夜，神聖夜

——這首聖誕名曲是怎樣來的——

旭軍

耶穌聖誕節又降臨了。在聖誕前夕，基督徒報佳音所唱的「靜穆夜，神聖夜」（SILENT NIGHT, HOLY NIGHT,）那首聖詩，非但膾炙人口，而且莊嚴而溫柔，感人最深。然則這一百三十五年來全世界基督教在聖誕前夕所唱的聖誕頌歌，是怎樣來的呢？

在一八一八年耶穌聖誕的前一天，於奧大利薩爾斯堡境內，阿爾卑斯山高原上，太陽已徐徐地降下到雪峯後背，灰色的陰影，延長到白色的山坡，蓋着一簇的小村落屋舍，牠們好像擠做一團來取暖的樣子。

村中學校裏充滿了溫暖與快樂，學童拋開書本，長青樹裝飾着室內，燭光瀲灧，那教師笑迷迷地坐在桌邊，後面牆上掛一張莫札特的畫像。莫氏就誕生在那裏的南方十五哩的沙次堡。那時學童們看見老師的一團和氣，也個個滿臉春風，喜氣洋洋的靜候聖誕的降臨。

那教師名叫佛蘭斯雙克灑維爾格魯伯。他是一個慈祥短小精悍的人，却有搔首抓獵的習慣，他很愛小孩子，小孩子也喜歡他，他也嗜好音樂。在奧本多芙教區尼古拉斯禮拜堂裏，他常常彈着風琴，讓小孩子們和着唱聖誕頌歌。

現在他打開桌上的聖經，開始講到那穆而常動聽的故事。那說到耶穌怎樣誕生在馬槽，牧人怎樣聞訊來看，以及傳播佳音，小孩子聽得出神。

剛剛講完那故事，門便打開，走進一位聖尼古拉斯禮拜堂的助理牧師約瑟夫．慕耶神父，他從那長外套抖下了雪花，從口袋裏掏出一小紙片，放在老師的桌子上面。

他說：「佛爾斯，也許你替我配上歌讚，讓小孩子在中夜的崇禮歡唱，好麼？」

佛爾斯扶了一下眼鏡，開始看着那潦草的歌詞。小孩子們很高興的圍着那長桌子。慕亞神父有些等候得不耐煩，好像聽候佛爾斯批評。可是他還是一字不吐。他不耐煩的咳了兩聲。然而佛爾斯緘口不言，甚至好像不知他在身旁。現在這老師搔首朝天望，突然跑到壁隔，抓起結他來彈。開始用溫婉的聲調來唱——：

「靜穆夜，神聖夜，一切皆安詳，一切皆歡慰。」

當他歌唱的時候，小孩子肅靜着，好像着了迷。

餘韻繚繞縈繞方逝之際，慕亞興奮的喊起來：「佛爾斯，你從那裏得來如此可愛的歌讚？眞配合我的歌辭了。」

佛爾斯滿不在乎的樣子，撫着結他，答道：「我一看這歌詞，好像即時湧現了這音樂，宛如天上來。」

慕亞大呼道：「多謝上帝，此曲應是天上有。你知道麼？我的歌詞來歷也一樣。我想撰寫一首短詩，給你譜入新聲與小孩子唱。可是想了幾天，却想不到適當的歌詞。我很灰心。怎知以爲來不及了。在今天下午，我準備今夜的彌撒後，離開桌子，跑到窗前一望，君見落日餘暉間一切安靜和靜，深深的感動。我年來夢想這種夜景，這是會有無限詩意。於是靈感一動，美詞滾滾而來，立刻即席一揮而就，連忙帶來給你看。今夜你可能教小孩子唱麼？」

「當然可以。」佛爾斯道：「可是風琴正在修理，不知今夜是否來得及，不過沒有也無妨，用結他也可以。」

歷年來在奧大利的提羅爾聖誕前夕黃昏時，便鳴香韻鐘，子夜時，在禮拜堂聚餐，快樂一番便了事。但在這一次的聖誕，即在一百卅五年前，傳遍一個消息，說：在奧本多芙教區的禮拜堂，將歌唱一首『天上曲』。人們始繞着羊腸山道，經過雪滿山坡，遠遠望見村落燈光，有如寶鑽閃爍。鐘聲蕩漾空際，來自遺界分德奧兩國的河流對岸洛芬大禮拜堂。

聖尼古拉斯禮拜堂燈光輝煌，正準備子夜歡宴。到了聖誕日開始那幾分鐘，在肅穆沉靜中，有兩孩聲音悠悠然從禮拜堂的而音樂廊，飄出兩句歌聲：——

「靜穆夜，神聖夜，一切皆安詳，一切皆歡慰。」隨後來了一陣小孩合唱，歌道：——

「圍繞聖母與嬰孩，聖嬰乃如斯之溫和可愛。」

樂聲有若天使飛翔空際。繼而禮拜堂充滿了一陣歡聲，讚道：——

「安息於聖潔之和平——安息於聖潔之和平！」

歌詞與樂聲沁入心脾，令人陶醉。歌畢，復返於肅靜。當時佛爾斯還懷疑着也許很多人不喜歡這歌。他怎知道到今天我們這一代的人，還到這歌聲，也爲之神往呢！

佛爾斯格魯伯在世時，其名未彰。人們相傳這歌是來自斯勒索爾。在德國以爲是米奇海丁所作。在一八五四年柏林宮廷樂師還派人去沙爾茨堡聖伯里爾教堂找尋米奇海丁之「聖誕頌歌靜穆之夜」的原稿。

偶然的佛爾斯幼子也在該教堂歌詩班。聞此消息，立告其父。因爲他曾聽老父說及此事。於是佛爾斯在一八五四年十二月三十日發出一篇報告，提到當年成歌之經過。在一八四〇年此歌曲出版，但佛爾斯本人未獲一文報酬。

作曲之校舍尙屹立久存。現前有一大牌，上書『靜穆之夜，神聖之夜』歌曲呀，誰人帶你到人間？』在第一次唱此歌的奧本多芙禮拜堂，雖經重建。但有一黑雲石的紀念坊。上面有紅銅凸面紀念圖。上刻有[illegible]，站在天上宮殿的窗門，靜聆人間兒女唱「靜穆之夜，神聖之夜」。

民國廿四年十二月廿五日為雲南起義護國二十週年紀念李協和先生招宴是役袍澤於陵園寓邸以詩索和次韻

張維翰

首義天南振虎賁。神姦奪魄罷稱尊。祇今禹甸還民主。賴此戎衣繫國魂。百戰餘生欣健在。廿年往事喜重論。高歌一曲蒼涼甚。袍澤賡吟數舉樽。

護國軍與廿三年週年紀念日與是役同志諸君謁唐公繼堯墓感賦二詩次任可澄先生原韻

舉國沉緘養巨奸。坐觀篡竊有阿瞞。異軍突起羣情奮。一檄先教賊膽寒。正氣凜然終定亂。僭謀空自假籌安。邵陽會澤名千古。只惜滇人力已殫。

雲鳥凄迷歲欲闌。又逢此日奠椒蘭。新華袞冕歸夔孟。護國勳名付史官。下馬陵荒徒悵望。聞鼙淚隕倍興嘆。九原靈爽應同憤。鐵翼縱橫正肆殘。（時日寇飛機空襲正烈）

讀『小山詞』（三）

昇生

近人吳瞿安（梅）著『詞學通論』，於北宋僅推晏同叔（殊），歐陽永叔（修），柳耆卿（永），張子野（先），蘇子瞻（軾），賀方回（鑄），秦少游（觀），周美成（邦彥）爲大家，然論及艷詞，則仍以『小山』居首。

前舉叔原所自寫之跋文，所謂蓮，鴻，蘋，雲其人者，於『小山詞』中實屢見不一見，而小蓮與小蘋殆尤爲叔原所鍾情，茲舉數例以見其概。如『蝶戀花』云：

笑艷秋蓮生綠浦，紅臉青腰，舊識凌波女。照影弄妝嬌欲語。西風豈是繁華主！

可恨良辰天不與，纔過斜陽，又值黃昏雨。朝落暮開空自許，竟無人解知心苦！

又玉樓春（即木蘭花）云：

小蓮未解論心素，狂似鈿箏絃底柱。臉邊霞散酒初醒，眉上月殘人欲去。

舊時家近章臺住。盡日東風吹柳絮。生憎繁杏綠陰時，正礙粉牆偷眼覷。

此外如：『梅蕊新妝桂葉眉，小蓮風韻出瑤池。』『手撚香箋憶小蓮，欲將遺恨倩誰傳？』（以上『鷓鴣天』）又如：『記得靑樓當日事，寫向紅窗夜月前，憑誰寄小蓮！』（破陣子）『時候草綠花紅，斜陽外，遠水溶溶。渾是阿蓮雙枕畔，畫屏中。』（愁倚闌令）殆無一而非爲此君發也。

其涉及小蘋者，自以『臨江仙』一調爲最有名，詞云：

夢後樓臺高鎖，酒醒簾幕低垂。去年春恨却來時，落花人獨立，微雨燕雙飛。

記得小蘋初見，兩重心字羅衣，琵琶絃上說相思。當時明月在，曾照彩雲歸。

此外還有兩首『玉樓春』，其描寫小蘋之美，與小蓮又自不同。詞云：

小顰若解愁春暮，一笑留春春也住。晚紅初減謝池花，新翠已遮瓊苑路。

湔裙曲水曾相遇，挽斷羅巾容易去。啼珠彈盡又成行，畢竟心情無會處。

瓊酥酒面風吹醒，一縷斜紅臨晚鏡。小顰微笑盡妖嬈，淺注輕勻長淡淨。

手挼梅蕊尋香徑，正是佳期期未定。春來還爲箇般愁，瘦損宮腰羅帶剩。

上所舉例，以涉及蘋，蓮兩人者爲限，其餘提到小鴻，小雲乃至小梅，小杏，小蕊，小瓊，小謝，阿茸者尚有多首，姑從闕如。綜叔原之一生，殆全都於脂粉叢中斷送，所以他在一首『醉落魄』的詞中說：

『天教命薄，青樓占得聲名惡，對酒當歌尋思著，月戶星窗，多少舊期約！』

是其心情，仍不能無十年夢覺，薄倖名存之感也。

旅歐日憶錄

謝康

柯樂滿爲余言，世界學生會有一分會在南洋某島上，會員數十人，尚有喫人風俗，未能完全革掉，某次，總會因久未接到該會通訊，疑其有異，經多方調查，始知該分會主席及祕書，俱被會員喫掉，無法開會及寫報告之故，喫人部落也有學生會組織，他們開會聚餐，大可就會員中擇肥而噬，不必另外預備什麼筵席了！

旅法華僑抗日救國會與駐歐國際宣傳委員會，同爲支持抗戰的華僑團體，均以宣傳爲主要的工作，特別是後者的宣傳工作，偏於國際方面，因得熱心者的捐款援助，工作頗爲開展，分設日內瓦、巴黎、倫敦等辦事處，參加工作者，有吳秀峯、袁冠新、丘正歐、王禮錫、朱寶賢、驚石君、張弘伯、謝勁健諸兄，及外國友人數位，而由余任祕書，總務之責，曾出版書刊數種，參加國際會議若干次，並與有關團體如國際反侵略運動大會，各地方中國人民之友社，保障人權同盟會，抗日救國會等密切聯繫，協同工作，特別是對於報館及通訊社記者與同情中國之大學教授，聯絡，請其公開講演，頗能收國際宣傳的效果，此種工作進行繼續兩年之久，因捐款將近用完，國聯已通過制裁日本，第二次大戰行將爆發，國際形勢對我漸爲有利，余亦買舟歸國，國宣會遂宣告結束。「民亦勞止，迄可小康」，每誦昔人詩句，想念同仁之賢勞，亦可算得其良心之使命而已！

至若日內瓦學術座談會，則爲在國聯，勞工局，中國駐國聯代表辦事處，及中國國際圖書館四機構的同志共約二十人所組織，以文會友，討論抗戰建國所需要的外交，財經，政治，教育文化諸問題，由同仁各就研究有心得問題，輪流提出專題報告，繼以發問及討論，每半月開會一次，每次約兩三小時，始能畢事，座談會舉行將近一年，同仁頗感興趣，所收集的演講稿也不在少，於是少數會友遂組合一出版社之組織，並與上海世界書局接洽就緒，交該局出版月刊，已集一二期稿各二十萬言，交包裹寄回上海，待值八一三滬戰爆發，上海不久淪陷，世界書局上海總局受戰事影響，不能照原計劃出版雜誌，華國兒童[illegible]暫存廣州，擬接洽後在港總局另行出版，其後戰局漸緊，廣州大受轟炸，[illegible]可惜，余曾交稿三篇，約五萬言，未嘗複寫，留底，一番心血，盡付東流，至今思之，猶有餘痛！回溯一二八抗戰，上海商務書館被焚，余手稿件十餘萬言（譯CH: GIDE: L'ECOLE DE NIMES在內）文章憎命，竟不及災梨，敝帚自珍，文人積習，竟自己文章如同「人家妻子」，然而時勢如此，謂之何哉?!

（十一）

華萊士的幽默

吉大

最近美國副總統尼克遜巡遊各地，處處表現「民主」作風，不搭一些官架子，如在香港時，即在擁擠的中國老百姓握其手，頗引起一般的好感。於是有人回憶當年美國副總統華萊士來華的種種逸事：

華萊士到重慶時，赤了膊與士兵們打排球。早起又去郊園用鋤頭種田，並與農民拉手，很爲這位美國副總統這樣作，很平民化。[illegible]

自由人

中華民國郵政登記第一類新聞紙類

中華民國僑務委員會頒發登記證台教新字第一零二號

THE FREEMAN

（半週刊逢星期三六出版）

（第二九五期）

每份港幣壹毫

督印人：李光華

社址：香港高士打道六六號

電話：七四〇五三

GLOUCESTER RD HONG KONG TEL: 74053

承印者：東南印務出版社

地址：高士打道六十四號

台灣特派員辦事處　台北市館前街五十號

台灣總經銷處　台北中華路五九四號之一

台灣郵政劃撥儲金帳戶九二五二號

本報啓事

本刊二九六期原定一月二日出版，現提前於一月一日出版，並增加新年增刊一張，共兩張，報價照舊，請讀者注意。

中共盜國和誘惑青年的法寶

·丁文淵·

中共潛據大陸已近五年，我們流亡人士親身經歷的痛苦，已非言語所能詳盡，然而較之留居大陸的同胞，則又無法可以比擬的了。遠望神州，能不慘然？

痛定思痛

西安事變以前，朱毛殘餘的力量，僅及萬餘。中央早令西北將領，完成剿劃的計劃，在一揮手舉足之間，則足使之消滅無存。不幸楊虎張學良之流，不服從命令，另闖異謀，至造成西安事變，乃使中共坐大。以後政府抗戰，中共非特袖手旁觀，且圖漁翁之利。一方面向中共領取經費，一方面蓄意謀亂，叛國殃民，眞是莫此爲甚矣。中共本來是蘇聯的走狗，所以如此做去並不爲奇。惟在一般的知識分子和學生青年，因爲不滿意現實，誤信中共的宣傳。就在直接間接上替中共做了無數的工作。混亂局面的造成，也負有相當的責任，自因此使中共在短期內能夠盜竊國。我今天舊話重提，就是因爲我們當前的敵人，並不是一個製造內亂的中共，而是要征服世界的共產國際，所以我們現在的反共抗俄，並不是爲某一個人着想，也不是爲某某黨某某派着想，而實在是要從全國全民着想，應如何趕走盜國的漢奸，抵制國際式的侵略，以圖保持我們數千年來的固有文化，挽救我們水深火熱的四億五千萬同胞！在這樣困苦艱難的反共抗俄工作中，我希望所有的愛國人士，熱血青年，心平氣和的來檢討一下，中共除了蘇俄的協助以外，還用什麼方法來盜國竊權，和誘惑青年。

我細細想來，大概不外乎下列幾項：（一）以「民主」的口號，拉攏不滿於現在的人事的軍人政客。現在的李濟深，黃炎培，馬寅初，章士釗，張文伯以及所謂七君子等等，都是中共用「民主」的口號拉攏而來的成績。中共很滑頭，這般人根本不懂什麼是民主，他們所需要的是本身的利益，是要分贓。中共就虛僞的趕快滿足他們這種慾望。中共設了許多副主席，副總理，部長等等來安置這一批想分贓的朋友。不過他們贓並沒有分到，中共給他們的僅僅是門客式的豢養，是一種高等奴隸。這批人固無如之何，一時恐也未嘗不心滿意足，因爲他們並不代表任何民意，更不代表何種政策，民主不民主，他們現在已經絲毫不感興趣了。

破壞美國援華政策

（二）第五縱隊潛入美國政府內，破壞了美國政府對中華民國政府的援助。這種可悲的事實，可惜一般人曉得太少，因此將失敗的一切責任，都加之於政府，這實在不是一件公平的事。我們在大陸時候的政府，當然有許多的事，可資批評，這也不用諱言。然而政府還許多弱點，並不足以亡國。我們只要環顧全世界，無論是在歐洲，或是在亞洲，有好多國家那種貪污無能的情形，實在不是我們在大陸時候的政府，所能比擬，不過他們的處境和我們不同。共產國際的武力侵略，還沒有直接威脅到他們的境內，而友邦的援助始終沒有中斷。當我們抗戰勝利後，已經是精疲力盡，我們的政府需要在很短的時間，完成接收全中國的責任；這實在不是一件容易的事。不管我們政府實行民主到若何水準，遵守法律到若何程度，然而總必需要在這條路上走，不能像中共那樣一切不顧，非人性的專用武力來壓迫人民，以完全他們的領導。這是一件不可忽略的事實。蘇聯在美國政府內的第五縱隊，就利用了這個機會，破壞了中美的友誼合作，停止美國對我政府的援助。如居里（LAUCHLIN CURRIE）拉鐵摩爾（OWEN LATTIMORE），希司（AIGER HISS），文生（JOHN CARTER VINCENT），吉塞普（PHILPE. JESSUP），邦茲（BENJAMIN KIZER），懷特（HARRY DEXTER WHITE）等人都應負很大的責任。除吉塞普以外，他們都是在美國參議院所成立的一個國內安全小組委員會內被證人證實和共產組織有關係的人（詳見美國政府內的共產黨，新世紀出版社出版）。馬歇爾將軍以特使的名義到中國來用壓力使我政府與中共組織聯合的政府，都是這批人的主張。根據美國參議院司法委員會的調查報告說：「一九四五年末，從馬歇爾啓程來華時起，至少直到一九四六年六月，中國政府的軍力是占優勢的。蔣主席的軍隊那時把共軍逐到北方，這時國民政府有戰勝共軍的希望。但是，馬歇爾將軍來到了中國，他按照他的訓令要使中國成立聯合政府，他並開始對蔣主席使用壓力，以達成他的目的。一九四六年馬歇爾將軍批准了一個計劃，該計劃要國民政府的軍隊減爲五十師，並編入共軍十師，全部由美國裝備。但因聯合政府未能實現，這計劃也就沒有實現。美國政府援助馬歇爾，可批准五億美元對華借款，這筆款子要等聯合政府成立後，才予撥付；事實上這款項始終沒有撥付。」前文生在安全小組委員會承認中共沒有認眞願意和中央政府組織聯合政府，這是很值得注意的。該調查報告又謂：「就是這樣，這個要中國組織聯合政府的要求，由毛澤東於一九四五年五月間提出，經美國共產黨的宣揚，再由拉鐵摩爾一九四五年七月三日的備忘錄建議給美國總統，終於由文生採納而執行。這與備忘錄由國務卿同意，其後成爲杜魯門總統在一九四五年十二月十五日宣佈對華政策的基礎。」所以美國國務院多年的遠東事務顧問杭柏克（STANLEYK. HORNBECK）在一九五〇年六月七日給當時的助理國務卿臘斯克（DEAN RUSK）的覆信上就說得很好：「從一九四五年起，美國政府對中國第一次不遵照傳統和條約，開始採行干涉國民政府和共產黨的內爭。……從那時起，美國政府就對國民政府使用壓力，這壓力不是反共而是助共，不是對共黨有害，而是對國民黨有害。」又說：「美國對華政策，是否必須繼續走那一條討厭的，悲慘的，不名譽的下坡路？……美國在軍事上勝利了（指二次大戰），但在外交上却失敗了。」

我在此愼重提出這個事實，就是我們要明瞭，當時美國停止給我政府的援助，是給我政府反共最大的打擊。然而這全是蘇聯潛入國務院內第五縱隊所做的把戲，與美國政府本身無關，與美國人民更無關係，所以這些事實經參議院調查清楚以後，美國政府也就漸漸的修正了對華政策，現在更是一心一意的援助我們了。

破壞社會道德和組織

（三）利用地方流氓，破壞固有的社會組織和道德。中共鼓勵各地的地痞流氓，向地方各種人士鬥爭，使他們得到無上的權威和利益，地痞流氓，當然樂爲之用。這些人，在平時，都是爲地方上所有的人所不齒的。他們一旦得勢，當然就隨意的作威作福，他們對地方上任何人有生殺予奪之權，對於子女玉帛有享受之權。這是任何政權所不可能容忍的。然而中共就假手於這批地痞流氓，推翻地方上的社會組織；破壞了固有的社會道德。每一個地痞流氓在這個時候，就是一個十足的野蠻的土皇帝。這都是他們生所夢想不到的權利，一旦到手，又何能不任性使用。至於地方人民所受的痛苦，當然不是中共所願意顧及的。中共所希圖的，是要將任何人對人的關係打破（所以要子女淸算父母），使任何人只能對共黨有關係，否則就被無情地打倒。只要一讀大陸上的報導，就可以澈底瞭解這個意義了。

虛僞的宣傳

（四）以社會主義來誘惑知識分子及青年。孟夫子早說過：「士無恒產」，所以讀書人大半是無產的，而且中國人向來輕商，對於有錢人從無好感。中國向來的老話有：「爲富不仁」，「官不與民爭利」等等。這都是以說明知識分子的重義輕財。熱心的青年亦復如此。（下轉第版二）

論中共「國家過渡時期總路綫」

·張玉麟·

本文作者張玉麟先生，曾任天主教全國婦女服務會會長，上海婦女建國協會理事長，抗戰期間在大後方重慶等處，努力婦女運動，成績優越，最近纔從鐵幕轉逃難到港，茲篇爲張先生到港後報導鐵幕內情的第一篇文章。——編者

黷武主義的準備

中共現在正進行他們所謂第一個五年計劃，準備將所謂「新民主主義社會」邁向「社會主義社會」，它的「國家過渡時期總路綫」便是這樣製成的。他們只管宣傳這個總路綫是爲在一個相當時期內逐步實現國家的社會主義工業化，逐步實現國家對農業，手工業和私營工商業，加以社會主義的改造，集中主要力量發展重工業，建立國家工業化和國防現代化的基礎。實際不然，他們要把私營工商企業完全消滅，集中全國私營工商業及手工業的全部，盡入中共掌握之中，改造成中共黷武主義國防化的重工業生產，專事製造無裨於國計民生的軍火工業，絕不是甚麼逐步提高人民物質生活和文化水平的。他們要人民所有的財貨供獻出來，集中運用，把不顧人民死活。用盡心思去集權，用盡方法去管制，如有反對，就是反革命，反革命就得鎮壓。所謂「國家總路綫」過渡時期的第一個五年經濟建設計劃，正是要壟斷中國四萬萬五千萬人民的生命財產，拖向戰爭和死亡的道路上去。

中共吞沒了私有資產

三年來，在中共控制下的私營工商業，早呈了麻痺，窒息狀態。自「三反」「五反」運動，在共黨威脅之下，資方已經多被殺戮，淸算，鬥爭，搞乾乾淨淨了。所剩下的私營工商企業及手工業，不過是一些枯槁而已。所有大工礦業，基本化學工業，如鋼鐵，機器，冶煉業，礦業，發電廠等重工業，紡織，繅絲，造紙等輕工業，部份「國營」，部份合營，已經全部歸中共經營。交通運輸企業，如全國的電話，電報郵政，鐵路與大部份的公路，輪船運輸等。金融企業如「中國人民銀行」，「中國農業銀行」等。農業方面，如西北農墾區，東北農墾區，華北津沽農墾區，蘇北農墾區。專業的如糧食公司，鹽業公司，燃料公司，土產公司，花紡布公司，出入口公司，百貨公司等「國營企業」，全國皆是。金融方面，無限制地加強共經濟統制，迫使私營工商企業及獨立的小本生產者的小商品經濟就範。民族資產階級，可以說多半在「三反」「五反」屠刀下而捐獻給中共，公私合營或工人接管，自動放棄其資方的權利，全部由共幹來監握，吞沒了私有的資產了。（上）

半週展望

·雷嘯岑·

韓境反共戰俘的命運

英美政府當局和韓境聯軍統帥，皆已明白聲明，現在韓境[illegible]中的反共戰俘，到下月廿二日以後，決定予以釋放。但，其中有無變化，很難說。俄共集團必不放鬆此事，自屬必然。他們近日已堅決要求延長「解釋」期間，目的就在阻撓屆期釋放。而所謂「中立遣俘委員會」的印度代表，也偏袒共方的主張，認爲到下月廿二日以後的戰俘處理方法，必須聯軍與共方提出意見，協商辦理。印度尼赫魯早有贊成延長「解釋」期間的表示，又主張召集聯大特別委員會討論韓戰問題。這一切動態，都是把戰俘問題複雜化，拖延不決。

假使共方及其同路人的主張實現，我敢斷言，一到來月廿二日以後，再教共方有「解釋」的機會，那些立意不歸回共區去的戰俘，也必因失望沮喪而變易初衷，甘受欺騙，願回共區，以期解脫長期的縲絏生活了！美國爲着急於終止韓戰，對共方甚末問題都可讓步，只有遣俘這件事，千萬猶夷不得。「解釋」期間決不能再延展，到時候必須履行協定諾言，將兩萬多戰俘全部釋放，聽其自擇去路。否則不啻是自殺行爲，將來休想再有被奴役的人民投向自由世界來了！

越共的新攻勢

越共軍突然大舉攻向寮國，威脅及泰國的湄公河岸。美國方面認爲越共必不敢進攻泰國，否則將遇到強大的美國空權之打擊。這看法，未免太過於樂觀了。

泰國的自衛實力！尤其是地面部隊，殊爲薄弱，如果越共倚仗中共的奧援，閃擊泰境，一舉而席捲這東南亞大糧倉，美國的空權未必即能掃蕩共軍，保障泰國安全？沒有地面部隊而專靠空軍來防守一個地區，可保無虞，在近代戰史上尚未發現過這種奇蹟哩！

美國對韓戰和越戰，動則聲言戰事如果再[illegible]或惡化，即其戰火所及，必不限於當地一隅，意思是說要把戰爭火燄蔓延到中國大陸去。這類虛聲恫嚇之詞，中共早已洞悉其隱，因爲美國對韓戰那樣委曲求全，希望結束戰事的心情，使他們深切了解美國對東方的「抽身主義」，知道你是不願跟它糾纏的。它就利用這機會，乘弱攻昧，先造成事實再說，到時候，大不了再來一個休戰協定，然越共在東南亞的地位與聲威即已建立了。

俄帝利用中共這一大貓腳爪，在東方橫衝直闖，替它火中取栗。西方民主陣營既不願放棄韓越以及整個東南亞地區，然又不敢直接打擊禍首罪魁的中共，只希望劃界自守，而以強大的空權和原子武器這類話來恐嚇它，這叫作揚湯止沸的辦法，百無一用！

蘇俄的延宕戰術

蘇俄爲想妨礙百慕達會議，乃有前倨後恭，願意參加對德問題的四外長會議之表示，但附帶一個「五強會議」的尾巴，其用意則不在緩弛世界緊張局勢，情節顯然。英美法欣然同意，提議下月初在柏林舉行四外長會議，然蘇俄又不贊成，主張要在東德開會，再因地點的爭執，尙不知要費多少脣舌，才可以得到協議。

克里姆林宮的魔術，爲他們現階段的利益計，以造成世界緊張情勢爲上策，然後轉以和平通商，低價拋售黃金於自由世界等策略，誘起西方國家營利的情性心理，因而互相矛盾對立，意見分歧。這套魔術，誰也可以判明了。它的運用延宕戰術，即是本于史大林的教條，靜待資本主義國家間自相火併，時機一到，以坐收漁人之利。

資本主義國家口口聲聲說精誠團結，決不中俄帝的分化詭計。可是，事實上要等俄帝養精蓄銳，起而拔刀相向之日，永遠不會團結的。俄帝在現階段的延宕戰術，即處處得以收效，這就是自由世界的危機所在！

菲律賓的大學教育

大學生數十倍於台灣

·衛挺生·

衛挺生教授前月赴菲大講學，本刊曾刊載其第一次通訊，茲又接衛氏第二次通訊，亟刊載如左。——編者。

國外通訊

（馬尼拉特約通訊）揖別後，時近一月，興居佳勝，爲頌爲禱。弟到此時，學校已開課數週，故立即上課。弟所講授者爲「遠東各國通史」及「中國現代史」兩門。每門每週三小時，故實際講授爲每日一小時，每週六小時。因每門功課，皆覺得相當佳本作爲教科書，及補充讀物，所以省了不少精神。英美學者，近年來對于中日研究，有很大的進步和發展。菲律賓各大學授課，全用英文作課本。所以各大學菲律賓本地教員，對于中日的研究，並不外行。助教上堂，講解中國日本的掌故及思想，其正確程度令人驚歎不置。返顧祖國學術界，戰後以來，却少進步。對此新邦，不禁生慚。

菲大學學生，英文程度甚高，寫作均能暢達。所以一切講解，毫不費力，其接受能力甚強。都城（馬尼拉）內外數十里內，有大學十餘所。國立者僅一所，即菲大，有學生萬人。城內有遠東大學（私立）最大，有學生二萬五千餘人，有馬尼剌大學（市立）聖羅馬大學（天主教立）東方大學（私立），各有學生萬餘人。其餘公私立各大學及專科學校各數千人。弟未暇詳細調查，然約略估計，菲都數十里內已有大學專科學生十數萬人，而各省公私立者尚不在內。聞之教育當局，云此乃菲律賓教育政策之一。菲既爲民主共和國，自不得不將國民之現代智識水準提高。所以青年凡有志入大學求高等教育者，皆充分予以機會。所以全國青年數十萬人皆正在接受一般進步之現代科學高等教育。似此賢明政策，深值得我們欽佩和借鏡。

菲律賓，宋代趙汝适「諸蕃志」稱爲麻逸，文化極淺。西班牙殖民後，始被歐南文化。美國經營五十餘年，教育始漸普及。故在我視之，可稱爲文化後進。然在事實上，菲島之民主及法治程度已遠邁吾國今日之程度以上。吾國在事實上，已變先進地位爲後進地位。今菲島人數，僅爲我台灣人口之一倍。而我台灣大學生人數，竟爲其大學專科學校學生之人數數十倍，而其在美國各大學進修之數千學生尚不在內。此新造小國，如此銳進，令人生羨，令人生懼。三十年後吾人不但對日本，而且又對菲律賓爲落伍國家矣。（四十二年十一月十二日）

中共盜國和誘惑青年的法寶

·丁文淵·

（上接第一版）然而要解決社會問題，並不是如此簡單。到今天社會學還不能認爲是一種純粹的科學，就是人對於太切身的事物，不容易研究得好。共產黨就總這個弱點，大吹大播的來宣傳他們的社會主義。中國人素常崇尚人道，以爲凡是所有各種有利於大衆的保險救濟，均屬於社會主義，所以並不去深與的思慮，很容易的就贊成。由於主觀如此，就不得不引經據典，來自圓其說。我現在儘量事實來講。所謂社會主義，不問他是那一派，總離不了要將「所有生產工具，收歸國有」。理由很簡單，就是私人產業都是爲私，只有國有事業才能爲公，爲人民。因此他們將資本家和大地主批評得體無完膚。所謂資本家和大地主，毫無例外的，無一不是萬世的罪人。殊不知這些人從來沒有同時掌握了殺人大權，像共產黨這樣。他們縱有罪惡，也決不能和現在掌握政權的共黨比擬。現在大陸上最大的資本家和大地主就是毛澤東。他掌握了殺人大權，所以弄得全國人民若得不能生存。共黨對於收歸國有最妙的也是最具誘惑性的宣傳，就是一切財產將歸於國家所有，也就是歸於人民所有，無怪乎無恆產的士人不能不有動於中了。可是他們沒有追問，照政治學家講，國家是什麼？國家必須有三個要素，才能成爲國家，這就是土地，人民，獨立的政權。我們大家要明白：土地是不會講話的，也是聽人安排的。你們高興如何分配，就如何分配。[illegible]

[illegible]

所誘惑了，不能不覺是教育的失敗。只要看歐洲教育水準高的國家，沒有赤化的危險，就可以證實了。

要知國家——即政府——掌握了政權，就有殺人的權——這是對人最威脅的一件事。立憲國家，也就是民主國家的人民，所以能夠監督政府，不准他亂用殺人權的，就是政府要用錢，必須經過人民代表的許可，全靠人民把握了經濟權。現在共黨同時把握了全國的經濟權，人民就只有臣服一條路可走了。你如果不臣服，不肯做奴隸，你就得死。或是被共黨政府弄死，或是被餓而死，或是做苦工做死，總是死，人民焉得不臣服？

共產黨所謂平等

（五）以「平等」智慧不平等也是事實。中華民國成立以來，向以五族共和爲號召，實行平等。民法上各種條文，都是根據平等。如婚姻法不稱夫妻而稱配偶，就是很好的一個例子。然而共黨硬造謠說出種種階級，以做他們所要鬥爭的對象。什麼「窮人要翻身」，什麼「待遇要平等」，等等。現在中共盜國了四年有餘，人人都知道是謊話了。他用「平等」來號召，講集體主義，事實上就是不准你有任何個人的主見。個個是平等，一個人沒有異議，大家就不能有異議，一個人（當然只有他們的同志）有異議，大家必須有異議，這是所謂「平等」，所謂「集體主義」。無論對於所謂馬、列主義，或是政府的法令，都應當集體服從，不准有異議。而他們掌握政權的人，都可行他們的個人主義。他們要如何就如何，不受任何限制，他們沒有法律。縱有法律，而他們的解釋，可以隨時而變。所以共產黨的人，得十足信仰馬列主義的人，如托洛斯基和貝里亞等人，都可以隨時被清算。所加的罪名都假。唯一的，就是說你「離開了黨的路綫」。到底「黨的路綫」是個什麼東西，恐怕只有天曉得。

中共用以上所述的法寶，盜竊了大陸，誘惑了青年。我們在現在反共抗俄最重要的階段，我們不能不時時警惕，不要再受共黨的欺騙，爲他所誘惑，我們應當摒除私見，真正的爲人民着想。任何事且不管，先同心同力的聯合起來，將中共推倒，救出我們四億五千萬的同胞。這是我們政府的責任，也是我們國民的責任。

編者讀者

△香港俞嬰先生來函：（上略）貴報近數月來，辦得非常有生氣，尤其「編者與讀者」，更覺親切，不過在，不上，似欠周密，有許多地方買不到，似圖改進。……十二月廿四日。

△台北周顯先生來函：年來拜讀貴刊，頗多進益，近馬五先生恢復執筆，益覺可貴……至若一般風格，早就爲人樂道，其中半周展望，穩健，老辣，平實，常能予人以新啟示，有發聵振聾之效，僕生也不幸……但對自由人却非看不快，……十二月十九日。

△俞先生的指教，和周先生的鼓勵，雖當殷勤，極可感謝，我們除益加奮勉，力求改進外，尚乞愛護本刊者多多賜教。

△毛鵬鵬，朱滌秋，易興，楊力行，合大一同學，孟父，仲夏，沈思亮諸先生：惠稿均收到，謝謝。

△新年增刊的文章：王寵五先生人口與食品，俞嬰先生論中共經建公債，沈秉文先生總結中共暴政一年。還有左舜生及雷嘯岑兩先生的文章，題目未定。

哀斯基摩人的現代化

亞拉斯加的土著民族，和格陵蘭一樣，是黃色人種的哀斯基摩人，他們原來是一個頗繁榮的民族，據亞拉斯加大學專家們的研究，大約在耶穌紀元前四百年左右，他們已經知道應用許多東西，作爲射獵和打漁的工具，大抵是用獸類的骨頭和牙齒做成的遺物，可以證明哀族的早期文化，到了十九世紀的下半期，白種人到這裏來的還很少，一些捕鯨的漁船，偶然停泊，到此地取淡水和補給食和燃料罷了，據當時的記載，哀族人口大約有二十萬人。

然而同時的哀族，在亞拉斯加一帶的只不過一萬六千人左右，使得他們人口減少最大的原因，還是從一八九八年夏季來了搜採金礦的一批人開始，由於跟着帶到了一種猩紅熱的傳染病，以後又連遭[illegible]，他們還沒有醫療的設備，使人口減少到了百分之八九。如今，他們所需的最普通的病症，却是肺病，估了統計數字的百分之七十五。最近美國政府始設了不少的學校和醫院，注重土人的衞生和教育，並且容納他們在地方機關做工作。哀族人口才略爲有些增加的現象。據一九五〇年的統計，十年之內，已增加了四百人。有人以爲這也是土著民族接觸白種文明的一個悲劇！我想，哀族人的命運，還比澳洲的土人好得多，在白澳政策之下，許多土族，早已絕種，如今要找一個塔什馬尼亞的土人放到博物館裏面陳列，已經不可能了。

哀斯基摩人的衣服，大概是用當地所產的獸皮做成，[illegible]

亞拉斯加——美國的北極屏障（下）

——根據巴黎FIGARO日報特派員PAUL OHAIZE的最新報導。

·謝康·

[illegible]

資源和美式裝備練訓

最近，亞拉斯加才引起美國和世界人士的重視，八十多年以前只有些掘金的冒險家到這裏來打算發洋財，但是，黃金的浪潮過去了，這偌大的地方，還是依舊的荒廢和沉寂，美國人對亞拉斯加似乎還沒有盡他們應盡的責任。

直到第二次大戰後[illegible]

[illegible]崎嶇的地形，若干河流，可以供給水電，也是很有價值的貢獻。美國資源委員會已經計劃使這一區域的水電，每年可以供給五百億基羅瓦的電力。這偉大的動力除發展本地的農工業而外，還可供[illegible]。一個正在設計中的鋁工廠，準備用[illegible]美元的建築費，將來每[illegible]可達二千五百噸之多。

天生的森林，面積也很廣闊，[illegible]又是一個很大的富源，一個大規模的造紙廠和鋸板廠，在建造中，大約明年就有出品。

亞拉斯加的前途，是未有限量的！目前，美國軍事當局首先在於戰略方面，特別是怎樣裝備和訓練一些士兵使能在北極嚴寒的天時裏作戰，同時一切軍事設備如何能適應和克服這零下三十至五十度的冷氣和許多冰山所發出的磁性電流，使「冰霧」，暴風雨時候的[illegible]對於飛行，收音和雷達，不致於發生阻礙。

最後，應該考慮的一點，就是，美國士兵平日慣於舒適的生活慣了，在冰天雪地的亞拉斯加，倘若驟然遇着比他們能夠耐寒冷的敵人，還能不能夠保持高度的戰鬥效果？

× × ×

讀者來書

一封公開信

答葉非蕙評鍾鍊詩集

·王岩·

非蕙先生：不管我們過去相識與否？自先生發表「評鍾鍊詩集」的那一天起，我們却已經是摯友了。

先生肯讀我的詩，使我感到十分榮幸，又蒙寫評，更感榮耀。我們都是對文藝有興趣的人，而且記得我刊這個集的時候，曾說過願意接受一切善意的指導與批評的。先生的評論末尾也說「願就教（這是不敢當的）於作者與讀者」，我想先生一定同意我寫這封信。

我還願就先生所提出的幾首詩略談一下。「船」。「生命的」你說太短了，是的，也許這是我的偏見。記得我讀臧克家的「四十詩選」時，在全集中我只看中了三數首，而且恰是最短的那首「三代」，（大概還不到二十字）。現在自由中國詩人們的集子中，一首詩僅有兩行的，也很多。我想用最經濟的形式，多包含一點東西，[illegible]

[illegible]，不可胡亂妄撞，就像大海中一葉扁舟，必須有一個把握方向的舵，才可到達彼岸。因此我把舵來比做一個人的意志。尾後兩句說人生道路和波浪一樣浮沉着，隨時有遭沒的可能。一個有理想的人，必須加倍小心，才免淪落。

這一首詩，先生說缺少含蓄。我却以爲就只以象徵與暗示這兩層來說，一個剛學詩的人，或許還得要多少用一點想象來體味它。而且含蓄，並不是詩的生命因素，因此我收它在集子裏，也代表是一點小體物。因爲我覺得讀詩的人一定有各種不同的看法。好在我的詩並不是單純爲了給詩鍊或詩評家看的，這些可說是我的私衷。

其次再談「斷想」的第一段，記得初寫這首詩時，是由於看見報紙上一段新聞而觸發的。新聞大意說「人士，已經被共匪說「豢擁」的「猪」，飼養在一特殊區域，「照顧週到」云云。於是我立刻寫下了這一段。原稿本註明「給民主人士」字樣。定稿時把它刪去了。

我覺得猪的生命史，也可代表一種人生，世界上到處都有這種類型的人物。日前在「鈕司」上，便會看到這樣的人，一個愛吃愛喝的人，天天在朋友請客中，酒醉飯飽，最後却因聽友人主使，以至殺人坐牢。這位出錢的朋友，遂到了借刀殺人的目的。只管吃不管做——懶惰依賴他人的人，不是常常見到嗎？

因此我寫這首詩的用意，是提示一種可怕的人生態度。先生詢及此詩主題何在，我只好這樣答復了。

站在朋友面前，爭論是非，我絕不會失掉禮貌，但我也絕不會膽怯。

編者按：除了王先生這封公開信外，我們還收到耳耳和劉變柳兩先生的文章暨吳鈞，樂變什，黃立中三先生一封信。均認爲葉非蕙先生對鍾鍊詩集的批評有失公道。現在我們把王先生的信發表了，其餘的文章和信，打算不再發表。

歌頌香港（中）

·毛以亨·

（八）

太平天國之亂，因爲廣東未被佔領，廣東人不需要逃難，所以香港繁榮不起來。甚至香港當局亦欲將其放棄。但英人見到上海繁榮之後，對香港繁榮遂有了信心。上海在最初開埠時亦打算放棄的，幸而沒有放棄，所以香港亦因而不願放棄了。他們意將見到香港與上海之繁榮條件爲同一的，即在中國之不幸的內亂上。但香港之繁榮，因爲附近沒有內亂，決不能如上海之驟。不過只要中國內亂之危機，仍然存在，香港能有力量維持和平，給中國人以安全感，即不患中國人不來，而托庇於宇下。所以香港之發展，遂漸由之而九龍，而新界，以適應中國人的遷移至港九來，香港已完成其對中國人安全的任務了。

（九）

然香港雖然容納大批中國移民，如太平天國時代上海的任務，則始於中共之佔大陸。使原來只有居民九十萬人之港九，突然增加至三百萬。舉目一望，木屋區與徙置區及新住宅區，何一不爲大陸移民所充塞？其容納之能力，已超過本有六百萬居民之台灣。其救濟難民之機關如調景嶺者，亦爲台灣所無。而資金之流入，則不能不歸功於港幣之只有漲價而不貶值，過非台灣所可及，台灣之官僚資本，已盡流至美國，而不在本地。我們於此不能責備港政府的利用我們內亂，而只怕他不肯利用。對於逃避至港之生命與財產，加以充分利用，爲中國多保留一份元氣，總是值得歌頌的。

（十）

最近中共統治之下，大量資金與勞力仍不斷流至香港來。從奴工而逃避爲最廉價之工人，誠是可憫的，中共之官僚資本，到香港來買地產，亦是應當歡迎的。故讜臨，其本質總是促成香港之繁榮的主力。

三、不民主的民主搖籃

我到香港已是四年了，但只是臨時居民而非公民，連選舉權都沒有。如果依美國人一張選票重於一塊麵包的觀念來講，則香港豈非不民主之至？再則我如果要在香港找一職業的話，其難等於上青天。我在國內是從未失業過的大學教授，但是到香港的初中去當教員，恐怕還沒有資格。衡之以美國人以機會均等來詮釋平等之義，豈非更爲不民主之至？但平心而論，倘使共產黨被趕出大陸後，我能不回去，而甘心長爲香港之公民麼？必曰不能，則我之不爲香港主人而處於客的地位已明，客豈可冒充主人者？則香港政府的不爲我安排，是當然的，其與民主與否之問題無關。

（十一）

雖殖民地的不民主，是無可諱言的，然我們[illegible]對香港政府是心滿意足了。至少他容許我逃到香港來，而且無限期的讓我住下去，其優容已超過本國，所以只怕有一天將我驅逐出境。然我所把握，爲我不犯法，牠亦不至逐我出境，似乎我的法律的保障。不過香港的法律，我絕未窺其目，但以我心來衡法律，覺得我沒有斷心事，即不會犯法。不像共產世界而言主義，使我們[illegible]

（十二）

中國始終脫離不了獨裁政制，故以前[illegible]談民主者都多逃到香港，而賴以有成。能說香港不是中國之改良與革命，不依賴香港麼？[illegible]

詞壇祭酒─廖懺菴（下）

人物評述

·紹華·

唐代高適夫（適）五十歲始學作詩，後來有高常侍集行世，他五十歲學填詞，而有專集刊行，同是詞林嘉話。疆村評他的初稿說：「[illegible]氣內轉，[illegible]求索消息，[illegible]樓合者所可同年而語，至其驚采奇豔，則又得於尋常聽覩之外，江山文藻，助其縱橫，幾爲倚聲家別開世界，」這一段評語，可謂推崇備至。

（三）

他原先學詞，是取法於柳耆卿，他在捫蝨談室詞添字採桑子小序中曾詳細記述此事。他說：「余年五十，學爲倚聲，飄嘈柳七詞，自[illegible]二十餘闋，皆背師極熱，[illegible]（邦彥）與（文英）[illegible]讀吳而得周之體，讀周而得柳之神。由[illegible]」

（四）

[illegible]

（五）

[illegible]

中共小教仍混亂　已下令大舉整頓

【本報訊】頃據北平報紙方面透露：經一再檢討偏差，大力改進後的中共小學教育，依然存在嚴重之混亂現象。據云主要爲：學校的領導不統一，學校的教學缺乏之計劃，學校師生參加校外活動過多，妨礙了學校的正常工作[illegible]

中共暴行實錄

十月一日「國慶」慘狀

【本報訊】[illegible]湖南人，自竹嘉湖[illegible]

賀光中教授飛台

【本報訊】星加坡馬來亞大學中文系主任賀光中教授，於本月廿日[illegible]

俄人指揮閩共建鐵路

據悉：由蘇俄「鐵路工程專家」斯裴諾金[illegible]里克夫斯基率領之「技術團」，自上月中旬抵達閩北之建陽，建陽等地探測後，刻已由南平經三元，永安，寧洋，連城，水口而抵達閩西之長汀。中共「鐵道部部長」滕代遠，築路部隊司令部「司令員」陳正人，「軍事建築工程部副部長」唐天際及僞「鐵道部副部長」石志仁等已隨團抵汀，並在牛嶺亭，古城等地夜宿兩晚，勘測松毛嶺大櫳，蛇峯等險要工程地區。據悉，中共將自一九五四年三月份起，動員軍工民工兩萬人，分自閩北，閩西起築軍用鐵路（以通往閩東閩南，路）照中共計劃，北軍用鐵路只建到水口，上端與浙贛鐵路銜接，閩西通經龍岩後，[illegible]

香港今年十大新聞　中共侵擾港海居首

一九五三年已成爲人們的記憶，歷史的陳迹了。這一年中港九各項社會活動情形，由於工商界向海外擴展銷場，努力的結果，已帶來了禁運聲中的蓬勃朝氣，這是不容曲解的。儘管商業上還沒有理想發展，除了舞業、飲食業之外，各項稅收比過去增加，當是一個很明顯的例證。假如在此時需要選擇本年度的重要新聞，它的價值，較如下臚列的十大新聞更爲重要了。嚴格點說，今年香港的大新聞決不止十條呢。一、曾任合衆社記者亞普基特等駕遊艇在港海遭中共綁架；二、中共侵入港海，襲擊英國無線防快艇；三、中共誘騙海外青年「回國升學」聲中，殷商之子黃昌信失蹤；四、中共軍官逃過羅湖橋，要求港府政治庇護；五、陳靈宣兩神甫，慘遭政治性謀殺；六、美國副總統尼克遜夫婦訪港；七、港府頒布勞工保險法例；八、實施徙置計劃安頓三十萬平民；九、市政局修訂條例，增加三萬選民[illegible]「香港」兩字。除此以外，尚有許多令人重視新聞，如[illegible]深水埗大火，六萬人亟待救濟；各界人士已廣泛地展開了賑災救難的熱潮，不問此一次起火原因如何，凡是港九木屋區域，由於此一慘痛的遭遇，都加警惕，不能再疏防備了，這是具有歷史性的一件大新聞。[illegible]獻。然美國「新澤西」與「威斯康辛」號兩大主力艦訪問香港，也是具有歷史意義的。男扮女裝[illegible]奇案，雖說也是一件轟動社會新聞，它在新聞價值的篇幅上，只是一個花邊新聞而已。

×××

綜合全年大事看來，無過於中共武裝船艇侵擾港海了。今年三月二十一日，亞普基特等及其「遠特號」遊艇[illegible]

[illegible]映。[illegible]震驚，一般以爲英倫將有斷然的報復性行動，膺懲橫蠻的中共海盜式行徑，誰知今日的英國遠非昔年誇稱「日不落」時代，仍閙幻想利用它的脆弱外交，與中共妥協，誰知此事向北平交涉，整整兩個月的公文旅行之後，已被擱置，幾爲人們淡忘了。

×××

亞普基特與伊斯勃爾遜輪船公司船長克拉斯納及國際社記者狄克遜，還有一個是中國籍少女等被擄至今，已閱十月，美國政府雖迭次照會倫敦營救，間接向北平提出抗議，迄仍消息杳然，亞氏等四人生死莫卜，「遠特」（丹麥名，意即「海鳥」）號且不知下落，類此事件，雖云防不勝防，然一年來中共，在港澳海域擄人貨事件，且尤不勝枚舉，美國參院曾指責英國「武裝護航破壞禁運。」以此對照，誰不說是一個有力的諷刺呢？

深水埗木屋區大火　災民六萬亟待救濟

義記者看美國

——文宗譯——

最近美國訪歐的議員，一般感到美國海外聲望目前已稍低落，致令朝野極爲關注，紛紛分析其原因，他們所得結論，大多認爲美國的宣傳工作尚做得不夠，美國的政策與目標，以及民意與實際情況，常爲西歐一部份輿論所歪曲，而美國宣傳人員，卻一時無法加以糾正過來。

自大戰結束以來，所謂「分析美國」，已成了西歐一般知識份子的時髦運動，幾乎人人喜歡發表一點關於美國的言論，但不僅他們本身多對美國沒有深切認識，而如果以同情的目光去分析美國，反會不受讀者歡迎；他們評論美國的社會制度所根據的資料，大多已十分陳舊，差不多還是德萊塞的小說中所描寫的那些事物，似乎祇要有一架打字機一本英國的反美雜誌「新政治家和民族」便足夠寫成一篇關於美國的長篇大論了。

有些「作家」甚至說，美國兒童因爲經常伏在地板上，兩手托着下巴觀看電視，以致下顎已發生變態，突了出來。有的又說，紐約某處的冷氣機如告損壞，美國人便慌作一團，手足無措，而不知如何去應付自然變化；還有一些則說，美國文化已充滿黃色毒素。總之在歐洲社會中，不知流傳着多少關於美國的稀奇古怪，荒謬絕論的看法。但最近一位義大利著名記者巴齊尼訪美歸去後，卻寫了一本比較客觀的書，記述他在遊歷時對各方所得到的印象，觀察深入，立論獨到之處，決不是一些單單描寫美國表面若干缺點，或吹毛求疵的著作可比。巴齊尼的報導，雖仍有不少不甚詳實之處，但一般說來，在西歐出版界關於美國的新著中，已是難得可貴。

巴齊尼在二十年代在美國哥倫比亞大學讀過書，也曾在美國數家報館任職，他對美國一向表示好感，並且態度真誠。他以流暢的筆調，描寫了許多美國的大小人物，其中有李利蘊特，拿兵士司機，好萊塢的電影明星。他自然並沒有完全拋除他的成見，他對所謂美國人的憔慾不安、物質主義的描寫，並沒有脫離歐洲所習見的那種對美國的看法，如他說，美國人討厭抽象的思想；爲了找刺激，文藝作品中鬥牛已成了普遍的題材；許多人都借酒澆愁。

可是除了這些次要的缺點外，巴齊尼對美國的報導，具有深切的瞭解和同情，他記載他遊歷美國農村的情形說，這些地方，才是美國「生命的纖維」。他且特別喜歡美國的鄉野，他說：「這是唯一的地方可使人惆悵地遺忘你身邊有人時時在注意着你，而這樣的感覺是在歐洲所不能擁有的。這裏的樹林，其年齡與世界同樣古老，這些樹林的美麗，也祇在孩童的幻想中才有……」但他也瞭解美國複雜的機構，他知道那些工廠中的最後零件裝配機構，正如人體一樣，也有一個心臟。

巴齊尼對美國外交政策的批評，是全書最有興趣的一部份。他的論點，認爲美國既想獲得世界性的權威，卻又不够現實；在另一方面，它太注重理想，又缺乏原則。他以爲美國人相信從試驗和錯誤中去學習，這是十八世紀以來的傳統，而可以今日最偉大的發明家凱德林爲近代的代表，他曾不顧理論家的堅決反對，發明了汽車的自動發動器，他的格言是：「讓工作做你的主人」。巴齊尼認爲，這在技術方面而或適合實用，但在人類的其他努力方面卻可能招致巨禍。他說：「前國務卿艾契遜是國際事務上的凱德林，他被動地嘗試論來發明政策，希望可避免巨禍。艾契遜認爲一切問題都沒有最後的解決辦法，任何問題祇有根據小心搜集的資料以逐日的決定才能解決，世界上沒有一個有效而實際的總原則。結果，國務院中雖有大批資料推積如山，卻沒有從這些資料中得到一個總的觀念。以致主動權反被美國以外的世界所把握。」

他又說，美國確實有崇高而願犧牲自己的夢想，其主要因素，是人類一切問題都能用智慧和工業來解決。但當國內或國外發生了什麼意料之外的事時，美國人就會暴躁如雷，搥胸跳腳，正如他們把一隻角子放進『吃角子老虎』裏去後，既得到一包口香糖，也取不回那隻角子的時候一樣。美國人以爲，只要能把適當的錢用在適當的地方，只要簽署措詞周密的契約，你便一定能得到滿意的結果。因此當歷史與『吃角子老虎』相同，不送出應得的口香糖，而不公正的現象繼續存在時，美國人就大爲驚訝。可是英國人和羅馬人，他們卻決不會對任何事情感到驚奇，他們會把外國人最不合理的行爲視爲十分自然。」他認爲美國人是在希望推動最偉大的十字軍，要改變世界，要把人類的一切錯誤拔正過來，於是他們遂漸不能接受日常的、非革命性的工作。他說：「美國人不應當對『集團』、『勢力範圍』、『權力均衡』等名詞認爲不屑一顧，因爲這是技術上的方法，任何政策，不論是侵略性的或崇高的，都須運用這些方法才能促進。」

最後，他所得到的結論是矛盾的，他要求美國強硬而堅決，不怕一切，成爲歐洲的領導者，可是他又要美國接受歐洲的意見，且以歐洲人的方式應付今日的問題。（節譯「時代週刊」）

談禮貌

自由談

人與人相處，必須有禮貌，這是理性的必需結論，無可非議。但，禮貌必須發於至誠，適當，然後才覺得可取可貴，而至誠的禮貌必不會流於過份，不然，即爲虛僞的無謂動作了。

我們對一個誠心敬愛的師友或長官，若不論見面或背面，總是不斷地說些恭維奉承的諂言文字，或當日常口頭禪，那不但是一種不誠實的過份禮貌，而且使受之者感到興味索然，毫無可取。因此，我對一般人無論在任何不相干的場合，只要有八個人集合開會時，都必照例先來一套向國家元首致敬的電文這類禮貌，即覺得不無虛僞之嫌。

在國家的隆重典禮中，如開國紀念會，民意機關正式開幕大會等場合，爲表示人民對國家元首的尊敬愛護心情，通電致敬，那是合理的禮貌。如果，不管三七念一，只要是開會形式，即照例表演這套動作，便流於虛應故事了。對國家元首表敬意，而出之於虛應浮泛，那「敬意」根本就打了折扣啦！若說這是表示人民對國家元首的擁護心情，殊不知民主國家的政治領袖原是由人民選舉而來，不待說，誰也是真心擁護他的，否則何以要投票選舉他呢？美國或英國的社會各界人士，從來不聞開會時即通電向艾森豪威爾或邱吉爾致敬的動作，難道說他們心理上是反對自己的政治領袖？官僚們想以漂亮文章來代取政治利益，自當別論。如果，一般人認爲表示對國家元首的敬意，還以忠於本身對國家的職責，守法守紀，服從政令，纔是對元首最誠意的敬禮。光靠揭些表面文章，實際是形於信口開河，行不顧言，多半就是這種心理所造成，大家還不覺悟嗎？

馬五先生

浙江觀潮偶憶

·太希·

在錢塘[illegible]潮，近代則余以丁卯八月十九晨往，舟行小河中，夾岸蘆荻搖曳，風景宜人，而炎熱不可耐，既抵江邊，士女駢集喧譁，潮以下客十之四五爲西人，而遊艇蝟集，嘅肉作奇觀，二時許，潮來，狀如天際白虹，瞬息排山而至，處枚乘，奇[illegible]言之，而平常處，則頗疑文人羅客，皆稱舟子所笑也，內前東坡所謂「海潮前自月中看者」，乃昌能看觀潮之言，若今日海寧之潮市，南北聯宿其名，但細思之，古人亦不盡欺我，白樂天詩云，「早潮常落晚潮來，一月周流六十回，不獨光陰朝復暮，杭州老去被潮催。」則亦唐之潮，唐時亦狎視之，南宋建都臨安觀潮，始爲帝京景物之一，考志稱於候潮門外觀潮，都人自八月十一日起，已有觀者，十六十八則傾城而出，車馬紛紛，二十日則稍稍矣，潮來時，吳兒善泅者數百，皆披髮文身手持十幅大彩旗，爭先鼓勇，迎潮而上，出沒鯨波中，騰身百變，而旗不沾濕，以此誇能，而豪民貴官爭相賞賚，江干上下十里，珠翠羅綺溢目，十八日大將軍出浙江亭，校閱海軍，艨艟數百，於潮未來時下水，展旗打鼓，分列兩岸，水砲轟震如崩山，及功成鳴鼓，則一舸無有，敵船隨波而逝，如此觀潮，或稍有新意也。

洪憲朝的鱗爪

·娟士·

（一）

中華民國第四個年頭，袁世凱把他的爪牙，佈滿了全國，他以爲皇帝可以做得了，叫他的美國顧問古德諾，日本顧問有賀長雄替他主張中國應該君主立憲的論調，再找到中國一批[illegible]天演論和原富一類的[illegible]學校長的嚴復，[illegible]胡瑛，[illegible]劉師培，辛亥革命時候革命黨的軍事長官李燮和，還有一個孫毓筠，組成了籌安會，當時都稱他們六君子，這個籌安會，原是替袁世凱籌備皇帝「即位大典」的。

（二）

我記得黃季剛先生和我說起袁稱帝的一些精細，在北平：「籌安會」發表第一日，劉師培來了，我曉得他是來發起籌安會的，很喜歡的就去訪他，因爲他和我是「國粹學報」的同事。可是，見面以後，他就提出一個問題，他說：「我們做文章要記年的時候，總寫什麼甲子，乙丑，但是甲子，乙丑，六十年一轉，弗來便弄不清楚了。元年二年三年的年，也不方便。」我便馬上答復他，說：「這個問題，用什麼紀年年，是漢武帝才起的，武帝以前文章的沒有，便是生問題，歐美各國用耶穌降世方便，他們便說我們這個，也沒有不便。」第二日在日報上看到籌安會發起人，才位網羅大師名在第六，因此恍然大悟，久『明年要改爲洪憲元年』的令就下來了。

（三）

『袁世凱要做皇帝，卻不敢公然「我自爲之」，他又學王莽故事，叫各省他們「紳士」，「歌功頌德」，「上書勸進」。他又請了兩個有名的文人，一個是湖南王闓運，一個是江蘇繆荃孫。這兩位白髮公公，我和他們都有「一面之緣」。說起王闓運，他在晚清歷史上很有名，原來滿清文宗奕詝（咸豐）死後，兩個姪子攝政權，一個叫端華，一個叫肅順，肅順比較端華有才具，王闓運是肅順的教書先生，太平天國革命勢力一日強盛一日了，滿朝有點「愁得很」，王闓運向肅順獻議，叫他重用漢人，便推薦了曾國藩（王闓運以前無人收及）。曾國藩便訓練湘軍，叫他的學生李鴻章訓練淮軍，居然打平了太平天國，給滿清保全了一統江山，王闓運就做了一部湘軍志，大家都稱讚他這部書。他本來會做「駢體」文，會做「選體」詩，因此文壇有他的地位，這樣更加重了他的名譽。

『但是，他雖然中了「舉人」卻不能「三考通捷」，他脾氣又大，以官總有人會用他，不肯出錢買官，後來還篤一件什麼事，就更不能得志。（似乎就因爲甚麼的人）

（上）

旅歐回憶錄

·謝康·

十

域外居留，光陰逝水，瞬逾十年，接觸之事既多，觀念亦隨而移轉，比較出國以前，個人思想的改變，大略可得而言：（一）時間的觀念比較準確，西歐人約會，照例不超過十五分鐘，過時則可以不候，甚至各種人數衆多之會議，亦多準時舉行，無候人至十五分鐘以上始行開會者。（二）權利義務的觀念，比較明瞭，有權利必有義務，二者交相對待，一切以法律規定爲根據，因此守法的精神，從此培養出來。（三）思想自由學術自由的重視，不再株守一家一派的學說，爲門戶主奴之見所左右。（四）男女性觀念的變遷，由禁慾主義到戀愛自由，由虛僞的性道德，到眞實的男女平等的性道德，未婚男女的貞操，不必如以前重視，已婚男女之貞操，亦不必與愛情完全一致，這就是說，男女因生理上的關係，靈肉一致固佳，萬一有特殊情形，或遇醫生之指導，精神的愛，有時或可與肉體的性行爲分離。（五）飲食的觀念，漸知以衛生營養爲主，而不注重美味佳肴，以饜口腹之慾，甚至素食主義，亦相當贊同。某次友人結婚，李石曾先生致詞宣傳素食主義，余頗受其影響。（六）節制生育的觀念，自留法而後，更爲堅強，法國男女到處實行節育，眞可令人欽佩！（七）勤苦好學不作無益害有益的觀念，余雖自小有志於學，但因家境困難，未能作直綫式的升學，中間爲謀生勞營，難免浪費一部份時間，遂致過時後學，勤苦難成，以視歐西大學問家，每日早五時即起身，終身從事學問，數十年如一日，在優良的讀書環境中，而如此刻苦努力做學問工夫，直令人汗顏無地！余爲此懼，終吾生殆將以勤補拙，孔子五十以學易，余亦願師孔氏之精神，勉爲學而不厭誨人不倦之人，不知能長久做到否?!（四十二年十月於葡屬帝文島）

——全文完——

所謂「新婚姻法」

·不打自招文抄·

文抄公

在中共的「新婚姻法」之下，男女結合是否比較從前更幸福呢？請看「北京」今年出版的「新中國婦女」雜誌總第四十八期所載的一篇文章。他們男女婚姻的糾紛並不是訴諸法庭，是訴諸鄉長和區長，鄉長區長根據個人的主觀判斷，說離就離，說不就不。試想這是多麼危險的事！文中所說的一對男女，因爲曾經編成戲來宣傳中共的「新婚姻法」的，所以不准離，離了「會給羣衆不好印象」，這又多麼不合理。在中共統治之下，一切都是工具，連男女婚姻也變成了中共政治宣傳的工具，說起來鐵幕內的人民生活多麼傷心！以下便是這篇文字的原文：

張副鄉長

·浙江石如·

「好啦，好啦，回去吧！忙大日子，不要耽誤生產。快到一點鐘了，午飯還沒有吃。」張副鄉長皺着眉頭，把黃村一對鬧離婚的青年夫婦送出辦公室。

走出門口，看見還有幾個看熱鬧的婦女站着，就對她們訴起苦來：「唉！眞沒辦法，嘴唇皮磨破也勸不好，一來就是半天；從去年下半年起，不是來二十三次總是二十二次了，像他們……」。

「那個不好，教訓他一頓，既然不准離，總得和睦呀！」一個抱孩子的插嘴說。

「教訓！教也教不進去呀！罵又不能[illegible]騷，我知道兩個都沒得好。」張副鄉長顯出無可奈何的神氣繼續說：「他們是自由結婚，從前各人自願，總不能隨便離呀！去年宣傳婚姻法時，還把他們自己結婚的事編成戲來演，如果一離婚，給羣衆的印象多麼不好。」說完，就匆匆往廚房跑。

那對鬧離婚的夫婦想沒有結果，就跑到七里路外的區政府去了。

接待他們的是位副區長。他研究了他們口述的情況，決定親自去黃村處理。第二天一早，副區長先去找張副鄉長，問他過去的調解情況，張副鄉長的回答是：兩夫婦都有缺點，勸也勸不進去，實在無法解決等等。至於家庭情況，除了知道有母親，哥嫂之外，什麼也不了解了。

吟韓境停戰

·郭敏行·

干戈實戰斗，罷戰竟何名？大捷將軍去，瓊樓鬼蜮橫。耗財非所惜，縱虎至堪驚。生死寃難雪，陰陽兩不平。

賦慰留韓華籍義俘

一自淪夷敵，鞭驅作遠行。悵懷冰雪地，向往自由城。剌臂明心跡，修書表節貞。天涯淹滯竟，生死盼收京。

自由人

中華民國郵政登記第一類新聞紙類

中華民國僑務委員會頒發登記證台教新字第一零二號

THE FREEMAN

（半週刊每星期三六出版）

（第二九六期）

每份港幣壹毫

督印人：李光華

社址

香港高士打道六六號

電話：七四〇五三

GLOUCESTER RD
HONG KONG
TEL: 74053

承印者：東南印務出版社

地址：高士打道六十四號

台灣特派員辦事處

台北市館前街五十號

台灣總經銷處

台北中華路五九四號之一

台灣郵政劃撥儲金帳

九二五二號

恭賀新禧

本刊全體同人鞠躬

本報啓事

本刊本期提前一日出版，並增加新年增刊一張共兩張，報價照舊，敬請讀者注意。

樹立反共政策的發端

為紀念四十三年元旦而作

·左舜生·

國家出了亂子，遇着人民不能不過[illegible]生活，這在中國歷史上是常見之事，沒有什麼了不起的[illegible]外千萬以上的難僑，如果我們去追究其根源，完全不是由於我們的[illegible]補什麼殖民政策，大抵都是由於一種不得已的事實，逼着大家不能不自動的『傲其口於四方』，然後才產生如今天這樣一種結果。

現在的流亡者，當他們開始離鄉背井走出大陸的時候，在大家的腦經裏，便有一個牢不可破的觀念：總以爲隨時都可以重回大陸，第一年過了，把希望寄托在第二年；今年過了，又把希望寄托在明年；抱着這種心理不肯改變，如是者已五年於茲。放棄一切的永久計劃不談，一天到晚，只是眼巴巴的等待着這種奇跡。老實說，這種心理，於國家無益，於世界無補，於反共無絲毫好處，於自身更有百害而無一利！

十年計劃的樹立

在今天，從國際看，尤其從美蘇兩國的心理看；從大陸看，尤其從中共一切倒行逆施的事實看；從台灣看，尤其從它現有的實力和一切做法看；從台灣和大陸以外所有民主反共人士看，尤其從他們五年以來所已經表現的行動看；我便有一個直覺：反共復國一定是可以成功的，但決不是在一個很短的時間可以成功，最低限度，我們非樹立一個十年的計劃不可。

一說十年，我想一定會有許多人要表示失望，甚至會有人誤會：我是在這裏長他人的志氣，滅自己的威風。其實這種失望是多餘，這種誤會更可不必，更澈底言之，我之所謂『十年計劃』，還只是最低限度，換句話說，如果我們不抱着反共最大的決心，絞盡我們的心血，竭盡我們的氣力，夜以繼日的來不斷工作，按照一套條理細密的計劃來按步就班的實行，便可能十年也還不會有成功的希望！

我把絃子繃得這樣緊，調子拉得這樣高，是有我的一套看法和理論的：

蘇聯侵略中國已經有過三十年的歷史，把整個中國大陸變成共產黨的天下，這只是他們侵略整個世界的步驟之一。今天在中國大陸的眞正主子並不是中國共產黨，當然更不是毛澤東，拿舊的意義來說，這是異族入主中國；拿新的意義來說，這是列寧斯大林所倡導世界革命的一片段；任何地方的共產黨，都只是世界共產黨之一環，更說得明白一點，都只是這個號稱領導世界革命的蘇聯帝國主義者的一種工具。因此，我們不談反共則已，一談反共，便是說要和蘇聯來一次澈底的清算，換言之，就是要有和蘇聯拚命的決心，蘇聯不倒下去，世界任何一個共產國家都不會倒下去，世界任何一地的共產黨也就不會倒下去；中共政權不是例外，中國共產黨當然也不是例外。

以今天民主國家的散漫，以各民主國家的各懷私心，以民主陣綫領導者之不得其法，老實說，其去眞正的反共行動還甚遠甚遠！今天無所謂和平，凡說和平的都是承認現實，承認現實，就是承認共產黨，那裏還有什麼反共！

蘇聯只怕不和她妥協

今天的蘇聯，她所怕的只有兩套辦法：

一套是我們民主國家確有一個長期戰的計劃，一切不和她妥協，大問題和她來一次大鬥爭，小問題和她來一次小鬥爭，我們要確定：共產黨是有百非而無一是，我們是有百是而無一非。三年鬥她不倒，便是五年，五年鬥她還不倒，便和她鬥上十年二十年，總以鬥倒她爲原則。凡假定以蘇聯存在爲前提的世界和平，無論怎說法的內容如何，都是狗屁胡說；只要蘇聯的國內有和平，世界便決不會有和平；有蘇聯存在，世界就決無寧日。

一套是從明天起，便開始和她打，不擇時不擇地的和她打，打北韓就是打蘇聯，打越盟也是打蘇聯，打中共更是打蘇聯，因爲這一切一切都是蘇聯的一肢一體。如果蘇聯公然站出來應戰，她當然輸了；她永遠縮着頭不敢出來，她更是輸了；惟有看見在表面上蘇聯並未出頭便和她去講妥協，便和她去開會講道理，則我們的失敗，便會成爲定局。

反戰理由不能成立

現在諱言戰爭者所持的理由不外兩個：其一以爲最近一次大戰的爆發，人類必將有空前的死亡；其一則以爲世界現有的文明，可能因這一度的戰爭而遭到全盤的毀滅。其實這種話只是從一種苟安的心理出發，與事實完全不台。

世界一切生物在進化的過程中皆不免於死亡，人類也決非例外，所爭者只是痛快的死與宛轉就斃的死，個別的死與集體的死。自共產主義在蘇聯局部實現以來以至今日，世界人類直接間接死於共產黨之手的，何止一億以上！

（下轉第二版）

半週展望

·陳克文·

新年展望世局

一九五三年過去了，這一年，論者認爲是六年冷戰的轉捩點，西方領袖們以爲這一年的發展已消除了蘇俄積極發動侵略的危機，改變了東西衝突力量的平衡。

然而，過去一年所未能解決的大問題：例如韓國政治會議，歐洲軍的組織，德國的統一，越南的戰爭，原子能的合作管理等，今年能否有獲得解決的新希望，使緊張的世局鬆弛？未來的柏林四國會議是長期冷戰的結束，抑是新冷戰的開始？這都是値得我們憂慮的。人類的命運，惟有勇毅和遠見才能加以改變，一切苟安和自私的企圖，適足以增加悲慘和不幸，自由世界的領袖們如果見不及此，則一九五四年亦不過是過去一年的延長而已！

自由中國的前途

東西對峙局面，今年一年之內很可能是過去一年的延長而略加若干形式的變化。然而，自由中國決不能俯仰由人，偏安苟存，蔣總統已鄭重宣言今年是決定年。所謂決定年不僅有賴於軍事，更有賴於政治。定期二月十九日舉行的國民代表大會，應該是團結海內外反共力量，迅速採取反攻的訊號。應知政府的領導和決心必須有全國的民心民力作支持，才能發揮無上的威力，以卒底於成。

世界大勢不管如何，如果我們的力量不能團結，不能在政治上造成一股浩瀚的洪流，則不僅反攻無力，偏安固守亦終有所不足。因此，我們希望海內的反共人士必須珍惜今年的光陰，泯除嫌怨，犧牲私見，利用國大會議的機會，切實團結，加強合作。才不至困頓於冷戰混沌的世局之下，以至坐失復國興國的時機。

× × × ×

論中共的經建公債

·俞嬰·

中共宣佈於一九五四年一月起，發行所謂「國家經濟建設公債」，總額定爲人民幣六萬億元，公債面額分爲一萬元，二萬元，五萬元，十萬元及五十萬元五種，於同年十月一日起計息。中共此次發行公債，雖美其名爲經濟建設，然在標榜其財政預算平衡的時候而發行公債，無異是戳穿它的虛僞平衡的假面具，而告訴人們說：中共財政已陷於極度困難，且瀕於崩潰的邊緣了。

又是一次變相掠奪

通常一個國家對於平衡預算的方法，都是依靠（一）徵稅、（二）發鈔、（三）公債。惟中共過去歷次宣佈各年度的財政預算，都是有盈餘的。既有盈餘，照理就用不着發行公債而刺激物價，以致擾亂整個金融秩序了。但中共今日在盈餘之下卻仍大發其公債，並不計及以後的效果，可見其不擇手段的方法，已證明其盈餘預算的宣傳已破產了。

中共於韓戰[illegible]付龐大的軍費[illegible]，也曾發行過一次[illegible]勝利折實公債[illegible]爲幌子掠取民間財富[illegible]段，雖然使出了硬攤強派的方法，結果也遭受重大的失敗，和預期的目標大相懸殊。隨後兩年來，變換了掠取的手法，來填補它財政上重大漏洞。惟中共參加韓戰以後，無節的消耗，已拖垮了它貧弱的財政，無已，迫得於一九五四年改換[illegible]式，[illegible]發行公債，無非是變相的掠奪而已。

中共財政從沒平衡過

中共政權于一九五〇年建立，對於當時的財政，仍未建立一個完整的制度，直到一九五〇年，才正式公佈它第一次的財政預算。故自此後大家對於數目字，向來是神祕的，發表出來的數字，總是帶着宣傳意味的。故此，中共把財政年度的預算發表出來，也必是有盈餘的。據薄一波報告「九五〇年的總收入人民幣六九四，三四億元，[illegible]總支出人民幣六八[illegible]億元，盈餘[illegible]；一九五一年總收入[illegible]億元，總支出[illegible]億元，盈餘[illegible]億元；一九五二年總收入[illegible]億元，盈餘[illegible]億元。根據薄一波在一九五三年預算報告中的百分比推算出來，這些盈餘的數目，是否靠得住？以一九五〇年而論，根據薄一波報告的推算，則有一三，五二九億元的盈餘，惟是根據中共財政部副部長戎子和的報告，一九五〇年的實際收支數字卻如下：總收入人民幣六八三，七〇三億元，總支出七二七，八四四億元，赤字達一一四，五五〇億元，不是一個很大的矛盾嗎？其次，一九五一年的盈餘，也是有疑問的，因爲中共一九五一年的預算，沒有公佈，僅在一九五二年八月，通過該年度預算時，才報告了一九五一年的盈餘而已，它本能地把一九五二年所搜刮的果實，砌堆成上年度的盈餘數字。至於一九五二年的預算爲盈餘，乃在厲行各項搜刮運動結束之後，與實際收支比對，是否平衡，就夠人尋味了。（上）

樹立長期反共政策的發端

·左舜生·

（上接第一版）即今天陷在鐵幕以內，求生不得，求死不能的，又何止七億八億！世界大戰在今天爆發，無論用何種兇惡的武器，其所能殺傷的人數，決不會比繼續推行共產主義的來得更多；無論所加於人類的威脅如何可怕，也決不會比共產黨所加於一般平民的來得更大；只看見原子武器可以殺人，而不看見共產主義成日成夜在那裏不斷殺人，這眞所謂知二五而不知一十。不幸這種理論居然出於民主方面少數領導人物之口，宜乎世界上有不少的胡塗鬼，到今天還在那裏標榜中立啊！

說到所謂現代文明，這句話更是空闊無邊，你用萬語千言說明所謂現代文明之如何可愛，我一樣可用萬語千言說明現代文明之一無長處；這樣一種基本理論可以姑置不談。要之，人類進化到了現階段，必須有一種更合理更偉大的文明才能繼續的生活下去，則爲一不容否認的事實。一部人類的歷史，本來就是一部戰爭史，過去的文明，其毀於戰爭者，充其量不過是文明的形質，而決非文明的精神，說到文明的精神部分，不僅不會因戰爭而消滅，反而會因戰爭而得到更豐富的積果，論史者說戰爭實有助於人類文明的進步，決非無故。如果今天讓蘇聯和其他的共產國家就是這樣穩定下去，即令現代文明的形質還可相當的保存，但現代文明的精神部分，卻會被它摧毀殆盡。重視文明的形質，而不去搶救代表現代文明的精神，這種反共方式，豈不是本末倒置，實際簡直是北轍南轅哩！

快是快不來的

中國人的反共，既與世界的反共分不開，則我們想單獨的快幹確是快不來的。可是反共雖是一個國際性的共同行動，但就打倒中共這一局部的事實而論，中國人卻是義不容辭的要負更多的責任。以現狀論，美國的亞洲政策，還是有些令我們捉摸不定，即令如天之福，韓戰再起，越戰擴大，蘇聯更倒行逆施，唆使中共另在別一地點去闖禍，因此美國的亞洲政策也就是這樣確定下來，換言之，她就居然肯給予我們相當的海空掩護，給予我們更多的良好裝備，讓我們去發動反攻，可是我們依然不能假定一上大陸，便是我們成功的保證。這個理由很簡單：中共已經不是吳下舊阿蒙，她確實已經和世界的一等強國打過三年的現代戰，從前她是既無海軍，無空軍，一切裝備也不如今天的好，可是我們過去有二十年剿共的經驗，最後還是遭遇着一次慘敗。因此我只能假定：即令我們很順利的能夠攻上大陸，並且很順利的能夠恢復一省兩省，也必須有辦法能把腳跟站穩，再來和她進行十年的苦戰，在這個長期苦戰的期間，我們還要謹防遇着更大的敵人。預防發生另外的岔子。

長期計劃的一些原則

如果承認我這一推測大致不錯，則我們的反共必須有一確定的長期計劃，乃屬不容否認的需要。至於這一長期計劃的內容，自然是千頭萬緒，決非我這一短篇文字所能列舉，但其大原則卻決不能超出以下各點：一、政治斷然要與軍事配合；二、建國工作必須與剿共軍事的進行雙管齊下；三、爭取人心的重要，更大於爭取土地；四、建國的高等科學人才與技術人才的培養，已屬刻不容緩；五、需要一個確能爭取與國的外交陣容；六、尤其要緊的是希望一切領導人物要把『功必自我成』的心理狀態，自動改造；……如果大家覺得我所列舉的這些原則並不十分荒唐，當找機會再來分篇討論。

論中共「國家過渡時期總路綫」（下）

·張玉麟·

消滅私營工商的方法

現在，大陸的私營工商業已由「私用」[illegible]「改造」的階段了。在共[illegible]之下，分爲高、中、低[illegible]用。底級採用收購，經銷，中級採用加工，訂貨，統購，包銷。[illegible]高級」。全國各大都[illegible]爲了私營工商業由[illegible]及各有關機構，監督[illegible]「學習坦白」。工商[illegible]人員隨時出動，每日高[illegible]收繳卷」「偷漏加速補[illegible]據上海近訊：爲「蓄意偷漏」「抗拒坦白」的罪名被上海「市人民法院」判處徒刑的有靜安寺區油漆業資本家柯鈞甫，蓬萊區通天新砂廠資方[illegible]等不下千人。廣州近訊：被指控「不法資本家」罪名的如盧押，余昌，鄭家烈等人被判處五年至十年有期徒刑。又十一月十七日「南方日報」載：廣州市僅有三百家作初步檢查的工商戶，即有一千一百四十八件「違法」事項，包括抗拒「國營領導」九十一件；「偷稅漏稅」五百四十五件；「盜竊國家資財」一百三十八件；打擊「國營」公司和「合作社」，破壞市場管理，和價格政策二百二十三件；「違反「私營企業管理條例」[illegible]一百五十三件；「違反[illegible]」五十七件。其餘地區如「北京」，天津、濟南、青島、南京、上海、漢口、西安、重慶等各大都市，都陸續有無數這種案件的報導。總之，中共迫使私營工商戶自動投入「公私合營」的墳墓加速實現其奴役社會。

消滅民族資產階級

中共爲了要達到極權專政的目的，在所謂過渡期間第一個五年經濟建設計劃，就是消滅民族資產階級，爲了實現這一原則；接續「三反」「五反」之後擬訂了「增產節約」辦法，仍以「抗美援朝」爲中心。對工人強迫注入仇恨美國心理。發動所謂「生產競賽」，「增產競賽」，希望各公、私營工廠生產量能普遍提高。又一方面號召全國各個團體，各個單位，實行節約，因此，各私營工廠出品，在市面上銷路阻滯，產品低劣，無法向外推銷。原料資金週轉不靈，不能繼續購進。職工時發薪，使一般廠商走頭無路，自殺，這已爲三年來大陸的普遍現象。中共的「增產節約」已造成私營工廠破產。故機械工業工廠中，普遍存在所謂「七待」現象。七待者，待任務、待材料、待工具、待設備、待勞動力，因此私營工廠負債累累，逼着倒閉，或交給工人接收。合營，造成工商界的死市。簡單說：共黨發動「增產節約」的手法，是消滅民族資產階級的開始，使一般私營工商企業永遠不能復活。

所謂工商聯合的作用

現在，更進一步成立所謂「工商聯合會」，經過一年以上的籌備，於本年十月「中華工商聯合會」在「北京」正式成立了。大會主席陳叔通作報告說：爲實行「國家總路綫」，發揚私營工商業的積極作用而奮鬥。這「積極作用」四個字，無疑便是將私營工商業宣佈了死刑。中共在過去幾年利用保留民族資產階級的形式，壓迫私營廠商走向「公私合營」，將六十萬私營工商戶併入國營經濟中，以實現其奴工政策。今後的「工商聯合」就是更進一步，藉口由國家資本主義逐步進行到社會主義，將私營工商業全部合營，以另一種手法沒收爲「國有」。同時，在所謂過渡時期，私營工商企業，必須接受「國營」經濟的領導，及工人羣衆的監督。這項政策，與宣判私營工商業財產全部沒收，將資產階級送往斷頭台又有甚麼區別？

民族資產階級必須生長於自由經濟的社會裏，否則便是死亡。凡是對馬、列、史、毛有認識的人，那個不知道民族資產階級是共產黨要消滅的對象。它是在自由經濟市場生長，通過民主主義的社會，以步入繁榮的社會主義社會的。它與共產主義水火不相容。若說民族資產階級在共產主義社會裏，與共產黨成立民族統一戰綫，共同生存，豈非癡人說夢？中共的「國家過渡時期的總路綫」與其第一個五年經濟建設計劃，基本任務就是要消滅民族資產階級。換句話講，共產主義社會，是不會再有民族資產階級存在的。

中共將自掘墳墓

「國家總路綫」與中共的崩潰，是命運註定的了，中共因爲國庫空虛，全國稅收，入不敷出，憑恃統治權力，掌握着空頭幣制發行權、貨幣管理權，控制商品的生產和交換，強迫城鄉物資交流，以沒有幣信的人民幣，換取全國物資，實行其統制全國物資政策，以求完成其經濟集權的目的。因此小商品生產者的個體經濟，與私營工商企業的生產，都全部遭到窒息。由此，全民經濟枯竭，農村生產力整個崩潰，人民只有消耗的能力，沒有補充的能力。所謂工商聯合會就是掌握了這個機會，將私營工商企業和手工業的全體併爲「國營」，「統籌」，「統購」，「統銷」，使全國私營工商企業所有產品，皆爲國防建設而生產。在中共擴軍備戰的戰時經濟體制下，生產的多是飛機、兵艦、大砲、機槍等，全部都是國防上戰時的大量消耗品。至此，人民的經濟生活，全部窒息。普遍造成饑餓，恐慌。中共集中民力發達國家資本美夢也將隨着極政權權以全部瓦解。

爲奄美讓日告美國

·胡祖潮·

最近美國把琉球羣島中最重要的一部份奄美羣島，作爲聖誕禮物贈送給日本，這一舉動，我認爲是很不妥當。（奄美羣島位於日本九州與冲繩島之間——編者）

琉球羣島是不是日本的土地，用不着引證歷史的記載來申辯。美國現擁有數百萬册東方書籍的偉大圖書館，祇要美國人肯化些時間，到那兒翻閱一下，自可獲得答案。美國當局竟漠視過去的史實，不顧民族自決的原則，更違反舊金山和約，片面的把奄美羣島私自贈送給日本。

美國當局這種行動，完全是出於一種優越感的意識作祟。他們以爲美國是今日世界上唯一握有領導權的大國。無論在東方或西方，都可以爲所欲爲。殊不知這種頤指氣使的態度會引起無限反感。

就自由中國言，這幾年美國的積極援助固然可感。但，若不是羅斯福締結雅爾達密約，要不是杜魯門政府強迫使國民政府與共匪停戰言和，今日中共安至竊據整個大陸？今日不僅使國民政府偏促居於台灣海島，更使數萬美國青年生命喪失於韓戰。美國如果把這些血淋淋的事實，認識清楚，應該引咎自責，也就不會再自居優越，以佈施者自居了。

我們的道德，在忠恕待人。今日雖身受其禍，不願過事苛責朋友，對於朋友的援助，只有感激，只有自責。

我們對於美國遷就日本，扶植日本的心情，瞭解得很清楚。可是引以爲遺憾的，是美國竟是他慷人之慨！這種行動與當年雅爾達密約，犧牲中國的外蒙和東北，同樣的可恥。

我們對於奄美羣島之違法轉贈，雖未作過激的表示。但我要告訴美國，這並不是中國人默爾承認。你們承認昔以爲是而今以爲非的戰後對日處置，爲知今日轉讓奄美羣島之舉，不是鑄成來日錯誤之開始？希望你們好好考慮才好。（十二月十七）

×　　×　　×

讀者來函

△編輯先生：「自由人」創刊至今，將近三百期，每一期我都仔細看過，從無間斷，也沒漏去一篇文章。每欄文字精闢，但也有例外……評論時事文字尤有獨到見解，新書評介和自由文藝論戰，更爲青年讀者所熱愛。蓋以園地公開，態度和平，言論公允，不愧爲自由世界的良好讀物，惟有二事，不能不說：

（一）錯字太多，而且每期都有，例如二九三期黃華表先生的文章，內容具有遠大眼光，看來委實過癮，只是錯字太多，爲之減色不少。……希望今後能改進。

（二）美國反共健將麥阿錫……（貴刊）曾有文推崇他，凡愛自由反極權的人士，無不表示同情，惟貴刊二五一期以麥阿錫爲題，結論說「去掉這個人對國家有多大的利益呢？不去又有什麼大害」？未敢苟同。……如果改爲「如此忠愛國家，維護自由，站在自由世界最前端的反共鬥士，不幸而被去掉，則是一個無可補償的損失」豈不較好？（下略）楊力行，十二月廿四日台北。

編者的話

△楊先生的指教，我們表示衷心的感謝，今後當力求改進，期副雅望。

△孫旗先生：楊力行先生請駕臨台北西寧南路卅三號三樓一敍，或以確址逕告，以便接洽。

△徵求本刊第一卷合訂本，如有割愛，請開示價格地址，以便接洽。

人·口·與·食·品

——一個古老問題的新估計

·李秋生·

距今一百五十五年前，英國古典經濟學家馬爾薩斯發表了著名的人口論，指出人口必須為生活物資所限制，當生活物資增殖，人口也隨而增殖，除非遭受某些有力的阻遏，例如戰爭，飢饉，疫癘，和貧窮，犯罪等等。這一理論，本來無可訾議，不幸他在該書第一版中，列入一項公式，說人口是以幾何級數而增殖，食物則僅以算術級數而增殖，這一說法，曾引起極大爭論，幾乎每一反對馬氏學說的人，都以此一公式做為口實而加以抨擊。馬氏不甘雌伏，他繼續蒐集資料以充實其理論，於五年之後出版第二版的人口論，以更有力的說明補充其對於人口增殖的主要論據，至於級數比例增殖之說，已不再加以強調。但反對他的人，却仍糾纏於這一點，迄於今日，許多人對於馬爾薩斯對於人口問題的主要理論一無所知，却只曉得他提出過幾何級數與算術級數的不正確說法。

人口增殖率的理論

馬爾薩斯那種級數增殖比例的說法，自然不是精密統計調查的結論，但他也確未料到在他身後，由產業革命使人類的生產進入了新的時代，生產力日新月異，幾無止境。他又未料到許多落後地區也次第開發，增加了生產物資的來源，更由交通發達促進了國際貿易和物資交流，以致他那種悲觀的人口觀點已不再能與現代的現實情形相符合。然而任何人都不能預料一己身後所發生的事，正不必對馬氏厚加苛責。

從十七世紀以後，世界人口纔有數字可稽，但那可靠性則各地並不一致，有些落後地區，至今還沒有準確的人口普查，因而其人口數字一般都只憑猜測。現在全世界的人口總數，殆已超過二十億的數字。人口增殖率在過去半世紀中約為每年百分之○·六八，亦即每世紀為百分之六十八。照這樣增殖率計算，大約一百五十年間全世界人口要增加一倍，即到二，一○○年要達到四十億，二，二五○年增加到八十億。這樣的增殖情形，確是十分驚人的。

糧食生產情形如何

再就食物方面的情形來看，全世界陸地總面積約為三百三十億英畝，其中可耕地還不到一半。就普通西方一般生活水準而言，維持一個人的生活，大概需要四英畝田地，這就是說全世界的可耕地只夠供給四十億人的生活。農田的生產力自然會隨着科學技術進步而提高，但由於「收益漸減」的法則，那發展並不是沒有限度的。則認為地球人類飽和點是五十億人，大概是比較穩妥的估計。那限度在距今二百年後即將達到。那麼，馬爾薩斯的悲觀理論，是否終將不幸而言中了呢？

戰後的學術界，對於馬氏理論的研究突然又呈蓬勃之象，這幾年間，有關馬氏的著作已出版過二十種左右，紛紛討論着世界人口過剩與食物不足的危機。其中許多人和馬爾薩斯同樣持悲觀論調，如曾獲諾貝爾和平獎金的聯合國糧食機構主任奧爾勳爵即其一例。然而，在人口不斷增殖之下，世界是否注定要遭受飢餓威脅呢？至今這還是莫衷一是的問題，大家贊否不一，許多人則在贊否的兩端之間徘徊着，但大多都拿不出具體的確鑿證據。在社會科學界中，這是一個懸而未決的古老問題。這裏只想提出兩項有關的因素，說明對這問題不能持機械的看法。上文所徵引的人口增殖的估計與地球食物供應的飽和限度，都是就目前的現實情形作為推論的出發點，但這並非一成不變的。

增殖率恐不符理論

就人口方面而論，許多悲觀論者對於開發落後地區表示憂心，就是認為那些地方的人口增殖本來要受到食物限制的阻遏，一旦經濟進步了，生產力增加，則人口增殖也會驟形提高，結果仍將遭受人口的壓力。對於這種說法，我們不願深文周納，指為「帝國主義者御用學者」的理論，但要指出因經濟發展而促進人口繁殖只是一個時期的現象，在這裏也有一種「收益漸減」法則存在。就全世界人口繁殖的情形分析，大體可以分為三種類型。第一種是生殖率仍在繼續發展的地區，如遠東各國，第二類是生殖率仍在繼續增加，但已有漸趨停滯之象，例如南歐國家，第三類是生殖率已形停滯，甚且已在減低，如西北歐洲各國。這三種類型恰好與其文化經濟發展情形成反比例。就是說文化愈高昂，經濟越發達，生殖率（正確說來應是生殖率對死亡率之比）越趨於減退。其間兼具生理的與文化的兩種原因，這趨勢却是無可否認的事實。因而所謂一百五十年間世界人口增加一倍是就現下實際情形而論，却未必符合將來的事實發展。

另一方面，食物增加的情形也並不像馬爾薩斯那樣悲觀。所謂食物以算術級數增加也許能代表十八世紀末年英國本身的情形，却不會顧到宇宙間有不曾開發的廣大資源，和科學技術的無限進展。就後者而論，人工合成化學的發達，由空氣中固定氮質，已使食物科學展開光明遠景，總有一天人類可以利用由無機物得到的製造品，或人類所不能消化的物質：例如木材或乾草，製成了食物。就前者而論，薩哈拉的沙漠，荒瘠的高原，都可以利用科學技術，使其生產。例如沙漠的開發，大概一致用到現在美英蘇三國製造原子武器那樣的驚人費用。而海洋的浩瀚巨浸，尤其是取之不盡的未來食物寶藏。

海洋食物無限寶藏

海中的動植物從古代已為人類食品來源之一，其正價值則到近年始為人類所確認。海洋共佔地球表面面積百分之七十一，海水總量約達十三億立方哩。在這廣大的水中，單就其中所含礦物，或各種化學物而論，已達五千萬億噸的驚人數量，足够未來世界性規模的化學工業的長期原料需求。至於動植物的寶藏更可驚人。甚至我們可以說，人類為長久打算，其生存之有待於海洋者，實更過於陸地。海洋中有魚類，甲殼類和藻類，其數量不只足够供應現下陸地全部人口的食物，甚至無論未來人口怎樣增殖，都不致有匱乏之虞。就其肥沃性而言，海洋可以和良好的園藝土壤相比擬。如以一畝對一畝來比較，則海中的生產力遠在陸地以上。例如藻類，據英國學者估計，在英倫海峽中，每年收穫量約為每英畝二噸到三噸，至於陸地的小麥，至多不過若干分之一噸而已。在北海更高，可能達到一倍之數。在南極洲附近的海洋更遠較此額為高。只有熱帶海洋產量較差，但仍遠在陸地農穫數量之上。海洋中的「農穫物」，沒有水旱之虞，也不怕虫病災患。但是人類在陸地上的農耕生活，如果從新石器時代算起，歷時已達五六千年，對海洋的「農作」，現在纔剛剛開始。

海洋植物的奇跡

海中植物的碳水化學物的「光合成（PHOTOSYNTHESIS）」反應也是一個奇蹟。陸上的植物，在日光直接或間接照射之下，可以把二氧化碳和水合成碳水化物，如纖維質和糖類，這是化學師在實驗室中迄今還不能做到的事。海中植物也是一樣。據荷蘭尼爾遜教授（PROF. STEEMAN NILSON）乘研究船「加拉提亞」號在海洋中所做實驗，利用放射性碳——十四做為蹤跡劑，以測量海藻中固定了的二氧化碳，獲知在海面下幾百公尺間都有「光合成」的反應發生，這就是說海中的碳水化物的合成是立體性的，不像地面植物之只限於平面。據他的計算，每年海中植物所固定了的碳，總量為一百五十億噸，約等於陸上所有植物每年固定的碳量總和。這只是個約略的估計，有其他學者的結論，有的比此還高逾十倍。現在所知道的只是海面下幾百公尺間的藻類情形，近年來新的探測與實驗，海中攝影的發明已遠伸入到深海，至今為止，那並不只是未來的寶藏。人所知的海中植物至少含有百分之七十五水分，但其乾燥物質中有碳水化物和鐵質，只是蛋白質不甚豐富，更缺少脂肪。[illegible]藻提出食品的實驗已在進行中，現已從一種稱為CHLORELLA的海藻進行人工合成食品研究。其所製出的成品是綠色粉末，具有很高的營養價值，甚至低限度可以做為家畜飼料，據試嘗過的人表示，吃起來的感覺和味道，雖不算好，但可與種植提淨水分的乾燥菜蔬相比擬。這種海藻可以人工來培養，英國美國學者都在積極研究中，據英國福格博士（DR. G. E. FOGG）不久以前出版的「海藻的新陳代謝作用」一書所指出，如能在理想條件之下，以二百萬英畝的培養池種植CHLORELLA，即可供全世界人口蛋白質的需求。

海洋食物無虞匱乏

自然還有鹹水魚與介類。在聯合國資源會議中，據一些魚業專家的估計，現在每年全世界漁撈產量是二千萬噸，十年之內可以增加百分之四十，對於聯合國糧食機構所規定一九六○年的目標是一大助力，那項規定，要使全部的蛋白質產量增加到百分之四十六。北半球的漁產似已漸呈耗竭之象，但也有人說那是週期性的現象，不足為慮。更何况南半球的海洋漁場還有一塊處女地，有待於進一步研究與開發。此外還有養殖漁業，現在主要限於東方各地，其所產生的蛋白質數量已足與最好的牧場相比擬。關於海洋食物價值研究，現在剛在開端，但已呈現出光明的遠景。就已有的資料看來，即使世界人口在一百五十年內增加一倍，也不致在食物方面有匱乏之虞，只要科學家能繼續努力並獲得必要的鼓勵和資本的話。這些事實自非共產主義的理論家所樂聞，因為他們天天在企盼人類飢餓恐慌不斷發生，以便他們世界革命進手可成。具體的事實却正與他們的預料相反，相信科學技術的進步，終對能解決人口與食物的矛盾。

歌頌香港（下）

·毛以亨·

（十三）

我之大欲，在中國的民主，而且還須革命。至香港本身之民主與否，我既對做香港公民沒有興趣，所以也不注意。香港既幫助前人展開了而完成其一部分之民主與革命，我想不會對我來單獨取締，而香港應歌頌者，亦即在此。我至此祗有對與佩乎的誓死不入租界，認其唱高調而不切現實。假使今日為之，祗有白白在大陸送死，因為台灣是不容易進去的。

四、福利的社會主義

（十四）

英國工黨所提出，而保守黨承之的整套社會主義立法，已通行到殖民地來，香港亦已具體而微，雖不完全，亦有可觀。這是真正的人間天堂，其最著者，莫如東華三院之救濟事業。調景嶺的救濟，恐怕在遠東，要算規模最大的了。而我所身受其益者為醫院之免費治療，合我有朋友亦如我一樣的跌斷大腿骨，他花了港幣一萬元，但我則每日僅付一元五角之伙食而已，一切醫藥費用，是政府代付的。假定不如我而其每日三餐有問題者，則即此每日一元五角之伙食費，亦可請求政府代給。然對我之用藥，並未減少，開刀與診病，悉由第一流醫生任之，我亦幸而在香港不在台灣折骨耳。

（十五）

我假定不跌斷腿骨的話，亦不會領略到港政府的社會主義立法，已普遍到民間。我想其有公民資格與出生香港者，其受到社會主義立法的益處，當然比我為多。我聽得勞工處，遇有因做工受傷之工人，輒代其向廠主交涉，不特負担醫藥費用，且過治療而不能痊，以致殘廢者，多按其殘廢之比率，責令廠主賠償，使殘廢工人，皆得滿意。至於食品之配給，平民屋宇之抽籤，雖未能普遍，而按步就班的依次推行下去，亦必有普遍之一日。今特舉數例以概其餘，藉以說明國家對人民之福利，不賴理想，而需能兌現的支票，是非常現實的。

（十六）

若聯共與中共的社會主義，是在天上而不在人間，其黨徒亦對人說，「不過現在苦一點，將來會享福的。」但說此話的黨徒，現在已經享福，而變為新貴族了。至一般人民，則要他們待至將來，而此一將來，是否在永生的天堂上？抑人民並不歸依其天堂，祗認為如曹操望梅止渴的欺騙手段而已。我們在香港住慣的人，當然有此常識，請他們就事實來說話，隨時可以攤下牌來比比看。如不肯攤牌，就無法比較，也就是逃避現實，尚要說些美帝英帝的空話，祗有請其回到大陸去，體驗一番再說。

（十七）

我想還實際生活來體驗，而不靠空洞的理論來文飾，纔是反共之道。共產黨想以馬克思列寧取上帝之地位而代之。然他們究竟是在人間的人，不至昇華至高過上帝。故欲使人信仰馬克思列寧超過了上帝，在邏輯上是不可能之事。況且社會主義是應在人間的現實生活上講求的，而不屬于天堂所講的範疇。香港一切之不合理想，自無可為諱，但就人間論，在遠東各處，無論如何，是應行歌頌的地方了。

五、結論

我之歌頌香港，許多人會嫌討厭的，即我自己亦不例外。然而這是根據事實的真心話，又何必諱言呢？我亦願停止我所討厭的歌頌之辭，但必先去其因，始可使其變為不值得歌頌的地方。我想中國不再有不幸之發生，或解除其不幸之事，我們必然會連香港都忘記了的。則今日之歌頌香港，正是為警惕我們自己起見，何必禁止我呢？我嘗改袁枚賦曰，「雖信美而非吾土兮，亦曾足以稍留。」我的兒子接着說道，錯了，原文是「曾何足以稍留。」我對他苦笑道，希望汝父時代的錯，汝輩為之改正過來呢！（完）

× × ×

總結中共暴政一年

沈秉文

（上接第七版）

逼害

這一年內，中共在表面上，雖未大規模逼害人民，惟因工人和農民的反抗運動，已由醞釀而漸漸變成行動，故零星的逼害工作，依然極為嚴厲。尤其對工人、天主教，和私營工商業者的迫害，皆極慘酷。對工人方面，先為所作有計劃的行動，謂整飭勞動紀律，懲辦了大批工人；繼之以在各工廠礦場設立「同志審判會」，遂行群衆性的鬥爭。再次則設立專門法院以判處工人的徒刑。對天主教徒方面，曾以「帝國主義潛伏特務」為名，紛紛拘捕其教士和教徒，各地被捕者，多得不可勝計。故大陸的天主教機已基本消滅。對私營工商業者方面，除了藉口彼等偷稅漏稅，偷工減料，高抬物價，抗拒領導，腐蝕國家幹部，而加以懲罰外，復紛紛予以拘捕判刑，凡營業範圍較大者，殊少倖免。此可證明：中共政權存在一天，鎮壓、迫害，決無了期的。

危機

前述種種，中共當然認為有其必要，有其目的，也有其收穫。但從來暴政之下，必多危機，最低限度是經濟恐慌，幹部腐蝕，人民怨恨，災害不絕！事實顯然：中共目前確已遭受空前嚴重的財經恐慌，中共赤字龐大，入不敷出，民間飢荒嚴重，社會不寧（表面上不明顯）。高壓統治的結果，幹部生活日漸腐化，官僚作風日漸普遍，工作態度日漸顢頇，盲目、偏差、幼稚、急躁冒進，強迫命令等等的行為日見嚴重。結果是工農生產或經營錯誤百出，浪費嚴重，收益銳減。人民因直接遭受生產的損害和生命的傷害，（如工人大量傷亡及甚多農民被逼自殺等）而怨恨衝天！至於因政策上或行政措施上所引起人民的怨恨，更多得不可勝計。此外天然災害的不斷發生，災情嚴重，已使大部農村破產。工農怨恨深刻，已引起局部暴動，（規模雖不大，威脅却嚴重）。生產不振，物資短缺，已引起不可遏阻的漲風。工農生產情緒低落，已加深經濟危機；一面是冗員衆多，失業嚴重，一面是勞動力不足，生產消費不調。這種種都形成了中共的政治危機。至於婚姻法破壞了社會風氣，肺病流行，損害了人民健康等等，那已是卑不足道的問題了。

總之這一年內，中共的暴政，益見殘酷，大陸人民的處境亦更形悲慘。中共政權的政治危機也隨之日見嚴重了。（完）

祝「決定年」

自由談

早在三四年前，歐美的政治家和觀察專家們，異口同聲地說一九五三年是危險的年頭，意思就是認爲世界大戰可能在這年內發生。現在一九五三年平安的過去了，世界列強並未大打出手，可算是人類的幸運。

前幾天美國務卿杜爾斯又聲言一九五四年是決定年。決定些什麼？如何決定法？箇其間，當然大有苗頭。所謂「決定」的意義，不外是和乎，戰乎兩斷，其方法即不出用口或用手兩途。

照美國目前所表現出來的姿態，大概是採取和平冷戰策略，而以口舌之爭來決勝負。手中持着原子彈氫氣彈，隨時亮一亮相，看敵人害怕不？心裏希渴望「狄托主義」從天而降，使鐵幕內自相驚擾，亂象環生，自動地高掛白旗，面縛請降。假如一九五四年的[illegible]神眞是這樣決定人類的命運，那也很好。能以和平方法解救鐵幕內億萬被奴役的人民，善哉善哉！

最怕是天下事未必適如理想。如果「狄托主義」硬是踏破鐵鞋無覓處，而自由世界的姑息主義竟是「野火燒不盡，春風吹又生」。西方民主國家固然不妨實行馬歇爾的冷戰十年政策，反正是站在黃鶴樓上看翻船，樂得暫觀自在，全世界陷在水深火熱中的被奴役人民，怎末受得了呢？

因此，我們應該要有自己的決定，不必俯仰由人。口舌之爭如能解決問題，當然不妨隨和，否則恕不奉陪，各行其是。自己的命運必須由自己來決定，專靠別人是不行的！

願大家以自主精神來迎接這「決定年」吧！

馬五先生

懷北平

·易與·

北平，而今是在給匪魔竊踞作爲僞朝的「帝京」，妖氛懸霧，重重籠罩着這座東方名城，當十一世紀時，馬哥孛羅筆下所描寫的那座名城，千百年後的今日，却給那時給蒙古大帝奴役的俄羅斯一夥野蠻人的子孫，在串演着一幕橫暴兒孫的醜劇，眞個太給我們黃帝子孫丟臉了。

古語有「痛飲黃龍」的話，現在我們該說「痛飲北平」了，直待那一天到來，當然是爲期不會太遠的那一天到來，我們光復了我們的大陸，我們便得將匪魔所加于我們故都的北平，重新滌污除穢的整理一番，眞個北平是匪首竄的魔窟，「王師平定中原日」，痛搗巢穴，那便是我們「痛飲北平」歡聲高呼的時候，讀者諸君子，期待着吧。

這里我特地就我的憶念所及，將北平的氣候節令和喫的住的行的描述一二，海天遙望銅駝荊棘，無限淒涼，當然說不上字斟句酌的文章欣賞，也更難說是全豹的概括無遺的了。

說到北平的氣候，該從它的冬令說起，北平的冬，着實是够寒冷，自初冬的第一天起，亦即自農曆十月初一日起，就得室裝火爐燒煤取暖，據老輩說向例每歲十月朔生火，直至來年二月朔才止，其實早在重九剛過，就有人家已是燒爐取暖，而遲至淸明過後，還是家家生火，並且在極冷的時候，縱然室有火爐，也還不够暖和，最冷的日子，大率在臘月和正月，室內硯池亦告冰凝，眞個非呵凍不能成書，華氏表有時降至零度下十來度，也就是冰點下二十度（華氏表三十二度爲冰點），着實要墮指裂膚的，可是尚就心這些，北平人都有他禦寒的一套，風，房屋被糊得密不得外出坐洋車兒，也是車帘嚴遮，厚厚的棉窗帘兒，不會讓絲絲冷風透進，拉車的也有他的一套禦寒法寶，他在車把兒上兩個棉窩，手指在綿籠裹抓住車桿，指頭兒是不會凍落的，腳上是套着「暖鞋兒」（棉鞋），更不會感到什麼寒冷。如果自家兒的洋車，那更是鞋毯加重，三十年前的馬車，還裝有腳爐，那更不會有寒冷的威脅了。

北平的火爐，形形色色，既顏美觀，復切實用，普通的一種係用石灰木泥成，石灰木屬礦質，狀若黃土，爲香山一帶的塗，同時附近人家，也都以製火爐爲家庭副業，石灰木爐，色澤晶白，輕巧堅固，價極低廉，窮家小戶，都可購置一具，富貴人家所用的一種白銅火爐，中有鐵製或石灰木爐膽，罩外爲花的白銅爐套，罩蓋其上，下墊紅木彫琢的爐座，那更顯見得富麗堂皇了。後來新式洋爐，漸取而代之，白銅火爐已成爲古董式的陳列品，可是在那些王公府第的廣大客廳之內，又覺得非用白銅火爐，無以稱托出富麗堂皇的大家氣派。

好在北平的煤便宜，西山門頭溝的煤礦產量極富，供應着北平近兩百萬（二十年前北平人口數字）市民的用煤，那是値不得計較的。我們經常在西直門一帶所見許多馱煤的牛車騾車，還有大汽車，似乎門頭溝到西直門，還有一條運煤的鐵道（？），所以北平人的用煤，是無虞匱乏的。古老的房屋，大都有大炕，合睡其上，中燃煤火，炕門在室外，不會受到煤氣的薰害。

北平的夏天，午時也得開窗，不過北平也有一個毛病，燥熱，最熱的是春末夏初那兩三個月。

當雨下休，尤其是黃梅季節，北平不拘是在家裏，或走到街頭，都難有些清兒的樂事，氣壓低沉，泥濘載道，雖然下大好的日子，更是每個家庭所怨爲「大雜」的日子，一陣陣的黃沙，在呼呼的風聲裏來，漫天蓋地，而床，窗帘下，處處都是沙，在沙中行走的路人，那是一頭黃沙，眼，耳，口，鼻，衫，鞋，褲，全都給黃沙罩子，就活該倒霉，弄得灰頭土臉，食物，也免不了黃沙的吱吱喳喳的聲響，所以沙塵日子之多，大概在春秋冬三季，正月三四個月，多至十月，也會有冷天，至多不會超過四五十天。

迎黃杰將軍暨富國島諸戰士

·郭敏行·

大忍原非怯。喞哀入不毛。一心圖報國。
三歲困荒皋。赤手開天地。披肝結俊豪。
將軍持漢節。忠義冠羣曹。

其二

憶昔投荒日。千般任折撓。屈身非屈節。
降志不降曹。新棘驅山鬼。披荊逐百猱。
威名揚四海。長與碧雲高。

洪憲朝的鱗爪

·涓士·

所以直到滿朝快亡，才賞給他一個翰林院檢討，他那時已近八十了，到了民國，他也就成了「國之大老」了。袁世凱因爲他是袁的父親的朋友，把他請到北京，做國史館館長，（這時，國務總理是熊希齡，他是熊的老鄉，可是熊希齡請他吃飯，陪他遊中南海，他問道：「是什麼地方？」熊說：「是總統府。」他說：「是什麼總統府，是新華宮。」）他住了一晌，便回原籍，就有電報「勸進」，（他的勸進，據說是楊度替袁世凱幹成的。）

（四）

「籌安會」發起人楊度是清朝翰林，他也是少年有名，詩文都還不錯，尤其金石版本，校勘的學問，是他專長，他在江蘇算是前輩了。他的「勸進」據說是袁世凱「銀幣」三千的功效。

此外各省的紳士「聞風而起」，袁世凱自然「不亦樂乎」。那時，各省武官最大的是督辦軍務，文官最大的是巡按使，合肥王揖唐，名叫一個「賡」字，袁世凱因爲他辦事得力，就送他一個[illegible]，了很多「攀龍附鳳」的人，就叫他做巡按使，他就第一個在公文上稱「臣王賡謹奏」了。

袁世凱還看「人心歸往」，便先把前清湯翰林，……封做「武義親王」，……他就找了什麼「公」，此外「侯」、「伯」、「子」、「男」，……

（五）

那時天津會議的人裏面，有一位陳先生，名叫敬第，別號叔通，他是清末翰林，中華民國第一屆國會議員，……

凱不會實收，便一溜逃了……

（六）

說到袁世凱想做皇帝，還有一段外交上的關係。……英國公使朱爾典，……日本是正式向袁世凱提出了反對他做皇帝的警告，蔡鍔能够從容回南，也得日本一些幫助。（下）

慶祝元旦

恭賀
新禧
亞洲出版社同人敬賀

流浪者

秦風著

港幣弍元

動盪時代的悲喜劇
亂世男女的羅曼史

「流浪者」一書以新浪漫主義的風格，透過一代青年男女的顛播流離和內心衝突，來刻劃出十餘年來的時代悲喜劇。以女主角朱娣的十年漂零生涯，浮離出亂世兒女的生動型像。有戲劇化的情節，有散文詩的韻意，是一本作風嶄新，不可多得的小說。

許蓮女士又一巨著

愛的清算

這是一個現代女性大胆的戀愛回憶錄，天才舞蹈家郭肯女士說過：「我的友人好像一首首不同的旋律」作者回憶中的巴金，索非、黑嬰，趙景深，錢歌川，葛自新，王琛林等，也像多首不同的樂曲，向讀者傾訴他們的心靈。所謂「愛的清算」就是對比飄逝了的往事的清算，這本書不同於「毛澤東殺了我的丈夫」，因它本身就是一部具有文學價值的作品，希讀者購閱。

（每本定價港幣二元）

亞洲出版社出版

書刊目錄。函索即寄

恭賀
新禧
台北市銀行商業同業公會敬賀

台灣合會儲蓄股份有限公司
※分支處遍佈全省※
台北市懷寧街三二——三四
電話：二四七一五——七

北平
正陽樓
飯莊
包辦酒席
承接外會
涮羊肉
烤鴨　經濟小吃　火砂鍋
台北市中華路一六二號
電話：二三八零三號轉

慶祝元旦
國產石棉工業股份有限公司
地址：台北市中山北路二段一二〇號
電話：四三六四三四　電掛〇一〇八九號

慶祝元旦
台灣毛絨廠
台北市博愛路五一號

台中市商會
理事長顏春福暨全體理監事會員一同

中區汽車貨運聯營處
台中市市府路八九號

台灣木材防腐股份有限公司
董事長許金德　常務董事陳性
常務董事兼總經理陳爺根

保証責任台灣省台中青菓運銷合作社

同美碾米工廠
施謙
台南市安平路十號　電話：六七三號

新竹區合會儲蓄股份有限公司
董事長姜振驤　協理詹紹華
總經理陳添登

新竹縣政府
縣長朱盛淇

獅標味精
永新味精工廠
新竹市延平路

新竹市張式穀

菸酒公賣品新竹配銷區新竹配銷會

新竹油脂化學工廠
董事長林山鐘　總經理莊炳燈

新竹汽車貨運股份有限公司
董事長兼總經理許金德　董事長兼協理顏柳枝

新城鄉公所
鄉長鄭德連
總幹事鄭建鈴

壽豐鄉公所
鄉長林玉變
祕書謝億鑒

光復鄉公所
鄉長萬仁光
暨全體員工賀

富里鄉公所
鄉長呂元清
暨全體員工賀

瑞穗鄉公所
鄉長彭玉祥
總幹事林碧光

花蓮港汽車貨運股份有限公司
董事長馬有岳
總經理黃子河
暨全體員工賀

花蓮縣稅捐稽徵處
處長尹錫祺
祕書吳子承

花蓮縣木瓜山林場
場長白正忠
暨全體員工

台灣省政府林產管理局太魯閣林場
場長張燕翼
暨全體員工同賀

鐵路局花蓮貨運服務所
經理陳仲都
暨全體員工同賀

花蓮縣農會
理事長余鵬清
暨全體員工同賀

公賣品花蓮區配銷會聯合會
理事長李煌輝
經理楊松江

吉安鄉公所
鄉長劉阿乾
總幹事會敬禮

專營進出口商
遠東貿易行
臺南市民權路一三三號
電報掛號一五四七號

四十三年元旦增刊

怎樣爭取僑民

王雲五

美國副總統尼克森在不久以前訪問台灣時，曾於百忙中自動召集一個小型的座談會，邀請具有代表性而目前不在政府負直接任務之我國人士十餘人，作一小時的交換意見。彼此相約不以談話內容發表，至今我仍守着這個諾言。但其談話的中心有值得國人特別注意者，不得已將此題材在本文中發表，並作爲本文的楔子。

僑胞子弟誤入歧途

在座談開始時，尼氏稱其在訪問印尼時，獲悉最近數年間華僑子弟返赤色中國受教育者多至一萬人。此一數字由於尼氏在印尼僅作短期訪問，得自不一定正確的報道，固難免有誤，然其爲數之多，也斷然是事實。

我自從聽了尼氏這一點報道，腦筋中無時不存着一個問題。在僑眷備受中共野蠻虐待敲詐以後，爲什麼還有許多僑民子弟自投羅網，我自由中國有什麼方法可以解救這些有用青年，不使誤入歧途，走入絕路呢！

關於僑民子弟之誤投羅網，想來固由於印尼已承認中共僞政權，共匪的使領館與其他人員得在印尼境內公開作虛僞的宣傳，而且中共是現實不過的，對於中年以上的僑眷不能供他們利用爲工具者，祇好作爲敲詐金錢的對象。敲詐至無可再詐時，便加以殺害，以免消費他們的糧食。至於一般青年，除所謂小鬼隊可盡量利用爲工具外，其他至少可充奴工與礮灰的準備，定然要比中年以上的僑眷另眼相看，視同犬馬牛羊一般，暫時訓練豢養，以備將來的驅使宰殺。僑民子弟一面惑於中共的歪曲宣傳，一面因僑居所在地升學困難，難免發生前往赤色大陸升學的願望；而其父母或昧於赤色政權下的眞相，或爲子弟之所迫逼與中共幹部的甘言勸誘，尤其是已返大陸肄業之華僑子弟出於非自願的來函勸誘，便在將信將疑的心境下，聽其子弟投入羅網。

當此之時，假使自由中國亦能如中共在印尼或其他華僑聚居之地作同樣的聯繫，並爲其子弟在台灣盡量提供升學之便利，則任何人將會深信華僑子弟習於自由世界的生活，而其父母至少得免對於中共暴政的疑慮，定然捨彼而就此。關於聯繫的方法，固然在承認中共的國家內，中共設有使領館，執行較爲方便，然事在人爲，如能切實執行，縱無使領館亦未嘗不能收效。觀於數年前曾有大批留美學生投入中共地區，我自由中國在美國設有使領館，而中共幹部僅在地下活動，却能收此意想不到的效果。故除在與自由中國維持邦交的國家，我政府設有使領館者應加強其聯繫僑民工作外，即與我無邦交之國，凡僑民較多的地點，大都設有國民黨海外分支部，亦應特別努力，以從事於此項聯繫。

擴大僑生返國升學

然而關係更重大者，莫如使僑民子弟在台灣獲得盡量升學的便利。我政府於最近兩年來已在港澳招考專科以上學校之學生，並聞有爲華僑專辦一所大學校的計劃。新辦一所大學校本來不是容易的事；縱然有了經費，也需要相當時日，始能樹立一個優良大學的規模。因此，倘能籌得足以創辦一所大學的經費，似不如以之擴充原有各大學專校，使能多量容納僑生。因爲教育的作用，不僅要使學生和教師接觸，而且還要使學生和學生接觸。在專爲華僑學生而設立的一所大學內，學生所與接觸者皆爲僑生，若在原有大學專校內，則僑生與祖國的學生可以相接觸，也是一種很好的訓練。或謂爲華僑特設的大學，可以儘量容納僑生，蓋因台省原有待升學的學生每年因額滿見遺者不少，如使僑生與非僑生有同樣應考原有大學專校，則一切須按程度而定去取，未便有所偏重。此說固不無片面理由，但大學教育在謀深造，如對入學程度過分遷就，將涉學校與學生均無是處；故除師範學院不妨爲僑生特設僑校教育班外，大學專校均應使僑生與國內學生受同等入學試驗與學業爲宜。因此，對於擴充僑生返國就學機會的有效辦法，莫如在自由中國先爲華僑特設大規模的高級中學若干所，其課程完全注重升學，並對於僑生缺憾較多的學科特別加強。此項高級中學的畢業生，經過認眞的訓練後，益以其外國文程度通常較優於國內學生，其應考大學專校被錄取的機會當不致吃虧。間有因少數學科不及格者，爲達成其返國升學之目的，自可令其仍返特設之高級中學補習，並得逐漸就此項高級中學增設美國式的初級大學 JUNIOR COLLEGE，即設置大學前二年的學程，使於原有大學專校擴充後的學額仍不敷容納時，則有升學能力之僑生亦可先入初級大學。此項初級大學畢業生，一方面可以考插原有大學專校的三年級，他方面則循序漸進的程序，亦可進一步改辦爲獨立學院或完全大學。此一辦法，可使政府於開始時，以較小的經費而容納數千名，甚至更多的僑生，然後按年遞增經費，逐漸擴充爲獨立學院，或大學校，如果成績漸著，則創辦大學之經費且不難由華僑捐資負担。以視驟然創辦大學，在教育的意義與在經費之負担上，爲效將較宏，爲力亦較易。

如何鼓勵僑民投資

從爭取僑民就學的出發點，我聯帶想起爭取僑民投資之一事。台省有不少的公營工業，亟待開放民營；還有不少應辦的工業待人民創辦；然由於來自大陸的人民，從前縱有相當資財，多未能盡量移台；而台省同胞，除擁有大量土地者，依耕者有其田的處理方法，得逐漸以其地價的補償變爲工業上的投資外，未必有多大資本可以投入上述的工業；於是便不能不依賴於華僑的投資。但既稱爲投資，則不能不以獲利爲最要條件。台省許多待轉移於民營的企業，目前在公營之下，尚能維持與繳利，則轉移民營後，經營更趨於企業化，盈利自然有增無減；至於應辦而尚未創辦的工業，由於需求之殷，當然更有利可圖，其在盈利上更不成問題。於是問題祇在如何使投資者確實享有其大部分的盈利，尤其是使其樂以盈利所得從事於再投資。我政府雖有種種獎勵華僑投資工業的辦法，然試一研究，現行種種有關投資的法律，是否盡能收鼓勵之效，而不致發生阻礙呢？就我所知者，所得稅法對於營利事業的徵稅規定與營利事業有最密切的關係。國家在非常時期，財政困難，提高稅率自爲不得已之事，祇要負担公平，不妨礙於營利事業的發展，凡在國民皆應擁護。以美國爲例，自一九二九迄一九五一年之二十二年間，所得稅率在營利法人的總盈餘中從百分之十四增至百分之五十九，而人民不以爲苦。我國人民之愛國較美國人民未必多讓，故稅率隨國家之急需而增高，本無問題，問題祇在徵稅方式是否足以影響投資與再投資者之心理。

執行所得稅法的缺點

查我國在民國二十五年頒布之所得稅暫行條例，其稅率係按所得對資本實額之百分比而分級；然現行所得稅法則將資本實額之條件取消，換言之，即不問資本大小，完全按所得之數徵稅，稅率則按所得之多而遞進。此一新規定有使工業資本轉入商業之可慮且不免成爲再投資的障礙。蓋工業所需資本恆較商業爲大，其所得對資本的比率亦往往較薄；若置資本大小不計，則同樣之所得徵後的餘額，對於商業上的投資人實較工業上的投資人更優惠。假如某商店以十萬元之資本所得爲十五萬元，某工廠以一百萬元之資本所得亦爲十五萬元。依舊日所得稅暫行條例之規定，以所得合資本實額之百分比分級納稅，則工廠與商店由於資本額相差之鉅，納稅額自相懸殊；從而工廠納稅後之餘額尚足使其股東獲有相當利潤，並可保留一部分以供再投資。然依現行所得稅法，則所得對資本額之條件已取消，上述工廠與商店之所得既相同，則納稅額亦必相同。假定納稅五萬元，則納稅後之所得餘額各爲十萬元，在商店以十萬元資本而得十萬元之實際餘利，固甚優厚，但工廠納稅後之所得餘額十萬元，以之分配於股東實已微薄，更無餘資可供再投資。尤其是此項不計資本多少，祇按所得徵稅之規定對於再投資亦有反鼓勵的作用。距今約莫一年前，有某方面建議按企業之現實資產而定所得稅率之高下，其原則與舊日所得稅暫行條例之所得合資本實額之比率而分級課稅者大致相若，並聞政府在原則上業已採納，惟主管機關爲考慮具體實施辦法，遲遲至今，尚未決定施行，頗爲不解。總之，政府旣有意鼓勵僑資投於國內工業，則對於任何法規之足爲僑民投資障礙者，皆宜迅速解除。願政府於此特加之意也。

所望於僑務機構者

爭取僑民的方法，固以政府的實際的措施爲主，然而與僑民接觸機構運用得宜，關係亦甚重大。我國對於互有邦交的國家，都設有領館。除在極少數的重要國家，時有與駐在國政府交涉外，其他的使館與全部的領館都無不以保僑爲主。但對聯繫僑民的工作，須以能深入僑民社會，知其疾苦，而能自動爲其解決困難爲正當辦法，斷不是安坐使領館中，擺着官僚，或者祇是一年一二度舉行慶典時與僑民領袖相酬酢爲盡其能事。總之，今日之使領館員，並不是認識一二種外國語文，能作外交上應酬的職業外交家可以勝任，尤其不是多年未返祖國，不懂國家現實情形者所能勝任。外交當局現已注重內外互調，使熟識國情者外放，久留國外者回國增進經驗，這算得是一種進步，但是使領館員對於聯繫僑民的任務，仍應特別重視。又僑委會近年對於僑務會議之召開與海外僑領之邀請返國觀光，也算得是正確的措施。不過華僑多爲刻苦切實之人，其重視實際較虛文爲甚。如果政府的措施確有若干點對於僑民有實惠，如果僑務會議的決議確有若干已見諸實行，則華僑對於自由中國政府之愛戴定然大大加強，較諸表面上的熱烈招待將有更深切的影響；當然，熱烈招待較置諸不理也可以維繫感情不少。

國大代表與僑務關係

在不久的將來，還有一個很好的機會，可使華僑的願望正式達到政府的視聽，那就是將在四十三年二月間召開的國民大會，其中應行出席之僑居國外國民代表計有六十五名，其他選自各地區或職婦團體等的國大代表現在居留海外者亦不下一二百人。以六年一度的集會，加以此六年間國是與國際局勢經過如此大轉變，此次之集會，除首要的任務爲選舉總統及副總統外，他如對於政府施政報告之聽取，以及對於反共抗俄大計之建議，特別是如何團結全國最大的力量，以求達反共抗俄光復大陸之目的者皆是。除僑居國外國民代表可代達全體僑民的願望外，其他暫留海外之國大代表，日與僑民相處，見聞較切，亦有斟酌僑情，獻可替否之建議義務。深望對於此一次國大的集會，這些代表都能不遠萬千里，回國參加，一面實地體認祖國近年種種的進步，一面亦可代表僑民爲政府作百尺竿頭進一步的貢獻。平心而論，沒有一國的政府是至善而毫無缺憾的，惟望人民代表能作善意之監督，亦惟政府以善人能受盡言之姿態，衷誠接納，則此一次之國民大會，對於爭取僑民的擁護，定有重大的收穫也。

史學管見

・陳伯莊・

自由人編者囑爲新年增刊寫稿，並附註說明「不必應景文字」。令我立刻聯想到西方古代雕刻「尼羅河老人」一來象徵「時」，恰如孔子在川上感覺逝者如斯，心同此理。「川」閱水以成川，世閱人而成世。「川」於是有史。這一篇牽涉範圍太廣，完全是「未定草」，敬祈讀者賜教。序逢甲午，爲六十年前中國劇變開始的紀歲，謹貢史學管見。　作者附註

（一）

假如我們採取杜威的看法，認爲「一切存在皆事也，」EVERY EXISTENCE IS AN EVENT 我們便可以立刻引伸說，「一切存在皆史實也。」當然，這是從最廣義的說法。

假如我們將我們對於事與事的相關的了解，稱之爲「理」；將衆理的共同性稱之爲「道」：如此「理」即同於科學「道」即同於哲學。事雖一事，依其所觀方面之殊而殊科，故一事之理，散見於各科的科學。事雖萬殊，彙其從同一觀方所得各理，則成一科之學。彙理雖殊，然而各觀察思辨者各從更概括更抽象之途，而各得其所見的共同之道。則得各家的哲學。

不論理與道，或科學與哲學，皆從「事」，亦即從存在抽象而得之。既抽象，則非存在的本身。存在的本身爲一事，其紀載爲史。今已慣稱史爲歷史；歷即歷程 PROCESS 故歷史亦當對於成一歷程的各事之紀載。狹義的歷史，以人類歷史乃至以有紀載的人類歷史爲限……這祇是宇宙中成爲類別的一部份的存在的歷程的紀載。於此，我們要加提一觀念：即每一存在——每一事，每一史實——都是獨殊的 EVEV EVENT IS UNIQUE

既爲紀載，便無可避免地含有紀載者的主觀成份，有紀與不紀的選擇，有得自親歷或傳聞的判別，而爲紀載者依其理解將史實貫串起來成爲可喻可曉的表達。無理解爲之貫串，將徒見衆事的淆然雜陳，了不可曉究。因此種種，史實的本身和史實的紀載，永遠成爲兩事。

其所以如此的關鍵，即在紀載者的理解。構成理解的爲種種概念。每一紀載者所運用的概念，既爲其個人學識所限，更爲其學識所自來的環境所限，此環境非他，即當時社會所已傳習的概念，和所已發展的思想。除非紀載者又爲當時新的思想和概念的創造者，必不能超越這限制。

既必使之成爲可喻可曉的紀載，因此一切歷史乃對史實與史程的解釋，是史釋而非史實。

（二）

因此，不但有史，所有中國的經史子集都爲研究中國歷史的原料而已，爲發展新史學的史料而已。

史料的考定與補充，（補充如發掘）從而得比較更可靠的史料，這祇是準備工作。自清代起這準備工作有極大的進展。

新史學的建立，在運用現代各哲學和各自然和人文科學所能給予我們的理解和概念，來研究一切史料，發展之爲新的史學。新史學者新史釋而已。理解和概念的發展無止境，史料的考定和補充無止境，因此，新史學——對歷史新的解釋的發展亦無止境。

不斷在進展中的新史學。亦即爲對既往的了解有不斷展開的造詣。

我們如此，對於舊觀念，有必須修正的，有必須捨棄的。例如「鑒往知來」，即爲必須修正的觀念。「鑒往知來」本爲治史的最大動機。如將來而屬於完全不可知的，則一切「理」與「道」均不成立。

（以下轉第七版）

四十三年元旦增刊

總結中共暴政一年

·沈秉文·

自由世界顯然又在因循苟且中換過了一年，中共的暴政也就持續了一年！因而在這歲尾年首的今天，要來總結一下中共一年來的暴政，不免有許多感慨！

中共政權的危機加深

綜觀中共這一年來的情形，顯然由於其加速鞏固極權統治而迫切需要及世界赤色「革命」計劃的加緊執行，使其對內外暴政又大大推進一步，因而亦使世界的動亂和大陸的殘破、飢傷、貧困、痛苦又加深一層！

這一年——一九五三年——，在中共號稱爲開始大規模建設，執行五年計劃的第一年，亦是從「新民主主義」步入「社會主義」的過渡時期的第一年。因而這一年中在他「國」內的政治、經濟、文教、以及「國防」計劃上，都有特別多和特別重要的調整或新的措施。此種特別多而且重要的調整或新的措施，皆環繞着一個中心要求：即不惜一切犧牲，不計一切後果，祇爲鞏固其高度中央極權的赤色統治和擴張「國」外的赤色勢力策動「國」外赤色「革命」而傾其全力以行之。當然，這種調整和措施及其他一切暴政所造成的結果，皆直接給國家民族的根基招致無可補償的嚴重損害；直接給大陸的人民帶來了無可挽救的災難！同樣的，也給中共自身帶來了嚴重的危機！

現在就開始對中共這一年的情形，分門別類的加以總結，惟限於篇幅，不得不僅舉其較重要者扼要綜述之。

國際

這一年，中共對支持、接濟日本和印度、緬甸等國共產黨的地下活動顯然比往年更爲積極，甚多出席「亞洲和平會議」的各該國共黨頭子在北平駐留甚久，待授傳了「統戰」策略以後，方分別返國，展開活動。且曾對東北的日俘（抗戰時的）完成了政治思想教育，和各項技術的訓練，遣返日本。給印度救濟糧荒，實際目的也在支持印度的地下活動。至於給北韓的軍事、物資、人力的援助，更顯然比往年爲積極、龐大。最近和北韓訂立軍事協定和經濟文化合作協定，更給北韓以龐大的軍事、經濟、和人力的援助。此等行爲的目的，皆在製造世界的動亂，擴張赤色勢力，支持赤色侵略政權，負担異常沉重。蘇聯佔用旅順大連期限的延長，這種實質行動，實爲中共本身在軍事上對付美國、日本，和自由中國有此需要。對日本的國際貿易實際上雖未成功，但對日本朝野的政治影響，卻發生了多少作用。一年來中共對蘇俄及其附庸各國間的「國際貿易」均有增加，且曾與錫蘭、印度、尼泊爾等國接上了貿易關係，惟輸出多屬糧食、煤炭、礦物等，糧食實爲大陸所最缺乏之物資。輸入多屬戰略物資，及工業設備等，多屬消耗物資。故此種「國際貿易」，純爲達到軍事消耗之目的。至於無條件的贈送北韓大批物資，則在支持國際侵略的韓戰，及北韓的侵略政權。最後，韓戰雖已停止，「抗美援朝」的各項活動，及反美宣傳，反而更爲猖狂。這種種都說明中共在這一年內的國際侵略活動，較前更爲積極，負担與消耗，亦較前更大。

軍事

韓戰未停前，世界大戰的危機甚深，中共因此曾擴大兵員補充計劃，改進民兵區組強民兵的控制和訓練，並爲準備本土遭受襲擊，曾以西北東南鄰接的阿拉木圖爲運輸站，建立一軍事航空網，同時，在新疆、甘寧、青海、西北及東北加緊軍用工業的建設。韓戰停後，中共獲得一喘息機會，即根據對美軍作戰的經驗，在賀龍主持下，實行大規模的戰略戰術檢討，分別在「國」內及北韓（志願軍）整編全部軍隊，加強其各種俄式配備。最近，中共復製訂一個爲「國家建設」之需要，而征用土地的辦法。所謂「國家建設」的實質，實爲一新的「國防建設計劃」，顯然一切海港、航空路綫、鐵道公路、交通路綫及工廠之位置與生產內容，皆以適應軍事需要爲標準。故這一年中中共的軍事措施非常積極。

政治

在政治上，「普選」爲一大要事。「普選」的目的，似在爲其政權正名，並藉此從新調查、整理、組訓民衆。亦藉此將各級尾巴黨派中的份子乘機予以排除。現選舉雖未能如期開始，因褫奪選民資格而被拘捕的人民卻已不少，造成了對人民的一大迫害。在政制上，各大行政區的「軍政委員會」改變爲「行政委員會」亦爲一重大措施，目的在縮小分區的權力，集中中央的權力。這一年中，「民族政策」推進得很爲積極，各少數民族區的「自治政府」已次第成立。分化和征服少數民族的工作，幾乎有在這一年中全部完成的企圖，但結果大部份已遭受失敗。移民問題中共雖未明顯公佈政策，但移民工作已在這一年中局部開始，（在蘇北、皖北、及粵、桂等省），結果曾造成「流血」。最近中共所喊出的「國家過渡時期總路綫」的口號，雖以經濟成份爲多，但此一口號係包括中共全部措施都圍向「社會主義」目標推進而言，故實爲中共的總目的總政綱。此一政綱的目的，在藉進入「社會主義」的美名，從各方面而集中中共中央的政治統制權和經濟控制權，以鞏固其赤色統治。

經濟

在經濟上，一九五三年是中共開始五年計劃的第一年，曾以大量的資金投入「基本建設」中。所謂「基本建設」，似以重工業（包括軍工業）、交通、海港及各種重要建築爲主，但進行的情況，一般均甚爲惡劣，完成的不多，已完成的部份質量亦不佳。主因是資金不裕，設計錯誤，管理不善，浪費嚴重，技術工人缺乏等所致。這一年因中共各方面的消耗過於龐大，而農工生產全綫低落，故各種方式的搜刮和剝削也就格外慘酷。主要的是全面發展各「國營公司」和「供銷合作社」以壟斷全部商業經濟利益，不顧農村的荒歉，加緊徵收農業稅；並實行新「五反」運動，以壓搾私營工商業的資金，大規模發動勞動競賽運動，以壓搾工人，（工人因此有大批傷亡）。大力發動人民儲蓄運動，使通貨回籠。又以農貸及存款單作低現金「收購」，藉以搜刮民間糧食。最近，在「總路綫」口號喊出以後，即緊接着喊出了「實行國家資本主義」及「改進農業生產」的口號。前一口號的目的在徹底消滅私營工商業，以巧妙手法劫奪其全部資財和生產權益，使之集中於中共中央政權之手。後一口號的目的：一方面消滅個體農民，一方面直接控制農村資源；一方面欲藉集體操作機械化生產的改進以補救其生產力的恐慌，俾能適應其龐大消耗的迫切需要。最後，中共且已發行了數近三億美元的所謂「經濟建設公債」，再度大肆逼搾。故這一年中共在經濟上的搜刮，比以往幾年更爲緊張、殘酷，也更爲政策化。

文教

在文教方面：對各階層的赤化思想「教育」也進行得較前爲普遍而深入，其中尤以工人和學校教員爲然。原因是工人情緒普遍不穩，教員的思想頗多「偏差」或「頑固」。向蘇一面倒思想的「教育」，這一年中首大張旗鼓地進行，因此曾大規模搞過一個所謂「中蘇友好月」。各級學校師資、教學制度和教材的「改造」已行之有年，惟這一年中的「改造」工作分外緊張：高等學校的院系已次第調整，各級學校的俄式教材及參考書，已採用一千餘種。俄國教師已大批派到，俄文學習瘋狂推行。「蘇聯先進經驗」的「教學方法」生吞活剝，強迫執行。總之，一切學校皆已加緊其俄化「改造」。同時，各級學校的黨務活動和政治思想訓練與統制亦已較前嚴密。此外，私營劇團已一律取銷，部份已改爲公私合營，部份已改爲公營。少年兒童隊亦進一步改爲少年先鋒隊，加強了黨性的訓練和控制。總之，這一年中，中共赤化奴化人民的文教工作又已大大推進一步。

（下轉第三版）

愛國的僑胞萬歲！

——爲中華民國四十三年元旦作

·司馬璐·

今天是中華民國四十三年的元旦，我們今天寄身在海外的反共人士，值着無限的辛酸，無限的慘痛，無限的惆悵！

我們這些寄身在海外的反共人士，誰無妻子兒女，誰無親人？誰無家鄉——那裏是我們的故鄉，也是我們僑胞的家鄉，如今，竟成了血洗的屠場，日又一日，年復一年，血海深仇未報，我們的土地，我們的同胞，我們的親人，還在受着敵人的踐踏和蹂躪！今天，又是中華民國四十三年的元旦了，我們愧對國內父老，愧對海外的愛國僑胞。

在海外，我們今天看到愛國僑胞在成長中的反共力量，它在一年比一年強大，一天比一天茁壯！

我們知道，中華民國的創造過程中，僑胞曾經發揮了最大的力量。在當日推翻滿清帝制的中，除了蹣跚輸以外，他們中間的許多優秀的青年，在辛亥革命前後，殺身成仁取義，在中華民國創造史上，我們的僑胞寫下了最光輝的一頁。

我們常還記得，在抗戰期間，許多愛國華僑，不辭跋涉，遠從海外紛紛歸國，參加抗戰工作，前後方都有我們僑胞的足跡，我們敢說，抗戰的勝利，我們的僑胞實在作了非常偉大的貢獻。

中華民國的創造，僑胞出力最多，每當國家民族遭遇到危急的時候，僑胞常是出錢最多，出力最多的。百年以來！我們的國家一直在憂患風雨之中，由是值得我們驕傲的，我們擁有這許多優秀的僑胞，他們不愧爲黃帝的子孫，中華民族的兒女！我們相信，中國有這些愛國僑胞，中國永不會亡的！

我們更體會到，我們的僑胞散處海外各地，他們的遭遇是孤寂的，他們的心靈是寂寞的；沒有祖國的照顧，他們的奮鬥是孤單的；沒有祖國的強盛，他們在海外的立足，是無法保障的。正因爲如此，我們的僑胞基于崇高的愛國熱忱，他們對於中共的竊據大陸，莫不切齒痛恨；他們自從中共竊據大陸，篡改國號以來，我們的愛國僑胞，對於中共的威脅利誘，嚴正反擊，爲保衛青天白日滿地紅的國旗，與共特進行了猛烈無比的鬥爭。今天共產黨在海外已狼狽得如喪家之犬，我們在海外的反共鬥爭，已獲得決定性的勝利，我們要向愛國的僑胞歡呼，這是你們的光榮戰績。

百年來，僑胞的動向，往往是可以決定中國的命運的。僑胞從海外的角落看祖國，態度是最客觀的；僑胞的意見，往往是中國廣大人民的意見；僑胞的勇于往往是中國革命的先驅。

我們今天面對着淪陷的大陸，身處熱愛祖國的僑胞之中，我們既慚愧，又感奮，我們不禁要緊握僑胞的手，高呼：希望來自愛國的僑胞！愛國的僑胞萬歲！

史學管見

·陳伯莊·

（上接第六版）如將來而屬於完全可知的，則一切成爲問題的場合，不會發生。至於必須捨棄的觀念，舉例言之，如易理循環觀，如純粹人治觀等等。

（三）

假如史學的內涵，有如上述。我應再進問歷史哲學和歷史科學是否可以成立，而兩者和史學的判別何在。

通常所謂普史 UNIVERSAL HISTORY，如黑格爾的「歷史哲學」，斯班格勒的「西方的沒落」，陶尹皮的「歷史的研究」，都典型地爲一種普史。除黑格爾的歷史哲學，爲其哲學的引伸論著之外，斯陶兩氏之書，也不嚴格地被視爲歷史哲學。三氏論著，其用以彌綸一切史實的，不外「進化」，「循環」，「循環中帶有進化」三大觀念。各其一爲彌綸人類歷史的變的法則。馬克斯的唯物史觀，十九世紀社會學大家如孔德，斯賓塞等的理論，所說的都是社會發展的法則，亦即人類歷史的變的法則。

不論稱之爲科學或哲學，問題在彌綸攝人類歷史的大法則，是否可以成立。換言之，我們要先問他們的理論，是否說之而可通，驗之而無反證，論據能確立，所論祇有意識或無意的簡化和遺漏。即使這些條件，都能滿足，我們還要再問，這些所謂歷史法則，除了對已往的歷史變化成爲一種最概括的史綜之外，是否能爲預測將來的歷史變化的法則。律以現代的科學知識與及致知方法，所有這些歷史學說，社會理論，都不能成立。

轉入二十世紀以來，心理學的長足發展，哲學向新方向的轉變，各社會科學內涵的修正與增益，治學方法論的更嚴格化，所得的總結果爲「治學然後知不足」。治學方法轉入兩個新方向：（一）縮少研究對象；（二）劃分研究員，集小研究一專的知識。各科學已有的各部門，（一）爲對象局部化；（二）爲研究綜合化。假如以作戰爲喻，十九世紀諸大戰略家抱混一六合的雄圖，發動全面戰略，自以爲佔領了敵人的國都，而實只高踞了自行虛構的殿樓。現在學者的努力，彷彿像整編殘軍，汰弱留強；訓練新軍，重訂戰略，同時從事穩紮穩打，逐步推進，直至現在止，在各社會科學中，只經濟學的成就比較實在，然尚遠不能與自然科學比較。社會科學未臻成熟的重要證據有三：（一）尚爲學說基礎的詞義，各家著作，全未臻同詞同義之境；（二）各家各立門戶，而新說新論又多不成爲對已已有學說的增益，不能收累積以進之功；（三）方法論正如錦如茶，恰恰表示了致知之方向尚未有共同接受與使用的治學工具。

所謂社會科學，其所抵達的現階段僅祇如此。分科的研究，既祇如此，然則必須運用各科知識來研究史實史料的史學，其尚未成爲科學，自甚明顯。

而且史學的主體材料爲已往的記載，即使其可靠性已確立，而其內容又往往不能充分適用我們解答問題的需要。

至於所謂歷史哲學社會哲學政治哲學等等，謂其爲某一家某一派哲學對於歷史，或社會，或政治的看法則可。謂其爲卓然獨立的哲學則不可。社會科學既未成熟，則更抽象的社會哲學，只建在浮沙之上。因此，我們只能視新的史學爲新的史籍。過此以往，便無權威。

（四）史學既爲運用一切科學哲學的總滙，循這樣研究中國史的工作和成就，實祇在萌芽草創階段，然則新的中國史學，將爲收穫極豐富的園地，殆可預期。這是在發展學術方面所具的特別意義。

中國自與西方接觸之後，一切發生了劇烈的衝激，思想動盪，行動失調，結構解體，引起了對一切重新評價。因此，整個國民生命陷入於痛苦的掙扎蛻變之中。在這掙扎中處處發生衝突的起於三大因素：（一）在新環境爭生存的需要，（二）歷史的延續性，（三）理想的追求。因此，爲了了解當前中國的總問題，必須尋求這三大因素的相互作用。新的中國史學，即爲分析與了解歷史延續性的學問。這是在肩負時代責任方面所有的特別意義。

恭賀新禧

中華民國僑務委員會頒發登記證台僑新字第一零二號

中華民國郵政登記第一類新聞紙類

自由人

THE FREEMAN

（半週刊每星期三六出版）

（第二九七期）

每份港幣壹毫

督印人：李光華

社址　香港高士打道六六號

電話：三○五○三

GLOUCESTER RD HONG KONG TEL 74053

承印者：東南印務出版社　地址：高士打道六十四號

台灣發行處：台北市館前街五十號

台灣總經銷處：台北中華路五九號之一

台灣郵政劃撥儲金帳戶：九二五二號

真正的共產社會會到臨麼？

·陳伯莊·

自由經濟學說，和共產經濟學說，兩者皆有所偏執，因此，均不能解決複雜和源流久遠的經濟問題。原子能的大量利用，也許使過去的問題得到根本解決，惟究屬未知之數，而且必然會有新的問題發生，故人類是日進而不息的。

「民非水火不生活；昏暮，叩人之門戶，求水火，無弗與者，至足矣。聖人治天下，使有菽粟如水火，菽粟如水火，而民焉有不仁者乎。」兩千多年前，把真正共產社會的輪廓說出來的，就是孟子這幾句話。而不是禮運大同的「大道之行也，天下爲公！」到今天，人們似乎像希臘神話所說的，把火從神那裏偷取到人間了。這火非他，就是原子能，就是物質三乘方的原子能。原子能而能用到生產，一切至足，求無弗與的世界若果已到眼前了。

經濟學的基本原則

從前有個新從英國留學回來的畢業生，向伍廷芳求差事。伍老先生當時做廣東省長，問這少年學的甚麼？他說學的是經濟學。伍省長眉頭一皺，再拿英語來問：「斷丁」，他便很爽直的答：「I STUDIED ECONOMICS」。對的！經濟學直譯爲省儉學，一點也不錯。凡一切利用厚生的貨財事物，正因爲不像水火之至足，所以要有代價來換取。經濟學最基本的原則，便是「不足原則」（PRINCIPLE OF SCARCITY），所以要有價格來限制需方，使供需兩方得以相應。從全社會看來，價格的功能在於節用。

蘇聯以共產革命號召人們，但畫虎不成竟類狗，他們立了大獨裁者宰割的國家社會主義的天羅地網的社會。共們關來關去研究，怎樣從社會主義的社會轉到共產主義的社會，這就是說，怎樣從他們自稱爲各盡所能各取所值的制度，轉到各盡所能各取所需的制度。

五色祥雲已經湧現

現在原子能使用的可能性，於利用厚生的前途，已經像五色祥雲湧現了。也許很快就有一天，人們會在樂園裏像亞當和夏娃那樣的生活，[illegible]

[illegible]

……前時代所沒有的挑戰，[illegible]問題，不能不答復的。[illegible]

兩派經濟學的偏執

[illegible]

國家社會主義行不通

[illegible]

談貝里亞案

『殺人之子者人亦殺你母之子』

·鄭學稼·

關於貝里亞被馬倫科夫政權的最高檢察署控訴有「叛國罪行」事，不妨略加檢討。

（一）

依公布貝氏的罪狀，他早于一九一九年就在巴庫的穆沙瓦特（MUSSAVAT）政府担任情報的工作，一九二○年，他又與喬治亞的孟什維克政府的秘密警察「建立聯繫」。如我們所知道的，穆沙瓦特是阿塞拜疆的回教徒民主派，它與喬治亞之大尼亞的孟什維克派，確都受英國的支持。那時的貝里亞，依遲至一九五○年蘇維埃欽定的傳記，是巴庫工業學校的學生，負責該校共黨的地下活動，在貝氏入獄之前，官場的所有報導，從未提及那兩件事。此外，貝氏于一九一七年三月加入布爾什維克，他的領導者，是還活着的米高揚。這初期非官方的記述，但後來被蘇維埃政權除去的，是一九一九年史達林大將奧爾章尼啓則率紅軍入南高加索時，貝里亞曾在喬治亞首府梯弗里斯孟什維克機關中任職，並被捕後押回巴庫，入當地工業學校。時貝氏二十一歲。就當日南高加索情況及孟什維克與布爾什維克的活動說來，這一非官方的記述最爲可信。

（二）

開一的控訴說：一九二○年後，貝里亞「還跟反革命的喬治亞孟什維克流亡分子以及一些外國情報機關的間諜保持着罪惡的聯系。」那是值得奮討的。依史和許多官方的文獻，一九二一年四月，貝氏加入「契卡」，以全力鎮壓南高加索學生中的反蘇維埃活動，頗有功績，並因之歷任阿塞拜疆「契卡」的首長。後來，官運亨通，經喬治亞格柏烏首長而到南高加索格柏烏的首長。由於他是史達林的忠實走狗，當聯共黨爭劇烈時，他曾奉命赴莫斯科格柏烏本部工作，任務是鎮壓「左派反對派」。大概由於與史達林同鄉的關係，和所担任工作的卓越成績，一九三一年十月被史派爲喬治亞共黨第一書記，南高加索黨第一書記，他曾舉行清黨，殺戮反史達林的人們，在被殺者中，有許多是史氏的老同志。

（三）

貝里亞另一的罪行，依總檢察署的控訴，是他曾對奧爾章尼啓則的家屬，「施行殘酷的報復」。依聯共黨史的記載，重工業人民委員奧氏，於一九三七年二月十八日，以「心臟病」逝世。[illegible]

[illegible]「失蹤」。如果[illegible]人至今還不知道[illegible]及其黨徒的[illegible]對內的。內中之[illegible]由貝里亞們負責[illegible]向蘇人宣傳當前[illegible]該是讓許多被害[illegible]一再扮演慈悲家[illegible]放鬆些對人民的[illegible]活動的思考，它[illegible]話，但卻不和日丹[illegible]樂」什維上名曲[illegible]KHATCHATU[illegible]強創造力，是共[illegible]格柏烏首領下場[illegible]基，于一九二六[illegible]斯基於一九三四[illegible]三任耶哥達于一[illegible]演過的大審判後[illegible]當年失蹤。殺那[illegible]史達林。第五任[illegible]貝里亞。這恰如[illegible]的話：「你殺人[illegible]」

[illegible]答。這只是目前還不能解決的一個大問號。然而有可知的，我們所當注意的。第一，人有「人心不足蛇吞象」的慾求，有自有生以來，便帶著「IDEA」的衝動。只因被生的枷鎖困住，了很少能向他方面發展，必然有種種解脫之想後，不到二的新階段，第四。因此必然帶來許多新問題，第三在一個更和前三階段留下的問題，因此，第三，整個社會各部門的組織，協調，破壞，建設新等等解決。然而調整人類的依然要生存於有組織的社會。

起來依然是：人類的處境，有危險，有困難的時候，而如此人類正在其性靈的才能，無在日進，而問題的止息乾坤之中是無止境，是消境界注意與感覺的止境，自生是以理智的漸變，能力的有，使人類得本來面目以致，而非乾坤不關治是。……

每週展望

·雷嘯岑·

共黨在東南亞的佈署

據星加坡合衆社電訊：最近馬來亞官方從搜獲馬共的秘密文件中，得悉共黨在一年以前，即從事於「鋪平共黨在東南亞合作的道路，致力於造成當地內部的騷動和破壞」。馬共已與泰國共黨聯繫，經常派有聯絡員在馬泰邊境的泰共總部云云。這在西方人看來，當然引爲驚奇，我們則覺得毫不足異。

第三國際自中共佔據中國大陸後，即積極從事亞洲的「革命計畫」，而以中共爲執行革命任務的司令塔。西方人莫名其妙，一面擠命地警告中共勿向東南亞擴張侵略，一面則向中共關係，好實際就是想保持西方在東南亞的既得利益。共產黨如果可以撤消其世界革命計劃，那還成其爲共黨嗎？他們唯一能夠在亞洲區域滲透發展，獲致「造成當地內部的騷動和破壞」的力量，即是藉民族思想作工具，而以反抗西方勢力爲目的。他們既已佔有中國大陸，再不向東南亞進取，尙待何時？東南亞一經赤化，日本即傳檄可定了。

西方列強想以劃一界自守的自私方法，向共黨求妥協，無異自[illegible]中共存在一天，東南亞必然日見多事。[illegible]希望它適可而止，轉而與西方和好共存，[illegible]綏靖是笑話！

據泰晤士報說：近日[illegible]發表專文，說二三十年之後，中共即將代替蘇俄，同時[illegible]，[illegible]現在共黨[illegible]東南亞的佈署，而英人其希望已揭露於二三十年後中共會[illegible]，是否依然的幻想中？

國民代表大會快開了

來月十九即將召集國民大會，主要的問題是選舉正副總統。報載：國民黨亦將在最近召開中央全會，商討總統候選人提名問題。總統候選人提名與否，皆非蔣先生莫屬，問題只在副總統候選人提名。我認爲副總統候選人如要提名，只能提一個人，由總統選，[illegible]而其人選也必須具備如美國民主黨的[illegible]條件：一，不是官僚；二，要懂得一點政治原理的A·B·C·；三，素來沒有小派系的臭味；四，在過去不是聲名狼藉之輩。如果一時尋不出適當人選，則不如暫缺，由大會通過一項決議，聲明前任副總統已依法解除職務，新任候補到大陸再補選。反正副總統依憲法規定的職位，平時不過備員而已，暫缺何妨呢？

可讚許的馬獅獅總統

菲律賓新任總統馬獅獅，最近有兩項作風值得讚美。第一：他對美副總統尼克遜主張由菲律賓主持亞洲反共聯盟問題，認爲非國內部尙有許多急待處理的事，必須埋頭苦幹，無暇過問外務。這種實事求是的作風，足見其個人的情操，殊堪讚美。較之印度尼赫魯之流，自己內部一塌糊塗，而一心想做亞洲領導人物的小丑姿態，相去遠矣。[illegible]游擊隊尙未肅清，舍己之田而芸人之田，於菲很少裨益，[illegible]多妨礙。

第二：他就任之後，即宣佈自己的私有財產，且教他所指導下的政府官吏，一律照樣宣佈。這是建設廉潔政治的先聲，不但在菲國是前無古人的創舉，在亞洲又有那個國家表現過這種難能可貴的明朗氣象呢？我們在本刊迭次提出登記自由中國官吏私有財產的建議，誰也對此不感覺興趣，可見我們的精神尙不及馬獅獅，慚愧慚愧！

馬氏這種新作風，是菲律賓國漸將進入新興階段的信號。我們站在鄰邦的立場，不勝欣佩祝頌。同時希望馬氏對菲國的數百名華人僑案件，趕快作合理的解決。這件事對菲國的聲譽大有損傷，更與馬總統的開明政治前途，關係甚鉅，君子愛人以德，願馬氏好自爲之。

論中共的經建公債

·俞嬰·

入不敷出及說盈餘

基於以上的分析，以中共如此龐大的軍費以及援朝援越費，它的年度預算，根本就無法平衡，更談不上有盈餘的。要之，它如要應付它龐大的財政開支，就採用了世界民主國家所不忍出的搜括方法。譬如一九五二年的財政年度，以「其他收入」項目超過最多，超過原預算百分之七一．二，在總收入中也佔了百分之二三．三，計人民幣四萬三千一八一，二二五億元，超原預算一八一，二二五億元。這裏所謂其他收入，乃指「支前」，「抗美援朝」，「土改」，「三反五反」等運動名目下所搜刮的收入。這種收入，乃世界民主國家所無；用這種搜奪手段以填補它的赤字，而炫耀它的年度預算的盈餘，也是世界民主國家所沒有的。

中共捨鈔票而採各種搜掠民財的手法來編製它的財政預算，因為發行鈔票，就會直接刺激物價，國民政府在大陸時代，曾以發鈔填補財政赤字而垮了。中共建立政權未久，需求不斷，美其名為以司法，特務，警察來動員，直接了當地徵收敵人，實際上就是強取豪奪。事實上民間有限的資財，在中共不斷搜刮下，亦已敲骨吸髓，購買力已瀕於絕境了。至於一九五三年預算的時候，它的預算，數字的龐大就伏下了發行公債的，是令人可驚的，收入總數支出為人民幣二三三，九一一億元，比較一九五〇年的總收支高出百分之三四二．九七。這個龐大的預算，如何能夠去平衡，甚而還能夠有盈餘，就是今後的問題了。中共公佈一九五四年的預算，以盡數利用各種名目去搾取，現在羅列「新五反」以收取工商業的渣滓，也屬竭澤而漁的，有限的，因此發行「經建公債」，乃是一件最好的變相搜刮的殺手鐧了。

經建公債失敗無疑

在剖析中共此次公債之前，特簡略地看看它第一次發債的成績。如上所述，中共於一九五〇年一月五日發行過所謂「勝利折實公債」，用以彌補同年概算赤字百分之三八．四，總額為二萬萬分，以實物作計算標準。第一期總額為半數，在它的流通市面，不得向國家銀行抵押，並不得用作投機買賣。誰也知道，僅就本身，就沒有交換價值，等於廢紙一張，誰肯承購？但在中共的淫威之下，大陸的人民，內在枯上，只得任由作威作福的共幹以槍尖刺刀脅迫，「大力超額購買」。海外的人民，眼睛雪亮，絕不上當，擔憂當年那些擁護走狗，奉命到海外推銷，碰了一鼻子灰，毫無所獲。第一期人民幣三三，八六四億元，但依靠一次發行，並不能彌補它的赤字。

最後的搜刮手段

現在且剖析中共此次「經建公債」發行的目的，以及如何去搜刮？

一、發債目的：無疑的中共是堂皇地說以發行公債從事國家大規模經濟建設，這不過是宣傳的，騙人的勾當而已。骨子裏，我們可以從它的事實找到說明：第一，中共要使韓戰繼續下去，並且一面執行莫斯科所給予的任務，除入緬部隊外，擴大東南亞的戰亂局面；第二，中共要輸入大量的蘇俄軍需物資，由蘇俄負責；第三，中共要在五年內完成由佳木斯通至新疆的鐵路。根據中共的財政報告推算，連那年的發鈔包括在內的借債收入，只有人民幣三萬三千二百一十六億元，只佔預算百分之七點六一。兩個數目一比，不難見到前後矛盾之大，並且可以相信第一期公債，實際上還不成的份表露完全失敗了。所以第二期的半數，也就不敢繼續發了。那次在中共所謂勝利之初，而公債發行成績尚如此之差；今天中共已面臨山窮水盡的田地，尚不顧一切從事搜刮，可預卜其前途的悲慘了。

大陸人民，除了隨時當砲灰外，仍要被迫擠出最後一滴血汗之資以充軍備，這是中共發債的根本目的。

二、擇取對象：此次公債分配城市約佔四萬二千億元，農村方面佔一萬八千億元。城市私營工商業及公私合營的私方三萬二千億元。質言之，此次搜刮的最大對象是城市的私營工商業，其次才是農村。很明顯的，中共在「三反五反」以及「新五反」中的剝削，認為仍未能將私營的工商業徹底摧毀，再來一次澈底的剝削。事實上，中共自己也承認，截至一九五三年十月止，從前佔全國百分之九十五的私營工商業，已迅速地降至百分之二十點三，而中共官營工商業，却標升至百分之七十點七了。而且殘存的百分之二十點三的私營工商業，經過不斷的剝削後，已奄奄一息，亟待關門而不獲許可！農村方面更悲慘，平日有財富有購買力的「地主」，「惡霸」，在「土改」中已有四、五千萬人遭受清算鬥爭，掃地出門了；餘下的貧雇農，每人分得約一畝左右的田，收穫額還要繳納百分之五十的農業稅，同時又要應付農會，合作社的變相剝削。試想，這些農民的購買力如何？只有引頸就戮而已。

三、銷納能力：正如前述，工商業者以及農民當前正遭受如許的創傷，無法銷納中共的公債，已無可為諱。至於工人，知識份子，店員以及下級幹部等的能力，實屬有限，連年的捐獻，在中共的威迫利誘之下，也僅能維持最低的生活。不過，這次配額是硬性攤定，並且要如期完成，即使窒着肚皮，也祇得任由壓榨吧了。最後，中共很可能地又要利用僑眷勸募的一幕，以騙取海外華僑的款項呵！

中共政權不顧國本民命，而甘為蘇俄侵略的猫腳爪，拚命搜刮人民的資財，以填塞軍事財政的消耗，實加速其跑向崩潰之途。在民窮財盡的今日，尚不惜作最後的搜刮，希冀挽救敗亡的命運，根本上已無可挽救了。（下）

俄原子發展　傳超過美國

據本月四日時代週刊報導：美國會聯合原子能委員會主席衆議員柯爾（共和黨，紐約州）上星期曾在電視廣播上作了一項驚人的透露，他坦白承認，在原子發展的「若干方面上」，蘇俄已比美國佔先。

柯爾的聲明很耐人尋味，他沒有說明蘇俄究在那些方面佔了優勢，但就在柯爾作此宣佈的時候，華府的高級官員間又在私下議論着如下的謠言，據這些謠傳說，美國已自高空中收集到俄國第二次爆炸超級彈（即氫彈）的新資料，由這些資料顯示，蘇俄可能已尋到一條捷徑，專門製造新型的氫彈，這種氫彈的體積要比美國的為小，而且比美國的氫彈更易於運送，但爆炸的威力以及破壞的程度卻比美國的巨型氫彈差不了多少。基於戰略上的目的，這種輕便的氫彈自然比美國的更有價值。（由之）

台灣的美援智識份子——生活清倫　精神活躍

·周塵·

【台灣通訊】去年夏間，經中美雙方熱心人士不斷磋商，基於兩國傳統友誼，和博愛精神，美國援助中國知識人士協會乃告成立。他們的第一個對象，就是救助一羣流落在港九的難民知識份子。這一羣受盡了苦難的知識份子，終於去年十一月中旬送進了自由祖國的懷抱，分別送進了台灣省立行政專科學校和省立行政專修班，從事進修的工作。這一批知識份子共兩百多人。據筆者所知，在行政專科的剛好一百整數，都是來自中國大陸各個省區的青年。雖然他們的知識能力有高低，但他們的精神都是一樣的。現在他們分成兩班，第一班攻讀行政科，共有七十餘人。程度由高中到大學不等，修業期間一年。第二班唸的是普通行政科，期限一年，他們全是大學的畢業生，人數較少，其中有一位呂君，還是筆者的老同學，南華學院出身，一別幾年，能在這世外的桃源相會，倒是難得的。他們現在住的一幢尚未完全竣工的新宿舍，建築費用，據說全是出於美援。宿舍分成四大間，每一間面積約等於五十人的教室，其中一間作飯廳兼晚間溫習課室，餘下三間要住一百人，雖免狹窄一點。床是疊架式，上下都可住人，因此，房裏並不見得十分擁擠。他們這一羣人，都是「曾經滄海」的，因此對於自治精神，很有良好表現。每一張床位，都井井有條，被褥整潔。窗戶明淨。吃的問題，也由他們自己互選同學出來管理，伙食費用歸公，每人每月可領伙食費一百一十塊錢新台幣。每天青菜豆腐，既有營養，又省錢。比起落難港九的時候，精神和物質生活都好得多了。

比較困難的，還是零用錢。許多人為此而大傷腦筋。有些人在香港有父兄隨時接濟的，自然沒有問題，否則就沒有辦法了。剪髮，買日用品的錢，總是不能不化的呀。他們的生活情形，大致如此，一般說來，在這困難的時候，有這種享受，已是難得。就是有些尚未能盡如人意的地方，相信慢慢也可以得到解決的。四十二年十二月十八日寄自台灣

台大讀書生活——自動的勤讀精神　充分利用圖書館

【台大通訊】編輯先生：在十二月二日的貴報上，看到「香港學生初讀台大的印象」一文，我覺得有以三年級同學的資格，說幾句話的必要。

二年前，我也是本港某中學畢業後，考入台大的。兩年來，我了解台大，也了解大學的精神。這位初讀的同學說：「圖書館藏書亦多，惟不知善加利用」這一句話，我想即使有這種情形，也不是一般學生的普遍現象。每日我們在那一排排的參考書櫃邊，可以看到成百的同學在那兒搜集參考書。這同學又說：「許多同學的閱讀精神全歸消失」，這話不知從那一點看出。我想，大約因為僑生們自成一集團，只從他們的情形來判斷全體。以我念的一系為例，本系共八十六人，其中當然也有些不大讀書的。但至少一半以上已經養成勤苦學習和自動閱讀的精神。他又說，一般知識不高，是不是指不知道珍羅素或格利高利柏克呢？以我所知台大一般同學對於「領帶牌子」及「泰隆保華」以外的知識，並不見得不豐富，我所謂豐富，是和香港來的同學作比較的。

關於考試成績，二年半來，我已經放棄了高中那種要拿第一名的觀念。用分數作標準的考試方法並不可靠。同學中也很少有人把分數看得很重要的。台大同學多數是從各校優秀學生選出來的。故過份重視分數的現象並不普遍。這位同學這樣的注重分數我覺得很奇怪。再除了平時閒蕩慣的同學外，似乎是我找不到一位是用所謂「中學方法」來念書的。我認為不用「中學方法」，也一樣可以拿到好的成績，（假定這位同學是對的話）。以我為例，平時多用功，臨考前，我看電影去，但我學期的平均分也還在八十分以上。我不過是一個中等的學生，可是我並不用背誦的方法讀書。同時我也看了不少的課外書籍。當然，考進台大是不容易的，可是考進台大之後便目空一切，便更壞事。以我兩年的經驗來言，大學不是用背誦方法來讀書的地方，大學僅能指給我們一條路子，供給一切必需的工具和圖書等。教授也不是超人，他們僅能指示我們一個端緒，讓我們自己去走要走的路。用中學的方法來念大學，畢業後，是得不到什麼好處的。台大的圖書多得很，不知利用，僅是學生的事，與教授和學校當局無關。（我得申明，我非公費生，也沒有在學校拿什麼錢）。

我學識淺陋，所說如有錯誤，請加指教。台大一同學上　十二月二十九日

貝利亞終於踱進鬼門關

下面是一位很有地位的專家所傳出的令人驚訝的故事，這個故事說出了蘇俄前內政部長及秘密警察首長貝利亞逃過一九三八年莫斯科大整肅的秘密，可是殺人的元兇終於難逃一死，在克里姆林宮的內鬨中，畢竟死在馬倫科夫的手下了。

據說一九三八年俄國開始大清黨的時候，貝利亞已事先接到密告，說有人控告他陰謀傾覆國家，他匆匆飛到莫斯科，一面向史達林報告事情的經過，一面懇求念在過去追隨的情份上，保全他的性命。史達林聽到這件事宛如晴天霹靂，絕口否認沒有清算他的意思。然後史達林把貝利亞藏在室內的一塊布幕後面，並將當時那秘密警察首長葉碩夫找了來，在史達林的盤問下，葉碩夫承認貝利亞是已內定處決的陰謀犯之一。這時貝利亞突從布幕後鑽出來，當面質問葉碩夫他究竟犯了什麼罪？有些甚麼陰謀。葉碩夫無詞可答，於是一星期後，貝利亞取代了葉碩夫的職位。他上任後的第一件事，就是將葉碩夫祕密處決。

俄改組全部間諜網

貝利亞被捕以後，克里姆林宮即進行改組所有的間諜機構，因為這些介佈在鐵幕內外的間諜網，過去都是貝利亞所一手建立的，主持這些機構的也均為貝利亞一手培植起來的親信，這件改組的工作從去年七月間開始，一直到十二月下旬貝利亞被處決時才宣告完成。目前西歐的俄國間諜總部已遷至瑞士的日內瓦，舊有的負責人大半已調回國內。據西方情報人員所接獲的報告，在俄間諜機構改組的時期內，他們的活動很沉寂一個時候，但預料短期內大批俄諜又將捲土重來，加緊刺探情報的活動。

結束越戰對法反為不利

許多法國的議員們成日嚷着要結束越戰，說是越戰破壞了法國的經濟，如不解決越戰，法經濟與財政便有日趨惡化的危險，但由美國財政專家看來，越南戰爭的結束倒真有使法國破產的危險。這一個令人驚訝的事實不僅有些議員們不懂得，即法內閣的若干要員們似也對此不清楚。原來一九五三年美國負担越戰的費用是四億美元，其中若干是以軍火援助的方式直接運往越南，但其餘部份則增加了法國的美元信用，如果沒有這筆援助，法國的收支平衡將發生最嚴重的困難。所以一旦越戰停止，美援隨之結束，那時候法國的財經狀況不僅不能轉佳，而且比現在還要危險。（孟衡）

天下小事

編者　讀者

—編者的話—

△下一期有吳傑先生的台灣通訊一篇，述歷史上失蹤四千年的「識皮」民族，已再經發現，實為自由中國學術界一喜訊。此外還有藍星南先生「畢馬僑孜艱難課程」，超然先生「新揣摩篇」，吳壽頤先生「香港教育危言」。

△羅致先生：示悉，懷冰先生並非潘學增先生。新界各地不易買到本刊，請轉知朋友，直接來函定閱，較為便捷，兹處已按期寄奉。

△東日堯先生：示悉，尊件已於十二月廿一日付郵，計已收到，稿酬請向本刊台北總經銷處洽領。

△楊力行先生：承惠兩稿已收到。松友梅，无圓，李鏞凝，王鈞驗先生，惠稿均收到，謝謝！

大陸人民生活眞象

·湘健·

友人李君，新自大陸逃來，談到共區最近情形，有幾點爲海外人士所不知者，特擇要予以報導。李君本蘇北人，其叔父在天津任共方公安部門高級幹部，李君原在上海經商，「五反」後，資本被反光，李令還鄉生產，最近因秋季歛收，生活陷於絕境。本身所應繳公糧及雜捐，更無從籌措，結果蒙當地共幹特別通融，准去天津找其叔設法，到天津後，住了幾天，在其叔父處借到人民幣兩百萬，李君並未回鄉，一溜烟逃到廣州，輾轉經澳門逃香港，玆按問答方式，記述其親身經歷於下：

糧荒的嚴重程度

問：看到共報上，日日宣傳購糧政策，要老百姓把餘食都賣給合作社，可以想見目前大陸糧荒一定相當嚴重，不知究竟嚴重到什麼程度，可否見告？

答：這個問題，城市和鄉村略有不同之處，在鄉間，人民久已同米、麥絕緣，但是早些日子雜糧還有得吃，目前吃得起雜糧的雖然很少，不過還有蕃薯、蕃薯葉、豆餅、棉餅（棉油渣滓）可食，餓死人尚沒有。只是來春將成絕大問題，恐怕除共幹外，老百姓將百分之九十的缺糧，其慘狀一定不堪設想。城市內，目前就發生恐慌，如以全國最繁榮都市天津（上海現已淪於第二位）來說，上月市政府曾公佈一項命令，規定每個人民每月可到合作社購買白麵八斤，二十歲以下小孩減半，試想八斤麵夠怎麼用，天津如此，其他地區只能更差。我這回經過廣州的時候，聽到旅館裏人說，廣州已買不到生油，老百姓都排隊到合作社買桴油，不知道是一種什麼東西。

數月不知肉味

問：最近港澳地區曾有一時期大鬧猪肉荒，據說是中共有意加強冷戰，造成緊張空氣，是否靠得住？

答：絕對靠不住，這一點我要替共產黨叫屈，目前大陸上實實在在沒有猪隻，你們經常能吃到猪肉，不過貴些，在大陸上幾個月吃不到猪肉是常事。就拿我來說吧！我恍惚記得就有幾個月未吃過猪肉。

問：何以嚴重到這個程度？

答：情形是這樣的，過去鄉間養猪是一種農村副業，即以蘇北而論，是全國產猪最多地區，平常時間，每戶養十頭八頭是起碼的數目。可是到現在，鄉村除去共幹及合作社，老百姓私人養猪的已經沒有了，即以我住的村子而論，共有五十三戶人家，現只有村幹部及合作社養了大小十三頭猪，而且這些猪還是幹部養了「打牙祭」的，你想猪根沒有來源，安得不貴。

買肉要打通四關

問：共產黨爲什麼禁止養猪和吃猪肉呢？

答：不！這完全是人民「自動」的，因爲太平時期猪吃的東西如豆餅、蕃薯葉，馬鈴薯目前都成了人民的主要糧食，而且馬上就要吃完，雖然肯自己勒着肚皮去養猪。至於不准吃猪肉更是沒有的事，鄉鎮合作社每天也宰上一頭猪，以供幹部食用，人民當然也可以買，但也先要寫一張報告，敘明要吃猪肉的理由，由小組長證明，當章證明，再經合作社主任批准，最後由居委會征收處驗明無訛，蓋給收據，才能到肉案上買到半斤猪肉。在每次蓋章時，都要經過詳細詢問。試想一下，除去過年節之外，假若有人問到你爲什麼要吃猪肉，你能說出理由嗎？何況幸而能「過四關」，買到猪肉，以後可能被列爲特等戶，後患永遠無窮。任何老饕，也斷不肯爲吃半斤猪肉，而惹無限麻煩，只好乾脆「節約」了。

穿洋布的內幕

問：共報宣傳老百姓都穿洋布，是不是眞的？

答：是眞的，但這不是說人民生活改善了，相反地，更是一種澈底的剝削。原來中共在大陸上的工廠，大部份都缺乏原料，尤其是紗廠，過去靠美國，巴基斯坦輸入棉花，現在來源整個斷絕。中共當然不肯坐令紗廠停工，爲了加強反封鎖鬥爭，大力搜索民間存棉，下令各級幹部，務期一斤棉花都不要落在老百姓手上，一律集中到「政府」來。有些幹部爲了立功，更進一步把老百姓的棉被都拆了繳上，這樣算是勉強維持了工廠部份（並非全部）生產。可是，問題又來了，織出洋布往那裏銷呢？出國當然不成，只好再推到民間去，仍然賣給老百姓，於是老百姓都穿洋布了。

有得穿沒得吃

問：這一點我就不懂了，你剛才說老百姓都沒東西吃，又那來的錢買洋布呢？

答：你這一問，太天眞了，主要因爲你未嘗「解放」過，不懂「新民主主義」的「社會經濟政策」，這問題要說給大陸上的朋友聽，他們準能笑破肚皮。共產黨統治下的地區，沒有做不通的事，他們由國營公司至合作社，整個掌握了人民經濟命脈，每年由合作社以貸款方式，按照人民的家庭人口及經濟能力貸給洋布，日用品，一律折成糧食，秋收後，如數扣還，於是就造成老百姓有得穿，沒得吃的現象，你聽來或者希奇，在我們已見怪不怪了。

共幹任教導主任 控制訓練中學生

【本報訊】據最近消息：中共河北省委會爲進一步控制訓練中學生，並加強其赤化政治思想訓練，最近曾從所屬各級黨部中抽調了二百五十餘名黨務幹部，分別派充該省各中等學校的教導主任及政治教員。據云此種教導主任或政治教員到達各校後，即將對全校師生建立經常的政治思想工作及監督赤化訓練的任務，並將爲各校的領導骨幹，爲行政和教學的核心人物。

據悉：冀共認爲該省各中等學校現有的領導骨幹尚不足以在學校中「貫穿」黨的政策；認爲教師的質量和學生的政治思想尚遠不能適合黨之要求。故最近該省委宣傳部召集了各地委，市委的宣傳部長舉行了一次會議，檢查各地黨部對學校控制教育的情況。今後，特發出了一個「關於加強中等學校政治思想領導的指示」，飭各地黨部今後一律建立專管文化教育工作的組織機構，建立經常專管學校政治思想訓練的制度，俾進一步對學校的控制和師生的赤化訓練工作。據云因此，今後該省各中等學校的教職員皆將進行共黨黨史的學習，和經常的分組訓練；並對中學生建立黨團的分組控制，以澈底貫穿共黨的「政治思想」，使彼等成爲完全合於共黨所謂「規格」之「人材」。查河北省的黨務，素爲中共的「示範」區，任何黨的措施，經在該省試行以後，再推及其他各地，是以此一措施在今後甚短期內必將成爲中共全「國」性之措施、而使大陸所有中等學校的師生陷於更爲嚴格之管制、「改造」和訓練云。

評「半下流社會」

·王世昭·

著作者：趙滋蕃　出版者：亞洲出版社

本刊二九一期（十二月十六）已刊予羽先生關於本書的批評，王先生此文係從另一角度加以觀察，可見本書受讀者重視，爰再將本文刊出。——編者

（一）

在不久以前，我心裏想：在這個動亂的時代裏，不，應該叫作變的時代裏，似乎需要一種東西，不管是小說，是戲劇，是詩歌，或許是類似的這一類著作，把它刻劃出來。讓自由中國的人看看黃帝子孫在海外過的是什麼生活！讓全世界主張民主自由的人士以及國家看看中華民族在流離轉徙中是不是撑着兩根硬骨頭在那裏拚命！讓極權主義者以及中共看看自從他們佔據大陸以後作了幾多寃孽事！又讓有良心有血性的居流在海外的中國人看看這些流亡者在殘山賸水的邊緣如何向環境搏鬥如何向自界命挺起頭來！這一切的一切，都在趙滋蕃君的「半下流社會」一書中蘇醒過來。而且，這血淋淋的教訓正在如作者「我對於人生的體驗」中說的：「……這幕人生的悲劇，由我自己編，自己導，而且還是自己演！」（其實，我們也都是劇中人。）這是何等沉痛，何等傷心，何等明白地向一切人類而敞開巨大的雙掌！這個雙掌不是向全世界人類之前乞乞，而是向全世界宣告應該用怎樣的力量奪回我們的錦繡大陸來！

（二）

我沒有方法用種種字眼去頌揚它，也沒有方法引證他的二百六十八頁巨著中好的辭彙，這裏包括有哲學的，科學的，文學的許多嘉言美句，以不及三十歲的人讀了這許許多多中外書籍，而又能把它活用出來，這個智慧是非常的智慧，這個手腕也是非常的手腕。而且他用方言又那末恰到好處，信手拈來，粵語，有蜀語，有滬語，有他自己家鄉的湘語等等……。總之，一切辭彙他可以用到的，一切語言他可以把握的，他繼續把它緊緊地抓住不放。像這樣去找文字創造的源泉，過去雖然也有人，但沒有他的這樣複雜，有趣。不要小看這流亡的集團不大，可是中國各省的人都有，可用的人材也就不少的啦！

（三）

全書以王亮爲骨幹，配以李曼與潘令嫻，其餘雖是小穿插，可是也絕不可少。這故事以調景嶺爲背景，以生活這裏一羣難民小集團爲題材，寫出種種悲歡離合。最後是李曼死於服毒自殺，潘令嫻死於火災傷重，大家都在醫院作最後一次的會面，剩留一個孤獨的王亮，帶着半下流社會裏的一班流浪漢，唱着悲壯的歌：「……」後面還有什麼？作者自己作結論說：「……猛烈戰鬥的序幕，都在被悲拉開……」，這一幕戲至今還沒有做完，要等什麼時候才能做完？第一，我們問問自己；第二，我們問問自由中國困處三萬六千方里小島上面的同胞；第三，我們問問散處全世界各地像我們一樣不願作亡國奴的人們；第四，我們向眞理控訴，請上帝幫助民主自由國家的領袖以及人民以勇氣！

（四）

今日住在殘山賸水邊緣的小市民以及享樂主義者又以及提倡寫消閒小品的作家們，請正視現實，給我們多做些有益於社會的事。這種材料到處都有，俯拾即是。人就怕不痛不癢，日趨於下流，做人如此，寫文章如此，我對於趙滋蕃君寄以無限的同情，他是實行家，又是創造者，不但這個人是可愛的，而他的「半下流社會」尤其可愛！

中共暴行實錄

共幹殺夫奪妻慘劇

【本報訊】據貴州來人說；他在貴陽親眼見到共幹「殺夫奪妻」的一幕悲劇。玆照錄之於下：

劉德材，是河南舞陽人，年紀不過三十歲。他在軍隊裏作過副官。民國三十八年十一月十六晚，貴陽淪陷時，他正在貴陽，因與部隊失了連絡，即偕妻在貴陽市中華南路一九七號租了房子住下來。劉妻雖在服飾方面，極力樸素，但幾分姿色，始終不能隱沒。共幹張順堂，他在「貴陽市軍管會」工作，也是河南舞陽人。他們雖然是同鄉，但在過去並不認識。可是在貴陽不知怎樣？他們畢竟認識了。張順堂自詡認識劉德材後，每天扛着「同鄉」的牌子，必到劉家大拉關係，大獻慇懃。劉的軍人身份，本來自知掩蔽，但日子一久，終爲張順堂所探知。張自得知劉身份後，總是爲劉多方安慰，說「沒關係」；「我多少可以保些險」。劉妻因爲關心她丈夫的安危，以張知道了她丈夫的身份，不以爲敵，反以爲友，深深感謝張同鄉的「寬大」，誰知禍事的已經潛服了。

直至三十九年二月間，貴陽大逮捕之夜，劉德材突然被逮捕了。張順堂在表面上向劉妻安慰；負責「打聽消息」，自願「設法營救」。藉與劉妻接近。八月二十三日，貴陽市「人民法院」押解一「犯人」，經過劉德材家的門口。經劉妻一看，「人犯」不是別人，就是自己的丈夫劉德材。恩愛夫妻，生離死別，傷痛不已，馬上追上去，路過南門橋，縱身下，隨洪水冲去。

迎接新年不忘救災

六萬災黎安置有望

中華民國四十三年元旦，港九各大僑團、學校除了開會慶祝，舉行團拜之外；響應賑災救難運動，也熱烈展開。現時各方面羅集的捐款，及認捐數目，總共已接近五百萬港元，約略統計：港府接獲英殖民地部大臣賴特頓來電，據謂英國政府爲了救濟火災災民，決定捐贈二十萬鎊（仲合港幣三百餘萬元）；美國政府頃自專供救濟來自共區難民經費項下，撥出十五萬美元；經由美駐港總領事赫爾頓交與港督，轉贈火災難民；天主教府梵蒂岡教廷來電，教宗庇護士十二世捐助一萬美元（仲合港幣約六萬元），交白英奇主教作爲火災救濟金；美國基督新教會捐贈一萬美元，及衣服食物三十二萬磅；中國大陸災胞救濟總會自台灣滙贈港幣五萬元；美國援助中國知識人士協會紐約總會，捐美金五千元（約合港幣近三萬元）；此外各界熱心人士、僑領、社團的及各大報社的讀者捐款衣物直接間接送交火災急賑會的數目將近五十萬元。

× × ×

這一次的火災，香港實爲歷史上的浩劫；事先固防不勝防；但事後的善後工作迅速處理，當局與善團周詳規畫，厥功殊偉，數近六萬災民，均能共體德意，遵守秩序，使施賑上減少了許多不必要的麻煩，反映出港府與市民合作的一大例證。就目前各方全力捐贈款物的情形看來，這一個嚴重的社會問題，當能迅速獲致良好的結果；然而，放在眼前的問題，除了衣食的賑濟之外，祇是一個安置的問題了，假如依照徙置區的計劃，能夠有力購置小民屋宇的，恐怕祇佔萬分之幾；雖然港府已經撥給建屋材料，胡文虎捐屋百間，教宗庇護士十二世的捐款部分撥作建屋之用，而距離全部災民需要無償居住的房屋實需數量仍多，這是在緊急賑濟之時仍須兼籌并顧的。工展會的義賣昨已結束；藝術界舉辦之書畫文物展覽會籌賑，已自前天開始，八日終止；尚有名伶、影星義演，成績都很不差。仍望各方人士爲災胞安頓問題，繼續呼籲，期底於成。

× × ×

大體說來，港九市民平常所受的威脅，祇有食水的供應與木屋區的火患。山區居民自行發掘水源，解除了部分的水荒；當局爲了木屋區居民安全計，有三十萬居民徙置的龐大計劃，逐步實施，而徙置區的各項設施，亦有通盤籌劃。此一計劃推行之後，共有四萬三千零一十五人已經獲得了重新安置；已建成之住屋，共有八千七百三十二間，約有半數係標準的住宅型式，舖面的商店鋪築一百四十三間；而四十二間工廠已有三十五家開始營業。目前正在興工建築中的，尚有住屋三百八十五間，工廠廠房六間；各徙置區的學校已有十二所開辦，教堂十三間，社會福利站八間；最近正計劃拓闢小型街市；餘如防疫衞生工作的設施，亦均具有充分業績表現，何文田區曾因食水供應，鑿井計劃雖然失敗，仍將繼續進行。徙置區計劃固屬盡善，然柳秉衡的涉嫌貪污被控，以及接踵而來的恫嚇孤兒寡婦事件發生，蒙此詬病，招惹物議自亦難免。如果當局兼顧客觀環境，鼓勵徙置區自建屋宇，則大多數能夠獨力建屋居民，既不受中間剝削，自樂予加速促成徙置計劃的；至無力自建的，當願接受配屋抽籤的決定。當局自應順洽民情，愼重抉擇的。頃日傳說九龍各木屋區有人縱火情事，當局正予密切注視，而木屋居民尤應協助當局偵查，以杜後患。

替社會主義鳴冤

自由談

一聽到「國營事業」這名詞，即不覺毛骨悚然，好像有若干貪污浪費的魔術師，施施然出現在我的前後左右，可怕已極！

既有「國營」，當然不能無「省營」，更需要有所謂「公營」。名目繁多，而且堂皇哉皇哉。理由是實行民生主義，發展國家資本，以避免再蹈資本主義的覆轍，很輕鬆地就走入社會主義的天堂生活了。「社會主義」這名詞多麼神聖偉大，誰敢對它說個不字，誰就是三民主義的叛徒，至少也是時代落伍者的思想！如是乎，「國營」「省營」「公營」這些以發展官僚資本爲必然結果的魔術師，便戴着「社會主義」這頂王冠，到處嚇人，不分青紅皂白，拚命與民爭利，所有人類日常生活的必需品，無一而不可以納入「國」「省」「公」營的範圍內，振振有詞，頭頭是道，連廁所用的草紙，也有理由要歸入「國」「省」「公」營事業之列，因爲這是實行國家保健政策，即是社會主義。你反對，就是反社會主義和三民主義，即爲反革命份子，看你有幾個腦袋想要搬家！

我是三民主義信徒，對民生主義雖然不敢說有深刻研究，但隨時閱讀中山著作言論已三十餘年了。只知道民生主義所謂節制資本的涵義，是對於凡有獨佔性，或爲人民能力所難勝任的事業（如水利之類）而又與民生間關係甚大者，應由國家統籌辦理。目的還是爲民謀利，決非與民爭利，更非爲國庫搶克，替政府作聚斂之臣。

實行社會主義是必需具備相當條件的。英國比我們的條件完備到千萬倍，但工黨政府所施行的若干「國營」事業，由於成績不妙，已仍舊交回民營了，你能說這是保守黨人的落伍思想嗎？俄共硬以削足適履的方法，實施社會主義，結果就形成今日那種龐大的官僚獨裁體系，人民生活水準永遠沒法進展提高，馬倫科夫們亦不得不大叫改善民生工業和農業的生產制度了。

社會主義呀，天下許多罪惡皆假汝名以肆行，寃哉枉也！

馬五先生

克虜伯的復起

——從軍火大王變成民用工業鉅頭

在一九四五年五月大戰結束時，盟軍的炸彈已將魯爾區伊森的克虜伯大片工廠化爲廢墟，但今日，這裏的紅磚房屋已告重建，高高的烟囪湧烟直衝天空，數船源源運進原料，貨車穿梭往來與各廠間，巨型卡車滿載製成品駛過德國的公路。不過，克虜伯工業今日的繁榮已與往昔面目判然不同，過去武裝了俾士麥、威廉、和希特勒的機器，今日已祇製造機車、卡車、橋樑、及發電機等民用貨品。

克虜伯財產的浮沉過程，大致正與它的新主人，四十六歲的阿弗烈．克虜伯相同，他在一九四三年繼承父業，戰後曾在紐倫堡同盟法庭以侵佔外國財產、剝削奴工等戰爭罪行被判刑十二年，並沒收其私人財產。

一九五一年初，在美國駐德高級專員麥克洛埃的寬赦下，阿弗烈終告獲釋，其私人財產的沒收令亦告撤銷。此後二年的複雜國際間法律裁判，又使他正式取回了他的工業王國。到目前爲止，他已復得其產業十月，在他主持下，克虜伯工業已逐步復起。

戰前，克虜伯各廠的全部職員共有十六萬人，戰後，伊森區克虜伯工業體系約有百分之四十二以上均生產軍火，其員工逐增至二十五萬人（包括數以千計的奴工）。戰時最高產量，曾達價值每年三億美元。

今日，據阿弗烈估計，他所擁有的財產，已僅及一九四〇年左右克虜伯家族財產的四分之一。這種縮減是由於三個原因：戰爭、盟國的拆卸、及取消壟斷。

戰時克虜伯的產業，僅在伊森一區即遭盟軍空襲數十次，各處房屋，全部毀壞者百分之三十二，另有百分之二十九受嚴重破壞。戰後德國的分裂，更使他喪失了東德區內的工廠。盟國對西德要求賠償的政策，對克虜伯工業所造成的損失，尤甚於戰爭，伊森區工廠，約有百分之四十被盟國卸除，其他地區的產業也同樣受賠償政策所打擊，其中較顯著者有一所造船廠。克虜伯的職員會抱怨說，他們的公司成爲主要拆卸目標，是因爲英國要摧毀德國的未來競爭。

盟國取消壟斷及托辣斯的計劃，迫使克虜伯接受了二個條件才能復得他的財產。這是：一、在五年內出售其一切生鐵工廠及煤礦，約價值五千萬美元之鉅；二、決不再在任何從事煤鐵工業的公司中取得控制權。

但克虜伯目前仍擁有或控制四十三種企業，包括機車廠、汽造船廠、鍊鋼廠、汽車廠、以至一所牙科工具廠。其中半數是在伊森，佔地三平方哩之廣，其餘部份散佈西德各地。

克虜伯管理這個巨大工業王國的指揮所，是在伊森一所八層樓紅磚巨廈的三樓。屋外絕無任何顯著的「克虜伯」招牌，祇有旁邊較小的房屋，還掛着鑄鋼或鋼質的老招牌刻有「佛萊特．克虜伯」幾個字，這是一百四十二年前其創業者的姓名。

克虜伯復起的基礎，主要是在其國內和國外市場的貨品銷路。出口市場，正由大批幹練的推銷員和個人關係的發展而迅速擴大，它不僅輸出其德國貨品，更輸出其德國技術知識，因此，它已接到不少遠方國家大批定單，例如印度、巴基斯坦、埃及、希臘、南非、印尼、巴西等國都向它購買機車、卡車、以至鍊鋼[illegible]

克虜伯民用貨品暢銷海外，會不會使他再度生產武器，重振其軍火大王地位呢？目前，克虜伯公司及魯爾其他公司的職員都認爲這事不致再度發生。由於盟國禁止德國生產軍火的命令今日仍然有效，這問題尚未產生，但等到歐洲軍集團成立或西德在其他方式下重新武裝後，這禁令顯將行取消，而德國軍人也仍堅信，他們過去所生產的武器，決非當時西方世界的武器所能與之頡頏。他們在德國獲准重建軍力時，無疑將極力要求這些軍隊應該裝備德國自己製造的武器，到這時候，德軍的武器，至少將有一部份不可避免地劃歸過去馳名世界的老商標：佛萊特．克虜伯。

現在克虜伯工業的主人阿弗烈，酷似他的曾祖父，這是克虜伯家族中歷來最著的一員，他的畫像至今仍懸掛在阿弗烈的辦公室。阿弗烈的太太維拉，是個在德出生的美國人，他住在「赫格別墅」，他們家族中一所儉樸的農業型住宅，他們祇有一個孩子，是阿弗烈前妻所生，已十五歲。至於阿弗烈的個人收入，他自己一向嚴守祕密，常說：「人們總喜歡誇大我的收入，在實際數字後面加上許多個圈。」他的生活相當儉樸，德人素來很講派頭，今日的新富翁，大多擁有漂亮汽車，由司機駕駛，但阿弗烈卻仍不雇司機，而汽車也是小型的。

阿弗烈其實不屬克虜伯的嫡系，他父親原姓波倫，但入贅克虜伯家，娶了克虜伯最後一個嫡系子孫，非雷穩利的女兒佩絲，便改姓克虜伯，使這著名門閥不致中斷，也維持了世界最著名的軍火大王的頭銜，但這頭銜今日卻已暫告卸除，將來是否會再度保有，祇有時間可以提供證明了。（明易譯自美「新聞週刊」）

興不凡談留越往事

郭敏行

國破家何在。脣亡齒亦寒。王孫悲末路。鷄犬塞長安。[illegible]宵宵急。愁心寸寸酸。南來投異域。日以淚爲餐。

其二

勢落羣嫠棄。時乖鬼作揶。逢人貴知命。節亡勵貞操。富水何蕭瑟。歸心等怒濤。同師欣有日。發憤作人豪。

讀「小山詞」（四）

齊生

『山抹微雲秦學士，露花倒影柳屯田，』這是東坡摘取秦少游和柳耆卿的詞句去品題他們二人的風格的。前者見秦的一首『滿庭芳』，後者見柳的一首『破陣樂』。賀方回（鑄）一首『青玉案』的下半闋云：『飛雲冉冉蘅皋暮，彩筆新題斷腸句。試問閑愁都幾許，一川煙草，滿城風絮，梅子黃時雨。』『解道江南斷腸句，只今惟有賀方回，』這卻正是黃山谷推重賀鑄詞的評語。清代康乾時代的詞人厲樊榭（名鶚，字太鴻。）有一首絕句評『小山詞』云：『鬼語分明愛賞多，小山小令擅清歌，世間不少綺窗鵲，月細風尖喚奈何！』原來叔原有一首『蝶戀花』，其全文是這樣的：『碧玉高樓臨水住，紅杏開時，花底曾相遇。一曲陽春春已暮，曉鶯聲斷朝雲去。遠水來從樓下路，過盡流波，未得魚中素。月細風尖垂柳渡，夢魂長在分襟處。』樊榭詩首句，便正是指此而言。但何以又提到所謂『鬼語』呢？因爲叔原有一首『鷓鴣天』，詞云：『小令尊前見玉簫，銀燈一曲太妖嬈。歌中醉倒誰能恨，唱罷歸來酒未消。春悄悄，夜迢迢，碧雲天共楚宮遙。夢魂慣得無拘檢，又踏楊花過謝橋。』

原來我們的道學先生程伊川（頤），他對這類小詞也居然能夠欣賞，當他讀到『夢魂慣得無拘檢，又踏楊花過謝橋』這兩句的時候，不禁莞爾笑曰：『此鬼語也。』樊榭詩所云云，當然就是指着這句話而說的。[illegible]偶作艷詞，其他更何待論。我讀『小山詞』，決不否認他的好處，可是究竟覺得他的方面過於窄調，叔原這二百八十幾首詞，除一二例外，而且不顧他的手錄而外，幾乎沒有一首可以離得開女人，終不能不說是他的一個短處。但話仍得說回頭：叔原作艷詞，一首却有一首的意境，他不從正面寫艷事，而只從側面去寫艷情，而且詞旨悽惋，豔儘管是豔，但只是哀豔，不是淫豔，這便正是他的品高潔處。[illegible]周美成有一首『青玉案』，詞云：『良夜燈光簇如豆，占好事今宵有。酒罷歌闌人散後，琵琶輕放，語聲低顫，滅燭來相就。玉體偎人情何厚，輕惜輕憐轉唧𠻘。雨散雲收眉兒皺，只愁彰露，那人知後，把我來僝僽！』[illegible]品呢？（完）

蒼竹樓題

水龍吟

審叢和仙

璞翁

昨又登臨，望秋已感先零，空庭[illegible]東陽顧歎，[illegible]漸生意。一[illegible]五更推枕，悄然驚起，念天涯倦旅，脚根無定，同飄下，關山淚。[illegible]倚春光風和日麗。萬年古幹，巢鸞捿鳳，青青如此。太息人間，怎教搖落，暗隨流水。勸西風留我，殘留幾片，護寒鴉睡。

永·樂·近·貌

——·姿婆生·——

顧正秋以得地利人和的條件，睥睨寶島，獨霸劇壇。從前言慧珠等未曾附驥以前，頗想來台，欲問鼎爭長，結果卒爲顧威逼而退，於是台省遂無人敢嘗試問津。顧氏在整整六年中，雄踞舊太平町永樂戲院，使出渾身解數，博得軍政黨各界人物，爭相捧場，可算是紅得發紫。以其成名，無需話是，像解崇公道所講，「台上台下唯一的紅人。」不料燦爛的錦頁，猶在可以更加綻放時間，正秋忽然以劇團解散而有出嫁之訊。至其嫁事爲何偷偷摸摸，不像吳驚鴻之堂而皇之公布，此中耐人尋味，非筆者所能得知，可是永樂便成了真空。尤其在顧創造的事蹟，無人擺在前面，以致無人敢爲繼往開來，總算梅硯生有膽量與魄力，承允了接其後陣，鑼鼓方始再響。

論梅硯生的技藝，在梨園行資格，並不下於顧，且其戲路亦寬，能劇不少。況在菲律賓一帶，飲譽歸來，行頭嶄新，學荀慧生的柔媚，也能入木三分，當無問題。所可惜者，不能像顧正秋之萬能，變乎梅程荀三派的戲，均能唱做。再則究屬是男人，現在時代不同，無論美男子，也難於吃香很久的時間，爲是捧場的人，總歸有點差勁。所以第一個月成績還好，第二個月因爲排演新劇東廂記，該戲分上下兩集，上集還可以，下集因爲閣中配角，不照原編詞句來演，三四日即唱，非驢非馬，造成觀衆的減興，上座太差。此爲硯生的失策，但在此種狀態，不得不暫輟休息。

本月初，永樂當局爲撐持場面，不得不求外援，以維殘戲。首先敦聘某委夫人楊玉芳小姐，通演玉堂春鳳還巢生死恨販馬記紅鬃烈馬春秋配。繼請施樹青小姐續演逍遙津失空斬奇寃報問樵鬧府武家坡代登殿等。再懇嚮如小姐演廉錦楓木蘭從軍羣英會巴駱和，桑一鳴小姐演李十娘玉堂春北漢王坐樓殺惜。金牡丹楊小姐演辛安驛大劈棺蝴蝶洞。劉若館主演碧玉簪玉堂春六月雪。各個戲碼，皆相當紮硬，足可過癮。如此情形，便成爲名票迴旋之地，觀衆以欣賞各個不同的姿態與聲調，爭往一視。因爲以上諸位名票，皆是修養有素，功夫不錯，頗能吸引一般嗜痂者。

待舊年一過，新正來臨，從前爲正秋陪襯之張正芬小姐，將正式組班出演，所攬人物，老生李金棠，花面高德松，其餘均用顧劇團舊班底，大有捲土重來之概。聞說正芬自離顧後，在家研技練嗓不斷，並說了不少的戲，確已大有增進。此次毅然出來，重背顧劇團這個大旗，或有疑其能否重興，再復舊觀，多以爲是尚無把握。可是張倫待字閨中，大有支持者在，料無問題！吉以覘後。

中華民國僑務委員會頒發登記證台教新字第一零二號
中華民國郵政登記第一類新聞紙類

自由人

THE FREEMAN

（逢星期三六出版）（半週刊）
（第二九八期）
每份港幣壹毫

督印人：李光部
社址：香港高士打道六十六號
電話：七四〇五三
GLOUCESTER RD HONG KONG TEL: 74053
承印者：東南印務出版社
地址：高士打道六十六號四樓
台灣特派員辦事處
台北市館前街五十號
台灣總經銷處
台北中華路五九四號之一
台灣郵政劃撥儲金帳戶
九二五二號

正面談副總統問題

希望我不是在做一個美麗的夢！

●左舜生●

距國民大會的召集只有四十天左右，本屆一個惟一重要的選舉問題，至今尚無眉目。關於總統副總統候選人的提出，只有兩種途徑：其一，政黨提名；其一，國大代表兩百人以上聯署提名。由國大代表本身提名，自然要等到開會發見集中以後；但政黨提名，則似乎應該早一點，這個理由很簡單：第一，好讓競選者略有準備；第二，也可讓一般國民有所認識。可是截至現在為止，政黨方面對此並無表示，即惟一大黨的國民黨亦然。我相信，各政黨其所以遲遲未肯表示，決不是忽視，而只是審慎，我雖認為提得太遲也不大好，但審慎卻是很對的。

一個國際注目的問題

關於一個國家的內政，國際上甚少注意，但獨對於總統的選舉與內閣的更迭，則屬例外：例如上次美國的選舉，全世界各處固無不予以密切注意；即最近菲律賓和法國的選舉，世界各通訊社亦無不競電交馳；乃至不久以前謠傳台灣發生問題，各通訊社也莫不有長文的電報發出。此無他，因為要了解一國的政情，只有從這類地方看得最為明白，我上次在本刊上談到這個副總統問題，對人選曾提出四個標準，在一個標準中，希望其人『外足以見重於國際，』其原因即在此。

我們隨時隨地去觀察。在反共復國的途中，國大六年的任期，已經屆滿，因為目前在事實上無法舉行一次全國的普選，乃不能不勉強我們的代表們為國家再負一度的責任，我想代表們一定會感到慄慄危懼，無以副全國國民的委托。

國大開後，除聽取政府的施政報告加以研討與批評以外，其最重大的責任即總統與副總統的選舉。至關於憲法的修改與否，補充條文的存廢或修正與否，雖亦在國大的職權範圍以內，但衡諸目前情勢，總還是以無動為大。就總統與副總統的選舉來說，蔣總統之必然繼續當選，此為全國人心之所同然，即國際間也不會有任何不同的揣測，可以毋用不着我們的代表們去多勞腦筋；所比較成問題的，只是一位副總統的選舉，即全國國民將來要批評各代表之能否善盡其實，或者也將就此一問題去加以衡量。

副總統只是一個崇高的虛位，以蔣總統健康情況之良好，不要說六年，即十二年內也決無請他代行職權之必要。可是就這個位子沒有作用，却又未必：如非副總統賈西亞之另兼職務，固非中國目前的國情所宜；但如美副總統尼克遜，又何嘗不給予艾森豪以絕大的助力？

四點意想不到的效果

如果各方面都以國家的艱難為念，能發揮其運用政治的最高智慧，則最好由國民黨領導青民兩黨，約集該兩黨的代表來一協商，相約三黨均不提各該本黨的黨員，而由三黨共同提出一超然人物，能如此，我想有如下各點意想不到的好處：

一、所謂超然，是說其人能超出過去的政治恩怨以外，以請入來任中國今天的一位副總統，便可說是全國團結一個最具體的象徵，能辦到，我敢言包羅未來的反共救國會議，一定可以開得十分圓滿，而發生極偉大的精神力量，對反共復國的進行，必有絕大的裨益。

二、能這樣做，便表示各黨派只心心念念以反共復國為當前的主題，絕無任何一個黨派斤斤於未來政權的誰屬；在國民黨，則尤其可以把中山先生所倡導『天下為公』的傳統精神，發揮得淋漓盡致。

三、在國民黨黨內，可以勝任副總統一席的人物很多，但他們都是軍事、外交、行政的長才，把他們任何一人擺在副總統這樣一個位置，使他們反而不能發揮，對國家的緊急貢獻，實在可惜。而且這些人大率都是蔣總統多年的老同志和袍澤，他們即不任副總統，其對總統的贊助，也是可以惟力是視的。再加上，有資格的人既不可一二數，而位子却只有這樣一個，定與甲而不與乙丙丁，或與丁而不與甲乙丙，在授者與受者之間，都會引起相當多的不安，甚至釀生一些不快；亦不一定能實行我這一策，這些困難便可一掃而空。

四、在國際上若干不明瞭中國國情的觀察者，在國內一些政治上的失意人物，當中國這一個政治轉變的時期，他們總歡喜向一個不好的方面去揣測，從不願向好的方面去假定，我們的國家，實在吃了這班人無限的苦頭。假定這次中華民國的副總統的選舉，我們果然能得着一個適時適地的適當人選：內既足以見信於國民，外亦足以見重於國際，對反共復國有堅決信心，對民主自由亦有最高信仰，一切超出於國際觀察者及國內失意人物的意想以外，這豈止中國的國際地位可以提高，國內外的輿論可以轉變，即陷在大陸幾萬萬的苦難同胞，也將不勝其嚮往之意哩！

我把上面的意見寫完，我的太太要求先睹為快，她看完給了我一句冷酷的批評：『你這只是一個美麗的夢！』可是雖然如此，我仍相信我的政治智慧，決不會遠出我的太太之下，而且我這個說法，只是為國家的前途着想，決無一絲一毫的私意存乎其間，這是『質諸鬼神而無疑，百世以俟聖人而不惑』的！

反共救國會議可能開好

據本年元旦蔣總統的文告，我們知道在國大開會以後，一定還要召集一個反共救國會議。這一會議的宗旨，不外集中全國的意見，團結全國的人心，以加強反共復國的力量。我對這個問題，也曾在本刊表示意見，我覺得這個會要開，便一定要開得好；開得不好，却比不開還要壞。從前我對這一會議在國大以前開或以後開，頗無成見，所擔心的，便只怕不容易開好，現在當局既決定把這一會議的召集，移在國大以後，我乃覺得確有開好的可能；不過可能究竟只是可能，到底會不會開好，也還要看國大開後的結果怎樣。

國大代表們慄慄危懼

今天我們的國家，在一個存亡絕續之交，這是大家都明白的；悲觀固可不必，但樂觀的因素，却待

印度是美國的絆腳石

印度是美國應付冷戰的絆腳石，美國必須請印度讓開，或者把印度拉過來，才能以全力對付冷戰中的敵人。自艾克登台後，在冷戰的局勢中，處處爭取主動，重新估定其亞洲政策，第一着便是對付印度。

美國副總統尼克遜這次亞洲之行，原抱着滿懷壯志，可是遇着花言巧語，三言兩語把尼赫魯說服。可惜尼克遜並沒有使尼赫魯改變初衷。尼赫魯在冷戰中，想產生一種新的力量，成一條夾縫，許多人表示懷疑，尼赫魯卻深信不疑。以為國際上有一種中間勢力存在，妄想自居中間勢力的領袖。極權集團便利用他，以為已足以牽制民主陣營。西方國家也感到滿足，最感需要澄清之迫切的便是美國。

奇貨自居的印度

美國要爭取印度，首先要認識印度，認識印度的弱點，才能對症下藥。

印度面積四百餘萬方公里，人口三萬萬五千萬，擁有數千年的文化，的確是亞洲一個泱泱大國，但可惜地大人衆，歷史悠久，並不是現代國家生存的主要條件。印度是一個先天不足後天又失調的國家，[illegible]

[illegible]結果中共把附帶條件[illegible]
[illegible]賴。
[illegible]自居，還是印度的寬[illegible]

美國支持潘迪的用意

許多人不明白美國為什麼要支持印度潘迪夫人當選聯合國的大會主席？為什麼要與巴基斯坦締結協定？為什麼撥付二千萬美元給印度購買建設物資？為什麼，祗有一個答案，那就是美國要爭取印度。

美國贏了印度

●許漢劍●

[illegible]貧窮，愚昧，饑餓，好像一個富有人家的破落戶，眼高手低的紈袴子。一旦從英國的枷鎖解放出來，得意忘形，頗有無所措手足的樣子！

斯大林未逝世前，深居克里姆林宮，偶然破例延見印度大使，那位大使一登龍門，聲價十倍，就是整個印度的國際地位也好像擡高了許多了。

[illegible]同時也重視現實。有[illegible]印度，可是附帶有條件[illegible]贈。於是印度毅然加以[illegible]動機，並非出於慷慨，另有政治企圖[illegible]

一個好打官腔唱高調的人，一到「請君入甕」的時候，便圖窮匕現了。印度在聯合國向來贊成蘇聯主張中共參加聯合國的建議的，可是潘迪夫人充任大會主席，竟當場裁定蘇聯攻擊中國代表資格之不合程序，從這一事件可反映印度過去在大會的叫囂吶喊是不負責任的唱高調，同時可以表現美國支持潘迪夫人充任大會主席，已收到預期的效果。

美國同意印度充任中立國遣返戰俘委員會五個委員國之一，而且擔任主席，與支持潘迪夫人出任聯合國主席具同一的意義。堅持印度充任中立國遣返委員會委員雖是中共條件之一，但美國有一項將計就計的打算，認為印度從未和中共打過交道，如果讓印度到朝鮮和中共接觸，那麼印度所謂中立態度，便會遭遇到考驗了。

果然不出所料，印度參加遣返委員會的代表第馬雅將軍與尼赫魯之間不久便發生分歧的意見。尼赫魯曾一再表示，遣返委員會主席並不代表印度政府。這一分歧的跡象發生於第馬雅將軍聲明一月廿二日以後中立國遣返委員會將無權看管戰俘。這項聲明發表後，立刻遭到新德里的駁斥，由此，我們要聯想到尼赫魯在新德里鼓勵他的反美運動時，身任聯合國主席的潘迪夫人却反駁這種謬論。前後兩例當然不是左右唱雙簧，而是幻想經不起考驗，在事實面前低頭了。

美為什麼要援巴

美國對巴基斯坦的軍援協議，曾引起印度極大不安，印度的不安不是沒有理由的。美國為什麼要援助巴基斯坦呢？論軍事基地，地理形勢，軍事資源的重要，巴基斯坦都比不上希臘、日本、德國、土耳其、西班牙、中國、甚至伊朗。但他們的錢不是隨便花耗的，美國付給巴基斯坦軍援的代價是什麼呢？除了印度，這就是美國的答案。

美國要修改其過去舉棋不定，缺乏明朗性主動性的亞洲政策，必須對這立異鳴高的印度，重新釐訂其對策，對策的主要輪廓是軟硬兼施，恩威並濟。施威是指對巴基斯坦的軍援，加恩的是指對印度二千萬美元的建設物資援助。

誠如巴基斯坦總理穆罕默德阿里所說：「七千四百萬人的巴基斯坦絕不會進攻三億四千六百萬人口的印度的。」但印巴因宗教的不同，構成歷史上的仇恨，已非一朝一夕之故，今日新興的巴基斯坦在美國支持扶助下，他日羽翼漸長成，印度又焉能坐視臥榻之側任由他人鼾睡呢？

（下轉第二版）

本週展望

●陳克文●

艾森豪的國情咨文

艾森豪總統於昨七日向美國國會提出一年一度的國情咨文，建議六大戰略的變革。國情咨文的目的是在國會開始的時候提出總統的廣泛政策，希望國會同意支持。在咨文提出之前三日，艾總統又曾向全國作電視廣播，檢討就職以來，一年內的十二項政績。合而觀之，艾總統今後政策的要點在於維持國內的經濟繁榮，保證國家的安全，以爭取選民的信任，鞏固共和黨政權。

咨文對於外交政策雖略而不詳，然亦有堅定的鮮明表示，「美國決心在爭取世界自由的大業中，保持並利用重新獲得的主動，準備應付共黨任何復起的武裝侵略」，主張援助東南亞，批准美韓聯防，保持沖繩基地。「並將繼續予中華民國政府以軍經援助。」

艾總統對於解放鐵幕國家的宿諾雖未再提，反共的決心是始終沒有放棄的。

維持亞洲現狀

據法新社華盛頓消息，上月百慕達會議，西方國家對遠東的行動方針已成立默契，在共產世界未有任何變化之前，亞洲現狀將謀予以保持。我們讀了艾總統上項國情咨文及其電視廣播，這種默契的存在，大概不會是假的，也正適合英國過份重視現實的主張。「維持現狀」豈非給予亞洲共產力量以坐大的機會？豈非與美國貫徹反共政策背道而馳？

我們相信美國政策在於積極鞏固和充實反共的實力，以待共產集團的內部變化，所謂維持現狀者，不過指共產集團不再作進一步的武裝侵略而言。決非有與共產集團妥協或承認中共政權之意。在六大戰略改變與美國能始終維持其國內經濟繁榮的情勢之下，共產集團的統治是仍不免要受到西方國家極大壓力而引起內部變動不安的。這自然可以避免第三次世界大戰的迅速發生，一九五四年將為繼續冷戰之又一年，似無可疑。

東歐各國的杌隉不安

西方國家實力的不斷增強足使共產集團發生內部不安，已經不是一種理論，也不只是一種願望，已經成為顯然的事實了。去年東德的反共暴動，雖經蘇俄大力鎮壓，但並未能根本消除反側。最近東歐各附庸國家正紛紛準備召集所謂國民大會，謀領導人事與經濟政策能與蘇俄協調。更證明內部不安情勢已普遍高漲。極權國家的會議決非以民主方法取決於多數，以和平方法更換政權。所謂會議不過是消滅異己，清黨鬥爭的一種方式而已。故附庸各國的國民大會亦將是內部鬥爭流血的開始。

蘇俄內部鬥爭，把貝利亞一派犧牲，暫時維持安定的局面。現在又要藉國民大會的形式，以消滅附庸各國不效忠於馬倫可夫的份子，這能否和消滅貝利亞一樣，順利完成呢？實在不無疑問。今後兩三個月內將是共產國家內部多事之秋。西方國家如果能夠團結一致，犧牲私利，不求苟安，則今後的冷戰方面也許不至重蹈過去覆轍，徒然給予共產力量以坐大的時機。

星馬僑教的艱難課題（上）

．藍星南．

星馬華僑教育界於一九五四年將被學期制與新舊教材問題所困惱，其勢巳難避免。此雖爲困難問題，惟主要的待決事項則尚有所謂「三無危機」。

這便是說目前馬華僑教，巳走到了「無根之木」，與「無源之水」，「無舵之舟」的窘境了。如果不能對此妥爲安排，則今後五年十年期間，僑校的地位將會有何等變異？實値得深思熟慮。

重英文而輕華文

所謂無根之木，是星洲學校受教學宜，雖佔地方學生總數半數以上，但截到一九五三年止，華校教育迄未能在當地教育系統中，獲得不被歧視的建制地位。以課程言，華校小學現行課程，自三年級起即以英文爲主科之一，佔全部授課時間百分之二十二；五六年級，華文授課時間只佔全部授課時間百分之二十六，較英文授課時間僅略高百分之四而已。這是教育當局明令規定的分配辦法，華校自惟一遵循守；事實上，華校英文教師，也是教育當局直接管轄的，其取得的待遇亦與其他各課教師有別。

政府津貼歧視華校

在政府對各校津貼經費的表現上，華校也是頗遭歧視的。華僑先賢以半個世紀的時間，消耗無數心血，建立下的華校教育系統，以星洲爲例，現在擁有中小學校二百八十餘單位，男女學生約八萬一千餘名，且巳經是兼以英文爲主科的了，但其所得自公庫的津貼金，僅爲當地教育經費總額的百分之八，計一九五二年度決算，教育經費爲一千八百二十四萬七千四百八十五叻元，華校所得爲一百五十六萬五千叻元；一九五三年預算之教育經費支付爲二千三百萬叻元，華校所得爲一百七十八萬一千叻元；一九五四年預算教育經費爲二千六百萬叻元，華校所得爲一百九十八萬六千叻元！而當地受教學生的總數中，華校則佔百分之五十以上。其待遇之不公允，已成爲難於忍受之事。一九五三年以來，華人社團以當地主要稅務收入乃來自華人，而華校在教育經費中所佔之比率則最爲低微，屢次請求改善；華校董教同人組織，亦爲楊暖從教終非長久之道，奔走呼籲，要求當局予以同情之考慮，但効果均甚微細。

意在消除華校的特性

星洲總督在年度施政報告中雖亦承認華校教師現行待遇太過微薄，應增加其合格教師的薪俸；但須在實行一項前提下，政府方面爲事實的考慮。那便是他的建議：使星洲「僅有一種共同形式的學校，使用同樣教程，與同樣課本，並使用共同之教授語文」。如不能如此，他雖未明顯拒絕，大約政府將是不會對華校的要求予以同情考慮的。他的理由是：無情之事實爲十六萬三千兒童在幼稚園、初小、和中學讀書，其中七萬一千名在英校；九萬二千學童則受方言教育，其間有八萬一千名是受華校教育的，其教授之語文、教程、及所用教材，均與他校不同。「此種情形對有使當地變成同一典型之民衆，實無助益。」故此總督在其報告中說「由於華校有上述之差異，其（享受之）津貼數額乃不多。」惟有此等學校必須接受一定之條件，使用同樣課本及同樣教程「政府（方）願建議增加各校之津貼，以便使此等學校，可給予合格之教師以足夠之薪金」。事情往後的發展將會如何？刻難未可逆覩，但政府提向立法議會的一九五四年度預算案中，其對教育經費的安排，不啻巳將今年春季以來，華校教師總會發起經一千一百餘名師長簽名的籲請增加津貼一事，予以無言的駁覆了。說華校正處在「無源之水」的困境，乃是說過去維持比較容易，現在及今後的維持，則是困難得多了。星洲華校，經僑胞數十年的艱難締造，如今巳較世界幾個小國如冰島及盧森堡等獨立國家，還要更爲發達。長此繼續以私人力量來維持等於現代國家規模的教育系統，當然是有類於挾泰山而超北海了。

內部團結尚待加強

還有更困難的，亦可說是「無舵之舟」的困難。內部團結未臻藝善，多數華校雖有董事部之設，但各校董事部的聯系尚待加強。顧名思義現有的「華校聯合會」總屬以學校爲單位的最高統一組織。但以星洲而論，量的方面，只包括五、六十校，不過全數的四分一弱；說到質的內容，參加單位是代表該單位之董事部呢、抑校長呢、還是代表董事、校務、和教師三位一體呢？似亦尚未能明朗，所以時時有召集董教聯席會議以解決問題的必要。以教育工作者個人爲基礎而成立的教師總會、中學教師會、師訓班同學會、和體育教師聯誼會等，當然亦不能担負華校全體各方面的共同意趣。故此，成立無所不包的華校教育集體社團的輿論與努力，在各方面說均已日見高漲。

失跡四千年——「織皮」民族的新發現（上）

．吳傑．

趙尺子列舉對音及地望兩證據

「豎明」「織皮」人即今「鮮卑」

織皮就是鮮卑的譯名

【本報特稿】自由中國「鮮卑利亞學會」籌備人之一的趙尺子先生，研究周史、鮮卑史及蒙古史巳二十年，在台灣印行「周國史」即周史的一部分，在大陸淪陷前印行蒙古近代史。來台以後，他證明鮮卑就是夏（按：華夏），鮮卑人所住之地名爲鮮卑利亞（SIBERIA），二百餘年來誤譯爲「西伯利亞」，曾載中央日報，引起學術界極大興趣。去年九月，他約了名歷史家胡秋原，名地理學者蔣君章，名敎授[illegible]，作家那琦，蔡文林（後三位都是鮮卑人），王蘇、何珍、石朝儀、陶希聖等，假[illegible]月刊，列出「鮮卑利亞是中國領土」專號，出版五千册，一夕售罄。他們正籌備組織「鮮卑利亞學會」，揭櫫「研究鮮卑，解放鮮卑」爲宗旨。近來趙氏考證得知，尚書禹貢上的譯名，所謂「織皮」人在我國歷史上失蹤了四千年，一旦發現他們今猶健在，這是自由中國學術界的一大喜訊。他們住在所謂「西伯利亞」及中亞細亞一帶，巳淪爲俄羅斯的奴隸，小部演化爲滿族宗族中的索倫和錫伯，有的住於吉林，遼寧各省，也有住在新疆的。他主張三次大戰後，鮮卑必須解放，由聯合國委託中國代管三十年，以導致鮮卑民族自決，並可永杜俄帝的復活，及爲日本經濟謀一出路，以免[illegible]淪爲我國的東北九省。他寄此企望於偉大的世界政治家蔣總統及艾森豪總統。他說只有早在三四千年便和鮮卑人發生關係以後鮮卑即爲中國一宗族的中國人，及富於民族自決及民主的美國人，可以決定作爲世界永久和平關鍵的鮮卑利亞問題即所謂「西伯利亞」問題。

熊羆是古代氏族譯名

趙氏對筆者說：「織皮」一詞，兩次見於尚書的禹貢，這是四千年前的夏代史料，寫成時代必在戰國以前。一條說：「熊羆、狐貍、織皮，西傾，因桓是來。」一條說：「織皮、昆侖、析支、渠搜，西戎即敘。」他在爲記者說明「織皮」的意義之先，曾解釋熊羆、狐貍、西傾、昆侖、析支、渠搜、西戎等七個名詞的意義。他說：這七個名詞如果得到正確的解答，則「織皮」的意義也就聯帶地被說明了。他說：

一、熊羆——熊，說文云：「獸，似豕，山居，多蟄。」羆，說文云：「如熊，黃白文。」這是中國古老字典分請熊與羆的，用來注釋禹貢上通用的熊羆處，不能說明熊羆的眞正意義。這熊羆一詞，是古代氏族的譯名。古代中國人對於新遇到的氏族或民族，好用獸名或獸字旁（例如犬字旁）加以迻譯，如獫狁是加犬字旁的，貊、貉竟是野獸。這並非古人輕視新來的氏族，只是用某一氏族的圖騰翻譯一氏族的名字而已。——熊羆這一氏族，就是用熊羆作圖騰的。這一氏族，可能就是黃帝的氏族。史記五帝本紀說：黃帝是有熊氏的後人。周禮司裘云：「王大射，共熊侯」。這位「熊侯」可能便是熊羆氏族的族長，或者就是有熊氏的嫡系子孫。史記匈奴傳：「三代有獯粥、獫狁」；秦漢管轄爲匈奴。住在新疆的「西熊侯」，曾入朝漢皇帝，見史記「建元以來王子侯者年表」，可見直到漢代還有熊羆一族的。趙氏認爲熊羆就是住在新疆一帶的匈奴族。

美國贏了印度

許漢劍

印度爲什麼接受美援

（上接第一版）

尼赫魯領導的反美運動，無論吶喊得如何高唱入雲，他畢竟乖乖的接受了美國二千萬美元的援助了。美國認淸楚這一點：這個最重現實利益的國家是最會闊小惠的，祗要他肯收下這筆援助，以後的交易便容易談下去了。

印度口裏雖高唱中立主義，實際所受共產主義的迫害眞是有苦訴不出，國內共產黨到處搗亂巳使印度大感頭痛，中共向西藏進軍，中共的勢力巳與印度邊境接壤，縱使中共還未覬覦頭指向印度，但印度對印藏邊境的通商和交通巳感到來日大難了。

印度既是一個貧窮的國家，這二千萬元雖不能立刻使印度頓然改觀，但久旱逢甘雨巳可稍資挹注了，拒絕了美國的援助，蘇聯會給它以同樣援助嗎？中共在西藏根深蒂固之後會揮戈指向印度嗎？蘇俄會操縱指使印度的共黨奪取印度的政權嗎？這許多疑問正縈繞在尼赫魯的腦際，他在苦思熟計之餘，結果他對他的得意傑作「—反美運動，恐怕要毅然加以修正或全部撤回了。

印度重新考慮他的中立政策，這便是美國亞洲政策的勝利，也可以說，是美國贏了印度。

新揣摩篇

．超然．

中國近代報紙館自樹立者少，編輯多承人顏色，官辦者仰於官，民辦者仰於民，仰於官者可哀，仰於民者尤哀也；蓋仰於官者爲一家之事或一國之事，而仰於民者則一姓之事或一人之事矣。

憶予投稿某報，主編者謂余曰，某某事爲東家所諱，某某事又爲政府所諱，某某事更不可說，說之傷主心也。予漫應之曰唯唯。及至某報，亦如之，主編更加重語氣曰，某東正與某方取連絡，某某事不可說也；某東正擬借重某要人，某要人尤不可得罪也。予又漫應之曰唯唯。比至某報，訂約如前，更增三事，曰不奇者不可以入吾刊，不怪者不可以入吾刊，不艷者不美者更不可以入吾刊，此社會所需要也。予又唯唯。

居常思之，報紙爲民衆喉舌，是者不可以爲非，亦猶非者不可以是。董事長干涉社務，社長又干涉編輯部，總編輯干涉編輯，上級管下級，下級仰承上級，無敢或越雷池半步，此報業之所以不進步，此報紙價値之所以每況愈下也。或曰報紙，各有其立場，報業亦各揮其作用，局外人未易知也，投稿者更未易測也。常讀鬼谷子揣篇與摩篇，揣篇云：

「常有事於人，人莫先事而至，此最難爲，故曰揣情最難。」

摩篇云：

「古之善摩者，如操鉤而臨深淵，餌而投之必得魚焉，故曰主事日成，而人不知；主兵日勝，而人不畏也。聖人謀之於陰，故曰神；成之於陽，故曰明。…；故曰摩之以其類，焉有不應者；乃摩之以其欲，焉有不聽者。」

夫鬼谷子所揣所摩者爲天下國家，今所揣所摩者爲大報小報，是則作家承編輯，編輯承總編輯，總編輯承社長，社長承董事長，董事長各承其所宗。所宗或地方政府，或中央政府，政府又分國內與國外，承國內者又有正邪之辨，承國外者又有友好之分，如是承其所承而宗其所宗，甲是而乙非之，乙是而甲非之，其間甲又非甲，乙又非乙，甲與乙比又非丙丁，一團亂糟糟，雖夫其爲作家矣，其爲編輯矣，其爲總編輯矣，其爲社長矣，其爲董事長矣，報紙奈何其不無價値，報格奈何其不低落，民意奈何其有所申，輿論又奈何其不銷沉也！

余之爲新揣摩篇者，不得巳也，世亦有無輿論而有正義者耶？世亦有無由作家而有好作者耶？天才之發露，自報紙實主之，輿論之申張，報紙實亦主之。報紙者民衆之喉舌，作家者報紙之生命，報紙無生命而有好報紙，無喉舌而談民主與自由，此報風之所以不競，報格之所以日低也，悲夫！

英外交官科學家潛入鐵幕內幕

美國宣佈將放寬與盟國交換原子情報的限制後，英國保密制度的疏稀，又引起美國國會與輿論的關注，英國保安上的漏洞，先後巳發生數次著名案件，例如原子間諜福克斯案，義科學家彭蒂科夫，和高級外交官柏吉斯、麥克林的神祕失蹤案等都是。最近由於柏吉斯寄給倫敦他母親的一封信，更引起全英轟動，舊案重提。這封信是他母親在去年聖誕節前夕收到的，信內日期還是十一月，筆跡證明確是柏吉斯的親筆，而郵戳郵又證明是在倫敦投寄。信內寥寥數語，祗是向母親慶祝聖誕快樂的一個短柬，除證明柏吉斯尚生存外，似再未提供任何綫索、據倫敦警方推測，此信大致是托人帶出，然後在倫敦投郵，其確切情形，自巳無法詳查。

據說，美國間諜人員巳得到情報，柏吉斯目前是在莫斯科任蘇俄英語廣播的顧問，而麥克林則和他最近逃往鐵幕後的兩個孩子同住在捷克的克拉特諾地方，任西方外交及宣傳的「高級分析顧問」。同時，美國雜誌最近又報導了一些關於柏吉斯、麥克林的逃亡經過。這事必須溯到一九三○年左右，這時麥克林思想左傾，任職於英國外交部，是個野心勃勃的青年，這時他認識了義大利出生的科學家彭蒂科夫和後者的瑞典籍情婦。

到一九四○年左右，彭蒂科夫派到加拿大參加原子研究工作，麥克林則調到華府英大使館；一九五○年，麥克林因性情性格、酗酒、和同性戀，幾乎被撤職，於是蘇俄間諜利用他這些弱點，加以進攻。（惠生）（七）

編者 讀者

—編者的話—

△本期藍星南先生和吳壽頤先生的文章，都是討論目前僑教具體困難問題的，藍先生的文章分上下篇，他舉出星馬僑教許多統計數字，尤爲難得。下篇將討論僑生升學及僑教方針問題。吳先生是中大研究院的碩士，現任文華中學校長，近著「修養新論」問世，他對於香港僑教的主張是從實際經驗中得來的，自然可貴。「無僑教即無僑務」，我們希望從事海外文化教育工作的人士，能夠繼續多多發表他們的高見。

△陳伯莊先生來函：『拙文（眞正的共產社會會在哪——見上期）排印，承加標題，可惜「國家社會主義行不通」一語，與鄙人意見有出入，原文內指初期行不通的理想，意係指ROBERT OWEN之類，至於拙見則「一定有限度的STATE SOCIALISM（國家社會主義）」也。又「自有生便帶來的ID的衝動」句，誤排爲IDEA，ID EGO SUPETEGO之說出於FREND，今日心理學界大致公認者也』（謹將原函披露，藉代更正，并向陳先生及讀者致歉——編者）。

香港教育危言

吳壽頤

我初入香港教育界，聽到「學店」，「學店」之聲，實在令人啼笑皆非；「經理」，「經理」之名，更使人莫名其妙。看學生爲顧客，視教師如售貨員。教室作爲商店，智識等於商品。尚有教育之意義可說嗎？因此有些家長鼓勵子弟入英文書院，以便日後易吃息家飯。又有些父兄希望子弟能懂得古文或信札，以便將來謀生處世。教師待遇已到「可恥的程度」，爲生活所迫不得不敷衍工作，一切都和商場的供求無異。結果社會人士視教育如同買賣，政府當局亦通告各私立學校，應向工商管理處登記。

在教育當局心目中，以爲足以營利爲目的的，都是工商業，是堂皇正大的。把會計師，律師，醫師，教師列爲一體，把學校與工廠商店混爲一談，這是英國重商思想，本來無可非議。但中國人對教育的傳統觀念，實大有不同，中國人一向認爲教育是一種神聖事業，教師向來與天地君親並稱，其地位有如教會中的牧師，社會的領導者。就是美國總統艾森豪威爾亦有同感，他說：「我認爲今日我們的教育制度困難原因之一，是我們都以學校視爲我們日常生活以外的東西，學校不再如當年的被人重視，不再看做人類社會的重心，及將教師尊敬爲社會領袖和家庭的背景」。

如果把教育看做營利的商業，將來流風所趨，會有如何的結果呢：

第一，熱心教育，並非以營利爲目的的教育家將不免心灰意冷，不願意再辦下去。於是一些學棍將更爲明目張膽，大做其教育生意，教育前途何堪設想？

第二，教師方面：教育本是清苦工作，生活僅能維持，地位的尊嚴又已打破，精神上毫無安慰，物質方面又極貧乏，必易流於販賣智識之工具，甘爲求溫飽吃飯而已。

第三，學生方面：智識既視同商品，有錢便可購買，自然沒有尊師重道觀念，校風和紀律，自必蕩然無存。

第四，教育發展至此，社會人士亦自然日漸輕視教育和教師。

我們確信有許多學校，確能爲教育而教育的，許多校長和教師，確是爲作育英才而努力，把教育作爲神聖事業的。在目前的香港環境之下，想避免教育商業化，逐漸恢復教育的高尚地位，我以爲應做到以下各點：

第一：學校教育既歸教育司管理，不應再向工商管理處登記，以免「學店」之名加以合法證明。

第二：應取消校主（經理）制度，逐漸堵塞牟利之門。

第三：各校應成立校董會，呈報教育司備案，並可酌收登記費。但不宜採有限公司組織的形式。

第四：校董會的組織，其要點大致爲：

甲、董事名額定爲五名至若干名，聘請熱心教育人士充任。

乙、校董會職權如下：

一、校長之聘請與解聘。

二、經費之籌劃。

三、預算及決算之審核。

四、基金之保管。

五、財務之監察。

丙、校董會設董事長，副董事長，並互推若干人爲常務董事，處理日常事務。

第五、由教育司訂定學校經常費之支配標準。

第六、獨力經營之學校，倘未能成立校董會的，必須限期成立，其經費收支必須適合政府規定，方得認可設立。

第七、規定學校設置獎學金，免費及公費學額。

以上各項僅屬原則，可以斟酌損益，如能付之實行，則教育商業化的流弊，當可逐漸避免。（一）

勞軍回來

凡人

【本報台灣訊】自由中國的青年兒女並不是不懂得春天和秋天寶島使人陶醉的景色可愛。他們爲着個人的良心和責任，爲着民族，爲着人類，便利用暑期，前往軍營替士兵服務。秋天到了，雖祗有幾天假期也遠到前綫，作秋節勞軍。

台灣大專的男女學生，自動組織了秋節勞軍團，到距離台灣本島約百餘里以外的小島去。這些小島都是游擊英雄的陣地，自由中國的堡壘。在閩江口外浩瀚的東海中，像天星一樣，分佈着一叢小島。這些小島，我們翻不出歷史的記載，也找不到任何地圖上的位置。當地老人說，這些地方，以前都是海盜出沒之所。現在島上還有些堅實的房子，是海盜藏匿肉票、和施行兇暴刑戮的地方。海盜的大王名字，現在還留在那裏小孩子的心靈上，變成可怕的陰影，成爲鎮壓孩子哭泣或頑皮的良藥。

時代過去了，海盜也過去了。這裏是些不能生產的灘頭，人烟稀少。永遠是悠閒的，恬靜的。這裏的姑娘們拖着辮子，三十開外的婦人，還是尖尖的小脚。大清早，男子便駕舟出海捕魚，女人在家裏從事耕織，大家都悠閒的過着生活。但是，近幾年來這種恬靜的空氣有些改變了，人們的生活也變了樣。自從大陸被赤浪冲沒以後，這些神祕的小島，整個變了樣了。兩年前，來自各地的義胞，從海那邊的大陸，流亡到這些島上，他們爲爭取自由，爬上了灘頭。在海島上自己耕種，自己捕魚；和海洋奮鬥，向荒山去開墾。清晨或午夜，他們往往在海灘上，遠遠瞻眺對岸的故鄉，他們都知道，要生存，得與海洋戰鬥，要恢復恬靜的家園，得與共匪拚命。島上的游擊隊便是這樣起來的。他們用自己的血汗築成營房。雖沒有槍枝和子彈，也缺乏糧食和布疋，但他們一片義憤忠貞的精神，使他們的力量日漸茁壯起來。

他們還在灘頭上建立一座小學，從此小孩子便不在海灘上拾取貝殼了。長着辮子的姑娘，把辮子剪去了；小脚的婦人，把棉花塞進鞋子，裝起大脚走路。整個社會變了。營房和民居，很有秩序的建築起來，整個海島變成堅固的堡壘。

一羣大專學生，到這島上住了兩天。島上的居民和游擊健兒，都瘋狂起來了。他們在岑寂和落寞的環境中，最容易感受同胞的溫情；他們接受很多慰勞物品和書報，女學生還指導他們的婦女學習剪紙和刺繡。歌，舞，熱情，快樂的歡笑，洋溢着每一個堡壘，每一處灘頭。兩天過去了，島上同胞都齊集灘頭，和這一羣來自台灣的男女學生送別。大家眼眶裏，堆滿了熱淚。默默無言。游擊司令已是六十多歲的老人了，腰圍藍布大褂，緊帶子，身軀健壯，虎虎有生氣。他立在一一送別人羣的前面；一直等我們汽船響起了啓錨的號笛，船上遠出飄揚的歌聲，海灘上揮舞着千百支壯腕，慢慢的，船愈走愈遠，司令老人的銀鬚還在晚風裏飄動，隱約可見。

新書評介

評：鍾鍊詩集

著者——王岩　出版者——台灣新創作出版社

孟父

本刊二八九期，曾刊載葉非葉先生關於本詩集的批評。葉先生的評論，注意於本書的缺點，孟父先生此文則兼及其優劣，爰再將本文刊出，藉供讀者參考。——編者

先把新創作出版社關於本詩集的評語介紹如下：

「生逢這個偉大的時代，人人都有應流的淚，人人都有應唱的歌。作者在這本詩集裏，用最真摯的情感，寫下了「時代篇」與「生命篇」詩歌五十三首，篇篇珠玉。實爲此一大時代中不可多見的佳構。」

說到批評，尤其是批評詩，我是很自感慚愧的，但爲了愛好此道，故覺得隨便談談，也無妨。

讀了這本集子，我的思緒隨着詩中各種情感與思想所激動了，同時也爲作者的熱情所鼓舞，我覺得這是一本好詩，尤其是在時代苦悶中的青年們，特別需要它。它是良好的伴侶，對於陶冶人的心靈，具有無比的力量。它愛國熱情的詩，「寒流」，「死」等都是充滿了犧牲精神。在作者筆尖下，這些都是永遠光輝，具有生命意義的事，是值得歌頌的。「釘」，「針」，「木橋」，「破瓶」，「門」等篇，給人以積極的向上的勇氣和毅力。「明日」，「人生」，「嵐」，「希望」，「路」，「夜生活的女郎」，「比」，「春天的歌」，「往事」，「新的起點」等篇，從正面和反面給讀者以生命可貴的啓示，並告訴讀者以人生應走的正確道路。這都是值得我們讚美的。

我們在集子裏，可以隨時看出作者深入淺出的技巧，和形式的完美，和能觸動人心絃的熱誠。不能不說是難得的創作。

雖然如此，仍然有它的缺點，比如開首幾篇，傷感的意味太濃了。那種陰沈的筆調，似乎不是作者作品中所應有的。從整本詩集來看，這些詩篇總覺得很不調和，很不一致。最後，我願借作者一首叫做「珍惜」的小詩來結束：

這——
不會向誰交還，
不會向誰索取，
時間是你的。
這——
不會向誰交還，
不會向誰索取，
生命，也是你的。

我要藉這一首詩，祝頌作者更加努力，百尺竿頭更進一步。我們知道一個結實而經得起鍛鍊的東西，縱然想把它磨滅是不可能的，因爲它愈磨鍊是會愈發光亮的。

中共剝削勞工 壟斷湘蛋業

廠長乘機假公濟私

「湖廣熟，天下足」。這是讚譽湖南的一句老話，因其濱於中國第一大糧倉——洞庭湖，其出產的豐饒，是爲全國冠。但不僅糧食有餘足的產量，即如蛋類，在湖省蛋源亦豐，尤其濱於洞庭湖區之二十多縣，鵝鴨多易繁殖，明山秀水的全境鄉村環境，更宜於畜養雞類，故每年蛋產，除供給全省以及銷及全國各地外，還銷港澳，尤爲大宗。

自從中共匪幫盤據該地區後，一切據爲己有，人民在其魚肉和壓搾下，任何民間出產，人力血汗，皆括入中共爪牙們的私囊，蛋類也是牠們掠奪對象之一。即以中共中南軍區來說，中共中南軍區後勤部早在一九五二年三月以還，即在長沙設立蛋類製造廠一所，並於各較大的城市設立分廠，醃製各種蛋類，及製造蛋粉，美其名爲供應軍需，實則專爲討好主子——俄帝，一些括自民間營養豐富的各種蛋類，用各種方法製造出來，供給蘇俄駐在中國大陸各地區的俄軍，極盡其獻媚之能事，無恥之尤，莫此爲甚。

在新開門之——「國營蛋業製造廠」，共參有五百餘名女工，盡量的剝削她們的勞力血汗，無日無夜，要她們趕製蛋類，每天製造的蛋類，包括醃製或提煉的約需七十萬隻左右，是中共在兩湖區域唯一的製造蛋廠。廠長唐潤之率共幹百餘人，徐轉漁利，納入會囊，供其於花天酒地任意揮霍外，而大多數共幹，因迷於蛋之營養，漫無限止的食蛋類，百分之四十以上皆患糖尿病，其貪婪無知的現象，爲湖南紅色官場中的特出。

近來該廠廠長唐潤之，更驕縱橫蠻，恃其爲蘇俄王朝的「人民功臣」，毫不忌諱，於特設的蛋廠及各縣市的分廠而外，另開三家私人蛋行於益陽、衡陽、岳陽等地，不僅參加聯營，並且假公濟私，與民爭利，盜賣廠內蛋類，填其私人無底止的慾壑。自該廠之私人商行成立後，成爲目前外銷蛋類之專利商戶，民營蛋類行號，完全遭其壟斷和部份鯨吞，即公營的蛋廠，亦爲之減光失色，常常缺乏蛋類供應蘇俄駐軍，惹起坐享其成的俄軍的不滿，糾紛頓此，促其「中南軍區後勤部」，對該廠的注視。

中共中南軍區後勤部發現該廠毛病後，曾數度派員查究其舞弊情形，但派出之調查組主任王力行等，每一抵達長沙，該廠廠長唐潤之，不僅把弊嘗早已彌縫得天衣無縫，並展布其靈活手腕，應付調查人員，使王力行等皆飽載而歸，官官相護，朋比爲奸，對貪污瀆職的事件，不了了之。

因此，唐潤之等，更猖狂，不顧一切，近對盜竊公物和壓搾人民，暢所欲爲，此爲中共各級幹部貪污腐化之一例，誠不足怪，惟兩湖蛋民，禍患正無已日啊！（掌）

中共黨內的危機

根據幾年來一般跡象的顯示，顯然中共對黨的組織和政治的領導工作及一般黨員個人的權力行爲，業已隨着僞政權的出於意外的迅速的擴大而失去了原有的嚴密控制的能力，致日漸產生而且加深了黨部、黨員、和政權行使上的錯誤、偏差，敗壞了所謂黨的「統一性」，削弱了黨的嚴密統一領導的效力。這是中共黨內當前極大的危機！

毛澤東的要求

談到中共黨的統一領導和嚴密的控制，不僅是中共黨本身組織的特質；且爲政治上推行極權統治的根基所在。蓋因中共政權，根本即以黨的組織爲統治的工具。一切政策皆出自黨的決定，一切政策的執行皆透過黨的權勢和壓力；各階層乃至所有人民的控制，尤無不掌握在黨的組織之中。中共利用黨的組織統治全大陸人民，有如羅網佈網：各級黨所屬的黨員爲緯，各級黨部爲經，而毛澤東則高高在上，提綱挈領，一舉手而動全局！質言之：共黨組織之能否統一領導？共黨黨員之能否嚴密控制？乃中共主觀上的成敗關鍵。

基於上述理由，毛澤東自然極端嚴格要求保持其黨的所謂「統一性」，絲毫不肯放鬆其統一組織，統一領導，統一行動，統一紀律。記得早在一九四一年時，抗戰正劇，中共尚偏處延安，毛澤東便已在共黨成立二十週年紀念大會上作「關於增強黨性的決定」的報告，警告共黨黨員絲毫不得忽視黨的組織和政治的統一領導而犯上「個人主義」的和「超黨」的傾向。毛澤東所以發出此一警告，是因爲甚多黨員在各地（包括敵前敵後）從事游擊和地下活動時，有個人擅自決定一切和企圖擺脫黨的控制的偏向。但此種偏向，由於鞭長莫及，并未能完全糾正。中共中央乃在次年九月間又制定了一項「關於統一抗日根據地黨的領導及調整各級組織間關係的決定」的重要指示。此一指示的目的，即係在鞭長莫及的特殊情形下採取一個變通辦法，以各游擊根據地爲單位，加強黨的分區的統一領導和對黨員的分區控制。

當時中共即在此一決定下派出其極端可靠之大員如饒漱石、鄧小平、高崗等分赴華東、西南、東北等處執行此一要求。待到一九四八年，當中共的軍事正在迅速擴大其佔領區時，黨的組織及其控制區亦隨着擴大，毛澤東深感此種擴大極易使黨員犯上「個人主義」或「分散主義」的傾向，乃又發佈了一個「健全黨委制的決定」的指示，竭力強調黨的領導的「一元化」的重要性，飭各級黨部和黨員嚴格執行請示與報告的制度。即黨員應向黨委嚴格遵守凡事須請示與報告的規定，下級黨委應向上級黨委嚴格執行請示與報告的手續。此一措施的目的，依然是毛澤東在竭力保持其黨的領導、組織、紀律的所謂「統一性」。

各級黨委的偏向

但儘管毛澤東如此伋伋於統一領導和嚴格控制的要求，却仍未能有效地遏止各級黨委和黨員的偏向。此種偏向，且隨着佔領區的日益擴大而與時俱深。

所謂偏向，以各級黨委言，據上年十二月二十六日「人民日報」社論透示，主要是表現在下列各方面：

一、一部份作爲各級黨委負責人的黨委書記，既不常習慣於個人決定一切，既不常照規定向上級黨委請示與報告，也不遵照規定按時召開黨委委員會議；獨斷獨行，濫施權力。

一部份黨委書記雖表面上遵照規定向上級黨委實行報告，也按期舉行黨委委員會議，但實際上既不隨時遵從上級黨委的指示，也不謹遵本級各委員的意見實行集體領導的原則。譬如：黨委書記在向上請示報告時，事實上業已擅自作了決定，請示報告不過作爲一種敷衍手續罷了；待當上級的指示與本人的決定發生極端相反的意見時，再補行申述一番理由也就輕易滑過去。（一）

沈秉文

令人作嘔的新聞

馬五先生

近年來，在報紙上常常出現的新聞，使我一見就感覺要作嘔的，無過於左列幾項：

一是英美人士把聯合國席位看成是他們任意授受的私有物。今天拿它當作禮品，企圖引誘中共與英美和好通商；明天又說[illegible]，說中共如果不怎樣怎樣，即決不讓其進入聯合國。從來就沒有人根據聯合國的憲章精神來立言，闡明中共是否有資格參加這世界政府的大道理，也絕未表示過尊重大多數會員國的意見來共同決定的態度。說來說去總是在英美私人利害觀點之內兜圈子，[illegible]，重複不休，而以韓戰聯軍和談代表狄恩前兩天所提出的那套高見，尤其令人噁心不已！

二是拿原子彈和原子大砲掛在嘴上，動則說共軍再不聽話，就要使用原子武器了。已經說了幾年，共軍在韓越兩戰場上並未聽話，而原子武器依然還是掛在嘴上。最近美國又說如果中共再啓韓戰，或干預越戰，就要實行對中共轟炸了。須是不怕打擊的人，事前揚言不要打，隨機予對方以打擊。預先不斷的說要打，實際就是怕打的內心表現。嘰嘰喳喳，實在討厭之至。

三是說中俄共一定會分裂，毛澤東一定要做狄托。前兩年英國人說，中共韓戰不擴大，讓中共加入聯合國，中俄共馬上就會分裂；現在倫敦泰晤士報又說二三十年後，中共一定會與蘇俄分離的。[illegible]，殊屬無聊[illegible]。

我希望新聞界今後對於這套陳腔濫調的舊聞，一律不復刊載，以免浪費人力物力，而使看報的人減少一些作嘔難耐的精神損失，實爲功德無量！

·不打自招文抄·
新郭橐駝傳

·文抄公·

下面是今年北平出版的某什誌一篇報告中共在農村中怎樣「搞生產」的報導文章，我們可以作新郭橐駝傳讀，照抄原文如下。

正在搶種莊稼的時候

江蘇沛縣　野　草

太陽剛露頭。人們都忙着下地搶補莊稼。

一個騎自行車的人來到鄉政府。他和鄉長寒暄了幾句，便打開背包，取出手巾、肥皂，請鄉長打盆水來。他梳洗完畢，在辦公桌邊的椅子上坐下來，開始介紹自己：

「我是衛生機關的，縣裏爲了集中力量搞生產，派我到這裏來幫助工作。是不是把你們這裏有關農業生產的統計數字，如牲畜、人力、播種面積等等，統計一下給我？」

鄉長客氣地說：

「同志，這些數目字，已經向上級報告許多次了。」

「你還沒有明白我的意思，假如我不掌握一些最近的基本情況，我怎樣工作呢？」

鄉長聽了他的話，覺得有點道理，便開始找材料，作統計。並問道：「我們生產上有一些困難沒法解決，和你談談可以嗎？」

「可以，可以，完全可以，來就是搞生產工作的嘛！」

「有些戶還缺補子，農具也不够……」

「噢，是這樣的困難問題。」這位「搞生產」的同志有點不知所措了，但很快地鎮定下來：「這個問題我不能馬上答覆你，需要由上級研究解決。不過，目前你們首先應該搞好這樣一件工作：在較短期間內，至多在三天內，消滅所有田邊上的雜草，清除村裏全部垃圾和蚊蠅。」他指着牆上的日曆：「看，今天是七號，十號那天你們就要完成這個任務。你看怎樣？」

鄉長聽了他的話楞住了，皺起眉說：「現在我們的力量都集中在搶補上，上級指示過，其他的工作暫……」

「你怎麼連這個道理也不明白？衛生工作也是生產工作的一部分呀！只有搞好環境衛生、消滅蚊蠅，人強馬壯，生產才能有保證。怎麼，你們鄉裏的學習這樣糟，連這一點道理都不明白？」

鄉長被這套道理吓的只好答應了。

× × ×

太陽爬上了樹梢。一個穿藍制服的人來到鄉政府。他很親熱地對鄉長說：「我是保險公司的，縣裏派我來搞農業生產工作。我希望你給我介紹一些情況，哦，最好，你還是把你鄉的耕牛和其他一些牲畜的數字統計給我。」

「這些從前都已統計過了。」鄉長說。

「不，這次要詳細，譬如說，有多少頭公牛，多少頭母牛、母牛已經有多少生過小牛，……」這位保險公司的同志滔滔不絕地說着。

鄉長聽了他的話，說：「[illegible]同志替我們解決一些問題。」

「解決問題？」保險公司的同志[illegible]地笑了笑，然後又說：「當然，當然，[illegible]然。你談談吧，我解決不了，一定反映給上級研究。」鄉長又把有些農戶缺少種子，農具的困難講了一遍。

「這個問題比較簡單，回頭我報告上級，一定解決。現在你還是先把牲畜統計好，明天上午以前送來。」

鄉長把大家都在搶種，誤不起工的事又說了一番，並且重複了上級的指示：「……其他工作先擱一擱。」

這位「搞生產」的同志有些不高興，便開始對鄉長講保險的重要性。鄉長看他講的沒完，無可奈何地答應了他的要求。

× × ×

太陽走到頭頂上了。一個武裝的幹部來到鄉政府，他也說是「搞生產」的，和鄉長談了好一會，臨走時，佈置了工作，要鄉長在兩天內把民兵的出身、成分登記好交給他。

× × ×

太陽甩到西方樹梢上。鄉政府又來了一個人，是稅務所的，他也說是來「搞生產」的，說是要三天內把「屠宰稅」收齊。

× × ×

太陽落山以後，鄉政府關上了大門。鄉文書對鄉長說：「農村「五多」反對過了，縣裏專門爲這事開過多少次會，各部門也都作了檢討，並保證把生產工作當成壓倒一切的中心任務，其他一切工作只能結合生產進行，怎麼現在又走了回頭路呢？」

鄉長說：「難道你還不明白嗎？他們就是這樣結合的啊！」

燈下，鄉長提起筆，把他這一天的工作詳詳細細地寫了一份報告，準備明天送給縣委去。

九日

·懷冰·

九日遙祭先墓

客裏佳辰四度逢，愁潮捲雪與天風。杯中濁酒家何在，籬畔黃花歲歷同。[illegible]傳直北，[illegible]。細數寒冥海上鴻。

九日游沙田示同遊諸子

城北城南士幾堆，欲歸鄉國路迂迴。[illegible]，霜下仍還秀菊開。[illegible]，遙天佇聽雁聲來。疑兒未了公家事，島上逢辰總避災。

鄉公雅事樂同遊，爽氣西山入暮秋。老圃花枝迎笑語，金樽美酒待勾留。五年物反[illegible]，四海民勞汽小休。猛士詩人能作健，幾回天際識歸舟。

重九後一日登太平山

弟兄四海相望久，[illegible]。登山臨水樂方滋。[illegible]，欲灑滄溟淚所思。共睜崔巍車當步，不關[illegible]敢云疲。

民族詩人鄭所南

王世昭

「鄭所南是怎樣的一個人物？侯官林佶爲作小傳云：「鄭思肖，字憶翁，號所南，福建連江透坊人也。……公太學上舍，應博學宏詞科，侍父來吳，寓條坊巷。元兵南下，扣閽上太皇太后幼主疏，辭切直，忤當路，不報。初諱某，宋亡，乃改今名；『思肖』即思趙，『憶翁』與『所南』，皆寓意也。素不娶，子然一身。」這一段短短文字，已把鄭氏刻劃出一個輪廓。即生於福建，僑寓江蘇，無官守，只是一個太學上舍生。比元兵南下，扣閽上書，不報。宋亡，改名「思肖」，終生不娶。臨終與其友唐東嶼說：「思肖死矣，煩爲書位牌，當云『大宋不忠不孝鄭思肖』，語訖而絕，年七十八。」

又生前嘗自贊其像曰：「不忠可誅，不孝可斬，可懸此頭於洪荒之表，以爲不忠不孝之榜樣！」

宋社既墟，先生除改名外，又因[illegible]「三外野人」[illegible]

[illegible]

然歎曰：「我生也晚，惜乎不見古學宿儒法席隆盛之時。」而其爲人又復如何？王冕爲之題云：「鄭所南胸次不凡，文章學問有古人風度。不偶于時，遂落魄湖海。晚年學佛作詩作畫，每寓意焉。然其白首南冠，[illegible]或者有未知也。」何謂「白首南冠」？王逢題「宋太學鄭上舍墨蘭」有序云：「公變今名隱吳下，所居蕭然，坐必南向。遇歲時伏臘，輒野哭，南向拜而返，人莫測識焉。有田三十畝，邑宰素聞公精墨蘭，不妄與人，因給以賦役，取之。公怒曰：『頭可得，蘭不可得』，宰奇而免之。又嘗詩，題蘭云：『玉佩凌風挽[illegible]來』。」

（一）

家住天台雁蕩間

·鐵頭·

生活在浙江黃巖臨海的朋友，常常以山水名勝環繞左右爲傲，有人甚至選佳石，倩名手，刻上一方閒章，文曰：「家住天台雁蕩間」。以此鈐於書畫信札之上，見者莫不羨之。

天台山，乃仙霞嶺脈的東支，形勢高亢，西南接括蒼，雁蕩，西北接四明、金華，蜿蜒挺伸於東海之濱，好似巨大軀體上的一襲領緣。從古就爲飛仙所居，在我國出名甚早，據「神仙記」記載：說是漢朝時代，有一個叫劉晨，一個叫阮肇的，二人共同入天台採藥，於溪水邊，遇着了兩個美好女子，忻然如舊相識，邀留山間居，半年後，因思家求歸，但下山重行抵家時，已原有居民，竟無一人相識云。因之曹唐有劉、阮洞中遇仙子詩，凡是讀過「西廂記」的人，有誰不豔羨『劉阮入天台……』那兩句詞的呢？

雁蕩山在樂清縣東九十里，綿亙臨峙於溫、台之間，其峯百有二十，谷有十[illegible]，有八個，重巖疊嶂，爭奇鬭勝，宋朝嘉祐年間的文人沈括，說是『天下奇秀，無逾此山』！其絕頂有大湖，水常不涸，雁之春歸者，多留宿於此，故名曰：雁蕩。但其出名，較天台爲遲，當南北朝時代，詩人謝靈運做永嘉（現在的溫州）太守，遨遊山水，輒旬日不歸，凡佳山水，遊歷殆遍，但其詩文記載，獨未見此山，這或者是當日尚未發現其幽勝，也或許是斯時不以雁蕩爲名的緣故。自宋以後，一經騷人墨客讚美，其名大彰，乃與天台併稱，列爲浙東兩大名勝。

天台絕頂較雁蕩爲高，約一千一百三十餘公尺，雁蕩頂湖，不過一千公尺零，但雁蕩風景幽深而綿延不斷，天台風景則散漫而忽有忽無，故遊歷天台的人，須有耐心，且須佔較長一點的時間，而最好是先遊天台，後遊雁蕩，彷彿看名劇一樣，先是慢慢開展，隨後則愈來愈緊張，以至達於高潮，盡興而歸。（一）

日人比狗賤

·式一譯·

買一個新從鄉下來的十幾歲日本女孩子，經過非法的奴隸交易，比一個在日本繁殖的純種狗貓更便宜。

一隻德國種的牧羊幼犬，價值五十美元，一隻兩個月暹羅種的貓，賣到卅美元，但是一個貧苦農家的女孩子，標價僅廿二美元，而一個能做工的壯實男孩子，則值得又多一些。

日本人覺得買一隻小動物總比買人容易，不過，如果他可能想像到，一個人販子在社會下層要爲他產生貨物，爲旅館找下女，爲妓院變相的茶室找漂亮女侍，爲礦山或工廠找大個的男孩子。

日本勞工省正謀對付這個奴工問題，但是進展很緩慢，在美國佔領下，實行民主七年，在窮鄉僻壤的家庭中，風俗沒有多大的改變，父母們仍然打算孩子個人的出路，而孩子們亦常常考慮他們的義務，如果家中需用現錢，則出賣自己。

根據一個非正式的報告，在一九五二年，警察逮捕了或控訴了男女六萬七千人，有買賣人口的嫌疑，勞工省的報告，有一百廿名人販子被控訴，四十三個人最後判處兩個月至三年的監禁，五十個人判罰款，而罰款最高不過廿五美元。

大多童工是來自貧苦農村，或城市的貧民窟，但是一個公司的祕書，每月待遇四十二美元，在日本已算不錯的了，竟把他六個孩子當中的一個賣給了織布工廠的老闆，十七歲的漁民女兒，出賣自己，去當娼妓，因爲她的家一個月收入只有十美元，生活不了。一個煤礦工人不能養活一家十八口，把他女兒賣了五十美元。

成年的女孩子們，在奴隸的交易中，只好脫離了家庭，跑到大城市尋覓工作，其中有許多找到了正當的職業，但在她們之中有些則掉陷阱中，女孩子需要得到一筆錢，送回家中，交給她的父母，這樣就把她束縛在「領家」手中了，一成不變的，她爲需要借了更多的錢，爲了還債，於是最後變成了娼妓。

日本有法律管理賣淫，在這個國家是一個大事情，女孩子公開的賣淫，就能够被逮捕，強迫女人賣淫的人，亦觸犯刑章，可是要控訴出賣女孩子的人販子，則很困難，只因許多女孩子初次接受借款，就同意訂立她們出於自願的契約，事實上，一個人販子被地方當局提到或控訴，很不多見，在鹿兒島，一個人販子被告發賣了六十二個女孩子，從那些交易中，他賺了約有三百美元，他輕而易舉繳付卅美元罰款。

最近警察在大坂逮捕了夫妻兩人，控告他們賣了七十三個女孩子，由他們供辭中，查明他們賣一個女孩子，得十八美元的佣金，而且每個女孩子都承認一筆借款，平均四十美元，在三十個月中，兩人已賺了一千二百美元。

根據勞工省估計，一九五二年，女孩子出賣爲奴，超過男孩子，大約八與一之比，在一百六十二個男孩子於去年被出賣的紀錄，多是年在十五，十六，十七歲。

男孩子多數在礦廠或蝦艇上終其一生，日本法律許可十六至十八歲的男孩子做工，如礦廠學徒之類，工作沒有危險，他們能上學校，大礦廠遵守那些法規，但是最小礦廠的不合標準的工資，工作就多靠在十幾歲的童工，結果訂立奴隸的契約，男孩子借款付給他們的父母，做工的條件，常由兩年至五年。

勞工省估計，女孩子被她們父母出賣多半立刻變成娼妓，其他則在紡織廠、商店、農場，或私人住宅做工，女孩子在工廠每月賺的錢，由二元五角至五元，都交給她們父母，一個女孩子一個月工作廿八天，一天十一小時，僅得七元五角美元，有些則訂明沒有工資，成年的奴役，僅吃穿而已。（上）

中華民國僑務委員會頒發登記證台改新字第一零二號
中華民國郵政登記第一類新聞紙類

自由人

THE FREEMAN
（半週刊每星期三六出版）
（第二九九期）
每份港幣壹毫
督印人：李光華
社址
香港高士打道六六號
電話：七四〇五三
GLOUCESTER RD
HONG KONG
TEL: 74053
承印者：東南印務出版社
地址：高士打道六十四號
台灣特派員辦事處
台北市館前街五十號
台灣總經銷處
台北中華路五九四號之一
台灣郵政劃撥儲金帳戶
九二五二號

談反共的文化與政策

——求正於左舜生毛以亨二先生

王世昭

中華民國四十三年元旦之後，關於反共問題有兩篇文章值得注意，一篇是自由人第二九六期左舜生先生的文章，題爲「樹立長期反共政策的發端」；一篇是自由陣線第一八五期毛以亨先生的文章，題爲「反共文化的前途」。前者依政略立論指示出在反共政策上應有「十年的計劃」；後者從文化立論告訴我們反共文化要建立在集體的，堅實的基礎上，這都是不磨的見解。住在香港的流亡政治家以及流亡文化人對於這個見解是值得重視的。

相成者强相離者弱

今日的政治鬥爭以及文化鬥爭無疑已走上集體的，組織的途徑，——其實，更遠的更遠的時代即已如此，而未來的以至更後的未來自亦莫不如此，不過三十年來更爲尖銳罷了。爲了鬥爭過於尖銳，組織與集體更爲有心人所注意，而其不變的原則，可應用蔣百里先生說的話，即：「相成者强，相離者弱，相反者亡！」

中共運用其組織力，不到卅年，在大陸上竊奪了政權。逼使中國國民黨，中國青年黨，民主社會黨，逃亡到台灣；而居在殘山賸水邊緣的中國流亡份子亦因中國國民黨，中國青年黨，民主社會黨之失敗，而流亡到香港以及海外各地。這個教訓，在歷史上是空前的，可謂慘痛。但在近代史上却是司空見慣的事：洪秀全等因落地生根不及千年，擧擇了一處，縱橫十三省；孫中山章炳麟黃興諸先生以二十年的努力，就把滿清打倒了，創造了中華民國。所以，共產黨三十年的努力竊據了整個中國大陸，這也不是稀奇的事，以視洪秀全之不成功則有試，以視孫中山等之努力則有不及之感。

孫中山先生以一醫生，章炳麟與黃興先生均是書生，以醫生與書生的結合，而以手無寸鐵的革命集團，創造了出生入死的同志，聯合了十萬中國人，而又以海外華僑的資力，完成了打倒滿清的任務。看過去似乎很艱鉅，可是成功却也出人意外。此無他，滿清不能不亡，中國不能不變，中華民國不能不誕生出來。

外打進更爲容易

中華民國誕生了三十八年，無年無戰，多災多難，養大的中國共產黨，這在革命的方法上謂之裏向外，似與洪秀全如出一轍，中國共產黨僥倖成功了。今天偏居台灣的自由中國以及海外的孽子孤臣，可走的路線還是孫中山的路線。孫中山的路線是外打進，外打進看似艱難，實在比裏向外更容易。不信，共產黨三十年方得成功，孫中山不二十年而創造了中華民國，這是歷史的昭示，也是邏輯上的必然的結果，所以左舜生先生十年反共政策是可信的。反共政策靠什麼來表現，當然第一是文化動員，文化動員只有一個目標，即是反共。反共文化有兩個方式，一個方式是野戰，一個方式是總攻擊的決戰。野戰方式是不拘一格，從各部門文化事業予中共文化上以攻擊，到了適當時期聯合起來予敵人以致命的打擊。這個任務，不是合組單獨能够完成，必須聯合海外各同業作成了一致的基礎，而後才有辦法。可是這個題目太大，對於台灣文化現象不甚明瞭，但對於香港我却有我的看法。

香港文化界的缺點

我覺得香港的文化界與出版界在行動上似乎不大一致，而且沒有完整的計劃，只有頭痛醫頭，脚痛醫脚的土辦法，何以故？其一，香港的文化界如以新聞事業爲對象，似乎被香港的社會牽着鼻子走，盡到啓發的責任的很少，而想出醫治病人的根本方法者更少，——這雖不能一概而論，似乎也相去不遠。其次，至於出版界，則亦沒有抓到香港的病根之所在，所以開的刀多是外科，用的藥多是中國舊藥（中國舊藥也有好方子，可是他們沒有用到。）譬如：香港沒有經過文學革命階段，所以青年以及社會似乎還沒有明白白話文學運動之重要。香港沒有類似中國北大清華燕京等高等學府，對於青年不起中國式的領導作用。香港的中國文化水準不及京滬各地，接受傳統的那一套東西似乎不大敏感。因此，今日中國出版界在香港所做的工作，都是以流亡份子爲對象，沒有把握住香港青年，更沒有把握住海外青年，所以處處均覺有扞格不入之感。

青年與中國文化脫節

我覺到要帮香港以及海外青年走上反共的道路，正而上之，以發掘中國舊文化爲基礎。中教科書已經有人編，參考書的方面與補助教科書的工作，似乎可以展開，但是今日香港出版界不大肯做的工作，他們統同做的工作於報館的報銷，然而發掘舊有文化的方法，也未嘗不可以作報銷的。一方面恐怕人才有限，所以只好從表面上用功，其實還是大錯而特錯的。香港青年人與中國文化雖然沒有分家，而脫了節却是事實，既是脫了節，我們第一要求補救之方，不是胡亂開藥，讓他生存活剝下去才可以見功。這是香港談反共文化的人沒有注意到的。有些人在高唱文藝復興，有些人在大談反共文化，而對於香港與海外青年所需要的精神食糧是什麼東西，大家還沒有注意到，而我自己也不欲說我的話都對，而一得之見也或許不是多餘的話吧。

流亡人士應建立信心

我又覺得今日流亡份子所需要的，自然第一是生活安定，其次我想是建立自信心。生活安定當然非聯合國與英國以及香港政府協助不爲功，而建立自信心則有待於文化界與出版界的鼓勵。今日香港出版界對於這些問題似乎也不大留意，我却以爲有研究的必要呢。拉雜說來這篇文字應該如何命題？就叫做「談反共的文化與政策」吧，另外附個小標題：「求正於左舜生毛以亨二先生」。

吳稚暉先生的思想

・徐復觀・

（一）

當中國新聞出版公司出「中國文化論集」以慶祝吳稚暉先生的「九秩榮慶」時，我暗地裏想，假定這本論集中不從蔡尚思、侯外廬之流借用幾篇文章，吳先生雖然世故已深，口裏不至罵了出來，但可能增加他心裏的不快，會影響到這位老人的健康的。現在讀到胡適先生「追念吳稚暉先生」的大文（自由中國第十卷第一期），覺得這才如伯牙之弔鍾子期，可使吳先生含笑于海底。

（二）

吳先生的生命力，表現在他的特異的思想和反共上面。吳先生思想的性格和內容，胡先生作了最扼要的敍述。對于吳先生的反共，胡先生更作了鄭重的推許。但我要指出，吳先生的反共，恐怕出于感情的成份爲多，若就吳先生思想的性格講，就他所追求的目標講，並不一定會反共。在這一點上假定一直到現在還沒有一個清楚的認識，則我覺得在思想文化上沒有眞正反共的根據。

共產黨的獨裁政治，主要是從它的思想來的。但是，難道說共產黨的思想一點道理都沒有嗎？能說它不是時代思想之一流嗎？能說它是要反對科學，反對工業化嗎？它自然是反民主，但它說你是假民主，它才是眞民主。若說它反對自由，它說在它所追求的共產世界裏才有眞正的自由。若說它不知道『大胆的假設』，它的共產世界，不是來自大胆的假設嗎？若說它不知道『小心的求證』，它一整套嚴密的理論和計劃的行動，能的「檢討」，「調查」，「糾正偏差」等，不都是在毛澤東『實事求是』的號召下，徹底的求證嗎？老實說，在思想內容上要想完全與共產黨劃分一個絕對不同的世界，在這種絕對不同的世界裏去反對它，這只是一種幻想。共產黨的罪，不是來自它的思想之絕無理由；假定是如此，它便不會鼓勵一世。它的罪乃來自把自己的一分理由轉張爲十分的理由；一面的理由，誇張爲四方八面的理由；因此，對于與它的理由相反的，便要『不妥協』的，亦即是『不作調人』的，找出對方的一個弱點、或流弊，而不管其他的長處或基本精神，去加以鬥爭、清洗。以形成它的淸一色的世界。換言之，共產黨的罪，是來自其浮誇，獨斷，標榜，抹煞，逞一時之快，作極端之論。而這，正是民初以來，尤其是五四以來由吳、胡諸先生所代表的風氣。在此風氣之下，只有出一個共產黨，才算是開花而又『結果』。

（三）

中國文化豈無流弊？綫裝書豈能完全解決中國問題？人人何必一定要讀綫裝書？但吳先生所要說的『臭東西』，硬要『投入毛厠裏』，硬要把中國的道德和『鼻涕眼淚』講甲內泥污積叠』在一起，證明其爲『低能』。這種結論，是用調查得出來的嗎？是在科學中發現有鼻涕眼淚進退即是道德嗎？胡先生稱這是『很大胆的東西文化比較的論斷』，是大胆，但這是經過了思想訓練，學術操作而來的嗎？是『實事求是』的說法嗎？大家今日罵共產黨把綫裝書作造紙原料，罵共產黨焚書；共產黨把綫裝書變爲造紙原料，比丟在毛厠裏不更爲實事求是嗎？大家罵共產黨把『人』當作『物』，因而不惜幾多的鬪爭淸算；但吳先生把人生看作『那兩手馬脚戲着大腦的動物在宇宙的舞台上演他們的戲』，這比共產黨統治下的人更有半絲半毫價値嗎？大家罵共產黨統治下是純『物的世界』，純物的世界自然沒有自由；但在吳先生『開除了上帝的名額，放逐了精神元素的靈魂』的世界裏，又是一種什麼世界呢？古今中外的學說，誰說過靈魂是精神的元素？吳先生這種捕風捉影的亂談，比共產黨的黨八股高明嗎？吳先生『黑漆一團』的人生觀宇宙觀，比共產黨的唯物世界容易透氣嗎？『實事求是，莫作調人』八個字是對的。但我要指出，只有知道甘苦的人，才能知道每一學術的界限，知道自己在學術面前的分寸。只有知道這種界限，知道這種分寸的人才能實事求是；只有在實事求是之前才說得上不作調人。並且實事求是的人，只問是不是，無所謂調人不調人。假定追求探索的結果，而發現『是』乃在『原來之「是」的反面』，此時只有掉轉身來，『納頭便拜』。假定發現『是』乃在各個不同的領域之中，則只好恰如其分的在各領域中各各加以承認。前一類的好似佛教的『迴向』；後一類的則正是康德的批判精神。

（四）

吳先生們，都是有聰明，而又有機遇的人。因爲有聰明，所以容易有時代的嗅覺；嗅到中國文化的流弊，嗅到中國文化之有所不足，嗅到中國文化必須盡量吸收西方文化，嗅到一般讀書人的腐朽和一般青年人的苦悶，於是以其聰明的口舌，名士的氣質，把自己所嗅到的，不經過學問的純化，即發爲毫無分寸的快意之談。當時他們的年紀很輕，本來也可以由此聰明的嗅覺，而切實從事於學問；以完成他們開風氣的任務。但不幸，他們一哄而成爲思想的權威，思想的指導者；這樣一來，他們自己便停頓在這種聰明的嗅覺上面，在學問上再無長進；所成的人，都是他們的餘響，更假借他們的聲勢，去唬嚇旁人，掠取地位，爭取地位，連吳先生們原來的一點聰明的嗅覺也沒有了，只成爲空虛的文化界中的風氣的僵化勢力。他們開了風氣，至此遂阻塞了風氣，一變而形成這一代的結果，形成這一代的文化虛脫的現象。吳先生所謂『現在鼓吹文明，人家用機關槍打來，我也用機關槍對打』的志願，吳先生自身沒有實現，共產黨倒實現了。

（下轉第二版）

當週展望

・雷嘯岑・

重開談判與釋俘問題

韓境聯軍統帥部决聲明依照決定日期釋放反共戰俘，謂共方如干涉阻撓，即爲再啓戰爭之幕。中共頭目周恩來則正式要求印度尼赫魯很想兩面討好，由印度再監護戰俘一些時期，拖過本月廿二日再說，他的妹妹潘迪夫人乃以聯大主席資格，主張下月九日召開聯大特別會議，討論韓戰問題。看情勢，本月廿三日的釋俘工作，似爲事在必行了。一因美國對恢復板門店談判之說，雖表贊成，却不積極，至少在本月廿二日以前不會實現；二因英國已明白表示戰俘須如期釋放；三因尼赫魯最近已取得美國的鋼鐵借款兩千五百萬美元，必不便無理阻撓。

釋俘以後，板門店談判一定恢復，不成問題，而中共目前也決不敢以釋俘爲口實，再與戰禍。今後亞洲的最大問題，已由遼東半島轉移到中南半島了。

法國正與蘇俄密商越戰問題

據西方官方消息，蘇俄爲着軟化法國，破壞歐洲軍的組織，許法國結束越戰，法方也欣然同意談判。消息必非完全捕風之詞，如非美英兩國反對，早已成了事實了。既不能强攻，又不能談判，結束越戰是自由世界本身的大石頭，克里姆林宮決不放棄這機會，要藉越南戰事與西德建軍兩件事來誘脅法國，並不予以利用，而在韓戰問題，而在目前，美國務院所忙的，在如何應付東西兩方所施展的冷戰戰術。最後的法寶，還是靠金元外交致勝，可斷言也。

周以德的言論

美國會議員周以德近來發表文字，指說美國在亞洲應以摧毀中共政權爲目的，而不應期待毛澤東變爲狄托。這是一個反共運動中的核心問題。共產主義者反對資本主義社會，是沒有什麼條件可講的。不管是美式資本主義也罷，英式資本主義也罷，都視爲一邱之貉，非打倒不可。資本主義國家的反共運動却不然，凡在政治上與蘇俄有些距離的共產政權，都可拉攏，引爲同志，對它的政治之依然奴役人民，如故也，只要共產主義者不至於滅民主自由，即可贊同，而美其名爲「西方列強」，並非共產主義，自欺欺人，莫此爲甚！

假使鐵幕內的一切附庸國家，都如狄托一樣，自己單獨搞共產主義建設，表示不與美英與蘇俄沆瀣一氣，皆表示中立，甚至於彼此聯合起來，另成立「第四國際」，以進行共產主義世界化的工作，此外與資本主義相抗衡，是否又用人反共的國際聯合國政治家們好好聽些名詞來號召世人，與企圖產生狄托的主義之「小狄托主義」呢？由於西方列強這種「爲理運動」的表現，難怪許多自由世界內的弱小國家，都要採取中立路線，因爲眞理隨時可以被犧牲出賣，大家對美英這些領導國家沒有信心之故。如果美國眞要實行領導全球反共運動的話，周以德的言論，是值得考慮的——

天方夜談

邇來海外盛傳一項奇談，說中華民國下屆副總統的某公，最有可能，因爲中共近來施展「政治瓦解」戰略，正利用某「副主席」的關係，可能把某公邀回大陸去。這是天方夜談，但不能必其絕無此類怪人怪事。中國政治上素有挾賊寇或外力以自重的政客官僚，抗戰中「汪記」政權時代即有些以投奔南京偽組織取官位的角色，大行其道哩！今天如果尚有以投靠中共爲圖發政治權益的官僚，應該致他趕快滾回大陸去，誰要替他作政治辯護人，妄冀非分，誰就是中華民國的國賊！

星馬僑教的艱難課題（下）

·藍星·

現在要談的，是畢業生升學問題：現有各校雖已提襟見肘而倍感維持的不易了，但就以中等學校而論，實已不敷

畢業生升學困難

學童的需要了。一九五三年教育年度結束時，華校中小學有三十五萬男女學生應學年試及畢業試。其中高中畢業生的升學問題雖然嚴重，而小學及初中畢業生的升學問題，其難於解決爲尤甚。例如吉隆坡坤成女校本屆初中畢業生凡五十六名，她們即因母校無高中部，迫得聯名要求遷校教師公會請求援助。她們又曾上書尊孔中學高中部請求開放女禁，准許投考；尊孔余校長則以教師荒、設備荒、和校舍荒之故，亦無法答允。實則尊孔三荒也正是星馬華校所共同面臨的難題。

事實是小學畢業生的升學比初中畢業生之無適當的高中可資升學，情形來得更爲嚴重。因要升入初中的學童，每年總遠比要進高中的人數多若干倍不止。以星洲論，一九五一年度小學畢業生爲三千名，五二年爲五千名，五三年將爲六千到七千名；聯合邦華校爲星洲之三倍，估計五三年之小學畢業生爲兩萬名以上！即按三分一得以升入初中說，合共約達九千名，而這是現有初中中所無法容納的新血！更莫說總數是兩萬五千名之星馬投高中的學生已多了。馬來亞華校自戰後復員，發展至速，自一九四八年起直至現在，更有飛躍的進展；但如今却產生了上面的痛楚難題。合理的解決當然是擴充中等教育，可是既就是現有的各校，本已都有校舍、師資、與設備不足之感了，教師待遇亦有難維至低限度生活的困難了，說到擴充談何容易？因爲我們的學校，根本是由私人捐輸創設和維持的！華人負担了比各族爲高的納稅義務，却只獲得最低的對其教育經費的政府津貼……

星馬僑教的方針問題

最後，還有一個教育方針的問題。如果說前面是量的困難；另還有個華校教育的質的問題。我們知道，星馬的未來，一定是走向獨立自治的；新邦之建設一定必需要很大數額之建設人才的。至少當地居民也應該能以自行管理其自來水供應、電力分配、修築道路、發展衞生設施，以及一切城市與鄉村、建設之維持與擴張！如果當地無有這項人才，則獨立後的情形將與印尼同樣的糟，全國不過十幾位工程師，結果當然是政治雖能獲得獨立，而經濟卻難脫附屬地位。可是馬來亞的教育方針，到今爲止還不會注意到此項需要。華人既爲當地建國的主要民族，自亦應對此謀求有所貢獻。惟華校教育亦尚未能先事未雨綢繆。一般社會風氣如今也仍然是尊重「白領階級」，重視文學語言法律政治及商業等課程，對於工程師與技術員的重要，仍未予以適應的認識。星洲教育司在技術人員公會年會中致詞說：華人本可成爲優良之工藝家，但何以彼等寧願任入息低微之書記，而不願任高薪之技術人員？他認爲答復此一問題，將涉及：學校教育仍未充分推行工程學科，一般雇主尚未肯於以優良之待遇給予技術員，和社會上仍在高視白領階級。當地輿論亦認爲應於普通教育和商業教育之外，提高注重職業教育的發展。現時，馬來亞大學除醫科牙科之外，尚無有工程職業部門的授課；高級中學的工藝技術訓練，更是根本付之闕如；偌大星加坡只有一間官立初級職業學校！就學學生還不足兩百名。莫說應付馬來亞未來的建國需要了，就是當前的經濟水準之維持，也還無法由當地人才來担負。

目前星馬華教，無論在質量方面，都須有一番更生努力，涉及的部門廣泛到和政治、經濟、與工[illegible]都深切關連！其困難是不待說的；但絕不應屈服於困難。（完）

吳稚暉先生的思想

徐復觀

（上接第一版）

（五）

我年來深深的體認到，凡是自己覺得自己業經成了權威的人，不論在政治上或學術上，都非還上亂說的路上去不可。因爲自己既是權威，便很容易把自己所說的話當作萬應靈符，漫無限際的加以誇張推演，有一分意義的硬說有十分意義，[illegible]九分便是假的，便是亂說了。例如胡先生們所提的口號，「大胆假設，小心求證」，「小題大做」，「上窮碧落下黃泉，動手動脚找材料」等等，都有一部分道理。並且這些口號之提出，都是矯正某種時代的毛病，因而有它某種時代的意義。但胡先生們把這些口號太誇張了，認爲這些口號，概括了科學方法，治學方法，於是這些口號，幾乎都變爲阻礙科學前進的障礙。科學中的假設，無一不是先經過嚴密的探討，操作而來。只有這樣，才能成爲科學的假設。學術的眞正工夫，開始正表現在達到非有此一假設不可的這一過程之上。所以這種假設，是已經過了眞實的學問工夫所提出的『可能性最大』的假設。提出科學的假設，値得稱爲科學的假設，談何容易。胡先生之所謂「大胆」，不知竟何所指。胡先生因聊齋誌異上有悍老婆的文章而假設醒世姻緣是蒲留仙作的，大胆算是大胆，若說是科學的假設那未免太笑話了。中國悍老婆的故事多得很。縱然胡先生偶的找到證明，那也是偶合。眞正的科學者，恐怕不會在這種基礎上去成立假設。大學的學生，不論做那一門學問，若先從「大胆假設」下手，他們將根本不能下手。而科學方法，便先要告訴人一個可隨切下手的地方，有如演幾何之先從自明的公理演出一樣。又如「小題大做」的「小」和「大」，又是什麼意思呢？按着應有的步驟，一步一步的弄清楚，弄清楚了一步，再向前走一步，步步踏實而不蹈空，這是一般做學問的態度。任何學問，都有「起步」之處，起步之處，不可以稱之爲「小題」；一步一步的弄清楚，這也不能稱之爲「大做」。假定眞正是小題而却要大做，結果必流于誇誕。中央研究院歷史語言研究所的先生們，除極少數者外，結果無形間走入于找冷字僻典的路上去。許多大史學家，都承認史材的選擇，多半出於當時的時代精神，並且這多是出于不知不覺的。從這些先生「小題大做」的文章中，你能發現一點點時代精神的反映嗎？所以我說這是愛用冷字孤典去嚇人的四六家。年來關於較好點的史學方面的著作，多出于此一研究機構以外，甚或爲他們所排擠的先生們之手；恐怕是受此[illegible]的似是而非的口號的影響不小。

（六）

至於第三個口號，是着重多找資料，當然是需要的。但找資料，保存資料，並不就是學問。由找資料而走到選擇資料，才開始了學問的行程。選擇資料的本身就是眞正的整理資料。也由此而可以不僅是整理資料，以成其爲「學」。上窮碧落下黃泉，動手動脚找資料，只算是兩頭不到岸的口號。弄聰明，喊口號的時代，應該過去了。大家應在眞正時代感觸之下，不要自己封鎖自己，「實事求是」的做點眞正學術的工作，解答時代所給予我們的難題。而不可漫無限際，漫無分寸的亂喊口號，亂下斷語。我再重複的說，實事求是的第一表現，是知道每一學術的界限，知道個人在學問面前的分寸，因而先把自己所信所學的淸淸楚楚的拿出來，對於自己所不信不學的，能「批判」便「批判」，不能批判便採「愼言其餘」的態度，而不要趁口快去打倒。近來最壞的風氣，莫大于漫無分際的胡說。最近我偶然看到一篇妙文，列起比較表來硬說希伯來精神與共產主義完全是相同的東西。果如此，早共產主義已則征服了人類的大部份，現在也征服了人類的大部份，我們怎能反對得了。說話趁一時之快，「眉毛鬍子一把抓」，便根本無學問之可言。學問也根本不能表現在「反共」之上。反共的學問是表現在『知道分際』「承認分際」之上；反共的思想，也是表現在「知道分際」『承認分際』之上。共產黨，才是一刀兩斷的你死我活的世界。人類所願意住的並不是這樣的世界。

（七）

把思想學術丟在一旁，僅就吳先生的品格講，我一樣對他是非常的景仰，恰恰於我雖然有時從學術上批判胡先生，而依然是非常景仰胡先生一樣。胡先生在學術上的成就，遠過吳先生。其提倡白話之功，我承認有如但丁之提倡俗語文學。而其所始終一貫的民主自由的立場，更應爲國人所矜式。假定有人以爲我是對吳胡兩先生心懷惡意，以致犯有不敬之罪，則是由于我主張說話應有分寸，應有分際的意思，也就是寫這篇短文的主要動機，却在這篇短文中還沒有能夠表達出來，讀者或是明知故犯，那就使我會感到無限的惶恐和慚愧的。

附註：本文引用吳稚暉先生的話，都是從胡適先生「追悼吳稚暉先生」一文中轉引來的。

人物評述

體育先進——郝更生

·紹革·

（一）

我國體育界先進郝更生，於上月由台赴菲交涉自由中國參加亞運各項問題，榮譽獲得圓滿結果，本月四號由岷市乘菲航機來港返台。郝氏不辭勞苦，僕僕風塵，交涉成功，並鼓舞海外體育界健兒，爲祖國効力，他那一種不屈不撓和再接再厲的精神，是值得我們佩服的。

他是江蘇淮安人，一九〇〇年出生，南洋路礦學校卒業；及後負笈留美，專攻體育，卒業於春田大學，考取體育學士學位。歸國後，歷任漢口青年會體育部主任，淸華大學體育部教員，北京中等以上學校體育聯合會會長。他的著述，有英文本中國體育概論，曾担任具有權威性的體育雜誌主編；和馬約翰、沈嗣良、袁敦禮、董守義等。同爲體育界有名人材。

郝氏在淸華大學担任體育教席時，極力提倡體育應該和德育智育並重，倘使學生的操行成績和學業成績及格，而體育成績不及格，那麽便不能夠升級或畢業。我國駐美公使陳之邁在淸華肄業時，即以游泳一項不及格，多讀一年，可見郝氏教學的認眞。

（二）

以前我國體育教材與方法，多稗販自東瀛，未免陳陳相因；體育界缺乏新血輪輸入，亦欠缺生氣和活力。自郝氏主編體育雜誌後，不斷介紹歐美最新體育教材與方法，並極力提倡精神（SPORTSMANSHIP）使體育界壁壘爲之一新。從此國人才明白體育眞正目的，是以鍛鍊精神體魄爲第一要義，競技不過達到這一目的的手段，無論田賽亦好，徑賽亦好，參加者應該以堅韌強毅的精神，盡力表演，達到終點，勝利固屬可喜，失敗亦覺欣然。同時勝方對落負方，亦保持一種謙遜的態度，而不流於驕矜。這才符合論語「據於德、依於仁、游於藝」的宗旨。

（三）

郝氏本人確能保持SOPORTMAN的精神，而且具有武俠、仁義的本質。先前和他同飲譽於華北體育界的人物，敵僞時代，有的供人利用，甘作爪牙；獨他大義凜然，隨政府播遷，始終不貳，忠心耿耿於中華民國，這一點我想海內外體育界健兒應該效法的。文文山的正氣歌說「是氣所磅礴，凜烈萬古存」。在今天，神州板蕩，大陸沉淪的時候，體育界尤應該保持這種正氣。郝氏在這方面的表現，有種種事實作證。

第一回，是民廿三年第十屆遠東運動會在岷里拉舉行時，日本代表團要求大會准許僞滿洲國加入爲會員國家，並以不獲准許時，則全體代表實行切腹來威脅，那時菲律賓不願開罪日本，因此菲體育協會主席杜美奴被迫承認僞滿爲會員國家，我國代表沈嗣良、馬約翰認爲此事仍應考慮，但郝氏竭力反對，認爲非決定退出不可，於是我國實行退出，遠東運動會遂宣告瓦解。

第二回，是民四十一年第十五屆世運大會在芬蘭京城赫新斯基舉行的時候，他親身前往芬京，力爭中華民國代表出席問題。本來中華民國和德國原同屬奧林匹克會員國之一，大會應該讓兩國參加，自是順理成章之事；不料在蘇俄卵翼之下竟鬧出一重雙包案，中共和東德亦嚷出要出席，使主持人大感躊躇。郝氏抱沉重的心情，前往交涉，在那種國際關係妙微階段之下，當事人爲雙方討好計，竟通過雙方一律出席，他便憤然而退，保持那種不爲不義屈的精神。

第三回，是在第二屆亞洲運動會在岷市舉行的前夕，大會方面忽傳出自由中國僅能參加籃球比賽一項。郝氏原本是亞洲體育協會發起人之一，眼看今天竟有這種情形，體育脫不了政治，亞洲若干國家，有的甘心做小[illegible]，有的甘心做[illegible]兒，欲從中破壞自由中國在亞運中的地位。他於是不能不披上戰袍，和亞運籌備會主席華格斯作第三次的長征，交涉，分別徵詢亞運小組委員會的意見，認爲我方要參加田徑、游泳、籃球、足球、舉重、拳擊、角力、射擊各項，也已不成問題。等待亞運大會結束後，再聯絡亞洲各友好國家反對奧林比克委員會新頒布的「區域運動會舉行規則」，以免被縛住我們雙手，和人比武。

筆者從旁得來的消息，知道郝氏在港勾留短短兩天時間，曾和本港華籍體育名流接觸，鼓勵居留本港的體育界健兒，特別是足球人材和游泳人材，要爲自由中國努力爭光，榮譽獲得若干成就。但同時要警惕的，便是中共最近亦不斷派人拉攏體育人材，究竟有什麼詭計，難得而知。惟我們相信，體育界不乏明知卓見，深明大義之士，當不至惑於中共的虛僞宣傳，而甘受騙誘的。

「織皮」民族的新發現

·吳傑·

狐狸及其他古氏族

二、狐狸——說文云：「狐，妖獸也」。用在禹貢上，必是古代民族的譯名，可能就是秦漢時代的胡或東胡。因爲第一，狐，胡兩字同音；第二，史載二千年前，胡地曾流行着一種薩滿教（史記譯撰門，元史譯珊蠻），到今天還有很不小的力量。薩滿教的神靈之首便是狐狸，現通稱「胡仙」，有「胡大海」「胡大川」等擬人之名，說文所稱「妖獸」，正是這薩滿文化的紀錄。他根據這兩個證據，認爲狐狸就是胡族的最早的譯名。他又說：直到漢朝尚有「狐胡」爲西域諸國之一，地望相當於新疆省鄯善和吐魯番之間。

三、西傾——鄭康成注：「雍州之山也。」古史上的某山某山就是某族某族，山名便成氏族的氏，氏族遷到新地帶的某山，這一某山立即變爲氏族的名。遠者如鮮卑在漢代由鮮卑利亞遷到今熱河，所以熱河便有鮮卑山；近者如台灣便有高山族，都可證明。這裏的西傾，可能就是黃帝元妃嫘祖的氏族即西陵氏，漢代譯爲先零羌，隋代譯爲[illegible]頃，見北史裴矩傳及西域傳。他們古代住在伊犁河流域，河水西流，乃名西傾。

四、昆侖——一作崙崑，或作阮隃。漢朝以後，解爲山名；在古代也是氏族名，爲西王母一族所居，地產美玉。直到七百年前，黃種喬治亞人還有女王魯竹丹，頗值得研究。

五、析支——大戴記作鮮支，後漢書西南夷傳作賜支。史記五帝本記，析支列於西戎之下，文云：「西戎、析支、渠廋、氐、羌」，可見析支也是古代的氏族名。應劭注漢武本紀也說：「析支屬雍州，在金城河關之西，西戎也。」

六、渠搜——史記時代，渠搜還是氏族名，即渠廋；到說文時代才解爲山名。隋代，此族曾建立鐵汗國，見北史西域傳：「鐵汗國，都葱嶺之西五百餘里，古渠搜國也。」

織皮即爲今鮮卑族

趙氏說：從上面粗略的考證，可知熊羆、狐狸、西傾、昆侖、析支、渠搜六詞都是古氏族名；西戎可能是某一氏族的專名，也可能是熊羆等氏族的通名。他接着說：現在我們可以談一談「織皮」了。「織皮」一詞，夾在上述七個氏族名之內，那七個既是氏族，則它之爲一氏族，可以說完全合於邏輯，毫無問題。漢朝人有的曲講禹貢「織皮」爲罽即毛布，如果不是誤於上文「織皮」「織貝」（按：二詞見禹貢）而望文生義，便是說「織皮」氏族的文化以毛布爲代表，因爲鄭康成明白地說：

「織皮，謂西戎之國也。」引在淸儒孫星衍的尚書古今文注疏中，以見孫氏贊成「織皮」乃一氏族名，而非毛布。（中）

中共禍新見聞錄 （一）

毒品王國的新面目

·吳彥傑·

新疆有兩首很普遍的歌謠，現在把它寫在下面，作爲本文開場白：

（一）天黑黑，地黑黑，毛（毛）豬（朱）雜種無陰德：遍地黃金送把蘇聯（阿山金鑛）老大哥！自己一刀十刀把粟子來割（新疆稱鴉片烟爲粟子）！

（二）南疆蕪烟北疆花（新疆稱鴉片烟苗爲花花子），賺錢的實買北有它：你們已經亡了自己的國（新疆橫徊直闖的老毛子，比內地任何省份還多，所以人民有此感慨）！還有狠心用毒物傾蕩世人的家！

這兩首歌，新疆民間大男細女，到處歌頌，可想毒品之多，世怨之深了！現在讓我把事實分別寫起出來：

天山北麓是鴉片聖地

橫亘省境中央的天山山脈，由西至東，綿來與景化昌吉之間，迤延最廣，縱深最長，東西寬約三百餘華里，南非縱深約四百餘華里，中間有崗巒起伏的邱陵，有懸岩絕壁的峻嶺，有豁然開朗的草原。其中頭道，二道，三道馬臉，和軍臺湖，是漢唐二代夏天放牧軍馬的地方，東雀兒溝，西雀兒溝，鴉雀坪，石梯子，十人坑，烏鴉谷等地，是草木暢茂，牛羊繁殖，鑛產豐富的地方，也是出產鴉片的「聖地」。以前景化，昌吉兩縣農民，每逢春雪融化之後，相率入山種植花花子，到秋天割了粟子才回家，每年總在四五千人以上。種鴉片的利益比較種糧食恒在四五倍之上。種出來的鴉片，除在新疆就地發售之外，便運到關州銷售。它的色，香，味比印度紅土好得多。能做四至五分長透明的烟炮，並且每一個烟炮能翻燒十三次，成爲有名的「甘土」。其實這種好甘土，是新疆天山北麓所產。煙癮君子說：一兩好甘土，要抵普通烟土十兩。但是要新疆人才能知道它的祕密好處：如果用動物油燒抽，無論烟癮多大，面上都不發現烟容。新省鴉片本來有過時一期加以嚴禁，到了近年，已成公開吸食。不獨扯發從前的老癮，而且扯發多許青年的新癮，新疆的鴉片烟，近年已由三十天罡一兩漲到一兩黃金一兩，（新疆稱銀元爲天罡）。許多不肖軍人，由甘青二省私運到新牟利。價值一高，山中偷種鴉片的事情，漸漸復萌，我在三十七年夏看見駐軍在山中種回來烟苗，的確比較內地各省的烟苗，要肥壯數倍，大概是土宜關係，所以鴉片特別優良。但是那時偷種的不過東也幾株，西也幾株，沒有大塊烟苗發現。中共軍一到新疆，隨運當作發軍餉的許多烟土，公開拉賣，並且准許人民公開吸食，因爲貨多價低也由三十「天罡」低到十「天罡」一兩。新疆人吃慣好土，中共帶來的烟土，質地太差，並且摻「料子」太多，一次嘗過之後，不合胃口，無人問津，[illegible]

北疆鴉片產額激增

在延安以鴉片起家的中共，知道北疆這種有出產鴉片的「聖地」，那管國計民生和世界禁律，當然要大量栽。所以在三十九年春天，王震的直轄砲兵團，和第六軍直屬部隊共約四千餘人，便入山墾荒，在上例各地大種烟苗，共約五千畝，是年秋收割鴉片二十二萬餘兩，並發現提煉嗎啡，只售普通烟土一半稍強的數量便足。故在山中種植鴉片的興趣，特別提高，一到四十年春天，就把山中幾百里的山谷草原，變成罌子粟的綠海。到了農曆六七月開花的時候，[illegible]

太平洋紀行

·陳克文·

杜威著　陳世甫譯　華夏書局出版　中華民國四十二年十一月初版　定價港幣二元二角

（一）

這是杜威州長（THOMAS E. DEWEY）一九五一年訪問遠東歸國後所著的一本訪問記，原名 JOURNEY TO THE FAR PACIFIC。

去年五月間，我曾着手翻譯這書，譯到一半，聽說已經有人做同樣工作，並且快將完成了，因此停下筆來。

現在我讀到陳世甫先生的譯本，因我曾對本書用過一翻工夫，看見我未曾完成的心願，已經有人完成，並且世甫先生做得比我更好，自然格外感到欣慰。

（二）

杜威訪問過的遠東地方很廣，包括日本、韓國、冲繩、台灣、菲律賓、香港、越南、安哥寺（柬埔寨的首都）、馬來亞、和印尼。杜威在本書中依照上述的地方次序記述的。[illegible]

杜威訪問遠東的動機，據他自己說，他參加擊敗美國參院內有些人企圖阻止大西洋公約國際防衛計劃之鬥爭後，發覺到太平洋區又出現了一個更嚴重的新危機，即美國人對於有決定性的太平洋區的當地情形，過於忽視，所以他要到遠東直接看看。他在中文版的序言中說：『我認爲美國人認識亞洲人所面臨的巨大問題，是極端重要的。』又說：『爲更多了解亞洲人民的生活，願望，和理想，我在一九五一年作太平洋之行。』[illegible]

（三）

杜氏訪問各國，觀感各有不同，但訪問完畢後，對於美國遠東政策的總結論，[illegible]……地方將永遠是安全與和平。』

（四）

原著者爲對美國讀者增加吸引力，故行文力求輕鬆，叙述力求趣味化，例如訪台一章，不惜用兩頁篇幅記叙宴會情形，餐桌上的菜式和閒談也一一加以描述，譯者對這些地方略而不譯，這是很對的。不過有些我個人覺得很關重要的地方，譯者也竟略去，例如訪台一章，杜威對蔣總統解釋韓國簽訂舊金山對日和約那一段叙述，我覺得是一段有歷史意義的記載，不知道譯者何以也竟加以省略？

還有，原著本有訪問冲繩島和安哥寺兩章，譯者也沒有把這兩章譯出來，安哥寺是一處供人憑弔的古蹟，也許是省略的原因。冲繩島却是美國的遠東基地，爲甚麼也割棄了呢？儘管如此，本書還是一本目前研究遠東問題最有價值的參考書籍。尤其是要了解美國權威人士對遠東問題的看法，是不可以不讀。譯筆的簡潔流暢，也是時下翻譯著作中所不可多得的。

中共黨內的危機

·沈秉文·

[illegible]

……偶然的錯誤或長期性的偏差。

二、由於上述一種的影響，各級黨委的其他委員，[illegible]組織部、宣傳部、或[illegible]

……因而發生了彼此間的權力傾軋，並破壞了全局的利益，相當抵銷了彼此間工作效率。（二）

中共幹部低能　訓練班中大鬧笑話

中共幹部能力低劣的現象，和其行政機構龐雜的問題，自始至終都是存在着的；原因是：他們大多數都是來自草莽，不僅水平甚低，且常識都不夠，這在中共自己也會公開承認過。由於幹部的品質不齊，往往大擺「烏龍」，莫知所措；[illegible]這一件工作的推行，使旁觀者噯嘆，使身受者啼笑皆非。

[illegible]中共中央鐵道部[illegible]可嘆可憐！[illegible]

[illegible]

實施標準教育首一年

咸盼重視中學失學生

本年度爲小學教育採用標準課程實驗的一個學年。過去各校採用各班課程深淺並不劃一，使學生的家長們爲這件事情大爲苦惱，[illegible]新界各區教育界人士，[illegible]改善該區教育設施，亦曾提供意見，要求當局適應環境，採用漸進方式，逐步趨向正軌。就新界目前的情況言，假如將若干爲了搶救子弟失學而設的「代用（私塾式）小學」完全取締，在一時礙難籌集充分基金，設立符合規定的現代化小學之前，勢將造成普遍失學之嚴重後果。現時教育司已接受鄉議局向民政署轉呈之建議，允以逐步改進的方法推進革新。

[illegible]

[illegible]

側面的夢話

上期本報刊載左舜生先生「正面談副總統問題」一文，他從大處遠處着眼，提出幾點很可重視的建議，他自稱是「美麗的夢想」。據我看來，這種美麗的夢，能夠酣然大作一場，也使我們這般書生論政者，足以快心過癮。因此，我要從側面來續些夢話。

關於副總統的人選問題，他主張由三黨——國民、青年、民社——協議推舉一人，[illegible]國家前途有利的作用。我[illegible]現代人物，具備着我們「左公」所指述的條件者，並不多見，只有那位不是我的朋友胡適之先生，比較是適合的。假如胡氏以[illegible]身份，像美國的尼克遜先生一樣，代表蔣總統，隨時周遊列國促進邦交，這比派出任何大使都有用些。說到對內團結共非共力量，召集救國會議一類問題，胡氏更能發揮團結的效用。如果大家認定「左公」的意見是對的，那末除胡氏這位理想的副總統人選而外，還有誰呢？不特此也，中國的讀書人大多數都害着一種不治之症，[illegible]

[illegible]與社會上官宦文章，跟一般拿筆桿的智識份子[illegible]，無形中可以吸引智識份子對政府的向心力。這點作用，關係國家治亂之道頗為深鉅，只是一般大人先生們不懂得這種政理而已。

大家如其覺得現階段的副總統人選應以年富力強為上選，胡氏年已六十開外了，不無顧慮，那我就提議擁護蔣經國氏出馬，理由是他比那些腐敗貪污的官僚人物，總是高明一點。

我這場夢，或許不及「左公」所敘的那樣美麗，但[illegible]，不知也能「與子同夢」的同道之士否？

馬五先生

生離死別

·元仁·

清晨，李非之奉命和幾位「同志」去××路接收教育廳。當李非之到達教育廳的時候，只見一個偌大的機關，已空無所有。只有十來個因家累太重或年事過高，早先未能隨政府撤退的下級人員，這天聽說有人來接收，都懷着觀望的心情，前來一看虛實。

當下，李非之就很客氣的請他們坐下，說：「人民政府」是很寬大的，你們雖然曾在「反動政府」做過事，只要悔過立功，我們是仍會繼續錄用你們的；現在可寫一張名單來，註明姓名年齡籍貫，及原任職務，等一天還可加一級任用呢！」

十多個人聽了李非之這席話，疑信參半，當時就有溜了回去的。結果名單上只有寥若晨星的八個人。

其實，李非之這番動聽的言辭，原是他們一套不易的「人民」八股，專拿來[illegible]一個善良人們的；尤其對於這些留着的機關人員，起初還都優容相加，利用一時，一等他們在這些人裏面套取了辦理這項事務的方法，或從這些人的「坦白」中，因而抓到其他有關係的人，得悉其他有關係的事物後，這些人落得的不是一個個失了蹤，就是被關進集中營加以奴役的下場！因為對這些人，他們始終是認為「反動」的，抱着敵對態度的。

李非之拿了名單，對站立在面前的八個人，挨次點名，當他點到第六名一個五十多歲原任科員職務的山東×縣人時，不禁大驚失色，險些兒撲過去抱住了他！

原來，李非之也是山東×縣人，原有一個溫暖的小康之家，他有父有母，還有一位叔叔和一位小姑，但在十年前，當他還只七八歲的時候，這個溫暖的家，就隨×縣被赤色強盜的侵佔而毀滅了。他的爸爸在「反動富農」的罪名下，慘遭「清算」後的某一個月黑風高的晚上，倉皇間終于將李非之忍痛的交給了他的叔叔和小姑照顧，夫婦倆就拋別了這可愛的故鄉，倉皇南奔了。

現在站在李非之面前這個第六名的山東人，不就是十年前出奔的李非之的爸爸李朝林，又還是誰呢！

理智總算當時的克制了奔騰澎湃的情感，李非之強作鎮靜的點完了名，再來一套八股，這接收典禮就宣告結束。

接着，李非之和其他幾位「同志」東巡西視了一下，很想找一個機會和李朝林單獨一談，湊巧看見李朝林跑進了廁所，李非之也跟了進去，匆匆的說：「爸爸！我是非之，快告訴我，你的住址！」

十年的歲月，李朝林已將李非之的形貌完全遺忘，更何況他出奔時，非之還不過七八歲的孩子呢！今天冷不提防碰到了這個奇蹟，如何不叫他驚喜的手足無措說：「××路十八號！」

李朝林在回家途中，十年來如烟的往事，一樁樁電影似的飄過了腦海：

他想起了那個忍痛丟下孩子逃奔的晚上，也想起了南下流亡途中的情景，到達黃埔江頭朋友的熱誠招待，又如何的被介紹到這個風光明媚的江南省城裏，擔任教育廳的科員；這些年來格於形勢的限制，迄未得到家鄉的一些音訊，夫婦倆又如何的在苦思悶念中渡過了這漫長的十年！

晚上，李朝林夫婦倆好像檢到天上掉下來一顆星，正懷着難以形容的心情，李非之翩然降臨了！

李非之終究還是一個人，是人，還有生俱來的人性，到死也不能泯滅了的！現在遇見了一別十載音訊杳然的親生父母，怎能不抱頭號哭，痛哭流涕呢！李朝林夫婦更老淚縱橫，悲不自勝！

李朝林夫婦十年來晝思不能解答的問題，現在都已揭曉了：他的弟弟在他出奔後的第二年，早已慘被強盜們「鬥爭」致死；小妹不久也被「配給」到不知怎樣遙遠的地方去了！非之在十二歲的那年，則被強迫着「參軍」，到現在已有六七年的「黨齡」了，這次奉命南下，來到這山明水秀的城市，幫同接收這個先前叫做教育廳的機關。

李非之最後說明了這次步行南下，長途跋涉，兩腳都已破爛，明日將進××醫院治療，就匆促的告辭了。

第三天上午，李朝林夫婦曾到××醫院探視李非之，相互又慰藉了一下。

當第五天李朝林再去××醫院時，門房告訴他已奉到醫生的囑咐，李非之因病不能會見親友了。但那門房却偷偷的給了李朝林一張字條，李朝林背地一看，上面寫着：爸爸，我們的關係，已被上級偵知，我現在已接到犯有「溫情主義」，着即改正的警告，請你以後不要來此。兒非之。

李朝林怎麼也容忍不住不去！次日再到×醫院，怎知李非之已病愈出院了。他再跑到教育廳，指名要見李非之，裏面却回說並無此人。李朝林徘徊門口，未肯遽去，猛一抬頭，却見二樓玻璃窗裏面，李非之正在掩袖而泣，他正欲開口叫喚，李非之已縮了去。經再三交涉，仍舊毫無結果的拖着悲痛的步子回家來！

在極度的悲痛中，李朝林夫婦終病倒了！

隔了四五天的某一個早晨，李朝林接到非之發自×埠的一封信，拆開一看，信箋上寫着：爸爸，上級開了一個檢討會，批評我還有家庭觀念與「小資產階級」思想，處罰我仍舊徒步走回山東，改造一年；此後雖同在人間，而天涯海角，重逢難期；生離之日，亦即死別之年！希望你倆還是趕快的奔向自由的天地去……

李朝林夫婦還沒有看完，就頹然的昏了過去。

民族詩人鄭所南

·王世昭·

他的畫蘭很特別，自宋亡以後，畫蘭不畫土根，人怪而問之，先生答曰：「地為番人奪去，汝猶不知耶？」趙子昂才名重當世，既受元聘，先生與絕，子昂數往候，終不得見，其高節如此。

[illegible]自叙一百二十圖詩一卷。另有鐵函心史一部，發現於明崇禎十一年（公元一六三八年），是年冬，蘇州大旱，有人於城內承天寺濬井取水，不料井底發現一鐵函，鐵函內[illegible]石灰，石灰又有錫盒，錫盒裏面有個大紙包，包內又有小紙包。小紙包外寫着「鄭思肖」的名字，並冠以南宋「德祐九年」的年號。[illegible]折開來看，原來是鄭所南用漆寫成的一部心史。心史中所包含的是鄭氏一生[illegible]不能在元朝統治下公開的詩文，充滿着憂國情緒與反抗精神，[illegible]

春風仍歲月，世界自山河。

[illegible]

（二）

錢要化在刀口上

——世紀末閒話之二

騷客

有錢人化一百元，幾乎等於窮人化一角錢，所以窮人錢要化在刀口上。

勞軍書刊，用意極善，一則[illegible]，一則鼓舞反共鬥志，誰曰不宜？既然是宜，當求實惠，否則錢就不化在刀口上了。

據若干軍人的反應，勞軍書刊有兩種是化了錢而不實惠的。[illegible]

……就是化了錢而不實惠。又一種是某詩人將一本詩集分拆成幾輯，（一輯一本），是否因爲數輯比一輯好賣，不得而知。軍人也會欣賞詩的，不過許多所謂詩人，即許多學詩的人，嘔血寫詩，如果是詩，便不無可以[illegible]，或者要化[illegible]

比兩種勞軍書刊，沒有使軍人感受到民衆的好意；民衆的血汗錢化在刀口上，似乎要注意一下才好。

家住天台雁蕩間

·鐵頭·

不過初遊天台山的人，只要一抵天台縣城，朝北抬頭一望，即見萬山疊峙，重巒疊嶂，直入霄漢，不知所際。而西北一帶小山的邊緣，也可說是天台的起點，矗立小小盆地的平原之上，色如赭丹，峭若長城，那就是著名的所謂「赤城山」。遊子眼中，第一印象，即不禁黯然起驚異之感，巍然嘆造物之奇！於是誰也不願停留，或要進這小縣城裏去逛逛，而都急急忙忙的要趕入山去，以尋幽探勝。滿懷幻想的小夥子們，或許敢欲追踪劉阮，冀有奇遇，也說不定咧！於是當地的朋友，若果察顏觀色，能夠見機而作的話，他一定不勉強遊興蓬勃的佳賓，重入城市，立即引導他們往國清寺而去。國清乃一古剎，建自六朝時代，規模宏壯，形勢[illegible]，三面丘壑，如坐於虎皮交椅之中，向南一徑與縣城相通，公路可直達山門。

但在未抵寺門以前，遠望一派烟雲，林樹葱鬱，彷彿絕無人居，初到者更不知寺在何處。然車行不過十分鐘，即見小石塔羅列路側，有若預知高軒蒞止，大方丈先派小沙彌恭迎道旁者，而蒼松翠柏，蔽天蔽日，鐘磬隱隱，梵宇鱗鱗，大家不知是欣？是喜？已曉得到了入山的大門。

凡是遊天台的人，第一日多半宿於國清寺，如果是由杭州來的，對於這種廟宇，自不陌生，不過它的環境清幽，背景壯麗，西湖所有叢林，無一能相比擬，祇有靈隱寺還勉強有類似之處，但到了這樣偏僻小邑，以及深山巨嶺之下，瞧見如此的宏偉殿堂，衆多的僧侶（國清寺僧徒，多時達五六百人）自不能不令人興別有天地之感！因之，這遊程的一開始，就覺得頗為愜滿。

游天台，普通有兩條路，一條是老路，即由國清寺側面上去，另一條是新路，築有公路，可到山脚，一上去就是瓊台。筆者遊覽的那一次，是與同游的伴侶，從老路乘轎上去的，因為人多，其餘僻遠一點的，都留待將來。首先就遊石梁瀑布。那自然是天地間一大奇景！（二）

編者讀者

△編者的話▽

△本期「中共禍新見聞錄」作者吳彥傑先生，曾在新疆担任軍隊政工與組訓民衆工作，前後八年之久。熟悉邊情，且精於醫理，曾為新省各民族義務治病，愈者甚衆。故深得同胞[illegible]，每有所聞，無不盡情相告。[illegible]日，始從中共[illegible]脫險，[illegible]目睹耳聞，撰就此文，[illegible]

△下一期我們將發表旭軍先生的[illegible]，黃文彬先生的「中共的外交家刁作謙」（人物介紹），[illegible]

△孫旗、舒元仁、周景樂、鄭沛霖、李簫霖、吳文蔚、楊其夫諸先生：惠稿均收到，謝謝！楊力行先生惠稿三篇、均收到，亦在考慮中，甚感！

△江大興、譚日明兩先生，大示奉悉，已分別轉達。

日人比狗賤

·式一譯·

女孩子被她們父母賣出爲娼，向來能拿到廿五元至一百美元，以爲她們可得到她們所賺的百分之卅至五十，但是，在各種情形之下，她們因爲要吃穿和治病，被迫借高利貸，自始至終，債務日日的加深了。

許多女孩子試圖[illegible]成功，一個十七歲的女孩子，被她父母賣了卅美元，在一家飯店當女侍，兩個月以後，她被迫爲娼，就逃到她父母那裏，但經過長久的商談，她又返回妓院；她的契約由一年增加到兩年，因此已使人販子頭痛了。

在日本，奴隸制度由來已久，遠在七世紀，雖有法律防制此一行業，但兩個世紀以來，每值災荒時期，成年人則以契約形式出賣了自己，當工業革命，人販子爲城市中紡織工廠徵募鄉下女孩子，到現在，不管怎樣強烈反抗，撲滅這種奴隸交易，流童工仍然在日本各地被認爲正當職業。

司法省在農村調查出賣子女的方式，百分之五十是父母徵得孩子們同意，百分之卅出於貧病交迫的人家，百分之九是無條件的。

政府通過勞工省，現正試行消滅這個根深蒂固的奴役制度，已派出十二萬五千人協助貧苦人家的青年子弟就業，但是經費有限，而工作亦不易尋覓的。（續完）

中華民國[illegible]委員會頒發登記證台誌新字第一零二號
中華民國郵政登記第一類新聞紙類

自由人
THE FREEMAN

（半週刊逢星期三六出版）
（第三〇〇期）
每份港幣壹毫
督印人：李光華
社址：香港高士打道六十六號
電話：七四〇五三
GLOUCESTER RD HONG KONG TEL: 74053
承印者：東南印務出版社
地址：高士打道六十六號四樓
台灣特派員辦事處　台北市館前街五十號
台灣總經銷處　台北中華路五九號四之一
台灣郵政劃撥儲金帳號　九二五二號

國大問題答客問

·伍憲子·

前天有客造敝廬向我提出問題。謂最近國民大會代表要召集開會，定期在二月十九，關於此事，外間議論紛紛，每涉到法律問題。我們暫捨此不談，先談事實。

（一）

事實擺在眼前，國大是在二月十九日勢在必開，國大最重要責任，在選舉總統，副總統，修改憲法。但今次國大之召集，修改憲法尚談不到，惟總統副總統之選舉，則勢在必行。以現在中國情形論，總統之必爲蔣先生繼任，亦是擺在眼前無可置諱之事實，惟副總統之人選，到底以誰爲適宜，我願一聆先生之意見。」

我因此，不能不奉答客之誠意，我就說出下文一段。

我說，總統副總統之選舉，是國大代表之事，我不是國大代表。總統副總統之提名，除由國大代表二百人以上聯署提出外，亦可由執政的國民黨，與民青兩黨，各自提出，我又不是上列三黨之黨員。故關於總統副總統選舉問題，我似乎可以置身事外。但我是中華民國國民，中華民國要選舉總統副總統，我不能不關心。國大代表雖不是由我直接選舉，國大代表亦不能不博採所有國民的公意，政黨亦如是，故總統副總統之人選問題，當然有我的理想。

（二）

現在中國情形，誠如客言，總統之必爲蔣先生繼任，是無庸置議的。惟副總統之人選，以誰爲適宜，我想列舉出幾個標準，以供提名者之採擇。

第一、要超黨派的人物。現在世界民主國家，雖然不能離開政黨政治，但當遭遇到艱難時候，各政黨必能放棄其黨的成見，以聯合各黨，以求公意於全國人民。而況中國現在之艱難局面，爲自有歷史以來最危險之局面，爲世界民主國家所未遭遇過之局面。不幸國民黨執政二十年來，當其衝，大陸已失陷四年，復國中興之業，寄於台灣，亦寄於國民黨。而全國人民本解鈴繫鈴之旨，所以期望國民黨者愈大，則所以責成國民黨者亦愈不輕。國民黨要負全責，誠然當仁不讓，但要策羣力，似不能不呼將伯助予。如此，則蔣先生之總統，爲全國人素所歸，同時副總統之必須求之於國民黨以外，更爲全國人民之所渴望。我們並非謂國民黨內無理想之副總統人物，[illegible]正惟有人，而能讓於可以當副總統之黨外人，表示其「天下爲公」，以此而收[illegible]人心，[illegible]就是青年黨，民社黨，亦[illegible]如此。我[illegible]日見左舜生先生一文（在本月九日自由人刊出）「副總統最好由國民黨青年黨民社黨協商，三黨均不提本黨黨員，而由三黨共同提出超然人物。我們認爲此語非常可佩，此辦法非常妥善。

（三）

復次，在超然人物之中，再選擇其在國際有聲望，取得民主國家之信仰者。因爲現在制裁蘇聯帝國之侵略，是世界民主國家所應共負之責任。任何一國，要關起門來，想避免共黨之騷擾，均不能成功。總統既忙於負軍事重責，則向外聯絡，不能不有一地位極尊軍[illegible]在之地位更需要。我所謂需要，不是向美國求物資，而是使西方國家覺得中國地位，爲今後世界民主國家不能分離。中國需要美國物資，同時西方國家更需要中國文化。否則中國在世界上，等於贅疣，祇負累人，不能令人重。而西方國家亦終辜負了原子時代，祇爲共黨擁長其擾亂世界之禍患而已。要發揮此義，必須在國際負有聲望之人，必須在中國有尊貴地位之人，故副總統之人選，不能不注意此點。此不祇是外交幹才，必要對中國文化，有深切認識。

復次，則年齡問題。雖然「維師尚父，時維鷹揚」，我們尊重閱歷，斷不輕老。然「大夫七十而致仕」，副總統之地位，我們不祇期望之於[illegible]

[illegible]理想，假令能根據上列未必能盡合標準，或亦可比較接近。好在大家都明白，國家是人民公有，非一黨一人所得私，復興中國之大業，更需要全國人民努力合作，齊心共赴。我們認定今後國策，從根本言之，是文化第一，政治第二，（包括經濟外交）軍事第三。從現實言之，是軍事第一，政治第二，文化第三。若專務現實，而忽略根本要圖，則軍事甚難成功。故根本必須極力培養，能使文化、政治、軍事，融成一片，復興中國大業在是，今次副總統問題，可說是復國中興之礎石。

（四）

然我們只管如此想，但橫在我們面前者，有一難題，就是二十年來，事實上造[illegible]。而現代民主國家，如美國，總統副總統，亦當然屬於某一政黨，副總統屬於某一政黨，國民黨人若借此爲口實，則副總統當不必出黨外。我們作此理想，仍似乎費詞。然我們現在中國，不嫌費詞者，中國現在已而臨緊急局勢，我們現所遭遇，此事實，與從前不同，應變更應付，我們再不能咬文嚼字講法理，更不能抱殘守缺講舊規。處在專制帝王時代，王荊公尚敢說「祖宗成法不足守」，何況民主時代，豈能守過去成法。現在大變之後，創鉅痛深，我們要收拾已去之人心，總統居一國元首地位，全國人民之公意，應比一黨爲多數。國民黨不少明達之士，通世界大勢，誠心愛國之人，我們的理想，又何嘗不可以作國民黨人之理想。傳曰，「人之欲善，誰不如我」，我今茲之言，或不至爲費詞。

客聞吾言，首肯者再，因記之，敬告留心副總統問題者。

蘇俄的觀念

未來的四強外長會議，以德國統一問題爲中心。雖然蘇聯已同意在柏林開會議直接談判，而這個方法比交換照會較能使蘇聯減少了「拖延」的伎倆。但蘇聯對德國問題的談判，永不會改變下列的主張。蘇聯要：——

（一）由四強會議固定「統一德國」的地位，不容更改。

（二）首先要四強，在對德訂立之和約，獲致確定之協議，而有東德之「德意志民主共和國」與西德「德意志聯邦共和國」從旁提供意見。

（三）和約中必訂明奧得——納斯線（Oder—Neisse Line）是德國東面最後確定的界線。

（四）在和約上規定德國嚴守中立。不得與他國結盟，去反對在一九三九年至一九四五年中與德國作戰之國家。此即意味着不准德國參加大西洋公約組織，及歐洲防衛集團公約。

這是蘇聯特有之觀念。在和約中包含有此種觀念，蘇聯才肯放棄佔領區同意德國成立統一政府。

西方國家的主張

在西方三強方面，德國統一問題，先由全民自由選舉入手，[illegible]個問題，否則[illegible]。他們觀念的中心是：「德國全民自由選舉政府，而此自由政府可以自由地選擇盟友。」

至於德國東面之疆界，[illegible]一九四五年的[illegible]，當第二次世界大戰之最後階段，[illegible]前進迅速，在[illegible]萬的德國[illegible]判和約時解決。

在西德方面的主張，與西方的大致相符合。德國國會兩院均通過「議決案」，即四強會議之談判，（一）要使德國能實行全民選舉，及自由組織一統一的德國政府。（二）既有此政府後，即由它自由談判訂立和約。（三）在訂立和約時，解決德國的邊界問題。

論德國統一問題

·旭軍·

[illegible]，蘇聯命令波蘭[illegible]區域。這[illegible]會議，時[illegible]得——納斯線[illegible]，同意聲明：[illegible]時，即波蘭西方[illegible]（第乙項）由[illegible]線——納斯線以東之領土[illegible]之一。西方三[illegible]

（四）依照聯合國的原則及法規，德國的全民政府和議會有自由行動[illegible]

柏林會議註定僵局

西方三強以德國全民「自由」選舉爲首務。蘇聯前主張之選舉，係由四強會同來監督東西德的選舉，[illegible]辦法。反對西方主張的[illegible]。如此則蘇聯可以利用其近在咫尺的軍事壓力，援助共黨爭選舉，[illegible]人口不及西德之衆，[illegible]的成立和約簽字後，[illegible]固不難利用共黨以奪[illegible]。[illegible]以看清東西雙方對德[illegible]之因素，不論在交換[illegible]，柏林四外長會議，此[illegible]。

[illegible]政府的「消息報」仍堅持先成立全德政府，然後先舉行全德自由大選，然這種立場係違反自由選舉的「統一計劃」，再由這政府對外締約。如此，[illegible]下議院的「統一計劃」[illegible]成章的辦法。[illegible]一套幕後操縱的傀儡[illegible]的詭計。因爲一旦舉[illegible]必然失敗，試看六月[illegible]火花的爆發，以及九[illegible]黨吃光蛋的慘敗，就[illegible]政黨若實行自由選舉[illegible]親西方的政黨。實行[illegible]的政策也是親西方的，而非係中立的。

這次蘇聯駐英大使馬立克返國，會與邱吉爾首相渠餐密談。據說馬立克向邱翁闡述蘇聯對四強外長的態度。我們可以想到：馬立克可能以憐同邱翁之新洛迦諾公約精神，誘人實行「歐洲門羅主義」，以及僞言早日放棄東德佔領，而誘英法不堅持全德自由選舉。一[illegible]要看美國的態度是否堅定強硬了。

局勢演變的推測

然則蘇聯甘心不能如其所願而放棄其佔領區麼？決不。不論在政治、經濟、與戰略上，均不欲放棄其掌握東德的權力。如蘇軍撤出該區，捷克及波蘭更易於起革命。而蘇聯亦以該地作威脅西方之基地，蘇聯由其在盧琴（Ruegen）的基地，出動其V2式遠程飛機轟炸，便足以威脅英國。

戰俘必須如期釋放

韓戰戰俘二萬多人，依照停戰協定，應該在本月廿三日恢復平民身份，予以釋放。現在中立國遣俘委員會主席齊馬耶於未徵得其他四國委員的同意，要求交戰雙方於期前分別接收，藉以推卸責任。此舉雖然是印度片面的決定，與停戰協定的精神是違悖的。

印度以中立爲標榜，事到緊急關頭，便演變爲急求脫身，不敢負擔率的主持正義，則所謂中立也者不過是滑頭投機的變名，至此遂更增加事實之證明，其將爲世人所鄙棄唾罵，毫無疑問。印度之自作自受，吾人正不必爲其惋惜！

如期釋俘不僅爲實行協定，絕對不能延擱，且爲人類自由尊嚴之所繫，決不能有任何藉口，予以破壞！自由中國已定一月廿三日爲自由日，意義深長，必須力求貫徹。據傳美國亦將爲釋俘問題，發表聲明，吾人更希望美國能堅持如期釋俘的原則，否則美國青年在韓國戰場所流的鮮血即等於白流，反共營陣的士氣必將大受打擊。換言之，戰俘不能如期釋放，則美國等於在韓戰敗，影響之壞，匪不易言宣！

英國的『商業攻勢』

據外電所傳，現時在澳洲雪梨所舉行的英聯邦財長會議已討論鼓勵「商業攻勢」，進攻共黨國家的市場，各財長同意應在今年內積極尋求共黨國家的市場。預料英國出席四強外長會議的代表團將提討論東西貿易問題。

英國人一方面耽心美國經濟的不景氣即將來臨，一方面幻想與共黨貿易即可解自己的經濟危機。其實美國經濟不景是否一定會實現，固然還是一個疑問。共黨國家本身購買力非常薄弱，加拿大已注意到中共缺乏外滙，共黨國家的對外貿易又有其一套利己損人的辦法，一談貿易必然牽涉到政治問題。英國的「商業攻勢」除非甘心與共產妥協，引狼入室，否則注定要失敗的。自由國家不知道內部團結，相濡求存，妄冀與敵交往，必將爲敵所乘，自陷於困境，可以無疑，所謂「攻勢」也者，其將爲「投降」也乎！

週展望

·陳克文·

珍重模範政府的美名

最近美國報紙刊載副總統尼克遜的觀察，台灣的中華民國政府業已形成一個「模範政府」，已成爲中國大陸以外千萬中國人民的首都。這決非一句隨便恭維的話。這是幾年來自由中國和海內外人民一致團結奮鬥的結果，決非「奇蹟」。「模範政府」的意義在於能團結反共力量，以恢復大陸，以重振中華民國的聲威。應知過去的努力和團結固屬可貴，還要從今年起在國民大會和反共救國會議兩大會議之內更充分表示團結的力量，始能担負「模範」的美名，以完成復國建國的任務。盛名之下其實難副，我們希望全國上下必須深切體念此一意義！

本刊今日刊載一篇韓國歸來自由中國的戰俘報導文字。幾千幾萬的戰俘，在韓戰俘營中忍受最大的艱難痛苦，惟一希望即能夠歸還自由祖國的懷抱。這一篇有血有淚的文章，不只是表現了戰俘們對自由中國，殷切的期望，也表現海內外無數受中共欺侮壓迫者對自由祖國的痛切心情。假使這一次的國大會議和反共救國會議還不能夠有進一步的團結精神力量表現，不僅戰俘們要灰心短氣，千千萬萬的自由人士和愛護自由中國的友邦也要爲之失望沮喪！所謂「模範」政者，便成爲毫無意義的諷刺了。在這緊急關頭，我們固希望全國上下能夠一心一德愛護這個「模範政府」，尤其希望負責諸公能夠默察時勢，廣採輿情，萬不能再有一舉錯誤，以減損「模範政府」的美名！

談雲南起義與雲南士習

·毛以亨·

同事張維翰先生曾於去年十二月二十六日「自由人」發表「雲南起義與雲南士習」一文，以「士不可以不弘毅」爲揭櫫。際玆反共亟待羣策羣力之際，藹然仁者之言，誠所謂空谷足音了。其于事實方面，舉出滇督李經羲與羅佩金之關係，羅若蔡鍔入滇，以及陳宧，唐繼堯，李鴻祥，彭家珍諸人與滇軍之關係，均爲史實所應採取之文獻。

（一）士習與土人

欲究此一弘毅士習之由來，則不能不歸功于阮元。雲南人多爲明沐英之後，爲中原移民，土人遷上山去，故早非玉斧以下之化外。惟文化上則多由阮元之重建五華書院爲其嚆矢，而以前則殊鮮聞人。查清史稿載，元爲江蘇儀徵人（揚州），乾隆五十四年進士，大考得第一。高宗（乾隆）喜曰，「不意朕八旬外，復得一人！」歷任浙撫閩贛巡撫，二十二年調兩廣總督，在任凡九年。清史稿又載，「嘉慶六年調雲貴總督。滇鹽久敝，歲絀課十餘萬，元劾罷鹽吏，另力杜漏私。鹽井衰旺不齊，調劑抵補，逾年課有溢銷，酌撥兵用。騰越邊外野人，時入內地，刼掠西保山等處。邊吏曰猓猓，以墾山射獵爲生，可用。乃募猓猓三百戶，屯種山地，以禦野人。即以溢課充費，續有擴充，野人畏威，漸有降附者。十二年協辦大學士，仍留總督任。車里土司刁繩武，與叔太康爭鬥，齎官求助，檄領道擊走之，另擇承襲乃安。……十五年召拜體仁閣大學士。」計在滇凡十年，其遺愛之勝跡，多已泯滅，惟滇池旁之大觀樓，尚餘有楹聯一副，惜其辭長，不能悉憶，故不錄。

靠攏非土人之過

我同意張先生士不可不弘毅之說，而不同意其「投靠叛國爲土人所爲」之結論。猓猓或即猓猓一聲之轉，阮元時代即已當中國兵，實早已同化于中國人。龍雲，盧漢，祿國藩皆爲猓猓，而且同族，蓋龍，盧，祿實爲一音之轉。盧漢，龍雲之靠攏，由于和朱德之歷史淵源，其方式和其他漢人一致，並不由于猓猓的民族主義，與未沐漢化。自然龍雲不甚識字，盧漢是識字的，然祿國藩之文字，極有[illegible]全國名人李根源，與黃浦一期學生，現任監察委員陳廷璧，以及其他漢人，亦與土人們一併靠攏。故只可以不能弘毅責備靠攏者，不可以諉過于土人之故。

我在滇時，覺得漢人與猓猓之界限，早已不復存在，而僅爲歷史上，與心理上之痕跡。其在社會上與政治上，彼此已無扞格。祿國藩之追隨蔡松坡，前已言之，而龍雲固唐繼堯之將領，[illegible]團長，龍所用之襄丕佑，楊文清等悉爲漢人，陸子安，[illegible]台亦漢人也。龍雲之李顧二夫人，與李氏棠之培天等，亦悉爲漢人，故此等少數民族，其血統已與漢人相混，其文化亦久已混同。而清史稿所謂野人，與車里之刁姓土司，則未同化于漢人。刁姓爲猛卯土司，芒市爲方姓土司，滇緬邊境之土司凡九，多爲今日自己拿起槍來反共，以活躍于邊境。其所以反不靠攏者，皆因其地理關係，可以容其如此做，而西洋文化，亦促其如此做，皆和漢化與否無關。

（二）地方性和物質文明

抗戰時在滇，較其他避難於川黔桂者，有異樣之不舒適，亦說不出其所以然。一般人都認爲雲南人排外，然雲南人對此是不服的，他們自承爲實未嘗排外。我即稅屋而居于張維翰先生家中，其夫人子女待遇客，亦極和易之致。至于地方性之色彩，此省亦未嘗沒有，爲客居異鄉者所容易感到的。而當時我們在雲南，[illegible]不適意之感覺，張先生以抗戰時在渝，未曾久居其本鄉，不會體會到的。

我以爲雲南之特徵，除各省所具備的地方性外，[illegible]龍雲使其有苗人之先天性格外狹隘與急促外，尚有西洋物質文明之因素在。滇越鐵路，已將殖民地性利是圖的壞風氣，帶到雲南了。此一古樸的山城，遇到抗戰的發財機會，又先吸收了法國殖民地的惟利是圖的觀念，各種因素混合起來，顯見到不調和，故使人覺其異樣不舒適。

「織皮」民族的新發現

·吳傑·

但「織皮」是什麼氏族呢？這一氏族只在禹貢上露面兩次，四千年來無影無蹤，難道說是完全消滅了麼？趙氏談到這裏，用肯定的語氣說：不。「織皮」民族不但沒有消滅，而且直到今天還屹然健在；只是它在禹貢時代以後，被翻譯家給改了譯名：由「織皮」改譯爲鮮卑了。

鮮卑，鮮卑，趙氏和他的朋友在自由中國撰文講演，說了四五年，早已引起史學界的注意，記者也知道鮮卑就是今天住在鮮卑利亞的黃種人。但對他方才所說的「織皮」就是鮮卑，還算初次聽到，所以請他詳細說明一下。他接着說道：這可以從對音和地望兩方面說。首先我們從對音方面研究：織，古讀識。禹貢「厥土赤埴」，鄭康成注：「埴作戠」，羅振玉云：「戠即識」（董作賓先生所說）；織字，絲旁「戠」聲，故古音讀爲識。又，韋昭云：「識音試」（採行術書所行）。識，試和鮮（古音析，失，錫）爲同聲。皮，古音與卑同。故「織皮」爲鮮卑的對音。

其次，我們從地望方面研究：禹貢排列「織皮」於熊羆、西傾之間，或在昆侖、西戎之西，可知它的地望必在今中央亞細亞和鮮卑利亞一帶，絕不會在東方。這一帶在漢朝有西鮮卑建國家（應祿教授說），在晉代有鮮卑拓跋氏從鮮卑利亞遷到今大同建北魏帝國，元朝有失必兒，直到今天，烏拉山、裏海之間還有許多鮮卑人，但從一五五二年以來，便逐漸被俄羅斯所奴役了。

關於織皮音譯的沿革

談到這裏，趙氏作結論說：從以上的證據，我們可以說：一、「織皮」是一氏族，即鮮卑的最古的譯名。春秋時代譯爲姚邪（左傳昭元年），戰國時譯爲鮮卑，元朝譯爲失必兒，清初譯爲「西伯」，由SIBER譯來，中譯爲錫伯（單指住在遼、吉的鮮卑人），又有譯爲「悉必」，「悉畢」者。二，「織皮」人四五千年前就住在今中央亞細亞和鮮卑利亞一帶。三，「織皮」人在四千年前的夏禹時代，已和夏朝有來往（「因桓是來」）即列入邊封（「即敘」）了。四，禹貢時代，「織皮」人已經明了罽印毛布。

他對記者說：鮮卑這一譯名較比「織皮」、姚邪、失必兒都好，就是「美麗的姑娘」的意思（鮮，美也，卑，古婢字）；至於「西伯」、「悉必」和「悉畢」則是清代的[illegible]「胡語」，不可用。錫伯也是不學無識的官僚的濫譯。

鮮卑人應有自決權利

最後，趙氏鄭重地說：鮮卑人三四千年以來所住的鮮卑利亞中央亞細亞，自從淪入俄羅斯特別是在這二十世紀就地緣看，已成爲俄羅斯人的「攻守兩利之地」。誠如胡秋原先生的研究，俄帝正在建立「土鮮蒲聯帝國」，由土耳其斯坦（中央亞細亞）和鮮卑利亞出發，進可威脅世界和平，退可鞏固自守。今天的世界政治家，爲了謀世界的永久和平和永久福祉，首先必須把鮮卑利亞中央亞細亞從俄羅斯的魔掌下解放出來，才能永遠解除世界的威脅；其次，今天的世界政治家須要日本人在經濟上謀一出路，否則她一定要重施故技，重行進攻東北九省。因此他主張聯合國應該把解放了的鮮卑利亞交由中國和日本託管三十年，然後讓鮮卑人自決。這是關係世界大局的大事，和鮮卑人關係最深的中華民國，對這問題應作公道的主張。（下）

（十二月二十五日寄自台北）

更正：本刊二九三期「鮮卑利亞問題」一句，族字係廣字之誤。

英外交官科學家潛入鐵幕內幕

這時，英科學家福克斯將美英原子情報供給蘇俄，已被揭破，俄人正需要覓得一位原子科學家可代替福克斯的地位，麥克林便向俄人推薦了彭蒂科夫，他又介紹英外交部的同僚柏吉斯安排俄人與彭蒂科夫的洽談，數星期後，彭蒂科夫帶着他的太太（以前的那個瑞典籍情婦）去瑞典度假，就此宣告失蹤。再過了九月，柏吉斯和麥克林乘英倫海峽輪渡赴法，也從此音訊全無。麥克林祕密經過法國時，曾發了一封電報給他的美籍太太說：「請不要停止愛我」。

從這時起，麥克林太太便一心一意去鐵幕後跟她丈夫在一地。麥克林假手於蘇俄間諜，一直與他太太保持接觸，在他的指示下，他太太使帶着二個孩子經法國到瑞士去住，使麥克林比較容易把她們祕密接走。麥克林一再向他的蘇俄主子懇求，使他太太和孩子也來鐵幕後，但他太太是美國人，又非共產黨黨員，俄人認爲頗有危險，因此祗對麥克林表示：「且過一個時期再說」。

到一九五三年八月，俄人借助於彭蒂科夫所提供的原子知識與情報，終於在阿克蘇河區舉行一次氫彈試爆。彭蒂科夫與將他介紹與俄人的麥克林便立時成了蘇俄的「功臣」，被大大捧特捧。彭蒂科夫這時頗[illegible]麥克林再提出接他太太的請求，俄人遂不復拒絕了。於是麥克林寫信通知他太太準備，不久以後，她便由蘇俄間諜領着自瑞士經過奧國而輕易進了鐵幕。據說麥克林夫婦現在住的房子，是一所有十個房間的華麗別墅，儼然成了捧共的高級官僚。（下）

（牛惠前譯「時代週刊」）

人物評述

由外交而教育的刁作謙

·沈著·

（一）

提起刁作謙先生的名字，一般香港人士怕不會很陌生的。過去我國曾計劃在九龍設立領事館，刁先生便是當時被內定爲首任的領事的人。其後以種種原因，設領未能實現，事遂中輟，所以我想香港人士，對於刁先生一定熟識。其實這一位享有令譽的老外交家，聞名仰慕的，亦何止香港人士而已。

刁氏廣東人，現年七十四歲。五十年前的留英學生。回國後，一向從事外交，與王寵惠、郭泰祺等，同爲我國外交界的有數人物。所不同的，刁氏個性比較冷靜，以在外交部或駐外交機構中，担任苦幹策劃工作的時間爲多，對外活動時間較少。故名聲不若王、郭諸人那麼顯赫。

他從事外交生涯，早在清末陸徵祥做外長時代便已開始，直至大陸淪入鐵幕，[illegible]，前後共達四十餘年之久，眞可說是飽更世故，歷盡滄桑的人物。尤其四十餘年來，他所經歷的多半爲艱難中的弱國外交，說來，不免有滿腹辛酸的悲憤和感慨！

（二）

他本是隨政府撤退到台的，後來以年高退休來港。受聘於聖保羅午校，担任教席。經外交轉入教育，孜孜不倦，作育英才，要以其餘年在文化工作上對社會作另一方面的貢獻。這種精神眞是値得令人敬佩。尤其難能可貴的，他現在雖已七十四歲高齡，每天還授課五節至七節，批改課卷一百份至一百五十份，但始終毫無倦色。老當益壯，爲全校師生和校董會所敬服。去年，校董會改聘刁氏担任該校校長，綜理全校校務，其爲教育界與學校當局所器重可以想見。

該校已改名爲聖保羅男女中學，並附設小學，生徒衆多，校園宏敞，[illegible]。該校學生程度優良，校風淳厚，堪稱爲本港教會學校中之表表者，刁氏與有力焉。

刁氏改任校長後，仍兼授一部份課。他處事敢擔，富有幹理，事雖忙而不紊。公餘之暇，每天還有一定時間和學生對打羽毛球。客人過訪，還可以談上一兩小時的世界大勢，或國家時事，乃至於政壇掌故，與數物勁，毫無倦容。他在各方面所表現的，不僅老而未衰，更可以說還相當年青咧！

（三）

以前聽人說，他的脾氣有點怪僻。其實，他並不是怪僻，祗是富於正義感，凡事認眞，不肯苟且遷就而已。他對於個人名利極爲淡薄，惟對於公事，則擇善固執。合則留，不合則去，決不肯爲人情世故，隨便改變主張，更不肯以個人地位名譽而有所假借。這大概便是他脾氣怪僻的原因。

有一次，他出席[illegible]，因我國代表，遷就英、法等大國，損失我國利益，他力爭以至辭職。又一次，他認爲世界缺乏眞正公道和正義，弱國外交絕無保障。曾向外交當局建議，[illegible]埋頭國內建設。國家強了，不待爭論，人家也會接納他的意見。（外交當局自然也並未接納他的意見。）於是他又因此辭職。一般人從「做官」的哲學來看，自然覺得他這種態度是有點「怪僻」了。

（四）

他現在致力於教育，不談政治，更不談外交。可是他反對共產的態度還是很堅決的。記得有一次，在閒談中，他答復筆者的詢問，會這麼說過，一個外交家，尤其是職業外交家，在民主國家的立場，本是代表一個國家的，而不一定是代表一個政府。但中共不能統治中國，代表中國，也沒有外交之可言，他們也無需乎外交，因爲中共只是蘇俄的附庸國而已。因此，一個職業外交家，不得不逃出鐵幕，以免爲中共牽鼻子去做俄國人的奴役。這一段話，是鏗鏘有聲的名言。

（五）

刁氏爲人堅毅熱情，好讀書，勤於治事，待人坦率而誠懇。健談，好助，和藹；和藹中仍表露着一種正直、嚴肅，私毫不苟的氣概。

他身體清癯而修長，氣宇精明幹練。年事雖高，而精神健旺。講得一口好英語，還能講漂亮的法語。粵語是他的家鄉話，國語也講得很流利。即從語言的天才說，已經是一個不可多得的外交人才。

他對於時局，是有條件的樂觀的，深信這樣的世界不能長期因循下去，總會有澈底解決的一天。他認爲自由中國的前途，固有賴於世界局勢的演變，尤有賴於本身的全盤努力。

編者讀者

編者的話

△我們最近收到許多關於討論副總統選舉的文章，可見大家對這有關自由中國團結問題的關懷。這些文章有些是專討論原則的，也有些是提出人選來的。本期發表的伍憲子先生的大作，也是一篇討論原則問題的。因爲篇幅所限，其他文章，祗要是有益於反共抗俄的團結力量的，我們一定要把他們的立論要點盡情發表出來。

△下一期我們將發表：鄭學稼先生的印尼內閣的大危機，紹華先生的倫敦大學漢文講師劉殿爵（人物評述），台灣看美蘇軍事（台灣通訊），隱客先生的青春之歌（書評），周景燊先生的沈規減藝術價值。

△兪嬰、劉鑑如、道南、純熙、李暐、蕭薇、淡鍋諸先生：惠稿均已收到，謝謝！

△葉非葉先生：二日明信片尙未收到，請復。

稿約

本報園地公開，歡迎讀者投稿，性質不拘，最好勿超過二千字，譯作請註明出處；來稿請附郵票，如需退還，當儘速退還。

—編輯室—

從被俘到自由

——一個逃出戰俘營反共義士的自述

‧一云‧

這是一篇從南韓回到自由中國的反共義士報導親身經歷的文章。義士們在俘虜營中的生活是很苦的，但他們奔向自由，擁護中華民國的心情是熱的，祇因爲有此一腔熱誠，故能忍受一切艱苦，終於獲得自由。全文長近萬字，茲爲披露，想讀者必以先覩爲快也。

編者

投誠經過

我的計劃向聯軍投誠，是早在四十一年夏天由安東通鴨綠江進入到北韓地界往南行軍的時候就已經決定的了。果然，不久之後機會來了！在同年八月初沒有月亮的一個晚上，我正打算走進山洞裏去睡覺，却被臨時派到一個巡邏隊裏，立刻出發，前往刺探美軍陣地。大約十五分鐘後，我們已經摸到一座小山腳下的時候，不知道是被美軍發現了，還是他們又在使用一貫的老法子——盲目發射，迫擊砲彈就在附近幾百公尺以內的地方接二連三地爆炸起來了！忽然間，一枚砲彈落在我們十幾個人的當中，當場震死帶傷地倒下去七、八個之多！大家都亂起來了。排長也掛了彩。陶班長立刻命令向後撤，並且忙着叫人抬着排長及另外兩個戰士拚命朝後跑。我就在這個混亂的局面裏，躺在一個砲彈坑邊裝死。一會兒，四面都靜下來了，但我也不敢朝向美軍陣地跑去，免得被他們誤會而打死，那才枉寃呢！所以我就一直躺着不動。到了早上天快亮的時候，大概因爲疲倦不堪，我竟糊裏糊塗地睡着了。也不知道是隔了多久，忽被一輛坦克走動聲所驚醒。抬頭一望，四面都是美軍：有的正在挖戰壕；有的却光着上身在晒太陽，竟沒有人注意到我。間或還聽到附近有槍聲。大概他們也不予理會。大概是預備隊。當我正在考慮怎樣表示我是誠心要投降的時候，旁邊走過來兩個東方面孔，穿着破爛美軍制服的人，手裏都拿着丁字鋤和圓鍬，原來是埋葬屍體的，並且後來才知道這兩個傢伙是美軍雇用的韓國工人。當他們忽然發現我並沒有死，而且看到我站起來了，立刻大嚷起來！我爲了避免誤會起見，趕快離開我早就放棄了的那挺輕機槍的地方，並且高舉雙手，這時，四周八方跑來了一羣美國士兵，其中有三個帶槍的，在我身上搜了一陣後，叫那兩個韓國人向我嘰哩咕嚕了兩句，我搖頭表示不懂，他們才發現我是中國人。

隨即把我帶到附近一個帳篷裏面，和一個軍士模樣的人說了幾句話，這個人在一張卡片上寫了些東西之後，又把我帶到後面另一個帳篷裏去見一個軍官，講了幾句話，並叫我蓋手印，就坐上一部吉甫車，另外三個美國士兵全副武裝地押着朝南開行。約莫半小時後，來到了一座大山背面的山腰間，大約是師部的所在地，我就在一塊空地上坐着。等到晚上，也沒有給我一點東西吃，却被帶進一個帳篷裏，這裏總算見到了一位中國人，聽到他對我說：「請你坐下來」時，心中便有一種說不出的高興！我不等他開始問話，就立刻告訴他我是投誠來的，並且要求到台灣去，或者將我編入聯合國軍裏，一同向共匪作戰。經過了一番訊問式的談話後，他就告訴我，到台灣去或和聯軍並肩作戰，因爲種種關係，目前是不可能的。不過，他叫我放心，我將被送往某地和其他許多投誠過來的反共戰俘在一起生活，並且强調地說明，將來也不會將我們去和共軍交換俘虜的。雖然我當時已經餓了一整天，而又聽說不能到台灣去以及不讓我去和聯軍一同作戰，感覺非常之失望！但求其次，能够和志同道合的反共戰友在一塊，也足聊以自慰的。於是就這樣的，第二天先被送到附近的一處臨時戰俘營裏和三十幾個先後投誠過來的反共戰友住了一星期多之後，再被送到韓國西南部的濟州島上中國反共戰俘營，開始過着艱苦、漫長的歲月。

濟州島的三多

這處戰俘營——聯合國軍戰俘營司令部第三收容所，是在濟州島的西南角上一個叫做摹瑟浦的小鎮附近。所佔的地，範圍是很廣的，大約有七十英畝左右。大部份的地區是從前日本佔據時代的一個軍用飛機場，據說當時日軍攻打上海及附近沿海市城，飛機都是由這裏起飛的。本來這個飛機場的設備是相當簡陋的，加上韓國政府沒有加以利用，已經荒廢了。但是後來，當中國反共戰俘從巨濟島搬來此地時，經過了美軍的整頓、擴充，以及我們全體戰俘的努力，總算變成一個很完備的戰俘營。

這裏的居民大多是以捕魚爲業的。終年都在海上漂盪，常有被巨浪吞去的；加上二次大戰時，有很多失縱沒有回來，因此人口以女性佔多數。島上的岩石差不多到處都是；老百姓只能耕種少數的雜糧。風又很大，往往將屋頂都吹掉。因而構成有名的濟州島三多；即女人多，岩石多，風沙多。

爲到台灣只得忍耐

這個戰俘營一共收容有一萬四千八百多人，以後又陸續增加到大約一萬四千九百人之多。全體分住在營地內的三個所謂「團」裏，但我們因爲是依照軍隊組織來自治的，所以一律改稱爲「聯隊」，番號依次稱之爲第一聯隊、第二聯隊和第三聯隊。聯隊與聯隊都是分開來的，並且都相隔有很遠的距離。最初準備遷移到濟州島時，美國人曾經告訴過大家，新的營地是沒有鐵絲網圍起來的，只是在我們住着的四周圍的地方打下兩尺高的樁子，表示界線，免得大家亂跑。可是以後加到八尺，並且由一道鐵絲網變爲兩道，甚至於四道！哨塔也建造起來了。並架設機槍，看我們與共匪俘擄有兩樣！我們失望之餘，並且向美軍提出抗議，本要求，如果沒有滿意的答覆，大家就衝出來。可是後來因爲想到將來到台灣去一事，不要因此而受到阻撓，所以大家就忍耐住，並安靜下來了。不過對於美國人失信，是印象很深的。

每一個聯隊裏面各住着大約五千人左右，編爲五個大隊，即十個中隊，分住在十個「團地」——美國人叫做「康樸」（營譯）——我們則稱作「鐵絲網」。中隊下面再分爲小隊與分隊。一切的生活行動由各級隊長們負責領導管理，有條理，有秩序，完全紀律化。美軍只在白天裏派兩個士兵到每一個鐵絲網裏來混混時間，因爲有什麼事情，只要找中隊長就行了，自己不必操心。所以管理五百人的中隊部裏，工作是相當的忙。（一）

中共財經政策新動向（上下册）

鄭竹園 著

香港自由出版社出版

（一）

近年來香港所出版研究中共問題著作中，「中共財經政策新動向」一書，可以說是最深刻而完整的一部。作者以實際資料爲根據，去僞存眞，全書雖分上下二册，但各章均有其連貫性，顯示作者對中共政權發展及現況，確有眞知灼見。

緒言一章，可以說是全書的精髓所在。作者運用相當高度的綜合能力，把中共財經政策的淵源，特質，發展過程，演變軌跡，歸納爲幾個規律性的觀念。闡明中共全部財經措施，只有階級利益而無全民利益。其財經政策的運行，係以主觀願望代替價值法則；以剝削循環代替經濟循環；這一挖根的工作，頗能觸及問題的核心。

在論述中共財政政策方面，作者根據實際資料，將過去四年來中共財政收支的實況，全部重新予以估計，不落入中共官方報告的窠臼。但其所估計數字，均能信而有徵，實極難能可貴。此外對於「土改」後的土改政策，「五反」後的工商政策，禁運下的貿易政策，獨佔狀態下的銀行政策，敍述極爲詳盡，論斷亦極正確，使人對中共剝削民財的手法，能有一全面性的瞭解。

（二）

下册以論大陸國民所得及五年計劃兩部份爲最精彩。國民所得爲衡量經濟政策最基本的準繩，但國民所得的估計向來最爲困難。中共佔領大陸以來，關於大陸上國民所得的情形，一直還未有人作過估計。作者在本書中所作的估計，雖尚有值得商榷的地方，但大致上頗能符合實際情況。作者在這一章中，根據具體的數字和事實，指出在中共統治下，國家資本的形成雖略有增加，但民間資本則大爲減退，兩相對抵，事實大陸國民生活水準，只有比較戰前下降，使中共所標榜的人民生活水準不斷上升的謊言，全部不攻自破。

至於論中共五年計劃一章中，除對中共五年計劃的本質，特點，有透闢的論述外，對於其建設的方針，藍圖，及在資金，人材，機器各方面可能遭遇的困難，均有相當完整的剖析。

（三）

綜觀全書，行文流暢，取材博而不濫，論斷確定而不偏激，與一般著作比較，具有三項優點：第一是客觀性：作者對每一問題分析，皆能出於批判態度，保持研究精神，沒有通常反共著作中的感情，流於謾罵的缺點，使人讀後對中共的財經措施，能有一明確的認識。第二是完整性：對研究中共問題者有極大幫助；第二同時書中所論述資料，均一一註明出處，是完整性：作者對每一問題的論述，並非片段的看法，而能把握其重心，將每項政策的特質，先予勾劃，進而敍述其過去四年間演變的軌迹，並舉出其當前政策的重點，及可能發展的前途，使人對每一問題的來龍去脈，瞭然如掌；第三是深刻性：作者在各章中的論斷，皆有學理的依據，絕非浮光掠影所可比。在中共諱言財經基本好轉，侈談進行大規模經濟建設的今天，這一部新著是值得向讀者鄭重推荐的。

‧黃文彬‧

中共禍新見聞錄（二）

毒品王國的新面目

‧吳彥傑‧

南疆蘇烟是外滙來源

大凡是維吾爾及回族國家的勞動者，多半有酷嗜「蘇烟」的嗜好。大概是地氣使然，蘇烟爲南疆特產，爲其他地方所無，係用清甚制取胡蘇上品蘇烟，加上提鍊而成，故曰「蘇烟」。服用簡單，與吸鴉片方法相同，但價值廉於鴉片三倍，且有神經作用，據嗜好成癖的維族人說：在過度疲勞時服之，精神立即煥發，可再作艱苦吃力勞動，所以生活困難的人，不得不藉蘇烟的刺激，來維持長時間工作。如煩悶失意時，在就寢前服之，即酣睡作夢，當時爲三十九年春，筆者到南疆時，正感神州陸沉，故宮禾黍之悲，常以淚洗面，當時爲好奇心所驅！如法試服，果酣睡甚暢，日上三竿，猶未起床。魔力如此之大，無怪維胞明知其害，而甘之如飴！嗜蘇烟成癖者，比鴉片嗎啡尤難戒絕，據增新至盛世才時期，前後三十年，與鴉片同爲厲禁，服者絕少。近年維民不受管束，禁令廢弛，嗜者日衆，蘇烟產量亦特別豐富，但因葱嶺崑崙通路仍閉，無法向西方傾銷，除南疆維胞本身深中毒害外，尚未禍及鄰國。三十九年春天，在中共的大生產號召下，胡蘇成爲食油的來源，故副產品的蘇烟，其價值所得，倍於胡蘇子的收穫。不過得大黎明收穫，需要大量人力而已。且經中共化驗，蘇烟與鴉片合併，爲製造海洛英的上等原料，一物變利，當然大量種植胡蘇。中共在三十九年除就近向南疆維胞收購北運，作配製嗎啡原料外，仍未外銷。一到四十年，全新疆農作方法進步，在南疆平地的勞動生產，十分之七八，是種植蘇烟原料的胡蘇，尤其是在蒲犂、喀什、莎車一帶，二千餘里的崑崙山脈內四十萬屯墾軍，更因山地無霜期間較短，不能種植大小麥，祇可種植蘇子，谷子，和胡蘇諸作物。山中種植的胡蘇大約在三百萬畝以上。

鮑爾漢推銷毒品

四十年蘇烟的產量，在三千多萬兩以上，以小部份運往海洛英外，大部運至巴基斯坦、阿富汗、印尼、伊朗、伊拉克、印尼及非洲諸回族國家銷售。負責推銷的主席鮑爾漢，他兼任「新疆回教民族解放委員會主任委員」。於是役使各國的國際共黨第五縱隊滲入各回教國家，一面推銷蘇烟，一面策動當地的叛亂，又勾結各國奸商，迎合各回教國家勞動階級心理，推銷蘇烟。一則爭取外滙，一則執行滲透。凡回教國家，不論與中共有無外交關係，而中共的蘇烟力量，總算是達到的。因爲鮑爾漢是一個聰明狡猾的買辦階級出身，他的足跡遍回教國家，且是常識在新疆的世襲閥閱，不獨滲透回教國家，就是他的拿手好戲。蘇烟推銷，也算大顯身手，無往不利！衆極受回教國家下層勞動者歡迎，所以大發其利。到四十一年夏，中共西銷各回教國家的蘇烟總值，據說爲一億八千萬億人民幣，約等銀元九千萬元，除坐支各回教國家「第五縱隊」活動經費六千億人民幣外，約值三千萬銀元外，繳解中共國庫的蘇烟收入人民幣爲一億二千萬億。據某中共軍需人員云：中共四十一年秋到四十二年夏在新疆由蘇烟爭取的外滙，可認識「人民幣」三億二千萬億，但各地坐支「第五縱隊」的活動費已達一億萬億，繳庫蘇烟外滙，約爲僞幣二億二千萬億，約等銀元一億一千萬元。合計鴉片蘇烟兩項，中共在新疆的額外收入，將近兩億銀元（新疆市價一銀元兌二萬人民幣）。數目之大可想而知。（本節完）

中共黨內的危機

三、由於各級黨委不肯切實遵行請示報告的制度，加上大多又存有「本位主義」的狹隘的利益觀念和權力觀念，乃使地區與地區之間發生了各行其是的「分散主義」的現象，亦因此發生了矛盾傾軋而未能調和。此種結果：當然破壞了較大地區內的黨的統一領導，亦更損害較大地區的所謂全局的利益。

中共各級黨委之所以會發生上述偏向，探究起來，毫不偶然，而爲必然的結果。蓋：一、中共既以黨爲極權統治的工具，則既必須予各級黨委以決定地區政策和領導地區一切最高領導的權力，亦必須許與各級黨委書記以相當的權任，自然在客觀條件上已予各級黨委書記以弄權的機會，也就自然發生各種偏向而終於破壞了黨的「統一性」。二、隨着極權統治的發展，各級黨委的工作內容和職權範圍既日益擴大，各級黨委人員的個人權力慾也相應日漸滋長，自然在主觀上就有了弄權的「個人主義」、「本位主義」等等的傾向而破壞了黨的「統一性」。此種事實說明：不論中共如何嚴格控制幹部或黨員而絕對壓制其個人的權力意志，而個人的權力意志依然隨時在復活而且增長。也說明：中共愈要利用黨實施其高度極權統治，則黨內的「分散主義」，愈因黨委及黨員的易於弄權而無法克服。

至於以一般執政的黨員言，其對抗黨的統一領導和黨委分區控制的情感和觀念似尤爲濃烈。目前大陸各地、各級、各種機關的主管人員，幾乎全爲中共的黨員，而且皆爲該一機關內的黨的支部書記；但其由委現黨員一旦變成爲行政主管以後，便自然而然地以該一機關視爲他個人的「獨立王國」（中共語）。他個人一方面藉着支部書記的職權控制並利用支部的組織以名正言順的鞏固其內部統治；一方面抑自行其是的對被管的黨委的領導和控制，實行緩和的乃至公然的對抗。（三）‧沈秉文‧

想到救國會議

自由談

據說：自由中國政府當局決計在今年五月間，召開反共救國會議，邀約海內外反共非共的各界賢豪，共赴國難。這是好現象，尤其是在目前這世界局勢極其沉悶的階段中，我們對於政治上應該需要有些作爲，以迎接未來世界形勢之任何演變。

召開這一會議的目的，不用說，是在團結全國反共力量。既言團結，即是有不團結的事實存在着，何以有此事實存在呢？這就一言難盡了。這一會議如其開得好，許多不團結的因素，皆可在彼此互諒互信的不言之中，予以消袪的，否則可能更要增加不團結的新障礙。因此之故，我一面希望這會議能夠開成，同時又對其後果不敢樂觀。中國的智識份子一談到政治生活，似乎是非就特別的多，而且大家好鬧閒是非，樂此不疲。如最近在刊物上看到敍述中國士大夫搞「第三勢力」的那套內幕消息，我就覺得是吾輩智識份子莫大的悲哀，只有慨嘆，無心嘲笑。

反共救國會議既希望它開出好的結果來，其先決條件，就政府方面說：應多受讜言，少作主張，而且要有擇善而從，毋固毋我毋必的決心。就預會的各方人士說：應從大處落墨，多注意政策性的問題，少斤斤於無謂的閒是非。這樣，或許可望有些成就，但也不會有大的成就。

要想復致全國反共非共力量大團結的成就，開會并消極作用，最重要還是平日政治上的一切作法，能使大家感覺前途無限光明，人人樂於共赴難效力，這責任，完全在政府身上。臨時開會是形式，平日作法才是實際哩！

馬五先生

玲玲的愛

·亞秦·

一陣陣嚶嚶啜泣的聲音，從一間幽暗的斗室裏傳出，使靜謐的大地，更顯得闃寂可怕；塞蟹咿咿，如怨如訴，節奏着那幽抑的啜泣，置身在這境界的人，實有說不出悽惶和傷感。魔窟，罪惡的淵藪，就是這個世界的代名詞吧！方。

啜泣的聲音，漸漸的消失了，塞蟹更哀號得厲害，怒號的朔風刮得星月黯淡，一件不平而慘遭殘暴的悲劇，雖在天怒神憤下告了結束，永不磨滅的血腥痕跡，仍留在靈螢台邊的洗墨池畔；悽愴、悱惻、悚慄、怔忡，都湧上人們的心頭，誰也會想到這是[illegible]的浩[illegible]

洗墨池是[illegible]文正公遺留下的陳蹟，文人正氣的精神感召，做了後學師承的準則，使蠻貊之邦的九濃，變成文化發祥的聖地，池圍靈螢台的爲車武子讀書之所，一個嬌弱的女子玲玲，就住在這個地[illegible]

據說她是車胤的後裔，但年代久遠已湮沒族氏的事蹟，誰也沒有引經據典來證實她的身世。不過，使隣右咸知的，她家境清貧；她的爹若父都是承襲書香的窮措大；她蹇老父親在四年前被匪軍突破A城之夜，受鐵蹄蹂躪而震悸致死；僅有的哥哥——長清，早三年就參軍去了，至今沒有消息；她伴着白髮皤皤的母親，度那清苦生活。

是去年的春天吧[illegible]爲息，不[illegible]多借[illegible]

！洪水到！[illegible]僅禾苗霉爛，[illegible]大的垸子也沖毀了；春不能種，夏收成了問題，普遍的荒歉，使大家都擊兒攜女到處奔逃。玲玲是個弱不禁風的女子，她母[illegible]

幸福，[illegible]深謀遠慮，作[illegible]綢繆的打算。想到「良田萬頃，不如薄技在身」這句話，所以[illegible]

親又年歲大了，體弱多病，待餓家中，無法支持這飢餓的熬煎，爹想把她的未婚夫來，她想厚着臉子去尋找未婚夫，解決目前的困難。

王玉祥是個誠篤的青年，勤着面道地的紡織工人，他就是玲玲的未婚夫。

那一年，玲玲才六歲，與玉祥比隣而居；青梅竹馬，兩小無猜，純潔的愛，印在他（她）的心坎中，使一對小鴛鴦似地形影不離。消逝的歲月，也使他倆變成青春的[illegible]的距離；但，舊禮教的束縛，並不因此而使他倆的感情疏淡。

玲玲的父親因愛玲玲而鍾愛玉祥的誠篤，終在他倆尚未成年時，就撮合這段姻緣，由雙方父母作主爲他倆訂了婚。兩個家庭都沒有恒產，她父母爲着女兒顧後的[illegible]得不爲他倆[illegible]未雨[illegible]，極力主張把玉祥送入一間布廠學做紡織工人。那正是十年前的事。

淪陷後的濟津之水，圍繞A城，並不是像從前那樣靜靜地清流潺湲，驟石有聲，鏗鏘成韻。如今，如山洪常常暴發，從不看到的洶湧波濤，萬馬奔騰的向大野急放，血腥氣味，也就在這突變的浪潮中噴出來；A城——永遠保存着悲、憤、哀的情調，都是由多災多難的人民呻吟裏[illegible]

一種自然的心聲。需以出品優良生產力強飲譽湖濱的九濃貧民工廠，而今正在這多災多難的區域中掙扎，若不是共幹們在那裏「搞勞模」，搞「紅旗競賽」的話，這所工廠老早就關門了。

玲玲得到玉祥的幫助，進入工廠，生活威脅是暫時的消除了。

有一天，工廠裏的黑板報，又有「捷報」出現了，大致說：「在加班[illegible]」[illegible]工人挑戰[illegible]的現象，出品[illegible]良，原料浪費亦由百分九五減到九七[illegible]」然而，玉祥從此消瘦不堪了。

又過了半年，玉祥消瘦的程度尤其加深。玲玲實在看不過意，敦促玉祥去找醫生診斷他的病症，這種敦促，也不知有了多少次；可是，再一次診斷回來，愁雲都浮現在玉祥的面龐。

那一天，玲玲看到玉祥又從醫生那回來，躲在一架機器背後招同玉祥討論一個問題，玲玲說：

「剛才你到醫院去檢查身體，醫生到底是怎樣回答你的。」

「說來說去，還不是兩個字——休息。」玉祥答着，神情非常頹喪。

「休息！休息！不知說了多少遍了；醫生叫你休息之外，還有不有說出其他的辦法呢？」玲玲盯着玉祥急求他的回答。

玉祥沉痛地說：

「人本是一架機器，但比不上機器，機器一鐵的輪齒，尚經不起勞動的磨折，何況我這厢機器，損壞的部份，實在太多了，像這樣永無止境的勞動下去，機器也要變成廢鐵，人那有不變成廢物呢？醫生要我，只有休息！……」

玲玲不等他說完，接着說：「快請長假休息吧……」

「請長假？事實上不可能。吳黨委對我一再的誥誡過，國家利益是人民的，人民的力量是國家的；爲人民服務，[illegible]他鼓勵我們犧牲小我，宗成大我，再來再厲，流出最後一滴血……」玉祥話沒說完，夕陽從窗口斜射進來，返照的緋紅色陽光，映得四壁透明，突然出現一個人影；同時，御車輪捲起的塵埃，在陽光絲中迴旋飛舞。

王玉祥就在人影出現的刹那間溜走了。

「唔」的一聲，一個兩顴高聳禿頂鼠眼的人，出現在玲玲面前，現出猙獰的怪笑：「剛才王同志在這裏同你談什麼？」

「王同志身體很壞，醫生證明，勸他休息，他又不肯離開工作崗位，特地來同我商量一下。」玲玲乞憐似地向吳黨委申述。

吳黨委[illegible]：「你不要妨礙他的工作，他想利用[illegible]本是裝病，[illegible]一個病字，[illegible]對他的愛。」

玲玲也有點氣憤了，「他是我的未婚夫呀，不要講笑話。」

「我不是王玉祥，[illegible]誰同你講笑話。[illegible]生產要緊，[illegible]成績距定額還遠得很，再也不要同這種男人作無味糾纏了，好好[illegible]生產。」吳黨委不等回答就走開了。從此玉祥越[illegible]憔悴，更形消瘦，[illegible]勇氣也沒有了。（上）

民族詩人鄭所南

·王世昭·

他對於文學的見解，在「所南翁一百二十圖詩集自序」云：「昔常序湯西樓先生遊云：『天地之靈氣爲人，人之靈氣爲心，心之靈氣爲文，文之靈氣爲詩，詩者今天地間之靈物也。』」

這種見解，可以爲他性靈的先驅。又他的作詩文均自抒胸臆，一空依傍，「錦錢餘笑二十四首」該序其一云：

生來好苦吟，與天爭意氣，自謂李杜生，當趨下風避。而今吾老矣，無力收鼻涕，非惟不成文，抑且不識字。

他在詩學上不特貶視李杜，而在文藝上也非難揚子雲輩，其「醉鄉退之揚子雲輩儒師書」云：「……桀幼嘗聞之，揚子雲曰：『通天地人曰儒。』又聞之韓退之曰：『師者所以傳道受業解惑也。』子雲退之能言之，猶未備也，昔人莫不皆難之……」

他的學問，通於天，莫渾於人，詩文之變化亦不拘一格。至於人生觀、宇宙觀，就嘗引列子之言曰：「天地空中一細物耳，人又天地中一細物耳，然其理甚妙，其心甚大，其機甚微，其氣甚深，其性甚廣，其用甚薄，可以與天地並，而參天地之化育者以此。」又於「無絃處士說」云：「古今之人，其生也孰不賦一氣而爲命？孰不照明睹而爲鏡？孰不操四時以爲轡？孰不共萬物而爲境？不出有▢之井，不能跨空而騁。嶷欲鼎鼎，逆來弄影。誰激濡冷，猛於一省？無聲之聲，不琴於琴。此聲甚狠，託物而存，天下萬物之物之聲也。非此物也，而此物也；非此聲也，而此聲也。奚其琴？奚其絃？奚其聲？三者泯泯於無迹，然後吾之心始出。吾之心出，然後與萬化冥而爲一。擊節狂嘯，存聽幽渺，橫握其要，似絕此妙；是眞無其賞音矣，吾亦眞不能琴矣，是眞無琴矣；旣眞無琴矣，是眞復何言哉？旣眞復何言哉；此意淵哉，玄哉，奇哉，微哉。上而皇天，蒼蒼；下而后土，茫茫然；中而四顧，荒荒然。詎肯與人同耳而聽，同目而視耶？又安得不獨抱此意，與之同終同始同生同死耶？」（三）

水龍吟

元旦試筆　·桐綺·

新年元日降臨，看誰方是回春手。中原父老，九州風物，破殘如舊。名士英豪，過江懷土，幾曾回首。想應時救國良謀，已是安排定，眞耶否。況又雄才無偶。向神京伐奸除寇。當年虎豹，而今可似，雞飛猴走。簞食壺漿，歡迎路道，大呼傾酒。痛飲平原十日，慶山河壽。

家住天台雁蕩間

·鐵頭·

清晨上山以後，翻坡越嶺，沿途一無所見，完全同普通的亂山一樣，而且近乎荒涼，行人稀少，樹木零落，就有鄉間慣見的莊稼也不多，一連走了三四個鐘頭，爬過一個山崗，乃靠着一條山間溪澗而走，但覺水勢滔滔，由峽澗之中，奔騰而下，溜瀉不寬，亂石猙獰，大大小小，橫梗溝中，常阻激流，水如雪花，晶瑩可愛，正在玩賞之際，隱隱忽聞雷聲，彷彿即在前側山谷之中滾出，又好像是小說裏描寫的戰鼓之聲，只聽得轟轟隆隆，綿延不息，而且愈聽聲音愈大，愈走，形勢愈迫，正要詢問轎夫，陡然斜彎一轉，露出一抹紅牆，一望而知是一所廟宇，於是有人喊道：『到了！到了！』才知道是到了石梁瀑布的所在。

大家紛紛下轎，許多人亟欲遠願裏去準備喫飯，但是我們幾個小夥子朋友，不管三七二十一，先急忙地跑去看那瀑布，究竟是從那裏來的？又是怎樣一個古怪景象？一看了方恍然大悟，原來我們已經伴着這瀑布走了好久哩！瀑布也不過是水變成的；當這水在平地之上，流着，流着的時候，平凡無奇，偶而靜止，依然是和易可親，雖說有時遇到亂石擋路，它亦會激成水花，如我們適纔在路途上[illegible]子中所欣賞到的一樣。可是一流到這裏，[illegible]迴路轉之處，忽然匯成一個深不見底的大潭，而大潭的盡頭，有一拱形的石橋，遠望如綫，以爲絕難容人履渡，心想：『是誰人修橋，如此[illegible]已施，何不加寬五六倍，以便利行人？』一念未畢，已走到橋邊，天啊！原來並非人力，全係自然生成，眞可說是「鬼斧神工」！（三）

中共透過英國記者　誣賴港海公然暴行

本報於二九五期刊出一九五三年香港十大新聞選輯，中共從誣衊海事件後，引起了各方面重視。

中共雖企圖以極惡排誣的手段，把它的橫蠻罪惡推諉，已是不可能了。最近，這一事件已再度引起美國人的注視，而倫敦方面亦將再理舊案。中共耽心於這件事[illegible]，不敢明目張膽[illegible]於是，它透過倫敦英共的「每日工人報」[illegible]本月八日該報記者溫寧頓[illegible]發表了一個誣賴聲明[illegible]

[illegible]

中華民國僑務委員會頒發登記證台敎新字第一〇二號
中華民國郵政登記第一類新聞紙類

自由人

THE FREEMAN

（半週刊逢星期三六出版）
（第三〇一期）
每份港幣壹毫
督印人：李微塵
社址：香港高士打道六十六號
電話：七〇四五三
GLOUCESTER RD HONG KONG TEL: 74053
承印者：東南印務出版社　地址：高士打道六十四號
台灣總經銷處：台北市館前街五十號　台灣特派員辦事處
台北中華路九四號之一　台灣郵政劃撥儲金帳戶九二五二號

逆耳之言

・臧啟芳・

自由平等為民主精神的兩大支柱。要建立自由平等的社會，不可不打破不平等的階級觀念，同時又需要樹立健全的輿論。二者不可偏廢。

階級觀念復活

我國在近廿多年來，社會的階級觀念似乎有日見增加之勢。

譬如民選的立法委員，本是人民代表，其地位與行政的官吏不同，委員待遇，不應該與行政官吏的特任簡任互相比照。我曾贊成提高委員待遇，但不必與特任不特任扯在一起。若說立委比照特任待遇，似乎反而輕視了人民代表的地位。若認為立委等於特任官，更是存有階級觀念，缺乏平等精神。聽說現在國大代表也有人爭特任待遇，我也是一樣看法。待遇儘可提高，比照似乎不可。本來代表是代表，官吏是官吏，任務不同，職位有別，何必比照？即就官吏而言，名稱因職務關係不能不有分別，但所謂選任、特任、簡任、薦任、委任等等含有階級性的區別，也無保存的必要，似應一律取銷，以示破除階級觀念之意。

其次，經濟方面，在民主政府的法律保護之下，應該人人有自由從事工商企業的活動，而不應有人藉政治背景獨佔某項工商企業，以妨礙旁人的活動。從前在大陸的時候，往往有特殊階級藉政治背景操縱工商企業，即由政府經營的對外貿易，我國有國營的生產事業，也往往操縱在他們手裏。這種不合理現象，不但顯示特權階級妨害國民經濟的發展，且使國營事業弊竇叢生，損害國家威信，使民衆對政府發生反感。少數人同時具有政治力量，同時掌握了經濟特權，儼然形成社會上一種特殊階級，縱情享樂，揮霍無度，安能不引起一般人民深惡痛絕？國府遷台以來，這種現象已漸革除，然百足之蟲死而不殭！我們還不敢說沒有借屍還魂的危險。尤其自韓戰發生後，大家看台灣環境安定，反攻前途也有了希望，昔日的買辦官僚，經濟政客，都積極思動，未必不想回台灣先從政治下手，然後再插足於經濟事業。最近國內行將選舉副總統，就有人傳說某也想回台競選，還有某也已派某人先到台灣從事活動。我們但願其無，不願其有。果然有之，謀國興亡的國代諸公也不會理睬的吧！

經濟機會平等是民生主義的精義，今後在經濟領域裏必須徹底消滅特權階級，固不止破除階級觀念而已。

教育機會不平等

再說教育，機會平等載在憲法。不要說義務教育應該不問貧富或職業，所有教育費一概由國家負担；即中等教育，甚至高等教育，政府也應盡量設法使機會平等，萬不可容許特殊階級或家庭富有的子女躐等前進，反而使合於資格的青年望洋興歎，不得其門而入。遠者勿論，即以派遣出國留學一項而言，今天在台灣的情形更有失公允。本來教育部對出國留學有一定規章。第一，申請出國留學必須是專科以上畢業生，中等學校畢業生是不准的；第二，為撙節外匯起見，申請出國的學生以得到美國各大學的獎學金者為限；第三，雖已獲得美國某一大學的獎學金，還須經教育部留學考試合格，方准出國。照此辦法，學生程度不夠者不能出國，自己雖然有錢，得不到獎學金者不能出國，中等畢業生更不能出國。可謂盡善，也很公允。然實際上有政治地位的人和有錢的人偏能把他們的子女，雖然剛從中學畢業，甚至還未畢業，用偷天換日的方法，送到美國去。這種不平現象，今後必須糾正。

再說一般社會情形。所謂階級觀念，是優越感，含有封建意味和特權意味，是現今廿世紀六十年代必須打倒的觀念。我國社會直到今天，有權有勢有錢的人多半具有優越感。官級高的人對官級低的人要擺架子，固是常的事；即普通社會，作主人的也斷不肯和他所用的車夫或廚子平起平坐。然而以美國副總統之尊的尼克森先生，週遊世界，到處與平民握手，相形之下，我們是不是應該慚愧？

輿論尚欠健全

今天在自由中國的台灣，我們的輿論是否健全呢？在輿論健全的國家，應該是一切不假裝完好，不文過，亦不飾非。所有問題，不論其屬於何種性質，好的就說好，壞的就說壞。而且大家對於一個問題，不妨見仁見智，各有不同的意見。不但對事如此，對人亦復如此，每一個人皆可大胆而率直的批評任何一個旁人。例如在美國，雖對總統並不例外，也可以坦率的加以批評。在這樣一個國家裏，人民算有充分言論自由，輿論也算健全。今天我們自由中國的輿論，尚不夠健全。何以見得不夠健全？又何故不夠健全？則須詳加說明。我說今天自由中國的輿論不夠健全，至少有兩點現象可作證明。一是對事的批評不夠熱烈，二是對人的批評簡直是諱莫如深。先就對事說，例如關於反攻和建國的設計問題，行政院有設計委員會，國民黨中央委員會也有設計委員會，陽明山革命實踐研究院，經年累月分批研究，所討論的也不外乎設計範圍。三個機構，三批人員，而所設計的是一件事情，意見既不能綜合統一，人力時間又特別多費，不能說不是一個值得討論的問題。

再如每年暑期全台灣大中學生都到軍中服務這項活動，從激勵士氣，訓練青年服務精神上看，固然有許多益處，但也不能說沒有附帶的缺點。一則公私開支為數不少。二則青年學生在服務上所得的實際經驗如何？三則更需要的是三軍將士所獲的實際利益究有多大？以上兩大問題不能說沒有研討餘地，但未聞報章雜誌有何公開議論。

對人問題緘默不言

又說對人問題。近三四年來台灣吏治相當廉潔，有目共睹。然濫竽者亦所難免。據傳各縣市政府並非皆無問題，甚至各級學校也免不了少數有問題的。我們抱罪疑惟輕之念，不敢輕易有所云云。然據邇來傳言，某卸任要員竟以五十萬元之鉅款替女伶解散戲班，款由何來？私人關係，外人不便議論，至有無貪污違法情事，則輿論不應緘默。又如某大員，在美國假借名義，任意揮霍，已引起鄰邦輿論不滿，何故國內輿論尚無公開批評？美國副總統尼克森在競選時為人指摘接受競選費不當，就立刻宣佈自己的財產，以釋羣疑；現菲律賓總統麥克塞塞於就職後自行宣佈其財產，並下令所有政府大員皆須隨之宣佈其私人財產。如尼氏麥氏二人，態度磊落，公私分明，舉世莫不贊歎。某某兩員若問心無愧，亦何妨公開表白一番？若謂我國尚無麥加錫其人，輿論亦莫之奈何，這便是輿論界之羞。

由此觀之，若謂今日自由中國的輿論不夠健全，似非苛責。但問何故不夠健全？則責在所謂全體士大夫的身上。不論在朝在野，大家應該一致負責。政府本身在近幾年內對輿論已十分重視，並未聞有何干涉之舉。士大夫對於國事若不能盡言，雖為自謀可居愼言之列，而不負任何責任，不是反有形容政府束縛言論之過嗎？

總之，破除階級觀念以實現眞平等，樹立健全輿論以實現眞自由，藉以發揮高度的民主精神，是我國在反共抗俄的前途上惟一所致力之目標。爭取國際信譽，收拾大陸人心，關鍵全在此一着。不然即使有大於共匪的軍事力量，也不是容易反攻大陸的。區區之意，幸邦人君子察焉。

印尼現內閣的大危機

・鄭學稼・

印尼的政治危機，已經成熟。現阿里‧汪梭尼格羅（ALI—WONGSONEGORO）內閣的壽命，不會維持得很久。原因有二：

（一）

第一，內在政治力量將迫現內閣垮台。自去年七月末成立的阿里‧汪梭尼格羅內閣，大家都知道是印尼國民黨與大印尼統一黨及神學會的聯合內閣。由於民國黨與大印尼統一黨的密切合作，所以該內閣在臨時議會中有基本票六十三票。僅據這一實力，不足對抗反對黨。因此，長袖善舞的汪梭尼格羅另創立以大印尼統一黨為中心的「政治合作協會」（KERDJA SAMA POLITIK）。它包括勞工黨、印尼基督教黨、進步黨、民主系、平民黨、及民權黨；在臨時議會內，如把大印尼統一黨的議席合計在內，共五十票。此外，阿里‧汪梭尼格羅內閣，又以內閣不重要的「部」分給印尼回教聯盟、大印尼黨、國家人民黨及農民陣線。靠上述的併湊，內閣在臨時議會內，號稱一百二十席。如果它們永久地合作，那誰也無力倒閣的。

到去年底，發生修改國防部組織法的政爭。內閣先通過「第三十五號法令」，依它，調動上層軍部人員。本來預定免總參謀長西馬杜邦少將的職，以反對黨提起疑難，改為削弱西氏的權力。被免職及削弱權力的人，都屬職業軍人派，他們就聯合第一、第三、第四及第六共四個軍區司令官起來反抗，迫反職業軍人派領袖代理總參謀長邦邦‧蘇根上校辭職，另由第三軍區司令官加威拉浪上校發表攻擊國防部長伊哇的聲明書。印尼國軍共七個師團，分駐七個軍區，既有四個軍區的反抗，勢非迫伊哇下台不可。可是總統蘇嘉諾是邦邦‧蘇根的支持者，於是雙方對立，當時形勢嚴重。以加威拉浪為首的四個軍區司令官在萬隆集會，第五軍區司令官蘇地曼中校，也利用印尼人民黨的泗水支部會議，公言「不要輸入外國的政變」。就去年底的實況看來，由於邦邦‧蘇根打消辭意，也許雙方已經妥協，也許還有後文。但反對黨卻利用這一事件，斥「政客干軍」，政府黨則指加威拉浪的聲明是「軍人干政」。

（二）

繞爾這一政爭的結果，是「政治合作協會」開始分化。民主系與印尼基督教黨，均聲明因不滿「第三十五號法令」退出該協會。這使阿里—汪梭尼格羅內閣在臨時議會中失去十八票。以瑪斯汶美為中心的反對黨，現在增至八十一票。這等於說，現內閣欲對抗反對黨，必須拉攏另一力量，它就是印尼共產黨。

印共在臨時議會內有十五席，加上它的子黨印尼總工會、印尼農民陣綫及它的友黨進步系，共二十七席。這一力量，眞是舉足輕重。如果內閣的措施，不能滿足印共的要求，隨時都可垮台，如果事事都仰印共的鼻息，則政府黨中反共的必然退出，亦可折台。

（三）

由於印共在臨時議會內的比重增加，使阿里—汪梭尼格羅內閣面臨外交的難題。為討好印共集團，它已與中共簽訂貿易協定，派大使赴北平，並允許蘇俄設館，這些都是以前內閣所不肯為的。現內閣為前屆各內閣所不敢為之事，還不止此，它顯然地跟尼赫魯反美。反美失去美援事小，因橡膠及錫的價格慘跌和銷路發生困難，引起經濟及財政的困難則事大。到去年年底止，印尼的進口比前年約少六十億盾，迫政府採取嚴格控制外滙，及對香港等地的貿易限於易貨手段。如無美國的援助，印尼必然發生通貨大膨脹及經濟危機。這等於說，現內閣之向左走亦有限度。有了限度，就難取得印共的長期支持。

因此，政爭與外交，都成為現印尼內閣的絞繩。如不能排脫它，阿里—汪梭尼格羅的內閣，有倒亡的可能。

每週展望

・左舜生・

副總統候選人究竟是誰？

聽說國民黨原決定在本月十五召集一次中全會來解決總統副總統提名問題的，現在已決定把這個會延到下月去開了。我覺得，能多留出一點時間，就這一問題多作一番愼重的考慮，不失為一個聰明的辦法。

總統由蔣總統聯任，除極少數專愛談個人恩怨的人以外，我想國內國際均不會有什麼異辭，所值得鄭重考慮的，只是一個副總統問題。

依據現行的憲法，副總統原只是一個虛位，換言之，便只是一個備而不用的位子。可是因其名義相當崇高，究竟容易引起國內外的注目，因此確有待於我們的縝密思考。

我個人考慮這個問題，是從下面幾個觀點出發的：

一、總統副總統是一個全國性的問題，決不僅僅是一個黨派的利害的問題，因此我期待大黨應從大處着眼，小黨也決不應該只顧及一時一事的小利小害。

二、當前舉國一致的一個總目標是反共復國，大家希望蔣總統聯任是為了反共復國，因此副總統的人選也必須是有利於反共復國。

三、副總統既是一個備而不用的位子，我們必須注意它的「無用之用」，因此在政治或軍事上具有若干潛力的人，反而不甚相宜。過去李德鄰一任副總統，其所以引起若干的不大愉快，便正是因為他當時在軍事上還具有一份不大不小的潛勢力哩！

四、反共復國必須取得國際大宗的助力，這是無可否認的事實。因此副總統的分量，必須要它能夠贊助總統贏得更多的國際信賴，乃無可置疑。

五、今天決不能再談恩怨，這是對的。但不談恩怨，並不等於消弭恩怨。如副總統能得一個超越黨派的人物，便可把三十年來的恩怨一掃而空，我深信必於全國的團結有益。

六、中國的知識分子，懂得注意一個人的「大節」，但一般的老百姓卻也十分注重一個人的「細行」。如果我們把一個「細行」不太檢點的人擁上一個崇高的位子，希望老百姓一致叫好，我相信不太容易。至於年老多病的人，不足表現復國期間一種蓬勃的朝氣，自更不待論。

釋俘問題

看這幾天的進展情況，大致釋俘問題在三天後便要正式告一段落了。

此次應該釋放的俘虜，屬朝鮮人民的為七千七百人，屬中共「志願軍」的為一萬四千三百人，前者將返回南韓，後者將運送台灣。

有人担心這幾天內中共也許會有什麼舉動，甚至說重復燃起韓戰也有可能。其實這是過慮。

中共參與韓戰，本來是奉命行事，早已苦不可言，能了則了，他們那裏還有再打的勇氣？

而且中共派到韓國的軍隊，原來就叫做「志願軍」，這已證明他們原不敢向聯合國正式宣戰。他們參戰是「志願軍」，作俘虜也是「志願」，現在不願再回到中共那邊，而願回到自由中國，當然更是「志願」！何況經過中共長期解釋，絕大多數的俘虜始終堅定不移，他們的「志願」是如此堅強，中共還有什麼臉面好說話呢？

美國已有正式聲明，如果中共再要擴大韓戰，他們更將以原子武器進攻中國大陸。關於這一點，如果蘇聯不答應為中共正式撐腰，中共是絕對不敢再冒這一大險的了。不過，釋俘僅僅是韓戰停火後的一幕，我們決不能幻想韓國的統一也正會有什麼和平方法可以解決。關於這一層，杜爾斯國務卿也見之甚明。

好在李承晚總統已答應對停戰協定的遵守，可以延長到四月二十三，可見在四月二十三以前，南韓決不會採取激烈行動，有的是時間，我們惟有靜待其演變。除掉聯合國放棄統一韓國的主張，或李承晚可安於韓國的分裂，否則韓國問題便要求一暫時的苟安解決也是不可能的。

副總統選舉問題論叢（一）

我們最近收到許多討論有關副總統選舉問題的文章，有些提出選舉的原則，有些討論人選。可見大家對這一重大問題的關懷，這是民主政治的好現象。凡屬國民對於國家大事應該自由發表意見的。我們打算把這些意見陸續發表出來，藉示輿論之一斑。——編者。

論副總統的人選

·淡翁·

本月九日，總統頒佈召開國大的命令，副總統人選，立即成爲當前急待考慮的重大問題之一。雷嘯岑先生曾表示如果尋不出適當人選，不如寧缺勿濫（一月六日自由人）。鄧啓先生曾舉出胡適、閻錫山、陳誠、張羣四位人選，請國人發表意見（去年十一月廿五日自由人）。左舜生先生舉出四個原則：一、年事不要太高，身體健康；二、反共意志堅強；三、過去有過表現；四、器度好，且有高度常識（去年十月十七日自由人）。毛子水先生舉出三種資格：一、忠於國家，大公無私；二、過去有過成就，且無「劣跡」；三、正人君子。（本年元旦中央日報）。雷嘯岑先生舉出四個條件：一、不是官僚；二、不是聲明狼籍之輩；三、沒有小派系；四、要懂得一點政治原理的A、B、C。（一月六日自由人）。左、毛、雷三先生舉出的都是原則，鄧先生則舉出具體人選，我們同意左、毛、雷三先生的原則，更重視鄧先生舉出的值得考慮的四大人選，不過絕不同意「暫缺」，豈有偌大自由中國（包括海外），竟然選不出一個適當的副總統之理？就憲法說，重總統，而將副總統暫缺，亦不可通。

我們以爲總統人選沒有問題，不必多說。副總統人選，爲選賢與能，衆望所歸，不必限於與總統一黨籍。譬如蔣先生是國民黨，胡適先生無黨無派，一正一副，還有何妨？我們似不必取各黨分別提名制，應該採取各黨協議共同提名制，讓選出的總統與副總統，更有力量，更足代表全國民意之所向。此其一。退一步說，萬一拘定非取各黨分別提名制不可，這回的提名，第一、各黨一定須以未來國是爲重，絕不容以這位子「酬庸」；第二、副總統人選，每一政黨祇能提一人，千萬應以「前車」爲鑒；第三、應在本黨內選出資望、德行、能力、事功（不以能征慣戰爲重）等最爲人望的人候選，不計親疏，這樣庶乎可無大過。此其二。不論取各黨共同提名制，或者分別提名制，鄧啓先生舉出的四大人選，固然未必就是國人所一致同意的，不過這四位先生顯然各有所長，撇開黨派來說，胡適先生的條件，都不失爲考慮對象之一。此其三。鄧啓先生曾指出我們究竟側重「備副」？還是側重「配合」？我們主張「配合」。但所謂「配合」，並不是如備員伴食，而是能輔翼總統，相得益彰，處在備員地位而發揮其智賢忠誠，而且其德行、聲望、能力足以相副，簡單說，即使「坐而論道」，其資望也必須「配」。

我們當前最大的國是，是反共第一、反攻第一，這是第一等的大事。環顧宇內，誰對反共最有表現？誰對在未來反攻中最有大用？這一條件是非常重要的，如果就能力與事功衡量，應該從此等處着眼。

胡適是理想的副總統人選

·楊力行·

我是中國過去的陸軍將級官員，自從前年辭去國軍某部政治部主任後，三年來閉門却掃，既不論時事，亦少寫文章。（中略）副總統人選問題，已成爲朝野人士最關切的問題。自由人半週刋迭有專文論及，尤其是左舜生先生「正面談副總統問題」一文，極具慧眼。（中略）我常和朋友談論副總統人選問題，我完全贊同左先生的高見。他的文章雖沒有明白說出某人最適合擔這個職位，但明眼人都會不約而同的，注意於報載即將由美返國出席國大會議的胡博士。因此，我贊成胡先生能毅然出而競選，並請全體國大代表都一致選舉他。俾副自由中國及海外僑胞暨大陸鐵幕後面四億多熱愛自由民主同胞的殷切期望。因爲現時只有他最孚人望，只有他是蔣總統的唯一諍友，也只有他是蔣總統對內對外最好的助手。胡先生是一個真正的愛國者，應該當仁不讓，早回台北，宣佈競選。同時我更建議自由人的讀者，如果贊成胡先生出而競選的，請立刻投函自由人，表示願望。如果不贊成，也請投函，表示反對意見。投函截止日期，定爲三月十日，經整理後，於二月十三日或十七日出版的「自由人」公佈正反兩方的數字。我相信這種民意測驗，是很有價值的。四十三年元月十一日台北。

談雲南起義與雲南士習

·毛以亨·

茲舉最初與最後之例，亦證明我們在客中之由不安而憤戰，並非無因的。抗戰之第二年，美金法幣之比例爲一對六時，雲南米價，突然由十八元高至八十餘元，比貴州高起三倍。雲南人因以得暴利，而使其經濟上有了[illegible]，然因生活高漲而不安定，使其經濟基礎無法穩固。最後雲南出了許多財閥，護國寺街一帶成爲銀行區，顧抗戰一畢，雲南之工商界悉行垮台。當日之挾有美鈔千百萬者，除繳還者外，今日恐皆一無所有。其暴起暴落，與昔日個舊錫商相似，且尤過之。其原因，爲本身經濟基礎之未能獨立，而寬俯仰由人。而在文化上，則爲雲南之地方性，與物質文明，太不調和，使雲南人不禁煩躁起來，[illegible]安心立命，[illegible]一切都無心[illegible]。龍雲忽然欲與汪精衞聯絡，其親信盧漢，[illegible]又欲與中央聯絡以倒龍。因其心理上之煩躁，而有不肯安分守己之行爲，即以利害講，與彼等並不上算。但終演成內部相斫之歷史，以至投入共黨而止。

（三）和漢化與否無關

我在雲南時，雲南朋友亦不滿現狀，而追懷唐聯帥時代之政治。但仔細一想，唐繼堯與龍雲之比較，因唐較爲闊大，而少地方性色彩。然如以唐蓂賡與蔡松坡相比較，則蔡顯然爲全國性人物，而唐與龍，均以本省地盤爲重，自可視爲歸屬地方性人物。雖則唐較龍爲優。然省內相斫之風，實起于唐，至少在唐氏主政時代，未曾因以稍殺。而在龍氏時代，此風亦潛伏了一個時期，至最後則終于爆發，而爲共黨所利用。我以爲其弊不在不明是非與利害，而在其精神之得不到調和，煩悶至非妄動以求發洩不可。

護國與雙十並重

然此種環境之下，弘毅之士而敢挽狂瀾于既倒者，亦未嘗沒有。張維翰先生即爲不滿此種現狀之一人。而我所知者，當有周惺甫，易崇皋，李實鶴諸人。汪精衞出走做漢奸，經昆明時，汪自謂係與蔣先生唱雙簧，而龍信之。以問周惺甫，周謂要向蔣問清楚再說，不可妄動。龍以電請示，中央以龍有意放走汪氏，故覆電模稜其詞，龍信之乃益堅。周再主張派人唔蔣，以明之當得再說，龍派謝自知往重慶，相始入白。如周氏者，豈非弘毅之士耶？既不滿一切的地方性，而以爲弘毅之士，應以一國與天下之善士自期。且尤不滿以全國有門爭法統的護國之役，忘了蔡松坡，而歸功于有了地方性色彩之唐繼堯。我更不願紀念護國之役，僅由雲南同鄉開會來慶祝，而不以視爲與雙十節之舉國同慶等量齊觀。

護國之役的發動

我所知道的事實，除「護國之役的回顧談」一文以外，尚有梁任公、蔣百里、李鶴儔所面告者。李爲唐之參謀長，而對蔡則殊欽折，故信其言之不偏。社會上有一補不經的傳說，謂梁任公故意抑唐而譽蔡，以偏袒其學生。實小覷當日已置生死于度外，不計身外之名的任公。世間本無完人，唐繼堯固有可以不朽者在，然如以與蔡比較，自相差很遠。其人的本身學養，不以事功之成就，蓋事功業機會殆占十分之七也。蔡松坡之曾胡治兵語錄，不特爲雲南講武堂學生所修習，且風行于北洋軍隊，有以知其學養之醇。若唐氏之會澤家記，則未免稍嫌駁雜，且以其本縣縣名之會澤名其書，似與袁項城，段合肥並駕，則英雄主義，偉人顯露較盛，殆非純儒可知。

據李實鶴言，唐氏手臂極大，絕非龍襲之小氣可比，即親于龍之黨閥亦作此言。但以與蔡相較，則唐祇能以金錢勢位牢籠人，而蔡則以身作則感化人。若蔡任督時，自彼至課員，皆祗支月薪六十元，而能使部下雖苦而無怨者，因蔡之辦公費並不鉅大，非如今日當局所支之薪水，徒具虛名。然唐知以金錢牢籠人，已較齷齪卑劣之龍雲勝一籌了。

蔡松坡的精神感召

護國軍的發動于雲南，而不在他省，除地理因素外，尚有人和爲其必要條件。此則蔡公治滇三年之清廉精神，與雲南弘毅之士習相感應，而產生此不朽的事業。而唐公亦能順應潮流，而挾之以趨，豈非人傑？特就文化之淵源講，則尚須溯至開風氣之阮元。張先生稱五華書院所講，「多半是經史百家及宋明學案。」或當以爲經代表理想，史代表經驗，百家代表自由思想。宋明學案，爲中國人鼓勵宗教情緒，用以修養，代替西洋人聖經之必讀書。凡此皆爲弘毅之士所由致，尤其一部明儒學案，不特鼓勵南明諸生之抗清，且以

惟發動之地點，則在天津意租界三馬路之梁任公宅，而參加者，除梁蔡外，尚有湯覺頓和蔣百里（飲冰室全集，謂此人迄今尚在，……不願意人家知道他，故不書其名。）當時黎元洪辭武義親王不受，段祺瑞等於被禁，只馮國璋仍任江蘇督軍，梁和馮曾往見過袁世凱，勸他勿做皇帝。但這些人只有消極的抵抗，而無積極的倒袁力量，其當時之所恃，只賴蔡公在滇桂之舊部。至民國四年十月戴戡到北京時，計劃始行成熟，戴即回去佈置了。

（四）護國之役的經過

蔡公走出北京，中間串插了小鳳仙一段故事，其時爲十二月二日。梁任公離開天津，去上海遊說馮國璋，則爲十二月十二日。蔡于十二月十九日即到雲南，幾乎不能發動，梁于二十二日經馮國璋，代遞致蔡密電，二十五日蔡遂以梁電當場宣佈，證明袁之部下，已不助彼，乃宣佈護國。蔡固能從權者，然不以權術濟其私，故當能守經。

梁任公護國之役的回顧談，謂「但起義後有許多意外的障礙——我現時也不願多說。總之因爲這種障礙，弄到蔡公要從大理府一帶調兵，就擱了許多日子。而且好的兵都留在省城，蔡公所能帶到前敵的，只是二等以下的兵，二等以下的軍械。……可憐我們最敬愛的蔡公，帶着不滿五千人的飢瘦之衆。……蔡公四個月裏頭，平均每日睡覺睡不到三小時，吃的飯是一半米一半砂硬吞。他在萬分艱難萬分危險中，能彀令全軍將官兵卒，個個都願意和他同生同死。他經過幾回以少擊衆之後，敵人便不敢和他交鋒，只打算靠着人多，困死他餓死他。到後來，他的軍隊，幾乎連半飽都得不着了，然而沒有一個人想着退卻，都說我們跟着蔡將軍爲國家而戰，爲人格而戰，蔡將軍死在那裏，我們也都歡欣鼓舞的死在那裏！」

合作的根本條件

儒家薄功利如敝屣，而以一死爲遭遇不可抗力之盡責表示，這是要兌現的，決不要認梁任公這番沉痛的話是空話。戴戡出兵洪江，以抗吳佩孚而與蔡公抗曹錕之兵相犄角時，貴州地盤，即爲唐繼堯所收去了，這是隨唐往貴州任警務處長之李寰，對我說的。而對前方之不肯增兵與餉，亦爲事實。令我聯想到抗戰時，日本兵進至百色，而雲南爲漢要求貴州地盤的故事。蓋合作之中，亦有互相利用者在，若嫌棄此等合作，而不爲之事，則世間直無可爲之事，而國家益不可問。我以爲今人合作之局，不能有成，都是計較之心太甚，而不肯稍自犧牲。其實以我個人心情論，苟利國家即大犧牲，亦庸何妨？

蔡公之兵，僅三梯團，這是其參謀長蔣百里先生爲我言的，則梁說五千人亦爲事實。張先生所謂不滿三萬人者，大概兼指唐氏自將，與李協和所將赴粵者在內。乃包含全部滇軍而言。蔡公在赴滇前，本已有病，功成離開軍隊赴日就醫時，喉頭已口痛不能言。則數月在軍中，以米和沙而食之所致，蓋其喉部與食道，已經爲沙擦破，而潰瘍了。說他患梅毒，而烘托出一位小鳳仙，而大大強調起來，和說他軍餉賴販賣鴉片以得濟，均爲中傷與自文之詞。要知川土販于雲士，而北京清吟小班之妓女，有梅毒者，是百不得一的。至謂日本醫生害死蔡公亦不可救，無非欲藉以降低其清望而已。

蔡公與其義旅，均以悲劇終場，求仁得仁又何怨！特一部分人既盡瘁而下場，不特繼起無人，且變其義旅爲爭利而自相殘殺之工具，不知其有愧于蔡公之部下與同僚否？戴戡繼蔡任四川督軍，蓋爲北洋軍閥之所授意。成都城破之日，竟以身殉，蔣百里所荐之參謀長杭州人張某亦不免。而蔡部趙又新，顧品珍回滇，又與唐爭雲南地盤不已，紛擾亘十年始止，此豈護國者之始願哉！

（五）結論

我認爲蔡優於唐者，或爲讀書人主觀之見解，而與黨的成見無涉。其實蔡唐爲不同典型人物，蔡爲儒將，而唐是英雄。我並非故意毀譽，且亦稱許唐氏，抗戰在滇時，求欲如唐聯帥之作風者，已不可多得。然士習敗壞至此，非總于當攜不止，而弘毅之士，如周惺甫，張維翰者，不特鳳毛麟角，且亦垂垂老矣！將來欲以反共之成功，今日藉以建立游擊之基地者，祗有賴于對中國文化，未有素習之野人山野人，與刁土司之族。則不能怪雲南今日不出弘毅之士，而祗怪國家之未能培養此等風氣了。（下）

艾森豪勃然大怒

上週間，華府發生了一件外間所不知道的事情，但這件事卻引起白宮和國防部的風暴。事件的起因是：某一位高級海軍官員在記者協會演說，把美國第一艘原子潛艇「鸚鵡螺」號稱爲「試驗車輛」，事件傳到白宮後，艾森豪總統勃然大怒，急忙把原子能委員會主席史特勞斯和國防部長威爾遜召在白宮，並下令他們調查是那一個海軍軍官作出這種狂語。艾森豪盛怒的原因有二：第一，凡有關原子方面的新聞，應由原子能委員會發佈，某軍官此舉實屬破壞了原定的規則。第二，艾森豪和國防部特別重視核子武器，政府的「新面目」國防計劃也以原子武器爲重點，某海軍官員輕視原子潛艇，所謂「試驗車輛」之說，實與艾森豪總統的意見相衝突。

國務院指揮空軍

美國聯合參謀首長部目下正在考慮一項改組計劃，如果這一計劃獲得聯參部通過，國務院將實際上指揮一支空軍。原來在空軍運指揮部之下，有一個專門負責宣傳戰的空中供應及通訊大隊，依據新的改組計劃，這支部隊將由軍運部撥交國務院指揮，將來這一共運大隊的工作仍爲在敵方領土上投散宣傳品，只不過在建制上歸國務院直接指揮罷了。

俄使館忙着送禮

近幾個月來，蘇俄對討好法國費不遺餘力，爲配合分裂盟國的新政策起見，俄國駐法大使館在新年期間也做了一番拉攏法國政要的功夫。在大除夕那天，俄大使館的汽車司機整整忙碌了一個下午和晚上，他們將需百甕盛滿着魚子醬、伏爾加酒和水果的禮物分送給法國民議會中的領袖和重要外交官員。最近動波爾師來力主維持與德奈塞綫的前總理達拉第據悉尤得到很厚的饋贈。

華盛頓忘記慶壽

西德總理愛特諾爾最近曾很熱鬧地做了一個七十八歲大壽。那天前往慶賀的外交使節很多，而且每一個與西德有正式或非正式外交關係的國家大都送了一筆相當貴重的禮物，邱吉爾首相更是最先送禮的一人，但截到目前爲止，還不曾看見白宮方面的禮物。因此西德外交人士深爲詫異，究不知是華府一時的忽略，還是另有原故，但他們相信以美德友誼的如是密切，大抵以前者的可能性居多。（孟衡）

天下小事

小啟

本期，「編者與讀者」專欄，移第四版左角。

從被俘到自由

——一個逃出戰俘營反共義士的自述——

·一云·

衣食住一般情形

美軍發下來衣的服倒是不錯的，和他們自己平時穿的一樣。不過到後來，却開始發給舊東西了。

根據日內瓦公約的規定，我們的伙食是應該和拘留方的看管部隊一樣待遇。事實上却並不如此，而且相差得太遠了！美軍官兵所吃的，我們原也不想去和他們比較，但是，整日都吃不飽肚子（每人每頓只有兩碗白飯和幾片鹹魚）是使我們對美軍當局發生一種反感的重要原因。如果你去問他們一般士兵和少數軍官關於這一點作何解釋時，他們却很冷淡地說：「你們是戰俘身份，不能和我們相比的」。而營地司令部的高級人員那更直截了當地說：美國沒有參加日內瓦公約！這就令我們感覺奇怪了。因爲平時凡是對他們美軍有利的，或者要涉到我們日常生活的時候，他們却動不動就搬出這本日內瓦公約來了！真弄得我們啼笑皆非。

最初由巨濟島搬來時，大家是住在帳篷裏的，後來美軍動員我們全體戰俘們，用岩石和少許水泥建造了大小一樣的石頭房子，先後達半年之久，方才完成。每人有毯子兩條，一條鋪在地上，另一條用來蓋身。每幢石屋裏住着六十多人，相當擁擠。好在白天裏大家都到屋子外面去。

公差很多

每天從早到晚的公差是很多的，甚至於半夜也有。大致分爲兩種；一種苦一點的如到海邊工作，將米糧、建築材料、彈藥及各種器材等，由登陸艦搬運到卡車上，到了倉庫裏再由卡車上推進棧房裏。軍需將東西交付各單位及各聯隊時的搬運工作以及碎石，修路等等。另一種比較不太勞苦的，就要算那些分派在美軍各單位工作和在官兵宿舍，俱樂部，飯廳以及辦公室裏當差的，則頗爲清閒。不過，除極少數以外，時常是受營軍及小兵的氣和挨罵，甚至於還挨打呢！而工資呢?!——日內瓦公約規定是應該有的——有的爲他們服務了將近兩年，也從未領到過一分一毫！好在職俘們也並不關心到這點，甚且有的還不知道應該有工資這回事呢！所以大家也從未向當局提出過這個問題來。

還有一點要補充的，大家剛由巨濟島搬來時，美軍營地司令部的房子、辦公桌、椅子、火爐（用大汽油桶改成）以及普通桌椅等等，都是由原時做木匠和鐵匠的職俘替他們做好的。

營中的娛樂

娛樂方面，我們有自己組織的劇團和歌詠隊，還有球隊很多。經常上演平劇、話劇和舉行各種球賽。

雖然每一聯隊裏的人數很多，但是因爲每天出外公差去爲美軍服務或做工的也不少。所以除白天才舉行的各類球賽可以招待一千人（當局不准兩個鐵絲網以上的人同在一起）外，晚上的戲劇則因爲場地的關係，只能招待一個鐵絲網的隊員們來看，因此每十天一轉，聯隊裏的全體隊員們都看到了戲之後，方才告一段落，而讓劇團裏的人員休息一個時期。然後經過彩排後，再演出另一本劇。反共話劇中，則有很多是職俘們自己編導的，而且演出成績都很不壞。

另外，本來營中是有電影的，從前在巨濟島時，是每星期放映兩次，而去年四月剛來到濟州島之後也還有過幾次。以後不知道是什麼原因，差不多有半年多的時間沒有來放映。後來一直到大家快離開濟州島的時候才恢復了一陣。不過片子還是以前早就演過了的老片子。其中大部份是介紹美國生活及工商業的進步情形，但小隊員們却只喜歡看有關台灣報導的美國新聞片——真所謂百看不厭！

聯隊裏還有一個圖書館，規模却很小。書籍、畫報等，是由聯合國軍民間報導教育局派在營地內的一個工作單位所供給的。書籍種類少，數量也不够，以致[illegible]員們都[illegible]一樣。

其他如象棋、圍棋，甚至於牌九和麻將全有，而都是由我們自己製作出來的。暇時對奕，或無聊時大家就樂賭一番，不過[illegible]以香烟（由當局按時配給）來計算的。

美軍做的好事

我在這裏要特別向各位讀者提及美軍在各戰俘營內所舉辦的一件事——就是我在前面曾經提過的[illegible]總部心理作戰處下面。在韓國各地的每一處戰俘營（不論是中共、韓共，反共或是親共）內，都有一個分組派在那裏服務的。至於他們的主要工作，是提倡教育和興辦各種娛樂。

我先從教育方面說起。戰俘們共分爲三種程度：文盲；略爲識字的；和從前已經讀過幾年書。第一種文盲不識字的，給他們上大課。所謂大課，就是很多職俘們集中在一起，由一個教員（職俘自己擔任）和他們講解一些必要的中外歷史和地理及衛生常識等。[illegible]一次題目。第二種略爲識字的，則給他們上識字班。識字班的教科書是採用晏陽初編的「平民千字課」一書，共分四冊，適合大多數戰俘們的需要。第三種已經讀過幾年書的就參加少年班。所謂少年班，等於一般的小學程度，也就是國民教育制度，從一年級起，一直到六年級爲止。此外還有職業班，分爲木工、鐵工、縫衣理髮和做鞋[illegible]。

[illegible]提到的各種教育單位，民間報導教育組在各聯隊裏設有一個辦公室，並在我們中間從前有教書經驗的和教育程度比較高的考選了一批人來充當教員，再由他們裏面互選校長和教務長負責學校裏的一切。平時所需的教科書、筆墨、紙張以及各種球類等，都經常由民間報導教育組盡量供給。

青春之歌

（木刻集）。驗客。

（一）

陳其茂的「青春之歌」木刻集，最近在台灣出版了，這是自由中國木刻藝術的一大貢獻。對於被人冷漠的新興木刻藝術，我們應該培植與愛護，使其成長和茁壯起來。

這部木刻集，很多地方配合了東方藝術的「象徵」性，就是說作者從寫實的境界脫出，而表現了這種外來的藝術具有我們的東方藝術，應該「民族化」的象徵性。但是，我以一個不懂藝術者僅憑欣賞的直感，提供一些意見：

（二）

一、作者自我宣傳的「陳其茂、貓與維納斯（VENUS）」，印自己像多爲別人所贈，故該幅有「徵婚啓事」之嫌。

二、缺乏空間感：藝術就是有的表現，有的不表現出來留給人想像的，一幅書並不是留了空地方，因爲畫家偷懶的緣故。十七幅中沒有一張有空間感。

三、動的東西寫成死的，尤其是動物都似標本；如他刻的鳥、牛、人的腳、鷄，或者如紙剪的一樣。尤其是天上的鬟不像鬟，死死的，貓刻成了虎。

[illegible]

六、缺乏象徵手法的經濟性：[illegible]以細線排刀表示，均若繁雜。藝術就在以象徵手法的經濟性，作有力的表現；而他刀下的「原野的風」一幅，刻出了風刮的姿態，莫如以[illegible]彎曲，或東西被捲[illegible]。次如「我環的夜」，刻出燈光線條，看橫闊燈光[illegible]，人怎能看見字呢？莫如不刻出光線，人在燈下看書定有燈光，[illegible]。次如「夏午」一幅，[illegible]

（三）

寫至此，我想起[illegible]：「你要表現浪花，莫如畫出大海」。象徵手法是一切藝術的訣竅！

這部木刻集，在提倡木刻藝術運動上，[illegible]；作者在「前記」上[illegible]「亦將近年來[illegible]的作品」，此在木刻藝術的進程上說，還有很長的修養途程吧！

[illegible]

中共黨內的危機

沈秉文

這種對抗，據「人民日報」社論指出，爲「以自己所主持的部門和黨委的[illegible]」[illegible]黨的威信大受損害。」[illegible]以提高其神聖不可侵犯的權勢。[illegible]獨斷獨行，隨心所欲，[illegible]「黨的命令」的帽子壓倒一切。[illegible]

除與上面所述各黨委的偏向大致相同外，[illegible]

[illegible]亦爲當前中共黨內最大的危機。[illegible]

[illegible]「放任自流」[illegible]（四）

[illegible]

翻眼不認人了

[illegible]

大陸學生搞宣傳 閩學校形同虛設

福建共黨爲了普選，宣傳總路綫及建設公債，[illegible]元旦文娛活動等工作之影響，由上年十二月一日至卅日各級學校[illegible]形同虛設，學生已不知功課爲何物。據元月五日廈門日報自承：[illegible]

看賽馬有感

在香港住過四年了，從來沒有去參觀過跑馬場的賽馬情形。最近被友人强邀入跑馬場初次見識，看觀衆們濟濟一堂，神情緊張熱烈，互相打聽關於馬匹的消息，又研討此次比賽的趨勢，某匹馬是熱門，某匹馬是冷門，癡心鑽研，然後下注。如果比賽結果，居然出了冷門，大衆皆以驚奇的眼光。我只是參觀而不賭，心情自然比較悠閒客觀些。隨着大衆那種議論紛紜，指摘不休的神色，即聯想到政治場中的現象，也與馬場相差不多。最近由於國民大會快召集了，到處聽人談論未來中華民國副總統的人選問題，甲說張三，乙說李四，丙又說可能爆出冷門。此情此境，實與馬場裏無兩樣，若在眞正無記名競賽投票的選舉方法中，誰也不知道當選者究屬何人？跑馬場內跑出的十餘匹馬選擇出場競賽，結果得頭彩的祇有一匹而已。觀衆們呢，有人歡喜有人愁，表情當然不一致。

對於這次國家大選，不管將來結果是熱門抑是冷門人物的當選，都無所謂。我祇盼望國大代表們憑自己的職責，拿出良心和血性來，眞正替國家前途設想，慎選一位衆望所歸，勝任愉快的副元首，表現與國家氣象，藉以振奮人心。國大代表好像跑馬場中駕馭馬匹的騎師，如果有良馬出場，而騎師不善控馭，以致驟墮落伍，那就必然受到觀衆唾罵的！

馬五先生

從紅鬃烈馬看 沈規珹的藝術天才

·周景彝·

（一）

台灣平劇從荒涼而寂寞的園地[illegible]中，已逐步走向大衆化的坦途，已從沒落中徐徐走向光明復興大道。

本年十二月二十五日爲國大年會，舉行國樂晚會，邀請了一些名票演京劇一堂，演出節目有「成功」，「林沖夜奔」，「春秋配」，大軸戲爲「紅鬃烈馬」，各方面亦均爲到臺捧場，曹館話，積若館主，沈規珹，楊玉芳等合演全部「紅鬃烈馬」，演出的情況異常精采，余飽看全部表演，經過感覺十分滿意！自從在台灣觀劇以來，算是使我最滿意的一次，演天會職高君在劇飾平貴一人到底，治爲難得，因此唯嗓小有感變化，但是做工並不因此而稍挫，相反深入顯出。王寶釧，在全劇後部一場的表技確實相當[illegible]術準備，希望館主不要以此爲滿足，應再繼續努力研究技藝之缺失，多所供獻，期以發揚平劇國粹精神，以爲然否？

（二）

沈規珹女士乃係筆者世交，代北平人，原籍浙江，宗法古都北平，人亦頗具北平世家風度，個性淳樸溫厚而雅淡，敦厚待人接物如華宋，在現時代殊不多見，沈氏七歲即開始學習平劇，曾經受業王瑤卿的姪子王幼卿，常吊吊嗓，研究戲劇之藝術聲腔，修養甚深，進益良多，歌唱技巧，才能的基石，奠定了她未來藝術的基礎。曾一度於上海初次登台試了一次「女起解」，結果成績斐然，頗獲當時各界佳評。

規珹畢業於北平中法大學，專攻法國文學，品學兼優，尤其國文修養相當淵源，她除了對國文富有造詣外，並且擅長繪畫，專攻山水，人物山水描畫尤爲專長，曾在平津京滬一帶舉行個人畫展，成績特異，名重藝壇。對體育活動尤爲愛好，球類如熱球，網球，排球等各種運動，無一不能，尤其打得最爲精到，在台灣票界是一位有名的女健將。

（三）

三十八年大陸劇變，隨夫率子奔向台灣，來台後便重負起家庭重任，主持家裏一般瑣事，但暇時，經常吊吊嗓，研究戲劇，檢討得失，從不懈怠，又不恥下問，求教前輩們，無時無刻不在皮簧。適程派票房私人雅集，周長華爲研究所主持，於五五年，登門求教，於五五年高中，學會了「鎖麟囊」，「荒山淚」，「文姬歸漢」，「玉堂春」，「汾河灣」，「春閨夢」等若干名劇，皆由周君一手教成，目前台灣學程腔者，並不多見，高顯若館主之流，規珹在程派中，可算是出類拔萃的人才了。因爲程腔與梅腔的戲路，完全相反，程腔尤其難學，運腔咬字非有音律天才和經驗不爲功，否則很難出色。規珹對程腔具有天賦才能。潛心揣摩[illegible]勤練習，所以到了成熟的時候，便能發揮天才，一舉成名。十二月二十五日國代年會那天，我抱極大興趣，往中山堂觀摩全部紅鬃烈馬。進場時觀衆甚多，擠得水洩不通，時正五家坡上場，楊玉芳的前寶釧正在窰前會薛平貴，表情動作較差，無[illegible]長辭君可置評。

（四）

規珹飾劇中代戰公主，扮相莊健，馬上亮相有神以及台步走的甚有規律，表情做作絲絲入扣，佐以館主之後寶釧及長華君的手琴，恰到好處，代戰公主與寶釧在殿前受封時見禮一段的表情尤佳。她在登殿一場便運用了全部的精力貫注在這一場戲裏，我認爲確有精到之處，能控制全場觀衆情緒，使觀衆大爲滿意，余此次綜觀[illegible]劇的表情做作，[illegible]然勵！眞可算得是[illegible]兩悉稱，相得益彰。

△艾森豪總統在向國會宣讀國情咨文前，由電影名星蒙哥馬利指導關於電視攝影機前的姿態。

民族詩人鄭所南

王世昭

先生此意，不啻爲天地立心，爲生民請命，浩浩沛然，充然塞然，不知其稱，頂天立地之男子漢，眞無人無我之大詩人，眞入世出世之大文豪，眞愛民族愛國家之一等古人。宋之亡也余得一人曰鄭所南，明之亡也余得一人曰李元仲，是眞讀書種子，是眞讀破萬卷獨來獨往之大人物。求之古人，曰屈靈均，曰陶淵明；求之今人余得易君左，求之中古，西宋明各數人而已。

海鹽張元濟敦鄭菊山父子詩文，於所南先生與吳山人書謂於吾鄉敎有微辭，其言曰：「語多荒誕」，結論謂「其言亦猶賢於今之地師。」其實先生與吳山人書，鑿頭一語即云：「天下之人，天下之事，莫不以立心爲本。立心正事，罔不吉；立心不正事，罔吉。不然，雖能之，非福也。」又云：「古之葬者厚，衣之以薪，葬之中野，不封不樹，將以泯之於太朴之天也。」又云：「天地人萬物陰陽虛空根蒂而已。」於此，足證鄭氏的見解，並非重視靑鳥術，尤重視天地人之變化，而天地人變化之終極，鄭氏有詩云：

「三三即九九，數之何性有。
九九非三三，拈來不用參。
滿頂髮鬖鬖，滿面骨巖巉。
不知死日至，只是弄癡憨。」

先生詩，一片純眞有風趣；先生文，上追周秦諸子；先生氣，已成國寶；先生之浩然正氣，則塞之天地之外莫之能禦；嗚乎先生，余欲何言！（完）

癸巳中秋設讌邀友賞月 即席分賦

·周樹聲·

如洗銀河亘碧天。玉壺高挂照無邊。重重竹影移雕檻。陣陣花香入綺筵。泉響蛩吟新境界。琴音留韻舊因緣。堂開攬得清輝滿。再上層樓憶仲宣。

金鏡初升射未周。當空又似水晶球。臨池相映情眞趣。隔樹遙看景更幽。潘室何妨延素魄。庾樓會許照清秋。纖雲悉淨寒光放。坐玩蟾華玉斧修。

玲玲的愛

·亞秦·

玲玲的心更痛苦，由於眞愛的流露，又去找到玉祥，討論請假休息問題。當他倆正在一個玻璃窗已破碎的窗口下，對如水的月色清明無嗎嗎小語時，吳黨委的獰笑聲又吹入她（他）倆的耳際。

玲玲立時打了一個寒戰。

玉祥呢？因心悸得十分劇烈，——他那嚴重的心臟病，唯有在這種異外地震盪情況下，使他的病態更惡化。

這一夜的小組檢討會上，忽然添進了新檢討的資料。檢討之下，乃是指玉祥思想有着腐化的細菌，還需要再改造和教育。從那天起，工廠裏沒有玉祥影子發現了，一切情形如常。

就從玉祥失蹤那日起，廠裏同志，天天見到車玲玲從吳黨委的房子裏走出來，每次出來時，眼睛都是紅紅腫腫的。時間一天一天的溜過去，玲玲一付失去血色的面孔，也同玉祥一樣的憔悴；黝黑的嘴唇，雜亂的頭髮，兩枚鑽孔像迷濛的燈塔，堆似的肚皮越來越膨脹。就在這個時候，組織上決定了她的前途，要她跟「抗美援朝」歸來斷了一條腿的「功臣」「結婚」。可憐的玲玲，打斷了她一生的幻夢。

玲玲隨着結婚的題目，回到了家裏——一間[illegible]舞台。想起童年的嬉戲，長大時的戀纏，玉祥的失蹤，自己的遭遇，一陣咳嗆就撲在床頭，哭得死去活來。[illegible]過來扶她時，她的眼淚已不斷地迸出白色泡沫，兩眼也發直了（下）

家住天台雁蕩間

·鐵頭·

這就是有名的所謂「石梁」啦；石梁本身，自是渾然一座龐大無量的巨石，然這座巨石，適當山麓的最後邊緣，一面是懸岩絕壁，凌立千仞，一面是溪流所匯成的一個大深水潭，水潭之水，不斷溢出，則奔騰澎湃，猛然瀉而下，又把下面冲成一個小潭，而小潭之內，亂石林立，毫不退讓，以致將冲下之水，反擊得四面八方，紛紛滾滾，如雨如雪，如霧如霧。那互相冲擊的情勢，固猛烈可怕，而由此所發出的聲音，如怒如吼，如號如哭，尤其令人心驚膽戰，震耳欲聾！心想：「這就是剛才遠遠所聽到之雷聲與戰鼓的來源了」。斯時有人對我大聲說話，竟一字不聞，我只好擺擺頭，搖搖手，示意叫他等一等到廟裏去說，他才罷休。

那石梁之奇處，就在它好像是一道關口，它本身三分之一把上面深潭的水攔着，不使泛濫，而以三分之一的闊處，開一個窩窿，讓溢出之水，從那窩窿中傾瀉懸空而下，在窩窿的上面，則横連着一條寬僅盈尺的虹狀石梁，其形雄健無倫，其[illegible]。

一面是無底深潭，一面則像百丈峭壁，區區一綫石梁，竟能擔此大任，凡是看到的人，無不感嘆振奮，石梁的總關口，大概有十丈左右，而拱形的窩窿，則約佔三十餘尺，下面對面，山岩之下，有一小廟，中供奉彿像，每日早晚，例由石梁大廟中派小沙彌渡過石梁，前往上香。亦偶有情侶信女，許下宏願，要親自去磕個頭，燒張紙，以表示虔誠。其間所演悲劇，想自古以來，當不會少，那自然只好歸之於不敬，與不誠，或命運註定。普通人則多半瞠目結舌，望而卻步，據說：太太小姐們，甚至不敢走近石梁的窩窿邊緣，更不敢作左顧，驚走而深潭，黑黝黝的，右面則一望無底，煙霧迷漫，不知藏有何種長蛇巨蟒，中懷惶懼，莫不得快步而去。殊不知那些水，表演了一番氣勢洶洶，震天動地的武戲以後，流到下面較平之處，依然平凡如故，這情形我們在溪口的千丈巖，各瀑布中，早已看得多了，不足爲異。（四）

編者的話

△本期楊力行先生關於副總統人選問題的文章，主張由「自由人」來一次民意測驗。於此，我們得向讀者聲明，我們雖沒有準備做這一件工作，但願意爲讀者服務，盡力把讀者的意見充分表現出來。

△讀者南山先生指出本刊二六六期及二九三期，關於鮮卑利亞學會報導中。何秋濤先生係清人，著有「朔方備乘」一書，不可能現時在台主持學會之事。頃接吳傑先生來函，述致誤之經過，並詳述何秋濤在學術界之成就，原文頗長，改日發表，於此，先對南山先生及吳先生致謝！

△孫旗先生：示悉，台端致力文藝的精神，至佩仰。「新的世界讀物」當代購奉，承詢長文作者，係東日堯先生。

△王蘇先生：示悉，三萬字長稿，本刊篇幅有限，無法刊載，至以爲歉。

△漢非巢先生：本月二日及十一日兩示均悉，明信片當代轉致。

△本刊前載「王菲」係王蘇之誤，合更正，並向王先生致歉。

△下一期特發表陳伯莊先生論尼赫魯爲甚麼在國際上不反共，兪覺先生論中共通貨膨脹，都是極有研究的好文章。

中華民國僑務委員會僑發登記證台教新字第一〇二號
中華民國郵政登記第一類新聞紙類

自由人

THE FREEMAN
(半週刊每星期三六出版)
(第三〇二期)
每份港幣壹毫
督印人：李光華
社址：香港高士打道六六號
電話：七四〇五三
GLOUCESTER RD
HONG KONG
TEL: 74053
承印者：東南印務出版社
地址：香港高士打道六十四號
台北市館前街五十號台灣特派員辦事處
台灣總經銷處
台北中華路五四二號之一
台灣郵政劃撥儲金帳戶九二五二號

「亞洲心理」作祟

·陳伯莊

尼赫魯在國內反共，在國際上不反共，而媚共，原因由於「亞洲心理」作祟，亞洲其他地方也受此心理影響，大陸人民和華僑亦所不免，我們必須特別警覺，尋求對策。

（一）

前幾天司馬璐先生在報上發表了一封公開的信，說曹聚仁是統戰作家，其中引曹語：「你們憑甚麼反共！」

幾年來，尼赫魯一心一意要拉中共入聯合國，新近又極力反對巴基斯坦接受美國軍事援助，令人想到，尼赫魯憑甚麼在國際上不反共。

「尼赫魯」和「曹聚仁」在自由人士心目中，早已成了挑釁的符號。一提起這類符號，便引起惡劣的反感。

撇開挑釁行誠不管，自由中國憑甚麼反共，印度憑甚麼在國際上不反共，都是當前亞洲的重大問題。

（二）

當然，我們要選自由中國本身的力量來反共，而不選友邦的援助。友邦的援助祇能視爲有利條件之一。而且必須本身有力量，才能運用這些有利條件。

本身的力量在那裏？「紂有臣億萬，惟億萬心，予有臣三千，惟一心。」這是基本。這基本是對領導者心悅誠服的擁護，對敵人同仇敵愾的義憤，由於意志集中，而形成力量集中。意志不集中，不會有力量的。問題就在如何集中意志。第一，要有能引起強烈共鳴的理想目標，第二，要有能引起強烈擁護的實際行動。

要緊在「引起」兩字。人民本來有此感覺，有此願望，有此追求，才能以政府的理想號召引起其共鳴，以實際措施引起其共其擁護。拿一個極顯淺的例子來說：一個容光絕世的美人不能引起三歲童男的衝動，而中流失船，則一壺千金。政府的政治理論，往往偏重於歷史立場，和本身尊嚴。其措施，以配合反攻力持之獨立爲多，能引起海內外人心嚮應反攻，擁護反攻的作用爲少。在民卅八，卅九之際，眞是「今民各有心，而鬼神之主。」現在其地已立，正爲勤求引起共鳴擁護之時，時哉不可失。

（三）

尼赫魯在國內反共，在國際上，不但不反，而且處處懷他人之慨，拿些自以爲於已無損的禮物來媚共。此無他，祗是「亞洲心理」在作祟。「白種人滾出亞洲」，陶醉了新獲獨立的印度人，大還其指東畫西義形於色的「獨立外交」，「我今而後得反之也」的馬後砲，至少還要過一個時期，才會酒闌興滅。國際上反共，在印度人看來是向美帝投降，尼赫魯怎敢做。中共在韓戰和美國打個平手，在北平英代辦靜候幾年見不到周恩來，在印度人看來，還不是替亞洲出了一大口冤氣的好漢，尼赫魯怎敢不恭順？巴基斯坦如接受了美軍援，馬上間接增強了他和印度爭執喀什米爾，尼赫魯怎能不惱怒呢？他沒有甚麼可憑恃，而在國際上不反共。

「亞洲心理」不但陶醉了印度，馬共也利用之以英國人滾出馬來亞，越共利用之以法國人滾出越南，日本人爲天天求獨立擺脫，爲擺脫美國掌握的先頭步驟，今天又要對付，將來不能有更大的暴動。自由世界碰上了「亞洲心理」，有如秀才遇了兵，有理說不清。

大陸人民，南洋華僑不受「亞洲心理」之祟的，他們是不顧，只見不顧，意注意到所不顧見。大陸人民，南洋華僑而受「亞洲心理」之祟，當然是我們所不願聞的事情。所以我們要特別警覺，虛心研究，尋求對策。

中共通貨膨脹的危機

·俞　嬰

中共的財政崩潰現在又多了一重新證明。北平中共「人民銀行總行」以「便利流通」爲詞，去月十四日正式公佈發行兩種新式樣「人民幣」五萬元大鈔，一種爲「新華門」圖景，一種爲「收割機」圖景。「廣州人民銀行」則遲至除夕，方正式佈告。大面額鈔票出籠，無疑表示中共已走上通貨膨脹的路途，也就是表示中共財政危機日深，又豈能用「便利流通」掩飾得了。中共曾誇稱「不打無把握的仗」，但今日面對着困惱的經濟戰，已是束手無策，明知這是一條死亡的路，也迫得要踏進去，足見病入膏肓，無可救了。

發行數字祕而不宣

中共對發行數字，從來祕而不宣，貨幣的流通，向來靠特務們維持。所以三年來，「人民幣」維持它的對內價值，也就是這個緣故。根據「中共財政部副部長」戎子和「一九五〇年財政工作總結及一九五一年工作方向」的報告，發行鈔票，還比原概算減少了百分之一三．一，估計是人民幣六萬三千六百三十三億元；但依照薄一波在一九五三年預算中報告的百分比推算，一九五〇年的借貸保險收入（包括發行鈔票，借債和發行公債），則祗有人民幣三萬三千七百六十一億元，比對起來，豈不是前後自相矛盾？所以無論戎子和或薄一波所說的數字，都難令人置信。因此，可知中共在財政預算上關於「貨幣發行」項目的數字，不過是事前或事後的砌詞而已。

由一九五〇年到五二年，中共的預算表上一直都編列借貸收入，所佔的百分比不大，它的作用，是告訴人們說：中共政權不是靠發行維持的；也就是說：中共的「人民幣」幣值都是穩定的。表面看來，不免爲它的宣傳手法所炫惑；如果深入透視，中共在三年來所以少發鈔票，係靠下面的幾個手法：

少發鈔票的手法

第一、變相發行：如東北發行的「工薪分券」，又如各地印發的「貨幣代用券」，如各地合作社發行的「代人民券」、「流通票據」、「定額票據」等等，名目繁多，無異是變相的發行，且其面額有大至一萬元，二萬元，五萬元，十萬元，一百萬元不等。這些事實，根據中共官方的「解放日報」，一九五〇年四月廿九日及五二年七月五日刊載，就有詳細的報導。這些代用券雖然也在市場流通，顯然的，它就代替了「人民幣」的職務。

第二、[illegible]力量，減少人民交出所收的物資，不給與現款，等到將物資收交人民，其目的無非使鈔票流通額減少；其次，又鼓勵各地商與各地人民，以貨易貨，換取物資，所以希冀以物資交換物資的方法，可以不必增發貨幣，而維持貨幣的穩定。

第三、支票轉賬：中共的大宗貿易，多數操在它所經營的國營企業機構之手，所以它的交易，直接就由銀行的戶口轉賬，以減少現金的週轉，市場上比較大宗的交易，也採用支票制度，再到銀行劃撥賬款，使鈔票的流通率減少，以維持貨幣的穩定。

第四、現金管理：例如限制政府機關留用現金，大宗支出，則利用支票或銀行轉賬；如在一定地區，也限制留用現金不得超過一個月，以減少游資在市面上存在。

財政基礎脆弱原因

中共採用這些手法，雖然表面上好像能避免增加鈔票的發行，然而它的財政基礎是建立於搾取人民血汗之上，並不是建立在生產的基礎上，所以它的財政非常脆弱，當人民窮乏之時，它就四出搜括，但所搾取的，也都不能收效的了。就以它的財政收入而論，一九五〇年的稅收入，共有九億美元，一九五一年共有五十億美元，三年合計共有七十五億美元，其他各項稅收入，在「土改」中所獲得的計有四億美元，在「抗美援朝」、「三反五反」中所搾取的，合計有七億美元，但它消耗於韓戰中的就佔了百分之七十，加上它經常要維持國內龐大的軍隊，以及疊床架屋的無數特務的開支，無窮無底的消耗，只有拖垮它的財政爲止。所以它在今年除發行所謂「經濟建設公債」之外，惟有走上增發通貨之路。

外滙跌落物價大漲

發行大額通貨，就是幣值貶低，相對的就是物價騰升。由於中共參加韓戰，聯合國實施禁運，所以中共對西方國家的貿易也少，目前中共對港滙的牌價，仍是掛前四，二七〇元，美滙掛牌仍是二三，三〇元，未有改變，事實上這些牌價主要是應付僑滙的。即使牌價釘住不動，但黑市價格，早就將這個牌價粉碎了。一九五二年十二月六日中共改變上列牌價時，廣州的黑市外滙價格，就曾躍升至港幣一元換人民幣六千或七千元，一度會標昇至九千元，與牌價相差達一倍以上。

根據本港工商日報去月三十日廣州專訊報告，當「廣州人民銀行」發出五萬元大鈔之日，市民鑑于幣值的急劇下降，就紛紛搶購物資，以免損失。而惠州、石岐等城市的肉類和食油等價格，平均較一個月前上升百分之三十以上。潮汕方面的米價，也急劇上漲。

很明顯的，中共金融混亂的局面，已擺在目前了，惡性通貨膨脹，祗有加速它財政的危機，乞靈于印鈔機，也挽救不了經濟的崩潰！經濟是下層組織基礎，下層組織基礎發生動搖，上層組織的意識形態，也就隨之而動搖了。靠狂言欺騙，靠槍桿威嚇，都是無補于事的，當通貨膨脹至惡性無已之時，就是中共政權垮台之日，可以斷言了。

△美英法俄本月二十五日外長會議的舉行地點，柏林西區，日益繁榮，圖爲戰後新建的一所豪華旅館。

半週展望

·雷　嘯　岑

韓戰場的義士回來了！

經過無數艱辛困苦生活的韓戰場反共義士萬餘人，這幾天正陸續地回到自由祖國來了。我們雖身海隅，未及參預各界同胞在台灣的歡迎行列，謹遙致其崇敬之忱，且喜自由人陣營中，又增加了一大羣英勇的戰友，慶幸無已！

人們對於這羣義士之歸來，認爲自由中國增加了一師半的戰鬥兵力，這是「小焉者」的看法，所謂「明察秋毫，而不見輿薪」之說！

這次聯軍依志願而實行遣俘，是履行聯合國的決議。這對人類自由生活前途，具有無可估計的精神力量，且證明共產極權世界的崩潰命運已註定了。凡在共黨區域被奴役的中國人，無論是幹部，是基本職業的，知道這一事實之後，其內心所處的衝動刺激，自可想見。共產黨人平時固然是封鎖新聞，僞造新聞，但對這次聯軍志願遣俘，絕對無法諱飾，由於他們在宣播上不斷地叫囂誣衊遣俘之故，有了這項投奔自由天地的示範史事，即是共產政權區內的軍心民心，有不動搖的因素麼？這種動搖的因素，將來如果發生世界大戰，共黨脅持中的大部分軍隊，若着應把握機會，不相率響應放下武器，投向自由世界，那才怪呢！

因此，目前回到自由祖國來的義士，即令是千八百人，其功用也與萬餘人同等重大，關係在彼不在此也。

柏林四外長會議在即

美英法俄四外長會議，日內即在柏林開幕了。俄方曾聲言將在會議中提出所謂「五強會議」問題，而美國務卿杜勒斯亦聲稱柏林會議只限於討論德奧問題，決不願談及中共之事，而且會期不得超過三週，以免徒事爭辯宣傳。這美俄雙方在會議前夕所表示的態度和主張，其距離之遠，已可概見。

要想這次的四外長會議有良好結果，必須具備幾項重要條件：蘇俄眞正願意放棄世界革命的計劃原子，能聯營計劃，以自保俄國生存爲滿足，對美國所倡議不惜打開鐵幕，明心見性；美國眞正放棄爭取人類自由生活的眞理運動，而以俄共集團保證今後不再向外擴展爲滿足；美英法各國眞正發生分裂行爲，各行其是，不相侮謀。

如果沒有上述的幾項情形，我們無論是從那方面研究，也尋不出樂觀的理由來，而上述情形又絕對是沒有的事兒。因此，這次的柏林四外長會議，前途依然是凶多吉少，對於和緩世界緊張局勢，不會有甚麼幫助，最大的可能是搞出一點拖延局面，彼此爲着爭取時間，作政治把戲，不顧遂行破壞和緩人心的宣傳資料罷了。

李宗仁先生還有話說

以在任的行政元首，而兼三軍最高統帥，當國家緊急之際，竟然擅棄職責，悄然去國，數載在異域旅居，而兵事不計，寇患不顧；居然執行國家元首職權，發號施令，以本國政府官吏向外國法院控訴，替代前國民大會召集，選舉代表出席的總統李宗仁先生，他還主張召集國民大會，以及所謂「選正副總統」、「是非法的，那一個集會是合法的了」！

我不是法學家，也非現任的行政官吏，更沒有作總統的思想，對於李先生所說的「非」與「合」的法，究竟是那種法律，不須置議，也覺得無從說起。反正中國式的官與政客，素來祗是以個人利害觀念來談法治，一般「有爲者」之心的政治人物，都是合法；沒有他，一概都是問題的。政治權位有了他一份，樣樣都合法；沒有他，一概都是違法的！

我認爲今日凡屬中華民國的人民，對國民大會問題都有發言的權利，唯有李德公似乎以緘默一點爲好。因爲德公過去大意的職守，且損國格，曾被民意機關彈劾在案，滿身慚德，無以自解，越說則越使國人引起不良的反應。知機其神乎，玩政治的人總該懂得這種道理，才有前途哩！

菲人對華僑感情複雜

——衛挺生教授通訊——

國外通訊

【馬尼剌特約通訊】今天到農村去觀看，覺得今日的菲律賓，已經有很多使人羨慕之處。

清潔的農居

我們所到的地方，去都城馬尼剌有六七十華里一個郊外鄉鎮。房屋多甚小，竹木搭成。下層四面空虛，四角木柱支撐，有如內地水邊架木之屋。下層用來蓄雞鴨等畜牲，或皮臟缸罐等物，並無髒穢留空通風。上層住人，有梯上下。樓板用寸餘寬之竹板或木板，板間各留寬數分之縫以通風。窗用木作楞，中嵌白色半透明的介殼，以代玻璃。房頂用椰子葉結成。土人稱之曰Niba Hut。房屋僅可避風雨，不能防盜賊。入其室，乾淨整齊，非一般華人住宅所能望其項背。

無人不讀大學

每一鄉村，至少有一所學校，從幼稚園以至初中。農村無人不讀書。小康以上，子女無人不讀大學，而讀大學者，一半以上皆工讀生。馬尼剌商店店員，自經理以至工役，什之八九皆讀夜校。各大學中學教員，多同時兼讀大學夜校。已得學士學位者，多繼續讀碩士或博士課程。例如中正中學華僑中學等校長，同時在聖多馬大學讀夜校，期得博士。而遠東東方等大學夜校教員，在菲大日校繼讀博士學位。銀行經理之汽車夫，在經理未出街時，則在銀行辦公，夜間則在大學讀夜校。

應用智識豐富

我們上星期，到郊外一家朋友家吃飯。飯後參觀了上中下人家十餘家。無論貧富，其教育程度之高，令人失驚。在「尼巴」小屋中，遇見了許多男女醫師，牙醫師，工程師，教育家。人人求學，學以致用。像中國學通天地人三才的學者，誠然不多見。而菲人對於應用智識的豐富，遠非中國社會之所能及。菲人生活程度，遠比國內爲高。大學教員多數有汽車，有鋼琴，有無線電收音器，普通家庭多有冰箱及衛生設備。飲食不多而營養豐富。

華僑頗佔優勢

惟熱帶居民樂天，不善儲蓄。所以資本家甚不多。金融業與資本商業多在華僑手中。居民前目黨黑，多與華人通婚姻。所以華人在社會上頗佔優勢。華僑勤儉興家者固多，而作姦犯科詐欺取財者亦復不少。菲人對華人感情複雜，亦愛亦恨，亦敬亦嫌，亦仰亦忮，亦怒亦憤。此間不易得國內消息，甚悶人。（一月二十日）

副總統選舉問題論叢（二）

我們最近收到許多討論有關副總統選舉問題的文章，有些提出選舉的原則，有些討論人選。可見大家對這一重大問題的關懷，這是民主政治的好現象。凡屬國民對於國家大事應該自由發表意見的。我們打算把這些意見陸續發表出來，藉示輿論之一斑。——編者。

副總統不宜當虛位看

·吳文蔚·

（上略）我認爲反共復國，是一件極艱鉅的任務，其重要性不亞於推翻滿清，和對日的八年抗戰。因此，副總統一職不能作爲虛位看，應按憲法規定副總統是總統的備員。但處此非常時期，就不能祇爲備員。故副總統的人選，必須學問豐富，對反共復國有深謀遠略，氣魄要剛強堅毅，於是我個人主張提名閻錫山爲候選人。意見如下：

閻氏過去對國家貢獻的歷史，及其地位，是大家知道的。而且他明瞭共產主義極透澈，又有一套對付共產的方法。他反共意志極堅決，對共作戰，亦極有效。甚得民望。

有此三點，故我認爲閻氏適宜於做下一屆的副總統。（中略）

談到副總統的任務，現在有人主張我們的副總統，應像美國副總統尼克遜先生那樣，遍遊世界，聯絡與國，幫助總統。但我有一個不同的見解，就是我國國際地位，與美國不同，國內環境亦大異。如果我們的國家，和美國一樣居於領導地位，那末，我主張副總統一職，應選胡適之，于右任，莫德惠等，這樣的賢達人士。可是，我們現在正處於反攻大陸的前夕，這一次反攻，只許勝利，不許失敗。在這樣情勢之下，我認爲閻氏是最理想的副總統人物。

青年人對副總統的選擇

·王劍鋒·

「自由人」馬五先生關於副總統問題的看法，很接近我們青年人的見解。（中略）

副總統的人選，不能忽略了時代使命和個人魄力，這必是備條件：

（一）自由中國的既定國策是反共抗俄復國救民，必需選出一個年青有魄力，有道德，有學問，有才幹的副總統來協助總統。美國還以青年的尼赫遜做副總統，我們需要年青的副總統更無疑問。

我看到台灣省府及海陸空首長，都是青年夥子，我覺得國家有救了。

（二）以往政府充滿因循苟且，自私自利，和貪污腐敗的空氣。因此副總統一定要有操守清廉，和大公無私的精神。要有大刀闊斧，從事改革的勇氣。

（三）要恪遵國策，服從最高領袖，融洽各方，又有高度民族精神，取得海內外同胞與青年人的推崇。

（四）要能親切接近羣衆，與民間團體保持接觸，眼看八面，耳聽四方，洞悉時代潮流。

能合於這四個起碼條件的，全國能有幾人？我認爲最合理想的莫如蔣經國先生。我曾深入台灣每一角落，和各階層接觸，不論都市或農村，軍隊或百姓都一致對蔣氏衷心推崇認爲是後起之秀。

如果蔣經國當選，可說是代表了百份之九十以上的青年希望。但有人會認爲他與蔣總統有父子關係，但我認爲父子是私的關係，私關係之外，還有公的關係。我們不能忽略他是國家的人呵！爲國家民族計，不論何人，祇要符合上列四個起碼條件，都應有被選的資格。不應計較家族關係。因此這顧慮是不必要的。

副總統人選問題我見

·史鳳儒·

本年二月十九日，召開國民代表大會，總統和副總統的改選，當然是首要任務之一。我們的副總統候選人與美國不同的，並不由總統候選人提名。目前我國副總統的人選問題，關係極大，我們希望怎樣的人當選，和如何產生候選人，各方面的意見很多。我個人以爲處此危局，吾人所寄望於副總統者，在能輔佐元首完成開明政治的作風，強力打擊貪污分子，避免多言，不出權術，實行自由民主，收拾人心，早日收復大陸。合乎此等條件之人，環顧目前，有心人爲，試舉其名，與讀者共商之。

（一）蔣經國。這個人最恨貪污，看他在上海辦理金融管制的時代，不避權貴，博得天下稱贊。凡投機倒把的權貴都被他抓了進去，後來雖功敗垂成，其功績與才幹，不可磨滅。現在台灣，貪風又有復起之勢，若無這樣打虎之人，輔佐政府，恐不及反攻，卅七年之現象又生矣。

（二）陳誠。他對於軍事與政治雖不無可議之處，但是操守卻好，長台三年，物價不漲，是其長也。假使陳氏長台至今，絕不至貧民排隊領米，使其當選副總統，必能以身作則，使貪污無從復起。

（三）孫立人。此人爲我國名將，美國知名，將來國際戰爭，非孫不能應付，現在訓練陸軍日進有功，主持反攻，必能操勝算。他如當選，必能輔助總統，安內攘外，早日收復大陸。

（四）蔣廷黻。他在聯合國中，仗義執言，折衝壇坫。忠心耿耿，勇毅明快，各大國（除蘇外）都另眼相看，以之入選，必能取得國際之協助，達成收復大陸之目的。

此外尚有其他有資格人士，各有所長，亦各有勞績，但我覺得終不如上列四人之最爲適當。以上這是區區個人看法，當否，願與讀者商之。

美對俄立場不變

國務院已通知駐歐使館

美俄英法四國外長會議，已定星期一（二十五日）在柏林舉行，美國官方的立場，杜勒斯在行前已明確闡釋，決堅拒蘇俄所要求的與中共舉行所謂「五國會議」，而認爲此次應備商德國統一及奧國獨立條約。這種立場，亦已由美國務院通告駐歐各美國大使館，這通告是採備忘錄方式，其中列舉如下各要點：一、對德國的自由統一達成協議，因而開闢歐洲問題整個解決之途徑。二、如上項步驟失敗，即表明美國的建議，是唯一恢復德國的統一與自由的唯一方法。三、表明西方對德國問題的建議，是一個較大計劃的一部份，此計劃考慮到整個歐洲的安全需求，包括蘇俄在內。四、探求蘇俄的意圖，如蘇俄仍採消極立場，即表明德國與歐洲的分裂，責任全在蘇俄。五、從事締結奧國經濟及政治獨立條約；如蘇俄仍阻撓，則表明奧約的失敗，責任全在蘇俄。（春牛譯自「時代週刊」）

編者的話

△我們收到關於討論副總統人選問題的文章，多屬議論精闢，珠璣滿紙的佳作。可惜篇幅有限，不能一一全文刊載，惟已選載的，無不力求保存其精義，使不失作者原意，請作者與讀者亮察爲感。

△黑市教師與走鬼學生，本是現時香港僑教習見現象。本期所載吳壽頤先生的文章，不僅對此現象作消極的批評，還有積極的建議，我們希望留心僑教的人士能多作此類建設性的批評，庶幾僑教能有逐漸改革的希望。

△下一期有一篇龐子先生的「認識蘇俄的歷史傳統」，是一篇對了解蘇俄目前政治極有研究，富有價值的權威之作，謹先預告。

△无簡，趙永洛，敝杵，胡細潮，凡蒂，藍星南諸先生：惠稿均收到，謝謝！

△孫旗先生：廿八、十一兩函和稿子均收到，謹復。

△關雲章先生：大作已拜讀，此類性質的報導，本刊甚歡迎！

人物評述

倫敦大學漢文講師——劉殿爵

·紹華·

（一）

倫敦大學的東方文化部主任西門教授，是英國學者頂注意研究漢學的一個人；本來西方國家喜歡研究漢學的，首先要推法國和德國，現在英國亦急起直追，以期迎頭趕上。因此倫敦大學裏這一個機構，特別搜購中國古本書籍，和羅致一批優秀人才，從事有系統的研究工作，俾英倫的人士，能夠認識中國文化的真面目。該大學的年青的漢文講師劉殿爵，便負起這發揚東方文化的大任。

自中國大陸捲進鐵幕之後，中國許多著名的學者都跑到國外去講學，或從事研究工作，如胡適之在普林斯敦大學，洪煨蓮在哈佛大學，趙元任在加利福尼亞大學，衛挺生在菲律賓大學是。這般人都是在國內已享盛名的。劉殿爵現在擔任倫敦大學的東方哲學講座，有如蒼頭異軍突起，實在令人刮目相看。

（二）

這一位青年講師，年紀還輕，現在仍不滿三十五歲。皇仁書院出身。他於一九四一年畢業於香港大學中文系，剛畢業那年，適值日本發動太平洋戰爭，香港被佔領，港大校長楊慕琦，副校長賴特特提前准該屆學生畢業。翌年他隨同家人赴澳門居住，再由澳門轉入內地，在廣西潯州住了二年；直至抗戰勝利，才回香港。不久，香港教育當局選派優秀青年赴英留學，再求深造，他於一九四七年和現任教育司署高級視學官鄧棟材被選送一同赴英。殿爵進了蘇格蘭大學，專治邏輯，在校二年，成績優異，在碩士班的考試中，榮獲第一名。該大學校長特修函給遠東的東方文化學會，說在該校畢業考試中，東方學生考取第一名的，劉君實爲第一人，不勝榮幸。他於畢業後留校服務一年。翌年，才到倫敦大學担任東方哲學講座，到現在已有三年之久了。

（三）

殿爵是一位聰穎好學的青年學者，先前他在皇仁書院肄業時，每次考試，必冠其曹。他是考得免費學額在港大肄業的。他雖然是受業於許地山、馬鑑之門，不過也是有家學淵源的。他的父親是當代詞人劉百端，他的母親范氏，亦系出名門，他的姑母是立法委員劉蘅靜，他的三位哥哥，亦畢業於香港大學，他家裏藏書豐富，滿足他的求知慾，兼之有賢父兄的指導，和他自己本身的努力，運用他的智慧和思考，探索中國的文化和哲學，故此往往有精闢的見解，不爲羣衆所囿。

他在大學唸書四年當中，沒有跟許地山走上新文藝之路，亦沒有跟馬鑑走上考據之路，寫寫新詩，新小說，鑽鐘鼎，校勘碑版，立志做一個文學家或考古家，而專從研究中國思想文化着手，希望成功一個思想家，這一點，確實有他自己勝人之處。他在港大肄業時的成績，一向都優異的，他和現任大埔理民府徐家祥，前嶺南大學講師金應熙，聖士提反教師賴溎章，一時有港大中文系四大金剛之稱，在學術方面來說，殿爵是戛戛獨造的。

（四）

去年，他在BSOAS雜誌，發表了一篇論文，題爲孟子和荀子的人性論，他在這篇文章裏不特精闢的分析孟荀的異同，而且還很有系統的敘述漢代學者劉向，王充，荀悅關於人性論的主張，下涉及宋儒程朱二氏分別義理之性，氣質之性的論據，對於荀子的學說尤多闡發。本來荀子的性惡說，他的觀點是不錯的，但經過儒家正統派的批評和指摘，非難者迭起，使荀子蒙上不白之冤。他在這篇文章裏爬羅疏剔，繁徵博引，去證明荀子立說的顛撲不破，在學術方面，是有相當貢獻的。譬如孟子雖說人性善，但有時卻受了物質的引誘，而失去本來的善性，因此孟子在消極方面，則主張清心寡慾，積極方面，便主張養成浩然之氣。荀子則認爲人類的本性若是任意發展而不受節制，就要引起人與人間的衝突，所以他說「人之性惡，其善者僞也」。僞就是人爲的意思，人之所以變善，就是因爲有一種規矩把他的本性限制着，這規矩就是禮，所以荀子主張隆禮。由此看來，孟荀的學說，不是相反而實相成嗎。

他這篇論文，是用英文寫的，內容徵引極博，有傅斯年的性命古訓辨證，韓詩外傳，論衡，白虎通，春秋繁露，大戴禮，二程遺書，朱子語類，東塾讀書記，胡適中國哲學史大綱，日人久保愛（筑水）荀子增註，孟子集註，孟子正義補正，楊筠如荀子研究等書。可惜這篇文章裏，沒有引用清儒戴東原的學說，東原斥宋儒以天理殺人，於是大胆的提出遂生的主張，而不禁欲，因爲生就是欲，不過「專欲爲惡，同欲爲善」，「欲遂其生，亦遂人之生」。這是一種有分際的主張，加入此節，則更爲完備了。

（五）

總之，殿爵是一個年青有作爲的學者，希望他百尺竿頭，更進一步。在倫敦大學裏另有一位青年學者李儼，是研究歷史的，他是清探花李文田的孫，他到倫敦前去，曾帶了他祖先留下許多有價值的歷史文物，他們二人，是很要好的朋友。

從被俘到自由

——一個逃出戰俘營反共義士的自述——

·一云·

我們要搬地方了

停戰協定簽字的消息傳到營中時，大家都有一種說不出來的感覺！一些敏感的人認爲我們這批中、韓反共戰友恐怕又要上了一次當。不過有一種很普遍的反應，泛濫在我們全體的心中，那就是預備當中立遣返委員會來到時，大家都不理他們。對於共匪人員，除非他們進入聯隊裏來進行所謂「解釋」，我們決不出外和他們見面！如果他們眞敢進來的話，不送命那才怪呢！而且只要大家能過九十天的限期，我們就可以準備到台灣去了，所以也就處之泰然。可是誰也想不到不幸的壞消息在後面呢！那是幾個星期之後的事情：有一天，管理當局透過民間輔導教育組，向全體反共戰俘宣佈了一件驚人的文告說：「在不久的將來，要將我們運送到韓國中立地區的某一處地方，交給中立國遣返委員會接管，並由印度派軍到那裏負責保護及管理一切。只要大家耐心地再等一百二十天，就可以選擇自己要去的地方了」。事先，當局將管理部隊出兩個憲兵連突然增加到另外一個步兵團，以防發生意外。但是大家立刻表明態度，我們的反共是堅決的，不受任何威脅，更不與任何人妥協。我們只選擇了一條路——回到台灣去！如果對於這一點沒有確切的保障，我們決不離開一步，寧可死在這裏！……後來經過美軍高級軍官的再三解釋和保證，東京也派了心理作戰處長某上校到營中來解答戰俘們提出的各種有關的問題。而民間輔導教育分組的人員也在旁勸慰，說明他們將來也一同搬到中立區去，就住在新的戰俘營南邊看得到的地方。而且還有世界各國的新聞記者每天在那裏採訪，決不會有強迫遣返（大陸）的事情發生。而印度看管部隊也決不敢用武力對待我們反共戰俘的。此外，聯合國軍總部也將經常派有人員到那邊去觀察、監視等，如印軍敢將我們出賣，則美軍隨時可以開入中立區，解除印度部隊武裝。結果，我們大家終於冷靜的接受了遣移的命令，並且爲了顧全大局，以後也仍盡量和美軍當局合作。

悲喜交集的一幕

我們在戰俘營裏苦了這麼久（有的達兩年以上），再沒有比當我們獲悉台灣將派慰問團前來探望我們時那樣的興奮了！果然，八月中旬某天的下午，天空中出現了一架繪有青天白日國徽的大運輸機，立刻大家一傳十，十傳百的，紛紛從屋子裏湧出，不約而同的大跳大叫，躍達數里！而這架運輸機也故意的在我們上空繞了幾圈之後才慢慢的降落下來。當天晚上，大家都興奮得睡不着覺……。

次日早晨，倪文亞（立法委員）團長率領全體十多位自由中國各界代表，由營地司令克敏上校陪同依次前來各聯隊一一慰問，並且和每一個反共戰俘親自握手。當大家一看到各位代表走過鐵絲網外面的路上還沒有進入聯隊時，立刻就有幾十個人哭起來了！後來倪團長向全體二千多隊員們講話的時，幾乎每個代表都流下兩行熱淚，話未講完，早已全場哭成一團！此情此景，眞是終身難忘。……

[illegible]……同胞精神上慰勞我們，我們已經感到無上的安慰了！尤其那面巨大的青天白日滿地紅國旗……[illegible]……是從濟州島到中立區……出盡了風頭……象徵着中華民族的新生！

路上吃了苦頭

九月上旬，全部中、韓籍的反共戰俘……開始移動了。[illegible]……路上還算舒適！只是不准我們上甲板散步和呼吸新鮮空氣。不過後來據其他船上的戰友說，他們……吃了不少苦頭。有在船上二十幾個鐘頭不給東西吃的，有病了的……[illegible]……美軍代爲保管的私人……[illegible]……。因此這些少數僥倖……[illegible]……損失的反共戰俘，對美軍的反感該是多麼地深啊。……

走入所謂「印度村」

在仁川港上了岸之後，就看到許許多多的華僑，揮着手向我們親熱地叫喊，並送了我們很多的水菓。還有王東原大使由錄音機上向我們作了一篇簡短而有力的訓詞，使我們感動得流淚！以後改乘火車向北駛，到據說離中立區只一英里的地方下車，就在附近的一處臨時拘留營裏過了一夜。然後第二天一大早，二百五十個人一隊，分乘十輛大卡車，由美軍憲兵車前導，一路上揮着大小的青天白日國旗，呼着各種反共口號，浩浩蕩蕩地進入非軍事區內印度村的南營。當時，印度監護軍的官兵都以一種好奇的目光向我們。這個防營的規模可眞大，一望無垠地滿山都是帳篷！每十幾二十來個帳篷，圈在一個小鐵絲網裏，在這裏一律被稱爲圍場。我們來到了一個圍場前面，就下車讓印軍核對手印和受檢查，並發給草蓆和軍毯，隨即讓我們依次走進圍場裏編舖位和休息，並臨時發了些罐頭食品給我們充飢。以後的生活也就和從前受美軍的拘留的時期差不多。

共匪的「洗腦」工作

我們來到印度村之後不久，就有共匪的所謂「觀察員」前來「參觀」印度監護軍的接收工作。可是只要他們一走近我們的鐵絲網，立刻就被我們所投擲的亂石打跑！印度士兵看了雖然加以干涉，但也覺得好笑！

到了十月十五日那天早晨，共匪的所謂解釋工作突然開始了。我們的圍場始終沒有參加，因此共匪對我們反共戰俘的所謂「洗腦」工作的經過情形，本人不大清楚。不過由於其他受過「洗腦」的圍場所傳來的簡要訊息說明着一件事情：共匪這次全部失敗了！據我們的推測回到大陸去的極少數份子，一定是匪方早就派來潛伏在戰俘營中企圖製造事件的匪特！其中不免有幾個可憐蟲，是一時誤信了共匪解釋員的花言巧語而回去送命的……

關於這次共匪對反共戰俘解釋經過的詳細情形，好在各國記者們都先後報導，不用我在這裏多贅。不過個人有一點要奉告同胞的：我們來到「印度村」之後，常受印軍不公平的待遇，甚至有時還受他們欺侮。而美軍卻並未實現他們當初要我們安分地遷離濟州島時所許出的諾言！因此，美國對於我們這批決心要投向了自由世界的反共戰俘，究竟具有多大的同情和誠意？還有待於一月二十三日的事實證明。

回到了自由世界

某夜，月黑風高，圍場四週顯得異樣的死寂。我和另外幾個隊員，抱着「不自由毋寧死」的重大決心，在其他一些人的協助與掩護下，不顧一切危險的終於由非軍事區的南緣逃到了南韓地界的某地，投奔南韓軍某部隊。承他們立即派人護送我們到漢城。以後的情形，爲了某種原因，我還不便在此細述。

我的唯一感想；我和少數戰友雖已經過了無數的艱險，終於回到祖國的懷抱，重新過着人性的生活，但是我們無時無刻不深切懷念並虔誠祈禱尚未歸來的千千萬萬的戰友，希望在最近的將來他們就能夠順利的得到和我們同樣的命運！（下）

中共黨內的危機

·沈秉文·

造成這種現象的前者的原因，很簡單的是出於惰性，後者的原因，則當係由於中共訓練幹部只有組織的功利思想（指爲組織立功、爭利，個人的功利思想是不許可有的），而沒有法制觀念。這說明這種病態，早已其來有自。

當然，一如前述，毛澤東既如此汲汲於保持共黨的統一的領導和嚴密的控制，而各級黨委的偏向，黨員的超黨、以及各地黨政之間的關係又如此嚴重惡劣，自不能不設法加以挽救、糾正。因此，毛澤東最近透過「人民日報」的社論發出了「貫徹集體領導制」的指示，以重申黨的統一領導的原則。

所謂「集體領導制」，照該報社論的解釋，說一切原則性問題的決定，必須是在全體領導成員深刻研究和全面討論的基礎上作出的，是在集中黨內群衆的智慧的前提下作出的。說在集體領導的原則之下，不能允許個人代替包辦和片面決定問題，而必須使黨的領導建立在集體領導的正確基礎上面。說集體領導是保證黨的團結和統一的重要基礎。說集體領導使黨便於從上而下和從下而上的展開批評與自我批評，以提高黨的積極性和覺悟性，並且得以對任何一個幹部（不論其地位高低）實行黨的監督。因此，又說集體領導已是黨內集體學習和貫徹互相監督的制度。更說這個制度是目前中共黨的領導方法中的頭等重要的原則，是保證「革命」勝利的重要條件。（五）

現代民主政治

·翟林·

著作者：毛以亨　出版者：新世紀出版社

出版時間：一九五三年十一月　定價：一元五角

本書作者毛以亨先生，爲國內知名大學教授，著作甚豐，作者對康德哲學造詣尤深。

本書著作的用意，據作者自己說：「這本書是想把蒲萊士現代民主政治之作（MORDERN DEMOCRACY），參加二十年後的事實，而以現在之政治觀點來詮釋。」

本書分四篇：第一篇爲民主概論；第二篇爲英國；第三篇爲美國；第四篇爲英自治領及歐洲各國。除第一篇爲理論部份外，其餘各篇皆以民主國家之制度來說明民主政治之運用。

作者指出：『現代民主之趨勢，欲透過個人主義以實行社會立法，想從政治民主之機構以達到社會與經濟之民主，本來是互相矛盾的，惟英美均有逐步做到之趨勢，如此則現代民主制度不復純爲資本主義的制度了。』他又說：『民主政治是理性主義，容許言論與任意批評，各說並陳，須靠智慧來辨別，此與科學方法相同，獨裁政治依靠一種信仰，一種宗教的信心。』

作者分別對各民主國家的傳統精神，立法程序，民主制度的運用及其特點闡述甚詳。

本書第三篇「美國」一章，分析「美國精神」，作者稱：『所謂美國精神者，不重視過去而面對將來，不重視理論而偏重實驗，本其青年民族之創作力，自信個人對于社會有大貢獻。其基本觀念爲無限「發展」。』本書除一般「概論」以外，批判性的地方極少，作者的個人意見，有如下幾句的提要話：『本人認現代政治特徵，爲一權，會議，分治三大原則，而不贊成三權分立之舊說。』蘇聯和中共歪曲民主的宣傳，作者未能加駁斥，似爲本書最値得遺憾之點。

本書作者對於民主政治，計劃撰述四書，一、「民主政黨」（自由出版社出版），二、「民主政治」（即本書），三、「民主地方政府」（未出版），四、「民主經濟」（未出版）。當然都是很值得一讀的著作。

本書學院氣氛頗重，似較沉悶，新資料亦不甚多，但仍不失爲研究民主政治的一本重要參考書籍。

中共下令普查教徒

北平中共「政務院」於元月上旬下令各省市縣，普遍調查各地宗教徒數目，包括天主教，基督教，佛教，道教等，並一律列爲特種戶口，此項普查工作，統限三月底以前完成。中共此舉用意，可能爲佈置另一次大規模迫害宗教工作之前奏。

安置災民標本難兼顧

賑濟工作限三月結束

石硤尾六村火災的善後工作，在官商以及社會熱心人士悉力呼籲賑濟的結果，自由世界甚多國家亦深表同情與濟助，遠自英美，近有日本，均滙寄鉅款並加慰問，使遭受這一浩劫災患的災民得到了無比的安慰。石硤尾六村火災急賑委會設置以來，直接經交該會的捐款，現已逾二百萬港元數字；這一筆款項驟看起來很大，然與五萬八千餘災民數目比照之下，顯得很渺小。舊曆的年關即將到來，該會爲了處置捐款問題，着實費了不少腦筋，究竟用以治標，抑是治本？如說治標，把這些款項散發災民時，攤到每一個災民的數目，又是那末微少，這畢竟不是個好辦法。治本呢？這筆錢也祇可建築八百幢平民屋宇。不過治本的辦法，港府已有了具體的計劃，用統籌統支的辦法來處理。該會日前開會的時候，各位委員交換了很多意見。區達年說：「過去辦理振濟工作，賑款發放之後，災民依然是災民。」他建議把捐款用在治本的辦法上，並且主張把捐款數目大的，給捐款人留一個永久性的紀念。許讓成要求港府撥地替災民建屋。黃大創提出了一個標本兼施的建議，他主張先提撥一部份賑款散給災民，每名十元，數目雖小，對災民也不無小補；餘下來的建屋。岑維華說：先向當局徵詢，對於建屋問題的處理究竟如何，務使配合港府解決災民永遠安身計劃。爭辯後綜合各項意見逐一討論結果，同意暫時先發災民每名廿元救濟金，餘款保留建屋，並支持港府建屋計劃，協助實施。

×　×　×

香港三日

現在當局對於六村災民的救濟，僅是膳食，每名日需一元，全部大小災民的人數平均估計，每天需款六萬元，每月就不下一百八十萬元，這一個龐大數目，自不能長期支持。因此，港府爲了徹底解決當前這一個振災救難的問題，便硬性規定了三個月期限，振濟工作，屆期可望告一段落，在這一個限期中，膳食費就需要五百四十餘萬元，有了這一個期，各項基本救濟計劃，就可預期完成。這一個安頓災民問題，港府預算振濟款額一千六百萬元，除了災民膳食；餘款一千萬，支付了四千幢平民屋宇的建築費之後，剩下來的作爲興築區內街道以及水電和其他衛生工程的支銷。而儘可能建設爲一個標準化的平民區；不過迄目前爲止，振款已逾二千萬元。

×　×　×

日前港督頒布上月二十九日的「緊急條例修正」命令，除了前例規定收回火災區八畝半土地之外，並包括附近非災區的土地，以備興建臨時住屋。關於建屋工作，已由英軍加緊進行，塡築地盤，然後根據目前的計劃，建成屋宇之後，港府收回之土地，估計僅能收容三萬餘近四萬名災民，實際災民幾達六萬，餘額仍須另行設法徙置，這雖然是日後問題，當局亦會預爲之謀。建築屋宇工程，業由工務局委託福利建築公司負責，第一期新屋二十四幢，限期六個月中完成，預計可以容納一萬人，第二、三期的建屋計劃，現在還在籌劃中。但災區的屋宇僅係臨時性質，兩年之後，仍將拆遷。據說第一期的屋宇，面積並不大，僅一百方呎，以比徙置區最小的房屋相去甚遠，其面積寬達四百方呎。將來新屋宇如何分配與災民，當局尚在考慮，大致將採取抽籤的辦法去決定先後。

所謂「自己人」

人之常情，對於辦理事業時所需要的臂手，多半都是找自己信得過的人物，相助爲理，而以辦政治生活爲尤然，所謂「親信」、「自己人」等名詞，在政治場中是習聞習見之事。

據我看來，政治上所謂親信人物，除卻在幕後專爲設計決策責任的智囊之士而外，一般處理政務或事務的職員，根本即無所謂親信不親信問題，更說不上自己人或外面人的話，除非那握有用人之權的大人先生，存心要作壞事，自然需用自己人，以便營私舞弊，幹不可告人的勾當。否則大家奉公守法，盡忠職責，各人站在自己崗位上努力工作，有甚末親信與否的關係呢？

古往今來，政治上所發生的大小禍亂或貪污情事，十九都是一些『自己人』幹出來的。這道理很簡單，既爲長官的親信者，他心理上即有恃無恐，爲得縱然做了壞事，或闖出禍事來，因爲是自己人的關係，那長官也不便執法相繩，而且還得替他辯護保障，以免喪失本身的信譽。這是只就好的方面說，即那身居領導地位的長官，並不願意做壞事。如其是有心作惡的貪污之輩，那些親信的自己人，更將狼狽爲奸，肆無忌憚了。

凡是一個政治人物，如果他能夠打破這『自己人』的觀念，用人唯才唯賢，好像馬場上的騎師一樣，不管良駒也罷，駑駘也罷，他都有本領攬轡馳驅，盡馬之力，那就是個有爲有守的政治家，一定能夠創造相當的事業。假使斤斤於親信的自己人，非大舅子表老爺或副官之類的人，即認爲靠不住，其人不是大奸慝，即爲貪官污吏無疑也！

馬五先生

鐵幕幽默小品

意見箱

·山禾·

九月裏，溽暑似的季節剛一過去，北方已有點寒意了；寒意給共產黨的幹部們帶來了繁忙！

秋收絡續登場了，年成雖然普遍有點荒，合作社的「收購餘糧」工作還是要大力進行。於是，唐山市合作社的幹部們動員起來了，趕着農民們將稻子麥子論担兒的往合作社送。

但逼得太緊了，就出了岔兒：有些個農民在半路上丟了担兒跳河自殺了！

「這個不行！」合作社的吳主任說：「咱們又會受到檢討哩！」

「……」坐在吳主任對面寫字台邊的高股長在發楞。

「喂！我們的智多星！動一動腦筋，想個法兒啦？」吳主任對着正在發楞的高股長催着要他出個主意。

高股長是全唐山合作社裏出名的最聰明的一個人。

「這樣吧：」他想了想說：「毛主席叫咱們設了意見箱以後好像從來就沒曾用過，那一個鬼孫兒的老百姓都不會有什麼鳥意見的，還是咱們自己代老百姓投滿幾個紙拈兒，說跳河的農民是畏罪自殺不就得了嗎！」

「好主意！不過，」吳主任說：「你得先去檢查一下各區社分社的意見箱佈置一下，過後我們再派祕書以檢查羣衆意見的名義，將按下的那些紙拈兒取出來，才幹得手脚乾脆哩！」

「行！」高股長點點頭，而且說幹就幹，他拉起皮包，向吳主任做了個鬼臉，就興興然的出發了。

他先到第三區區社，一眼就看見了一個漆着紅綠綠的意見箱，高不高低不低的掛在區社的大門口，他就站下來對它欣賞了一會兒。他想：這班灰孫子幹部們還像煞有介事，他玩世地笑了笑。

「啊！高股長！你瞧咱們的意見箱嗎？咱們領導上對羣衆的意見是多重視啦？就上化了十八萬塊錢做了十個挺漂亮的意見箱掛在這裏和九個區社分社的門口了，區社裏俱們天天幹部看着上面對意見箱這末端詳，他們就這末奉承起來了。」

「很好！」高股長點點頭，走出區社去；他也的確覺得下屬們倒挺老老實實的不錯。於是，假戲真做的檢查工作開始了。

但是，當他向區社主任要取鑰匙的時候：

「鑰匙？」

「鑰匙在四月裏的時候就……就弄丟了！」區社的主任變得吞吞吐吐地說。

「嗯，豈有此理！」高股長有點惱火了。

於是，立刻喚起了一陣忙亂，派幹部分兩路去找了一個銅匠來請他代開。但不行，久不開動，鎖已銹上了，於是，在性急之下，連鎖帶蓋都給打了開來！

這就不由得不使這位玩世不恭的綽號「智多星」的高股長氣結了！這一氣，他拎起皮包就走，把那個佈置代老百姓投紙拈兒的事斷根兒就不提了。

他氣冲冲地一口氣跑到禮權莊門市部，檢查第二隻意見箱。

但他抬頭一看：噢！真奇怪！意見箱既不會長翅膀，爲啥竟不翼而飛了呢？

他氣冲冲地找到了門市部主任問話，這位主任不敢不担白：「早就被人拿去當柴燒了燃了！」這說話又使他大大地一氣，又拎起皮包就走！

他再到了設在門市部，一看，意見箱倒還端正的掛在門口，祇是四週佈滿了蜘蛛網，鎖也銹爛了。

他雙手擦乾了意見箱子，他知道意見箱裏不會有意見，但一點勝奮，他祇故地笑了笑，倒稍透口氣！但悶得說話，他把它轉了一轉，就到門市部，一看意見箱倒還在，只是已只剩了半只，那個蓋兒已經不翼而飛了。他跑近去取下來看了看，很好！裏面是花生殼、杏桃核、橘子皮、字紙團、魚骨頭、土疙瘩……似乎應有盡有。

他「哼！」了一聲，笑了笑，又管自走了。

他再到了于家店門市部，一看意見箱，倒也還在，但它歪斜斜掛了，還上掉了一隻釘，而且已經開了一個大縫；他跑近去往縫裏一張，幾乎倒抽了一口氣跳了起來！嚇！滿箱子是毛毛虫！這意見他真的夠兒了，懶洋洋地回到了市社裏。

「怎麼啦？辦成了？」吳主任拉了拉他的衣袖輕輕地問他。

「唔！……」他漫不經心地應了聲，繃緊了面孔，對着吳主任說出了無聊的苦笑。

（按：大陸各國營機關設意見箱，係去年春間毛澤東對幹部「整風」時通令飭行，它內有補用意，一方面故意做給民衆看，一方面也想藉此嚇阻幹部貪污舞弊。但因人民不敢檢舉，故有等於無。本文內容係採自天津中共報紙）

臨江仙 有序

·鐵菴·

豐社同人，醵資祝余初度，戲以古人姓氏故實，各相符合者，分撰成詞，敬爲賦謝。序次先後，則信手拈來，並無軒輊，希勿誚焉。

老朽蕭齋胡果，[註一]諸公才姚香山。劉歆任昉主騷壇。林逋翔健鶴，高册泛舟寬。[註二]糾正羊言曾章，工吟三影張先。比紅兒早百成篇。[註三]畫梅楊補筆妙[註四]應泣二王傳[註五]

註：一、九老會中胡果年八十九歲爲老冠；二、昌黎居山陽區那夜泛舟乞詩序，按鍾嶸云，若孔門用詩，則公幹升堂，子建入室，潘陸坐廊廡間矣；三、羅虬賦詩百篇曰比紅兒；四、湯瑞貽粉宇雨生有墨梅軼事；五、煙客石谷世稱二王。

黑市教師和「走鬼」學生

·吳壽頤·

（一）

現在香港的教師分爲「登記教師」與「非登記教師」兩種。「登記教師」的資格是香港大學、羅富國師資學院、葛量洪師範學校、官立師範學校、香港文商夜校、英文師範夜校等的畢業生。反之凡本港以外學校畢業生，都算作「非登記教師」，同時教師登記，均須受警察檢查，教育司有權着令所有教師每年一次受X光檢驗，還須覓得知名之士的證人二位才許合格。

於是許多本來是大學教授，副教授或講師的，祇好先私立中學或小學裏的教師。不少博士，碩士，或曾在國內担任教育行政工作的人員，都變爲黑市教員（非登記教員）。

因此我們希望教育當局能夠確保障本地師範教育畢業生的職業，而忽視了許多私校教師的豐富經驗與充實學識。

第二：對於教師的錄用，只以人才爲標準，不可存門戶之見。

第三：利用寒暑假休閒時間，設法訓練現任的私校教師，使其有機會成爲「登記教師」。

（二）

至於學生方面：教育司原有規定，每個課室應容納多少學生，稱爲學額。但有些學校暗中多收學生，便成爲「超額」，視學官到校時，着令超額的學生趕速躲避，稱爲「走鬼」。此種現象甚爲不妥。不僅如此，許多學校的學生，可以隨時轉學，或任意躐等升級。學生對於記過和除名處分，也都不在乎，管教非常困難。要避免這種不良現象，我希望教育當局能對每一個學生，都有記載，給予「學籍」。學生轉學必須憑學籍入手。假使被學校開除的學生，必須轉知各校不予收容。學生自必有所警惕。被開除的學生，應由家長切實管教，或交「問題兒童」的教育機關，施以感化教育。俟效果良好，再准恢復學籍。

我想如此做法，不僅可以避免「走鬼學生」之弊，並且可以矯正許多學生的不良風氣。

家住天台雁蕩間

·鐵頭·

那次我們一羣人，在廟中喫過午餐，大夥兒再細細的欣賞風景，在喫飯中間，問起剛才在瀑布旁邊向我說話，一句也聽不清的朋友，究竟說的什麼？他說：『我雖看的瀑布不少，但像石梁瀑布，如此暴急，使人目眩耳暈，祇尚爲初見，因之陡然發覺，古人造字，頗有深意，暴水爲「瀑」。瀑布者，暴水傾瀉如布的意思。隨後我又想到，那些水，當其在上游溪澗中時，何嘗不與平常的水一樣，及至一旦爲形勢所迫，乃從山巔谷，狂若奔馬，聲若雷霆，彷彿暴動的情態。可知「順勢利導」這一句話，也不可不深長思之。然而更有意義的：我國古人利用水力舂谷，造紙，不知已有幾千百年歷史，近代利用水力發電，以加強動力，減輕成本，工業進展幾許，而我們還是將瀑布當風景玩耍，未免浪費可惜……』

正在說得熱鬧，祇見衆人紛紛起身，忽有一個同伴大聲喊道：『遊山玩水的時候，你們偏偏大煞風景，要談這些廢話，再談下去，就把你們兩人留在此地做和尚，抵充飯錢，我們去也！』於是大家一哄擁出廟門。

那時多先細看石梁，然後沿着石邊坡路下去約三四百步，再回身正面對着瀑布而欣賞，只見碧蒼之下，兩側山峯聳立，中空之處，一如石樹，橫亘其間，欄下處懸的半月形中，飛晶拋玉，洶湧而下，一似永無窮盡者然，偶而見到上面梁旁人影，都有點像三歲小孩那們大，而上面看到下面小潭邊的人，則只似一隻隻細螞蟻在爬動。凡是興緻特佳，而走到逼近瀑布的人，莫不弄得一頭霧水，滿身潮濕，是日在斯地帶喫飯帶玩耍，約略就擱了三個多鐘頭，然後再往山頂寺而去。

抵山頂時，天已黃昏，並無可觀，廟亦陳陋，連菩薩們也黯然無光，但大家的胃口倒特別好，都搶着吃帶來的東西，爭着喝自帶的酒，有人說：『山上大概是空氣太好的緣故，不然何致如此「餓牢相」？』另外又有人嘆道：『山上的生產既如此貧瘠，胃口又特別強大，山裏人怎得不窮困潦倒啊！』於是老成一點的同伴，趕緊「噓」了一聲，壓着喉嚨說：『不要響，再這樣講，和尚就要來募緣了。』大家鬨然失笑，就一致推那老成的伴侶，明晨叫醒我們觀「日出」或「雲海」。（五）

記陳右銘

·太希·

散原有四公子之稱，散原之父右銘先生則亦嘗有三君子之目，家風甚似東漢之陳太邱也。初先生嬰中會試下第，留京三年，得交四方俊雅之士，於易佩紳羅亨奎尤以道義經濟相切摩，時稱三君子，會咸豐避地熱河，先生條陳防守，上樞府，適當而憂通州倉米遭掠，先生曰，設傳舵更運，此前明于忠肅之成法也，因此二日悉移運京師，一日飲酒樓，遙見圓明園火光，因捶案大哭，盡驚其四座，時易羅均南還練湘軍，遂歸湖南，易以前受湘撫駱秉璋檄，募千人號果健營，防守來鳳山間，羅副之，遂與先生均駐岩塘，石達開率衆十萬來犯，死守累月，糧且盡，先生獨往澧州永順以募餉，永順令張修南乃偭吏，延見右銘先生風雪中，見其衣裌衣，乃取狐裘襯之，先生却曰，軍士飢凍久矣，何忍獨取溫飽，張爲感動，急召父老輸糧米濟軍，得即馳去守益堅，石不得逞，引去，於是果健營之名聞東南，其乞師狀與退之書南霽雲事相類，又適得賢縣令以成其奇俠之行，可見當時之名公鉅卿，皆躬歷戎行，以磨礪志節，其有成就，良非偶然也。

馬倫可夫的生日

蘇俄領袖的聲譽，在過去，可以把官方慶祝其生日的熱鬧情況如何作爲一種指標，史達林七十歲作壽，各方的賀電賀文，蘇俄報紙化了將近兩年才把它們一一登完，但在他死後，這種慣例却突告大變，去年十二月二十一日，他的生日再度到臨，蘇俄官方竟隻字不提。在本月八日，克里姆林新主子馬倫科夫滿五十二歲時，羅馬尼亞及捷克共黨通訊社與編輯，想乘此機大事準備，事前曾會對這新主子大捧一下，可是他們的準備工作尚未完成，蘇俄的命令却來了，叫他們對馬倫科夫的生日不准作任何慶祝，頓使御批奴隸大爲喪氣。（繁譯自時代週刊）

陳三立請殺李鴻章

·太希·

散原老人四十歲時，與丁叔雅、譚嗣同、吳彥復稱四公子，風采睥睨，物望所歸，甲午戰後馬關條約簽訂。散老自武昌致電於兩江總督張之洞請奏誅李鴻章以謝天下。電云：「讀銑電愈出愈奇，國無可爲矣，猶欲明公聯合各省督撫，力請先誅合肥，再圖補救，伸中國之憤，慰天下之心，局外哀鳴，伏惟賜察」。其時右銘先生（三立父）雖任直隸藩司，而散老忠憤所迫，不遑顧慮。復讀散老爲其父右銘先生行狀云：「馬關定約，無以爲國矣，府君痛哭曰，失言甚痛。」觀此則對和約之不滿，陳氏父子固一以貫之。行狀又言：「其時李公自日本使還，留天津，羣傳且回直督任，府君憤不往見，曰李公朝回任，吾夕掛冠去，人或爲李公解，府君曰，勳舊大臣如李公，首當其衝，極知不堪戰，當瀝血奏陳，爭以死生去就，十七八可回上意，今舉中國之大，宗社之重，戲付擲一，大臣所自處，固如是耶，卒不往謁。」得此一段，可爲散老之電下一註脚，蓋陳氏父子，對合肥之責難，不在於不當和而和，而在於不當戰而戰，以合肥之地位，於國力知之甚明，明知其不堪戰，而上迫於西后之淫威，下劫於書生貪功之高調，忍以國家爲孤注，不能以死生爭，此種責難，即今起合肥於九泉，亦將無以自解。信由此說則散原當日之憤激，固在意中，此電自卓然可傳也。

中華民國僑務委員會頒發登記證台執新字第一零二號
中華民國郵政登記第一類新聞紙類

自由人

THE FREEMAN

（半週刊每星期三六出版）
（第三〇三期）
每份港幣壹毫

督印人：李光華
社址：香港高士打道六六號
電話：七四〇五三
GLOUCESTER RD HONG KONG TEL: 74053
承印者：東南印務出版社
地址：高士打道六十四號
台灣特派員辦事處：台北市館前街五十號
台灣總經銷處：台北中華路五九四號之一
台灣郵政劃撥儲金帳：九二五二號

關於反共救國會議

．滄波．

本月十八日，行政院院長陳誠在其寓所邀請各政黨中央負責人及無黨派人士舉行座談會，就召開反共救國會議，廣泛交換意見。據中央社消息，當日陳誠及黃少谷兩氏向與會者所說明，約分五項：（一）關於反共救國聯合戰線與反共救國會議之基本認識；（二）關於反共救國會議之組織及其構成之問題；（三）關於組織反共救國會議籌備委員會問題；（四）關於召開反共救國會議之日期；（五）關於反共救國會議之主要議程。

救國會議與國民大會

召集反共救國會議的計劃，傳之甚久。此次中央社所報導，算是一年來關於召開反共救國會議一個最積極明朗的進展。當天座談會中所談的什麼？曾否得着什麼結論？因為新聞報導並未提到。我們無從揣測。一年來國民黨中央黨部與政府方面關於此事之籌備進展，外間亦更未易知道。不過從這次陳院長所召開的座談會，我們在消息中可以約略測知這一會議進展的輪廓。作者無意對上述那中五大問題逐項提出意見。但想對這一個會議發抒平日所蘊藏的許多意見。

今年二月十九日，國民大會已根據憲法將行召集。許多人喜把這兩個會議，相提並論。甚且還有人把兩個會議作比較評論。同時有人懷疑，有了憲法，有了國民大會，有了憲法下面各種政府機構，為什麼還要召集一個反共救國會議？從抗戰時期的參政會，中經勝利後之制憲國民大會，乃至憲法頒布後之國民大會與立法院，論問題，論人物，十餘年中，還不是那一羣人？還不是那幾個問題？某一種名義的會議得不着一種意想之結果，難道換一種名義的會議，會得着意想中的結果麼？我想許多問題，這許多憂時憂國之人，必然常常縈旋於腦中，我自己也是其中的一個。不過我的看法是和若干人有點差別。

對憲法的信仰減退了

我早年是研究憲法的，而且是迷信憲法的。我第一次在英國所搜集關於憲法的書籍，當時我自己會相當自負。關於憲法的問題的專書，如民意代表的產生，如兩院問題，如憲法解釋，如憲法修正等問題，許多絕版的書籍。曾託書店登廣告搜購到的書籍，可惜許多珍貴的書籍，在抗戰中完全散失了。一九三一年春天到華盛頓，曾遊訪國會圖書館，看見圖書館一個角落，用鋼鐵刻着美國憲法全文，周圍加以保護。我當時對這成文憲法的贊座，脫帽行了三鞠躬。同遊者曾笑語：這是憲法學者到了曲阜謁聖嗎！這個回憶，說明我過去對於憲法是怎樣一個迷信的人。這一段回憶，更說明了二十幾年中，世界許多興亡夢幻。憲法也不能例外。在近二百年中，人們對憲法的觀念，也說不盡的滄桑。在十八世紀末期及十九世紀整個世紀。人們對憲法，不僅具有熱烈的希望，而且迷信它是萬能的。譬如像潘因PAINE，康道爾CONDORCET以及十八世紀許多學者，他們認為成文憲法是政治上的萬應良藥。距今百年前的歐洲，譬如十九世紀四十年代的革命，幾乎可稱為憲法革命。歐洲許多國家的革命，其目的是為了憲法。這一個熱烈的浪潮，經過二十世紀初大戰完全退減了。第一次大戰後，許多新興國家的憲法，壽命都很短促。第二次大戰後新興國憲法數量更多。據美國政治學會的統計，一九四五年以後，全世界共有五十個國家是頒行新憲法的，但是憲法的數量雖然如此其多，人們對憲法的信仰及熱誠，比較前一世紀實已大為減退。兩次大戰以後，尤其在二次大戰以後，人們對憲法，與其說具有信仰，毋寧說是一種仰。

[illegible]

憲法地位低落原因

憲法最近地位的減退，究竟是什麼原因？憲法本質上沒有進步麼？不說第一次大戰後的德國威瑪憲法及捷克憲法，均有其特色。即論第二次大戰後的新憲法，如意及法國，不僅選舉權大加擴充，如司法機關對憲法加強執行，以對抗立法機關，行政機關權力之加強，如地方分權之實施。在憲法本質上都是有進步的。再像印度新憲法，法條成書有二百餘頁，算是憲法中最詳最長的一部洪典。但是人們對憲法興趣及信仰之減退，則為直綫的下降。從第一次大戰後到現在，憲法對許多問題不能解決。因為許多問題已非憲法所能解決，所以產生許多非常的局面，因而產生非常的政權。一國時局不斷的發生非常。野心者利用其非常以毀法。人民習於各種的非常，遂與離憲背常為固然。而這許多非常局面的產生，政治的、經濟的、社會的各種因素都湊合在一起、產業革命後的中產階級社會，至此一變而為分歧複雜的「人民總意」。所以今天客觀地分析，近數十年來毀壞憲法者，列寧、墨索里尼、及希特拉還是因緣時會的奸黠而已。

目前造成非憲政[illegible]

[illegible]「政治氣候」（POLITICAL CLIMATE）[illegible]

救國會議當前的課題及認識，應該不是專重什麼問題的討論，而是整個政治氣候的澄清與鼓勵。所以反共救國會議的性質，其是政治的，精神的。其效果也應該是心理的。我想提議：將來開會時應把會議中討論情形盡量公開，會議中的會議更盡量公佈，以及報紙上多量的報導，對未來政治氣候有極大的幫助。會議公開，及會議討論盡量報導，比較斤斤爭論決議案如何處置，其效用必超過千百倍。

救國會議構成問題

[illegible]做過大官的人或政客去參加，那這個會議便不必去開。開了也決沒有結果。照我們的想法，今天中國根本沒有樹立政黨政治的政黨，今天的政黨，除了中國國民黨外，其餘的政治集團，都夠不上稱它為政黨。這不是區區對政黨的不敬，而是大家良心上明白的。所以這次反共救國會議參加人的標準，應該採取人的單位，而不是什麼政團的單位。如果那一個人，其人格，其意志，其品性，其學識，與過去成就，夠得上一種標準，不論他隸屬於那一黨，或無所隸屬的獨立人士，都可請他來參加。此中今天最應認識的，選聘參加人千萬不要專在老名氏中去兜圈子，幾十年來吃開會飯的政客或準政客，提起了只有使人搖頭。我們應該在青年中，在社會各方面，物色特立獨行而不甚知名的人來參加。譬如在海外，青年與成人，都應從這個角度去尋覓。社會自有其衡量人物的尺度，人心中自有賢不肖的判斷，而與高官，多金，或某種因緣均無關係。此則選衡人倫時所不可不知。

這一個會議主要議題應該是什麼？題目的大帽子，當然是反共抗俄。而其主要的項目，且為今日多數人想討論者，我想題目全是陳舊的，且是現成的。大家可把憲法，第二章人民之權利與義務，與第十三章基本國策中間，國民經濟，社會安全，教育文化各節，仔細再檢討一番，一切國計民生，問題都不出乎此。六年來行憲，很少有人來檢討憲法，反共救國會議，正可利用這時機來一番討論，看我們憲法上所規定的施行程度何如。其施行者，其未施行者，其原因何在？集全國之智能充分來做一番檢討，對政府對國家均有莫大之幫助。至於開會的日期，固不宜過促，亦不應延遲過久。現在擬議中的日期，聽說一個在五六月間，一個在十月前後。我們覺得五六月開會，似較適宜。因為反共救國會議之召集，已經叫喊傳了很久。不要拖得太長了。從現在籌備到五六月，有四五個月時間，好了，要籌備也應籌備好了，四五個月籌備不好，七八個月也不會籌備好的。

中共偷蔣總統日記

蔣總統民國十二年到蘇俄考察，在那裏學過俄文，和研究過馬克思學說[illegible]他在民國十二年十一月二十八日的日記，曾寫着：『第三國際，自以為是世界革命的中心[illegible]其領導人物[illegible]我知此一國際，必將崩潰。』[illegible]可見後來的堅決反共，並不是一時的感情衝動。蔣先生數十年每日必記日記，從未間斷，至今均一一保存。惟民國十三年日記，已遺失不得，美國人曾說，在毛澤東那裏，看到過一本，似是中共把它偷走了。因為那一本日記，有很多批評共產主義的話[illegible]我們今日也應該從研究蘇俄和認識蘇俄下手。

蘇俄歷史傳統的認識

．麗子．

俄國歷史的四時期

二十世紀已經過去一半有多，共產集團有兩件事是真正影響於世界的：（一）一九一七年十一月七日俄國發生的變亂，即俄國人稱為十月革命的，其實這次變亂，可以說是一種政變；（二）民國三十八年（一九四九）十月一日，毛澤東在北平成立人民政府。這兩件事，共產黨把世界對衡的勢力[illegible]。但我們要了解[illegible]最好讀一讀俄國的歷史。[illegible]只有世界革命史等課目，並沒有俄國史。

（以下轉第二版）

柏林會議的成敗關鍵

美英法蘇四外長柏林會議已經於昨廿五日開始，西方三國堅持這會議只討論德奧問題，蘇聯則再三主張邀中共參加——成為五國會議，並反對西方國家所決不能退讓的歐洲防衛軍。因此會議的前途誰也不敢作樂觀的預測。

七十多年前即一八七六年，也曾在柏林舉行過一次歐洲的國際會議，那時正是俄土戰爭之後，俄國戰勝了土耳其，俄國侵略勢力正向巴爾幹半島和近東伸展。參加會議的有英法德意俄奧土七國。結果，俄國的侵略勢力被抑止，巴爾幹和近東得以苟安，歐洲的均勢賴以維持。那一次柏林會議所以能夠壓阻帝俄的侵略野心，不僅出於當時英國的斯果利和俾斯麥首相的強硬外交，更出於英國海軍艦隊開入黑海的實際行動。

蘇俄的侵略政策和向實力低頭的性格是從兩三百年來帝俄的歷史傳統遺傳下來的，（參看本刊本期麗子先生的文章）所以今日的柏林四強會議如果希望能夠收到和前一次柏林七國會議壓止俄國侵略野心的同樣效果，必須同樣要有當年的實力表現。今日的英法已非七十年前的英法，只有美國還有當年英國的實力，美國如果能夠顯示英國海軍艦隊駛進黑海的精神，我想莫洛托夫才會有知難而退的可能。

否則這一次會議仍不過是一項宣傳戰而已！

本週展望

．陳克文．

『和平的實力』何在？

我們從歷史教訓，深知對付蘇俄這樣的國家，沒有實力是談不到和平的。近兩三年來，西方國家強調實力的和平，決不是沒有理由，更不是好戰。

最近印度的政治領袖在他們獨立四周年紀念期間，高呼相反的口號，出席聯合國的潘迪夫人在國大黨大會中提出「和平的實力」口號。她說這是世界政治家的指導原則，「憑和平的實力」是印度的口號，「憑實力的和平」是美國領袖的口號，是沒有用的。

潘迪夫人這種理論，沒有懂得蘇俄的歷史，既是一種幻想。這種幻想西方國家是不會重視的，印度如果真的抱着這種幻想，便要中共產黨和平攻勢的詭計，自食惡果。

潘迪夫人的「和平的實力」是甚麼？是「印度避免依附任何世界強國集團」。不錯，在兩大集團相持不下的時候，印度這樣首鼠兩端的態度，是可以苟安一時的。七十年前柏林會議的時候，近東病夫土耳其也便是在東西勢力對峙之中苟安一時，所謂「和平的實力」也便是「病夫的實力」！

西班牙的反英運動

英女皇依利莎白二世行將巡幸到地中海西方門戶直布羅陀海峽的今日，西班牙忽發生反英運動，上萬的學生舉行示威遊行，高呼收回直布羅陀，反對女皇巡幸。這是一九五四年第一件使英帝國感覺煩惱的外交事件，和過去兩年埃及高呼英國退出蘇彝士運河一樣是不易對付的事件。

直布羅陀是一千七百多年從西班牙脫離，歸入英國掌握的。直布羅陀，馬爾他，塞浦路斯，蘇彝士運河，都是大英帝國在地中海建立海權的生命綫。運河問題至今尚未得到解決，西班牙這一表現，很明顯是和埃及東西呼應，增加英國處境的困難。英國為保持其海上霸權，西班牙的要求當然不會輕易退讓的。

然而佛朗哥這一舉動，據美國報章所透露還牽涉到美國在西的軍事基地和法屬摩洛哥殖民地，這樣情形便更加複雜了。在西方國家正要團結一致以對付蘇俄侵略勢力之際，內部却發生這種盾矛分裂的現象，無論如何都是親痛仇快的不幸現象。

大陸來台教授的困苦

——吳康黃昌穀鄧萃英羅鴻詔諸名教授生活近況　龔雲章

台灣通訊

台灣自從上年十一月份起調整公教人員待遇，無論中央或地方公教人員，皆大歡喜。此次調整待遇，雖然增加無多，但就公教人員所得的實惠來說，已加重不少，在國步艱難，政府支出浩繁之際，能夠顧到公教人員的生活，縱然有限，也應共體時艱，引爲滿意。

公教人員的待遇

公教人員一向有實物配給，米、炭、油、鹽，均按口（包括眷屬）無價按月配給，主食應無問題，公教人員的重要支出，還在其他方面。按現行待遇，舉例言之：一個底薪二百元即委任一級的公務員，每月可支薪二百十五元，職務加給一百元，醫藥費四十五元，服裝費五十元，可共領四百十元，另外每一眷屬，每月尚可領眷屬津貼二十元，（武職眷屬爲三十元），此外尚有婚、喪、生育、子女教育補助費，如果刻苦生活，雖然艱困，比較過去已略爲改善。較高級一點的，譬如底薪四百元即薦任一級的公務員，[illegible]可共領五百九十元，另外一切補助與前同。至於簡任官，以一級爲例，[illegible]其他一切補助與前相同。高級公務員的待遇，總算過得去了。台灣教職員的待遇，前年已經一度調整，此次大略比照公務員的，[illegible]教授另有研究費，[illegible]每月三百元，副教授二百元，講師一百元，資格老一點的教授，每月一共可領到一千二三百元，而且大致均有公家配給的房屋住，實物配給與公務員同。此次調整待遇，有一個特點，就是文、武人員，待遇拉平，教職員與公職人員，也大致差不多，一掃過去武職與教職員待遇微薄的現象，已漸漸走向軍、公、教待遇平等，這是過去做不到的。

被遺漏了的一羣

但是，美中不足的，還有一部份人顯然被新待遇所忽視。而這種人又是專門從事研究工作的人，就是一羣由大陸撤退來台的教授。從三十八年底大陸淪陷迄今，數年來先後由鐵幕撤退出來的大陸各地大專學校的教授、副教授、講師們，雖無正式統計，但教育部有一百個專門位置大陸來台教授的特約編審，[illegible]研究費，照他們的底薪來論，都應比照簡任待遇，然而事實上如此，其中有不少老教授每月在困境中掙扎。他們顯然爲新待遇遺漏了。

老教授　骨瘦如柴

有一位吳康教授，年近七十，每日仍然孜孜從事研究工作。他做過中山大學文學院長、私立文化大[illegible]教育逾三十年，與其老妻李薇六教授均担任一名教育部特約編審，因爲入不敷出，生活很困難，每日向從沙田（鄉下）騎腳踏車到台北，爲人補習功課，滿臉菜色，骨瘦如柴。又有一位鄧萃英教授，年事也將七十，曾任國立師範大學校長，也是教育部特約編纂，雖未聞他也爲人補習功課，但生活也不優裕，常常叫苦。名教授兼自由中國編輯委員之一的羅鴻詔氏，也是教育部特約編纂之一，晚年在木柵鄉下蟄居，因爲窮不敢多到台北。追隨國父多年的老部書黃昌穀教授，也是一位編纂，他總算在政工幹部學校教了點課，有一幢房子住，有點補助，不似吳康教授那樣狼狽，還算幸運。最近銓敘部爲了舉辦公務人員登記，公開登報招考臨時雇員，担任繕寫工作，每月可得報酬五百元，附有大陸來台教授不多名報名應試，且授及教授經歷，尚是見這一部份人員未受到這次調整待遇的沾溉，爲了生活，他們必須另找途徑。

如何安置遺材

台灣各大專學校教授職位，早已發現擁擠現象，在政府遷台以前，各校原已各有一個班底，政府遷台以後，大陸來台教授，一小部份加入各校服務，歷年增聘，均以人滿爲患。政府在教育部設置一百個名額位置大陸來台教授，備才備用，用心至善，不過編譯、研究與在學校授課同等重要，似不可以散員視之，而分等待遇。一百個名額並不算多，我們似應有一個像樣的，容納較多人數的國立編譯館，或擴大中央研究院，去儘量安置這許多遺材。（元月十五日）

台省工學院生活素描

功課過多吃不消　社會樸素食物廉

「台南省工學院通訊」我們對這裏的一切情形都不知道，所以來到後，感到很多困難，有了這次經驗，希望以後能夠爲讀來寶省的同學解決困難。

我們的學校，面積相當大，目前分機械、電機、化工、土木、建築和礦冶六系，每系都有一獨立的系館，在我國來說，設備可算不錯的了。（比台大還好，所以有不少的台大學生轉到這裏來）。這些設備大都是日本人留下的，所以有些不大合用了。現在正和美國普渡大學合作，他們派了幾位教授前來（每系一位）講學，同時進行改良這裏的設備。新設備聽說現有一批，快要運到了。這裏的讀書環境還算不錯，只是功課太忙，（美國教授也這樣說）我們這一系，每星期有三十八個鐘頭的課，已算是功課最少的一系了。其他各系，有些每星期要上課四十多個鐘頭。所以除上課外，再也沒有時間可做課外工作，這裏給學生練習的題目很多，做習題之外，很少時間溫習課本，課外閱讀和參考書，更談不到。以一年級說，必需修習廿五學分，（有些廿四或廿六學分，因系的不同）。而且不准選修。還有物理和微分若不及格，必須補修及格，才可以續修有關這兩科的其餘科目，規定是相當嚴格的。這裏的制度，既取四年制，亦取學分制，是很奇怪的。僑生聯誼會，出版了一份刊物，取名爲交流。現在寄上一份。這裏的僑生，一共七十多人，以來自港澳的最多。台南市面積很小，騎單車很快便可週遊市區。沒有什麼高大建築物，普通都是一層至二層的。食物可算是全台城市中最便宜的，但沒有什麼出色食品。娛樂除幾間不大好的電影院外，便是乒乓球室和撞球室（日本式的桌球），此外再沒有什麼可玩的了。一般說來，這裏是很樸素的，和香港比較，眞有天淵之別。這裏的風俗習慣，也跟香港和中國其他地方不同（因現在還留有很多日本的習慣）。（倪鳳—一月十一日）

讀者來書

△讀者來書▽

△郭敏行先生來函：

拙詩辱承大第披露，至感謝。四十不到之人，今竟淪而爲此不可時需之東西，其心情之哀痛固不待言也。晚側身政界亦十五年矣，吾治之殷十五年如一日，今偶處一隅，放眼前瞻，仍多怖懼也。世局如先生所論，二三年內恐將是一個拖字了結。蓋美蘇之終極目的，均要求妥協，而不急欲戰爭也。如此則自由中國誠宜猛省，立下決心，作十年反共抗俄久遠大計。容當略抒己見，並將近年從政觀察所得，分別爲文，請先生指正。……（一月廿日）

△編者的話▽

△象乾、毛應鵬、帝多、沈雲龍、韋政通諸先生：惠稿均一一收到，至感榮幸，謝謝！

△吳文蔚先生：證明文件已再奉寄，請查收，大駕有暇，可於日下午五時前來本社，無任歡迎。

△邵伊彭又彭兩先生：請向本刊台灣總經銷處或本社會計處洽領稿酬。

蘇俄歷史傳統的認識

麗子

（上接第一版）[illegible]

蘇俄的政治土壤

史達林自己曾說過：「什麼泥土便產生什麼水果」。蘇聯的政治泥土有些什麼東西呢？第一，是蒙古韃靼王朝所遺留下的統治方法，[illegible]

[illegible]不可以向敵人進攻，以俄國的擴張爲唯一目的。儘量培養軍事人才，一有機會，俄國便要參加世界上的糾紛。……如西方遭遇困難，便該轉向東方發展』。這一切便是蘇俄的政治傳統，從這些泥土所產生的水菓，當然只有專政與侵略。

俄國歷史是最殘暴的

我們現在稱蘇聯及其附庸國爲鐵幕國家。一般人都以爲鐵幕一詞，係英國首相邱吉爾在第二次大戰的時候所創，其實遠在[illegible]俄王尼古拉斯一世已經說過[illegible]不許外人進來[illegible]俄國人出國[illegible]倒眞正是俄國人自己發明的。又蘇聯及其附庸國的共黨，慣用解放一詞，這也是道地的俄國貨。俄王尼古拉斯二世曾說過：土耳其帝國是一個病夫，一個快要死亡的病夫。平分一個病夫的產業，不是一件壞事。除此之外，想不出更好的方法去幫助他。』他又說：『塞爾維亞，布加里亞，羅馬尼亞，都要加以解放，再解放土耳其』。這便是解放一詞的由來。再向今日南北韓之三十八度綫的劃分，也是俄國所首創的。一八九六年，日俄劃分朝鮮的勢力範圍，便是以北緯三十八度爲分界。俄國歷朝暴君都得不到善終，如伊凡第三係爲部下所殺。彼得係爲其妻所殺，其妻乘政後，又爲其子所殺。其後有的爲宮女毒死，有的爲妻子的情人殺死，有的爲禁衛殺死，有的爲刺傷而嚇死。誠如史達林自己所說：『俄國的歷史是最醜的，也是最殘暴的』。

現在蘇俄的第四王朝，以列寧爲始祖。列寧自己曾誇說，『歷史向我們提出一個任務，比任何國家的任務都特別重大，便是蘇俄有責任，不特要把歐洲反動勢力消滅，而且要在亞洲成爲國際反共產革命的先鋒隊』。他雖然只說先鋒隊，實際上便是統治者。一九一七年的政變，蘇俄國內曾發生過爭論，當時托洛斯基派，主張放一把火，將整個世界燒光。史達林則主張慢慢地燒，而美其名曰：「建設一個國家的社會主義。」現在這把火巴在世界上燒了將近四十年，可以說火場已遍及半個世界，火種更遍佈了整個世界。

侵華凡五十四次

蘇聯的政權完全依靠恐怖暴力而存在。據蘇俄特務機關「格別烏」中人，逃到美國的宣稱：從一九三一到一九三九的時期中，被「格別烏」所殺害的就有八百六十萬人，被關入集中營的，一千四百五十萬人，被判處死刑的，八百三十萬人，其殘忍情形，可想而知。蘇俄爲了加緊對國內的鎮壓，更須加強對國外的侵略才可以使人民死而無怨。蘇聯對於歐洲最注重德國，對亞洲，則最注重中國。所以特別在莫斯科設立中山大學，吸收中國學生。其後又設立列寧大學，專收德國學生。俄國自有史以來，侵略中國的次數最多，已無從計算；僅從一六四零年到現在，大小戰役即有五十四次之多，所侵略的土地，包括外蒙古在內，達五百八十八萬三千八百平方公里。血債之深，仇恨之大，中國人民實在已經忍無可忍。

蘇聯對附庸國家的政策，與十八九世紀帝國主義所用的殖民政策不同。殖民政策，係自落後地區取得原料，以廉價買進，於加工後再將製成品運至落後地區銷售，其剝削的目的，完全是經濟的。蘇聯現在的辦法不然，事前以武器援助各國共黨，煽動內亂，顛覆政府，然後樹立傀儡政權，淪之爲附庸。凡事仰承蘇俄鼻息，聽命指揮。蘇俄隨即交給機械，派遣工程人員，前往測勘富源，開發工業，以攫取其原料與糧食，並控制其政治。其表面上，說是提高附庸國的生產，實際上是竭澤而漁，並擴強蘇俄帝國主義的力量。現在鐵幕中的人口，與民主國家相比，已是三比七之數，可見俄帝侵略之深，與對於自由世界威脅之大。民主國家雖也已注意到工業動員，仍不能不兼顧民生日用品的生產，蘇聯可以置民生於不顧，全力從事戰爭工業的準備。

大戰後的中蘇關係

第二次大戰末期，羅斯福不相信俄帝會赤化世界，又未能預料使用原子彈的實效，究竟如何，因此在雅爾達會議中，要求蘇聯參戰。史大林當時說，柏林投降後九十日內，蘇軍可以攻佔中國的東北，但要求在中國得到若干權利。其後，美國洽次催促史大林出兵，均遭延宕推托。及見廣島長崎原子彈轟炸的結果，方行出兵東北。僅以四天參戰，便攫得盟國數年血戰所得的勝利果實。自此，美國的領導地位遂受打擊，亞洲若干國家，已對美國減低信任。當時蘇聯且一再甘言誘惑我政府，希望我國放棄美國，並謂只要我國丟棄美國，便可以保證將東北還我。同時要我們成立所謂「聯合政府」，使中共可以兵不血刃的奪取政權。但蘇俄雖然如此，後來美國且發表白皮書，予我政府以莫大打擊，但我國始終信任美國，外交政策絕不動搖，端賴蔣總統能洞燭機先，賢明領導。今日自由中國的穩固地位亦即此而生。

民主國家中也有因對蘇俄認識不足，不顧意中華民國政府穩定強大的，他們似乎寧願把中國亡於蘇俄之手，再由第三次大戰把蘇俄消滅。他們在中共竊據大陸之初，曾希望蔣總統出國，甚至表示送一隻三百噸的遊艇，以便常行，這無非是便利蘇俄統治亞洲的作法。還有一件小事，美國近來出版的一百偉人傳，竟將毛澤東也列名其中，這可以見美國人也有許多對於蘇聯與中共認識不清楚的。我希望大家能夠對俄國的歷史傳統，加以研究，認識蘇俄的專制侵略是有其長深的歷史性的。

釋：「中朝經濟文化協定」

．沈　著．

去多北韓共酋金日成率「訪問中國代表團」至北平與毛澤東談判結果，簽訂一項「中朝經濟文化合作協定」，由中共贈給北韓大量援款物資一節，業誌本報。茲再就此「協定」的內容、用意和後果，作一剖析解釋：

協定的內容

據新華社平壤的電訊透示，此次中共與北韓締訂一項「合作協定」的意見首先係金日成所發端，但「合作」的內容及範圍則係毛澤東所決定。中共「慷慨」給予北韓以大量援助，尤係毛澤東所自動提出。據判初時，原在協定的名稱上按有「援助」等字樣，後經仔細推敲，乃決改「援助」為「合作」。「合作」的範圍，雖僅為經濟和文化兩部門，但該兩門「合作」的內容則包括至廣，故實際上並非僅為一經濟文化性的合作協定，而為一含有軍事、政治性的合作協定。

在所謂經濟合作方面：首先是中共將在一九五〇六月二十五日北韓南侵之日起至去年底止三年半中所給北韓的全部軍事援助，糧食物資（按：此處所指物資類多，包括軍需民用，甚多係作價售給北韓者，皆數額甚鉅。至以「抗美援朝」名義捐助北韓或以「慰勞」名義贈給北韓者，尚不計在內），以及中共「志願軍」「援朝」的全部作戰費用皆贈給北韓，無須償還分文。然後，再於今年一月一日起至一九五七年年底止四年內又無償的贈給北韓價值「人民幣」八萬億元（約合美金三億五千萬元）的各種物資。此種物資，以金屬製品及糧食為主，此外則為煤炭、棉花、布疋、建築器材、交通器材、各種機器、農具和船隻，以及紙張、文具、和大量日用必需品等。其中所指金屬製品，實無疑為武器彈藥之代名詞；故顯然在經濟合作中，曾隱藏着軍事援助，而且為其中最重要的一部份。協定並規定：中共將優先以金屬製品、糧食及交通器材供給北韓，顯然欲藉此迅速充實北韓軍的裝備，恢復北韓境內的交通運輸，並救濟北韓的饑荒。

在所謂文化合作方面：協定曾規定由中共選派大量各種幹部至北韓各部門協助北韓的所謂「經濟文化建設」；並由北韓選派一批幹部至中共各部門實習。中共派往北韓的大量幹部，在協定的字義上固僅指協助北韓的「經濟文化建設」，但其所指「各種幹部」及「北韓各部門」等詞句既甚含混，而「文化」兩字的廣義，又足以包括軍事政治，故敢斷言：中共派往北韓的幹部中，必有甚多軍政幹部；換言之，亦顯然在文化合作中隱藏着軍事政治的援助或其他作用（下節將有所論述）。

據此，中共與北韓之間的此一協定，表面上雖謂雙方性的「合作」，實際上却為單面性的「援助」。

協定的用意

不過，雖然是單面性的協助，決不會純屬義務，尤其目前中共本身正遭遇嚴重的財經恐慌和幹部荒（中共幹部雖多，優秀而能勝任工作的甚感缺乏），民間因災害不絕而遭受嚴重的糧荒，在自感不足的情形之下而忍捨己救人，非有其不得已的隱衷，必有其所要求的權利——即援助所追求之目的，換言之，此一合作協定，必有其不能公開宣佈之用意在；此用意，根據金日成在返抵平壤接受歡迎時所隱約透示的情形及中共北韓一般迹象所顯示的趨向加以推究參證，主要似有下述三點：

其一、在地理和國防上，中共與北韓正是唇齒相關。[illegible]從新作戰。

其二、在政權上，中共與北韓更是存亡相共。但北韓經三年的戰爭，破壞過大，消耗過大，[illegible]北韓政權，潛伏了嚴重的危機，[illegible]乃在挽救北韓之政治危機，亦為保障其自身之安全。

其三、中共於全面佔有大陸之後，即以亞洲共產國際之盟主自居，向以擴展亞洲赤色版圖及統一亞洲赤色勢力為己任。此種統一，係基於分區領導和靈活運用的要求而將赤色鄰國的軍事、政治、經濟、文化等盡可能皆納入同一形式和同一內容。中共所以不惜在自身正感幹部不足（指優秀幹部）、經驗未豐，技術不足的情形下而選派大批優秀幹部前往北韓幫助其各部門工作者，其用意即在使北韓之軍事、政治、經濟、文化等納入中共的形式。故此一援助，表面上似為義務，實際上即權利，其用心實至為雄大。而北韓戰後的處境，又適為中共實現此一要求之最佳機會。

據此，中共此次不惜忍痛予北韓以大量物資及人力之援助者，並非為「友誼」性或「義務」性之援助，而純為其政權自身之需要而大慷其「人民」之慨者！（上）

關懷私校教師待遇

香港三日

「黑市教師」與「走鬼學生」雖然在香港教育界，目前還不致成為普遍現象；「私營學店」，倘不嚴格取締，仍難望徹底消除。不久以前，九龍上海街曾經破獲一件慘事：一個做苦力的老婆為了幫補家用，在私寓設置「學店」，教育學生二十六人，每人每月收費八元；因為她未曾註册，而又不接受教育司署下令取締的警告，結果被控判罰款。

探其原因，不外：一、私校無法容納衆多的「黑市教師」；參加師資訓練，或因學歷不夠見遺。二、失學兒童隨生活困難增加，一般都不願自己的學齡子女失去就學機會，但在投考官校不易，私校學費無力負担的現狀之下，不得不去選就「私營」的「學店」，甘冒「走鬼」風險了。據說，也有若干生活困難的家庭，在偏僻郊區聚集了一批學齡兒童，請一位或幾位「黑市教師」授課，這在國內的鄉村中原係平常的事情，他們並不知道未經註册是違反教育則例的。

×　×　×

私校收費高昂，教師待遇雖然菲薄，在失業衆多，謀一席啖飯地不可得，因此，儘管教育司高特雅逆表關懷，當謂此乃「可恥待遇」，用以警惕純為牟利的學校，仍使「提高私校教師待遇」，徒尚空談。負有殖民地教育使命的私校教師，他們的薪金，以比有津貼或公立學校教師相去兩三倍，而興「同人不同命」之歎。然則教育司對於培養師資十分重視，除了加強羅富國、葛量洪師範學校的師資造就之外，另外還設置訓練班，將沒有師資合格條件，為數甚多的在職之「黑市教師」分期調訓，使優良的師資獲得官校教師待遇均等的機會。但每期受訓人數，由於挑選過於嚴格，未甚普遍。

×　×　×

當局積極培養師資

作為教師們福利象徵的「教師會」，現有會員千人，本年度繼續擴大徵求會員。該會唯一目標為達成「各校聘用教師悉向教師會選擇」目的，以求保障教師工作崗位與生活。官立津貼學校的教師，一如公務員有宿舍享受，但私校迄未有此措置。該會對於這一問題，亦曾作縝密的研商，擬向當局要求准許撥給地段，然後依據實際情況興建平民屋宇，已成為呼籲提高私校教師待遇之次一重大而迫切的要務。

×　×　×

港九市民對於高中畢業學生的升學問題，格於殖民地成例與港大無法收容衆多學生，始終覺得是一大遺憾；因此不僅寄望於台灣放寬學額，對籌備中的南洋大學（星加坡）也寄於極大希望。日本的相模大學在本學年作了一筆好買賣，它不僅替日本政府賺進了三十餘萬港元，又賺得了收容失學青年美譽，事實上相模本身是女子大學，錄取的學生全部轉入經濟大學，該校係日本文化中心區的一個大學。然而，錄取的學生雖有一百五十名，終以尚有四十九名無力一次繳款全期（三千港元）學費見遺；第一批八十八人現已抵日，第二批十三人，正在辦理手續，下月成行。

×　×　×

歷年商業凋零的結果，造成了失業，而影響衆多青年的失學，這個嚴重問題，雖然引起中西名流與熱心社會人士的特別重視，設置了一個救助失業青年協進會，已有失業及失學求職青年幾達五千人填表登記；終以該會未獲社會各界普遍協助，對於預定的救助計劃，未能按期辦理，第一期已有百餘名解決了短期就業（釘裝港九街道名牌字新型門牌工作），其餘數千求職者，迅獲解決，顯非易事。現時該會已接受一位關心社會福利人士一項計劃，效法社會局西區難民救濟站辦法，組設洗衣及清潔機構。以使此衆多之失業青年得個人最低生活。

中共黨內的危機

．沈秉文．

[illegible]非常明顯：中共今後是要藉各級黨委的會議，以集體討論的方式，提高黨委組織上的領導權力，去克服黨的幹部和黨員的「個人主義」的作風，並克服黨政之間分工的各自為政。中共是在無可奈何之下，從透過黨委的集體領導的方式上，利用五種監督的辦法，去達成其統一領導和嚴密控制的目的。這個辦法是相當巧妙的，也相當苦心的。但照中共過去歷次失敗的情形看來，此次是否能例外地成功，不免仍有問題的。[illegible]和偏差的結果使一定比一般的更為深刻而嚴重，其造成偏差的原因也更為深遠而不易一舉糾正。

總之：中共黨的組織既因佔領區的擴大而日形龐大，組織的控制力也必隨著組織的龐大而日形鬆懈。同樣的：中共的極權統治既已隨著時間的進展而日形酷厲，黨幹，黨員的政治權力也必日形膨脹而產生「個人主義」的觀念，在在都破壞了毛澤東所要求的高度的四大「統一性」。這種情形，在目前雖還不是中共的致命傷，但却是極為嚴重的危機。這種危機如果繼續深刻下去，終將成為未來中共崩潰時的一大主因。（完）

×　×　×

新書評介

新土耳其之成長與發展

作者：馬兆禎　出版者：新世紀出版社

土耳其是一個國家，在今天的國際舞台上，無疑的扮演了一個重要的角色。它擁有六十萬堅強的部隊，佔着舉足輕重戰略地位，像一柄利劍，對準鐵幕的軟腹；也似一把鐵鎖，牢守著民主國家的大門。在今日世界中，土耳其的反共決心，已在韓戰中充份表露。

可是，土耳其值得驕傲者，尚不止此，最難得的是在立國不足三十年的時間——一九二三年至一九五三——居然經過民主的選舉，使原來一黨專政的局面，和平的變為兩黨政制，開了東方國家民主的先河。

不過，我國近來研究土耳其問題的太少了，介紹土耳其的書籍，更是絕無僅有。當茲中土兩國邦交日趨敦睦，土耳其最近派大使駐華之際，我們對這個毗鄰的朋友，更應當作深一層的瞭解。

馬兆禎先生的「新土耳其成長與發展」，對於新土耳其的面目，忠實地介紹在國人面前，在目前的反共書籍中，是一本有價值的好書。即純粹站在學術立場來說，本書也具備有下列幾大優點：

一、層次井然　敍述一個國家的歷史，本不是一件容易的事，尤其土耳其這個國家，歷史悠久，疆域遼闊，更加上變亂迭乘。而本書除去歷史之外，還要敍述政治、經濟、軍事……各方面，眞是一部廿四史不知從何處說起。可是作者在寥寥幾萬字的小册子中，扼要的加以分析，條理分明，秩序井然，讀過一遍就覺得整個土耳其如在目前。小文章需要大手筆，非有高度的技巧，不易做到。若加以「胸有成竹，目無全牛」之評，並非過譽。

從這本書中，我們可以看到，自一六九五年俄皇大彼得南下，俄土發生阿遼夫要塞之戰起，至一九一四年第一次世界大戰止，俄土之間先後發生過八次大規模戰爭，兵連禍結達兩百年。所以在土耳其流行一種諺語：「每一個土耳其人祖先的墳墓中，都留有被俄國人殺死的血債」。由這可以知道，為什麼聯合國援韓的十六國中，土耳其居然出兵一旅，數字僅次於美英，而土國將士作戰的勇敢，攻擊當先，退卻斷後，贏得聯軍統帥衷心的讚嘆。只有長期受過俄羅斯民族侵略和共黨荼毒的人，才能決心反共抗俄。

二、議論精闢　作者對國際問題，眼光有獨到之處，偶而夾以議論，均能「鞭闢入裏」，例如本書第一章末段，敍述土耳其初期改革運動的失敗，是由於「（一）改革運動的中心，大部份集中在軍事方面，一味專做西方國家堅甲利兵的政策，不思從根本着手救治工作。（二）舊勢力的反動與特權階級的把持，使改革運動無法澈底實行。（三）領導階級與羣衆脫節。（四）列強的干涉，以及繼續不斷的軍事對外失敗，使改革運動，不能有安定的環境與充份的時間，逐步加以實現。（五）主持改革運動的人，缺乏識見，對內不能脫離由時代環境文化的色彩，以一新國人耳目，對外不明瞭國際現時情勢，幻想冒險，不惜以國運作賭注」。

已如第七章敍述一九五零年大選，執政的人民共和黨失敗的原因：「（一）執政黨地位易於遭受攻擊，長期執政的結果，已經發生腐化的官僚主義傾向，尤其對於人民共和黨的那套管制政策，人民迫切需要一個新的轉變。（二）經濟措施失當，造成貨幣貶值，使人民無形中蒙受極大損失。（三）人民共和黨的黨部組織雖然遍全國，但一黨包辦的局面時間過長，黨部衙門化，失去了競爭的勇氣。（四）最重要的是人民共和黨執政時間太長，都希望出現一個新的局面」。

不過，任何一本好書，小毛病還是免不掉的，本書也是如此。例如土耳其參加韓戰的經過，本是值得大書特書的一件事，可是只在九十九面，寥寥幾行，簡單敍過。

還有作者認為土耳其不參加第一次大戰，還可以保持領土主權的完整。這點意見，固然合理，但並不合乎當時情勢，因為一次大戰前後的列強，根本就無理可講。土耳其因參加同盟國戰敗而招致亡國威脅，可以說是投錯了賭注。中國加入協約國方面，到是眞正的戰勝國，但是有什麼收穫呢？連山東權利都不能收回，還不是聽人宰割。所以一個國家的立國基本條件，就是力量，一切投機，等待，都是靠不住的，這一點未知作者以為如何。

．岳　騫．

中共挖肉補瘡　增調工業幹部

【本報訊】據北平中共官方消息：中共目前正集中一切財力物力從事以軍事為重心之軍工業建設，惟因現有工業幹部不足適應需要，故甚感困擾。經再三計議，乃惟出之以挖肉補瘡辦法，向各地工業以外之一切部門，大量抽調較為優秀之幹部，以適應所需。現此一措施，已向各機關人事管理部門發出通令，限期呈報調出幹部名單，聽候集中分派。但因一般機關主管頗有單位利益思想，類多不願以所屬優秀幹部抽走，故甚為觀望。為此，中共特申令解釋此一措施之重要性，務飭遵行。

自由談

自由人的正業

馬五先生

中國人在政治問題上，素來不習慣於民意測驗這回事，這還是儒家的士大夫一肩承受，因爲他們把聖人所說：「民可使由之，不可使知之」這兩句話，有意無意地曲解爲「民可使由之，不可使知之」，替君主專制的政治原理奠立哲學基礎，而民主政治生活在中國即永遠不容易創造。朱熹之流，可謂罪孽深重，禍國殃民族矣！

我們也應該過去，但在中國民主生活，認爲民意是應該尊重的，朱夫子一流人的曲學阿世之說，必須予以修正了。因此，關於總統選舉這項國家大事，特別召集國民代表的反應和趨向，看看社會人士對於總統——尤其是副總統的人選問題，究竟是希望那類人物當選爲最合適？特闢專欄，刊載讀者來論，不管它是贊成誰的，一律發表，作爲一次小型的民意測驗，至少，這是智識份子的意見，而智識份子是代表大部份智識份子的意見，毫無疑問是具有影響時代和創造時代的潛力。從「自由人」的本質與職責來說，這件事乃是我們所謂的「正業」！

大總統的候選人，大家似乎沒有多大的歧見，認爲現在蔣總統繼續不可，問題祇在副總統的人選。依照憲法規定，副總統之職權在國家行政上原不甚重，然對團結海內外人心，共赴國難，尤其對大陸上反共非共的各界人士心理上，影響極大。如果不得其人，甚至使過去深懷名流的官僚政客，那就一切宣告完結，我盼望國大代表們要格外鄭重小心爲上。

懸崖之馬

·元仁·

窮吵鬧着的五歲孩子玲玲了。

他們於三年前，避共毛之亂，由大陸逃抵香港，海隅地窄人稠，謀生困難，不久，王再生以觸犯當地法令被驅逐出境，幸虧他生得聰明，[illegible]被「驅逐回」，那一年的秋天，王再生終於被判了二年有期徒刑，小娟自從丈夫判刑後，悲不自勝，曾經數次三番想自殺但沒有成功，後來爲了衣食的道路，好容易在一個工廠裏謀到一份工作。白天上工時，就把娟娟寄托在鄰人家裏，晚上回來，有玲玲作伴，倒也稍解寂寞。

但是日子一久，一個少婦的煩惱，[illegible]

禮拜天的下午，小娟接到她丈夫王再生的來信，她再沒有勇氣看下去，眼睛一紅，就倒在床上伏枕痛哭起來！也顧不得要[illegible]

[illegible]男人，似乎都有一[illegible]工廠上工時，對馬路上一夫，工廠裏的男工[illegible]說生莫名的煩惱！[illegible]心，朝夕相處，竟不知不覺[illegible]也和一夫打得火熱[illegible]寂寞的心境，也急需尋一份安慰，於是[illegible]不得還有[illegible]

而難以自拔！她回憶和再生甜蜜的往事，她也紛亂於錯綜複雜的現實！

她想起他們離西子湖[illegible]的日子，尤其是春天的下午，他們[illegible]蘆花[illegible]

[illegible]在小娟的舌尖上，到現在似乎還覺得有津津的甜蜜滋味！[illegible]無情的現實，[illegible]丈夫被關進了監獄，[illegible]

像緊緊連鎖着，成爲一個堅強的鐵環，小娟的心田中住的滾着，滾着！她又沒有那股勇氣，拿起利剪來將它剪斷，於是，她掉入了痛苦的深淵！

她解不開這個結，她終於將這個秘密[illegible]寫信告訴了獄中的丈夫，[illegible]她丈夫的回信，[illegible]表示萬二分的願意和她脫離關係，爲了她的幸福，[illegible]

今天接到的是他第二封來信，她實在不敢再將它拆開，半天的嗚咽，又使她沒有勇氣[illegible]她用舌尖舐濕了封口，輕輕拆開，抽出了一疊三張的信箋，寫滿了纏綿小楷：

「小娟表妹：恕我這樣稱呼，我們雖將斷絕夫妻關係，但你總還是我的表妹，年來我緊身囹圄，[illegible]你獨守空幃，[illegible]從此我也可以放下天天對你們掛着的一顆心，[illegible]玲玲有父而成孤兒，這究竟是誰造成的悲劇？這責任[illegible]是共匪！[illegible]」

一把辛酸，萬種淒涼，小娟何忍卒讀！她好像一匹懸崖的馬，本已衝到了懸崖，但不知勒住好呢？還是再衝向前去？

釋自由人

恭呈左舜生雷嘯岑兩先生

·郭敏行·

何謂自由人，可友不可臣。弄文亦弄武，賣腦不賣身。於政曰民主，於治曰維新，於祿不苟乞，於策不苟陳。相交一以道，相合一以眞，守身如守玉，鍛志如鍛銀。海隅發高響，迷途作指津，死有餘辜在，忍將覆轍循！結伴猶可及，三戶尚亡秦。

蘇俄陰謀攫取阿富汗

美國將與巴基斯坦簽訂軍援協約的消息傳出後，首先反對的是印度，接着俄國也發出抗議的聲明，莫斯科電台與真理報不斷指責美國擬在南亞建立侵略的新基地。蘇俄的一連串行動，一方面是抗議[illegible]阿富汗[illegible]不能成功。

原子潛艇安裝海底電視

已於上週四在美國康涅狄格州葛羅頓下水的世界第一艘原子潛水艇「鸚鵡螺」號，除了報上宣佈的將裝置核子飛彈及魚雷等超級武器外，據說還準備安裝一種特別設計的海底電視工具，由此種工具探測海底的沉船、暗礁、岩石及其他障礙物，以免原子潛艇有碰撞這些障礙物的危險，由於原子潛艇的潛水之深，遠到普通潛艇所從未有的深度，爲了原子潛艇的本身安全起見，據海軍高級官員說，這是潛艇史上極爲重要的發明。

美海軍重視定向飛彈

據美情報當局所獲得的消息說，在定向飛彈的發展上，蘇俄海軍可能已走在前面，[illegible]若干最新式的[illegible]的器械。據說，俄國在擴展海軍上已化了很大的心力，目下他們正在波羅的海的船塢中建造三艘航空母艦，但美國海軍當局[illegible]於短期內宣佈，將尚未完工的戰艦「肯塔基」號改裝爲專門發射定向飛彈的戰艦。（孟衡）

天下小事

凡是遊絕頂的人，遇着天晴，可以觀東海日出，據說不亞於泰山的日觀峯。如遇陰天，則可以看到「雲海」。最沒趣，最無聊是下雨的日子，除了一片茫茫，上不見天，下不見地以外，其他一概看不見什麼，但在山下面的人，或許以爲遊山者，已經追蹤劉阮，正在過神仙的生活呢！

我們那一次，適然遇着陰天，當拂曉時，即形雲密佈，氣候漸變，雖寺僧供給我們的臥具，竟是厚達兩寸的大棉被，床下鋪的稻草亦達尺餘，而這時是陰曆不過仲秋，同伴不免發笑，認爲竟然在臨冬嚴寒，也沒有這樣，這個老和尚真不是同城裏人開玩笑？但我大家玩疲倦了，不管高低，，蒙頭大睡，誰知一覺醒來，寒流如冰，把那厚被，裹得唯恐不緊，到此際方曉得和尚是「先知者」，而我們才是「阿木林」。

家住天台雁蕩間

最鷄初唱的時候，即夾着木魚之聲，知道老和尚已經做早課了，天甫微熹，那被推擊喚醒衆人的老成伴侶，還在大夢方酣，老和尚就敲門請我們起來，說是『今天無法看日出，所以讓先生們多睡一下，不過趁剛亮趕快起來，或許有雲海可看，也說不定。』大家一咕嚕爬起，有幾位連臉都來不及洗，就跟着那方丈出去，朝東走了幾百步，停止在一個崗頂之上。

老和尚用手一指，大家順着朝下一望，祇見一片汪洋，波濤起伏，有如驚浪翻騰，雖不洶湧，亦無際息，而又上無沙鷗，下無帆檣，但茫然無涯，不知可際，誠屬生平未見之奇觀！你說它像海洋罷；但黃海的水是黃的，南海的水是綠的，大洋的水則是黝黑的，而它的波浪，則是淡白或灰白色的，大部份覺像棉花一般。你說它像長江太湖罷！但長江無此浩淼，水色又是混的，太湖無此氣魄，波紋或細如魚鱗，或翻如江海，亦不像它這樣安詳而又宏壯，動盪而又規律。或者你說好像多季入四川，坐在飛機上，升到萬尺以上的高空，垂首下望的雲層一樣罷；那却依稀彷彿似之，然而飛機駛得太快，以致下望雲層，有如靜止不動的巨大毯毯一般。此則千形百態，瞬息萬變，或如無數游龍，乘波逐浪，互相競馳，或如萬千海馬，昂頭露背，忽又沉沒，不可捉摸，左顧右看，目不暇接，無以名之，仍舊只好叫它作「雲海」。（六）

四強會議下週地點

東柏林巡禮

四強外長會議已在廿五日於柏林揭幕，由於第二星期的會議，經四國事前協議將在東柏林的蘇俄駐德大使館舉行，東德共幹正大忙特忙，企圖將東柏林變成一個「展覽櫥窗」，數千男女勞工被驅策，打掃街道，油漆樓房，佈置新的標語，並在俄使館附近臨時鋪起綠油油的新草皮。「締結和約，重新統一德國」的標語貼滿大街小巷，店鋪也匆促在櫥窗裏堆出許多東柏林市民戰後從未見過的東西。

這些點綴目的，是要表示東德已成了一個繁榮而愛好和平的附庸國，但在這表面底下，一千八百萬東德人民仍然被激烈的不安情緒所籠罩，許多徵象都可以提供這樣的證明。

單就逃亡者而論，去年則有三十六萬人自東德逃到西柏林，要求以政治難民身份予以庇護，這數字已超過了一九五二年的三倍。其中二十六萬名，已由西柏林市政府所主辦的「難民空運」運往西德。東德警察逃入西區者，也有警官二百六十九名，警員四千四百四十四名，等於東德警察的一個團。這已打破了過去紀錄。

從去年六月十七日反共大暴動以來，東德的共黨政策已整個重新擬訂，蘇俄當局且提出了一個總原則，飭令東德大小共幹嚴格遵行，這就是：「反共暴動不容重演」。

根據各方報道，共黨目前在東德是採取一種兩面政策：一面稍作經濟上的讓步；另一面則運用秘密警察發動恐怖運動。

在經濟讓步方面，糧食、衣著、及其他消費品正從蘇俄及其他東歐附庸國運來，希望暫時安撫勞工之要求提高生活水準。同時，東德工廠也奉命增產消費品，若干長期的重工業計劃因此暫告放緩，以免再度刺激人民的反抗情緒。

可是在這讓步政策下，東德共黨的恐怖運動正積極展開，四個多月以來，成千成萬無辜人民已被殺或鋃鐺入獄，受長期監禁。東柏林遭受追害的人民，尤多於東德其他地區。這裏的恐怖氣氛，決不是共黨爲四強會議而佈置的浮面點綴所能遮掩。

一位盟國官員，曾對共黨這種政策比喻爲「紅蘿蔔與鞭子並施的政策」。東柏林和東德其他地區的人民，在最近數月來，已有成萬名夜半被秘密警察破門而入，遭加速逮捕，有的從此音訊無蹤，有的則被加以種種莫名其妙的罪名，重則立即處死，輕則入獄。共黨所舉行的許多次審訊，無異於「表演」，這些事件所暴露的共黨政策，是將反共暴動完全歸咎於西方的煽動和間諜活動，並恐嚇東德人民屈服於共黨恐怖統治。

一位盟國人士說：「東德的恐怖運動和共黨在東歐其他附庸國所發動的恐怖運動，其主要差別是前者更爲深廣，也更爲殘酷。」（上）

（知易譯）

頤和園憶語

·易與·

（一）

說來已是三十年前的舊憶念。那時我自山鄉僻壤的苗蠻舊壤，遠赴帝都的北平就讀，心臟間常常留下「年畫」裏的頤和園景象，因此到北平後，我叔父問我想到什麼地方去遊玩？我便爽直的回說「想去的地方太多，可是第一個要去的地方是頤和園」。同時由于頤和園是滿清朝末季的一項大土木工程，從而也就象徵着「愛新覺羅王朝」的衰敗以造於滅亡。叔父告訴我：慈禧以「女主」擅權主政，左右僉壬，趨奉她六十「萬壽」的即將降臨，慫恿她大興土木，弄一座好園林，爲晚年頤養之所。原來的圓明園，早在咸豐時遭受英法聯軍焚燬，慈禧是咸豐的妃子，懷想圓明園的勝景，原有修復的意思，怎奈圓明園殘破過甚，於是便轉念重新建修一座名園。

（二）

關于圓明園的焚燬，傳說那是出于名詩人龔定盦之子龔孝拱的唆使，龔定盦的死，在疑似中認定是因爲龔曾和一個王妃偷情，王爺在宴席中置毒，龔宴罷歸去即告暴斃，龔子爲父復仇，便趁着英法聯軍的入侵，傭身於英軍充當翻譯，導引外兵將圓明園焚燬云云。又有一傳說，龔子導引外兵焚園，並非爲父復仇，祇是由於其愛妾的欲得皇帝家寶物，趁機放火，博取愛妾歡心，因此爲世唾罵，稱他做「龔半倫」，說他是君臣父子兄弟夫婦朋友五倫全缺，祇有妾的「半倫」云。但這個「身後是非誰管得，滿街人說蔡中郎」，說到圓明園的被燬，可不由不一提這個「掌故」。（一）

中華民國僑務委員會頒發登記證台僑新字第一〇二號
中華民國郵政登記第一類新聞紙類

自由人

THE FREEMAN

（半週刊每星期三六出版）
（第三〇四期）
每份港幣壹毫
督印人：李光華
社址
香港高士打道六六號
電話：七四〇五三
GLOUCESTER RD
HONG KONG
TEL: 74053
承印者：東南印務出版社
地址：高士打道六十四號
台灣特派員辦事處
台北市館前街五十號
台灣總經銷處
台北中華路五九四號之一
台灣郵政劃撥儲金帳號
九二五二號

三大錯誤的經濟觀念

——自由世界國家不能飲鴆止渴

·旭軍·

最近有兩件事實，足以表示西方國家對經濟的錯誤觀念。其一，就是本月初，大英聯邦九個國家，在澳洲雪梨舉行英聯邦財長會議，決定計劃發動其所謂『商業攻勢』，進攻共黨國家市場。各財長同意應在今年內積極轉求共黨國家的市場。

另一件，就是據華盛頓美聯社所說的：艾森豪威爾政府現正遭受有增無已之壓力，以放寬冷戰壁壘，俾便容許美與蘇聯集團從事更多之貿易。

這種飲鴆止渴經濟自殺的辦法，發生自三種錯誤的觀念：

經濟鐵幕如地府十殿

第一的錯誤觀念是『經濟無鐵幕』。上述兩事充份暴露商人認然把經濟與政治孤立的狹窄眼光。所謂『商業攻勢』也，所謂『放寬冷戰壁壘』也，外表說得甚漂亮，其實內心懷着『有生意做就萬事亨通』的急色兒心情。他們卻忘記所謂「在商言商」的經濟哲學，已經給事實一次又一次的粉碎。

最顯明的例，可在香港商和中共大陸做生意的商人一談便知。西藥進貨一舉，把香港許多西藥商人被咬到血淋淋。前年莫斯科舉行所謂貿易會議，招引若干渴求貿易的商人。蘇聯列出一堆的定貨單，其實十有九係戰略物資。去年英國經濟學專家，將一年來的西歐對蘇聯貿易檢討，大多數國家對蘇貿易，不論進口或出口，都是降落。前年日本和中共曾簽訂一項雙方互相進出口三千萬鎊貨物協定。始終不能履行。迄今成交數目只有五百萬鎊，不到原定目標十分之一。

共產集團國家不但有經濟的鐵幕，而且有經濟的陷阱。共黨對自由世界貿易，係依從共黨政治戰略而作經濟戰的。一則用以對付自由國家對共產國家的封鎖政策。二則欲通過經濟活動來拆散自由陣綫。經濟鐵幕有如地府十殿。請看中共四年來對國外商人的手段。一則、大陸英商貿易生機扼殺殆盡，甚至欲結束而不可能。二則、貿易統制，香港商人對中共貿易大多數無利可圖。自一九五一年十一月迄今，中國共匪對香港貿易一貫的有意保持出超紀錄，即澈底限制港貨入口。三則、限制購買。四則、選擇購買。五則、控制辦莊。六則、壓低市價。七則、強迫退貨。八則、剝奪外匯。九則、吸收戰略原料，削弱自由世界力量。十則、藉經濟活動以拆散自由陣綫。試看年來最吃香的西藥和工業原料商，受中共摧殘，啞口難言。由此觀之，所謂「向鐵幕作商業進攻」，無異自投羅網。

不景氣憂慮神經過敏

第二的錯誤觀念，是『對不景氣的憂慮神經過敏』。西方資本主義國家，一談到不景氣，便有談虎色變之概。去年三月美國的工業生產達到最高峯。自韓國休戰後便向下坡走。至十一月減退百分之六·二。全國商家銀行家都承認貿易衰退。但衰退趨勢甚和緩（SLOW REGESSION）。有兩個事實證明：（一）自一九四九年以來生產率不斷增加。全國生產總值［illegible］。（二）工業生產（據聯邦儲備指數）以一九三五—一三九年平均數爲一〇〇基準數。則一九五三年三月之工業生產指數爲二四三。至十月降至二三一。至十一月降至二二八。

最明瞭美國經濟的專家，認爲這種衰退可能在一九五四年繼續下去。但爲勢甚微，並無危險趨勢。英國「旁觀者」週刊評論亦同此見解。以美國此種情形與一九五三年世界局勢相符合的變動。美國失業人數的增加，係職業轉移之暫時狀態。而且多數轉移至較低的職業。英國對美國的商業衰退，感情的不安感，強於理智的反應。可憂慮者，是心理因素作祟。英國共產黨機關報『工人日報』有意替共黨作心理戰。極力宣揚美國不景氣行將來臨。說英國不久被捲入漩渦。其實故意造成恐慌以攫取美國貨物。英國的貨物在最近的幾個星期並沒有跌價。英國自保守黨執政以來，經濟措施比工黨穩健，美元黃金儲備增加，英鎊穩定，人民信心大增。中立報紙及政府言論機關，均言不用憂慮美國經濟之影響。但仍有多數商人及報紙言論對美國之貿易減退懷有憂懼心。

西方國家的自救政策

第三的錯誤觀念，是『資本主義國家間的矛盾日趨擴大』。這是共產主義的所謂正宗的經濟觀點。馬克思與列寧都說過：在未來局勢中，固有不少機會可以促使資本國家屈服於共產黨之「和平革命」。就是說：因爲資本主義有了內在矛盾，是永遠不可消滅，而且擴大成帝國主義者的互相殘殺。今日西方國家的主張與中共及蘇聯快復貿易，便是自由國家在「經濟戰綫上」向共產黨的「和平革命」屈服。

自由世界各國應共同舉行經濟會議，策劃資源市場，關稅，與貨幣的互相協調合作，共謀集中經濟力量，作統一性的長期性的鬥爭。忍一時之痛，用經濟之鐵幕反封鎖敵人至經濟崩潰。

今日短視商人反壓迫政府放棄冷戰壁壘，正中敵人之計。共黨抓着這種心理弱點，使冷戰拖延，使反共國家因競求對鐵幕貿易而發生矛盾深化。然後實行經濟、政治、文化攻勢。嗚呼！自壞長城，入人圈套，天下可悲之事，莫此爲甚！

給李宗仁先生一封信

·黃顯圖·

黃顯圖先生爲廣西藤縣國大代表，曾任廣西省政府參議。茲承將其致李宗仁先生書惠交本刊，謹爲披露如下。——編者

李德鄰先生：

自先生拋棄了國家民族，挈妾攜兒，遺遁異國，遑遑然，倏經四載。前者爭「正統」，袒「毛案」，已騰笑中外；今復旅次無聊，不甘寂寞，又乘國民代表大會行將開會的時候，公開致書蔣總統，內容充滿「矜功」、「諉過」、「謾罵」、「爭權」的意識。以先生過去代總統的地位與資任，弄得「國破家亡」，至於今天，既不知引咎罪己，以謝國人，反而靦顏喋喋不休，於「反攻復國」，究有何補？以破壞「救國大團結」則有餘。無怪先生之書甫佈，輿論即譁然，羣加指責，甚有目先生爲共黨作倀者。先生如非日暮途窮，何竟倒行逆施至此！我非有私怨於先生，乃不幸籍隸廣西，誠不忍先生一誤再誤，尋且自絕於國人，爰佈衷誠，請先生深自反省！

先生直接間接統治廣西二十餘年，視廣西爲私產，不受統屬，政無大小，非已莫決，官無大小，非私不用，反自詡爲模範省。比黨一來，桂省官長非竄擄則挾貂飛逃，潛居海外，揮金如土，人民慘遭共禍，顛沛流離。先生統治之廣西，政績如此，獨戰乎？會污乎？獄收乎？先生引以自詡，而桂人實羞之，豈獨桂人羞之，全國人民亦引以爲恥也！

徐淮會戰，爲剿共成敗關鍵，凡諸將帥，正宜戮力同心，救危破敵。當此之時先生反密令部將，召集七省參議會議長，強迫發出主和文電，以離間民心，鬆懈士氣，替共匪張目。嗣後，大陸尚未全失，已先生滿載黃金美鈔，棄職私逃，孤臣孽子，一柱擎天，以保有今日反共堡壘之台灣。先生不忍國脈中斷，臨危復職，先生倘以「政變」目之，指爲「毀法違憲」，究竟誰爲「抗命」？誰爲「毀法」？誰爲「違憲」？往事歷歷，人所共知，先生今乃欲以一手掩盡天下人之耳目？抑何可笑耶！

先生做了代總統，究竟幹出些什麼功績來？以言主和，只知欲作城下之盟，先生所選的幾位議和代表，都變了毛朝新貴。以言再戰，不但長江天險不能守，連自己的家鄉廣西，也不戰而退。以言職守，先生個人飛桂飛粵，終於不經任何交代手續，棄職而逃，優哉遊哉，作其海外寓公去了。然則所謂「瀆職誤國」者，是蔣先生乎？抑先生本人乎？

先生到美國後，衣羅綺，食珍饈，住洋房，坐汽車，早已置大陸人民的哀號於不聞不問，尚侈言於致力於海內外反共民主人士的聯繫，和敵後游擊的策劃，自欺欺人，直不知人間有羞恥事矣。先生果眞公忠爲國，致力於海內外反共民主人士的聯繫，與敵後游擊的策劃者，則向日追隨先生今日逃亡海外的數百甚本幹部，也不至走頭無路，顛連困苦，告訴無門了。許多由廣西逃出來的游擊志士，也不至無衣無食，流浪街頭了。先生海外逍遙，席豐履厚，對於「鋒鏑餘生」的老幹部與「出生入死」的新志士，既無分文資助，又無片言慰藉，尚復大言不慚，其誰欺？先生苟有良心，午夜夢迴，亦當惶恐無地，羞愧欲絕也。今先生不獨無絲毫愧悔自責之心，反把誤國之責，諉諸他人。用心雖苦，亦豈易得國人之諒解耶？

先生開口言法，閉口言法，儼然以護法自命，然先生過去行事果曾以法自律乎？今先生所爭者爲法乎？抑別有所在乎？先生勿以國人爲可欺，幸加猛省，不盡欲言。

× ×

國內同胞佇立在雨中歡迎反共義士們由韓歸來。

華週展望

·雷嘯岑·

珍貴的歷史文獻

本月二十八日，美國務卿杜勒斯在柏林四外長會議中的一席話，快人快語，得未曾有，將成爲國際外交史上珍貴的歷史文獻，該大書特書。杜氏爲答復俄代表莫洛托夫召開「五強會議」的主張，說出這末一段妙論：「蘇外長莫洛托夫在表現他有把荒謬不合理之事，說成似乎是眞理的能力，已使吾人得到不少的娛樂。可惜吾人來此並非爲娛樂，乃想做出正經的工作。莫洛托夫先生［illegible］韓國和平，越南和平，結束軍備競賽，防止原子武器，並終止一切緊張局勢。他並且指出以上種種利益，只要吾人邀請「周恩來先生」來與吾人會議後，即能實現云。此周恩來先生是甚末人？完全成爲可能了！若讓余等四人，另加上近於神話的「周恩來先生」，即能將許多爲聯合國數年迄未能解決的政治經濟及軍事問題，全部迅速解決，誰其信之？」杜氏指莫洛托夫之爲中共撐腰，是「援引［illegible］之源泉於儹中」。他表示要做正經工作，要求會議應立即討論德國問題，不屑再作無聊的爭辯。其辭鋒銳，既幽默，又俏皮，眞替莫洛托夫有些難爲情哩！

神經衰弱的逃亡者

蘇俄駐日代表團員一人，在東京失蹤，向日本政府請求庇護，一面聲稱患神經衰弱症。［illegible］凡在共產主義統治下的人類，都有神經衰弱的病症，因爲精神的緊張，和生活的痛苦，都足以使人神經衰弱；無可避免。沒有神經衰弱的人，是麻木不仁者，或是機器人罷了。［illegible］拉斯托伏羅夫［illegible］，如共黨世界內的各種神經衰弱者［illegible］在共產極權的鐵幕內，不堪精神苦悶而出走者［illegible］萬的投奔自由天地，這是俄帝必亡的鐵證。自由國家對俄帝的冷戰中，祇有這項事情是絕對的可操勝算，希望日本政府趕緊對那位逃亡客予以政治庇護，以廣招徠。

反共救國會議觀

傳說已久的反共救國會議，快要見諸實踐了。據行政院陳院長的說明，對於參加這一會議的人物，可謂無所不包，應有盡有，當然很好，非如此，即不足以表示這一會議的必要性。我認爲這一會議的重要點，是在於研討反共復國的辦法問題，換言之，即舉行會議後，大家應該商討一套今後團結國人共同奮鬥的救國方略，昭告國人，共同奮鬥。尤其是要能號召與奮勵往的救國青年人的共鳴，使他們在民主旗幟下，大家自動地各盡所能，爲國家努力。這類話，說得很容易，誰也可以說得頭頭是道，做起來就很成問題。參加會議的人，無論怎樣意見紛歧，總是有限的，只要有好辦法宣示出來，則人人皆會樂於擁護，預會與否，毫無關係。因此，我希望這個會議召開時，各方面的智識份子，都能盡情說話，百無禁忌的態度。同時，應該使參加人士表出席，各抒所見。

陰錯陽差的越南局勢（上）

·沈秉文·

檢討今日越南局勢的因果，似首當從納伐爾計劃說起。

納伐爾將軍係於去年四月間接任法越軍總司令，當時北圻告急，戰火瀰漫於寮、高、邊陲，可說是受命於敗軍之際。納氏智勇卓絕，立刻發動「燕子」攻勢，陸空並進，切斷了越共的進攻部隊，殲滅了他的大部主力，乃迅即轉危爲安。然後，納氏復以其豐富的軍事和情報的經驗，政治的修養，以及機智遠大的眼光，從各方面審度了越南戰爭雙方的情勢，對此後的剿共事宜，制定了一個政略與戰略兼顧的所謂「納伐爾計劃」。

勝利曙光一度透露

納氏策劃此後的剿共方針有三大原則：其一，對敵鬥爭上，反守爲攻，爭取主動；集中機動部隊，俾殲越共主力；陸空突襲越共後方，摧毀其補給基地；加强敵後游擊及地下政治活動，以破壞越共政治經濟軍心及社會秩序，並擴大組織敵後的反共人民。其二，在本土防禦上，盡量擴充越南正規及地方部隊，在法軍機動部隊集中時，盡力接替法軍防線，並澈底圍剿後方流竄的越共游擊部隊以鞏固治安。其三，促成越南三邦在法國聯邦下獨立，以加重越南三邦反共戰鬥的責任，從而充分發揮三邦人民的反共潛力，糾正法國包辦代替的錯誤觀念和行動。

這確確實實是一個範圍寬廣、角度深遠、而又具體可行的優良計劃。此一計劃立即獲得美國當局的支持。除杜爾斯發表聲明警告蘇俄中共不得參入越戰，及勸說法國予越南三邦以適當的獨立外，並撥付軍援三億八千五百萬美元支持此一計劃的執行。

納氏於制定此一計劃並獲得美國支持後，即積極付之實行。其中除第三部份有關三邦獨立問題由法駐越高級專員狄琴負責協商外；其中第二部份，決定初步增編越軍爲五十四個營，當告完成，即按計劃接替了部份法軍防線，並進行了圍剿工作；決定第二步增編越軍的目標爲五十萬人，亦已開始準備工作；故可說執行得相當着力。其中尤其是第一部份所表現的成績最爲顯著：首爲傘兵先襲老開，繼襲諒山，不僅摧毀了越共兩大基地，且使越共疲於奔命，損失慘重，迫使越共總司令武元甲都不得不飽承情勢嚴重而發出加强軍備的呼籲，並改變其向來戰而不守的軍事部署。可說一開始即打擊了越共軍的鋒芒。接着，放棄了荒涼的那山而克復河內西北重鎮的錦遼府，鞏固了河內西北戰線的機動優勢；並切斷了中共與寮共之間的供應綫。再克寮國的北新，保障了琅勃剌邦的安全。再接着：以陸海空密切配合，向越共主力所在的海防、寧平、新和一綫發動了自越戰以來規模最大的攻勢，兩度克復佚僞關，控制寧平區，切斷共軍主力，擊潰越共號稱鐵軍的三二〇師，搗毀寧平的補給基地，一度孤立了武元甲在新和的參謀本部。此一勝利，已基本上壓制了越共準備中的秋季攻勢，截至去年聖誕前止，越南法軍的地位，可謂已取得空前未有之優勢，一般國際人士，也皆深爲樂觀；事實上，也的確只要納伐爾的計劃如此積極而堅決地執行下去，雖不一定能澈底消滅越共（蘇俄中共不倒，越共不滅），至少總可將越共的勢力向北逐步壓縮，達成越南的統一與和平。

政治糾紛影響士氣

然而正當法越軍在軍事上東則西征取得優勢的同時，法國與越南三邦之間，尤其是法越之間的政治糾紛——主要是獨立問題——正鬧得不可開交，在在都影響納伐爾計劃執行者的情緒，和一般的民心士氣。

照理，民族自決與國家主權獨立，乃天經地義之事。且法國當局亦已順應世界輿情而於去年七月三日發佈宣言，允予越南三邦以獨立自主，但一方面，法國一部份官方人士及議員既斤斤於法國目前的「面子」和利益而不允予越南以平等的獨立；一方面越南激烈的民族份子亦斤斤於獨立的形式而不自量力地堅主絕對平等獨立，堅持所謂「在目前形式上」不參加法國聯邦。因此，法國國會議員高喊：「退出越戰」的口號，不僅予共產國際及法共越共以宣傳「美國人要打越戰削弱法國地位」的口號和擾亂法國民心的機會，也不僅予法越軍的士氣嚴重的損害，且更激怒越南的民族份子而使法越間的情感陷於惡劣的氣氛。由於這種惡劣的氣氛之中，並使越南的內部亦發生糾紛：保大召開的協商大會堅拒提名二十名獨立議判代表；保大與親法的總理阮文心發生歧見；民族份子要求組織新政府，並聲言否則將取觀望態度等等，其影響所及，在在都違反了納伐爾計劃第三部份的原則。此種情形，當然促自由世界，尤其是照顧世界全局的美國所憂慮。尼克遜在越時曾一再警告法越當局，強調兩國團結和越戰成敗對整個東南亞安全的重要性。美民主黨議員曼斯費爾德亦一再勸告法國予越南以充分的獨立，並貫徹剿共計劃。

不過這種情形，只要不再增加其他的錯誤，仍屬事有可爲。寮國獨立的達成和法寮友好同盟的簽訂，法高間的達成諒解和高王施漢諾的返都以及有關若干國家主權的收回，都可鼓勵法越之間之糾紛尋求克服之道。而蘭尼爾總理的勸告議員勿空喊「退出越戰」影響遠征軍士氣；保大與法國當局的頻頻磋商和回西貢調和民族份子的反法情緒，以及法國隨後已願放寬越南獨立的尺度等等，也確實已有解決法越糾紛和改善法越團結反共的趨勢。

法人意態迷亂招災禍

但正在此時——已取得軍事優勢和正將解決法越政治糾紛的時候，法國當局突然意態迷亂：十月二十八日，法外交部發言人首先發出了希望韓戰停戰成功，和平解決越戰，否則法國將取觀望態度的聲明；接着，十一月二十四日，蘭尼爾總理在國會外交政策辯論中發出了「我們正在追求目標，並不是迫使敵人無條件投降，但我們願準備若敵人於明日向我們提出停火的合理建議時，我們和越南聯邦即共同加以考慮」的洩氣聲明，妄求在一時的優勢條件下與越共謀取妥協。非常應驗：同月二十九日，胡志明即通過北平電台以答覆瑞典「快報」詢問的方式，向法國發出了和平攻勢；說如果是法國願意，當與法國單獨談判和平；並乘機宣傳說法國人和越南人本不要戰爭，而是「美國人要戰爭」。

顯然：此一和平攻勢除立即惹起自由世界爲之震動不說外，單以法越兩國影響而言，幾爲之神志昏迷，脚步大亂！這是法國本身的極大錯誤給招來了災禍！但更錯誤的，還在胡志明發出和平攻勢之後，法國竟公然表示願不顧南越反對，與越共談判和平。

副總統選舉問題論叢（三）

我們最近收到許多討論有關副總統選舉問題的文章，有些提出選舉的原則，有些討論人選。可見大家對這一重大問題的關懷，這是民主政治的好現象。凡屬國民對於國家大事應該自由發表意見的。我們打算把這些意見陸續發表出來，藉示輿論之一斑。——編者。

我也談副總統人選

·沈雲龍·

我是國大代表之一，現在選舉總統及副總統，轉瞬即將舉行。總統大致是連任，應該是不成問題的。副總統的人選，究以誰爲最適宜？提出原則和人選的很多，我也想藉此表示一點意見。

（一）

依照政黨政治通常軌則說，總統既屬國民黨，副總統也應該是國民黨。現在，國民黨究竟提何人爲副總統候選人，要到下月中旬才能揭曉，青年，民社兩黨對此有無意思提名競選，目前尚一無所知。國民黨執政將近三十年，且爲自由中國唯一大黨，所負未來反攻復國的艱鉅任務，也比其他兩黨來得重大，對於副總統的提名，應該慎之又慎，決不可失之輕率，再蹈上次競選的覆轍，由多人自由競選，自啓紛爭；尤不可提出專注重小圈圈的利益而不能籠罩全局的人物，爲未來種下不良之果，更斷乎不可把那些穢德彰聞劣跡昭著的過氣人物提出來，致失去廣大的民心，至於一些比總統年齡還高筋力日衰之輩，也不應在考慮之列。如果國民黨此次肯示天下以大公，毅然提出一位非國民黨人來爲副總統候選人，這當然不失爲明智之舉，一定可以博得全國人民鼓掌喝采的。

（二）

最近自由人有提到未來副總統人選，以胡適之先生爲適宜。這問題，應該由各黨協商，還是由國民黨提名，或是依法由百人以上的國大代表連署提名，我想三者必居其一。最主要的還是要看胡先生本人的意思，如果他肯接受提名，以他對民主政治的堅强信心，和他的國際聲望，以及恢宏氣度，不僅有希望可以當選，並且一定可以輔弼總統，加强團結力量，完成反攻復國的大業。副總統雖是閒缺，本是備而不用，如果胡先生能當選，不祇可以轉移國際視聽，一新耳目，即偶爾於公餘之暇，經常作一二次學術講演，以他的學識淵博，性情平易近人，也比一些滿口「訓詞」的大官們要好得多！不過，假使胡先生不肯接受提名，那我們的一切想法，都落了空，等於白費。

（三）

最後，我對於未來的副總統人選，特別強調「無黨無派」和「社會賢達」這兩名詞，也覺得大可不必！因爲這兩個名詞存在一日，對於我們正在成長中的政黨政治，總不免是一種諷刺。如果以這兩頂帽子，來固定某些人的特殊身份，不是另有用意，即是跡近有點開玩笑。受之者一定會忸怩不安，決不會以此自豪的。所以，大家如鑒於國勢的艱危，爲加強團結力量起見，提出一位超黨派人物如胡適之先生者來做副總統候選人，是可以的，但並不一定非套上「無黨無派」和「社會賢達」這兩頂帽子不可！我相信會有人與我同感的。

陳誠宜做副總統

·韋政通·

我是一個新聞記者。近來許多朋友，一見面總是問我：「副總統候選人誰有希望？」他們以爲我的消息比較靈通，所以總是這樣問我。我仔細分析這問題，又從各方面觀察，我現在大膽的說：「陳誠」最爲相宜。

最近在「自由人」看到不少關於這問題的意見。我覺得比較偏於理想，沒顧到台灣目前的實際情形。我以爲陳誠宜於做副總統，是有幾個理由的：第一，陳氏獲得許多國大代表的擁護；第二，國民黨的人也都支持他。許多人認爲，今天在台灣安居樂業，奠定反共復國的基礎，是近四年來陳氏領導政府所表現的政績。香港的朋友，也許和我的看法不同。我是比較看重事實，談理想，我是決不反對的。（中略）

近來有人主張要無黨派的超然人物在國際上有名望的人做副總統。我覺得做到海內外各黨派人士大團結，基礎建立在當政者的做法問題，祇要政府實向這方向走，一定會達到團結的目的。否則，靠一超然人物，也無濟於事。國際聲譽一點，我更覺得並不是主要。國際聲譽是人爲的，美國副總統尼克遜是一個例子；十年前還是游擊隊員現在轟動世界的菲律賓總統的麥格塞塞，也是一個例子，問題祇在人的本身，看是否有實幹精神，和大政治家的民主風度。海外也許還不大瞭解陳氏的爲人。四年來，陳氏已有極大的轉變。也能禮賢下士，胸襟廣闊，贏得國內人士一致贊譽。我們應該看這幾年在台灣誰是眞正爲國家做事，誰對國家的貢獻最大，我們就贊成把這

編者　讀者

紉秋先生來函：近來「自由人」確是有了進步，無論是在內容方面，或編排方面都如此。人物評述，書評，和遊記通訊等較爲輕鬆的文章，恐怕都是讀者歡迎的東西，我個人有此感覺，不知其他讀者是否有同感？「自由談」有時很大膽的說話，像關於副總統人選問題的討論，也很有意義。論文方面能得到許多政論家經常寫文章是不容易的，像孫滄波徐道鄰及其他幾位先生的文章，都是不可多得的。可惜篇幅太小，容納不下長文章。……紉秋，一月十九日，台北。

△編者的話▽

紉秋先生對我們的鼓勵，極感興奮！惟一個刊物能否逐漸改進，期達理想，亟有賴讀者不斷指示批評。我們除感謝紉秋先生外，還希望其他讀者多加指導爲好！——編者。

△楊力行先生：春聯一稿，已遵囑轉送香港時報。

△騷客先生：大作評「青春之歌」，本刊收到後，因刊出較遲，至在他報發表之後，甚以爲歉！

△昌亮、道南、辛子、胡冷、予勒、楊柳青、鄭健才、郭敏行、華中、張維翰、純熙諸先生：承惠稿均收到，至感謝！

△陳健夫先生：示悉，尊件經於本月十七日付郵奉還。

△台灣投稿諸君：請來稿勿附國郵，因此間不適用也。來稿如不合用，長稿自當璧還。

何秋濤與丁謙

·吳傑·

接到讀者來函，指出本刊二六六期及二九三期關於鮮卑利亞學會報導中的何秋濤先生係清朝人，著有「朔方備乘」一書，不可能現時尚在台主持學會之事云云。我先來說明這段張冠李戴的原委，然後介紹何、丁兩先生。

（一）

去年九月中旬，鮮卑利亞學會籌備會假台北戰鬥青年半月刊，刊出「鮮卑利亞是中國領土」專號，鬨動全台，友邦記者紛紛通信報導，××通信社一番好意，也發了一條消息，就是本刊二六六期所載的一段。那位記者太熱心了，沒有仔細閱讀專號，把一百年前的何先生和丁先生變成今天鮮卑利亞學會的主持人。直到十二月十五日，記者偶爾遇到該會的主持人趙尺子、王薇、劉珍幾位先生，大家談到，覺得應有更正的必要。但通信社既然這樣發了稿，本刊也這樣刊出來。所以囑我寫成一篇通信，就是本刊二九三期所載的，作一個不「更」而「正」的更正。

（二）

上邊是原委。現在介紹何、丁兩先生。

「悉比利亞」、「西比利亞」或「西比利亞」之爲鮮卑利亞的誤譯，大約始於明末清初。首先發覺這個誤譯的人，實爲何秋濤先生。何先生字願船，道光二十四年（一八四四）進士。除了著有「朔方備乘」（原書名爲「北徼彙編」，經清文宗賜名「朔方備乘」），主要談中俄有關的地理和歷史以外，尚有遼金元北徼諸國傳、元代西北疆域考和哈薩克述略等書。從他的書裏可以看出鮮卑魏（即北魏）和蒙古帝國疆域領有今天全部鮮卑利亞；俄國的亞洲「領土」即全部所謂「西伯利亞」是從蒙古人手中攫奪而去的。「朔方備乘」云：

「東漢、魏、晉之鮮卑，其庭幕在喀爾喀（按：今外蒙古），而封疆遠及北海（按：今貝加爾湖）。今俄羅斯東偏之錫伯利（按：即鮮卑）部地，咸爲所奪併。」

又云：「鮮卑曾轉爲錫伯。今黑龍江南、吉林西北有錫伯部落，即鮮卑遺民。」

綜合何先生之說，可知所謂「西伯利亞」等詞實係鮮卑利亞的誤譯了。（上）

人物介紹

中共禍新見聞錄（二）

蘇俄大掠新疆礦藏（上）

·吳彥傑·

阿山金鑛描素

諺語稱金爲阿爾，泰者多而大之意，阿爾泰山，即出產黃金最多之山。該山自明及今，開採已四百餘年，承平時，工人恒達十萬，年產黃金約二百五十萬兩，離亂時，工人亦約二三萬，年產黃金百萬兩左右，故阿山礦稅，向爲新疆政府大宗收入。該山有金溝七十二道，每道長各百數十里，尚有雲界嶺金最富之區未採。哈熊溝產金成色與產量，爲各溝之冠，曾發現七十二兩重金塊，數兩或十餘兩重者，時有發現（礦局規定，如發現一兩以上塊金，必須繳歸礦局，各金棚亦從不隱瞞）。但採金危險性最大：往採者，必須集二百人以上，各攜刀槍，飽帶火藥，一半採金，一半持武器守衛，如遇成千成萬結隊的「狗熊羣」，鳴鑼爲號，守衛與採金者，羣起格鬥，恒有被熊羣吞噬之虞！夜間勞合抱乾松，燃大火圍繞曠野，狗熊最怕強光烈火，避而遠去，尚得安寢（山中到處均有腐爛大乾松）。因哈熊溝得金恒數倍於他溝，雖有生命危險，往採者甚衆，多時恒達萬人。

全阿山生活必需品，均須自二千里外駝運而來，非常昂貴，即火柴之微，亦以黃金購買，故大小商人，必須各持戥子一把，每人和月伙食，至少須黃金一兩以上。如購數年老鴨子宰殺，鴨肚內恒可破得黃金一二錢，因生活奇昂之故，每人每日可淘一錢之金，無人過問。淘金者每棚工人二十至三四十人，先就各溝流水築高約五尺以上的水壩，中留尺餘或二尺寬的缺口（以工人多寡，爲水壩與缺口的高與寬度），缺口中安放傾斜長約二丈以上木槽，用工人二至四人，持有齒鐵鋤，站在傾倒淘土之後方，不時疏達，取出沙土中夾雜的大牛（淘金者忌呼石頭，稱石頭爲大牛），使沙土順槽流下，金沙沿途沉於槽中，其餘金夫，則在山中背取淘土，傾於槽中，疏達工人，須有相當經驗與本領，不獨要認識石頭與塊金，尤須要辨別淘土含金成份，名曰「巴耳舵」，工價最貴，分金時最低限度，較普通工人佔雙份，祇要有氣力者，皆可工作，伙食由棚主供給，所得之金，東六工四分賬，每月取槽一次，不論大小月，均以二十八天計，餘一天或二天，爲全棚工人合淘之「外快」，故每月取槽至少可得金百數十兩，多者至二三百兩者，背土普通工人每月至少可分得工錢二兩五錢金子，每年能淘七月，河水封凍，全體出山，亦有在挖取淘土者。各金棚棚主，年得黃金數百兩或千餘兩者，比比皆是，可知該山產金之多，土法開採，尚如此旺，機械開採，其產量盛旺更難估計。

毛澤東出賣新省礦藏

烏斯滿在「新疆和平談判」後，任阿山區行政督察專員，因嚴峻拒絕將阿山金鑛移交蘇俄，所以蘇俄派大兵把他趕走，至阿山金鑛雖歸蘇俄掌握，且久已預備大批機械，因新疆是地曠人貧的地方，且新疆各族人民，與蘇俄均有不共戴天的歷史血仇，無論身價高低，均不就僱！毛澤東竊據大陸後，即雙手把新疆鑛產呈獻蘇俄，還供給蘇俄開鑛工人！我記得一九五〇年三月，迪化的中共西北軍政幹校北校，訓練投降國軍上校以下幹部，選派身體稍弱的學員六百人，分發阿山金鑛場，幫助蘇俄担任小組副、監工、副管事、指導員諸事務人員職務。嗣後每三個月一期的畢業學員，每期都派六百人到阿山去担任上列工作，到一九五一年年底，一共七期，分發四千多學員到阿山做蘇俄阿山鑛場的小頭目，所以我們對於阿山金鑛場的工人數目，就此可推想而知了！

蘇俄滿載而歸

至於蘇俄用新法開採的情形：開由一九五〇年五月起，工人二萬人，到八月工人增至八萬，是年年底共產黃金一千萬兩。一九五一年工人增至十萬人，是年年底共產黃金二千萬兩，已經達到預定產額，查蘇俄預定新疆黃金產額：北疆阿爾泰山，年定二千萬兩，南疆阿爾金山，年定一千萬兩。但阿爾金山，已成新疆游擊總根據地，不能開採，故對北疆阿爾泰山黃金年定產額，已提高爲四千萬兩，很有希望到限額的可能：因根據許多蘇俄地質學探[illegible]學家探測家的報告，公認阿爾泰山蘊藏黃金數量，約爲一億萬兩。這是全世界唯一的「金庫」，即久已聞名的黑龍江「漠河金鑛」，亦不過爲阿爾泰山向東延伸的尾支，至其庫藏旺處，仍在新疆的阿山，今蘇俄開採已四年，掠奪阿山黃金近一億兩，如再讓他長期掠奪，蘇俄恐怕會成——「黃金國家」！所以我特別提出報道！

蘇俄十附庸組鐵道聯運

【本報訊】據最近北平官方消息：中共已以「發展國際貿易」和「促進各國文化交流」爲名，自今年一月一日起，與蘇俄、北韓、越南、匈牙利、捷克、波蘭等十個共產國家舉辦鐵路聯運，現已指定北平、天津、瀋陽、哈爾濱、滿洲里、大連、安東、上海、廣州等九個車站爲國際旅客聯運站。此一聯運，係以自北平至莫斯科之通車爲主綫，然後再分別由北平及莫斯科向各方伸展、轉運。現中共已開始加緊訓練此種聯運業務人員，以應急需。此一措施，無疑係受命蘇俄，俾蘇俄藉交通加強其控制附庸的一大手段。

「回國升學」記

·瞿林·

新書評介

作者：夏芸伯

出版者：亞洲出版社四十二年十月初版

（一）

本書作者夏芸伯，現年二十二歲，廣東台山人，父母均僑居美國，爲一典型的華僑青年。

本書所述，爲一華僑回大陸求學所遭遇之親身經歷，他與多數僑胞青年一樣，初時對共黨懷着美麗的憧憬，因親身經歷的結果，方才省悟過來，奔向自由。

作者於民三十八年秋，還在廣州文化大學上學，中共進逼廣州時，他母親由歸僑趕到廣州讓他同來港，辦手續去美國，當時他毫不遲疑，隨母前來。大陸完全變色之後，由於中共之宣傳，他和許多青年一樣對中共希望很高。正如作者在書中所說：「懷着滿腔熱情，『回國升學』，『投向偉大祖國的懷抱』。」由於這種觀念頭，加以赴美手續之受煩擾之打擊，他先進了所謂『前進學校』，學習政治理論，準備接受中共的洗腦。

（二）

終於在四十一年夏天，他在『前進學校』畢業了。即按照中共報紙所公佈的手續，一邊照辦護照，這時候中共對[illegible]……不是由於讀書的成績不好，而是我的思想情況和所謂『家庭成份』未被『當局的了解』。」當然他不肯就此罷休，於是他寫信給『文教廳』，見『文教廳』長與各級幹部，但所遭受的，處處都是懷疑和歧視。他却始終不肯相信，自己當時所遭遇的，已是中共本來面目的一部份，所以當時他的態度是：『對一個單純熱愛的女兒，「祖國」竟是這樣冷酷無情嗎？不！這是他們下級幹部的偏差；我「回國升學」的目的，無論如何，是要貫徹的。』結果他終竟考入了北平華僑速成學校。

（三）

他回到大陸一個月之體味，對中共所以他一路留心觀察，處處都所接觸人物的話。處處都的表現，及到了北平，一香港的學店還不如。加以鄉和同學，聽了他們的話望，已心灰意冷，所以住由北平假道南京上海南歸路上，被中共賭多勒索，樣是錢，到了上海，身邊完了。所以不能多躭擱，到的大扒手，比任何地方

（四）

他回到廣州，留住朋友家裏。經過這次「旅行」，耳濡目染，到處都是片怨聲。然而他對升學寄予希望，所以他打算一面找工作，一面補習功課，準備次年升學。但經過多日求職，所遭到中共的爲難，加以經濟拮据，勢將不能再活下去，於是他狠狠的說出了不平的呼聲——「此處不留人，自有留人處」，他開始醒悟自由世界的可親。

在許多友人的協助下，他買到了一張變程出境證。這纔忐忑的跳上了火車，直至過了羅湖橋，心情才安定下來。他於是在該書結尾說：「在車上眺望『祖國』的山河，它的形態依然不變，但是無形中已披上了一層血色。」

該書在寫作的技巧運用方面如他自己在序文中所說「沒有高深的寫作技巧」，但該書中作者以不渲染，不誇張的筆調，坦白的敘述他初時如何傾慕中共，及後又如何發現中共的欺騙，由頌揚至鄙棄。盡情暴露中共誘騙青年的各式花樣，並揭發了中共種種謊言等情節，是可取的。

該書出版以來，頗受一般青年學生的歡迎。

× × ×

不堪回首的：景德鎮瓷業

【本報特稿】中共統治之下，百業蕭條，私營工商業，無一可以倖存，景德鎮瓷業的衰落，就是一個具體的例子。

過去的光輝紀錄

九百多年前，北宋景德年間，就在景德鎮（當時叫昌南鎮）設置御窰，監製瓷器。清乾隆雍正時，景德鎮瓷業特別發達，不但銷行全國，且有國際市場。從南洋羣島，到歐洲各國，都有人購買景德鎮的瓷器。世代相傳，景德鎮的造瓷藝術也不斷地有所改變，但始終都是手工業生產。

景德鎮是一個手工業作坊城市，中共佔據之前，全市有二千八百餘家窰廠，有一萬一千餘工人，幾乎處處窰廠，家家有窰工。瓷器生產，過去有光輝的紀錄。有數字可證的，例如一九一二年產量是六十九萬担，一九二二年八十萬担，一九二八年七十餘萬担。

現時產量大減

中共佔據之後，情況完全大大不同了。據目前全市二千八百餘家窰廠中，維持半開工狀態的，只有五百四十餘家。產量更減少得可憐，一九五〇年爲三十萬零一千八百担，一九五一年爲三十六萬八千餘担，一九五二年前減少甚多。中共爲了供應蘇聯市場，計劃去年（一九五三）生產四十萬担。目前據各種生產條件看，一定是落空的。

原來經營方式，主要是分散的私營手工業作坊。現在中共改爲公營，合作社，公私合營，私營聯營等多種不同形式。中共國營的瓷廠，有五百多工人，是目前景德鎮惟一的大廠，擁有二十四個坯廠，三個窰廠，二個加工廠。合作社雖然已成立了八個，產量很小，只佔總產量百分之五強。（上）

·李範聲·

提高技術水準發展工商業

教育當局正計畫培養人才

當局爲了發展香港的商業，準備積極培養具有充分學識的工商界技術人才；除籌辦漁農學校之外，將撥款四百萬元，用作一九五四年度設置一所規模宏大的工業專門學校，校址正在選擇，該校的興建計劃，現已決定：機械工程六十一萬五千元，電器及無線電工程廿四萬九千元，建築工程卅八萬四千元，商科十五萬四千元，紡織廿七萬七千五百元，工業美術廿三萬三千元，全校設備約估二百餘萬元，各系均分設不同的專門實驗室，如：紡織系中分設紡紗、織布、化驗、繪圖，課室等；機械工程系，除了課室四間，化驗室四，修理室一，鑄鐵室一間，發電室一間，其餘各系，平均皆有相當完善的設備。這一個學校籌設的主要原因，爲改良製品與包裝設計。過去工商界所以不能與外貨抗衡的，港產製品雖優，貨質卻不能與舶來品競爭，乃由於包裝呆鈍，容易惹人對品質發生懷疑；倘使品質劃一，裝璜美觀，就不難與外貨頡頏。因此，擬積極地訓練各項技術人才，一俟校址勘定，即可興工建築。

香港工業專門學院院長，頃就香港工業專門教育及職業訓練委員會的報告書內容，作進一步之解釋。他說，港府時常準備協助及鼓勵專門教育的發展，但任何地區專門教育的成功，它的重要因素乃工商界通力合作；倘使沒有僱主支持，專門教育將是一項表面工作。補合作的方式，由一個顧問委員會來作它的橋梁，學生更不難獲得實際工作經驗。現時香港工業專門學院與初級工業學校均正與很多僱主保持密切合作。一九五一年十月一日本港工業專門委員會成立之後，確定三項目標：（一）協助僱員獲得較高職位的機會；（二）供僱主以曾受訓練的人員；（三）改善本港工業的生產，以促進工商業繁榮。現時該委會覺得中小學基本教育極爲重要，而現行課程似乎太偏重學理，因此向有關當局提出建議，全部小學應設手工課程，尤對於十一至十三歲的小學生應有良好的師資予以適當的木鐵工訓練，中學生尤然。因爲授予木鐵工及金屬工訓練之後，學童有機會可知道自己的興趣，庶可提高其地位。由於此一任務之重要，學校方面應考慮聘請曾受適當訓練的職業教師及學校家長及學生有關於這一方面的[illegible]

[illegible]

死有餘辜在！

自由人談

上期本刊所載郭敍行先生標「自由人」詩篇，一唱三歎，發人深省。讀到「死有餘辜在，忍將覆轍尋」兩句，更令我盪氣迴腸，不能自已。

中國自辛亥革命，創建民國以來，四十餘年間，無時不在革命戰亂之中，革來革去，竟革出了一個沒有緘默自由的秧歌王朝，竊據大好河山，奴役國民，釀成亙古未有的浩劫，眞正陷入了民無噍類的黑暗時代。追本窮源，我們這般號稱讀書明理的智識份子，實不能不担負大部分的罪過。在世界人文進化史迹中，中產階級的智識份子原是爭取民權，創進自由生活的中堅戰士。然中國近四十年來一般士大夫所表現的，乃多見其爲虎作倀的傑作。如郭沫若之流，寡廉鮮恥，大呼異族暴君爲爺爺，爲太陽，爲不朽的鋼，固無論矣。即生息在自由天地中的號稱民主自由主義者，儻能不褻其所守，終始本着良心血性，不爲利誘，不被威屈，而堅持自由人立場的，似乎亦不多覯。

我們今日痛定思痛，深感自由之可貴，立志從新做人，要做一個自由人，絕不能爲人類造禍，至少不應該再造罪孽，以贖前愆，否則眞是死有餘辜了！我總覺得人生不管富貴窮通，必須有所不爲，而後可以有爲。然這種精神和氣魄，只能求之於敍行先生所詮釋的自由人身上。我們雖不能至，心嚮往之。「死有餘辜在，忍將覆轍尋」，可不愼哉！

馬五先生

武裝耕牛

·呼嘯·

「呼！呼！」連續地響了幾聲後，跟着是一陣「嘩啦！嘩啦！」的洪亮聲音，一間茅房，也就在巨響的聲浪中坍塌下來，從坍塌的茅房裏，衝出一條巨型水牛，瘋瘋癲癲地向荒野發狂奔去；血！濺滿在屋角，一個青年屍體，蜷臥在坍塌下的茅房的血泊中，不知是被瘋牛觸死的，也不知是被塌下的茅屋柱木打死的，還是個謎。不過，血肉模糊，顯得是異常悽慘。

「天呀！天呀！」從正屋裏跑來一個白髮如霜的婦人，撫着瘡痍有餘溫的青年屍體，伏在地下號啕大哭：「天殺的，天殺的，天天要搞什麼『武裝耕牛』運動，把我的兒子弄死了，反正我的老命完了，我要同牠們拚命」。

圍繞在坍塌茅房的人們，都癡呆地瞧着可憐的老婦，淌下同情的眼淚；灰暗的天氣，迷濛蕭瑟的細雨，更是黯然無光，大地已接近着茫茫暮色，許多人都帶着沉痛而悲憤的心情，倒臥始作鳥獸散去。

在屋角下的血屍，仍陳列在那裏，聽老婦人撫摸哀號，秋虫唧唧，若泣若訴，這是人世間的悲劇。

究竟是怎麼一回事啦？含寃死去的青年，心裏是明白的；悲傷的老婦，又何嘗不了解；就是居住在大苗寨的人們，誰的心裏都是雪亮地。不過，暴政淫威，炙手可熱，不平的憤火，不屈的意志只能蘊藏在內心裏不敢發洩。

那個死去的青年王文定，是高山大苗寨農村中的紅色青年團員，他的思想「前進」，在一切行動表現上，够得上「積極份子」的讚譽；由於地方共幹的鼓勵和支持，在大苗寨農村起帶頭作用，村子裏的農民，都要瞻仰他的馬首，看他的顏色做事。凡是在苗區由共幹們玩的新花樣，高山大苗寨，總比別的地方率先實行，「紅旗」插滿全寨，欽定爲「模範農村」，搶是「紅旗」有聲有色的人，王文定當然同志。

每一次，王文定從「區政府」回到了大苗寨，一呼一吸，大家都驚慄起來了，知道又有新花樣出現了，而這些新花樣帶來的，是無窮的痛苦。

那一天，區裏的同志楊清雲，夾了個大皮包，神乎其神的走進大苗寨，王文定把他接到屋子裏，楊同志卸了一枝煙捲，從上衣袋中摸出燒在口中，兩隻眼睛陰森森而慘白的，不自然地格格地笑了，大概是染了阿芙蓉的癖好深了，嘴唇好像從鼻孔發出來的，顯得是那末微弱無力。

「我們要搞『武裝耕牛』運動了，王同志是要起帶頭作用的。」楊清雲慢吞吞地說出牠此來的目的，口裏不斷地噴着煙圈。

「『武裝耕牛』哪？」王文定不免猶豫起來，「耕牛也要武裝，恐怕行不通吧！這裏的人民，習慣很深，他們平日就有三怕：『怕人說懶漢，怕牛穿鼻子，怕牛累死』，這是傳統的牢不可破的風俗，恐怕不易改變他們的觀點。」

「這是上級的命令，幹麼！你也反對嗎？」楊清雲的面上是怪難看的，霍然站了起來，拉開皮包，取出一張一尺見方的灰黃色土紙，上面歪歪斜斜塗滿了黑圈，還蓋上一個紅色方印，誰知道上面寫的是什麼。

楊清雲開始施用壓力，終於把王文定屈服了。

第二天，在大苗寨左角一個荒廢的曠場裏，召開村民大會，寨子內的男女老幼，都集荒野，聆聽楊同志的訓話，說：「王同志，你勇敢，打破了數千年潛存在農村中的錯誤觀念，做大苗寨內的模範農民，開始爲耕牛穿鼻子，上肚帶，背帶，堅決地『武裝耕牛』，明天，在他家中作『武裝耕牛』的表演，大家向他學習，自動地前去參觀。」

表演的那天，正下着濛濛細雨，凹凸不平的山野，更泥濘滑濕而寸步難艱，「天無三日晴，地無三尺平」，黔地人民，長年就在這樣地過着別人過不慣的日子。人們的頸子上，套上了無形的枷鎖，並未因雨淋路滑而減退參觀的興趣；「武裝耕牛」的周初，一個茅房外，楊同志又吹擂了一陣，王文定賈勇出來了，開始他「帶頭」的工作。

像巨象般大的一條水牛，橫撐着兩隻長角，英姿挺立在茅房的欄內，看見少主人走進來，親密地舐着主人。王文定先喝了一大碗包谷酒，壯壯胆子，然後把大桶谷酒灌給牛吃，這都是楊同志的指示。等他徐徐地把牛放出來時，牛眼漸漸通紅起來，態度就表現得有點瘋狂，參觀的人都有點爲他躭心。

王文定的膽子已經失了作用，大胆地把牛頭扳起來，盲目地把準備好的鐵針，從牛的鼻孔中橫穿了進去，牛痛極了，鐵針還沒抽出，血潺潺流出，擱整紮成的「牛鼻圈」也沒穿進去，牛發了狂，狠命的一角，把王文定挑起來，一連又把他摔倒茅房的門柱邊，旋即觝觸門柱，整個茅房開始「吱吱喳喳」地作響，牛力氣太大了，一觸間，紙一般地坍塌下來，牛狂奔亂穿，鼻子去了。參觀者早就紛紛走避，楊同志不知去向了。（取材中共「人民日報」）

輓章雲淞聯

并識　王世昭

桂軍宿將章雲淞，北伐、抗戰、戡亂諸役，無役不預。大陸陷匪後，逃難香港。以胃潰瘍病逝於九龍醫院。時中華民國四十三年元月廿五晨五時也。

問松園何日歸來？忍見樹老蕉傷，賸水殘山餘惻惻。

知伏波此心猶壯！遽教俗頹梁壞，淒風苦雨叩蒼蒼。

頤和園憶語

·易與·

（三）

頤和園的新址，是選定距圓明園所在地的海淀不遠，就原來在萬壽山西麓昆明湖畔的清漪園擴建，並將昆明湖圈入園內，萬壽山也幾乎全被圈入，園地廣大，堆石疊土，建宮築殿，移花植木，曾耗費一筆爲數浩大的修建費，庫帑匱乏，怎奈慈禧要修園意堅，便將預備建立海軍的經費挪移運用，可不料萬壽將屆，適日英法奧比義俄八國聯軍入侵，慈禧帶領着光緒倉皇出奔，「避寇」西安，一年後才得「回鑾」，幸而頤和園還沒有像圓明園遭到焚燬，讓慈禧晚年在頤和園住了些時。

（四）

我再度作客北平時，曾經在頤和園住過半個月，那時的頤和園，在北平市政府管轄下，開放「租賃」，把從前君主的「獨樂」之所，公開的與民同樂，倒也是「民主國家」的一大「德政」。遊覽故宮，當然仍得非錢不行，比方得買「票」入內，我的朋友租賃從前慈禧燕居之所的一半，租一年是銀圓五百元，其實來頤和園住大概是在「避暑」的夏季，其他三季是少有人來住頤和園，因此所謂租一年，毋寧說是一季，可是住頤和園卻有其住的條件，首先得有一輛汽車，出了西直門，還得半小時的汽車路程，其次得自帶一個廚房，園內是沒有火食供應的，菜蔬，固然可以取之于園外的菜園，魚肉等物卻須向不太近的小市集才有採購。尤其是報紙，所以必得有一個人專供跑城的差使。

（五）

在頤和園過度夏季，個是太够理想的避暑境界，我最愛坐在昆明湖畔徜徉一會，是坐在那湖畔的銅牛背上，望着那一泓湖水，水面，微微的風掠過水面，旋起一個漩渦，一個漩渦，領略着水性的柔和，欣賞水紋的漣漪。湖水不深，那是有名的詞曲家王靜安先生自沉于此的，他在遜清臣中可算是一個眞正讀書種子，入民國後，他曾在清華大學教書，寫有一本「人間詞話」，雖祇薄薄的一個小冊子，內容可相當充實。我住在頤和園時，作我居停主的朋友雇用了一個內監供使喚，他說他自頤和園落成後，就在園內當差，他爲我導遊園內各個名勝處所，他爲我數說當年「老佛爺」一駕園內的情景，「老佛爺」是他們對慈禧的稱謂，當年情事，娓娓動聽，眞如元微之宮詞「寥落古行宮，宮花寂寞紅，白頭宮女在，閒坐說玄宗」所述，想像當年帝王家的豪華，體念到國運的式微，又未免身處其間，足蹤所及，不勝其俯仰興感之无已了。（二）

家住天台雁蕩間

·鐵頭·

大家正在讚嘆，驚奇之間，忽見海面，雲霧漸逐沈，又忽然露出了幾個小島，小島初僅見尖頂，慢慢又見有擱木屋宇，正要窮目極望那些屋宇之下，有無人跡的時候，偶一瞬間，只見小島林立，不知其數，而海雲紛紛滾滾，愈速，初猶連成一片，轉眼間各自分散，四面八方，朝各個岩壑之間，飛奔而去，只見一朵朵的雲，極妍盡態，各依山谷，綿絡迴繞，不忍遽離，但個個縮小，最後霎然之間，就像逃名的隱士，入山唯恐不深，或失敗的政客，避匿唯恐不密，很快就好像各自找着了歸宿之處，竟然深入洞府，閉門謝客，從此即難得一面了！於是依然萬山屹立，羣峯在望，一切又恢復了平日的狀況，大地如恒。

當大家聚精會神，欣賞那奇情異景的時候，萬籟俱寂，屏息無聲，到了此刻，方才舒了一口長氣，只聽老和尚說道：『諸位大施主，洪福齊天！一來就看到了雲海，有好多人住上十天八天，還看不到哩，阿彌陀佛！』大家也向老和尚拱拱手道：『老法師佛法無邊！謝謝你，使我們大飽眼福。』於是回轉廟中，吃飽了早飯，酬謝了和尚，即大隊往瓊台前進。（完）

東柏林巡禮

四强會議下週地點

「但我們不相信東德人民對共黨政府的反抗，基本上有何改變，他們祇是更加謹愼，暫時不敢輕率妄動。」

共黨這次雖然在柏林鬧市的櫥窗中擺出了許多外貌美麗的貨物，但其品質卻仍十分惡劣，與西柏林平能隨時買到東西比較起來，不啻天壤之別。而且東柏林縱已展出了這些東西，其價格之高昂，決非普通平民所買得起。東德本身的工廠，對消費品實際已沒有增產的能力，共黨最近也一再承認，其增產計劃已面臨嚴重挫折，因此不得不仰賴其他共產國家的供給，這些櫥窗中放着許多外國產品的事實，即可獲得明證。

由於原料的缺乏，共黨也和往時希特勒的政策相同，要求人民大量採用人造的代替品，在一般呢絨的衣料中，眞正的羊毛祇佔極少部份，而滲入了多量的人造物質。因此引起人民的抱怨。其他消費品，鞋子、皮類製品、傢俱、脚踏車及烟草等，不論是品質或產量上，都還沒有達到戰前水準。在這種情形下，無怪東德許多市民看到櫥窗中突然出現許多新東西後，要說：「櫥窗雖裝滿了新鮮東西，裏面卻空空如也，更是一團混亂。」事實上，這也正是東德的整個情況。（下）

濤園集寄李氏姊信州詩箋

·太希·

濤園集有寶井堂記成書後，寄李氏姊信州一詩云：「一從癸酉來，長罷中秋節，吾母之生辰，忌日此哀絕，諸兄方罷試，歸領使永訣，誕降大藩州，月望事多缺，每病讙瀕危，（每逢中秋，肝痛則作，或有他驚險事，）驚秋如一轍，生固有自來，事往詎忍說，信州方嬰城，乞援書刺血，明月邀相覽，白雲望對咽，所託以爲命，酒餔酬井渫，九死而一生，惴惴如臨穴，子孫不可忘，寒泉猶凜冽，後來四十年，外孫攝官閩，奉母秉爲政，邦人懷往哲，寶井額其堂，勗名刻其碣，寓書囑爲文，鈍筆敢少輟，佳序年一逢，痛腸時中結，國典祀雙忠，人情欲百折，妙藹我麼悲切，藏曰信絕，詩以示吾姊，垂老涕淚雪。」此詩句句有本事，沈文肅公葆楨夫人，爲林文忠公則徐之女，以中秋生，咸豐初助文肅守廣信事，世久有名，余前於人生雜誌曾述之，今考清史稿沈葆楨列傳，但稱「六年署廣信府，楊輔清連陷貴溪弋陽將逼廣信，葆楨方赴河口籌餉，聞警馳回郡，官吏軍民多避走，妻林先刺血書乞援於浙江總兵饒廷選，會大雨，賊滯興安，廷選先入城，賊至，七戰皆捷，解圍去，曾國藩上其守城狀，詔嘉獎，以道員用。」敘事雖簡括，而病在太簡，使入司馬子長班孟堅之筆，則斷無不錄林夫人乞援書者，以其文其事，在太平天國戰史中，在清代女子集中，皆爲第一等可歌可泣事也。林夫人血書，余去歲曾錄載於人生雜誌，其文矯健沈摯，從左傳脫化而來，文氣似韓，無怪濤園弱承慈訓，而有左癖也。寶井堂者，李畬曾所建，李爲文肅外孫，濤園之甥，以光緒辛丑知廣信府，奉母重來，故濤園有寄姊詩，今考畏廬瑣記所載，「後四十年文肅公外孫李畬曾宗言權府篆，迎養母夫人，畬曾立寶井堂於署中，大書一聯云，距武夷數百里，遙望家山，迎奉板輿來，依舊青燈慈母線，後文肅四十年，來權茲郡，摩挲遺碣在，愧無黃絹外孫詞，外孫二字，用得恰好。」畏廬此記，正可爲濤園詩注脚，余昔年嘗過信州，即今之上饒縣，相傳府衙爲周瑜帥府，雖無可稽，而基址宏敞，迥殊他州，以二堂甚深，前爲石台，砌以方丈之石，旁植花木，槐柳參天蔽日，愈增其邃，後堂有井，闌以石，是林夫人所倚者，寶井堂畬曾自爲記，又乞濤園爲之，濤園集中尚有二小詩記林夫人事，注云，「先公在江西巡撫任所，有密摺皆先母手繕拜發，外間無知者，」觀此可知林文忠課女之功，與文肅成名亦得內助之故也。

更正

本刊三〇一期（一月二十日），周樹聲先生「癸巳中秋賞月詩」，「琴音笛韻舊因緣」句。「笛」誤植爲「留」，合更正。

中華民國僑務委員會領發登記證台教新字第一零二號
中華民國郵政登記第一類新聞紙類

自由人

THE FREEMAN
（半週刊每星期三六出版）
（第三〇五期）
每份港幣壹毫
督印人：李光華
社址：香港高士打道六十六號
電話：七四〇五三
GLOUCESTER RD HONG KONG TEL: 74053
承印者：東南印務出版社
地址：高士打道六十四號
台灣特派員辦事處　台北市館前街五十號
台灣總經銷處　台北中華路五九四號之一
台灣郵政劃撥儲金帳戶九二五二號

本報啟事

本刊第三〇六期原定二月六日出版，茲因春節關係改於二月七日出版，敬希讀者留意。

蘇聯碰上了內在死敵

陳伯莊

蘇俄革命近四十年，私營利潤意識，始終深藏農民心坎中，以至農業生產大為落後，人民生活水準不能提高，成為蘇俄不可克服的頑強死敵。

對私營利潤意識讓步

一九三九年，筆者在莫斯科和他們的全國經濟計劃委員會副主席薩布洛夫談話；（此人戰後升了主席，入政治局，政治局擴大為主席團後又充委員，現任三個工業部合併了的部長）談到集體農場制，他說：『其時（一九二八之際）都市之社會主義工業與全國鄉村廣大無垠之農業比較，無異孤舟之泛巨浸；鄉村農業若日向資本主義化，（意指當時所行為自耕制，自產自銷，以謀利潤）則都市社會主義之工業必為淹沒』（見蘇聯經濟制度第十頁，——商務重慶版）。所以史太林決定剷除自耕制，而代以合作生產式的集體工作的集體農場。

一個社會之中，不容許反對其制度的意識活生生的滋長；追求私營利潤意識為社會主義制度的死敵，必須斬草除根，這是蘇聯共產黨的根本信念。一九三六年後蘇聯已無自耕農，而全國農業生產組為二十四萬二千餘個集體農場，戰後又併為六萬個。（國有農場向來不重要）。當時薩布洛夫和農業部當局還對筆者說：生產合作制度，已是一種讓步，因為利潤意識仍然間接的存在，而其對則為准許集體農場員每家保留自用地一公畝，（合中國十五市畝）為養雞養蜂種植蔬菜水菓等等，並准其自行上市銷售；這是對私營利潤意識一種默認，所以他們認為社會主義內在的敵人，還沒有完全消

農業為何故落後

到現在，蘇聯工業[illegible]主義制度，其生[illegible]業化的速度率，[illegible]超過革命前好幾倍。然而農業生產在一九四〇年，僅超過一九二七到二八年水平的百分之十五，一九五〇年超過一九四〇水年平百分之十（見外交季刊一九五四年正月份號魏生柯著的大成問題的蘇聯農業 AGRICULTURE IN THE SOVIET SPOTLIGHT, BY VLADIMIR P. TIMENSHENKO，魏氏為農業專家，美史丹福大學教授。）自從史太林死，馬倫可夫繼後，農業生產落後，成為大問題，並入貝利亞於罪，讓其破壞集體農場。據美英各權威報導，農產落後已成了蘇聯嚴重的內憂。

馬倫可夫的對策，是提高農產收價，因為集體耕作的各種農產，都由政府定價收購的。何以落後？因為農民歡喜自產自銷，不歡喜強迫集耕，和歸政府強迫定價收購產品。而且個個場長，名為公舉，實則是由黨部所指派的「忠實同志」。農夫們和共幹是根本氣味不相投的。

這依然是利潤意識成了頑敵死敵，而且是內在的頑敵死敵！

人民生活已難再漠視

假如隨他們懶洋洋地集體耕作，倒勉強拖不去了。無奈革命建設多年，人民生活水準老是不能提高，大戰結束於今又將近十年，再沒有理由可以藉口，不去改進人民衣食水準了。人民生活不外衣食住行四大事；而衣食之源，完全來自農產，農產不增加，衣食沒有改進希望。衣靠農產中的纖維作物和畜產中的羊毛。食靠農產中的穀麥作物和畜產中的乳類肉類。蘇聯畜產特別落後（見魏氏文），人民主要食品只為穀物和蔬菜類，西漢初期，鄉間的看更老弱，還可以飽食粱肉，所以成為文景之治。蘇聯工人階級，擁護革命幾四十年，嘴巴裏還是像魯智深說的，淡出鳥來，革命還有甚麼好處呢！而牛羊類畜產，與穀產比較，要數倍之地，方能產出同量之營心。（以前農業專家張心一曾說，同樣面積的地區，耕作所能維持的人口，比畜牧多十倍。鐵氏文只說數倍。）因此，食的改進，成了嚴重問題。都市幾千萬工人肚皮裏的饞蟲造反，動搖了馬「大皇帝」的寶座。多饞蟲的饞蟲天天向御座進攻；還可怕的陰影，馬胖子是肚裏明白的。

馬倫可夫進退失據

馬胖子可以草菅民命，但沒法使他們集耕起勁。無聊地加價收購，還有點像打嗎啡針；打過一年，明年不加碼，便沒有刺激了。除非農產技術有特別進步，除非於保存集耕之中發明了更高明的增產方法，困在塚心的馬胖子，不易殺出一條血路的。然而經過若干時，人口增了，食指加了，這些增益產量，又被均攤而化為烏有了。總有一天，圖窮匕首見，集體制防礙生產的惡果，會撞羊頭橛的撞到極權統治的心窩。

放棄集耕，回到自耕嗎？讓利潤意識雖然施展出來嗎？這無異放開金鎖走蛟龍，正如薩布洛夫所說，社會主義的制度，必遭傾覆無疑。自耕農民將更加團結側目而不願政府收購嗎，不剝削他也看成剝削了。讓其自行上市嗎，整個計劃經濟便垮了；整個社會主義制度也垮了。農民有了謀生自由，整個集體統治，便要在農村裏來甲曳兵而滾蛋了。農民既然解放了，馬胖子之流還能依舊的天羅地網嶽住都市工人嗎？恐怕連滾蛋都來不及了。

農民心窩裏的毒龍

「雨我公田，遂及我私。」如果念茲在茲的不是私田，周人這兩句詩是不會寫出來的。可惜當老祖師馬克斯，只懂工業，不懂農業。階級鬥爭，鬥到土改而後，鬥到土改而進一步集耕之後，才發現階級敵人是一條蟠在個個農民心窩裏的毒龍，——自營自銷的利潤意識——眼睛半閉，強作多眠之狀。

「死牛一邊頸」的聯共們，還不是霉龍呀？是老百姓求安全，求免於恐懼的自由的自衛天性呀。你們偏偏與人之所好，災必逮乎其身！

至於竊估了大陸的中共如何呢？他們現在祗是無言地無期限地實行列寧新經濟政策。土地是改了，每戶的平均土地有蘇聯集體農場員私用地之數嗎？有十五市畝嗎？當然沒有，中國人口太密，與你們無干。將來要因推動集耕而再革命嗎，希望你們有這樣不顧本身政權死活，實行你們主義的勇氣。不去推動嗎？新經濟政策延長越久，利潤意識的生意識便要把你們腐化到不堪魚爛，而四分五裂隨之。蘇聯式的社會主義（他們自己不敢說到了共產主義社會，對的。）要全面消滅利潤知識，義形於色地以至殘酷暴的手段去剷除，粉碎，摧毀。但殺來殺去，剷來剷去，毒龍還是存在個個農民的心窩裏。你們這般「死牛一邊頸」的老大哥，將來就祗這一點便會帶你們到墳墓去的。

姑且拾五台山智真長老的牙慧，胡謅一偈，以作本文煞尾：

共產主義，遇工而起（一八四八），遇亂而張（一九一七），遇農而滅（時期暫不宣佈）

（附註）本年一月外交季刊鐵氏一文，材料豐富，拜此介紹。

美國人看：英美貿易問題

·英國的出入情形·

·長林譯·

近年來，許多美國人對英國在國際貿易上所表現的行為，是相當不滿的。在大西洋憲章會議和第二次大戰告終的中間，英美兩國間曾有一個共同信念：不但彼此要合作，為自由貿易政策而努力，而且要把這個信念去影響別的國家，也一樣的向這條路方走；同時美國也慷慨地允予英國以種種特惠，如免除戰時租借的債務和廉宜的條件底下給予借款等。八年來英國對美元已作最大的利用，但對美國的入口貿易的限制，似乎沒有多大改變，即使在英鎊集團區域以外，也是一樣。好像這兩個國家的經濟領導，未曾有過一點聯繫的跡象。在美國，可說是足夠慷慨和忍耐了，但從美國人的心目中看，則英國簡直沒有盡過一點責任，然而，英國人却常認為美國對其貿易政策應有更多的幫助，這是令美國人大惑不解的。

從一九四七年起，英國預算，年有盈餘，這可以說，她的景況比美國好得多了，雖然英國人的收入，還未能激增，但一般來說，則是逐步增加的。在普遍困乏的世界裏，英國能維持這個紀錄，已是難能可貴了。

在一九三八年，美國的出口足以抵其入口的價值，是五億三千三百萬鎊，在這數目底下，她有無形的利潤二億四千八百萬鎊，來購她的入口貨物了。這無形的利潤是可能多購百分之四十七的入口貨。在一九五一年，她所得到的無形利潤是二億四千六百萬鎊，但這筆所得，只能購入如一九三八年所購者中之七千九百鎊，如此說來，在一九五一年，她能以無形利潤來購取額外的入口貨物，只等於一九三八年的百分之十五、也就是一九三八年的出口，加同年的無形利潤，可以購入口貨物一四七個單位（出口一〇〇），但如在一九五一年也以同樣方法來計算，則只能購入口貨一一五個單位。因此，在一九五一年，她的無形利潤便減少了。她一定要比一九三八年增加出口百分之三十二，才能彌補這個損失，但由貿易條件不比從前，即使在一九五一年能有等量的出口，也不能購回和一九三八年等量的入口貨物。由於不良的貿易條件所影響，英國要蒙受損失約當年全額百分之四十二，那末，英國如要購入和一九三八年相等之入口貨，則非要比一九三八年增加出口百分之七十四不可，換句話說，她要輸出額外的貨物，價值三十四億二千三百萬鎊，才能相當於一九三八年的狀態。

在一九五二年，則她要比一九三八年增加出百分之三十六，但貿易條件不及早年之壞，只須增加出口百分之三十一，便可彌補，合計要增加的為百分之六十七，總值三十億九千一百萬鎊。如果說，英國經常需要維持價值三十億鎊左右之額外輸出，則其輸入量要比一九三八年大大增加，是勢所必然的，但事實上其輸入額却限制在一九三八年之下，這是美國人所不能了解。

美國對英的巨額貸款

近年來，美對英的巨額借款三十七億五千萬美元，條件是再相宜沒有了。其中七億六千四百萬美元雖已償還了，但還有三十億元仍待償還的。此外，由馬歇爾計劃及歐洲防禦計劃給予英國的，截至一九五二年底，已達三十億四百三十萬元，都是毋須償還的。這意味着，美國已經替英國付了一年多的貿易差額了。其實英國的負累，兩年前業已卸下了。如果說，英國在一九三八年出口數量的指數為一〇〇，到一九五〇年，已達一七六；工業製品的出口，幾達倍增，而輸入的限制，仍未改善。現在國際貿易又趨下坡，英國的輸出自然也受影響；那末，繼續限制輸入，便更有理由了。

（以下轉第二版）

星週展望

·左舜生·

『三對一』與『二對三』

柏林的四外長會議，已經過了一週，要商對的問題儘管看不出絲毫眉目，但會議依然在繼續進行中，而且除公開的會議以外，還有所謂秘密會議。

我根本看不出除聯合國以外有召集這種強國會議的必要，其所以有這種會議的出現，從實質上說，無非是為了蘇聯。目前世界上一切的亂子，都是由蘇聯製造出來的，而且截至今天為止，蘇聯依然在繼續不已的加工製造！世界上有力量有正義感的國家，不能好好的結合起來以實力去對付蘇聯，偏要委曲遷就和這種搗亂國家去舉行所謂祕密會議，這不啻自暴其弱點，在精神上，已無異是對蘇聯屈服。

就大體上說，這次會議陣容是『三對一』，可是美英法這一條陣綫，並不怎樣堅強：英國只想造成一個和局好做生意，自身也還有許多問題想抽出時間來好好安排；法國想就越南問題找一個比較『有面子』的方法下台，而對德國的建軍與統一，確也心存疑懼。這類心理，莫洛托夫維辛斯基們都非常明白，他們當然不會放棄挑撥分化的機會，第一步從法國與英美間製造矛盾，第二步再從英美間製造矛盾，無論是否有效，但製造總比不製造好，這便是蘇聯樂於參加這次會議的主要原因。至於德國的統一，與奧國的獨立，乃至所謂裁軍問題，原不能問題，這在蘇聯却是等閒視之。

僅僅是這樣來做，蘇聯依然不能滿足，因此還要帶上一條尾巴，於是周恩來所率領的一羣蝦兵蟹將，居然也就到了柏林！假定能實現所謂『五國會議』，把『三對一』的局而造成『二對三』，這自然是蘇聯所希望的；即令不成，祗要把『五強』，『五強』叫上一萬遍，這對中共總也算是給予了一種虛榮，同時也不失為一種有力的誘惑。中共在韓國打了三年仗，對蘇聯奉命惟謹，不惜把中國人民拿來抽筋剝皮，敲骨吸髓，又何嘗不是由於蘇聯施展這種虛榮誘惑的手段，對毛澤東以次這羣『風流人物』發生了高度的作用呢？

而且作用猶不止此：今天世界上對中共存着幻想的人們也還不少；以為中共終於可和蘇聯分開的人，也還是到處皆是；周恩來這羣人既已若隱若現的存在柏林，即令在所謂『五強會議』尚無資格叨陪末座，但非正式的和那班存着幻想，或熱心做買賣的人們礁礁頭，握握手，並不是沒有可能；甚至邱吉爾首相光臨到了柏林，給予『周揆』一個望見顏色的機會，也還說不定哩！如此一來，即令中共就還不算是『強國』，加一個『強國衛』，總也足以發揮阿Q精神而有餘啊！

懷梁漱溟

梁漱溟痛斥中共一次，因而失蹤，這件事我們早有所聞，大概是去年九月的事了。聽說失蹤的不止梁漱溟一個，即張東蓀也早已生死不明，但關於梁的消息，最近却從鐵幕中透露出來了。

漱溟這個人，我和他很熟，而且他和我一樣，到今年也都是六十一歲的老人了。他的個性很強，有時候也不免固執己見；可是他畢竟是一個讀書人，綫裝書洋裝書都涉獵得不少，自己有自己的見解，無論對任何一個問題，他總有他的一套看法，以中共那一套淺薄的東西，妄想去搞通他的思想，那眞是談何容易！漱溟的父親梁巨川（濟），便也是一個不肯輕易改變自己的思想，而於民國七年十月從容跳入北平的積水潭湖中自殺了的，我料漱溟的歸宿，大致總也不外此一着。不過在中共的嚴密管制之下，他能不能有自殺的自由，那就很難說了。從前吳稚暉主張把綫裝書丟入毛坑，據我看，處今之世，多讀幾本綫裝書，能不把一般不知進退的小子放在眼底，總也還不失讀書人的本色！

副總統選舉問題論叢（四）

我們最近收到許多討論有關副總統選舉問題的文章，有些提出選舉的原則，有些討論人選。可見大家對這一重大問題的關懷，這是民主政治的好現象。凡屬國民對於國家大事應該自由發表意見的。我們打算把這些意見陸續發表出來，藉示輿論之一斑。——編者。

國民黨要爭取更大擁護

·淳·

國民大會代表各位先生，快要開會執行選舉了，國家興亡在此一舉，謹以至誠籲請各位發揮其大仁大勇大智大剛的光輝，來完成這旋轉乾坤的歷史使命。

國大代表多屬政黨黨員，政府行動和黨一致，因此，各政黨的領袖，尤其國民黨的領袖，負有同樣的神聖責任。

左舜生先生在本刊發表了一篇文章，——主張由國民，民社，青年三黨共同提一超黨的副總統候選人。此誠非一人一黨之私言，而爲天下之公言也。試言其理：

一、人民擁戴蔣介石先生連任總統，是擁護他爲舉國一致的領袖，因此副總統的人選也應該是舉國一致的人選，而不是黨一致的人選。

二、國家大難當前，政府該爲聯合政府，不是一黨政府。民主國家都是這樣做的，何況今天政府召號大團結反共。

三、國民黨內也許有一種帶情感的看法，以爲提不出一個副總統人選，豈不難看。這話不是沒有理，而是枝枝節節的小道理。「知與之爲取，政之寶也。」今天國民黨而要爭取更大的擁護，要爲蔣總裁爭取全民擁護，和國際信賴，就要運用這個「政寶」。

四、人們也許有一種蔽於理智的想法，以爲一個超黨的副總統，一旦負起大任，而黨無從政的經驗，乃至根本非政治大才，豈不要一切脫節。這話也不是沒道理，但是有兩點重大缺漏：（一）過於重視人，而不重憲法，依憲，行政院是總統獲得立法院同意的內閣。（二）人之所以重要在他能提得起壓得下的巨大人事網，如果這人事網祇是不大不小，有友有敵，顧得東來顧不得西，反不如超然物外的一張白紙。惟其一絲不著，一點墨不著，乃非大公至正不可，非民主依法不可；此之所以謂「三十幅共一轂，以其無，有車之用」。

清議亡而干戈興

·敝忤·

（一）

（上略）自由人左舜生先生：「正面談副總統人選問題。」其立論以有才而無黨派者爲適合，而左夫人稱：「是做美麗之夢。」與其同夢者，尚有馬五先生。惟際茲神州陸沉，人存則政舉，大陸人民，東望王師，有奚徯蘇來之感！目前三黨鼎峙，人才濟濟。若以天下爲重，相見以誠，不難選出一位清議所歸之人，總以求得容于清議，符于衆望，則天下事大有可爲，否則天下事寧堪設想耶？明朝末葉，確因黨爭召致亡國，往者不可諫，來者尚可追，風雨同舟，載胥及溺，在正座無須爭執，副座有須選之日，若舍清議于不顧，其道將從何由？下述有往事可鑒，請申言之：

（二）

明末大儒顧亭林先生，他歷世變，深明大計，一生最主張清議，常說「清議亡，而干戈興」。其在今日，則爲黨爭[illegible]論，崇禎當國十七年，登極即誅魏忠賢逆黨，扶茅連茹，人心[illegible]，因納倪元璐之清議，把一部「三朝要典」焚燬，[illegible]，固有聰明睿知之精神，可謂能尊重清議，然其所短，則察察爲明，剛愎自用，猜忌無常，十七年間用五十宰相，[illegible]臣植黨，[illegible]有清議之[illegible]得罪引退，[illegible]路公行，[illegible]考當時宰相，[illegible]議有溫體仁一人，在位八年，而其行爲[illegible]

明史溫體仁傳云：「[illegible]念朝士[illegible]結于上，[illegible]流寇[illegible]畿輔，清兵[illegible]入關，民生[illegible]一議，設一策，日惟與善類爲仇，祇爲帝意旨，專務刻核」。[illegible]國體阽危，未嘗建[illegible]是知清議之廢壞，[illegible]免召亡國之禍。

（三）

阮大鋮與魏忠賢[illegible]黨，崇禎九年逃亡金陵，[illegible]招搖黨羽，[illegible]當時四公子方密之，侯方域，陳貞慧，冒辟疆，和黃梨洲，吳次尾[illegible]「留都防亂公揭」一篇，如今之快郵代電，[illegible]，內疚神明，跑至南門外牛首匿居，不敢入南京城門，可惜御史言路壅于上聞，遂任漏網吞舟，迨至弘光南都擁立，阮大鋮復攬大權，史可法被擠在外，四公子與一般清議之士，或走或死，清兵順利渡江，弘光北狩，大鋮降清，引清兵入杭州，造成亡元之定局。是清議不揚，干戈四起，又一可悲之殷鑒！

（四）

及今痛定思痛！當年前金陵之選副座，竟爲現屆之代表先生所選來，這位副座，一遇事變，高飛遠走，律以春秋大義，國君當死社稷，不知斯人其知內疚否乎？然人謀之不臧，則爲，雖曰天命，豈非人事？」歐陽文忠早經發表此意，袞袞代表諸公，操國家存亡大計，當此爭子岌岌之秋，懲前毖後，當有以副海內外喁喁之望！仇快親痛，昔人所戒！民意所歸，即天命所在，留諸左先生及國大代表，其慎我爲蒼生之見否乎？

陰錯陽差的越南局勢（下）

·沈秉文·

但歡迎越共份子加入所謂「全國陣營」，參加所謂「復興統國的工作」；總理阮文心則在法國公告記者表示打算與法國討論「可能的休戰」。又於是：阮文心與保大發生無可調和的歧見，內閣垮台；民族份子聲言暫不支持政府，懸懈了越南朝野的團結；保大左右爲難，和戰不決；法越軍事當局也承認，和平空氣已損害了士氣！

越共乘機發動攻勢

正好，這些情形都是胡志明和平攻勢所要求的目的，他便乘着此種機會偷偷調集精銳部隊，於聖誕前夕，大規模發動了所謂「聖誕攻勢」。此一攻勢，在共北部對泰寮寮撾部隊佯攻的掩護之下，集主力於中南半島的蜂腰地帶，向泰寮邊區的湄公河要偪挺進。首陷那白，分窺寮都的越會和寮南重鎮的沙望那克，切斷寮國中部與北部之間的法軍交通，有在法軍未能空運補給增援之前一舉攻佔沙望那克的企圖，亦有沿湄公河南下打開高棉門戶的企圖，更似有在中共的全盤指揮下四面包圍泰國的企圖（按泰西有緬共，泰南有馬共，泰北泰東有泰共、寮共、與越共）。雖然，由於納伐爾將軍的指揮得當，援救及時，使越曾與沙望那克兩地不致陷落；但戰火却已瀰漫中南半島的蜂腰地帶，[illegible]

[illegible]

越南局勢的焦點

據此，我們可以指出越南局勢嚴重之焦點，並獲得一個深刻的教訓——[illegible]

[illegible]且的心理在作祟[illegible]種心理，即爲造[illegible]日越南嚴重局勢[illegible]點所在！

當然，目前越共[illegible]攻勢的陰謀已因[illegible]軍事攻勢而完全[illegible]許法國人以自殺[illegible]，世界輿情也不[illegible]，和談之說，自不[illegible]；不過世事紛擾[illegible]方長，前車之[illegible]是值得時時警[illegible]尤其據本月十日[illegible]社消息揭示，法[illegible]在柏林會議提出[illegible]休戰的企圖，[illegible]念，依然未泯，苟[illegible]憂慮！

（完）

×　×

△編者的話▽

△國民大會快將開會了，反共抗俄救國會議不久也要召集了。這兩大會議都是和今後團結力量，反攻大陸，復興中華民國有關的大事件，這自然需要廣大民意的督促和批評，才能夠收到預期效果。我們希望本刊讀者能夠就有關這會議的問題，多多發表意見，本刊願以這一塊小園地，竭誠爲讀者服務。

△下一期我們將發表丁天立先生關於中共如何在廣州強迫推銷公債的報導和紹華先生關於南洋大學校長林語堂的評述。

△黎大任，丁天立，高兆華，道南諸先生：大作或來函均收到，至感謝！

英美貿易問題

——美國人看：

·長林譯·

（上接第一版）

加百分之三百一十八[illegible]一九五二年增加[illegible]三百四十一[illegible]一九五三年首季[illegible]已達百分[illegible]百分之十七。但英國並未自滿[illegible]不但盡力向美找市[illegible]要彌補差額[illegible]

[illegible]進入西半球來競爭，的不過要藉這地區的競爭來賺取美元，未必合算，因爲試價的無推銷，決不能去過之貨，過便低利可圖了。

英國還是不斷希求，美對她貿的易採取協助性的政策，這是什麼用意呢？如果說是志在改善關稅稅率，或者增加運輸的便利，未始不是較有利的途徑。但我們要知，近來拉丁美洲國家的消費量已達飽和點了，其支付能力早已令到歐洲的國家失望了，英國的貨物進來能否達到理想的收穫呢？自是未知之數。

美國應如何協助英國

無已，最能表現美國協助性的政策的，還是在恢復英國黃金輸出的地位吧！但這還不是出入口的問題，並而是金價問題，如要美國提高金價，便不合時宜了。有的美國人認爲提高金價，無異人爲的通貨膨脹，這是對內而言；有的人則認爲高金價的簡直就是增大對外援助的新方式。因外援金的生產，主要是勞力而來，雖然英國或歐洲的國家，要輸出貨物到產金國家換取，但美國是一個最大債權國，過去援助性的借貸，都是美國人民的血汗，現在只要筆尖一動，把金價提高了，則數不盡的權利都在筆尖下抵銷了。這是美國人所難做到的。

除此之外，還有什麼辦法呢？現在只有一條出路：這就是美國所提倡的開發落後國家經濟的計劃，把美國和歐洲國家的資本與技術都參加到這計劃中來，而共享其繁華。（節譯美國外交評論季刊）

何秋濤與丁謙

·吳傑·

在何先生後，有丁謙先生，持說和何先生相同。丁先生係同治四年（一八六五）貢生，對歷代史籍作有地理考證二十九種，如大唐西域記、西遊記、經行記、西遊錄、異域錄、元祕史、西域求經記、佛國記、穆天子傳及名正史之西域傳、匈奴傳、四裔傳、外國傳等地理考證，並作有馬哥博羅遊記補注改訂。元代客卿馬哥博羅遊記地理補注，及宋徐霆黑韃事略補注等。他在後漢書鮮卑傳地理考證中說：

「大鮮卑山，在俄屬伊爾克斯科省北，通古斯河（按：東胡河）南。今外蒙古以北之地，西人皆稱之爲悉必利亞。悉必即鮮卑轉音，以其地皆鮮卑人種所分住，故也。」

上文中的「悉必」，和「西伯」，「西北」，以及「錫伯」，同是鮮卑的誤譯。

（三）

何、丁兩先生在距今一百年前，早已考訂鮮卑人以鮮卑利亞爲領土（封疆），以所謂「西伯利亞」云云實爲數典忘祖的一個誤譯的名稱了。但一百年來，沒有人注意他倆的考證，近三十年來，中國人更廢書不讀。直到民國二十四年十月，趙尺子先生赴百靈廟去拜訪德王，德王對他說：「如果中央給我練十萬騎兵，我不單可以收復外蒙古，而且也可以收復西伯利亞，因爲西伯利亞就是鮮卑利亞，鮮卑人就是蒙古人，鮮卑利亞就是蒙古的領土，也是中國人的領土，被俄國人侵佔去了」云云。次年五月，德王親日，後來作了僞「蒙古聯盟自治政府」的「主席」，就是想利用日本「防共」的企圖，練成騎兵，去收復外蒙並收復鮮卑利亞。但他受了日本人的騙，到勝利前才自動回歸祖國。趙先生則在蒙古住了十年，一方研究蒙古史，一方涉獵鮮卑史，並看過何、丁兩先生的一部份著作。三十八年，德王赴蒙古，現在還在甘綏邊區抗俄反共戰鬥中。趙先生則來台，在鳳山講學，把「鮮卑利亞是中國領土」之說，授給自由中國的全部陸軍。

何、丁兩先生可以說是抗俄的先知。他們的考證，啓示了自由中國的軍民。只是毛澤東輩不懂得這歷史，否則也許不會「一邊倒」吧？（下）

人物介紹

中共政權的大危機

·鄭竹章·

中共政權的發展，到了一九五三年已呈衰退，本年度將開始走入下坡。從表面的形態觀之，「五年計劃」已在進行，中央集權也迅速確立。其政權基礎，似乎日趨穩固。但從更深一層觀察，則財源已呈乾涸，農工份子怨懟日深，而大飢荒正迫在眉睫，巨大變亂，已在醞釀潛伏中。

糧食危機迫在眉睫

去年大陸的糧食欵收，是中共政權最致命的打擊。儘管中共官方如何強調國民經濟中工業比重的迅速增長，如何提高工業投資在財政收入中比重的急劇減降；但事實上今天大陸的國計民生，仍然以農業收成的豐歉為依歸。農業收成的豐歉，直接決定中共的財政收支，間接決定其經濟建設的推進能力。一九五三年由於農業的失敗，迫令中共放下進行「五年計劃」的決心。其上年度百億美元財政預算的提出，主要乃建築在增產糧食二三三十億斤的前提上。但在天災人禍，農民怠耕情緒的影響下，糧食因素的增產計劃乃陷於破產，而棉花亦比前年減產百分之四，而各地工業的擴大，運輸與糧食的需要，城市人口所需的食用糧均嚮書增加，因此糧食短絀遂成定局。

為了維持其對外易貨及城市需要，中共自去年十月下旬即進行全面性的搜糧運動。揭開近三月來的大陸報紙，全部充斥着「徵糧熱潮」的消息。各地購糧數額，普遍比前年增加五成至一倍。中共在購糧運動中，一面強迫農民存儲，一面收回農貸。據「人民日報」及「中國金融」半月刊先後所刊載資料：在過去三月中，中共無償刮入的糧食在三百億斤以上，加上付現及以實物換入的糧食，總數約在五百億斤左右。在公糧和攤派以外，這五百億斤糧食的收購，普遍掠奪農民三個月以上的口糧，因此原來可以掙扎的農戶，至是亦陷入斷糧狀態。據廣州「南方日報」近日的報導：珠江各地農民售糧後已紛紛實物購糧，而「人民日報」的報導，華北各地農民因對缺糧恐慌，紛紛向城市，已再度「實行統購」。雖有些地方已有逃亡，據「人民日報」顯示本年四、五月間各地將普遍鬧春荒，可能形成饑荒。這一萬人的春荒，不但將影響其本身的春耕和夏收，而且可能激起巨大的民變。

工農怨恨人心浮動

由於中共財源的乾涸，遂其使強化對各階層的剝削。這種剝削行動，表現於去年十月以後國營企業的「增產節約」，強迫工人加班加點；十二月決定發行六萬億的建設公債，強迫各階層獻款獻產；以及近三個月來推行農村儲蓄，強迫農民無償獻糧。在這一連串的抽搾下，中共卻外刮入了人民幣二十三萬億（增產節約七萬億、公債六萬億、農村存儲十萬億）折合十億美元。這十億美元的搜刮，業已造成各方面的騷動。

首先，值得注意的是「反革命活動」的消息，最近已一再在中共機關出現。如本月三日「人民日報」所發佈的天津特工案，即顯示各地所謂「反革命活動」正風起雲湧。據[illegible]評」所披露：「最近一年來，各地相繼發生反革命份子放謠，縱火和暗殺等破壞事件，在最近國家糧食收購和保管工作中，也有一些反革命份子進行造謠破壞，企圖乘機製造紛亂」。從這一段自供中，已不難窺見大陸各地暗流激盪的情形。

其次，威脅中共最大的，是工農的怠工與罷耕。去年十二月十三日「人民日報」曾報導：僅其中央第一機械工業部九十二個工廠去年上半年的統計，工人停工和缺勤率即達一百三十多工作日，相當於八千八百多人半年沒有生產。而十二月十七日「人民日報」更報導，各地農民紛紛把衣物、耕牛、田地、房屋賣清，向城市買食。這對以「農工聯盟」為標榜的中共政權，不僅是絕大的諷刺，同時可能打擊其今後的生產。

幹部消極士氣動搖

除了農工份子的怨恨以外，作為統治階級的幹部及士兵，亦普呈不穩現象。特別是農村幹部，鑒於「土改」並未能解決生產問題，而飢餓與鬥爭，迄未停止，因此情緒消沉，人人均想「歇一歇」。據十二月廿二日「中國金融」所透露，農村幹部均不安心農村工作，有的甚至發出怨言說：「天蒼蒼，野茫茫，祖國前途萬丈光芒，我的前途暗淡無光」。自去年十月，中共下令各部隊士兵，每日節省食米一兩，並減低副食費，停發草料費後，部隊開小差現象亦極普遍。僅逃亡香港的即有多宗。這次韓國戰俘的順利釋放，對大陸的民心士氣，其影響力更為深鉅。

今年春夏將起巨變

綜合上述各項迹象，可見中共政權在外表上雖正向高度集權化發展，但其內伏危機卻與日俱深。尤其今年春夏之交，由於農村存糧蕩然，飢荒的程度將遠超過去。加上各地攤攤公債的實施，造成農村與城市的大騷動，實意想的事。

中共禍新見聞錄（二）
蘇俄大掠新疆礦藏（中）

·吳彥傑·

礦場奴工分佈情形

新疆各礦場奴工分佈概況如下：

一、孚遠鐵礦約三萬人，該縣產鐵最富，向來供應北疆需要，惟用土法開採提煉，現蘇俄改用新法開採，並由孚遠鐵礦場舖設輕便鐵路，運鐵砂赴迪化鐵工廠提煉（聞有擬築孚迪鐵路之議）。

二、景化南山鐵煤銀各礦共約三萬五千人，該山為天山山脈展開最廣，縱深最長之地，山中年產牛羊四十餘萬頭，草木暢茂，原住漢哈二族萬餘人，山中煤鐵，俯手可拾，春天入山採木工人，伐取山煤，架燃取暖，鐵礦苗到處皆是，因山道崎嶇，路途遙遠，以致貨棄於地，「十人坑」一帶，富有銀礦，相傳咸同回亂時，有漢族工礦入山逃難十餘年，合力採煉銀礦，窖藏銀兩無數，亂平後，分別各攜一部返內地，原擬仍相約歸採，相隔數年，風捲流沙，桑田滄桑，舊迹難尋，且其人均已老邁，至民國初年相繼物故，當時人道往事，故命名其地為「十人坑」。民國二十八至三十年蘇俄地質學探礦家十餘人，曾往山中詳細勘測三年，正準備開採，因盛世才歸順中央而止，現正由蘇俄加緊開發，並取捷徑斷石梯子山硐，修輕便礦路入山運鐵砂赴迪化。

三、奇台，木壘河鐵錫各礦，及奇台元湖北塔山錫鈾二礦，共約工人三萬五千人。

四、哈密鎮西伊吾三縣錫鈾二礦，共約工人四萬人。

五、庫車鐵錫各礦共約工人三萬人。

六、拜城伽師溫宿各縣銅錫鈾各礦，共約工人四萬。

七、溫泉鈾錫二礦，共約工人五千人。

八、迪化鐵工廠約工人一萬五千人，該廠在盛世才時，由蘇俄工程師多人指導建築，原擬提煉孚遠鐵礦，費時四年始完成，亦因盛世才歸順中央，尚未啟用，其規模頗宏大，現由蘇俄將原廠址拓擴約五倍，提煉孚遠景化鐵礦，將來全部竣工，可容工人四萬，日可產鋼鐵二千噸，為西北最大鐵廠，現每日可出鋼鐵五百噸。

以上八處，礦場奴工合共廿六萬人，合併阿山金礦的奴工統共約卅六萬人，以後當與時俱增！至蘇俄在新疆所得的鎢砂，均經伊犂運往蘇俄提煉，其所得的鈾礦，一律經由阿山運赴蘇俄斜米須二號原子城（第一原子城開在蘇俄烏拉山脈）。

蘇俄對奴工的陰狠

蘇俄對待新疆各礦奴工極為狡猾陰狠，分設各組，各組大組長，總監工，總管事一概由蘇俄人擔任。阿山金礦，連小組長都是俄人，他們見了奴工，假意叫一聲：「辛苦」。常和奴工扳談，態度表示和靄。日子一久，奴工和他們相處熟了，要求他們的總管事總監工，代他們請求發給工資，所得的答覆，都是：「我們蘇俄并不榨取人勞力，你們的工錢，一年五兩黃金，我們蘇俄政府一次交付十年給你們的「人民政府」，每人是五十兩金子，現在每月發給你們的津貼，都是蘇俄政府優待你們的。如果想要工錢，祇有加緊努力工作，成績好的人五年後，可以得二分之一的工錢獎金，最近一二年內，工作有成績的，津貼也可按年增加。」可憐的奴工，聽了這些話：大家才知道中共把他們賣給蘇俄了。至於奴工生活，都是定量配給，據說比中共集中營的「營養飯」還好一些，其阿山金礦，伙食最佳，一月津貼，每人可得一錢金子。其餘各礦的津貼，每月約等值銀元五角至一元，每日工作十小時（內思想訓練一小時，由中共派來的指導員負責），至於逃亡的奴工，一經抓回，便殘酷處死。蘇俄和中共雖然嚴密防止逃亡，但冒險逃亡的人，仍絡繹不絕。這些報導，都是筆者從各礦場逃出來的奴工口述，歸納而成的。

『黑世紀』

·孫旗·

作者：勞影

出版者：台灣野風出版社

（一）

「黑世紀」是黑色的世紀之謂，是共產黨統治中國大陸黑色鐵幕的象徵。在黑色鐵幕之下，共黨怎樣縱火，怎樣借刀殺人，怎樣消滅異己，一切毒辣心術，都在這部小說中揭發出來。

開始是共黨間諜滲透上海的下層組織——流氓階層，就在滬西區大流氓卜黑熊傾心於一個紅舞孃，她逼他弄得四十八萬元作為金屋藏嬌的資本，他沉酣於賭場。而共黨派一黨員象賭場能手的缺耳李，使卜黑熊在窮兇極惡時，變成心志灰頹，共黨主腦者孫堅乘時幫助他，給以[illegible]一倍以上的錢。使他願意效忠。繼則命卜黑熊指使徒弟陳九（共黨員）殺害反共特務人員陳可武。又不斷指使卜黑熊製造工潮和擾亂金融及軟化江陰要塞主將。後來卜黑熊打死缺耳李，深夜返家，恰逢孫堅與其妻姦宿，卜黑熊當場受辱。讓妻與孫。卜黑熊被逼服藥自殺，幸而不死，與其妻歐陽痕重逢，妻勸慰之，並鼓舞其求生之志。說出共黨一切陰謀，這是全書故事的大概。

（二）

作者筆下的人物，頗為生動，有典型性也有個性；卜黑熊為一流氓，江湖豪客尚忠義，慷慨而有良心，其個性為享受與女色；缺耳李雖名為滬南流氓，深中共毒，受傷入院前，殘酷無人性，其後因不得共黨濟助，乃恢復人性。歐陽痕貌美年青，初夜即為表哥（共黨孫堅）所享受，入共黨後投身舞孃生涯，終恨共黨傾覆短期的丈夫卜黑熊；孫堅為典型的陰險共黨。小毛為十一二歲小孩，為孫堅訓練有年，在共黨面前唯命是聽，緘默少言，背面時則童稚天性外露。這些人物，都刻劃甚深。

（三）

全書結構，曲折動人，有時使讀者提心吊膽。情節奇險；但銜接無縫。文筆奇俏，描寫歐陽痕之肉計淫蕩場面若誘人；描寫卜黑熊和歐陽痕醒悟後的心理，描寫孫堅冷酷無情，反覆無常，均極動人。最大特色，在於人物性格、外貌、心理，乃至景物氣氛的繪寫，均有緊湊輪廓和强烈的色調；作者對下層社會生活體驗得深刻，故筆下具有强烈的真實感。作者有如描繪大壁畫的畫家，在時代這幅畫布上，寫下人物的鬥爭畫面，歡樂與痛苦的心情，笑與淚的蹤影。

（四）

覺得美中不足的：卜黑熊未表現其教育程度，清醒後又似受過很好的教育，是一小疵；又若干段的對話，不甚切合下層社會人的口氣與身份，也是小疵。又序曲為現代小說所不取，（惟舊小說常有之，）又插入故事中敘述。一般說來，文字雖嫌流暢，惟精鍊與裁剪有欠斟酌，寫黑社會，如能多加一些「黑話」則更生色不少。這些都是我認為欠佳的地方。

作者為一有天才的小說家，年青而著筆不俗，該書為作者處女作，雖略有少疵，仍不失其文藝上的價值。

一九五四，一，十九，於台北

學生大增 師資奇缺

香港三日

香港教育界正呈現出一種反常的矛盾現象，輔政司柏立基於羅富國師範學校本屆舉行畢業典禮之時，看到僅有二十八位畢業生，數額之少，與需求之重，深表遺憾。然而充斥於社會而有志從事於教育工作者之人數仍多；假若舉辦一次教師登記，將會出現一個十分驚人的數字，因為他們雖有獻身教育界的志趣，由於沒有規定的資歷，被拒於殖民地教育之門外，「黑市教師」畢竟是一個極小的數目，倘使許多私立學校能夠以低廉的代價廣泛地延攬沒有取得殖民地執行教育資格的「黑市教師」，自可消除當前師資缺乏的嚴重性。但是各校儘管存有牟利之心，對教育則例的嚴格規定，仍有顧慮；以致失業教師與師資缺乏形成了一個極端矛盾的現象。柏立基引述英國目前好的師資異常缺乏，本港並無差異。似乎師資缺之已成必然現象，然則人們懷疑與當局為何不採取一項權宜對策：一方而大量培植師資，另一方面對於「黑市教師」尋求補救辦法。儘管當局在這一方面的設想，也曾擬有周詳計劃，只是規定過嚴，失於偏頗，歷年調訓教師人數之寡，似是一種點綴，規定倘能稍予放寬，也不難普遍了。但在學生人數大量增加（比上季增加二千三百八十九人，現全港各校學生總數二十二萬七千四百零六人），師資缺乏的嚴重情況無法打破的現狀下，咸盼當局配合環境，迅求一適當的對策，自不妨試辦一次未經註冊的教師登記，就其以往的資歷予以甄別，而後決定其參加受訓的期限；寒假苦短，悠長的暑期大可利用，如兒童之夏令營方式舉辦暑期教師講習班。對於「黑市教師」不患無晉級為及格教師之望。作為全港教師福利象徵的「教師會」，能否及時計畫，向當局正式提出建議呢？

不堪回首的……景德鎮瓷器

景德鎮出產瓷器種類頗多，大別之，一類是日用瓷，一類是美術瓷，美術瓷過去不僅暢銷國內大邑通都，國外銷場也非常廣闊。在中共「一面倒」之下，只有供獻給蘇聯一條路了。目前能有銷路的，只有日用瓷。以一九五二年為例，粗瓷生產估四分之二，中等日用瓷估四分之一，上等精細瓷佔四分之一。以件數論，一九五二年生產一億三千四百餘萬件，其中僅二千三百五十萬件是加彩繪的，即約六分之一，需產品總值約『人民幣』一千多億元，折合美金，只有八百多萬元，較之往年，已不可同日而語了。

日形衰落的瓷業

在日用瓷中，過去銷往城市以白釉，脫胎等上等瓷器及中等日用瓷為主，銷往農村以灰器，可器（灰器為一般日用的藍花碗粗瓷，可器亦為藍邊粗瓷）為主。目前在城市中，也只有灰，可器有銷路，一般城市居民與農民一樣都是購買力大大減低了。

目前的銷路，存在着一個很嚴重的問題，便是一方是貨品積壓，另一方面又是脫銷。去年長期間，城市與農村均有銷路的灰外可二（即最粗的碗），藍邊三大（普通粗瓷飯碗），耳中（有柄小茶杯）和加二針匙（小羹匙）等主要品種，都嚴重脫銷。但同時青釉的藍邊羅湯（高等藍花邊碗）就生產過多，無法推銷出去，就大量積壓起來。

景德鎮的瓷業，在中共統治下，是一年不及一年了。（下）

·李範庵·

新春有感

自由談

明天是農曆元旦，所謂「迎春接福」之日，大家相見互道恭喜，新猷煥發，逸興遄飛，農曆新年之盛行於民間，蓋以其時序暇豫，而春色媚映大地，生機盎然，都使人們不期然而然的歡忻鼓舞，乃天意與人心交融之故。一定認爲這是習俗不易改革，殊不盡然也。

西方社會自聖誕節至公曆紀元新歲的一週間，人們皆在樂觀的氣氛中，這和我們中國人從農曆元旦到人日的情況，頗相類似；而聖誕夕之狂歡，亦同其意義。我們東方人的除夕熱情並無二致。西方人由於宗教的精神生活力之普及深入，支配著每個人的心靈和求生動向，因而就有聖誕節和新歲那個個性情的熱烈表現。中國儒家積極天人之理，關於天道與人心呼應貫通的所以然，其說可以構成哲學義理，鬮漢代學者董仲舒一流人的著作，我們今日縱用原子理論以相較量，似亦未能完全否定它的一些道理。可見農曆新年意識所以深中於人心，即非純粹的習俗問題了。

因此，自民國肇建以來，我農曆過政治上對新年的一種措施過程：政府有時竟明令禁止，禁止人民過舊年，標榜維新，而他們自己卻暗暗過舊曆年的生活，表面致不放假休息，像煞有介事，實際上自除夕那天下午到正月初二三日，各機關首長們可高臥，大家躲在家裏打麻將牌，鬧昇官圖，酒食徵逐，心照不宣。而美其名曰易風易俗，禁過農年，可恥孰甚！中國政治上一切貪污瀆職，說好聽的話，做萬惡的事，都是這種心理促成的。大事昏憒糊塗，小事自作聰明，近代做官的人多半都是這末一塊料哩！

人民對新舊過年的習尚，與國家治亂興亡是毫不相干的，而民情之所好，而讓他們「你過你的年，我過我的年」，此王道也，聊之便！

馬五先生

·諷刺幽默故事· 豬的悲劇

·山禾·

這是三個採自中共報道的關於豬的短故事：

（一）

記得從前曾有所謂這末一個笑話：說是一個外科醫生，有一天他接治了一個被箭射中了臂部的傷者，他不慌不忙地用鉗子鉗去了那枝箭露在皮外面的部份，然後從容地對傷者說：「醫好了！」傷者打了一個呆頓，然後嘆嘯地說：「不成呢？箭頭還在肉裏呢！」這位醫生肯定地說：「成了，你知道，我是外科醫生，已盡了本份，皮肉裏面的我管不着，你再找內科醫生吧！」

中共說：現在用「人才」。類似治病的方法辦事的人卻不少。不久前，據說清原縣農業科和合作社幹部們因爲養豬而發生過的故事跟這個故事似可以前後媲美！

東省清原縣家畜病防治所的「畜病檢驗專家」李國濤同志是「責無旁貸」，於是，他拾起皮包便跟去了。到了新金縣，「檢驗專家」到猪欄裏。他一看，這些豬倒是隻隻都肥肥壯壯的，他拿起鋼筆，打開皮包，抽出一張檢驗登記表來，在評欄上寫道：「很好，都沒有病」。於是，買就買了兩百九十頭，浩浩蕩蕩的上了卡車，任務宣告「完成」。

但是，這批經「檢驗專家」「檢驗」的豬仔的命運卻不好，卡車剛一開出新金城，便倒下了頭，運到清原縣合作社時已一共倒下了十八頭！

「豬很好，沒有病」。可是「檢驗專家」在回到所里的時候，照常在「彙報」評欄上寫上了這六個大字，簽上了字，蓋上了章，交差了事。

然而不行，儘管「檢驗專家」怎麼說豬很好沒有病，而這大批豬仔卻偏偏大鬧起瘟病來了，一、兩天之間，一死就死去了八十幾頭！「請火速派員來社治療病豬！」於是，農業科長慌起來了，一個條子就把「檢驗專家」召了來，調他治病。

「趕快隔離！」他走到豬欄邊時開口就這麼一句，待他醫了一陣之後，便說：「還了！已沒法醫了，只有隔離！」但科長要他說清楚沒有染上病的豬，他卻說：「沒看出那些是好猪，揀出來隔開就得了！」

可是不得很，他說話時沒有倒的豬，「檢驗專家」又被叫出來問，問到了底下去了，最後他說：「一二三四五，一共四隻！」「一共四隻，一些，數，」所謂「一一二三四，四」大羅卡來死了，但真是「死了」，「檢驗專家」「遲了」；只有「，好的一片，屍骨遍野；一！」一笑著笑，揀起皮包走了！

（二）

某天中午，吉林省永吉縣口前村合作社的總社主任和會計都去總社了，而派出來的工作組檢查這個社的增產節約運動」開展的情況。評比競賽，職工的合理化建議等問題都談過了，工作組同志便問：「你們的節約計劃怎樣訂的？打算怎樣做？」

「這：……這：……」

「但正副主任根本就在胡扯，被這一問，竟得這這這的說不上話來。幸虧會計員倒很機警，他趕緊解圍似地答道：「我們計劃節約一千五百零七萬元，主要靠降低糧食損耗，辦法是推廣集體保糧，並且當心保管：……」

「報告主任！咱們的小洋猪丟了四頭，我一口氣找到街西頭也沒有，咋辦哪？」但會計員的大炮還沒放完，炊事員（伙伕）老于突然氣喘吁吁地闖進了辦公室報告如此。

「不要緊，丟不了，你再找找。」倉庫主任「胡」爲鎮定地說：「當心別給與蓮。」倉庫裡？」工作組的胡組長這麼脫口溜了一句，他原是無心的，但炊事員老于卻長這麼說，他就三腳兩步跑到了倉庫門口，一手就拉開了倉庫大門，赫！果然，這四隻小洋豬肥肥壯壯的躺在穀堆裏。於是，他拚命地去趕牠出來，可是不行：……——牠們撐得脹死了！

——痛肚子穀子

（三）

據說蘇聯老大哥們很中意浙江金華的火腿，有一次有一個從對外貿易部派到北平來的高級貿易官員問中共的對外貿易部部長說：「金華火腿爲什麼味道特別好？」

「火腿的製法和豬種都有關係。」對外貿易部長回答他說。

「很好！我們買一批金華豬回去研究化驗一下，並找一個製火腿技術員去幫助我們改良火腿的製法。」蘇聯的貿易官員說。

「歡迎你的照顧！」對外貿易部門高興的說！隨，就寫下了一個條子，飭立辦金華豬五千頭運往蘇聯。

快得很，一道命令下去，五千頭豬不到一個禮拜已在金華火車站集中，裝上火車，轉上南京浦口，直達莫斯科的通車，一路出關而去。但不幸得很，這批「實豬」大概是「受驚若驚」吧？竟失了常態，據說：火車剛一駛入西伯里亞，則紛紛倒斃了一千多頭，待裝到莫斯科時，點一點數，已只剩了六百餘頭了！

牠們眞想不到出洋會遭了洋災！——這是豬的悲劇！

迎留韓義士歸國

·郭敏行·

炎州異域三年作楚囚，夢魂繚繞古待幸留，千萬一心天地動，死生無改古今仵，乘風破浪高歌去，不斷樓蘭誓不休。

熱淚橫流，生歸漢土死歸丘，萬民空巷迎忠旅，舉國敲鐘祝自由，義薄雲霄天識淚，氣吞胡房地含羞，河山隱約光明裏，勝利花開已陌頭。

一萬四千餘名，於廿三日重獲自由的義士，廿六日分批抵達基隆，轉車台北，途經淡水，行列浩浩七公里之長，萬民空巷經合北，行列浩浩七公里之長，熱淚盈眶，歡聲雷動，而胞熱愛敬之情，實未有如此者也。其場面之偉大與感人，美國報紙喻爲耶穌之再生鑄頭，億千萬中國人心之向背，於此已打下了第一個對俄作戰之心理上一心戰勝利，自由中國民心之表現，於此收勝利之花朵，國家幸甚！國民幸甚！

稿約

本報言論自由，園地公開，各版均歡迎投稿，敬訂稿約如左：

一、來稿性質不拘，時局評論，新聞報導，各地通訊，書刊評介，小說雜文，科學消息，文教動態，均所歡迎。

二、每稿請勿超過一千五百字，長篇鉅著，除特約或具特殊價值者外，以限於篇幅，無法刊登。

三、譯稿請附原文，如無法附寄，請詳註出處。

四、來稿請附足郵票，以便不能採用時退還。

論黃仲則的詩

——爲黃氏誕生二百〇五年紀念作——

·王世昭·

黃景仁，字仲則，一字漢鏞，江蘇武進人。生於乾隆十四年（一七四九），正月初三日，卒於乾隆四十八年（一七八三），五月十六日，得年三十五。在中國短命詩人中，與初唐四傑相伯仲，而長於李長吉，較之明高啓則不如，蓋高啓卒年爲三十九也。

仲則八九歲即能爲制舉文，應童子試，三千人試，兩冠其軍。風儀俊美，交者爭趨，多上觀不顧。世誠以爲偉器，亦有以狂生目之，仲則不以爲意，其志又可知已。

仲則平生以詩爲生命，蹤跡所至九州歷其八，五嶽登其一，認其三。及致行，篋中有詩二千首，渭川趙希璜爲之刊行，侯官鄭炳文爲之董梓，題曰「兩當軒詩鈔」。凡輯古今體詩八百五十四首，詞一百五十八闋，都爲十六卷，印於嘉慶二十二年（一八一七）孟多。筆者得讀此書於查君，梓行至今已一百三十六年，據其書者有「蒹葭書簡」，並予與查君當爲四者有「蒹葭書簡」、「梁溪僑寓」，其餘不知者從缺。

黃仲則詩清人已有定評，或謂之「咽露秋蟲，舞風病鶴」，如果從詩人的遭際而立言，當然也有幾分相似。其實他的詩，飄逸處正不亞於屈騷與太白詩，俊美處亦不亞於六朝人，即至處可入杜子美之室，綺麗則與李義山可相伯仲也。爲了證實我的見解，爲抄數首詩如後：

「東髮讀君詩，今來展君墓。清風江上灑然來，我欲因之寄微慕。嗚乎有才如君不免死，我固知君死非死；長星落地三千年，此是昆明劫灰耳。高冠岌佩餘陸離，縱橫擊劍胸中奇；陶鎔屈宋入大雅，揮灑日月成瑰詞。當時有君無著處，即今遺躅猶相思。醒時兀兀醉千首，應是鴻濛借君手；乾坤無事入懷抱，只有求仙與飲酒。一生低首惟宣城，墓門正對青山青。風流輝映今猶昔，更有瀾橋騎背客。此間地下眞可觀，怪底江山總生色。江山自古月明裏，醉魄沉呼不起，錦袍畫舫寂無人，隱隱歌聲繞江水。殘膏賸粉灑六合，猶作人間萬餘子。與君同時杜拾遺，窆石卻在瀟湘湄，我昔南行曾訪之，衡雲慘慘通九嶷。即論身後歸骨地，儼與詩境同分馳。終嫌此老太憤激，我所師者非公誰。人生百年要行樂，一日千杯苦不足；笑看樵牧語斜陽，死當埋我茲山麓。」

這一首詩題爲「太白墓」，當然是他弔李太白的大作了。辭氣似飽元暉，而變化儼然是李太白，飄逸不羈，哀感絕倫，學李的詩人除高青丘外，我怕黃仲則算是白眉了。

（一）

頤和園憶語

·易與·

頤和園那雕樑畫棟，那排雲殿，那金碧輝煌，那大理石柱，那琉璃瓦片，一個個是集天下之供奉，佛一人之享樂。有人說：昆明湖畔的銅水牛，當時在乾隆年間鑄造，它正是隆清一代的鼎盛與有際，也可以說是中國的黃金時代，怎奈好景不常，國勢日衰，到慈禧年而後，政治腐敗，垂簾聽政，已是破爛之舟在風暴中掙扎了，偏生「女主」惑亂，招致了「瓜分」的亡國危機，與起有和那銅牛身驗中，，「的滄桑險變，它有知，賢如在中有那在自己的身上的驚悸與不滿，不任人撫摸玩弄，當年何嘗不悲憤而至於踐踏坐將，哭若慨嘆！

昆明湖畔的一條石舫，那是用石塊壘成的石船，那船首挑望內有石凳可以坐，似乎有若在湖中船之概的地方，還有那一幢其間有供奉老佛爺的戲台，有一座演戲的活動戲台，而裝置的是專爲排演「水簾洞」的。渡過「九孔橋」，在橋邊登上小舟，繞昆明湖作一週遊，帝后皇妃當年給皇太后和那些格格們，也許會驚動那些王公大臣們「放生」的魚，到處可以看到許多由清澈的水中，見到許多魚，和它們特有似乎「還放生」的辨識的金牌，那方小金牌上刻一「什麼字句，鐫著「什麼」可見看不清了。

「八大處」稱最，要以萬壽山的全園盡入眼底，登之山下跳一望一收，總之以萬壽山下凡爲物，一景一草一木，無不在於人力而之巧思；所以今年「庚子，是民脂民膏，而也可說是民血所以一九〇〇年（庚子），義和團的一「八國聯軍」的扶清滅洋，所以不能招來「老佛爺」在「義和團的旗幟」下，那些頑固保守的大臣們，深得「老佛爺」的聖心，是熱烈擁護「義和團」，稱他們做「外國人」叫他們做「洋人」，自稱「義民」，「義民」們自信他們的神力不怕槍礮，不顧一切，憑他們的義和拳，稱他們的血肉

之軀終於擋不住外國人的槍砲，老佛爺也祇得「駕幸西安」，給我們中國鬧了一次創巨痛深的大變。割地、賠款、開放了許許多多的通商口岸，訂定了許許多多的不平等條約，單說「庚子賠款」這筆數目，白銀四百五十萬萬兩。八國聯軍佔領北平時，那傳誦于世的「賽金花」故事，就是這回事變中一個小插曲。

這位由北里名妓而爲欽差大臣的如夫人，又重復回歸娼妓的生涯的賽金花，在這個不平凡的時局中，串演出一些驚天動地的事蹟，說她和聯軍統帥有一段「露水姻緣」，他們我曾遊過頤和園，他和洋人相對住了「賽二爺」之稱謂（北平一般人都稱她作「賽二爺」），他和洋兵來遊過頤和園，他說不想老佛爺痛恨的洋鬼子，都給胡同裏的娘兒們糟蹋得不成樣兒」，他說的胡同裏的娘兒們，在北平人的語言裏，便是說的外國人。

住頤和園，雖說祇是夏季爲宜，遊頤和園，卻是四時咸宜各有其佳妙；尤其在秋冬月令，固然有其景，春花秋月都有佳勝，瞻仰西山一帶的雲景，俯視昆明湖上的茫茫一片，也是他處所難見到。想起張打油的雪詩：「江上一籠統，井上黑窟窿，黃狗身上白，白狗身上腫」，移來作頤和園觀賞雪景的描寫，實恰當其分。比起那些專事堆砌典故的「詩人」之詩，可不還切貼多多，銅牛背上堆滿了雪，真個要臃腫幾許。還有人往遊頤和園時，出了西直門，雇一匹小驢，任着驢子慢騰騰的行走，沿途觀賞北方田舍家的風味，也是引人入勝的美不勝收，不過，這得花費三小時的路程才得到達。再，頤和園內各殿各堂的匾額聯對，文辭都含有融通「祝壽」大義和「頤」字義，體也的紙當然不勻圓工整，翰苑清才的這都是精心傑構，當時過的我還挑選，卻無法忘錄一二，以供諸君子的欣賞。

（下）

中華民國僑務委員會頒發登記證台僑新字第一零二號
中華民國郵政登記第一類新聞紙類

自由人

THE FREEMAN

（半週刊每星期三六出版）
（第三〇六期）
每份港幣壹毫
督印人：李光華
社址：香港高士打道六十六號
電話：三五〇七三
GLOUCESTER RD HONG KONG TEL: 74053
承印者：東南印務出版社
地址：高士打道六十四號
台灣總派報辦事處
台北市館前街五十號
台灣總經銷處
台北　中華路五九號四之一
台灣郵政劃撥儲金帳
九二五二號

平實的話

・湯亮吉・

從社會說起：國家民族，創鉅痛深到如此地步，環顧左右前後，有什麼光明希望嗎？

沒有是非和責任心

就近取譬，但就新年徵文而論，儘管許多要人名人的文字，從署名的作者起，到編者讀者一例自己不讀不看，人家也不讀不看，然而這種文字，還依舊逢節逢年的出現。這難道是我們的優良文化傳統？官大了，地位高了，文章自然好，道德學問也自然高了。「世界永久沒戰爭」一件名人推薦公案，經過「自由中國」半月刊揭穿後，一時似乎引起文壇上多人的注意，而當日署名介紹的人，紛紛聲明撤銷。其實今天我們的社會，何處不是這樣？什麼良心責任，什麼社會道德。不得罪人是第一，廣結善緣是第一。假如我獲得多數人的稱好，便有少數人批評，總結下來，還是合算的。台北當初簽名介紹頌揚「世界永久沒戰爭」的名人要人們，他們事後被社會鬧哄哄，方始推說連序文併沒有讀，這是他們天良偶一發現。其實這批名人要人的性格或人生哲學上，如果沒有人鬧穿，即使三讀那篇序文，他們還是照樣簽名的。因爲在這批要人名人中，那有是非的觀念，更那有責任的觀念？有了是非，有了責任觀念，根本便難保持他們要人名人的地位。至於因爲他們簽名而發生的影響與後果，這正是「管他媽的！」

民主自尊重選舉權始

投票選舉可說是一個個人良心上責任心的表現。「秘密投票」爲什麼是民主政治中的一個重要的制度？因爲不記名的秘密投票纔可充分保護投票人的抉擇自由。也惟如此方能使一個獨立的個人發揮其良心的責任心。可是我們在[illegible]情形，任何一個[illegible]選舉中，競選[illegible]上之責任？多數選[illegible]的人，其「拉票」的方法，還不是運用最低劣的面情關係與酒食徵逐。而投票的人，眞正能選擇學行氣質可以過得去的，實是鳳毛麟角。民主國家一個公民在公生活中，其選舉權的運用，應該是最神聖而重要的。做了一個民主國公民，若併自己的選舉權，而不自己尊重，覺當它是應酬的手段，這是自由世界中最可悲觀的現象。這種社會，也是一個最墮落的社會。今天談論民主政治理論的人，常常講「人格尊嚴」一句話。「人格尊嚴」一句話究竟是作何解釋的。我想一個人必須忠於自己，忠於公衆。一個人又必須尊重自己。尊重公衆。然後能造成一個人的人格尊嚴。上面所說的各種現象，如隨便介紹書籍，推薦，或選舉人員。這一類人自命爲深通世故，老於歷練，其實他們首先對自己不忠，對人不忠，對自己不尊重，對公衆也不尊重，而結果造成一個不白不黑的社會。

可悲傷的社會風氣

近數十年中國社會中所謂鉅子，與所謂聞人，其成功之祕訣，當以不忠於自己之職務爲首要條件。因爲「鉅子」的目標在自己的事業，而不在事業之發達。鉅子地位之造成與維持，在一切對事對人，堅持調和主義。而以慷慨解囊之方式出之。可是社會鉅子所解之囊，決不是自己私人之囊，而爲他人之囊，或屬於他人事業之囊。社會上苟有資格向鉅子有所求，鉅子必設法滿足其要求，所以鉅子之四面八方都得玲瓏應付，而鉅子所代表之事業乃日益萎枯。此種社會風氣，十餘年來乃深入於政界。政界中凡能深得「鉅子」要訣者，其聲譽與地位，無不日高。政海中社會鉅子代表作，自必悉索其事業之儲蓄爲其舖張，爲其交結，然後其令聞廣譽，可以光被上下右左。今日政治上最時髦最走得通的人物，便是比種社會鉅子型的人物，而其成功之祕訣，一如社會鉅子，必須不忠於職守，必須對事不可認眞。換句說，今天令聞廣譽之代價，是不忠於職務，不忠於自己。

佞幸傳人物觸目皆是

舊日官場的能員，對上司要言之似忠信，行之似廉潔，對下屬要看上去雷厲風行。對左右八方，要表現十足。換言之，要能拍，能吹，能做。世界文明日益進步，其拍與吹與做之範圍，應日益擴大。過去拍，吹，做的對象，僅限國內。而今日則應擴大至於國際，國際國內報章雜誌上的讚揚宣傳，與上司的信任，是相得益彰。今天一個能員，必須在人們造成一種印象：他不僅是品學兼優，學貫天人，而且還是出死入生，忠義節烈三不朽的人物。就職時家藏磁當，卸職出國後不名一錢，旅行食宿所資，要靠自己覓文。太太賣畫。不待卸職出國，便是在職居官時候，其用度居室所出，全不依賴薪水，而靠自己賣文賣畫另業，這種不世出的人物，古今罕見，中外難得。而天生此材，來救我中華。究竟此類達人能員，其大節與政績何在？其部下的穢德醜行從何說起，其自身在海外豪華生活又從那裏得來？這一種能員，在中國歷史上「佞幸傳」中是觸目皆是。他們運用其巧猾，欺君，欺民，欺朋友，欺同僚，可是欺不了天下與後世。國家要撥亂反正，首求澄清吏治，要澄清吏治必先揭穿這一種別有用心的巧猾官吏！

少種惡因多種善因

反共抗俄是爲着自由，言論自由是自由最重要的部門。經過七年來大陸的慘痛教訓，自由國家的言論界今天應當有一個檢討。共匪之禍所以猖獗到如此地步。言論界的責任是怎樣？大局敗壞至此，說言論界一點沒有責任，當然是不能成立的。若說這個責任全在言論界身上，這也未免對言論界的苛責太甚，更未免對言論界的力量過份重視。輿論究竟能創造環境？還是環境製造了輿論？這一個循環因果，實在是難下斷語的。平實的判斷，輿論自己不能發生力量，也無法左右大局。輿論背後另有一種力量，便是一般的人心。所以注重輿論的人，先應注重人心的培養。人心培養的因素太多了。輿論界只是一個因素，而這個因素，如果運用不當，只是一個微弱的因素。我今天總祝於自由中國言論界的，首先希望他們在消極方面，不要種惡因，然後在積極方面再種點善因。何謂消極方面勿種惡因。譬如輿論界的風氣，不要太崇拜現實，不要過份重視勢利。就如本文開端所講，把徵文一事而論，爲什麼偏要向那不做文章也不有文章的大官們徵文？爲什麼報紙上偏要登載大官們由祕書代寫的幾個字？又爲什麼要把鋅版製成大官們幾句舊詩？這種現象，幸而今天並不普遍，如果言論界能自振作，這種勢利的報紙，自會受着社會的制裁而銷聲匿跡。這是最粗淺的一例。惟有輿論界消極方而少種惡因，然後可積極地爲自由正義而奮鬥。在幾行言論中，在幾條新聞中，在字裏行間，保持一點褒貶，保存一點正氣。輿論不能完全轉移人心，但亦能相當影響人心。人心是輿論的元氣，元氣充實了，輿論方有力量。如果爲了衣食，甚至爲了做官而從事言論，這正是害了自己的前程，也害了國家社會的元氣。

今年是反共抗俄的勝負決定年。當前的問題，決不是什麼原理與原則的爭論，而是十分平實的身體力行問題。我在歲首只有幾句平實的希望，平實的話，希望全國上下，多自檢討，多種善因。昨天的種種，都是前天各種惡因的結果。希望現在，希望將來有特殊的轉變。惟有今天多種善因。地位愈高，權力愈大。一言一動，其種因的影響亦愈深遠。孔子說「道在邇」。這種道理，不必待什麼反共救國會議纔能發明的。

我對反共救國會議的意見

・吳振翼・

反共救國會議的召集，政府已經決定，並且成立了籌備委員會，開會日期，雖未確定，也總不會太遲了。在行將召開這個會議之前，我願意提出幾點意見：

（一）與會人選問題——數年來，大家流亡海外，備嘗艱苦，所希望的就是反攻大陸，收復國土與家人團聚，重建國家[illegible]反共人士，應在召開大會之前，儘量考慮與會人選，必須不分黨派，不計恩怨，不立門戶，總以精誠團結爲唯一目標。在苦難中的大陸人民正以萬分沉痛心情期待我政府及與會諸先生，萬萬不能再使他們失望啊！

（二）支援大陸人民反共陣線——政府退出大陸後，國內各地就有無數愛國反共志士，均抱我不入地獄，誰入地獄的決心，潛伏地下作無止休的流血鬥爭，[illegible]組織並未得到政府的援助，也沒有任何聯絡。他們被共黨監視得愈緊，精神也愈暢旺，警惕性也愈高。現在大陸上能與共黨作抗的，也祇有這些在奮鬥中鍛鍊出來的力量。捨棄了這些偉大的人民反共陣綫，便不足以與共黨作長期搏鬥。我希望反共救國會議，能夠慎重研究，如何安撫這些偉大的人民反共潛力，如何使與政府取得密切聯繫，政府並應承認其在各地反共所組織的臨時地方自治政權，配合政府反攻，俟政府收復國土，全國底定之後，重新加以調整，改行民選。

（三）承認中共的覺悟份子——中共控制大陸後，因爲「一面倒」政策，已引起內部的反感，且非常深刻，他們一面鎮壓反動，一面開始內部整肅。中共的民族份子，內心痛恨毛澤東的極權統治，反對走漢奸路綫。毛澤東爲了鞏固他的政權，三年來極力削弱各地區及軍區司令的權力，以免變生肘腋，最近更集中各軍區首要於北京，予以監視與控制。[illegible]的政權，並保障其日後的生命安全與政治前途的平等。

（四）收復大陸的善後工作——反共救國會議，不只要討論如何才能反攻大陸，更要討論反攻大陸後，如何確保收復的土地與秩序的安定，和如何改善人民的生活。因爲這不僅是一個軍事問題，而且是政治問題和經濟問題。幾年來，大陸同胞在共匪「土改」「清算」「三反」「五反」「鬥爭」「新五反」「總路綫」「總任務」等種種榨取方式，已使地主與私營工商業及小資產階級，都陷於死亡邊緣。[illegible]

僵持中的柏林會議

柏林四強會議已經開會十天，歷時十日，艾登和莫洛托夫都先後提出他們統一德國的計劃。但他們的計劃都受到對方的極端反對，毫無成立協議的可能。現在又似有於四強會議之外，再舉行七國會議（英、美、法、蘇、之外加入中共和南北韓）討論特別問題（統一韓國問題），以擺脫蘇俄之意。這便是說，原則討論歐洲問題的柏林會議又要涉到亞洲問題了。

本來因爲全般問題，過於複雜，不易解決，才打算從局部談判入手的，現在又從此一局部牽涉到彼一局部，結果非走到全般談判不可，如此牽扯，循環往復，成敗之勢已可預卜。

德國和韓國的統一，除非能夠變成共產集團的附庸，否則蘇俄是會願保持其分裂現狀的，這是洞若觀火的事實。西方國家如果不願意把兩個已經給蘇聯吞噬一半的國家全部喪失，又何能從談判席上滿足蘇俄的要求？因此西方國家即使乾脆退讓，允許中共參加所謂「五強會議」，我敢斷言德韓的統一還是不會和西方國家的理想而實現的。

韓國政治會議也好，柏林會議也好，西方對共產集團多一分遷就，即多種一分禍根。若干年來西方對蘇俄的外交談判經驗已經不少，此時應該澈底了解共產黨的詭計陰謀，須知遷就退讓只等於投降屈服。英首相邱吉爾最近對柏林會議表示樂觀，不知是否想再師張伯倫的故技，以出賣友邦，取悅蘇俄，換取英帝國的苟安局面？

我們要警告美國，雅爾達對蘇俄遷就，出賣中國，才是造成今日亞洲亂局的根本原因。如果西方國家現在還遷惑於莫洛托夫的宣傳，再從柏林和板門店向共產國家退讓遷就，不僅不足以緩和世界的緊張局面，簡直是自決藩籬，後患不堪設想。

半週展望

・陳克文・

越南局勢的危殆

在柏林會議僵持局面之下，中共支援下的越盟軍逐漸向越南南部進展，法越軍若干軍事前哨並無抵抗即告失陷，此事已引起美法兩國高度的憂慮。共軍此種進展，並非純粹關係越南的士氣，顯係蘇俄打擊法國，分裂西方國家的一種軍事行動。

西方三強以法國最爲脆弱，問題亦最爲複雜。越南問題更爲打擊法國最易見效之一着。越南軍事愈緊，法國愈容易對蘇俄讓步。過去，法國曾請美國支持，杜爾斯亦曾表示經過相當時日，法國仍可獲得勝利，現在看來法國和美國都受了共產黨的欺騙了。共產黨顯然要乘東南亞集團在會議桌上爭持未下之際，以不相同的援助方式，幫助越盟席捲整個越南，此一行動不僅可以威逼法國對歐洲退讓，分裂西方三國，同時更可進而赤化整個東南亞。

現在美國已經看出越南局勢危殆了，打算派遣軍事代表團前往越南，改善越南的士氣。但時間是否已經太遲了呢？法國對越的殖民政策又是否純軍事問題所能補救得了呢？

寮共是怎樣長大的

·藍星南·

考察寮共勢力的長成，可能對反共軍事的基本性質，獲得一項正確的認識。當然更可能明悉西方對共軍的防禦，不論着力大小，祗要打出來的僅是不得要領的空拳，終結仍是無裨於自由之安全的。

法軍認識錯誤

當第一次寮戰時，武元甲以不及兩週的時間掠地四萬方英里，震驚了法軍當局及整個自由世界。當地軍事最高當局於接二連三的撤退又撤退之後，竭盡全力準備在平原地帶和它的對手一決雌雄。共軍却於武裝巡行了寮國三分之二的領土後，悄然引退；使法軍準備的一場厮殺流產。最高指揮部事後對世人說：寮戰是終結了，因爲越盟的行動『已遠爲超過了其原來的計劃』。筆者於詳考這次老鼠戲大象般的鬧劇以後，曾經提出一項疑問「寮戰果眞已經停息了嗎？」當然沒有。法軍由初的驚慌，證明它絕對不悉對方的目標；戰役中緊張的準備的應付，事後的輕鬆解釋，證明它並未吸取教訓而可能改進；自然更可以斷言大象之必將再遭更大的戲弄。聖誕寮戰的再度失敗，誠屬不幸言中。

共黨的原來計劃

當時記者曾經指出：侵寮軍的撤退絕不意味着共方在這裏的止步，因爲本區的戰爭「根本是一種單純的射擊戰」，它的所以初很猛撲終竟在並不會遇到打擊而悄然引退，只能來解釋於共黨的基本路線，而不能說是某次戰役的原來計劃。所謂基本路線，要在初期以軍事創造共黨組織，但我們切莫忘記，共黨的長期過程，更有賴於以共黨組織來支持和擴展共軍。共黨之所謂不打沒把握的仗，它的主要觀點乃是依此來估計其意義，它的主要觀點乃是着眼在其「面的組織工作之進展」的。第一次寮戰共黨的「原來計劃」根本即不在一城一池的武裝宣傳，只在爲「寮國抗戰政府」創造統治基礎，再由此去進行組織鄉四萬英里中的一百五十萬寮國居民！然後它再由此而逐漸產生小股武裝，再進而強迫與馬弟，更進而與其對手平分春色和寮交替操縱，終乃使法聯軍及寮國當局與居民心理隔離開來使之在民心中成爲武裝寄駐的旅客。此時，它掌握了大部的「面」，面上的線則成爲武裝寄宿的恐怖地帶，線間的「點」則既是它們的長期避難所，又屬其永遠不變的消極負担。這是本區及任何區域反共戰爭的本質與基本，這是共方的原來計劃。以視這些而誇言戰事終息了的人，是只有失敗之前途的；因爲這是一種政治性的非射擊型態的戰爭呵，而西方只是此一戰線上的游離者或夢遊者。

看過寮共的發史，可以證實此項觀察，也可以弄清楚二次寮戰失敗的癥結，更得以明瞭西方對策的百無是處。

西方的應付百無是處

一九四六年法軍雖然恢復了寮境主要地區的秩序，但潛伏的寮共並未死滅。五三年春它在桑怒省得手後，同年多更侵入了甘蒙省。於是它在寮中獲得了隔閡的基地，終於造成他曲勝利。單就甘蒙說，擁有四十萬居民，沿湄公河和賓非河流域有肥沃的稻田，富厚的森林，和錫鑛。越盟宣傳機構說：這次勝利使「寮越和寮泰邊境的廣大土地」爲它們所掌握了，爲寮共的戰爭「創造了有利條件」。眞的，由今之道演進下去，當印支半島被共方截成爲兩斷後，它所要的必不是「分裂國家或局面」，而將是紅河三角洲和東南寮與局面的危險幾已可說是了。而法方的對策是靜觀又靜觀，美國的則向空中揮動着它的巨拳叫：如中共公開介入越戰則被攻國家之外的侵略勢力還時報解釋這話說它「暗示是軍或將向中共軍力的根據施我們不明白：國務卿的意思現時並未介入越戰嗎？按諸背後實情事的自欺之談；如介入了越戰嗎？則這話又還？——總之，共方的軍事行進時的弄個那樹上的果子；時的省力和確切；西方則在樹跟前叫囂說，要打死它所偷蘋菓的偷兒。除去要死它外，還有何結果呢？

讀者來論

骨鯁在喉不得不吐

——讀臧啓芳先生逆耳之言

我看到自由人三〇一期，（一月廿日）臧啓芳先生的逆耳之言，我對臧先生很欽敬，一如我對左舜生先生的欽敬一樣。我對二先生都未曾一面，我欽敬的是二先生的勇敢直言，言人之不敢言。二先生之言論，對自己並無多大好處，可是對中華民國和中華民族，很有好處，這是我對二先生欽敬的原因。臧先生所說的，我都知道只是悶在肚子裏，不敢說出來。現在我要響應臧先生，把我所知道的，也拉雜的說一說。尤其是我不再做懦夫，（一月廿四日）我看見了中央日報更促我決意要說一說。

爭取候補是何原因？

今天的中央日報每一版上都有關於反共義士的消息，不是反共義士獲釋的照片，就是慶祝反共義士獲得了自由的新聞，這眞是反共歷史上一件大事，也可以說是反共前途的大希望——是由失敗到勝利的轉捩點。有了共產黨的殘暴，才產生反共義士，有了台灣的進步，反共義士才不避生死，不怕威脅，堅決要到自己所熱愛的祖國台灣來。這是多麼令人興奮鼓舞的事！可是當我看到第二版，有這樣一則廣告：「第一屆國民大會代表候補人聯誼會緊急啓事，」內容：「一、……討論爭取代表事宜」，這則廣告，使我覺得非常憤慨。

代表因故出缺，依次遞補，法有明文，爲什麼還要候補人去爭取呢？選舉的事，在民主國家選票計算，一是一，二是二，絲毫不能含糊的。過去大陸選舉，已經一塌糊塗，那時除了政黨的包名額和票的糾纏，尚有理由可以原諒。其他因人事關係，不問當選與否，亦發當選證書，視選舉爲兒戲，是最不可恕的事，因此造成中外未有的三包案奇聞！！今日在台灣不應再有類似之事發生。但候補代表已經擾擾攘攘了幾個月，大會快要開了，還在擾擾攘攘，這裏面是不是大有文章呢？是不是有人情有金錢的才可以遞補，否則要候補人去爭取呢？不然的話，爲甚麼最簡單的依次遞補，何以幾個月還搞不好？主管選務的內政部，應約束部下，嚴格守法。如有貪污舞弊，必須依法懲辦，否則懸例一開，不應遞補者，都要援例要求，彼時人情賄賂等醜事，都將一一敗露，永遠糾纏不清。

國民大會是奎生政府之最高政權機構，不能稍涉兒戲。近聞無缺可補之候補人，全數要求列席，與正式代表支同等待遇，亦屬奇聞！是否因爲政府不依法，投機份子就投於胡鬧？最爲單純的依次遞補小問題，竟弄得如此烏烟瘴氣，原因究竟何在呢？

說到立法委員比照特任待遇，在南京就有傳聞，我看到臧先生的文章，他說：特別走訪二位熟悉的國大代表和立法委員，據那位立法委員說薪確與特任相等，但實支比特任要少許多，因特任另有辦公費等可拿。那位國大代表說過去在台的待遇，軍人是第一低，國大代表是第二低，去年（四十二年）上半年一包在內，月支三百元台幣，只有台銀門衛的一半，三百元合幣約合黑市美金十一元，還要付房租，老小數口如何活得下去，現在雖然調整再調整，亦僅及立法委員實支數的四分之一。特任待遇的消息，只是某小報造謠，他很憤恨輿論不公正。我到同意臧先生的意見，「贊成提高民意機構的待遇，不必與特任不特任拉在一起。」

高等學府亦吃空額嗎

至於教育界，依然有特權存在，是不錯的。我可以舉出兩件事，證實臧先生的話：（一）某要人的姨妹，年逾三十，欲去美尋夫，苦不得出國，後經教部給以留學生名額去美，把留學生名額佔去一個。（二）上述某要人的連襟，在台糖公司任職，久駐日本，現在雖當屬行兼職不兼薪制度，該連襟在某專科學校，仍領財政科主任教授空額。從前在大陸只聞軍隊吃空額，高等學府亦吃空額，尚屬創聞！其次臧先生言「某卸任大員以五十萬元鉅款替女伶解散戲班，款由何來」，據筆者所聞，尚不只此數，另外尚有離婚、結婚等費用亦幾十萬美金，此事已成公開秘密，幾個月來，社會上到處都談論此事，臧先生所謂「私人關係」之私人，雖然不便舉出，但是大家都知指誰，過去在大陸就垮在這些人身上，今天在台灣，大家都在克難，他們仍然不畏物議，爲所欲爲，法律也不能如何他們，只有臧先生有過去的社會地位，才敢說一說，別人誰敢隨便云云！

回扣毒瘤應加割除

最後要說一說回扣這一問題。台灣雖然一切都在進步，但是「回扣」這一毒瘤仍然無藥可治，你大可試一試，祗要買完東西，開發票時，你說出是公家機構的名稱，他會問你「怎樣開」加二成或是三成都隨便。有的乾脆同你說公家買三十六元，私人買三十元，私人買不開發票二十七元，無論商店也好印刷廠也好，都養成了這習慣。可見「回扣」已成風氣，政府及所轄公營事業，對這一毒瘤，應加注意開刀，不要再把這一毒瘤保留着帶回大陸去。

總之我覺得台灣雖然許多方面都在進步，反共義士也來了，國際情勢日漸明朗，像臧先生所指的各種問題，確有待朝野努力，尤其政府應多負責，不能仍如過去的做法，法律只是約束下民的，特權人物可以爲所欲爲，根本不受法律限制，並且可以玩法毀法，這是最要不得的，這就是我們過去失敗的主要因素。尤其是重要職位的升遷，應由政府公佈其的戰功或勞績，和遷升的理由，並宜佈私人財產，以免隨便一擲幾十萬美金，實際是黎民脂膏。這樣才算公道，才能做到民主。

編者　讀者

△關於副總統選舉問題，在我們收到的文章中，有些是反對某某人做候選人的，這些文章有的列舉事實，有的祗加籠統批評，我們覺得現在究竟誰是候選人誰有意出來競選，還沒知道，這些文章如果發表出來，似屬時機不當。因此決定不予發表，請惠稿諸君見諒爲荷。

△爲公，吳傑，村水，李迢深，羅佑疆，吳彥傑諸先生：大作或來函均收到，至感謝！

△周景鑫先生：示悉，謹奉稿酬，請向本刊台灣總經銷處洽領。

△孫堅，逸士，張王麟，段景瑞，李化成，路先生請示知住址以便寄奉稿酬。

△鄭知之、鄭膠祈先生：請向台灣本報總經銷處洽領稿酬爲感。

△本刊稿酬已奉送至二九五期，惠稿諸君如未收到，請示知。

△美李契爾製錶工廠工作人員所穿的塑膠服裝，可防放射線。

人物述評

（一）根

據最近新加坡傳來的消息，南洋大學董事會業經通過聘請林語堂爲校長，[illegible]同時派員赴美促駕。但南洋大學因校址尚未建築，[illegible]本來校長一職，初傳胡適之，[illegible]落於二林身上，[illegible]出力最多之故，不得而知。

南洋大學校長林語堂

·紹華·

林

（二）語堂原名玉堂，[illegible]

後

[illegible]

以

（三）[illegible]

九

[illegible]

林

（四）[illegible]

仍

[illegible]

他

[illegible]

綜

[illegible]不會令我們失望，而負起發揚學術的大任！

中共更進一步 迫害知識份子

·沈秉文·

最近中共自頒佈「國家過渡時期總路線」的口號而相繼提出「加緊貫徹黨對知識份子的政策」的口號以後，大陸知識份子的命運似已進入一個新的階段；表面上狂風暴雨般的時期彷彿已過去，實際上則中共對待殘存知識份子的手段卻將因此而更深入，嚴厲地邁進一步。這是一個值得重視的問題。惟欲求比較完整的了解，必須很讓其情節，作全盤的研討。

中共基本政策

知識份子，由來爲社會活動領導的中堅，不論中共對待知識份子的態度怎樣，一向是如何地猜疑和敵視，但它總不能不承認知識份子在整個社會中的潛存力量的雄厚和龐大。正因爲如此，中共乃視打擊知識份子，削弱和消滅或改造知識份子的工作，爲一長期鬥爭的「任務」。中共之所以敵視，和欲消滅知識份子的不明顯的理由，是認爲知識份子都有所謂「小資產階級」的「劣根性」，而其實際的用心，則因知識份子類多富有思想，富有鑑別是非，善惡的能力，以及富有擇善固執的保持其知識的精神，與中共那種歪曲一切是非，善惡的，自由的，獨裁的思想統治精神，根本不能並存，於是中共乃[illegible]「革命」的「障礙」，而務以去之爲快。

我們關於知識份子，自然不能一概不需要，這也不過我們可以肯定的說：中共所需要的「知識份子」，有它固定的「規格」，他不需要思想，也不需要一般的知識，而只需要它在某一種特定的方面具有一定的技能便足。由是而中共所需要的「知識份子」，主要是僅是所謂「工農幹部」以外，一代的培養補充，一代現有的知識份子除了其黨員以外，（其實黨員亦並不可靠）便贊然採取了消滅改造的手段。

因此，消滅和改造，便成了中共對待知識份子的[illegible]

中共政策 純屬權謀

當然，中共所公佈的「知識份子政策」絕不承認這點，[illegible]「團結、教育、改造」[illegible]「消滅」一類[illegible]，而在表面上[illegible]「爭取」[illegible]

……必然的需要，而完全是一種統戰策略的運用罷了。那時，他們爭取青年學生等，是爲了企圖增加其「革命」的聲勢；他們爭取學校教師和所謂「民主人士」等，是爲了企圖打擊政府和製造其有利的政治空氣；他們爭取工商界人士，是爲了企圖對中共恐怖和淡化他們的情緒，以減少反對「革命」的阻力，其中，除了部份思想較爲幼稚、淳樸的青年學生有意日後予以訓練而加以長期的利用外，其餘的，皆爲一時拉攏利用而已，到了可以下手的時候，便要給予「走狗烹」的命運了。[illegible]三十年之久。[illegible]

[illegible]人物，以及所謂「地主」、「資本家」[illegible]工商人士等亦有不少，所謂「民主人士」[illegible]第三個階段，在中共全面竊據大陸以後的大約兩年之內，是採取了大規模屠殺的方式，並採取直接間接的方式迫害[illegible]

共報的自我招供 鐵道運輸混亂 誤點竟逾十一小時

今日紅色大陸的鐵路交通，是把北平一個中心，有如[illegible]說是[illegible]「天子」腳下的路線秩序是比其他各線要好，交通運輸有計劃[illegible]……

[illegible]來信上，揭露了它們撒下漫天大謊的尾巴，其自欺欺人，文過飾非，無恥之尤，莫此爲甚。

該來信說：「北京鐵路運輸分局不重視計劃運輸，造成車輛週轉緩慢秩序混亂的情況，以致影響了我局運輸任務的完成。如九月八日，北京鐵路管理局令北京鐵路運輸分局爲我局排送空車三百零七輛，並已作出日計劃；可是北京鐵路局運輸分局只送來二百十六輛車，僅完成日計劃的百分之十七點四。這種情況是經常發生的。據統計，該局在九月上旬和中旬共少撥給我局空車八百九十輛。這就是使我局很多極待運出的物資積壓起來；同時也是使我局不能完成向大同鐵路運輸分局排送空車的任務。

該局排送列車經常晚點。如九月八日運行的十四列列車和九月十日運行的十三列列車，百分之九十都不能正點。九月十日第八百零五次車晚點竟達十一小時二十二分，嚴重的破壞了運輸秩序，造成列車互不啣接及重車等待機車等不合理現象。九月上旬，由於列車晚點，就有三十三列貨車爲了等待機車在線路上延長了停留時間。更嚴重地是：該局爲了本單位的方便，常常不顧鐵路的整體利益。隨便指示機車放單機。如九月二日，停留在南口站的第九百四十四次列車按照計劃應由八百零二次機車拖走；但北京鐵路局運輸分局調度所卻指示這次機車放單機回西直門。結果機車在沿途各站停了二點零四十一分鐘，而第八百四十四次的整列重車卻被積壓在南口車站，不但引起貨主的不滿，而且造成鐵路的阻塞。

爲了解決上述問題，我們曾向北京鐵路管理局運輸處[illegible]提出了批評和建議，但迄今仍沒有採取[illegible]錯誤行爲提[illegible]措施[illegible]，以致運輸[illegible]不合理現象[illegible]希望上級[illegible]個問題[illegible]

[illegible]跡，就可想而知了。（韋）

北平三年

作者：格林女士　出版者：亞洲出版社

·瞿林·

（一）

本書作者格林女士，北平人，曾任中學教員，抗戰期間，曾參加其夫領導之蘇北游擊隊，輾轉於蘇北各地。至抗戰勝利後，復又由淪返平。

本書作者代表當時多數智識份子之失望情緒，其時看中共之在中國之勝利已爲既成事實，彼等只求一暫時得以苟安之生活；經過三年之教訓，作者始覺悟，在中共之政權下，即此種苟安生活亦不可能。

本書作者爲一智識婦女，返平以後，極力逃避中共政治生活之紛擾，企求……

……利居閒南京，中共渡江後由廣州來港。

做一安靜之家庭婦女，經過三年之教訓，作者始澈底瞭解，中共政權之本質，在於推翻中國家庭制度的基礎，作者的夢想旋即幻滅。

（二）

本書特點在以一家庭婦女爲主角，以一家庭婦女的身分看中共之統治，對其區人民之苦難作忠實之報導，作者文字樸實，態度誠懇，讀來有親切之感，無誇張之處。

本書自三十八年四月作者由滬返平省親，一路遇匪，途中所遭遇之煩擾，及甫抵北平，一切景物如昔，而家道與環境之親友生活已非昔比，由報戶口經過而反映中共之城市政策，中共政府成立時一般市民之反應，及購買公債，「抗美援朝」等時期所帶給人民的疾苦不安，順時敘……

（三）

本書暴露中共區內以下幾件重要事實：

一、以作者一個家庭來說，在中共最初席捲大陸時，所有年青戚友幾全部參軍參幹，但是以後多相繼歸來。

二、許多下級共幹的情緒異常低落，他們回到家庭與家人的談話，與彼等在大會或小組會的發言完全是兩套，但亦有若干幹部雖返家訴說痛苦，亦不獲家人信任者。

三、中共雖極力在人民間煽動反美情緒，但作者以自己的家庭以及親人間觀察，無一對美國人有惡感者。

本書缺點在敍述較爲混亂，許多地方層次不清。作者提及的親友甚多，或爲彼等安全起見交代亦不清楚。

一般讀者批評，本書對中共雖無驚人暴露，但描寫蒸發而動人。

述三年來中共歷次政策遞變所增加人民之負担，致令人民生活困難種種實情。

中共禍新見聞錄（二）蘇俄大掠新疆礦藏（下）

·吳彥傑·

再據本年元月十一日香港大公報七化電略云：「本年一月二日，新疆有色金屬公司成立三週年紀念會，該公司總經理俄人——德魯日寧，報告總公司進步迅速情形。並云：三年來在新疆造成稀有金屬鑛業專門技術人才七千餘人所造成的結果……復由該總公司副經理（中國人）白德銘報告略云：本公司成立三年，識有進展，均由蘇聯而蘇聯……至本公司自成立以來，一九五一年，比較一九五一年生產增加二倍，一九五二年比較一九五二年增加一倍：」云云。由此推究中，數百蘇俄地質學探鑛學專家，經過八年長時間，在全新疆各山脈詳細勘查鑛探的結果，一切寶藏，早已了然。新疆淪陷後，於一九五〇年三月由阿山金鑛迅，成萬的老毛子先後在全省各鑛場指揮鑛場奴工開採，至一九五一年開始成立總公司。來統籌管理，並訓練七千多專門人才。與本文前述一九五〇年年產黃金一千萬兩，一九五二年年產額提高爲四千萬兩，工數目有加無已之報導，等於八個湖南十三個浙江省，全歐洲面積二分之一。鑛藏之富，尚爲世人罕知。蘇俄大量掠奪，實足以增加其侵略勢力不少。我希望世界自由人士應當特別注意。

×　×　×

市政局兩議員將改選 李有璇區達年爭蟬聯

本年度市政衞生局民選議員選舉日期，業於三月二十四日舉行。因爲今年增加第三部選民登記名冊，擴大選民人數幾及四分之三，其準備工作，必須提前進行之登記工作，可望於本月終完成，而這一部份選民的所有之權利資格限於投票，根據「法例新選民資格的規定」：（一）依據一九五二年第二十一條或第六條，而合於各條所規定之各項資格；（二）公務員（警察不包括在內）；（三）若干種陪審員或律師等。但目前未有投票權者，即不諳英語的各學校教師；二十五歲而成爲香港防衞隊義勇軍，主要括有皇家香港防衞軍，及後備防衞隊、輔助警察隊，以前未有投票權者，及（四）具有地方政府機構職工或由官方擢拔而任命的職員者，均有選民資格。登記後的選民，對於稅收或個人估稅等等，即具有選民資格。估計上列四項規定的合格者之一……話說，即具有選民資格。選民冊，式的登記工作，目前非正式的估計，此項登記，一經宣布正式接辦理之後，人數可望有二萬八千五百名至三萬名；但一九五二年度選民數字，據官方統計僅九千七百零四名，而實際投票者數只三千二百六十八名，一九五三年選民數目一萬零七百九十八名，實際投票者也只得四千七百三十一名。此種選民的產生，係列入於特別陪審員名單之內者，即現役陪審員及據准免役的陪審員，而分別於第一、二部選舉人名冊之中，他們不但有投票選舉權，而且尚有被選舉權，但這一項選舉人的播成分子，括有許多不同職業在內，然其基本條件，必須精通英語方爲合格。

就過去的選舉情形看來，每屆表現並不熱烈，也許是由於選民對所提名的競選人不能不滿意與興趣，或真有二百餘萬市民福利誠懇服務，其代表性而已，事實上他們對競選人自己民主政治缺乏參與興趣與認識，而且有充分睿智與理才能，而其有人以前的表現，以及兩百名競選人其數位民選員。故不得以自己想法合投票的理解；但本年度選舉，有兩位候選人，去年選舉事亦與上年相同，民選議員，其為人所注目的兩年之選自然亦值得重視。例如去年三月三期滿，須另選二名候補，今年期滿者乃李有璇及區達年兩位（李有璇是今年補選者，而區達年爲來年新議員的候選），而去年當選者兩名，今年期滿二位，即須改選。據說，兩位議員，在任期內均能負其責任，爲市民謀福利，凡兩兩者，認爲能因此而打破私人間的情面，以謀求實際利益，並提供了周詳的辦法，以及在這方面作出貢獻。因此，兩位議員之蟬聯當選，已成定局。

香港三日

選人，而由革新會提名四名競選。上屆則有九名參加競選。其中，雷瑞德，胡百全等八名候選人，由革新會提名四名候選人之外，共有四名競選，即雷瑞德，胡百全，李有璇，區達年，鍾靈炳等。目前為止，尚未公佈。另一方面，李有璇，及區達年兩氏，在今年，與革新會相對的，也因為他們已在市民中建立了名聲，並表示願意繼續為市民服務。

棋語

馬五先生

平生對棋藝毫無修養，只粗識象棋的門徑而已。日前新春多暇，偶與朋友試作棋戲，屢戰屢敗，屢敗屢戰，手癢甚潮，（此句係川諺）然勇氣百倍，朋友也以我的幹勁殊堪嘉尙。

最後一局，正當形勢險惡之際，只殘存兩個卒子，一已過河，一在這岸，還有就是一二馬砲之類。朋友笑道：老兄，大勢所趨，你又要輸了！我不認輸，努力掙扎，心緒不免慌亂，動作更欠考慮，妻在一旁觀戰，她的棋術比我高明些，覩狀大驚曰：你可能運用的棋子，只有這幾步了，再不仔細斟酌，而隨便亂動的話，准輸無疑哪！一經她正色警告，我更喪失心信心，即請教應該如何動手，才有挽回頹勢的可能。這時候，適有客來拜年，客亦好此道者，我請其作參謀，他相度全局之後，說道：成敗就在一砲二卒，尤其那一過河卒子，關係更大，非妥爲運用不可。如是乎，他一旁坐下，實行參謀長職務，時而教我架砲，時而撥動卒子，往後決戰局勢漸活，我對手方初以我非其敵，隨便應付，今見我三人協力，動作非凡，這才特別注意，但已經來不及了。最後被我乘機一「將」，竟告勝利，總結算是三比一，我只贏得最末一局。

來客臨走時，拍拍我的肩膊道：棋術與政術相通，切忌輕率慌張，一着失錯，全局皆非，老兄若搞政治，千萬記住，在險惡形勢中，莫衝動，莫亂動，斯得之矣。我對政治無興趣，特舉以告世之執政者。

英國最受人注目的丈夫
愛汀堡公爵素描

靜宜譯

最近發生的兩件事實，突然引起世界許多人士對英女皇的丈夫愛汀堡公爵，菲力浦感到極大興趣。這兩件事，一是女皇和愛汀堡公爵目前在聯邦各國的巡幸，一是英國攝政法的修改，後者已獲得英國會通過，在以後十三年之間，不論什麼時候如果女皇逝世，他將成爲英國王朝的攝政。這事引起了倫敦報紙對菲力浦這個人的注意，有一家報紙且說，他担任了「英國最壞的工作」。

在皇族地位上，攝政法的修改，已將菲力浦安排在瑪嘉烈公主之前，這事的發生，適在女皇依利沙伯和她的年青丈夫出巡的前夕。這六個月的旅程，由西印度開始，環繞地中海，要圍繞地球半週，數以百萬計的人民將一睹這位英俊王夫的丰采，他可能有一天在他當朝的兒子背後實際統治英國。

作爲女皇的丈夫，菲力浦的工作在憲法上是寬容的，沒有政治的權力，也沒有確定的職務，但是他却會自己找些工作來做，他爲自己安排的工作都繁忙而確實，而且頗爲吃力。他的工作日程，甚至安排得比女皇還繁忙。

英國的法律和傳統，對愛汀堡公爵並沒有政治上的要求，只是要他完全站在政治之外。他既不簽署國家公文，也不與內閣部長諮商，不像維多利亞女皇的丈夫，阿爾倍親王曾因「干涉」國事，而被加上「叛逆」的罪名。菲力浦一向嚴格地不問政治，依利沙伯女皇每日批閱公事三小時，但她是獨自幹着這些事。

英國人眞正要求於菲力浦的，是在一種混淆不清的工作上，做得盡善盡美。他必須是一個好父親，一個好丈夫，在一切社交儀節中，是女皇的一個好伴侶，他必須留在幕後，時時保持穩重，在正式的巡行中，他必須在他太太的背後隔開數步而行，當她爲國會揭幕時，他必須站在她的左邊。

他必須爭取人民愛戴，但愛戴的程度又絕不能超過了女皇。在皇室傳統習慣上，他必須是一個理想的運動家，他必須衣冠楚楚，有時而且要戴他所不喜愛的硬氈帽和穿起蘇格蘭短裙，而成爲一個英國人理想中的王夫，他亦應該漂亮、勇敢、儀表堂堂，且有現代化的思想，在社交上又能到處討人喜歡，在許多英國人的眼中，菲力浦已完全符合了這些條件。

英國人和歷史上幾位女皇的丈夫，並沒有獲致十分融洽的關係，有些人認爲這是他們的不幸，在過去一千年，中僅有三位與菲力浦的地位相等，但他們個人的聲望都不能與愛汀堡公爵媲美。

第一個英國的皇夫是西班牙的菲力浦，他是一個陰鬱而妄自尊大的少年，在二十七歲時，跟比他年長十一歲的瑪麗女皇結成了毫無愛情的婚姻，他自認是「英國國王」，他任意對他太太發號施令，而且長久住在西班牙，當瑪麗婚後四年逝世的時候，英國人就毫不後悔把他拋棄了。

第二個皇夫是丹麥的喬治親王，他跟安娜女皇結婚，他是個蠢才，對什麼事好似糊裏糊塗，他爲人所牢記，是由於查理二世曾對他作過這樣的描寫：

「我想在他喝醉時候試試他的才幹，又想在他抑鬱的時候試試他的才幹，但這兩個辦法都行不通。」

現在菲力浦的經歷，可能與阿爾倍親王比較近似，他是維多利亞女皇的丈夫，但阿爾倍到晚年才受到人民擁護，當結婚之初，大多英國人不喜歡他，認爲他性情甘於安靜而內涵，並且是「外國人」，懷疑他會對他的妻子產生不當的影響。

菲力浦是阿爾倍的重孫，血統上完全是「外國的」，他的祖先是丹麥和德國的宗系，並且有一人曾執掌了希臘的朝政。菲力浦生下來就是希臘太子，但現在他是已毫無疑問地成爲一個「英人國」了。他一位好友有一次曾這樣批評他：「我們有時會忘記他不是英國人，但他的儀表、習慣、和談話，處處都是表示他成了英國人」。

菲力浦有些演說是全力鼓勵大英帝國工業和工藝復興的「十字軍運動」的，博得廣大的輿論讚許。他曾對一批聽衆說：「在我們這時代，決不要讓人說：大英帝唯變成了英聯邦的窮親戚。但說空話無補於事，祗有若幹而兼具想像力，才是我們一的國機會」。

公爵對科學和工業進步，曾屢次表現熱烈興趣。他很少錯過一個科學的或工藝的展覽會，在威爾斯有一次他費了很多的時間在一個蠟工廠巡視，以致報紙把那一天稱作「公爵値日」。他喜歡徒步參觀煤礦，爬上瞭望塔察看，詳細詢問工廠經理有關發電廠和煤氣廠的種種事項。

菲力浦對軍事也另有一番熱烈的興趣，他在三軍中居於最高地位。他可以進入英國原子能工廠的深奧內部，並看到定向飛彈、雷達、潛水武器及噴射飛機高度秘密的發展。他在一所英飛機製造廠參觀曾耗時四小時半之多。有一次他到德國觀察英國部隊，曾表演了使用武器和駕駛坦克的熟練技巧。他學習飛行，不久就精通了，成爲英空軍元帥。

他從第一次學習飛行時起，便熱烈地喜歡飛行，一有空便想飛一回，有時一天幾小時，翱翔於空中。政府對他飛行很傷腦筋，已不准他獨自飛行，雖然他曾作這個要求，一個教官常伴隨着他，做他的副手。

那些飛行規例的限制，不過是時時把女皇的丈夫束縛着的許多限制的一例。他過着影屋似的金魚缸中的生活，他不准有某些名士放縱的個性，他也不能隨便疏忽，不能有不當的行爲，更不能在發怒時濫發脾氣。

一般的說，菲力浦很少受人的批評，他也很少予人以口實，能使人對他繼續加以批評。他的意見，很少有機會把它們表達出來。他對於他在英國皇室中的責任，採取了一種哲學態度，頗像他的高祖阿爾倍親王。阿氏一度這樣爲他自己下了一個定義：

「我是女皇的丈夫，王子和公主的導師和父親，女皇的私人秘書，和他的永久的臣子。」

敘述愛丁堡公爵的最後結論是，他是皇后的丈夫，極可能成爲英國最受人愛戴及最受人密切注視的有家室的人。

詠菊花皇后「綠衣使者」（有序）

楊力行

台北鄉居園中，菊花盛開，「綠衣使者」最嬌豔，旎態萬千，冠絕羣芳，因即成詠三首云：

幽香優色美豔兼，未易尋常帶笑拈；
爲爾休官歸去早，古今知己一陶潛。

此花開後殿羣芳，冷豔休教蛺蝶狂；
太息靈根生已晚，不承香露傲秋霜。

寄跡東籬瘦弄姿，歲寒消息爾先知；
梅花已抱冰霜節，齊待春風放一枝。

論黃仲則的詩
—爲黃氏誕生二百〇五年紀念作—

王世昭

其次如「登千佛岩遇雨」云：

「木落千山秋，天空一江碧。儼儼有驚飆，決眥瞰危壁。雲氣虎嘯林，險磴龍吟澤。驟雨翻森寒，疾雷迅肘腋。同遊三兩人，相望失咫尺。飄然冷風過，煙霧漸消迹。[illegible]林際，山翠淋漓，苔見白石。快哉今日觀，攜賞百憂積。山川美登眺，勞余在行役。[illegible]，犯險非予職。躑躅當置潤櫃，獨酹寶驚魄。」

寫奇險之境如在目前，寫宇宙變化如在頃刻，其工力已駕謝康樂而上之。王漁洋所謂詞之不稱者，顧不當如是耶？黃仲則眞是奇才，至他底工夫，還在「焦節婦行」這一首。他把從事的焦節之悲哀寫得活靈活現，而焦節婦殉夫的經過更寫得有聲有色。有清一代敘事詩的成功，當以此爲首屈一指。其梅村的圓圓曲我怕都要輸他三分了。詩云：

「雞鳴齊喚霧滿天，看郎刀[illegible]肩上懸。[illegible]明。汝近前來妾不懼，果是郎歸定何樣？一靈[illegible]來飄血衣，去日曾穿此衣去。郎歸妾已知，[illegible]床頭沙一燈滅，梁上長繩[illegible]。又聞瀚海風沙一萬里，郎兮幾時飛度此？妾死尙欲隨郎行，看郎白骨沙場裏。」

像這樣驚天地泣鬼神的詩句，有幾個人能夠刻劃得如此生動？李長吉寫鬼趣，能作鬼語，但比起黃仲則來，似乎尙有遜色之感。而且這件事是天地間至奇至勇之事，能把它寫出來，文是奇文，事是奇事，人是奇人，鬼是奇鬼，不是筆底有千萬斤氣力，莫想刻得分毫。也。

一班人欣賞黃仲則的詩，多賞識其艷語，如蘇曼殊，就很欣賞他的「如此星辰非昨夜，爲誰風露立中宵」，曼殊在隨筆中云：「黃仲則如此星辰非昨夜，爲誰風露立中宵，是想少，情多人語。」

（二）

我也貼春聯

王世昭

春聯始於五代，盡人皆知。至於文人學士的流風餘韻，似可勿煩贅述，現在我來說說我也貼春聯。

到了香港不知不覺過了五個舊曆年，第一年因初逃香港，驚魂甫定，無此雅興。第二年搬到荃灣，門緊芙蓉水，面對千佛山，因爲聯云：

「春風綠到芙蓉水，旭日高於千佛山。」

這一付聯頗有討吉利的意思，但這一年過得不大好，於是第三年變了口氣，照例爲之題云：

「養幾個雞鵝狗鴨，還不是也者之乎」

不料此聯頗有陳關甫的風味，憶陳曾爲聯云：

「傷心夜雨棋窗，點半盞寒燈，[illegible]諸生改之乎也者。回首秋風桂院，剩一枝禿筆，爲八口計柴米油鹽。」

我與陳關甫不同的，他教的是諸生，我養的是雞鴨；他用筆改禁文章；我用筆變其苦固，生活雖不同，則一也。

到了第四年，看反攻在目前無望，於是歎了一口氣，思學鄭所南，且仿陸放翁，又爲聯云：

「南渠春至憂思倉，故國梅開憶放翁。」

比到年三十夜半，深覺意有未盡，於是並上二聯爲成絕句一首，後二句云：

「蛇動龍飛忽來去，」「又聽爆竹[illegible]欄。」

龍年既去，蛇年又來，不勝悲感。今年蛇歸馬至，馬齒徒增，又多一歲，爲了應景，又成兩句云：

「馬齒年年傷老大，龍飛日日盼王師。」

聽說今年台灣美援增至四倍，照理希望較大。陳院長說：「反共由自己擔負」，因爲我迫切要求早日兌現，故下聯及之也。然而，……其他留待明年再說。

土改詩話

小丞

今天大陸的土改，除邊疆和少數民族外，總算是基本完成，但是滅絕人姓，違反眞理，已經造成整個大陸的飢餓。最近獲得江西故鄉來函，南昌附近秋收前，淫雨一月，致令收成大受影響，而另一方面，中共的徵糧工作如火如荼，民間存糧，甯有倖免，民食爲天，言之黯然！偶憶及南宋時代，民間對於官田，頗多微詞，及今比較之下，其爲禍之烈，實千百倍於往昔。

宋志載：宋南渡後，君臣流亡，既奔臨安，又思閩東，時人有題詩吳山的子胥廟壁云：「忠杭不已思閩廣，牛角山河日入尖。」時賈似道初爲相，丈量境內土地，勒收民田爲官田，僞爲公畝公買之法，人民困感益甚，有人作詩曰：

「三分天下二分亡，猶把山川寸寸量，縱使一邱添一畝，也應不似舊封疆。」

量盡山田又水田，只留滄海與靑天，如今那有閑洲渚，寄語沙鷗莫浪眠。」

今天中共的統制，任何洲渚，甯復有人民自由的餘地，連沙鷗也不獲自由了。又有人作沁園春詞云：

道過江南，泥牆粉壁，右具在前，述何縣，何鄉，何里，往何洲，何人地，佃何人田，氣象蕭條，生靈憔悴，經界從來未必然，惟何甚爲官爲己，不把人憐。思量幾許山河，泥土分張又百年，西蜀巉巖，雲迷鳥道，兩淮清野，日警狼烟，宰相弄權，奸人罔上，惟念干戈未息肩，掌大地，何須經理，萬取千焉。」（見西湖遊覽志餘）

正在大陸發動進行土改的時候，「有田之累」的一首打油詩，似乎風傳於港澳及台灣之間，有的人把它當作民謠，作爲大陸報導，載在本港有名的某半月刊；在台灣則有某公舉以某國人。原詩爲：

「昔日田爲富字足，今日田爲累字頭，拖下腳時成甲首，申出頭來不自由，田安心上長思想，田在心中慮不休，當初只望田爲福，誰料田多疊疊愁。」

這首詩用的拆字方法，來描寫有田的痛苦，確實尙稱佳構。只是這首詩是由明朝文士兼畫家沈石田（周）所作，見褚人穫「堅瓠集」第四集。文末有云：康熙初，吳中皆驗其言。」褚人穫是淸初人，他說「皆驗其言」，係指順治十八年及康熙元年江南奏銷案。所謂奏銷案即欠錢糧。董含「三岡識略」云：「……大約舊賦未淸，新餉已近，積逋常數十萬，……悉到江南民力已竭，而逋欠如故；……紳衿一萬三千餘人，鄉田抗糧，如某探花欠一錢，亦被黜，民間有探花不值一文錢之謠：……」。

稿約

本報闢地公開，歡迎讀者投稿，性質不拘，最好勿超過二千字，譯作請註明出處；來稿請附郵票，如不合刊用時，當璧退還。

—編輯室—

中華民國僑務委員會僑報登記證台教新字第一〇二號
中華民國郵政登記第一類新聞紙類

自由人
THE FREEMAN

（半週刊每星期三六出版）
（第三〇七期）
每份港幣壹毫
督印人：李光部
社址：香港高士打道六六號
電話：七四〇五三
GLOUCESTER RD HONG KONG TEL: 74053
承印者：東南印務出版社
地址：高士打道六十四號
台北特約經銷處：台北市館前街五十號
台灣總經銷處：台北中山北路二段九十四之一
台灣郵政劃撥儲金帳戶九二五二號

美國不承認政策的歷史觀

·許漢劍·

美國基於道義觀念的不承認政策遠在四十年前已經存在，已經成為美國民族精神的一部份，決不是少數人和一時的國際形勢所能改變的。

新史汀生主義

日本發動九一八瀋陽事變，一手做成傀儡政府——「滿洲國」，全世界輿論一致對日本加以譴責，當時美國國務卿史汀生發表一項正義凜然的聲明，表明美國態度，絕對不承認滿洲國，那就是歷史上有名的史汀生主義。

若干年後的今日，滿洲國已隨日本的失敗而消滅，但東亞有另一個傀儡政權盤據於中國大陸上，美國對它的態度，和從前對付滿洲國一樣，依舊是不承認，這可說是新史汀生主義。

滿洲國問題是當時國際外交談判中最傷腦筋的事，國際聯盟想以大刀闊斧的手法割去這東亞毒瘤，不顧日本退盟的威脅，於是派調查團到滿洲去調查，雖然調查的結果祇是換來一本歷史著名的李頓報告書，調查團的建議仍是一紙具文，無法付諸實施。結果這毒瘤終於發作了，產生中日戰爭，更擴大爲太平洋戰爭。

歷史是不應重演的，但歷史事實往往給予現實以有力的諷刺，第一個東亞毒瘤消失了，第二個東亞毒瘤又在東亞孕育滋長。莫洛托夫在柏林會議中以恫嚇的口吻指出「共產中國無可爭辯的是一個大國家，中國之共產革命不是件惡東西，而是亞洲歷史上一大事件」，這些話與當年日本在國際聯盟中誇張滿洲國的地位重要如出一轍，不同的祇是日本還沒有建議滿洲國參加國際聯盟，或世界五強會議而已。

莫洛托夫失敗了

莫洛托夫在柏林會議中欲以全力說服西方國家，同意召集包括中共的五強會議。蘇聯洞悉西方國家渴望解決的問題：法國希望結束越戰，英國希望擴大貿易機會，美國希望解決韓國問題。於是莫洛托夫便拿這一點做引餌向西方各外長探動，口裏雖只要求中共參加，這些希望都可以辦到。只要中共參加五國會議，世界可以緩和緊張局面，這種說法太有誘惑性了，可是美國務卿杜爾斯已經一語道破，並不能發生任何作用。蘇俄想利用五強會議作為聯合國的後門，中共如果參加了五國會議，便可以從後門走進聯合國的會議廳，現在可以說是此路不通了。

杜爾斯和史汀生比較

當年史汀生提出不承認的聲明是很明快堅定的，是代表民主黨和共和黨共同政見的外交政策，其中絕無歧異。然而這一次似乎產生了若干歧見，不祗民主黨和共和黨之間有歧見，民主黨內部似乎也有歧見。

就輿論說，美國沒有一家報紙主張承認中共，但也有幾家報紙提出對中國問題應作較有彈性的處置，所謂彈性的處置，就是對支持[illegible]與承認中共[illegible]不妥協的決定。由於歧見的作祟，故美國務院雖曾在公報上聲明絕不承認中共，但[illegible]外交上承認中共，[illegible]

世界人士仍不敢深信不疑，美國百萬民衆簽名反對承認中共[illegible]，可證明美國[illegible]的態度[illegible]。因此美國對中共政策不能作明快決定的原因，除了國內歧見外，英國在外交上的牽制也是不可忽視的。[illegible]當年史汀生主義提出便沒有遭到這種顧慮[illegible]。目前的國際環境已經不同，英國已經承認中共，蘇聯便利用英美外交上的矛盾，企圖拆散西方集團的團結。這是杜爾斯的聲明不能和過去史汀生的[illegible]的地方。[illegible]聲明等量齊觀的理由之一。並且韓戰的結果，[illegible]次杜爾斯在柏林會議[illegible]勢需要時，吾人並不拒絕與任何政權（指中共）交涉，吾人現時有板門店促成韓國和平會議[illegible]與該政權接觸交涉。[illegible]近又有舉行七國會議（包括中共和南北韓）以討論時韓問題的說法，[illegible]

不承認主義不曾動搖

然而我們並不必因此便懷疑美國的[illegible]。須知美國的不承認主義並不始於史汀生時代，[illegible]

[illegible]義在美國外交政策上是有其淵源流長的歷史性的。一九一一年墨西哥人民發動革命，推倒[illegible]，推舉自由主義者馬德洛為總統。[illegible]下推翻並殺了馬德洛，[illegible]多數國家都趕忙承認新政權，可是當時美國總統威爾遜卻不承認[illegible]。[illegible]果那時美國沒有[illegible]？但威爾遜當時絕不以眼前利益為念，他堅持不承認兩手血污的惠爾塔，並設法使英國也支持他的政策，後來還派遣潘興將軍以實力膺懲惠爾塔，終於解救了墨西哥，並取得拉丁美洲各共和國的一致信任。因此我們可以明白美國基於道義觀念的不承認政策已經有四十年的歷史，[illegible]威爾遜不承認政策，有史汀生和杜爾斯的不承認政策，到[illegible]已經成了美國民族精神的一部份，決不是少數人的力量或一時的國際形勢所能改變的。並且也不只是消極性的，而且不只是積極性的，[illegible]往的歷史，斑斑可考。現在英國儘管[illegible]辯護，[illegible]的為其承認[illegible]美國內部還存在若干歧見，[illegible]們相信美國的政[illegible]袖決不至於違反具有偉大歷史意義的不承認政策。

寮戰是怎樣失敗的？

·藍星南·

如果不諱疾忌醫的話，我們應承認一九五三年，寮境聖誕攻勢這一回合，西方是失敗了的；西方國家如不願在這地區裏繼續失敗，便應詳加檢討失敗的癥結而接受教訓。

法軍對敵情懵然無知

首先，法方當局對寮共的進攻事先竟無所察覺，已令人驚異。——他曲論陷後法方雖曾有掩飾的聲明，說在戰爭前幾個月，便已預料到對方這次攻勢；這是不足信而且是壞的辯解。因如屬在很久之前即已預料到的戰事，何以竟然毫無準備：不數日之間竟接連失陷了他曲及其以北的第八號公路上許多軍要據點如甘結、勸颾、和那比？何以不禁顛而放棄了一百廿公里的廣大地區？且他曲失守之後，何以其北七十公里的邊蒂島和波年兩處軍要的錫礦區，及他曲以南第十三號公路和賓非河與色乃河流域之間的地帶，也都任由敵人在探囊取物的情形下長驅直入？可見與其掩飾情報不靈而自認無能還手，倒不如老實承認事先未能察覺的爲好。

不但對敵方的動態毫無察覺，抑且對敵方的佈署亦竟茫然無知。據曼谷消息，戰起之初法方估計寮共調遣止數千人，誰知敗陣下來後查點敵方使用兵力，居然是三個師的正規軍和數萬游擊隊！

八年戰爭得不到經驗

一般的說，情報欠缺固屬軍事的致命的失敗；但印支戰局現狀中的這一課題，則更有其重大的意義。依我們所知：遠在六個月前，中共所屬滇越、滇泰、滇緬等「邊防局」即已承召開於昆明的邊防會議之命，主持積極南侵的佈署。印支法方雖曾對此採取封鎖山路和擴大飛機場等消極性措施，但再無積極準備。直到敵方進軍到距他曲僅九十六哩的那砲鎮時，法軍才會促應戰。如僅將此說成爲一項疏忽，那是永遠不會長進的自欺；因八年周旋的一方是不應有此失算的。且寮境戰事是應該說，遠在距今十二年前、至少自一九四八年起便已存在了的，第一次寮戰之中雖說寮共仍不過是武元甲部隊的配屬部份，但從那時起它們即已走出了山區，結束了游擊戰事階段，開始建立根據地並試探着攻擊據點，執行着運動戰了。五三年四月攻佔桑怒，擴使了桑怒全省的面區，且一度進擾距琅勃剌邦只十五哩的地點。而今次戰役之後呢？又竟有法軍突擊隊搜索不到敵方軍隊行蹤的微妙階段，當然也判斷不定其次一目標了。

局勢是再明顯不過的，法方在進行了八年戰爭之後，它依然處在一種盲人的地位。戰略上是盲目的：它在敵方動手之前，從未能察覺敵方的企圖；戰術上是盲目的：它在戰爭進行中居然有找不到敵軍的狼狽。若能由這種地位的一方贏得戰爭，自屬永難出現的奇蹟。惟如認爲當地法方是因迷惑於胡志明和平試探而致怠工，也是不確的；因和平濫調只能在巴黎政客中發生些有利越盟的叫囂，對當地指揮部是並無多大影響的。如說越盟的偽裝巧妙嗎？對於握有絕對制空權並專賴偵察機以查悉敵方趨向，但實際未能弄清楚敵方趨向一點說，固屬僞實；對於寮[illegible]支任何地區反共戰事的決定[illegible]亦同屬僞實的；但問題不能由此便以為已經獲得了有效的結論；因[illegible]業以包括整體認識的全面觀察。

共軍成功在民衆組織

越盟之能以有效的封鎖其企圖與行動，不單是依靠其[illegible]部份的成功[illegible]是來自其對民衆[illegible]論它是用欺騙、威脅、或利[illegible]民衆組織。除非它對民衆已[illegible]控制力，便不可能使其對手[illegible]知其企圖，和戰役中能以隱[illegible]隊。當年伕僑關戰役的主動[illegible]一方的；但[illegible]輕易佔領伕僑關[illegible]呢？估計有大量的敵軍不見[illegible]五千餘居民撤退了，只能以[illegible]無法移走的十餘噸物資；即[illegible]敵方的圈套而不得不於奪得[illegible]匆促撤退。可見不論奪得敵[illegible]何方，如果不能控制住戰區[illegible]的海，則如何強大的船——[illegible]的部隊，都必難有成功的活[illegible]

反共戰爭是絕對[illegible]民衆支援的政治性的軍事競[illegible]着力於此，則不論怎樣的優[illegible]學火力，都必成爲被民衆之[illegible]船。

當週展望

·雷嘯岑·

柏林會議的副產物

柏林四外長會議之決無好結果，已成定論。但，他們將要搞出一些副產物來，表示這次會議並非一哄而散，毫無成就。唯一可能產生的附屬品，即爲所謂「七國會議」。

蘇俄現行冷戰戰略原則，仍然是「西守東攻」，所以，遇事即將中共問題抬出來，揚聲謠咋，而對德奧問題絕無和平解決的意念。七國會議之說，能教中共與西方列強分庭抗禮，談判問題，俄共一定不會拒絕的；美國因爲急求結束韓戰，在只談韓越戰事的限度以內，對七國會議亦將不妨嘗試一番。法國渴望藉此解決越戰問題，自甚贊成。英國是「七國會議」的建議人，更願實現，不在話下。中俄共勢必提出由七國會議討論其他亞洲與中共有關問題，美國還是用一句老調來答復：要中共對解決韓越戰事問題有誠意表現後，再談其他。所謂「誠意表現」，起碼是韓戰真正結束，越戰實行和談，中共保證不再支援越共等事。至於承認中共政權，並允其加入聯合國這類話，美國當然不願提及，這樣，並對於美國的原有立場，並無妨礙。所以，我認爲七國會議可能實現。

七國會議實現後，是否即有緩和亞洲緊張局勢之可能呢？絕對無希望，依然表演一場冷戰把戲罷了。近日來，越共的猛烈攻勢，就是爲着配合七國會議之說而然的，俄共集團之目的，只在乘機造就既成事實，以便離間法國，希望法國成爲民主陣營的盲腸炎！

危急的越戰形勢

越南之戰，美國方面認爲是當地反共部隊沒有戰鬥意志，許多據點皆不戰而退。指出這是由於美援只給予法國，而未直接給予越南政府之故，我認爲最大的原因還是民族主義。法國如不放棄其舊有殖民政策，那就應該傾全力以消滅越共，不辭「帝國主義」之名，有如對北非摩洛哥，突尼斯等殖民地一樣，也不失爲一種作法；否則改絃易轍，多多滿足當地人民的政治要求，使他們爲自身利害而努力反共。

最壞是既不能強，又不能弱，一面要以越戰不勝負擔的理由，博取美元，以彌補本國的財政虧空，一面則欲以和談來乞得共產世界的同情，維持其殖民地現狀。這眞是笨拙無比的政策，不當唐薪救火之計。越戰如果實現和談局面，法國在越南三邦的統治權即崩潰得更快，理由很單純：西方國家既可與俄共集團妥協講和，越南三邦人民更願意與胡志明等攜手合作，爭取政治上的獨立自主生活哩！

法國對越南三邦的既得權益如不願拋棄，只有打垮越共一途，和談等於飲鴆止渴而已。

有出息的德國民族

東德人民聽說蘇俄代表在四外長會議中，反對德人自由選舉以統一全德人的消息，紛起示威，要求自由，而西德在香港的新聞記者亦聲稱：德人最不願意聽到「德國中立化」這類言論，因爲這是貽禍德國人民的惡毒政策，德國決沒有中立化的環境和條件，所謂「中立化」，即爲永遠被壓迫箝制的代名詞。

東西德人民的表示，正是其大有出息的象徵。他們不特使尼赫魯之流相形愧煞，即如日本吉田茂一般人之矯揉造作，亦已顯得俗不堪耐的小政客氣派，不足與德人相提併論也。

歐洲文明將來如有復興之日，主要的生機是在德國民族身上，法國說不上，英國也沒有這種本能了！

一九五四年是甚末年？

美國人說今年是「談判年」，全世界將發現無數的談判場面，這話很有理由。就自由中國來說，今年亦是「會議年」，國大代表會議之後，又有反共救國會議，其他一切的大小會議更數不清楚。

談判也罷，會議也罷，總希望能有些成就，不致於專說廢話，徒亂人意，而產生不良的後果，幸甚幸甚！

論文人相輕

兼論幾次文壇論戰

孫旗

曹丕在「典論論文」中慨乎言之的說過：「文人相輕，自古而然。」也許專制政治時代，文人多爲帝皇御用，誰得帝皇歡心，誰就得到高官厚祿，因此，便要你輕視我，我輕視你，在向帝皇爭榮邀寵。

對文藝的理解不够

我以爲現代的文人相輕，是由於對文藝的理解不够。否則不應相輕。文人被稱爲「人類靈魂的工程師」，我更以爲該稱爲「人類靈魂的大夫」，不論工程師也好大夫也好，都是爲人而不是爲己的，所以文藝作品和「情書」不能相提並論。

文藝作品是工程師爲人類建造的「幸福大廈」安全的避風港，或者如雷馬克在其「流亡曲」中說的：「那些個營，都好像開到遙遠的世界裏的窗戶：有寧靜喜悅的花園；有悠遠的感情，有偉大的幻夢——超乎反覆，恐懼、和不公平之上的，——一個永遠的靈魂的國家。」但是，不管幸福大廈也好，安全的避風港也好，甚至和平幸福的國家也好，決不是給少數人享用的，而是留給人類居留的。情書的寫成是出於自私的，用一種手段使對方傾心愛我，求其能爲我佔有。文藝作品乃是工程師賦予人類靈魂的福利，或者是大夫療病的藥劑吧！我們可以說：文藝是爲公的，作家是爲人類服役的。

批評要對讀者負責

故文藝批評者，要對讀者負責，對作者發掘作品的眞正價值，或者指出作品的瑕疵，如果是惡意的攻訐，讀者會對他齒冷的，因爲讀者的眼睛是雪亮的。同時在作家方面，他必須有氣量，接受批評。批評得好，以之爲改進監誡，批評得不對，讀者也會看得出來的。一個大夫對於疑難雜症或病入膏肓的病者，決不是絕對可以治癒。只有盡人力以待天命而已。古往今來，沒有一個完美的聖人，也沒有一個萬能的大夫。所以一個作家也不可能是萬能的才子，一件藝術品也不可能是完美無瑕的。說好說壞，要任讀者品評。古代有「陽春白雪」與「下里巴人」，欣賞「陽春白雪」的只有少數人，欣賞「下里巴人」的反是多數。說「陽春白雪」雅，說「下里巴人」好，都無過錯。所以，作者應該是甯願一萬個不能欣賞的人說壞，只要一個懂得的人說好，亦是死而無憾矣！一個作家，他不能叫人人說好，作家應有氣量，是虛心審視批評該接受與否，要虛心對自己痛加檢討。如果人家批評不好的原因，是你的才智和藝術技巧，則任何惡意攻訐不能損害你作品的分毫。作家應有的風度，我以爲梁實秋先生足爲風範。以下再說。

何以沒有眞正批評

幾年來的文藝界，因爲小組織與集團的潛在，眞正的批評產生不出來，大多數的批評不是頂好就是頂壞，對同路人互相標榜，一律是送炷香上西天「好好」，對異己者則意氣用事，貶得一文不值。再者，各人都覺得台灣沒有「名」作家，或者眞正的作家；因此，人人都想「蜀中無大將，廖化作先鋒」都想招兵買馬，擁絡團結一幫人，樹立自己爲泰斗，爭領導權，擾攘不已，有人稱這些人爲「文藝活動家」，於是「文人相輕」，於今爲烈了。我以爲弄文藝與搞政治是截然不同的兩回事，搞政治，要有衆多的幹部，和打手，才能作爲政治的資本，可是弄文藝呢？任何外力的借助都無補益，智慧與才華無法作物理學的解剖與支配的運用啊！但不論如何，風氣既成，創作家要面子，只准說好，不許說壞。要作一眞正批評家，非有膽量與不斷戰鬥精神不可。

現在不妨談談新詩與詩人的風氣。中國新詩在目前，如果說進步，已有很多新形式的創造，和各種形式的萌生，這不得不歸功於詩人們的努力。但是，也有若干詩人連句子也沒有弄通，詩集卻不斷地出版了？因爲派別不同，詩人之間結合了小據點，以詩互駡，爭奪詩壇泰斗，爭領導權，互相搗鬼，互相吹噓，發表時爭名次，「相輕」之風最烈；編一張詩刊眞是最難的事了。一般人對新詩的看法，都覺得幼稚的多，新詩人應該精誠團結，研究創作，一切無關創作的浪費時間與精力，都是不必要的。舊詩人尚能集會唱和，新詩人竟反是，眞令人眩惑不解。新詩界的「文人相輕」，其爲禍之烈，實爲今日新詩人所應引以爲戒的。

幾次文壇論戰的觀感

近幾年，自由中國文藝界，有過幾次論戰，一次是去年夏天，孫陵先生等與葛賢寧先生的論戰，是爲一本「現代小說」，攻防兩方都有點過失，只閃電式地一回合就結束了。一次是去年梁實秋先生在「中國文藝」創刊號上寫了「詩與詩人」一文，引起蘇阡先生等異議，但只見攻擊而未見防衛戰。又一次是愛德樂佛內出版「世界永遠沒戰爭」遭到圍槍集擊，也是有攻而無防；再就是去年秋天在「自由人」高清心先生與陳紀瀅先生的論戰，第一回合後，即牽涉而成大戰，陳先生在第二次防衛戰後，已算告終了。這四個戰場，就氣量與風度論，梁實秋先生最可爲作家風範，孫陵先生與葛賢寧先生，似不免意氣之爭，高、陳一次及愛氏一次，對今日文藝界正本清源最具深厚的影響力。

梁實秋先生那篇「詩與詩人」，我讀後並無何異議，四五個月後，公論報先後有五個人提出批評，但並未見梁先生有一篇反擊的文章。我想不是梁先生無反擊之力，他當年和魯迅不是常常筆戰嗎？也不是他不屑與小老弟們嚕蘇。我以爲梁先生是一個學者，有作家應有的氣量和風度。

批評者要對讀者負責，批評意見的是與非，讀者自會加以分辨，因此梁先生無須多說話。一件作品的價値，決不是批評攻擊所能損害分毫的，也不是胡亂恭維所能增加的。

本年「自由人」掀起的文藝檢討與批評，在自由中國還是開風氣之首。後來有人預測，此風將移植於台灣。果然，不久，愛德樂佛的著作，便引起軒然大波，批評風氣逐漸成爲高潮。目前台灣的雜誌報刊，對於評介與批評的文章，都採謹愼態度，深恐再蹈愛氏覆轍，這該不會因此關閉了批評之門，眞正的文藝批評，不至因此而無從發表的。有人說愛氏賜於文藝批評風氣，功勞不小，未始沒有道理。「自由人」所引起的批評風氣，只是討論問題，不牽涉到意氣，對事不對人，這才是與文藝有益的。此風刮到了台灣，也是一種好的現象。

我要高呼　文人相愛

專制帝皇時代的「文人相輕」已成過去了，但在極權政治之下，文人適相輕的自由，都是沒有的。民主政治之下，自由思想是文藝界的重心，但我覺得我們已無「文人相輕」的必要，我們從事文藝，是療治善良人類的靈魂，好壞自有讀者來評定。在作家本身來說，智慧才華是唯一的決定要素，任何外力都無所補益。

從文藝作品的內容來說，我們決不是「爲文藝而文藝」或者「爲人生而文藝」，而是爲民族革命戰爭而文藝，因爲必須國家強盛民族復興，「人生」才能存在，否則，一切都是虛幻的，在「爲民族革命戰爭而文藝」的觀念下，我們都是亡命海外的孤臣孽子，除了相敬相愛，齊心協力鼓舞鬥志，還要喚醒鐵幕內受難同胞的靈魂，責任之重，和當務之急，我們還忍心「文人相輕」，置復興國家民族的重任於不顧，徒事意氣之爭麼？

我們要拔除「文人相輕」的遺毒，高呼「文人相愛」。要埋葬四十二年以前的文藝混濁時代，迎接四十三年以後「文人相愛」的新時代。（四十二年十二月二十八日夜台北）

△美最新防空利器，「尼克型」定向飛彈試飛情形▽

人物述評

不屈於暴力的學人—梁漱溟

紹華

（一）

根據自聯社的消息，闢進竹幕的中國學人梁漱溟於去歲中共人民政協召開第四十九次常委員會時，被邀列席，當會議進行中，他莊嚴地站起來，發出正義的吼聲，斥責中共橫征暴斂，老百姓命賤如蟻，過着非人的生活。中共老羞成怒，已將梁氏看管起來。這一段動人的故事，從竹幕中傳出，從新撩起我們對於這一位學人的懷念。

他是廣西桂林人，一八九三年生於北平。他的父親梁巨川（濟）清舉人，曾官內閣中書，於六十歲時在積水潭殉節自殺。巨川先生有二子，長家鼐，日本留學生，曾在農商部供職。次家鼎，即是這一位生平行誼可欽可泣的梁漱溟先生。

漱溟於滿末在順天府中學堂完成學業後，即潛心研究佛學，茹素不娶。他自己是最肯用思想的人，當他廿多歲的時候，曾在東方雜誌發表了一篇論文——究元決疑論，這一篇代表印度佛教思想對於宇宙論和人生論的看法。頗震動當時的學術界，范靜生對他更爲賞識。剛巧北京大學印度哲學講座要人担任，范靜生便介紹他給蔡孑民，於是他從一九一七年起到一九二四年止，在北大講授印度哲學，和東西文化及其哲學兩種功課。

梁巨川先生之死，對他刺激頗大，他之所以由佛入儒，完全是受這種影響。他在三十自述那篇文章裏，可以看出他思想變遷的軌跡。後來他便破戒茹葷，並娶妻生子，他第一次結婚時，娶的太太，是一位孀婦，生下兒子兩人——即阿寬和阿恕。他和伍觀淇是連襟兄弟。

（二）

他在北大教書，和胡適之是唱對臺戲的。胡講的是杜威哲學，他講的是佛學、和儒學。思想路子雖然不同，但不失爲同是好學深思的人。後來他漸漸注意到中國問題的總解決，以爲教書並不能貫徹他的主張，於是辭去北大教席，到山東曹州，當省立第六中學校長，他斟酌宋代的書院制，把訓導的工作做到師生合一，不祇在學術上切磋，品格上敦勉，並且讓師生的生活打成一片。雖然這種改革遭遇失敗，到了第二年他便鍛羽而歸。但是這種辦法，於民十七年他當廣東省立第一中學校長時，還應用起來。現在許多學校保留的班主任制，便是那時創設的。

民十三國民黨改組和北伐前的局勢，漱溟是非常注意的。那時南方的革命黨人和他交好的，函電紛馳，請他南下。他爲愛惜羽毛計，正沉潛注視這一局勢的發展，於是祇派他的弟子黃艮庸、王平叔、徐名鴻南下，襄助革命事業，他們曾追隨白崇禧將軍入湘游說唐生智參加革命陣營。到了民十七年局面澄清，漱溟來廣東，担任了建設委員會主席，同時担任了省立一中校長，不够一年光景，因政局的變動，於是乎離開廣東。他在一中校長任內，聘請德人衛西琴博士在校內任職，提倡教學做合一，這一種主張，是陶知行後來在曉莊師範揭示的目標所本。（上）

天下大事

柏林會議三百萬美元爛賬

柏林四外長會議現已進入第三週，單是德國統一問題就辯論了十多天，但依然辯不出一點眉目。蘇俄的強橫無理，在會議場所的爭執中，早已經暴露無遺，殊不知在柏林會議中，除了重大問題，俄外長要堅持其一貫的蠻橫態度外，就連會議的費用攤派，俄國也顯出其猙獰面目。原來在會議開始以前，俄代表堅稱四外長會議並非四國間的會議，而只是兩個集團間的談判，所以應輪流在東西柏林舉行，當時西方委曲求全，竟也答應了俄國的狂妄要求。誰知最近談到會議費用的時候，俄代表卻堅持必須由四國平均攤派，西方認爲會議既分在東西柏林舉行，會議費用自應由西方與莫斯科各付一半，俄國堅決不肯，以致費用問題又已陷入僵局。據西方官員估計，這次柏林會議的費用，估計要一百五十萬至三百萬美元，如果長久拖延下去，總數將更不止此。如果以三百萬元計算，按照西方的要求，蘇俄應付出一百五十萬，依據俄方的立場，只須負担七十五萬。兩者間差額不過七十五萬，但這區區七十五萬美元的數目，卻已使西方國家更進一步看清克里姆林宮的面目。如果對費用問題，雙方均不讓步，看來不僅會議得不到任何結論，恐怕還要拖下一筆幾百萬美元的爛賬呢！

捷總統孤孀被人迫死

捷克故總統葛特華德的孤孀瑪塔幾月前突然去世，當時捷共政權宣佈瑪塔是害病病死的，其實據西方情報人員所獲的消息說，瑪塔並非死於病症，而是死在精神病院裏，葛特華德暴死以後，深知其內幕的瑪塔即憤怒指斥現任捷總統（當時的捷總理）柴波托基謀殺了他的丈夫，之後她即被關在精神病院裏。葛特華德在世的時候，瑪塔是一個身體特別健壯的女人，體重達二百六十磅，但她死的時候，體重不過九十磅，由此也可證明她的總統丈夫被謀殺後，她本人也受到柴波托基一派如何的壓迫和虐待。

杜爾斯謙讓皮杜爾

還有一則有關柏林四外長會議的內幕。在柏林會議開始以前，一般人都以爲美國國務卿杜爾斯會代表西方三國致開幕詞，然而實際上，致詞的不是杜爾斯，而是法外長皮杜爾。據說當達以後，即和英外相艾登會商，雖然法政局動盪不安，盟國首也應該由皮杜爾担任，杜爾斯理由是：第一、皮杜爾担任重要的角色將顯示西方國家的堅強團結。第二、蘇俄正全力誘惑法國脫離西方，這樣一來，將可粉粹俄國的陰謀。杜爾斯與艾登商量妥當後，即會同轉告皮杜爾，皮杜爾起先謙遜一番，隨即欣然接受了英美外長的意見。（孟衡）

編者讀者

△編者的話▽

△近要讀者來書，要求我們增加篇幅，改爲每期出版四開兩張，這樣便可以容納多些文章，這一意見很可感謝。但因爲各種條件的限制，一時尚難辦到，殊覺抱歉。

△莊申，粟非葉，陳文受，王劍鋒，桐綺，太希，舒其誰，敝杵諸先生：來函或惠稿均收到，謝謝！

△傅芸先生：請示尊址。

△郭敏行，其誰兩先生：請向本報台灣總經銷處洽領稿酬。

△俞嬰先生：稿費單已於六日寄奉，請查收。

△王紹通先生：惠函暨款均收到，報已照寄，澳門推銷工作已設法改進中。

中共怎樣強迫銷債

·丁天立·

這是一篇有關中共利用選舉去推銷公債，和成立強迫推銷公債的組織的報導文章。我們由此可知中共之所謂選舉到底是甚麼一回事。至其剝削敲搾技術之陰險毒辣，佈置之周密完備，真可嘆觀止矣。此一報導雖僅限廣州一隅，其他各省市亦可推想而知。在中共此一措施之下，全國四億數千萬同胞，行將死無噍類矣，嗚呼！

一九五三年十二月三十日，廣州中共的「廣州市人民政府」、「廣州市協商委員會」和「廣州市選舉委員會」舉行「聯席會議」，產生了「廣州市推銷一九五四年國家經濟建設公債委員會」。這是為中共發行一九五四年六萬億元「人民幣」的「國家經濟建設公債」的中心任務組織。也即是說，這個「會」是為中共搾取廣州市民脂民膏的吸血機。廣州如此，其他各地也可想而知。

大可注意四點

中共推銷公債，假手這個「會」來推取、剝削，是怎樣進行的，可以從它的組合成分中找出答案來。

第一，這個「會」的組成者之一，竟有「廣州市選舉委員會」在內，以選舉來說，本是風馬牛不相及的，而中共卻要把銷債和選舉兩種運動聯繫在一起，這表示選舉，要用推銷公債來決定。這是針對附共各黨派的一種方法之一種。

例外，那便是「企業管理局」和「專賣事業管理局」，這反映出中共「地方國營」的工業企業部門，不負擔這「銷債」任務。而由中共的主管私營工商業戶的機構來負擔推銷的任務。

第二、這個「會」的重點，是私營工業企業、工商業、婦女、工人、農民。並且加重了工商業者、婦女二個部門的責任，在工商業戶中，尤以出入口業為主。在工人階級中，[illegible]學徒——青工——

第三、主持這個「會」的中心人物，是副市長、財經[illegible]也網羅在內。第四、一般平民的「銷債」責任，分別放在「婦聯」及各「區」行政上。所以「財政局長」、[illegible]「區」長或中共「區委書記」在內。

吸血鬼五十二個

現在要明白這「推銷公債委員會」的作用，必須了解它的成員成分，這會是由五十二個委員（包括正副主任委員、秘書長）組成的。茲將其成員分列於次：一、主任委員：魏今非（廣州市第三副市長，財政經濟委員會主任）；

二、副主任委員：黃長水（廣州市第四副市長、民主建國會廣州分會主任委員、廣州市工商業聯合會主任委員），李民欣（民革代表、廣州市協商委員會副主席），許崇清（民主促進會廣州分會主任委員、中山大學校長），黃民偉（廣州市工商聯合會主席），蕭[illegible]（廣州市民主婦女聯合會主席），羅培元（中共廣州市委[illegible]），古念良（廣州市財政局長）；三、秘書長：[illegible]；四、副秘書長：譚卓芬（廣州市工聯辦公室主任），楊玄生（市農事處長，市郊農民協會副主席），陳子彬（民建廣州分會副主任委員），蕭汎波（市工商聯秘書長），徐舜英（市婦聯執行委員、市協副秘書長），方少逸（民革代表、市協副秘書長），楊奎章（民主同盟代表、市協副秘書長），鄭梨亞（市婦聯秘書長、青年聯合會副主席），王炎午（新民主主義青年團廣州市委青工部長），荷茫（中共廣州市委統戰部）；五、委員：王生、保（全國勞模、廣州電業局發電廠副廠長），王冕農（人民銀行廣州分行副行長），方碩梅（廣州市天主教徒愛國會籌備委員），向平（河南區副區長），曲戰利（中共白雲區委書記，負責西村區域），古關賢（民政局長、市選舉委員會辦公室副主任），李達潮（衛生局長），何庶仁（工商管理局長），余美慶（稅務局長），周希友（珠江區長），林孟波（文化局長），林志澄（市工商聯副主任委員），封賢之（新民主主義青年團廣州市委副書記），馬冰山（教育局長），馬文雲（黃埔區長、中共區委書記），馬景龍（回族），孫樂宜（公安局副局長），徐亮（中區副區長），原基（郊區農會主席），陳秋安（民促廣州分會副主任委員，市工商聯監委副主任委員，化學工業公會主任委員），陳灑沛（市工商聯增產節約辦公室主任、大成行經理），陳國泉（市工商聯執行委員），張建和（隆行經理），張謙（西區區長），張瑛（芳村區長），黃永[illegible]（白雲區長），黃永安（市工商聯監委、進出口貿易公會副主任委員），梁湘（貿易管理局長），梁尚立（市工商聯副主任委員、青年聯合會副主席），梁培基（製藥廠經理），梁海（市工商聯執委、進出口貿易業公會主任委員，茂昌隆進出口行經理），郭翹然（民盟廣州支部主任委員，農工民主黨廣東支部代主任委員、市協副主席），梅日新（民盟代表），曾三多（省、市戲曲改革會委員），勞漢（市工商聯出席全國工商聯代表團員），溫兆奇（市工商聯執委）。

天羅地網民無死所

在這五十二個成員中，其成分屬於社會組織負責人（佔五十二人中，是工商聯、工聯、婦聯、青聯、農協等各界代表），以及各區行政負責人，這種情形說明了中共的財經部門，全面地直接和間接地控制了財政經濟各部門，是推銷公債的中心。在「銷債」的組織上，除此之外，以「區」為單位，也已分區負責，由中共各部門的幹部在各部門包攬。上述是我們所知的推銷組織的系統，天羅地網，在今天中共巧取強搶之下，民無死所。

中共更進一步——迫害知識份子

·沈秉文·

惡果必定嚴重

然而不論消滅也好，改造也好，在中共主觀的立場上，它雖達成其一定程度的「所謂「掃除障礙」和「鞏固政權」的目的；但在其客觀的環境上，必定造成甚多嚴重的惡果而身受其害。此種嚴重的惡果，綜合言之，至少已有下列各點：

其一、由於知識份子被消滅過多，或被強迫改造過嚴，已將整個大陸社會的文化精神動力扼殺，以致到處因循苟且，一片暮氣沉沉！其所影響於中共的，凡事非強迫命令，即不能推動一步；使中共所面對的是一個無機的死的社會！

其二、由於知識份子被消滅過多，存知識份子的被歧視、排擠過甚，不已使整個社會的文化水準陡然下降，且使中共遭遇幹部嚴重的恐慌。因此而在統治區域擴大和統治務增加的時候，不得不將能力低弱的下級幹部濫無標準地上升，而以大量無知識的工業「積極份子」補充提升了的下級幹部。結果：乃無論在機關、工廠、企業、或學校等部門，都暴出不窮的盲目、錯誤、偏差、

（中）

中國赤潮記

·胡冷·

Father R.J.De Jaegher 與 I.C.Kuhn 合著

李潘郁譯　亞洲出版社出版

（一）

共產黨竊奪政權，擾亂世界的一切陰謀詭計，應該源源本本地寫出來，以期改進我們反共的鬥爭技術，亞洲出版社出版的「中國赤潮記」一書，便是具有這種內容的力作。在短短的幾個月裏，這本書竟能在香港再版發行，就可以證明本書的價值如何了，同時也可以看出讀者們是如何熱愛自由了。

本書原名 THE ENEMY WITHIN（內敵），全書共分四部，二十一章。係比國雷震遠神父（FATHER RAYMOND J.DE JAEGHER）與美國女作家愛琳·科巴莉·庫（IRENE CORBALLY KUHN）二氏合著。但我覺得，本書好像是雷神父一人的自述，大概由於本書主角是用第一身單數，而書中幾件重要事實又只牽涉到雷神父一人的緣故。

雷神父住在中國將近二十年之久（書中沒有提到本書之另一作者），他曾忘我地為中國人民服務，並且把許多中國人從日寇與中共的魔掌裏解救出來；他與那位在戰時為拯救中國人以致捐出寶貴生命的雷鳴遠神父（VICENELLEBBE），同樣地贏得了中國人民衷心的感激。他自稱：「把生命貢獻給中國和中國人民，才算是達到了我的願望，而不至辜負終生。」

由於雷神父酷愛自由和眞理，他對反人性的中共暴政深惡痛絕。他之反對共產主義，純然是基於人道主義的觀點，他不忍善良的中國人民被赤色野獸屠殺，於是他毅不容辭地向赤魔展開了一幕又一幕驚險激烈的鬥智！

雷神父原是[illegible]於克里姆林宮，為他們的「祖國」作上，保持一塊乾淨的綠洲，以某種有組織的善的力量，來對付共產黨」（原書頁一〇三）。

可是這做得到嗎？共產黨能容許這樣做嗎？「惡」的土地中，是不能容許「善」的種子存在的，這將會影響到共產黨的血腥統治！於是，終以赤潮泛濫，雷神父竟不得不黯然地離開作為其第二故鄉的中國了。

（二）

宗教與共產主義是兩種基本衝突的意識形態，前者以慈悲為懷，其目的在拯救世人，而以道德信條作為人類行為的準繩；後者卻反其道而行之。二者之間，恰如冰炭之不相容，從宗教界人士之遭受到千古未有浩劫，便是這種矛盾的發展。作者在書中指出：中國大陸上各種宗教都被摧殘，「共產主義，是一股不可忽視的龐大反共潛在力量，這些虔誠的信徒，很可能一天會當起驅逐那羣暴虐無道的俄帝走狗。」以俄帝侵略者為首的共產集團，是一個整體，各國的共產黨徒必須無條件地聽命

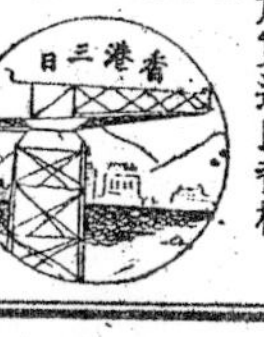

（三）

本書作者雷神父，時常因日寇和中共的殘酷，[illegible]

（上）

面臨三大問題挑戰　革新會採有效對策

香港革新會正面臨三大問題的挑戰，第一是選民資格問題，第二是立法局問題，第三則為社會福利問題。[illegible]

簽名運動波瀾

[illegible]

名器不可濫假

自由談

據聞：本月中旬開幕的國民代表大會，一共要推選八十幾名主席團人物來主持會務。我左思右想始終想不出何以需要這樣多主席的理由來，這樣將來主席團本身的會議就會一團糟。既名之曰「主席」，至少應該在大會中「主」一次「席」，才算是名實相副的。但，八十幾位大主席，一天以三人輪流執行職務，也得開上個一月的大會，如何可能？如果只是「主席」其名，多數人並不一定要執行任務，（有些人根本也缺乏主席的能力）僅是坐在特設座位上，擺擺樣子，試問：這算啥玩藝？與其搞出一大堆並不必要，也不能主持會務的主席，虛有其表，何不少些名額，教那真正具有主席才能的人，實行為大衆服務呢？既有這末一大堆掛名的主席座位，就有若干不自度德量力的俗人亦想爭得一席，表示其三代光榮的下意識，且便將來蹺了辮子發訃文時，也好寫上一道「曾任國民代表大會主席」的頭銜。除此以外，即使名列八十幾位主席之中，又有甚末光榮可言呢？然而，居然有人拚命活動，到處拉關係，甚至遠向海外託人遊說，不亦怪哉！

國民代表們選舉自己會議時的主席，一定是絕對自由的，我盼望大家實事求是，鄭重處理。第一是不必規定這末多的主席人數，有二十位也就行了。第二是要選舉真能勝任的人物，不可遷就人情，以「爛羊頭」之譏。第三對於某些拚命活動，而其才能又無足取，德行亦不足稱者，不妨付諸一哂，另從一般抱樸含眞，不屑奔競鑽緣，有所不為的賢士大夫中，予以遴選，表示「唯名與器不可以假人」的新政風，使我們新聞記者將來報導大會消息時，提得起興趣，認為真是那麼回事，庶幾不負人民的期望！

馬五先生

世界最奇異的小城　賣藝人樂園

・敏尼譯・

在美國佛洛烈達州南部，有一個撥爾小城，就是一般美國人也大多沒有聽過它的名字，但它却是世界上一個最奇怪的城市，不僅充滿了稀奇古怪的人物，更瀰漫着在這動盪不安的世界中所罕見的和諧與友善的氣氛。這裏的人民無不相互扶助，使它成了一個令人羨慕的幸福天地。這小城的正式名稱，是「吉布頓」，但它還有一個更通俗的別名，稱為「美國賣藝人之都」。

巨人侏儒　同掌警務

這個城市便是走江湖的賣藝人所建立，就是它的居民，也有百分之九十是平時奔走江湖的賣藝人，或因年老而退休的藝員。這裏維持治安的首長，是從前一個雜耍班裏的巨人，名叫阿爾・湯曼尼，身高八呎四吋半，現在擔任市內的副鄉長，但他的副手巴爾已「上校」，却是一個身高僅四呎二吋，相形之下，如小巫見大巫。

吉布市的最先創建者，是李梅夫婦。他們今日開設了一所小餐室，還造了幾所小木屋，租給來此作退休生活的賣藝人。他也又佈置了一個廣場，專供以拖車為家的賣藝人在此停放車輛。他們原來是……活動的人。他們因厭倦這種流浪生涯，渴念安定下來，十二年前，於是就在今日的吉布市以歷年的儲蓄購地造了一所小小的餐室，慢慢的吸引許多同業賣藝人在他房子周圍造屋安居，使這地方逐步發展為一個小城市。

君子餐室　自動付賬

今日這所稱為「艾迪茅屋」的小餐室，已是吉布市的社交中心，室內懸滿了各地和美國雜耍行業中名人的簽名，這些人有的已擺脫他們的本行，還有一些人則已在這小城開設店鋪。這家餐室由李梅太太管理，……軟性飲料，酒吧和廚房……只售啤酒和……因為出售烈酒須有執照……在門口放着一個大玻璃缸，顧客出門時多數把他們應付的錢就放在裏面，找……李梅夫婦說，這許多年來，很少發生顧客吃了不付賬偷偷溜走的事。在一般人心目中，江湖藝人或曾留下惡劣印象，但在這個他們自己的城市中，他們却已以行動來證明，他們極大多數都是正人君子，守着社會道德，並不如一般想像中的那麼卑鄙惡劣。

吉布市另一個吸引遊客的地方，是所謂「巨人營」，實際上，這只是巨人阿爾的居處，設在美麗的亞拉非亞河畔。他雖另有一個住宅，但却喜歡住在這河邊的帳幕，這是便於垂釣和划船。但因為他長得與人殊異，總會引來許多遊客，佇立不去，圍集四周，懷着好奇看情形，阿爾每會大聲對這些人喝道：「有什麼好看的，你們覺得我奇怪嗎？我體重三百五十六磅，身高一百吋！」

外貌可怖　心地善良

阿爾在他的副鄉長任務上，經常在深夜巡邏於市區各街道，腰掛手槍，並在褲後袋裏放着一支小鐵棍，兩端磨尖，準備握在拳心，與歹徒搏鬥之用。他雖然外貌可怖，心地却甚善良，在任職三年來，他祗拘押過二個竊賊，後來都是外來的罪犯，後則移解到九哩外的丹伯市警察局審訊了。

吉布市也是全國賣藝人的救濟中心，任何落泊的賣藝者只要能與這城市取得聯繫，或設法把他的窘困境遇通知這裏，他決不會流落街頭，吉布市自會有人立刻匯錢接濟他。在李梅的保險箱裏，經常儲放着九千至一萬元的借款，但他對借出的這些錢款却並不憂慮，他說：「當這些人生意不好，或碰到遊樂場休班的時候，他們自需要借錢維持生計，一旦他們再出去表演賺了錢，自會把他們的債還了的。」這句話充份表現了江湖賣藝人的義氣。

△圖片說明：吉布市的一對夫婦，妻子是馬戲班中的胖婦，丈夫却骨瘦如柴。

江湖義氣　互助團結

還有一件事也足以證明賣藝者互助團結的可貴。在一九三〇年時，吉布市一個……性的藝員……被捕……被控以謀殺罪……美國賣藝職業團體……。因此他們組織了……，這位經理……被判……。這位經理後來獲釋……依法上訴，所耗費用達五萬元之鉅，都是各地同業捐助，而以吉布市捐出者最多。這經理在最近……到吉布市來，……最近有一個……的女演員，名叫濤琪娜，因為身材矮小，別號「矮餅」，她和她丈夫，原在一個遊藝場……。她丈夫因心臟病逝世，他安葬後，……以後她便到吉布市來，……她在「艾迪茅屋」當女侍，還預先借支了一些工資，還清了以前的債。同時，一個著名的遊藝班班主，還讓她利用空閒，替這遊藝班縫製戲裝，可賺一些額外收入。以一個陌生人受到這樣的熱誠幫助，「矮餅」不禁大為感動，她說：「看到吉布市這些人，一個人不能不想到人類本性的善良和人情的溫暖。」（上）

感事

郭敏行

從此原期干戈無，輕舟一棄遨江湖，豈知大勝三年後，又見神州萬物殊，天運只憑人瑞轉，朝綱端賴臥龍扶，中興事業籌謀遠，放眼迥遭幾左胡。

其二

未死餘生已足羞，忍拋憂憤作清謳，將能一死千邊固，官倘無私百治修，自古奸貪生巨室，從來忠愛起林丘，當年文武天堂住，竟棄君王若敝舟。

近報載某某等將返國，若果，則人世之間，豈仍有是非功罪在耶？

論黃仲則的詩

為黃氏誕生二百〇五年紀念作

・王世昭・

郁達夫亦喜黃仲則，並及其詩，……於其中。……「十六首，立意與李義山的無題同，筆者嘗懷其二首云：……

太遲東方已絕蹤，拋離密約隔千重。何須更說蓬山遠，一角屏山便不通。」

又：

幾回花下坐吹簫，銀漢紅牆入望遙，似此星辰非昨夜，為誰風露立中宵。纏綿思盡抽殘繭，宛轉心傷剝後蕉，三五年時三五月，可憐杯酒不曾消。」

而其傳奇似又與元稹之與崔鶯鶯……

……李商隱……感情……慷慨……代，……詩……則給後人的影響尤深，稍治中國現代文學的人，類能道之，我也無暇為之詳述了。（三）

家住天台雁蕩間

・鐵頭・

頃接鐵頭先生函，「家住天台雁蕩間」一稿，尚有續稿未完，茲將續稿繼續刊佈如下——編者

那時也還有人要玩「水簾」及「銅壺滴漏」，（銅壺均天台著名風景，前者頗似……）

遊記上所說的水簾洞，水自高崖平瀉，遇石稜，飄反，飛沫如萬斛明珠，日光映之，晶瑩四射，有若珠簾。後者則兩大石巖相門如……，瀑水奔落其中，……百尺，因巖頂形圓似壺，中空如甕，終年有瀑水下注，故名銅壺滴漏。……

……遊「合龍潭」……就下山轉往雁蕩。……稀疏，房屋……少，蒼松古柏，……有一大桐柏宮，……兩石像……為伯夷叔齊，於是有人嘆道：「這兩位『聖之清者』……崑仲倆嗅光了，所以只好逃諸東海之濱。」又有人道：「薇蕨尚可延命，桐樹柏樹的葉子，是不能吃的呀！」更有一位慨然而道：「難怪桐柏古觀，如此荒敗，原來供的是這兩個不識時務的書獃子，如果改供火齋，香火一定大盛！」另外又有人說：「我以為改供趙玄壇，或及關雲長更佳，因為既有元寶又有大刀。」大家在誰不哄笑聲中，聽道士說：這兩石像是宋徽宗年間由大內頒給來的。又說此廟中有許多濟顛和尚的神蹟，衆人在帶信不信中喫了一點茶，又繼續前進。

續行不到一刻鐘，轉過一坡，忽見天際山巒疊翠，排排滾滾，迎面而來，乍然之間，疑以為是夏季雲層變幻的海市蜃樓，或是……的反映，否則那裏來的荒山野地，在這種如此大花園中假山石似的宏潤而又集中的景致呢？但仔細一看，是真的山峯！其可奇不是形狀偉岸，挺拔之處，恐怕名手藝術家，也難以任意彫塑得這般玲瓏剔透，正於是心中恍然大悟之際，要提醒衆人注意，喝采道，立時聽到有人：「好呀！你們看；前面就是瓊台呀！」

瓊台的形勢，前後左右遠近，盡為衆峯絕壑所包圍，儼然另成一個天地，自桐柏宮來此，一路傾斜，迭下層崖，臨近瓊台時，縱目四望，有如鍋底，而一峯突出重巒之外，彷彿是一個要飽看山景似的伸長了頸子，而伸出之處，三面俱是危岩峭壁，萬似深淵，偶一俯視，莫不股慄！崖右一溪，水勢滔滔，從西北萬山中，一鼓作氣，直衝峯下，是為百丈溪，與峯內復匯合各小溪之水，儲緊於一拗峯之脚，翠藹縈絡，深碧如黛，是即為百丈龍潭。（一）

記清代庫藏

明清二代庫藏，以北平言，各有十庫，西華門內有十庫，西十庫街，即其址也。余所見談清十庫者，以何平齋之春明夢錄為最詳，此錄僅為原稿，未見刊布，茲抄數節，其一云：「京師有十庫，而銀庫居其三，一紫禁城內庫，存款百二十萬，永不動用，一內務府銀庫，專收金玉珠寶，惟戶部之庫則專存銀，余在京十九年，奉命隨同查庫四次，每次存不過千一百萬，少則九百萬以上，當時全國之精華，現銀不過此數，甚矣中國之不富也。然當時政不繁，稅不重，雖不大借外債，而國計仍勉可支持。」

其二云：「京師銀庫，防制甚嚴，設管庫大臣一，以戶部侍郎兼之，下有司員庫兵，兵入庫門，雖冬季亦脫光衣褲，出庫時，設一板櫈，跨之而過，示股間無銀也，且兩手向上一拍，口叫出來二字，示脅下口中均無銀也，然其偷法仍有，則肛門貯銀也，間用豬綱油捲圓錠八十兩，恰可相容，但只能容半小時，否則墜落，然亦大可憐矣。」

其三云：「內務府六庫，最貴者為藍寶石，約兩指大，僅三斤，金鋼鑽大如青果核者二口袋，餘則金玉珠寶而已，宋元明古磁排列數十架，尤多名貴，若南薰殿庫存字畫，有歷代帝王后像，古湯武，唐宋以下則較全，徽欽二帝活畫出蒙塵面目，李白面白而鬚稀，杜甫面黑而胖，又有吳三桂門鵪鶉鬪皆特色也。又有王右軍墨跡及晉唐各名賢書畫至多，大雪天寒，不能細觀。」

其後辛亥革命，十庫均歸民國，清宮退居，接收者為內務部及總統府庶務司，所存大半入官，然散佚民間賤價標售者亦不在少，餘如圓明園之燬，庚子聯軍之刼，合併十庫計之，珍奇瑰寶，或灰飛烟滅，或流轉喪奪，其可勝哉。衡以萬物聚散之理，盈虛消息之常，固爽然自失，即以吾國民性破壞過於建設之史例觀之，此二千年中，吾民自造之菁英，而自毀之，凌夷至今，又豈偶然耶。

・太希・

自由人
中華民國僑務委員會頒發登記證台數新字第一零二號
中華民國郵政登記第一類新聞紙類
THE FREEMAN
（半週刊每星期三六出版）
（第三〇八期）
每份港幣壹毫
督印人：李光華
社址：香港高士打道六六號
電話：七四〇五五三
GLOUCESTER RD HONG KONG TEL: 74053
承印者：東南印務出版社
地址：高士打道六十四號
台灣特派員辦事處：台北市館前街五十號
台灣總經銷處：台北 中華路五九四號之一
台灣郵政劃撥儲金帳：九二五二號

如何建立亞洲的反共陣綫

期待對日本作進一步的考慮

·左舜生·

眞正要由亞洲若干反共國家組成一個像樣子反共同盟，其必須具備的條件，實在多到不可勝數，而美國的大力支持，不過是許多條件中的一個。

這一同盟的性質，自然也是文化的，經濟的，但其主要的色彩却是軍事的。

反共少不了武力

打倒共產黨也罷，防禦共產黨也罷，都必得訴諸武力，如果不是以軍事爲主要成分的同盟，這種同盟便有也可，沒有也未嘗不可。

現代軍事的基礎在資源與工業，不幸今天可以着手構成這一同盟的若干國家，大抵都是資源異常貧乏，而工業潛力特別薄弱的部分。

今天亞洲若干的反共國家，不談建軍則已，一談建軍擴軍，則一切現代的軍器與輕重武器，乃至一切與現代軍事有關的一器一材，都不能不一一仰賴於美國。如果這一補給現象只是一時的，還好，假定是一種已深的惰性，成爲永久性的需要，我們眞不能想像這類國家，今後將何以立國？李承晚先生高呼：得美國援助也將反共，不得美國援助也將獨立反共，這種壯志，自然令人欣佩，但其如事實不許何呢？

如何了解日本爭取日本

環顧亞洲的這許多國家，日本的資源自然也是非常貧乏，可是她的工業潛力却在亞洲諸國中首屈一指，而人力的豐富與科學技術的修養，也足以與之相當。

我們今天在亞洲，不談徹底的反共則已，眞要想徹底的來幹一幹，便沒有放棄日本而不加以爭取之理。

我們爭取日本愈急，日本的討價[illegible]，同時蘇聯與中共因誘惑日本所佈下的迷魂陣也一天一天的來得愈急切而愈周密，有利誘，也未嘗沒有威脅。這種情形，[illegible]全面。在這樣的一種空氣之下，使得日本負有實際責任的人們，儘不敢輕於採取行動，同時也不敢輕於表示態度。我們不要誤會日本的少數當局，在那裏故弄玄虛，其實我們設身處地代他們想一想，他們除掉瞻前顧後，不即不離，在保持安定的現狀之下，求得自身實力的增進，靜待世局的變化，以覓取一個大體上於她有利的時機，然後決定她最後的方針以外，更有何法？何況日本由極盛而經過一度的慘敗，其一種孤臣孽子的心情，實已深中於全國的各方面，今天列舉他們的政治人物，以言細針密縷，則尚不乏其人，求其大氣磅礴，敢作敢爲，則實難其選。如果我們不能深切的體會到如此等等的方面，而想動以一種淺近的利害，或廣泛空洞的經濟文化提攜，則日本的有識者，固已齒之爛熟，即令在原則上她也可以敷衍出之，曾何足以增減其國策於毫末？

必得透進一層去做

可是話雖如此，我們要求亞洲問題的解決，則日本的爭取，乃終於不能放鬆。不過今後着手的方法，總得透進一層深刻的去做，千萬不可淺薄廣泛而流於形式。蘇聯至現在爲止，其對日本的方式，也還是淺薄的，可是已經比較我們的來得切實，在今後的二三年，時間越來越緊迫，他們對待日本的手法，也一定會越變越緊湊，我們應付日本的人物如此，方法毫無，默念前途，實在是令人不寒而慄。

很顯然，日本當前確有若干的困難問題必須解決，有的已經追不及待，有的也只能稍緩須臾。減輕日本的這些困難，不獨亞洲的直接有關國家，不能不引爲己責，即美國亦不能置身事外，乃至英國也不能不多方考慮。不能爲他人解除困難，而期待別人分担我們的憂患，這不僅國家與國家間辦不到，即個人與個人間又何嘗能夠辦得到呢？

猜忌他人並無用處

現在亞洲的若干國家，鑑於日本以往種種的侵略事實，看見日本不到十年，居然又已再起，而美國的態度，又相當疏闊，乃不勝其慄慄危懼，其實今後的日本是否能與我們和平相處，或仍以我們爲侵略的對象，其關鍵並不完全在日本，毋寧說大部決於我們的自身，而一味的去猜忌他人，忽視了自處之道，這非徒無益，實害莫大焉。

最近因爲南韓有一由崔德新率領的兩君領導的友好訪問團出動，其所準備訪問的地點，爲台灣、越南、寮國、高棉、馬來亞、緬甸六處，而日本菲律賓等不與焉。其目的固在聯合各國，而有一亞洲的反共同盟出現。據說是否應約日本爲加入該同盟的一分子，亦將與各方面充分交換意見。我因爲對如何應付日本這一問題有如上述的一些感想，不揣固陋，特提出以供參考。

美國的中東政策

·長林譯·

美國對中東究竟有沒有確定的政策呢？就是美國人也有許多會發生這個疑問的。從表面來看，美國在這方面的表現，確是令人難以捉摸的。其實美國對於中東，不但已有確定的政策，而且是一個完整的政策，這就是威爾遜總統很早便提倡的民族自決的原則。不過自蘇俄在這方面也利用民族主義的幌子，來遂行其共產主義的滲透以後，美國對中東政策的目標，便沒有原來那麼易於被人認識吧了。

我們試就美國最近中東方面的措施，便知其政策的輪廓了：

美國和以色列的關係

先從以色列來說，這個新興的國家，本來是在杜魯門總統強力支持下建立起來的，這強力的支持，曾經使美國在阿拉伯國家中的威望，大受影響。到艾森豪總統執政，才把這個頹勢改變過來，其表現於行動者：第一，視爲以阿糾紛的焦點之耶路撒冷，美國是反對以國遷進去的，所以她的大使，從來未准許到過這聖城，駐在這聖城的美領事，也從未與以國的外交部有過往還；第二，曾經計劃以七千五百萬借款來調濟以國的金融，也給艾森豪總統拒絕批准了；第三，去夏以軍攻擊外約但事件，美力主嚴予譴責。美國堅持這種態度，不是沒有危險的，因爲以色列在中東國家中，是唯一未宣佈共黨爲非法的國家，對俄也在迎拒之間，很容易迫其偏向他方的；但美國並不顧慮，爲的是保持超然的地位，以便從中調停。

以色列和阿剌伯的糾紛

說到以阿紛爭的根源，彼此都存着一個基本的疑懼：在以國則認爲一旦疏於防禦，便會被阿拉伯人驅到海裏去，他們相信，當阿拉伯集團稍爲發展而團結起來的時候，必定這樣做的；在阿拉伯國家則認爲以國的復國憲法，准許無限制的移民源源進來，這是以國的國土和資源都不容許的，其勢必將向外擴張，而及於鄰邦；且認爲美國對此會加以援助或默許的。前次杜爾斯到中東旅行，便充分的體認到這種思想，回國後，採取了對雙方不干涉的政策。對糾紛的本身，雖然不干涉，但已被擯斥出來的八十五萬阿拉伯難民的問題，却不能忽置的，因爲這些難民營就是共產主義的搖籃，而以國則認爲和平未確立前，對這些難民財產賠償，不加考慮的，阿人則認除非這些難民的財產得到賠償，和平是不可能的。於是美國去尋求解決的辦法，計劃把他們遷往敘利亞，伊拉克，和約但去。所以主義者們應知，阿拉伯難民的同情的話，則美國人對阿人的同情便會一天一天的增加。

關於伊拉克，沙地阿拉伯和葉門等區的石油資源問題，美國是採取「脫手」政策，原因是由於現存的石油公司已與當地政府建立起良好的關係。不過美國對通過技術合作，對這些地區的灌溉工程，防疫措施，土壤的保護，糧食增產，以至教育衛生等，都盡了協助的能事。

埃及和土耳其的問題

艾森豪政府對埃及自主的願望，是表同情的，但由於蘇彝士運河的戰略價值，軍事設備，與乎英埃的感情用事，這個問題是不易解決的；但如不承認埃及主權的嚴重，則問題更難解決。美國對這方面決策的準繩，是要想出一個方案，既能適應軍略的需要，又可維持英國的威望，更能滿足埃及民族主義的熱望。

關於土耳其，美國的政策是得到極好的反應。當蘇俄冀提其想染指達達尼爾海峽管理時，其動機即被土耳其識破，再肯如往昔之受其愚弄。土國對此如稍欠警覺，則中東已非今日的局面，現在黑海國家[illegible]海峽，自是土國的堅[illegible]對土政策的目的，是[illegible]和自立，過去六年來[illegible]軍事物資和機械源源[illegible]揮效能最大的利用，[illegible]土耳其的成就，是沒[illegible]的。

伊朗石油問題最棘手

[illegible]，要算伊朗問題了。[illegible]不能說是不合理的，[illegible]期限尙未屆滿一點，[illegible]，美國政府從未反對[illegible]市場；而對英商公司[illegible]國也認爲必要的。但[illegible]賠償多少和用什麼來[illegible]賠償標準，應按特許[illegible]的利潤來計算，但爲[illegible]伊政府的利潤和稅項[illegible]對此從來沒有公開表[illegible]反對，而認爲英商公[illegible]伊人目爲尋向伊朗施[illegible]。這自然是受蘇俄御[illegible]的鬼，而莫薩德當時[illegible]一方是對蘇暗送秋波[illegible]騙，實趕走了英國，[illegible]料當石油問題鬧得最兇時，艾森豪總統的公開信，竟謂除非英伊石油公司糾紛獲致解決，伊朗是不會得到美國的借款。這對莫氏的威望打擊很大，不但伊朗人民識破其騙術，即杜德黨也不再信任，其倒台之速，這未始不是一個促成的因素。到希沙第政府成立，美對伊政策的眞面目，才漸爲伊人所認識。

要從方法達到目標

綜觀美國對中東政策的實施過程，其所遭遇最大的障礙，一是時間，一是諒解。現在中東國家的政府領袖們對美國政策的目的，還未暇作深入的了解，而全神去考慮俄式制度之取舍問題。時間的因素是無能爲力的，因爲美國在中東的措施，如協助土地改革，資本與工業的發展，灌溉工程，政治制度的改良，以至農業，衛生，教育的改進措施，都是不能在短期內見效的，但當共產黨人告訴他們如依俄式的辦法，則明日便可見效時，他們怎會呆等美式的援助呢！說到彼此間的諒解，中東人昧於美國的眞相，是不願深責的，就是一般美國人對中東也一樣的無知，他們所知中東的事情，大都是由天方夜談，十字軍歷史和聖經的故事而來。於此，要怎樣大規模的文化交流工作，是刻不容緩了。美國人過去好像牢記着：合理的目標自會孕育正確方法，現在要倒過來，多多研究正確的方法，以期達到合理的目標了。（節譯「現代史料」，奧海奧大學歷史教授華雪原著）

半週展望

·陳克文·

談判統一必然失敗了！

西方國家想藉政治會議以統一南北韓，藉柏林會議以統一東西德，到目前，這兩個希望似乎都要全歸於幻滅了。柏林會議，蘇俄不僅不肯接受德國自由選舉的原則，反而提出排斥英美的歐洲安全計劃。韓國政治會議，中共不僅不肯撤消汚衊美國的聲明，反而暗中增加空軍實力，破壞停戰協定，準備隨時南侵。

中共支持下的越南共軍侵略戰爭，更隨柏林會議而日益加緊。蘇俄在最近的選舉宣傳文告中，儘管高唱和平濫調，同時又極力強調整軍。在這樣國際情勢之下，韓德兩國是絕對不會由談判達到統一的，越南戰局也絕對不會和平解決的，如果美國能夠及時援助，最多也祇能做到南北越分裂，成爲對峙的局面而已。談判的作用只能拖長冷戰，增加分裂，不能爲世界製造和平，只能增加危險。已分裂的不能統一，未分裂的還要分裂。談判失敗之後，很明顯的要回復到軍備競爭，（實際上軍備競爭始終沒有停止過），和經濟戰爭兩途。如果東西雙方都自覺爆發全面的世界戰爭尙無把握，不敢輕於啓釁，今後便要看那一方面對內部的經濟力量和政治秩序能夠維持長久，不至發生變亂，便可以取得勝利。

東南亞多事之年

現在，很明顯的，東西雙方都決心朝這一個方向走，因此冷戰的局面還是會相當長的，東西惟不問大戰到底會在三兩年內爆發與否，制度的優劣便是將來勝負決定的最大因素。

儘管如此，世界大戰還是有隨時爆發之可能的，李承晚總統已聲言要進兵北韓，驅逐中共，並表示南韓軍隊可以入越作戰。美國對此態度尙甚模糊，共產集團對韓戰的軍事進攻，從來便沒有放鬆過。他們也許在歐洲採取守勢，在遠東是一定採取攻勢的。因此第三次世界大戰很可能隨時有在亞洲爆發的可能。

越共軍現已距寮國王都不過數十里，所以遲遲未肯進攻者，當非軍事上的理由，而是政治上的理由。蘇俄要利用越戰威脅法國，拆散西方團結。在共產集團看來，現在囊括整個越南已經不是大困難的事。暫時緩進，可望法國脫離英美，拆散歐洲防衛軍的組織。軟弱動搖的法國，是很不容易掙脫蘇俄這一套陰謀的。

蘇俄的歐洲安全計劃即使不能成功，如果法國動搖了，歐洲防衛軍的組織散渙無力，東西德依然分裂對峙，蘇俄在歐洲便已較爲安全，大可利用中共對脆弱複雜的亞洲，肆行侵略。我們相信今年是東南亞多事之年。西方國家如果還是應用對付韓國和德國的策略對付東南亞，今年一年之內整個東南亞必將落於鐵幕之內無疑。

太平洋防衛組織急不容緩

共產集團對亞洲的積極行動如此，亞洲反共各國最主要的自救政策自爲太平洋防衛組織的建立，這一運動自去年蔣李兩總統發表共同宣言後，至今所得反應殊多冷淡，一因對日本的疑忌，又一因美國採傍觀態度。

南韓已公然反對日本，菲律賓以整頓內政爲名，實則對日索取賠償。日本過去的侵略行動使亞洲各國未能忘懷，當屬自然之理。然而大敵當前，孤立分裂決非求存之道。排斥日本不僅削弱了防共力量，且亦不足以預防日本軍閥侵略主義之復興。反之，反共各國如能團結一致，憂戚與共，互助互衛，才能夠使日本從戰敗殘餘，步上復興，進入民主政治的坦途。我們希望亞洲反共各國能夠捐棄前嫌，爲將來大局着想，從速成立此一組織，亞洲問題必須亞洲人共同解決。我們有此決心，友邦的傍觀態度，也會趨於改變的。

美蘇軍事情況談

台灣權威人士觀察

今年不至發生大戰

台灣通訊

原子彈和氫彈

【台北特約通訊】頃據一位熟悉美蘇軍事的權威人士對記者談，今日人人不可不知道美國在廣島及長崎投下的原子彈，正如三十年前，人人不可不知道無烟炸藥一樣。氫彈和原子彈，都是因原子的電子及中子的鎔合或分裂生熱而爆炸，以發揮毀滅的威力。探得原子分裂原理，製造爆炸彈，是英國科學界首先發明的，現在已有了十五年歷史。當年美國因爲試驗如何運送及投放，前後達十八次，傷害人員達七百餘人，然後才知道包裝和運用方法，不再驚事。

氫彈毀損的力量比原子彈還大五十倍。民國四十一年十一月，美政府在太平洋上一座三英里長五英里寬的安尼威吐克（ENIWETOK）島，試放氫組合物。六小時後，空軍前往偵察，發現該島已沉在海面以下，因此大家都驚駭不已！認爲氫彈製成後，對於人類的毀滅力量實在可怕。幾年前，大家相信誰備原子彈最多，誰就可穩能作持久戰，以至獲得最後勝利。現在看起來，如果使用氫彈，就要看誰先下手，受炸的對方，是根本沒有抵抗能力的了。

蘇俄還沒有氫彈

馬林可夫在民國四十二年八月八日，宣佈蘇聯已有氫彈。據美國科學家推測，蘇聯可能已有方法製造氫組合物（H.DEVICE），但尚不能製成氫彈。蘇聯在第二次大戰期中，以盟國的身份，聘請英國劍橋的萊德弗子爵試驗所兩位原子核專家到蘇聯去。至今這兩個人還沒有回去英國。據此，可以推測，蘇聯也可能造有原子彈。美國國家安全委員會，在民國四十二年十月七日集會，討論六小時後，艾森豪總統即於次日宣布，蘇聯是年八月十二日的試炸，可以證明該國已有方法製造氫組合物。因試放原子彈和氫組合物，並不能保守祕密。蓋散在空間的電波在一千五百英里以內，二十餘日之後，還是可以測驗出來的。

美國如製造氫彈，每枚的費用爲二億至四億美元，三個月至六個月的期間，即可造成。此外要待解決的，就是如何運載，以確保途中的安全，以及如何投放而已。蘇聯製造氫彈，費時恐要一年以上，才能製成一枚。至於解決運送和投放的問題，倘更須兩年以上時間。美國新聞界之所以宣傳氫彈，一方面是安定民心，自詡已有超級武器，另一方面也是爲警告蘇聯，使知所恐懼不敢妄動。

美國的最新型機

現在美國最新型的長程B—52飛機，較之前一年的各型更大更好。去年一月，B—50型試飛，能拖掛一驅逐機，飛入敵方雷達網陣地，仰空上升，放下驅逐機，飛速投彈。改進後的B—52，航程可達五千英里，並且可在空中加油，有四個受油管，同時灌注，五分鐘即可完畢。蘇聯雖密佈雷達網，但飛機的速率如超過每小時六百英里，而又在高空飛行，則雷達網就不能識辨飛機的性能。又長程飛機如果在上空轉向百分之三的角度急飛，驅逐機就無法襲擊。所以，如果第三次大戰發生，美國必須在海外基地安置各種飛機，以包圍蘇聯。

海外美基地包圍蘇俄

第三次大戰，美軍的轟炸目標自然是烏拉山以東的蘇聯重工業地帶。民國三十六年後，蘇聯爲了自身安全，和便於控制遠東起見，已將重工業兵工廠遷移到烏拉山以東地區。美國自杜魯門總統時代起，已推行了海外基地政策，如今美國在海外的基地已達三百四十處。從美國北飛，超過北極，轟炸烏拉山以東地帶，途程最短，但也有二千二百多英里。如果在地圖上，以烏拉山爲圓心，用圓規畫一個二百英里直徑的圓周，即可發現在圓周內外都已有了美軍的基地，準備着對蘇聯施行轟炸。

米格機的性能

蘇聯的軍事，因爲鐵幕嚴密，外間不易知道。但美國仍然獲得許多正確的資料。如以米格機言，美國已經查出此機共有三種，並證明其最初閱樣，是蘇聯從英國購買去的。已往在韓國戰場上被擊落的，和韓共駕駛投誠的，都屬於第一種。波蘭飛機師駕駛投誠的，則屬於新式的第二三種，經過試驗和檢查，已知道該類型機速率雖高，但祇能續航一小時又五十分鐘，所以已往的米格機，都只在鴨綠江附近飛行，從不敢南越韓戰場的三十八緯度。根據上面的事實推斷，可以預料美蘇今年之內還不至於爆發大戰，因蘇聯在軍事上尙處於劣勢地位，決不敢爲戎首的。因此馬林可夫的和平攻勢和共黨對東南亞的軍事滲透政策，將更見劇烈。

不屈於暴力的學人—梁漱溟

人物述評　紹苹

（三）

民國廿年前後，漱溟實回山東，創辦山東鄉村建設研究院，這個學院轄有兩個實驗區：一是鄒平縣，着重全面鄉村建設，從教育、生計、金融，自衛各方面的改進着手。一是荷澤縣，只偏重鄉村自衛，到了盧溝橋事件發生以後，這個學院才被迫停辦。

抗戰發生，他最初被選爲國民參政員。民卅年他和張君勱，左舜生等組織民主政團同盟，想把國共各走極端的距離拉近，他是最熱心調解的人。這一年他離開重慶到香港創辦光明報，曾把這些調解方案公佈出來。同年冬日軍進攻香港，他住在半山區，日軍的砲火漫無目標亂轟，砲彈落在附近，他仍然安詳地照常讀書，可見他的鎮定功夫。香港淪陷後，他逃回桂林，他寫了一封有名的家書——與寬恕兩兒書——他說，「我不能死，我若死，天地將爲之變色，歷史將爲之改轍！」這是中國讀書人一種任道心情，以前章太炎先生因蘇報案，被關在西牢裏亦同樣有這種自負。「仁而爲己任，死而後已」，這正是一種中國讀書人宏毅精神。

（四）

漱溟是個老實人，參與實際政治是不適宜的。因此他於民卅五年調解國共糾紛失敗後，便回到重慶北碚他一手創辦的勉仁中學內，閉門著述，完成他二十萬字的巨著中國文化要義。到中國大陸變色之後。他被迫到北平，出席紅色政治協商。民四十年，他在光明報發表了「兩年來我有那些改變」，以教訓代替坦白，嚴肅的向共產黨人教訓一頓，他說「人的思想是求通的，通不下去，才變。總是變以求通，沒有變以求不通」。又說「我不能向不通處變。」這一項精神，表示中共雖有五百萬大兵，亦不能征服中國讀書人的思想。當漱溟再度斥責中共的消息透露出來的時候，左舜生先生在本報慨乎言之說，「只有讀過中國綫裝書的人，才能夠保持讀書人的氣節。」這種呼聲，將振勵無數人的心絃，爲眞理抵抗暴力而奮鬥。他的著作有印度哲學概論，東西文化及其哲學，漱溟卅文錄，鄉村建設論文集，中國民族自救運動之最後覺悟，中國文化要義多種，他的著作將和他的精神永存於天壤不朽。（下）

俄商船偵察美艦隊

據西方國家在義大利所佈置的反間諜網報告，蘇俄正利用一艘名叫「安得列夫」的商船刺探美地中海艦隊的情況，以及北大西洋公約組織在那不勒斯活動的情報。這艘商船已在那不勒斯「修理」了一年以上，每次船塢當局促其駛離的時候，俄船長總利用各種藉口，一再延宕其啓程的日期。據說，那艘商船的船員全由俄國特務所組成，他們的使命是在觀察並將美海軍的武器及設施偷偷用像機攝下。

捷總統亂槍中逃生

最近奧京維也納盛傳，去年十一月間曾有捷克反共志士進行暗殺捷總統柴波托基，只可惜未獲圓滿的戰果。這個故事傳開來後，布拉格共產政權極端感到頭痛。據說事情係發生在十一月七日，有捷警四人因此斃命，而捷總統柴波托基也在亂槍中僅以身免。這些傳聞雖無法獲得確切的證實，但有一件事情卻是捷共政權所無法否認的，那便是自去年十一月以後，柴波托基即稱病告假，久未至總統府辦公。

俄使館中和平酒會盛行

天下小事

蘇俄正靜靜地在華盛頓及柏林同時展開和平攻勢，一向門禁森嚴的俄國駐美及駐東德大使館中，近來不斷有小型酒會上演，招待的節目通常是：演一幕富有宣傳意義的俄國影片，盡客人開懷暢飲香檳，伏爾加及威士忌酒，然後在客人半醉中供給一頓豐富的晚餐。同時各報記者也多數接到俄大使館的請帖，與蘇俄外交官員共進午餐，而在宴會當中，俄大使館參贊，都極力表示，他們願意作各種程度的商討，談判東西方關係。（孟衡）

編者讀者

△讀者來書▽

王劍鋒先生函

「李宗仁已往把持廣西，當其獲選副總統後，親手斷送大陸，自己挾國庫巨款，偷安異國，既不返台共赴國難，復在異邦包庇貪官，詆毀法統，破壞反共團結力量，我們要敬告第二屆國大代表們，對李宗仁要予以彈劾，切勿姑息循情，一錯再錯」。

羅佈疆先生函

「我們常聽到警誡爭名位的人有一句話——居極思危。今日，無論李副總統過去在北伐，抗戰時的功勳，以及剿匪戡亂時的供獻，在名位的眼光來看，都已經是居極了，居極思退，才是明哲保身。所以我要諫李副總統，宜退讓，同時不能爲士所用。還請李副總統再思之。」

△編者的話▽

吳康、太希、孫旗、韋政通諸先生：惠稿均收到，至感謝！

副總統問題的讀者意見

討論副總統人選問題的文章，本刊發表的已經不少。惟尙有若干讀者惠稿或來函，均具寶貴意見，因篇幅所限，未能盡量刊出。現國大會期已近，不宜稽延，特將未刊布的，摘其要者，披露於后，藉見輿論之一斑。—編者

眼光要看大陸民心

「今日自由中國所代表的不僅台灣八百萬軍民和海外二千萬僑胞，還有大陸上四億五千萬受共匪壓迫的同胞。故任何決策，必須首先把眼光放到大陸的民心上去。我認爲副總統的人選要能夠符合海內和大陸民心，必須把握三點：（一）對於保持國家民族的融和與團結，能夠發生作用者；（二）在過去反共鬥爭上，曾有事實的表現，可以堅定人民的信心者；（三）在國際上具有聲望，可以獲得友邦同情者。」（鄧麗析 台北）

應由蔣總統決定

「從事實看，還裏有一個最基本的事實，總統當然是蔣先生了。副總統候選人無論經政黨提名，或國代連署提名，決不能不與蔣先生配合，蔣先生的意見，當有其決定性的份量。現在傳說中的候選人，各有千秋，我無意一一置評。但就事實而言，個人看法，副總統人選仍以蔣先生的意見較有決定性，公正賢明的輿論，自亦足以促成蔣先生的最後決定。」（純熙 台北）

應選國民黨以外的人

「關於副總統，就我個人愚見，以爲應由國民黨外，選出一位有豐富學識，崇高行誼，素孚衆望的社會賢達來担任。這樣，在國民黨方面，可以充分地表現有容人之量，能夠虛心容納黨外人士的民主精神，使各黨各派以及全國的民衆，都有信心地與政府衷誠合作，團結一致，爲復國的大業而奮鬥。友邦亦將樂予給以更多的援助。」（陳文受 九龍）

要選讀書明理的人

「關於選舉副總統，我衷心擁護胡適先生競選。我之所以擁護胡先生，倒不是因爲他沒有黨籍，而是因爲他是一個讀書明理的人。如果他當選副總統，我深信：第一他不會貪污，第二他不會鬪派系（至少不會利用副總統的權力或影響造成自己的勢力），第三他不會無法無天（重法治尙民主），就憑這三點，即足以轉移一代政治風氣而有餘，所以我衷心擁護他競選副總統。」（鄭健才 台北）

胡適是蔣總統好助手

「副總統人選問題，胡適是理想的副總統人選。爲什麼？（一）他主張「解放蘇俄」（四十一年十二月卅日在台北演說）；（二）他是國內外有數的學者；（三）他具有優良的風度、年輕、健康；（四）反共意志堅强，人格高尙；（五）無黨無派，大公無私，態度超然。我想：如果胡先生當選副總統，蔣總統就有了好助手，反共抗俄前途光明燦爛，國內外人士必無怨言。」（華中 台北）

大陸文化界的號召力

「討論到副總統，胡適先生是最理想的人物。報載，胡先生將堅辭候選提名。我希望這消息不確。也許胡先生不願意由政黨提名，倘由各黨各派協議提名，或者就無所推辭了。胡先生似乎不宜極力謙讓。我期望胡先生任副總統，是爲中華民國全民多數的要求，和舉國一致的利益。胡先生對大陸文化界知識份子有極大的號召力，倘由胡先生與蔣總統配合，反攻大陸一定會有事半功倍之效！」（辛子 九龍）

胡適蔣廷黻擇一選擧

「我想國大代表諸公，在南京雖然是選錯了副總統，但是總算表現了議會的自由意志，總算差强人意！今天的環境，平心靜氣的講，要是爲了國家的前途，只有在胡適、蔣廷黻二人之中選出一個來，才是適當的人選。」（爲公啓 台北）

敢作敢爲的精神

「副總統候選人除應具備攘外安內的才幹外，最重要的是敢作敢爲的精神，我主張閻錫山氏出馬，他有理論和見解，有實際評論，而反共堅決。爲許多人所不及。」（葉非葉 台北）

以廚房哲學看副總統

「我以主婦兼下女的資格，於終日週旋廚房之餘，不揣簡陋，也來參加討論國家大事，廚房哲學，未嘗不可以應用到政治方面呀！美國總統艾森豪威爾之當選，得力於婦女界之贊助良多，回顧我們的國家也號稱民主，是否珍視婦女們的意見就很難說了。副總統的人選，我認爲最適當最理想的莫過於魏道明先生。他忠於國事，反共意志堅强，過去有成就，有高度政治常識。我並非有意捧場，只是代表我個人的意見而已。」（徐毓英 台北）

香港教育的補助機構

·吳壽頤·

香港教育，除了教育司負管理專責外，尚有兩個輔助機構組織，爲研究香港教育問題者所不可不知的。一個是高等教育委員會，一個是教育咨議局。現在先談高等教育委員會。

高等教育委員會是經輔政司奉督憲命令，於一九五一年十月廿九日委任的，委員共七人，包括副教育司廳根，香港大學註册主任米勸，培正中學校長林子豐，渣甸洋行董事長鄒士域，律師廳亞利孖打，僑領利銘澤與馮秉芬。指定鄒士域爲主席，並派教育司麥里爾爲秘書。

該會的任務大致包括下列三點：

（一）調查研究本港目前之普通及職業高等教育之需要，現在究已如何適應或計劃適應此種需要，以及將來爲適應所需之各項設備。

（二）研究及建議應採何措施，以滿足上述需要，能否利用現有學校及組織予以實施，抑或須另行設立新機構。

（三）研究該項計劃能達到自給自足之程度，以及所需增加的補助及地方之可能來源。

該委員會曾在一九五二年九月在立法局會議席上發表了一篇報告書共二十九項，就是一九五二年敎育條例的嚆矢。

這委員會的設立正如該會主席鄒士域所說，該會是民衆團體，負責調查和建議，旨在促使高等教育配合和滿足本港社會的需要。因此我個人意見認爲若能增加香港教師會的代表及對敎育特別有研究的專家作爲委員，則收效當能更宏。

其次談到咨議局。查一九五二年敎育條例第一篇緒則中第五條第一款規定設立敎育咨議局。第二款規定：「總督認爲對敎育事項有資格代表社會觀點之人爲該局之適當人選，任期由受任之日起至是年十二月卅一日止」。

該局委員，大抵以非官方人士佔多數。這一項立法原意很好，但人數多少？人選及任務如何？該局與高等教育委員會的職權又如何劃分，還沒有清楚，況且任期最多不得超過一年，時間太短，能否做得成績出來，亦成問題。

我以爲這兩機構，如能運用得宜，作深入的研究和檢討，草擬具體可行的方案或改進意見，對於香港敎育一定可以發生良好的作用。

中共報紙透露秘密
强迫銷債數額驚人
遠超公開總數人民一片恐慌

此次中共發行的所謂「經濟建設公債」，拚命向華僑眷屬逼揹情形，日前本報已有所報導。中共此次發行公債之表面數額雖爲六萬億元，其實際發行及逼銷之數額遠不止此。現據最近獲得大陸各地中共報紙零星透露之資料加以參證，業已證明本報前此之推測爲不謬，且已能從中共各地此種零星透露之資料中推算出一個大致可靠之數額，此一數額，實驚人鉅大。

空前大騙局

中共此次發行所謂「經濟建設公債」，並飭各尾巴黨派代爲宣傳「人民力能勝任」云云，完全係一大騙局。實際上，中共發行公債之數額確實並無限制，除一面以六萬億元之發行額，及工商界三萬二千億元，農民一萬八千億元和機關人員一萬億元之分配認購數額加以掩飾外，一面而以非常超額之數字分別向各地區及各單位逐級分攤，而以「動員」、「鼓舞」等方法普遍展開强迫認購，使達成其祕密及預定之要求，甚至更傾其全力使之遠遠超出預定之要求。

僅以中共中央「經濟建設公債推銷委員會」分別向各地區各單位逐級分攤之數額而言，原已驚人龐大。據天津大公報透露：僅天津一市，分攤數額即達三千二百億元；北平一市，分攤額達四千億元；瀋陽一市，分攤額達三千億元；大連一市，分攤額達兩千八百億元；濟南一市，分攤額達兩千二百億元。據上海「解放日報」披露消息：上海一市之分攤額達一萬億元；南京一市，達三千億元；武漢三鎮，達五千億元；南昌一市，達一千八百億元；杭州一市，達兩千八百億元。

據北平「人民日報」披露華南及西南方面消息：重慶一市之分攤額達三千四百億元，成都一市，達兩千二百億元；桂林一市，達兩千四百億元；昆明一市，達兩千億元；廣州一市，達五千億元。僅上述部份都市之分攤額已達五萬餘億元之多。

公開數額自相矛盾

倘依此種情形加以全面推算，則整個大陸尚有不少若上列第一、二流的城市（如旅順、鞍山、西安、青島、蘭州、長沙、福州、廈門、貴陽等等），及更多更多第三流的城市，中共在此等城市中分攤公債的總額，照常識估計，當不會少於前列總額的兩倍，最低限度，必在十萬億元以上。

其次，還有更多的省轄市和大小不等的縣城，倘以每一縣市的平均分攤額照上海的兩百分之一——五十億元計算，則整個大陸姑以兩千個縣相乘，便至少又有十萬億元之多。再次，還有廣大的農村，倘每一個縣的農村的分攤額與縣城相等計算，則整個大陸又有十萬億元之多。此外，再加上中共直接分攤給機關部隊單位的額數，亦必比原定一萬億元的數額超出若干倍。

最後，中共報紙並曾透露：前述天津、北平、上海、重慶、廣州等大都市的分攤額雖已如此龐大，而其實際向下分攤、强迫人民認購的數額，還不止於此。以天津爲例：分攤總額雖已達三千二百億元之鉅，而其實際向人民分攤認購的數額却已達四千二百餘億元，還超過分攤額達百分之三十一點二五之多。且還在繼續强迫認購中。據新華社消息：預測該市實際推銷額，至少可超過原分攤額一倍以上。其他北平、上海、重慶、廣州等地的情形，大致相似。因此可以相信其他更多城市之超額强迫認購情形，亦必如此。

總之，中共此次所謂「經濟建設公債」的實際發行額和强迫推銷額，根據其零星透露的數字加以推算，至少已有四十萬億元之鉅。若再照天津等地的超額强迫人民認購的情形加以推算，則至少還可加上百分之五十左右——共達約六十萬億元之多。而超過表面發行數——六萬億元——達十倍之多。這是一宗驚人的曠古罕有的詐欺案，也是一個重大的祕密！（寄）

中國赤潮記

·胡冷·

Father R.J.De Jaegher 與 I.C.Kuhn 合著

李潘郁譯　亞洲出版社出版

中共在抗戰期間，最長於假抗日之名，而行其叛國之實。它不但不對日軍作戰，反而對國軍發動大規模的偷襲。對於此種通敵叛國的罪行，本書也有詳明的敍述。

中共既是蘇俄衛星國之一員，所以它經常地派出嘍囉以學習「老大哥」的先進革命經驗。本書作者對於那些莫斯科受訓後回來的共幹，有很逼真的描寫：「他們回到中國以後，就外表而論，除了一對眼睛可以反映出內心的改變外，他們身體上的一切都沒有變化。你看他們還是中國人，可是等到你對他們細加研察後，才曉得這批人已經完全喪失其個人的本質，他們絲毫沒有中國人所具有的中庸之道……「他們眞正是沒有國家的人。他們介紹自己的時候，更一反有史以來即被沿用的習慣，決不提及自己的省縣籍貫。他們已喪盡鄉土觀念。他們不復有自己的根源；他們祗有一個『主義』」（原書頁一六三）。這不正是認賊作父，出賣祖國的漢奸典型嗎？

（四）

作者對馬歇爾使華的失敗，有很正確的檢討。他認爲：「馬歇爾使命悲劇的造成，就是因爲許多決策的人有意的或不自覺的把中共認爲是眞正的『自由主義者』和『土地改革者』，他們不過希望促成中國的『民主政治』」（原書頁二六七）。作者很沉痛地提到馬歇爾手下一個很重要的秘書名卿汝楫者，是共產黨員。他爲馬氏担任翻譯，並管理一切有關中國的事務。雷神父本想將他對中共的觀感告訴馬歇爾，希望改變馬氏對中共的錯誤看法，從而影響美國的對華政策。就因受卿汝楫等人的阻難而會不瞭馬氏。於此，我們除了對共黨滲透策略運用之成功表示震驚，而對於自由世界之過分鬆懈不能不深爲痛惜！前些日子報載美國聯邦調查局，揭發杜魯門民主黨政府多數高級職員爲共黨間諜，這眞不禁使我們對自由世界的前途深抱隱憂！

本書第九章「一個死人的復活」及第十章「共黨的酷刑」中，描寫中共施用刑罰之殘酷，與手段之毒辣，令人不寒而慄！尤其是小孩被强迫去參觀殺人的一幕，確屬極慘酷狠毒之能事，使我們不禁要高呼「救救孩子」！

（五）

本書作者早先就研究過馬克斯、恩格斯的學說。加之他和中共多年相處，故對中共的一切黨性與政策，有很深刻的了解與研究。他對中共的思想改造教育，亦分析得甚爲詳盡。而對於俄共如何在中國進行其赤化陰謀，亦不憚煩地予以充分的暴露。本書確是一本研究共黨問題很好的資料。

「中國赤潮記」對反共的貢獻是很大的。它使我們更深刻地認識共黨的眞面目。讀了本書之後，我敢說沒有一個人會對中共的陰謀暴政不加痛恨，而益增其同仇敵愾之心！我在此願借雷鳴遠神父臨終之言爲本文作結：「中國共產黨不是中國人中國共產黨不是人中國共產黨是活的魔鬼」（下）

中共更進一步——
迫害知識份子

·沈秉文·

其三、目前大陸僥倖殘存的知識份子，大致已只剩三類，即：部份素無政治立場之教育人員，部份尾巴黨派的投機份子，部份工商人士。此三類人現在正在强迫改造。由於在這種改造中過份的挑剔、凌辱了他們，已使他們普遍產生了「有百非而無一是」的自卑感。由此而擴大其影響，已形成了一種「讀書皆下品，惟有馬列高」的風氣。這種風氣使中國的文化退潮，士風淪落，科學更形落後。其所影響於中共的是衆皆蚩蚩氓氓，沒有進步，沒有創造，惟有依附蘇俄，永無獨立自强的可能。

知識份子的新災難

但儘管惡果如此嚴重，中共仍須、而且加緊在「過渡時期總路綫」的口號下更徹底的改造這些殘存的知識份子，因此最近中共中央已經發動其所屬各地區和各單位中的黨委加緊「督促」這些知識份子進行「社會主義」改造學習，並予以檢查或考試。他們向這些知識份子提出嚴厲的警告：「個不能以『社會主義』的標準來改造自己思想的，必然在社會進入社會主義時遭受淘汰」！是以，大陸殘存知識份子已面臨一個嚴重的關頭，亦即遭受到一個新的災難！

中共對這種徹底改造的要求是苛刻得令人難以想像的。蓋中共指所有知識份子頭腦中潛藏着的政治、法律、哲學、和藝術等等的觀點都是屬資本主義社會的，或說在社會主義的基礎上絕對不允許存在。總之，不管對知識份子已招來了何種災害，而更以除馬列教條外不允許這些知識份子有任何思想存在。

因此我們可以得到一個結論：中共對待知識份子的政策，始終是一個害人而又害己的政策。（下）

台灣的勞工保險

台灣勞工保險與三七五減租同稱爲政府遷台後兩大施政，自民國三十九年三月一日實施以來，參加保險單位共一、二九二個，參加人數共二〇二、九〇九人，幾及台灣全省工業人口的總額，保險範圍包括：傷害、殘廢、生育、死亡、老年等五類，推行四年，已成一種完善的社會保障制度。

尋求有效改善辦法
各方關懷教師生活

改善待遇有望

本報自三零三期呼籲改善私校教師「可恥待遇」以後，賡續提出改善建議，顯然已激起各方同情與支持，首先獲得了市政局民選議員區達年響應，他在革新會會員大會席上，發出緊急呼籲，不但要求港府而希望市民，對於數以千計大多均獲「可恥待遇」的教師，予以特別重視，區氏以教師困若生活，只能住於鴿籠式房間，力言這樣處境，如何使其安心從事於爲人師表的教育工作。決以全力協助有關各方籌謀適當對策，以使本港教育前途獲致理想發展。繼區氏之後，香港教師會會長林子豐，對本報的建議亦表贊同，他現已擬具兩項計劃：一、籌建平民屋，先安置有眷屬的教師，使他們的生活負担減輕；二、改善私校待遇；前者須向各關係方面徵詢意見，並向港府要求撥給適當地段，建築平民屋宇，行政上手續繁瑣，尚待假以時日；後者情形不同，環境各異，而部分私校因由於經濟環境所不允許，無法將教師待遇改善；但經濟能力可以勝任，教師待遇不予提高的學校亦並非沒有，最大的原因當是失業教師衆多，祇求解決最低生活，忍受領取每月百元薪金的大有人在。林氏對於這一個問題，已擬有計劃，將建議教育當局，籲請迅速調查實際情形，採取有效對策。

計劃籌建宿舍

港府對於區達年、林子豐等先後呼籲雖然尚無有力反應，但各方面爲了解決教師們待遇的難題，區、林兩氏以及其他熱心社會福利人士，曾有很多次非正式的接觸。現時有一位不願披露其姓名的慈善家已獲得國際人士的支持，首先在初步計劃中集資港幣五十萬元，建築兩層式的樓房一百間，每層關有一廳一房一廚房及一小露台；地點將就本港的銅鑼灣芽菜坑或西灣河聖十字徑附近；以及九龍的牛頭角垃圾池或九龍城砦，取其交通方便水電供應無缺，一俟向港府請求撥給地段之後，即可着手進行。不過，居住此等每月每層繳付六十元租金教師宿舍的申請資格，將以持有港府教育司發給教師執照的爲準。「黑市教師」雖負有殖民地教育責任，暫時尚無權利。

暫准教師晉級

教育司署對於剔除「可恥待遇」一詞，原係屬於「五年計劃」的一部份；聽說調整待遇的初步計劃，先是將自所有各津貼學校及補助學校教師開始，一律調整爲甲級師資，而乙級教員（暫准教師）以逐步減少方式予以晉級，然後再以漸進的方式推展到私立學校。這一個計劃，預計到一九五六年九月即可完成，使一九五五六年上學期以後，所有各津貼學校教師一律均係「檢定教師」（甲級師資），但在過渡期間，當局依據規定設置講習班進行高級師資訓練，以兩年爲期，凡「暫准教師」在港九各津貼學校任教滿三年的纔有資格報名參加受訓，訓練期中並不收費，而且對其在學校中授課時間亦不妨碍，因在訓練班的受課時間平均每天僅兩小時，包括接受最新教學方法等，經畢業考試及格，即由教育司署重新檢定，予以甲級待遇，發給標準薪律：甲級教師（男性未婚）最少月薪四百七十餘元以至最高一千一百餘元；但乙級教師的待遇最高僅一百九十元至一百五十元之低，其他「黑市教師」更無論矣。

吾爲此懼！

馬五先生

偶在報紙上看到一則海外寓公關懷國事的廣告性啓事，不禁驚喜交迸，欲歎無已。

喜的是：以當代達官貴人，園第光臨異域之後，居然能發憤本國興論，明辨是非，深惟人言。這比那位臨難混水摸魚，初以鉅金錢，買西班牙出生去國，繼向異邦講求歸化政籍的某部長也者，其賢不肖之間，相去遠矣！據這情形來觀察，中國的民主政治前途，或許尚未絕望，可喜可賀！

驚的是：自己既然束食祿，每天生活必須太素飯，老爺洗澡，有若過去我國在新大陸半工半讀的勤工儉學生，眞何以不在生活費用較美國低廉，新聞所在地─台北─休養，而要跑到洋鏈有比美國小城市居室更舒適的華貴洋紙醉金迷的美國去受窮罪？並且全家大小都一齊去呢？光是那籌臨時出國結匯的私財五千美金，在國內就夠維持中人以上之家幾年的生活費用了，何苦打腫臉充胖子，全家遠居美國，而指望那種渺茫不可靠之四百元一次的講演收入以營生呢？雖說爲國宣勞，一門忠勇，也未免太自苦了。忝爲自由中國人民一份子的小區區，縈懷賢勞，心裏實在有些不忍啦！

我來說是慚愧萬分！小區區過去在中央也幹過相當於市長主席一類階級的政治工作有年，又在地方幹過[illegible]，於我無傷也。今天棲尺地寸土，國內外任何銀行儲蓄，更無[illegible]遲海隅，「拙荊」固能自炊食物，我自己更勝任洗滌碗盞之勞，卻沒有乘桴浮海洋涉重洋的壯舉，尤爲夢想。可見中國人想做「洋官化子」，亦是不容易的事啊！

蘇東坡有言曰：凡世之不近人情者，鮮不爲大姦慝。戲謔所言，吾爲此懼！

世界最奇異的小城　賣藝人樂園

·敏尼譯·

吉布市共有五百六十三戶，其中一部份也擁有漂亮的房子，但多數以拖車爲家，這些拖車，有的已成爲固定的「住宅」，其餘的隨着季節而遊蕩，經常祇有冬季沒有生意可做時，才在這裏停留下來，一面休息，一面練習新的把戲，準備次年初春也四出表演。

這個小小的城市，目前正日趨繁榮，它已佔地一千英畝，市內有一百架電話，正式登記的選民有八百人，在上次大選中，大多數投票支持共和黨。市面還有兩座教堂，一個屬長老會，另一屬浸禮會，此外各種店舖，也已應有盡有。它的唯一缺陷，也許祇在理髮方面，這裏祇有一所小理髮店，而且祇設一張椅子，六十九歲的退休藝員伊斯曼是唯一的理髮師，還有他一個怪癖，一星期中祇有星期五一天肯招待顧客，他且在窗口掛着一塊紙牌，寫着：「絕不剃鬚」。伊斯曼在年青時代，不僅是一個著名馬戲班的藝員，也是這班中唯一的理髮師，今日他在吉布市除開設這家理髮店外，還自己佈置了一個小小的「博物館」，所藏的古物雖然不多，他卻把裏面的每一樣東西都視若至寶，決不輕易示人。同時，他也兼做木匠，他的木工，對這小社會卻提供了不少貢獻，他和他兒子諾曼兩人，爲吉布市建造了唯一的郵局，裏面的一切木工，全是他們兩人合力完成，祇有在造屋時曾招請幾個泥水匠做幫手。他的兒子，就是這郵局的局長。

李梅夫婦在三十年前初到吉布市時，這裏還是一片荒野，既沒有正式名稱，也沒有任何街道，祇有一個農民在此住家，耕種着四周的田地。這個地方原來的主人是一位地產商兼律師，名叫吉布遜，等到這裏的居民慢慢多起來以後，他們才把這地方以其主人的姓爲正式的市名，但爲方便起見，「吉布遜」卻慢慢的變成了「吉布」。李梅夫婦最初看中這塊地方，是因爲他們喜歡釣魚，這裏附近即是一條幽靜的大河，正是他們垂釣的優美去處。他們在一九二二年乘着一輛俗稱「房車」的車輛來到這裏，第一次就在河中釣到了幾條大魚，於是決定在此居留下來。第二年春天，他們化了二百二十五元，向吉布市買下了一塊一百呎見方的土地，造了一所木屋，既沒有衛生設備，也[illegible]化在土地上，[illegible]的家園擴充了九畝，最後在一九四一年，才開始了「艾迪茅屋」的餐室，居然立時生意大盛，不僅招來許多顧客，也引起許多同來的藝員對這個地方發生興趣，以後也[illegible]下來，使它發展成了一個城市。李梅夫婦創建這個城市自化了一番心血，但他們也使許多同業得到了一個安定的生活，他們可以不必再四處流浪，終於得到了一個屬於他們自己的城市。（下）

論黃仲則的詩

——爲黃氏誕生二百○五年紀念作——

·王世昭·

黃仲則雖嘗寫了不少情詩，而其工力所在則又多見之於[illegible]

[illegible]激壯士心，聞者皆悲號。曾傳鐵塔所，即在茲山阜。萬索不可得，但見狐狸嗥。嗟嗟長虹氣，深閉林樾夢。空山一俯仰，懸爾無溪毛。」這是五言四十六韻的長歌，在他全部作中也很少見，足證這是力作。全詩藏鋒，內容所詠的是明季反抗失敗逃入空門的一位益然師。寫來一片忠肝義膽，躍然紙上，可算是一篇極佳的敘事詩。

除此之外，遊山水的詩最多，其次與當代名家往來或贈答唱和的作品，其中如洪稚存，朱筠河，汪睿夫，袁蔣心餘，汪容甫，孫淵如，翁覃溪，馮魚山，李南碉，沈既堂，左杏莊等，不是他的良師，就是他的益友，而洪亮吉尤爲生死之交。仲則死於解州的時候，身後事是河東鹽運使沈業富辦的，而其臨終，則以老親弱子相託於稚存，詩亦由稚存刪定。梓行初得畢秋帆之助，趙希璜爲之校對，鄭青蛾再梓，仲則精光之得不致於天壤者，此數子之功爲最多也。（續完）

譚組安廬山雜詠

—·真·—

在此，談先對廬山小作紹介，「不識廬山眞面目，只緣身在此山中，」由古人的詩句裏，想見廬山的山色是在「綽約」隱藏之間。廬山坐落在江西星子縣西北，北枕長江，東南俯瞰鄱陽湖，勝蹟有五老峯、香爐峯、瀑布等，位於長江要港九江縣南，由九江前往祇須一小時的車程，就可到達廬山山麓。辭源載：『廬山古名南障山，一名匡山，總名匡廬，朱子以爲即禹貢之敷淺原。王褘六老堂記，其陰土燥石枯，岡阜並出，是爲九江。其陰千巖萬壑，土木秀潤，是爲南康。江西之名山也，山之最高處爲五老峯』。可是它並不列入「五嶽」之內，時地使然，「五嶽」並稱。因之以「五嶽」之外，「中原」文化時期，那時，「山」是「嵩山」，衡山是勉強由「南服」扯入的，其他東南名山如黃山及廬山，就因之被屏於「五嶽」之外了。自從國民政府定都南京後，廬山便成了「夏季首都」或「暑季首都」的「暑都」，抗戰初始，今總統蔣公那「和平未到最後關頭，絕不放棄和平」的名言，就是在廬山發表的。關於廬山的遊記以及詩歌，眞是不勝枚舉，前些時，我翻閱彭紹香（少安兄）所編的「茶陵譚組安（延闓）先生年譜」稿本，深愛其中摘錄「廬山雜詠」之詩句，乃民十五多革命軍底定鄂贛後，譚氏曾至廬小住，（譚氏誕辰爲陰歷臘月十四日），時廬山至靜寂，譚氏徜徉其間，得詩（七絕）二十二首，特抄錄如次，以見譚氏之丰格，亦以有廬山之景物。世有同好，也許會快意一讀吧？

△吉布市的侏儒副警長▽

（一）飛車迤邐便長征，頗怪求前卻復行，依約卅年前過處，疏星微月九江城。（晚至九江途中車卻行者數次）（二）蘇黃朱陸不到處，涌現樓台忽此山，無數峯尖雲海裏，豈知培塿在人間。（牯嶺）（三）懸崖直下三千級，磴道迴旋九十盤，回首下方雲似絮，始知人海正漫漫。（含鄱嶺下棲賢寺）（四）香爐五老雲封盡，且向廬山平處行，遊客競詩三峽澗，更無人問宋題名。（三峽橋下多宋題名）（五）居在絮中行釜上，匡廬面目有無間，雲蒸霧台黃龍寺，誰見洪荒裸體山。（或問廬山古蹟答以黃龍寺前裸體山最古）（六）杉身松葉娑羅樹，三百年前四十圍，古寺興亡何足記，低枝曾拂譚公衣。（娑羅樹晉僧曇詵植舊志在大林寺今近黃龍寺袁中郎詩鐵幹銅膚四十圍）（七）海會寺前松萬樹，祇憐不是昔時栽，湖光在檻山光闊，何處重尋太白台。（寺壁有詩云是太白舊台地寺背五老面鄱陽）（八）南行與雲五年別，失喜相逢五老前，門外萬松噤不語，孤燈殘雪對經筵。（智超上人血寫華嚴在海會寺）（九）當時書院無完字，新植松株長舊圍，誰信樹人輸樹木，兩鄴林立教思碑。（白鹿書院碑多諸生頌院長語今爲鄴林）（十）雙象成都有遺則，誰教禮殿作金身，晦翁若說開元禮，輸與張聰作解人。（白鹿洞孔廟皆塑像朱子曾有論古今坐不同與諸生書）（十一）萬杉去盡孤樟在，已作康乾後裔論，若見歸宗門外樹，故應相喚是兒孫。（萬杉五爪樟最有名然不如歸宗之古康乾人詩無及之者）（十二）萬全選勝書堂地，石壁蒼然閱廢興，黃傷王題誰護惜，又看徐岱繼徐凝。（開先寺李中立讀書台有山谷書七佛偈及陽明紀功題名其左方爲徐岱麟以刻詩）（十三）漱玉亭空餘斷礎，白龍雙瀑入寒潭，奇觀自是山靈閟，未必飛流有古今，（康有爲題云三至廬瀑瀑日以小）（十四）寺門無復後生松，象教凌夷大法空，頑僧本來除不盡，此行眞似聽習鐘。（歸宗寺）（十五）曇詵手植西來種，千古人矜寶樹奇，誰識道旁雙幹在，密陰如幄護虬枝。（去觀音橋五里道旁二樹參天蔽日土人云亦寶樹也黃龍寺寶樹晉僧曇詵植云西方種）

（上）

乙丑重修明殿撰楊慎給事中毛玉二公祠既成爲詩紀之

·張維翰·

亮節清風在，人間第一流，戍荒來萬里，學邃足千秋，何處尋詩塚，遺蹤訪釣舟，憑欄徒悵望，落日滿山樓。

伏庭爭大禮，生死別刑餘，何期遷客至，端占故人居，多士資傳業，無官好著書，暮年歸蜀去，新都有舊廬。

杖下塗肝腦，羈魂滯帝京，言忠甘死諫，性孝本生成，養正遺書院，移風見史評，故居喬木盛，年久尚敷榮。

舊是毛公宅，歸然峙碧嶢，一龕香火共，萬頃水雲饒，雨後山餘翠，歲寒松未凋，祠門題牓字，姓氏永同標。

家住天台雁蕩間

·鐵頭·

溜上突起的孤峯，卓立若柱，其高與四圍之崖略相等，那即所謂著名的瓊台是也。

我們中間有數人手足並用，冒險爬下危岩，又攀到台上，昂然小立，氣象萬千，但見瓊台後倚百丈懸崖，當面雙闕對峙，而若拱門，形勢壯麗無倫，儼然神仙所居——不，簡直是上闕天宮，乃天帝所居——是時有人說道：「假定吾人可以不飲不食，而天上又不風不雨，永久像現在情況一樣的話，我倒是願意在此修行的」。另有一人接着道：「你要修行。最好到下面那石頭上去坐」。邊說邊用手一指，但見台南不遠處，有石突起，石頂有窟如龕，好像人工琢削成的，大概可以容兩個人並坐，那就是有名的「仙人坐」了，不過斯時大家精力漸漸疲乏，無人敢再前往享受那仙人之樂。

瓊台之奇，奇在中懸絕壑，積翠四邊，雙闕乃其外邊疊峯中對峙之兩崖，好似宮殿外的闕門一樣，而恰恰當南正中而立，儼有南面而立，北面而朝之勢，故立於瓊台上者，莫不興遐然之思，起悠然之感，形勢使然也！想起李太白詠瓊台的詩道：

龍樓鳳闕不肯住，飛騰直欲天台去，
碧玉連環八面山，山中亦有人行路。
靑衣約我遊瓊台，琪木花芳九葉開，
天風飄香不點地，千片萬片絕塵埃，
我來正當重九後，笑把烟霞俱抖擻，
明朝拂袖出紫微，壁上龍蛇空自走。

恐怕是李白的遊瓊台，是在替唐明皇吟清平調，大捧一頓楊貴妃，捧出禍水來，被讒之後的事罷；否則怎肯「龍樓鳳闕不肯住，飛騰直欲天台去」呢？假定他早到過瓊台，那「若非群玉山頭見，會向瑤台月下逢」的「瑤台」，定也許會改成「瓊台」，因爲的瑤台不過是神仙記中的幻想，而瓊台則是可以及身登臨的現實勝景啊。不過話說回來，瓊台之勝，總算古今同賞，可見名不虛傳，難怪有人說：「瓊台爲天下第一奇觀」！（二）

中華民國僑務委員會頒發登記證台僑新字第一零二號

自由人

中華民國郵政登記第一類新聞紙類

THE FREEMAN

（中週刊每星期三六出版）

（第三〇九期）

每份港幣壹毫

督印人：李光華

社址：香港高士打道六六號

電話：七四〇五三

GLOUCESTER RD HONG KONG TEL: 74053

承印者：東南印務出版社

地址：高士打道六十四號

台灣特派員辦事處：台北市館前街五十號

台灣總經銷處：台北中華路五九四號之一

台灣郵政劃撥儲金帳號九二五二號

反攻海南與反攻大陸

黃同仇

在越南戰局漸呈惡化之際，華盛頓明星報專欄作家勃朗氏提出了國軍反攻海南的主張，跟着台北也有若干人士表示熱烈支持。筆者以爲這是一個値得研究的問題。

第一、我們在此首先要提出的是：海南島究竟有無反攻的價値？這可分兩方面來說：一是從東南亞的防共立場去看，一是從自由中國反攻大陸的立場去看，這兩者在目的和戰略上是各有不同的。

反攻海南非明智之舉

就前者說，海南島自從落入中共之手以後，中共即在蘇俄的計劃下，作積極的經營。開採鐵礦，擴建機場，開闢軍港，並派潛艇常川駐於楡林海港，時常出沒往來於東南亞各國之間，輸送軍用物資及地下工作人員於越南、馬來、印尼、及菲律賓各地。該島儼然成爲中共南侵之一座橋頭堡壘和前進基地。站在東南亞防共的立場，這是一個値得爭取的，相當有戰略意義的據地。

但就後者說，海南島面積並不很大，人口不過三百餘萬，距離台灣又有七百餘海浬之遙，乃中國極南之一孤島，且與大陸尙有一水之隔。中共佔領後，擁有相當兵力。假使要反攻該島，絕非一舉手，一投足之勞便可達成目的，必須付出相當的代價。否則，則所得將不償所失了。又該島位置既在中國的邊緣，離開大陸的中心甚遠，倘以此爲進攻大陸的跳板，則無異捨近就遠，南轅而北轍，人非至愚，何至出此？而且取得該島以後，必須駐兵防守，因此又將分散自由中國的兵力，防礙反攻大陸之目的，實非戰略上的明智之舉。

以上說明了反攻海南，不但非自由中國的必需，而且是反攻大陸的負累。

不能保證東南亞安全

第二、攻佔海南以後能否保證東南亞的安全，這也是値得研究的問題之一。

據筆者所知，勃朗氏提出這一主張的重要動機，目的不是以此爲反攻大陸的跳板，而是想藉此減輕中共在越南對於法軍的壓力。關於此點，筆者以爲至多可能收得部份的效果，只是暫時的治標，並非根本之圖。地理形勢已告訴我們，中國的雲南廣西緊緊的和越南，寮國，及緬甸等國相連接，正和東三省與北韓的接境一樣。在此種形勢下，如果專從海路去斷絕交通，收效是很有限的，更無法防止中共的前進。故欲以攻佔海南，來保證東南亞的安全，阻止中共的南侵，實在有點隔靴搔癢之感。藉此來作冷戰的資本則可，要想解決眞正的問題，則未免相差太遠了。

但是爲着減輕法軍所受的壓力，爲着阻礙中共的東南亞迅速發展，爲着保證盟國在南洋一帶交通的安全，海南島是有攻取之必要的。如果能够毁滅這一個中共南侵的橋頭堡壘，也並不是毫無價値的。

國軍不能單獨負責

第三、反攻海南的責任是否應由台灣國軍單獨負担？反共本來是民主國家的共同責任。共產集團的陰謀是整個的，第三國際的侵略並沒有民族和國界之分，更沒有所謂「重歐輕亞」或「重亞輕歐」之別。他們的目標祇有一個——征服世界。他們的戰略是整個的，戰術是複雜的。民主國家不能因爲他的一進一退，一張一弛，而作錯誤的判斷。更不能因爲他的挑撥離間而自相分化。故民主國家最重要者是團結，反共的戰略最要者是統一。如果互相猜疑，各自爲政，必爲共黨各個擊敗，而同歸於盡，這是毫無疑義的。

反攻海南既然如此，則反攻海南的責任，便不能單獨落到台灣國軍肩上。但海南是自由中國的領土，由中國反攻，最合理；要自由中國負責，自屬義不容辭。今日民主國家還有對蘇聯與中共存着幻想的，且有對中共暗送秋波的；法國或想在越南戰爭中求和，英國尙想與中共發展貿易。各國因利害不一致，反共步驟未能統一。一致同情反共，尙談不到。因此，反攻海南的責任，不能單獨放在台灣國軍身上。

根本之圖在反攻大陸

第四、自由中國反攻大陸才是根本之圖。假使自由中國現在已經準備完成，最明智的措施是由自己選擇最有利的時機和最有利的地點，直接向大陸反攻。大陸反攻得手以後，海南不攻自得，不必在此時浪費實力。有人懷疑國軍在數量上比中共相差太遠，不宜作孤注一擲。這看法也是錯誤的。今日大陸人民對於中共政權已經普遍仇視。共軍雖多，又有何用？祇要國軍能够登陸，站定脚步，稍爲延長時間，則內地人民必然揭竿而起，共同推翻殘暴的政權。我們估計一個國家的內戰，毫無問題，不能以國際戰爭來作標準，對外的戰爭，切不可以數量作標準；尤其是革命的勢力，一可當十，十可當百，是不能純從數量上作比較的。關於此點，我們要請友邦加以特別注意。這種錯誤的看法和估計，會對自由中國有損害的。

學術界的新風氣

吳康

五四啓蒙運動之後，應有個建設性的新文化運動，撤退來台的大學教授均抱此決心向這偉大的理想而邁進。

「自由人」第三〇三期（上月二十七）有關於大陸來台教授生活的報導一文，（大陸來台教授的困苦），承作者孫先生不棄，曾提及鄙人等生活狀況，文中關於來台同人一般情形的描寫，可說是百分之百的正確事實，惟涉及我個人之處，恕我有幾句話補充，以釋遠道關懷我的朋友們的疑慮。

頗有瀟灑之情

因爲我目前雖極淸貧，生活尙勉爲安適，（也可說是精神戰勝物質罷！）自然到了我這樣的年紀，（我生於淸光緒乙未，到了這個農曆甲午元旦，算是進了六十花甲之年，調寄子才詩，「六十年華轉眼更，萬般往事撫心驚」，自不免有無限滄桑之感，但接下去，我要改他兩個字，說「幾多朋友呼前輩，尙有賢妻喚小名」，讀者不要笑我還老有童心罷！）想像中的老態龍鍾，自當不免。不過我受氣體薄，但平日生活嚴肅，飲食衛生，故常能保持水平綫以上的健康，兼無吃烟飲酒等不良嗜好，所以衣履整潔，雖無褐裘之態，頗有瀟灑之情，雍容華貴，固不敢當，而溫雅，每邀浮譽，（昔在巴黎，一德國友人，見我擧止態度，謂其雍容華貴，疑爲中國親王，法國女友某夫人遂戲呼我殿下VOTRE ALTESSE，要我叫她伯爵夫人MADAME LA COMTESSE——她家先世是伯爵——這倒是一個戲劇性的笑話）。

我目前除在教部任編纂外，祇在台灣大學哲學系授課一次，其餘極鮮入城。僦居汐止三年，最近遷寓一舊第高樓，頗有飛閣流丹之勢。閣下溪流，堤樹迴繞，有「開高軒以臨山，列綺窗而瞰江」之勝，複有天台，闌以石欄杆，月明之夜，遠望遠山，若隱若現。憑欄高凌風，不免有瓊樓玉宇，高處不勝寒之感，此較台北一般日式房屋，似乎還要高出一籌。我個人生活上的嗜好，除讀書著文講學之外，最愛靜對湖山，可以終日忘倦。近居汐止，野蔬美筍，足以佐餐，（汐止土產，以筍著名），故雖阮囊羞澀，亦無甚物質上缺乏的苦惱。「料得淸貧饞太守，渭川千畝在胸中」。這是我私生活上「以有餘補不足」的一個秘訣啊！

捉襟見肘困苦不堪

閑話少說，言歸正傳，讓我在這裏對於大陸來台教授的生活情態，作一些補充的報導。

自從三十八年大陸撤退後，來台教授（指公私立各院校教授講師），雖無正確可靠的統計，大約至少不下四五百人，其職業分配約如下：（一）教育部聘任特約編纂及編審，名額以一百名爲限；（二）在台大及台省師範學院暨其他專校任教（專任或兼任，大約不滿百人）；（三）在各縣市中小學任教員或職員，（職員包括校長在內）；（四）在各機關任公務員，或民意代表（國大代表立委監委等）；（五）自由職業（律師醫生），及經營工廠或商行；（六）替雜誌報紙等撰稿，或專科著述賣稿，（此項大抵皆是副業，即必有其他正規收入，才能勉强維持日常生活）。

右除（五）（六）兩項，屬特別情形，須另計外，由（一）至（四）項，皆與此次公敎人員調整待遇有關，而受惠最少的，莫過於第（一）項教部的編纂編審，誠如吳翼革先生文中所說的「被遺漏了的一羣」，其中除單身漢外，有家庭的，仰事俯畜之累，困難可以想見，（事實上教部編纂等的薪津，即單身漢亦不敷用，有一友人，每月吃烟，即超過其薪額）現正由教部請求，對於這「被遺漏了的一羣」的待遇，設法補予合法的調整，使免日常殘之處，得以安心本業，配合反攻國策。（即以我個人論，和內子李淑六教授，同在教部任編纂等職，我們只有一個十六歲的男孩，在中學讀書，然而每月仍是入不敷出，須待稿費來補充。其他同事兒女衆多的，捉襟見肘的困苦情形，不難推想及之了）。

改變了浮華的人生觀

在這裏急須提及的，即大陸來台人士，（不限於教授），經過此次生活清苦的熬鍊之後，有一種新風氣的產生。自政府遷台以還，懲於大陸失敗的慘痛教訓，決心一切從頭做起，（這並不是我們身處台灣，替政府吹牛逢迎，事實上，上下皆有此決心，但措之行事，自然有許多不能盡符理想。）而最敏感有理想的大學教授們，由大陸來台，親歷流亡之痛，大都加深了人生價値的認識，而改變了原日浮泛不實的人生觀，生事雖極困窮，却能各守崗位，腳踏實地的向前邁進，不作僥倖徼取之想，這種新風氣的出現，便是反攻復國建設未來新社會新中國的有力保證。

我常有此感想：五四文化運動，祇是開風氣，做到了一個啓蒙運動，（雖然在事實上，似乎還比不上十八世紀法國啓蒙時期，盧騷，和狄德樂的百科辭書的偉大表現），而當時的領導人物，乃至迄現在還生存的，仍是止於爲「啓蒙人物」，而未能邁入眞正的「建設王國」，譬如在思想方面，未能有與十九世紀日耳曼觀念論派相媲美的輝煌成就，即其一證。一切學術文化，是人類精神的最高產物，必須有眞正的建設內容，始可說是理想實現。中國半世紀來的混亂，固由於軍力弱，和政治腐敗，社會未入現代的組織，民智未經科學的洗禮，但歸根結果，都是由於學術文化的建設，未能與最進步的國家齊並進之故。因爲啓蒙的工作，在改革舊污，啓發新知，以利刃斬斷葛藤，以感情驅使勇氣，其表現多在破壞方面，而學術文化本身眞正價値的估量，却注重在其積極的建設，而非止於其消極的破壞工作。

建設性的文化運動

所以繼五四一幕破壞性的新文化運動之後，應該有一個建設性的新文化運動產生，換句話說，「啓蒙時代」之後，應該有一個「建設時代」（西洋人的術語，叫做改造或重建時代AGE OF RECONSTRUCTION）繼之而起，建設工作，要有計劃，有秩序，不矜才，不使氣，規模廣大，條理精密，我日斯邁，而月斯征，以漸漸滋高明，以悠久之功，眞正有系統有內容的學術文化，必須循此途徑而前征，始能完成其建設的大業。此次撤退來台的大學教授們，應前後，均抱有極強的決心，本上述信念，窮且益堅，整齊步伐，向文化建設的偉大理想而邁進。這種新風氣的產生，是經大陸失敗，血的教訓之後，當長出來的花朵。

（下轉第二版）

國民黨選出總統候選人

中國政府播遷台灣之後，一項最有意義的進步是向着民主政治邁進。縣市地方選舉已打下了下層的基礎，此次即將擧行的總統選擧，也循着民主國家的模楷進行，無論如何，這是一件可喜的事。

把大陸失陷歸咎於三十七年的大選，自非持平之論。但那次選擧中的紛爭擾攘，顯然增加了離心傾向。尤其是在實行還政於民的國民黨，對於當時的副總統人選，竟不能斷然由黨方提名，而任由黨內人員自由競選，以致釀成後來的惡果，那教訓實在够沉痛的。

此次國民黨鑒於前失，決定新辦法，由全體中央委員選出總統候選人，再由總統候選人照美國總統提名先例，提出副總統人選，經中委會同意。然後由候選人在國民大會中與其他政黨或無黨無派的總統候選人從事競選。這是十分正確的步驟。因爲國民黨在國民大會中擁有絕對多數議席，預料未來大會中投票結果也必然是國民黨所推擧的候選人勝選，正有如在美國大選中十一月初旬，由民衆所選出的選擧人分野，即足以判定大選結果一樣。國民黨中委會十五日召開，蔣總統在開幕詞中謙沖爲懷，主張提選胡適或于右任。在他是出自謙讓至誠。但今日之事正如于右任先生所說，除了蔣先生，沒有第二人可以担負全國的重任。國民黨中委會的一致推擧，正無異於代表全國的公意。

因爲有三十七年的覆轍，所以此次各方對於副總統人選特別注意。一向除領導參議院外無事可做的美國副總統，現在且不同於曩昔，更不要說處在非常時期的中國。這問題必須從現實的與潛在的種種複雜因素中去求得適當的解答。

蔣總統膺選總統候選人後，即提名陳誠爲副總統候選人，這也是全國人民最大多數心目中的適當人選。海內外衰衰多士中，自不乏在某種條件上更爲優勝的人物，若就現實政治言，實無人能出陳氏之右。

國民黨這短短的兩日會期，在事實上已解決了國家今後的繼任元首問題。如果說是三十七年的大選開始了大陸局勢的敗壞，則此次民主選擧的順利推行，當爲今後反攻復國的一個良好開端。

每週展望

李秋生

西方對秘密會議的隱衷

柏林四外長會議一二日後即將結束，秘密會議却在接連召開，這也許是去年西方三外長在華府決定邀請蘇俄召開四外長會時所未料到的事。

秘密會議是由外長會議第一議程而來，西方既已堅拒召開包括中共在內的「五强」會議，實在沒有再讓做秘密商談的必要。西方的隱衷是：美當局爲板門店僵局不易打開而焦急——中共決不肯撤回對美「背信」的謂言，美國也未便讓狄安悄然再回到板門店而大失威信，柏林會議正好提供一個別覓蹊徑的機會。更何況法人爲要在越南談和，早已露骨的情見於詞。於是從一開始就遭受了拒絕的第一議程，竟得到在秘密會議中一談再談的機會。

現在的情形是：西方建議四月二十五日在日內瓦召開七國會議的主張，已獲得俄方接受，條件却是中共應爲召集人之一，議程也要擴大到遠東一般問題。換句話說，就是要利用西方的弱點，把七國會議變成「五强」會議。

外長會議的僵局

至於德奧問題本身，則前者久已僵持，後者，蘇俄不只未改變過去奧約代表會議中的杯葛態度，反而又增加了長期佔領奧國的要求。儘管前昨兩日，四外長仍就安全與北大西洋公約等問題辯論不休，談判的失敗則已成定案。

定歸失敗的就讓牠失敗吧。如果蘇俄在歐洲問題方面拒人千里之外，對於遠東問題也不會有任何善意。秘密商判的一再舉行，徒然增加世人疑慮，喪失西方威信，並適足爲克里姆林宮的陰謀所乘而已。

新．省．同．胞

追求自由的悲壯鬥爭

中共逼害新省同胞一頁慘史

一萬八千人生存者僅三百餘

．旭軍譯．

下面是英國議員菲立斯．柏拉士的記載。當我們還未喪失了自由時，不易澈底了解自由的可貴。一旦喪失了自由，使知道要做一個自由人實在非常的艱難了。

卡塞克族人的慘遇

一萬四千餘的返台義士是一個例證。但現在我說到另一種人，因爲要做自由人，也經歷另一種痛苦和艱難。雖然他們的痛苦和返台義士各有不同。但他們的目的則同爲爭取自由。也共同證明自由之可貴。

這些追求自由的人，便是居在中國西北新疆外蒙一帶的卡塞克族人（KAZAKS）。他們爲了逃避共產黨人的迫害，不論男的，女的，老的、幼的，歷盡千辛萬苦，越過喜馬拉雅主要山脈崑崙山，逃到土耳其。

土耳其歷代做了中亞細亞俄國本部，及高加索區域回教徒的避難所。在最近一世紀的時期，經過許多戰爭動亂，都是如此。在中東旅行的，會遇到這種逃難人的後裔。記者最近到土耳其南部的亞達那，看見一羣由中國新疆省走避中共迫害的卡塞克族人。

冰天雪地中的奮鬥

他們告訴我關於他們的經歷。其驚險處，有若一世紀以前蒙古族卡末克族人的遷徙。他們是說土耳其語的回教遺族。現代的土耳其人的來源，就屬於他們的種族。在新疆有五十萬人。在蘇聯南部巴勒格什湖周圍有二百多萬人。其中有些和蘇聯作戰有十二年之久。也有些和中共鬥爭六年了。

大約在一九四二年，他們紛紛越過帕米爾高原而入阿富汗，越過喜馬拉雅山而入印度，及巴基斯坦。在一九三七年有二千餘家離去和闐，而越過喀喇柯林入印度。但空前最大的遷徙是在一九五一年中共管理新疆以後的一次。印度，阿富汗和巴基斯坦都准他們入境。但他們最後願長久安居於土耳其。因爲他們的言語相同，種族來源相近。

他們最驚險的經歷是越過崑崙山而入西藏西北部。因爲中共把水源較豐而較易經過的喀喇柯林山口封鎖。不得不走此艱險之途。他們經過一萬二千呎至一萬五千呎間的冰天雪地高原，凡八百哩之遙。這高原就是崑崙山和喜馬拉雅山中間的從來無人跡的荒地。還是人類極難於克服的困難了。尤其是他們至少要在那裏渡過一個多季。但他們不能停下來休息。因爲糧食缺乏。中共軍在後面死追，直至認爲這些卡塞克族人已進入無法生存之區域爲止。

死亡慘重十九喪生

在一九四一年第一批遷徙共一七〇〇〇人，生還者一九〇〇人。第二批係在一九四九——五一年，約一八〇〇〇人，生還者祗三五〇〇人。當中還有數批規模較小的。從此可見他們經歷的悲慘。爲了追求自由，不惜冒極大的艱險，痛苦，犧牲。他們自由可貴不可貴呢？我和兩個卡塞克族人談話，知道他們是那一族。原在阿爾泰山區，在外蒙古，現爲蘇聯所控制。（在「自由人」三〇四期有吳彥傑先生所作的「蘇俄大掠新疆礦藏」，描述得很清楚——譯者。）早在一九三六年已受共黨統治壓迫。羊羣和土地歸政府所有。小孩子被遣運去共產黨學校齊化。老人們勸他們逃生。到新疆東北的巴柯爾，被中共所攻擊，故東向入甘肅邊界，中共更追迫，遙走進西藏邊疆，仍受西藏人敵視，因爲他們是回教徒。他們便逃到青海西的納赤台，和卡末蒙古族人相處很好。但中共軍又追至，他們背着崑崙高山脈而戰。死傷多人。但終將中共軍擊退，獲得許多步槍和彈藥。他們也得到當時仍在新疆的國軍之接濟。然而中共仍向他們苦苦壓迫，雖然不能將他們包圍，但將一切出口封鎖，他們不得不越過崑崙山。那裏是西藏冰雪無垠。眞是除了南北極以外，沒有他處比這裏更荒涼寒冷可怕。這兩人說到這裏握着拳頭道：『我們把一切交托回教天神。寧願死在冰雪中，也不願落在俄共與中共之手中。』

△美B四七型噴射巨型機最近飛北非基地，可載原子彈直搗俄腹地。

中共壓害下的奮鬥

他們經歷的地方幾乎完全沒有人居住的，祗是在夏天冰溶時，偶見西藏人在山淵草地牧牛。但冬天來時，西藏人又遠歸其山谷居地。他們想去到印度斯坦，向西南走，過高山及高原荒地。他們向喀什米爾的拉達克走。有許多卡塞克族人在那裏遊獵爲生，然而歷久走獸如麋鹿之類也稀少了。冬天更飢寒交迫。一切的小孩都冷死。大多數婦女也相繼病死。但男子仍在這幾同北極的荒涼地帶掙扎，周圍六百哩如同北極圈內的悲慘景況。他們常常有三四天沒有東西吃。每捕獲鹿，將其腰部和後腿肉用冰雪藏着數星期之久。最後乘山谷冰雪溶化後，到達喀什米爾的拉達克的「列城」。在那裏的印度當局把他們解除武裝，看他們作難民而容許他們入境了。

成吉思汗的後裔

另有一些卡塞克族人從比較易走的越過阿富汗通道。他們對我說：『艾森豪威爾總統曾說過受蘇聯壓迫的人民都必須獲得解放。這是不是眞的？』我對他們說道：這可能引起對蘇聯的戰爭，他們答道：『怕什麼？我們經常和他們作戰。』

但那些從新疆出來經過千辛萬苦的卡塞克族人，能在土耳其住下，已感到很滿足。

我和他們坐在土耳其政府一個機關大會堂，團團圍着一張桌子。我瞧着他們的臉孔，覺得很熟悉，好像一九一〇年我隨着馬隊越過蒙古高原的山地居民和阿爾泰山區的遊牧人一般。兩顴骨高聳，眼睛如珠圓溜溜的，十足是大成吉思汗英雄的後裔的典型。但內心是誠信中亞細亞國家的自尊自重。他們是正直、勇敢的，爲自由而奮鬥的勇士。據他們說：回教徒與共產黨徒誓不兩立。他們在土耳其安居下來。土耳其人也樂意履行他們歷代傳統的招待回教難民之任務。但這些爭取自由鬥士也永遠不忘記他們的故鄉的。（取材一九五三年十二月卅一日英國愛城導報）

台灣通訊

鮮卑利亞學會積極展開組織工作

．吳傑．

【台灣特訊】關於鮮卑利亞（即誤譯之「西伯利亞」）研究，已見本報二九三期記者通訊。頃悉上項研究，已進入組織學會的階段。按鮮卑利亞學會，自去年夏開始籌備，首由鮮卑史專家趙尺子先生在高雄講演「鮮卑問題」，講演大意載六月二日台灣中央日報，全文同時在中國生命線半月刊，戰鬥青年半月刊及高市青年半月刊上揭載。次於九月在戰鬥青年半月刊發行「鮮卑利亞爲我國領土」專號，並由俄國史專家王蘇先生寫成「鮮卑利亞爲中國領土考」三萬餘言，經呈奉國防部總政治部審定，准予出版，現由中國生命線半月刊社排印中。台灣史學界及新聞界對該會企望甚殷，如一月九日中央日報載有吳宗獄先生「西伯利亞應譯爲鮮卑利亞」，反攻半月刊載有趙尺子先生「幾個地理譯名商榷」，除主張「西伯利亞」應正名爲鮮卑利亞之外，並考定「高加索山」應譯爲契丹山（讀爲噶雜山），赤塔亦應譯爲契丹（讀爲噶雜），經小學專家前國史館館長李敬齋先生認爲極確。史學家方豪、郭廷以，廣祿諸教授亦均同意「西伯利亞」係鮮卑利亞之誤。該會於「一二三」自由日發出啓事，徵求發起人，準備請准內政部立案，定期召開成立。趙尺子先生對記者談：凡同意本會宗旨，聽過各籌備人講演者，均歡迎爲發起人，並無任何界限云。

茲錄該會啓事於下：

「敬啓者：鮮卑利亞（SIBERIA）與吾族發生關係，始於夏禹時代，距今至少已四千年，時名「織皮」（讀爲試比），「因桓是來」，受禹錫封（尙書貢禹）。周成王時，鮮卑守燎（國語），與楚並列，晉昭公時，「姚邪」見史，與周不睦（左傳）。至於戰國，「小袖秀頸，若鮮卑只」（楚辭大招），自鮮卑郭洛（今譯格勒）販帶南來，騷人譯爲鮮卑，鮮管析，美也，卑即婢，今稱「美麗姑娘」。東漢光武，封於仇賁爲王，西晉各帝，利拓跋氏之兵。其後拓跋珪建立北魏，爲我史上正統王朝之一，留有「魏書」「北史」兩部正史，列入二十五史之中。北魏自稱遠祖爲黃帝；其封疆北至北海（今貝加爾湖），西至烏拉山，亦經英國名史家韋爾斯所考定。唐宋之際，拓跋憲單建國於鮮卑利亞西部（唐會要），北宋之時，拓跋後裔建西夏於今陝甘一帶。迨成吉思汗興，收「失必兒」地，其孫拔都建欽察汗國，實括鮮卑利亞西部在內。就我正史言，鮮卑爲我宗族之一支，鮮卑利亞爲我國土之一部，信而有徵，無可否認者也。

「所不幸者，俄寇肆虐，一五五二年，伊凡四世吞滅鮮卑汗，彼得一世繼之，一路東侵，至一六八九年，迫滿清政府簽訂尼布楚條約：於是此一千二百萬方哩之鮮卑利亞遂淪入俄國。四百年來，斯土也陷爲俄土，斯民也淪爲俄奴，吾人讀史，未嘗不流涕而長太息也。夫滿清本出自鮮卑，滿洲即靺鞨，亦即慕容，文化宗教言語習慣無不與鮮卑同，迄今滿宗族中尙存「錫伯」一支，或居東北，或戍新疆。何以當年英明之康熙大帝竟與俄寇簽訂此喪族失地之條約？揆其原因，則以其時主外交者不通古史，而西洋教士妄譯鮮卑利亞爲「西伯利亞」之所致耳。

「直至清道光中，何秋濤著朔方備乘，首揭其秘，其後丁謙，尤糾其謬。今已百年，始有本學會之籌備，旨在「研究鮮卑，解放鮮卑」，期能喚起中華民族中現存之鮮卑（錫伯）宗族，及源同鮮卑之滿蒙各宗族，幡然奮臂，與鮮卑利亞現地之鮮卑宗族，山鐘鳴應，反共抗俄，自求解放。茲依人民團體立案法規，徵求發起人。台端精通歷史，志在邊疆，痛心鮮卑之淪亡，景仰郇山之運動，如承同意，請惠覆函（台北市龍江街一八一巷二弄四號）。鮮卑利亞學會籌備人企啓。」（一月二十五日寄）

小羅斯福競選紐約州長

美國故總統羅斯福的大公子，世人成知的衆議員小羅斯福，最近正計劃放棄國會職務，有出而競選紐約州州長的打算。不久前，華府內盛傳他競選州長之說，經已甚囂塵上，但在剛前某社交場合中，小羅斯福已坦白表示他將參加更積極的政治活動，預料短期內他就將發表競選的聲明。據說，小羅斯福已成立了一個競選總部，並正在草擬競選州長的計劃，雖然共和黨方面將由誰出而競選，迄今還沒有跡象可尋，但據熟悉內幕的人士推測，爲要擊敗小羅斯福起見，共和黨仍將推選極熟的杜威出馬。

俄建機場計劃成泡影

蘇俄原擬在拉普底夫斯海的島嶼中建立空軍基地，拉普底夫斯海在北緯七十至八十度之間，如果俄機進襲北美洲，這裏是一個很理想的前進基地，然而最近俄國人突然放棄在拉普底斯夫海島嶼興建機場的計劃，其中內幕與和平攻勢無關，關鍵乃在當地原共有七個小島，但其中兩個已經失蹤，另五個的面積也正日漸縮小，原來經俄國工程人員仔細調查後，這些島嶼，都是冰塊構成的。

『雷伊泰』改建潛艇追逐艦

去年十月意外爆炸而受嚴重損傷的美航艦雷伊泰號，自被拖入波士頓海軍船塢後即渺無消息，因此一度引起外間的誤會認爲雷伊泰號或已成爲廢物，共黨報紙也乘機造謠，說是雷伊泰號已永沉海底。其實這些都是荒唐無稽的謠言，實際上，雷伊泰號刻在船塢中秘密改建爲新型的潛艇追逐艦，因爲其設備的特殊，故噸位且比兩萬七千噸愛賽克斯級的其他航艦爲寬。新雷伊泰號改建完成後，將裝備五十架特別的潛艇追逐機，以代替原有的八十架普通戰鬥機，此外還有許多專門對付潛艇的秘密武器。

美駐捷大使館一夕數驚

報紙上對美籍公民哈瓦斯達逃出捷克的情況記載甚詳，但對美國駐捷大使館採取預防的措施來保護哈瓦斯達的情形卻因某種原因而沒有記載。據內幕消息說，哈瓦斯達逃入美使館以後，即被藏在一間小室中，門外再加上一把大鎖。當他在使館內天井中運動的時候，有一名特派的衞兵在旁警衞。好幾次大批捷克警察開往使館四周巡邏，美國官員更特別緊張起來，有一晚，負責保護哈瓦斯達的美使館官員，且先後起身四次，以備對付共警的武裝干涉。（孟衡）

天下小事

學術界的新風氣

提倡新人文主義

．吳康．

（上接第一版）

至於我個人闒茸淺學，在這種新時代潮流迴盪之中，願做一個馬前小卒，勉竭綿薄，隨諸同人之後，爲實現這偉大理想而奮鬥。自廣州淪陷，我所創辦的文化大學，一千五百餘學生，黃花崗畔的新建校舍，七八萬册的中西圖書（連我自己寄存的在內），悉被劫收，歸於烟消雲散，在香港所辦維持校統的文化專校，交同事朱學曾教授主持，自己來台三年，除台大講課之外，閉門却掃，專心著述（交商務及華國分期印行），近答文大某同仁說，「我寄迹海島，片刻不敢偸閒放逸，以求無慚於文大諸同事諸同學：：」可爲其近狀寫照之一斑。我平日頗提倡現代化新人文主義的理論，思以駑馬十駕之功，隨大時代進化潮流，對於復興民族，再造文明，溝通中西文化的偉大工作，竭其棉薄邁步前征，爲新中國及人道盡力！

讀者　編者

△吳康先生函：『讀日昨貴刊「大陸來台教授的困苦」一文，茲作一短篇補充，並附一去歲小詩，績乞斧正。或可助讀者窺見在台同人生活之一斑也』。二月六日

△韋政通先生函：『自由人在台灣已成爲無數智識份子不可缺少的精神食糧，我們均將以全力支持你們所努力的方向。今後言論版望能擴充。三版的大陸報導，如無特殊內容，應儘量少刊，通訊文字盡的方面，不妨增加』。二月八日台北

編者的話

△吳康先生的文章，今日已在本刊發表。這一篇文章不祗報導到台灣大學教授的生活情形，最重要的還在指出自由中國學術界的一種新風氣，一種沉潛切實的從事建設性的新文化運動精神，這應請讀者注意的。吳先生的詩亦將隨後發表。

△韋政通先生對本刊的高貴意見，我們除表示感謝外，一定要努力改進。

△王岩，我生，陳慶廣，老百姓，鳳夢，春秋諸先生：惠稿惠函均收到，至謝。

再談雲南士習

——就正於毛以亨先生

·張維翰·

我在去年十二月二十六日「自由人」所發表「雲南起義與雲南士習」一文，係就我前年十二月二十五日，在雲南起義第三十週年紀念會席上，對雲南旅台同鄉人士所發表的演說而草寫的，當時我的演詞，提出雲南起義得力於雲南士習，強調首義諸先烈都爲弘毅之士，能夠任重道遠，值得後人效法，所以揭此弘毅二字，期與同鄉青年相勗勉，以致力於反共抗俄大業，今閱本年一月十六日「自由人」載有吾友毛以亨先生「談雲南起義與雲南士習」一文，對我揄揚此議，加以獎譽，自覺愧無以當。

影響雲南文化的人物

毛先生並說「欲究此弘毅士習之由來，不能不歸功於阮元，元重建五華書院爲其嚆矢，而以前則殊鮮聞人」。阮元以經學家出膺經略，所至樂於提倡學術，其任雲貴總督最久，有功於地方文教，誠屬不小，但與阮元同時，雲南也就有了聞人，如彈劾權相和珅，直聲震天下，其行誼書法，至今猶爲人楷模之錢灃，亦乾隆時翰林，其科第或早於阮元，再早二百餘年前，則出將入相，歷任西北三邊總制，並以誅權閹劉瑾，名重當時之楊一淸，其氣節文章，在明正德嘉靖間，震鑠朝野，同時以遣戍留滇，有裨於雲南文化，其功不亞於阮元者，則有四川新都之楊愼，後來楊一淸以年老告休，寄寓京口，卒後即葬鎭江城南，楊愼至滇則在一淸之故里安甯溫泉村居住甚久，其讀書處曰一漏廬，遺址尚存，後人有題聯云「征嘉而還，傑出氣節文章，獨來獨往」，「山水之間，安排狀元宰相，一主一賓」，毛先生在抗戰期中，客居昆明甚久，遊覽勝跡，不知曾至其處否，因此我又聯想到昆明湖上的毛楊二公祠，此祠原爲明代給事中毛玉的故宅，毛玉與楊愼因議大禮同受廷杖，毛玉立斃杖下，楊愼則流戍入滇，就毛玉故宅講學，榜爲祠宇，以祀毛楊二公，想毛以亨先生在滇時，當亦曾遊其地，猶憶民國十四年，我重修祠宇時，曾有詩四首當另抄寄「自由人」以充篇幅，並就正於毛以亨先生。

土族也有忠貞之士

又毛先生原文「淪滇非土人之過」一段云「我同意張先生士不可以不弘毅之說，而不同意其投靠敵國爲土人所爲之結論，」自是毛先生錯看編輯先生分段時所標出之「投靠敵國爲土人所爲」數字，遂以爲這是我所作之結論，其實我的原稿，並未自行分段，更無分段標題，我的原稿最末且云「就是在雲南少數民族中，也有多少明義，忠貞愛國之人，亦絕不甘被此一二敗類之無恥行爲所掩蓋，」可知我於龍盧以外之土族人士，並未一筆抹殺，毛先生若將我的原文，重看一遍，自可瞭然，

平心而論，雲南許多人士之淪入鐵幕，都是被盧漢投匪所拖累，因爲他既表示竭誠擁護領袖，一心反共，並正以行動來證明之際，忽而一變又實行投共，封鎖空陸交通，不使雲南人士無法逃脫，即中央各院部人員之到滇者亦多被其扣留，就是毛先生文中所提到的滇人李根源，陳廷璧，亦未必甘心投共，皆因交通被阻，無路可走，後來李根源被共匪予之政協代表頭銜，北去附匪，則誠如毛先生所云由於與朱德之歷史淵源，因朱德係其辦講武堂時之學生，至陳廷璧其人，原本無甚智識，不過對黨尚屬忠實，傳聞匪軍入滇後，即將其拘禁罰充苦役，且有斃斬已死之說。

夷族當權政風始壞

又毛先生原文最後一段云「雲南之特徵除龍盧有苗人之先天性，使其地方性格外狹隘而急促外，尚有西洋物質文明之因素在，蓋滇越鐵路，已將殖民地惟利是圖的壞風氣帶至雲南，此一古樸山城，遇到抗戰的發財機會，又先吸收了法國殖民地惟利是圖的觀念，各種因素，混合起來，顯見到不調和，故使人覺得其異樣不舒適，」毛先生這些見解，大體尚屬不差，我也承認自滇越鐵路通車以後雲南經濟社會各方面誠然發生多少變遷，但是法國人在越南殖民地惟利是圖的壞習，則根本爲雲南有識之士所不取，在民國十六年以前，雲南政風原甚良好，絕少貪污枉法之人，即唐繼堯主持全省軍政十三年，身後亦無多餘財，其生前之恢宏大度，至今猶爲當時雲南之外省人士所稱道，毫無褊狹排外，予人以不快之感，自十七年以後，夷族當權，政風民俗遂因之不振，而日趨敗壞，受到法人殖民地惡習之影響，實亦始於此時，駐滇法國領事黎華西，竟自恃於龍雲被其聯伴圍攻時，有調停救護之力，而多所挾制，隱然欲左右龍雲，我在雲南，向被視爲反法最力之人。

中法越南專約經過

曾記我於十七年二月，以簽訂中法越南專約，與法使談判中，歷舉法方違越不平等條約的種種事實，向法使據理力爭，而駐滇法領黎華西，爲討好法使，竟在滇要挾龍雲迫令召我回滇，時我在京據王寵惠電告當以該法領此種妄舉實外交史上未有怪例，萬難容忍，立請外交部長王正廷先生向法使提出嚴重抗議，並電駐法公使向法政府交涉，結果將黎華西撤職回國，而我所力爭之權益，如廢除貨物過境稅，改善對於華僑苛例，修改滇越鐵路章程，縮短收回期限，加強我國所設路警職權，及於河內西貢設置領館等均獲法方同意，經十八個月之折衝，而新約終於民國十九年五月十六日在京正式簽訂，旋經兩國政府批准，發生效力，自此之後，滇越鄰交關係，趨於正常，過去所受種種扼制，漸已解除，主持省政者，若能鼓舞人民，發展對外貿易，則社會經濟，自可改觀，人民所得當然增進，乃不此之圖，而轉以統制錫鎢等輸出，換取外滙，以謀自肥，及抗戰時期，雲南爲後方唯一國際交通樞紐，更予彼等以絕好發展機會，不惟龍雲盧漢陸崇仁等富可敵國，（陸與龍盧爲同族，毛先生原文謂其爲漢人，非），即其部下糧信，亦無不頓擁厚資，紙醉金迷，（美鈔法紙，黃銀白金）而社會風氣，更日趨敗壞，至於不可收拾。

往事不堪回首

又毛先生原文曾說「當時我們在雲南異樣不舒適之感覺，張先生以抗戰時在渝，未曾久留其本鄉，不會體會到的，」其實我不僅抗戰時不常在鄉，遠自民國十九年七月回滇就任民政，鑒於環境險惡，無法轉移，未滿一年，即離職入京，抗戰時又隨政府遷渝，直至勝利後始於三十五年回滇，離鄉蓋已十五六年，是時雲南政局雖經更迭，而龍去盧繼，貪殘有加，我以鳳戀之責，於蕩瑕滌穢，亦頗費一番心力，其如小廉而大不法，打虎不去，竟見其引虎入室，使千餘萬生靈被其陷入鐵幕，而備遭塗炭，思之慨然。

中共官僚攫奪下 申新漢口廠改制

申新紡織公司原係中國紡織界權威，全國各大重要商埠均設有分廠。大陸陷共之後，各地分廠均受共黨管制，形成獨立經營狀態，漢口廠屬於申新第四紡織公司，規模頗大，竟成當地各項苛捐攤借主要對象，至一九五三年十月因無法忍受共黨長期勒索而宣告停歇，但該廠工場已被共特務滲透，反對資方停工，要求實施軍管理，資方在這困境中，亦只有派遣代表駐廠，向「人民銀行」借款，在形式上是共方幫助了資方繼續經營，而實際係加工代管，盈餘全部被共方霸佔，勞工待遇普遍減少，資方無權過問，變成了共方的資產。三年來平均每年均有二十四億共幣被剝削，由於軍管的結果，資方權力全被剝奪。依照去年北平召開的「全國工商聯」會議的決定，大陸上各私營工商機構，第一步應一律改爲「公私合營」，已經改爲「公私合營」的則改爲「國營」，這是中共辯解爲「新民主主義」過渡到「社會主義」的必經路綫，處此各地強迫學習「總路綫」之時，漢口共黨市府迫使該申新第四紡織公司漢口廠資方退出立場，自今年一月一日起正式宣布「公私合營」，其他裕華等廠亦將受到同樣命運。至申新第四紡織公司漢口廠的實際性質，早已成爲官僚資本產物，管理方面，行政措施方面全受共幹管制，當全體共幹們醞祝「公私合營」的狂歡之時，他們高聲大喊，「我們已走上了國家資本主義的道路」和「打下了過渡到社會主義的基礎。」（鍾梅）

心物與人生

·翟林·

著作者：唐君毅　出版者：亞洲出版社

該書共分兩部，第一部論「物質、生命，心與眞理」，詳解物質之眞義及物質的物體之性質，與生存之意義及人心在自然的地位，其用意在指示一「提高人心在宇宙中的地位」之哲學思想方向，以自然爲中心，從物質生命論到人心與心之求眞理，痛斥物質之世界高於生命世界之謬論，復又指出心靈世界更高出生命世界，而爲自然宇宙之中心，作者以問答辯論方式寫成，以便一般讀者易求瞭解，在其自序中，更以沉痛情懷，道出其一片赤誠，一片純樸之求眞理之心願：「本來眞理自在天壤間，千萬人信之不爲多，一人信之不爲少，即無一人信之，眞理之爲眞理也自若，然學人精神之可貴，又在其不忍眞理之被埋沒幽囚於黑暗之中」，聊聊數語，以見作者悲天憫人之懷抱矣！

第二部論「人生與人文」，闡明「生命世界，心靈世界之客觀存在」，指出從唯物的自然主義到人文的理想主義之道路，以人自己爲中心，而從人論到人生與人文，即是要人眞實的提昇其對人生人文之了悟，而逐漸形成一高遠闊大的人生人文之理境，並對人生人文增益其愛護崇仰之情，此部作者雖以論述體寫成，然以其流暢筆調，抒情韻文，言近旨遠，文約義豐，令人讀之亦不覺其枯燥也。

全書惜對「物質、生命、心靈三者所表現之各種形式範疇。物、生物與人之個體，宇宙最後眞宰最後實在爲何？」等問題，及哲學思想方向之全部結論，均未曾明澈論及。

全書最後之第二部第五章「人生之智慧」，以詩之體裁，表達哲學義理，復多以中土之陳言，表西哲之理趣，寫來情文俱美，可作哲學讀，亦可作文學讀。

中國文化之急務，在于建立智識份子對民主主義堅强信念，提高中國之民族自尊，本書作者一直努力東西文化學術思想之結合，本書之主旨亦在此，故本書之出版，與數月前作者之另一部著作，「中國文化之精神價值」，均極爲中國學術界之重視。

貪污浪費無度 共報發出悲鳴

貪污、浪費、盜竊和官僚主義作風，凡是中共的幹部，差不多都染上了這些習慣。東北地區，許多地方國營企業違反「國家」規定，擅自把「國家」調撥的生產用煤，極盡其浪費能事，因而造成嚴重的損失，這是中共工業前途一致命打擊，中共感到這浪費現象的嚴重，曾於本年一月二十五日在「人民日報上」發出悲慘的哀鳴，但是積習已深的共幹們，想挽救和糾正，已來不及了。

該報自供說：「根據東北區各省市炭業建築器材公司的調查，僅一九五三年第一、二、三三個季度中，因浪費盜竊而被挪用的煤即達二十三萬餘噸，遼東省第八造紙廠、營口造紙廠、營口第五紡織廠、營口捲煙廠、瓦房店紡織廠等五個工廠，就挪用浪費生產用煤二萬八千一百十六噸。撫順製鋼廠、石油三廠，建築材料一廠挪用浪費煤一萬一千七百三十噸。遼東、松江等省也有類似情形。吉林省有四個單位，不僅挪用浪費三千餘噸，而且把三千多噸煤盜賣。地方國營食品公司從一至九月，曾把生產用煤二百一十噸以每噸六萬元低價盜賣給某火柴廠把生產用煤二百零四噸盜竊與職工浴池。地方國營陶瓷工廠把一千五百噸用煤賣給市民，賣煤的錢，做了花街柳巷夜度之資。更有旅大市二十二個單位更具腐化官僚作風，竟將用煤取暖。其中瓦斯公司不僅本單位把生產用煤取暖和炊事，還從中盜竊賣給交通公司和公用局。……」

根據上面所載的，就可以證實他們自吹自擂「經濟建設」，「進行大規模的」「五年計劃第一年」，就是如是云云。煤，是工業的糧食，工業是進行建設國家的基本事業；工業用煤需要量正在激增，而浪費量亦因之加多。這些官僚主義和腐化集團，正腐蝕着中共政權，崩潰的末日，快要到臨了。（秦）

學校多師資少

香港三日

香港教育當局雖然頻年鼓勵中學畢業學生，獻身於教育界服務；投考師範學校繼續攻讀的人數，仍然寥寥無幾。相反的，在港大攻讀文科以外其他專科的，卻十分踴躍，本學年聖若瑟舊生三十四名在港大肄業，攻讀文科祇有兩名。由於此種情形，造成了港九教育界一個矛盾現象：教育當局感到師資大量缺乏；失業教師苦無就業門徑；前者如羅富國師範學校本學期畢業生祇有二十八名，在學校普遍增設的時節，無法培植充分足額的師資，當局引爲一大隱憂。後者設能從事選擇，不難發掘業多師資補充，假如就目前「黑市教師」試作統計，相信必會逾額，然而此種格於教育則例規定的教師，欲晉級乙級師資尙且十分困難。乙級師資係當局權宜承認的師資，他們祇是具有相等的程度而非師範專科畢業；即使曾（英國除外）留學過或在國內大學畢業，甚至足夠資格的教師，至多獲得乙級教師，欲在港執教，此種深感殖民地執教困難的教師，自經教育司署訂定五年計劃之後，纔獲得了晉級機會。

失業教師求職不易 投考師範興趣索然

責任同待遇異

一九五三年夏季教育司署舉辦「教師講習班」，從事訓練（兩年爲期）各校乙級教師，現時第一期屆近結束，被調訓練的僅限於鄉村補助學校，人數也祇有一百二十一名；續辦第二期距今已非遙遠，假如今年暑期後將所有補助學校全部乙級教師調訓，一九五六年以後各補助學校當可完全由具有甲級師資的教師充任。現時當局對於「黑市教師」的出路，卻尙未作適當考慮，令人遺憾。事實上「黑市教師」任務與合格師資原無大別，處境則迥然不同，不僅待遇過低，授課時間又長，使他們的教學情緒卻大大減少；教育司署所以特別重視「教學方法」，無疑是由於視學官所檢視的結果，已發現官立、補助學校與私校間迥然不同的情況，後者顯因經濟困難造成，大多數私校的經濟都很困窘，他們對於本身的艱苦處境，每覺同樣負有推進殖民地教育責任，但所獲待遇爲何不同。這種情形，教師與學校的主持人均持同一觀點，但當局的態度，好像是目標集中在教師身上，教師既非「及格資師」，私立學校也視同爲搶救失學、暫維現狀而設，並不普遍給予補助，卻不知私校對於培植學生，尤其是基本教育的小學，其所負責任之重大，更甚於中等以上學校。

希望通助私校

就目前小學教育的情況看來，課程深淺，各校並不一致，而教學方法似隨各校經濟情形轉移，經濟情況較好，擁有學生必多，教師待遇雖距標準極遠，以比較一般的學生少、收入少的學校教師稍高，生活環境也較好，教學方式與對待學生態度自不同於經濟十分艱困的學校教師，這一個嚴重情況，在教學基本教育過程中，確是不容忽視的。年來港九新設學校固多，但中、學收縮班級的也很衆多，這是由於經濟困難，教學方法不良所致，一個設備較全教學方法良好的學校，沒有不被學生家長重視，但設備差，教師待遇低，每將學生視爲污言詬罵、橫蠻體罰對象，不僅易於養成學生毆鬥惡習慣，對整個教育前途，不下一大危機。當局設能對於私校考慮普遍補助，這種現象不難消失，相信香港教育前途將獲迅速光大發展。

傳說中的人物談薈

—梁漱溟—

自由談

現代學人梁漱溟，因其在公共會議場中指摘「人民政府」不顧人民疾苦，已遭共黨「管制」了！管制就是禁錮的代名詞，猶之乎共黨稱牢獄爲「社會教育處」一樣，都是一種非人的生活。

梁氏是有所不爲的學問之士，他那種覺眞理的思想，永遠不會被共幹搞通的，搞不通，就得長期管制改造，他受凌辱。他的父親即是憤時自殺的，梁氏如果不堪暴力摧殘，他也可能步先人的後塵，一死以見其凜然不可侵犯的志節。歲寒然後知松柏之後凋，梁氏有焉。

他過去對大陸中華民國政府的現狀也頗示不滿，我們政府雖不曾「管制」他，但亦沒有予以寵愛讓，及今思之，不無慚德。凡屬不肯隨便向現實低頭的讀書人，其立身行已總是有本末的。梁氏過去對中華民國政府既有所不慊，他今日對秧歌王朝的反感當然更強烈，這就是中國士大夫所崇尚的氣節。誰能珍惜這種「壯氣」而宏揚誘掖之，誰就有平治天下國家的能耐，可以坐上「眞命天子」的寶座！

毛澤東雖然滿腦子帝王思想，他對於一些讀聖賢書的士大夫之籠絡玩弄手段，似乎亦有一套。可是，不許別人有緘默自由的共產主義教條，即是他的絕症，雖扁鵲亦無能爲力，非陷入死路不可。否則像梁漱溟這類士大夫，何致於妄加摧殘呢！

共黨平日最講究「統戰」政策，藉以對敵人實施政治瓦解的魔術，有了「管制」梁氏這回事，統戰的西洋鏡已戳穿了。朱舜水有言：滅虜之策，在事事與虜相反。共產原以摧殘讀書人爲能事，我們應該怎樣，還不明白嗎？

馬五先生

爲善最惡

舒其誰

百物零落，黃葉片片，秋天的江南，已呈現出一派蕭殺的景象。今年的秋天，天色顯得分外陰沉，形變沉怖，太陽老是躲躲閃閃，偶或露臉，亦只半面。整個村子籠罩一層陰森森的氣氛，使每個人的呼吸，似乎特別窒息。

繼征借獻糧騷擾而來的「秋征」，迫使許多人疲于奔命，變賣不繼。這該是剝削財已盡大家的命的時候了。

今天村子裏盛傳着要「鬥爭善霸」張傳仁的消息，不但張傳仁本人惶恐，全村的人也好像着了一個晴天霹靂。

張傳仁這老頭兒，家境尙稱富有，他平日爲人，最歡喜濟貧恤難，百里路遠近，誰不叫他做「張善人」。例如今年夏天，他們來了之後，他們只會專向這些一些人家需索，而對一些貧困者，因爲尙未到達利用時期，還是相應不理。張傳仁除還是和往年一般盡其所有分散給村人度荒。雖說是借，但多少有來，他就讓他們來了，好人是不會怎樣的。他想他今年已活到六十歲了，一生並沒有虧待別人的事情，平時他對別人原是抱着行善最樂的胸懷的，以爲他們來了之後，最多只須拿出所有的財物，將不會有多大問題。于是一家都甚于這個信念，沒有躲避這將落的村子。再晚也要趕回城去，似乎讓這個老的村子保留着一個善霸的夜晚。但日子一天一天的過去，情形漸漸就不同了。張老頭子起初，好在此地處偏僻，他們的人雖仍不時光臨，但人數不多，往往只有三五人一起，而且不敢留宿。

乎已感到他們並不是對好人不會怎麼的！他有時抬頭望望暗灰色的天空，他想天下沒有不停的風雨，不久仍會出現晴朗的青天，光明的白日的，其實誰又不是這樣的預料着，盼望着。他這樣想着，心情又似乎平靜一點。但近來形勢一天一天變壞，離村六七里的鎭上，他們已派駐了十多個人，在哄嚇一些平日遊手好閒的賭鬼，組織什麼「農會」，欺騙不齊于當地的婦女，組織什麼「婦女會」，來「鬥爭」地方上較爲溫飽的人家。張老頭兒既不窮人，就是我們剛剛說過的，又從未辦過公事，也未刻薄過窮人，想總不致輪到他頭上的。

今天當這「鬥爭善霸」張傳仁的消息傳出，老少都感到驚異，起了反感，都齊集在村子的曠場，要求鎭上派來的那幾個有槍桿子的人，替張傳仁說情，應該取消這個「鬥爭」。正在這個時候，張傳仁已被另兩個持槍的人押到了曠場，據爲首的那人說，張傳仁平日爲善作好，不知內裏的壞人以爲他是好人？其實「爲善最惡」，他是犯有「控制農民思想，幫助統治階級」之大罪，應該處他死刑。話猶未了，砰的一聲，張傳仁就在這個罪名下被槍殺在曠場上。曠場上的村人，無不號叫起來，表示激烈的抗議，但抵不住他們的強暴驅散，每個人只得掛着兩行熱淚，懷着一顆沉重的心走回家去。天空還是陰霾滿佈，何時張出蔚藍的青天，白日普照天地？好讓村人透出一口怨氣。

憶舊游

·懷冰·

伯端丈五十年前侍太夫人課讀花下，適有落瓣飄墮，拾置卷中，今檢舊帙，色轉淡黃，理如蟬翼，因賦此調紀以同作，余漫成一闋。

溯萱庭日暖，課讀花間，詩熟親娛。一瓣隨風墮，作珊瑚賞玩，子似龍駒。試題五十年事，春夢苦模糊。奈句比紅梅，根深紫竹，一例清癯。蘆疏雪蓬鬢，恨換却斑衣，歟緒今無。細檢琅函裏，怪紛紅駭綠，淚淡雲枯。賦棲況有高手，心影落江湖。想燭跋書堂，霜繁月白啼夜烏。

鐵幕學生生活

——一個捷克小學生的親身經歷

·子勒譯·

我們在西德邊界的難民營聽到這個故事，這是一個講述捷克斯拉夫小學生生活情形的眞實故事，並且是逃出鐵幕的小學生米拉·布羅茲親自敘述他自身的遭遇。

三年以前的一個冬天午后，那時積雪已深蓋了瑞爾斯山上的長青樹，離布拉格西北一百哩的地方，九歲的米拉哭泣着由那村小學回到家裏，但還不是他臉上的大傷痕正在流着血，這便是他哭泣的原因。米拉這樣大的年紀，正是美國小孩子喜歡做印地安人或太空旅行的時候，他也有一個野心，他希望做蘇聯的遊擊隊員的時候，他還要去和美國人打仗，因爲他們都是懦弱而資本主義的。但那天在學校時，他的同學們在他們玩的「遊擊戰」遊戲中，把他當作美國人，這種遊戲並沒有一定的規則，他們不懂美國的玩具手槍指着，並且大叫一聲，如射擊的聲響，然後說：『你被打死了！』還被稱「美國人」「蘇聯人」的只是指這一些石子，米拉被石頭擊中，……

父親保持着緘默，他完全知道這遊戲，捷克的小孩自從一九四八年共黨掌權後，就一直玩着這種遊戲，在教室裏，學生們被告訴美國人都是世界上最強壯最勇敢的人，而美國人都是儒夫和強盜，這樣自然的，九歲大的小孩要做一個蘇聯人了。

父親最後開口了：『米拉，美國人眞正不是這個樣子，一點也不是這樣的。』

勒狄斯拉夫這些年來一直把負了對當米拉被欺侮的事，他的妻子他小孩有着父母時常想着這些事的血跡拭去時，勒狄斯拉夫的態度變得溫和了：『孩子，他們說美國人的這些都不可能是眞的，你那時太小了，不能夠認識這些，但是他們在捷克的時候是非常和氣仁慈的，他們慷慨的供給我們缺少的食物和衣服，他們不是懦夫和強盜』。

『但這一定是眞的』，米拉哭泣着說：『他們在學校告訴我的，你怎麼知道這些的？』『他們在學校告訴我的。』（一）

譚組安廬山雜詠

·无真·

（十六）溫泉，田沸泉，石陀澗，露葬醉漢荒陂，空惜無處所，雲閉稍喜見金輪。（至溫泉見金輪耶塔）（十七）山南積氣雲成海，山北凝雲作冰，咫尺便能殊氣候，問誰人上最高層。（含鄱口）（十八）雪晴偶得諸峯山，五老齊排闥開，惟餘孤影天池塔，雨霧猶見此中來。……大月山是廬山最高處，獨立蒼茫，（十九）天池殘塔凌虛立，頗憶當年夕照佳，誰似關雲長跨馬立舍身岸，文殊台下舍身崖。（二十）碑斷文殘蓮社空，橋平亭圮虎溪陵書，於今善信誰知此，殘篆塵埋香積廚。（千佛塔榜譚友夏書余得之廚下）（廿二）殘碑壞礎太平宮，曾有遊蹤說放翁，象口浪傳婆娘墻，鬼工誰記蘭樓鐘。（太平宮婆娘即墻放翁所記之鐘樓）

翌年（十六年）八月，寧漢合作成，譚氏乘東下赴寧之便，曾重至廬山復有「重至廬山」七言絕句一首：「山氣無風也自涼，路入岡草樹靜蒼蒼，只覺非生客，鴻異舊行」。

癸巳初春鄉居聽雨

、敬軒

來台二年，蟄居汐止，閉門卻掃，謝絕往還，遠念大陸故人，杳無消息，初春聽雨，倍難爲懷。

故鄉消息隔雲山，歸夢依稀去不還，萬種心情浮海外，一春花鳥到人間。偶攜身世來聽雨，暫擁書城獨閉關。太息年華隨逝水，天涯風物共誰攀！

自我的控制

·遜周·

做人的第一課，該說是「自我的控制」，控制情知的正常發展不激，向理性常理的進程裏，在倫理的準則下，鑄冶範疇，作一明確的選擇，許許多多的人，在「欲」「義」兩途，作一明確的選定，由于物質的引誘，在我國雖有十誡五戒三綱五常來的控制，所謂「良心作用」的，若，那才是反求諸己的自力自律，……一個人要眞能涵修到如此的境地，可不是輕易事，他必須具有高度的智慧，任何「孤意」以至于「逞欲」之舉，由于辨識趣味的清明，便自然而然的，有其「自斂」的功夫，越是地位高大和實專望重的人，越是得着意此一的涵修，所謂以身繫天下安危負天下之重者，自欽功夫的涵修就是……

在能得「控制自我」，亦即「求放心」，當然，類此的已歡樂的事，本談不上有何，自我的根本控制，任性使氣，為所欲爲，縱欲敗度，以快一已的私感，除開極權國家和暴民政權如蘇聯和中共匪幫而外，該說已難適用于今之世了。同時，眞正「民主」的實現，就仰賴于那些具有高度自我控制修的人，在獲得民衆擁戴而後，一言一行，就兢兢業業注視着憲章典範，能所賦與，不得也不更忍有絲毫任私的一意孤行（上）

有所忿所懼以至于所恐所懼，一念之「差」或一欲之逞的所致，古今中外，地無中外，時無今古，類此事例，實在是舉不勝舉的比比皆是。

在現代，已是人類覺醒的世紀，由個己推而以及一族一國，以至于全人類，所謂「幸福」一詞，絕無疑義的應該推己及人，甚且可以說沒有他人的幸福也無個已的幸福，從前那類由萬千人觸泣中獲取一已私的一意孤行……

大體說來，許多人的悲慘事多由于某幾個人的，甚而就是某一個人的，歷史上的悲慘事，毫忽略不得，許許多天下重望的人更是絲

家住天台雁蕩間

·鐵頭·

那一次的，台之遊，就此結束，下山轉車經臨海、黃巖，至大荊鎭，過河而由百溪入雁宕。是日經過臨海時，曾停留果腹，並觀察那些在天台雁宕間的同胞們，是過的怎樣的一種神仙生活，但覺生活雖然不錯，不過較之杭、嘉、湖的人民，似乎生活水準還較低一些，而性格質樸，慓勁豪爽，確屬山海之間人的本色，於以想到我們許多台州朋友的作風，蓋有由來焉。可是話要說回來，這環繞左右的山水名勝，替台州帶來了許多遊客，增加了許多消費，實，而歷史上迭出高僧、隱士，尤足爲台州生色，至於普陀山的和尚，大半爲台州籍，則又是江浙間許多人所知道的事了。

那天在公路之上，將到大荊，即遙望雁宕諸山，芙蓉插天，片片撲人眉宇，好像歡迎佳賓所樹扎的松柏牌樓，一般令人一見即躍躍欲前，大有不肯稍延之心情，及抵山，已近黃昏，但見山峯突兀，怪石嵯峨，重重疊疊，峯，吏人應接不暇，右有石峯上站一老衲，長約十餘丈，嶺，婆髮禿頂，翹然兀立，側首有一小童，躬躬如也，彷彿肅客之勢，是即有名的老僧巖，我們看見了，甚爲欣慰，覺得名山如此多情，而我們反昂然坐在轎子上，不下來還禮，很有一點不好意思，但因爲時已晚，趕路要緊，遂匆匆過去，數里後抵靈岩寺，當晚即宿於斯。

翌晨，開始遊山，從靈岩附近遊起，首先接觸眼簾的，有兩座山峯，蠟燭似的，插在山門兩旁，那左面的名叫展旗峯，高約六十餘丈，壁立陡峭，而寺廟的正中一面，則由頂傾斜而下，相反的一面，則由頂的一峯略高，有若展開的旗幟，故象形名之，那右邊有若桂林的獨秀峯，而形勢突起，又好像香港的中國銀行，然高度則須加四倍以上，是名爲天柱峯。天柱、展旗，兩峯對峙，彷彿天然華表，中間溪流一道，石橋相通，這形勝之靈岩寺已有居中垂拱之勢，且天柱之側，復有諸峯環繞，有若衆星捧月，著名的有雙鸞峯、捲圖峯、玉女峯等等，姿態均極生動優美，更足爲靈岩生色，但若回首朝寺後一望，則城牆似的一帶屛障，壁立延伸數百丈，儼然是天生的紫禁城一般，其色翠綠之中，又夾有翻赤，甚爲美觀，故名屛霞嶂，又叫作靈岩，靈岩寺之名，即由此而來。

類似這屛障的，在靈岩附近，還有一個，岩壁綿亘數里，像一座永久無法攻破的鐵城，除了天台的赤城山而外，這兩個屛障，也算是洋洋大觀的了！（三）

中華民國僑務委員會頒發登記證台教新字第一零二二號
中華民國郵政登記第一類新聞紙類

自由人

THE FREEMAN

（半週刊每星期三六出版）
（第三一〇期）
每份港幣壹毫
督印人：李光華
社址　香港高士打道六六號
電話：七四〇五三
GLOUCESTER RD
HONG KONG
TEL: 74053
承印者：東南印務出版社
地址：高士打道六十四號
台灣特派員辦事處　台北市館前街五十號
台灣總經銷處　台北　中華路五九四號之一
台灣郵政劃撥儲金帳號　九二五二號

立法院在進步中

・劉清瑞・

六年來立法院在大問題上，保存大量的正氣，行政與立法的關係，亦有進步。目前的質詢比以前精采，而且敢言。行政院的答覆也使人有好印象。

察政治，首先應到議會去，更應留心議會與行政部門的關係。我是一位自由中國的平民，我自矢是最忠誠的一個反共抗俄者，我幾年來最注意我們的政治，也最留心立法院的動向。立法院的動向是自由中國未來命運的鏡子。

六年來的立法院

如果有人向我提出問題，問我對立法院六年來的感想是否滿意，我良心上的答覆是：不太滿意，同時也相當滿意。這話怎麼講？六年來的立法院，在工作及組織方面，許多地方不能達到理想，我雖然不太清楚立法院的內容，但是外面耳熟能詳的幾點，如出席人數[illegible]作情形及召集委員的產生辦法及人選等等，我們良心上不能說是太滿意。可是這六年來國家在生死關頭中，立法院六年來還能表現許多工作。在許多重大問題上，還能保存着大量的正氣。我們怎能不相當地滿意。立法院在台灣，四年來逐漸在那裏進步，這不是根據什麼統計數字，而憑我們老百姓一點直覺感覺。四年來，我們感覺不僅立法院本身有進步，行政院與立法院相互間的關係亦有進步。這說明憲政實施的條件，環境安定是十分重要。在我們如此環境中，我們憲政上有這一點成績，總算是不容易的。

已走上民主議會的路

今年立法院開會還不過一星期，但是我們每天早晨看報，讀了每條立法院會議的新聞，使我們相當欣奮。這一星期的會議，全部在委員的質詢，及行政院的答覆。看憲政動態，這原是重要關鍵。今年會期中立法委員的質詢，許多地方都比以前精采。而且表現敢言。譬如對司法行政，對外匯管理，對政治風紀等問題，實在就是多數人民所要講的。乃至如吳國楨的啓事，任顯群的行爲等等，過去都是一個謎。現在經過質詢，雖然還未揭開，總算有人去碰着那許多謎。民主國家的特點，在於公開，在於人民凡事都不包含神秘，沒有不可交代之事，也無不能查清的人。議會的作用，其主要使命在此。照今年立法院開會後一星期的質詢情形，我們的民意機關，已漸漸走上民主國議會正規的路。同時，行政院這次在立法院的報告與答覆，也使我們有良好的印象。陳院長施政報告及其口頭報告，辭意鄭重而誠懇。譬如關於召開國民會議與反共救國會議，他一再說只要大家以國家爲重，有自救的決心，作贖罪的努力，這兩個會議的結果，一定是好的。這種辭令，我想拿出去與任何現代國家比較，都不遜色。就是他對許多問題的答覆，我們認爲他的態度及言辭都是坦白而誠懇。所以我們的感覺，今年如果是自由中國的政治年，這個政治年的開端氣象太好了，開端氣象就在立法院這一星期的會議。研究政治心理學的人，對政治是不能一味督責。在督責以外，還須鼓勵。古語說，「爲善最樂」，又說「與人爲善」。中國五千年來沒有民主憲政，今天在大亂中培植憲政，我想對政府各部門，在督責以外，還須多加鼓勵。我們願誠鼓勵行政當局，用萬分的誠意善意去扶助我們的憲政。憲政如果成功而燦爛光明，最大的光榮，還屬於行政當局。反過來，如果憲政不幸而摧折，最大的罪戾，也在行政當局。助成憲政最光榮，這是我們虔誠希望於今日之行政當局。

大戰後的憲法新趨勢

立法權主宰全局，議會至上，這是十九世紀的憲政潮流，法國第三共和的憲法實爲此一理想的代表作。二十世紀兩次大戰以後，世界新憲法的趨勢，都側重於安定政局，防止立法權之過於膨脹。如法國第四共和新憲法第四十九條，及義大利一九四八年新憲法第九十四條，對議會倒閣，均有限制。如法國國民議會對不信任案提出後，須經過一整天方得投票。義大利議會下院信任案提出須經全體議員十分之一簽署。信任案提出後，須經過三日方得投票。凡此種種，都爲矯正過去議會權力過於龐大，亦爲顧到政局之安定。政治上的事，沒有絕對完美的制度。一切設施，不過因時因地，補弊矯正。我們的憲法，對於民意監督與政局安定，本來規定相當穩妥。行政與立法的平衡發展，或將隨時局的進展而益臻理想，這是我們所馨香祝禱於立法行政雙方進一步的努力。

四三，二，十六。

反共抗俄的新階段

有人說今年自由中國是政治年。因爲第一屆國民大會第二次會議，本月十九日即將開幕。接着反共救國會議也將召開。據陳誠院長在立法院的施政報告，今年政府的大政策，是召集兩個會議：一爲國民大會，另一爲反共救國會議。誠然，這兩個會議是政治性的會議，集兩個政治性會議，政治年的名詞是相當適合的。自由中國當前的形勢，已較前數年大爲穩定。但是大敵當前，國仇未復。論我們的環境，正是一個軍事時期，但在軍事時期，政府不忘政治，在一年中舉行兩次政治性的大會議。這象徵着反共抗俄不單依賴軍事，也可說自由中國今年特別注重政治，可以說明我們的反共抗俄，實在到了一個新的階段，這一階段，是與最後勝利益爲接近，那是值得我們興奮的。

立法院和中國命運

在國民大會開幕前，立法院第十三會期，正在開始而且會議進行了十日。我們每天留心閱報，密切注意這一會期中立法院的情形。今年立法院開會第一天便是行政院院長的施政報告，接着一星期的會議，完全是立法委員的質詢與政府各部會首長的答覆。每一個自由中國的人民，都注意我們最高立法機關會議之進行，因爲按照我們的憲法，立法院纔是五權中之立法部門，立法院是代表民意行使政權。我們的憲政，要看我們的立法院，還要看我們行政院與立法院的關係。留心自由中國的政治，考察自由中國的政治，甚至推測自由中國未來的政治趨勢，必須在此等地方去着眼。猶如私英美法義等國家去考

美國的憲法修正案

——這是與美國外交措施有關的案子——

・旭軍・

在最近數月中，我們將從報紙上看到美國國會對於一項建議案，大加爭論。這就是布力克憲法修正案（BRICKER AMENDMENT）。而且在過去許多月以來，已有許多文章討論這個題目。這不獨是美國人注意的大事，而且因爲這修正案係有關政府對外交之措施，所以值得我們注意。

修正案的重要內容

該提案係由參院共和黨議員布力克（俄亥俄州）領銜提出。簽署者爲參院議員六十三名。其中共和黨佔四十五名，主要人物如塔虎脫（當時未故）、諾蘭、麥卡錫、馬丁、等均參加。民主黨籍參院議員簽署者十九名。

下列便是參院聯合提案，修改美國憲法者，擬草人參院議員約翰布力克（JOHN W. BRICKER），曾經參院司法委員會修正及同意，其內容如下：

『第一節：一條約的條款如果和憲法有衝突，則不發生效力。

第二節：一條約可有國內法律的效力，祇要經過立法，而該立法不必另行根據條約，而該法律有效的。

第三節：國會應有權節制一切行政上的及其他與外國或國際機關訂立的協定。此種協定均受本條對條約之規定所限制。

第四節：國會應有權用適當的立法，使本修正案實施。

第五節：由提出之日期起，七年內，有四分之三州立法批准視作爲憲法之修正案，乃生效。』

第一節沒有嚴重的爭論，反對者祇說：是多餘的，不論在邏輯上或經驗上，均無存在之必要。此乃甚於抽象而非甚於現實，對憲法上無保證，儘足惹起糾紛。

議會要控制對外交涉

第二節用法理學來說，是一切條約不能自然成爲法律，須要依照規定的立法手續，方可成爲美國國內的法律。這一節可分成兩段看：第一、是一項條約可成爲國內的法律；第二段、是必要經過國會再予議定。而此種立法，係國會之權，不根據任何契約。所以反對的人，認爲增加麻煩，既經總統批准及參院通過爲正式條約後，又再經過總統，參院及衆院的立法及行政手續，方成爲國內的法律。所以艾森豪威爾總統說：『這樣便令到總統與外國政府進行談判的力量受剝奪。』而贊成的人認爲：世界上大多數國家中，條約不能不經立法而自然有國內法律的力量的。例如在加拿大，一項條約如未經立法批准，便沒有涉及私人權利的權力。

第三節，是美國國務院及總統所極力反對的。反對的人指出此種協定爲數甚多。例如，祇是有關北大西洋公約組織，便有一萬個行政上的協定了。因行政上的忙碌而欲避免此種麻煩，是可以想像得到的。因爲近年來，自大戰以後對外的關係日趨複雜，部屬繁多，許多行政上的協定，由許多無名的部員簽訂，大多數這種協定由國際代表團簽訂。其工作進行不大受人注意，而國會亦不理及。他們在外交事務上是比較新的因素。更嚴重的，是他們對內政往往有關。

然而支持這修正案的，認爲主要的還在外交上的簽訂條約。如無國會嚴厲的控制，則政府釀成可悲的錯誤，威斯康辛共和黨人說：『政府有訂立協定權，結果釀成雅爾達波茨坦以及德黑蘭會議美國之錯誤悲劇。……布力克修正案是用來保證自由的。』

艾總統反對修正案

至於艾森豪威爾總統，決定反對這個修正案。他的顧問說：支持此修正案的，實不明瞭牽涉的複雜，和在實際上難以行得通。比修正案須要參衆兩院各有三分之二的贊成票才可通過。艾總統祇要逾三分一的少數票，便可以阻止。他亦曾私自表示過，如過在國會表決上他失敗，他便根據此修正案的第五節所說的要在四十八州中每一州中作戰。最近有一反對此修正案的委員會成立，其中有曾在威爾遜、胡佛、柯立芝各大總統任高級官員精通憲法的律師。如果布力克修正憲法案獲國會通過，則他們擴大其組織與運動，在州際實行鬥爭。現在艾森豪威爾和提出此修正案的的意見相左，無法調和。（下轉第二版）

半週展望

・左舜生・

由會議產生會議

美英法蘇的四外長會議，其目的在解決德奧問題，經過多度公開與秘密的折衝，也有過不少的所謂讓步，乃一無結果。可是等到最後一日，却協議了在本年四月二十六日在日內瓦召集一個包括中共在內的五國會議，[illegible]

國大揭幕

第一屆第二次的國民代表大會，已於昨日正式揭幕。

這次大會最重要的責任是選舉總統和副總統，總統既由國民黨的中全會全體一致推定蔣先生，副總統也由候選的總統蔣先生向國民黨中全會提出了陳先生。蔣先生所得的全體票數是三十二票，陳先生除其本人未投，另一票棄權以外，所得的票數是三十票。一票棄權，無關宏旨，這可看出國民黨確實是異常團結，步調也異常整齊。在大會中既以國民黨籍的代表佔絕對多數，將來選舉時可以順利產生總統副總統，自屬毫無疑義。

根據這兩天的台北報導，又發生了一個新的問題，即副總統能否兼任行政院長是也。據昨天的台北合衆社電：『此間本日盛傳副總統候選人陳誠院長，於大選以後將兼任副總統與行政院長。……至陳本人，除對於其法理問題不無疑慮外，對其兼任兩職的可能性，不願發表意見。』

副總統可否兼行政院長

所謂『法理』，我想大致是指憲法而言。按憲法的第四十九條規定：『總統缺位時，由副總統繼任，至總統任期屆滿爲止。總統副總統均缺位時，由行政院院長代行其職權。』又同條規定：『總統因故不能視事時，由副總統代行其職權。總統副總統均不能視事時，由行政院院長代行總統職權。』

依據這一條的當然解釋，『行政院院長』是在『總統副總統均缺位時』或『均不能視事時』，要『代行總統職權』的，如副總統兼任了行政院長，則萬一不幸發生『總統副總統均缺位』，或『均不能視事時』，更有何人可以『代行總統職權』呢？[illegible]

蘇俄政權中心演變趨勢

·凡希·

——最高蘇維埃的人事變動極為頻頻，年齡愈來愈見衰老，工農階級的分子逐漸被排擠。

列寧在一九一九年曾經表示過：蘇維埃是蘇俄政權永久唯一的基礎。那末，現在讓我們剖析這基礎的中樞——最高蘇維埃。

蘇俄的最高蘇維埃，變得越來越與前不同了，也可說越來越軟弱了。這裏有三點特別值得指出：（一）席位的高度調動，（二）年齡的普遍變老，（三）工農的遭受排擠。以下分別加以簡單說明。

政權內部傾軋甚烈

（一）席位的高度調動：對於極權國家而言，政府軍心人物調動過份頻繁，即表示這專制政權內部的傾軋急劇和外部的動搖不穩。蘇俄最高蘇維埃的情形，正是如此。根據可靠資料，把一九三七、一九四六、和一九五〇，三次最高蘇維埃代表的名單作一比較，就可明白了。為簡單起見，「聯盟最高蘇維埃」以「帝國」兩字代表，「各共和國最高蘇維埃」以「屬國」兩字代表，作成第一表如下：

（第一表）代表連任及復任人數統計表

	一九三七至一九四六	一九四六至一九五〇	一九三七至一九五〇	三次連任
帝國	一八	一五二	二	一九
屬國	二二	一三五	一	二三

讀表方法：第一欄表示一九三七年的代表在一九四六年獲得連任。帝國部份十八名，屬國部份二十二名。第三欄表示一九三七年代表在一九五〇年獲得復任，帝國部份二名，屬國部份一名。餘可類推。

蘇維埃代表制的主要特點：可說就是代表席位的急速變動；甚至最高蘇維埃，也在所不免。最高蘇維埃的席位數是在不斷增加，因為這個帝國不斷在膨大。帝國蘇維埃在一九三七年至一九五〇年其席位由五六九增至六七八；而俄羅斯及其屬國則由五七四增至六三八。有一點值得指出：一九五〇年所固定的代表，其中約有三分之二在過去曾經獲得最高蘇維埃席位；這一數字已經抵得一九四六年的四倍；換句話說：在一九四六年要獲得連任比現在更困難四倍。

簡單分析以上數字以後，知道代表席位的變動率是非常高的；也就是說：代表獲得連任的機會不大。從一九三七年以來，不僅新代表源源而出，而且不同性質的代表也陸續出現了。

最高政權暮氣沉沉

（二）年齡的普遍變老：俄國蘇維埃代表們的年齡，越來越老了。就帝國蘇維埃而言，一九三七年，四十歲以上的僅佔百分之三十二，到了一九五〇年增至百分之七十五。而就俄羅斯及其屬國而言，一九三七年，四十歲以上的僅佔百分之二十二，到了一九五〇年增至百分之六十二。年青的一代不易進入最高蘇維埃，使蘇維埃變得暮氣沉沉。

（第二表）代表年齡統計表

		一九三七（百分數）	一九四六（百分數）	一九五〇（百分數）
帝國	四十歲以下	六八	四二	二五
	四十歲以上	三二	五八	七五
屬國	四十歲以下	七八	五〇	三八
	四十歲以上	二二	五〇	六二

工農階級大被排擠

（三）工農階級遭受排擠：蘇俄的階級劃分是很嚴格的；祇有三個階級是被承認了的——工人階級，農人階級，學人階級。所謂學人階級係泛指知識份子羣，事實上並非一個階級；它具有相同階級基礎，而從工農階級跑出來。在蘇俄作家筆下，它代表一個複雜的人羣：包括教師、藝術家、經理人、管理人、醫師、護士、技師、及官吏。

（第三表）代表階級成份統計表

		一九三七（百分數）	一九四六（百分數）	一九五〇（百分數）
帝國	工人	四五	四二	三五
	農人	二四	二二	十八
	學人	三一	三六	四七
屬國	工人	三八	三四	二八
	農人	三五	三〇	二三
	學人	二七	三六	四九

可是，就蘇俄最高蘇維埃說來，進入這機構的代表，他們的階級成份，卻相當模糊；因為長期担任各式各樣的黨官，他們所有工人或農人的氣味，簡直很少了。例如：一九四六年，俄羅斯及其屬國蘇維埃共有一九八個農人代表，其中七十五個是行政官，四十四個是集體農場主席。此外，百分之八十的工人代表，卻是各式各樣的官吏而已。可是，無論如何，有着一種明顯的趨勢，學人——知識份子，大大地排擠了工農階級。（完）

我會見馬倫科夫

·端納譯·

本文作者海德里治博士曾在捷克外交部工作三十年，一度出席過克里姆林宮召開的會議。第二次大戰期間，他參加反抗希特勒的地下鬥爭，被捕後為納粹政權判處死刑，囚在集中營裏。他是盟國所極端重視的捷克著名人士之一，當時盟國以不轟炸布拉格為交換條件，要求納粹將少數捷克愛國領袖釋放，在那紙名單中，海德里治博士也為其中的一人。後來納粹實踐了上述諾言，戰後海德里治在捷政府中担任重要的復興工作。一九四八年他在共黨搜捕下逃出赤色的捷克，現在他平安地住在華府。——譯者註

我決不會忘記一九四七年我會晤馬倫科夫的那一晚，那是在克里姆林宮舉行的一個盛大的晚宴，史達林是宴會的主人，在他的附近，坐着一個沒有表情和毫無笑容的中年人，這就是今日的蘇俄獨裁者——馬倫科夫總理。

那一晚，我聽到那個當初精細設計並在今日負責執行的馬倫科夫，始衆摘述他的征服世界的長期計劃，我能夠看到這個計劃現已逐月地付諸實現了。

一九四七年，我是捷克外交部的主任秘書，我的國家已與蘇俄訂有一個同盟條約，但我並非共產黨員，我們政府中的大多數官員也不信仰馬列主義，俄國顯然擬強逼我們完全就範，自然，我們正在盡可能不觸怒莫斯科，誰也知道，紅軍正集中在我們的大門口。

在克里姆林宮的晚宴中，我第一次獲得機會將史達林與馬倫科夫從各方面作一比較，由那時起，我就明白馬倫科夫無疑地將為史達林的繼承人，史達林已親自選了這個最精明強悍的中年人，担任未來的領導。

他們兩個人都生得很矮，雖然史達林看起來很粗壯，但他的高度只及普通人的肩膀。馬倫科夫肥肥胖胖的，在他的軍服硬領裏，擠出來兩個多肉的下巴，他的眼睛很小，然而眼圈周圍卻有一堆厚肉。

在冗長的宴會期間，史達林很難見到吃一點東西，他只一枝接着一枝地狂吸着烟捲，他的貼身衛士也和他一樣，他那個魁梧的衛士也不停的抽着香烟，並不斷圍着餐桌巡視。一會兒他站在史達林的後面，不一刻又跑到其他賓客或是我的坐位的旁邊。相反地，整個晚宴時間，馬倫科夫卻在專心一意的吃。

那時我獲有一種印象，認為馬倫科夫並非在特別享受他的食物，事實上，他甚至不知道食物的味道，我感到這祇是一種機械性的習慣，就好像一個頑皮的小孩，急於要把他的食物嚥下，以便去和他的同伴玩耍一樣。（上）

天下小事

反共報源源入鐵幕

現在誰也不能否認西德鐵路工會是一個埋頭苦幹的反共機構，他們一聲不響，已做了許多極有價值的工作。原來他們乘着鐵路火車駛入東德的機會，每月要將反共報紙「自由之聲」七萬五千份偷運往東德各地。這種報紙每月出刊十二頁，是由西德鐵路工會出版委員會負責編印發行的。為了便於偷運起見，東德版七萬五千份所用的紙張，並不同於一般的報紙，而是利用一種特製的紗紙，所以一期雖有十二頁之多，但攜帶起來卻最為輕便不過。西德鐵路工會之有如此優異的成績，工會主席傑恩的功勞實不在小。傑恩還是西德國會議員，他在國會中也以反共敢言著稱。

貝利亞至死不招供

西方情報機構對於貝利亞案曾化了不少的金錢與精力，現在他們相信他們已獲得證據，證明貝利亞是經過祕密審判的，為什麼克里姆林宮不將貝利亞提付公審，原因是「貝利亞不肯招供」。西方情報的證據是：俄政府原已訂定臨時規則，規定報界採訪貝利亞受審新聞時所應注意的事項，但在初訊階級中，貝利亞拒絕認罪的態度，迫得俄共不得不放棄原定的公審計劃。據說，歷來俄共整肅中，所有被清算的大小幹部都是極端馴服，聽候當局宰割的，然而貝利亞卻破壞了這種「優良」的傳統，他在臨刑時還極倔強。

共特滲入美國醫學界

據說，共黨特務已滲入美國的醫學界活動，由衆議員克拉第所領導的衆議院非美活動小組委員會正計劃此一問題為他們今後調查的主要目標。屆時他們將傳訊幾個著名的醫生至小組委員會作證。同時委員會還要調查一件可能牽涉很廣的事情，這便是一九四四年戰時情報局聘用某捷克人在局內工作過一個時候，而且請他主管頗為機密的工作，但這個捷克人卻是一個高級共產黨員，他現在布拉格捷共政權中担任高級職務，因此非美活動委員會亟於要調查是誰介紹那個捷克人進入戰時情報局工作的，他們希望藉此能對破獲共黨在美國的間諜網，多尋出一些線索。

杜魯門不甘寂寞

美國前總統杜魯門自去年一月離開白宮後，照他自己的稱呼，現在仍是一位「失業漢」，有一個時期，外間傳說他將競選米蘇里州的參議員，後來他一直沒有動靜，競選議員的謠言遂不攻自破。但現在杜魯門已有不甘寂寞的樣子，同時一月前也有人在發起一種運動，敦促杜魯門出長米蘇里大學，現任校長米德爾布斯定於今年六月三十日退休，距今不過四個月，所以敦勸杜魯門接任校長的運動目前也跟着緊鑼密鼓起來。看樣子，杜魯門很可能接受這種邀勸的。（孟衡）

△印軍自仁川港撤退回國▽

美國的憲法修正案

（上接第一版）

旭军

然而艾氏承認有此修正憲法運動，係由於恐怕政府濫用對外簽訂條約之權力。他建議兩保證的方法，均係從修改參院規則入手。其中之一，係在對條約表決係用依出席名冊點名來表決。其他另一方法，係要參院宣佈批准一項條約，是否係自然成為國內法律。如係須成為國內法律的，便要參衆兩院的立法手續通過了。

與論多支持艾總統

艾森豪威爾總統決反對布力克修正憲法議案中的恢復各州有控制某種條約的力量。這種規定被視為有回返美國南北內戰南方聯邦同盟的趨勢。最令人焦慮的，是那有歷史性的總統處理國際事務權受到布力克修正憲法議案所限制束縛。

據說：現在情勢支持艾森豪威爾的主張的輿論很占優勢。因為在事實上經過百餘年的經驗，憲法中關於總統訂立條約的，沒有出過很大的岔子。而根據現在的憲法，國會已可以用不通過撥款預算案，或彈劾總統，去限制其行政權。而且關於總統管轄外交事務的條款，憲法有規定：「他有權經由參議院的諮詢和同意對外締結條約。但須得出席參議員三分之二通過」。現在這修正案無異增加行政經糟，廝薄政府行政功能。反對修正者亦謂動機在藉此以指出民主黨政府的外交失敗，含有黨派偏見。但簽署人亦有民主黨參院議員十九名之多。然而從簽署人之派別來看，大概共和黨右翼及南方民主黨的參院議員占多數。所以有人說，如果此修正憲法議案獲得通過生效，則孤立派占優勢。不過，在今天事實上已無孤立可言。倒是還有對歐洲或亞洲偏重的政見存在。依我看來，主張這修改憲法議案的，有許多是恐妨政府因重歐輕亞而對蘇聯妥協，這是值得我們注意的。（編者按：美國會已於本月十七日通過該案之修正案，即今後美總統對外簽訂條約，須由一特設法庭審核，是否符合憲法。此案事前已獲艾森豪支持。）

編者讀者

編者的話

△孫漢先生函：「貴報在台銷路日增，先生等之苦心，已獲得代價，幸奮力以赴，」「香港三日」可否盡量縮小篇幅。」（承加獎勵，極感盛意，當力求改進，俾副期許。編者）

△下期我們將發表黃華表先生「柏林四外長會議以後」，和陶百川先生「外滙貿易措施平議」兩篇文章，黃先生分析柏林會議為甚麼沒有結果，會議後西方國家尤其是自由中國應該作何打算。陶先生指出現在貿易商躊滙率而發財，和現行管理辦法的不合理。最後提出目前應有的措施七項。謹先預告，請讀者注意。

△王岩先生：二月十一日大札奉悉，台端所持態度，甚屬正確。我們認為該項討論已經結束，再不發表任何文字了，謹復。

△莫灼詳，韓名鋼，韋啟通，孫旗，萬燭明，諸先生：承惠稿已收到，至感幸。

閒話台灣近事

·楊柳青·

喜得登記證

元月十四是「公務人員任用法」實施的日子，也是儲備人才登記截止的日子。說來慚愧，筆者於大陸淪陷後，自己行動遲滯，擠在後頭，踴躍洗亡到這寶島來，已是人事遺棄了。這一天，帶着興奮亦復有些驚疑的心情，趕去登記。孔關內的公務員們，已經擁着一字長蛇陣。人才濟濟，當天截止，人是送上了十萬元，頭之處。

登記是取得公務員身份的第一步。因此將來反攻大陸，使不愁無事可做了。有人喜氣洋洋，有人從擠一紙臨時收據，人豁中擠出來，心上得到了一層的保障。匆匆趕回自己的家，太太在門口等候，帶着笑容問：「登記好了吧！」她的意思是：一有機會了，便可發達。我只好說：「這是我太太的保障。」

再窮些算甚麼

調整待遇，去年十一月份開始實行了。台灣公務員的待遇，是有目共睹的。李廣難封，不得封侯的人物，說得可憐，每月不過新台幣百數十元，約合港幣三十元。而我們「反攻」無望，我們雖然窮，但有一個「回大陸」的希望，再窮又算什麼呢？這一回調整，平均加一二百元，聊勝於無，至少可有人計算一下，花了九牛二虎之力了。已經是慈善事心，財政有限，當局若從當前國家困難着想，這一種精神上的鼓勵，是值得我們還說甚麼呢？台灣的好處，四季如春，毛衣棉衣之類不需，一變美的小姐太太們，自是例外，一二四八月亂穿衣，布單裝穿在身上，是宜，支持七八個月以上。米是得天獨厚的便宜，而且是配給有吃有穿，也就不愁麼什了。人只怕窮而已。

五花八門看競選

今年四月二十八日，台省各縣市以及省市議員都要一律改選，這是台省一樁盛事。本省人與外省選舉員與非黨員競選人有千秋。人人都努力爭取選民最神聖的一票。目前已經一片熱鬧，辦登記，爭提名，當仁不讓，捨我其誰！這也是一幕前奏戲，以後，短兵相接的時候，這次選舉，是實施地方政治的第二年度選舉，競選人的成功失敗，有的是現任，希望連任。又有的是初度出馬，一股銳氣，勇不可當。老百姓也有過一番經驗了，做選民的眼睛雪亮。此中自有機關，運用之妙，存乎一心。有人打硬仗，硬碰硬，有人展策略，戲法各有不同。這都民主政治應有的現象。

評：坦白與說謊

·莊中·

梁容若先生的散文集「坦白與說謊」，在去年年底出版（由台灣開明書店發行）後，一直到目前爲止，台灣文壇還沒有一篇像樣的書評。本書內容可作下面一個分類：一、偏重日常生活的（從第一篇到第十二篇，第廿二篇，第廿三篇，第廿四篇）。二、描寫生物的（從第十三篇到第二十一篇）。三、描寫綜合的（包括遊記）從第廿五篇到第卅三篇，從第卅四篇到第卅七篇。四、偏重學術性的（從第卅八篇到第五十五篇）。我要按上述次序，每一類作一個簡單的介紹或批評，最後對本書的優劣作一總述。

一、偏重日常生活的

這是本書登載最多的一部份，作者先借用許多歷史故事，刻劃出形形色色各種人物，再從他們的成敗上，揭示出個人的見解和批判。

施政的參考」。因爲「太史採詩以觀民風」，就是在民間的歌謠看人民的喜怒哀樂。「所以大家一向敢大聲地哭，也敢大聲地笑。」

第七篇（怕和不怕），作者說：不怕實際上有三種不同的境地：一種是不知道怕；一種是明知道怕，用了理智克服了怕。「克服了怕的不怕」是可怕的力量。用生命來殉道的志士仁人所走的都是這種路。第三種不怕是古人所說的「智者不惑」。並不是克服了怕，而是知道怕也是怕反倒有害。因此「前怕狼，後怕虎」，或是怕的什麼事情也不能作也然不好，該怕的裝作不怕，也不知道怕，克服了怕，也還是兩回事。

第九篇（年華），他強調：「人老不老，要看精神智慧，不一定在乎年齡。」既然，因此我們對於「有些四五十歲的人，動不動喊老嘮叨，有人一筆抹殺成年人」，也就不得不都認爲是常識以外的想法了。

二、描寫生物的

夏丏尊先生曾有過這樣幾句話：「事物的文學背境愈豐富，愈足以溫暖潤澤人的心情，反之，如果對於某事物毫不知道其往昔的文獻或典故，就會興趣索然。故對於某事物關聯地來灌輸些文學上的文獻或典故，使得對於某事物得擴張其趣味，也是青年教育上的一件要務」（見「鳥與文學」序文）。本類中的八篇，就是用這個方法寫成的。作者一面把中外對於他所描寫的那種生物的各種記載，穿插排比，融合共用，一面又運用到生物界的研究結果，因此不但使讀者驚奇於作者知識的淵博，而且更感到這八篇文章內容的豐富，材料的有趣。固然國內外像小泉八雲（LAFCADIO HEARN）的「蟲的文學」，賈祖璋的「鳥與文學」同樣也是用這種方法來處理他們的作品，但就文學創造的本身價值而言（由於容若先生文字的乾脆俐落，組織的嚴密生動，見解的深遠獨特），毋寧說「坦白與說謊」裏的這八篇，已經獲得更大的成功。尤其是第十六篇（寄樹在台北），第十八篇（閒話貓頭鷹），第廿一篇（嗑子的夢書），更是使人愛難釋手，值得特別推薦的。（上）

大陸重見雷厲鬥爭　工人亦難逃避清算

中共宣傳「新民主主義」過渡到「社會主義」這一個階段中，實行「總路綫」過去的「清算、鬥爭」全部推翻，將所有私人企業，私人資本搜刮到「國營」企業，「國家資本」裏去，資產階級再度臨到厄運。一月二十六日天津「大公報」一篇「不法資本家的眼淚」中，承認共黨對一個被指爲「不法資本家」的「清算」、「鬥爭」，不惜運用各種手段，三番五次地把他算帳，鬥光還不算數，最後迫令悔過，接受「改造」。據稱：李寶誠原來是太原市同合昌油店的經理，「五反」以後，這一位經理結束了他的油店，和兄弟李寶珠跑到中和化學藏廠當了工人，因爲中和化學藏廠有他的族人李志信一千五百七十四萬元（共幣）股份；自恃做了工人可以不再受到「清算、鬥爭」了。「稅務幹部」的眼睛無法躲過，說他拖欠一九五一年所得稅五百二十萬元，「退贓款」一千三百萬元也沒有繳納。一年多以來，「稅務幹部」每次向他催收時，他就痛哭一場：「現在我是個工人，弟兄倆一月掙四、五十萬元，一家大小九口人，那裏有錢繳？」一說把鼻涕兩行眼淚，說得非常傷心。

馮京作馬涼

去年十二月，「稅務局」開始大力清理尾欠。李寶誠仍舊老樣子：「我欠稅不繳，實是沒有辦法，你們如果查出我有一分錢，願意受政府槍斃的處分。」鼻涕和眼淚又搭拉下來。有一天，「稅務局」幹部耿丙華從「稅務公報」到納稅小組長那裏，發現中和廠股東裏有「李志信」的名字，說他就是「名爲工人實是股東」的李寶誠，一九五二年曾獲分紅一千萬元，一九五三年估計可分到三千萬元。「稅局」掌握了這些材料後再一次向李寶誠催收，並限定在十二月二十七日全部繳清。

光身去改造

「稅局」認爲對李寶誠進行「說服教育」完全沒有用。把他「管制」了，一方面，又策動中和廠的「工會」和資方召開「勞資協商會議」，把李志信的一千五百七十四萬元股本全部提出，算是李寶誠的。然後令李寫「悔過書」。十二月二十七日李寶誠捧了李志信的錢，總算繳了五百二十萬元「稅款」，二百三十萬元「滯納金」，一千三百萬元「贓款」。光了，這纔讓他搾下了九口之家去從事「勞動改造」，因爲「悔過書」上明白寫明「願意接受改造」，死而「無怨」。（鍾梅）

中·共·銷·報·妙·術

【上海訊】本年一月廿八日上海新聞日報「讀者來信」欄有兩封讀者的信，說明中共用甚麼方法推銷他們的報紙，照錄原文如下：

『編輯同志：一月五日有六十三派報小組來本寓謂：「上級命令，今後定報一律按季計算，須補二個月報費，共三萬六千元」。今日忽又來稱：「奉上級命令，要付第二季報費」。當時我即與之爭辯，問他們：「第一季剛開始，爲何又要收第二季報費？這樣於理說不通！」來人說：「……有人已付到第三季了」。……南陽路八十號三樓曹惠貞』

『編輯同志：我家在一九五三年十二月廿七日，經第三十派報小組收去一九五四年一至三月份報費，共五萬四千元正。忽於日前又來收二月份報費，當未再付，而報紙遂於當日起就停送。……南京西路八八六弄六號四〇七室姚曾麗』（豐）

共區學生忙於活動無暇讀書

共區學生平日因參加社會活動，讀書機會絕少，一到考試，都臨時抱佛脚，拼命溫課，很多學生竟累得發病。此種情形極爲普遍，雖號稱赤都的「北京」也不能例外。據一月二十日中國青年報刊稱：「北京市中等學校同學在考試中拚命溫課因而損害身體健康的情況是很嚴重的。目前這種情況在全國其他地區的中等學校中也發現不少，值得引起嚴重注意。北京各校同學中「開夜車」、「開早車」的現象很普遍，尤其是走讀生常常挨到晚上一時才睡覺，早上四點鐘就起床，甚至有通宵溫習的。因爲溫課中的「拚命主義」，不少學生竟累病了。（聯）

本屆中學畢業學生　亟待解除升學困難

中學生何處去

一九五三年下學期已經開始，教育界人士對於中學畢業生出路問題已成一大隱憂。而一般中學肄業本屆可望畢業的中學生，家長，對於去年暑假畢業的學生投考台灣因限額見遺；去廣州的學生又遭不良遭遇，對他們的子女升學、就業，均感困難，雖然現距暑假畢業尚有數月，但勢非在這短短的過程中妥籌適當辦法。依據一般要求，不外：一、中文中學添設大學預科班；二、港大限額放寬；三、台灣盡量容納港九中學畢業學生；四、希望南洋大學如期開辦。

添設大學預科

就第一項而言，不僅是學生家長有此要求，即教育界人士，亦具有同感。金文泰中學校長梁世華表示，該校現有學生七百二十四人，男生三百八十四；女生三百四十；每屆畢業學生，大多需要尋求工作以解決他們的生活困難；在羅富國或葛洪師範學院進修固屬很多，間亦有往台北、廣州；無論如何，其最大原因，實屬經濟問題無法解決，別無其他作用。假若他們在港有升學機會，當不致會離港他去。但是盼望升學港大的亦大不之入，然終英文程度問題難，如倘能於各中文學添設大學預科班，各生於畢業後專攻英文，難題就可解決。梁氏相信中文會考畢業生有優良英文成績的，再研究英文兩年，當可達到香港大學入學試的英文水準；然而此種辦法戰前曾經採用，以當時漢文中學畢業生可以考入港大中文學院，卒能領取文學士學位。梁氏復引述該校一九五一年畢業生李漢昌，轉入九龍喇沙書院一年間，考入港大，由於成績相當，領得港府免費學額，即爲一例。

經濟阻礙升學

第二項，香港大學事實上已成爲□□最大學府，雖然每年錄取大部分程度相當的學生，然因名額所限，不能盡量收容，且學費過高，勢非一般普通家庭可以負擔，學生於就業不易的現狀下，間有投考師範，因甚多無大興趣，致爲數極少。赴外埠升學原係出於不得已，如上月間赴日留學生，錄取一百五十名，實際僅三分之二成行，其餘均因無力負擔學費而失去升學機會。希望港大能夠放寬招生名額，就目前情形看來，極少可能；增設免費、半費名額，假如社會有力人士向當局提出要求，容有可能；或者設置獎學、助學金，使有志於就讀港大的家境清貧子弟，當不致受到失學的磨折，此不僅是一個搶救失學的治標辦法，然儲備人才與社會大衆均有裨益。

祇有希望台灣

第三項，去年暑假期間，各大專學校教授會組織觀光團赴台灣，訪問自由祖國，他們對於搶救港澳失學青年問題，呼籲政府當局放寬招生名額，並且提供了具體的升學意見。政府曾允予本年度秋季竭力設法放寬招生名額。但將大多數高中畢業學生的升學問題，仍有顧慮，他們對於祖國不能盡量而無限制收容學生，因投考每以大專學校數不明原因，感到不滿；且限制吸誘學生，既已成爲自由中國而且確認台灣地區抗拒共產主義，理應培植大量反共人才，招生名額不應嚴苛限制，因此，無論教育界、工商界人士均希望盡量容納招生。可能學生參加本年度的中英文報名中學生今年近一千九百名，預料今年高中畢業生考生，將近四千名。至於南洋大學，原擬八月中建成校舍，招生恐非可能。因此台灣已成爲本屆中學畢業學生升學的唯一對象了。

傳說中的人物談薈

——劉仁靜——

自由談

報載：中國著名的托派人物劉仁靜，已在大陸的共黨獄中瘐死了。這消息如其可靠，那是劉氏不幸中之大幸，他總比一般「陪綁敵人」死得舒服些，因未在公審中給擯棒鳳石交加而喪命也。

別的人或許不了解俄共共產主義政權的本質和作風，劉氏總該是最明白的。別的人可能以投靠共產黨來保全「人民」之功罪，自鼓自嘲，梟雄劉宗三代這類「前進」言行，會國清一時免之理。他爲甚麼還要呆在大陸呢？這眞是令人莫測高深了！

不滿，唯一可能的解釋，即他素來對現狀[illegible]想主義本是同根，人事亦多屬「老友記」，因而誤認爲可以在大陸混下去，以待「世界革命」之來臨。我們決不能拿「溫情主義」和「投機主義」這些說法來看他，他們懂得更多，更深刻，他自己卻是極端的反溫情主義，反投機主義者！

民國二十四年國府在武漢抗戰時，爲着中共指陳獨秀是日本軍閥的特務間諜，文壇上曾掀起一陣替陳氏鳴不平的論戰，劉仁靜也參加了論戰，署名「柳湜」的文字，就是他的手筆。[illegible]但是「存在決定了思維」嗎？因此，我還覺得自由中國要想反共復興，非以大力從文化上用工夫不可，最緊要的一着，是先保存愛惜一般反共與非共的文化種子，讓這種精神和財力花下去，表面或許看不出奇蹟，實際[illegible]救國會議大得多，[illegible]

馬五先生

戲迷中的平劇絕技

·我生·

前清光緒末年，有些老戲迷，認爲那時候，有幾齣唱做俱佳的絕作，如譚鑫培、王瑤卿的打漁殺家。楊小樓、賈洪林的借趙雲。黃潤甫、張榮奎的下河東。錢金福、王長林的祥梅寺。程繼仙、王瑤卿的悅來店。余叔岩、錢金福的空城計。金少山、姜妙香、蕭長華、馬富祿、李多奎的打龍袍。其餘因爲時間太久，我已記不清楚了。這幾齣，都是我身歷其境親自聽過的。我認爲從前戲迷們的眼光的確敏銳，評論也很合邏輯。這好似是說這幾位名角的代表作，其實這幾位名角拿手好戲還多着呢！不過這是指合演而言的，演戲是要工力相敵、旗鼓相當，才能各盡所長，把戲的藝術充分地表現出來，否則就談不上好。記得有一次譚鑫培唱四郎探母，因爲王瑤卿嗓子已塌中不能再唱，乃以吳彩霞去公主，吳彩霞其時也是有名的旦角，可是這次他就不自然了，因此這齣探母坐宮一場，毫無精采可言，這就是個例子。

（二）譚鑫培、王瑤卿合演之打漁殺家，佐以王長林之大教師，那眞稱得起是絕作，他們唱做唸打無一不精，因爲在工力悉敵，才能配合得起來。據說在他們以前的角色演此戲，未能將小漁船在江中動盪的情形表演入微，以後角演此戲如何？我沒看過恕不置評，譚王所演我認爲是無以復加，表情之動人，起打之活潑，均極自然而不沽滯，尤其是王長林的大教師討漁稅那一場，縱不絕後，也稱空前。借趙雲本是一齣平常戲，但賈洪林和楊小樓演來，卻令人讚不絕口，其佳處[illegible]花走馬時。兩人談論天下英雄（詞句與青梅煮酒論英雄同），且說且走，能將各人的心情表露出來，再加上工架之美，眞使人叫絕。佐以錢金福之張飛，更是錦上添花。

黃潤甫之下河東，是一時無兩的絕作，佐以工架有名的張榮奎，更是相得益彰。黃的神情動作，表演劉賊的奸惡入微，後起名角郝壽臣只學到了氣力，也不能耍出黃的妙處。潤甫在內廷演此戲，因他表演太好，惹慈禧生了氣，傳旨打了他四十竹棍，打了以後，慈禧又賞了他十兩銀子，並給了他半個月假，他演曹操之稀，宣統年間他死了，兩天後他又復活了，因此有曹操復生之說。

（三）祥梅寺本是一齣平常不爲人所重視的開場戲，然而經由錢金福、王長林演，就成了絕作，工架之美，勻臉之妙，令人所共知，他扮黃巢稱上其神，且此是全劇[illegible]王長林之和尚，其神情急滅樣，無鐵叛二同，步調不同，在內行中都是難能的了，這是[illegible]技了，科演此戲上下場門外以及守舊前面，總是站滿許多丑角，在那裏瞧，其情[illegible]，已逃於前了。

三亭之郵陽樓，所謂三亭乃是月亭、何佩亭、范寶亭、三個硬裏子過。此三人配演此戲，能成爲一齣很好的戲。漏月亭花逢春，范寶亭呼延灼，何佩亭[illegible]秦仁一脚，他們與小樓合振亭合演此戲，亦稱一絕，後來何佩亭吐血不再出演，楊小樓從演此戲，亦爲之逐色矣。

丙戌回滇值錢南園先生誕辰鄉人推余主祭禮成敬賦一詩

·張維翰·

首夏歸來値誕辰，年年俎豆尙如新，

直聲不爲書名掩，亮節都緣膽氣眞，

嫉惡率先糾闒貴，崇廉到底耐淸貧，

柏臺矩範吾安仰，式此天南第一人。

乙丑冬題廖新學所作雪獵圖

雲凍煙昏水斷流，溪橋蹋雪過林邱，

蠢羣不用窮搜索，當路豺狼獵幾頭。

愧我空拳無寸鐵，柏臺徒凜冰霜節，

安能似爾有長槍，直向山中尋虎穴。

鐵幕學生生活

——一個捷克小學生的親身經歷

·子勒譯·

雖然他只是個補鞋匠，但勒狄斯拉夫也知道米拉是太小了，無法了解這件事。他記得在共產黨未來以前他的生活是怎麼樣，他曾經賺一百七十塊錢一個月，並且夢想着有一天能自立成店，他也記得共產黨如何強迫他爲國家工作，只給五十塊錢一月的低薪，而粉碎了他自立的美夢，他曾聽到鐵幕後其他國家所發生的許多事情，小孩子們如何的被教導來擁護史達林，來崇拜每個蘇聯人。

蘇聯統治波蘭，匈牙利和其他附庸國的樣本都搬到捷克來了，它不再是發生在波蘭和匈牙利小孩子身上的事情了，它現在已降臨到自己孩子的身上，勒狄斯拉夫是個很篤誠的信徒，他是捷克兄弟教會的熱誠會員，但是共產黨的生活方式却和他的極相矛盾。

可是，你怎麼能向一個小孩子解釋，赤魔已將統治加於獨立人民的頭上，已經剝奪了他們的權利而要他們向共產黨的意志屈膝呢！當共產黨移去了教室牆壁上的「捷克的華盛頓」，湯馬斯．麻沙克和他的義子愛德華．本斯」的畫像，而換上了那些「史達林，列寧和捷共頭子克里門．高特華」時，它對米拉和別的小學生是無所謂的。同時當共產黨開始在學校裏教授蘇聯語言和赤色蘇俄的榮耀時，這却是給小孩子們一個新奇興奮的玩意。小學生都喋喋不休的向他們父母講着外國人的句子，當然米拉也是如此的對他父親學講着。

在一九四六年，勒狄斯拉夫就將他的兩個小孩，米拉和比他大八歲的愛韻由布拉哈帶到瑞塞斯來，他希望他們能住在這個山脚下的鄉村，比較有較好的新鮮空氣，他曾購買一棟包括店面的三間小房，在那裏他希望能夠好好的扶育兒女，而爲他們積些財產。

甚至於像瑞塞斯這樣一個小村莊，生活都被完全改變成共產黨方式，當勒狄斯拉夫帶米拉到學校，踏進那貧瘠牆校舍的前院時，就可以明顯的看出這種改變，級長，那些十歲到十二歲大的學生，穿着蘇聯少年先鋒隊的灰制服，傲然的指揮着其他小學生進入教室。

那刻薄纖弱的女教員瑪麗．威麗鎖威，却以這些自己選出來的級長而自傲，在她的旁邊侍候着的是校長安東尼．日門，他是一個過了五十歲年紀的非共產黨，當新政權掌政後，由一所大學校被貶到瑞塞斯來。雖然安東尼．日門是校長，但實際上瑪麗却統治了全校，她常常很刻薄的諷刺校長和另外一個也是由大城裏被貶來的中年細弱女教員安娜．浦畢却威。（二）

自我的控制

·遜周·

直亦可說民主政治的要義，「執政人士」[illegible]相與容忍，[illegible]越經過激烈的爭辨，越有不可磨滅的良好反應，所謂爭辨，是事理探討的爭辨，是已摒絕攫取的爭辨，在爭辨表現的程序上，是民主政治的倫理考驗，是民主執政人士的忠誠與否的判別，質言之，其人能否自我控制，在政治場合的爭辨裏，可絕難遁形的表露出來。總之，在民主政治的國家，執政者[illegible]

[illegible]愈益失却自我的控制[illegible]比皆是，[illegible]「朕卽國家」[illegible]治」的氣態，[illegible]那一「仍舊貫」「獨裁」[illegible]號稱「民主」的國家[illegible]還是「成功」的捷徑[illegible]

反求諸己的個人「愼獨」功夫，講實是每一個任領受民主政治薰陶的人，必其每個人能愼其獨，然後才能達成眞正民主的境界，不過一味數衍[illegible]，算不得愼獨。所謂愼獨的要義，在有所爲有所不爲，在有一己之私推而至于天下之公，一己之私的操守，一己之私的職責權能，一己之私的學識品德，在自我控制的愼獨功夫，在富貴不淫，貧賤不移，威武不屈，必其如此，[illegible]天下之公，道必其如此，在民主的國家，做民主國家的人，不拘上下一黎，伊誰不能如此，這個國家的民主成就，就得招致禍害。

我們現在能有何成就？或多或少？或有或無？有人以爲在「民意代表」裏總有不有「反對黨」的存在，才能稱得上是民主，這還不過是民主成分的準則，而衡量民主政治，其實這不能算是探本溯源之論。因爲那以在有所爲的「醞釀」裏「做作」的政黨，[illegible]眞正的民主，[illegible]，我仍堅持我的武斷的私見，必其由人人做起，亦卽人人由自我的控制起，[illegible]是位高權重的[illegible]得着意于個已的懼所思所恐以利之欲兒女之[illegible]，可不是在廟廊的嘉謨懿訓裏[illegible]味識趣驗，而在室屋漏就會顯[illegible]由自我去省問[illegible]該當的與不該當的，祇有自己心裏[illegible]」，不然任何的歎聲，也抵不過「寸心」的哀鳴，[illegible]就是做人的第一課，當然這不祇是「爲政者」該得有此一課題、治學、事業，總之要做一個俯仰無愧的「完人」，就少不得下一番自我控制的功夫。（下）

酷相思

·濟冰·

夏雪冬雷情不改。悵消息，蓬山外。嘆波譎雲翻千萬態，春未老，花痕在；鏡未老，脂痕在。綠減紅休時可再。此日淚，何人會。念連理同心胡忍背。行去也，愁無奈；歸去也，愁無奈。

詩人之死

美國二十年代著名浪漫詩人麥斯威爾．鮑杜漢，最近在紐約一間下等公寓被發現遭殺害，他的第三個太太，也同時被暴徒毆斃，屍身橫陳一旁。他的死，已使美國的所謂「格林維爾」派作家全部消逝，也結束了他本身一個悲凄的故事。

鮑杜漢在年輕時代，英俊漂亮，詩名盛極一時，女讀者紛紛向他求愛，至少有二人失戀而爲他自殺而死，他遷居「格林維爾」市，不久引來幾位當時的青年作家，形成了所謂「格林維爾」派，但到一九三五年，他聲名太降，所寫的幾本小說和詩歌，都銷路銳減，生活日益困難，全靠政府和友人的接濟度日。他的精神也發生變態，時時酗酒鬧事，曾幾度被捕入獄，但法官都憐憫他的遭遇，不數日即予釋出。三年前，他這位第三個太太因借傘而和他相遇，她也是個落魄作家，兩人同病相憐，不久便正式結婚。但他婚後的生活並未轉好，還是到處流浪，有時兩人甚至窮得祇有睡在車站的椅子上。他的死，曾引起許多人同聲悼惜，他的詩雖已不能適合今日還時代，但他爲人的正直，却一直是他朋友們所一致崇敬。（易）

家住天台雁蕩間

·鐵頭·

是晨由靈岩的右側走進去看瀑布，瀑布不甚高大，是名爲小龍湫，即從樂霧、捲洞、兩峯之間，傾瀉而出，形勢也是很健壯的，旁邊又有龍鼻水，下面就是藏珠谷，還有一個龍鼻洞，可惜龍鼻已經破了，不能鑿之入洞，一觀究竟。只有龍水從破鼻中涓涓流出，淙淙有聲。那時站往洞旁仰望玉女峯，頂斜出一頭石，形式纖秀，好似村姑插在鬢上的野花，神態宛然，側面的雙鸞與天柱兩峯之間，有一僧拜石，裟裟偏僂，極爲肖似。

在此徘徊有頃，轉到寺的左側，於展旗峯與屏霞嶂的附近，看見峯上有一石如蟾蜍，對面又有一石似烏龜，兩兩相向，神氣活現。聽說展旗峯上，還有洞穴，幽邃曲密，登臨可以遠眺，奇景盡收眼底，但甚費脚力，故同伴中無人前往。據嚮導的朋友說：靈岩左右前後的風景，若一一仔細玩賞，就可要上兩三天，但絕無空費時間之處，眞可說是「五步一樓，十步一閣」，彷彿名畫手卷，很少空白與平庸之處云云。及至我們玩罷雁岩以後，對於此一說法，拿來與天台一比，大家都一致表示同意。

那天匆匆看了靈岩的風景以後，即轉過山背，一觀靈峯諸勝，雁宕的「兩靈」，各成一個系統，本來各擅幽勝，但靈峯系尤爲瑰奇與，靈峯古寺，規模宏大，在數百年前，爲雁宕以首，所以遊人入山之後，無不先遊靈峯，及至淸朝初葉，靈峯忽然倒塌了，並將靈峯古寺，埋葬地下，演了一幕慘劇，而且留下一段神話。據說：當年靈峯僧衆大小有五百之多，當山峯倒塌之日，事前毫無異狀，惟其中有一個小和尚，正脫下鞋子，在寺旁洗菜，忽有一條黃狗前來，卿着一隻鞋子就跑，小和尚一見，乃前往追趕，追了很遠，一直越過溪澗，正趕之間，猛然聽得後面天崩地裂的聲響，回頭一看，寺後的巍然靈峯，全部倒下，整個寺宇，一齊埋葬，僧侶竟無一人逃過此劫，除了那個小和尚以外，因此就說那黃狗乃白衣大士所化，全寺只有這個小和尚具心向善，故大士點化來渡他出險云云。（四）

中華民國僑務委員會頒發登記證台僑新字第一零二號
中華民國郵政登記第一類新聞紙類

自由人

THE FREEMAN
（半週刊每星期三六出版）
（第一一一期）
每份港幣壹毫
督印人：李光雄
社址：香港高士打道六十六號
電話：七四〇五三
GLOUCESTER RD HONG KONG TEL: 74053
承印者：東南印務出版社
地址：高士打道六十四號
台灣特派員辦事處
台北市館前街五十號
台灣總經銷處
台北　中華路五九四號之一
台灣郵政劃撥儲金帳
九二五二號

柏林四外長會議以後

蘇俄和中共的策略是蠶食世界，西方對共產集團的讓步，卽助長蘇俄的侵略。今後西方應放棄失敗主義，不怕打敗，先反攻大陸打垮中共爲最緊之一着。

·黃華表·

盡心焉耳矣

柏林四外長會議必然不能解決德奧問題，有國際常識的人，是早已認定了的。恐怕連杜勒斯艾登皮杜爾諸人，也未必想到會成功！然而爲什麼英美法當初會應允蘇聯舉行這一次會議？我猜想他們希望成功的成分還不如試探是否有可能成功的成分多。因爲英美法到底是溫氣地帶的國家，其民族性比較溫和，有理性，不比蘇聯偏於極北嚴寒地帶民族的狠鷙不易妥協。如果倘有萬一的希望，總是不肯放過的。所以就是早已料定會議的結果，是不會成功的，也得嘗試嘗試，正是東方人所謂「盡心焉耳矣」。這個是「其愚可笑」「其心可憫」者也！

但現在則已「圖窮而匕首見」！試探的結果，充分證明蘇聯果然是絕無信用的國家！果然是極狠鷙殘忍，絕不肯妥協，絕不是什麼會議所能軟化的國家！其實，就使蘇聯是偶然因形勢懸劣而妥協，正是列寧「進兩步退一步」的策略，也絕不是眞正的妥協，更不是和平！蘇聯三十年來的成功，那一件不是這一種「進兩步退一步」策略的結果？西方國家一次二次三次四次的上當，到今日還會不認識的嗎？就使從前眞未認識，到今次總也應該認識了吧！

美國要認識蘇俄中共

我常常怪西方國家雖則知趣，但總覺對於東方人的心理是模糊的，隔閡的！美國人常說，「中國人是神秘的」。美國人不能認識中國人，初是優越自居，輕視中國人的心理作祟。然對俄羅斯人總應該認識了吧！而這幾十年甚之直到現在，他們對於俄羅斯人，實在也同對中國人一樣，根本還沒有認識。所以才會受這一個「中山狼」甜言蜜語欺騙了不知多少次？至今覺悟與否？還沒有跡象可以證明。美國人決心領導民主國家，反對共產，消滅共產，解決全世界被共產奴役的人類，可以不認識「蘇聯」，可以不認識「中共」，不只是奇蹟，簡不是一樁最危險的事實麼？爲民主國家，爲人類解放的前途，我要大聲疾呼，美國人要趕速認識「蘇聯」！認識「中共」！「蘇聯」以至於「中共」，並非十分神秘，不能認識的！美國及一般西方國家之所以不能認識「蘇聯」「中共」的原因，完全是種族優越不肯虛心的結果！中國人是最了解「蘇聯」，更是最了解「中共」的。試問美國人及一般西方國家的人，曾經傾聽了那一個中國人的言論？曾經訪問過那一個有知識的中國人？我所知道的，除了尼克遜副總統這一次訪問到香港，曾經注意香港各校教授們的意見書之外，可謂少之又少！我不道在軍事上他們會不會總信台灣軍當局的言論？同時台灣軍事當局是否會經以其所見獻替美國？也道是我們局外人所能一道！不能一心傾聽自由中國人言論，自由中國人不肯坦率以其所見，所聽見接者多美國人衆，是目前「反共」進一步的最大危機！

小讓步可以釀成大禍

我們看，英美法似乎還夢想在德奧問題絕對僵持之後，要求蘇聯能藉整解決遠東南北韓及越南的問題。這眞是一種揚湯止沸的辦法，其未嘗認識「蘇聯」「中共」可謂已臻極點。我們始終認定「戰爭」的「蘇聯」是最怕「戰爭」的，「中共」更是再無法作戰了的，但西方民主國家畏共恐共的心理一日不改變，一日尚不敢有對共產作戰的決心，「蘇聯」「中共」便一日不會改變其「以攻作守」的策略，要在世界任何一個角落造成緊張的形勢來恫嚇西方國家，使西方國家因不戰而不能不作小讓步，不能不作小犧牲，這在西方國家認爲是無關大體的小犧牲，在共產則是一種勝策，不是失敗而却相反，積這種小勝而成就大的勝利。蘇聯爲勝的！蘇聯中共並希望在戰場上打敗美國及西方國家，就是希望美國及西方國家處處害怕打仗，處處作小讓步，小犧牲，便足夠了，最後便足以打倒美國，打倒西方國家，統一全世界，奴役全世界的人類！蘇聯中共明知道自己不能打仗，但也充分知道美國人及西方國家怕打仗，所以才於韓國休戰之後隨即加強越戰！「蘇聯」「中共」的目的，並不想馬上「鯨吞」了東南亞，只是想美法作小讓步，他們得以慢慢地逐步逐步「蠶食」了東南亞，以至於全亞洲全世界！這是心理學上的NEGATIVE ADAPTATION，使美法雖有損失而不自覺！「蘇聯」「中共」應該最喜歡法國人的態度。「反對南韓派兵援越的建議」理由因爲法國人怕「中共藉口公開參戰」。有知識的人士試想一想，這是一種怎樣愚蠢的想法！這豈不是法國人的「掩耳盜鈴」「自欺欺人」的想法？假使法國要在越南和中共妥協。最少得承認越盟目前所已佔有的地區，那是誰勝誰敗？誰得誰失？「蘇聯」「中共」祗須兩三次類似這一樣「值不得」美國認爲嚴重不願掀起大戰」的小勝，便可以蠶食了東南亞！所以我說英美法在德奧問題僵持之後，無論在任何一處，因「打仗」而和「蘇聯」「中共」妥協，都是墮了「蘇聯」「中共」「蠶食」世界的詭計！

第一要着在反攻大陸

我們的意見，作爲民主國家領導的美國，首先要認識：柏林會議失敗以後，再不能夢想「蘇聯」「中共」會眞正妥協，眞正和平！始終必出於戰爭！戰速則禍小！戰遲則禍大！美國須立刻不惜一戰！美國並不必像南韓前事直接作戰！美國可以貫澈其援助亞洲人先解決「中共」的主張！我們敢斷定，如果南韓，自由中國，及泰越，同時對「中共」作戰，蘇聯斷斷不敢公開爲保衞中共而參加戰爭！「中共」也斷斷不能阻止自由中國的登陸，即不免於失敗而崩潰！在中國歷史上，從來沒有一個暴君能抵抗全國內的反抗，而可以長久維持其政權的！台灣的軍事當局，也應該澈底了解這一點，要蕩滌過去的失敗主義，一鼓作氣，兵法所謂兩軍相見哀者勝，我們是哀兵，同時是弔民伐罪的義師，斷然不會不成功的！我們要勇敢的坦率的告訴美國人，要減少共產在東亞的威脅，要消滅共產對世界的威脅，只有「反攻大陸」先打垮「中共」的一法！搶先「反攻大陸」，先打垮「中共」之外，其餘都是不着邊際，甚之都是極「愚蠢」「縱敵」「自殺」的方法！

外滙貿易措施平議

·陶百川·

立法院最近幾次院會中，常有立法委員向行政院質詢有關外滙貿易的管理措施。監察院對於同一問題也曾提過一個糾正案。關於外滙貿易的管理問題，可討論的地方的確很多，其中最爲時論所詬病的，則爲政府過分保護現有貿易商，以致後者因而獲得過分的利潤。本文擬專就這點加以論列。

貿易商因匯率而發財

台灣的貿易商，特別是進口貿易商，在百業中確是一枝獨秀，獲利最多。原因相當複雜，其中最主要的不能不說是政府政策之所賜。

第一、新台幣的滙率偏高，造成了進口貿易商的發財機會。台灣有一可笑的事情：政府雖禁止金鈔的黑市價格，但是新台幣却可自由出入於國境，因而香港乃有新台幣的買賣和另一種市價；經過核准輸入台灣港報的報導，這種市價，就成爲台灣金鈔黑市價格的標準。進口貿易商的主要成本，雖因新台幣官價（結滙證價）釘牢於十五元六角而沒有上漲，但其進口商品的賣價，却常參照黑市滙率而調整。而且貿易商因有佣金或其他關係，常有機會可以截留一部份外滙，若在香港以外滙換成新台幣帶回台灣，則照華僑日報二月十日所載的滙率，一元美金就可獲利十三元二角。（美金官價是十五元六角，而香港市價則爲二十八元八角）。現在民間能有機會獲得美金的，首推貿易商，於是他們乃有發財的較多機會。

第二、以民國四十二年爲例，國家外滙之用以輸入物資的共計一億零五十七萬美元。其中由貿易商經手的，約計五千五百萬美元，其餘四千五百萬美元物資的進口，則由公營事業和公有業務機關經手辦理。所以貿易商獲得的外滙，約佔全數百分之五十五。這就是說，台灣有百分之五十五的進口貨，操在大約一千八百餘家貿易商的掌握中，而由他們決定它們的賣價。這些進口的物資，因爲不夠供應繼續增加的人口及其繼續提高的慾望，賣價乃不斷上漲。試舉最淺近的例子，這一年來，奶粉從每磅十九元漲到最高時的三十元，黃豆從每斤六元九角漲到十一元二角。半年以前，我見過五十種進口物資的利潤估計表，淨利幾乎都在百分之三十以上。其中好多種物資的淨利，則常相當於美金官價與黑市價的差額。即使僅照成本（包括貸款利息運雜各費在內）賺百分之三十，貿易商的利潤，比較其他任何營業或事業就已有霄泥之別。試看下表——新台幣十五元六角（美金一元的官價）的獲利能力比較表：

運用方法	三個月內獲利數額	百分比	說明
銀行存款	〇・五七	三・六五	註一
投資於公營事業	〇・五〇	三・一八	註二
輸入物資	四・六八	三〇・〇〇	註三
結滙所得	一三・二	八四・七〇	註四

註一：以一分二厘三個月複利計算。

註二：以四十一年度公營事業股金一元分得利潤一角二分七厘計算。

註三：以市價減去成本「假定」獲利百分之三十計算。（此雖稱爲「假定」，但我們可以舉出幾十個實例加以證實，所以實在不是假定而是事實）。

註四：以華僑日報二月十日所載新台幣對港幣滙率計算。

如上表所比較，貿易商的利潤，簡直大得驚人，而且隨時有繼長增高的可能，（上月份就高於前月份）。所以政府對於進口物資的市價如不能有效管制，把貿易商的利潤遏抑到合理的水準，那麼不平則鳴，政府的外滙貿易政策必將長爲人民所詬病。

現行管理辦法不合理

第三、以上是政府對於貿易商之無意的和間接的保護，此外還有直接的和有意的保護，那就是所謂實績制了。就現行辦法來說明：（一）所謂實績，乃是指各別貿易商民國四十一年全年所得的進出口外滙的百分之五十和四十二年上半年的外滙二者的總和。

（下轉第二版）

半週展望

·李秋生·

西方在柏林的失敗

柏林外長會議之後，共方有人表示，自認在歐洲問題上是失敗了，但在遠東却獲得了成功。共方的失敗並不一定就是西方的勝利，共方的成功却斷然是西方的失敗。

杜勒斯國務卿返國後，面臨着國會和輿情的疑慮叢生，連日竭力在解釋，說未來的日內瓦會議並不涉及承認中共問題。其實此點是在四外長公報中早已說明了的，更無待於杜氏煩言。問題在於：不管杜氏對於他過去一度所說的「美國並未承認中共」事，說過「永遠不承認中共的話」，現在作何想法；他雖未承認中共，却承認了中共有決定遠東問題的權力。中共在韓戰中始終是被頭遮尾的霸兒，現在關於韓國未來和平和統一問題，現在竟要和中共作分庭抗禮式的討論，中共雖未打進聯合國，却已經把國際法紀打得粉碎。至於越局，只銷着後的陰謀支援策動，居然也有資格參加未來的韓戰停火談判。準此而論，則中共今後想控制自由亞洲的某一地區，只要去出兵侵略，或策動內亂，便可達到目的了。

至於美國之同意在日內瓦會議中談判越局，是法方懸力使然，却是「求仁得仁」，一心只想藉此轉變板門店的僵局。其結果則竟完全接受了共方最初所提出而爲聯合國堅決拒絕的圓桌會議辦法。在精神上，不但蘇俄，連中共北韓也不再被視爲侵略者。

日內瓦會議能否有具體結果，現下尚是一謎，單就這些問題說來，西方三外長在柏林已經是打了敗仗。

秘密外交與權力政治

日內瓦會議消息傳出後，遠東反共陣營的輿論大譁。我國外交部首先發表聲明，認爲是創一危險先例，且構成對聯合國憲章原則之否定。韓國方面更在忿怒指責，謂係根本違反韓國停戰協定。越南方面表面雖贊成，內心却極感不快，並深爲未來前途就心。據說保大政府可能避免出席未來的日內瓦會議。這些事實說明了：四強在柏林關於遠東問題所作協議，竟完全是違反遠東各主要國家的意志。

更壞的是：對於此等有關國家命運的重大問題，兩國不祗沒有參加會議的機會，甚至連備咨詢的機會都沒有。直到四國公報公開發布，韓越當局才知道國際間已然做成這樣一項安排。柏林秘密會議之一再舉行，已被指摘爲回復到秘密外交的舊路，不經韓越兩國同意而決定召開有關兩國前途的重要會議，更是權力政治的復活。在秘密會議和權力政治支配之下，與正義公道的目標相去只有日益遙遠。西方國家如果不是有意要走慕尼黑路綫，就應該立刻尋求所以補救矯枉之道。

越南和戰問題

越南戰局，日來稍形穩定，但整個形勢還是要惡化下去。預料在日內瓦會議召開之前，越共一定會再來一次全面大舉進攻，以威脅法國，在國際間取得有利的地位。爲法國計，即使談和，也必須先在軍事上穩住陣脚，打一兩場勝仗，然後纔能談得到對等談判。不然的話，在共方看來，法國只是戰敗求和，欲求全師而退都難如願。

然而第四共和國的法人，正和一百五十年前復辟了的波旁王朝一樣，新的經驗不會學得，威權却不肯放鬆。美政府一片熱誠，想擴大駐越軍事代表團，助法訓練越軍，却招來法方一片反對否認之聲，好像是寧讓共黨得勢，也不容盟國多來過問。這樣的作風，其結果又豈只是要失掉一個越南而已。

國大開幕的動人鏡頭

彈劾李宗仁案有兩派主張　修改憲法多認為時機未至

【二月十九日台北特訊】國大開會情形及其任務所在，已詳載各報電訊，茲所報告，為電訊未詳，或為各報所未及預載者。

國大任務，除選舉總統副總統外，次一任務，恐怕即為處理監察院彈劾副總統李宗仁案。關於這一問題，現時有兩派意見，一派主張不必彈劾，因此次改選，李氏已不能連任，罷免問題，即可迎刃而解，胡適博士即屬於這一派，他的主張已見各報。另一派，仍主張彈劾，認為這是一個法的問題，必須以法律程序求解決，而且這是國家的紀綱問題，如紀綱不振，即無以談反攻建國，更不足以激勵士氣，鼓舞民心。

此外修改憲法，亦為本次大會所討論的議題，惟多數人心理均認為目前「打擊共匪第一」，憲法如須修改，應留待將來，以免由於意見不同，多事爭辯，給中共以造謠挑撥之機會。政論家陶希聖即主張在現在反共抗俄之情勢下，憲法不宜修改。故修改憲法案是否提出大會，即提出是否能通過亦未可知。

現在報告一些開會的情形，今天雖然冷風撲面，人們都加上了大衣，但會堂裏卻充滿了溫暖愉快的氣氛。從每個不同的臉孔所流露出來的各種不同的笑容，可以看出各人內心蘊藏着無邊的快樂。興奮縱橫，神情洋溢，因為今天乃是一個偉大而不平凡的日子呵。

上午還沒有到十時，整個大禮堂，已擠滿了為國辛勞的舉國俊彥。代表們有的是相別數載的，有的同過患難。相見寒暄，有的擁抱，有的握手，感慨之情，溢於言表。有「江南才子」雅號的洪秘書長蘭友，昨夜通宵未眠，今天一早就出現會場，親自招待。他永遠給人「禮貌週到」的印象。

十時十分，在一片悠揚悅耳的樂聲中，蔣總統夫婦步入了會場，全場肅立，掌聲雷動。總統身穿長袍馬掛，佩大綬及青天白日大勳章，容光煥發，中華民國憲政史上嶄新的一頁又從此開始了。

大會開始，首由洪秘書長報告到會人數，繼由臨時主席胡適博士致開會詞，胡氏指出本次大會的歷史任務，並強調大會合法合理，博得全場不斷掌聲。

胡氏詞畢，蔣總統以總統身份向大會致詞，並作國情報告，總統最後明白告訴全世界，說中國問題，不是中國單獨的問題，而是世界和平安全的關鍵。在總統致詞過程中，掌聲凡歷廿餘次之多，表示全國一致崇敬和擁戴之情。

會場中，更動人的一幕是一萬四千位反共義士，把大陸四億五千萬同胞嚮往自由祖國的心帶到了會場。當義士代表五十人高舉着各省市的地圖進入會場時，全場起立掌聲雷動，激動，興奮和緊張的心情，難以筆墨形容。義士們首先向總統致敬，繼向全體代表致敬。

義士代表在致詞中說：「大陸從我們手裏丟掉，應從我們手裏拿回來」，「血的債要用血來償」，全場代表及來賓，無不激動。會後總統步至陽台，接受一萬四千戰士的歡呼，場面更是動人。「總統萬歲」之聲，歷久不絕。會場中有感動得熱淚直流的。

近十二時，才從樂聲洋溢中，宣佈散會。（十九日小慧寄自台北）

外滙貿易措施平議

·陶百川·

（上接第一版）例如某貿易商四十一年全年所得的外匯是十萬美元，四十二年上半年是四萬美元，則其實績共為九萬美元。（二）四十三年上半年的物資預算，仍以兩個月為一期。貿易商在此期內，得照其實績之百分之十二申請結匯。上述貿易商，乃可申請一萬零八百美元。不准多要，但政府也不致少給。

在這個制度之下，實績之大者永大，小者永小，有者永有，無者永無。這已是過分保護了既得利益。而且不僅這樣。以前不是貿易商的公司行號，尚可委託貿易商申請結匯，輸入物資，自從實施實績限制以來，除非給貿易商以外匯申請額的百分之三四十甚至相當於美金官價和黑市價之差額的報酬，以購買他們的實績，絕對沒有申請外匯輸入物資的機會。那些本有實績的公司行號，因其不是政府所保護的貿易商，縱有實績，但是沒有貿易商那樣的幸福，因為他們的實績已為政府所『沒收』了。於是全省各地各業公司行號經售的大部份進口物資，全省八百萬人民所需要的大部份進口物資，完全掌握在一千八百餘家貿易商之手，而聽其壟斷，任其操縱。

甚至工廠需要的原料，這一期雖有一百萬美元的特留份，不在實績限額之內，但政府規定必須假手於貿易商去申請結匯，不得直接申請，於是貿易商又得需索的機會。最近雖經進出口商同業公會加以限制，然其需索的手續費，仍在申請額的百分之一四•五以上。而且這一百萬元的特留份，顯然不敷全省工廠的需要，於是工廠仍得乞靈於貿易商，而以重金爭取其實績，以致叫苦連天。政府制訂以補救為號召，但是利之所在，其效用殊堪懷疑。（參看二月十四日中央日報經濟新聞版）。

第四、政府因嫌貿易商為數過多，新訂辦法飭令增資或合併，但規定仍以現有貿易商為限，其他各色人等，一律不准插足。台灣年來對於既得利益的保護，採取了過於極端的措施，凡是政府主管人員認為要保護的行業，一律不准設立競爭的新廠新店，一律不准輸入外國或華僑的較好的、較廉的競爭物資，而顯得保護既得利益，而抱殘守缺，維持現狀。這種專為少數資者打算而不為廣大的消費者着想的獨斷政策，不獨損害了社會，而且也損害了工業本身，實有修正的必要。至於不准新設貿易行以保護現有易商，自更難自圓其說了。

幾種補救替代的辦法

本文以『平議』為題，自當平心而論。政府所以採用實績制以及不准新設貿易行，自有許多理由，財經當局也一示再表現行辦法並非盡善。但是，補救或替代的辦法呢？時論似有下列四種主張：

第一，有人主張取消實績限制，恢復自由申請，而且開放禁區，讓他人也有插足之機會。他日自由競爭的結果，大者未必大，小者乃可能大，無者乃可能變有，深合機會均等的原則。但政府當局卻：『在過去自由申請時期，貿易商大戶可挾其優越資力，儘量申請，申請額愈大，則批准額愈多，則所獲利潤亦愈厚，結果將造成大戶有利形勢，加速其實力發展。自實施限額後，大戶申請額亦僅限於實績十二分之一，事實上已不能如以前之便於浸漁』。但大戶現在已經夠大了！在保護政策照顧之下，可以永久安坐而食其既得利益了！所以政府這個號為限制而實係保護貿易商的現行辦法，實為大戶所歡迎。

第二，有人主張嚴格管制進口物資的賣價，讓消費大衆來享受美金官價與黑市價相差的利益，而不讓貿易商長此享受暴利。台灣不比大陸，一切多講管制，惟獨物價仍是『無政府狀態』，實在是美中不足，而且貨幣因而貶值，對於國計民生都有無窮的後患。可是主管當局迄今沒有實行管制的決心。而與民生有密切關係且在政府掌握中的物品，如電力、公共汽車、麵粉、鹽、米、糖等，或則一再加價，或則躍躍欲試；紙張批價近雖稍減，但仍在百物之上。對於進口物資的限價或平價，政府自更無意於此了。

第三，有人主張實行結匯證（外匯）的自由買賣，把政府手中的結匯證，在美金漲價時以低價賣出，以資平抑，或以高價賣出，以收回較多的通貨。這樣遠勝於把滙率釘牢在十五元六角，讓進口貿易商獲得差額，大發其財。但這須有一個前提，就是政府要有平抑物價的決心和能力。假如政府沒有這種決心和能力，則提高結匯證的價格，就是調整匯率，商人自必以此為藉口來提高物價，那麼為了買賣美元的有限的收入，而使物價跟着波動，不獨無益，而且有害於國計民生，而貿易商則也許因此更可發財。

第四，於是有人索性主張進口貿易的國營或公營。台灣公營的成績雖不怎樣美滿，但百分之七十以上的工業是公營的，百分之八十以上的出口貿易是公營的，進口貿易在理論自然也當公營。而且台灣每年用去的一億一二千萬美元的外匯，其中百分之八十以上是由政府機關得來的，政府使用自己獲得的外匯，而且以此來平抑物價或支援國庫，化私為公，不再讓貿易商無功受祿，任何人不應反對。至於進口公營所可遭遇的技術上的困難，應該不難克服。

目前應有的幾種施措

以上四種主張，自以最後一種為最有效。但公營也有公營的缺點。現在肥料、棉花、棉紗、牛油、椰子油、橡膠、羊毛、人造絲、鹼、黃豆、一部份化工原料和零件的進口貿易是公營的。（由中央信託局和物資局主辦）。但對民生的貢獻如何？對國庫的支助怎樣？似乎與理想相距尚遠。所以筆者還不敢貿然主張公營，政府亦尚有相當顧慮。目前比較簡易可行的辦法，筆者以有下列七種：

第一，工廠需要的原料和工具，經過建設廳的核准和證明，應准向台銀直接申請結匯，不必假手於貿易商。所需外匯，尚應增加。如特留份的頭寸不敷，可在匯卡貿易商超過一萬二千美元（這個標準應再降低，例如降為六千美元）的超額中截留統籌。

第二，過去有實績的公司行號，應准比照貿易商申請結匯辦法，向台銀直接申請結匯。政府承認貿易商的實績而加以保護，乃獨不承認非貿易商的實績，實無以示大公，昭大信，故有一視同仁的必要。

第三，與民生有較大關係的物品，尚可擇尤收歸公營以逐漸縮小私營的範圍。但在收歸公營之後，應以利民為目的，不可像目前這樣從而征取巨額的利潤，致與私營貿易政策同為時論所詬病。

第四，市價漲勢較烈的物品，應由公營機關集中輸入，平價供應，以阻遏漲勢，打擊投機。

第五，過去自備外匯輸入物資的實績，政府也應承認。政府以官價供應貿易商的外匯，認為是實績而由貿易商永享其權利，乃對沒有向國家討官價便宜的自備外匯，反而不認為是實績，因而不准其援例申請結匯，實在太不合理。

第六，自備外匯輸入的限制也應放寬；凡國家特別需要或市面特別缺乏的物資，政府應准商人以自備外匯儘量輸入。政府不肯利用商人的自備外匯，必欲以辛苦艱難得來的外匯源源供給貿易商，其理由殊不可解。（財經當局慣說的什麼鼓勵黑市製造套匯等理由，實在是在可解與不可解之間。如能妥為防止，善為運用，自備外匯應是利多於弊）。

第七，不准新台幣自由通過國境，以杜絕香港皇后大道少數錢兌商任意貶抑新台幣價值的機會。

對越政策美軍政有爭執

談到越南戰局，其所以到達今日這般田地者，法政府和越南本身固要負大部份責任，其實美國政策的不堅定也是一個原因。據說，美國國務院和國防部對美國應如何處理日漸增長的越南危機，私下裏仍有爭執。軍方要求迅速建立法越聯軍的軍力，以爭取最後勝利。但國務院卻傾向於法國的意見，認為越局的唯一出路，並非在打硬仗，更不在迫着越盟軍無條件投降，而是希望藉幾次佔戰倒優勢的戰役，以奠定法方的強大地位，然後再與共方舉行和平談判。因為國務院與國防部間存有歧見，故美國迄未訂定最後的越南政策，整個越南戰局也連帶受了影響。

美處理韓局訂有新計劃

對於韓局，美國防部有一個未曾向外間透露的計劃，他們準備在一九五五年中將所有美軍部隊全部撤出韓國，只留下第七師和一師海軍陸戰隊担任阻遏共方侵略的任務。國防部認為兩個美軍師，和一個由英、加及其他國家合組的聯合國師，來支援二十師南韓部隊，就足以應付任何緊急的局勢。

同時美國還坦白而堅定地告訴李承晚總統說：如果他下令南韓軍進攻北韓，他的部隊即將受到聯合國軍的迎擊。據說：某位美國使節曾在韓國內閣閣員前，當面警告李總統說：「如果你們越過休戰綫，我們就將向你們射擊」。（孟衡）

我會見馬倫科夫

·端納譯·

史達林裝着一副和藹可親的樣子，他的面孔和灰色的眼睛充溢着精神，像一個諄諄善誘的教師一樣，他安靜地向我們解釋他所持的意見，並摘要講述他心目中的國際大事的真實意義。他表現出東方人所特有的忍耐，深信一切事情終將依他所計劃者而進行。他的態度適與畢索里尼及其他我所見過的納粹領袖相反，當我見到納粹顯要的時候，他們顯出一種狂妄的慾望，恨不得他們最野心的計劃能立即付諸實現，然而史達林和他的僚屬則不然，他們知道如何等待。

大部份的時間史達林都露出一副仁慈的面容，沒有絲毫殘酷與血腥的痕跡。但在極偶然的時候，一兩個人可能說些他所不高興的話，於是他的面孔變得鐵青，一種令人難以相信的陰森和冷酷遂成了他面部的特色。

在這一方面，馬倫科夫和史達林有許多相同的地方，馬倫科夫的眼圈圍繞着殘暴和恐怖，但有一點不同的是，馬倫科夫從來沒有改變他的表情。

當他說話時，我感到他是一個極端機警而富有能力的人，他像電算機一樣的列舉事實和數字，其中未參雜絲毫的感情成份。

後來輪到政治局其他委員——貝利亞和莫洛托夫均在場——說話時，馬倫科夫很用心地聽着，偶而也作點簡單的紀錄。但一般地說，他是不愛出風頭的，室是一副幕後操縱的實態。我當時獲悉的實際情形是這樣，雖然馬倫可夫的名義僅是政治局委員，而且也少為外間所熟悉，然而事實上他確是有勢力的一個人，他擁有兩種主要的力量源泉，一種是國際的，另一種是國內的，他手中的兩個機構既重要而且秘密。

從他毫不出色的外表看，想像他是一個毫無色彩的個人，可是實際上不如此，他較莫洛托夫或貝利亞更具有統治的氣質，他們都是野心家，但在史達林的面前卻為他專橫的威勢所嚇服，只是馬倫可夫更富有超級的信心，他這種信心橫蠻起來便幾乎成了專橫。（譯自「皇冠」雜誌一九五四年一月號）（下）

編者讀者

編者的話

△三月七日為本報三周年紀念，我們這一小刊物居然能夠在動亂當中，藉讀者和各方面的愛護，始終繼續出版，實在不是一件容易的事。我們打算在三月六日這一期，增出紀念增刊一張，希望讀者和惠稿的朋友，能夠給我們寫點紀念文字，藉伸慶祝。來稿請於本月底寄到，至深感禱。

△下一期，我們特刊載紹幸先生的「鄒海濱先生的生平」和韓名銅先生的「論歌德及其少年維特之煩惱」兩文，先此預告。

△徐縱、傅瑞符、愈嬰、韓名銅、易與、陳雪英、代勞、嘉，諸先生：惠稿均收到，謝謝。

論中共的民族政策

・沈著・

中共推行其所謂民族政策的失敗情形，前在本報二八三期（去年十一月十八日）已作扼要報導。本文之目的，乃在進一步檢討此一「政策」的思想根源，本質和技巧，運用的手段，以及推行的後果。

政策的思想根源

政策必以其政治思想為根據，民族政策必基於民族思想。中共之民族思想頗為支離、複雜，而恃為一極重要思想問題，蓋中共本身並無一套。以馬列的教條為教條，一切以蘇俄的意志為意志。因此，研究中共民族政策的思想根源，必須從馬列思想和蘇俄的征服政策說起。

當年的蘇俄，原根據馬克斯和列寧的教條，要打破民族界限，不允許民族思想存在，而且照馬克斯公式的預測，人們一旦進入共產社會，民族界限便會不破自破。但兩次世界大戰給予蘇俄的考驗，知道馬列教條並不能完全打破根深蒂固的民族界限；史太林乃轉而加強「國際主義」，這一口號的運用，去克服所謂「狹隘的民族思想」，而藉國際的政治壓力，去完成共產國際內的大民族的統一。他的方法，是先用「民族解放」的名義去製造各民族的赤色「革命」，然後以國際政治局為控制的中心，用「國際主義」的口號，去消滅已在赤色政權統治下的人民的本位民族思想，而代之以「國際主義」的龐大而支離的民族思想。再者，囚共產國際為蘇俄所極端控制，且復以蘇俄為共產各國的「祖國」，「國際主義」乃成了蘇俄征服各民族的工具而變成為「大斯拉夫主義」。這個「大斯拉夫主義」就成為共產各國所必信奉的民族思想。

中共即為共產集團中信奉「大斯拉夫主義」最力的一員，因此，向蘇「一面倒」的程度就顯得最為澈底，向幹部及人民促行「國際主義」政治思想的訓練也最起勁。但中國是一個多民族的國家，僅僅是中共或漢族人向蘇「一面倒」，不僅是不合蘇俄的要求，且亦有違中共一切必須統一行動的這個大原則；因而他必須要所有國內民族皆非澈底向蘇「一面倒」和信奉「大斯拉夫主義」不可。惟由於各少數民族民族意識的堅強，及使此一要求，並不易於達成，乃必須先從征服着手；必須在征服少數民族以後，方能驅使其一律向蘇「一面倒」。故事實上，中共之制定民族政策，其基本動機即在此，其政策的思想根源亦在此。此一思想，即為打破中國各民族的民族思想，而易之以「大斯拉夫主義」的民族思想。

政策的本質和技巧

照一般的事實，政策本身應即為目的；但中共則不然。中共各種政策的本身，皆非目的，而為掩護目的的一種手段，民族政策尤然。蓋基於前述此一政策的思想根源，目的已非常明顯；但此種目的，決不能公開揭示，乃必須加以掩護，且可藉虛偽政策的掩護而名正言順的去達成其目的；故此一政策的本質，並非真正的政策，而為一種技巧。正因為是一種技巧，乃使此一政策的文字，極形奧妙。中共的民族政策係於一九五〇年，佔領西藏以後所制定公佈，它的基本內容，為：「鞏固祖國的統一和各民族的團結，共同來建設偉大祖國的大家庭，在統一的祖國大家庭內，保障各民族在一切權利方面平等，實行民族區域自治，在祖國的共同事業的發展中，與祖國的建設密切配合，逐漸發展各民族的政治、經濟和文化，消滅歷史上遺留下來的各民族的事實上的不平等，幫助落後的民族，提高到先進民族的行列，共同過渡到社會主義的社會。」從此種文字的表面粗看，可說是冠冕堂皇，但若加以深入推敲，並根據其幾年來所行的種種事實加以參證，便不難窺破其這種文字技巧上的用心。（上）

李區可望蟬聯

市政局議員本年度因為兩席非官守議員任期將屆滿，現行改選工作正在積極籌備。依照主理選舉事務官規定，提名候選人的登記，限期今天截止；雖然主管當局尚未正式公布候選人名單，一般預料今年競選議員的提名候選人將比去年多。革新會方面仍推舉現任兩位議員李有璇及區達年為候選人，期能再度獲選蟬聯市政局議員。依照選舉法規定，倘提名人不超過空缺額，則被提名者，即行認為當選；如不足數時，港督有權任命遞補；這就是說，除了李有璇，區達年之外，其他方面今日仍未經提出候選人登記名單時，即被認為當選了，李區兩氏既已登記，已經足額；但是超過兩人足額時，主理選舉事務官乃另定投票表決日期。就目前情形看來，談論競選趨勢雖然猶覺言之過早，李有璇與區達年的人望以及革新會的有力支持，不論有無其他候選人參加競選，已反映出具有絕對壓倒之勢。

助選團設總部

香港革新會推選市政局議員候選人競選總部，現已正式成立，設於中環惠羅行二零六室，電話為三零五六五，負責規劃選舉及助選事務，聘請中外熱心社會人士，担任義務設計與助選工作，在港九各區，新界各地將陸續設置競選分部，組織規模甚大，實為有史以來的創舉。競選總部中還特設一個選民服務組，已開始義務替選民服務，以適應工作繁忙，或對選民登記手續有疑問者的電話或函詢，且備有選民登記表格，送交選民填寫，並指導填表登記程序，除此以外，並設置一個選民服務組，開始接受選民及一般居民意見，此種意見，經整理之後，將供革新會推選的候選人於當選市政局非官守議員後，在市政局會議中提出議案討論。

區達年呼籲投票人
切勿遺忘公民權利

投票人將大增

據區達年說：今年市政局民選議員的投票人數字一定大增，當然，今年增加的選民比去年多了四分之三，那近四萬投票權的選民現時正踴躍參加登記，截止期距今尚有半月（三月九日），實際投票者將佔幾分之幾，雖然尚難估計。他認為在此期間，各投票人切勿忘記或放棄其公民投票權；因為這一選舉工作乃關係香港政制的改革，具有深重的意義。假如投票人雖然範圍擴大，而參加投票數比不上未增加時，這種表現，將被視為香港市民對於政制與港府若干措施等表示冷淡，那末，這種有價值的民主政治選舉，可能招致不良的後果，即政制改革將會受到影響，如選民增加的被視為「不必要」，皆足使人滋生懸劣印象。

奴化教育政策下
湘兩私校遭刼
澧西澧江中學被沒收

【本報訊】據甫自鐵幕逃來之船民胡××談稱：在中共摧毀固有文化實施奴隸教育政策下，湖南全省八十八縣市的中小學校，幾全部遭共刼收，予以改革；其中尤以在慈利縣境兩所私立中學，所遭刼難，更為殘酷。

據悉：遭受中共湘省當局所摧毀的兩所中學，一為慈利城西的澧西初級中學，一為城北的澧江初級中學，該兩所學校，均係抗戰期間適應後方需要的產物，自設立以來，在政府督促及負責人的努力，當中和，儘設備完善，且教育有方，卓著成績，培植青年，遍佈九澧，向為湘人稱道。

自偽政權建立後，由慈利偽縣長杜梅生首將澧西中學首創人王育賢拘捕，王本前澧縣鎮守使王正雅之長公子，出身日本早稻田大學，遂以「官僚」「惡霸」罪名，於四十年元旦，慘遭「公審」槍決。易以邑紳朱脉陶充任該校校長，該校設立在距城約一百華里的溪口鎮。四年以來，一蹶不振，該校聲譽，就讀學生，已由三百餘名減至八十餘人，共幹乘機潛入，內部凌亂不堪。去年九月，該縣已更換縣長丁銳鋒，奉湘共當局命令，藉學校整風為名，強行將該校「刼收」，並指斥該校長朱脉陶為「頑固份子」，嘗以「封建思想」的毒素，灌輸學生，致造成學校紀律廢弛，學生精神散漫，逐將其拘送常德德山「勞改營」予以改造。新易校長，係一共幹栗正鈞，地痞出身，自長該校後，學生紛紛退學，所餘無幾，現該校已陷於停頓狀態，惟該校基金雄厚，任令共幹們，樂得享受。

至於澧江中學，設立在距慈城約九十華里的江埡，為一保定軍官學校出身曾任國軍軍官李善後所創辦，李被湘共指為「反動份子」，於三十九年十月押往前任縣長時的地區——大庸，公審槍決後。繼任校長，亦為湘共指派的劉人鶴。劉子文津，係一共幹，任慈利偽縣府宣傳部長。自劉長該校後，莘莘學生，不堪奴隸教育的壓迫，多半輟學，致使該校課程，不能按步就班，紀律蕩然，校風更是一塌糊塗。去年八月，該校有一施姓學生，因其父東成遭「區政府」共幹吳×勒索，致自縊身死，憤怒之下，潛赴「區政府」縱火，企圖報復，孰知事機不秘，於進行縱火時，遭地方民兵拘獲，押往區政府嚴刑逼供其主使人。因之牽涉到劉校長頭上。惱怒了偽縣長丁銳鋒，遂將劉校長拘扣查究。澧江中學，遂關門大吉，學生亦遭中途輟讀之苦。

現該兩校學校，全部為中共刼收，亦全部停課。外間傳說湘共已決定將該校基金全部沒收後，學校將予以封閉。

中共牧場亦俄化
老大哥總攬大權

目前的中國大陸，全部都俄化了；因為每一個機關，每一個部門，甚至每一個牧場農場，都有俄國老大哥做「專家顧問」。譬如：偽廣東省總農場在廣州市北郊開闢的集體牧場，養育乳牛，供給各部門所需牛羊乳，第一期將養乳牛六千頭，羊一萬二千頭，由新疆請專家哈馬生負責，及新疆請技工人員六十餘人，分担各項勤務，但由蘇聯專家負責，羊乳之搾取提煉，但牧場劃革之民工二千餘人，大部則為勞改份子。哀哉同胞，將會要生生世世做蘇俄帝國的牛馬奴隸了。

贈書誌謝

本刊收到下列各項贈書謹此誌謝

書名	著者	出版處	年月
愛的清算	易文著	亞洲出版社	四十三年一月
流浪者	[illegible]	亞州出版社	四十二年十二月
新土耳其	秦風	亞洲出版社	四十二年十二月
成長與發展	馬兆祥	新世紀出版社	四十二年十一月
四年來的中共（上下冊）	易明婷合著	自由出版社	四十三年一月
[illegible]	易安	自由出版社	四十三年一月
蘇聯奴工營	[illegible]譯	亞州出版社	四十三年一月
好萊塢工作錄	[illegible]	亞洲出版社	四十三年一月
春到調景嶺	張一帆	亞洲出版社	四十三年一月

評：坦白與說謊

・莊申・

三、描寫時令的（包括遊記）

作者雖然沒有着力描寫時令的變遷，但他卻顯然具有一種善於描寫時令的好本領。已經被章微穎教授選為啟明中學國文教科書範文之一的「塞外的春天」，尤其是他的得意之作。容若先生寫景文的風格並不同於徐志摩，但我們卻不妨承認「塞外的春天」是一篇很動人的美文，一如徐志摩最著名的一篇——「我所知道的康橋」。集中像這樣的散文還有好幾篇；他由「您在豆棚瓜架上看綠蔭，一天可以長出幾寸；您到竹子林高粱地裏聽聽響，在吧吧的聲響裏，一夜可以多出半節。昨天是苞蕾，今天是鮮花，明天就變成了小果實。一塊白石頭，幾天不見，就長了苔蘚；一片黃泥土，幾天不見，就變成了草坪菜畦」。而描寫出植物在夏天的「跳躍地長，蹶節子地長，活生生地看得見的長。」由「眼前是皎潔孤高的黃花，耳朵裏是婉轉有韻律的蟲聲。使人不知不覺地走向沉着、細密、溫柔，反省的路子上。由空想到現實，由孀激到人情」而寫成「秋天的體認」。遊記裏以第卅四篇（我看大明湖）最好（聽說陳紀瀅先生以為比「老殘遊記」的大明湖）因為大明湖的特徵，是安靜樸素，所以作者也有一段這樣的白描：「畫舫上雖聽見笙歌管絃，鐘鼓也沒有；湖岸多半是幽居蕭寺，連暮氣，藍天是靜悄悄的。水上有一隊一隊的鷺鶩穿花戲草，玩的十分安詳自在。成羣的白鷺鷥在凝神養氣：誰也不叫一聲。就是坐着小盆向遊客兜賣蓮花的小兒女，也只是拈花示意，並不吵嚷叫賣。」作者又告訴我們：「你想要認識湖的全貌嗎？請到北極閣上看，請到城頭馬路上看，一城山色半城湖，滿湖荷花繞湖柳，並沒有什麼誇張。千佛山的倒影，一定在天高氣清的秋天，在鐵公祠前的湖面寬處，才看得分明。想認識大明湖的光明如鏡，也須在秋天多天的蘆荷枯萎後。」

四、偏重學術性的

這是全書中最硬的一部份。作者由「注腎符號在日本大學」的「充分應用」而告訴我們日本對中國語言的學習，已由「直讀」代替了訓讀。由日本中等教育研究會出版的新修高等漢文而告訴我們這套課本的選材是「過於迎合遷就日本知識份子的趣味心情，補偏救弊，介紹中國文化的用意較少。」

更重要的是下面的這幾篇：「日本的水滸傳」，「談論語的海外流傳」，「漢學研究的國際化」和「牛津的漢學」。前兩篇給我們不少學術掌故，後兩篇更給我們不少最近的漢學在國際學術界的動態。在最後一篇（外國人講中國）裏，作者在指出英法美國研究中國學術的錯誤之一般以後，曾感概的說：「中國也許有一天要通過了外國書來念祖國的歷史，像印度一樣，但是現在總還是唐書的故事比桑戴克的傳說流行，所以還得照中國的書來訂正外國人。一說是外洋人的，就相信得什麼似的，實在是太天真了！」這種地方真值得我們糾正的。

五、我對本書的評價

本書最大的成功是組織得宜。柯劍星先生的書評中曾說：「談到溶花生，就有關於溶花生的一套知識，談到貓頭鷹，就有關於貓頭鷹的一套知識，而且涉及科學，歷史，中國文學，西洋文學，日本文學種種方面，上天下地的談，穿插配合得天衣無縫，一點也不顯得惟醜，更難得的，各篇都有一個較高的意境貫串起來，所有的材料，都是為了表現這個意境。處處引人入勝，而結局有無窮的回味。」作者之能如此，亦正如他自己所說的：「不談所不知道的事，不把自己的見聞加油加醬，也不為文造情，像辛稼軒所說的「為賦新詞強說愁」。」所以信手寫成，反而生趣盎然，平易近人。

其次是本書表現着強烈的民族愛，國家愛。作者一面由「台灣的蕃薯」而強調「光復以後，正需要選擇比較，互相交流，以產生更優良的品種」的民族意識，一面也提倡「對付中華民族歷史上兩個大敵人」之一的「北狄」的愛國心。他由「共產黨把說謊當作最大的政治力量跟武器」而想到「沙皇的一根龍頭武器杖」「就是史達林和中共所創造的新文化形態」的可美與可怕。他由「打着瞧有時候被一部份中共」以及「大陸上有些地方正在進行着」「把烏鴉當作一個大問題來對付，是起於共產黨，諷刺為小資產階級的潔癖」而想到「蟬不工作，理由是：蟬不會生產，只會唱歌，不愛勞動，正像一般的資產階級。」更由鳥居龍藏回想到鐵幕國的唯一理由是「北平沒有學術的自由」而想到鐵幕裏的考古學，人類學也成了政治的謊言。「你要不能考證出張獻忠的骨頭比孔子的更優秀，你還算什麼人類學者呢？」似乎應該有把雜文和散文再作一次更嚴格的區別的必要，因為作者在「編輯後記」裏說到本書的缺點，我以為容若先生自稱集中所收的五十五篇都是雜文，但在上述「鐘鼓」的「南海散文集後記」裏，又把這本書稱為「南海散文集」，如果我們把偏重學術性的十八篇稱為雜文，那麼其他的便應該稱為散文了。

其次是他有些地方，因為要「努力把文字寫得短，儘量把不要緊的意思省略，」所以難免有過於求簡和晦澀的現象。他引用很多的成語故實，在知道的人看起來很有趣，在不十分理解這些成語故實的人看來，就成了攔路虎，反倒減少文章的效力了（像第五十篇最後一段裏，有一句只有八個字：「楚雖三戶，亡秦必楚」。一般中學生恐怕是看不懂的）。（下）

傳說中的人物談薈

——李默庵——

這是一個在湖南省城內擁有綽號「李半城」房地產業的降將李默庵，最近報紙消息，說他在南美洲過着安樂的寓公生活；又說當年他要離開香港遠走南美時，曾以三等車票一張，旅費港幣廿元，送其老母回鄉去云云。

他是在大陸軍事緊急之際，乘機滑溜海外，眼看風色後，才聯同若干「前進」人物，聯名宣言，紙上「起義」的。在未逃出大陸以前，高擁虎符，久歷年所，最後且擔任過什麽一世之雄也。從前不聞其對政治有甚末思想，更談不到前進或後退的話，一心唯高位厚俸和子女玉帛是務的功名利祿之士。然則他何以迫不及待，急於「起義前進」乎？答曰：財富太多之故。富潤屋財潤身的人，第一是愛命，其次是愛財。但求能保其命與財，甚末下流的事都可以幹，所以凡是在事業上有成就，立身處世有分寸的人物，十九都是些鄙漢和窮漢。唯其窮，乃能儉，財富一多，人就特別聰明了。李氏之「起義前進」，就是孔方兄教給他的聰明，他對其老母的，也是孔方兄的智慧指點所致也。

因是，我很誠懇的奉勸大人先生們，好貨之徒不可寄以大任，忘親之人不可倚爲心腹。觀人於微的工夫絕對重要。有不愛錢的人而能救國家與社會者，亦未有不敬愛其父母的人而能敬愛國家與民族者。平時必須講究做人的道理，視其所以，觀其所由，察其所安，人焉廋哉？現代中國的太多了，而國家實在吃不消，勿消啊！

馬五先生

男女授受不親的外交史

・太希・

中西男女之防，稽日志乘，皆以外人視爲交錯爲奇。憶某筆記載：「杭人黃保如司馬，官直隸辦天津洋務局。初辦事，諸事皆順手，一日美領事招飲，坐無他客，惟黃君一人而已。領事夫人亦同坐，酒半，領事與夫人請移至內室，已而又改設於月台，而領事云，有公事先辭出，夫人留之坐，黃君慮招物議，強辭而去。夫人意頗不悅。自後與領事來往公事，常致齟齬云云。」

此說頗堪一噱。蓋在我國人夙有瓜李之戒，橫梗於胸，誤以獻酬酬酢，爲帷薄之過邁。記文芸閣筆記，亦有類此之事。昔人皆欲以柳下惠自譽，而於西俗之浪漫，抑何可笑。尤于後，始稍開通，旺後則又有矯枉過正者矣。

曾劼剛紀澤使英法，在光緒初年，其時風氣尚閉，而劼剛特爲折衷之議明，先致於法使館，特派譯送之繙譯洪闓亭，書云：『現有極要之事，須與台端一商者，貴國爲秉禮之邦，泰西各處禮儀，大半依據貴國所行，以爲榜樣。中國邇至聖孔子之云，亦以禮儀爲重，然泰西太遠，風俗亦異，是以此儀節，適然不同，門細……故宋節，僅可通融辦理，惟宴會一端，尚須斟酌。泰西之禮，男女同席宴會，凡貴重女賓，坐近主人，貴重男賓，坐近主婦。中國先聖之教，則男女授受不親，姑姊妹女子子，既嫁而返，兄弟不與同席而坐，不與同器而食，至親骨肉，其嚴如此，外客更可知矣。現在中國與泰西各國通商，將成永久之局，將來國家遣使，亦必常行不斷，公使挈眷，事所常有，鄙人此次挈攜妻子同行，擬請足下將鄙人之意，婉達於貴國議禮大員之前，中國公使眷屬，祇可同於西國女賓往來，不必與男賓通拜，尤不肯與男賓通宴，即偶有公使至好朋友，可使妻女出見者，亦不過遠立一揖，不肯行握手之禮。中西和好雖殷，吾蹤交情熟稔，然此一節，却是中國「名教攸關」，不必舍中華之禮，從泰西之禮也。各國公使駐於中國北京者，其眷屬亦並未與中國官宅往來，可見彼此禮教不同，儘可各行其是。若蒙足下從中委曲商酌，立有一定規矩，則將來中國公使挈眷出洋者，不至視爲畏途，實於彼此通好長久之局，更有裨益。」

劼剛此函，法政知其識，眷屬往來，敬禮有加，而絕不預跳舞諸宴，是亦新舊遞嬗中之一段佳話也。觀曾函數語，可知昔時使節之閫禮，故咸視異國爲畏途。乃以賽金花一傳彩雲自隨，然英國國知爲公使夫人也。洪文卿夫人，維多利亞女皇，與合攝一影，歐後彩雲繇落平康，而樊山作「……」脈之曰，可憐坤媼山河貌，會與楊枝例看，詩人不擒本好齊其末，類皆如此。

聞易菴居士設硯有贈

・郭敏行・

五月不見君，君竟操課數，豈因宦海微，廿與醫藥伍。三教與九流，其源各有祖，易昔尊六經，變化寧無知？俗士淺不察，詎言以爲蠱，文王死不朽，千年遺此侮！何以雪其冤，力學追前古，孔子聖之時，亦主察言吐，悟道百不迷，窮理萬疑剖，昔有嚴君平，賣卜尊君父，教人以忠孝。其言殊可取，滅慾心自開，安貧禍自杜。治病不治源，其病何如堵？救人不救心，其心焉不厲！世亂人鬱煩，惶惶殊少主，唯君善指引，世道賴以補。

鐵幕學生生活

——一個捷克小學生的親身經歷

・子勒譯・

由捷麗那裏，米拉帶回家許多蘇聯人偉大事蹟的故事，他們從未打過敗仗，並且在二次世界大戰時，單獨的擊敗了德國人，這些事情米拉都會熱心的告訴他父親，他常常會說捷克應該感謝蘇聯友邦，並且應該爲了能得到像蘇聯這樣的一個政府而慶與，然後米拉會告訴他的父親，不久每個人就可得到一個大的遊戲場和腳踏車。

勒狄斯拉夫聽了兒子的話簡直無言以對，但是他記得在共產黨未掌政以前，米拉在學校可以得到免費午餐，但是現在卻要四塊錢一月，他記得他會積錢來完成其鞋店的計劃，現在卻要懷疑他是否買得起兒子急迫需要的大衣。

勒狄斯拉夫的思想現在回到了現實，面對着他懷裏哭泣的兒子，他擦乾了米拉的眼淚並且整理好他的衣服，拿了他的雪橇慢慢的走到房子的牆腳，小孩穿好了他的雪衣，走到外面雪裏去，爬上了小山，他不顧危險的從山坡很快的滑下去。和別的小孩一樣，米拉很快就忘記了他的眼淚，並且很簡單的解決了他的問題，明天，後天，大後天……他將要在遊戲中站在蘇聯人這一邊。一會兒以後，他的同學們又玩起蘇聯紅軍打仗的遊戲來，漸漸的，他於是去找他的同伴手風琴，他坐在火爐旁邊彈着紅軍進行曲。米拉在暮色以前離開了孩子的家，他們大家都扮作蘇聯紅軍，並且都當作一個大玩笑而互相笑着。米拉慢慢的滑回家去，這時他覺得很滿足，因爲他的頭不會再被人打傷了。

，正當他經過學校時，他看見他小小心中崇拜的偉大英雄喬治亞，智識伯克。喬治亞和米拉，還有其他孩子都是同班，但他自己卻非常自大自誇，他總是以自己是一個智識份子的家庭，並且還說他的父親在二次大戰時與蘇聯並肩作戰。『喂，喬治亞，』米拉在雪地裏叫起來，『喂，美國人，』喬治亞說着，並且轉過頭去。

淚水再次充滿了米拉的眼睛，他一心要取得米拉的歡心，這個英雄在游擊戰中爲大家所選爲部隊的隊長，他的臉孔因爲這些話而現出痛楚的表情，米拉再次爬上小山，然後拚命的滑下山坡，直到一塊石頭，把一隻雪橇撞翻了，他跌斷了，這時他還有不跌傷的？他沒有跌傷，他在厚厚的雪層上走回家去，他頭腦裏將蘇聯和跌斷雪橇的倒霉事情聯想到一塊去了，他開始懷疑這個標準的小蘇聯人是不是一個真的英雄。（三）

未來月球都市

・科學新知識・

・劉貽・

旅行月球，從遠古以來便是人類虛渺的夢想，嫦娥奔月的神話，就起於這種夢想。在這二十世紀的原子時代，人類要到達月球，雖然還甚渺茫，但其可能性卻日益增加，顯然祇是時間問題了。

人類雖還沒有到過月球，而這夢想何時能實現，也還沒有確切把握，有人預言二十年內可以實現，有人則以爲至多不出五十年。不論這時間有多長，今日的研究家卻已在計劃人類終於到達月球之後，又將怎樣應付。最近英國研究空間旅行的民間組織「英國星際協會」，便在其機關刊物發表了一篇文章，專門討論這個問題。據科學家懸比說，對人類間空旅行最表樂觀的德籍科學家布朗估計，每一噸貨物，不論是建築器材或其他物資，運到月球，須消耗燃料二千磅，以每磅二元五角美金計，如要將一架十噸重的機器運到月球，便須五千萬美元之鉅，而運輸工具（例如空間船之類）的價格更將遠超此數。

要在月球進行建築工作，必然需要大量機器，縱使乘坐第一艘空間船的人，能安然抵達月球，他們的技術知識和工具，例如熱力的來源，建設備，科學儀器式甚至水，食物，空氣也需從地球上運去，以其運費來計算，未來月球上供應品和器材，以及其他物品，約等於今日黃金價格的十倍以上。

懸比認爲，月球建築問題障礙重重，今日種種關於所謂「月球城市」的計劃，幾乎都屬夢想。他說，人類達到月球後，他所遭遇的環境，將與地球完全不同，在進行測勘工作時，也要穿着「空間衣」，因而極難看清楚他所用的儀器。他主張這些儀器的計數表，應該裝在這空間衣的頭盔內，而且在陰影中運用時，這些儀器應該能自動發光，因爲月球上的陰影都是墨黑，伸手不見五指的，但和更大的困難比較起來，這些問題還屬次要。月球上的地心吸力極爲微弱，這對物件的搬運，自有極大便利，但大氣的缺乏對未來的建築師形成了嚴重問題。他不贊成目前許多科學家所設計的那種圓球形建築。在月球的真空狀態中，房間內部空氣的向上壓力將極爲強大。一座直徑十呎的圓形房子，其向上壓力即有五十噸之巨。普通一所可以容納相當人數的圓房，直徑至少一百呎，其上壓力即增加到五千噸，因此其構造必須異常堅固。懸比的主張，是儘量減少這類圓形房舍，而將月球城市築建在地下。

他認爲登陸月球的人，第一步應先尋找自然的洞穴或火山缺口，在裏面注入空氣，而使人能夠居住。如果這類洞穴不易找到，另一個可以建築城市的地方，是利用所謂「直壁」，這是處於月球北面的五百呎高的峭壁，在這石壁上挖洞居住，比在地上開鑿巨坑容易得多。人類可能由這峭壁向下挖，到達地面下五十至六十呎，在這深度，注入空氣後，其上壓力約爲每方呎一千四百四十磅，正可與上面岩石的下壓力相抵銷。其出口處不必再需要建築固的圓球形罩子了。

月球上的建築，當然需要大量水泥，但這可不必由地球上運去。月球上如有含有泥與石灰的岩石，即極易做成水泥。懸比認爲月球由於受強烈的陽光照射，極可能已有許多岩石氣化而成爲粉末。這東西可使建築上的一個小問題得以解決。

不過月球上的日夜，其溫度的差別卻仍激烈，白晝的熱度遠越地球上的酷暑，而一到夜間，其寒冷又更低於地球上的嚴多。因此，月球上的建築物又需要一種應付溫度劇變的保障，它們都應該裝以某種反射性的金屬，外層的穹柱，可能用鋼鐵來做，外表再鋪一層銀片，但如採取玻璃絲織成的「布」，其效果更佳，上面再鍍一層銀漆，而裏面則可用塑膠來加以封牢。不論房子小到何種程度，其牆腳必須深入地下，打得十分堅固，因爲溫度高低的差別對金屬所形成的漲縮，極易使建築物的卿接處宣告鬆脫。

懸比討論這些問題後，得到了這樣的結論：「月球建築，雖然許多科學家多十分樂觀，其設計圖案中且已有了未來的大規模月球城市，但從許多實際困難來看，此事的實現，還遙遠得很。」

高陽台　重九

・羅自芳・

縱有閒情。已無餘淚。年來久厭登臨。小閣憑窗。菊杯誰與同斟。雲邊乍覺初來雁。送西風一陣哀吟。驚心。料重經。故國山川。倘自驚心。思量舊插茱萸地。悵交親零落。訊息難尋。鬼蜮縱橫。登高莫避災祲。天涯歲月垂垂老。最關心。卻是秋深。顧中原。猶待澄清。未許銷沈。

家住天台雁蕩間

・鐵頭・

當我們去遊的時候，還看見許多亂石，橫七豎八的擱在溪溝一帶，近山旁處更多，想來那就是靈峯古寺的遺址了。靈峯寺既沒，旁邊的合掌峯乃代替了靈峯的地位。合掌峯大概有五六十丈高，是兩片像手掌一樣的石岩合在一起的，形勢險峻，陰森可怕，手掌縫中，就是觀音洞，裏面黑黝黝的，附着山勢，造着九重樓閣，倒也壯觀，樓閣上面沒有屋蓋，即藉掌頂爲掩護，岩縫經常有水滴下，積於石穴中，名叫洗心泉，據說：飲了此水以後，心竅可以明亮，而且黑心變作赤心，壞人可以變作好人，大概當日那靈峯古寺的五百和尚，除那小和尚外，是沒有人飲過這水的罷，否則何致個個遭劫呢？同伴中有人硬說這泉應該叫洗手泉，因爲既是從掌峯上滴下來的水，自然只應洗手，不能洗心，爲的洗了心還回塵世做人，倒不如洗手不幹，大家一起入山做和尚，來得徹底，可惜此種意見無人接受，以致人間世擾攘至今，惡魔橫行，民無死所，大概都是不知道心可洗而手更是可洗的緣故罷！

靈峯道上，雖然荒漠，但兩壁峭立亘天，危峯亂叠，如側，如攢，如像筆尖朝上，又好似靈芝下垂，奇形異態，難以盡述，而合掌峯的對面，有兩石自平地突起，高約六丈，其形似筍，名字就叫做雙筍峯，眞是維妙維肖。

雁宕，假定以馬鞍山爲分水嶺，則嶺左的兩靈系統，自是風景集中之地，而嶺右則以大龍湫梅雨潭等爲最著名，但一路走來，崖壁參差，澗壑映采，高峯而延展若長城的，爲板嶂岩，危峯上尖下裂的爲小剪刀岩，重岩之上，一峯亭之插天的爲觀音岩，其他的峯巒，岩，石莫不奇妙，有如盆景，沿途大有山陰道上，美不勝收之概，古人說：「雁宕無臥石」。又說：「雁宕無山只有峯」。誠然！誠然！（五）

自由人
中華民國僑務委員會頒發登記證台敎新字第一零二號
中華民國郵政登記第一類新聞紙類
THE FREEMAN
（半週刊每星期三六出版）
（第三一二期）
每份港幣壹毫
督印人：李光華
社址：香港高士打道六十六號
電話：七四〇五三
GLOUCESTER RD HONG KONG TEL: 74053
承印者：東南印務出版社
地址：高士打道六十四號
台灣辦事處：台北市館前街五十號
台灣總經銷處：台北中華路九五號之一
台灣郵政劃撥金帳戶　九二五二號

大哉「國大」！

——敬以四義奉陳於代表諸公

·樓桐孫·

第一屆國民大會第二次會議現正在自由中國台灣開會。此時此地而有此會，眞是一件了不起的大事！

不尋常的集會

首先，國民大會是依憲法規定，代表全國國民行使政權的最高機關。政權與治權的劃分，亦即是「權」與「能」的劃分，是國父孫中山先生發明的最新政治學說。中山先生認為「中國在世界之中，文化上是先進的國家，外國的材料，向來無可完全做效。」我們必須斟酌國情，把政治組織的制度，「改造成世界上最新最進步的國家」。因為他們的民權政府，「已經成了舊機器，我們要另外造出一架新機器，才可以達到我們的目的」。國民大會就是這架新機器最主要的部份。它「在中國話呼做活塞，外國話叫做「比士頓」。這是就蒸汽機器來講。如果就電氣機器講，這又叫「接電鈕」。有了這「活塞」或「接電鈕」，人民對於政府的治權，或「推出去」，或「拉回來」，纔能「集合衆人之事的大力量」以實現民權政治的理想，這一架新機器，自大陸以至台灣，我們已用了六年。從前還祗有「推出去」。這次既要「推出去」——選舉總統，副總統；卻又可能要部份的「拉回來」——處理監察院彈劾副總統李宗仁案。這是人類政治制度在台灣自由寶島一種頗不尋常的實驗。此次國民大會意義的重大，可說是具有世界規模的。　此其一。

國家聲譽與同胞熱情

國民大會由依法選出的代表組成。代表產生的來源極為廣泛而普遍，全國各縣市及其同等區域，蒙古各盟旗，西藏，在邊疆地區的各民族，國外僑胞，職業團體，婦女團體以及內地生活習慣特殊的同胞，均還有相當數額的代表，共為三千零四十五名。這眞是集全國的菁英，表兆民的意志，濟濟一堂，睥睨千古。雖然很不幸的！大陸淪於匪攤，正有待於光復，故此次集會的代表，只能達半數有奇。但每一代表都是輾轉流離，歷盡艱辛，冒着身家性命的危險，才能會合到自由中國，出席國大：其權源既屬相同，則責任更形重大！換句話說，除台灣省區及僑胞的代表以外，每一代表的選民，大都身陷賊中，受盡匪共的磨折，水深火熱，不足以形容他們的慘境。我們捫心自思，使命是何等的沉重！因此我們切望代表諸公，一言一行，都須遙對大陸的選民，本着赴死贖罪的心情，善盡職責！無論選舉也好，罷免也好，討論臨時條款的延長或廢止問題及其他重要提案也好，都必須如蔣總統於日前在國民黨中央臨時全會所說：「體認憲政之精神，恪守法定之程序，使大會完成憲法所賦予之使命」。須知「朱毛雖掠奪我土地而不能損壞我中華民國主權，雖劫持我同胞之生命與自由而不能毀滅我全體國民之精神與意志」。是以代表諸公於此時在此地集會，應念念以國家主權為重，事事以國民意志為歸：有不為，為必足以增強國家的聲譽；有不言，言必足以激勵同胞的熱情。必如此方能「循民主之常規，作國民之模範」以達成反共復國的歷史使命。這意義實在是太偉大了！此其二。

建立民治中心思想

三民主義是中華民族建國的寶筏。不但是關於政治的建設，國父在遺教中發揮得十分精闢，目前我們所賴以立國和不久我們還據以復興的憲政規模，大體上都是遵照遺教所建立而成的。我們知道，民權問題，在歐美各國的民治上，至今還沒有根本辦法，還是一個大問題，以致逐漸演成今日世界上自由陣營與鐵幕集團的尖銳對立，陷整個人類社會於極度的險惡和不安。惟有我們的三民主義，如果大家眞能一心一德，徹底奉行，必能奠立民主政治的良好基礎，對世界人類有莫大的貢獻。這是就純政治方面而言。關於這一方面，今天在自由中國台灣集會的國大代表，正是手握「接電鈕」，只要一轉手之勞，選賢與能，知人善任，必可使這遠東反共的燈塔大放光明，以完成復國中興的大業。我們絲毫無可疑慮。可是這些年來，時局[illegible]，生民疾苦，依筆者長期默察，主要原因，似均由於中心思想的未能及時確立，遂致雖有精深博大的主義，而往往意見紛歧，步趨不一，終使大好河山，淪於鐵幕，無辜民衆，徒嘆偕亡，豈不可痛！舉例而言：民主法治，平等自由，不但主義昭垂，有如日月，並且人人都掛在口頭，每日不知要說過若干遍。然按其實，則非民主，非法治，不平等，不自由，恐怕任何人都不能說是「絕無僅有」的事：……這顯然是因為政治上未能樹之風聲，於是社會上乃就成為習氣。末流所及，深足以影響全國的人心，而使政治道德陷於墮落。國父說：「政治之隆污，繫乎人心之振靡」。而此中關鍵，要在一二人的能否本「天下為公」的精誠，「百尺竿頭，再進一步」。因為一個時代的風氣，實在要靠有德有位的人，把握中心，作堅定的領導，則君子之風，自然易於宏揚，何難使全國人心，共趨正的，而蔚成民主政治一股蓬蓬勃勃的朝氣和一道欣欣向榮的高潮？這民主政治的中心思想，仍尚有待於國大代表的共同促進和籌成。此其三。

末了，還有一點，筆者也認為是極有重大關係的。這是關於經濟思想方面的問題。

建立經濟的中心思想

說到經濟思想，如果就全面的淵源來講，自然是十分廣泛而複雜，無法在一篇短文裏來加以討論。但若就我國而言，則國父的民生主義和蔣總統最近公表的育樂兩篇補述，眞可說是內承我國傳統的文化，外攝世界學術的精華，已卓然自成一個新的系統。不過平情而論，只因時過非常，事極艱困，由於若干橫梗在我們面前的現實，以及無數枝節上的技術問題，頓使大家好像陷入於斷潢絕港的迷途之中：——統制乎？自由乎？社會主義乎？資本主義乎？何去何從？直至於今，還是停滯在徬徨狀態，莫知所適的。這無他！一言以蔽之，亦只是因為中心的經濟思想還不曾能夠明確建立，與天下人——是的「天下人」，我特別說的「天下人」——是包括國內資本和僑資外資的意思。於是在主觀方面既不免有「半推半就」的心情，那末在客觀方面自會顯出「不即不離」的態勢。而所謂經濟建設，所謂工業化等等，就不免會成為老是睡在檔案裏的計劃和藍圖而已。當然，我們知道，要確立經濟中心思想是一件極不容易的事！無論什麼思想，尤其中心思想，都是經過睿哲之士的困心衡慮，著書立說，再加上強有力的政治家審愼抉擇，逐步推行，並須有環境上相當長期的順利配合和共同努力，方能形成。

但不容易並非就是不重要。中心思想一經形成，則全國人民多方面的活動，都自然而然的慢慢的圍繞着這個中心而盡其各自的努力，如同衆星的圍繞太陽一般，都各有其可循的軌道，而終於達到整體的安定與和諧。英美各民主國家的自由經濟社會，本質上就是這樣的一種過程和結構。

（下轉第二版）

所望於陳誠先生者

——希望陳氏當選後，能到海外旅行考察，特別要到美國去一次，更希望從實施民主政治及團結反共力量多加努力。

·韋政通·

一月十五日，中國國民黨已正式推定現任行政院長陳誠先生為副總統候選人。根據我對副總統人選的看法，在現實環境下，我是表示滿意的。經國民黨提名後，仍須經國民大會的投票決定；以現在的情形看，陳氏當選，似已無多大問題。我在興奮之餘，謹對陳氏提出幾點希望。

第一、衡諸目前政治現狀，對民主政治的原則及其設施，當政者與在野人士，不免常有差異。這幾年各方對政府的許多批評，此實為其根因。

因此，行憲以來，大陸上向國民黨爭民主的現象，遂為共黨所乘，製造許多禍因。政府遷台以來，雖事事力求改進，但以各方追求民主的迫切，故終難稱意。因此，我希望陳氏當選以後，協助總統，要特別在這方面多加努力。

美總統艾森豪，本年對其國民廣播說：「我們決不能使國內分裂，或鼓勵派系磨擦，因為我們整個國家是一家人，決不能部份快樂，部份吃苦」。又說：「人民最瞭解地方的需求，政府為人民服務，就要接近人民，尊重人民。一切地方事務都要人民參加，中央不可獨斷獨行」。這是民主政治的眞理，民主政治的領袖，必不能過份重視黨派，必須直接向人民爭取同情。

第二、美副總統尼克遜之所以為人贊揚者，以其為艾總統不可缺少的得力助手。打破了美國歷任副總統為「備用輪胎」的先例。尼氏今日已成為國會與政治之間歧見的調停者。他的工作是促進府會團結，使府會成為一體。因此，我希望陳氏當選後，能夠多努力於促進各黨派的團結工作，就當前情勢而言，政府要促成海內外眞誠大團結，實已迫不容緩。

這次政府籌開反共救國會議，求海內外的團結，陳氏主張甚力。兼任籌委會主委，這會議的成敗關鍵，繫於陳氏的做法者甚大，希望陳氏當選後，要對這一工作更加努力。

第三、二年前，就聽說陳氏有訪問歐美的計劃。希望陳氏當選副總統後，立即實行這個計劃。這於公於私都是有益的。

十九世紀，美國漢學家洛斐（LAUVER）曾說過，中美兩大民族性完全相同，而其最著者有五：「一為民主精神，二為信仰自由，三為社會平等，四為正義與和平觀念，五為對教育與知識的信心」。洛氏的看法，在我們讀過歷史的人看來，是對的。

百年來，美國已把它優越的民族性發揚光大，我們卻瞠乎其後。其中原因太多，實為切望實現民主政治者所必須研究的問題。我希望陳氏能夠特別訪問美國，切實注意上述問題的研討，對於我國民主政治的推進，必能有所補益。

國民黨臨全會的宣言說：「提名陳誠同志為副總統候選人，因為陳同志三十餘年革命的歷史，每於國家最艱巨的時候，都表現出忠貞不拔英勇奮鬥的精神和事績，而其負責苦幹，任勞任怨的特徵，尤於從政治軍事中，一貫表現」。這就是國民黨向世人宣告提名陳氏的理由。所以我最後希望陳氏，今後能一本過去任勞任怨的實幹精神，以大刀闊斧的作風，協助總統，早日完成反共復國的大業。（二，十六，台北）

半週展望

·陳克文·

在世界輿論之前受審

柏林四外長會議決定了四月廿六日在日內瓦召開包括中共政權在內的亞洲問題會議，引起美國輿論的極大不安，深恐美國會被迫承認中共政權，使中共有機會加入聯合國機構之內。

杜爾斯因此作全國電視廣播，希望澄清美國的輿論，他說：「共產政權（指中共）將不是到日內瓦受我們的尊重，而是到世界輿論之前受審。」他以為美國並未在柏林被人制勝，不要因害怕而放下外交武器。美國處境並不是十分惡劣，能力也並不是十分低下。這似乎很可令人安心。

同時，英首相邱吉爾對下院說，未來日內瓦會議（討論亞洲問題），「比較柏林會議有產生成果較佳機會。」

柏林會議，蘇俄已明白表示，不願意東西德的統一和奧國的解除佔領。難道日內瓦會議，蘇俄和中共便會願意南北韓統一和越南和平嗎？邱翁的推測總不會毫無根據罷？是不是中共眞的處於受審地位，不得不接受西方對韓越問題的提議，而停止分裂韓國的支持和對胡志明的援助呢？抑或柏林會議已暗中經安排了犧牲南韓和自由中國以及越南的利益以換取中共的妥協「外交武器」呢？既不能在柏林會議發生作用，到了日內瓦便能發生作用嗎？杜爾斯的聲明不獨我們不敢放心，美國人也是不敢放心的。

美國的處境和能力儘管不壞，我們看「外交武器」還不足以使中共政權眞正受審，如果美國眞正不肯出賣亞洲民主國家的利益，也不會在日內瓦產生比柏林會議更好的結果的。

亞洲反共聯盟急不容緩了

我們要防止日內瓦會議變成慕尼黑第二，杜爾斯的聲明是不夠的，希望美國不出賣亞洲民主國家，還得靠亞洲民主國家本身的努力，因此亞洲的反共聯盟便應該加緊進行，從速成立。現在自由中國和南韓對於未來的日內瓦會議雖然都作了嚴正的聲明，祗不過是一種消極的表示而已，還得團結起來，作積極的實力行動，才可以保證不至有大國犧牲弱小的祕密外交出現。

亞洲反共聯盟之所以難於實現，我們已經說過不少。關鍵在於對日的猜忌未泯，以至內部意見紛歧，其次則為美國的態度傍觀。時至今日，亞洲民主國家非有一致的堅決行動，不足以圖存，亦不足以改變美國的冷淡傍觀。我們希望在本年四月以前，亞洲反共聯盟的組織要達到一個較為具體的階段，否則日內瓦出現慕尼黑，不是絕不可能的。

納吉甫政權的崩潰

廿一個月前，埃及少壯軍人擁護納吉甫推倒了法魯克王權，成立了埃及民主共和政體，納吉甫做了總統，掌握了實際的統治權力。現在納吉甫忽然垮台了，代之而起的是主持策劃推倒法魯克的三十六歲少壯軍人那瑟上校，也便是埃及目前的副總統。

這事件來得頗為突屹，眞相尚未大明，然可斷言的，是少壯軍人的得勢，未來的對外對內政策恐將更趨劇烈，這是否會因此使基礎尚未大定的埃及共和陷於動搖，予共黨以可乘之機！是值得憂慮的。那瑟上校本為發動革命的中心人物，也是革命委員會實際權力的操縱者，我們希望這一次政變不至引起埃及更大的紛亂。

其次，埃及對於回教國家和近東局勢關係至巨，我們希望那瑟上校能一本過去反共精神，在原則上仍與西方國家共同合作，這不僅是埃及本身的利益，也便是世界和平的利益。

中共新黨爭的推測

去年十二月十五以後毛澤東即已不見露面，此次四中全會似有安排後事作用，今年夏秋召開所謂八屆代表大會，將爆發大整肅和大火拼的慘劇。

鄭竹章

中共停頓逹三年半的黨中央委員會，最近突然宣佈召開四中全會，通過加強黨內團結，及在本年內召開黨代表大會兩項決議。這次會議的召開，乃在中共首領毛澤東傳說重病期間，反映出其黨內的鬥爭，已到了一新的高潮。

黨爭的歷史傳統

根據中共過去三十年的歷史，每次黨代表大會的召開，必聯帶進行一次黨內的整肅。而每次鬥爭的結果，必產生若干派系。六次大會以後的十年，從「黃陂事變」，「富田事變」，到清算張國燾，構成一連串的內鬨。因此其第七次黨代表大會，從一九三八年十月「擴大六中全會」決定召開後，到一九四五年四月正式揭幕，中間拖延了七年之久。七屆大會以後，毛澤東在中共黨內雖已確立不可動搖的地位，但擁毛各派之間，依然各立門戶。掌握黨權的劉少奇，與掌握軍權的朱德，及掌握政權的周恩來之間，始終勢均力敵，各有千秋。在毛澤東存在的時候，這些勢力在毛的駕馭下獲得暫時的均衡，一旦毛的存在發生問題，這些各擁一幟的巨頭必然互相火併。為了維持黨統，於是只有召開黨大會來求解決。根據近二月來中共機關報的報導，毛澤東的生命似乎已發生問題，因而潛伏的黨爭，遂到了總清算的階段。

毛似已病入膏肓

毛在中共機關報最後一次露面，為去年十二月十五日，在北平懷仁堂接見蘇俄新「大使」尤金。在此以前，毛曾於十二月八日參加北平市西單區中南海的「基層選舉」投票。據香港「大公報」所刊載的新聞片，毛當時形容憔悴，神情沮喪，較過去圖片蒼老得多。自去年十二月十五日後，毛即未接見任何外賓，向來他親自主持的各項典禮及集會，亦分別由朱德及周恩來劉少奇等代表主持。如去年十二月二十三日，蘇俄部長會議副主席兼冶金工業部長捷沃西安抵北平時，毛即未親自延見，而由周恩來代表款待。今年一月一日，中共中央各部會院署在中南海舉行新年團拜，向例均由毛親自主持，這次則由朱德代表。今年一月二十日，中共中央政治局舉行「列寧逝世三十周年紀念大會」，劉少奇，周恩來，朱德等均參加，毛亦未見出席。一月廿七日匈牙利駐中共新「大使」蘇貝克呈遞國書時，係由朱德代表接見。上述各種反常的迹象，似均可證明毛自去年十二月十五日後即已臥病不起。這次中共四中全會的「公報」中，雖說明毛在休假期間，因而沒有出席會議，但由上述的形跡，我們認為毛的病症，必已入相當沉重狀態。

繼承人的爭奪戰

這次中共四中全會的所以值得注意，是中共中央在過去三年半中，何以不召開全體會議，而單獨選擇毛缺席期間，才來召集這一會議呢？筆者的判斷有二：第一、證明毛的病勢，決非短期內所克復元，而中共內部已呈露分裂的危機，時間上已迫不及待。劉少奇在這次全會的報告中，曾表示「黨內一部分幹部甚至某些高級幹部，對於黨的團結的重要性還認識不足，對於集體領導的重要性還認識不足，對於鞏固和提高中央威信的重要性還認識不足……誇大個人的作用，強調個人的威信……甚至把自己所領導的地區和部門，看作個人的資本和獨立王國」，即充分顯露出中共內部分裂的一般形勢。而造成這一分裂局面的，正是目前掌握黨政軍實權的人物。因此，這次全會所通過「關於增強黨的團結的決議」中，特別指出：「黨的中央委員會和省（市）委員會以上負責同志以及武裝部隊的高級負責同志的團結，是全黨團結的關鍵」。從這二段話中，已不難體會出這次全會的基本背景。第二、是毛自覺其無康復希望，為準備繼承人選，因此仿傚前年史達林死前召開第十九次聯共大會的方式，由劉少奇出席主持，希望借此發揮劉在黨中央的領導地位，以便一旦暴斃，不致羣龍無首，立即引起全黨分裂的危機。

不管上述的判斷那一項接近事實，均表示這次中共四中全會的召集，與黨爭有密切的關係。

大整肅的推測

在毛已病重，黨內分裂的基本情勢下，今年夏秋間所召開的第八屆全黨代表大會，勢將掀起黨內整肅的新高潮。根據中共中央的「公報」，這次黨代表大會的任務，乃在「討論國家第一個五年建設計劃綱要」。事實上中共的第一個五年計劃，在去年九月李富春與蘇俄簽訂一四一項經援協定時即已決定。去年十月由李維漢所宣佈的「國家過渡時期總路線」，即為實現五年計劃的政治綱領。因此黨大會的召開，對五年計劃的批准祇是形式，眞正的意義，乃在中央委員的改選，及由這一改選，所引起的鬥爭。

現在的中共中央委員，包括正式中委四十三人，候補中委二十七人，均為一九四五年七屆黨大會所選出。當時為進行武裝鬥爭，因此三分之一以上為帶兵的將領，並容納毛澤東反對派的李立三，陳紹禹派系。自去年七屆勞大以後，李立三已被擯出工會系統，目前雖仍保持中委位置，但在這次改選中，必然會被除名。因此新中央委員的改選中，非毛派的被清除，已成定局。問題的關鍵，是如何使目前掌握實權的劉、周、朱三系之間，能暫時獲得均衡。

根據當前的事實，劉少奇雖較為毛澤東所倚重，但朱德的潛力仍不容忽視。韓戰以後，毛澤東所以另建立「志願軍」系統，並以嫡系大將彭德懷為司令員，原含有對抗朱德的作用。除非「解放軍」系統的劉少奇與彭德懷之間，能合作無間，掌握軍隊，否則朱德系統的勢力似無從排除，鬥爭的結果依然不會產生「定於一」的局面。

在這種情形之下，唯一的出路，只有倣照史達林死後的辦法，實行所謂「集體領導」由劉、朱、周，各主一方，名義上共同負責，等待適當時機再行清算。但這種局面決不會太久，六屆黨大會後互相砍殺的情況，在不久的將來似不免於發生，我們且拭目以觀其變！

鄒海濱先生的生平

人物述評

紹華

鄒海濱先生於日前病逝台北，國民黨元老，又弱一個。蓋棺論定，他生平對於革命事業，教育學術，貢獻頗大，而對於反共大業，尤屬先知先覺的人物，綜論他的生平，確有不朽者在。

（一）

海濱先生，諱魯，廣東大埔人，在清末時即和錢熱儲，徐演凡等參加同盟會，獻身革命，當他肄業於廣州法政學堂法律速成科時，一方面在衛邊街籌辦惠潮嘉師範學校，這間學校，便是革命黨人的大本營，同盟會廣東支部許多重要份子，和新軍中的同志，常常假座這裏會議，而且革命黨的宣傳文件亦在這裏油印散佈。辛亥三月廿九黃花岡之役失敗後，他亡命香港。武昌起義，廣東不久宣告獨立，姚雨平統率第四軍由廣東出發，他在軍中任聯絡官，圍攻南京，進薄天保城，張勛的辮子軍敗退。第四軍乘勝追擊，抵達固鎮和宿州，蹈險履危，無役不與。

民元，他被選舉為國會議員，那時國會中有國民黨，進步黨兩大黨，他是屬於國民黨在國會中最勇敢，最雄辯的一位。癸丑二次革命失敗，他亡命日本，袁世凱病卒。黎元洪繼位，他又重到北京，在國會中提出禁賭法案。這一方案雖為針對廣東地方情形而設，但對於培植善良風俗，糾正人民投機倖進心理，確有裨補。原來廣東自清末李瀚章任總督以來，以籌措防務經費為名，特開賭禁，一時番攤、骰寶、圍姓、牌九、字花種種賭博，應有儘有，為禍之烈，甚於洪水猛獸。民國以來，地方軍閥，為籌措軍費，每每不惜飲鴆止渴。海濱先生有見於此，特別在國會中提出此一法案，這是一種拔本塞源的做法。

民八粵軍由漳州回師時，他出任義勇軍總司令，如梁若谷，譚啓秀等即隸屬他的部下，多方以肆，先聲奪人，給粵軍以不少臂助。粵局底定，他被任為兩廣鹽運使。陳炯明部下變叛，他才匆匆去職。

（二）

及楊（希閔）劉（震寰）白馬誓師，驅逐陳炯明退出廣州，中山先生回粵，出任大元帥，命令他籌設廣東大學，把原日的國立廣東高等師範，法政專門學校，農業專門學校合併而成廣東大學，籌派他為大學校長。培植革命人材。廣東大學的籌辦，還在黃埔軍校之前。當時中山先生很看重這兩校的青年學生。民十二，中山先生北上前曾在黃埔軍校召集這兩校學生訓話，寄予懇切的期待，三民主義的講稿，也是當時對該校學生講演的。

中山先生逝世後，共產黨人極力分化國民黨，並伺機攫取廣東大學，對於鄒氏採取的不合作態度，視如眼中釘，思拔之為快。因此俄顧問鮑羅廷在政治會議中，藉口取消廣東大學的經費獨立，並攻擊廣東大學為反革命的大本營，又說鄒氏和楊劉軍閥勾結。「項莊舞劍，神注沛公」。這種種說法，無非迫鄒氏辭職然後快於心。鄒氏於十四年冬領導北上外交團赴北京後，糾合林森、覃振、居正、張繼、謝持等，於西山碧雲寺中山先生靈前舉行會議，開除國民黨中的共產份子，宣言反共這是西山會議派的由來。（上）

敘利亞總統夜不安枕

在多事的中東，最近一連傳來兩個令人震驚的消息，其一是埃及的那奎勃總統被迫下台且遭軟禁，另一是敘利亞總統希歇克利的垮台。截到執筆時止，北部重鎮那勒頗的叛軍已佔領全國的東西北三部地區，限令希歇克利辭職並於二十四小時內出國，他在迫不得已之下，已宣佈辭去總統職位。這兩個消息傳來得似乎有點突兀，其實說起來倒也眞在情理之中，因為那奎勃只是埃及名義上的領袖，眞正的軍政大權早就操在他的副手納塞爾中校的手裏，我記得好幾個月前本報就有過這樣的報導。

至於希歇克利呢？事實上他早已知道自己的地位不穩，更担憂自己的被人謀殺，所以每晚他要住在不同的地方，今天在甲地留宿，明晚又改在乙地入睡，使他的敵人根本摸不清他究竟住在那個地方。同時，他還在首都大馬士革附近的梅茲機場停有一架專機，下令他的親信機師準備隨時升空待發，以便一旦敵人發動政變成功的時候，他能迅速逃亡國外。

中共噴射機奮集越邊境

在越南戰局日益嚴重中，西方情報機構最近却接獲一個令人震驚的消息，那便是中共業已從韓國調遣噴射機三百至四百架前往越南邊境，只待號令一下，便將大舉參戰。自然，這個情報傳到法方手中後，法國政府尤其慌張異常，因為在目前的戰事中，越盟軍並未獲絲毫空中支持，法軍掌握了百分之百的空中優勢，但在這種情勢下，法軍仍處處受困，前後受敵，假如空中優勢全部改變，越南戰局自將有更危險的局面。

軍援團長成替罪羔羊

而且據美國新聞週刊登載的內幕消息說：越南戰事還牽涉到美軍派系鬥爭的問題，最近美太平洋區陸軍總司令奧唐尼爾中將的奉調赴越，替代特納普奈爾少將出任美國軍事代表團團長，就是此一事情的直接結果。特納普奈爾少將原是韓戰中的空運英雄，追隨麥帥有年，二次大戰時，他死守巴丹半島，彈盡糧絕被俘。戰後始由集中營釋出，他由韓戰場調往越南出長軍援代表團後，一年來即不斷向上峯報告，越南的戰局實在不容過度樂觀，現在事實證明他的看法是正確的，然而許多軍方元老們把越南戰局逆轉的責任推到這位年青的將領身上，無怪乎新聞週刊慨嘆地說，特納普奈爾將軍是一頭替罪羔羊了。

美議員拉票涉及越戰

艾森豪總統宣佈派遣美空軍機械士前往越南担任保養美製飛機的工作後，立即遭到若干國會議員的反對，後來終被迫宣佈以六月十五日為調回這些機械士的最後期限，美國防部中多將這一限期稱為「蘇爾頓斯達爾日期」，因為這是參院軍事委員會主席蘇爾頓斯達爾所要求的。在今年的參院改選中，蘇爾頓斯達爾準備競選連任，他知道美國人民頗多不願再有一次類似韓戰的戰爭出現，所以他首先抨擊政府派出機械士的行動，繼而堅持須限期調回空軍機械士，以免「從後門參入越戰」的主張。（孟衡）

大哉「國大」！

保存自由預防流弊

樓桐孫

（上接第一版）

固然，這其中也是會發生各種弊害的。

依個人管見，民生主義就是一方面要保存這種自由的精神，而同時，他方面也能預防各種相因而生的弊害。這眞可說是一種「後來居上」的一種經濟思想。憲法「基本國策」章關於「國民經濟」的規定，應該被認為就是這種思想體系的具體表現。舉一個例。譬如公營與民營的問題，是若干年來時賢討論很多而依然未能得到結論的一個癥結。其實，不但一切經濟事業，應以民營為原則；即公用事業及其他有獨佔性的企業，祗須經法律許可，也無一不可由國民自由經營（憲法第一四四條）。不過私人的財富及企業，「認為有妨害國計民生之平衡發展者」的時候，國家自可「以法律」加以限制（憲法第一四五條第一項），這在資本經濟高度發達的國家都各有先例，乃是當然的事情。因為公營的目的，不外在推行社會主義（如英國）或協助民營以作為民營的示範和倡導（如美國）。如果把公營當作一種經濟體制的本身，而不謀進一步的處理，其結果不但事足以遏制民營，凍結民資，無形中使民族工業陷於窒息，而公營即為「官辦」，實且足以影響政風，為官僚集團開闢財源，造成有「權」必有「利」，因有「利」而格外爭「權」的惡劣現象！……這正是經濟落後國家很普通的落後現象。這種現象一天不能改變，經濟建設及工業化即一天沒有希望！自由中國台灣有沒有這種現象呢？我想國大代表來自民間，一定有深切的認識，這當然也是目前值得認眞考慮的一個中心問題。此其四。

總之，反共復國是中華民族千秋萬世的歷史事業，篳路藍縷，經緯萬端，決不是四大義，眞不過是大者。當茲國民大會在台開會，濟濟一堂，我們謹以孤臣孽子的忠誠，熱望代表們本着公忠體國，恪遵憲制，培養優良的風，促進民生的發展，鼓舞士氣，團結人心，以完成復國中興的大業！

民國四十三年二月十九日

編者‧讀者

編者的話

△惠稿諸君，近有指定刊載的地位，和不許刪減文字內容的。這自然是一種不是沒有理由的要求。我們對於作者的意見本來也是始終極力尊重的。惟這種要求也有些不大顧及我們工作上困難的地方，因此我們對於這一類稿件，只好割愛，璧還作者了。敬希作者原諒！

△我們收到好幾篇關於反共救國會議的文章，以後當陸續發表。這一會議如何開得好，要討論些甚麼問題，確需要大家多發表意見的。

△楊力行、孫旗、陳文受諸先生：來教及大作均收到，至謝。

論中共的民族政策

‧沈著‧

中共的所謂「鞏固各民族的團結」，全係飾詞；中共所爲者，正在打破各民族間已有的團結而予以各個擊破，孤立操縱。「區域自治」，即爲其中主要手段之一。所謂「鞏固祖國的統一」，纔是其眞正的目的；此種統一，乃在征服少數民族，使其全盤赤化。

所謂「發展各民族的政治、經濟和文化」，事實所表現者，乃在藉政治、經濟和文化向少數民族滲透，從而予以控制和「改造」，作爲征服少數民族「與祖國的建設密切配合」，換言之：就是驅使各少數民族一律跟着中共走，跟着中共向蘇「一面倒」。至於談到「平等」，更是一大諷言；且「平等」而只消滅「事實上的不平等」，尤深堪玩味。

尤其中共幾年來向少數民族所進行的宣傳和政治教育中，除強調「愛國主義」和「打破狹隘民族思想」的口號以外，更強調「國際主義」口號的。故不論其文字如何技巧，而目的則昭然若揭。

推行政策的手段

那末中共怎樣在推行他的政策呢？說起來相當巧妙：

其一、是施用調虎離山與擒賊擒王之計。按中共政權，決不允許地方有領導作用之人物存在，各少數民族地區亦不例外。惟少數民族地區情形特殊，不敢採用屠殺政策，乃施用調虎離山之計，將各少數民族領袖人物一律「請」到北平。除一部份給予「政協代表」或「人民代表」等虛銜外，並成立若干宗教團體，部份給予所屬團體的副主任委員或委員（按中共人民團體中之副主委或委員名額特多者，原因即在此）等職加以籠絡，使其長期居留北平，表面上予以優待，實際上予以監視以翦除其在少數民族中的實際領導作用，而消滅領導少數民族的反抗力量。故此一計謀，亦可稱爲擒賊擒王之計，相當巧妙。

其二、是施用各個擊破之計。向社會各階層施行各個擊破，爲中共之慣技，對少數民族而言，尤爲一大法門。其方法即爲「民族區域自治」。這種「區域自治」表面上似甚「民主」而動聽，實際上則借「自治」之名以行分割之實。過去和蒙、藏、回（較大的少數民族，除自成一完整之區域和治權外，且能團結或影響其域外的同民族爲其民族本身之利益而採取一致之態度；現在則已被中共分別劃成甚多相當於省級、專署級、縣級、區級、乃至鄉級的各個「自治區」，使之彼此不相關連，而從容宰治了。此一辦法，實在相當毒辣。

其三、是文化政治的滲透。此種滲透，大致可分爲三個階段；第一階段，中共在實行「民族區域自治」時，派遣一些甚本幹部充任各自治區「人民政府」的各級副主管，以掌握實際政權，並進行該區域內的瞭解工作。第二階段，中共派遣大批中堅的民族幹部，掌握各「自治區」的各部門工作，並開始在政治和文化教育上對少數民族進行「改造」工作。第三階段，中共選拔少數民族中的積極份子予以訓練，從而利用此種土著幹部去進一步「改造」少數民族。此種政治和文化上的滲透和改造，乃爲中共征服少數民族的實際工作。

其四、是經濟的壟斷和控制。中共深知各少數民族有其自成一套的生活方式、生活形式、和社會的經濟結構，必須控制其經濟命脈，方能使其就範。因此，中共乃依據各地區的不同情況，建立其各種「國營」公司和合作社。一方面控制少數民族所需的產自外地的生活必須品以統購少數民族的產品，控制其社會經濟；一方面壟斷少數民族的種籽和原料以控制其生產。此一手段，雖較一般地區運用得略爲溫和，但卻爲征服少數民族的又一重要法門。

總之：上述手段，無不在征服少數民族，但也無不有共政策的根據，試將前述中共民族政策的文字再一對照，當不難了然。

政策推行的後果

當然，這種政策推行的結果，從中共的主觀上講，自有其表面的成功。例如：籠絡、監視各少數民族的領袖，做得相當圓滑而有效；「民族區域自治」，確實已分割或部份擊破了各個民族；文化和政治的滲透和改造，已相當達到了統治少數民族的目的；經濟的壟斷和控制，也已相當扼殺了少數民族的活動力量。但從客觀方面看，中共並不能眞正的征服少數民族，並且相反的，由於中共一般民族幹部的普遍犯有所謂「大漢族主義」的錯誤，驕傲、顢頇、弄權、排擠土著幹部，欺迫少數民族，侮辱少數民族人格，並侵犯其最低限度應有的權益，已反而增強了少數民族的民族意識，並激起了普遍的反感，乃至仇恨和消極的抵抗。

不過這種情形僅爲中共目前身受的結果，並不值得我們重視，值得我們重視的，乃在中共民族政策推行的結果的長遠的影響——後果，即中共推行此種民族政策所造成的漢族與各少數民族間的仇恨，將可能有幾十年的影響，在中共一旦被擊潰之後，仍可能繼續殘留此種民族間的惡感。要消除這種惡感，將需我們付出很大的代價，這是值得我們注意的問題。（下）

香港安全確保無虞

香港安全問題，由於當局防衛實力增強，久已不曾引起討論。最近太平洋上英美法三國海空軍舉行大規模演習，雖云係南中國海發現蘇俄潛艇活動所引起，但港人看到關於這「奏鳴曲」演習的消息，卻又連想到港九的安全感。剛巧中英邊界的共軍又在建築防禦工事，傳說沙頭角的形勢驟見緊張，英方對於該特別禁區出入限制，亦同時採取嚴厲措施，負責該處警衛人員對沙頭角出入居民檢查通行證較前倍嚴。

藍欽蔡斯聯袂訪問
香港地位引起注視

同時，美國駐華軍援顧問團長蔡斯少將與美駐華大使藍欽夫婦於二十三日聯袂來港，據台北傳來消息，說他們此來係與有關方面商討東南亞地區反共聯繫問題。因此，關於香港在遠東反共防綫中之重要性，即刻又引起各方注視，不過就香港的安全來說，無論在那一角度上看，暫時均不必耽心。

五名候選人將競選

競選下屆市政局兩席非官守議員的提名候選人，據當局正式公布，計有[illegible]等五名。[illegible]

革新會特發表政綱

[illegible]

香港三日

共幹消極反抗 破壞鐵道洩忿

中共專門機構鎮壓無效

「鐵路專門法院」「專門檢察署」等機構的設立，是中共把司法的「刀柄子」磨得更鋒利，針對着鐵路方面失職人員，進行「幹部整風」的一種工具。在天津鐵路沿綫的「專門法院」和「專門檢察署」，是去年十月十六日成立的，據中共自己說：「這些機構的設立，是進一步教育職工提高警惕，防止破壞、盜竊，保證行車安全。」由此更證實了中共幹部的腐化和不安，他們消極的反共情緒，以及負責當局維繫其不穩政權的狼狽狀態了。

自該兩機構設立以來，除秘密地整肅了不少的鐵路幹部外，曾公開地宣判了三個案件，據本年一月二十七日「光明日報」供認出，這三個案件是這樣產生和宣判的：

一個是新港支綫堰塘工區的巡道工梅學良，因對調整工資不滿，在去年十二月二十六日當班巡道時，爲報復和陷害別人，將班長楊德山及巡道工康恩忠兩人負責地段的綫路鋼軌架板螺絲卸鬆了三十四個，致造成列車顛覆事故，傷害了二十七人，損失運輸物資達二億元，「專門法院」鑒於這種破壞鐵道行爲的危險性，判處該犯徒刑三年。

再一個是新鄉電務段打鐵鉗工負責監督共幹謝景雲，利用工作機會，連續從工區盜竊鐵路器材如鋼軌頭、螺絲、轄轆器軒等共八百餘斤，售與私商。爲制裁這種盜竊「國家」資財的行爲，「專門法院」處該犯徒刑六個月。

第三個是新鄉車輛段列檢所檢車工長張志英，一貫違章作業，玩忽職守，當去年十二月十一日由李封開至新鄉站的車輛，其中×4三五九三〇號車彈簧折斷三節，經檢車工發覺後報告張志英，張表示：「車是到汲縣去的，只有兩站地，簧斷了三節，有工夫就幹，沒工夫回來再幹。」就將這一需修理的車輛，掛在第四八六二次列車，於十二日開出。次日三點卅七分通過寶蓮寺站向安陽站行駛途中，行至四九九公里八四三公尺便綫處，機後第六、七輛車因彈簧折斷，造成脫軌顛覆重大事故。車輛破損二輛，損失枕木二百四十根，阻礙正額行車四點四十分，直接損失達二億五千七百餘萬元，間接損失更難估計，這還不算，最令人傷心的，傷亡旅客及隨車值勤職工約二百人。這是一件重大翻車造成傷亡損失的事故，當該「專門檢察署」進行調查提起公訴時，張志英恃爲滕代遠的同鄉，僅由該法院判處徒刑一年了事。

這三個案件被宣判後，而鐵路沿綫破壞盜竊行爲，不遵守操作規程，超速黜危險性現象，並未因此遏止。於是該「法院」和「檢察署」更進一步加大壓力，偶有觸犯，即行祕密處決，誰知弊端又因此發生了。

發生弊端的現象是：有些幹部恃爲「人民功臣」，或有強硬的後台，藐視法院，視法令若具文，任你雷厲風行，仍是我行我素，幹那些盜竊破壞不合操守規程的事情；有些幹部沒有後台，工作沒有保障，因害怕出事故，工作時未免縮手縮腳，往往一個簡單工作，也要去找組長，組長找工長，工長找主任，推來推去，使車輛按檢時間不必要拖延。這種荒時廢事和不負責任的作風，也就隨着鐵路沿綫蔓延起來，嚴重地影響了正常工作進展，使中共鐵道當局又大感頭痛起來。

但這些共報所公佈的案件，其中所牽涉的原因，卻未必如共黨所說的那麼簡單，事實上，共幹破壞鐵道，極可能是出於他們對共黨的憤恨，因而發動了這種普遍的消極反抗，這類情況，在東歐鐵幕內正紛紛出現，祇是這些理由，當然決不是共黨報紙所敢公開承認的。（尚）

中共濫耗民財
官僚習氣日深
山東航運幾釀慘劇

山東「黃河河務局」洛口航運大隊，由於中共規定，在每年冬季停航期間都要進行修船工作，爲來年春暖後的運輸作好準備，這是中共師承當地原有習慣和不可忽略的應做事實；因爲當地缺少修船木材，每年都是由其他地區購運充補。

自經中共統治該地區後，冬季停航進行修船材料，規定由「黃河水利委員會」呈報「中共中央水利部」轉報「中共中央財經委員會」調撥木材，然後指定在濟南附近鋸解成板後再運到工地。本來這些技術機關和複雜手續，已經是勞民傷財，荒時廢事不少，再加上共幹們的官僚氣習太重，漫不經心的工作作風又濃烈，因此在今年春天造成了一次嚴重的巨大的損失。

當去年秋末冬初，山東洛口因船隻偶爛，不堪行駛，提早於九月間被迫停航，洛口大隊共幹，按照工程用料計劃，把木料規格、質量、數目逐項製表，由「黃河水利委」員會企業管理科共幹辛雅林帶回機關，轉報上級批撥。十一月下旬，距發料的日子不遠了，該洛口大隊派共幹孫家壽到開封，由「黃河水利委員會」寫信介紹到「中共中央水利部」請求調撥木材。可是「水利部」一檢查，根本沒有收到申請撥料計劃。原來申請撥料計劃一直被這位企業科長辛雅林壓在抽屜裏。

這樣，只好一方面在當地派人下鄉征購一小部分木材，解決暫時零星修理工程。詎料當地只有短小不合用的木材，但修船工作不能停止；於是強迫征用民間傢俬成料，甚至拆卸民房柱料鋸解成板的現象，也就陸續在洛口地區出現了。

另一方面，星夜趕造追補計劃和車運計劃。估計這次申請的木料最快要今年一月才能運到濟南，經過鋸解成板運到工地，要到二月中旬才能施工，四月底才能竣工。（手）

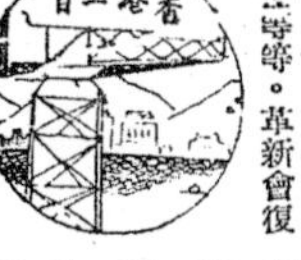

評美國政治制度

‧陳克文‧

王聿修丁大維合譯　新世紀出版社　四十三年二月出版　全書七百八十三頁　定價港幣四元

（一）

本書原著者美國麥格魯德教授（FRANK ABBOTT MAGRUDER），這是一本八百頁的政治學教科書巨著。第一版是在一九一七年問世，現在已經出到第卅六版，爲美國銷路最廣的書籍之一種。譯本係根據一九五三年的最新版本譯的。

原書係爲美國青年而寫的大學教科書，內容清晰而有趣味，並不是一本乾燥無味的教科書，也沒有對外宣傳意味，每年增訂一次。著者已經於一九四九年去世，其後每年由梅克林納漢教授（WILLIAM A. MCCLENAGHAN）繼續做增訂的工作。

（二）

原序對於本書的任務已敍述得很明白：『美國人面臨着對自由的威脅，必須記住那些規定美國人權的文件——獨立宣言，美國信條和美國憲法。學校教師們必須協助學生了解美國政治制度，使學生對政府發生興趣並實際參加政治。如此北美和國的幸福才能保證延及後代，民主與自由方能保持永久。』

（三）

譯者王聿修教授曾用本書做北平燕大的主要參考書，譯本附有薩延森先生和丁文淵先生的敍言，對本書的價值作簡要的介紹。

全書分九篇四十一章，自政治制度的發展，以至中央和地方政府的組織，立法和司法制度的運用；政黨，選舉，地方立法，公務員制度，美國與世界關係等均作詳明的敍述，最後附錄美國獨立宣言，美國信條，美國憲法及參考書目。

這本書是我們的一本最好參考書，同時我們要明白美國如何培養他們青年的政治意識，和發揚民主政治的精神。我們現在對於自己的政治制度和自己的青年還沒有同樣的一本著作，這該是我們要急起努力的一件事。

精神崩潰

自由談

馬五先生

每逢天下大亂，社會秩序分裂，政治的控制力量瓦解之前，必定是人慾橫流，理性泯滅，無是非，無廉恥，一切皆以攫奪為目的，道義蕩然，完全表現着文化精神總崩潰的現象。我們試閉目回想五六年前在大陸上的情況，即已了然於胸，歷歷不爽。

要想撥亂反正，必須從健全文化精神，創造新興時代的途徑入手，而其基本方法，則為正人心，厚風俗。這項時代使命，又非由一般智識份子來担負不可，曾國藩當年興兵戡亂，一面以「維持名教」為精神號召，同時即網羅一般輕死生，尚道義，重然諾的山林淳樸之士共同奮鬥。他痛恨當時士大夫多屬「赴義不先，攫利恐後」之徒，因而在其幕府和軍中的一切文武幹部，皆以不染舊有官僚綠營的腐惡氣習為主，以身作則，蔚成風氣。所以，他在十幾年的戰爭中，雖然屢次失敗，而其所部很少叛變投降之事，就是由於有健全的文化精神所致也。

現在我們又面臨着文化精神總崩潰的亂世，大家高呼反共救國，然朝野士大夫的所作所為，果有以異於昔日乎？為目的不擇手段，修恩怨而泯是非，逞好惡以為賞罰，信僉壬而遠賢者：這些釀亂召禍之源，是否已經澄清了呢？就我的耳聞目見所及，似乎過去在大陸上的那一套，並未改變多少，而尤以政治生活為然。門戶之見，派系之爭，嗜利忘義，死權殉財者，滔滔皆是。大家再不注意於革心運動，激發天良，有所不為，則外援雖多，適足以培養戾氣，滋亂因，即令打回大陸，也休想有過太平日子的希望！

論歌德

——及其「少年維特之煩惱」——

•韓名銅•

（一）

歌德在晚年曾經這樣說：「歐洲也許會稱讚我，但歐洲給了我些什麼。絕沒有！我為我的詩付過極大的代價。德國模仿我。法國也足夠仁慈地讀我的作品。至於英國，她以友誼接受這一位惱人的客人。然而這算得什麼！豈不是中國也在他們的玻璃上小心翼翼地畫上維特與夏綠蒂的像嗎？」

在這裏當然是指他一舉成名的巨著「少年維特之煩惱」一書。這本書使一個年方二十五歲的青年人獲得了普世的稱譽。也曾造成過一代的風氣，使模仿者紛出，歐洲有不少的青年一如書中維特那樣的打扮。甚至有人模仿維特的自殺。

拿破崙曾讀「少年維特之煩惱」一書達七遍之多，在遠征埃及時，也常把此書帶在身邊，事在原書出版二十五年之後。他極力讚美此書，十二年後，在厄爾福脫接見歌德時，他把這書當作主要話題。拿氏的詳細批評，表示他確曾熟讀過書。因此，歌德認為拿破崙是英雄，並曾對他國人說：「他們縱欲掙扎拿氏加諸他們的束縛，但決不能擺得解脫……」。

（二）

現在，我已經知道這本稀世名著是如何寫成的了。在一七七二年，歌德已經寫過一本叫「騎士柏烈契根」（GOTZ VEN BERLICHIGEN）的劇本，就這劇本極力採取莎士比亞的手法一點看，確為初期浪漫主義運動的一件劃時代作品。所以頗得一般人的崇仰。他在這時期也曾寫過很好的詩。再者，無論他到甚麼地方，總被認為是一個異常漂亮，且具有天才的青年。但他的父親，卻是法蘭克福地方的一位嚴正而較有憂鬱氣質的人，他認為歌德應該有一個正當職業，因此於一七七二年，歌德就去威茲勒研究法律，該地是亞亡的羅馬帝國大理院所在地。他在那兒戀上了一個業已有對象的女子——而這就是那本使全歐的青年人為之顛倒一書的由來。

不過，這僅是一個開端罷了。歌德是一個異常富有熱情的青年，但他卻有懸崖勒馬的自制能力，因此，在任何嚴重事件發生之前，他就離開了威茲勒，即是夏綠蒂看中了這位熱情奔放的青年而放棄她的未婚夫亞伯爾，向他傾心相愛的時候。他還是毅然出走的。因為他愛好獨身的能力能夠和他易墮情網的能力相匹敵。他的結婚是在一八〇六年約諾戰爭之後，彼時威瑪為法軍所佔，他用自己名字保護了一位同他已經同居二十年且生過一子的女人，才正式結婚。

（三）

這都是以後的事，他在一七七二年到威茲勒時，感到異常厭煩，但不久他見到一個十九歲的少女夏綠蒂，便被她迷住了。不過當他們首次見面時，是否如書中維特見夏綠蒂那時一樣的景況，我們卻不太清楚。但當他們初次相識時，他所見的情形是如此的。在書中，敘述維特受邀同幾位小姐去參加舞會，那幾位小姐答允替他找一個舞伴！——夏綠蒂。當他們一起去約她時，她正在準備弟妹十二人的晚餐，還沒有打扮舒齊。

「她手中拿着一長塊黑麵包，她把它切成一片片，按照弟妹們的年齡與食量一一分配。她經過一份時的溫柔態度，使得每一個受者都天真地喊出『謝謝妳！』那幾雙可愛的小手，在麵包還沒有切好之前早就伸了過去。享受了晚餐後，他們有的跑到門口的院子裏，有幾個品性溫和的，就輕輕地走出來望着客人和來帶他們夏綠蒂姐姐去的馬車。」維特在這本書中表現的漂渺幻想，同樣浮現在全歐的青年們頭腦中。他是一個極有天才而寬恕的青年，然而悲慘的生活，迫他絕望而終于自殺了。一般青年人不禁同情的喊：「這，這就是人生的真實」，甚至有人跟着也自殺了。

（四）

這樣就引起了一般道德家的反對，他們認為維特竟誘使青年自殺——這是無可否認的。有人更說歌德曾辯護且稱讚過自殺。這一點，歌德是決不承認的，所以在後來的版本中，他就附進了若干可怕的狂詩，詩中的主人公回顧生前的景況，勸人不要學他。不過不管歌德如何，反對仍甚激烈，他的書在萊比錫和丹麥受到禁止，在米蘭被當衆焚燬了，然而這種反對的表示，却大大增加了這書的成功與影響。其影響之深，達到後一世紀，包括拜倫與夏多白利安作品中的主人公在內。我們必須知道的是，本書對歌德本身生活的影響。他後來作品，從沒有比得上像他二十六歲時出版的那本書的成功。「浮士德」現在也許擁有較多的讀者，但此書出版時却不然。人們仍認「維特」一書是他的代表作。而這也確實變更了他全部的生活歷程，因為卡爾、亞格斯脫大公的招請歌德入宮廷，而終身成為大公的主要臣屬者，也正是因為他是「維特」一書的作者。

（五）

「維特」一書在今天是否仍有很多讀者，很難說。不過，這的確是一部不可忽略的名著。在書中，歌德所寫的散文之優美，非其他作品可及，文句簡潔而明白，直至現在德國的小說家中，還無人能出其右。這書充滿了自然美，充滿了歌德在其他抒情詩中以及「浮士德」初稿中表現的青春精神。當歌德到中年時，竟再不復有這種精神存在。那怕在後來幾章中，維特因煩惱而愈見瘋狂，仍能予我們以一種幽暗而深刻偉大的印象。

鐵幕學生生活

——一個捷克小學生的親身經歷

•子勒譯•

那晚上，米格雖然比往常睡得早，但是卻睡得不好。平常，勒狄斯拉夫都是十點左右睡覺的，但那天卻睡得很遲，他坐在椅子裏直覷着前面。愛續吻了父親，說了再會上床睡覺後，他的腦筋又想起不久以前和兒子的一段對話；米拉回到家裏告訴他從學校得來關於宗教的奇怪邏輯，老師曾責備幾個做禮拜的學生，並且問他們為甚麼要去，有一個學生回答道：「我們去聽上帝的福音」，瑪麗卻說：「可是世界上根本沒有上帝，你在教堂看見他嗎？」米拉認為老師的話是不可否認的合乎情理。

當勒狄斯拉夫緬想着睡着的兒子時，他感到他是完全的失敗了，他不是一個出衆的人，也不想裝一個聰明人，他是一個補鞋匠。沒有受過多少教育，他知道他決不能戰勝米拉共產黨老師們的教導，即使他們都是一昧欺謊。他需要別的一些有權威的話語，需要某些米拉能夠相信而敬重的人。

那晚上，午夜已過了很久，勒狄斯拉夫才為未來下了一個決心，他知道，他所要的，不能在一夜間就可完成，而需要某些時日。第二天早晨米拉慣常的背着書包上學去了，學校班級由幼稚園到五年級，每班約有十個學生，早上八點鐘開始上課，每堂課的中間有五分鐘的休息，而在上午十點鐘時有十五分鐘的休息，這時由瑪麗指派的喬治亞和其他的五個級長就要來檢查同學們的清潔，級長們將耳朵有灰的，指甲髒的及未梳頭的都報告上去，假使喬治亞和那個鬧別扭的話，他就要假報那個學生的不清潔，這種報告交給老師後，他就要在學生成績單上減低他們的分數。在中午時，學生都到教室旁邊的飯廳去吃午飯，通常都是山芋和一點湯，偶而有一片麵包吃，差不多吃的東西是永遠這樣不變，米拉和別的同學總是馬馬虎虎的吞下這頓飯，而求得更多玩耍的時間，男孩子玩游擊戰，女孩子就唱蘇聯歌跳蘇聯舞。下午一點開始上課，三點鐘放學，放學後學生們又開始玩他們的游擊戰。

米拉被打的第二天，第三天……他要被指為「蘇聯人」的願望破滅了；喬治亞說他認為米拉沒有資格站在蘇聯這邊，他並且嘲笑米拉的俄國話退步了。（四）

元旦寄莼漚

•彭醇士•

曉色舒新意。風光又一年。故人寥可數。異俗老俱便。倦寫宜春帖。欣開賀歲箋。再斟除夕酒。知有好詩傳。（註）君十餘年來於舊曆除夕均有叠韻詩。

次韻答醇士

•張維翰•

田間安舊俗。朝市重新年。世路緣衰倦。鄉居與拙便。客臨慵倒屣。書至始酬箋。一東先投遠。贏君綺句傳。

家住天台雁蕩間

•鐵頭•

同伴中有位廣西朋友，他說：「這些石頭山峯，嘸啥稀奇，我們桂林，陽朔，隨處皆是，你們若果喜歡，隨便去搬幾個到府上花園中擺着玩罷，我們正嫌它太多，反而礙事哩」。不錯，凡是坐飛機到桂林的朋友，當飛機在空中盤旋的時候，一經俯視，莫不有頓臨雁宕之感，但着地以後，略加瀏覽，才曉得零落散漫，多屬孤峯獨聳，絕不似雁宕之一氣呵成，有如巧匠雕琢的闔闢長嶽一般。不過有骨無肉，都只堪供玩賞，全不適宜生產，因之樹木很少，莊稼也稀，但雁宕山中所見的青年男女，均甚秀麗，雖然穿着僕素，顯見生活很不寬裕。但山水靈氣所鍾，固未能掩其自然之美，我們曾到一個山農村上飲茶，老農命一少女烹茶待客，同伴與之隨便問答，見其嫣然一笑之處女嬌態。二十年來，每一憶及山水名勝，輒驀然浮上心頭，恍如目前，任何電影名星，或世界小姐，在我腦際，均無此印象，足徵自然與人工之別。

那次我們翻越馬鞍嶺，盤曲而上，到達頂巔，左右前後，四面遙矚，千峯萬壑，盡入眼底，彷彿有點在天台瓊臺的意味，但態勢則完全不同，但是各有千秋！踰嶺左轉，溪流湯湯，澗底石平如砥，沿澗深入，好像要窮源溯本似的，經過的有常雲峯，大剪刀峯，及連雲峯等等，行行復行行，峯窮路盡，只見前面水田中有一片大石，上大下小，高約四五十丈，寬約十餘丈，而厚僅一丈左右，不知是怎樣插在那裏的？名字我可忘了，得毋是所謂靈屏石麼？

轉過那屏石以後，兜個彎曲，大龍湫赫然在望，衆人不禁歡呼，雁宕瀑布甚多，如西石梁、梅雨潭，三折瀑，及小龍湫等，但均不及大龍湫，大龍湫高約七八十丈，它的闊度是隨雨量大小而定的，但最小時也有兩丈寬，普通的瀑布多半沿着石壁而下，勢急水激，望之如一疋白練，大龍湫則不盡相同，它的出口處特別突出，故瀑流開始，雖仍順着岩壁，但至十丈左右，水即懸空而下，上半段和下半段完全兩樣，落在潭裏，反激起無數的水珠來，所謂「十丈以上尚是水，十丈以下化為烟」。（六）

清陵被盜記

•安承•

乾隆及西太后兩人，生前享受可謂窮奢極侈，但是沒有料到死後掘墳戮尸，亦是他二人最慘，你說天道僞的無知嗎？現在談談他戊辰東陵盜案，聞為孫殿英部下所為。當時頗為人所注目，道路傳說，且有珠履翡翠西瓜諸寶流落人間之秘聞，不多，唯迄今已二十餘年，史料載耳。憶昔日曾見天津北洋畫報有實刊數種，關涉此事，余曾剪而存之，後則不知喪失何所矣。頃偶得一斷爛朝報，曾刊載關於此案史料數種：（一）寶瑞臣：東陵于役日記。（二）耆壽民日記。（三）徐榕生東陵于役日記。（四）陳詒重之東陵道詩註。以上四人，均係該案發生以後，清室特派前往收拾殘局之大臣，所言自屬可信。此次盜案之主要目標為慈禧陵，而所遭亦最慘。四人所記皆同，而以徐榕生所記較詳，茲錄如下：「初十日。早晴，隨各地，宮內情形，午後，隨菩陀峪地宮堂墻與叔壬先生下，為之導引。仍由券門下盜之穴，匍匐以進，先至西北隅上覆破壞之槨蓋前啟，則孝欽顯皇后玉體板側伏于內，左手反搭于背上，頭髮散亂，下身無衣，一足穢白，已將脫，遍身已發霉，均生白毛。蓋盜發之日為五月十七日，盜去已五月二十四日，至今已四十餘日，暴露於梓宮外者四十餘日，可慘也。即以黃綢覆，以黃緞被褥移未毀朱棺安于石床，然後上裹之，白毛已滿，面目似有被殘之黑洞，陷以黃緞衾于原朱棺之內，得用澤之所藏，又唇下遺。念衣二件，所藏于前，并又在棺內外檢得當日殉殮已落之牙，剪下之指甲，外用黃綢包好，放于衾外。」此次盜案，有一奇蹟發生，即后妃玉體，經百年無損壞也，徐記云：「十五日。……裕陵地宮西南隅兩棺之間，衾縫之下，覓得后妃玉體一，身着窗網雲龍袍，已一百四五十年之久，而目如生，並有笑容，年約五十，耳環尚在。足著繡鳳黃緞朝韠一，又于則近拾得一韠，以水灌之，韠之花紋與着于足者同。但不知是后是妃也。」念當日並無防腐之法，而屍體得保存百餘年而不腐，誠怪事也。據寶熙考據所得，此玉體為孝儀純皇后，裕陵為清高宗乾隆及后妃五人葬所，后妃五人之一也。共金棺六具，劫後零散不堪，骸骨滿地，無法收拾，結果同棺而殮。徐榕生言：「於此棺內檢出顱骨一，此骨決是高宗純皇帝之骨，因前拾得之骨，則僅存一齒，尚多，此存在之齒，可為高齡之證，且生齒之孔，此為三十六，他骨則廿八，或三十二也。此顱骨較他骨為大，又同在此棺內檢出脛骨一，永較他脛骨為長，更可證為男骨無疑。」此十全老人，於身後竟骸骨零落，散毀拋擲，幸未淪為溲器，猶幸事耳。

中華民國僑務委員會僑務登記證台教新字第一零二號
中華民國郵政登記第一類新聞紙類

自由人

THE FREEMAN
（半週刊每星期三六出版）
（第三一三期）
每份港幣壹毫
督印人：[illegible]
社址：香港高士威道二十二號四樓
香港發行事務所：[illegible]
承印者：東南印務出版社
台灣總經銷：[illegible]

本報啟事：下期增出本報三周年紀念增刊一張，每份仍售一角，敬請讀者注意。

由埃及政變說到—— 民族主義與反共

·旭軍·

旭軍先生此文係寫於埃及政變後，納吉甫尚未復職之前。納氏復職後，情勢雖已不同。惟文中對埃及政治關係的分析，與納氏個性及其地位的觀察，仍極正確。—編者—

埃及總統納吉甫辭職一事，筆者認為值得我們研討之最重大意義，在於「民族主義與反共的關係」。民族主義問題必須解決，方能共同反共，這是在大國方面應該了解的。但在民族主義問題之解決步驟上，發生困難，而釀成對反共之障礙時，則應該權衡輕重，辨別先後，以反共為先，此又小國所應認識者。

納吉甫與軍事委員會

埃及總統納吉甫辭職，美方官員認為係埃及國內事件與外交政策無關，此語恐非正確。反而倫敦方面之觀察較為深刻，他們認為這事件乃受土耳其與巴基斯坦簽訂協定，與美國在進一步開展中東聯防所[illegible]，乃支持英國在蘇彝士運河區之地位，及可能吸引埃及加入聯盟，這足以削弱埃及少壯軍人反對與西方聯繫之立場。凡曾與納吉甫將軍相熟悉之英國外交官，都了解納吉甫之為人。他雖然歷次公開說，寧冒戰爭之危險，亦不改變其對運河區問題之立場，但在私人交談上，知道納吉甫是一個頗有理智與遠慮的談判者。例如納吉甫能放棄「[illegible]」，埃及再三堅持蘇丹主權祗屬埃及」的主張，蘇丹協定才能夠訂成。

納吉甫的政權，早已有二軍人格。在內政方面，非常負責與力求改革進步的。納吉甫認為埃及之前途，至少在經濟方面，有賴於與西方合作。但他的少壯軍人組成之革命委員會卻是熱烈的民族主義者。納吉甫祗是這議會（JUNTA）的主席，他不能不遵重這軍人議會的意見。

這軍官委員會的份子共九人，但其中有一個是以前的恐怖份子，另一個是第二次大戰時被英國判定為軸心國的特務而受囚禁的。其餘的是與那狂熱的「回教兄弟會」有密切關係的。回教兄弟會的政治主張，以可蘭經為其基礎。他們的格言是『權力，法律，與自由』。[illegible]

運河區問題的爭論點

關於英埃對蘇彝士運河區問題的爭執，是非，本文不欲贅述。但有一點，筆者不能已於言者，英埃爭論的調和本非難事。平心而論，英國的讓步已退到不能妨礙中東防衛的極限。如埃及認識潛在侵略的危機，則至少在暫時之權宜上打算，可以同意的。在去年九月英埃對蘇彝士運河區問題，曾作已有建設性的讓步。英國已[illegible]之八萬軍隊，只留下四千名技術人員，直至埃及訓練人員補來管理這價值[illegible]美元的軍事基地之時。埃及則堅持英國技術人員留在運河區的期限祗有三年。[illegible]

輕舉妄動的軍官會

[illegible]

（下轉第二版）

蘇俄移民庫頁島的用心

·俞嬰·

最近，克姆林宮統治者，鼓勵歐俄部份的農人工人，移居亞俄部份的庫頁島，對此一移民政策的實施，不惜大示宣佈，並以金錢、住屋、運輸條件等優越條件作為引誘。蘇俄對移民庫頁島這樣重視，已引起了西方國家好些人士注意，同時作了種種猜測。我們現在對此一事件，從人口、經濟、戰爭三方面，試作如下的分析：

蘇俄的人口分佈情形

第一、蘇俄人口增加率非常迅速，據一九五〇年選舉蘇維埃最高立法機關的選舉區調查估計，全俄人口，已超過二萬萬人，這個龐大的人口，包括許多不同文化不同語言的種族，分佈密度又極不均勻。據一九三九年的調查，就有百分之四十八的人口，住在百分之六的地方；也即是百分之六的人口，住在二分之二的地方。人口最稠密的，是伏爾加河上游到黑海邊的地區，平均密度每一平方公里超過二十五人。其中最稠密的中心點，則為多內次盆地，還莫斯科及伊凡諾島附近，平均每一平方公里為五十人至一百人以上。在[illegible]以外，人口密度相對的減低，如北部西伯利亞的人口，每一平方公里，僅得一點八人而已。

至於亞俄部份，則集中在幾個大城市，如庫大納茲斯基及沿西伯利亞鐵路一帶；亞俄北部人口，極為稀少，如雅庫斯基，每一平方公里，只有人口百分之點一三；中亞細亞的人口分佈，也甚不均勻。

由於蘇俄人口分佈的懸殊，所以蘇俄統治者對於推行它的計劃，大感困難。因此，當世界第二次大戰，納粹大舉進攻的時候，便把歐俄部份的農民和工人，向亞洲地區遷移，造成亞洲地區工業的繁榮。戰後，這些移民，因為生活方式，及氣候、土質經濟因素等限制，大部都回歐洲他的原來居住地去。

所以從蘇俄人口分佈不均的現實，要從移民方面着想；但，移民如果僅是鼓勵，而不強制執行，由於生活方式所限，如一九四一年一樣，結果並不理想的。

人口集中都市原因

第二、蘇俄經濟的發展，已逐漸步向工業化，因此，農村的人口，也逐漸向都市遷移。在沙皇時代最末的數十年間，農村的農民因不堪苛捐重征的剝削，已有大批農民放棄田土牲畜而逃跑到都市去。到布爾什維克專政的時候，農村實行清算鬥爭的慘禍，農民也大舉向都市遷移。例如一八九七年九月，全俄城市人口僅五百八十萬，佔全人口百分之一四．八；但到一九三九年一月，城市人口則有五千五百九十萬，佔全人口百分之三二．八了。

根據華萊士一九四四年亞洲蘇俄之行所得的資料，亞洲都市人口增加的速率，也是驚人的。[illegible]

[illegible]現在更使用優厚條件，鼓勵農民到庫頁島去。可見蘇俄農民對統治者反抗的情緒，說不定又會像一九四一年所施用的手法，作變相的放逐，希冀減輕農村所潛伏的危機，和緩農民不滿的情緒吧！

軍事上之重要作用

第三、蘇俄人口分佈的不平衡，尤其是邊疆地區人跡稀少，致使蘇俄工業建設無法平衡發展。蘇俄在戰後不僅保持着完整的軍備，並且積極在備戰的途徑前進，一切工業也指向備戰的道路。庫頁島與海參威成犄角之勢，並且庫頁島更貼近日本的北海道，與堪察加半島遙為呼應，在軍事觀點來看，可以控制北太平洋，可說是一個戰略據點。在美蘇冷戰對峙中，經營庫頁島，殊具重要的作用。據調查該島已發現了豐富的油礦，在軍事經營上，更有非常重大的價值。

蘇俄把內陸的人民，移向庫頁島去，一、可以減少歐俄城市密度過甚的人口；二、轉移農民的勞動力，去從事軍事的建設；三、把庫頁島建築成一個戰略據點，直接可以威脅日本去，同時也可以與堪察加，海參威聯成一條防線；四、在移民的控制上，容易得到效果。

綜合上列的分析，我們對這次蘇俄鼓勵移民到庫頁島去，認為意義並不尋常，很明顯的，蘇俄的政策是包括經濟，人口和軍事之重要意義，據我們看，尤以軍事的意義為最重大的。

一週展望

·李秋生·

國大正式會議觀感

國民代表大會開幕後，業於三月一日舉行第一次大會。那正是蔣總統恢復視事的四週年紀念日，以今天自由中國的康強安定，迴顧四年前的逆境危局，更使人想到此次國民大會的任務重大，不勝其殷切的期望。

第一次的正式大會，開會達六小時，只討論了兩項議程，一項是電促李副總統從速回國對於監察院彈劾案向大會提出答辯案，另一項是大會議事規則案，兩案都經過熱烈的爭辯。關於議事規則，本為上次大會所通過，此次主要的爭執焦點在於有關聽取政府施政報告問題，決定是否在「政府」之下增加「五院院長」字樣，與「得」提出質詢建議或「應」提質詢建議之爭。結果是交主席團研究後，提二次大會討論。我們覺得這些問題，雖列在議事規則之內，實際上牽涉到國民大會的職權問題（假如再改成「應」提出質詢建議，更成為大會的固定任務問題），換句話說就是涉及憲法條文內容問題。如果各代表認為對於憲法規定有加以修改必要，那將是另一問題；如果不然，就應該嚴格遵照憲法行事。議事規則是一種技術性的章則，是不能逾越到憲法範圍以外的。

請李同國答辯問題

對於李宗仁副總統的失職違法，各代表本有兩種不同意見，一派認為李氏任期將滿，屆期則一了百了，大會不必再為追問。另一派認為[illegible]

重歐輕亞的重演

柏林四外長會議之決定召開日內瓦會議，是西方國家一大失策，各方已有定論。日來陸續傳來若干內幕消息，據聞此一意見，是法方建議，英國附和，美國因為「沒有更好的方法」，所以亦予同意。杜爾斯國務卿的意見，認為如不通過日內瓦會議的辦法，法內閣即將傾圮，法國國會將再不會批准西歐防禦協定。然而結果怎麼樣呢？日內瓦會議是決定召開了，西歐防禦協定仍無通過法國國會之望，因為許多法人都要等候日內瓦會議的結果如何再定行止。美國在遠東問題方面是讓步了，在西歐問題上卻並沒有收穫。

其實杜爾斯的想法，仍不出「重歐輕亞」政策的陳規。[illegible]

寮共行動的目標何在

·藍星南·

蘇發努·馮領導下的寮共軍，於五三年聖誕攻勢佔領他曲後，不但對今後該區防禦越共的佈署，給自由世界留下了一項困惑。究竟今後寮共將繼續此次攻勢，進迫沙旺那吉和仙諾的法國聯軍防綫，以突破湄公河下游流域，直接進攻東浦寨及交趾呢？抑或據然轉向，往北挺進，對奠邊府發動鉗形攻勢呢？西貢法方的觀察：如果屬於前者，則法方對仙諾機場雖有信心，但對軍事政治機構均不够堅強的東浦寨，實難於預測其將會「如何應付越盟的攻擊」，他們預料：武元甲可以湄公河為運輸線，和以湄公河下游肥沃地帶來供養其部隊。如事屬於後者，他們認為越盟將會利用自東京三角洲抽調出來的部隊進攻其北側，再以由老撾中部開到的部隊「攻打其南側」。

長期靜觀即是失敗

他曲失落迄今已屬時不少，當地軍方對此項困惑仍無法解除。巴黎軍事觀察家，既不放心於越盟十二月尾在紅河三角洲內外的集結，警惕湄三角洲北部邊沿「越來越緊的進攻活動」，一方面則更懷然於「突擊隊從以佔諾機場以北展開突擊」，但我不可到前此情形曲的越盟軍蹤跡，使得法國最高司令部陷入如巴黎通訊（十二月卅日）所報道「摸不清越盟軍下次突擊目標是在什麼地方」。故除了寮國邊給品及少數援軍赴沙旺那吉以外，對只有冊到六十名越盟前部隊駐守的他曲，捉襟見肘不聞了；在西貢據則竭力宣傳「對寮境越盟攻勢法軍並不驚駭，因該區全屬[illegible]」，在巴黎則強調：「納瓦爾將軍既不能[illegible]」，長期靜觀即是繼續的失敗呀！

分裂運動的觀察

當地軍事當局，既採行等打和挨打的政策，自由世界的政治當局自亦無法避免一項迷惘。當蘇發努·馮建軍之初，來自華盛頓、巴黎、和曼谷的判斷，官方與輿論界都異口同聲說：越盟在寮軍事行動的目標是在攫得胡志明「和平試探的「有利地位」。企圖在南緯十六度綫，將印支腰斬割裂成兩半，然後提出與西方舉行和平談判，「先期寮國其對價還價的有利地位」。華盛頓社論初期為報道寮共進攻而激起的驚恐之潮，隨後亦因「慣軍佔寮官方報告之後」而軍歸平靜，深信越盟新攻勢的意願爲「和平」。西方和曼谷的輿論也都向聯合國安理會提供了「越盟欲達成擴國式的和平」的報告。[illegible]前情勢更爲危險的軍事威脅，故其新攻勢意圖認識止是企圖在政治上及心理上給西方「作出軍事意義的難題」而已，特別在當前胡志明和平試探之後，應解釋他們的行動目標爲「分裂國家」。[illegible]共軍做是在決心寨固，並加強其攻勢的行動，它當可能發展到較[illegible]。

西方迷惘越盟坐大

無論自由世界的是非，越盟的軍事行動的真目的，和寮共成長的來歷及其最近活動間，上項解釋都是錯誤的，其原因由於西方對胡志明和平試探的超實接受，而所以接受，共方試探的原因，又是由於西方本身的失敗主義，至悲觀的來源，則因爲越盟之滋長欠缺理解，又對其作戰性質毫無所知。歸根結底的說：愚昧無知的戰略，和悲然坐待的戰術，不但已帶來了戰場上的失敗，抑且使西方陷於政治上的迷惘錯亂，以致會越盟坐大。

紐約先驅論壇報評論寮戰說道：「目前形勢雖非顯示法國與其聯軍部隊已遭受到決定性的失敗，但已證明：經過八年戰爭，儘管法國當局極力想要消滅越盟，而越盟卻仍然保留龐大的實力亦應使法方驚異」了。筆者以爲實當强大的力量，應爲：今後進攻，在攻擊方面，和防務的努力，今後如何才不再繼續被未會使法方驚訝，乜對手愚弄。

立法院節餘繳庫

——值得稱道的一件小事情

·楊力行·

【台北通訊】報載：立法院秘書處會議，決議將民國四十二年度節餘經費，約新台幣三十萬元，撥數繳還國庫。

以前陳樹人做僑務委員會委員長的時候，曾有過將節餘二萬餘元（約等於今日二十多萬元）之多，撥回財政部的事。當時財部中人，以爲創舉，莫不嘖嘖稱異。

蔣總統曾手令各機關，將上年度騰餘經費，繳歸國庫。不幸各機關能够實行此一命令的，並不多見。反之，各機關大小貪污事件，仍屢不免。報刊中亦經常看到此類新聞的報導。各公營事業機關浪費情形，更所常見。

現在兩年多以來，畢竟看到了最高立法機關以節餘退還國庫的非常舉動，眞是值得大書特書的。我希望其他大小機關，應該繼起效法，一致看齊，都將他們的剩餘或節餘經費，不要巧立名目，妄作報銷，即時分別繳回國庫，或省庫，乃至鄉鎮公庫，以符力行節約，實踐克難的宗旨。

「人猿」故事

·陳雪英·

這是一篇眞實的故事，我們從故事中可以看出台灣山地同胞的生活情形，和逐漸進步的狀況。——編者

【本報花蓮通訊】濤流地方，位於海拔三、四二一公尺，台灣南投縣山地仁愛鄉南投的，在北合歡山的山麓。那裏居住有五十八戶山地同胞。它們都是廿四年前，霧社抗日起義的山胞遺族。據傳當時事件平息之後，參加是役的七社山胞，男女二八〇名，沒有被日本軍閥酷刑處死。但是把他們驅逐到這杳無人跡的合歡山下濤流地方，並在高埠設置警察官吏派出所，負責管理。

山胞桂莊二和妻子桂敏妹，弟弟桂敏彥三人，正是當年事變中未死的幸運兒。他們遷到濤流之後，只好憑着一雙萬能的手，去向自然環境奮鬥，終年困居荒山從事狩獵。艱難地掙扎求生。未幾桂莊二的妻子，不幸在一次狩獵中受傷病亡。一家人只剩桂莊二和兒子桂敏彥二人。這時桂敏彥已在台中夜校讀書。怎麼辦？少了一個人幫忙做活。桂莊二想，妻子已經死了，一個四十歲的壯年人，當然還有許多綺麗的夢。況且爲了增加家庭的收入和教養孩子，還須要再娶一房妻子的。鄰居有一位十九歲的姑娘桂寶珠，年輕貌美，依照泰耶魯族的婚俗，於是桂莊二開始向桂寶珠求愛。並且勇敢地挨住寶珠的「攔腰」一棍之後，兩人終於結成了夫妻。

合歡山下人猿誕生

桂寶珠很年輕，和其他山地婦女一樣，具有勤儉的美德，整日幫着丈夫做活，有時上山狩獵採薪，件件都來，夫妻倆生活得很甜蜜。不久她懷孕了，十月滿後，生出來的，却是一個首如猿頭的怪嬰，取名收野敏次。現在改名爲桂敏次。如今已十四歲了。關於這個孩子，雖有許多傳奇故事。都是不足採信的。他們都說這個不同凡人的孩子，一定是神人降生。因爲泰耶魯族的祖先，據說便是從一塊神秘的巨石誕生世上的。

人猿的性格和狀貌

桂敏次現在身高三尺八寸，不會說話，只是「吱吱」地叫。沒有讀過書，和普通孩子比較起來，顯然是低能。形狀酷肖猿猴，頭部沒有後腦。面尖小，前額特別窄小，眉心外凸，配着兩顆圓圓眼睛。（上）

鄒海濱先生的生平

（三）

·紹華·

民廿以後，海濱先生長中山大學，以他的熱忱和毅力，在石牌建立了中大的新校舍。同時禮聘了南北許多知名的學者在中大任教。我們還想起當日的大學校訓，是明德新民，止於至善。學校方面標榜求知的方法，是博學之，審問之，愼思之，明辨之，篤行之。這是符合於我們文化傳統的。海濱先生主持大學，有如蔡孑民先生一般，採取「兼容並包主義」，假如有一藝之長，而不違反國家民族的立場，他都一一羅致。同時他對於培養後一代，非常熱心。當日大學的同學，如現任僑務委員會的鄭彥棻，立法委員任國榮，許多在南方政學兩界知名之士，都是由鄒氏派出國留學的。

（四）

海濱先生極注重文獻之學，當他重任中大校長時，自兼廣東通志館長，禮聘徐甘棠，溫丹銘，張學華，朱希祖等爲委員，襄理通志。另一方面親自撰述中國國民黨史稿，他著書的體例，搜集的材料，還較馮自由的革命逸史爲謹嚴。

自抗戰軍興，中大遷滇，海濱先生入蜀中樞。然對於地方利弊，知無不言，言無不盡。而廣東軍民兩長的更迭，每就所知而對。抗戰勝利，他曾一度回粵，於廣州棄守前經港赴台。

筆者於民卅五年多隨粵籍國大代表於南京莫愁湖濱致祭粵軍北伐陣亡將士墓，於時蘆荻驚疏，野草枯黃，湖水清平，寥山不語。特趨前謁鄒氏與某將軍，執故人子禮，道辛亥北伐事，先君子曾與躬冒矢石，鄒氏對筆者撫慰有加，其篤於故誼如此。

海濱先生初婚於香山許劍魂，爲辛亥廣東女子北伐隊隊長，英風瀟烈，有三國時孫夫人之風，後被狙擊死。繼配爲梁定慧，篤信佛陀，慈悲好施與，現赴台奔喪，與夫人趙淑嘉，蓋姊妹行也。而論者以風流自賞目先生，蓋失之矣。

遺著有（一）黃花岡七十二烈士事略，（二）鄒魯文存；（三）環遊二十七國記；（四）中國國民黨史稿等數種。先生書法遒勁，頗摹做曹全碑，較之柔媚無骨者，有上下床之別。喜書淡墨關，疏遠有致。得之者，無異瑰寶。（下）

法國議員異想天開

法國國民議會中，有一部份反對歐洲軍條約的議員，近來竟異想天開，準備要求蘭尼政府利用歐洲防衛集團（亦即歐洲軍）條約作爲在日內瓦會議中結束越戰的武器。他們所擬採取的戰略是：在日內瓦會議中警告共方，如果不同意越南休戰，法國將批准歐洲防衛集團，因而使德國重整武裝，加入西方的防衛組織。這種策略將否爲法政府接納，目前還不知道。但由此却可以窺見，在日內瓦會議召開以前，法國民議會大概不會對歐洲防衛集團條約，採取辯論及批准的行動。

蘇俄實驗水底飛彈

據西方情報機構所獲的秘密報告說：蘇俄海軍也像美國的海軍一樣，目前正在實驗一種可能由水底發射的定向飛彈。第二次大戰快要結束時，德國本設計了一種定名爲A-12的火箭，這種火箭是用來在浮起的潛艇上面發射的。戰爭末期，俄軍深入德國，俘獲了此種火箭，自然如獲至寶，現在他們試驗的海底發射的飛彈，就是被他們俘虜的德國科學家，根據A-12改製而成的。據說，這種飛彈的續航力爲二百八十哩。

此外，據稱蘇俄還在大量生產一種超速而由火箭推動的攔擊機，準備一旦大戰發生，美運載原子彈的戰略轟炸機襲擊俄國的時候，能大舉出動攔擊。

西戰略物資運濟俄國

雖然由官方統計上無法看到，但事實上，反共的西班牙已將鉛、黃鐵礦、水銀及焦煤等具有戰略性的物資運往俄國。西班牙的貿易商人先請准將這些物資運往自由國家的港口（通常是比利時的安特衛普），然後再從那裏轉口運往到俄國。當然在西班牙政府發表的貿易統計上，這些物資是列在運往自由國家的欄中的。

美空軍官兵離婚熱

美空軍中的離婚率之高，素來爲三軍部隊之冠，這已是公開的秘密，特別是在李梅上將指揮下的美空軍戰略司令部，其屬下官兵鬧婚變和離婚的更多。原因乃在大部份官兵多派在國外服務，有時一去半年，很少和太太孩子們團聚，當局雖明知其中道理，也以困難所在只好聽其自然。最近這種離婚的事情愈鬧愈兇，影響空軍的士氣與訓練情緒很大，所以空軍當局已準備在基本訓練計劃中，加插結婚和家庭生活的課目，希望空軍官兵們能盡力求之在我，在不妨礙公務的情形下，力求家庭的和諧。但有若干官兵認爲，這只是長期的計劃，一時恐怕不易見到實效，除非增加空軍的假期，讓他們多過些家庭生活，否則短期內離婚率還難有降低的趨勢哩。（孟衡）

天下事

民族主義與反共

·旭軍·

（上接第二版）但經過土地改革後許多地主被沒收土地和驅逐，因此農業遭遇許多意料中的搗亂與破壞。有兩年棉花收獲未能賣出，商業陷於停頓，埃及瀕於破產的邊緣，去年革命委員會迫着納吉甫向中共覓取市場。但納吉甫以埃及迄今尚未承認中共，故不以爲然。而且以美國年來根據「四點計劃」部予埃及許多幫助，不願忘恩負義，以貪圖小利，失去友誼。但革命委員會的青年軍人，却硬主張派埃及棉花代表團訪問中共，覓取市場，俾將埃及積存之十五萬包價値一千一百萬英鎊之棉得以脫手。從此我們可以窺見那一[illegible]躁軍人的性格，[illegible]爭執解決更形困難。

可憂慮的形勢

土巴最近宣佈成立協定，是中東防衛的新發展。本可以由此而使中東防衛與西歐防衛相聯合。但阿拉伯七國聯盟，埃及儼然以盟首自居，埃及今正與英國對運河問題爭執未已，誠恐納吉甫去後，少壯軍人反因此中東新防衛，而嫉忌英國，又因美國在運河問題未解決前停止對埃及的一切援助，以致令埃及附和印度高唱中立，繼而陷入蘇聯的圈套，上了經濟貿易的釣鈎。由於墨守民族成見，而昧於大體，利害不明，緩急倒置，則遺患無窮！這是埃及當政者應自知警惕的。

編者　讀者

△下一期我們將發表毛以亨先生「梁漱溟與北宋呂學」一文，毛先生認爲梁氏之投入鐵幕是與學問有關的，而他的學問根源，乃出於北宋呂氏。這篇文章不祇對梁氏個人作深刻公平的論斷，也是一篇論述學術流源的好作品。謹此預告。

△吳文蔚、彭楚衍、胡冷、騷客、楊柳青，諸先生：惠稿均收到，謝謝。

△吳康先生：承示獎飾，至感雅意。

△台北莫知洋先生：請示戲址。

△其誰先生：示悉，均可照辦，已通知台經銷處。

論「規費」

台灣省行政規費即達三百多種，規費對人民權利義務是一種諷刺，最好禁止徵收，否則必須求得法律的根據。

·鄭知三·

銓敘部辦理公務人員儲備登記，自三十九年至四十二年十一月，對於聲請登記者向未徵收費用，忽於月前個別通知所有曾經登記人員補繳登記證書工本費（登記簡任者六十元，薦任者四十元，委任者二十元），一時衆議紛紜，立法院法制委員會亦曾就此事向該部提出詢問，據答是前項工本費現已不分官等一律改收二十元，並說明這是「規費」的一種，惟一般人還是莫名其「妙」，為什麼「規費」可以隨便要，一會兒六十元四十元二十元，一會兒又是一律二十元？為什麼早兩三年都沒有規定要這種「規費」，現在忽然又要要了？因此我想起了「規費」問題，更想起了人民的權利義務問題。

不應該有規費

人民有什麼權利有什麼義務，憲法第二章已經規定得清清楚楚，其中關於權利者十五條半，關於義務者只有兩條半（因第二十一條規定受國民教育是人民的權利，也是人民的義務），凡是屬於權利的都是採取直接保障主義，例如人民有應考試服公職之權，連五五憲草人民有依法律應考試之權的「依法律」三字都不要了，在精神上充分表現出這些權利不容再有法律限制的意思。屬於義務的則反是，任何義務之上都有依法律三字，例如人民有依法律納稅之義務，有了這「依法律」三字，就可充分表現出這些義務不能沒有法律限制的意思，說到這裏，我們嘗試為所謂「規費」一思，馬上便會覺得這種「規費」在憲法上並無所據（除非以之納入納稅義務之內，因為納稅之外人民祗有服兵役與受國民教育之義務了），再在理論上說：國家財政本來是量出為入的，國家的施政也是要根據預算的，今年要做多少事，就得先編多少預算，有多少預算纔能要人民納多少稅，人民盡了納稅義務之後，國家就得替人民做任何事情，這就叫做取之於民用之於民，所取所用必須符合「統收統支」原則，除了依法徵稅的稅務機關，任何機關都不能擅自向人民要一個錢，非然者，大家都可隨便徵收「規費」，人民無形中又多了一種義務了。

規費損及人民權利

或謂「規費」為人民請求國家為特別行為而付出之特別費用（日本稱規費為手數料，意指手續費），並非每一人民均有被徵收之機會，故取之於個人無大害，於國家則有小益，作者實未見其可，蓋「規費」之性質究為何若，固乏明文規定（按「規費」一詞僅係行政法上之稱謂），並無立法典根據），但國家與人民之關係，初非私的權利義務關係，而係公的權利義務關係，在前者權利義務恒為相對待，換句話說就是權利乃由義務換來的，在後者則異乎此，人民所盡的義務不必甚同（例如貧者賦輕，及齡壯丁必須當兵，老弱殘廢者則可免役），人民所享的權利也不必一致（例如救濟機關專為不能謀生者而設，公務人員祇需有資格的人去當），是則人民請求國家為特別行為，國家又豈能向其徵收特別費用（規費）？再舉例明之：人民因考試及格而請領證書，因居住遷徙而請發戶口證，因有營業而請發執照，因有醫師資格而請發執照，固無一而非憲法上應享之權利，但照現行規定（有的由法律規定，有的由行政命令規定）發給此種證書戶口簿執照等均須徵收「規費」，如果繳不起這種「規費」，就領不到這種執照，戶口簿證書，這樣一來，「規費」不啻限制（甚至剝奪）了人民在憲法上的應考試權工作權，居住遷徙自由權，豈為憲法第二十三條：「以上各條列舉之自由權利……不得以法律限制之」的規定所能容？（法律對之尚且不得限制，而況「規費」乎？）

起碼的要求

現在「規費」名目之夥，種類之繁，難以勝計，單是台灣省的行政「規費」，即已接近三百種，再加上司法「規費」等為數自更可觀，各機關規定此種「規費」，雖未必盡屬以意為之，但其對法治精神的確已發生了不良影響。我想這些機關辦理這些業務，都不是不能預見的，要多少經費當然心裏有數，為什麼不編個足用的預算來施政呢？（縱令有不能預見的特別或臨時業務，亦儘可追加預算並不須出於徵收「規費」一途），全國各機關的預算與施政，如果都能配合，那麼國家自可依照預算要人民納稅（縱負加稅之名亦所不惜），較之聽任各機關七手八腳各自向人民要錢寧毋稍愈？「規費！」「規費」！對於人民權利義務，實在是一種諷刺，希望主管當局就此問題能作全盤檢討，最好從此禁止徵收，必不能免，則請揚棄那「可以向人民隨便要錢」的觀念，大家拿出法治精神來，讓每一種「規費」都直接有其法律上的根據，這是起碼的要求，我們不能再讓步了。

林語堂為什麼主張不要領帶

·徐顯·

據合衆社新嘉坡電：南大校長林語堂博士主張不打領帶，已獲董事會諒解。使人在聽了這事，不住的打「?」號：丈二金剛，摸不着頭腦！

因此，我聯想到林語堂在上海辦「論語」的時代，為全國最暢銷的刊物。誰不翹起大拇指，稱讚他：誰不給他叩開了方寸的心扉，十二分的羨慕他！

「論語」，到底是一本怎樣的什誌呢？他自己標明的是幽默。于是大家也都以幽默目之。這總該不錯吧！好吧，讓我舉個「論語」的實例看看，究竟怎樣幽默：

「近來各校都是平頂頭和製服，然則！」而天氣一冷，便不能禦寒，所以便有一位同學（身任級長）大膽穿起棉袍子來。訓導主任一見，便責罵道：「你身任公務人員，不能以身作則，竟穿起棉袍子來嗎？」……原來級長和主任……結果由教師調停，賠禮了事。」

這一段文章，是一字不改的，照着論語半月刊第六十一期二百二十五頁直抄的。的確「幽默」！辦學的甘者，他知道新嘉坡天氣熱，穿西裝，打領帶，是苦事，猶如天冷不穿皮袍子一樣的苦。所以在未上任之前，先提出不打領帶的主張，好「以身作則」！

評：「君左散文選」

·趙光·

（一）

「君左散文集」作者易君左先生是我國的老作家之一。他是湖南人，因為他的父親易實甫是一個有名的詩人，所以舊文學的根基，卻是家學淵源。他又曾留學日本，對新文學也研究有素。在五四的時代，他已用「易家鉞」的名字在文壇上相當露頭角，民國十一年的時候，他已和郁達夫等同為上海泰東書局編書。他後來以君左名字寫的「閒話揚州」一文，曾經引起了揚州人的羣起反對，哄動一時，使他的名字在文壇上更響亮。他曾經寫過許多舊詩，新詩和小說，在各書局出版，成了我國知名作家之一。大陸易手時，他也流亡到了香港，曾經在「中美編輯所」担任文學作品部門的主持人。

（二）

這本散文集，共有四十六篇文章，是他這四年來所寫的散文中自己選出來的。自然他自己以為是較為滿意的，或較有價值的，才把牠選在裏面。在這許多文章中，有作者的身邊瑣事，作者的經歷見聞，作者的感想意見。在這許多文章中，作者也發抒着他的情感，表白着他的意見，流露着他的思想。

散文雖是短小的文章，但筆法，文字的技巧，卻大有研究。因為文章既短小，必須要有完美的文字技巧，才能發抒作者的情感，表白作者的意見，流露作者的思想。所以寫散文看來很是輕便，但要寫的好却很不容易。例如周作人和朱自清，他們的散文是很出名的，他們的文字都清新輕逸，到了爐火純青的地步。但有的人並不喜歡，因為不夠風趣，不夠輕鬆，所以不能增加讀者的興趣。像梁實秋，夏丏尊，他們的散文也寫得很好，輕鬆風趣，很受讀者的歡迎。而林語堂辦「論語」，提倡幽默，那種詼諧諷刺，是另一種格局，也曾風靡一時。現在易君左的這本散文集，我仔細地把它一篇一篇地讀過了，我覺得他的筆法很活潑，有時很輕鬆，有時很風趣，有時很詼諧，所以讀之能引人入勝，使你讀了一篇，就想再讀一篇，而要一篇一篇地接着讀下去。

作者的情感、思想，在散文裏，可以亦莊亦諧的自然的流露，這就是散文的特長，而君左是做到了的。太史公所謂：『天道恢恢，豈不大哉！談言微中，亦可以解紛。』這正可以作為完美的散文的一種註釋。現在略舉數例如下：

（三）

第十三篇「書同文、言同音」，作者表白對我國文字與語言問題的意見，別人對這問題曾經做過多少洋洋大文來提出主張，而作者卻輕鬆風趣的短短一節話，便表白得很透澈了。他說：

『改造中國字形使其簡單而合理化，以便於實用，或者新創一些便於實用的字，確是時代的需要。另外一個補救漢字缺點的有效方法，就是在「書同文」之外，必須做到「言同音」的地步，即除文字的統一外，還得要語音的統一。……不識字者只曉得一根扁担倒下來是「一」字，兩根倒下來是「二」字，「十」字，……如果好好利用註音符號，普及大衆教育，不必等漢字獨立以成拼音字的文字，而自能於文字的統一後再做到語音的統一，則我們走到國內任何一角落，大家都可以暢所欲言，完全懂得，再不會有什麼隔閡和誤會。只要是中國人，就沒有聽不懂的話。到那時，上海話的「啥子」和廣東話的「乜嘢」一律取消，而都說「什麼」，便什麼都懂了。』

第二十二篇「近視眼論」，甚為詼諧，他寫的有：

『在東京時，同住有曾琦和張夢九，已經一年了。一天，有位朋友講起張夢九的小鬍子，曾琦很驚奇地說：「夢九還有鬍子嗎？」原來張夢九確有一點小鬍子，可是淡如春山，若隱若現。曾琦是有名的近視眼，和張夢九同住一年尚不知其有鬍子，一方面說明曾琦近視之深，一方面說明張夢九的鬍子也太不像鬍子了。……近視眼的笑話不一而足，它是儲存幽默的倉庫。「如要幽默，乃可近視眼」。』

第三十六篇「文人自重與相重」中作者說：

『「文人相輕，自古已然，」于今尤烈。』這一句話，近年來也常吹到我的耳邊，我覺得非常惋惜，但不決相信。真正的文人是決不會相輕的，而且相重的。人越有才，則越揚人之才，而斂己之才；人越無才，則越斂人之才，而揚己之才。我們古代的天才文人詩人，都是互相標榜的，互相標榜被後世誤為一種敗德，其實是一種美德。』作者接着舉出李白與杜甫，蘇軾與歐陽修，柯九思與趙子昂等間的友誼互重為例，輕描淡寫，而發人深省。文人之間如果真能不相輕而相重，則文壇當更蓬勃，更進步了。

（四）

第四十二篇「萬象更新談國事」中，作者說：

『在一個法治的國家，政治等于安排；在一個非法治的國家，壓迫就是政治。這其間自然牽涉到自由的問題。個人與個人，個人與團體，都應該保持着一種有分際的自由而不容侵越，好的政府就會把這些自由好好地安排，不好的政府就會把它紊亂而終于自掘坟墓。』

這是作者愛好自由，信奉法治，反對極權的思想的巧妙的宣揚。

中共的「建設」

濫喊口號下級曲解　亂興土木金錢虛擲

近據北平「人民日報」在一次檢討會中坦白承認，「基本建設」的口號，已普遍為一般地方「政府」所曲解，大多地方「政府」乃在此一口號下浪擲大量資金，亂興土木。彼等所出資建築者，大多係屬於為機關人員所享受，或粉飾機關門面之建築物，包括大禮堂，俱樂部，辦公大廈，或劇院等。中共乃指斥各地方「政府」之此一行為，為一極大之「偏差」。蓋中共以為目前「國家」之財政經濟情況並不寬裕，所是資金，應集中於為急切需要之「國防建設」和「重工業建設」，而不應消耗大量資金於此種享受性和粉飾性的建築上。

中共尤其指出一般「地方國營」性質之工廠或商業機構在「基本建設」口號下所犯的錯誤更為嚴重。中共舉出洛陽打包工廠為例：該廠在一九五一年「基本建設」開始時，還沒有全盤的設計計劃，到一九五二年「基本建設」開始時，施工詳圖和預算還沒有到廠。該廠並無汽車，却蓋了三間汽車房。當地並無下水道，該廠却建築了抽水廁所，因為不能使用，又化了一千萬元重建化糞池。該廠的水泥交通道造得又平又滑，運棉花的大車不能行走，不得不再鋪上蘆灰。該廠的打包估計，只能使用十五年，但該廠的全部建築結構却以使用五十年的標準建造。估計浪費至少達三十餘億元。

港府攷慮撥款百萬　積極訓練中學師資

籌畫擴充私立師院

港府現正計劃於本年度考慮撥款一百萬元，協助一所基督教書院擴充設備，使之成為培植大量師資的高等教育系之機構，俾適應目前需要專門人才之需量。當這一計劃完成之時，將為本港教育史上揭開一新頁。因為本港大學教育除了港大，專科如羅富國、葛量洪師範學院之外，未有一所私立學院被認為有資格的。擬畫中的這一所教會學院，經過改革之後，承認它為香港大學以外的一所大學制學院，後此該院畢業學生，一如港大目下所採用校外考試制度，而畢業文憑亦可望獲得英國認可。然該院的教育系課程既不同於港大，更與葛量洪、羅富國師範學院迥異。如港大僅有文科，畢業生可充中學師資，後者則均係小學制的師資。因此，這一教會學院的擴充，現時各方均極重視，尤其本年度中學畢業的將達五千名學生，他們對於自身出路的顧慮，無形中為之減少。

港大公布廣泛興革計畫

香港大學的興革計畫發表之後，各界人士極為重視，綜觀內容，大致可分三大目標：一、應盡量多聘明瞭學生所來自之社會背景的人士為教員，若干講師應為中國人或其久居此間的教育界人士；二、從不需用作中國語以代替英語；三、大學與職員與民衆接觸愈深，而兩者的益處甚多。此外尚有九項建議，為：一、醫學院應設置診部門；二、改完全用[illegible]四、測量一九四九年保留作為港大用途的四十英畝土地；五、擴充何東夫人堂女宿舍應速進行，俾容納三十五名學生；六、放棄在大嶼山設測量營計畫；七、將病理學院鄰近的網球場撥出一部分作為建築學學生宿舍，亦可供作教員之診病助理人員及宿；八、擴充依律堂及梅堂等宿舍，由建築學院學生加以設計，將之刷新；九、應目前需要建新運動場。此項計畫過分廣泛，研究進行遲緩，自需假以相當時日始行。

憶北平的：東安市場

·易與·

（一）

東安市場，是北平城內的一座大市場，許許多多的攤棚，劃分成好幾條「巷街」，它固然不夠廊房頭二條寬廣，當然也不夠廊房頭二條那樣富麗華貴，其它可比天橋要體面多多，其間還有些有，遊東安市場，就是不祇家庭主婦們高興，就是搢紳先生們也常常來做東安市場的顧客，當然有些人並不是為「買賣」而來，觀光北平城內的市場情景，體驗北平人的世味人情，該得來遊一遊東安市場。

東安市場，每當星期例假，一批一批的大中小學生，男的女的川流不息的擠滿了東安市場，每個角落裏的攤販，任何「冷門」的貨品，都有三五顧客在那裏「掛攤」，漫天討價，就地還錢，在東安市場買東西，得眼睛精明，心腸狠，有許多表面看來頂好的東西，實在是糟透了的東西，有些開價一元的東西，三兩毛錢就可以買得。同時在北平買東西，如果要他送到你的公館，比方說笨重的大件頭，他一定會問你家裏有不有佣人？有佣人的話他佣人扣下一筆佣金，也就是會將價錢高抬一點，甚而至于藉辭送貨上門，也是不會例外。當老媽子的當男佣人的和這些商店的夥友們，彼此有一個「君子協定」，不然主人家買的東西，不是嫌價高，就是嫌貨低，下一回的買賣就會告吹。

（二）

在東安市場的攤販買東西，任何笨重的案頭，他是不會給你送的，其實攤販也根本沒有笨重的大件頭東西。不過像一座「話匣兒」，或者「留聲機」，或者一部「小說書」，或者一套擺設，或者一部廢書，[illegible]到的，幾十[illegible]洋車兒給你送來。在北平買舊貨，那可不祗東安市場，從琉璃廠，頭二條，數到天橋十剎海，還有數不清的許許多多僻街冷巷，處處都有原屬王公第宅中物，而今也賤價待沽的以求顧主，東安市場的舊貨，大率是屬于中等家庭所需要的為多，當然像書籍古董之類，那是全靠那批「鑒賞家」信口品評，上等的是給琉璃廠那間店家挑選去，其實呢，甚多看不上眼的東西，反而是「價值連城」的寶貝物？我的朋友，他在琉璃廠花大洋三十元買了一整套小擺設，那店家還說是減價優待，我將我在東安市場祇花了六元買了的那一套，和朋友所買的比較比較，件數色澤大小，一般無二，假看不出有何不同？

（三）

東安市場的舊書攤，那是夠學生們教師們以至于算是讀書種子人們的喜愛逗留之所，這裏的書，全是實用的書，貨眞價實，因爲每本書的價錢記載分明，不同琉璃廠的舊書，那是講究版本的書，東安市場的舊書，由教科書參考書到各個部門的應用書，這些書有的還有六七成新，比上書店買至少要便宜一半，不過在這里買舊書，得費點工夫翻閱過，看看有不有缺頁，尤其插圖，更得着意割掉，這些舊書的來源，大率是學生們一時周轉不靈，家裏的錢滙不到，向親友借貸不便啓齒，悄悄幾本書上東安市場舊書攤「通融」一下，錢來了再買回來，隔個許多冷門書，隔別三五個月，依舊可以「原璧歸趙」，不過冷門書賣不起價，買時可又不比熱門書便宜，還有不經常見的冷門書，在這裏更見便宜，二十年前，我在那裏買到全部十大厚册的英國民俗學會印行「各國神話」，論分兩也有十多公斤，我可祇花了十二個銀元，幾乎祇是「廢紙」的價錢，所堪惋惜的是其中的彩色插圖給割掉不少。

（四）

總而言之，東安市場的「二手貨」（SECONDHAND），實在是有便宜可討。同時東安市場的百貨，比前門大街那些地方要便宜一點，當然貨色也許不够齊全，或者還要較次一點，可是有些家庭主婦，却喜歡來做東安市場的顧客。

此外，東場市安的吃，也是既經濟又實惠，不祇有中國菜館，南北各大地的名味，姑無論地道與否？總可備此一格，而且還有西餐館，當然更有茶樓和咖啡座，並且也有朋友們的清唱可聽，又有電影院，還有彈子房，彈子房在北平是極其普遍的，許許多多的大學生，都愛打彈子，那得有好眼力好手法，才得打進球桌的角兒漏孔之內。由于有如此如彼的吃的玩的地方，東安市場也便格外够人般樂流連了。

毋以善小而不為

自由談

我們在海外因事向所在地方官署有所申請時，無論准否，它一定給你正式答復，而且在其主官簽名的前面，必寫這麼一句話：「你的最忠誠的公僕」。就是民主政治的精神，所謂，官吏本是人民納稅供養的公僕，官吏對人民自稱「你的最忠誠的公僕」，絲毫不失格，也非虛偽的謙詞，這正是民主生活的樸素表現。

然而，中國人談民主憲政已經幾十年了，別的不說，單就官方的公文程式與用語而論，可以說是離民主生活的途徑甚遠，一切封建官僚性的玩藝，並無多大的改革。如官吏對人民的自稱，總是「本部」「本縣長」「本廳長」「本局長」「本部長」，乃至於「本席」，一個保長對居民發佈文字通告，也要來一套「本保長」之類的官架子，大家恬不知恥，習以為常，若比較「你的最忠誠的公僕」云云，我們這官僚口臉，眞是俗不堪耐啦！

假如有個關心民主政治的官吏，能揚棄「為官擺」的下意識，對人民縱不自稱「公僕」，而把那些「本」甚麼「長」之類的俗詞臭架子去掉，改稱自己的名字，或乾脆改用「我」字，似乎並無損於官吏的價值，亦不致敗壞公文的體制，而公文中不當打甚麼「殊屬非是」「殊有未合」「仰即知照」一類官腔，更不致妨礙行政效率。至於「伏祈鈞裁」「實爲德便」這些奴顏婢膝的肉麻字句，更不用說，又與國計民生何傷呢？

這種毫不費力，且不礙事的小小改革，竟無人以身作則，爲天下先，却天天大言炎炎的狂呼革命，自命爲[illegible]人，那不但是革不了一個蚊子的命，自己本身即是唯一的[illegible]貴賤民的[illegible]，中華民國則應改爲「中華官國」，才名實相符哩！

馬五先生

序許著「東遊散記」

左舜生

去年春天，我到日本去住過一個月，名義上是看櫻花，實際卻是要接觸接觸戰後的日本。

在東京留了三星期，東京以外的重要地方，也到過七八處，雖說只是走馬看花，說不上甚麼真正的觀察，但日本的一切一切，依然使我非常感動。我知道多數國人對於日本的戰後情況，並不怎樣明瞭，因此我所接觸到的方面儘管不多，觀察所得儘管異常淺薄，但我依然寫了三萬字的通信，交由『中聲晚報』發表，並在『自由人』三日刊，寫過一篇『新日本給我的新印象』，無非希望引起國人一種注意日本的興趣而已。

我回來不久，許子由先生也得了一個去日本的機會，他觀察日本的能力比我強，他在日本留過學，語言無困難，同時他還有一個新聞記者的資格，多方面的訪問，也比較容易得手。他在『中聲晚報』所發表的通信，整理成爲這樣一本『東遊散記』，不僅對日本的現狀敍述甚詳，對于歷史的追溯，我相信對國人對日本的了解，一定有很大的幫助。

日本在上次戰爭中雖是一個戰敗者，但她的立國基礎，却依然異常堅實：政治確已走上憲政的軌道；潛力與科學技術，而且在力求提高；工業設備，在亞洲暴首屈一指；目前更在美國的援助之下，積極從事軍備的重建，不出十年，日本不僅依然是亞洲的一大強國，而且也是世界的一大強國，這是絕對沒有疑問的。可是話雖如此，日本亦自有其弱點：第一，工業發達而資源不足；第二，人口加速繁殖，而土地縮小，可以供日本移民的途徑不寬；第三，日本商人具有經營與管理的長才，但市場則不容易開闢；文化與教育儘管依然具有蓬蓬勃勃的氣象，但一種不穩的勢力與思想，却給以空前的威脅。

要補救日本的這些弱點，其關鍵的十分之七八，握在中國人的手裏；中國對日本抱有百分之百的誠意，只要在不侵略中國領土主權的原則之下，幾於無事不可與日本講求互助之道。現在中國正處在一種空前的逆境，比日本戰後的情況更爲艱劣，日本究竟是準備『被髮纓冠』來『以德報德』呢？還是袖手旁觀，一切只知自私自利呢？這便要看日本對中國的誠意，和他們的政治家對世界未來局勢的看法如何了。

（中華民國四十三年二月二十一日於香港）

水龍吟

·桐綺·

春來簫鼓聲中，他鄉恍在家鄉住。綠梅舒萼，碧桃含蕊，撩人情思。繡陌芳郊，青衫紅粉，嬉春風味。恐穠華電掣，風流雲散，容易落紅人淚。誰向東皇上奏，乞春陰廣遮深護。神州苑囿，公園花木，繁華如故。但被腥羶，陶柳林梅，也要除汙。問東山何事，斯人不出爲蒼生起。

鐵幕學生生活

——一個捷克小學生的親身經歷

·子勒譯·

米拉開始懷疑喬治亞的父母是什麼樣子，他想，他們也是像喬治亞這樣誆騙我和別的小孩這樣，來誆騙別人嗎？他覺得這件事是值得研究的。

數星期後，勒狄斯拉夫爲他的孩子節儉積蓄了一件禮物，這是他父親想藉此影響米拉生活的一件禮物，送這件禮物也是勒狄斯拉夫計劃的一部份，用一種更合理更有權威的聲音來對抗共產黨的奴化教育。幾月以後的一天晚上，在吃飯前他將禮物送給兒子，這是一個有耳機的礦石收音機，米拉審視着這小小的收音機時，心靈中充滿了無上的驕傲，因爲他是村上唯一自己擁有收音機的小孩。

父親告訴兒子如何轉動天然礦石，來收取遙遠地方的廣播，慕尼黑自由歐洲電台的廣播，倫敦廣播電台的捷克語節目，和紐約的美國之聲，收聽這些廣播，共產黨是絕對禁止的，即使如此，捷克人還是被懷疑着在偷聽。

在漫長的春日傍晚，和此後數年間，米拉在他耳機旁邊消磨了無數的時日，他收聽新的歌曲，用父親送給他的竪笛學着吹，然後再教給瑪卓。由新聞和人物廣播，他得到了蘇聯非但沒有遵照他們的諾言來解放捷克反而奴役了他們同胞的鐵證。

他聽到了宗教節目，漸漸的，他退出了學校共產黨小流氓團體，而加入了一堆仍然做禮拜的學生。有一天晚上，他竟和父親談論起上帝來了，勒狄斯拉夫知道這已經是進行他第二步計劃的時候了，雖然他是一個篤誠的基督徒，可是因爲這裏沒有能夠施洗的教堂，所以他把米拉帶到鄰村里伯瑞克去受洗，成爲一個羅馬天主教徒。

由那時起，米拉的生活根本的改變了，他開始很清楚的看出，他的老師是如何的想把他們訓練成一個標準共產黨，而不是要一個好學生。碼麗給那些熟習俄語和共產主義的學生們高的等級，而給別的學生低的分數。後來，老師又組織了一羣共產黨少年先鋒隊，隊員有糖吃，並且有遊藝節目招待，還允許暑假帶他們去露營，米拉和瑪卓拒絕參加後，他們的成績報告單就變壞了，但是現在却有些別的團體來對抗喬治亞和他的探聽隊，當那些紅色份子講別的小孩壞話時，米拉和瑪卓就要在學校外攔住他們飽以老拳。（五）

俄科學家奉令研究空間旅行

蘇俄樣樣都誇稱「第一」，所謂俄人最先發明的東西，自飛機大砲到無線電，電證據，正層出不窮，其考據家的主要工作，似乎正集中在這方面，去「製造」種種證明。但在近年來盛行一時的空際旅行研究方面，蘇俄顯然仍告落後，尚撫先搶過西方而稱他們已發明了第一架駛入空太星球的「空間船」，[illegible]新近特別由莫斯科電台宣佈，馬倫可夫已下令科學家加緊研究，並成立了五個專門委員會，分別進行關於火箭，飛機以及空間的環境對人種種影響的研究工作。據說，這些科學家中，包括了戰後被俄軍擄去的前納粹科學家在內。（式衿）

家住天台雁蕩間

·鐵頭·

詩人們的形容，是甚爲神似的。不過它的水量較小，高度又較低，所以沒有天台石梁瀑布那樣的威勢，然而却頗斯文多了。故畫家多喜畫石梁瀑布，而詩人則喜詠大龍湫，或許因爲前者雄健，而後者較爲蘊藉的緣故。雁宕的西石梁，自不能與天台石梁相比，而梅雨潭也較水珠簾具體而微，在自龍湫至梅雨潭的途中地形，較爲開展，沿溪兩旁，漸多稻田，雖然峯岩不斷，惟散處四面，不若兩靈系內之聚集，一直到芙蓉市，地田出產，都還不錯。這芙蓉市的名稱，就極爲動人，眞個是「山似蓮花，地名芙蓉」。筆者後來數次遊山，均是由芙蓉的朋友招待，其間因愛雁宕山水之勝，會於梅雨潭，含珠峯之側，與吳張諸友合力置地數畝，預備築室以爲將來修養之所，即託芙蓉蔡姓友人代管，大陸淪陷後，土地自然是早已「改革」了罷。至於那位蔡君，無論他本人有無田產，就單憑這代管的三畝山地，已足以構成地主惡霸的罪名，友人啊！你的近況究竟如何呢？不禁天涯繫之！

那一次的竟日之遊，爲興濃，我們在靈岩寺宿了兩夜，到第三天淸晨，還欣賞了兩幕精采表演；原來第二天的晚上又回到寺中時，住持僧已經變成熟人，至爲親熱，我們乃與之隨便談天，除了各處風景掌故外，有人詢及山頂雁湖情况，老和尙說：那不過是山顚上的兀窪水塘，並無什麼奇特之處，而且頂上猿猴甚多，成羣結隊。少數人往遊，恐遭麻煩云，又說：先生們在大地方住慣了，不如在此看看山裏人「懸繩採斛」以及「飛索渡澗」的絕技罷。於是接受這客建議，我們與另外兩隊遊大合作，一共湊了二十八元個洋，預定在翌日凌晨，觀看表演。（七）

慶祝自由人創刊三週年紀念

台灣南部辦事處成立二週年

本報創刊三週年紀念特刊

祝自由人

王世昭

三月七日，爲自由人發刊三周年，編者要我寫篇文章來紀念它；義不容辭，爲撰題曰：「祝自由人」。

辦報是一件難事，辦報而使人歡迎則難之又難。歡迎也有數種，一種是板起面孔說話使人歡迎，一種是嘻笑怒駡鞭辟入裏使人歡迎，一種是不卑不抗恰到好處使人歡迎，一種是趣味低級迎合一般需求使人歡迎。在香港，各種各式似乎都有。有專其一長的，有兼擅衆長的，爲了篇幅關係，我當然無法爲之評價。但在香港小型報中，卻有兩種小型報值得我們注意；一種是陳孝威先生所辦的天文臺，一種就是許多自由人士共同創辦的「自由人」了。

自由人的作風，以國內時事爲經，以國際時事爲緯，予以恰到好處的評述。此外配以學術報導，人物特寫，書刊批評，文藝創作等。「編者與讀者」一欄所佔的篇幅雖不大，可是卻不能不說是自由人的一種特色。「天文臺」雖有不同，然亦大同小異，而其最顯著的地方，即實時事偏故實，多雜著，少書評。如果說刊版面，「天文台」似淸而有重，而「自由人」則重而多淸。因爲這兩種報紙在香港都是大陸變色以後的產物，而且歷史都超過了三年。而且（又一而且）報雖小而銷路卻大，都有走遍全球的成績，所以便算不凡了。而且以民辦的報紙，而能站穩腳根，自食其力，屹立於歐風美雨驚濤駭浪之香港不爲所震撼，也算不容易，眞的不容易啊！

若論香港報紙，腐化傾向的有，惡化傾向的有，酸化傾向的有，美化傾向的有，想綜合衆長以自成一家的也有。總之，五光十色，目不暇擇。如果說到香不香，臭不臭，硬不硬，軟不軟，奇不奇，怪不怪，好不好，壞不壞，以「自由」二字標榜於天下，以「自由人」三字建立——編者，作者，與讀者的人格的，這個報紙總算沒有辱沒自己的使命了。

我記得水滸中行者武松當未上景陽崗打虎的時候，曾說過「無三不過崗」的一句話。現在，自由人創辦已經三年了，也該是無三不過崗的時候了。我不希望他是武松，我希望他是武松的桿棒；我不希望他是武松的桿棒，而是希望景陽崗上根本沒有老虎。假使景陽崗上眞有老虎的話，那也必然是「不自由」三個字。既有不自由，當然有不自由的地方，不自由的國度，以及製造不自由與不自由的人。我希望「自由人」是行者武松，「自由」兩字便是武松的桿棒。請武松先生——代表自由人——緊着桿棒，把霸佔在景陽崗上大挺威風的老虎，——不自由的地方，不自由的國度，以及製造不自由的人，統同把牠打倒，讓大家得到了眞正的自由。

自由人創辦三年了，我拏什麼去紀念呢！這篇文章，就算我對自由人三周年的祝辭吧。

自由人的作風

寫在自由人三週年紀念

吳文蔚

「山不在高，有仙則名；水不在深，有龍則靈，是斯陋室，惟吾德馨」！劉禹錫的陋室銘，用這短短的二十四個字，道盡了他一生的爲人與品德。

「自由人」出版三年了，三年的經歷，苦心孤詣，慘淡經營，在物質艱困情形下，始終如一，不懈不棄，奮鬥創造的精神，和坦然自處的刻苦態度，用這二十四個字去形容它，實在是最恰當不過的了！

三年來的一貫作風

大家知道，「自由人」是一個小型刊物。惟刊物雖小，內容與器宇並不很小。最顯明的一點，是它有雜誌的風格，沒有怪誕無聊的下流形態。言論公正，立意坦率。學術介紹與消息報導，都是處處從實的。嚴格的說，「自由人」，報雖小，對於國家社會的貢獻，確不算小。尤其值得欽佩的，是富有正義感，敢說敢言，坦率直陳，每遇國際掮客，或政治棍徒，希圖混在幕後，動搖我國家的地位，和損害我民族的利益時，它便挺身而出，發抒讜論。筆鋒銳利，論旨嚴正，態度委婉，一片直腸，令人佩服。再如政府行政措施，如有失當，社會風氣如有偏倚，它也從不後人，大聲疾呼，以昭公信。譬如此次副總統候選人問題，它首先揭示公開論壇，使各方面人士能自由發表個人意見，以共赴國難，團結人心，選賢與能，復興中華爲號召。這種泱泱大風，毫無偏私的態度，便是自由人三年來的一貫作風，這是最値得我們崇敬的。

怎樣支持的呢？

三年來的「自由人」，據我所知，不僅在爲文化服務上，對國家和社會盡了相當的責任；同時在本身的業務上，也對讀者作者，做了很多的工作。據我揣測，「自由人」的經費，是相當困難的。在這漫長三年歲月中，靠甚麼支持呢？我想不外原有的一點股本，和編者與讀者的熱誠合作。此外便是公正，坦率，和硬幹的精神了。雷嘯岑先生在二年紀念時說過幾句川味的話，他說：「湊合幾個共所好，而不同信仰的朋友，有的千把，有的幾百，湊了這麼點款子，辦了這麼個小刊物。兩年來，不算好，也不算壞，靠着它本身維持本身，兩年來就這麼支持下去了」。我想，這是「自由人」的苦處，同時也是自由人的長處。若夠味道，長也夠快樂的。這情形就和著者個人到香港這幾年一樣。來時身邊只剩一毛錢，到現在床頭還有三毛錢。數年來，沒有接受過任何人一文幫助，沒有乞憐任何編輯私用過一篇文章。現在依然故我，沒有餓死。雖說不曾做出甚麼大事業，但樂得頭軀尚健，一副好胃口，能吃能喝，已足以自豪的了。

稿件和稿費的處理

再如編者對於稿件的處理，也是極眞公正的。能用的儘量用，不用的便退回。同時採用稿件，並沒有厚此薄彼，或利用私人情誼的壞習氣。不像一般爛污報刊，後台老板本爲富翁，收入更爲不薄，但輕易不肯用人家的稿件。不惟不肯退還原稿，有時且要沒收附寄的一毛郵票。這樣的事，眞是最令人痛心疾首的。「自由人」雖是小報，並不至乾沒作者們一毛郵票，更不會忽視作者們苦心孤詣的撰成的稿件，這一點，也是值得稱道的。

關於稿費，「自由人」向來認眞，以前每週一發，以後或因周轉困難，改爲一月一發。日子似乎長了一點，但日子雖長，信用卻沒有變動。一到發稿費日期，稿費單依址寄出，作者還單領款，十足兌現，沒有一點推拖情事。如今天推明天，明天推後天，叫作者們跑寃枉路，這是絕對沒有的。

只問耕耘不計收穫

至於負責創辦的幾位先生，他們的態度，一向是只問耕耘，不問收穫的。有一次我會到左舜生先生，左先生問我說：「給自由人寫稿怎麼樣？能不能拿到一點稿費」？左先生如此問我，我以爲他是跟我開玩笑，因爲他給自由人寫的稿子，要比我多過不知多少倍。他的稿費，一定比我多的多，如此發問，是不是有點近似開玩笑呢？但我不管他開玩笑不開玩笑，我照實說：「有，大概千字八元，到時便發，從不拖欠，並且處理稿件也很公正，用稿退稿，都很快捷妥當。」左先生聽了我的話，便笑着給他一位朋友說：「唉！你看自由人辦的還不錯呢，還有稿費發了」。至此，我才知道左先生給自由人寫文章，是不計稿費的。我想雷嘯岑先生也不會例外罷。

還有一點，自由人同人在業務上的風度，也是令人嚮往的。有一次，我一篇稿子刊出了，適値發酬由每週改爲每月，刊出半月有奇，還未見稿費單來，我因爲一時急用，函催編者，編者覆函說：發酬期更動，如欲支借，可向雷先生商洽，請我往造雷先生。我見了雷先生，雷先生搖了搖頭說：「不到發酬日期，支取稿費，有點兒困難」。經我說明原由，雷先生見我情形特殊，便改變了初衷說：「你等等」。他到房裏寫了一封信給出納。我拿了信，便把稿費領出。從這點小事看，自由人同人在業務上，是有條不紊的。有大家共守的制度，事雖小，不苟爲，事雖大，不強爲，偶雖破，情仍可原。這種辦事精神，也是很可取的。

請守一貫的風度

我在香港流浪數年，生活雖然困頓，始終不肯隨便苟且，嚴守一個正字。馬五先生在「自由人」喩辭愛民主，爲自由人的正業。依我看，自由人守正的精神還多，諸如正言，正義，正氣等等，都是「自由人」一貫秉賦的作風。因此，我覺得其報雖小，其正可大了。値此自由人出版三週年紀念，謹以投稿作者身份，爲「自由人」祝，希望始終能本公正，坦率，泱泱大度，以屹立於自由世界的論壇之上。

民國四十三年三月二日於香港

報人對社會應有的責任

——應自由人三周年紀念而作——

王劍鋒

一張報紙在風雨飄搖，禍患紛來的亂世中，能屹立三個年頭，不是一件容易的事。尤其是在文化低潮，市場衰落的香港，能夠繼續出版三年，難能而可貴。從創刊到今，始終是一份不隨俗的「自由人」報，我是一個從不間斷的忠實讀者。當這一張性格高尚的文化刊物邁入第四個年頭的今天，不免引起我心情無限的感慨！首先使我想到的是今天報人對社會的責任問題。在紛紜溷濁的現社會中，報紙的影響力量是非常重大，報人的人格以至於報紙的報格，都是我們要特別注意的。

一張報紙的生命與其靈魂，與其報導新聞及發佈言論整個所採的立場和態度有關。這個立場和態度必須以社會所賦予言論出版界的使命爲依歸。換言之，即報人和報紙必須對社會善負其責任。我以爲要克盡厥職，必須注意下列數點：

（一）要能承接文化遺產，又要啓發宇宙新知。故承先啓後，繼往開來，一方面保存國粹，一方面啓發下代新知，實爲報紙和報人的第一任務。

（二）介紹時代思潮，指導社會動向，亦爲輿論界的重大責任。因此，報人必須有以先知覺後知，以先覺覺後覺的精神態度去爲社會人群服務。

（三）啓迪正義，轉移社會頹風，實爲報人應有的抱負。凡爲報人必須任憑天下怎樣大亂，環境怎樣惡劣，永遠要堅守不可移易的公義和正氣。社會有了公義和正氣，則自然會繼續進步，而不至於沉淪。

（四）打擊邪惡和闡揚眞理，更爲報人所必不可缺少的精神。社會上壞人多而好人少，則天下大亂，好人多而壞人少，便會太平。報人必須有勇氣與邪惡勢力宣戰，才可以使惡人斂跡，好人抬頭。作戰的武器是甚麼？便是眞理與勇氣。

能夠認清上列四大責任，而篤行實踐之，然後報紙方能成爲有生命有靈魂的刊物。反而言之：辦報有四忌：第一、忌誨淫誨盜，報紙乃輔助社會教育的工具，如果出於誨淫誨盜，即使能夠賺錢，亦與名譽和良心有虧，且亦爲法理所不容。第二、忌利慾薰心，見利忘義，自損品格。第三、忌屈辱從邪，也要不得。必須貧賤不能移，威武不能屈。否則變成社會渣滓，說不到無冕皇帝了。第四、忌缺德違法，一個報人也好，一張報紙也好，決不能離開公德。公德兩字，是中國人最易忽略的。我們必須特別強調。

綜而言之，「爲天下立心，爲生民立命，爲往聖繼絕學，爲後世開太平」，雖不是容易的事，報人必須有此抱負。有此抱負，自然能夠超然高擧以保眞，胸襟坦蕩以存誠了。我對「自由人」因爲有了敬仰，故期望更切。謹以此爲「自由人」祝！

× × × ×

祝自由人三週年

寒操

倚天自由寧破巧，中天旭日正民權！
疾風暴雨感原甦，破釜沉舟計祇前，
衛道使仲惟有筆，復天猶夢忍無言。
三年海角光芒在，不脛行看走大千。

◁自由人除暴歛▷　諶史奮作

本報創刊三週年紀念特刊

伸張自由民主的眞義
爲自由人報創刊三週年紀念而作

・鏡芙・

我覺得凡愛自由民主，反對共產極權的人士，都會對「自由人」三日刊表示好感和熱烈支持的。因爲「自由人」能代表一切反共非共人士的心聲，自由人士要說的話，它都能儘量表達出來，即鐵幕內嚮往自由的老百姓和各級共幹，對共匪集團深惡痛絕的眞情實意，它也能儘量傳播出來。所以「自由人」是能夠代表民意的，是自由中國和自由世界的喉舌，是值得讚頌的好刊物。

「自由人」創刊以來，滿三年了。三年的時間，不算長，也不算短。它爲自由、民主、正義而努力奮鬥的精神和毅力，更值得大家敬佩。我此次在主管機關負責人領導之下，到台灣北部各城鎮鄉村旅行十多天，作公開演講數十次，曾與許多旅台的碩學鴻儒，和台籍有識之士，接觸不少。他們的客廳和案頭，大部份有一份宣揚自由民主眞諦的「自由人」。並且一致對於這小型報紙，作贊美的批評。

我是一「自由人」的長期忠實讀者，同時，又是敬陪末座的作者。近年來，我雖靜居台北郊區，閉門卻掃，還讀我書。既不與聞外事，亦少寫文章，因爲讀了蔣總統今年元旦的文告，深感國家興亡，匹夫有責。實在不容再「靜」下去。因此我再度出來要爲國家效力。我在公開演講中，特別主張人才的重要，人才可以決定一切，有了人才，則百廢俱舉，自由中國迫切需要的是人才。我認爲人才第一要精明，要精益求精，日新又新；第二要高明，要開誠佈公，力行實踐。

今年，是自由中國的選擧年，從總統、副總統、台灣省議員、縣市長，和里鄰長，都要加以改選。總統、副總統已由國民黨推定蔣介石先生和陳誠先生爲候選人，二公文武兼備，功高望重，必然當選，似成定局。至其他各級選擧的候選人，是否都是人才，現在活動最力的，是否沒有賄賂和包辦選擧的情事，將來選出來的，是否都是才德具備的人，這是我很躭心的事。

我爲甚麼要在此嘮嘮叨叨說到我個人最近的主張和對於選擧問題的希望和顧慮呢？我覺得人才的重要，「自由人」向以民主自由爲號召，我認爲只有民主和自由，才能產生眞正的人才。因此我要乘自由人半週刊三週年紀念，發抒我個人的意見，希望「自由人」一本過去自由獨立，敢言直說的精神，主張國家要選拔眞正的人才，選民要投最神聖的一票。更要打擊壞人，鼓勵好人出頭。要對於台灣今年的選擧，運其一貫橫掃千軍之巨筆，予以公正的檢討。我以此期望於「自由人」，亦以此爲「自由人」祝！

四十三年二月二十四日寄自台北。

斥愛倫堡的公開信

胡冷

作爲一個作家，再沒有比你更爲卑鄙而無恥的了！看到你「寫給有頭腦的美國人的公開信」，更加重了我這一感覺。本來，作爲共產集團國家裏的御用文化人，是無一而非爲其主子作歌功頌德的奴才；你自然不能例外。不過有些人有時或許會偶然表現一點人性，雖未能見之積極的反抗，亦或出之以消極的不合作。唯有你，愛倫堡先生，則百分之百的是奴役人類的蘇俄暴君一隻最忠實的走狗。

綜觀你一生的創作生涯，無非是配合你主子的政策而行事。你說「說罷，寫罷，戰鬥罷——不要失去一分時間……」，你這種爲主子鞠躬盡瘁拚命賣力的黨兒精神，自然可以博得你主子的讚賞，而在千萬人民鮮血製成的甘露裏分享一杯羹；然而，在我們愛好自由眞理的人看來，對於你的話却只有感到肉麻。

究竟誰强迫了誰？

現在讓我來談談你的「大函」罷。你說「美蘇兩國有着不同的傳統，和不同的社會制度。你們和我們一樣，都知道；企圖把一國的思想，一國的習慣和一國的生活方式，强迫加諸於其他民族，其結果總是悲慘的。」姑不論美蘇兩國中究竟那一國有這種野心，但我要請問你：爲什麼貴國的統治者，却偏要把貴國的思想，習慣和生活方式，加諸於中國、波蘭、捷克、保加利亞、南斯拉夫、東德……呢？這些國家不是都「有着不同的傳統，和不同的社會制度」嗎？這些國家不都是愛好和平的民族嗎？是第二次世界大戰，使這些國家遍體鱗傷，（法西斯的德國雖是戰犯國，但德國人民却是無辜的。）好容易等到法西斯主義倒了下來，這些國家的人民，以爲今後總可以恢復和平寧靜的生活了。然而不旋踵又陷入了比法西斯更爲兇惡的共產主義者的魔掌。從此，這些國家的人民，便墮入了暗無天日的活地獄；他們的生命卑賤得簡直不如小小的螞蟻。這「結果」難道還不夠「悲慘」嗎？

共產集團赤化世界的陰謀，已是司馬昭之心，路人共見，最顯明而易見的，是世界上有七億以上的人民，陷入了貴國所領導的共產集團陷阱裏去了，這不是侵略世界的鐵證嗎？

或許你會說，這不是你們要侵略他們，（你們當然其名曰解放）而是他們自己信仰共產主義！這豈不是一隻老虎要吃一隻被捉住的羊，却說羊自己願意送到老虎嘴裏去？

百慕達會議有甚稀奇

熱戰和冷戰是一件事情的兩面，同爲和平的敵人。在程度上，後者或者還較前者更爲兇猛。因爲它能瓦解敵人於無形之中。貴國的政治領袖最長於運用這種策略。他們一邊發動朝鮮與越南的戰爭，一邊却以中立姿態，高談和平。一面竭力進行侵略世界的陰謀，一面却發表「資本主義與共產主義可以並存」的和平濫調。你說冷戰的開始並不是蘇聯的過失，關於這一點，我並不想和你辯論，事實的本身已經可以答覆了。

你說「蘇聯政府提出有關外長會議的照會之後，三國的政府首腦們爲什麼又聚首百慕達呢？」你懷疑「三巨頭幹什麼？」你肯定的認爲「他們的目的是在和第四國開始談判之前，先提出他們斬釘截鐵的決定。」

愛倫堡先生，你這句話確有其一半的眞理。

民主國家之間，最大的弱點，是對於一切存在表現上的紛歧；它們缺乏一貫的態度，去從事於一個共同的目標。這表現於政策上，是舉棋不定。表現於觀念上，是各執己見。但，貴國與貴國的衛星國之間的情形，似乎大不相同。它們好像是一個完整的體系。我並不是說，你們共產集團的內部，是完全趨於一致的。相反地，我覺得，事實上，共產集團的國與國，人與人之間，正存在着內在的不可避免的猜忌、憤恨、和反抗的重重矛盾。可是在赤化全球的意義上，彼此之間却是一致的。這種一致的程度，自然遠非民主集團所能望其項背。

因此，民主國家爲應付一個共同的敵人，事先來一個「聚首」，以便交換一下意見，又有什麼值得大驚小怪的呢？

再說，貴國與那些「人民共和國」，不是也常常「聚首」的麼？所不同者只是：共產集團的「聚首」是秘密的，偷偷摸摸的；而民主國家的「聚首」，則是公開的，光明正大的而已。

惡狗祇怕一條棍子

經驗告訴我們，共產集團所唯一畏懼的是實力。正如一隻惡狗，牠是不會和你講和平的，牠只服從一根粗棍！因此「歐洲防衛集團」的建立，無疑地使歐洲的保衛工作更多了一層保障。

愛倫堡先生，你大概不會否認這一事實罷？在亞洲，你們可以隨意發動韓戰、越戰、馬戰，及其他國內的零星游擊戰爭，爲什麼在歐洲，你們沒有表現這種類似的行動呢？一言以蔽之，歐洲比亞洲更多實力而已！

可是這實力還是不夠的。因而「歐洲軍」的建立，便刻不容緩了！於是乎你們就大聲疾呼「德國軍國主義復活」了！然而這能阻攪民主國家的意願嗎？

法國本來是反對西德建軍最力的一個國家，這從法國議會之遲遲不肯決定歐洲聯防條約的批准可以概見。但我認爲法國之批准該項條約，僅是時間上的問題。據報載接近法內閣的人士稱：皮杜爾和他的閣員們，主張批准歐洲聯防條約者，現已較數週前爲樂觀。這固然由於蘇俄在柏林會議所表現之不讓步態度所致，但更重要的，我認爲還是法國人士的覺醒。他們雖然害怕法西斯主義之復活，但更認識貴國所領導的共產主義之尤爲可怕也！

甜言蜜語想甚麼？

美國是一個實行民主政治的國家。眞正的權力是操之於人民，而不在政府。愛倫堡先生，你不會否認這封信的作用罷？你是想利用美國人民的力量，來影響美國政府的對外政策，同時也想聯繫美國人民的反共意志。細味你的全函，用意不外如此。

你的信裏：一面說：「人類正在等待着你們挺身出來說話，……有頭腦的美國人，今天依靠你們的地方正多，你們可以改變世局的形勢。」

再而說：「但是戰爭並非天災，是可以避免的人禍，那就全靠你們有頭腦的美國人了。祇要你們肯說話，你們的話是有分量的。」

三而說：「現在並不太遲，你們仍然可以避免那可怕的活動。你們有頭腦，因此你們應該想到你們應負的責任。」

這是多麼可憐的口吻！作爲一個「革命」的共產黨人——尤其是共產黨的代言人，爲什麼竟說出如此卑躬屈膝的話來！

此無他，客觀形勢不利於共產集團也。

假扮美女的惡魔

你的信開頭與結尾，就用什麼「懷念」「回憶」一類字眼，來一再表示你對美國人一向存在着的友誼。這使我記起了一個故事。有這麼一個厲鬼，爲着要使牠吃人的陰謀能夠順利進行，費盡了心思求描繪一張美人的皮；將它披在身上，於是猙獰的厲鬼就一變而爲絕代佳人了。但這聰明的惡鬼，終於不免被人發現，也終於不免被人攝服！愛倫堡先生，你口口聲聲對美國人說友誼，也不過是那假扮美女的厲鬼的一轉秋波而已！

我不客氣地告訴你，愛倫堡先生，讀這封信雖然寫得還不錯，可是它的效果一定是等於零的。因爲，事實勝於雄辯，美國人的眼睛並不近視呵！

你在末了說：「如果你們仍然沉默，或者猶豫，或者遲疑，那就沒有人諒解了。」閣下對美國人民殷殷垂念，循循善誘，竟一至此哉！但我想，美國人不會愚蠢到因爲取得你們的諒解，而甘願喪失他們自己的寶貴的自由罷！

休矣！愛倫堡先生！

一九五四、二、二十六於香港。

「自由人」三週年祝詞
——貢獻幾點改進的意見——

楊柳青

三年前我在香港看到「自由人」報的出版。不久到了台灣，好些時候，不曾看到了。以後「自由人」好像忠貞人士一樣，請准了入台證，至今已成爲台灣軍民不可缺少的一種讀物。轉瞬三年了，我要說句家鄉話，「我是看着它長大的」。

凡事多是「三年爲小成」，「五年爲大成」的。經過了三年的努力，「自由人」已經在港台和其他海外讀者心目中，算是辦得成功的報刊之一，可以謂爲「小成」了。

文化事業，在香港是比較自由，而且蓬勃有生氣的。香港的政治措施，自有其可以批評之處，但言論自由一項，實在差强人意。非法集會結社，或動刀動鎗，隨時有上差館或驅逐出境的可能。但寫文章，倒是很自由的。「秀才造反，三年不成」，然而筆尖兒橫掃千軍，無形的影響力量，還是不可輕視，這樣的自由，還是最可寶貴的。

筆者在言論自由的香港，瀏覽過許多報紙刊物，若干知名之士的文章也拜讀過不少，然而令人心折的却並不算多。這裏是不能一一加以評述。我對於「自由人」是頗有好感的。但是我不願意祇說好聽的恭維話。我要乘此機會對「自由人」貢獻些小意見，請教編者和貴社同人。

（一）內容方面：每期第一版第一篇關於國際或國內大事的分析，另一篇專論，以及輪流執筆的「半週展望」，和左、馬諸先生的隨筆等，是可以經常保留的。惟專論的題材，有時應加抉擇。其餘雜文、評介、詩歌、遊記，以至大陸報導，當地風光，就不免感覺龐雜。有些文字，甚至可有可無，如以求全責備的眼光來看，一個三日刊的小型報紙，要想做到有美皆備，無麗不臻，是很不容易的。三年努力，已經站住了脚跟，今後應該大踏步向前邁進了。

（二）編排方面：小型報刊，一種是採取固定型式，各版有其大部份固定的題材和內容。另一種注重新穎活潑。「自由人」的報型是偏於前者的。此點自亦無可厚非，因爲後者要別出心裁，變化萬千，往往使人眼花撩亂，到處是豆腐方塊格子，倒會弄巧成拙的。

（三）關於台灣的文章：「忠言逆耳」，我們諒解每一編者的顧忌與苦心，爲了銷路，爲了怕出亂子，不能不謹慎從事。可是「自由人」該有它一定的立場，「不自由，毋寧死」，我們希望「自由人」多說些逆耳之言，只要不是無事生非，應該坦率直陳。假如一切都是歌功頌德，儘說好話。讀者看一兩份官辦報紙，也就够了，何必還要「自由人」？讀者或作者更何必爲「自由人」寄稿？「自由人」應該對着瘡疤，抓得他癢痛難受，不必怕使人劇痛，更不必怕停刊關閉的處分，以及其他意外災禍。若果採取圓滑有餘的態度，則正經不足，未必能引起讀者的興趣，和當局者的戒心。我所希望於「自由人」者，自然不止此而已也。

總之，大胆而含蓄，勇敢而不莽撞，幽默諷刺，嘻笑怒駡，皆成文章。只有不作潑婦駡街，出口傷人，無往而不可也。「自由人」其勉之。

× × × ×

三・載・述・懷

・郭敏行・

去國忽三載，憂憂常不歡，一家仍陷賊，
兩地各心酸，炎島今猶夏，江南已報寒，
晚空歸雁急，語語喚衣單。

其二

冷冷秋山月，夏夏去國臣，白雲眞放逸，
泉水了無塵，坐臥思三蜀，晨昏念兩親，
何時浮海去，永作太平民。

慶祝自由人創刊三週年紀念

台灣南部辦事處成立二週年

台南縣政府

台南市政府

台南市稅捐稽徵處

嘉義縣政府

嘉義縣稅捐稽徵處

台南市議會

台南市衛生院

台南市自來水廠

台南汽車客運股份有限公司
兼辦遊覽用大客車出租
電話：一〇个號

興南汽車客運股份有限公司
總公司辦事處電話：一〇三三號
營業課電話：一〇七號
地址：台南市北區光復里成功路九二號

大涼汽水廠
電話：七六〇

華香汽水廠

金家群

台南市布類商業同業公會
理事長王朝榮

台南市屠宰商業同業公會
理事長張煙塵
地址：台南市西門路三〇號

台南市進出口商業同業公會
地址：台南市西門路六〇號
電話：一一三三號

台南市汽車商業同業公會

三虎汽水廠

台南米廠
地址：台南市博愛路六〇號
電話：一一四三號

太平洋化學工業廠台南營業所
順風牌津津結晶味素
地址：台南市安平路三號

三德碾米廠
地址：台南市永樂街四八號
電話：三〇二

中華民國僑務委員會頒發登記證台教新字第一零二號
中華民國郵政登記第一類新聞紙類

自由人

THE FREEMAN
（半週刊每星期三六出版）
（第三一四期）
每份港幣壹毫
督印人：羅夢冊
社址：香港高士威道二十二號四樓
香港發行及事務接洽：高士打道六十六號
電話：七四○五三
承印者：東南印務出版社
地址：高士打道六十六號四樓
台灣特派員辦事處：台北市館前街五十號
台灣總經銷處：台北中華路五九四號之一
台灣郵政劃撥儲金帳九二五二號

本報啟事

明日爲本報三週年紀念，本期增出特刊一張，共兩張，報價照舊，敬請讀者注意。

三年的回顧

·陳克文·

「自由人」創刊到今已經滿了三年。現在把三年來的工作畧加檢討，自屬不無意義，或者，還是必要的。

（一）

「自由人」創刊的經過，及其應有的任務，以至言論根據所採取的態度與立場，去年兩周年紀念，雷嘯岑先生在「自由人的兩大任務」那一篇文章裏已經有過簡要的敘述和說明。

雷先生說，創辦「自由人」的是一羣嚮往自由主義的書生，要繼續在本能從事一點文化工作，盡其應有的職責，以闡揚自由主義的思想，要創造自己和全民族的自由新生命。創辦人的政治立場是多元的，各黨各派，無黨無派，新舊人物都有。共同綱領即反共抗俄，發揚民主自由思想。發表言論必須無例外。各人言論主張並不代表本報同人公意，愛說甚麼就說甚麼，是是非非，讓讀者批判。三年來，「自由人」同人便是朝着這方向努力前進的。

至於成績如何？我想，讀者自然會有其公平正確的判斷，用不着我在此多所費詞。然而不問讀者和社會的印象和批判怎樣，我總覺得我們的努力還是不夠，力量還是薄弱，距離我們原來的理想更是相差很遠。

本來一個刊物，要辦得好，需要主觀和客觀的條件很多。而且還不是三兩年的時間輕易能夠做到符合理想的境界的。或者，更可進一步說，一個好的刊物應該永遠隨時代而前進，永不會有認爲十全十美的一天。我們祇能本着一貫的主張和既定的態度與立場，不斷努力，以追求理想目標的實現。這應該是全體同人應有的認識和努力。

（二）

自然，三年來，也不是全無可以自慰和告慰於讀者的地方。譬如兩年前，本刊最先提出反共救國會議的主張，經過不斷的討論，現在這主張已經成爲自由中國的既定國策，會議的召集今年即將實現。又本刊兩三年來極力主張自由中國的政治必須儘量容納政治上的反對力量（共產黨當然除外），反對黨的建立不僅不應加以防止，反應加以鼓勵。我們認爲民主政治，是古人所說「和而不同」的政治，我們只能於異中求同，不能因爲求同而消滅異。團結之道亦即在此。我們主張召開反共救國會議的原因亦即在此。此本是民主政治的淺近原則，然在我國的現實政治心理，還不免存在着許多顧慮。幸而，此種顧慮，到了今日已大不如前，有逐漸減輕之勢，我們的呼籲似乎並沒有白費氣力。至於副總統的人選問題，自由中國文藝的建設問題，本刊均曾有過較長時間的公開辯難，對於各方面的正反意見，均有其同等的充分發表機會。這對於團結國力，促進文藝建設運動，不敢說已經發生了若何了不起的大影響，但可以自信，我們確已盡了書生報國應盡的力量，了此等有限的貢獻。雖然卑不足道，惟始終沒有違背過我們一貫的主張立場。這已足爲左證，也是可以告慰於社會和讀者的。

（三）

平常我們隨時接到許多讀者來函，此次增刊更收到不少紀念文字，其中有對本刊優加贊許的，也有切實指示今後應該如何改進的。今後讀者和社會人士這樣的熱心關懷，我們感激與奮的心情，眞非筆墨所能形容。贊許有時不免令我們慚愧汗顏，因爲我們的工作成就實在有限，既未能完全符合原來的理想，也未能盡量達到讀者和社會的要求。至有關今後應加改革的地方，我們不祗衷心表示接納，還要儘力之所能，逐步要求實現。一個刊物的生存，發展，有待於服務同人，不懈不怠，接受批評，不斷努力。更有待於讀者和社會人士的熱心愛護，隨時指導。本刊雖爲少數愛好自由崇尚民主的書生所創辦，經歷三年歲月，到現在已經漸漸成爲自由社會的公開論壇，再不是少數人的私有園地了。我們的工作已經不限於幾個少數的書生自己發表主張，傾吐積愫，而逐漸成爲一切自由民主人士精神共鳴的洪流互浪了。回顧過去，瞻念未來。眞使我們有喜懼交集之感。喜的在這動亂不安的時代，本刊竟能於艱難困苦之中繼續出版三年，並且得到各方面的同情和贊許。懼的本刊今後的任務已日益加重，同人能力有限，不知要如何努力，方能無負於社會和讀者的期望。

李副總統必須依法罷免

·彭楚珩·

筆者應該聲明，我寫這篇短文的動機，我純粹是老百姓，不會夾雜其他任何的作用和因素，只不過站在純百姓的立場上，就事論事，以發抒個人對國事的見地而已。

關於罷免李副總統一案，已經由監察院於四十一年一月十一日，依據憲法第一百條的規定，完成了法律上應具備的手續，提交國民大會秘書處。國大秘書處，早在四十一年一月十八日起，就按照法律的規定，已進行或正進行着在準備，提出國民代表大會的第二次會議，以待大會的討論和決議。這個問題，本來也可以毋待決定，不必要我們來浪費筆墨，囉囉陳詞，以事論列的。

國大必須討論罷李案

不過，因爲胡適、曾寶蓀、羅家倫諸先生，都以爲李副總統的任期，即將屆滿，罷免不宜再提。三位先生都是我國學術上有地位的學者，他們一言半語，都可能發生重大的影響，深恐積非成是，竟非作繭，而種下我國憲政史上一個不可拯救的惡果——壞大會議，對罷李一案，已分成贊成和反對兩派意見——所以筆者也就藉安誠獻，不得不貢獻其一得之愚。

於此，筆者要提出一個假設，就是此次會議，如果停止李案的討論，應請全體國大代表諸先生，注意下列幾點事實：第一、請注意這一屆的國民大會，是第一屆，惡例不可開，惡因不可種，後世子孫，一不作，則將引爲惡例的依據。第二、你們不懷之於前，而違其先任副總統，違法瀆職之後，又不依法予以罷免，而對選民，何以自解？而對憲政，何以以爲顧？第三，以國家的次席元首，居住外國，而誣毀本國的政府，本國的民意機關，竟置而不問，以外人視之；將會成爲一種怎樣的觀感？第四，李副總統，滯居美國，宣告於衆，謂將罷其總統位置，如國大會對此不作嚴正表示，則不啻爲其作一有力之反證，而置任總統蔣先生於何地？第五，李副總統信口雌黃，誣毀政府，只有選舉他的這一屆國民大會，又來嚴正予以罷免，才是制止他荒謬行爲的唯一途徑，否則，他的反調唱到死，你也莫可如何啦。

基於以上的五點理由，李副總統的彈劾案，是必須依法提付大會討論的，並且希望能夠依法完成罷免的法律程序。至於李副總統違法瀆職的事實，擬就下面一節，略爲敘述，作爲筆者主張罷免李副總統的論據。

李副總統應負的責任

我們應回想一番：蔣總統爲什麼要把總統職位，交給李副總統代理呢？大家總還記得：在三十七年的年底，淮海會戰失利的時候「政府當局中」發生了兩個爭論，一是主戰的，以蔣總統爲代表；一是主和的，以李副總統爲代表；當時蔣總統曾說過一句痛心的話：『和，只有萬分之一的希望』，可是一班『寶闔苟全』和『別有用心』的人們，竟風靡一時的附和李副總統的主張；蔣總統乃不得已而離職，交由李副總統代理。當時胡適之先生曾躬與其事，並且我們還記得他那句『和比戰更難』的名言，其中的經過，胡先生當然比我們更爲明瞭，這離職和代理，原具一時的權宜之計。因爲蔣總統爲着政治需要而離職，李副總統爲適應政治環境而代理，當時的處境，授者和受者的用心，確也爲國人所共諒。但是，結果不特『和』沒有成功，連和談的代表們，竟也留北而不返，開古今中外歷史上未有之奇聞。和既不成，總應該要戰了，乃一則主和誤國於前，再則一跑失職于後，影響民氣，渙散軍心，使中共在一個很短的期間，席捲整個大陸。這種和談不成，坐失江山的責任，李副總統總應該負上的吧！

如果李副總統是中智以上的人的話，他就該一方面負起這誤國失國的責任，一方面保守一個地區，徐圖恢復，以謝國人。乃計不出此，却於萬分緊急的時候，一飛就飛到了他的原籍廣西，廣西不保，再一飛就飛到了美國，沒有片紙隻字的交代，沒有一言半語的囑托，三十六計，走爲上計，這種『鬧彆好漢』式的總統，任何一個人，也都可以勝任愉快的。丟掉了故國的河山，丟掉了自己的祖宗廬墓，丟掉了領率了幾十年的袍澤，丟掉了一些的親戚六眷，去屠殺，讓共黨去蹂躪，任何一個人，也絕不會再忝顏人世，早就該自裁的了。那裏還會恬不知恥，以寡人一個，來爭總統的法統呢！假設有人眞個如此，大家都會說他是個瘋子，何以李副總統如此，就連彈劾罷免都不提呢？筆者希望國大的代表們，提出一個令人滿意的答復。

幾項瀆職的事實

本來，共和黨的和談，確也『只有萬分之一的希望』。確也『和比戰更難』，但總應該讓他去試一試，試之不成，就應該有一個善後的策劃之，徐圖後起，一走了之，總太不成話了！而李副總統畢竟走了，走了之後，如其神經正常，還可以在三十九年三月一日蔣總統復行視事以後，趕回國來，共負國難，不回的話，也很可以以副總統的身份，奔走呼號，爲國求援，但又計不出此，而倒行逆施，做出些下列的事實來：

一、三十九年初，監察院曾電其回國主政，並詢及行期，李副總統竟復電說：『在美照常批閱公文，府務並未廢弛』的荒唐話來。

二、四十年十二月五日，李副總統在約紐寓所，招待外國記者，宣稱『余已擬有恢復中國合作政府之計劃，不久即可宣佈，此計劃並非完全依賴武力』，其企圖傾覆中樞之用心，實已昭然若揭。

（下轉第二版）

一週展望

·李秋生·

吳國楨事件

適當國民代表大會盛大召開之際，所謂吳國楨事件也有愈演愈烈之勢。由國大的召開，可以反證吳氏所稱自由中國「不民主」之並非事實；另一方面，由於這一紛爭，又表現出自由中國內部的團結尚有遺憾。

在一個民主國家，本來任何一個國民都可以對政府施政提出建議或批評，至於反共的方法更是值得論爭的問題，美國這日圍繞着麥卡賽參議員所發生的爭執，正是出於同一性質。自由中國因爲大敵當前，一切無殊戰時，對於自由民主的尺度，不能和平時的民主國家相提並論，國民一方面對此應加體諒，另一方面如有不同意見，自應該有提出公開討論的機會。但這一切都與今日的吳國楨無關。

吳國楨久任大吏，是參與政府決策密勿的人。他辭去台灣省政府職，盡人皆知不是什麼民主不民主問題。他只善於做民主式的表演，例如在上海應付左傾學生，却未見有民主的襟懷，更未聞他有民主的抱負。他的「政見」，不言於在位之時，而言於擺脫台灣省政責之後；不發表於中國國內，而發表於友邦美國。這是爲「民主」而奮鬥嗎？亦仍舊是表演而已。

這種表演過去曾博得若干友邦人士的激賞，至今還有人認爲他是「中國最出色的民主政治家」。然而，我們誠然歡迎友邦的援助，却不能同意若干友邦人士的錯誤看法。若想明瞭他的眞實施政業績，最好去問問曾在吳氏治下生活過的上海市民或台灣人民。

政府也當負相當責任

但是，吳國楨自己雖然荒謬，政府也當負相當責任。如張道藩院長四日在記者會中所指摘的吳氏罪過，則何以竟讓他在國家危急之秋担任最重要的台省主席職務到三年之久？以他今日的言行來衡量，那三年間的台灣不是太危險了嗎？

對這問題，政府應秉公嚴正處理。至於吳氏本人，如果不是想學步李宗仁毛邦初後塵的話，就應該有勇氣回到祖國，在全國同胞面前辯明是非。

自由中國基業已固，自非吳國楨或任何人這種行徑所能振撼。但照這樣一方面在國外肆爲不負責任的謂言，一方面在國內公開加以指責，到底不是國家之利。同時要建議政府，今後登庸用人，才能之外還要注意品格，凡是一遇打擊或失意時就無事不可爲人的，決不能再寄以重任。

有關麥卡賽的爭執

美國麥卡賽參議員與陸軍部長史蒂文斯之爭，竟激化到這樣程度，以致艾森豪總統都不能不出而干涉，也絕非美政府特別是共和黨之利。

麥卡賽的調查共黨，自然功在國家，但如果他不是那樣趾高氣揚濫用職權，則不只減少許多無謂磨擦，對於反共工作也許會有更好成就。

沒有人會低估美國調查共黨的重要性，但更重要的是積極性世界性的反共政策。如果不能樹立起在自由世界的堅強領導，在冷戰熱戰中擊敗僞共，而僅從政府某一角落發掘二個曾經服膺過共產主義的人，並不是美國的最大利益所在。現在問題之鬧得天翻地覆，原因很簡單：今年是選舉年。共和黨早經決定；爲了爭取選票，不能不渲染反共問題。艾森豪到底不失大政治家風度，他從去年就希望到今年十一月，有關反共的爭執已成過去。正和「民主」問題之在中國一樣，反共是應該的，却決不能視爲一種政爭手段。麥卡賽的決心和勇氣都可佩服，但願他不致成爲第二個惠龍（三十年代的路易西亞那州參議員）。

藝苑繽紛錄（一）

台灣通訊

筆者認爲要使自由中國藝術光輝於世界，便須注意藝術家的態度和作品，故就觀感與聽聞報導出來，以供愛好藝術及關心藝術的人，作爲參考。

【台灣通訊】去年十二月裏，當寒流經香港吹過台灣海峽之後，人們心上身上都有些寒冷之感；但換一道開了四個畫展，不但代表自由中國藝術的進步，也給人一道陽光似的溫暖。四個畫展是林克恭的油畫展，何勇仁的國畫展，廖未林、席德進的聯合漫畫展，聯合國中國同志會書畫攝影展。琳瑯滿目，各有千秋。

林克恭的藝術家風度

林克恭的油畫展，當然售出的作品也少，只是幾個好友支持，一般買用做禮物而已。報紙上的反應不多，他本來在英國劍橋大學得過法學士學位，後來又就讀於該校藝術學院及法國某藝術學院，後就從事油畫，時間說已有二十多年，他這次展出不爲名也不爲利。據說他只是想把作品展出，與文化藝術界人士接觸，這還是他在台灣第一次個展，一方面聽聽人家的批評，俾作自己改進的參考。

一般人的反應，是他的構圖，設色，筆調，風格，均爲上乘，爲中國人而畫西畫最有成就者。已由後期印象派脫出而自成一格，獨創出「詩中有畫，畫中有詩」的中國油畫風；這也許是「陽春白雪」，所以能夠欣賞者並不多。表面看來，他這次油畫展似是平淡，而實在卻使人覺得爲以往各油畫展所沒有的。他的藝術家風度，也可使人引起欽敬。

何勇仁的國畫展

何勇仁的國畫展，似不免有些惡作劇，與林克恭的油畫展同時異地，何氏曾任某省新聞處長，又曾任某報社長，也許是他在國外時間久，還有種種態度，實在使作品誇大價值，另一情形，是參觀他畫展的人並不怎麼多。他的畫宗八大石濤，所以許多關於他的畫展新聞，以及批評都提到這些地方。他這次畫展，據說動機是爲「修築馬路」，其慷慨地，尚有一位某客，那他的畫的意義，也是「靈感藝術之心」的風範。事後不知修了馬路沒有。但不久民族晚報刊出牛哥（漫畫家）「牛伯伯閒畫展參觀所」的諷刺畫，沒有形容，只爲漫畫家……

據紹鑾先生說：「何勇仁先生是一位任何評論，也許是他於他的藏家。」一般人調過高的緣故，紹鑾先生說「欣賞者對此缺少紊養罷了！」這大概是不錯的。

漫畫一幅價值千金

廖未林、席德進聯合漫畫展，與何勇仁的畫展，前者在三樓，後者在二樓。也許國人對此還不重視漫畫，因爲漫畫沒有形成理論體系……

「某幅裸體畫標價千元」。本來藝術品是無價之寶，有人說：「黃金有價藝無價」。不過是生命之價高於一切，藝術之價也不是金錢之價可以抵值的，當美妙的藝術感人的當兒，多少黃金也買不回來的。不過在國人眼中，一幅漫畫標價千元總爲太過高一點，所以這次漫畫聯展，給人的印象有點變形的味道。所以無人問津。據紹鑾先生說：廖未林先生以圖案爲主，表現得十分謹細，並無故弄玄虛處，充滿鄉土氣息，色彩富於東方情調，溶國畫、西畫、圖案於一爐，技巧多合化，席德進先生以水彩爲主，油畫次之，風格在「變」中，據說有位觀者想買他一幅裸體油畫，計算畫框，畫布，油彩單價錢數，只願出四百元，並云：「四百够本了！」對於一幅標價千元的畫只出四百元，真是一齣趣劇。

亂糟糟的藝展

聯合國中國同志會主辦之書畫攝影展，十八至二十二日在台北，令人滿意的是包括了藝術部門之大部。佈置太亂，令人目眩，最大特色爲畫件多，佔五十五件，不論甲骨文、小楷、草書、行書，左書均有不凡的作品，國畫數多，佳品少，總的印象是老一輩未盡畫美，年青一輩的在「變」中見出新氣象，漫說有半數以上不應展出。最雕塑部門也平平，古董少，沒有考古家，所以無人問津。可見其「亂」與「糟」之一斑了。這次畫展，西畫部也有一怪事。何氏父女畫品佔盡不少。

木刻批評的爭論

十二月十九至二十一日聯合國中國同志會主辦的木刻展……十一日聯合版的「藝文天地」刊出路蘇人先生「評青春之歌木刻集」一文，引起作者陳其茂的反駁，從路先生文中看來，以木刻藝術的熱心，提一個門外漢的認識者對當前木刻界的期望，而非……陳其茂先生在本月五日「藝」刊發表之「我的木刻創作經過」一文，有「當我處理每一個畫面時，除了它有深與的意境外，其次注重線條的美。「在每一動必有他生命的存在，甚至於一朵花，一根草，一片雲……」這雖是自道甘苦，但對路先生實備爲「感官特殊」則似乎不免過份了。

十二月份的藝術展作家風度，可謂各有千秋，已概藝術部門之國畫、西畫、攝影、書法、漫畫、木刻之全部，而藝術家風度可爲藝術家戒者，於此也可見其輪廓矣。

×　×

人物述評

梁漱溟與北宋呂學

・毛以亨・

我們如果認梁漱溟係虛僞的道學先生，是欺世盜名和熱中名位的。他投入鐵幕也和一般靈魂之於武斷，看得太簡單。則未免過於是同樣的動機。……

根本不想由學阿世，棄其所學，而改習共產或新民主主義之道。亦不如一班人甘心爲毛澤東所欺騙，以濁自全，以至生出種種幻想與希望的。他的幻想本係出於其所學，欲入虎穴得虎子，藉入鐵幕而行其道的。就是他想糾正毛澤東，仿北宋呂好問之說服張邦昌取消僞組織的故事。至少他希望不使蘇聯牽着毛澤東的鼻子走。我這段話並不是毫無根據的胡猜，因爲以前多少與他有點聯繫，所決不會明白的。就是毛澤東和蘇聯的關係，究竟如何？這是一個謎，不特我們和他不明白，恐怕連毛澤東自己亦不會明白。不然韓戰何以會在毛澤東發表和平建國的第九天就爆發了。而且毛澤東自己，恐怕還無把握斷定自己將來會不會被蘇聯廢掉？所以毛澤東與蘇聯人士之處境，亦不過上下牀之別而已。因爲毛澤東與蘇聯的關係無法弄明白，所以我們不贊成梁氏這樣幹，然梁

我們認爲他有解決問題的抱負，並且懂得毛澤東的地方似較他人爲多。但祇有一點，這是毛澤東的最要一點，他以爲在毛澤東之下，以路線可以做點事，甚至可以用種種辦法，勸他出來，以計劃要求他……中共沒有以前……何能解決問題？

再則梁氏亦未瞭解毛澤東以一向被人歧視，從自卑感而產生一種對中國社會的仇恨心理，故惟有一面倒於蘇聯。而且具有此類自卑感者，不祇毛氏一人，而普遍及於中共高級幹部，所以甘心爲張邦昌劉豫的，亦不祇毛澤東一人。故梁氏持其北宋呂氏學的利器，實不能說明白這一點，而具有毛澤東不如此的信心，所以終于和我們分道揚鑣了。

毛澤東酷類劉豫

服此千百個劉豫。而在中共王朝內，連一個張邦昌都沒有，則梁氏之冒險前往，顯見是多此一舉了。

査宋史張邦昌傳，「……呂好問謂張邦昌曰，人情歸公者，刼於金人之威耳，金人既去，能復有今日乎？康王居外久，衆所歸心，曷不推戴之？……王時雍曰，夫騎虎者，勢不得下，所宜熟慮，他日噬臍，悔無及矣……邦昌弗聽。」又査劉豫傳，「……豫少時無行，嘗盜同舍生白金盂紗衣……建炎二年……除知濟南府，……豫不願行，請易東南一郡……不許，……豫忿而行。……豫懲前忿，……率百姓降金，百姓不從，豫縋城納款。……先是金人册豫爲皇帝，國號大齊。……求僭號遺麟（其子），持重賂金……許之。遣使即豫所部，各軍民所宜立。衆未及對，豫鄉人張浹越次請立豫，議遂決。……宋汝爲以呂頤浩書，勉豫忠義。豫曰，獨不見張邦昌乎，業已然尚何言？滄州進士邢希載上豫書，乞朱朝通豫，殺希載。……」（一）

李副總統必須依法罷免

・彭楚珩・

（上接第一版）開宣稱：『是一幕滑稽劇』，否認監察院的合法人數。

三、四十一年一月十一日，監察院院會通過對李之彈劾案，而李副總統在美公開宣稱：……

四、包庇毛邦初向維護的貪污，在其親筆緘中，曾有『余亦間接表示，願作無條件之支持，毛乃決心拒絕各方之勸告，』而將此案擴大爲政治的身份，向美國法院五、公然以總統的身份，向美國法院，爲毛向貪污案而作證，華盛頓法院的裁定書特別指出：『本院不能考慮一個外國的人，陳說他是該國的總統』，丟醜丟到外國的法院去，實在太失國體了。

總上五點來說，只要稍有國家民族觀念的人，就決不會這樣的，如果李副總統沒有神經病的話，筆者大可以引用孟子所說：『君之視臣如草芥，則臣視君如寇讎』，又說：『賊仁者謂之賊，賊義者謂之殘，殘賊之人，謂之一夫，聞誅一夫紂，未聞弑君也』。李副總統違法瀆職，至於此極，應把他早視作『寇讎』，看作『獨夫』，他既不愛國，不愛民，不愛祖宗廬墓，不愛鄉黨朋友，我們又何必愛他呢？

春秋大義，至於『滅親』『責賢』，根本就沒有姑息他的必要；何至爲了罷李案，而使國大會議，分成兩派意見？實在太可惜了。

今日還是如此，如果這次國大會議不正式罷免他的話，將來筆者有機會修國史，有時間作野史的時候，還是要大書而特書曰：『李副總統』！這句雖然是跡近笑話，但也很夠諷刺了！歷史和歷史學人原來都是無情的啦！

附帶的聲明

臨了，筆者有個聲明，請讀者注意，所有在這篇短文裏，所有提到李副總統的字眼時，全篇都是『李副總統』四個大字，因爲筆者尊重法統，李副總統是首屆國大會議正式選舉出來的；

美陸戰隊上校受審

美海軍陸戰隊上校舒華白在韓戰中因飛機失事被俘，事後他受共軍的迫招，竟承認曾奉上峯的命令，從事細菌戰，他還一段「供詞」被共軍用錄音機記下來，自然大肆宣傳一番，使得華府莫名其妙。韓國停戰後，舒華白被遣回國，海軍陸戰隊當局立即下令調查此事的經過，何以舒華白要作虛僞的供招，徒供共方製造細菌戰指責的藉口，如果是被逼不得已而爲之，共方的壓迫和虐待又何種程度？迄今爲止，海軍陸戰隊法庭已審訊舒華白多次，對於共方迫供的殘忍和誘招的奸巧，已有許多揭露。

舒華白被俘另有內幕

其實舒華白的被俘，還有一段相當重要的內幕，但這件事迄未向外間宣佈。據聯軍高級人士傳出的可靠消息說，那次舒華白被俘時，是乘了一架通訊機趕往某地傳達命令，機中載有聯軍的祕密作戰計劃，當他的飛機被共方擊落時，聯軍當局立刻組成了一枝突擊隊，前往出事地點奪回那一項秘密計劃，但等到趕抵當地時，才發現這些計劃早已被共方取走。後來聯軍司令部迫不得已，只好更改以後兩個月中的作戰計劃。當然喪失這項計劃對聯軍方面的影響是至爲重大的。

遠離航綫忠貞令人懷疑

表面上看，這次飛機失事完全是出於意外，如果不受共機的攔擊，舒華白或已達成了他的使命，但最近美國軍官中有人指出，舒華白上校座機被擊落的地點是在他應飛的航綫之外，而且距離原定的航徑很遠，這事傳到海軍陸戰隊當局的耳中後，他們對舒華白的忠貞不得不懷疑起來，究竟是他迷路而錯飛航綫，抑或是另有內幕中的內幕，深深令人注意。據說，海軍陸戰隊法庭在將有關細菌戰供詞的部門審理完畢後，已奉令對這件事嚴加審訊。

麥卡賽死裏逃生

美國著名的反共參議員，參議院調查小組委員會主席麥卡賽最近在紐約乘車遇事，幸好洪福齊天，化險爲夷，和他同坐的夫人撞傷膝部，已送入紐約醫院醫治，可能要施手術，他自己及時躲避，幸未受傷。事後據說，那次撞車的鏡頭相當驚險，如果不是麥卡賽本人機警，他可能因此送命哩。那天，他和新婚夫人因事出外，在街上叫了一部營業汽車，卻不料竟遇上一個無牌駕駛的司機，而且不懂駕車規則，因爲誤駛入單行路，才和迎面而來的車輛撞一個滿懷。（孟衡）

天下小事

編者讀者

△吳文蔚先生對於本刊處理稿件及稿酬，備致稱許，惟在我們實覺歉愧，因此等事平常往往有難於周到之處，今後除力求改善外，仍乞惠稿諸君多加涵蓋爲幸！

△張維翰、孫旗、白古、張溥生、周栗子、淤婆生、楊袇青、辛植柏諸先生：最近惠稿已一一收到，謹先誌謝！

編者的話

△本刊此次三周年紀念增刊，承各位文友惠寄鴻文，或獎勉有加，或殷勤指導，無任榮寵！其中孫旗和韓名銅兩先生的文章因收到較遲，不及刊出，實覺抱歉！惟有續後刊載，敬希亮察。

小啟

本期稿擠，南投的「人猿」故事續稿，下期續載。

香港選民爲何不熱心登記

不熱心登記，即對選舉的漠視，原因何在，宜加研究。學校教師對於登記的種種反應，是值得競選人的注意的。

·寒梅·

香港市政局兩席非官守議員的改選日期，當局已訂期三月二十四日投票。參加這一屆民選議員，經已提名的候選人，計有區達年、李有璇、簡道爾、鍾士，比提斯卓治夫人等五人。區達年及李有璇本爲現任市政局的民選議員，決定繼續競選。現時距離投票日期漸近，區達年與李有璇一再呼籲市民，切勿放棄權利，選擇理想的候選人投票。港九數達六萬的小販，感於區、李兩議員對港九小販與貧苦大衆的關切，並曾以實際努力改善他們的待遇，已同聲擁護並請教育界人士，迅即辦理選民登記手續，對區李兩人投以全票。各校教師的反應如何？現在還不大清楚。

選民漠視選舉的原因

本年度選舉頗不同於應屆。因選民登記辦，原先祇有一、二兩部。第一部係具有現役陪審員資格的人士，第二部則爲准許免役之陪審員。今年已增訂第三部，包括範圍較廣，如教師、公務員、地方民防部隊，個人入息稅納稅的人士等，均有登記資格。不過，他們的權利，僅限於投票，而沒有被選舉的權利。依據當局統計，第三部選民至少有二萬餘人，其中八千五百名教師，公務員約有五千名，地方民防部隊也約有五千之衆。然而登記日期的截止已近。逮日前往登記的，卻寥寥無幾。各方意見認爲絕非市民大衆不愛民主，乃係一般人對於這件事情缺少關心，甚至有人以「選舉有什麼好處」發爲疑問的，爲甚麼不關心，不僅是宣傳問題，似還有其他更值得考慮的地方，這是不可不知的。

一利便登記的努力

革新會在幫助選民辦理登記手續方面，雖然費了極大努力，區達年李有璇的競選總部，終日爲市民指導，倍極忙碌，星期日亦如常工作，但向該總部索登記表的，比填表登記的人數多。該會爲便利學校教師登記，曾多次向選舉主理官必達斯洽商，決定了兩項權宜的辦法：一、集體登記，請各校教師在該於辦事處簽名於登記表格，不必交出任何證件。表格由總部義務印送，教師簽名完竣，逕行寄返該競選總部，以便代辦一切手續。第二項、爲個別登記，如教師願意個別填表登記的，可向服務學校或總部索表填寫，在申請人簽名欄，親自簽名，並附服務學校校名及身份證號碼。女性須註明未婚或已婚。另附列與身份相同的英文姓名及通訊處地址。登記手續雖便利如此，多數學校教師對於登記仍甚冷淡。

教師對選舉的心情

一位中學校長表示，當局賦予市民權利，誰都不願甘心放棄。惟教師心理，雖多數不願放棄投票權，祇是時間太匆促，而且收到區李競選總部選民登記表的，亦並不多，也許是郵遞需時的原因；倘若到了截止期（九日），尚未收到，則教師祇能放棄權利了。又有人說，教師覺得自己工作甚忙，確沒有餘暇去趕辦登記。更有一位教師說，知道候選人政綱的果然還是少數，僅憑選人說說，就跟着附和，那是不可能的。現在私校教師，都希望能夠改善「可恥的待遇」。區李兩先生曾一再爲此事向當局呼籲，競選政綱中，且已許諾言（概要見本報第二二期），果能實現，教育界人士對他們當然尤願意支持的。另一位小學校長說，他們根本就沒有收到什麼表格。而且數逾二萬多的選民，在短短幾天中，前往登記，勢必大擺長龍。補領「購物證」的擁擠情形即是一例。雖然選舉議員無異是找到了一位向政府說話的代言人，不能與「購物證」相提並論，但一般人心理，往往以現實需求爲判斷。認爲選民登記還是「並非必要」的。倘使登記日期不能延展，候選人的競選宣傳，不能加以擴大，第三部選民登記的數目，殆將使人失望的。

談知用學社

·懷冰·

本月六日，香港知用學社在赤柱某酒家舉行社員大會。並有電影餘興等節目助興。這是知用學社香港分社成立第六週年了。

廣州知用學社，肄業於廣高的廣東、廣西、湖南、和福建青年，在民十二年十一月四日成立。這是國立廣東高等師範學校[illegible]青年發起的純粹學術團體。當時的發起人，現在香港的，有蘇鴻瑞、陳宏文、[illegible]。[illegible]北方的學術團體如少年中國學會，如新潮社，都在新文化運動中有一番貢獻；那時[illegible]

見那一羣青年夥子的氣概！

這一個學社，爲什麼能夠維持至三十年之久，不像其他團體曇花一現呢？第一、他們有事業的寄托，廣州知用社先後辦過知用中學，澳門知用中學，香港知用中學，[illegible]。除了教育事業外，[illegible]，學際月刊，和知用叢刊，致力教育文化事業，數十年如一日。第二社章規定「[illegible]何政治活動，不從政治或宗教活動」，由本人負責，與社無關係，因此社員中雖然和少年中國學會的會員一樣，有些加入國民黨，有些加入青年黨，有些加入民社黨，有的是無黨派的自由人士。但不會釀成分裂運動。社員中第一類型是官，做過特任官，駐外交官的不少；第二類型是學人，名教授、學者、詩人、藝術家、教育工作者最佔多數；第三類型是商人，實業家、工商界領袖人物，亦有之。特別在大陸關進鐵幕之後，內地的社員紛紛來港；同時在港吸進一批批新血輪，目標和步驟更爲齊一。這一批批文人門士將來會在自由民主運動中有相當的貢獻，是可以預卜的。

春到調景嶺

作者：張一凡
出版者：亞洲出版社

一

調景嶺！——這個曾被人們稱爲「化外之境」或「特殊社會」的地方，不論各方面的人對他的看法若何有不同，估價會有高低，但他畢竟在中國反共抗俄的歷史上，乃至在整個自由世界反共鬥爭的紀錄上，都有他重要的一頁。儘管在那兒所住的人們都是原有不同的出身，但他們和他們因消極的不容於極權統治的，或積極的反抗極權統治而來到香港的希望嚮往自由祖國而一心參加反共鬥爭的意志則完全一致。這個事實反映出了這一代人們不甘忍受極權奴役而爭取自由光明的精神力量，並一時成爲香港一地堅決反共的精神壁壘。

然而過去有些人似乎曾存有一些偏激的成見批評調景嶺的難民，將他們一律視之爲「時代的渣滓」，幾乎不公允地將整個難民[illegible]的責任推到了他們的身上。其實，[illegible]軍官和公務人員，以及其他各種職業人士。過去又有些人以一種世俗的經濟觀點去看調景嶺的難民，而給予一種輕蔑的眼光和不屑的態度。以爲[illegible]調景嶺的難民便都成爲了「雞鳴狗盜」之徒。其實，調景嶺的難民中偶然有幾個敗類行爲頗爲出格，絕大多數

·山禾·

的人都在有所不得的[illegible]而堅忍地掙扎著、生活著。

二

據筆者所知：作者在書中描述調景嶺的難民生活，不僅是完全真實的，而且是相當客觀的。作者雖然寫出了調景嶺的黑暗面，可也沒有隱瞞調景嶺的光明面。（其實，每一個社會中，都有光明與黑暗的兩面。）尤其值得推崇的，作者在寫此書時，極少參雜個人的情感，不强調悲觀悲慘的氣氛，也不作盲目樂觀的誇張；而是平平實實的組織了一個故事，利用這個故事，以小說的方式，刻畫了整個調景嶺的社會情形。[illegible]

從大體上講：用小說的筆法，要勾畫出整個調景嶺的社會情形，並有次序地[illegible]，是一件極吃力的工作。但作者已做到了。[illegible]已將[illegible]打架、調景嶺絕食、大火、[illegible]、演劇風潮、以及[illegible]等慶典，大多已作了正面或側面的紀錄；且已將調景嶺的衣、食、住、行、育、樂、以及行政組織、社團活動、傳教情形等等，亦都已有了簡明的描述。

三

從這本書的寫作技巧上講，大致堪稱上乘之選。從這本書各部份描述的情形看，[illegible]作者的生活經驗和社會常識[illegible]，作者的文學修養和筆力也都很[illegible]。作者在描寫若干人物的心理狀態時，同時在穿插地勾出台灣、[illegible]部份社會態勢時，亦處[illegible]得很深刻。而且輕鬆的地方[illegible]的地方幽默，嚴肅的地方神秘，能使讀者在這[illegible]調景嶺和所有的港九[illegible]其他有關各方面的社會[illegible]以外，且能發人深省。

[illegible]美中不足的地方，就[illegible]調景嶺及其他有關社會[illegible]略了故事的緊湊性、[illegible]，不免會影響對讀者[illegible]結尾也嫌草率，李志良[illegible]積極的心理過程也缺乏[illegible]不無虎頭蛇尾之嫌。作者如果能[illegible]這些缺點，則這本書[illegible]成就。

鐵·幕·怪·事

合作社變成搖頭店

本年一月一日天津大公報供出：「安徽阜南縣田集供銷合作社從十月份就開始收購大豆，每天收購量一直很少，這不怨合作社收購人員不努力，羣衆不滿意的是合作社沒有貨物賣，買這樣買不着，要那樣也沒有，買了豆子換不到用的東西。有一天農民張金生賣了六十二斤黃豆，買絲光斜紋也沒買到，心裏老大不高興；再說合作社的許多其他日用品也老是脫銷，社員三番五次也老是跑冤枉路，因此大家都說合作社是『搖頭店』，要啥沒有。」

中共自吹自擂地說「新中國」的「新建設」，原來如此；實施五年「經建計劃」第一個年頭，連合作社也變成了搖頭店，其他也就可想而知了，欺人的宣傳，不攻自破。

又一人民教師監牢

本年一月二十七日光明日報供認：「南京教師進修學院經過長時期的準備，已開辦『政治教育班』，並於一月十八日正式開課。參加學習的人員是從江蘇省人民政府教育廳從全省各市、縣中學、師範教職的政治教師、教導員和文教幹部部中抽調出來的，大半是『立場不穩』，須『從頭學起』的人員共一一四名。學習期限共三十週，預定本年八月底結束。學習課目共四項：『黨在過渡時期的總路綫與總任務』，『歷史唯物論』，『教育學』（包括教育政策），『時事政策』……。」

這正是中共實施「文教工作方針」——「整頓鞏固，重點發展，保證質量，穩步前進」的一種表現。無奈參加進修學院的一一四名教師，都是些「立場不穩」要「從頭學起」的份子；而學習的課程，又離不了什麼「總路綫」……紅色毒素。由此使我們明白地——所謂南京「進修學院」，正是新設的「教師監獄」；稍具正義感和良心未泯的大陸教師，又有一一四名關進監獄了。

雙喜臨門的好榜樣

一月三十一日人民日報說：「去年十二月下旬的一個日子，軍屬周興甫老太爺家裏，許多人爲他敲鑼打鼓，獻花、扭秧歌……原來他家裏接連添了兩件大喜事：第一件是他的大兒子在韓國『抗美援朝，保家衛國』的前綫，做了流血成仁的志士，送來光榮家屬的喜報；第二件喜事，是周老太爺把餘糧賣給國家，鎮上的黑板報上很大的標題寫着：『周老太爺帶頭賣了餘糧』的消息。這眞是『雙喜臨門』。」

殺人越貨，是中共的拿手戲，殺了別人家的人，搶了別人用血汗珠滴成的救命食糧，還給他戴上一頂虛榮帽子，並諷刺他是「雙喜臨門」，這又是出類拔萃立異標新的玩意兒，只有中國共產黨才具有這種狼心狗肺。可憐地，大陸上的人民，飢號寒當砲灰，正不知有幾千萬萬[illegible]！（天）

加强市政事務效率 委員應該有權集會

改革市政建設

市政局最近例會中，民選議員區達年，覺得市政局事務日見繁重，爲增强工作上的效率，以便各項問題迅速解決。他認爲一個委員會的任何一位委員，應該均有權召開委員會會議，加速商討所負責的有關事務；以前每因小組委員會主席無暇，或是其他急務待辦，無法抽出時間舉行會議。而目前待決的事項尚多，例如修訂議會常規，印備領牌須知手册，設立市民學校，研究居住問題等等。這些都須立刻加以注意的。假如委員有共同的權利，則可召開委員會會議討論。

這一個權宜速決事務的建議，迅獲李有璇醫生和議。李氏表示，法規特選委員會可在常規中第三段加添一段，此爲法規委員會的特權，市政法規第十三條規定，各議員一律平等，具有市政局的權力，除了有些特選委員會其所處理的事務常會涉及各政府機構外，其餘的特選委員會主席，皆輪流由民選議員担任的。他認爲議員要討論一些問題，也應有權召開會議。但就行政程序方面看來，先召開特選委員會議較勝於提交全體議員會議。然此一問題爭持的結果，以九對四投票否決。

飲食商的煩惱

日前市政衛生局重申法令，謂飲食店持牌人不得准許娼妓混入，或停留在該持牌人所營業的場所；與此同時，灣仔有一家餐室被罰停業七天處分；而中區也有部份飲食店會受當局警告或勸告，諭令不可容納娼妓及其顧客作座上客，否則可能會受到停牌處分。因此，各飲食商大傷腦筋，他們表示對於女客身份辨別十分困難，娼妓更無特徵可資識別。港九飲食業總商會和香港革新會方面，對於這一個傷腦筋的問題頗表關切，但並沒有接到商人們的投訴。

香港三日

失業問題嚴重

救助失業青年協進會辦理失業青年的就業問題，登記的人數逐漸增加，但在商業不景氣的目前，已成爲一個非常棘手的問題，倘使工商界人士能夠對該會予以全面的協助，該會的業務可望迅速獲得順利展開。三個月來該會努力結果，僅能將第一期登記的一百餘名安置了一份釘裝門牌工作，現時該會希望於社會人士伸出同情的手來，對該會同情與支持，使當前嚴重的失業問題，逐漸解決。

稿約

本報闢地公開，歡迎讀者投稿，性質不拘，最好勿超過二千字，譯作請註明出處；來稿如不合刊用時，當儘速退還。

——編輯室——

人類共同的劣性根

自由談

據美國「時代週刊」紀載：南斯拉夫的國會議員前兩月選舉該國總統時，全體議員五三六名，狄托得五三五票，然狄氏當時大不滿意，要查究棄權的那一票是誰？經澈查結果，乃是南共副首領蒂吉斯，因他最近被共黨中央委員會開除黨籍，撤消其國會議員資格，已不能出席投票了。蒂吉斯除籍撤職的處分，又都是經過狄托核准的，自然姑予免議。

狄托要追究少了一票的所以然，原不足異。凡屬共產極權主義與法西斯獨裁主義下的政治行為，無論大小事項，必須是一元化絕對性的。如有異議，即為反動份子，非剷除不可。就選舉來說，所謂「史大林憲法」實施以來，蘇俄每次大選，史大林皆以全體一致的票數當選為總理，絕對沒有第二個競選人，更談不到有次多數的候選者。這樣，才表示是與虛偽的資本主義民主政治不同的「眞民主」——人民絕對盲目服從一個統治主，眞一言堂，不許還價！

所以，在極權主義的社會中，一切皆講統制，皆重劃一，從思想到行為，從語言到服飾，以及人們日常生活的意識形態，無不要求一元化。你聽了社會上一個人的言談，即等於跟全社會人士說話一樣，乾脆整齊，好不痛快！

若夫歐美資本主義世界所強調的民主自由生活，思想複雜，議論多端，尤其所謂民意代表的議員們，遇事吱吱喳喳，主張不一，雖說結果是少數服從多數，大體不差，但發言盈庭，徒亂人意，而且無從發抒硬幹實幹快幹的精神，窒礙行政效率，莫此為甚，實在令人感到煩擾難耐。人類的天性，沒有不喜獨斷獨行，權力無邊的，其倡言民主自由與集思廣益者，偽也，此極權政治之所以薪盡火傳，生生不息也。誰要責怪狄托，誰就是不懂人類的劣性根！

馬五先生

春在邊城

·常佩韋·

仰望天空，天是藍的，但總帶着幾縷淡漠底羅紗彩雲，俯視小溪，溪水也是藍的，却教那夕陽映出的晚暉染成一片金黃；點點歸帆，從萬山重叠裏緊成的蒼翠硤谷中沿溪駛來，三三兩兩的水鳧，自由自在地在水面上翱旋。春到人間，這些，正代表着春之神——是快樂的。

她！呆呆地酷立在這令人沉醉的晚靄中，腦際裏浮起一陣如烟如霧的幻夢：「撇開了它嗎？身陷在天羅地網裏，逃到何處去？繼續的混下去嗎？黝黑短小的身材，五十開外的年紀，故意蓄着一撮小鬍鬚，掩蓋着那幾缺不整的黃牙，雙眉緊蹙，兩顴高聳，禿着頭，還有深陷在眼眶內一對無光的眼珠，實在令人作三日嘔，如何廝守得了。」越想越使她淒涼、悱惻、酸楚；大時代帶給她的悲傷，新婚姻法帶給她的創痕，春天的快樂沒她的份兒，使她更感到莫大悲哀。

黃昏愈深了，暮靄蒼茫，瀰漫了大地，虛無縹渺的天空，雖爲羣山環峙，但仍是那麼遼闊無垠；淺淺的溪流，圍繞邊城，恰如一條衣帶，緩緩地向東流去。誰云「海闊聽魚躍，天空任鳥飛」啊！她不是生活在樊籠裏嗎？

當她離開學校回到邊城的時候，可愛的家山，已塗上，紅的顏色，腰鼓打得震天價響，不知「人間有醜惡事」的成羣男女，扭扭捏捏地在市鎮和村落，跳着風靡一時的秧歌舞。這是環境造成的；她需要保全衰老的爹娘，需要保全家，需要……隨着潮流的趨向，被泊着也參與「盛會」。

邊城——濱臨在濾水的北岸，濾水是一個小小的河道，但也是山村，總共有兩千多戶，將近五千多人口。因爲山的陽面可耕的田不超過六千畝，但都是如棉毯一樣展佈在兩山排闥之間。其中擁有二三十畝田的人家不及十戶，其餘是田不滿分，戶產不要共，大家都在水平綫上，過着生活者有其田的安樂自得；無間寒暑倚靠勞力吃飯，可謂「農藝終身飽」了。

邊城有一個鎮，邊城立濾水北岸，是從前未歸化的「土司」的城郭，也是濃滿初葉一度設立「九溪衛」的古城舊址，由於近代文明風尚，漸漸地灰漫到邊疆僻野，尤其當政府播遷入蜀的時候，更促成邊城的教育普遍，不要小觀這座山城，竟有一所完全小學，一個初級中學。在這些學校中，各保的保民學校，差不多每一戶的農工子弟，都可「讀書有份」。纖纖——就是在這種環境優美的山城裏，她是邊城那所中學校長的掌上明珠，但有少女特有的嫵娜風韻，因爲她愛纖纖，都呼她做纖纖。纖纖的芳名，十足地代表她纖纖弱不禁風和嫻靜的美質了。

自從纖纖回到了邊城，邊城的水，常常因她而綳起了漣漪。

是兩年前第一個春天吧！大陸撤退「翻天覆地」浪潮。波及到邊城角落裏，鮮血淋漓地也展開最激烈運動：纖纖的爸爸，快六十歲了，裝滿一肚皮不合時宜的固有道德觀念，是非常頑固的「老朽」。在突擊式的暴風雨中，叫他也來不及閃避。那一次公審台上一列跪着四個人，其中一個就是纖纖的爸爸。當一聲吆喝要押赴刑場時，人浪裏突分裂開來，一個頭禿顯攀的老幹部，牽着亂髮蓬鬆的少女，躍武揚威闖進台口，竟把垂目待死的「老頑固」拉走了。這時，留給大會裏人羣不可磨滅的印象，是那個少女哭得像個淚人兒的可憐相。

第二個春天到臨了。邊城的春色，又有點異樣，每當綺麗的晚靄，映在漣漪的水面上時，嘗嘗有一對年齡懸殊的男女，不亍在濾水的沿岸，面對着黃昏晚景，男的是那麼粗浮暴氣，猥瑣難堪；女的似有無限的悒鬱，體會到她的生命，正好似這片波瀾，不住地發出微弱的呼聲——潺潺——潺！

邊城的人都知道，爲着「新婚姻法」的實施，險些把纖纖的爸爸弄死；爲了救全爸爸的性命，纖纖的思想搞通了，做了坐鎮邊城劉區長的伴侶。現在的纖纖，再也不是小蠻腰，相反地，裹着便便大腹，出現在人們的眼簾。白天，各色各樣的宣傳會……上，都有她的份兒；夜晚，老是伴着那個劉區長——老傢伙——風流自賞，做些花前月下——大煞風景——的功夫。

現在，是第三個春天，春光依舊，可是造化小兒，愛顛倒衆生，變幻的事體，倒令人不可捉摸。因爲劉區長喜新厭舊，玩膩了的纖纖，被遺棄在冷宮裏折磨；四年歲月，像長江的水，急速流去，惡魔的影子，常浮起在纖纖的迴憶裏。惆悵悽涼，創傷了纖纖的心房，孤零零徘徊在溪畔，低咏着：「家鄉月，分外光；家鄉水，分外長；家鄉痛苦變羅網，人生誰不戀家鄉，鬼給我太創傷，我永別了，家鄉！家鄉！」

贈林縣宋海涵學長

·郭敏行·

末俗風流絕，高人何處求，我雖涉狂狷，但喜挹清流，不期陽明遇，一語結良儔，才華固表表，氣宇亦休休，舉以農爲本，行依禹是由，守身嚴且正，察事密而周，佳譽播人口，賢名處處謳，國有此良俊，其懷宜足酬，何以聽高遠，一任林泉游，東來仍爾爾，我心焉不憂，歲寒松柏健，雪擁臘梅悠，風浪兼天湧，關山遍地愁，艱難吾自勵，志節老彌遒。

論嶺南三大家詩

·王世昭·

嶺南三大家，曰屈大均翁山，曰梁佩蘭藥亭，曰陳恭尹元孝。翁山詩見於世者最早，所爲曰「道援堂集」，鬪定卷有「夜讀番禺集書其尾」二首云：

「靈均出高陽，萬古爾苗裔。鬱鬱文詞宗，芳馨聞上帝。」

「奇士不可殺，殺之成天神。奇文不可讀，讀之傷天民。」

梁佩蘭戊辰榜進士，丁酉鄉試第一，故名傳都下。陳恭尹爲邦彥子。邦彥常守清遠城，兵敗，身被三刃，拜哭太學生李粲熙尸畢，因爲題云：

「氣節無明，何餉何兵！聯絡山海，喋血合城。天命不佑，禍患是攖。千秋而下，鑒此孤貞！」

邦彥被執，死於磔。監視者視其肝，肝膽撲地視者面，使之驚悸死。後贈兵部侍郎。恭尹畏譏，不敢顯以詩問世，惟聲名早已洋溢於都中。三先生詩雖相伯仲，以翁山之詩爲深於憂患，恭尹次之，佩蘭既擢巍科，佳作多在初期，憶其「木瓜上人打鼓歌」云：

「木瓜上人時帶病，請醫無錢藥不顧。偏使身當瘤頸，一到打鼓精神勝。未打鼓前先乘酒，酒以酌口鼓拊手。鼓椎維桐貫之抑，椎而無繩易以袖。格格角角聲，再打洞洞東東鳴。忽然天破驚雷霆，忽耳靜蛤蟆蟆。初打再打似相似，前打後打似相異。手中搏着小鴻濛，心中放出大聖智。智者打鼓愚者聞，眼前訟韻何紛紛。共道上人會打鼓，豈知打鼓非上人。我從其旁拱而立，絕無一言讚歎之。但覺心靜口愁默，不知淋漓衣裳濕。是時斜陽落山晚，佛堂上遼繫雲板，童子兒食施香飯，鳥集齋鐘各飛散。上人愈打不肯休，打得高興手若浮。將鼓移在山上頭，明月落在梅花樓。眞娘墓前胭脂草，無端香氣吹入鼓。黃鸝鳳啼蝴蝶舞，相忘月夜與日早。闔閭地下亦不寐，放出魚鳧弄金翅。白虎猙獰作生氣，劍池水擊蛟龍起。罡風一陣倏忽來，鬼神拉踏琉璃臺，浮屠金鈴聲悶哀。我時欲聽不敢聽。上人打得心定完。鼓聲邪者鬼有罰，鼓聲正者鬼亦敬。上人上人吾愛爾，愛爾打鼓通入神，打法可以前無人，爾衝書生大憤濁，宣打鼓異世人，鼓而鼓身從生厲，珊瑚作王爛者傳失眞。上人上人吾愛爾，愛爾業牙作厲，世人不過求其新。上人，吾安得將打鼓入樂府，聖人明堂祀宗祖，命爾司鼓退驟聲，雲和相和八風舞。上人，吾欲請爾打鼓向敵場，塞上塞下塵沙揚，一打賊星沒，再打黃雲光。不然，汝將打鼓向里社，新日融雲照桑柘，採桑蠶女來東頭，打麥田娘至西舍。不然，打法一一按天時，以鼓救月古有之，蟾蜍放恣月失軟，麒麟不鬥月在離。徒然大處不打小處打，此中誰人知大雅？蕩子只會度歌曲，酒徒不過論杯斝，不如置鼓不打返僧寮，幽冥鐘力清晨朝，碑確殿前僧禮佛，汝披戒衣與之立，此汝上人職！或乞佛力護病骨。胡爲已打後？猶似未打前！手勢長作隆隆然，豈是打鼓能參禪？從來音樂中，容易集悲喜，汝打我聽俱非已，我今不聽且歸已，上人打鼓請已矣。」

像這樣迴腸盪氣的古風，古人中除李杜，近人除黃公度易君左之外，恐怕也就很少的了。（一）

鐵幕學生生活

——一個捷克小學生的親身經歷

·子勒譯·

在家裏，米拉漸漸和他的家庭接近了。最後，在去年正月的一天，勒狄斯拉夫決定已經到了實行計劃最後一步的時候——逃到西方去。他鼓勵愛額和米拉，增加他們的信心，和他們一同準備逃亡。

最後一個星期對米拉是艱難的，他發覺太難仰制自己對喬治亞和他的探險的衝突。有一天，喬治亞報告瑪麗，說米拉對蘇聯人有輕蔑之言，老師處罰米拉站在教室牆角有數小時之久。

在史達林死後，那時米拉正受着最嚴厲的處罰；老師們正將無綫電轉到「偉大蘇聯父親」的葬儀演說時，米拉和一些別的學生聽不懂講些什麼，所以他們自己彼此互相交談起來。老師們強迫他們每天面對着牆罰站四小時，米拉對學校一點也不發生興趣了。

在去年四月的某一個晴天，米拉最後一次去看他的好友瑞卓，他將自己的石彈，斷了的雪橇，他的豎笛，和他最心愛的財產礦石機，一齊送給了瑞卓。

那一晚上，勒狄斯拉夫，布羅茲和他的兩個孩子開始逃向德國邊境，他們只穿了隨身的衣服和帶了三個小背囊所裝得下的東西。平均一天只走十哩多路，他們在十五天內，走了一百六十哩，由捷克穿過東德一直走到西德邊境，通常他們都是夜行日宿，睡在樹林或倉庫裏，只有來到西德邊境時，他們沒有遇到什麼危險，但是即使在西德邊境，他們也沒有被射擊。雖然有獵犬的紅軍巡邏隊在邊境沿着樹林的小溪旁發現了他們的蹤跡，但士兵却沒有找到他們，父子三人於是在士兵們搜查樹林的噪雜聲下，潛入了西德。

布羅茲一家現在住在靠近努連堡難營的一間木屋裏，就在這裏，他們告訴我關於米拉所受的教育——最初是共產主義，然後是民主主義。這也是一個在東德，波蘭，羅馬尼亞，保加尼亞，匈牙利和所有鐵幕後國家內反覆重演的故事，一個父母如何與共黨搏鬥來拯救他們家庭的故事。

像千萬個等在西德的難民一樣，布羅茲一家也不知道他們未來的命運如何，申請移民和護照的手續是非常的麻煩，但是布羅茲一家却渡過了自共黨劫據捷克以來的眞正聖誕節，以前一心想成爲一個蘇聯人的米拉，現在却想做美國人了，做個美國的無綫電工程師。你看，他現在已經知道礦石機的構造了呢。（續完）

家住天台雁蕩間

·鐵頭·

一夜酣眠，天亮時，[illegible]

[illegible] 捷如猿猴 [illegible] 揮亂，在懸 [illegible] 動，大聲喊 [illegible] 望的人，莫 [illegible] 身冷汗，忽 [illegible]，繩子也不 [illegible] 緊間和尚 [illegible]（八）

中華民國僑務委員會頒發登記證台數新字第一零二號
中華民國郵政登記第一類新聞紙類

自由人

THE FREEMAN
（半週刊每星期三六出版）
（第三一五期）
每份港幣壹毫
督印人：羅嘉猷
社址：香港高士威道二十號四樓
20 CAUSEWAY RD
3 rd. fl.
HONG KONG
香港發行及事務接洽：高士打道六十六號
電話：七四〇五三
承印者：東南印務出版社
地址：高士打道六十四號
台灣派駐辦事處
台灣總經銷處：台北市館前街五十號
台北：中華路五九四號之一
台灣郵政劃撥儲金戶九二五二

展望日內瓦會議

李秋生

一年以來，西方國家的冷戰策略，主要集中在測探蘇俄的「妥協誠意」。這本來並不是一項主動的積極性政策。克里姆林宮在史達林死後的對外運用，儘管窮盡複雜擾紛能事，會使不知內情的人眼花撩亂，其根本路綫始終是灼然可睹。這情形在西方當局並非不能看清，只是一方面缺少積極有效的決策，另一方面在美英法三強政策之間又不能完全合拍，因而測探蘇俄誠意就成為一種無政策中的政策，用以拖延時間，維繫三強之間的共同陣綫而已。

測探蘇俄遠東態度

到柏林會議召開，這一政策已發展到盡頭。在四外長會議中，西方和蘇俄都不能不攤開牌底，表明其對歐洲問題的明確態度。結果自然是證明雙方距離並未比一年以前更近，連對於與國的佔領，蘇俄都不肯絲毫放鬆，更不要說讓較重大的德國問題。柏林會議歷時二十三天，開會二十六次（另有秘密會議六次），在外長會議紀錄雖不算是最長久的，却是近五年來東西之間最密切而詳盡的一次談判。妥協既無可能，西方自當轉而加強團結，加強防衛，別求在冷戰中制勝之道。乃自開會之初，就保留了一點「餘地」，對於蘇俄所倡召開有中共在內的「五強會議」，在形式上西方是斷然拒絕，在骨子裏則暗示並非不可商量，於是由外長會議演變為秘密會議，由秘密會議而產生了召開日內瓦會議的決議。柏林會議在有關歐洲方面問題是一事無成，却又把問題發展到遠東，要在日內瓦會議中再行測探共方在遠東的「妥協誠意」。

從事後美國全國輿論的不滿，與當局之不惜至再至三的解釋，說明並無姑息存心，可見如果說杜爾斯國務卿是懷有幾分黑心情做成此項決議，然他確是敢於要藉柏林的機會打開板門店預備會議僵局。狄恩特使由於忍無可忍，才毅然表示決絕，退出預備會議，但此舉不只招致西歐各國責言，連美國當局也不諒解，因為美國是陷入了進退維谷境地。本來，韓國的統一與和平，只有在雙方善意合作之下才有可能，在板門店既然證明中共毫無誠意，美國又何必一定要敢於此？但一方面是怕李承晚斷然重起戰端，另一方面是遭受共同作戰其他盟國的壓力，才使杜爾斯在柏林會議「委曲求全」，以達成韓國和平會議能別在日內瓦變相召開。關於對等會議與圓桌會議，和蘇俄的侵略國身份等爭執，美方都已不再堅持。至於杜氏之把屏除亞洲中立國的參加認為是一項成功，並說「中共不會在日內瓦受到禮遇，反而要受世界輿論制裁」的話，都只能視為一種遁辭。禮遇或輿論制裁並不是共方所措意的事，中共終於得到一次機會，參加重要的國際會議，從此重啓打進聯合國的門戶，已經是躊躇滿志了。

富有危險性的先例

但和平會議是韓戰停戰協定所規定，在今天只能追咎當日聯合國的和談代表對於共方此項建議未能充分認清其重大政治含義而貿然接受，美國當局雖不應對於政治會議求其必開，也勢難打消此項規定的實現。更大的問題在越南方面。關於韓戰，聯合國久已肯定中共韓共為侵略者，並也承認中共韓共為開城和板門店談判的對手方，中共的伍修權等一行且曾公然出席於聯大會議；至於越南，一向只是法越與越共之間的問題，如果說越戰危及遠東和平，則理應提交聯合國，或安理會作公正處理，如果準備言和，那只是法越與越共之間的問題，中共蘇俄還什麼資格參加？如果說越戰是蘇俄中共在背後策動支援而成，非與彼等談判不能得到有效的停戰，則今後共方想染指某一國家或地區便只消策動當地內亂即可達到目的，這是一個富有危險性的先例。而且，過去美當局曾一再申明：先要共方在達成韓國統一和平任務上表現誠意，能隨後進而討論越南問題——那自然並非一種健全的想法，等於以有標過問越局做為對中共的釣餌，以求其有助於韓局的解決——現在竟連這先後之序也推翻了。在四外長會十八日發表的公報中，關於越南問題之於日內瓦會議表示「恢復越南和平」問題也將在（日內瓦）會議中討論」，視顯然是把越南問題與韓國問題平行，換句話說，也就是不管共方在韓國問題上是否表示「誠意」，越南問題都勢在必談之列。

美對越南問題的失敗

據杜爾斯事後在美透露，日內瓦會議之議出自法方策動，因為法國國內越戰談和空氣瀰漫，勢須由柏林會議中獲得具體結果，另一方面，如果美國不同意日內瓦會議的召開，則西歐防衛協定將不可能通過法國國會。這些自然是杜爾斯辯護其同意此項決定的重大理由。事實上，美國為自由世界盟主，竟不能協助法國完成其在西歐與越南雙方的抗共軍事任務，反而要藉對共方的懷柔讓步以維持美法間的合作，實在是對外運用上的重大失敗。蘭尼內閣的生命，能藉日內瓦會議延長到幾時，尚成疑問，而批准西歐防衛協定之舉，則正因有該會議的藉口，乃更可以拖延，以遠東問題方面讓步，以取得西歐方面的堅決一致對俄，實際上無異於過去重歐輕亞政策的重演，與美國現政府所標榜的對外政策重心在遠東，實在是背道而馳。

現在距離日內瓦會議開幕之日只有一個半月，比柏林會議，顯然情形更較複雜，難也更大。在西方當局，只認為是又一機會試探誠意；另一方面在共方，則視為中共進入國際社會的階梯，就韓越問題而言，就共方之間[illegible]而日內瓦同意韓國自由選舉，和平統一，有如其在柏林之[illegible]德國問題一樣。西方當[illegible]

[illegible]

韓越問題難得妥協

至於越南之[illegible]，一則美法兩國對越[illegible]政策，適予共方以可乘之機，如莫洛托夫[illegible]，至今尚未能[illegible]無間。本月五日所發表[illegible]林會議聲明，設即[illegible]以懷柔法國分化[illegible]關係為主要目標[illegible]二，法國與越南[illegible]主義份子間的關[illegible]至今也無改進[illegible]止在巴黎召開的[illegible]

[illegible]

向國大會議說幾句話

吳振翼

國民大會從上月十九日開幕，到現在已快將一月了。國民大會的職權在憲法上已有明白規定，最重要的在於選舉正副總統和修改憲法，並處理彈劾案。這便是中山先生所說的政權。其他有關立法和行政措施屬於立法和行政的事，應歸之於立法和行政部門。但在今日情勢之下，國民大會代表對於立法和行政上的決策，也不是沒有影響力量的。國民大會雖不是立法機關，對於立法和行政並不是沒有表示意見的機會。因此我要向國大代表諸先生，貢獻一些小意見，請加考慮，聊盡我國民一份子的責任：

（一）促進民主政治制度——民主政治制度，現已成為全國人民共同的信仰和要求，今後必須建立健全的司法制度，加強民意機關的平衡力量，以杜絕政權的高度集中。同時收復大陸之後，應立即由下而上的建立起地方自治政權，以完成三民主義的建國方略。

（二）解除共黨特務控制的恐怖——數年來中共在大陸以特務制度，控制著人民一切的自由，老百姓差不多都變成機器了。人人被迫做了特務勢力的僕役。人人相互監視，[illegible]均不自由。人民精神受到嚴重束縛，大家都好像失去了靈魂。[illegible]之後，首先應[illegible]，保障人民的自由。今後並應嚴格限制特務機構，除了國防的需要，絕對不許干涉行政。

（三）打破階級專政的成見，恪守共存共榮的原則——[illegible]階級專政的謬論，深中共黨[illegible]。政府的[illegible]民服務，那麼[illegible]，它決不[illegible]一集團所把持，執政者[illegible]政權一樣。今天以無階級[illegible]利益，像今天後各階層[illegible]利的制度，必須建立[illegible]的餘孽消存。

（四）土地改革與復興農村經濟——中國向以農立國，十年內，恐無法一躍而為工業國家，全國農民佔百分之八十以上，人民對土地均有極高之興趣與需求。近幾年來，中共在大陸各地實行土地改革，將原有土地重行分配，雖在手段上失之殘忍，但已構成了事實，為免除地方再流血，再滿彰迫見，政府反攻大陸以後，應當承認農民現有的土地所有權。大陸已被分配的土地，又如何再能實行限租，而部份地主階級「土地還原」的夢，也應該清醒了。政府反攻大陸，不僅讓農民在現有的土地上享受其生產成果，並將積極以科學的農業技術，互助合作的方法，來扶助農民，增加更多的收穫，以復興農村經濟，才能復興，以達繁榮。

（五）勵行社會安全法案，提高人民生活水準——我們國家今日之動盪不寧，人民之所以貧窮痛苦，完全是過去漠視人民利益的結果，光復大陸以後，政府首先要做到實施社會安全制度中的國民保險，國民衛生，國民救濟，家庭津貼，兒童撫養，工業傷害等法案。應列為首要的要務，務使國民都有權利要求政府給予適當的職業與生活保障，以維持人民在社會中的活動。

（六）推廣工業，充實勞工福利的設施——為了防止共產份子的復活，政府於重建國土之始，就應積極解決不合理的勞工問題，步向合理合法的途徑。一方面促成中國工業的發達，積極推廣先進工業國家的生產經驗，一方面充實勞工福利的設施。今後工資必須依照生活指數而隨時調整，工作時間務必爭取每週四十八小時的合理要求。工業傷害法案，必須普遍實施，徹底執行。加強工廠保安設備，減少工人傷害，盡量促進工人的福利事業。

（七）獎勵增產發明，與保留財產私有制度——反攻復國之後，必須使人民得到經濟的平等和生活資料之合理分配，政府固然要防止私人資本過度膨漲，並避免國家資本之過度壟斷。但同時要使人民能保障其生活，並獎勵儲蓄及增產的發明，在適當範圍內之私有財產是必須保留的，政府不得有非法剝奪人民財產的行為。

以上數則，都是政府光復大陸，重建國土後，應有的新措施。中國人民在鐵幕內經過長期的苦難，已有了普遍政治覺悟，是是非非，分得清清楚楚。渴望民主自由的心理，更加迫切。今後政府必須依據全國人民的需求，以決定政治方針。樹立中興政治的新制度。

半週展望

陳克文

美日聯防協定的簽訂

美日聯防協定已經於三月八日在東京簽訂，這一協定不祇有軍事同盟的性質，也有經濟援助的性質。協定成立之後，不僅使戰敗的日本可以從新建立防衛力量，也對於日本的經濟復興有極大的幫助，尤其值得重視的，即亞洲的反共陣營從此增加了一股不可輕視的新勢力。這一協定的成立，當然是蘇俄和中共所最不喜歡，要想盡力以破壞的。就是日本國內[illegible]，亦將要提出反對，此一協定將要提到國會，恐怕還不免要引起若干風波。然而就日本的前途和亞洲的和平着想，此一協定，在日本的有識人士是不應該反對的。

南韓訪問團的成就

負有促進太平洋反共聯盟之使命的南韓特別訪問團，最近[illegible]

[illegible]由國家也可以得到安全的保障，而未來的日內瓦會議，也不至於聽任幾個大國決定亞洲國家的命運。

假裝糊塗的危國外長

現正在南美舉行的泛美會議，已由美國提出一項抗共黨侵入西半球任何國家案，請求大會通過。這是有關南美各國安危的重要大案，其精神和百多年前的門羅主義相彷彿。

這案提出後，危地馬拉的外長提出[illegible]「國際共產主義」下一定義，[illegible]態度已隱示共黨陰謀[illegible]。共產黨處心積慮，[illegible]美國本非一朝一夕之事。[illegible]美國國會，槍擊議員，[illegible]類似幼稚的質詢，[illegible]

今日的南美形勢，已經不是當年美洲統治以求獨立的形勢，如果美洲共和國之一[illegible]是國際共產主義的人之手，[illegible]認為危國外長是真的無知。一葉可以知秋，美國今後要如何領導南美各國，如何防止共黨對南美的陰謀發展，應該更加小心謹慎，更加切實努力。

英國蚋式最新戰鬥機

與自由陣營有重要關係的一個問題

旭軍

蚋式飛機（GNAT 譯作蚋，與第二次世界大戰時著名之蚊式飛機MOSQUITO有分別）。是英國最新式、最細小輕巧的噴射戰鬥機。預料在今年秋天飛翔了。現在以精巧敏捷稱著的美國軍刀式飛機的長度是四十二呎，但蚋式飛機長度只有三十七呎。軍刀式的兩翼橫距共三十九呎，但蚋式祗有二十呎。

有關北大西洋反侵略

我們爲什麼注意蚋式飛機呢？因爲它和北大西洋公約組織國家對抗蘇聯侵略有很大的關係。在最近的將來，歐洲國家的國防政策，會因蚋式飛機引起爭論。它愈接近完成，爭論得愈要熱鬧。說句笑話，蚋式飛機可稱爲「輕」戰鬥機。它的大小與重量和第二次大戰時的「噴火式飛機」（SPITFIRE）相差不遠。但比諸現代的噴射攔擊戰鬥機則遠較小而輕，速度較快，而耗費較廉。雖然它的裝備較簡單，武裝較輕，有許多國防專家主張應建造此種戰鬥機，不只因爲它的構造技巧超過其他較重的戰鬥機，而且用費較廉，且易製造與運用。北大西洋公約組織中那些西歐防衛計劃有經驗的人，對於易爲人所忽視的現代戰鬥機，指出兩種事實。其一、即很少國家能買得大量的戰鬥機，足以保衛國士。米斯德里斯和亨特型的飛機是北大西洋公約國家所訂購的，是以美元支付，不是以本國的貨幣支付。其次是此種飛機需要一個國家很多的機器和人力。在平時已不能夠大量生產，不管是否有大筆款子來支付了。還有第三層，如它們的大小、重量、降落的速度，不適宜用於臨時跑道，如果歐洲成爲戰場，必然多用臨時跑道。現代的噴射戰鬥機大約每架值七萬鎊，重量至少有一六〇〇〇磅。但蚋式飛機每架只值二五〇〇〇鎊左右。在完全的載重情形下其總重量不過六〇〇〇磅。而其製造所需之「一人一小時」工作量，比其他較重的戰鬥機較少五分之四。如果蚋式飛機在法國、比利時、或荷蘭，或甚至美國設計製造，則現在已獲政府最大之支持而進行生產了。但不幸是自英國設計的，因適值英國國防預算足以用斯韋夫及亨特特的製造，將英國空軍重新裝備（北大西洋組織國家唯一能有此魄力者。）但沒有餘款發展如蚋式的飛機之生產。因此蚋式飛機的製造和需款，皆由私人負責，而沒有政府支持。

英空軍部辯駁之理由是：在原則上不看重「輕戰鬥機」。因此特別是蚋式飛機難於反駁。但航空學專家承認蚋式飛機雖然裝備較簡少，但已具備了現代高速度戰鬥機一切主要的裝備，如雷達測探，VHF無綫電機，機身的裝甲，自動彈射座位，和三〇耗口徑加農砲。蚋式飛機是由W E彼得設計的。英國皇家空軍承認除非蚋式飛機獲得大量生產，否則北大西洋公約國家不能具備足夠的超音速戰鬥機。其次值得注意的是蚋式飛機可以在歐洲的臨時跑道上升降。

價廉物美戰鬥力強

建造蚋機的是富勵德飛機製造有限公司。最主要的困難是蚋機的發動機，——重量大約只限於八百磅。但衝刺力有四〇〇〇至六〇〇〇磅之間。（ROLLS-ROYCE AVON）發動機衝力七〇〇〇磅。現在最高達一〇〇〇〇磅。但其重量在一噸左右。既有此發動機，則蚋機在任何高度飛行，很可以有超音速之速度了。

英國是世界最精於製造戰鬥機的，但目前尚無此等戰鬥機的速度。現在不列顛飛機航空製造公司，正發展一種適應於富勵德公司所要求的小發動機，名「奧菲亞」。據富勵德公司根據推算，至一九五六年該公司，每月可製蚋機五十架。每一架裝備完全約值二五〇〇〇鎊而已。

機，現在海軍方面注意蚋式飛機的降落速度還太大一點，不適宜用於較小的航空母艦。陸軍部則甚注意蚋式飛機作前線攻擊的戰鬥機。最高統帥部，決定以在法國楓丹布雷的北大西洋公約組織盟軍對地上攻擊一最經濟的最適宜的支持地上陸軍作戰之辦法。

最近美國派一隊專家來英。去年美國共同安全法案規定一款項值四千萬元，津貼歐洲發展一種「輕武器」，使北大西洋公約組織的防衛增加效率。來英的一隊專家，研究許多計劃。他們也研究蚋式飛機可有前途，則美國政府能協助，合其迅速發展。西歐小國已獲得美國給予軍事裝備，俾其能負起北大西洋公約賦給他們的責任。李特及斯韋夫特製造的戰鬥機，每架值七〇〇〇〇鎊之多。如果以蚋式機供給他們，則美國納稅人的負擔又輕減多了，亦可能同樣的有此種進步的措施了。

軍事優點與經濟優點

戰鬥機的進步一日千里。回憶第二次世界大戰初期，以颶風式稱著。噴火式出，睥睨全球，稱雄一時，皆爲英國之傑作。其後英國又出現星式及吸血鬼式噴射戰鬥機。但美國之軍刀式及俄國之米格式飛機凌駕而上之。現在英國可以蚋式飛機競勝，這不但在軍事戰鬥上的優點，而且有經濟上的優勝點。現在雖然有了無綫電指引飛彈，但與戰鬥機的功能各有不同。戰鬥機恐爲是轟炸的靈魂，佔優勢，便攜帶了制空權。現代戰爭必須掌握的先決條件，必須握有制空權。當今美國與自由國家陣營以下86軍刀式噴射機爭奪絕對制空權的法寶。但在英國的蚋式戰鬥機，在自由國家陣營中，更提高了將來制空權。但現在英國政府，因爲用了大筆的資本在其他的計劃，能否能改變其計劃而趕快進行蚋式機的生產，就是今年秋天的一個爭勝的問題。（取材一九五四年一月廿日經濟學人報）

人物述評

梁漱溟與北宋呂學

毛以亨

呂好問所藉以轉移張邦昌者，全賴人情二字，而劉豫則不顧百姓之反對而降金，又製造軍民擁戴之民意，賂金人以稱帝。對勸其歸順者，不特不聽，反加殺害。今中共諸人之心理與舉措，何其酷似劉豫也！然而梁漱溟危矣！

梁氏得力於北宋呂學

漱溟原名家鼎，在順天高等學堂讀書，其國文是超過儕輩的。其思想如潮湧，不可方物，其文筆類韓非子，才氣縱橫，而自用心切。林紓任其國文教員，評語有「可謂稱心之作，儒易數字，罪過，罪過。……」順天高等學堂的同學們，如張申府，雷國能，張澎鳴，後來升學至北大，都極佩服他，而自愧弗如。把他的考卷帶到北大來，給我看，我們總覺得還是不夾雜外國意味，純中國性的第一流政論家文字。

後來他跑來南京歐陽竟無辦的法相大學讀佛學，不久即到北大中國哲學系（當時名稱）教佛學，他的印度哲學概論，即爲是時的講義。紹華先生認爲是范源廉所薦，大概不會錯的。不過，我記得當時蔡先生好像要請馬一浮與歐陽竟無二人，他們都拒絕了。歐陽先生薦梁自代。印度哲學這門功課，本不會使人發生興趣的。熊十力的佛學，或者比梁氏還高明，但教到祗有幾個學生聽講，後來索性請學生到他家裏去上課了。惟梁氏教得鬨動全校，甚至校外人都去聽講，李濟琛那時做參謀部科長，亦常借若干陸大學生去聽，大有把課室變成大雄寶殿之概。蓋在佛學以外，梁氏具有另一種吸引力之故。在北宋三大師中，——朱熹，陸象山，呂祖謙——則以呂氏最具吸引力。朱熹稱呂伯恭能聚生徒千百人，而旋散旋聚，甚至在褒經之中，戶外車馬常滿，故梁氏實類于呂氏。我嘗謂北大之治呂學者，爲陳獨秀與梁漱溟二人，梁氏聲言出佛入儒之後，此意格外明顯了。

村治的思想來源

民國十年，我在德國，國內忽以梁漱溟著之東西文化及其哲學寄我，這大概是梁在北大所教的儒家哲學講義，或其一部分。此書對西洋人精神會能把握到一部分，但對西洋哲學，却未能中其緊要，陳寅恪曾把這部書借去看，回來作好批評，傅斯年在當時，竟認爲孔教會的遊魂復活。我則因其見解，確爲自已想出來的，且說得堅決而明暢，近于爲致用而明理，並非純爲推理之作，因亟欲知道他的主張究爲什麼？後來始知道他提出的爲村治主義。我即聯想到呂大防的鄉約已成爲其思想的來源。然要聲明的，呂大防是關學，即張載之學，而非所謂呂氏之學。特大防曾爲別呂，曾爲呂公著所薦而入相，公著則呂氏學的創始者，學與大防相通。朱熹將呂氏鄉約略改數字，成爲朱氏鄉約，後來王陽明亦仿其意而作南贛鄉約。所以鄉約爲各派的共同主張，就是地方自治，亦即中國民主政治之根源。然既以呂氏爲嚆矢，亦無疑爲講經世的呂學之貢獻。

我以爲王安石的失敗，失敗在官治上，而遭遇到民主主義的鄉村基層的抵抗，而創始人呂公著就是反對王安石新法的首領。所以梁漱溟的村治主義，實可改稱爲中國的民主主義。等到其「中國民族自救運動之最後覺悟」出版後，梁氏已公開的改談中國民主政治了，梁氏蓋不以鄉村爲範圍而自限，祗是以之爲出發點，以談到全國性之民主政治而已。

欲得一思想實驗之地

政論家一有實行的機會，即不辭其實，但遇到與其原則不合時，就立刻走了。政論家之易進亦易退如此，使人們笑其爲書癡，爲不懂現實而不辭。不知此類之現實，是最糟糕而非革去不可的。得政論家之主張行不通而走開，則清議息，而干戈興。梟雄遂以欺騙與空頭支票，來革命了。梁氏無往而不努力於以思想改良現實，亦有勇氣來參加任何現實社會，自其最初辦山東曹州中學起，至現在投入中共鐵幕止，均可作如是觀，所不同者，以前可以不合即去，現在想走亦不許其走開了。他之任曹州中學校長，所以後之爲韓復榘辦鄒平村治學院，均是王鴻一介紹，要其目的則爲找一地方爲思想之實驗場所。在他未去鄒平之先，我與他曾有一度往還，我當時在北大教政治學。嘗介紹狄驥，顧斯基的多元論，而否定主權論，他以爲與村治之意相合，問我以此說之內容。我答以中西會通之業殊難，因爲同是一個結果，而來源不同。同是一句話，而意義亦異。否定主權，源於中世紀耶穌會會友，而爲教皇反對新教之理論。不料結果則生出民主政治，殊非所預期。我們民主政治的根源在鄉村，而不是在天主教，你還是從村治主義努力，以實開出中國民主政治，不必牽涉到否定主權論罷！亦足見梁氏之虛心注意民治理論，而與承中原文獻之統，以究當世之務的呂氏家學如何接近了。（二）

「自由人」三週年紀念詞（補登）

本報三週年紀念，接到讀者先生的文章，收到較遲，補登如左。尚有張先生一篇，字數較多，下期補登。——編者。

一、張溥生祝詞

自由人半週刊三週年徵文紀念，我願以忠實讀者的資格，發表一點小感想，以示我祝賀的微忱。我始讀自由人，覺得議論精闢公允，態度和平中正，小品詩文亦皆清新雋永，尤其「半週風雲」每期所撰評論，短短數百字，信手拈來，提綱挈領，因此使我在每週出版之夕，必以先睹爲快，從未間斷，注意，偶有缺失，亦必在書攤上搜購。讀完後，妥爲保存，有時還介紹給朋友。三五好友，促膝談心，常學「自由人」意見，廣爲介紹。有時朋友問我：「你爲什麼對自由人這樣感到熱心？」我的答案非常簡單，因爲「它爲我說話。」「演說家的精彩講演，爲什麼聽衆會情不自禁的鼓掌？因爲演說家的話，能夠抓住聽衆的擁護，覺得他說的，便是自己所欲說的，先獲我心，怎不叫人喝彩呢？我對自由人，亦復如是。」

「自由人」沒有官樣文章，沒有裝腔作勢的八股，祗是老老實實，平平正正，做大衆喉舌，做政府諍友，不偏不倚，溫柔敦厚，微言大義，言必有物。所謂「可以興，可以羣」，當之而無愧。自由中國的言論界，安得不廣爲傳揚？兩年多來，我對「自由人」感覺滿意，我受它的影響很大，我相信必有千千萬萬的讀者，和我的意見一樣。「三年有成」，前途似錦，我以萬分的熱忱敬祝它一天天茁壯長大，它對於反共建國的事業，一定會有極大的貢獻。（台北大直青年服務團）

二、韓名鋼祝詞

編者先生：

三年來，從不間斷，也不懈怠，您們勝利了！我向您們道賀，你們默默的工作，您們勝利了！「自由人」有今日，是從苦鬥出來的，您們敢說，敢寫。懦夫會爲之咋舌的，鬥士們會爲之加以勇氣。我謹以一顆誠摯的心，爲它深深祝福。

「自由人」所有的，是千古永存的精神，可敬可佩無愧，不受束縛，不怕恐嚇，不怕任何脅迫，正義，人類和平，需要自由戰勝，努力掙扎奮鬥，終於開出了燦爛的自由之花。在嚴寒的土地上，狂風暴雨吹的時代，辛勤的灌溉，以至有今日普遍的同情和愛護。它如一株新生的幼苗，逐漸生長，是自由世界的喉舌，是自由民主的新時代的先鋒。和一九五四，是永遠爲自由勝利而奮鬥的一方面。

南投的「人猿」故事

揚力行

有三寸多長的棕色頭髮，向四面披下，嘴巴大大的，常露出兩排整齊的牙齒，一雙腳是粉紅色的，較常人大而且厚，雙手及身體爲古銅色而生毛，爬山越嶺，攀樹摘枝，迅捷如飛。走路時身體前傾，喜用手搭在眉上作遠望狀。日間睡覺，沒有一時安靜，飯量也很大，吃飯時，喜用手抓食東西往嘴裏塞，特別歡喜吃生東西。看見有人走近，他轉身逃走。

他對紅顏色和長髮特別感興趣。濤溪派出所警員常常接到人家遺失東西的報告，他都說是「人猿」拿去的。大家都把遺失的東西，說爲「人猿」的外號，「人猿」二字經常住在這裏，一定會發現遺失東西。

人猿的家庭狀況

「人猿」桂鍛，他的父親桂進已於五年前去世，生母桂氏現年四十多歲，已改嫁生子。本人今年二十四歲，受過高等教育，曾在台中服務多年，很受長官器重。建有一幢日式房子，衣服一切都和平地人相同。十四年來，「人猿」桂鍛次所以無人知曉，因爲日據時代對山地管制特別嚴格，加以濤溪和外界交通不便，沒有人入山探勝之故。直至去年底，縣府派員至濤溪檢查山胞生活，才被人發現，他是「人猿」化身，因此一傳十，十傳百，訪問「人猿」的人，不知多少。從而平靜的山地，一時變成熱鬧起來。也轟動「人猿」到處亂闖。（下）

更正

本刊三週年紀念特刊第七版「三載述懷」詩，「憂憂去國」句，「憂」誤植爲「夏」，合更正。

小啟

本期稿擠，「編者與讀者」移至第四版。

極有希望的——台灣林牧漁業

山林牧地二百數十萬公頃 應利用外資以求儘量開發

·趙永洛·

最近美國失業人數約佔全國人口百分之點九九，臺灣尚不足百分之點五九，應該是世界上失業人數最少的地方，頗值得我們驕傲。但臺灣每年人口約增加百分之三，也是一個相當大的威脅，加以反攻復國，軍需浩繁，我們必須從多方打算生活的門路，才能保證將來不發生[illegible]問題。

台灣最豐富的大自然資源，乃是二百數十萬公頃的山林牧地，及四面取之不竭的漁場，但目前林牧漁業，因國家財力所限，不能充分發展，實在是一件可惜的事。

過去日本人在台時對於林業經營，確化了不少工夫，非但化費數億日元，而且動員二十餘萬人，人財耗費，確不算少，但由林業所獲的利益，卻不是數字所能計算的。據林學家估計，在台灣營造一公頃杉木林，在二十間所需費用，不過新台幣四千三百元，收益至少有十四萬四千元，可見林業利潤不薄，現在至少有一百萬頃林地尚待利用，如果我們能在五年中造林五十萬公頃，二十年後，即可獲利七百億元。不僅可解決了許多人的職業問題也給子孫們確立一個保土生財的根基。

據農復會李德博士報告：現在本省山地至少尚可開拓三十萬甲，作爲放牧，如能利用三分之一面積，即可增加十萬肉牛之飼養牧地，足證台灣尚可大量養牛。今後如能普遍設立牧場，繁殖牛隻，自可充實農耕力源，增加堆肥，提高農產，減少皮革進口，進一步以牛肉輸出國外，爭外取匯，對於農民生活之改善，亦大有裨益。

台灣四面環海，漁產向稱豐饒，遠漁近殖，大有可為，目前最感缺乏者，尚是漁船，若能在五年中營造十萬噸小型漁船，至少可以養活十萬人，如果我們以企業組織方式經營起來，不僅短期間內可能減少鹹魚進口，節省鉅額外滙，同時也給造船工業及航海事業樹立一個良好基礎。

林牧漁業的經營，既無需大量貴重機器與設備，亦無需從外國造原料進口，產品尤不怕沒有銷路，倘能以企業方式經營，不僅可提高生活水準，其他工業亦可隨之發展。

大規模林牧漁業所需資金，確非少數，亦非目前國家財政力量所能負擔。資金籌措方面，似只有向國際舉債一途。舉債與求援不同，求援[illegible]援助近於施捨，其出發點，或基於道義，或基於對時利害，無論[illegible]時總不免心存憐憫，[illegible]之目的，爲救急，借債者在乎本利，其[illegible]甚於經濟。有錢者惟恐錢無出路。只[illegible]厚，不愁借不到錢。再說我們舉債所興辦的是最穩固的生產事業，債權者亦不怕我們頻償的危險。這是很穩當的辦法。

元宵小會

台灣通訊

·婆婆生·

一

我們的國家，以農立國，素來重農，農民常年辛勞，依照農曆計算，元宵是農民新年的第一個佳節，民衆也特別歡欣鼓舞，共度此一佳節。可是[illegible]在鐵幕內，受盡剝削，農民那有心情，快活渡此節令。自由中國與民同樂，以提高農民利益，因此我們今年元宵晚會，覺得很有意[illegible]。今年中國廣播公司舉行元宵晚會，盧副總經理曾在席上致詞，我與東國兄去參加這個盛會。

二

元宵這一夕，因寒流襲擊，大雨如注下，本省人認爲這一天下雨，春季將有四十九天雨期，因爲日月潭的水位，與農民成十分高興，此夕參加的人問題，並未因而減少，中廣公司，因地位狹小，只是請來賓七十位，可是參加的非常踴躍，有許多站立一隅，靜聽歌曲。此夕的特別節目爲猜謎，吾國古風，相沿成習，自春節起，至元宵止，各地均有燈謎競猜，意義至雅。平劇中有二齣，春燈謎元宵謎，皆是由崑腔中變質而編，可知由來已久。謎有三節，一是中國廣播公司所擬，二爲陳定山先生所定，三是中廣公司同人所編。惟第三節所猜，均是國際間人物，由陳定山親自審有山水橫幅，頗精美，以所有公布之謎面，由猜中最多者領取謎語所得，由定山當場題款贈之。

除了猜謎外，最精采者，當爲時代歌曲與平劇兩項。時代歌曲，由影星夷光黃曼，歌星馮安妮張清眞，分別唱「寶島姑娘」，「美麗寶島」，「我等你回來」，「夜來香」等曲。夷光黃曼兩小姐在唱的時候，時發微笑，尤其不知不覺的自已擺動舞蹈的姿勢，全場鼓掌。馮張兩小姐是歌唱聖手，嗓音清脆，在YOU BELONG TO ME I WENT TO YOUR WEDDING兩支，更抑揚婉轉，因此同樣博得大喝采。

三

平劇節目，有楊峯之射戟，曹曾瑤之珠簾寨，龐瑞玉之太眞外傳，李東閣之逍遙津，沈規城之荒山淚，陳十雲之[illegible]，穎若之文姬歸漢，雖僅短短七段，可是各個名票的嗓音，非常響亮，有的朗澈若玉，有的低徊如絲。而定山夫人陳十雲，向來輕易不肯唱，是夕的徐策，完全京朝正宗，蒼老有勁。尤其李東閣，唱十一個欺寡人，爲任何伶工所不能，古調獨彈，爲自由中國唯一的孫派名票，皆是難能可貴。所遺憾者，爲吳寶瑜胡夢霞焦鴻英陳懸君四位小姐，皆已定節目，未能蒞場參加。也許她們各個人的酬應太忙，不能脫身而來。我想總不至認爲此會是極普通而忽略之，使我們聽來，不能親聆高歌鳳還巢，韓玉娘，紅娘這三齣好戲！會散已在十二時，細雨連綿，獨坐[illegible]齋，濡筆記之存念。

震動日學術界的史學鉅著

日本神武開國新考

作者：衛挺生教授　出版時間：三十九年十一月

·沈秉文·

本書著作的經過

世界上有些國家對於其本國的開國歷史往往因文獻不足，喜歡裝點一些神話，以爲愈神秘，愈足顯示神聖不可侵犯。日本自亦不能例外。衛挺生教授經二三十年的懷疑和不斷研究，著成本書以後，對日本皇室及其開國歷史，得到初步具體答案，似將推翻她的神話傳說。

衛教授自幼就讀東京大成中學，對日本語文極有根底，對日本神話式的歷史，向認爲怪誕無稽。一九一六年在美國哈佛大學文理學院畢業後，以夏間無事，常到該校圖書館中日書籍室，埋頭研讀日本古今歷史有關各書。結果：漸漸發現中日兩國之古代紀載，秦末徐福藉求藥爲名率童男女及百工五穀入海建國一事，與日本神武開國一事，似屬同一事情。他認爲此一問題，如能求得確切之解答，對東方歷史學上的貢獻，實有鉅大的價值。惟當時他苦於哈佛圖書館所有之中日書籍，尚不足供深入研究之用，故擱置下來。

惟衛氏對此一問題固無時不在注意探索之中。自美返國以後，他曾幾度欲再深入研究此一問題，均以事冗不果。此後歷時達三十餘年，至民國三十八年，避難到台，在台大圖書館埋頭作三月餘專心研究，方獲得初步結論。次年十一月著成本書（又稱「徐福入日本建國考」）。復於次年刊行補編一冊。

本書包括緒論及正文二十三章，補編包括圖表二份，文字五篇，兩書共約二十五萬言，堪稱我國近年來新出的一部歷史考證鉅著。衛氏自認生平一切研究所得，無過於此一發現，以爲「差有歷史上之永久價值」。他在本書的題詞說：「經緯萬端何所就，投梭起嘆誤非材，喜今一事應千古，覓得英雄徐福回」。他對於本書的珍重可見一斑。

研究方法及其內容

衛氏研究此一問題，採對照比較的方法，旁證博引，範圍至廣，內容極爲豐富。方法週密，結論慎重，極合科學治史的精神。他的研究，在史籍方面：有日本開國各種傳說史料，有中國各種歷史典籍，如史記、三國志、及其他可靠的記載。在古物方面：僅是中國及日本歷代遺傳及地下發掘出來的古器物。此外還有許多其他有價值的傍證。

他從日本國號及神武天皇稱號的考證，研究其與徐福在邪馬台稱王建國的關係。從日本傳說史中關於神武天皇的事蹟，考證其人的來歷。再從日本開國神話的組織資料及日本皇室傳國三璽及神武天皇的來歷。將史記所載有關徐福的事蹟加以分析考證。證明徐氏確曾征童男女及百工數千人入海不返。並將淮南伍被所說關於徐福「止，王，不來。」的情報加以考證，以證明此一事蹟的確實性。從先秦的齊魯文化與琅邪（按：因徐福係琅邪人）文化加以考證，以與日本開國時期文化相比較，從而探討其密切關係。從秦以前的方士及避地建國運動以及時代和環境對徐福的影響加以探討，以證明徐福藉口求藥而東渡稱王爲一有計劃之行動。並以此一行動與日本開國情形相作比較參證。從三國志所載徐福及振男女後代的所在地加以考證，判定其所在地的澶洲即爲日本。更從日本建國時代的探究，證明日本的神武天皇即爲自外而入的徐福。從三國志倭人傳中女王國及其事蹟的考證，判明魏志所稱卑彌呼女王即日本神功皇后，並由此而上溯神武稱王之年，與徐福東渡建國稱王之年代，證明完全相合。最後從各種事證物證作綜合研究，判明神武天皇，可能即爲徐福死後千餘年之追謚。

神武天皇即為徐福

衛氏根據這許多研究、比較、推算、參證、判別，以其事事巧合，且無一不合，於是獲得一個鮮明的結論，即：「日本神武天皇之開國與徐福之入海建立王國，實係同一時間，同一地方，同一思想，同一制度；乃斷定二人之建國，爲同一人，同一事；斷定神武天皇，即爲徐福」。

關於此一論斷的根據，衛氏繼本書之後，又有「徐福與日本」一本問世，在反復辯論研討中，更作有力而積極的主張。

本書第二章再就日本開國之傳說史，觀察日本始建國者之事蹟，與徐福之事蹟，是否吻合。於是得到一種結論：認爲（一）地理，（二）時代，（三）舟師，（四）童男女，（五）五穀百工，（六）政治思想，（七）愚民政策，（八）神話留傳，（九）年代，（十）地下出土古物，均無一不爲互相巧合。於是衛氏的主張更得有力的佐證。（上）

共匪區民心消極

大家求神拜佛

香紙耗費數字驚人

【本報訊】春節前後，中共統治下大陸，迷信的浪費現象，是異常嚴重的。據悉造成此種現象的原因，是鐵幕內的人民，被壓榨得喘不過氣來，人人自危，朝不保夕；加上國軍反攻大陸空氣，籠罩於[illegible]上，人民祭香禱祝，人心更現浮動，咸把未來光明日子的到臨，寄託在神佛庇佑的幻想中，燒香燒紙，瘋狂似地酬神還願，蔓延於大陸農村。

中共的報紙——「人民日報」本年二月二十九日自己指出：「哈爾濱市四家賣迷信品的批發私商，由去年九月到十二月三個月中，香、紙銷貨額即達三十二億元（僞幣）之多。」這僅是一個地區一家私商在百餘日的時間中，即耗費如此驚人的數字，誠令人咋舌不置。該報並指稱，「由於迷信品在嚴禁之中，私商從中投機倒把，哄抬物價，每封板香進價一萬一千元，賣給農民就要兩萬多元。目前從各地到哈爾濱市購買迷信品的私商很多。私營萬生儀商號不到一天就賣了板香一萬七千多封，毛利達一千多萬元。」由此，更證實大陸人民關於迷信品的消耗浪費，是非暴力所能克服和杜絕的。

中共當局，感到這現象的嚴重，向各地深入農村共幹發出指示，「農民在春節期間的封建迷信活動，是歷史上遺留下的一種習慣，這種習慣，只有隨着人民經濟生活改善，和政治覺悟提高，才能逐步加以克服。」誰都知道，在大陸上的人民，經濟生活永久無法改善，[illegible]僅是暴力壓迫的一種手段，所以「迷信活動，是歷史上遺留下的一種習慣」也就永久無法逐步加以克服了。

民選議員登門請教

徵詢興革市政意見

教師們的遺憾

市政局爲擴大選民範圍，本年度增訂第三部選民登記冊，雖因順應輿情民意，然以事屬創舉，致登記人數未見踴躍，距當局估計相去甚遠，此項選民登記昨（九日）已截止，確數尚待主理官正式公布。就一般意見反映：設非革新會深入宣傳以及簡化登記手續，參加登記人數殆將令人大爲失望。癥結所在，顯因大多數有資格登記人士並非不熱心，而係平時不甚注意，且不知其具有選民的資格而失卻了權利。

至於學校方面，教師們固願意率先登記，收到表格的學校，幾無有不迅即塡妥寄回；但學校衆多，容或不周，且各校教師每因無暇抽身去辦理填表手續，雖然自承權利喪失，衷心亦表遺憾。

競選將趨熱烈

現距投票選舉日期僅有半月，各候選人競選情形將轉趨熱烈。革新會主席（民選議員）貝納祺，以及其他胡百全、李有璇、區達年三位民選議員，連日向選民循例作一年一度的周年拜訪，徵詢有關改革市政意見，並盼輿論界對於[illegible]李有璇兩現任議員，給予隨時指導與支持，更希望於選民們確認他們過去十個月中致力於市政事務興革的成就，做爲此次投票選擇的基準。本年度選民登記站仍將設在馬利操場，分站設彌敦道聖安杜斯教堂。

博訪周諮

香港三日

香港革新會於一九四九年初成立，該會頗確有顯著的業績，幾已形成了一個反映民意的集團，該會的政綱，向爲市政局議員貝納祺、胡百全、區達年、李有璇四爲主[illegible]，與市政興革息息相關。該會唯一「改革政制」，確認「改革政制，才可以改善社會環境」。這一次該會主席貝納祺等的周年拜訪，博訪周諮，猶恐未盡周到，倘如有建設性的意見，不妨通知該會，四位議員必自登門造訪，共同磋商。選民如有未盡收到該會出版的一九五三年報，[illegible]明瞭一年來的市政工作成績，可逕向該會函索，免費寄送，使選民對四位代表來服務工作成績，有更深切的瞭解，此種年報並有中文譯本，附有精美圖片，任何人均可免費索閱。

人類旅行步入噴射時代

·茅齊譯·

有人說，我們的孫子將能乘原子火箭旅行月球，而我們的兒子則可能坐在原子發動的飛機裏遊覽世界。以今日的科學進展來說，這種預言當然都極有可能，但至少還是夢想，並無確切的實現把握。不過有一點是，在四年到六年以內，一個人在清晨踏入一架噴射飛機，在三四小時之內便能在千餘哩外的地方去進早餐了。

美國的噴射客機，差不多已使人類的旅行，進展到這個地步。最近，美國的波音公司，也不甘落後，宣佈了美國的第一架噴射客機，已定期今年八月間試飛。英國的慧星型噴射機，有政府的津貼，但波音公司却從沒有得到美國政府一個錢資助。它化了二年時間和一千五百萬美元，才完成了第一架噴射客機的模型。在航程、速度、與力量上，都超過英國最新式的慧星三型，這種新客機，已定名為B七〇七型，雙翼後斜，機身瘦長，速度可達每小時五百五十哩，能載客一百五十人，在七小時內橫渡大西洋，且途中不必停。除了加強旅行的速度外，且另有今日那些普通客機所缺乏的優點，這是旅行者的舒適。在飛行時，旅客幾乎完全不感覺機身的震動，引擎的聲音，也被特殊防音設備所隔離，機艙內不聞震耳欲聾的普通噴射引擎的噓噓尖叫聲，在起飛時，它也十分平穩，一分鐘內可升高一千呎，旅客亦並無一般客機所會引起的那種不舒適的感覺。

它的飛行高度，將保持八哩左右，在這高空，旅客們可看到地球表面的弧形。機艙外面的氣候雖然在零下五十度，但機艙內却溫暖如春。

據可受歡迎，對一般旅客說來，自然異常動聽，但對航空公司商及職業飛行員，這種新型客機，却產生了一個重大問題，這就是它在使用上，是否能增加收入，值得其消耗？這問題，一時還難得到確切答案，而這些人並沒有自費為氣去探尋其答案，只是在努力推動他們的計劃。美國現在另有三家飛機廠在發展噴射客機，且正相互激烈競爭。洛克希特機廠已完成了一種裝置四具推動機的噴射客機，其速度預計可達每小時六百哩，載客量一百人。陶格拉斯廠在設計方面則化了三百萬美元，其DC八型也準備開始製造。一種較小的兩引擎噴射客機，將由康維爾廠製造，用於較短的航線。

這些噴射客機都要化鉅大的本錢，它們相信可在正式生產上搶過英國，但也需要巨額的費用。單就波音廠的七〇七型而言，如欲開始生產，它至少還要化五千至八千萬美元本錢。它又不願接受政府補貼，以免在試驗期間受軍方指揮，因此，波音廠必須預先得到四十至五十架的定單，才能付這筆鉅大本錢。

噴射客機的發展，其實要靠美國空軍，有大量需求，却是來自軍事方面，並非軍用噴射機方面，但轉向噴射運輸機。最近有一項議案，要求政府推廣商用噴射機的製造，以與英國競爭。今日美空軍本身固然並未計劃製造噴射運輸機，但在這方面的需求，則正與日俱增。它必須擁有噴射運輸機及空中加油的運油機，這樣才能配合其噴射轟炸機。因此，美空軍部大致將向私人廠商購入大批噴射機，祇要其設計能符合軍方條件。

至於各航空公司，它們目前尚要先看噴射客機的性能究竟如何，才能決定是否購買，或購買的數量，同時它們又要顧到美民航管理處是否批准使用。這大致將需要經過一年，這包括三百小時的飛機測驗，以及其機械周樣的研究。而且，還有許多航空公司希望先讓軍方購入，看其使用的成績如何後，才能決定是否也適合民航之用。

總之，美國的民航界對於採用噴射客機，還並未感到十分迫切。「美國航空公司」即表示：「買進一架七〇七型客機，要耗費四五百萬美元，另件及其他保養機械，又需再加上一百五十萬。每架就需六百萬元了，但作定期飛行，却非先擁有十架飛機不可。這十架飛機，便是六千萬元。在今日的航空公司中，恐怕沒有幾家能付得出這筆鉅款。」（上）

作官的要訣

自由談　馬五先生

作官與服務的意義大有區別，決不可混為一談。服務是以負責實效為目的，盡其在我；作官却以適應周圍環境為原則，不計其他。下走對作官雖不感興趣，但關於作官之道，耳聞目見所及，積二十年之經驗，自信頗解其中三昧，謹述概要，以就正於世之熱心作官者。

譬如說：現在是反共抗俄時期，國家用人行政，首重忠貞，懲奸斥僞。因此，作官的人首要表示忠貞，而態度第一：言必稱反共抗俄，對人先講關係，辦公室滿佈標語，兩旁邊貼格言，一是皆以恭錄長官所發佈的反共抗俄語文為本，切忌自作聰明，出花樣。最重要的忠貞動作，即凡有三五人以上的集會時，必先向長官通電致敬，或聯名繪畫「還我河山」的地圖，以示必忠必信，勵精圖治，自身利害得失，八方數到，到處逢迎，以上司的好惡為轉移，注意人事關係，報告表冊，處處周到，以上司的好惡為準繩，一面勾通某某……

……

革命，存乎其人，總之，口稱如能本此原則，揣摩行事，保證高陞不遠，永遠不愁……

為自由人創刊三周年作

·郭敏行·

淺淺千餘日，艱難幾盡知！憤提叢子筆，重進賈生辭。破虜寧無訣？同天信有師。會胡去未遠，遺跡最堪追。

錢玄同自編文集記

舜揚

（一）

新文化運動急先鋒錢玄同先生，在四十歲那年，頗有意思自編文集。主意既經打定，文章就開始搜集，可是一動手，問題就來了，因為他早年是篤信古學的，如今提倡新學，確定一個原則：「五四」以前的，一概不要。而決定從「新青年」選起。選了幾天，拿手一拍，大叫起來說：「簡直都是廢話，完全要不得！」

從前，錢先生說過：「以今日之我，與昔日之我挑戰」的話。現在錢玄同也同樣的向自己「挑戰」，對自己舊時寫的文章，大表不滿起來。

這原是人太聰明，學識易進，從前用十二分力氣寫的最得意的文章，如今看來，都成廢話了。後來，又回頭轉過來一想，要編，那末，只有編「疑古廢話」還可以。

（二）

寫到這裏，我得交代清楚：他自加入新文化運動之後，主張以懷疑的態度去研究古學，所以替自己起了個別號叫「疑古」。這一次要編文集，就自題「疑古廢話」。這當然是他自己的不自滿，是自嘲，然而也頗有風趣。

因為書名的確定，使他更有興趣去選輯。當時，一面是很起勁的在選，而腦子裏却在想：「疑古廢話」，可作個人專集總名。今年四十歲，再編「四十歲集」吧！到了五十歲，再編「五四言廢話」吧！再隔十年之後，到六十六歲，再編「六六廢話」，到了七十七歲，再編「七七戚戚集」。想到這裏，他不再想下去，這種諧音的名字，很是好玩！

我在今天，想到他當初的這種情形，似乎有一種莫可名狀的感覺。說起來，似乎很奇怪，說不出所以然來似的，使人似乎很難說，他如何竟就在「七七」抗戰軍興之後，第三年的剛過新年不久，大後方的文化界，都被一個噩耗轉相告說：「錢玄同死了！」後來，報上也登出消息，國民政府也發佈褒揚令，證明他在二十八年一月十七日逝世的。年歲幾何呢？只有五十二歲！

（三）

他的文集，編得怎樣了？當初，他自己也不過是想，雖也動了手，事實上，一直沒有再編。所以他生前身後都沒有專集行世。北平，現已成為紅都。他的兒子錢三強，也已赤化，替毛朝研究原子能。將來我們反攻勝利回去，恐怕只好減戚然的恐怖，我們也找不到他的遺著來替他編專集了！這又怎不使人倍加戚戚呢！

論·嶺南三大家詩

·王世昭·

屈翁山詩以寫情為最奇，上可追風騷，中亦與阮嗣宗抗衡，下則高於潘岳，深於元微之。後人中可以追蹤的，有譚定菴、王仲瞿，民國時代則有易君左一人而已。

翁山既傷國恥，亦憂家難，晚年遂偕髮人羅浮山為僧，其詩慘若至極。原來翁山初年生活亦與顧亭林同，有詩云：「五年遊五嶽，三年下三湘」。五言絕句多情詩，五律與雜體多哀辭，皆悼為國變而殉之烈婦貞女。蘇曼殊作「嶺海幽光錄」多引用其詩中人物，故不贅。

翁山遊塞外，得婦曰王華姜。姜父死於國變，母於顛沛流離中攜姜逃難，為侯公乳媼。侯公後夫人有弟曰趙公者為雁門守，求得屈翁山，以書道侯公於固原以華姜為婚，三千里雲耕遂由固原之代州成配。翁山婿後生一女，以母老辭歸，婦欲侍姑亦不使翁山有踮子職，遂南返。南返未及年，婦卒，翁山哭之哀，有「哭內子王華姜」云：

「阿母年七旬，哭汝聲摧裂。當食不能餐，喉間日哽咽。念爾萬里身，艱難歷胡越。暑雨及祁寒，馳驅不暫輟。關中積高府，風氣多慘冽。我性不能樂，躁理畏風雪。鷓鴣向日飛，桂華以多發。自返南州來，中懷少鬱結。汝亦樂土風，所愁獨炎熱。海氣多霧淫，腹痛成夭折。倉皇醫未來，魯已電光滅。

「炎州雜烟瘴，珍果足娛子。子為離支猴，能令顏色美。可憐未及餐，倉卒歸嵩里。自作翡翠釵，自剪蒲桃綺。靜服幾何時？棄捐篋笥裏。汝生既柔脆，汝病復不已。水土不相宜，卑濕損年紀。家貧藥餌少，夭枉非天理。痛酷五中崩，我罪伊何矣！

「皇天何不仁？不念鞠子哀！不念我君姑，白髮方摧頹。魂魄今越散，逢祭時一來。我魂在姑前，朝見姑淚漣。我魂在夫側，暮聞夫歎息。稚女未成人，殯宮日匍匐。我欲乳遺孤，鬼伯相催逼。兒寒姑與衣，兒饑姑與食。勞苦今惟姑，姑將無氣力。誰劬我孝慈，皇天不與直。

「汝魂毋飛揚，萬里隨悲風。汝父為國殤，精爽在榆中。汝兄亦殉死，黃口為鬼雄。游魂尚未變，白骨可相從。汝生不識父，死後見形容。桓桓大將軍，若戰黑山戎。左手挽人頭，右手持秦弓。鬢髯怒蓬磔，流血被襟紅。黃雲野莽蕩，陰氣橫蒼穹。前有無定河，後有赫連宮。父子魂相持，傷哭何時終。

「汝魂復何之？汝母在朝那。生時命奇薄，夫死矢靡他。孤女纔始孩，提抱出干戈。伶俜未亡人，被髮奔風沙。汝小既偏孤，汝大又無家。自汝失天只，骨肉成土苴。泉下今相遭，煩冤訴無涯。長城土慘裂，黑水泳峨峨。嚴風縱橫起，吹汝魂無多。朝隨轉蓬飛，暮逐驚沙過。邊地雖故鄉，陰寒誰奈何！母子魂來歸，歸我羅浮阿。

「凄凄燈火光，照我空房塞。官酒誰與飲，彈棋誰與歡。徬徨淚橫迸，不寐茹哀嘆。衾幬不忍展，翰墨不能看。學詩雖未成，才思已波瀾。風雅日緒歇，書寫滿齊紈。蘿華不終朝，玉鴆難為圖。徒栽同本芝，徒植同心蘭。上天惡賢淑，使我成孤鸞。夢想何時接，惻怛摧心肝。

（二）

編者　讀者

編者的話

△下一期我們將發表：毛以亨先生的「治學方法論」，旭軍先生「論尼赫魯的安全感」，和祝修衡先生分析埃及目前政局的文章。

△丁立夫、敬齊、韓名銅、味腴、郭鄉健才諸先生：承惠稿，均已收到，謹謝。

△莫和詳先生：函悉，另行奉覆。

△丁大立先生：稿酬單將照尊址奉寄，改善推銷已在進行中。

家住天台雁蕩間

·鐵頭·

便他在那裏表演。以必須暫停，以不！以便他在那裏採解，他們本來是採採石斛而練出的為這種本事，並非為表演與大人先生們欣賞而冒險，不過後來石斛採光了，又有人願意化錢，這似乎比採斛的收入，還要可靠，乃不惜一顯身手罷了。

正意念間，祗見那人已垂降距峯腳僅約百尺左右了，忽然直瀉而下，忽臨坑底，同時看到一條長繩，由空中飛躍而來，有若一條長蛇，昂首而舞，又猛然一聲巨響，恍若炎夏的炸雷，震蕩山谷，迴響四起，而觀眾的心情，也躍躍而跳，眾人立了一會，噓了一口大氣，才返到殿中吃早餐，餐時有人詢起響聲何來？答道：是那活的一頭繩子快放完了，不能不丟下峯巔，以便那懸著下去，因峯頂高峻，而山谷遙深，乃激動空氣，發出巨響。有人算道：這繩子至少要長一千六七百尺呵，真是大觀！

早餐既畢，走出寺門一望，但見大柱與展旗兩峯頂上，遇着了一條巨索，那空間的距離，怕不有八九百尺長，天柱較高，那時彼索向展旗斜傾了。大家正在指指點點說話間，忽然有人從天柱頂的索子上溜過來了。只見他凌虛御風似的，騎着索子直爬，有時手腳並用，有時懸空，僅用兩手，又忽然身子前進，更有時身子倒懸，交換頭頂朝下。只有兩腳鈎住長索，那巨索過長，臨風已經晃晃盪盪，再加一個大人在上面翻來倒去，只弄得它震播不已，真有人担心它會忽然斷了，將如何是好！

（九）

中華民國僑務委員會頒發登記證台教新字第一零二號

中華民國郵政登記第一類新聞紙類

自由人

THE FREEMAN

（半週刊每星期三六出版）

（第三一六期）

每份港幣壹毫

督印人：羅嘉猷

社址：香港高士威道二十號四樓　20 CAUSEWAY RD 3 rd. fl. HONG KONG

香港發行及事務接洽：高士打道六六號

電話：七四〇五三

承印者：東南印務出版社

地址：高士打道六十四號

台灣特派員辦事處：台北市館前街五十號

台灣總經銷處：台北中華路五九四號之一

台郵撥儲金戶二九二五二

泛美會議的前途

‧林長林‧

拉丁美洲共黨日漸增長，阿根廷，危地馬拉，玻利維拉的共黨已有相當勢力。巴西，智利，古巴亦為共黨滲入。美國想獲得拉丁美洲各國的合作，應注意的有三件事。

本月一日，在卡拉加斯揭幕的泛美會議，美國代表團在杜爾斯率領之下前往參加，將作最大的努力，以鞏固美洲共和國間的傳統友誼，加强他們的集體準備，以對抗共產主義滲入西半球。

不愉快的開端

這次會議無疑以對付共黨問題為主。但開幕伊始，即有兩個國家發出不同的反響：一為危地馬拉外長，表示反對這次會議干涉各國內政；一為阿根廷外長，認為會議主題不應針對共黨，應討論付給拉丁美洲的原料以適相價格。接着美國提出一項議案，要表明國際共黨控制任何一個美洲國家的政治機構，均為構成對美洲國家主權和政治獨立的威脅。烏拉圭和多尼明加也提出類似議案。但危地馬拉外長抨擊這些議案，謂為威脅個人自由，他將投反對票。雖大勢所趨，二三小國異議難敵多數決定。但這已是不愉快的開端，無論將來的結局如何，對泛美全面團結，已投下可怕的陰影。究竟美國代表團能否力挽狂瀾，於此不妨先檢討一下美國和拉丁美洲的關係：

美國忽略了拉丁美洲

二次大戰後，美國對拉丁美洲各國的友誼，可謂太忽略了。例如前年阿根廷財政陷於山窮水盡的時候，美國本有餘力可資挹注，但事實並不如此。當時阿總統貝隆的一位顧問於失望之餘，便說了一個笑話，他說：「解決這個問題，是很簡單的，請看美國對戰敗的德日兩國，如何慷慨援助。七年前這兩國已瀕於破產，但億萬的美元像水一樣的灌注下去，現在德日已是歐亞最富有的國家了。我們想獲得美元的捷徑，就是向美國宣戰」。貝隆也聳肩回答說：「假如美國給我們打敗了，又怎麼辦呢？」這雖是一個笑話，但這故事已傳遍美國的友人和敵人間了。從此可以想見反美情緒的一斑。

美國和拉丁美洲依存

說到拉丁美洲的反美情緒，或許是一部份人的輕舉妄動，但一九四三年以來的阿根廷及最近危地馬拉和玻利維亞，則決不是偶然的。這雖由於民族主義者的誇張，然民族主義往往給共產主義開路，已是數見不鮮的了。長此發展下去，美國和她的芳鄰都遲早會有不愉快的破裂，這對美國有識人士，已不是危言聳聽的了。

本來美國和拉丁美洲的依存關係，遠非其他地區所可比擬，如有不測，誠屬心腹之患。從經濟言，整個美國的國際貿易，拉丁美洲佔了四分之一，而來自拉丁美洲的投資所得，幾佔全數之半，而況一億六千萬人口地區的消費力，美國更向何處去找尋呢？從軍事言，巴拿馬運河橫跨二十個拉丁美洲國家的中間，如果美國還要海軍的話，這就是美國海軍的生命線，墨西哥地區的加勒比海，直至現在還是美國的基本防守線，在整個海岸防禦線說，也就是美國的軟下腹；從政治言，別的不用說了，最明顯的事實，拉丁美洲在聯合國擁有二十票，這是美國領導世界事務最現實的本錢。這些明顯不過的事實，照理不會忽略的政治家，但拉丁美洲國家，為什麼還嚷着未能從白宮獲得他們所應得的友情呢？論者謂所以造成這種局勢的因素，是強權政治作怪：那些天生一對勢利眼的外交家，一方面以為貧弱散漫的中南美國家永不會構成對美國的重大威脅；一方則而以為儘管赤燄高張，但孤懸另一半球的美洲，無論來自莫斯科或北平的侵略，都不會飛越重洋，像韓戰型的戰禍是不會發生的，於是在處理世界事務的場合，便移寘就緊；心目中更認為既有泛美同盟的保障，自可安枕無憂了。

共黨勢力的增長

目前的情形，共黨在這地區的任一國家中，雖還沒有贏得控制權，相反的，有許多國家已宣佈共黨為非法；但在阿根廷、危地馬拉，玻利維亞的三國政府中，共黨已佔了相當的力量，那是無可否認的；而在巴西，智利，古巴等國，共黨已有優良的組織，且曾在許多場合中顯露過不可忽視的力量。

在上述國家中，巴西的共黨於前屆大選中已獲得百分三十的選票，乃衆所週知，尤可驚的，是從近來種種迹象透露，不少赤色的酵素已滲透陸軍隊伍中；在智利，十三年前共黨在聯合政府所得的位置，雖早已被擯，然去年大選，獨裁者伊賓尼斯能重掌政權，實得力於共黨潛在力量，此後該國政府的動向，自可想見；古巴首都夏灣拿前曾有南美共黨指揮塔的稱號，中間雖經內外交相遏抑，兇燄稍殺，但前年軍事獨裁政體之重建，無疑又是共黨發展的良機；危地馬拉政府本身尚非直接基於共黨的支持，然政府所賴以支持的職工會，則幾乎全受共黨所操縱，這個政府的屬性，亦可不言而喻（危國墮入赤化的陷阱之經過，作者去年在本刊有已詳細報導）；玻利維亞的元首是不屬於任何一類的共黨，惟其副手鍾佩利是否為托派共黨，則迷離莫辨，其所引用以從事工運的人，亦多屬此種類型，此後如何演變，至堪玩味。這些國家被赤化的程度，深淺不一，是可以看得出的，至於阿根廷則有些不同了。阿根廷總統貝隆的僚屬中，尚無著名的共黨混跡，不過貝隆本人一則倡言要學社會主義，再則主張在資本主義與共產主義之外，另行創立「第三者的地位」，就是所謂第三勢力，言外之意，是在激揚經濟的民族主義和反帝國主義運動；而一般拉丁美洲的智識階層也多認為以民族主義為體，社會主義性的經濟為用，才能挽救中南美的經濟劣勢。他們對貝隆的所謂「第三者地位」，是饒有興趣的。

怎樣去贏取拉丁美洲

美國對拉丁美洲，至今[illegible]的縱綫外交，改為西徂東的橫綫的[illegible]。這無疑的是適應時代的要求，無可非議的。然拉丁美洲人每一重溫門羅主義舊夢，則二十年來的冷漠，自然令到他們感慨萬千。

[illegible]三。近來美國對拉丁美洲的積極政策，着眼在區域防禦，則中南美的迫切需要，則在中南美的經濟慾望的[illegible]。遠謀與近利的[illegible]，就是蓄怨之[illegible]

[illegible]的轉變：把過去由北[illegible]

杜爾斯率領的美國代表團能否達到睦鄰的目的，要看對這三種情緒，能否安撫；目前會場上二三跳梁小丑，是干擾一時的插曲而已。

中共擴大內蒙特區的用心

‧金達凱‧

內蒙土地面積比外蒙更大，人口更多，中共擴大內蒙自治區，在利便蘇俄的併吞，內蒙行將繼外蒙之後而成為蘇俄的屬土了。

本年一月二十八日中共政務院決定撤消綏遠省的建制，將綏遠的二個市，二個專區，二個民族自治區，二十二個縣，十四個旗，兩個鎮，全面積四十七萬零三百七十平方公里的土地，全數劃歸「內蒙自治區」管轄。這是中共繼撤銷察哈爾省建制以後又一次準備出賣國家民族利益的舉動，他們準備繼外蒙古獨立之後，使內蒙由「區域自治」逐漸走向獨立，以脫離中國版圖而投入蘇俄懷抱的措施。

割裂國土目的何在？

蒙古為中華民族近支血親的遊牧宗族，蒙古地方為大漠南北的遊牧區域，自綏屬中國版圖以來，特別是清代中葉以來，由于東北及西北的農業區域人口紛往移居開發，長期文化交流與經濟生活的影響，使大漠以南的內蒙改變了原有的宗族成份，消逝了原有的宗族特性，而溶合于中華民族的大家庭之中。至民國十七年，熱河、綏遠、察哈爾諸省建省以後，內蒙古已不存在。而由遊牧區域轉變為農業區域的上一地區則已完全漢化了。根據偽「人民日報」一九五四年二月二十七日社論所引的統計：綏遠一省有漢族人民二百四十餘萬人；蒙族人民只有五萬人。換言之，原綏遠居民漢民佔總數百分之八十五以上。因此，中共恢復內蒙古區域及一再擴大「內蒙古自治區」，其實際意義絕不是單純為了「民族區域自治」，而是藉此割裂國土，以滿足蘇俄對中國的土地侵略和其對內蒙區域的吞併。

我們知道：俄國對蒙古的覬覦由來甚久，自一八六〇年（咸豐十年）中俄訂立北京條約，開庫倫、張家口為商埠後，俄國勢力則深入蒙古。一八六四年（同治三年），俄藉訂塔城條約，將蒙古的阿爾泰諾爾烏梁海劃入俄境。一九一一年（宣統三年）復指使庫倫活佛宣佈外蒙獨立，次年（民國元年）更協助外蒙西侵科布多，南侵內蒙呼倫貝爾。以上是帝俄對蒙古的侵略行為；一九一七年俄共奪取政權後，其侵略本質未稍改變，且更加緊向蒙古滲透，一九二一年（民國十年）紅軍闖入庫倫，導演外蒙獨立，並用同樣分化手段，嗾使外蒙行政區之一的唐努烏梁海脫離蒙古，成立「杜伐自治共和國」。一九四四年（民國三十三年）更進一步將其改為「自治省」，直接歸併為蘇俄的領土了。

內蒙比外蒙更大

當外蒙古經我政府承認其獨立，變相的讓予蘇俄後，內蒙又成為他們侵略的目標。自一九四九年起，即假手中共將黑龍江以南，吉林、遼甯、熱河以西，河北、綏遠以北的呼倫貝爾、納文慕仁、興安、錫林郭勒、察哈爾等五個盟旗劃出建立「蒙內自治區」。一九五零年，中共東北行政區撤消遼北省建制時，又將遼北省的哲里木盟及熱河的昭烏達盟劃歸「內蒙自治區」。一九五三年中共華北行政區撤消察哈爾省建制時，復將多倫、寶昌、化德西北各縣旗劃予內蒙古。

（下轉第二版）

一週展望

‧李秋生‧

國大能免李宗仁

關於李宗仁失職案，經國大於十日的第六次大會在群情憤激中從事討論，以絕大多數通過罷免案。李氏任期屆滿在即，藉令不予罷免，他也只有七十天的名義可資假借。然而為了明辨是非，整飭綱紀，確不能不忍痛做這樣的嚴正措施。

當李氏棄職遠走之時，不只東南各島嶼均告無恙，即西南地區也尚未全陷，乃李氏竟不顧一切，棄職遠走。即此一節而論，李氏不只不配做中華民國的元首，甚至連充任地方大吏的資格都沒有。在他赴美之後，言行日形荒謬，歷經中樞敦勸其返國共赴國難，都始終表示拒絕。在這四年間，他依舊擁有副總統榮銜，所做的卻是危害國家的勾當。國人在一再容忍之餘，直到四年之後的現在纔予以罷免，實難免令人有當斷不斷之感。我們對於李氏私人，絕無恩怨可言，但在這國家危亂之際，非嚴明政紀不足以振奮人心。關於處置叛國或失職官吏，實在是絲毫姑息不得的。

關於吳國楨事件

在罷免李宗仁的同時，國大主席團也決定了關於吳國楨案件的處置，對其函件不予置理。就國大職權而言，這是唯一的正確辦法，但這問題卻並沒有解決。

吳國楨號稱「能吏」，且頗獲一部分友邦人士的捧揚，但如就此次公布的吳氏函件內容而言，淺薄虛憍，實在不像是出自一位在普林斯頓研究政治學得到博士學位，且久任中樞和地方要職的人物之手。一些外國政論家，看慣了平時的美國政制，對於今日自由中國種種都覺得不對，說情有可原；吳氏曾在危疑震撼局勢中在台主持省政三載，也竟隨聲附和，指責政府不「實行真正民主政治」，難道說只要實現兩黨政制，廢除軍中政治工作，則反攻復土就可立見奇效嗎？

吳氏過去並沒有像李宗仁那樣危害國家，他在台省主席任內，即使有失職之處，也不是十分重大的事。國家無負於他，他何若這樣甘步李宗仁後塵？如果說想藉此以取悅友邦人士，遂其政治野心，則天下絕沒有這樣簡單的事。如果說他也是想藉「政見」以取得政治庇護，以避免對他過去失職的查究，則照這做法只是把自己的政治生命全部斷送。我們要維護國家的紀綱，同時我們也難免因此等事件的一再發生而深感遺憾。

對於政府的希望

吳氏之言，究竟有無可資借鑑之處姑置不論。他以政府高級官吏之身，如果提出政見，自有正當途徑可循，絕不應該是這種做法。其次，他明明是先在國外發表廣播，到立法院提出糾擧，纔轉而向國內發表，這都是他的最大荒謬所在。如果他在位時就他的主張據理力爭，並確因「政見」不合而掛冠求去，則即使世人不能同意他的主張，至少還尊重他的人格。現在卻根本不足以語此。

同時我們又感到：政府一方面應對吳氏謬擧作嚴正處置，另一方面，更應該使全世界人士充分明瞭政府幾年來艱難的處境和苦心。政府的國際宣傳工作，一向是施政中最弱的一環，過去曾因此吃過不少的虧，至今仍未見十分改善。而一切謬論也就容易因而滋生，淆亂世人的聽聞。

此外，這又是政府[illegible]；但[illegible]自我檢討中，是否還有類似李宗仁、吳國楨其人？應如何才能杜漸防微，[illegible]官吏是否都能深切體會？[illegible]如能身體力行？是否尚有可資借鑑之處，則應予設法改進？[illegible]到底還從其他方面獲得寶貴的補償。

胆大妄為與胆小如鼠

・白古・

陳辭修先生近在某一個場合中，說：『我以前是胆大妄為，現在是胆小如鼠』，這句話本來很平常，出諸陳先生之口，頗有意義。現在在台灣負責任的人，能夠發現自己已往的錯誤而又能坦然說出來，並以行動求改過，似還不多見。他這次被提名為副總統候選人，自然是由於幾年來在行政院任上的表現，而此一表現，可以說是由於他能夠明瞭以前的大胆妄為之錯誤。和現在能以胆小如鼠的態度謹慎做事。

他本是剛强清廉的軍人，遇事肯負責，有衝勁。可是因為如此，即不免主觀太甚，獨斷獨行。軍人教育，是以服從為第一的。所謂軍令如山，發命的人，和受命的人，都是以貫澈命令為至上的。陳氏是個軍人，自然不能例外，這便是胆大妄為的原因。可是他從政幾年後，發現了剛愎用事是行不通的，才有了臨淵履薄的心情，不再出以胆大妄為的態度了。陳先生檢討過去，承認錯誤，自我糾正，確是一件可喜的事。可是現在在台灣負政治責任的人，能夠警惕以往錯誤，以贖罪的心情，再從頭做起的，能有幾人呢？我希望陳先生這種孤臣孽子的精神，能夠發生領導作用，使自由中國的政治風氣大大改變過來。

我相信陳先生的話是出自衷誠的。但陳先生是政治上負重大責任的人，也不要因過份謹慎，而成為瞻顧徘徊，考慮過多，畏首畏尾，則談不到改革了。我希望陳氏的胆小，只是謹慎，而不是畏怯。諸葛一生惟謹慎，謹慎不是眞的胆小。陳先生想必同意我的話罷？

讀者論壇

論吳國楨事件

楊王兩先生的文章發稿後，吳國楨給國民大會的信和大會主席團對此事的處理，已經報紙發表，惟楊王兩先生的文章，仍可代表若干讀者的意見，故仍加刊載如左。——編者

吳氏應受懲戒

・楊柳青・

不久以前，台灣各報以顯著地位，刊載吳國楨啓事，略謂絕無支領巨額外滙之事，並述其在美生活之苦，以接受各方邀請演講，維持生活，同時為國宣傳。最後說，「植為國服務廿餘年，平生自愛，未曾貪污，……個人有任何劣跡，敬請國人檢舉，政府查辦」。其言甚壯，似不失光明磊落的態度。然而沒有幾天，吳氏竟在美國發表攻擊政府的言論，跟着立法院院長張道藩便提出有關吳氏的質詢。雙方言論，都已在報章發表，這裏無須引述。

這事發展至今，我們還不十分明白就裏，吳氏何以轉瞬間發出此種荒謬言論？何所據而云然？又何所恃而無恐呢？過去有李代總統和毛邦初事件，如今又有吳國楨事件。到底應作何解釋呢？如此風可長，羣起效尤，凡寄迹海外的大官貴人，都可無所顧忌，隨意攻擊政府，將使友邦人士，難於了解中國的政治，將會認為中國政治是一個謎了。吳氏這種毫無根據的謬論言論，應該受到懲戒，否則政府將何以自解乎？

輿論界應加警惕

・王擇良・

吳國楨最近在美，發表攻擊政府的言論，已引起了海內外人士的關心，大感驚惑！吳氏是近十餘年中國政治舞臺上，青雲直上，炙手可熱的時代驕子。其氣勢之盛，有駕一般黨國元老及有抗戰汗馬功勳者之上，乃不旋踵間，轉而攻擊政府，誠不能不令人感覺驚惑！因政見不同而分道揚鑣，或黨派分裂，而互相責難，在民主國家，本是司空見慣之事，中國過去的黷武軍閥或野心政客，與貪污官僚，一旦失敗下野，或避居租界，或逋逃海外，以修陳主張，希圖掩飾罪惡，也是司空見慣，不足為異的。

我以為今日之所以有吳國楨事件，原因雖多，言論界亦不能不負一部份責任。以言論界過去對吳氏而言：往往對吳氏作過份的推許，造成一種不確實的社會印象。甚至對其私人生活如夫人偕兒女婚事「飛美」主持，亦盛讚其家庭之優越與幸福！於是吳氏彷彿是政治上的「萬家生佛」了。至其行政上的毛病，如政令不統一，（省政府各廳處和行政院各部會相距不過一公里許，而辦公時間即各行其是），以及國難期間浪費外滙，專擅獨行，不顧民瘼等，則無人指出其者非。以昨日有「萬家生佛」之譽的政治家，今日轉而對政府有不利的批評，其影響就比普通人的言論，有所不同了。然而吳氏過去的地位因何而成？原因雖多，輿論給與的贊助，也不少罷？由吳國楨事件的教訓，我以為今後輿論界要有所覺悟，不要再蹈以往的覆轍了。四三，三，五，於台北。

梁漱溟與北宋呂學

・毛以亨・

不懂權術的梁漱溟

他雖是桂林人，曾與國民革命軍中人，如李濟琛陳銘樞等發生過同學的關係，然他與這班人的合作，終于失敗。他與韓復榘和共產黨人的合作，結果相同。他派學生徐名鴻等，到十九路軍政治部工作，不幸其中多數都背叛老師而參加共產黨。我們以為亂世祇可以求知自娛，即玩玩遊戲數學如太極圖之類，亦足以陶冶心性。若必以問世為職志，上焉者撥亂反正，下焉者徼逐富貴，皆離不開權術。王船山固為隱者，然不諱言權術，以身殉共和政體之蔡鍔，亦不諱言其守經而兼用權。特梁漱溟既非入世不可，入世而又非守其道學而絕不用權術不可。蓋北宋諸呂，祗夷簡有權術，而入學案者，皆爲以道學自守絕不用權術之人。即好問亦悉爲忠君愛國之誠，而非例外。

民盟之在政協時代，五花八門，可謂極縱橫捭闔之致。其局面亦從未有如此之複雜者。自命爲天下第一策士之曾琦，終于使其青年黨脫離民盟，蓋實嫌其太複雜而不勝其繁了。政府與共產黨，自爲兩個鮮明的壁壘，而居間的民盟要人，則兩面討好，兩面送情報，黃炎培、沈衡山乃其中之尤。他們之投入共黨，不過以共黨拉得較緊，對他們頭上用的錢較多，不如國民黨之視爲無足輕重而已。

讀者不信我言而認爲過份麼？請舉一例爲證，而知道此事者即在香港亦不祇我一人。某君曾以如何應付毛澤東來電邀之策劃陳蔣先生，時方一日，蔣先生尚未披閱。董必武就知道了。乃告某君曰，「我們是老朋友，你要錢用麼？要多少錢我們都有」，因出紙幣一箱，置桌上而去。某君以政府未用其言，而共產黨，則未打自通，遂死心塌地肆力助共產黨。不過共產黨對這班人，是不會看得起的。

委曲求全終須破裂

以如此場面，而有以「富貴不能淫」自命之梁漱溟穿插其間，眞是何苦來。他雖具有誠意，而人則祇能敷衍對之，敷衍得太多，亦討厭起來了。有一次我到李濟琛處，談某問題。我進去時，看見梁氏等在客廳裏。李氏尚未會見他，我談完話，李還要我多坐一忽，我說梁先生不是等在外邊半天麼？李說，我們要解決實際問題，他是書生，所談無非空議論而已，你還是多坐一忽罷。此等情形，眞使我受寵若驚，而爲梁氏難過。然不特在李濟琛處如此，即在董必武處，亦復遇到梁氏久坐客廳，而會不到董氏的情形。我決不敢自以爲比梁先生强，如果萬一而以爲有的話，則知白守黑，無慾則剛，於共產黨決無所希望，更無所冀求，要決裂便決裂，如是而已。以希望寄托于奸僞之身上，而委曲求全，以冀大局之有補，梁氏屢作此想，而我們則當謝不敏。我們與梁先生之共同點，爲無求於人，然我們是讀西洋書的人，故寧願以責任心代替希望心，盡實而止，決不委曲自己以免爲人所乘。現在他在中共政府中，其受冷落之情形，尚超過以前萬萬，梁氏其果常能受而安之麼？待至希望幻滅，而忍無可忍時，即非決裂與爆炸不可。他在光明報上不肯坦白之聲明，已經是爆炸性的宣言了。最近之罵共產黨的演說，雖不能謂其事之必有，亦屬勢之所必至，而爲情之不獲或已者。（三）

人物述評

中共擴大內蒙特區的用心

・金達凱・

（上接第一版）

這次再將綏遠集寧專區的豐鎮、薩拉齊、集寧、興和、涼城、卓資、和林格爾、托克托、武東、武川、清水等十五個縣、陝壩專區的五原、臨河、安北、狼山等六縣和伊克昭盟的東勝縣、准格爾、達拉特、杭錦、扎薩克、烏審等七個旗，烏蘭察布盟的包頭市，烏拉特、達爾罕茂明安等四個旗，及東四旗，中心旗等併入內蒙。據「人民日報」載：現「內蒙古自治區」面積已達一百萬平方公里，人口已達五百萬以上，比外蒙的面積（七十餘萬平方公里）和人口（一百三十萬人）還大得多，多得多，儼然是屬于蘇俄的脫離中國第二個「獨立王國」。

消滅了傅作義勢力

此次中共政務院決定撤消綏遠省建制併入內蒙的決議內容是：

一、將綏遠省的集寧專區改爲「平地泉行政區」，將陝壩專區改爲「河套行政區」，限于今年春季實行完成，兩行政區均爲內蒙古自治區的一級政權，統受內蒙自治區政府的領導。

二、將綏東四旗改爲三旗，取消陶林縣建制，劃陶林縣東部與集寧東北部爲「察哈爾右翼前旗」，陶林西南部與卓資縣北部合併爲「察哈爾右翼中旗」。

三、原屬綏遠的伊克昭盟，烏蘭察布盟自治區，改爲內蒙古自治區政府領導下的一級政權。

綏遠省的劃撥，其作用除擴大內蒙特區外，同時也是爲了削弱現任紅朝「水利部長」傅作義的潛力。傅作義是綏遠的老家，他的基本力量除安春山的暫三軍和郭景雲的三十五軍在華北損失和被改編以外，而實際其原與孫蘭峯所代表的地方勢力仍存留在綏遠境內，傅亦以此爲其資本。這在當時中共只是一時的利用，等到利用的價值消失時，自沒有存在的必要。所以一九五二年共黨即以[illegible]，改編綏遠地方武[illegible]。一九五三年再以內蒙古自治區政府主席烏蘭夫接替董其武，爲綏遠省政府主席。現將綏遠省撤消，將原有專區及各縣旗劃歸內蒙，則傅作義的潛力已被消滅了，而其末日當亦不遠了。

新疆也擴大自治區

在取消綏遠的同時，新疆方面也有擴大「區域自治」的迹象。據本年二月十日北平「光明日報」載：中共於二月一日起將新疆境內地名一律變更，其第一批更改的地名如次：（一）新疆省會—迪化市改爲「烏魯木齊市」，迪化縣改爲「烏魯木齊縣」，迪化專區改爲「烏魯木齊專區」。（二）[illegible]改爲「吉木薩爾縣」，[illegible]改爲「瑪納斯縣」，景化縣改爲「呼圖壁縣」，承化縣改爲「阿勒泰縣」，[illegible]改爲「巴里坤縣」，[illegible]改爲「尼勒克縣」。（三）阿山專區改爲「阿勒泰專區」。改名後的下一步如何，尚待事實的證明，但從此不難看出蘇俄對中國的野心，[illegible]

更正

上期本版「南投的人猿故事」，作者「陳雲英」誤植「楊力行」，謹此更正。

編者與讀者

△編者的話▽

△台北一個公務員因看了三月三日本刊自由談，關於公文程式的談論，他來信說：「台灣政府公文程式，四十一年早已改革，文中所說的那一套，早已沒有了。」這是我們樂意聽的好消息。除感謝這位先生外，並在此報告給讀者知道。

△林百昌、蔡婆生、劉伯驥、王劍鋒、李廉讓諸先生惠稿均已收到，謹謝。

△上期預告毛先生的治學和方法，和祝先生關於埃及政局分析的兩文章，因稿子過擠，要改遲一點發表，非常抱歉。

天下大事

史蒂文斯職位將不保

儘管美國陸軍部長史蒂文斯一再宣佈，他將繼續留任部長職務，但據華府消息靈通的人士說，史蒂文斯可能在「可預期的將來」奉命提出辭職。因爲國防部的最高級首腦認爲，史蒂文斯在與參議員麥卡錫的爭執中，固然因自己的立場不穩沒有佔到上風，而且嚴格的說，對整個陸軍部的公務而言，史蒂文斯並不會表現出優越的能力。據說，上自艾森豪總統，以至於內閣各閣員，都認爲陸海空三部中，海軍部長安德遜的能力最佳，所表現的成績自然也最爲傑出，其次則是空軍部的泰博特部長，只有陸軍部的史蒂文斯成績最爲平庸。經過史（蒂文斯）麥（卡錫）之爭後，國防部首腦去史蒂文斯的意念益堅，但爲了避免向麥卡錫示弱起見，史蒂文斯大概還會暫時留任下去，等到現時麥卡錫的風暴過去後，史蒂文斯去職的命令大概就會向外公佈了。

法屬摩洛哥情况危急

法屬摩洛哥最近的局勢愈益不穩，共產黨利用工會及回教組織來挑撥反西方的意識，已經獲得相當成功，預料不久北非就可能發生反法國的暴動。據說美國也顧慮摩洛哥的情勢不妙，空軍部正準備一旦局勢無法控制時，即將所有美國駐在摩洛哥四大空軍基地的官兵，飛機和設備，一股腦兒遷往西班牙新建的基地上，雖然摩洛哥的空軍基地一共化費了美國四億二千多萬美元，但在法國無法控制其北非屬地的時候，也只好放棄了。

葛羅米柯患了癌症

美國駐歐洲的情報機構最近獲得一個相當可靠的情報，他們獲悉前任駐英大使，現任俄國外交部副部長的葛羅米柯已經患了癌症，現在病況雖還未到十分嚴重的程度，但葛羅米柯的臉上已經佈滿了病容，所以每逢外國使節到俄外部有所商談的時候，從前大多是由葛羅米柯接見的，現已改由另一副外長庫茲涅佐夫代表。

巴克萊競選參議員

素有「老好人」之稱的美國前任副總統巴克萊先生最近靜極思動，有意參加積極的政治活動，他自從離開白宮後，有一個時期常在電視廣播台上露面，但大多數時間仍在家中度他恬靜的家居生活。據悉，他現在已擬有一個確定的計劃，準備於今秋競選參議員，目前他雖然沒有向外間洩露他的打算，但他已計劃於最近期間在路易斯維爾宣佈競選的決定，至於他的對手，則是共和黨參議員古柏，不過一般人仍對古柏獲選的機會看好。（孟衡）

中共機關報自供 新農業政策失敗
災荒頻仍農民消極反抗 鄉村共幹普遍浮亂不安

據最近中共機關報「人民日報」以「教育農村黨員和團員熱愛農業勞動」爲題的社論透露：由於大陸各地農村年餘來災荒不絕，經濟恐慌，生計艱難，致已使農業生產及農業社會環境皆形衰敗荒涼，由是而不僅已遂使一般從事農業的黨團員亦隨着一般農民悲觀消沉而情緒日陷浮亂；即一般鄉村幹部，亦日漸不安於位。或紛紛要求調往城市工作；或要求參加工廠生產；或擅自拋棄現有農村工作或生產隨農民集體逃荒，潛竄城市；情形甚爲嚴重。

荒災嚴重收成大降

中共在社論中承認：由於年來大陸農村大部地區的災荒普遍嚴重，收成荒歉，確已使一般農民的生活日形艱難。同時復承認：自提出新的農業政策，計劃全面發展生產合作組織，改行集體耕作以後，就大多農民都已「誤解」爲沒收田地，致更普遍產生了對農業前途悲觀厭棄的情緒。惟除上述兩點外，尚另有一相當重要之原因爲中共所諱言，而大陸農村雖已普遍災荒而造成歉收，但中共因財經恐慌而仍照常大力征收佔收成量達六成之多的「農業稅」外，復以「收購餘糧」爲名，將農民僅剩的口糧亦將之掃數劫奪。其劫奪的程度，同據該報透露的，去年「收購餘糧」的總數，竟較並未荒歉的前年——一九五二年——還平均超過一倍云云，即可想而知。因此而目前大陸各地身爲糧食生產者的農民，反已無糧可食；一部份人已僅能以雜糧糊口，一部份人已僅能以山藥、葛藤、山芋等物充飢，一部份人則更已祇能以生草野菜裹腹，故其農村貧困、饑荒、悽慘的情形，實遠比中共所認承者爲嚴重！

各地農民集體逃荒

由於上述三大原因所交織成的農村衰敗荒蕪的狀態，中共乃不得不認承大陸各地農民已發生集體逃荒，更不得不認承不僅已有甚多鄉村幹部及黨團員紛紛逃避鄉村，企圖另謀城市工作；且在農民集體逃荒中，亦有不少農村黨團員參雜其間。惟中共爲了掩飾此一嚴重的弱點，雖曾特地強調鄉村幹部和黨團員的不安於位，是「熱愛工業」和「嚮往城市生活」，是一種「進取心理的表現」；但仍不能否認此種幹部和黨團員的「熱愛工業」和「嚮往城市生活」，絕大多數係出於不能忍受農村生活的艱苦，不認識農業生產在所謂「社會主義工業建設中的重要性」及其所謂「誤解前途」，以及「誤解」城市或工廠生活的「優裕輕鬆」。並謂尤其是流傳於鄉村的「工業光榮，務農丟人」的口號，不僅黨團員幹部情緒的浮亂爲之振振有詞，一般農民尤深受其嚴重的影響。

因此，中共中央特在該報社論中鄭重地告誡其鄉村幹部及黨團員，謂工業建設固然重要，但爲了「發展工業」，就必須同時「發展農業」，以生產大量糧食供應城市和「强大國防軍隊」的需要，生產大量棉、麻、木、油等等的原料供應工業的需要，還須發展農業生產和節約農產品以供輸出而換取工業裝備；故謂現有農村工作者和從事農業生產的黨團員不僅應堅守現有的崗位，爲工業「服務」而大力發展農業生產，且必須「說服」和「領導」所有農民繼續安心務農。

中共對幹部提出警告

同時，中共爲了企圖安撫此種幹部和黨團員浮亂的情緒，且特坦白警告此等人員，謂目前工業機械化的條件尚未俱備，一般從事工業操作的辛苦和危險的程度遠非務農可比，決非彼等所能勝任或忍受。並謂目前一般工人待遇雖略較農村爲優，但祇屬表面待遇上的些微差異，謂一般三口之家的工人生活，仍極感困難，故望彼等勿慕表面而見異思遷，飭彼等安心農村工作。

此外，中共爲了給予此種人員一種「希望」以幫助其安撫浮亂的情緒，特謂農業生產的前途在進入「社會主義」階段以後將「無比光明」。謂不久的將來當「農業生產合作社」普遍組織的時候，將有幾百萬個之多，所需的社長、副社長、會計、生產隊長、農業指導員等，將須任用幾千萬個之多，謂現在所有的鄉村幹部和黨團員，都將成爲此種合作社的領導者，都有「燦爛的前途」。最後並以恐懼的語調警告此等人員，謂「革命勝利的成果」決不能輕易放棄，謂所有以千萬人計的鄉村幹部和農村黨團員決不能自農村畏縮，撤退；否則，謂農村工作的「陣地」，即將爲「資本主義的地主殘餘勢力」所佔領。

公開承認經濟落後

但是中共在告誡其鄉村幹部和黨團員時，並不能掩飾一個嚴重的事實，即所謂「今日農村在經濟上和文化上的確是相當落後的」，並謂「現在農村中的知識份子實在太少了」。因此，他在指飭其各級地方黨部的命令中，不僅要其地方黨務幹部全力安撫鄉村幹部和農村黨團員浮亂情緒，也不僅要大力阻止一般農民繼續向城市集體逃荒，且還須設法分期輪流訓練鄉村幹部和農村黨團員，以提高其知識水準。中共認承：目前彼之鄉村幹部和農村黨團員的知識水準，甚多係初級小學未曾畢業而粗識文字者，甚多僅曾讀小學一、二年而不通文字者，甚多乃至全係文盲。由於此種情形乃益使今日大陸農村社會的荒涼程度，不堪設想！

總之：今日大陸的農村情形，由於天災人禍的交相煎迫，終於到了破產的境地。破產的結果，廣大農民固已陷於饑餓的絕境，中共政權的本身也已身受其害！此一事實，必將演成爲中共崩潰的一大主因，值得關心大陸情形者予以注視！（漢心）

荃灣輪廓畫
留有宋明清時代的古跡 中山先生策劃革命之地

鐵髯

（一）

荃灣位大帽峯南腳，青山道衝腰而過，東通九龍，西去元朗，面臨荃灣，八千噸左右輪船可以出入，故宜於工業發展。

在七八百年前，約當宋朝時候，荃灣只有一個老圍村。其地背倚大帽山，比千佛山，右環三叠嶂。又有一個鄧家墳，那是有名的吉穴，號爲「半月照潭」。明以後又加孫家村，清初乃有木棉廈，老街自然也是後起之秀。清末，海傍有白地，曰「三百錢」，楊衢雲孫中山諸先生曾在那裏計劃策動中華民國革命大業。民國纔有碑以留紀念，破壞於日治香港時期。芙蓉山之竹林禪院，千佛山之東普陀寺，西樓角之仁祥別墅，千佛山腳之鹿野苑，均建於二十餘年前，至天后廟，想爲初期繁榮之成績，廟宇極爲古老，規模亦不大。還有一個圓玄學院，那是新建的。復員後，香港政府指定荃灣爲工業區，於是沿着青山道，蔓湧起至深井止，工廠林立，荃灣遂繁榮了。

（二）

大陸既變色，流亡份子多寄居荃灣，或作鑛工於蓮花山，或作工修馬路，或爲工廠工人，人口日見增多。於是，戲院有了兩間，茶樓酒館數十個，旅館小吃新店，幾乎已有四五家，浴室也有了，捏腳、鎚骨，多舒服，多有趣，多够味啊。

（三）

大馬路有兩條，南臨海，像「丁」字形。東西是長的青山道，曰衆安街，東西里的青山道長達百餘華里，依荔枝角起，至深井止。說來荃灣鄉區範圍，都屬荃灣鄉。工廠中之少者二三十人，多者三二千，不謂之洋洋大觀將不可得矣。

爲了市面日見繁榮，先後建築郵局，及水電公司，醫署，醫院越來越寬，不久的將來，輪船有了碼頭，油麻地的小輪，恐怕也快要復航了。

這裏的陸路交通，東起佐敦道，西至元朗，有16號A、16號B、16號E均可附搭。16號巴士直至荃灣，十六號A、十六號B則可到九咪半，十六號則達元朗青山，所以陸路交通是很便利的，十六號A且延長到晚上十時，每刻時。

總之，荃灣依山面海，南通北達，有前途，有錢的，亦大可遊覽，請投資；沒有錢的，也不妨請來遊一遊呀！

日本神武開國新考
震動日本學術界的史學鉅著

沈秉文

作者：衛挺生教授

出版時間：三十九年十一月

中外學者對本書態度

書成後，衛氏曾以數百册分贈國內外學者及各大學。一部份人盛稱此書之成就及其價值，歐美學者多屬之，日本學者亦有數人加以贊許。已故台大校長傅斯年，考古學家李濟之，台大歷史學教授沈剛伯，辭典館館長楊家駱等均一致加以推許。惟亦有向衛氏提出書面或口頭質疑者，如台大教授曾伯猷、港大講師饒文奎、港大教授英人葛璧博士、印度歿多森氏及加爾各答大學教授巴士等。或認爲神武既即爲徐福，何以日本語言中，在魏晉以前無中國語言文字之痕跡可徵？或認爲日本人種近南方型，徐福攜男女則爲北方型，對徐福入日建國一說表示懷疑。或又認爲秦漢時之航海術尚屬幼稚，不可能遠渡日本。又有認爲徐福僅一方士，何能建國稱王？或認爲日本在我國魏代數次使者往還，均不言日本皇室出自徐福，故懷疑日本皇室非徐福之後。或認爲史記紀載徐福事蹟甚簡，且未記其年齡，衛氏考徐福年齡有何根據？或又認爲徐福並未航出中國領海，欲完全推翻徐福入日本建國之說。衛氏對上述種種質疑，均已反復引證，詳爲辯解。在筆者看，衛氏的解答，多合情理，可稱精闢有力。

日本學者多反對態度

多數日本學者，顯見極爲震動。其中雖不乏實事求是的賢明之士，惟多數人基於種族尊嚴或政治理由，不願揭穿皇室的神秘來歷，而大起反感。例如東京國會圖書館中國資料課職員平和彥，曾根據本書大意，撰文介紹，日本每日新聞社即在該社月刊刊載該文。日本三笠宮親王且欲翻譯本書。惟日本其他學者則力持無條件的反對態度，致使此等開明之士，亦不敢暢所欲行。

無條件力持反對態度的學者，最主要者，有日本史研究家藤間生大，日本文學博士家永三郎，津田左右吉博士，及一稱爲徐福後裔的徐昌道等數人。此數人及其他一般論調，都認爲神武天皇和徐福都是「架空人物」，（筆者按：指神武天皇「架空人物」，在二次大戰以前是絕對不許可的）。對於衛氏的神武天皇即徐福之說，顯然以感情衝動，撰文駁斥，故頗多謾罵口吻。但後來，家永三郎曾致書衛氏，表示歉意，並與衛氏進行書面討論。衛氏與家永三次書面討論，對家永所提出的反駁，提出更詳細而精確的論據。衛氏第三次覆函中，文長達五十六頁，附日本出土物相片二十九幀，竭盡其科學辯證之能事。辯論至此，已告一段落。

古代歷史的研究，當然不易成爲定論。筆者讀全書既竟，覺得本書的或然性固然不少，但其可能性，亦屬異常重大的。

推荐和受獎勵

本書出版後，自由中國學術界人士，極加重視，前年秋，台省特種教育基金處理委員會曾根據楊家駱和沈剛伯、李濟諸先生的共同推荐，於去年五月間，正式通過給獎。

推荐書說：「徐福東渡，止王不來，載於史記，人人習用。然證其地確爲日本，證其人確爲神武，證其事確爲日本之始建國，則自衛君始。」又說：「衛君此書，不惟爲東亞史提出一極重要之課題，且已獲得了不可動搖之結論。」本書的價值於此可見一斑。（下）

「自由人」三周年紀念詞（補登）

孫旗

我和自由人

兩年前我當某報主筆，不曾喜見過自由人，可是當時我看到它那鐵板板的面孔。去年秋天，一個朋友和我說：「自由人有文藝論戰的文章，應該看看，表示點意見才好！」因此，我又和自由人重逢，就像失戀的兩個人又復熟起來了。老實說，我就只訂一份報，並且遇見朋友，它也勸他們訂閱。

因爲它已從鐵板板的面孔，一變而爲滿面春風，令人愛，不忍釋了。現在我想據一般的看法，和我對它的希望，提供一點意見：

持論公正敢說話

「自由人」並不多載新聞稿子，最多是些通訊，而且份量不頂重，我覺得它是一個「論壇」，讀者多是知識份子，所需要的是一份（報）子，它是知識份子的喜愛的，而不是爲少數幾個人。今天幾個報紙，多少總不免受政治的影響，或無形受政府官員的威脅。往往一言不慎，就會羅織「文字獄」，共黨統治之下，更不待說，他們不折不扣的報紙是政府的公器。因此，看了任何地區的報紙，不論欲言不敢言，都會有言而不能暢的，或想處處歌功頌德，成爲其官喉舌，而不是「民喉舌」了。惟「自由人」不至如此。「自由人」之所以能逐日增加銷路，便是持論公正，敢說話。如關於總統選舉問題，以及關於政府措施，常有宏論，自由人能博採民意，不斷作精警有理的評論。關於共黨的抨擊，使人稱快。

不許批評的是假民主

一份真正代表人民喉舌，或是「士者論壇」的報紙，應該容納多方面的言論，不要成爲某政治集團的機關報。共黨的報根本是傳聲筒，不必說了。即民主國家各政黨的機關報，也專爲該政黨發言。「自由人」的創辦者，是各黨各派以及無黨無派的反共人士。它不是任何政黨的機關報，是名符其實的自由人的報。

歐洲文藝復興時代，出發傳播的是自由解放思想，代表反對神權束縛。現在是自由人類反對極權統治的時代，傳播的是自由民主，是「新人文主義」時代，「自由人」便是這一時代的戰鬥尖兵。

民主與自由，離不開批評，沒有批評只是假民主。民主政治必須博採民意，接受有關行政措施的批評，有批評才有進步。共產黨雖也標榜民主，但不許批評，故只能說是假民主。

「自由人」不只爲民喉舌，而且爲士論壇。知識份子可以暢所欲言，發抒清議。其所從事者爲文化運動。文化救國實爲目前反共當務之急。「自由人」本此方向而努力，實爲智舉。因此，「自由人」够得上稱爲一份真正的「報」。

篇幅小而作用大

所可惜者，篇幅小不能容納大量文稿。不過也有好處，稿多必粗而不精，篇幅雖小，能取精短言論，收效更大。原子彈固小，殺傷力還是驚人的啊！

我希望「自由人」能取精警短論，少用濫製粗造的文稿。其次少用連載，尤其每版都有一篇以上的連載，實不太好。必須做到篇幅小，作用大，才是「自由人」的難得處。

「自由人」成長三年，進步頗速。不過有時版樣不太美觀，錯字很多，必須力謀改進。「半週展望」，應再精警，似可縮小此欄，容納其他要論。第二版，未確定性質，似屬雜拌，也不甚佳。第三版，共區通訊宜縮編，和「今日世界」的「什麼話！」一樣，加添自由區通訊，使讀者比較之後，自然會發深省；香港三日宜成簡訊，不必一定佔三欄篇幅。第四版文藝，連載不宜多。既有古詩，不妨也選點新詩。遊記之類佔篇幅太多，莫如多發點雜文。我對「自由人」期望甚切，謹以此供參考。（一九五四，二，廿六夜台北。）

文理與政理

馬五先生

寫文章最忌諱有刻意求工的毛病，心裏先潛存着一種討好的下意識，把「窩思拔類神」趕走了，便不能從大處落墨，那沾沾於雕蟲小技，那裏還有好文章寫出來呢？尤其是寫應制式一類的廟堂文字，越要刻意求工，越會笑話百出。有人在美國華盛頓紀念塔中，見有我們中國政府當時贈送的刻石一方，上鐫頌揚華盛頓功績的文字，是一位當時榮任福建巡撫某翰林公的手筆，其中竟有「起事有於勝廣，割據勇於曹劉」的語句，你說該死不？幸而洋人不懂中國的史事，否則必以此而妨害中交，拍馬屁拍到馬腿上，非徒無益，非出腳不可了。進士及第的執筆人，不能說他是胸無點墨，只以不識大體，而又要刻意求工，這才鬧出笑話來，間接也是替自己國家幫倒忙！

搞政治的道理也是一樣，從政原是做戲，誰的演技高明些，誰就飛黃騰達，富貴逼人來，一生享受不盡。但表演必須與現實環境相配合，不能專以自己的主觀觀點爲出發點，上阿諛權貴意旨而隨便演出，急不暇擇，一心以爲好官我自爲之，方爲上乘。如果硬要刻意求工，結局一定不但自相作繭之患，而且誤己誤人，構成相反的後果，個人失態丟臉事小，把政治風氣弄壞了，貽害國家，其影響比幫倒忙更可怕啦！

胡漢民與譚延闓

易與

（一）

每于報端，見到舊相識的訃告，不拘其人之賢與不肖，長壽與短命，都不免有一番「既傷逝者，行自念也」的感慨，但歲月無情，光陰流水，逝者不復回，生前的有無以立，惟在其人是有無足可以傳而已，也就因之我對於甚多故交舊知的每年一度的「生」「忌」做作，不大感覺興趣，尤其那些類于「宮保隣舍」的傢伙，爲着袋內多點黃白物，借個機會「風光」「體面」好看一下，還有那些寄厚望於枯骨的掘塚漢，擧依着死去的顯達關係，希冀當權者看死人分上施點滴餘潤。這些當然是值得「哀憐」的，不必多事苛責。最堪嘆的「人在人情在」，有些人說是「人去樓空」，便不够「時賢」的顧盼，他們的「生」「忌」什麽的，也就沒有人在關心了。

（二）

於此，我在低徊感慨之餘，想起兩個人，胡漢民（展堂）與譚延闓（組安），之二人者同負中華民國開國的「方面」大任，胡任首任廣東都督，譚任首任湖南都督（焦達峯未嘗大任），又同屬國民政府實施五權體制的首任院長，胡任首任立法院長，譚任首任行政院長。不止此也，此所謂「做官」的「人爵」云云，祗要提上「時勢」心靈眼慧和「手段」一番，固「人皆可以爲堯舜」的人人得而爲之，所可貴的也是最難得的是他倆都會寫字，胡是臨曹全碑有成的，譚是融會歐柳顏褚得其神似以字名世的人，胡能詩，有「不匱室詩存」，譚亦能詩，有「非菴詩稿」，當民十七八九年間，胡譚以「院長」身居南京，時有詩章往還，傳誦於世，以民十八的『師期倡和集』，尤爲膾炙人口。民十九秋，譚氏逝世，此調絕響，嗣後胡又『蠖龍』謫居，更少見有詩章散佈傳誦，胡譚二氏年相伯仲，胡似長譚一二歲（？）譚死時年方五十二，胡後死時約五十六年，也似未過六十。胡貌清癯，風骨嶙峋，而折人非，不稍假借，想像其人的剛毅孤傲，譚則一團和氣，雍容謙和，是乃深得政治三昧的好好先生。

（三）

有人說假定胡譚二氏的死期，後先對調，也許在抗戰以前的中華民國的國事，是可以在淺斟低酌中來『談笑』，其然豈其然，有待後人來秉筆檢覈，得譚氏所作師期倡和集詩十一首，情誼風雅，而今的風雲中人物，不是可企及的。茲錄譚作如次，深願讀者君子，能時抄胡作錄出，也算是我們對於二公的一番紀念，因爲久矣乎不見有人來關懷他二人的什麼了。譚詩十一首：

（一）次韻展堂見贈

平生風義友兼師，喜入新年第一詩，不道杜陵矜瘦硬，胡應王約諱肥癡，奴書自悔非崇古，老學深慚已後時，筆健輸君緣詩骨，行能多恐負相期。

（二）再答展堂

歲朝休沐息官師，餘事猶能鬥小詩，遺我糇糧眞能益智，眩人符自笑聆癡，布衣與國懷前事，潘淵泉話昔時，文致太平知不讓，雍容裘帶想標期。

（三）年來多病託醫師，剩有勞歎與愚詩，災難未饒愚且魯，生涯應笑老而癡，更無方術肱三折，只把年華歲一時，結習未忘慚老友，沉吟就列負前期。

（四）粵學當年有大師，淵源弟子盡能詩，光明各放迴瀾劫，慧智端宜滅意癡，雲起龍驤開國日，水深魚樂富民時，廿年迴首成今昔，盡起瘡痍自可期。

（五）疊韻和展堂

長城爭取撼偏師，火急煩君更作詩，無事未從羅首飲，有情終類虎頭癡，抽絲乙乙仍相續，伐木丁丁又此時，奔放不嫌勞侍史，詩筒鑾答果如期。

（六）點筆推君一字師，巳入下里敢言詩，已無醒醉頻中聖，尚有雲山想大癡，饋歲華筵慚老饕，宜春綵勝似兒時，明朝便復愁羈鎖，如此清閒未可期。

（七）疊韻再和展堂

少年文陣擅雄師，老去何人敢定詩，自鑄偉詞如鐵槊，不治他技合書癡，萬言倚馬直堪待，一見猶龍自失時，穎士奴僮愛才者，已知書到不他期。

（八）昔隨廐馬盡臣師，主善無常况學詩，境過只餘飛鳥跡，書成愁似凍蠅癡，伴狂已嘆無多子，閒暇能及是時，流水猶高山吾豈敢，知音方待有鍾期。

（九）後堂絲竹已無師，陶寫中年猶有詩，山上蘼蕪還采擷，燈前兒女故嬌癡，年憐蒙叟行歎日，正值周婆制禮時，舉者那知音樂美，攢眉曾與太常期。

（十）日日升堂作講師，料應無暇復言詩，韋編倘不憂三絕，畫帙還思借一癡，且善偷閒談藝樂，略同去夜劇棋時，自憐今已知方盡，準備看花更索期。

（十一）題師期倡和集

走卒知君亦可師，碧紗籠處恐無詩，嘖嘖敢笑劉郎癖，皓齒幾同廣漢癡，驥尾青雲慚自附，蛙聲紫色總非時，未能藏拙翻成拙，好事流傳匪所期。

酬黃杰將軍

張維翰

百戰開關率虎賁。三年羈旅瘴雲屯。伏波壯節高銅柱。定遠生還入玉門。汪度借如春水闊。雅歌饒有古風存。行都衛戍瞻新績。郊野人同挾纊溫。

劉幼蘅先生七十雙壽詩

羣才濟濟仗陶甄。早歲聲華重八閩。議政登壇言謇謇。却金拒選氣嶙峋。鴻光偕隱仍忠漢。軾轍齊名足慰洵。就養蓬瀛春正永。稀齡貞秀契松筠。

（按：曹錕賄選時在京議員之拒不投票者惟君及王家襄黃攀元三人）

論：嶺南三大家詩

王世昭

「采采荼蘼花，花露紅以滋。爲姜作面色，光豔使情怡。之南市石黛，之北市燕支。芳香用未畢，蕙草忽先萎。幽鏡生紅埃，羅幃交網絲。笑貌若流光，一絕不可追。遺者餘履跡，髣髴佇遐邇。我有第五妹，與姜日娛嬉。倣姜墮馬髻，服姜月華衣。四妹嫁遠方，尙未覩容姿。今晨兩慟絕，閨閣將誰師？」

「相如還成都，衣裘盡貰酒，自刺美人賦，消渴恐不辭。臉際芙蓉花，誰知先速朽。幽歡惜永絕，盛顏難復取。筆牀銷翡翠，雜佩損瓊玖。服玩盡棺巾，箱匳無所有。同穴尙無期，我留爲慈母！殉爾一鳴琴，暫作黃泉友。」

「清明節已屆，雨露使心悲。外舅與外姑，野祭今同誰？汝生治酒食，汝死魂無衣。僾骨傍先公，安此南海湄。扶胥雲慘慘，黃木風淒淒。萬里歸成婦，祔葬罔其宜。大恩雖未卒，孝媛名已垂！」

這九首詩，語語悼痛，篇篇血淚，爲屈翁山詩中必傳之作。三百載之後，吾人讀之，仍覺屈翁山之筆，王華姜之魂，仍慘慘淒淒，縈繞於吾人之左右也。

翁山一生，亦詩人，亦國士，亦僧伽。情之所至，發而爲詩，氣之所鍾，浩然成文，誠唐宋元明九百載而還不可多得之作者，又其「哭顧徵君甯人」云：

「昌平山水是天留，海嶽朝宗此帝丘。一代無人知日月，諸陵有爾即春秋。書生得盡悽哀痛，故老雖存若白頭。遺骨故園園下葬，年年天壽守松楸。」

陳恭尹詩，亦見浩然之氣，其過「匡門謁三忠祠」云：

「山木蕭蕭風更吹，兩匡波浪至今悲。一聲望帝啼荒殿，十載愁人拜古祠。海水有門分上下，江山無地限華夷。停舟我亦艱難日，畏向蒼苔讀舊碑。」

又過六貞女墓云：

「崑岡生玉總無瑕，烈女貞魂是一家。一夕便成千古恨，孤墳空與後人嗟。木鸞合上三珠樹，化蝶應爲六出花。」

此詩有小序云：「六貞女者，順德處子立名靑史少，曹娥江水在天涯。」

龍津李氏處女也。丙辰春，粵東大亂，有強暴謀脅致之。六女懼不免，夜以酒相酹，一夕同赴水死。比曉出之，明粧儼然，臂約紅羅，兩兩相結，其家合而葬之龜山之陰。當事者立石表之，曰『六貞女墓』。」

恭尹尙有「王華姜哀詞」，是傳王氏一門於不朽，即前所云翁山妻也。

讀嶺南三家詩，使人黯然於綱紀之不可以不辨，漢夷之不可以不分，節概之不可以不講，是非之不可以不分也。今世人才，不知奴主，自取戮辱，可不哀也哉！

（續完）

家住天台雁蕩間

鐵頭

然而那位仁兄，在上面有若游龍嬉水，又好像蜘蛛懸絲，嘻嘻哈哈，毫不在乎，及至溜到寺門正中，面對着我們一羣人的時候，他竟在索子上停留起來，彷彿要坐着同我們談話似的，又見他在腰裏摸索了一下，有人叫：大概他要吃香烟了，果然，他在劃火柴了，一下子，半空中冒了烟，同時，忽聽到劈劈拍拍之聲，原來他在索上放起炮仗來了，眞是好玩！他一手拎着鞭炮，順勢直滑，很快的就滑到展旗峯頂，然後我們心情舒暢，盡興而行。

據說：這後面的一幕，較之前面的一幕，代價要高，計大洋二十元，然而看的人，則認爲前幕的驚心動魄，則遠較後幕爲甚，這也許是大家看慣了馬戲班的飛身走索的緣故罷，但是那一個馬戲班能够有類似這樣的偉大場面表演呢？

天台啊！雁宕啊！你們眞使我懷念不置。難怪數百年前徐霞客的遊記，就是從天台雁宕兩名山開始，而且前後遊過三次，也記過兩次，因之我過去在大陸時，是衷心的羨慕，家住天台雁宕間的朋友們的，但是而今他們怎樣呢？（續完）

人類旅行步入噴射時代

茅齋譯

美國航空公司且說：「而且除非我們能確定不會賠本，否則我們決不輕率冒這個大險，而在目前，我們還無法確定。要我們也進入噴射時代，祇有一個因素最爲重要，這是同業的競爭，要不是怕淘汰，我們在最近將來還不致全面採用噴射機。」

不過以美國的情形而論，祇要一二家公司買進少數幾架噴射機，其他公司爲了搶生意，必然會迅速迎頭趕上。泛美公司已向英國定了三架彗星型客機，二年內交貨。等到這批飛機開始使用後，在美國一定會引起競爭，其他公司勢將也跟着採用起來。因此，噴射客機今日雖然尚在初創階段，它的全面發展，大致不會超出廿六年，到這時候，普通客機也必會像今日的軍用活塞引擎一樣宣告落伍了。

不過，旅行噴射時代的到來，還需要先解決二個問題，這是燃料的消耗量與機身外的噪音。

波音廠的B七〇七型機用的是J五七型噴射引擎，已是今日新穎噴射引擎中最經濟及力量最強的，但其耗油量，每分鐘仍要超過普通活塞引擎百分之二十五，因此未來噴射機的航行，將僅能適合於高空及較長的航綫，這因爲在低空的濃密空氣中，耗油量更大，而在較短的航綫，可能飛機剛飛出不久，尚未到達其最高速度即需降臨於目的地了。未來的短程航行，大致將大量採用氣渦輪引擎，還是使用噴射力量推動螺旋槳，其速度雖較差，但耗油量亦較低。

據說另一種J七五型噴射引擎亦已在試驗中，其效率更高於J五七型，速度可超過音速，耗油量也較少。視目前趨勢而論，燃料的節省問題，其解決似已爲時不遠了。

但噪音問題，到目前爲止還未找到適當的解決辦法。所謂噪音，是指噴射引擎發動時所發出的尖銳嘯嘯聲，當一架噴射機在空中飛行時，其聲音在周圍半徑五哩內地方均能聽到。如空中多雲，音波從雲層發生反射作用，將顯得更爲響朗。而在夜間，在沉寂氣氛中，自異常刺耳。幾家飛機廠曾設法使用降聲機器，但絕無成效，唯一可以略微縮小其噪音傳播範圍的方法，祇有在飛機起飛時，於機身四周圍以金屬板，但此法亦僅部份有效。在這種情形下，許多專家認爲，要解決噪音問題，似唯有將機場遷離市區，但一個機場的建築費用需六千萬元之鉅，搬遷計劃也勢難實行。至於在機廂內部，則由於機身及窗口上可裝置隔音設備，故可以不受噪音騷擾。

就噴射引擎本身而論，它的速度可能達到每小時一千五百哩，一架噴射機之所以不能達到此種高速，並不是由於引擎能力不够，而因爲這種速度所引起的高熱。一架飛機如以時速一千五百哩飛行，空氣與機身摩擦所產生的熱度，可達華氏四百度，決非機身的鋁質所能抵耐。因此，未來的高速噴射機，其兩翼和機身，都可能用抗熱度極高的玻璃及新的合金來製造。

（下）

一萼紅

懷冰

（初春雅集山樓鳳老拈此題命賦次石帚韻）

問晴陰。趁花朝未過。樽酒話朋簪。織手調絃。新聲比竹。庭院歌管沉沉。海雲共東風蕩漾。有浪蕊。飛濺颭輕禽。俊賞南樓。小休東閣。佳日登臨。　江國眼中春事。料春花正發。悵觸春心。灼灼夭桃，依依細柳。多少閒處勾尋。記曾共名都結客。試芳郊驄馬絡黃金。待斷胸中葛藤。未抵杯深。

中華郵政登記認爲第一類新聞紙類
中華民國郵政登記第一類新聞紙類

自由人

THE FREEMAN
（半週刊每星期三六出版）
（第三一七期）
每份港幣壹毫
督印人：雷嘯岑
社址：香港高士威道二十號四樓
20 CAUSEWAY RD 3 rd. fl. HONG KONG
香港發行事務接洽處：高士打道六十六號
電話：七四五五三
承印者：南華印務出版社
地址：高士打道六十四號
台灣特派員辦事處：台北館前街五十號
台北總經銷處：中華路五九號之一 電話：二九二五

我對吳國楨案的感想

不宜濫事個人口舌之爭，不應重視他的言行，以抬高他的聲價。今後政府用人應親賢遠佞，創造新風氣。

・雷嘯岑・

吳國楨以一個平庸多慾的官僚人物，旅居異域，不甘寂寞，妄發言論，誣衊其身任政務委員及中央常務委員的政府和黨部，這原是一項違背政紀與黨紀的問題，應付之法，自有一定的軌道可尋，吳氏亦够不上元惡大憝的資格，用不着特別重視他；而且，他潛伏在海外，既已存心搗亂，私衷即有所恃與所圖，決非偶然的。可是，由於應付失當之故，致令吳國楨因勢乘機，形成一種政治暴發戶的氣象，大放厥詞，以矛攻盾，好像他眞是一個具有甚麼「政見」的大政治家的模樣，豈不可哂可歎！其始也簡，將畢也鉅，這樁公案的未來發展如何，尚難逆料，我希望政府當局諸公妥慎將事，不要再爲吳氏造機會，替他累積政治資本，自貽伊戚啊！

，這純粹是一副患得患失的嘴臉，令人鄙而憎惡，都要嗤之以鼻的。若政府中人亦斤斤然，皇皇然，不從大處着想，要點着手，而無意之中治襲吳氏的作風，濫事個人口舌之爭，不但對本題毫無裨益，且使社會人士不無「唯之與阿，相去幾何」之感，用意雖在替政府說話，結果卻變成了幫倒忙！

談到民主不民主的問題，更是永遠聚訟紛紜的纏夾二官司。美國不能不說是世界上最崇尚民主自由的國家了，然他們朝野間近來爲着麥卡錫的調查共諜事項，即不斷地發生民主自由人權的爭議，各執一詞，互不相下，何況在我們這剛剛開始學習民主生活，而又遭遇着內亂外患的國家呢！凡屬談民主生活問題，在野的人總是振振有詞，像煞有价事；在朝的無論怎樣實行民主政治，也沒法教人們俯心滿意，無懈可擊的。你若肯定地認爲政府毫無不民主的事實，而要居心反動的吳氏有以語我來，他自然有詞可藉，求之不得，因而乘機向國民大會狂事宣傳了。這結果又徒然是替吳國楨製造政治資本，對政府幫倒忙啊！

政府應從大處着想

吳氏以在任的政府官吏，乞假出國醫病，在假期中，言行違紀，政府自可依法予以整飭，或限令歸國，或免去其職務，皆爲應有的措置。至於他過去有甚末非法瀆職的行爲，那是另一回事，自有糾察御史糾舉彈劾，與他在異域胡言妄語的違悖紀綱問題並無聯帶關係，這理由很淺明：他過去既有那麼嚴重的犯罪事實，並非一朝一夕所致，何以當時竟無人舉發，而優容到今日他對政府實行反動時纔來指斥呢？尤其是他在上海市長任內「臨陣脫逃」一情事，不必再談了。既臨難苟免於前，何以又使其封疆執政於後，這不是縱然給他以反唇相譏，淆惑觀聽的大好口實嗎？二十年來，他在政治上蜚黃騰達，純紫紆靑，世人從來未聞吳國楨有所謂「政見」在那裏，一旦權位消失，卽以「政見不合」的腔調，發爲反動言論

以普通官吏違法處理

因此，我對於吳國楨案，盼望政府當局揚棄其衝動情緒，以靜冷的頭腦，依法處理。最要緊是把這回事看成癬疥之疾，不必大驚小怪，竟視同虎列拉之來襲；把吳氏當作一枚蒼蠅，而不宜誤認他有如老虎。他私心必企望政府與國民大會都重視其反動言行，大張旗鼓，用獅子搏兔之力來攻擊他。如是乎，他在洋人面前卽欣然色喜，認爲自己是當代自由中國了不起的

大政治家，更有資格巴結友邦，挾外力以自重了。當吳氏到美國不久，他過去在台內在行時所結交的新聞記者和議員，即提出吳氏是自由中國「最適當的總統人選」，這類論調在我們聽來，原是極大的笑話，然在美國人卻不足爲奇，而在吳國楨的下意識中，更不免飄飄然想入非非了。因爲美國人過去曾經把亡命新大陸在國內並無實力的李承晚博士護送回南韓作總統，將來也未嘗不可以幫助「吳國楨博士」回中國爭政權。吳氏這次的反動言行，必有一些外國人在背後支持着，他自然想以中國的「李承晚博士」自命，美夢縈懷。所以，他在其致國民大會的信札中，特別強調美國的援助，用意即在貼緊美國人，企圖達成其不可告人的政治奢望，而表面上自稱「並無政治野心」。他現在正感覺資望不够，羽毛未豐，我們即不應過於重視他的言行，認爲他眞是了不起的人物，姿態起攻擊，抬高他的聲價。再就本案說，假使各方面所檢舉他過去汚貪瀆職的實據，是眞的，他若抗不回國，[illegible]引渡歸案的把握，如其沒有，豈不是成第二個毛邦初案？爲國家聲譽與政府威信計，這些後果必須先予考慮的，所謂老成謀國之道，就在這類重要關鍵上。我個人對吳氏素存輕視之念，過去他在台灣檯赫不可一世時，我首先在本報指斥他越位言事，妄談軍國大計；嗣因其對記者宣傳[illegible]，而大事誣衊，最近以其在台灣[illegible]，又[illegible]，決非同情吳國楨之人，而希望政府不必小題大做，只按照一個普通官吏違法違紀的情節來處理，[illegible]。

政府今後用人之道

吳國楨選武昌市的小吏起家，二十年間一帆風順，富貴逼人，對國家，對政府領袖，十足是「受恩深重」的。凡稍有政治道德與節操觀念的人，卽使眞有「政見之不同」，也不致幹出這樣醜行來，因爲這太不够做人的條件了！不講究做人的，一定是無所不爲，無所不爲之徒，卽不可寄以大任，倚爲股肱。吳國楨過去以爲心腹，而其平日立身行己，處世接物，殆[illegible]小人行徑，略予省察，便能辨識的。政府如能親賢遠佞，愼選人才，[illegible]，而忘卻不可收拾的意外惡果！

論尼赫魯的安全感

旭軍

尼赫魯也以爲印共無法實行武裝叛變奪取政權。因此他很堅信大有玩弄權術的裕暇。他以爲由於在世界政治中立，微妙的均勢，西方不想觸犯印度，迫令她投向蘇聯的懷抱。在勢均力敵的勢力集團的中間，一個較弱的大國的舉足輕重之勢，這正是尼赫魯自己所需要的。

尼赫魯能樂觀嗎？

其實尼赫魯盲目的樂觀也是印度一般人的情性，以爲兩大勢力都不願爆發大戰，均衡勢力可以持久。他們不知道由中共援助越共，用第五縱隊蠶食的方法。而奪取越南。由越共聯合寮共，而奪取寮國與高棉。如印度支那的幕，可以摘取。至此泰國共黨，自然不費絲毫之力，聯合鄰國共黨而奪取政權，易如反掌。到了這田地，試問尼赫魯之推行什麼來抱樂觀呢？

印度只看到中共之崛起，而不見中國人民之悲慘生活，更不知以中國爲前車之鑑。

印度玩中立秘術原因

當今自由與奴役兩陣營對壘中，印度究何去何從，她的中立究能維持到何時？這是一個重要問題。

迄今爲止，共產黨在世界上某一國能夠奪得政權，不外在兩種情形之下。第一：是紅軍的進攻或在紅軍威脅之下被併吞，例如在東歐的若干附庸國便是。第二，是在國內運用機會，伺候機會進攻。例如俄國成熟，實行武裝叛變，奪取政權。中國的列寧毛澤東便是。

尼赫魯便認爲印度無這兩個情形。於地理上的形勢，印度北部有山嶽作屏障。由西藏通入印度之山路不能作大規模的進攻。以現在的印度軍力作抗拒，是可保無虞的。目前印度正在邊疆監軍備武，祇有用滲透方法，私運軍火和金錢進入印度給印共而已。

列寧早就說過：「由北京到加爾各答是亞洲最近的一條路。」蘇俄集團對印度久已垂涎欲滴，尼赫魯的甜蜜中立夢未醒而已。

印共的起源與發展

考印度的共產黨起源與中國的共黨相似。起初在一九二〇年英國共黨派人到印度作理論的研究學會。一九二九年英當局大捕共黨，在獄中更密謀擴張，以國際陰謀主義者，一九三〇年代當中，他們參加國大黨。[illegible]

中立夢應該快醒了

海德拉巴前統治者尼森，擁有土地凡五百英畝，其面積約與美國一個州相論，千論英畝，而大多數農民一生窮過奴隸生活。因此有海德拉巴之叛亂，其後尼森被印度政府迫令將土地分給佃農。[illegible]

本週展望

・陳克文・

英國反對反攻大陸

十五日英外相艾登於下院說，英政府仍不贊成自由中國反攻大陸。韓德森請外相與美共同磋商制止此項反攻，艾登又答，美政府已知英政府反對此舉。

英國承認中共，僅是爲了要保護英國在香港的經濟利益和[illegible]，一方面又在馬來亞積極剿共。爲甚麼對自由中國反攻大陸要表示反對？這要和美國共同磋商制止此項反攻？無他，英政府對全球反共策略向採重歐輕亞主義，自私自利的心理作祟而已。

英國態度對美國政策是很有影響的。十五日合衆社台北電便說，「美國只在使中華民國陸軍建立足夠守勢的兵力而止。」無疑美國不過將中華民國永遠造成一個威脅中共而非與中共作戰的兵力，即心滿意足。可見美國的亞洲政策也是和英政府的願望相符合的了。

我們的反攻，難道便就此停止下來？自由中國難道永遠安於做爲威脅中共而存在？這樣大國支配弱小命運的局面，我們可以聽任其發展，而不知謀求自處之道嗎？

亞洲反共會議的展望

亞洲應該是亞洲人的亞洲，聽任大國支配弱小，不僅爲弱小的悲哀，同時也是世界和平的暗礁。最近南韓政府發起今年四月底在漢城召開亞洲反共會議，我們以爲這是亞洲人謀團結自救，反抗共產侵略，脫離大國支配，應有的一個明智舉動。

這一會議，據說祇是一個民間的代表會議，並非國際反共聯盟，當然與政府出席的大有分別，可能發生的宣傳的作用，也自有其限度，能否包括多數亞洲反共國家，也尙有疑問。據南韓表示，日本便不在正式邀請之列。

不過，無論如何，此一會議是值得鼓勵的。我們希望此一民間會議能夠爲未來的「亞洲反共聯盟」舖平道路。亞洲反共國家必須自己先能團結合作，然後才能夠獲得友邦的援助，以求實力達到獨立自由的政策，而不至於僅爲大國的支配，俯仰由人。

四月廿六日內瓦會議，可以說是大國支配亞洲的會議。亞洲反共會議如果能有成就，日內瓦才不至成爲雅爾達第二。我們希望此一會議能夠成爲自由亞洲一個有力的發言團體。

新門羅主義的出現

三月一日起在委內瑞拉首都舉行的泛美會議，已經通過了美國防止共黨勢力侵入中南美洲各國的提案。美國務卿杜勒斯稱讚此一方案的通過爲門羅主義的重申。

此一方案的通過是十七票對一票的多數，還有兩票棄權，這個事實，新門羅主義旨在防止共黨的侵略，而共黨勢力在中南美洲的日益增漲，本報曾一再指出過，也是一個證明。然而此一行動對於共黨勢力伸入中南美洲的防止，具有極大的作用，是無庸置疑的。

杜爾斯說門羅主義，是涉及歐洲專制暴虐國家的政治制度企圖擴展到西半球來。這雖是歷史的說明，也是國際新形勢需要的說明。

共產極權的暴虐政治已經從歐洲推廣到亞洲來了，亞洲也正需要一種門羅主義以抵抗侵略，維持安全與和平。亞洲門羅主義的產生我們不能不寄望於即將召集的亞洲反共會議與未來的亞洲反共聯盟了。

埃及政變的原因及其前途展望

祝修衡

祝先生寫這篇文章的時候，納吉甫雖已復任總統，但大權仍在納塞爾手中。現納塞爾已降為副總理，納吉甫的權力已超過上月底政變之前，地位大為增高，與本文所論似已不合。惟本文分析政變前後埃及政治情勢及納氏處境困難，仍不失為留心埃及政局者有價值的參考。編者附誌。

傀擁虛名的納吉甫

上月底埃及總統兼總理納吉甫突然被「革命委員會」宣布「辭職」，四十八小時之後，納氏重又恢復總統職務，這一消息遍傳世界後，世人多覺驚異。

其實，這一次戲劇化的政變，是一顆埋藏了將近十九個月的炸彈，突然爆發的。一九五二年七月廿三日，法魯克王被逼遜位。十二月廢除一九二三年憲法，去年二月十日頒佈新憲，五月重加修改，否定了法魯克稚兒福德二世君主立憲政制；六月十八日廢棄了五千年來傳統的帝制而改為共和政體。這一連串的變革，乃內外局勢交迫而成，納吉甫雖手中掌握一批納粹軍官，成為一時極受衆望的「鐵腕將軍」，到底並沒有掌握實權，大權多操於三十六歲的副總理兼內政部長納塞爾中校手裏。納塞爾一直掩蔽在幕後策動，一直到去年五月，美國務卿杜勒斯訪問埃及，纔見公開活動。杜勒斯在埃祗逗留三天，卻得了一個極深印象，他發覺納吉甫不過是名義上擁有二千二百萬人口的埃及統治者，在會議中的發言權，幾全被納塞爾佔有。杜氏以為在表面上這位統治者不宜使人難堪，在許多新聞記者面前，把艾森豪的贈槍，當衆交與納吉甫，使他的聲望可以提高。這一顯示美國決不懷疑他是一具沒有實際權力的傀儡。

內外局勢交相煎迫

納吉甫逼走了法魯克王，又把馬赫爾驅逐，而自任總理，做了十七個月的埃及統治者。當他初宣佈兩項改革：削去王族地位（「帕夏」及「貝」稱號）和實施土地改革。規定地主不得擁有超過二百英畝的土地，這貧困的古國，每個平民，沒有不對他表示欽敬和擁戴，祗有少數的大地主和共產黨感到不滿。

擁有相當勢力的反對派華孚特黨，向來倚恃王族勢力，該黨政治地位被褫奪之後，形成了新政權的勁敵，（王族，華孚特黨，共黨）。因此改革計劃不僅無從着手，反而有陷入癱瘓之勢。納吉甫受到阻撓與挫折之後，人望也隨之低落。他覺得內政上的困難，無從打開，於是學步華孚特黨，把埃及的一切苦惱，全部推到「外國敵人」帳上，希望以強硬外交手腕迫使英國讓步，挽轉行將喪失的民心。去年二月十二日，英埃雙方決定蘇丹前途簽署協定之後，蘇彝士運河區八萬英軍的撤兵問題，似可達到願望。誰知幾經折衝的結果，僅獲得英國原則上同意，這種同意，是埃及民衆所不够滿意的，他們便責備政府外交軟弱，同時國內的貧困又無法解決，外國援助始終未至。對外貿易萎縮，外滙奇缺，經濟陷入困境，更增加納吉甫的困難。

中東聯防峻拒西方

經濟上無出路，英埃又無迅速解決徵象，納吉甫的政治生命遭到重重打擊，為了挽救垂危的闇運，遂毅然下決心，以廢王朝改共和來刺激人心，扭轉國際間的觀念，然而，他和納塞爾之間的磨擦，已日形尖銳，以改制力挽頹勢，事實上並沒有顯著效果。去年十月間，英埃談判，又形成新僵局，英國堅持：一、當東地中海地區遭受侵略威脅時，英軍有自動回防運河區基地的權力；二、英軍退出運河區之後，英駐軍中的四千名技術人員仍將留駐運河區，協助接防的埃軍處理一切有關防衛的技術問題。這兩個要求即撤退運河區八萬英軍的條件，埃及雖不完全表示拒絕，但認為這種條件，含義過分廣泛，應該有一明白規定。表面看，這一僵局總有打開之望，實際上英國自始不擬將運河區的駐軍撤離，目前雖仍維持着非正式的接觸，無順利達成協議的徵象；假如英國誠意撤兵，這一個問題也早已解決了。實在說來，英國對運河區的基地，始終眷念不釋。當一九五一年十一月美英法土四國會議中建議「中東聯防」之時，原擬將運河區包括聯防範圍，以變相協防的方式使八萬英軍仍駐運河區。因此埃及首先反對參加中東聯防，繼之由阿盟七國共同表示中東聯防應由阿刺伯國家自辦建立。

土巴締盟促納氏下台

西方計劃的中東聯防既成僵局，由於伊朗聯俄總理穆薩德企圖叛國，雖然失敗，西方認為中東在環球圍堵政策中卻是最脆弱的一環，然而美國在中東頻年的努力，祇能找到兩個與國：即土耳其和以色列，兩者與阿刺伯國家均有怨隙，積不相能。原先對埃及希望成為理想上的盟友，接近的可能也已大為減少，因此，美英與埃及之間頓成了一個冷凝局面；美國且認為伊斯蘭教與共產主義格不相入，確定埃及決不會倒向蘇俄，不惜對她施用壓力，促使埃及對英讓步，迅速解決運河區撤兵問題，否則以不予援助相脅。另一方面則使土耳其與巴基斯坦締盟，繪出一幅新的中東聯防藍圖，並予巴基斯坦以充分援助。埃及地位無形中被削弱了，這對於納吉甫政府無疑是一個重大打擊，納氏感覺他的處境日艱，內政既受掣肘，外交又處處不利，每次閣會均要求他的決策機構——十三人組成的革命委員會賦予他最大權力，因為這一個由他領導的機構，他祗有一票權力。但終遭反對，直到最近，土巴締盟已近事實，他在這軍人議會中不惜以去就爭取「最後決定權力」，而招致納塞爾等人的不滿，並疑懼納吉甫擁有衆多納粹軍官的勢力澎漲，竟採取斷然行動，迫使這一位缺乏權力的總統提出辭職。

回教大主教的計劃

納吉甫復職後，總理讓與納塞爾，政權遞嬗以後，局勢暫時穩定，但陸軍中兩派（舊納粹軍官與民族主義派）磨擦，殆將更形尖銳，民族派後面復有伊斯蘭教龐大潛力支持。曩昔迫使法魯克的遜位，據知內情的，咸認主謀者絕非少數的軍官，而係伊斯蘭教的中東大主教，納吉甫當時被推為政變首領，祗是一種烟幕，因為他曾被法魯克拒絕擢升陸軍部長。此次戲劇化的政變，原因有二：一是民族主義派耽心納粹軍官勢力擴張，造成軍事獨裁政體；二是納吉甫與英國有很深淵源，對英可有更大讓步。顯然的，陸軍中的納粹軍官將被排斥，反映出民族主義派對他不滿，益見尖銳，一月間被取締的「兄弟會」可望恢復活動。今後的趨勢，儘管埃及不會對蘇俄妥協，然距離伊斯蘭教大主教計劃中聯合中東各阿刺伯國家建立一個回教為骨幹之政體，已大為接近了。

梁漱溟與北宋呂學

毛以亨

人物述評

所謂北宋呂氏之學

我既以梁氏的行動，來說明其為學的要點，對于呂氏之學亦用此一方法，以各人的生平事跡，來說明各人為學之得力處。至其學問之大體，甚至其所著之書，則無暇詳述，而有待於另篇。

全祖望撰宋元學案，謂呂公著家，登學案者，七世十七人。公著子希哲希純為胡安定（瑗）門人，而希哲自為榮陽學案。又希哲子好問，切問，亦見學案。又切問，及從子稽中，堅中，彌中（祖謙從祖），別見和靖學案。榮陽孫本中，及從子大器（祖謙之父）大倫，大猷，大同為紫微學案。紫微之從孫祖謙，祖儉，祖泰又別為東萊學案。

諸呂在宋代，學問與功名之盛，殆超過東晉之王謝。君子之澤歷十世而不斬，功名則與宋代相終始，其盛況殆空前絕後了。此殆非可倖致，而別有眞實工夫，可以使之源遠流長者在。朱陸之學，雖有確立其不拔的基礎，亦祇好拱手以中原道統相讓了。呂學曾受北宋胡瑗，孫復二大宋派的影響，而實為其家學，蓋以其先人之諸儒學案而折衷于各派，故能兼其長處而見到根本。今人但知宋學之有朱陸，而不知宋明儒以呂學為不審。前人治學，蓋以史為根據，在思想上亦超越前人，蓋已不以經為範圍，而不諱言佛學了。

呂好問為呂學樞紐

世人祇知稱呂祖謙為東萊，而不知呂好問當時即被稱為東萊先生，乃祖謙之伯祖本中之父。呂學在當時佔有重要之地位，然以其取銷張邦昌僞朝，與擁立高宗有功，朝野之人均不以為非。蓋對內守舊，對外講和，為宋代傳統的政策。不能以此專責好問，則好問之受重視，而為其家學之樞紐可知。

好問蓋上有所承，而下有為繼者。宋史本傳云「好問以元祐子弟坐廢。……蔡卞為師，欲振附善類，待好問特異，好問以禮自持，卞不得親。……卞諷之曰，子少親我，即階顯列矣，好問笑不答。靖康元年，……擢御史中丞。……時金人既退，大臣不復顧慮，武備益弛。好問言金人得志，益輕中國，秋冬必傾國復來。……及邊警急，大臣不知所出，遣使講和，金人佯許而攻略自如，諸將以和議故，皆閉壁不出。……都城失守，召好問入禁中。……帝再幸金營，好問實從，帝既留，遣好問還。……已而金人立張邦昌，以好問為事務官。……好問曰，相公眞欲立耶，抑姑塞敵意而徐為之所乎？……金人既行，好問趣遣使，詣大元帥府勸進。……邦昌易服歸太宰位。……高宗即位，太后遣好問奉手書，詣行在所。高宗勞之曰，宗廟獲全，卿之力也。……丞相李綱以臣在圍城中，不能執節，欲悉按其罪。好問曰，王業艱難，政宜含垢，繩以峻法，懼者衆矣。……好問自慚，力求去，且言邦昌僭號之時，臣若閉門潔身，實不為難，徒以世被國恩，所以受賢之責。……以恩封東萊郡侯，避地卒桂州。」

諸呂事功甚偉大

東萊侯好問之父為希哲，為榮陽學案之開山祖。少從焦千之學，長與程伊川俱事胡瑗，在太學並舍。後從孫復石公，李覯，王安石學。及與張載，孫覺，李公常遊。晚年常與高僧借，白氏之道，與吾啟人脗合。朱熹贊其資粹美，涵養深厚，但其為學不主一門，不私一說，則駁而雜，直截勁捷，以造聖人，則約而陋。希哲父公著，登宰相位，入宋元學案之范呂諸儒學案，為呂學之創始者。呂氏家塾廣記曰，「正獻公（公著）每事持重近厚，然去就之際，極乎介潔，其與朝廷，小不合，便然求去。」他嘗謂，「佞人惟恐不合于君，則其勢易親，正人惟恐不合于義，則其勢易疏。」又曰「自古有為之君，未有失人心而能圖治者，亦從未有能之以威，勝之以辯，而能得人心者也。」他這些話，到現在尚用得着，而未失其時代性。（四）

天下小事

法國尋訪新的「保大」

在目前越南局勢正惡化的時際，法國人所關心的，倒不是戰爭的演變，據說，法軍雖對戰爭的勝利失去信心，但對一城一池的得失，卻有相當把握。他們所極端憂慮的，並非軍事上的困難，而是政治問題，那就是他們必須找到一個新而更強有力的反共的越南領袖，可是他們過去秘密覓了許久，到現在仍然是一片絕望。

目前的越南元首保大地位非常不穩，據可靠方面傳出的消息說，在下月二十六日日內瓦會議召開以前，保大即可能宣佈遜位。而在日內瓦會議中，越南戰爭萬一能合談判，那將是一個新局面。無疑地，假使越南將來舉行一次選舉，法國正在設法物色一位能夠領導越南人民的領袖，以免越共的勝利。

白宮智囊團不滿諾蘭

近日華府盛傳美國參院共和黨領袖、加州參議員諾蘭和政府的關係弄得不大好，這一則傳聞雖非全是事實，但至少直到現在為止，白宮的內層人士對諾蘭參議員多少有點不快。他們所抱怨諾蘭的是：第一、在陸軍部長史蒂文斯和麥卡賽參議員的爭執期間，諾蘭未將其消息報告白宮，白宮認為諾蘭與麥卡賽的交誼不惡，而且他身為參議院共和黨領袖，對內情一定比較熟悉；第二、艾森豪反對布立克的修正案時，諾蘭卻袖手站在一旁；第三，白宮亦發覺諾蘭「干涉」政府的外交政策，時常設法通過他自己的意見，而攪亂政府的意見。這些只是白宮智囊團對諾蘭的批評，在外表上看，艾克和諾蘭的感情似乎還沒有分裂的痕跡。

圖書管理員害怕麥卡賽

談到麥卡賽，這一位美參院調查組委會的主席，不僅許多美國的高級政要為之失色，就連若干美國陸海軍軍營圖書館的管理員也因之頭痛異常。事情的起因是，最近麥卡賽寫信通知各地美軍圖書館，他已寫出許多本自己的著作送贈圖書館，供大兵們參閱，一名「麥卡賽主義，為美國而戰」，另一本則是他在參院的演詞，題目是「馬歇爾的故事」，在這篇演詞中，他對馬歇爾——這位曾任國防部長和國務卿的五星上將，痛加抨擊，指他縱容共黨壯大，並列舉種種事實，以證明他的罪狀。當然，馬歇爾雖已自軍界和政壇上退休多年，但不能否認他在美國軍界上，仍有相當廣大的勢力，因此，這一篇演詞寄到軍中圖書館後，管理員真不知如何處理是好，他們在左右為難之下，已經呈報國防部，請示採取適當態度，以對付這個十分棘手的問題。（孟衡）

俞叟先生來書：「……貴報闡地公開，自由發表意見，為讀者所樂道。……弟曾向美國紐約生活雜誌介紹貴報，貴報之作風誠堪稱導者也。……貴報如未能增出紙張或改為雙日刊之前，……不妨每半月或一月中，選擇國際間重大問題，作專欄增刊，邀約經常為貴報撰文的作者和專家，集中從各個不同角度作有系統的分析，給讀者以明朗的前瞻。這樣，貴報體雖小型，價值卻無量，未審以為如何？」

我們很感謝俞先生對本刊的愛護和指導。俞先生的建議，我們現正在籌擬計劃中，惟能否實現尚不敢必。——編者——

△沈雲龍、韓名鍋、牟力非、王劍鋒、愛軒、彭楚珩、丁大立、孫旗、丁友成、桐綺、諸先生：惠稿已一一收到，至感謝！

△孟慶瑞先生：大函已轉郭敏行先生，謹復！

△孫旗先生：囑代購書，當照辦。

大陸婦女的厄運

·劉靄如·

中共的新婚姻法，於一九五零年五月一日公佈施行。到現在已三年多了。在這一長時期中，大陸婦女在中共的淫威之下，所得到的是甚麼呢？簡單點說，祇是通姦，離婚，和自殺的三部曲。

通姦無罪捉姦有罪

在中共所標榜的「三同運動」之下，（同食同住同勞動）男女接近的機會，是極容易的。一個共幹或積極份子看上了一個少女或少婦的時候。先利用權勢威脅，將她迫姦。如果是有夫主婦，就叫她提出離婚，離婚是一定被批准的。離婚之後，強迫結婚。到了生厭，又可以提出離婚，再去玩弄別的婦女。如果，這共幹或積極份子是女性，可隨時和丈夫離婚，也可以保有一個丈夫，而又同時和許多男子通姦。如果丈夫是一個有權勢的共幹，當然要有顧慮，但所顧慮的，不是法律或輿論，是丈夫的權勢。沒有權勢的丈夫儘可不必顧慮，不必怕丈夫捉姦。通姦不犯法，捉姦的倒要犯法。上海「解放日報」去年八月廿九日便有如下的報導：「……爲首主謀指使捉姦與爲首組織的陳小云判了二年半徒刑（爲首聚衆的捉姦的民兵張步云判徒刑六個月）其餘的人，均按罪責，分別給以刑事處分，批評和檢討。」

溺嬰一百六十萬

中共鼓勵通姦，於是私生子大爲增加，跟着便是大批墮胎，溺嬰，和殺嬰事件發生。廣西「民主婦女聯合會」曾透露說，據不完全統計，從婚姻法頒布後，兩年間，僅百色「專區所屬」各縣，被溺殺的嬰孩就有六千四百二十五名，東德一縣就有九百多件。以此估計，四年來，大陸各地溺嬰數目當在一百六十萬以上，平均每天約一千六百個，墮胎和棄嬰不計在內。

離婚數四百萬以上

婚姻糾紛的案件現在共區各地的「人民法院」中已佔了最大多數：陝西省從一九五一年十月到一九五二年七月，八十七個縣（市）的「人民法院」受理婚姻案件（其中大部份是離婚案件）二萬零七百六十六件，佔民事案件總數百分之八十一。江西省從「婚姻法」頒佈起，到一九五三年六月，離婚案件就有七萬二千九百多件，解除婚約的有四萬零九百二十件。北平「工人日報」一九五二年二月十九日載：「據一九五二年統計，湖南省某地區一百卅個鄉，在十個月內，就有三萬一千八百六十六件離婚案件一

「人民日報」一九五一年九月三十日載：「不完全統計，去年五月到今年四月，中南區受理婚姻案件有九萬零四百二十五件。」中共「時事手冊」二十二期說：「據不完全統計，今年前半年，各地人民法院，共受理婚姻案件卅一萬一千多件，其中離婚案佔廿六萬一千餘件。」若從「婚姻法」施行日起算，至去年底；大陸離婚人數當在四百萬人以上。而且離婚案件，據中共自承，還在「逐年逐月的增加。」

男女互相仇殺廿餘萬

由於「新婚姻法」的施行，以致製造仇恨，破壞家庭，形成男女互相仇殺的慘劇。據各地不完全的統計，有如下情形：一、華東區：去年一月到八月，僅婦女自殺被殺的就有四千一百零五人。內中僅浙江五十七縣一至七月，因婚姻問題自殺或被殺的男女爲四百三十八人。二、西北區：去年上半年內自殺或被殺的男女共五百三十七人。三、東北區：去年一至九月，僅有案可查的婚姻殺害案，就有三百六十四人。四、中南區：「人民日報」一九五一年九月三十日載：「全中南區司法部估計，中南區一年內因婚姻問題被害和自殺的達一萬人以上」，其中湖南僅三十九縣統計，去年半年內，自殺和被殺的男女就有六百零六人。福建方面的統計，一九五一年因婚姻法致死的，每月只有五十八人，至一九五二年，增爲每月八十人。以上，西南區尚未統計在內。以此估計，整個大陸，四年來，因婚姻問題被殺與自殺的，應在二十萬人以上。而且被殺自殺的多數是婦女。

宣傳補救絕無效果

中共也承認了，「新婚姻法」是失敗，已因此造成了人民對「政府」的積怨，僞「政務院」認爲情形太嚴重了，決定去年三月爲「宣傳貫徹婚姻法運動月」，企圖挽回過去的失敗。這運動的成效如何呢？去年十一月十一日，「人民日報」已披露了主持這一個運動的主任委員劉景範向僞「政務院會議」的報告。他說：『宣傳月當中，進行了二千七百二十六處的典型試驗，訓練了三百四十七萬基幹和大批宣傳人員。幾個月來，幹部和人民對「婚姻法」僅有粗淺的認識，許多誤解，偏差的地方很多。婦女自殺和被殺的現象，仍然嚴重存在。』看情形中共還是要繼續蠻幹下去的，大陸的婦女同胞眞不知道要到那一天才有光明的日子？

監視私營鋼鐵加工

中共設專職檢驗員

【本報訊】頃據上海消息：中共對於私營工廠，雖已逐漸達到併吞或完全控制的目的，惟在產生技術方面，仍部份利用原有的管理機構，以替中共担任其所交辦的加工任務，然在加工時，中共往往指爲「偸工減料」，不合規格。尤其在鋼鐵加工方面，中共最爲重視，亦最爲憤恚。近據中央重工業部鋼鐵工業管理局華東鋼鐵公司在上海「解放日報」指出：謂上海所有中十三家私營鋼鐵工廠（編者按：所謂「私營」，實際上已有名無實），今年替中共加工生產四十六種花色的扁鋼、三角鋼、竹節鋼、輕便鐵軌、鋼管等，常常夾雜着多次品，未經檢驗，即交給「國家」使用，造成嚴重損失，且謂某廠於某次交貨一百噸中，竟被抽出了六十噸次品。因此此等工廠受到了中共嚴厲的處分。現中共爲嚴密監視私營鋼鐵工廠加工起見，已規定一檢驗制度，在所有私營工廠的每一車間，派駐一專職檢驗人員，並已首先在上海、天津、武漢、北平、廣州、重慶等各大都市予以試行，然後，將再「推廣全國」。

評：「燐火」

著作者：高風　發行者：台灣綠洲出版社

·孫旗·

（一）

新文藝中以新詩的命運最慘，這倒不是說新詩人才不如別種人才多，而是說別種文藝與中國文藝關係少，譬如小說吧，中國小說不外是筆記小說，或者講史之類，和新文藝小說之相差很多，老年人搞了也就沒有什麼；而新詩便不同，說它不如古詩的音調鏗鏘，白話自頭，說它沒有詩的意味，老年人看不得沒有舊詩的意味，中年人和青年人也不大歡喜舊詩，還不如看看小說散文過癮。新詩的命運如此其慘，我覺得並不是新詩沒有成就，而是中國人受古詩的影響太深，給予一般人的印象是新詩的新式創造得太多，弄壞了印象，在新詩的此一階段，最顯明的分歧是格律詩與自由詩；依我的看法：格律詩也不宜於舊詩，因爲舊詩是部份地套用，否則便不能夠典雅。現代生活繁複得多，那些僅有的少數典雅的辭字已不夠表達了；新詩也不是像說話，尤其散文分行只能說是散文，不能稱之爲詩，所謂「自由」也絕對不是「胡來」！如果在形式上說，格律詩和自由詩的韻都沒有舊詩的韻謎戲。新詩用的是相似的韻，同音組就能用，舊詩用韻有二四六尾字韻，新詩中的格律詩也沒有這種規定，自由詩則把韻用在句中，求其音節諧合即可，不論格律詩自由詩都自由得多，故謂之新詩。但是眞正衡定新詩的是意象（舊詩的意境）和形象（舊詩的鍊句和鍊字）處理如何，離開此二者，均不足與言格律或自由的新詩。

古人說：「有韻爲詩，無韻爲筆」。筆者文也，新詩也不是不能用韻，要用得自然，不自然的韻，不但作者彆扭，讀者也感到不舒服。

（二）

高風先生的詩，有人譏爲方塊詩，也就是說他的形式和用韻很像舊詩的絕律，我以爲只要詩句結構得自然，用韻自然，也不爲過；若與那種白話得沒有詩意，散文分行排列的新詩比較，它實在給我們樂於接受多了。

詩是詩人的音籟和時代的音籟的交響，就因爲詩人對時代獨具的敏感性，詩也可以說是時代的引吭高歌，詩人是時代的先知，國家民族氣勢的測度器，也就在這方面而決定詩的價值。高風先生，在「台灣頌」和「象徵」「赤色傷兵」「古城長歌」等詩中，表現出他對時代的感觸，和他熱愛我們這個危難中的國家民族，她的禮義道德和傳統文化在，人的心靈中孕育出優美雄偉的詩篇。

新詩如沒有形象和意象，大概就會跌入散文分行中了。形象意味着動態，意象顯示着詩人情緒的淸醒。如「燐火」集中的召喚：「如是我聽見：活力在大地下奔流，生機在原野上躍動；」如總統銅像頌：「像一座雄偉的燈塔，聳立在遠東的海堤上；像一顆蒼勁的古樹，獨立在世界的脊樑上；」如靈魂：「如一顆沉默的子彈，在窒息的彈殼內，期待着，勝利的閃花！」如燐火：「讓我底屍體在原野中腐爛，讓我底燐火在黑夜裏發亮！」如煤礦夫：「不管珍貴的青春將在冥黯中耗盡，但願爲人類挖出點溫暖和光明！」其他如火，和路燈，希望等詩，皆具有形象和意象雙重的優美，活潑生動，也都是感人至深的好詩。

（三）

高風先生的詩自成一格，因之也獨具一種優異的特色，這一特色便是以最少的語言表現最多的情意；他的詩形式玲瓏，想像深邃，意境優美；讀之使人隨着他的美妙的旋律進入悠然神往的境界；它不獨給予你慰藉，且給予你以啓示。如第一輯中的「信」，「煤礦夫」，「紫薔薇」，「秋思」，「瘋子」，「生活」，「種子」等篇；第二輯中的「種子和花朵」，「昨子」，「小夜曲」，「綺夢」，「美酢」，「春的訪問」，「孤燈」，「露水」，「黃金屋」，「紅豆枝」，「春天」，「懷戀」等篇；無論形式，形象，意象，詞句的鍾鍊，都極完美；而我最喜愛的是「煤礦夫」，「火」，「昨子」，「小姑娘和烏鴉」，「孤燈」，「燈蛾」，和「錄筆」等詩篇。

自由中國的詩壇像多夜風雨中的原野，尙待詩人勇敢地摸索與辛勤的播種！如果說這片原野是黯淡的闃地，那末，有人會指給你：「燐火」已在這片黯淡無光的原野上，放出了燦爛的虹彩！

師資水準將逐步提高

增進師資效率

香港教育當局爲積極發展教育計劃，對於師資教學水準已決定逐步提高。本年度的乙級受訓師資畢業以後，將繼續舉辦第二期訓練。務使所有乙級師資全部晉級爲甲級師資，使乙級教師們的待遇與甲級得以拉平。

至於大多數的私校教師資格問題，當局亦正考慮，計劃一個權宜辦法，以補救「可恥的待遇」。

據說今年七月間將有一批講師被派赴英考察學制以及研究手工等科，現時正就官校講師中選拔；如新界高級視學官胡德興，現任師資訓練班主任鄭振寰，羅富國師範講師李援華等據說均有可能入選赴英深造，爲期一年，可望於明年九月間返港。

英文書院令學生退學

「走鬼」！學生遭殃

關於糟故革退學生的舉措，往時原是官校的一大詬病。就讀官校的學生，對此普遍表示憂懼，但經各方屢加指責後，幾已不再多見。

最近堅道一間私立英文書院，第二班學生共二十二名，竟然被勒令退學，正當本年度會考將屆之時，突然發生將臨畢業的一批男女學生退學情事，學生們既受深重打擊，學生家長更感惶悚。這一嚴重問題，各方均感驚詫。根據學生揣測，被勒令退學的基本原因，乃該校逾額招生之結果。該第二班學年開始的時候，原有學生五十六人，依照規定僅能招生四十五人，但本年初開始「走鬼」。此時這二十二人的「退學」命運殆已注定，因此在農曆年假之前校方拒收他們預繳學費，至二月七日開學，尚未派送成績報告，且着令退學了。他們認爲校方這種悖理舉措，不獨浪費三年時間上經濟上的損失，深感學業前途太無保障。類似這種事件，未必僅有，爲教育前途設想，有關當局及社會各界人士應同加及時糾正。

香港三日

鐵。幕。怪。事

造成混亂的瑣碎事

一月七日的「大公報」上說：「河南省鄭州市在去年十二月中旬發生三十六吋人力車瓦圈嚴重缺貨的現象。當時國營百貨商店脫銷，私商零零星星地運到一些貨，顧主到私商門口排隊爭購，還被玻璃窗都擠破了。當時市價原爲每市斤一萬一千元，私商抬至每磅一萬一千元，甚至有了黑市」。

又指出：「市場上這種混亂的情況，國營鄭州百貨商店在商情日報、物價旬報、月報上不只一次地提出這個問題，許多同志多次向業務科反映，經理也再三指出迅速向供應站要貨，但是業務科和負責採購的工作同志對這個問題都熟視無睹，他們不是說『供應站沒有貨』，就是『供應站不給』，後來一查訊，原來該站在十一月十一日就到了貨，並不是沒有貨，也不是不給，而是三個工作人員對工作互相推諉，不負責任，三個採購的同志說：『張啓營同去供應站要過貨，我不了解。』張啓同說：我沒有向供應站要過貨，問張華亭吧！」張華亭說：「我是管百貨的，我不記得要瓦圈。」最後一位採購同志王成生說：『我不管這些瑣碎事。』追查責任結果，證明他們誰也沒有去供應站要過貨。正是因爲這『瑣碎事』——其實是他的主要工作——沒有作好，才造成商品脫銷，私商抬價，市場上攪成一片混亂狀況……。」

目前的中共國營商業幹部，不是正在學習「國家過渡時期的總路綫和總任務」嗎？大多數幹部經過學習以後，不是「都覺得總路綫燈塔的光輝照亮了自己的工作」嗎？像這樣地把主要任務當作「瑣碎事」，輕視工作，不負責任的幹部，又仍然充斥在中共各層機構裏，天天誇耀「祖國」的如何的進步，誰人相信他們的鬼話！

老舍口裏的劇藝荒

老舍在人民日報上說：「拿起北京日報來看看吧！戲劇廣告欄內的節目，一年到頭總是羅漢錢、劉巧兒、小女婿這幾齣……再看看曲藝吧！一部份老段子已不受羣衆歡迎，而新段子呢，藝人不願唱，羣衆不願聽；好的呢，還少得很。」慚愧這個「老而不死是爲賊」的老舍，在寥寥幾句話中，無異和盤托出了中共劇藝工作衰敗的程度，已臻於山窮水盡了。要想柳暗花明的文藝工作者，只有等到鐵幕的再解放。（論）

稿約

本報園地公開，歡迎讀者投稿，性質不拘，最好勿超過二千字，譯作請註明出處；來稿如不合刊用時，當儘速退還。

——編輯室——

會議的定律說（上）

馬五先生

民主政治的唯一表現，就是會議多。據說：會議的原則是少數服從多數，有集思廣益之效。然而，外國的民主生活究竟是何實質，我非洋人，不敢隨便斷定。至於中國式的民主生活如開會一項，我自信經驗宏富，深知其中奧妙，實際是多數服從少數，離民主的崗位很遠！

臨時召集的羣衆大會，根本就是有所爲而發的，少數人登台表演，寓劫持於煽動之中，台上一英雄㗊然，台下衆凡人咻咻然，一聲「無異議通過」，即爲民意表示，實則許多羣衆並未聽清楚「無異議通過」的問題究竟是甚麼？此其一。經常會議而人數較多的場合，如特定的某些於法有據的會議之類，事前訂立程序，臨時分發議案，宜若可以集思廣益矣。可是，總有幾位好漢在場，實大聲宏，每會必搶着發言，每言必椎胸頓足，語無倫次，一之爲甚，至再至三，必使頭腦清醒，理智充足的在座諸人，受着原子彈式的疲勞轟炸後，不是昏昏欲睡，即痛感無可理喻，不屑與言，而整個會場即被少數不知所云的好漢霸佔了。此其二。人數較少而由要人們出席的會議，大官主席，一篇訓話之後，全場鼓掌擁護，一切照案通過，決無異議。此其三。這三種情況，即是咱們中國式會議場中的定律，毫無例外，這不是多數服從少數嗎？

這項定律如果沒有其他更高超的公式來改造一下，中國的民主前途是暗淡的！

·短篇小說·

通天曉

毛姆著　康有譯

當代英國大文豪毛姆（W.SOMERSET MAUGHAM），戲劇與小說作家，於今年一月二十五日度其八十歲辰。氏生於巴黎，幼孤。原曾習醫，取得醫生資格。但他祇行醫一年，就放棄了，而一心寫作。一九一五年出版半自傳的小說：OF HUMAN BONDAGE，聲譽大著。他的「剃刀邊緣」（THE RAZOR'S EDGE）一書曾改編成電影，在香港也上映過。氏好游歷，曾到過中國，香港。現安居於法國。

這篇「通天曉」，原名「MR.KNOW—ALL」，也拍過電影，是「TRIO」（毛姆三部曲）中的一折。通天曉乃是電影在香港上映時的譯名。看過這張片子的人士不少，對於「通天曉」先生大概還留有幾許印象吧——譯者附註。

我就從心裏討厭麥克斯·克拉達這個人。那時大戰剛剛終結，航行遠洋的客船都裝得滿滿的。要找一個艙位，大非易事，祇要弄得到就好，更無挑選的餘地；不要妄想自己獨享一間房艙了。而我居然派到一間祇有兩個鋪位的房，眞該謝天謝地。可是一聽到我那同艙旅客的大名，我的心又涼了半截。從這個名字會聯想到關得緊緊的窗洞，一點也不享受夜間清新的海風了。航行十四天（我是從舊金山搭船去橫濱的），要跟一個不相干的人同住一間房，已經夠糟了，然而，假使同艙旅客的名字是叫作史密斯或布朗的，我還不致於太懊喪。

我上船時，看見克拉達先生的行李已經放在艙裏了。那些東西的樣子也惹人不高興；手提箱上貼滿了簽條，大衣箱呢，又大得稀奇。此君已把他的盥洗用具拿出來了，洗臉檯上擺了些香水，洗頭水，髮臘；注意了一下，原來他還是法國「可的」名牌的主顧。克拉達先生有把刷子，烏木柄嵌上姓名縮寫金字，倒很應該好好擦一擦乾淨呢。我很討厭這位克拉達先生。走進吸烟室，要了一副紙牌，想藉以消磨時間。剛剛拿起牌，面前來了一個人，開口請教我是否某某先生。

「我姓克拉達，」他加上一句，笑了一笑，露出一排閃亮的牙齒，自行坐下了。

「哦，是的，我們原來同一房艙。」

「可算是幸遇。事先無法知道會和怎樣的旅客碰在一頭。當我聽說你是英國人，我眞時高興極了。出門在外，我總願意和我們英國人聚在一起的。」

「我，」我眨了眨眼。

「你是英國人嗎？」我這樣問，似乎問得有點尷尬。

「沒錯。你難道以爲我像一個美國人嗎？我是道道地地一個英國人。」

爲了證明，克拉達先生從口袋裏取出了護照，輕輕地在我鼻尖前閃來閃去。

英皇治下眞有些古怪的子民。克拉達先生身材矮而結實，臉上剃的很乾淨，皮膚黝黑，肥大的鈎鼻子，兩隻又大又亮，靈活的眼睛，烏黑的長髮，蜷曲而光亮。他說話說的那樣快法，簡直沒有一點英國味，而又喜歡擺弄姿態。我很相信，要是仔細查看一下護照，準會洩漏出，他是生在陽光較多的地方而不是英國呢。

「你想喝點什麼？」

我懷疑他望望他。此時禁酒法令還未取消，船上也毫不像有酒供應。我不大渴的時候，對於薑水或者檸檬汁都不甚中意。但是，克拉達先生對我拋來一個玄秘微笑。

「威士忌加蘇打，還是一杯不味馬丁尼，祇消你吩咐一句。」

從後邊每個袴袋裏各掏出一隻扁玻璃瓶，放在我面前桌上。我點了馬丁尼。他便招呼侍者來，要了一小桶冰塊和兩隻杯子。

「這倒是很好的雞尾酒呢，」我說。

「嘿，還有的是呢；你要是有什麼朋友在船上，可以講給他聽，你找到了一個夥伴，藏有吃不盡的名酒。」

克拉達先生很健談。談起紐約和舊金山；也討論到戲劇，電影和政治。他還是一個愛國志士。英國國旗固然足以令人肅然起敬，然而，如由一個來自亞歷山大或卑路芝的人士來加以頌揚，我倒覺得反有損於莊嚴。克拉達先生對人一見如故。我並不願意端架子，但我總覺得，一個陌生人初次相逢，招呼我時，似宜加上先生二字，客氣點。克拉達先生顯然爲了不使我感受拘束，却免除了那些客套。我可是討厭克拉達先生。他初坐下來時，我原已放下了紙牌，如今覺得話已談的够多了，我就繼續再來玩牌。

「這張三放在四的上面，」克拉達先生開口就說。

沒有比這再惹人生氣的事了；當你正在耐心玩牌的時候，自己還沒有來得及看清楚揭開的是張什麼牌，就有人來替你說出來了。

「解出來了，解出來了，」他叫了起來。「十放在十一上面。」

心中又氣又恨，勉強弄完了。於是他又抓起那副牌。

「你喜歡玩紙牌戲法嗎？」

「不，我討厭紙牌戲法。」

「好吧，我祇變一套你看。」

他却來了三套。我就說，我該到餐廳去安排一下坐位。

「啊，都弄妥了，」他說。「我已經替你排好一個座位。我想，我們既同睡一間房艙，當然最好也同在一張桌上用餐了。」

我討厭克拉達先生。

我不但和他同睡一間房，每天三餐同坐在一張桌子上，就是在甲板上走動一下，也總有他湊在一起。簡直無法擇開他。他從不覺得，人家會不需要他的。你滿以爲，你一定高興看見他，就像他對你一樣。假使在你自己家裏的話，你就是把他推下樓，蹴出門，他還是不會認爲你是討厭他的。他擅於交際，不到三天功夫，把船上所有的人都認得了。一切事都有他的份。他辦理抽彩，主持拍賣，集資購置競技的獎品，發起投鐶和哥爾夫球比賽，籌備化裝跳舞會。無時無地不見此君。他眞是全船上最討人嫌的一個寶貝了。我們都叫他做「通天曉」先生，甚至當面也這樣稱呼他。他倒以此爲榮。最令人受不了的是用餐的時候，那一個小時裏，足足有大半鐘頭由他擺佈我們。他總是精神抖擻，興高彩烈的，嘰嘰不休，還愛和人爭辯。他自以爲比任何人都知道的更多；要是對他的話表示異議，那就大大冒犯了他那過分自負的虛榮心。不管如何小的題目，他也不肯放鬆，一直要說到你屈服才算數。他絕不以爲，他也會有錯誤的。他是無所不知的。我們和船上醫生同桌吃飯，克拉達先生大可任所欲爲，因爲醫生是懶洋洋的，而我又漠然不在乎，除了同桌另有一位關姆賽先生。他也和克拉達先生一樣，自以爲是，却又痛恨這位中東佬說話的武斷口氣。他們之間，過有辯論，常是尖刻而鬧個不休（上）

危崖小立

·郭敏行·

獨立危崖上，悠悠意萬千，夢隨烟水渺，愁與遠山連，桐葉紛紛落，征鴻默默旋，晚霞餘一抹，含淚下高巔。

王湘綺之夢

·太希·

幽冥夢幻，皆由錯覺，吾國前此說夢說鬼之文字至多，即外國研究靈魂學者亦不少，然此種文字，茶餘酒後談之，亦足撫掌醒目。

前見塞碧簃瑣話中有一節云，王湘綺跅弛不羈，晚年猶風趣，一日譚某訪之，適櫻桃花開，邀登樓共賞，樓中棐几，僅周禮一帙。譚曰：君近日常讀經耶？王笑曰：此周媽所讀也，周媽爲王所狎之女佣，相傳爲笑。

王自云：有二異夢，年十八時，夢二女子，引登一樓，絕巨麗，樓上先有女道士二三，年皆四五十許，相迎慰勞，悃然坐對。其一笑曰：姊不復記耶，出一紅帖相示；文字朗然，頓悟爲其舊居之地。對窗有一大床，青帳交垂，欲就臥，二人交手壓帳云不可啓。俄下梯，驚覺。

又五十歲，忽夢登樓，一垂髮女子擁小兒臥帳中，案上殘燭熒然，香烟未儘，彷彿却步，其人已醒，嬰兒不復見。女乃自請薦枕，驚其處年，辭已既老，女斂容曰：君自入世緣，夙修墮矣，妾來與君調坎兌，正性情，非有他也。閒語悚然，悽感頓悟，狀湘綺展轉之思，頗曲折。

又憶湘陰郭嵩燾自序中，亦有紀夢一則云：「生平有奇夢，丁巳戊午官京師，供職史館，讀康熙實錄，以不及生其時爲私憾，嘗論康雍乾三朝，當國朝極盛之時，上有英明之君，美惡是非，鑿別分明，無從掩飾，但能勉力供職，朝廷自能知之，然雍乾時，人才蔚興，各舉其志，或稍拂上旨，立受革逐，多不及中壽，惟康熙由意陶成，使賢者有以自達，爲之思慕無窮，自是三夢康熙，或召對，或扈從，其後入南齋，以語治貝勒，治因問所夢何狀，答云，西湖見康熙，御容闊大，夢中問年，長而瘦削，白鬚，長六七寸，治拊掌曰，君所見實康熙也，蓋帝晚年瘦削多鬚，正如君所夢，君豈爲康熙朝舊臣耶。」郭此夢之由來，自是思慕所詰，幻爲夢思，郭於清代諸帝，獨許康熙，其用世之志，累受謗訾，故思得一明君自效，與湘綺之思慕女色不同，一則志切用世，一則想帷房，日之所思，夜則成夢，豈不信哉。

沒有人知道的病

·德榮譯·

有一天，美國一間大學裏的一個女生，正在校園裏走，突然，她覺得臂部柔弱無力，書本都跌在地上。

同一個星期，幾百哩外，一個壘球證人，突然發覺他的第二隻手指不能伸出來計算好球抑劣球。

在美國的另一部，一個老婦人面臨困惑，因爲她在一間精神病院裏，醫生不能找出她不能移動她的手脚的原因，醫生斷定她是屬於一種歇斯的里性的心理神經病，又有一個醫院裏，一個新生的嬰孩快要死了，因爲一種無法解釋的軟弱使他無法叫出他的第一次哭聲。

以上四種不相同的年齡，地方和背景，祇有一個共同點，所有的不幸者都是神秘的屬於醫學圈內常慣叫作MY—ASTHERID GRAVIS。

像所知道關於這病，在生理上已經續漸被人留心了，相信比想像還要多許多，有人估計，在美國內總有百萬人遭受此種神秘病。

如果你受不平常的過度疲勞所影響，平常受指揮的肌肉，像眼皮，頭，臂或脚的肌肉會突然不平常地弱了，或者呼吸會感到困難，或者吞口水不容易，那你便可能是一個不幸者了。

不論牠的原因或治理方法俱無人知道，牠的影響可能全身麻痺，甚至眨眼都成爲不可能，每每在醫生能够說出病因以前便告死亡，牠可能使你數年如此，也可能在數分鐘內其病若失。

最殘忍的事是病者每被認爲是裝病或者說他是發神經，這因爲（一）有些醫生對牠的病狀一無所悉，（二）對身體構造無變化，沒有萎縮，沒有致病的例證，（三）許多徵象和神經病或心理神經病相似的。

爲了使社會明瞭和在醫學上作進一步的研究，一羣名醫和他們的病者及朋友已經組織一個基金會在紐約勞威頓道四百八十號，主席是偉克醫生。

許多醫學權威認爲這病是一種缺乏病，是缺少了某些物質（可能是化學的）所致，這種物質是在神經和肌肉的中間去貫通腦細胞的，結果病者的肌肉拒絕服從命令，一個病者認爲他的肌肉是強健的，但我不能令牠服從，正像在夢中站在一塊地方好像生了根一樣，[illegible]下，忽然邁幾步石級也沒法爬，一小包東西也沒法拿，另外有人會說他不會說話，聲音會變成用鼻管說話的人。

有兩個試驗，用（一）PROSTIGMIN，雖然不是根治，但很快使可使肌肉變強，可是對心理神經是沒有影響的。（二）用TENSILON治理眼皮垂下，能有百分六十收效。

在注射後一至二分鐘，可使眼皮回復常態。

「這是一種可以征服的病，假如繼續研究的話」，偉克醫生說，「但牠危險性是比醫牠的學識和方法都是遠的，我們仍需發明怎樣去使不幸患者回幸福」。

春柳（用漁洋秋柳韻）

·周棄子·

劃地東風攪夢魂。鬖髿短鬢掠柴門。天邊雨脚迷鴉影。沙際斜腰襯草痕。嫋嫋嫩黃初醮水。油油慘綠謾搖村。等閒爲汝添惆悵。不用攀條與細論。

夢雨飄融錦幕霜。花浮細水漫横塘。岸風凉透紅牙板。樓月塵生白苧箱。舞態闌珊大垂手。歌聲悽斷小秦王。狹邪門巷分明記。武定橋西舊教坊。

檢點年時白袷衣。香消色黯已全非。陽關三疊人長往。驛館三眠夢亦稀。滿地鶯花和客老。隔江燕子傍誰飛。不須更問宜春苑。玉貌宮袍事久違。

太液波翻劇可憐。赤欄橋畔颺紅煙。游絲飛絮空搖曳。故國佳人望渺綿。憔悴陶潛荒舊宅。風流張緒憶當年。白門好景休回首。此是昏昏瘴海邊。

中華民國僑務委員會頒發登記證台執新字第一零二號
中華民國郵政登記第一類新聞紙類

自由人

THE FREEMAN
（半週刊每星期三六出版）
（第三一八期）
每份港幣壹毫
督印人：雷嘯岑
社址：香港高士威道二十號三樓
20 CAUSEWAY RD 3 rd. fl. HONG KONG
香港發行及業務事處：高士打道六十號
電話：七〇五五三
承印者：東南印務出版社
地址：高士打道六十四號
台灣特派員辦事處：台北市
台北總經銷處：台北中華路九五號之一

吳．案．痛．言

．湯亮吉．

本文發稿後，國民政府已下令將吳國楨撤職查辦，國民黨也把他開除了黨籍，文中主張，已經部份實現。惟其他各點意見仍值得政府和社會切實注意。——編者。

二月二十六日，立法委員張道藩在立法院提出對吳國楨的質詢案。到本文起草時，已經有二十天。這一個案子，在自由中國鬧得滿天星斗。從吳國楨由美寄給國民大會兩件發表，這一個案子可說到了最高潮。這二十天來，報紙上登載本案各種文件。讀者早已耳熟能詳，不用作者再加贅述。我們對這一個案子的觀感。自始至今是感到痛心。感到這是自由中國四年來十分不幸的事件。

忠奸邪正如何辨別

吳國楨的爲人，如果到民間去采訪其評價。這一位人物的本性，引用一句北方土話，所謂「官油子」，其人品學識的不必標準。原早是一個足論。民間自有民間的論人客觀標準。民間對人的客觀標準，常常是最準確而公正的。民間對一個人物的評價，眞是一個人的本身價值。並不因那個人的官爵地位而有所變更。所以國家用人。如果能在這方面細加考察，大概不致十分錯誤。陸贄「論裴延齡姦蠹書」中有幾句話：『夫君天下者，必以天下之心爲心。而不私其心。以天下之耳目爲耳目，而不私其耳目。故能遂天下之志，盡天下之情。夫以天下之心爲心，則我之好惡，乃天下之好惡也。是以賢者無蔽。好者不邪。安在私託腹心，以售其側媚也。以天下之耳目爲耳目，則天下之聰明，皆我之聰明也。是以明無不鑒，聰無不聞。安在偏寄耳目以招其蔽惑也。』用人的標準。如果「以天下之心爲心，而不私其心。」那就一個人邪正忠奸的辨別，是十分容易的。換句話說，用人的標準：如果以社會上公共的標準爲標準，而不私其標準。又如果以民間共同之好惡爲好惡，而不以一人或少數人之好惡爲好惡。那末一個人的忠奸邪正，也是容易辨別的。今天在用人方面，使大家感覺惶恐而無所措手足的，便是同一個人，在昨天立德立功立言，三不朽備於一身。而在今天，忽然是不忠不孝，貪鄙奸詐，萬惡不赦，究竟是那人的本身變化不測，還是用人者的判別不當。這就是上面所說標準的問題。如果用人是採取公的標準，大概忠奸賢愚的變化少。如果用人而採取私的標準。就會昨天是忠臣，今天變成奸臣。昨天是聖賢。今天變成盜跖。吳國楨在今年二月六日以前，與二月六日以後，其爲吳國楨則一。照本人愚拙的看法，宣傳就職時家藏砒霜的吳國楨，與宣傳自己政府爲獨裁專制的吳國楨，同爲一個吳國楨。不過是吳國楨的兩面。能否看到吳國楨的兩面甚至於三面四面，就看用人之標準如何。這是今天吳國楨案給與我們第一個重大的教訓。如果大家能夠接受這個教訓，因爲這個教訓而深自省悔。那就吳國楨型的人物也從此消滅。吳案對我們還是有極大的受用。如其不然。大家並不知道案的教訓所在。那末，吳國楨第二第三乃至無窮數，將來不知要產生多少！一個吳國楨已經使我們受不了，何況於無窮數的吳國楨。此其威脅，豈不較原子彈還要可怕！

狡獪惡毒的談話

美聯社本月十二日美國伊利諾州艾文斯登電：吳國楨發表談話，對台灣最近吳案貪污的控訴，聲稱「他的罪狀，就是愛國，就是批評政府。」他對最高法院檢察總署下令台灣高等法院檢察處偵查吳案。則說：「他們想用極權國家這種假審判及誣蔑方法是沒有用的。那只有格外顯露這個政權的眞相。』繼着他更說在二月八日，他還接着台灣某要人的信，要他回台担任總統府祕書長，這是吳國楨最近在美國的表示。他在美國的公開談話，愈來愈顯露。以前他稱台灣爲專權或專制，現在索性說中華民國政府是「極權」，最高法院檢察總署下令高等法院檢察處偵查吳案，他簡直稱爲「極權國家的假審判。」他到現時爲止，他還是行政院的政務委員，中國國民黨的常務委員。官常與官規，今天本來不能再和他講這個道理。但是他的奸詐，他的黑膽無類，我想也是大家聲討吳國楨應當省察的。他說他所犯的罪是「愛國」，是「批評政府」。在二月八日，他還接到台灣某要人的信，要他回台做總統府祕書長。這就無異說今天台灣對他的聲討，僅因爲他的批評，並不是因爲他的貪污瀆職。如果他不批評政府，他過去的貪污瀆職，既沒有人檢舉，更不會引起社會一致的聲討。這是吳國楨談話中十分狡獪惡毒的諷刺。在老百姓的立場看，國家過去對吳國楨那樣重用。今天對他這樣誅伐。原是不能十分追究的事。但是今天既已鬧到如此地步。爲着政府的威信，也爲着政府的責任。至少在行政上不能不有所處置。行政院副院長二月廿六日在立法院答覆張道藩的質詢，曾經表示即將准吳國楨辭職。但至今時閱兩旬，吳國楨還是政務委員，還是國民黨的常務委員。此在政府怎樣對人民解釋，在國民黨又何以對黨內外解釋？在議會，在報紙輿論，這樣躊躇遲遲鬧了二十天。如果吳國楨受冤枉，一點沒有錯，行政院應該答覆立法院，也應該答覆社會。國民黨也應該對自己的常務委員有所洗刷與辦正。如果吳國楨罪惡滔天，儘管涉及法律方面，可按照司法程序辦理。但在行政方面，還不應有一個斷然處置！在黨內紀律方面，還不應有一個明快的懲處！照現在的情形，民意機關與輿論鬧了二十天，而政府一聲不響，不僅使中外惶惑不解。就在吳國楨亦將竊笑。所以我們覺得吳案發生是不幸，然既已發生了，政府就應當迅速有個辦法出來。照這樣拖宕，只有自造紊亂。對國家對政府更爲不利。

祇是尋常瀆職貪污案

吳國楨根本不是一個政治人物。照道藩三月十二日向行政院提出的書面質詢，吳案更不是一個政治性案件。立法委員自然可以提出這類的質詢。可是，我們不了解的，吳案根本不是政治性的案件。爲什麼要造成它的政治性。尤其奇怪的，立法院提出這個案子以後。而監察院則十分沉寂。在社會方面，照報紙所喧傳，幾乎要釀成一個社會運動。這實在到今天還是把吳國楨看得太高了！吳國楨三月十二日在美國對美聯社記者所發表的談話。稱高等法院檢察處的偵查，是「極權國家的假審判把戲」，但就這一句話，他侮辱國家，侮辱法庭的罪行，已甚嚴重。而台灣的報紙除了英文中國新聞以外，中文報紙一概不載此消息。法院方面也充耳不聞。吳國楨致國大的信，各報不惜全幅登載。吳國楨此種侮辱國家侮辱法庭的話。一字不登。這又是什麼宣傳！我們愛國家，愛政府。眞不願國家政府，對付不了一個吳國楨，吳國楨是官場中一個小偷。大家千萬不要抬舉他變成一個政治犯。吳案是一件極尋常的瀆職貪污案，是一個法律案，既不可當它政治案，更不值得爲他造成一個社會運動。

誅伐其人並誅伐其言

台灣報紙數日來爭家登載聲討吳國楨的讀者來函，有幾家報紙還特闢專頁。這是民間普徧的義憤。也是一部份公意的表現。我們的政治既是民主與自由的。人民發表意見原有其自由。可是，照這幾天報紙上一窠風的表現，這不但嚇不倒吳國楨，就爲國際觀感，也不是絕對有利。譬如在美國社會中，發生一個問題，正反兩方常有辯論。此種辯論，一方面在報紙上登載，同時無綫電中也常特別舉辦空中辯論。今天民間在私室中的談論，應該一律把它公開出來。從吳國楨致國大的信發表出來後。主持輿論的當局，不妨讓大家分別舉行各種辯論。要使吳國楨荒謬言論，在在正面受到打擊，在正面證明其謬誤，在社會橫的方面，不讓它有絲毫的潛伏。這比較一窠風的壓倒，要好得多。如果大家要借吳國楨事件做一個運動。這一個運動也不能僅在紙面上熱鬧，必須使這個運動的意義，深入每一個人的心底。吳國楨在致國民大會函中建議由國民大會組織什麼委員會去調查，這固然是他的詭計，國民大會把它拒絕而不受理，在公事上的處理是明智的。其實爲進一步昭告中外，把我們政府措施一切攤出牌來，各級民意機關，何嘗不可自動分別組織各種調查考察團體，來接受與吳國楨的挑戰。尤其在監察院方面，不應僅僅調查吳案而止。國民黨今天是執政的政黨，更應自動出來担負這個工作。當前國家政府設施，只要當政者天下爲公、於法、於事、於理、於情講得通。我們誠懇相信政府無不肯改革之事，也無不能改革之事。行政院陳院長常講「以自救的決心，作贖罪之努力。」（下轉第二版）

對吳國楨事件的感想

質詢爲時已嫌太晚些　用不着隱忍寬容顧忌

……沈雲龍

自立法院長張道藩以立法委員身份向行政院質詢政務委員吳國楨在美荒謬言論以後，吳國楨事件便成爲自由中國報章雜誌的重要新聞和私人茶餘酒後的話題中心，連日國民大會的國是檢討和質詢中，吳國楨尤其是代表們指摘的主要對象。吳國楨致國大函件到達以後，主席團雖決議：「不予受理」，可是向大會提出報告時，若干代表對此仍極端憤慨，紛紛加以痛斥。

讀者論壇

事情發展到這步田地，問題並沒有全告終結，也許正在開端，亦未可知！就本問題而言，吳函內容姑可暫不置評，但足以發生不良影響，我們卻不能忽視：第一：吳國楨是現任國民黨的中央常務委員及行政院政務委員，並曾任台灣省政府主席多年，平素以孤臣孽子自居，可是一到美國即發表其「政見不同」且極力攻擊政府的言論，其足以動搖海外人心及淆惑友邦視聽，自不待言。這在今後國家用人行政上，實應提高警惕。假使國民黨在改造時期，就決心把他改造掉，或不再畀以重任，那就不會有今日之事發生。最近立法院長張道藩向行政院提出的書面質詢中，對吳國楨在上海市長台省主席任內的若干貪污劣跡，曾列舉多項。這些貪贓枉法事件，如果確切有據，何以不在他未卸職時，或在他未出國前，廣開言路，盡情揭發，讓輿論作有效之制裁，使其無容身之地，而要等他逍遙國外，安全已無顧慮，才來整飭國家綱紀，這不等於「賊去關門」，爲時已嫌太晚嗎？所以，懲治貪污，與其事後追查，莫若事前防範。這一點，是很值得我們深切檢討的。第二：吳國楨身居黨政要職，對年來自由中國的政治進步，豈有不深切了解之理。他現在竟列舉所謂「事實」，大肆猛烈的惡意攻擊，雖然是非自有公論，事實也勝於雄辯，儘可置諸不理，但他在國外正可竊笑，他的話果然一擊而中，不然，何以國大主席團除不予受理外無其他有力的表示呢？固然，我國素重恕道，有時對政敵且不免寬容，但對一個尚是現任政府高級官吏竟然在海外「胡說八道」的人，代表全國人民行使政權的最高機關國民大會，是用不着隱忍寬容有所顧忌的。況且，家醜既已外揚，毛廁豈怕掏糞，我們應該堂堂正正的列舉反證，以子之矛，攻子之盾，予打擊者以無情打擊，以證明其所謂「事實」，完全是一派謊言，這樣，他的詭計，就無所施其技了！

「新面目」的軍事計劃

國務卿杜爾斯十六日在記者招待會大義揮其美國「新面目」國防政策的議論，這是對他在外交季刊發表一篇「論美國外交政策」那篇文章作更具體的解釋。他說：巴黎倫敦被炸，即等於紐約芝加哥被炸。其含義是加强集體安全的主張。他說：如果侵略戰發生，敵人將無特權庇護所，這解釋美國的新面目軍事計劃是隨時隨地實行反擊的報復。

在這半週中，令人樂觀的，是美國有不惜以無限毀滅的威力打擊任何的侵略行動的決心。但這種「新面目」的軍事計劃，應該快點上「新面目」的政治計劃。政略的基本觀念必須確立，即『蘇聯共產集團是危害世界和平的禍根』。美國不想消滅或改變蘇聯，僅僅想蘇聯不再擴張其勢力，使美國的安全不致遭受威脅，便可滿足，這是極危險的想法。

如果美國有「拔除禍根」的打算，我對杜爾斯卿的主張是懷有樂觀的。否則不獨不敢抱樂觀，而且懷有遠慮。

今日共產黨之所以能猖獗，不是全靠蘇聯的强大，而是有國際的組織，有計劃的宣傳，有步驟的蠶食。這些東西都非滿是用原子彈所能對付的。美國今日再聲言實行反擊報復，則無異於給蘇聯以喘息的保證。

蘇聯心裏有數的。今天我的氫彈還未弄好，或還不夠多，我怕的是你解決我而已，管你報復不報復，毫不關痛癢。這是沒有政略配合戰略便失效用的明證。

「新面目」的政畧呢？

什麼是「新面目」的政略呢？我以爲美國不要太顧慮那一班所謂「盟友」的歧見，而把眞實正正皆爲反奴役爭求自由而奮鬥肉搏的，勇敢直誠的盟友之熱情不顧，反去遷就那些求苟安姑息的盟友。

美國的安全，不是建立在虛僞的集體安全，而要建立在眞正的集體安全。

何謂虛僞的集團安全呢？祇有形式上的結盟，而沒有精神上的武裝，雖爲擁有武力之大國，而無反奴役決心之意志，亦未爲可靠。眞正之集體安全，是建立在那些迫切要集團安全的國家。那些國家就是亞洲自由國家。所以美國「新面目」的政略，應該首先倡導建立太平洋與東南亞的反共聯盟。

半週展望

·旭　軍·

麥克阿瑟和遠東

據十八日電訊稱：艾森豪威爾總統與麥克阿瑟將軍在星期四會談，曾檢討了世界的軍事情勢。其中眞相現在尚未揭曉，但對遠東未來變化有關係影響之可能。本來麥氏在美國人中是比較明瞭遠東局勢的人，假使當日杜魯門能聽從麥氏的策略，韓國戰事早已勝利結束。但美國人畏於麥氏拖住美國走向大戰沿邊，所以給予麥氏許多掣肘。這不獨是因爲麥氏與杜魯門二人的齟齬。主要的原因是美國人還看不清史太林的眞正意圖。但目前自史太林死後，蘇聯撫力無膽鼓動世界大戰，已昭然若揭。麥氏之聲望不獨已恢復，而且有出山共肩時艱之必要。

世界時局重心已自歐洲扭向遠東。艾森豪威爾總統任務繁重，必須有一個熟悉遠東情形的人出來助他一臂之力，這不但是可能，而且是十分應該的。觀於同席午餐作陪的有聯合參謀部主席雷福特上將，國防部威爾遜，以及幾個國會方面的領袖人物，則可見此次會議對遠東有其不小的意義。

狄托將重投俄懷抱

·賴迪薩著·蒙綬譯·

作者賴迪薩，曾任南斯拉夫宣傳部外國新聞處處長，於一九四六年與狄托政權決裂，流亡西方。本文主旨在分析史達林死後南國政策的轉變，指出狄托正加強其反西方運動，力謀對俄修好，準備必要時重投克里姆林宮懷抱。——譯者附註。

發動反西方運動

自史達林死後，狄托的外交內政政策，皆有激烈轉變，去年初所強調的「中立路綫」，現正再度改變，使南斯拉夫漸傾向馬倫科夫。在國內，狄托的一夥人正發動全面反西方運動。對於蘇俄各附庸國外，狄托不僅已要與一切俄附庸國建友好的外交，亦然，甚至包括阿爾巴尼亞在內。邊境衝突已告終止，國際共產情報局各國與南斯拉夫的共黨陣營內部冷戰，亦已結束。狄托的報紙，一度對蘇俄及其他北大西洋國家大肆抨擊，目前則轉而指責西方，尤其是美國。

這種政策的轉變，不僅已受西方的南斯拉夫問題觀察家所注意，即南斯拉夫國內許多人士也已察覺。最近，作者特電訪巴爾幹半島南斯拉夫邊境各地，從的港直至希臘的薩隆尼克，途中晤及許多南斯拉夫和西方的觀察家，曾同作研討。

作者所到之處，均可發現，狄托在其軍人及共黨幹部壓力下，已接受南斯拉夫與蘇俄領導階層修好的觀念，贊成南斯拉夫在蘇俄世界戰略範圍中成為莫斯科一個獨立的盟國。狄托之拒絕參加大西洋公約，且公開反對大西洋公約組織在南國建立基地，已使許多人士深信，南國政治同不願南斯拉夫參加西方聯盟，而要與蘇俄獲致某種諒解。

狄托外交政策的轉變

當狄托去年七月向西方記者宣佈，「蘇俄領袖必須作重大的轉變」，而西方政治家亦應採取「現實」步驟，「利用蘇俄此一轉變時期，與蘇俄解決德奧重要國際問題」時，南國的巴爾幹盟國——希臘及土耳其——曾大為不安。他們當時即猜疑，狄托所提議的「現實」步驟，可能亦[illegible]林宮的關係。狄托曾強調，西方國家應迎合蘇俄在德奧的利益而接納克里姆林宮的計劃；西方的對蘇政策應承認共產黨是新的「民主民族勢力」；以及南國反對一切可能削弱東南歐蘇俄勢力的解放政策。

這種計劃在南斯拉夫共黨的一切羣衆會議中都曾提出討論，且曾遍載共黨報紙。在史達林死後不久，此計劃的透露尚相當隱蔽，但在對義的的港衝突發生後，則已不斷公然宣揚。共黨領袖在演說時，亦曾強調西方聯盟將告崩潰，一面暗示南斯拉夫最後不會陷於孤立，尚有蘇俄的協助可以依賴。

在德國問題上，狄托的路綫正與蘇俄及其附庸國相同，南共機關報「傑斯尼克報」曾反對「解放東德」的主張，指為「西德總理愛登諾在美國資本主義公開支持下的極危險趨向」。其他南國報紙亦將愛登諾在最近普選中的勝利，稱為「美國人支持下反動勢力及法西斯主義的勝利」。狄托的對德計劃，與蘇俄相同，即主張全德組織統一政府，授與共黨以攫取政權的機會。

南國已和俄附庸修好

狄托自史達林死後至的港衝突發生時止，與蘇俄重建了正常外交關係，並與一切俄附庸互換大使，又與各鄰國簽訂解決邊境衝突的條約。蘇俄在獲得狄托保證無意侵佔阿爾巴尼亞後，便在阿爾巴尼亞撤退一切重要軍事設備，並通過南國的鐵道，重與阿爾巴尼亞取得聯繫。

在的港事件最緊張的時期，蘇俄駐貝爾格萊德大使伐柯夫曾經常與南外長卡台傑保持接觸。南外交部專家亦多次訪問俄大使館，這些消息曾在報章公開刊出，表示在的港問題上南斯拉夫有蘇俄為後盾。

俄大使伐柯夫和南外長貝布勒最重要的一次會議，是在去年十一月十二日舉行，其後數小時，蘇俄即對英美政府提出有關的港問題的正式抗議。此事公開宣佈後，伐柯夫與貝布勒又舉行了一次會議，次日，伐柯夫又往訪南外長，同日內，南國便發生了「羅朵」大示威，企圖襲擊英美大使館。美新聞處在此次事件中被搗毀，處長金氏遭毆傷。

同時，南國政府又宣佈開釋七千名國際共產情報局份子，其中許多人是因親俄傾向而被剝奪學籍的大學生，他們都獲准恢復學籍。以前容許在南國銷售的反俄書籍，包括「我選擇自由」在內，全部都遭沒收焚燬。在十一月七日，南國巨頭們都出席了俄大使館慶祝布什維克革命的宴會。數日後，俄大使等也參加了南國的革命紀念會。雙方的友好互賀會在報章大加宣傳。

極力消除西方勢力

同時，南國報章即將又充滿有關美國即將發生經濟恐慌的報導，謠言美國失業數字已告大增。在去年十一月七日，南國總工會主席薩拉指責美產業工會支持西方對的港的立場，但南國不僅抨擊美工會，即對美國領袖的指摘也日益增多。在最近南國的競選運動中，共黨曾組織大遊行，高舉艾森豪總統、國務卿杜勒斯、美駐義大使魯斯夫人的偶像，與教皇庇護十二世及當時義總理貝拉的偶像並列，大加嘲笑。

狄托在南共及政府內部發動的大整肅，已暴露了力圖剷除西方勢力的趨向。其加緊迫害天主教會及毆打教士，更表明狄托企圖重建純粹的共產主義路綫，以取媚莫斯科。

但最值得注意的，卻是狄托之反對參加大西洋公約，及不容大西洋公約組織在南國境內設立基地。南斯拉夫雖已與希土訂立軍事同盟，但狄托卻仍不能促使希土兩國堅信，他有與盟國合作，在軍事上同抗蘇俄的決心。

菲島的教育和民情

·衛挺生·

衛挺生教授來書，雖以「菲島雜詠」為題，但其內容均係報導菲國之政治教育及生活情形。尤其重要的則關於教育方面的情況，與純屬文藝吟詠性質者不同。亟為披露如左，以響讀者。——編者

國外通訊

【三月十四日馬尼剌特約通訊】新年以來，預備功課甚忙，故不暇作詩為文。學年今日結束。明起大考。月底放暑假。四五月在暑期中。六月初「秋季始業」至十月底為學年中之上學期。弟去年來時乃下學期開始也。茲錄昨成之「菲島雜詠」五首如次：

一、氣候（每日晨似三春，過午似盛夏，晚夜似深秋）

清晨每日似春遊。近午炎威晚來收。信是流新（宋元人書皆呼呂宋島曰流新）天氣妙。長春長夏復長秋。

二、人種（島人備各色人種。中國混血種佔百分之三十至四十。其民族英雄多有中國血統。居民往往以混血自傲。惟中國男子娶菲婦者多，而華女子嫁菲人則甚少。）

黃、棕、白、黑不分明。可貴優身混血生。建國英雄多少在，溯源自出閩南丁。

三、生活（島人樂天，不事儲蓄。生活程度高于紐約。而生產落伍。）

盡歡今日漫儲錢。鼠輩熙熙性樂天。美車、盛服、琴、歌、舞。粉飾昇平象萬千。

四、教育（菲島教育甚為普及。每一鄉村皆有公立學校，實施強迫教育。中學教育普遍而大學教育亦民衆化。菲京城郊有大學十餘所，專科學校倍之。現在大學各級及研究院讀書者，日夜人數在萬人以上之大學四五所，皆為學位而讀書。總計現在全國專科大學問學之學生十餘萬人，十倍於台灣。而其人口僅為台灣之一倍。我國今日在教育上，不但遠遜於日本，而並且遠後於菲律賓矣。吾輩當刮目看此島人，以作鑑戒。）

教育偏能深普及。鄉村到處設黌宮。泥巴小舍（農村小屋，皆以椰子樹葉蓋頂，稱為泥巴小舍之「Nipa」）休輕視。內住專家博士翁。

五、政治（菲人喜從事政治，長于辭令。演說討論，頭頭是道。英語實際為其國語，著論之妙，不讓英美。）

口似懸河擅縱橫。新生民主有羣英。台灣立法應青睞。莫教先生弱後生。（三月十四日）

人物述評

若就事功而僅以道學論，呂氏並不偉大，[illegible]蒙正之父龜圖，與蒙[illegible]俱入相，[illegible]至公著已是三代宰相了。而以呂氏之學為家學者，[illegible]

[illegible]蒙正避席曰，乘輿所在，士庶走集，故繁盛如此。臣嘗見都城外不數里，飢寒而死者甚衆，不必盡然。願陛下視近以及遠，蒼生之幸也。上變色不言，蒙正侃然復位，同列多其直諒。上嘗欲遣人使朔方，……蒙正退，以名上，上不許。他日，三問，三以其人對。上曰，卿何執耶？蒙正曰，臣非執，蓋陛下未諒爾。……臣不欲用媚道，妄隨人主意以害國事。……[illegible]蒙正以姪夷簡有宰相才，後夷簡位至宰相，然所權衡，主賞識略以和契丹，為識者所不取，其事跡從略。

梁漱溟與北呂宋學

毛以亨

好問之後的呂氏學

好問子本中，居紫微學案之首。全祖望以呂本中不名一師，亦家學也。[illegible]

[illegible]左氏傳讀說十二卷，詳註左氏東萊博議二十五卷，呂氏家塾讀詩記三十二卷。晦菴主格物致知，象山主明心，呂學兼取其長，而復以中原文獻之統潤色之。[illegible]講學明招山中[illegible]為明招學者[illegible]王梓材[illegible]皆兼朱學，[illegible]至黃文獻王忠文[illegible]傳而至柳文肅，一代學術之盛[illegible]之學，而全謝山[illegible]氏學案。說者多以之為呂學大宗。蓋其搜羅文獻，實師法東萊。有國學紀聞諸書行于世。曾拔文天祥第七卷為第一，謂其古誼如龜鑑，忠肝如鐵石云。

呂氏學今已行不通

綜呂學之要：第一，得力于史，呂史世守史官之職，實錄多出呂氏手；第二深研佛學，故近于象山，而遠于晦翁。現代之陳獨秀，蓋以史學而上接呂氏，至梁漱溟，則以佛學而上接呂氏者。然呂大愚以後，則雜于朱熹之學，以是呂學反晦。而實為其骨格，而朱學乃藉以益彰光大。若文天祥，方孝孺諸人，曾名為朱學，然若無呂氏以振其氣而師其志，則何由浩氣常於天地間耶？朱學究為支離事業，非先務其大者，流弊所及，往往產生小曲小儒，與為善之道學家，雖能有大器磅礴之人，是可斷言的。

不過今日之政治與倫理，乃隨社會之繁複而俱進，若牧步自封于七百年前之呂學，又烏乎可。即謂師其意，亦須估計新因素而補足其缺點。若謂用以與共產黨周旋，若陳獨秀與梁漱溟所為者，行亦見其顛躓行不通而已。蓋共產主義之新因素，在北宋最多不過為模糊的想像，並未具體化而顯見于人們之前，是不斷言的。（續完）

吳案痛言

湯亮吉

（上接第一版）當政者若以此為心，我想各級民意機關對政府設施的督促與責備。正是政府當局所歡迎的。我這一段話。第一，希望行政當局自己百尺竿頭，自求進步。第二，希望民意機關幫助政府去察訪及改革。我們要誅伐吳國楨，不僅要誅伐其人，還要誅伐其言。如果今天在社會中，還存留着若干「不以人廢言」的竊竊私語。那就是我們自己的失敗。這是我們對吳國楨深惡痛絕之餘，不能不冷靜喚醒全國上下的。

千夫所指，如果政府今天還曲予優容，還容納他們做反吳的鷹犬。這真使全國志士，傷心短氣，無可奈何了！

吳國楨是典型的佞臣

依照張道藩三月十二日在立法院的書面質詢，吳國楨所犯之罪雖其性質與範圍恐在不小。同流合污的當大有其人。這幾天民間流傳，吳的部屬，在公案面前，斥責吳國楨不遺餘力，暗中奔走，尤處處表示以國家民族利益為重。這種風氣，在國家整飭紀綱，培養中興政風時，最堪痛恨。我不是說吳國楨用過的人都是壞人。然其平時重用之人，平時與其同流合污之人，政府實應依法予懲處。尤其吳國楨部屬中若干聲名狼藉，久為劣跡昭著的人，

吳案是十分痛心的事件。吳國楨本來是一個佞臣，道地十足的典型佞臣。佞臣的慾壑難填，自古已然。佞臣一旦發現其側媚欺騙不能達到其目的。遂一變其趨諂吹拍手法，而妄思用直臣的姿態，以求其所大慾。昔日的為鬼為蜮為狐為鼠。今天的為鴟為梟，為豺為狼，其實則千變不離其佞臣之本質。我們要抓除像吳國楨這類的糞污。應該在全國上下，碧落黃泉，舉行一個大掃除運動！

編者讀者

△吳國楨，其人不足取，其言不足重。惟吳案發生的原因，在現實政治上頗值得吾人多加檢討，本期再發表湯亮吉和沈雲龍兩先生的文章，便是這個道理。我們收到有關吳案的文章很多，如有必要，以後再擇要發表。

△孫謀先生對本刊第二版，認為有點雜湊氣味，又主張第四版團刊新詩。於此，我們想說明，第二版原以國際和台灣通訊及人物述評為主，新體詩應要有好的稿子，我們是一定刊載的。

△我生，楊柳青，徐鐵英，易興，諸先生：惠稿均已收到，至感謝！

△勞影先生：函悉，純文藝小說我們很歡迎，請先將稿子寄來，為感。

所望於香港藝人者

娑婆生

胡適之先生，在第二屆國大開幕時有云，「我們今天，能夠在這一片乾淨土地上，保持這個憲法的法統，我們不能不感謝許多忠貞的國民。他們在這幾年最困難的環境中，維持這個政治法律經濟的規模，使人民的生活，得以繼續存在，還繼續維持。」就上面的話，使我對於旅居在港的藝人，發生無限的希望。香港的藝人，曾不斷陸續的來台訪問，此間軍民，均寄以非常熱烈的歡迎，無非發如離散的家人，再得團聚一般。但是余所希望者，是請在港的藝人，爲國家盡一點義務。這個義務，也就是在影劇兩途，自動參加，增以生力的發揚，不僅是來勞軍而已。

自由中國的電影，除了美國片以外，就算日本片風行一時，至於國產片，卻奇缺得很。可是，對於國產片，卻特別愛看，不管李麗華也好，白光歐陽莎菲林黛也好，毫無分別，總之奇缺。但是本省的國產片，因爲條件不夠，竟難十分開展。尤其是香港藝人既是忠於國家，愛自由，那末爲何不分別陸續作爲旅行式的投奔祖國來，增加些演民主國產片的數量！我想在可以夠到個人的日用生活，也不必過份的奢求，一張片只要多少報酬，心中先要想到國家服務這點貢獻的心緒。要知陷入鐵幕，便不許你談到報酬，値得自愛。至於取景方面，寶島上儘有美麗的畫面。若講工具方面，我想當可邀政府的特許進口，好在不須要國家的外滙。如果可以實現，一年之內，則產量便大有可觀，而精神寄托，增加無限，當可抵制日本片的滲入。再講平劇方面，其實也是可以實現的事。如以港九旅滯之伶票，尚有不少。爲何不來寶島，顯一顯身手，巡迴表現，以慰藉勞軍，與反共的義士。願在港的藝人，予以反省之。

徐道鄰著　正中書局出版
四十二年十一月初版　全書一四二頁，基本定價八角。

（一）

法治爲民主政治基本條件之一，然推行不能往事抄襲或模仿外國法律，必先對的法律歷史及其傳說精神所在，多所研釋，才能收事半功倍之效。以此，著者的出版，我覺得並不是純從故紙堆中以而自誤的。

三十年來，我國法制史一類著作，本多，精審者更少。著者以科學治學方法，又對於社會科學有素，專攻唐律有心得，故本書，更覺饒有意義。

著者撰述本書的方法，應先予說明。他說：「……度時，同時檢討到思想，則然，或爲學者所不敢，在各朝代中之事實述之。我國法律演變及其傳統的精全因頭緒紛煩之味。」全書分十章，自以迄明清。唐，宋，明較詳，其餘，蓋此數代的法律制度最富特色，亦我國法制史上最具影響力量之時代之故。

（二）

著者對於我國法制有一根本觀念，他說：「中國法律制度……有非常健全的發展，很靈活的適應了和控制了這個時期（周秦至清末）的社會。……它和很多其他文化系統不同，始終維持非常高度的純一性，所受異族文化的影響，可以說微乎其微。……中國的法律系統，是始終維持其一貫性的。」

著者關於漢以前的法制史，以比較法家與儒家的異同和分野爲最精到。其次，他認爲漢代雖律令繁瑣，惟「漢律權威異常之高，使漢律支配了整個中國法系的傳統……漢律對於我們法律的影響，直到今天……還可以找出若干痕迹。」他以爲晉與北魏，在製定法律時，是一面修改前代法典，另一面直接採摹漢律的。

著者是研究唐律極有成就的學者（卅四年著有「唐律通論」問世，卅六年再版，甚得好評）故本書唐律部份議論亦最精闢。他首對唐律作如下論述，他說：

「中國法律到了唐朝，達到最圓滿的發展。過去秦漢魏晉的法律思想和制度，到此得一總滙，以後宋元明清的演變，從此得其準繩……古今之律得其中者，惟有唐律……中國法律影響及於朝鮮，日本，琉球，安南等東亞諸國，卓然自成一中國法系者，亦自唐律始」。

讀了這段文字，使我們聯想到傘破崙法典，傘破崙法典卓然自成體系，影響歐洲大陸遠及美洲，這是十八世紀末十九世紀的事。惟唐律則遠在十世紀前已經在亞洲發生同樣的影響力量了。

（三）

傘破崙法典以容納法國大革命後許多進步思想和各種新制度見稱。著者闡於唐律的特色，指出其所包含的爲「禮教法律化」，依據倫常而立法。尤可注意的，著者指出唐律中的社會觀念。他說唐律的社會觀念很發達，「第一，唐律中有很完備的社會防犯制度；第二，唐律中有很明顯的警察意識」。這著者從唐律本身以防止犯罪的各種責任，又若干條文，證明唐律有「交通警察」，「營建警察」，水利警察，山林警察，稍警察。這些觀念，在當時不但存在，並且很發達了。於此可見著者是以現代的社會眼光來研究歷史的。著者的研究，使我們認識了唐律之所以能影響於亞洲各國，並不是偶然的。我國千多年前的社會已具有如此的現代社會行政基本觀念，實爲我國文化史一大光榮。

（四）

著者認爲宋代三百年，宋代出了好幾位對於法律很在行的皇帝。又舉出宋代兩名案——安崇緒之獄和阿云之獄——以證明宋代辦獄的認眞。

說到元律，著者指出許多奇奇怪怪的條文，以爲不祗立法技術幼稚，實在有點以法制開玩笑。更重要的，元人立法存有極烈的種族優越感，歧視漢人。元亡之速此實爲原因之一。他認爲「五代及宋以至遼金，全以唐律爲宗。惟元律以夷變夏，不肯受唐律範圍。然其支離破碎，終亦不能自成系統」。

明律的主要制度和基本思想，仍脫離不了唐律範圍，惟唐明律比較，「明律不如唐律的地方，實在不少」。著者指出明代法治之最大汚點，在於廷杖，東西廠，錦衣衛，鎮撫司，而「太監會審」一項尤爲歷代所無的荒唐制度，這都是明代自行「創制」的。

（五）

說到清代，著者認爲清代制度典章，大體襲用於明，法律更是如此。到一九〇九年（宣統元年）公布「大清現行刑律草案」才是中國第一部受西洋法系影響的法典。也便是中國固有法制史的結束，現代立法史的開始。

最後著者論到清代的考試與任官制度。他認爲「中國……具有悠久歷史的吏治成規，和有系統文獻……是人類文化史上光榮的一頁。」又說「中國吏治自秦漢……到了清朝，這一千餘年的時期中，形成了非常有系統的制度。最重要的，莫過於考試和任官……到了清朝，不但是有充分的發達，並且發達過份。」跟着，他把清代的考試和任官制度，就其體系大綱和敘內容要點，加以扼述。他在結論中說要：「前清官制官規中，人不離鄉的政策，對於人才的城鄉交流，恐怕必定發生過很大的作用。」

說到這裏，本書大要，約略可以明白了。至取材精審，行文清暢，讀者不會感覺枯澀無味，猶屬餘事。書末附歷代律令名稱考十頁，亦便讀者參考。

房荒引起矛盾現象
居住問題亟待改善

許多新建的樓宇找不到住客，許多地產商尋不着買主；然而也有許多人住厭了鴿籠式陋屋，一張床睡上十餘個人；這是港九工商業普遍不景氣帶來的矛盾現象。

在這種情況下，當局儘管有改善衛生設施的決心，但除非徹底改善這反常的惡劣環境裏市民的生活，否則這個都市的衛生必然仍是一個嚴重問題。疾病傳播，死亡率增加，決不是僅賴擴充少數的醫療設備可以根除的。過去人們對這一個嚴重問題，很少花費時間去研究。最近，市政局的議員，由於本身來自民間，對民間疾苦，知之較切，認爲應從解決房荒方面着手，逐步解決這個問題，因此已擬具了一個具體計劃。

在工商業淡風中，由於遊資缺乏出路，地產商和地產經紀人，本來可乘此機會做一筆大生意，在三年前，地產業似乎漸呈生氣，建築業也趨蓬勃，可是好景終難持久，年來又走向下坡了。過去租一層樓花上五六千元頂費的大有人在；但現在呢，一層新樓收三四千元按金還不易找到住客。對地產商來說，一層樓的建築費不過萬餘元，一幢新廈全部租出，把收來的按金再招人投資，就不難再多建一幢。因此新廈興建，曾盛極一時，在鬧市區，過去不待完工已經全部租出；但現時每況愈下，現成屋宇尚難出租，偏僻區域的情況尤甚，房地產公司資金周轉遂日感困難，不得不廉價出賣。但他們爲何不把新屋平宜出租呢，這顯然是現金有限，不能周轉之故，甯可擱置不願廉租了。

新樓無人過問，而影響一般小市民健康的住屋問題卻又亟待改善。市政局的民選議員謀使這個問題早日解決，特由區達年、李有璇等組成了一個委員會，加以研究，已獲港府授權，擬就計劃，待立法局完成法案，即可實施。這個計劃，純爲一般入息高低不同的受薪階級而設計，增建廉價屋宇的建築費全由港府支出。原則上規定獲准租賃的住客，每月租金支出不超過他全月入息百分之二十，連同地價稅差餉包括在內。主要目標爲月薪三至六百元，其次爲八百至一千二百元。議員們也顧到三百元以下的衆多人數，尤其是學校教師，正設法請求港府酌予補助。本月終適逢選擧，區達年、李有璇兩位議員倘能聯任，則駕輕就熟，嚴重的「屋荒」問題，不難迅速解決。

香港三日

台童軍將赴菲露營

【台灣通訊】世界民主國家於今年四月在菲律賓擧行童子軍大露營，各國童軍均往參加。自由中國亦已接受邀請參加。總會理事長程天放及各理事，以此爲國際性的集會，已通知所屬各童軍團，選拔成績優異之服務員，暨童子軍，應邀出席，惟員額甚少，且選拔標準極嚴。經在台北分別考試，全省兩百餘中等學校，僅錄取童子軍及服務員各十五名，故各方爭取甚爲熱烈。高雄縣立林園中學有二人被甄選合格，即該校童子軍團長兼縣理事會總幹事丁修周，及學生張重信二人。現已收到總會甄選合格正式通知，核准出國。

鐵幕盡是糊塗賬

大公報一月七日載：「天津市讀者劉仲明來信：中國茶葉公司天津辦事處於去年五月間發往中國百貨公司撫順地區批發站一批茶葉，貨款一億多元已按照合同規定以異地託收承付方式結算終了。沒料到在九月中旬，該處又接到撫順地區批發站一封信，信上說：『你公司在六月份發來一批茶葉，已三個多月了，貨款三億零四百九十萬七千六百五十元一直沒有結算，請查明原因，前來收款。』經該處詳細對查，並無上項交易，隨即函詢這批茶葉的調運日期，花色，銷貨票號碼，但是，接連去了幾封信，都沒有答復，顯然這是由於撫順地區收發站搞錯了，買了貨付了款，賴準備再付一筆更多的款給對方。」

「遼東省安東市讀者吳玉坤來信：一九五二年十二月間，江蘇常熟市花紗布公司發往中國百貨公司安東地區批發站三六設單絨二百疋，彩條絨三百疋，價值一億五千萬元，該公司把收貨單位寫成遼東省百貨公司。百貨公司系統在遼東省有省公司、批發站、安東縣公司，安東市公司，貨到後提單送到安東市公司，安東市公司不管三七二十一也就打保把貨提出來，而且陸續賣了。奇怪的是常熟市花紗布公司一直沒有想起這批貨，直到去年十二月才發現，這時，這筆貨款已經積壓十一個月零五天了。安東市公司收到貨不通知對方也是不對的。」

「山西臨汾讀者周貴福來信：臨汾國營百貨公司商店第一門市部在去年十一月中旬賣給臨汾糧食局四箱玻璃，發貨時送去五箱，去年十一月末批發部賣給私商永豐醬油廠一包價值三十萬元的三角破麵，卻給送去一包價值九十萬元的粗砂糖，侯馬百貨門市部賣給永固合作社兩箱百合水瓶，把單位弄錯，按兩打計價。」

如此糊塗賬，鐵幕何其多。中共的「國營商店、公司」幹部，自經過「三反」「新三反」後，長年在進行思想教育；但是，內部管理制度的混亂，幹部思想上存在着嚴重的僱傭觀點，和對「國家財產」，仍不負責任的態度，猶是令人驚異。這正是一個政權「木朽蛀生」的一種表現，作爲快將敗亡的答案。（落）

台灣的勞工保險

台灣勞工保險與三七五減租同視爲政府遷台後兩大施政，自民國三十九年三月一日實施以來，參加保險單位共一、二九二個，參加人數共二〇二、九〇九人，幾及台灣全省工業人口的總額，給付範圍包括：傷害、殘廢、生育、死亡、老年等五類，推行四年，已成一種完善的社會保障制度。

甘地震災民遍野
共黨竟强阻流亡

【本報訊】據中共二月二十四日蘭州消息透露：「甘肅省河西走廊山丹等縣於二月十一日發生劇烈地震，部份羣衆遭受災害，「人民政府」對受災羣衆已分別妥善安置。」山丹縣位於「中蘇公路」之側，介於武威（涼州）張掖（甘州）之間，背倚龍首山，延伸入甯夏省境，於二月十一日至十七日，連續發生地震四十三次：大震發生於二月十一日八時三十分鐘，至二月十七日仍有餘震，地震中心地區是山丹縣城關區。地震災區，蔓延至太平堡、東樂，峽口營一帶，受災人民，達七千餘戶近三萬餘人。目前受災地區，房屋完全倒塌，所有災民哀鴻，盡成無家可歸，臨時草房都無法搭蓋，露宿暮天，席地作生死與強風的搏鬥，老弱婦孺，啼飢號寒，其慘狀不忍卒睹；尤其因地震而受傷的災胞，既無人收容治療，更無法找到醫藥所在。一遍哀聲起自塞上，素稱爲河西走廊的要衝，如今已變成爲多災多難的地區了。

武威區僞「專員公署」專員孟浩，得悉地震詳情後，從容不迫地呈報「上級」，假惺惺作態，率領幹部一批，前往地震災區，作弔唁式的巡視一番，對山丹災民並未作任何有效的安置和其他措施；致使大部份災民，開始沿公路幾向武威、張掖、酒泉等各較大城市中流亡覓食，一幅悽慘的流亡圖畫，無異爲「新中國」的「新建設」的進程中，作一個緘默無言的點綴，這正是誇躍進步下的強烈對照。

甘肅省僞「人民政府」感到災民到處流竄，深恐有礙治安秩序，迫不得已，派「民政廳長」李福培趕往災區，處理善後，並允撥給救濟款（僞幣）五億元，但「只聽樓梯響，未見人下樓。」使災民更增憤懣。

中共派赴災區說是安置羣衆的幹部，計有三百九十多名，共組成六個工作隊之多，但是對災民的救濟和安置，毫不聞問，哀哉災民，其禍患亦正無已日啊！（天）

律說（下）

馬五先生

的民主國家……多數服從少……律起見，乃……政治的方式……常召集的議……各黨都有組織……政導人。凡屬……，多由領導……發蹤指使，……的同志出陣……入再加入前……固。凡對某項……於詞令者，根……則，領導人雖不……大衆的哄斥，自……不然，預會者都……不偏服誰。縱使……有黨團組織，但

各人皆可不受黨團的約束，領導人更產生不出來，大家地鼠地齊，一般能幹；而且平日才智越是平庸低能的角色，一到會議場所即越見其英勇高明了，有會必爭着發言，好似廣播電台上的廣播員一樣，非對衆人侍候一段不可，聽不聽由你，更不管別人是否因此而大倒胃口，大傷腦經。所以，文藝政治方式在中國的會場中，亦爲無用之長物。鋒頭主義深中於人心，情吵胡鬧，不顧一切，這樣才算是民主！在金融市場上，劣幣必然驅逐良幣，在會議場中的情形亦然，一些眞正有學識見解的人，見着鋒頭主義者橫衝直闖，吵鬧不休，只好緘口掩耳，退避三舍，結果又是多數服從了少數！

中國如想創建起碼的民主生活，至少應將孫中山先生的「民權初步」列爲中學生必修課程，才有希望哩！

綺懷詩

——懷陳文受先生——

·王世昭·

仲則誕生二百零五……寫了一篇文章，題爲「仲則的詩」，在自……。中間提到仲則「綺懷」十六首。讀者陳文受先生：「素聞仲則詩，偶於報章上讀其一二，心爲……。近於自由人拜讀先生論……賞「兩當軒」之知音。用敢恩錄其綺懷十六首，以慰饑……

仲則詩佳者極多，綺懷十六首，紓寫性靈，尤爲蘇曼殊、郁達夫所稱道。文受先生既有同感，筆者當亦樂公同好，謹爲抄出，不知自由人亦能爲留一寶貴園地否？十六首詩如後：

「楚楚腰肢掌上輕，得人憐處最分明。千團步障雛藏艷，百結葳蕤不鎖情。朱鳥窗前眉欲語，紫姑乩畔目將成。玉鉤初放釵初墮，第一銷魂是此聲。」（一）

「妙諳諧謔擅心靈，不用千呼出畫屏。斂袖慵成絃拉䙰，隔窗摻碎聽丁甯。瀲灔門草春多事，六博彈棊夜未停。記得酒闌人散後，共搴珠絡數春星。」（二）

「旋旋長廊繡石苔，顫提魚鑰記潛來。闌干劉藉烏龍臥，井畔絲牽玉虎迴。端正容成猶斂照，消沉意可漸疑灰。來從花底春寒峭，可借梨雲半枕偎。」（三）

「中表檀奴識面初，第三橋畔記新居。流黃看織迴鱗錦，飛白教臨弱腕書。漫話私心緘豆蔻，慣傳隱語笑芙蕖。錦江直在青天上，盼斷流頭尺鯉魚。」（四）

「蟲娘門戶舊相望，生小相憐各自傷。書爲開頻愁脫粉，衣經多浣更生香。綠珠往日酬無價，碧玉於今抱有郎。絕憶水晶簾下立，手拋蟬翼助新妝。」（五）

「小極居然百媚生，懶拋金葉罷調箏。心疑棘刺針穿就，淚似桃花醋釀成。會面生疏稀笑靨，別筵珍重贈歡聲。沈郎莫歎腰圍減，忍見青娥絕塞行。」（六）

「自送雲軿別玉容，泥愁如夢未惺忪。仙人北燭空凝盼，太歲東方已絕蹤。檢點相思灰一寸，拋離密約錦千重。何須更說蓬山遠，一角屏山便不逢。」（七）

「輕搖絡索撼垂懸，珠閣銀櫳望不疑。梔子簾前輕擲去，丁香盒底暗攜時。偷移鸚母情先覺，穩喚猧兒事未知。贈到中衣雙絹後，可能重讀定情詩。」（八）

「中人關氣似微醺，薌澤還疑枕上聞。唾點著衣剛半指，齒痕切頸定三分。辛勤青鳥空傳語，佛巧鳴鳩浪策勳。爲問舊時裙衩上，鴛鴦應是未離羣。」（九）

「容易生兒似阿侯，莫愁眞箇不知愁。夤緣湯餅筵前見，彷彿龍華會裏遊。解意同昌銀約指，含羞頻整玉搔頭。何曾十載湖州別，綠葉成陰萬事休。」（十）

「儲梳常是髮鬌鬟，背立雙鬟喚不譍。買得我拚珠十斛，賺來誰費豆三升。怕歌團扇難終曲，但脫青衣便上昇。曾作容華宮內侍，人間狙獪恐難勝。」（十一）

「小閣爐烟斷水沉，竟牀冰簟滲涼侵。靈妃喚月將歸海，少女吹風半入林。蕭蕭闌紅愁的的，亂漏思涓涓。文園渴甚兼貧甚，只典征裘不典琴。」（十二）

「生平[illegible]當瑜，萬恨俱歸曉鏡中。君子由來能化鶴，美人何日便成虹。王孫芳草年年綠，阿母桃花度度紅。聞道碧城闌十二，夜深清倚是誰同。」（十三）

「經秋誰念瘦維摩，酒渴風寒不奈何。水調曲從鄰院度，雷聲車是夢中過。司勳綺語焚難盡，僕射情懷較多。從此飄零十載後，可能重對舊梨渦。」（十四）

「幾回花下坐吹簫，銀漢紅牆入望遙。似此星辰非昨夜，爲誰風露立中宵。纏綿絲盡抽殘繭，宛轉心傷剝後蕉。三五年時三五月，可憐杯酒不曾消。」（十五）

「露檻星房各悄然，江湖秋枕當遊仙。有情皓月憐孤影，無賴閒花照獨眠。結束鉛華歸少作，屏除絲竹入中年。茫茫來日愁如海，寄語羲和快著鞭。」（十六）

高陽臺

送楊孟博之合浦

·桐綺·

香島羈身，平山匿跡，風塵湖海年年。開擲才華，任嘲坦腹便便。胸填國破家亡恨，舉頭看白日青天。想清遊，那處園林，那處山川。茫茫海上孤懸地，望雞籠山下，鹿耳門前。便殿行宮，僉謀光復中興。使君今趁春潮去，一帆輕，高會羣賢。問何時，誰徒餘膻，誰着先鞭。

編者按：楊履公先生，爲廣西容縣國大代表，曾參加同盟會，老革命黨人也。

·短篇小說·

通天曉

毛姆著　廉有譯

關姆賽任職美國領事，駐在神戶。他是來自中西部的一個塊頭，身子肥胖，穿上做現成的衣服，綳得緊緊的。他是飛過紐約娶了太太，現在又回任所的；他妻子曾留在紐約約摸有了一年。關姆賽太太是個漂亮女子，婉可觀而富有風趣，領事官的遇並不優，她穿的很樸素，然而她於打扮。她的儀態，顯的非常嫻靜。這種品德，在婦女身上原該是很平常的，如今拉不多見，否則我也不會特別注意到她了？她那種文雅的丰度，祗要你一看見，不由得不爲所動，明明的有如一朵鮮花。

一天晚上，在吃飯時，談話的題目無意間轉到珍珠上，報章上近來不斷談論到機靈的日本人所造的人工珠，醫生以爲這類人工珠一定要越來越好，不久總會値；人工珠已經弄的夠好了，不久總會造的更完美。克拉達先生照例搶着發揮他的高見，他把關於珍珠所需要知道的都講給我們聽。我不相信關姆賽懂得珍珠，但是他一有機會就忍不住要攻擊那個中東佬，不到五分鐘，便開了一場熱辯。以前我也見過克拉達先生態度激昂滔滔不絕，可是從沒有這樣上這一次勁。後來不知關姆賽哪句話刺痛了他，他用拳重重敲了一下桌子，嚷了起來：

「嘿，我總應該懂得我們正在談的事情。我去日本就爲的要考察日本的珍珠業務。我正是這項生意的內行，行內人所要講的，都不會和我兩樣。我知道世界上所有的珍珠精品；關於珍珠，要是我還有不知道的也就不値得再知道了。」

這倒是件新聞；因爲克拉達先生，儘那樣饒舌，可從沒有對任何人提到他的行業。我們祇模糊地曉得，他去日是爲了商業上的事。他順着桌子四下一望，得意洋洋的。

「他們終歸不能夠造出一顆人工珠，叫我這樣一個內行，會一眼辨不出的。」他隨手一指關姆賽夫人正戴着的一串珠鍊。「關姆賽夫人相信我一句話，你戴着的這串珠鍊，現在値多少錢，將來一文也不會減少。」

關姆賽夫人臉上微紅，悄悄地把鍊條攏進衣服裏去。關姆賽倚身上前，朝我們大家看了看，眼睛裏閃出一絲微笑。

「關姆賽夫人那串珠鍊很好，是不是？」

「我一眼就看出來了，」克拉達先生回答道。「嘸，我心裏早就自言自語，那一串都是好珍珠，一點不含糊。」

「並不是我親自買的，誠然。我可很想知道，在你看來，該値多少錢呢？」

「哦，內行來買，約在一萬四千金元上下。但是，如果是在紐約第五街買來的，就是花上三萬金元也不足爲奇。」

關姆賽獰笑了。

「你會覺得詫異的，當我們離開紐約頭一天，關姆賽夫人在一家百貨店買了這串珠鍊，祗花了十八塊錢。」

克拉達先生臉紅了起來。

「胡說八道！不但是眞的東西，而且在我所曾過目的同樣大小的珠鍊中，也要算是上好的貨色了。」

「你願打賭嗎？我願意和你賭一百大元，這串珠鍊是假的。」

「算數。」

（中）

伊朗王和總理密商大計

伊朗的前外長法特米已於最近被軍警捕獲，這事情傳到前總理穆沙狄克的耳中後，身在囹圄的穆沙狄克不禁又老淚縱橫，號淘痛哭了一頓，因爲他認爲法特米流亡在外，終必有東山再起的一日，但現在一切希望却似乎都已完結了。

其實，說起來，穆沙狄克在伊朗國內的勢力到現在還是相當龐大的，有許多狂熱的信徒對於穆沙狄克的信仰並不因他的垮台而低減，伊朗國王巴勒維和現任總理柴赫第少將都深知此中內幕，也深爲這種局勢而憂慮，所以他們現正靜靜地找尋合法的藉口，希望把穆沙狄克逐出伊朗，以絕後患。

蘇俄頒發新歌三百首

有一件事情可以看出俄國正在實行新的「馬倫科夫路綫」，也就是說，在馬倫科夫執政之下，已開始逐漸消除史達林時代殘存的影響和勢力，現在蘇俄當局已頒佈三百首新的歌曲，規定各學校的學生及教堂的唱詩班歌唱，這些歌曲中的詞句盡是馬倫科夫所倡導的口號，從前史達林時代的口號通通不見了，還有一件事可看出共產匈牙利人力的缺乏，現在匈牙利大舉擴展工業，許多男人們都應召到工廠裏去工作，因此操縱高射砲的砲手最近已改由婦女來充任。

美空軍有秘密訓令

美國海軍陸戰隊法庭最近在審訊有關舒華伯上校「作細菌戰認罪」案的時候，曾致函空軍部邀請某數位空軍軍官出庭作證，但却爲空軍部所婉言謝絕，這件事來得頗突兀，不僅外間人覺得驚奇，就連陸戰隊法庭的軍法官也感到莫名其妙，認爲這件事實出乎情理之外。消據可靠方面傳出的消息說，空軍部此舉確也有其不得已的苦衷，因爲他們不願意使空軍當局所給予駐韓作戰駕駛員的秘密訓令，在作證時透露出來，而爲外間所知道，這些命令中包括（一）萬一被俘時，如何向共軍作假供。（二）如何與駐在北韓的地下特務進行接觸等等。空軍部認爲韓戰雖已停止，但這些訓令仍有保持秘密的必要。

威爾遜不信任陸軍部長

有人向美國防部長威爾遜建議，勸他邀同陸軍部長史蒂文斯一塊兒舉行記者招待會，向報界原原本本報告史（蒂文斯）麥（卡錫）之爭的經過，但威爾遜只笑了一下，擱在一邊不理。事後有人問他何以不接納這項頗爲聰明的建議，威爾遜不便直說，但由他的答話中可以聽出他對史蒂文斯的講話與說理能力不大信任，據說，史蒂文斯事前說得好好的，再說一遍時，有時便和前次所說的大不相同了。（流衡）

由征賦說到待士

·漱杵·

「自由人」曾載有小丞先生的「士改詩話」一篇。寫到「探花不値一文錢」，所寫微妙，不減饒有深趣，賦稅之能否征得，確有關于興亡大局，茲就明清兩朝，連及抗日時期由征賦而至于待士，略爲考述。

明朝太過縱容士大夫

考明史食貨志云：「洪武二十六年，天下土田總額，八百五十七萬七千六百二十三頃，蓋駸駸無棄土矣」。但是「自洪武迄弘治，天下額田已減強半，而湖廣，河南，廣東失額尤多，非撥給于王府，則欺隱于猾民」。在明朝初時之歛賦，人民非依期納糧不可，但後來太于優容士子，士子一登科甲，便可不依期繳納，甚至不納糧，而飛洒于百姓，在事實上，固豪家爲上戶，貧民爲下戶，而征糧冊上則適得反，鄉里與城市之租稅仍不一律，百姓非及時交納不可，但城市可延一年，如鄉間有士大夫之家，即將其所居之地，定作爲城廓，或有貴族所在，而有半圖爲城坊，半圖爲鄉里之畸形狀，弊竇即由是而興，江南的門豪巨室，遂多邀諸城社，抗稅拒租，見松江府誌翁元升等計參張其賢昌搢紳下云：「有田萬頃，輸稅不過三分，遊船百艘，投靠居其大半」。又當時陸文聲許「三吳士人[illegible]疏，悉由有好胥足證當時士大夫侵[illegible]」。以亦不納錢糧，再遊小船亦當不來投靠。再通謂之趙翼廿二史劄記卷十四云：「前明一代風氣，私派橫征不特地方有司民不堪命，亦多倚勢恃強，視細民爲魚肉，上下相護，民無所控訴」。[illegible]清兵至，[illegible]關內外崇禎閣，清兵壓境，迫于支兵以衛京畿，皇帝偶練餉，束手待斃，大明江山之失，實在太過縱容士人所誤！

清朝太過苛待士大夫

清朝懲明朝之弊，對士大夫階層嚴加約束，其取士征賦，雖沿明制，然在順治九年，由禮部奏頒臥碑，刻于學宮，立條約八款，云：「生員不許糾黨多人，立盟結社，把持官府，武斷鄉曲，所作文字，不許妄行刊刻，違者聽提調官治罪。」此後[illegible]。又見周壽昌思益堂日札云：[illegible]

「國初江南重賦，士紳包攬[illegible]

國民政府太過縱容稅吏

在抗日時期，[illegible]

對商人之稅，有營業稅，所得稅，[illegible]

中華民國僑務委員會頒發登記證台僑新字第一零二號
中華民國郵政登記第一類新聞紙類
自由人
THE FREEMAN
（半週刊每星期三六出版）
（第三一九期）
每份港幣壹毫
督印人：端嘉獻
社址：香港高士打道二十號四樓
20 CAUSEWAY RD
3 rd. fl.
HONG KONG
香港發行所及接洽處：高士打道六十號
電話：七四〇五三
承印者：新華印刷出版社
地址：高士打道六十四號
台灣總經銷處：台北市館前街五十號
台灣郵政劃撥儲金：台北中華路九四號之一　九二二二

寓言・一・則

這是一篇討論經濟問題的文章，作者對於經濟管制的制度，反覆設譬說明，以研究其是非得失，留心經濟問題者應該一讀。——編者。

・徐道鄰・

（一）

在某一個地方，有一座村莊，居民的用水，全須由井裏河裏挑來，居民的木柴，全須由附近的山上砍來。村裏有不少的人，全靠砍柴挑水為生。忽然有一天，全村裏的水夫樵夫，全部被縣裏調到外省移民。他們所遺留下來的水桶扁担斧頭繩索，就全部為村公所所接收，又另外雇了一批水夫樵夫，成立了一個運水公司和木柴公司，供應本村居民的用水和燃料。

這兩家公司，成立之後，他們的開銷異常龐大，用的人更非常之多，生活也不免奢侈浪費，於是他們定的水價柴價，也不能不一天一天的上漲。許多居民，從前每天洗一次澡的，現在三天或四天洗一次；從前三天換一次衣服的，現在八天一洗；從前一天燒三次飯的，現在改成兩天燒一次飯。村裏有四家洗衣作，三家飯館——都是他們的老主顧——現在因為柴水的成本太高，生意冷淡，也都全關了門。而這兩家公司，因為產品銷路的日減，更感有繼續不斷的加價，才能維持開銷，因而更減低了銷路，而造成了一個惡性的循環。

（二）

鄰村的人，知道這裏水價柴價畸形的猛漲，但是他們不能挑水挑柴來賣，因為這個村裏，為了保護這兩家公司的營業，外面的水和柴，是不許進口的。而村裏的居民呢？雖然他們知道水價柴價之高得不合理，然而他們却又不能另外雇人來挑，因為村公所說，有了兩家公司，本村的供應，已經超過了本村的需要——不然，現在怎麼會有這許多的柴水，怎麼會供過於求？——所以他們不許再有新的水夫柴夫增加。你們認為村公所這個措施不好嗎？對於村公所的經費，這兩家公司全有很大的報効，而從事很大的[illegible]欠。村裏許多沒有事情沒有能力的人，村公所隨時可以把他們安插到公司裏去，這從無拒絕。而這兩家公司的營業呢？他們所經營的是沒有競爭的企業，所以他們可以永遠維持和不斷提高他們的開支和享受，而把一切負担，用加價的方法，隨時轉移到全村居民的身上去。

從前村裏的水是四分錢一担，柴二元一百斤。村民每家每月用水一百五十担，用柴五百斤，兩項開支是十六元。全村三百家人口，共合用四千八百元。現在物價上漲兩倍，柴六元（水一角二分），村民雖然把柴水的消費，減少了三分之一，而他們兩項的支出，仍然要用九千六百元。兩家公司繳給村公所的，是一千二百元。剩下的八千四百元中，三千二百元是正當的開支（比照從前柴水價格計算），其餘的五千二百元，就是由兩家公司給奢侈浪費掉了。

（三）

如若我們為全盤設想，村民也為村公所着想，不如開放挑水砍柴，讓村民自己去經營，而把取自兩家公司的一千二百元，由村民按戶攤派。[illegible]，村民每家每月的負担，不祇增加四元，而不是增加十六元，而且保持了他們原來柴水的使用量。就是說，村民每月可以多用水五十担，多用柴一百六十斤，少花十二塊錢，而村公所的收入，分文不少。同時，三家[illegible]洗衣作，也不至於關閉，而且能發展，則不但村民的財富，更能逐漸提高，村公所也可以從他們的利潤上，比例的增加它的稅收。而在村民的經濟繁榮之下，從兩家公司裁下來的人員，也會各別找到他們的出路。而其中必定有不少的人，因此反而找到了更好的機會，來發揮他們的能力。[illegible]養尊處優的[illegible]

但是在村公所的看法，則認為公司之業務總有『盈餘』，報効多少，拖欠之絕[illegible]，足見他們保護政策之正確，因此他們決定把這個政策逐步的推行到其他企業方面。於是村裏的織布的和做鞋的，村公所（當然他們和村公所有良好的人事關係）就首先得到了保護：除了一方面禁止外村的布和鞋子進口以外，另一方面再限制村裏的織布人和鞋匠，以後再不許增加。[illegible]和布鞋之價格之猛漲，[illegible]村民[illegible]就得穿破布和破鞋，也就都不問可知了。

（下轉第二版）

對共貿易有損無益

・俞嬰・

以往幫助蘇俄建設的外商，投資不下十億美元，已給蘇俄一筆抹殺了。大戰後蘇俄掠奪大量外國資本，建設軍備，造成今日國際不安局面。依據統計數字，對蘇貿易於英毫無好處。

近來關於展開和擴大對鐵幕國家貿易的呼聲，愈來愈高。英國首相邱吉爾和美國援外工作總署署長史塔森，都發表這一類的言論。還有歐洲二十七個國家代表，在日內瓦會議，商討如何擴展東西貿易問題。

西方國家有一共同概念，以為國內工業生產萎縮，人民失業日多，國庫收入短少，乃是缺乏了鐵幕國家的消納市場，如果恢復和擴展了對共產國家的貿易，則國內的狀態可回復正常，工業也可穩於繁榮。這看法是不正確的。

對蘇貿易西方吃虧

蘇俄一向以和平的假面具為掩飾，強調資本主義制度國家和共產主義制度國家可以並存的，在這一假面具之下，從事[illegible]消滅資本主義的陰謀。克里姆林宮看中了西方國家間的矛盾和弱點，不斷的投出有毒的餌，引誘西方國家上鈎。柏林四國會議中，蘇俄外長莫洛托夫就曾抛出這些香餌，並且裝成很誠懇的模樣，希望和西方國家，迅速恢復和擴展雙方的貿易。

西方國家為了解除自身的困厄，渴望能放寬乃至撤除對共產國家的貿易限制；但他們却忽略了鐵幕國家的經濟，正陷於無比的困境當中，鐵幕人民的生活，已迫近於飢餓死亡的邊緣。蘇俄希望西方國家擴展貿易，正好解除她的經濟危機，鞏固她的統治基礎。還有一點為西方國家所忽略的，蘇俄是一個帝國主義的國家，她渴望對西方貿易中所得的是重工業建設的戰略物資。他們的最後目標，就是把存在的資本主義消滅掉。

如果僅想恢復對蘇俄集團的貿易，就可以減了她的野心，不致爆發世界大戰；或可以獲致兩個不同制度的社會共存共榮，彼此都可以有利而無害，這不知何所據而云然。從對蘇俄的貿易史上，可以找到很多例子，西方國家對蘇俄投資或技術援助，到頭來吃虧的還是西方國家。

史實斑斑西方何健忘

蘇俄在布爾什維克統治後，遭逢無比的困難，迫得要借重外國的協助，所以在一九二〇年，准許外國人在蘇俄取得礦產、製造業、貿易及其他企業的租借權，及至一九二八年六月一日，超過九十七個外國企業在經營中，約有三千萬美元的投資。至一九二九年，又引誘外國人投資建築西尼土高斯基及德根洛治金屬工廠。此後投資的外國人漸減，原因是蘇俄統治者法大公開反對世界的資本主義，所以沒有眞正重大的外國資本，自動流入蘇俄。計至一九三一年，蘇俄積欠外國政府以及出入口商人的貨款，約達十四億美元，但在一九三八年四月，蘇俄却對這些債務，一筆抹煞了，受損失的正是幫助蘇俄建設的外國商人。

一九四一年以後，外國商人對蘇俄投資及貿易甚是不前了。但蘇俄在一九三九年至一九四六年間，却把東波蘭，波羅的海諸國，蘇併過來，攫取這些地區的資本和資源。第二次世界大戰末期，這個野心的國家，又把東歐、東奧、北韓及中國東北、外蒙古佔領，攫奪了大批的機器及其他工具；同時在租借法案下，接受美、英、法等國的機器設備及器材。這些向外國取得的資本，遠超過一九二〇年，外國人在蘇俄的投資。當二次世界大戰結束以後，蘇俄就憑藉了這些資本，積極建軍，以對抗英美集團的西方國家，造成今日國際的危險局面。

蘇俄志在戰畧物資

右舉的斑斑史實，距今絕非遙遠，西方國家何遽爾忘得一乾二淨？況且蘇俄投資或貿易所得的利益是誰？對蘇俄之所欲輸出者，並非它的產量增強，乃是盡量壓低國內人民的生活水準，把糧食或製造業向國外換取機器。當年史太林不顧烏克蘭人民的飢荒，把糧食輸出，換取美國農業生產工具；當時的財政部長威士尼加勒斯基就有句這樣的口號：「任由抵餓，也要輸出！」所以擴展進行對鐵幕國家的貿易，是否能抓住鐵幕內被魔掌握住的人民？值得懷疑！

就以最近英國三十一位商業代表赴莫斯科談妥的四億鎊的生意而論，在蘇俄的定貨單中，它所急需的貨物是什麼呢？計有一億六千萬鎊的船艦，四千六百萬鎊的動力裝備器材，三千六百萬鎊的鑄鍊金屬工具，一億七百萬鎊的紡織機械及少量[illegible]鐵機和其他製造日用品必需的機器。而蘇俄所輸出的僅是穀物、木材和皮毛之類而已。即去年七月英國商人和中共所訂的貿易商約，中共所最着眼的，就是各類重工業機械器材，包括五金、鋼料器材、機械、運輸工具、藥品、染料等；在英方最希望得與中共的紡織品，則不為中共所看在眼中。從上列的易貨項目，就可知共產國家並不是志在與西方國家維持正常的貿易狀態。

統計所示與英無利

英國是最急於和共產國家貿易的一個，但看看英國在戰前戰後的貿易統計，也不見得有什麼特別利益。戰前共產國家購買英國貨的，僅佔英國全部出口百分之三；這些國家輸入英國的，佔百分之五；一九四八年未禁運前，英國輸往共產集團國家的商品，僅逾全部出口百分之一，而共產集團國家輸入商品，僅佔全部的百分之二・五，由於共產國家的貿易政策是政治的而非商業的，那麼，即使現在恢復未禁運前的狀態，相信貿易的前途，也未必是可觀的。

西方民主國家，必須從遠處着眼，切勿以蘇俄一時抛出貿易攻勢，而自亂反共的步驟；尤其是領導西方民主陣容的美國，必須堅決執行反共到底的政策，勿以歐洲國家的搖擺而自壞長城。正如英外相艾登指責英國國際貿易公司進行對蘇貿易，為中了蘇俄集團的詭計。須知蘇俄現已面臨經濟崩潰前危機，不惜破例抛售大量的黃金，吸引外國貿易，以圖挽救。美國乃至聯合國方面，仍應堅決執行禁運政策，從而展開對蘇俄共產集團經濟的和軍事的封鎖，才可以在政治上收反共成功的效果。否則，祗顧目前利潤，以貽共黨[illegible]者以坐大，則將來所營的苦果，必不堪聞問也！

一週展望

・李秋生・

蔣先生膺選聯任總統

國民大會的選舉大會於二十二日選出蔣中正先生為第二任總統，這是一件值得興奮的好結果。今日中國的非常局勢，非蔣先生不能領導，是最簡單的常識。國大代表們只是替海內外同胞表示了共同的意志，換句話說，也就是他們已盡到了應有的職責。

蔣先生重膺總統重任，可以說是海內外反共抗俄堅決意志的一致表現，也使我們對於反攻復國，必抵於成，增加了信心。國民大會集會一月，至此，已經完成了憲法上所賦予的最高任務了，今天舉行的副總統選舉，我想代表們也一定能敬慎將事，像選舉總統一樣表現出人民的共同意志的。

越南和戰之局

鎮邊府大戰，自越共於十二日展開攻勢，歷時已將兩週。七年來的越戰，共軍一向避免攻堅式的決戰，此次突以四萬左右的兵力，配以強力重武器，攻奪法越這一孤立的要塞，一方面證明在中共支援之下，越共實力已非曩昔可比，另一方面又可見共軍對於此一要塞有勢在必得之勢，這十二日間雖已有萬人左右的慘重傷亡，仍在緊迫不休，無疑是把鎮邊府一役看成一個有決定性的大戰。

法軍自去歲十一月十一日藉傘兵克復此一據點之後，即銳意經營，造成堅強的要塞。到萊州放棄之後，法軍在寮撾之間便只剩這一孤另的前哨陣地。上次越共進攻瑯勃刺邦不遂，多少是受了此地法軍的牽制。鎮邊府一失，則不只東京西北部全告淪陷，寮國北境也完全洞開，此後王都與[illegible]以至湄公河上流的防守，都將更難為力。

這還只就軍事方面而論，在政治上，鎮邊府的得失，不只對未來日內瓦會議中的越局談判有重大影響，並且繫綰着蘭尼內閣的生命。鎮邊府一失，法國之於越南可說滿盤都輸了。

空軍的支援和空運是當地萬餘法軍的生命綫。經過去這樣的作戰，如果再支持一星期，共軍勢將再衰三竭，在雨季到臨前殆難再度大舉。倘若再繼續大雨不休，飛機活動受阻，則鎮邊府的淪陷殆無可挽回，法國亦將失敗到底。法國參謀總長艾利將軍正在華府與美方軍政當局會談，要求加強援助，以阻止共軍攻勢。本年度美軍援預算中，越南部分在十億以上，佔比例的最大部分，相信更多的增援，美方當也不致吝惜。問題只在法國上下到底有沒有要在戰場擊敗共軍的決心。不然，即使美援再增加一倍，也抵銷不過法國和談空氣在越南所造成的惡劣影響。

原子灰傷害事件

美日安全互助協定甫經簽訂不久，日本為了第五福龍丸漁民在比基尼附近受到美國原子試爆的輻射傷害，民間輿論沸騰，稱為「第三次」的原子傷害，又掀起了反美運動。

美國在事前防範欠周（日船究竟有無闖進禁區還是一問題），自當負道義上的責任；而事後派員送藥，承認賠償損失，已然盡到補救能事，日本輿論界最初譴責美方事先的警告不夠，及至美方宣布禁區擴大之後，又說美國沒有理由任意妨害公海上的自由。在日人心目中，是否美當局就該根本取消太平洋上的原子試驗呢？

此事本身並不重大，但可看出日本民間的對美感情並不正常，因而未來安全協定的實際效果也就不無疑問。為這問題，美日當局雙方都該作釜底抽薪的根本考慮，否則只有替日共製造機會。

讀者論壇

醜哉吳國楨

・牟力非・

吳國楨騙夠了老百姓，遠走高飛，突以一則啓事，兩封函件來爭取反共沉悶局面中的新聞人物。

國外攻擊乃逞私意

張道藩毅然出而揭發吳之罪過，從上海到台灣，步步質詢，博得民間不少讚稱。惜乎揭發的時間晚了些，若在吳任主席之初，即把他在上海的貪污瀆職行為公諸社會，豈不為人民增加多少警惕，為國家減少多少麻煩，為當局增添多少資料參考！但遲至今日檢舉出來，猶不失為應時之舉。茲張氏以「國家待你不薄」之義責吳，這足見過去國家待吳的「厚」，確有不當；張一揭發，為未來吏治，為國家人事計，實於民主政治前途有益無害。中國若多出幾個揭發者，吏治人事豈不早上了軌道？吳的信中一片哀怨，如泣如訴，以「遠適異國」為悲、漢有李陵，戰國時有南宮長萬，均以戰敗被俘，孤留異域，而心存漢社稷，晝夜興寐不能自釋，若閔懷國可以想見。然而今日吳國楨之遠適異國，乃被俘乎？曰：否。乃被迫乎？曰：否。乃窮困不得已而飛美洗碗滌地乎？曰：否。誰逼他去？誰俘他去？中國人都不明白。按民主政治的道理，國人無分尊卑，如對政策持異議者，應在國會爭辯，那怕打得頭破血出，卻決沒有飛到外國一吐積鬱為快意者。你知道麥克阿瑟麼？杜魯門昧然予以免職，麥除在國會作證外，幾曾見他跑到國外攻擊政府，一逞私意而揚眉吐氣呢？

無勇無恥何為嘵嘵

「三軍可奪帥，匹夫不可奪志」。吳國楨果有推進民主政治之志麼？若有，而且早就立過大志，何以不見他在國內以去就力爭？志可奪，可見他並無大志。不料一旦飛美，志氣陡變，一反曩昔；然而可惜他這硬氣不在國內向國民發揮，又可見他既無志，又無勇。「立乎人之本朝而道不行，恥也。」吳的「道」，據他說是民主政治之道。我是台灣一居民，三年多來，卻絲毫未見他行過一天「道」，未見其肯行，未見其能行，但是沒聽說他引以為恥。如此說來，吳無恥也。無恥而嘵嘵，指國家政府對他不起，難道這就是「民主政治」麼？

「孔子有見行可之仕，有際可之仕，有公養之仕」。（孟子萬章篇）「行仕」，乃見道可行而仕；「際仕」，乃因國君接待有禮而仕；「公仕」，乃因國君有意養賢而仕，這是指士在交際上可有權變不拘泥的取捨而言。但是吳國楨為什麼做官？做的那一類的官？我不明白。又：孔子未嘗在一職淹留三年者，因其隨時權變取捨也。吳國楨講民主自由，難道今天的政治局面還不如孔子時代的環境更自由取捨麼？他做省主席，一幹三年多，本間吳有何舉動。今日我要問：他幹省主席，在為行可而仕乎？為際可而仕乎？抑為公養而仕乎？

三年高官未發一言

吳如才能不足，知難而辭，應對事不對人，發佈啓事，引咎辭任。如果受制於人，難於行事，則應對人不對事，卸職前不妨表明心跡，揭發以去。吳今既默言以去，何故遠適海外滿腔怨氣，既恨國家，又憤這個政府！不知他猶是現任官，既無行道之法，卻懷慷慨之恨，事實上猶是懸這個國家原來，實令人不懂他持的是什麼立場！

吳國楨恨透了這個國家。他說，「上自將官，下至走卒」，對政治部之觀感惡劣至「一朝作戰，必先殺政治部人員」的地步。政治部人員若果如此可惡可殺，則反證將官走卒們的愛國精神尚有勇氣。惟不知「天天與特務奮鬥」的吳國楨何以膽小如鼠，三年多來，不敢贊一詞？將官走卒都有膽量向你一個吳某表明心跡，你吳某曾有何膽量表明過你衛道的志節和奮鬥的勇氣，為國家慷慨進諫，勵精圖治？吳所指六點違反民主原則之例證，若屬事實，則我不明白在他做省主席的時候為什麼容忍過來？是當時默認其合於「民主」麼？還是他為了做官而隱忍不發以欺民騙民呢？三年多來，既不合他的心意，何以戀戀不捨，勉強做官呢？

人而盡知，吳得越級謁最高當局陳事，何以不言明上述六點？或謂吳有所不敢，恐「特務」之不利己也，膽小如此，能「無日不與特務奮鬥」乎？

吳謂言論不自由，「封閉報館逮捕記者」，但事發在他任內，執行在他手裏，他當時曾有何舉措？若果不當，他不糾正阻止，他有法律責任。然而他竟能沉默不發。知而不肯阻止，是為奸匿不忠；知而不敢阻止，是為畏縮瀆職，按民主國家官吏，不乏以去就力爭之例，但不容其緘默；難道吳所景仰的民主政治，就是這樣的奸匿畏縮嗎？

吳之函件，姑不論其為惡意詆毀，不問其以幸災樂禍之心理出之，今退一萬步，假定其所舉者容或有所影射，而政府今且坦然公佈，陳訴於國人之前。但吳在任時，曾公佈過這樣的文字沒有？他說人民言論不自由，他是大官，該有自由了，幾曾見他發表過維護新聞自由的言論？他指責一黨專政，他承認是服膺孫中山先生的遺教者。身為黨員，一日不脫黨，若有異議，當如何愛黨忠黨，以身家性命力陳利害！然而他只做掛名黨員，這是孫先生的遺教？還是土耳其克默耳的遺教？

欺騙不了人民的

報復心理，人或有之，惟不若中國官僚政客之甚。一言不合，不惜投敵，或假手外力以洩私憤。但是舊官僚如何攻擊政敵如何如何，而新官僚則冠冕堂皇，不曰為了民主，即曰為了國家，甚且以國父遺教為掩護，其欺世欺民之罪惡手段，實千萬倍於舊官僚。吳國楨自以為高明得計，但會偏的騙過千萬人民麼？

總之，吳國楨若具半分愛國的良知，而所舉各點又係根據愛國的良知出發，則不管其或眞或假，應即挺身而出，慷慨陳詞，身在台灣，心存中國，雖一死不足惜！蓋民主政治並非無價可得，在外國甚至需以熱血頭顱以爭取之。今吳國楨遠走高飛，即令意誠，亦畏死也。畏死之人，有何面目向國人陳述建議，有何資格奢談民主政治？

已矣乎，吳國楨！

人物述評

聯合國美首席代表——洛奇：其人其事

・佳木・

（一）

一九五〇年秋間，聯合國六十個會員國正開會討論全部預算，包括聯合國大廈清潔女工的加工工資在內。這原是一件極平常的行政事件，不料竟因蘇俄代表為着反對預算，認為加工工資不合理，引起了軒然大波，成為一件國際間聳動視聽的新聞。

當時美國代表參加預算審核委員會的是一位身材高大，瀟洒倜儻的波爾登人洛奇。他是美國代表團中的一位新代表。他覺得蘇俄代表連一點普通人道也不懂，非常憤怒，不待向國務院請示，就毫不客氣向蘇俄代表羅斯金反擊他說：

『聯合國對於雇員的待遇，應該樹立一個榜樣給全世界的人看，不應該贊同對勞動待遇過於苛刻。對於這些女工的加工和夜班工作，不給額外工資，是不合人道的。』

這是洛奇向蘇俄代表開火的第一回合，獲得了全面的勝利。預算審核委員會多數贊同，通過了加工工資案。

（二）

洛奇今年五十一歲，已做了祖父，可是外表看起來還很年青，做起事來，那一股勁兒，眞像三十歲的小伙子。他身高六呎三吋，體重一百九十磅，精力充沛。他的黑髮整潔，兩鬢已見斑白，常含笑容，但遇同人辯論，天才橫溢，世無其匹。

美國的一般外交家，大多數出身於律師或教授，洛奇卻是一個新聞記者。一九二四年，他畢業於哈佛大學。以後七年中，他一直在紐約，華盛頓及國外担任紐約前鋒論壇報的記者。他親歷拉丁美洲的革命運動，目睹歐洲和平的幻滅。他具備這一出身背景，使他有機會學得任何事情爭取時間的秘訣。他最近說過：

『在外交方面，爭取時間亦屬急務。在這裏聯合國內，你若把一個問題延擱了四天也沒有結果，別人就感不到興趣了。』

（三）

洛奇的政治生涯，開始於一九三二年。當時他應選為馬薩諸塞州議院議員。一九三六年他競選美國參議員，擊敗勁敵前州長考萊。在這次競選中，他旅行四萬三千哩，發表七百次演說。民主黨曾在這一海灣州份橫衝直撞，為羅斯福爭取了十七萬四千票，但洛奇以共和黨參院候選人資格出而競選，竟以十三萬五千票獲得大勝。

二次世界大戰爆發，洛奇認為國家存亡，匹夫有責，立即打消他第二回競選參議員的念頭。他已屆四十歲中年，兩個兒子中有一個已參加陸軍。他向參院告假，是一位坦克後備軍官。他的表現，證明他不但是一位傑出的參議員，也是一位優良的軍官。在北非戰役中，他的功績彪彰，遂升至上校之職，得過六個金星和四次勳章。戰爭改變了他對國際的見解：

『我以為我們可以置身於世界大戰之外，我現在明白百分之百的錯了。我現在人也更老練，更機警了。』

大戰結束後，洛奇成為共和黨的自由國際派的領袖，這一派極力主張合作和鞏固聯合國組織。他首先挺身而出，支持艾森豪競選總統，在共和黨重握政權的鬥爭中，担任了主角。可是他為着爭取黨的勝利，自己卻作了重大的犧牲。因為他參加艾森豪的競選，致使自己無暇顧及競選參議員，給民主黨的凱尼迪乘機而入。（上）

送別（賀聖朝）

王劍鋒

香江落葉留君住，莫怱怱離去，三分寒意兩分愁，更一分飄絮，花開花謝，殘亡幾許？共棲遲孤島，不知來歲反攻時，再相逢何處!?

去秋馮思敏君遠自台灣歸來，轉瞬出使墨西哥，離別依依，爰填賀聖朝一首留念，並祝馮君旅途安康，前程萬里。

寓言一則

徐道鄰

（上接第一版）

（四）

不獨此也。村公所對於某一些企業，表示特別的愛護。它為了節省他們向外面採購原料的麻煩，減少他們定貨資金的費用，它要他們以後不再直接向外面定貨，而由村公所根據他們所需要的原料，在外面分別以現貨『統籌』買進，然後『配售』給他們。不過配售的物資，其價格總比他們自已採辦的為高。而且，配售的數量要看村公所交貨的能力，企業者不許嫌少，也不許嫌多；交貨的時間，要看村公所的方便，企業者不許嫌早，也不許嫌晚；物資的品格要看村公所的口味，企業者不許嫌壞，也不許嫌好。如若有人嫌早嫌晚，嫌多嫌少，或嫌好嫌壞，因而不能接受某一次的配售，那麼他以後的配售權，可能被取銷而因之必須關門。請問在這樣原料時間沒有選擇，進貨品質沒有把握之下，誰還能作規模遠大的計劃，和不斷求精的向技術上求進步呢？但是，如若認為企業家因此吃虧，卻又不然。因為受保護的企業者，不論他們在任何方面受到的任何損害！他們可以立刻轉嫁到他們的消費者的身上！

（五）

然而還有更奇妙的事情。

一個小小村莊，當然不能生產全村人口所需要的一切東西。所以這個村莊裏，一向有許多東西從鄰村買進來，也有許多東西往鄰村賣出去的。可是現在村公所定了一個新辦法：凡是村民向鄰村買貨物的，一定要先得到村公所的許可；而且，凡是買東西進來的，每付價一元，村公所無條件的贈送他三角；凡是賣東西出去的，每售價一元，村公所祇准許他留用七角，而把他其餘的三角充公。這樣子當然有很多原先專門作東西賣給鄰村的人，現在全都停止了生產，而使本村裏失去了許多能向鄰村賺錢回來的人。同時，村內有許多東西，本村沒有，而必須從鄰村買進來的。村公所本於負責的心理，決定由自己去買，再來轉賣給村民。可是它自已那裏有這些款項呢？於是它命令木柴公司，增加人員，擴充生產，而把增產的木柴，運到鄰村去銷售，以換取本村必需的物資。可是，這些木柴在鄰村的價格並沒有上漲，從前一担柴換一口缸，現在依然還是一担柴換一口缸。然而村公所把這口缸賣給村民時，它卻為了要表示本村經濟的安定，一定要使鄰村的物品，在本村的價格不發生變動，所以仍然是售價二元，頂多加到二元四角。（至於這口缸賣給誰，當然看人事關係。而買到缸的人，當然又用高價賣出去）所以木柴公司每次外銷木柴一百斤，事實上就要虧本三元六角。而這一筆一筆的虧損，當然又全要在內銷木柴的價上取償。所以本村木柴的外銷愈增加，柴夫的生意愈發達，公司的實際虧損也愈為浩大，而整個村民的負担也愈為嚴重。

（六）

又過了些日子，村公所看見村民中有許多作鄰村買賣的人，收入頗為不錯。於是它也雇用了一批人，專門買賣。而那些作買賣的人，賣貨要經過批准，買貨也要經過批准，運輸帶錢也要經過批准；得不到批准的，固然毫無辦法，就是得到批准的，也要一層一層的手續，要麻煩多少日子，而村公所的買賣呢，自然處處方便，全無束縛。那麼一般的人，那裏還有競爭的能力？所以有不少的商家，接連着虧損倒閉。所可惜的，是村公所雇用的這一批人，並不是作生意的內行，更不一定有良好的服務道德。所以人破了產，雖然有許多人中，可是村公所在這批貿易上的收益，卻依然有限，而且還失掉了原來可以從這一批商人身上取得的稅收。

貿易既非常難做，企業也困難日多，於是村裏許多有錢的人，都摘了字號，把生財變成現款，借着放利息來過日子。村公所也怕這一批頭寸流到市場上興風作浪，所以也願意出高利息，來吸收這筆存款。雖然這項利息又是村公所的一大筆開支，而嚴重的影響了它的預算，然而他們卻驕傲的向人說，這是證明本村經濟安定的最好的事實。

（七）

在這種眼光之下，我們無怪村公所要大力的推行它的各項保護政策了。而企業界中的人們呢？計劃失掉主動，原料沒有把握，市場日趨狹小，外貨的開放或禁止，沒有一定規，誰不歡迎保護？一些有眼光的人，知道這個保護，實際上就是消滅競爭，是阻遏進步，是促進墮落腐化。因之不免担憂。然而那一羣沒有企業能力卻具有良好人事關係的壞蛋，卻正一個個摩拳擦掌的等待他們特殊利潤之來臨。而這一個村莊裏三百家人口未來的生活，我們也就不難想像了。

有人熟悉這個村莊情形的，認為這個村莊的經濟條件，十分優越，祇要村公所少去管理，統制，村民的生產和財富必將大為增加，而可以過很優裕的生活。那時候，除非有什麼特別計劃，或須另想辦法，至於村公所裏一般性質的行政和建設經費，祇用村民的普通捐稅來支應，已經綽綽然有餘裕也。

編者讀者

△本期發表的毛以亨先生「治學方法蠡測」，是毛先生的治學經驗之談，很可供做學問工夫的青年借鏡。今後毛先生將繼續為本刊寫「讀史述評」一文，也是很有心得的學術性文章，先此預告，請讀者注意為荷。

△張化民，黎德操，李廣智，常猛，楊柳怨，梁訓炯，韓名鋼，諸先生：惠稿均已收到，至感謝！

△廖若川先生：來函敬悉，已轉請該書出版處逕復。

中共禍新見聞錄（三）

暗無天日的新省奴工

·吳彥傑·

吳彥傑先生把他在新疆省耳聞目擊，直接間接調查所得的資料，撰為「中共禍新見聞錄」。已由本刊發表的有「毒品王國的新面目」和「蘇俄大掠新疆礦產」兩篇，茲篇亦前兩篇的續作也。　編者。

鹽水送黑饃的生活

中共在新疆僱用的奴工不下數十萬之衆。分為固定奴工與流動奴工兩種：固定奴工，有一定工作地點，住的是土房，共約七萬餘人。流動奴工，隨工作地點而轉移，住的是蒙古包（毡製帳棚），每頂蒙古包，住奴工二十人。無論蒙古包或土房外面均有圍堵與厠堡，或架有鐵絲網與拒馬，嚴密守望，以防逃跑，天明將奴工集體解往工作地點，夜間解返宿所。奴工吃的是「八一麵」。固定奴工，自己可種蔬菜，有鹽無油，尚可補充「黑麵」不足。至流動奴工，因工作地點而推移，不能種菜，惟有用鹽開水送「黑饃」而已。奴工每日勞動十二小時。夜間還要受思想訓練或小組訓練二小時，從黎明到黑夜，無片刻休息。夏秋兩節，大陸氣候，天氣特別乾燥炎熱。一月規定兩天洗澡理髮沐浴的日子，冬春二節，每月則祗有一天。每月每人發一塊鹼肥子（西北土肥皂）。故所有奴工都是骯髒不堪，遍身汗臭，臭味薰室，多人蝟集，臭蟲、跳蚤、虱子，特別繁殖猖狂，使人不能熟睡，因營養不良，勞動過度，身體均日就衰弱，加之睡眠不足，以致疾病發生，中共對於奴工，向無醫藥設備，所以罹疾病而死亡的為數很大。每日都有死亡。因身體虛弱，或因得病，祗要仍能動彈，一概不准休息，早作晚歸，無半點自由。稍有不慎，即加以「反革命」「頑固份子」「消極怠工」「不堪改造」等罪名。輕則遭共幹痛毆或無情鞭撻，重則公審後處死或活埋。但儘管中共嚴刑酷法管理奴工，逃亡的還是很多。茲將我自己從逃亡奴工口中所透露出來的情形報告於讀者。

伊蘭鐵路的概況

伊蘭路全長八千華里，均在夏則酷熱，多則玄冰慘裂的西方，工作特別艱苦！中共想以極短時間，和極慘酷手段，用人民血肉之軀，來填築伊蘭路！因為根據一九五〇年所謂「中蘇軍事同盟條約」附款第三項：「隴海路應在一九五五年底與土西路接軌」的規定：故不管人民死活加緊修築：筆者在新疆時，曾有人將偽人民政府轉下來的通告，抄錄給我，該通告內容的大略是：『伊蘭鐵路為中蘇軍事同盟條約內的重要事項，且為「中華人民共和國」立國的生命線，各級幹部務必儘量設法，提高勞工的勞動力，獎勵勞動，使伊蘭路自本年起至一九五五年底如期完成，並作各級幹部重要考成之一，不可鬆懈……』這一通告，可以算作伊蘭鐵路數十萬奴工的催命符！

現在把修築的情形，寫在下面：由蘭州到迪化，即西藏流傳的俗語所謂：富十八站，窮十八站，不窮不富十八站。由迪化到伊犁也是十八站，小站六十里，大站百二十里以上，原來就有淡水的地方而設站。蘭州到酒泉，約二千二百華里，即馳名之河西走廊，也是通西域的——富十八站。此段於一九五〇年秋起，中共動員甘、寧、青三省民工十三萬人修築，勞動絲毫無休止，但祗要有人，可以頂替繼續勞動，且沿途水草充沛，氣候較佳，故死亡較少，筆者經過河西走廊時，正在分段修築中。

酒泉到伊犁全長約六千華里，完全由內地治徙及出口奴工，退回來的奴工修築。（出口奴工即運往蘇俄的奴工，有時因體格不合而退回一部份）。酒泉到哈密約二千華里，即窮十八站，此段約奴工二十萬人，其中僅玉門、安西、星星峽、駱駝卷子，才有淡水，否則必離數十或百里之山麓，方得淡水，日中為亢陽，晚間寒冷，為工作極苦之地。哈密到迪化，約二千華里，即不窮不富十八站，亦經常百數十里無淡水，自距迪化百六十華里之達坂鎮峽以西，即為接近吐魯番火山之熱帶，日中酷熱，但夜晚不冷，亦為工作艱苦之一段，此段共計約奴工十七萬人。迪化到伊犁亦十八站，計千八百華里，此段雖入寒帶，但氣候正常，沿途皆有村落，不出數里可得淡水，工作比蘭州到酒泉的富十八站便利，故全段奴工為十三萬人。

驅逐奴工的嚴密組織

二十個奴工派上兩個監視管理的中共嘍囉，同住一頂蒙古包，五頂蒙古包為一小組，一小組住一頂小蒙古包，住小組長一頂，小組另有一頂，組副指導員與給養共幹六人，外加監視兵六人。五十五個蒙古包為一組，組部另有三頂蒙古包，一頂是組部住組長副組長指導員管伙食的三個特務員，和二個勤務員，一頂是倉庫儲藏給養與工作器具，一頂是住監護排。五個組為一大組，大組部有十多頂蒙古包，且特別客氣，住大組長大組副總監工與監工大組，政委住一頂蒙古包，權力特別大，不獨指揮各級指導員、全組人事，即給養、衛生等，均須負責，另外有一監護營，統計一大組約奴工五千人，加上共幹及嘍囉共為五千八百人左右，隨工作流動前進，每天鹽開水送「黑饃」，白天食不飽腹，夜晚二十多人住在一頂蒙古包內，在晝夜寒暑俱困的戈壁中，加以臭蟲、跳蚤、虱子的肆虐，晚上不能安寢，這樣從事無窮無盡的勞動，任你鋼筋鐵骨，也難煎熬得起。中共為加緊完成這漫長的伊蘭鐵路，除驅策現有奴工外，更驅使大批人民川流不息的來補充奴工「死缺」。真是白骨可為山！天地間的慘事，寧有過於此者！

諾馬公路（諾羌至馬營），喀諾公路（喀什至諾羌），哈阿公路（哈密至阿山金礦）奴工共約四萬人，[illegible]與伊蘭鐵路奴工，同樣苦厄。此外直接隸屬於新疆王震兵團務處管轄，從事耕種生產工作的奴工，共約七萬人（中共直接配屬各軍師團自耕的土地除外），專做耕種新疆已逃亡的富農和地主的土地，共計約在三百萬畝以上。迪化紡紗廠，奴工約七千人，該廠原由新疆督辦楊增新創辦，已久停頓，王震接辦南疆喀什、莎車、和闐一帶棉花，尤以棉業區最著，並由王震兵團接收，為著名棉產地。（上）

治學方法的蠡測

·毛以亨·

我以為方法總是自己治學而體驗出來的，祇是供自己受用的，若謂他人方法來治學則無甚用處。梁任公曾以呂純陽點石成金之指，喻為方法，石頭是其材料，而金子則為其治學的成績。假使這是對的話，我以為指頭仍是長在呂純陽身上，與他人無關，而他人不能拿來代為亂指一起的。

北大師友治學門徑

在北大讀書，間接受了章太炎先生的影響，對于整理國故，於浩如烟海的材料，稍知去取。纔明白中國學問，非有師承不可的道理，而師弟子相傳的口訣與心法，亦即是方法論。胡適之先生懷杜威之學回國以後，他自己亦精讀章氏叢書數年，受其影響者僉以為論理學，心理學與科學方法論為最重要的工具。當然說話行文均非講邏輯不可，然所最謂邏輯是杜威思維術而非形式邏輯。心理學與羅素心理學亦為社會科學的基礎。整理亂七八糟，東一堆西一批的材料，更非用科學方法不可。胡先生似乎沒有明確而有系統的如此說過，但當時學生們確是如此的瞭解。北大師友治學的初步門徑，確是章太炎與杜威兩種方法的混合，倒與蔡校長的康德與程朱之學無關。

到歐洲後，此種觀念有點改變。知道實驗心理所能指示我們的卻不甚多，而病態心理之研究反稱發達，下意識研究，是反理性主義，缺川合理與正確這些原則之外。普通心理學則重分析，倒不如哲學家視心為整體，較為直捷了當而合用。論理學則等于數學，以形式邏輯為主，求將思想變為符號，依理性來演繹。所謂科學方法，當時殆指穆勒名學第五章所稱之科學方法論而言，關於求同求異這數條原則，曾極重視，中文課本則多參觀張子和氏之論理學。不知此類方法早被推翻了，穆勒名學在英國早已無人過問，蓋其不邏輯處實甚多，尚不如亞理斯多德之論理學，還可以稍加修正而仍然站得住。後來北大預科以科學方法為三年級的必修科，然已不依穆勒名學來教，而以王星拱譯之潘加勒與羅素的科學方法二本書作教材，其內容較原來的所謂科學方法不同了。

歸納法不能有成

突然失了自以為是的這些治學利器，彷徨了一個時期，後來覺學歷史。初以為最靠得住的還是歸納法，所以到歷史上去求例證，而將其歸納成為若干原則。後來覺得這些原則都靠不住，所謂歷史哲學者，無論為黑格爾的，馬克思的，伏爾泰，魏寇，與克羅齊的，其實都在那裏作演繹法，而非歸納法。自培根以來，所謂歸納法者，俱為演繹法之誤會。歸納法之不能有成，因為世界事物，方生方死，不能包括無遺，而必然有例外，所以歸納不起來。我讀了歷史以後，纔悟到鑑往不能知來，而前人所說的話，不過針對當代環境，與以後事情全無關係，不能供我們的享用。所以我將歷史還歸歷史，更不願徵引前人之言，用實我說。祇願依自己的話，努力演繹下去，至此則我的興趣，不自覺的轉到思想哲學方面去了。

對宗教有情起來了

哲學無可諱言的為神學的引申，但是對上帝觀念，我不能欺人自欺的而認其存在，祇能依泛神論的見解，而認為共相的象徵，直至研究邏輯實證論後始知上帝命題是不存在的，乃覺心安理得。我當時欲從科學上去求哲學的真理，然嫌近代物理的玄妙且超過哲學，怕引起幻覺，誤不懂以為懂。乃以有符號來代表，有方程式可資以演繹的數學，範圍着自己的思想。結果對哲學原則尚未求到，反而對宗教有情起來了。因為科學所憑藉的兩個數學系統，為牛頓與愛因斯坦所創造，而他們所以能開出這些方程式，為一般人所採用，皆源於對上帝的信心。他們皆以同一的信心，而發明宇宙的定律，都在說，「上帝啊，我要瞭解你，究有多大能力啊！」但是他們所發明的定律，不信上帝者，一樣可以拿來應用，祇是因信心不夠，熱誠與努力不夠，故不能發明而已。但是牛頓，愛因斯坦發明的定律，固然指示人們以一種治學的方法，但他們自己用起來卻不盡靈。不然牛頓也不至浪費二十年光陰，於煉金的試驗了，愛因斯坦，亦不至晚年為宗教開一方程式，而求之不得了。而且依其定律的本身論，恐怕不特粗糙而且尚有錯誤。據原子科學家報告，謂最近原子的發展，係依與愛因斯坦相反的定理，始能完成其實驗的。如果牛頓，愛因斯坦的科學方法，還靠不住，我真不知世上還有什麼科學方法！

不要以方法為萬應散

我講方法論，至此為止，不復向下演繹。方法雖似乎是有的，却亦是從玄妙處，個人經驗之會心處去體念，萬不可太膠執，太落實。其受用亦是很大的，至少我們不會被粗糙而錯誤的十九世紀的科學觀念，以產生的馬克思主義所欺了。要講方法論，期把另碎的知識列成體系，莫如用方程式來表示，然亦不能推出新命題，而僅是本命題之重言。若以語言來表達，則往往不妥當，如定要勉強用語言來表達，莫如依朱熹的話，認學問為循序漸進之功，日積月累之效，不要以方法為萬應散。蓋所謂方法者，不過為對自己的思想，加以排列，而數學的方程式，即為天文學與原子論的方法，亦不過給宇宙一個順序的排列而已。

附啓：這是一篇對某研究所之演講稿，實為甘苦自知的回味。不敢問世，懼因以貽譏大方，且更無心於批評前輩，特表其野人獻芹之忱云耳。

三·日·小·評

對選舉為什麼冷淡？

市政局選舉主理官必達斯，十八日發表有關可以參加三月廿四日在港九兩方選舉市政局民選議員的總選民人數，祇有一萬三千七百人。其可能投之票數，會與去年相差不遠，而去年之數目僅有二千五百三十一票。

為何香港市民對此如是之冷淡呢？我以為第一是選舉人資格的規定不夠寬。本來人人有納稅之義務，原則上應人人有選舉之權利，方為合理。斷不能祇限制於某幾種行業的人。市民往往一問有限，便自然興起『不知我是否有資格呢？懶得去管牠了』之感想。若干人的冷淡情緒可以傳染給許多人。這是理。第二、是市民往往因見了的提議不容易通過，通過不易實行。還有時發言受阻。他們沒有充份的權力。因此市民不感到興趣。市政局規有給予修改之考慮的必要。

不能增稅

本月十七日立法局例會開會時，各非官議員大多數對增稅均表示反對，認為當此商業未見好景之市民喘息機會之際，如要有不可少的建設，可以另設法如發行公債，以應付。這是可代表市民的公意。因為香港目前居於之地位，轉口貿易港口性質已改變，在蛻變之際，務要在安穩中求進步，在稅收，無異向不景中喘息不過來之商場增加重擔，有違安穩之旨。去年度之收支決算計至本月底止，比對預算約餘六千萬元。現所建築大機場水塘工程費用一千三百萬元亦係在此項盈餘支出，另發一千五百萬作為穩收平衡基金，使該基金總數增至一億三千六百萬元。現本港財政情形已有三億五千萬之儲備金，堪稱鞏固。對於補助本地工業發展之設施建設是有能力的。總之在今之計以安定商場為主，以扶植工業發展作補，則財政預算案不致令人有蹙額之感了。

·旭軍·

黃花岡革命後死者

徐維揚瘐死獄中

·王世昭·

黃花崗革命後死者，八十老人徐維揚，花縣人。以大陸變色不及撤退，仍以縣參議會議長留居故鄉。經清算鬥爭，無路開釋，惟糧勤谷八十担以贖命。既而共幹又違之命，氏逃之廣州，居於土地廟，以賣卜度日，不料廣州共幹偵騎四出，老人於無可奈何中，仍回原籍。回籍以後，共幹接二連三早晚來家不絕，老人謂之曰：「諸君日夕勞苦來顧老夫，大家皆感疲困。查浴逕老夫入獄，隨時可備詢實，則君我雙方均利便矣！何如？」共幹曰「諾！」越日舉徐入獄，兩週後以瘐死聞矣。查徐氏[illegible]閱讀。後以黨人自居，參加歷次（三月廿九廣州革命之役，花縣死難烈士十餘人，即徐領導者）。加以地方人士之推舉，遂任花縣參議會議長。竟亦不免，餘可知矣！

自由談

為國大代表進一解

馬五先生

據聞現在台北舉行的國民代表大會議，有人提議請政府通令將各省市縣，將原有凡是命名「羅斯福路」的，一律改爲「麥克阿瑟路」，以明是非而正視聽云云，這意思硬是要得！可不是嗎？羅斯福那廝搞出了甚末雅爾達協定，貽禍中國，我們痛定思痛，當然不必再以路名來紀念他了。麥克阿瑟元帥對共黨那種硬派作風，跟我們反共抗俄的精神完全脗合無間，以「羅」易「麥」，名其道路，良有以也，豈徒然哉！

不過，麥帥業已解甲歸田，現在領導民主世界與共黨鬥爭的美國最高統帥是艾森豪。如果民主黨在一九五六年以前，把俄共集團打垮了時節，艾森豪就是自由人類的救星，那時節，又有改爲艾森豪路之必要了。假使在一九五六年以前，世界沒有大戰，艾森豪總統八成兒難得連任，未來的新總統似乎不會落到麥帥身上，乃可斷言。我們這條新改的麥克阿瑟路，又難免有遲早就要再行更改之日哩！再說我們國軍將來大舉反攻，收復中原之後，那位前敵總統帥，功在國家，比麥帥對中國的貢獻不知高到若干倍，我們尤不可舍己從人，專對洋人送秋波。因此，我建議把各省市縣的羅斯福路，一律改爲「待名路」，以便屆時重新命名，也免得下次召開國民大會時又要費神提案，審查討論，不勝其煩。

國民大會原是崇高無比的政權機構，以行使選舉，罷免，創制複決四種權爲專責的。如今能夠議及一條道路之名，可謂徹底盡職，不負人民委託了。敬佩敬佩！

自投羅網

・山禾・

李靜芸女士隨着她的丈夫張嘉佑先生在日本東京過了幾年僑商的生活，原稱得上安定舒適。但是她總念念不忘的在惦記着在北平西單老家的母親，和寄養在她母親那兒的兩個孩子。

「嘉佑：讓我回去一趟瞧瞧媽媽和蓓蓓莉莉兩個小寶貝兒吧！」她已經不止一次地向她的丈夫提出過回國的要求了。

「不行哪！兵荒馬亂的，又是那末一個稀奇古怪，疑神疑鬼的世界，準是去不得！」她丈夫每一次對她所提出的要求，大致總離不了是這樣一種答復。他是堅決反對她回大陸去的。

「咱們女流人家怕什麼呢？」她是思親情切，雖不敢違犯丈夫的意思，却總有些反感。她簡直有點怪他胆小。

就這樣，李靜芸想回國省親的心願一存就存了四年之多。但是機會終於來了，去年十一月間中共策動組織了一個「旅日華僑回國觀光代表團」，並附帶游說一批僑胞回「國」去參加「祖國的建設事業」。雖這麼說，實在還是爲了壯壯聲勢，只要能說得動他回去，什麼人都「歡迎」。於是，張嘉佑經不起中共的游說和太太的糾纏，終於放他的太太回「國」去了。

「我最多住上個把兩個月就會帶着孩子們一起來的，放心！」當張嘉佑送李靜芸上船的時候，李靜芸這麼自信而堅定地對張嘉佑說。

船一起碇似乎並不很久便到了天津，她懷着陌生，而帶點興奮的心情跟大夥兒登了岸。眞所謂恭逢其盛，她隨同大夥兒受到了預先迎候在碼頭的各色人等熱烈的歡迎和招待。而且一律另眼相看，免去了普通旅客一切苛擾的檢查和手續。她覺得共產黨並沒像在東京聽說過的那麼可惡可怕。

她高高興興的回到了它母親的身邊，一面說長道短的，一面儘捧着兩個小臉蛋親吻，她簡直興奮得有些忘形！但是她看到她已幾年不見她的母親却並不見得怎麼快樂。她並不知道她母親內心的矛盾，她歡喜看到她的女兒歸來，却又怪她不應該歸來！

她回到北平住了個把禮拜，似乎並沒有什麼幹部來找她的麻煩，她碰到共幹部時都說在她來到的時候便知道她是歸僑。她很爲這些情形高興。寫信給她的丈夫：「——萬事如意！」

她這麼風平浪靜，融融樂樂地一住就已住上了快兩個月，她丈夫曾幾次寫信來催她回東京去，但她留戀着故鄉，不但不急回東京去，還想勸她丈夫也索性回北平來做生意。她的這種意識很博得共幹的贊許。只是她母親却常跟她輕聲地嘮叨，反而勸她走！

日子快得很，兩個月剛過去，年將已是一九五四年的新年，眞所謂又是恭逢其盛，共黨發行「經濟建設公債」了。幾個下午一位共黨的幹部又客客氣氣地來「拜訪」她了。他說她是歸僑。請她去出席歸僑大會，「光榮」地認購公債。她並不反對。她記得回到北平後兩個多月來，共黨對她着實還不錯，她心甘情願地打算買上一點。

「請李靜芸同志帶頭認購！」開會以後，那個來請她去的共幹這末喊着。

「好……」她付了一付，「我認購一百萬元！」她喊得很響，她覺得已很慷慨。

「一百萬？不行！你那能只買一百萬？」那個共幹跟她討價還價起來了。

「好……」她又付了一付喊道：「那末兩百萬吧！」她是眞情而又爽脆！

「不行！李同志：你的丈夫在東京很能賺錢，你應該帶頭發揮愛國主義的精神，再多買一點！」那個共幹簡直在算她的家私，跟她糾纏不休！

「……」這回逼得她沉默了！她在計算：連回東京去的旅費在內，一共還有五百萬元，充其量只能再認一百萬元，否則連旅費都沒有了。

「怎麼啦？李同志！」共幹在催逼她了。

「好！我再加一百萬元吧！」她說。

「啊！李同志，你乾脆認一千元吧，你帶了頭，光榮屬於你，現在你回去吧！」不由她分說，就將她連送帶推地推了出來。

於是，會雖還在開，她却昏昏沉沉地走了出來！頹頹喪喪地回到了家裏。她不知道這究竟是怎麼回事？然而第天，一千萬元繳款講償通知單就由居民組組長送過來了。再過了約莫三天，一組組的共幹便上門來催了。

「媽！怎麼辦呢？」她急得團團轉沒了主意，向她的母親直嚷。

「那有什麼辦法呢？他們就是這個算盤，收套你的頭頸圈硬，掏你的破腰包，確定了你多少，就管你少不了一個邊兒！」她母親過了幾年共產生活，畢竟已摸清了這一套底細。

「媽！那末我沒一千萬塊錢咋辦呢？」

「趕快給嘉佑寫信去想辦法吧，否則是包管你受不了的！聰明點，付出了錢乾脆快點走！」

「好！媽！我聽你的！」於是，她給丈夫寫去了信。

丈夫的一千萬元也終於到了，她忍痛地交了出去。然而她想走却不成了。

「上面的命令：祖國需要你住在這裏！」她去申請出境的時候公安分局的幹部這樣對她說。

她已經投入羅網中了！

除夕苦雨有作

・郭敏行・

癡兒繞膝索新衣，那解阿爺今昔非，去國生涯時有淚，還鄉心願總多違，羞將福壽題門閭，欲把恩仇繡幄幃，忍噬流離生計迫，劇憐春去又春歸。

其二

不盡煩愁付酒杯，今宵魂夢兩徘徊，江南芳草年年綠，海上啼鵑處處哀，一夜悽風悲歲短，滿天苦雨悵春回，休言世路仍多劫，忍得須臾道自開！

・短篇小說・

通天曉

毛姆著　廉有譯

「啊，愛麥，你不能拿這事打賭呀！」關姆賽夫人說。她臉邊帶一縷微笑，語氣間有一點求饒。

「我不能？假使我碰上個機會可以賺筆便宜錢而我居然不去拿，豈不成個大傻瓜？」

「可是怎麼能夠證明呢？」

她凑着說道。「不過是我的一句話對克拉達先生的一句話而已。」

「讓我細看一看這串珠鍊，如果是假的，我馬上可以說得出。我還輸得起一百元」，克拉達先生說。

「取下來，親愛的。儘這位先生看上幾看。」

關姆賽夫人猶豫了一下。她把手放到鍊扣上。

「我解不開來，」她說。「克拉達先生祇要相信我的話就得了。」

我突然生了疑心，怕要發生什麼不幸的事，但是又想不出說什麼話。

關姆賽跳起身來。

「我來解」。

把珠鍊遞給克拉達先生。他這個東佬從口袋裏取出了放大鏡，仔細地端詳。他那黝黑光亮的臉上露出勝利的笑容。他交還了珠鍊，正要發言間，忽然一眼瞥觸到關姆賽夫人的臉。她的臉色是那樣慘白，像就要暈倒似的。她睜起兩隻驚慌無措的眼，正對他凝視着；哀乞憐，神情顯然，我却奇怪她丈夫怎麼會看不見。

克拉達先生張大着嘴，沒有說出話。臉脹的通紅。幾乎可以看出來，他正用着大力量來抑制自己。

「我弄錯了，」他說。「這是絕妙的贗品，但是祗要我透過鏡子一看，不消說，馬上就看出不是眞的珍珠了。我看，這類鬼東西也就不過值十八元而已。」

他掏出懷中記事本，取了一張一百元鈔票遞給關姆賽，一言未發。

「年青的朋友，下次不再這樣武斷了。」關姆賽一面接過鈔票，一面說。

我注意到克拉達先生的手在發抖。

這類故事，自然一下便傳遍全船，當天晚上他不得不忍受接二連三嘲的諷嘲。通天曉先生居然被人捉到錯處，那是多麼有趣。但是，關姆賽夫人却推說頭痛回房休息去了。

第二天早上，我起身去刮臉。克拉達先生躺在床上抽着烟。忽然門邊有輕輕的聲響，我瞥見從門縫下塞進來一封信。把門打開，四下一望，却不見一個人。撿起了信，原來是給克拉達先生的，用大楷寫的姓名。我把信遞給了他。

「誰來的信？」他折了開來。「啊！」

他從信封裏取出來的，原來不是信，而是一張一百元鈔票。他望望我，臉又紅了。他將信封撕成碎片，一把遞給我。

「麻煩你丟在窗洞外，好不好？」

我照辦了，回頭對他笑了一笑。

「沒有人願意被大家當傻瓜看待的，」他說。

「難道那串珠鍊是眞的嗎？」

「要是我有一個年青漂亮的太太，當我派去神戶時候，絕不應讓她獨自在紐約留上一年。」他說。

此時我倒不覺得討厭克拉達先生了。他摸到他的懷中記事本，慎重的把那張一百元鈔票夾了進去。

（下）

芬飛琴來

婆婆生

余前寫永樂近貌，的包狀，獨挑大樑，登台永樂，意欲重振舊日聲威，爭一口蟄伏之悶氣，以其正在待字，成績必可美滿。此種臆測，不意竟中。實則其中內案，極爲簡單，無非是坤角當然吃香而已。

正芬自演出以後，在初演的二旬，幾乎場場客滿，其中有乾父姨媽定座十排，約五十位，以壯其威。而天女散花又是台省人所未見過，連演七次。戲券照市價格，曾漲至每張四十元。有一位好友，請余往觀，曾化了八十元，其魔力之大，直可咋舌。即顧正秋亦無此盛況。迄今年春節前後，其聲勢漸衰，平均每日不過八成座。正芬爲人頗是聰明，自知久唱必收，且識力亦謂休息，趁此打住，不失爲識時務者，因此最近將暫別歌場小憩。所以論到交際手腕，正秋是多方面的，而正芬性格，却不願如此，而各個的消長，便有不同。確是實情，並不爲奇。

正芬離去以後，由同科師兄周正榮暫搭檔樑，藝工六日，於是由金門歸來之筱劉玉琴姿伙。小玉琴爲以前海上名花衫劉玉琴之得意弟子。玉琴在當時固不能及賈碧雲馮子和之紅，但其技藝並不弱，不過京朝氣息稍少。可是小琴花從其習劇之外，仍奉請名師指點。故其戲路，也如正秋之宗梅而兼荀，極其寬博。扮相身段台步，功夫皆頗可以。來台以後，因爲於顧氏之消滿，即迴旋在中南部，後往金門，爲軍中服務，將近兩年，迄未北來，是不願與人爭一日短長。最近自金門搭返，爲了訂婚，亦擬謝却歌台，往隨人間。經過許多人敦促，以其劇團再解，影響平劇前途，始允再演一時期，由其弟妹接替，則使台人便有過一回，少一回之慨。相信成績不致有差，惟亦待欣賞與之眼光。小玉琴尙有極好配搭，即其弟玉麟，習小生，相貌秀麗。當卅八年儲金鵬辭顧走滬，正秋即邀其爲助刀，奈因受不住顧氏之倨傲，頗爲姊跨刀，轉來自由。其妹玉雲，能花衫，容貌亦猶明眸，劇藝頗熟，與此乃姊三陪，將在自由中國平劇界，佐顧氏，留人以劉家姊三玉深刻觀，是無疑義，姑誌以觀其後。

奢侈的享受

・明尼譯・

在鐵幕以外，義大利的共黨勢力最大，在義大利本國，以葉特那省的共黨勢力最強大，而在這一省內，農業區加寨弗爾柯又是共黨勢力最強大城市。其人口雖僅二萬，但選舉市長時，每屆都是共黨當選，在全國選舉中，這一區的共黨候選人也始終獲勝。但最近，這裏的一千五百名執有黨員證的共黨，却有六十六人把他們的黨證退回了黨部，憤然宣佈脫黨，直到本月初，其中一人始解釋了他們脫黨的理由。

這位共黨的舊同志巴迪說：「做一個共產黨員，對我們已成爲一種奢侈品，黨員費每月不過二百里爾（義務），共他捐款，我們也還担負得起。但黨部每天派人向我們募捐，却令人不勝其煩，捐獻名類繁多，難以勝計，『不是援助共報『團結』報，便是資助某國些被『迫害』的人民的葬禮，再不然就是募資支援獄中同志，剛釋出的同志，或向義共第三號巨頭西契亞送禮。此外，黨方又要我們負擔越南共黨同志的慰勞品，合作社基金，工會擴充經費，開會會場的租金，法國礦工罷工時期的生活。這些捐款，去年我一個人就付出了二萬五千里爾（約合美金四十元），但我每年收入祇有十七萬里爾（合二百七十二美元），你想我怎樣負担得起。我無法再過這種『奢侈』生活了。我有妻子和二個孩子要養，而且一年內我有六個月找不到工做。」

共黨會派人去對巴迪極力勸說，希望他改變主張，依然參加共黨，但他打定主意，不爲所動。他後來對人說：「各色各樣的人都來找我，高談闊論，對我提出一些天花亂墜的美好理論，但我祇對他們說，我隨便什麼理論都不懂，我參加共黨，就因爲他們會說他們會幫助像我這樣的窮人，等我看清楚他們根本不幫助窮人時，我祇有脫離。」

×　×　×

中華民國僑務委員會僑發登記證台教新字第一〇二二號

自由人

中華民國郵政登記第一類新聞紙類

THE FREEMAN

（半週刊每星期三六出版）

（第三二〇期）

每份港幣壹毫

督印人：羅嘉猷

社址：香港高士威道二十號四樓 20 CAUSEWAY RD 3 rd. fl. HONG KONG

香港發行及事務接洽：高士打道六六號

電話：七四〇五三

承印者：東南印務出版社

地址：高士打道六十四號

台灣特派員辦事處：台北市館前街五十號

台灣總經銷處：台北中華路五九四號之一　台郵撥儲金戶九二五二

西德經濟迅速發展的主因

·陳訓烱·

國民總生產已超過戰前百分之四十，除了國民艱苦奮鬥外，最得力者爲遏止通貨膨脹，善用美援，與崇尚自由企業之精神。

西德有堅强的反共意志，同時更有一位英明的領袖（阿德諾）受國人愛戴。故西德經濟，雖戰後創巨痛深，兩三年來，竟有了長足進展，爲世人所驚佩。

奇跡性的復興

數年前，著名的慕尼黑及其它德國城市尚是滿目瘡痍，不少難民露集於瓦礫中，尋覓麵包屑和馬鈴薯充飢，但今日這些城市，多已成爲高樓廣廈，充滿繁榮氣象，一般商店也已羅列各色消費品，顧客盈門。而曾爾遂經炸毀的鋼廠，亦早恢復舊觀，大量生產。許多重要工業，如電工、化學、煤礦及造船各部門的發展，大都超過戰前的水準。一九五三年西德國民生產總值創了三五〇億美元的高峯，較戰前一九三六年全德統一時期的紀錄，還超過百分之四十。因此，西德輸出貨品反成爲英美法三强在國際市場的勁敵，德國新馬克儼然成了全歐最堅强的貨幣。西德容納難民不下千萬之譜，但目前全部失業人數却降至百萬左右，該國政府尚在計劃今後每年增加廿五萬人的就業……。

西德能於數年間有如此輝煌的成就，在一般人看來，不免嘆爲「奇蹟」。實則戰後經濟復興之速，在日、英、荷、比等國原已不乏實例。照古典派學者的說法，一國於戰爭破壞之餘迅速崛起，本不足爲奇。如約翰密爾氏（JOHN STUART MILL）在其所著政治經濟原理中指出：「許多國家能於殘破之餘迅速復興，能於短短期間將各種天災人禍，如地震、水災或戰爭等等所遺留的痕跡一掃而空。其所以有此迅速可能的主因，實全由於人口力量使然。若在禍患之中，國內人口未經消減，而且事後亦未饑饉致死，只要他們憑藉從前所有的技能、智識、土地及附帶一切未被毀壞的改良狀況，或竟着未經毀壞或只受部份損毀而較爲耐久的建築物，他們便已具備了回復原有產量的必要條件。」

又，馬斯賽爾氏（AFRED MARSHALL）的經濟學原理亦說：「各種思想，不問其是否屬於技術、科學或可具體表現於實用方面，總是一個時代由祖先得來最實際的遺產。若能保存從前所用以創造物質的思想，一切物質財貨的破壞，必可迅速復原。」

西德經濟之復原如此迅速，便是具備若干了上述的起碼條件，但西德的成就如此之大，並且如此之順利，顯然除上述條件外，尚有其它原因，不容忽視。我以爲其中有三個主因，值得鄭重提出，茲特分析於后：

遏制通貨膨脹的效用

事實昭示，西德在戰後通貨膨脹延續期間頗長，因貨幣喪失了本來機能，全面經濟陷於紊亂狀態，至從前納粹政權所遺留的種種管制仍不得不維持若干時日，以致德國人民爲復興經濟所作的努力，不但不易開展，甚且迭受挫折。直至一九四八年六月，美英法佔領當局依據當時美國所派專家道奇氏（前曾主持安定日本經濟計劃現任美國聯邦預算局長JOSEPH MORAL DODGE）的建議，實行西德幣制改革，發行新德國馬克（DEUTSCHMARK）代替舊馬克（REIGHSMARK）之後，爲國民所痛恨的通貨膨脹狀態終於切實制止，西德整個經濟才開始有了轉機。隨着物價幣值之穩定，各種不合理的管制即全部解除。於是，各部門生產便由萎縮而向榮，各業工資漸由微薄而提高，國民消費因之大量擴充，購買力普遍增强，繼復刺激生產，拓展對外貿易，卒致工業生產指數與國民所得總值，不斷上升。

尤有進者，貨幣改革後，波昂政府能嚴格控制發行，西德人民對新馬克幣值的穩定漸漸具有信心，乃進而恢復戰前自動儲蓄的良好習慣。據官方統計，一九五二年間國民自動儲蓄總額已達一百廿億馬克——約佔全部國民所得百分之十五——因此，對生產方面所需要的龐大資金亦能有所裨益。反觀歐洲通貨膨脹威脅未除的少數國家，其國民儲蓄力量則蕩然無存，無可利用。由此可見西德經濟受賜於遏制膨脹者，誠非淺鮮！

美援能配合有利形勢

當然，西德經濟發展之速，亦不能不歸功於美援之及時滋潤。馬歇爾計劃前後所撥的幾十億美元，畢竟非同小可。但這裏值得注意的是，西德當局善能運用外援以配合一九四九至一九五二年間國內外的有利形勢。蓋自幣制穩定以後，國內若干部門的工業，如食品工業，其它消費品工業及建築等等，均在迫切需要擴展，重工業及輸出工業尚居其次。當局就馬歇爾計劃的初期援款及相對基金，曾妥爲分配，使戰後各項建設與生產能按其緩急輕重，獲得必要的資金，是故，初期由救濟性質變爲復興建設的美援卅五億美元，能特未曾浪費誤投，而且每項援助均能發生最大的效果。及至一九五〇年初，一般工業既重建了健全的基礎，政府財經措施又力求配合，造成更有利的「氣候」，全面生產於以迅速增加，輸出與輸入同見開展。恰逢韓戰爆發，給予若干國家以不可多得的機會，西德工業與輸出潛力乃能乘機儘量發揮，因而促成其國內經濟扶搖直上。加以一九五一年下半年後，國際物價趨勢對西德愈形有利，即一方面原料品價格在國際市場降落，它方面多數工業製品的價格却能保持穩定，甚且繼續上揚。而西德那時在對外貿易正當出超擴大的時期，故其外滙收入倍見豐盈。截至去年，出超的數額仍甚可觀（輸入總額僅合卅八億美元，輸出總額達四十四億美元）。如今究根探原，自不能不推因於初期美援之運用有方，才使國內的經建基礎能及時確立，國際的有利形勢亦未會錯過。否則，假使當初緩急倒置，輕重失衡，後來西德經濟之成就，必不至如此驚人。

崇尚自由企業的精神

無疑，西德人民埋頭苦幹的精神也與其成就之大有相當關係。因爲他們一向標榜：「德國人應爲工作而生活，不是爲生活而工作。」殊不知人民的工作活動若果處處碰壁，結果也是徒勞無功。而西德國民在經濟活動上所以有其卓越的表現，便不能不說到另一主因，那就是崇尚自由企業的精神。當茲歐洲若干國家嘗過社會主義的辛酸，西德政府及多數人民却認識了自由企業乃是發展國民經濟的最好體制，所以，從前經過納粹政權收爲公營的事業，均已悉數撥歸民營，而政府對民間經濟活動所採取的態度，則是極力鼓勵扶植，只求造出對此類活動最有利的環境，不肯稍加無意義的束縛，或不必要的煩擾。這一態度，在現任德意志聯邦經濟部長哈特氏（LUDWIG ERHARD）的平日言論，尤爲形容畢肖。他的名言是：「讓經濟抬起頭來TO GIVE THE ECONOMY ITS HEAD!」他還有一個至理：「把人民及利之所在放寬，便可造成强國TURN THE PEOPLE AND THE MONEY LOOSE, THEY WILL MAKE THE COUNTRY STRONG。」要之，此至理名言無非闡明欲發展國民經濟，其基本條件就是給予人民經濟活動以充份的自由，讓他們在正當界限以內多多營利賺錢，國家自可轉弱爲强！

政工組織的存廢問題

·王劍鋒·

兩年前美國軍事顧問團對國軍政治部的設立，曾表示相反的意見，姑不論其見解是否切合事實，動機總是好的。最近吳國楨也竟以此爲藉口，攻擊政府，說是不民主的證據。這值得我們加以研究。政治部是否和一些人所說的控制軍隊呢？又憑甚麼控制軍隊呢？在目前的國軍部隊內，政工的組織應否存在？政治工作是否需要？實在不能不就國軍的實際情形，及其所負的任務，作一翻仔細的檢討。

美國軍中的精神教育，是由參謀人員兼負其責任的，未盡事宜概由軍人個人出以自覺自律的精神，力求上進。我國與美國國情不同，首先是國民教育水準的不同，軍人對政治教育的訓練與理解大有分別。中國士兵大多數來自農村，教育程度很低，不識字的也不少。未入伍前對於軍人責任和國家觀念，認識並不深刻。如果平時訓練，不加以特殊的注意，則進入戰場後，很不容易發揮高度的軍人精神，以達成任務。例如對日八年抗戰，那時因爲軍中附有政工組織，使士兵能充分啓發，爲甚麼當兵？爲甚麼作戰？爲甚麼犧牲精神。所以抗戰中從未有過連級以上的官兵向敵投降的情事。復員以後，軍中撤銷了政工制度，於是國軍不斷地被共產黨滲入分化，後來便有大批士兵和軍官叛變，這便是一個很可警惕的實例。

筆者也曾從軍十載，轉戰千里，根據個人已往的經驗，認爲中國軍隊如果沒有政工組織存在，便等於失却了靈魂。因爲我們軍中的政治部其所負的使命是很繁重的，包括下列各項：（一）軍中識字，文化、康樂、電影、精神教育；及有關其他必具備的知識培養。（二）對敵心理作戰；（三）清理戰場，救護傷兵。（四）紀錄忠烈史實，發佈作戰新聞。（五）改進士兵生活，整肅軍風紀。（六）提高作戰士氣，確立必勝信念。（七）戰俘處理與審訊。（八）預防匪諜滲入，加强軍中保密。（九）料理戰地軍郵，替士兵寫家書。再從軍民聯繫來說，還有（一）軍民如何合作。（二）調查駐地環境。（三）救護及運輸傷民，（四）疏散戰地百姓。協助補給軍品。（六）實施堅壁淸野及破壞交通。（七）調查民間軍風紀。（八）處理戰地行政。（九）戰地軍民衝突之調解等。試想以上各項任務的完成，如果沒有軍中政治機構的組織，如何可以達到目的？

故我個人認爲政工工作是極關重要的，可以補參謀工作之不足，也可以說是代替了軍中的牧師任務。換言之，軍中政工是加强士兵作戰能力最有效的一種組織力量，在西方國家也許因爲士兵的質素不同，用不着這種組織，在中國目前實在是缺少不得的。

當然，一個制度不能說全無缺點，也不能說沒有流弊，我們必須從大者遠者，和目前的事實需要，來衡量一個制度的得失存廢，流弊當然要設法避免，缺點當然要設法補救。但不宜惑於流言，或模仿外國，而隨便作取捨的決定。

有了上面的認識，我以爲軍隊政治部不但不應廢棄，而且還要特別加强，現在是對敵鬥爭的非常時期，是我們生死存亡的關頭，這個有關國軍精神力量培養的制度，萬萬不宜輕言廢置的。

半週展望

·陳克文·

新政府的重大任務

二月十九日集會的國大代表會議已經於本月廿五日宣告結束，並發表了閉會經過的宣言。來自海內外的人民代表一千五百餘人，已經完成了憲法所賦予的最高任務，選出了今後六年負國家重任的正副總統。

繼續膺選爲下屆總統的蔣中正先生，於國大閉幕之日發表演說，謂：諸君所付給我的使命爲光復大陸與推進民主政治，我願以個人的生命與自由來完成國民大會以及全國國民所賦予我的任務和使命。這也可說是今後新政府大政方針的簡單說明。

國大閉會宣言說：「我們以熱烈的希望，將國家民族的命脈付託與新選的總統與副總統。」新政府責任的重大，於此更可想見。

如何去完成這一重大任務？不僅是選民對新政府的期望，也是新政府必須兌現其自己對選民所開出的支票。

蔣先生說：此項艱鉅使命非一二人所能完成，必須全國同胞共同合作。大會宣言也說，「希望團結內外一切忠於國家民族的反共力量，加强準備，提早反攻……我們要一致團結起來，……奔赴共同目標，爭取自由，實現民主。」

新政府的任務和其完成任務的方法，明顯若此，今後便要看新政府的努力如何了？

奠邊府戰事的影響

越北奠邊府的攻守戰爭，已經延長了兩周，現在越共死傷雖在萬人以上，戰事還沒有結束跡象，據各方報導，大戰恐尚在後頭。此一戰役並非關係一城一池的得失，也不限於越南的局部形勢。而是目前東西對峙的世界政局有關的大事。

法越聯軍如果能够保持這一據點，則阻止東南亞的赤潮泛濫便有了希望，反之則共產勢力將從此而淹沒及於泰緬馬來亞及印尼。雙方之所以不惜以極大的努力和犧牲以爭奪此一據點者，即在於此。

越盟的人海戰術今已顯見其無效，中共和蘇俄是否將進一步採取公開的和大規模的援助以支持越盟呢？抑聽任越盟之潰敗呢？公開援助將引起美國的報復，甚或引起大戰，中共和蘇俄是決不敢嘗試的。更大的間接援助，以地理關係也是不易做到的。因此，這一戰役祇要法國有決心，美國的援助繼續不斷，我想越盟是準會失敗的，他們希望取得勝利以作未來日內瓦會議的發言資本，準會等於幻想。

新武器的恐怖

三月一日美國在太平洋試驗氫彈，其威力之大，已造成舉世對原子武器的普遍新恐怖。連向來輕視原子武器的蘇俄，也不得不由馬倫可夫向其鐵幕內的人民宣佈原子戰爭可以毀滅蘇俄了。這一新恐怖不祇影響到各國對世界大戰的心理，也影響到今後的世界政治局面。

我們不要以爲共產集團因爲新武器的製造落後，或積存數量追不上西方，不敢發動戰爭，便會對西方妥協，停止侵略，放棄征服世界的狂妄企圖。他們一定要在和平的假面具之下，加强其滲透分化的詭計，以期瓦解民主國家。目前他們對於日內瓦會議，和對西方的貿易攻勢，便是希望發揮這種作用的。他們今後將從戰場上的射擊戰變爲經濟文化和政治的多方面無形戰。

因此原子彈，氫氣彈乃至其他新武器都不是防止共黨侵略唯一有效的力量。西方國家決不應因爲有了新武器便懷抱安全感，便輕信共黨集團的和平誠意，採取苟安和妥協的態度，我們今後的世界政治觀念應該要大大加以改變了。

美．記．者——被中共綁架始末

．鍾愛梅．

距今一年前，中共武裝在港海擄劫一艘掛上美國旗的遊艇，船上三個美國人和一個中國籍女子同被架走；最近，據說那個中國少女一度曾在澳門發現，陡然引起各方注意。

三次綁架英美人士

中共武裝侵擾港海，在已往三年間連續不斷發生，綁架英美人士事件共有三次；首次於一九五一年三月十一日，有一艘「寇特」號遊艇，自澳門駛港，船上有三個英國籍男女和三個中國籍船員，同遭中共武裝綁架，在廣州被拘禁三個月之久，纔得釋還；第二次是翌年十一月二日，兩個英籍水手在近海航遊失蹤，經四個半月囚禁，至一九五三年三月十九日始爲中共釋放；第三次係去年三月二十一日，「寇特」號遊艇再度被中共擄。當時，該艇易幟已非英人所有，船上三個美國人，括有該艇主人亞普格特（RICHARD．DICK．APPLEGATE），國際社記者傑克遜，以及伊斯勃蘭遜輪船公司的船長克拉斯納，另外還有一個中國籍女子。他們於是日上午十一時揚起一面美國旗駛離銅鑼灣避風塘之時，香港遊艇俱樂部職員曾加竭力勸阻，但亞氏不予理會，逕行啓椗駛離。至下午四時三十分，該艇曾在南頭島附近發現，遭中共砲艇截扣；一小時後，即見該艇被中共武裝機帆拖往垭垭尾。事出後，美英當局曾聞設法營救，爲時經年，英國接受美國請求，曾向中共三次提出抗議；但均未獲正式答復。至今年一月，倫敦「每日工人報」記者溫甯敦在板門店向美記者否認中共有擄劫美國記者情事，因爲溫甯敦經常代表中共說話，一般咸認中共顯然意圖透過英國左翼報紙的關係而推卸責任，溫氏復於最後指出「恐係海盜所爲。」最近美國續向英國請求，迅將對中共再提抗議，要求所有被拘之美國平民，包括被擄之兩個新聞記者與一個船長釋放。

不祥的遊艇

亞普格特今年四十一歲，蓄有一撮髭鬚；十八歲的時候開始在新聞界服務，二十三歲進合衆社，戰後即被派來遠東工作，曾在印尼、緬甸、越南就留甚久。旋被調赴韓國，担任戰地記者，在韓二十二個月中，對合衆社之貢獻極大。因爲他對航海非常愛好；一九五一年十月間來港時，經人介紹與一個英國人相識，便買下了「寇特」號遊艇，該艇剛自中共區釋回，艇主認爲不祥，就賣給了亞氏。

航遊世界的計劃

一九五二年終，亞普格特辭去了合衆社記者職務，就任美國國家廣播公司記者，計劃駕他的新置遊艇作航遊世界壯舉；並請伊斯勃蘭遜公司的船長克拉斯納教他學習航海技術；另一方面，爲了維護海上的安全。他準備購買幾枝槍，和幾架攝影機與活動電影機，備以攝取沿途奇異的鏡頭；在他初步旅行計劃中航程是新加坡、錫蘭、喀喇蚩、亞丹、阿力山大利亞、里斯本與西印度。出事前一天，他的準備工作尚未完成，出事那天決定去澳門也是臨時觸動的遊興；在港三閱月，除了學習航海技術以外，社交方面也很活躍，並且參加學術性的演講，主要的講題，除了一般性的遠東形勢之外，尤其對韓國戰局有獨特的見解，頗受聽衆歡迎。這也許是見忌於共黨，而播下了日後失蹤的種子。然而，在亞氏與他的同伴被中共擄劫的時候，誰都認爲這是共黨慣常的暴行，至多拘囚一個時候即能恢復自由的。誰知一年來中共對於英方轉達的抗議既不承認，也不正式否認，且消息杳然，更難確定這三個美國人的生死。

人船兩不見

到了最近，傳說與亞氏等同時被中共擄去的那個中國籍女子，曾在澳門一度被人發現，據說此人過去是本港某舞廳的舞女黃英，生長在北方，一九五一年纔來香港。去年三月二十一日被擄後，通半時與她關係較密的手帕交愛麗絲也失了蹤影，不久之前，曾在澳門經人發現，但是發覺有人對她的行蹤注意之後，隨即離開澳門潛返，一般估計，大概已返大陸了。「寇特」號是丹麥名，意即「海鳥」，原主人於一九三三年建自上海，船上有兩副機車，船身全長四十二呎，掛有單帆，是一艘揚帆、機動兩用的遊艇，被擄之前，曾經大加一番髹漆，不知者以爲是一艘新的機帆。現時不僅它的主人究被拘囚何處，抑是已遭共黨毒手，無從判明，即這一艘再番被中共掠去的遊艇還在何處，亦無確實訊息。誰也都很關切的。

人物述評

聯合國美首席代表——洛奇：其人其事

．佳木．

（四）

洛奇的性情也和一般的顯要人物有些不同，他不願自己的家庭生活向外間顯耀，成爲別人的茶餘酒後的閒談資料。他的太太，堪稱標準賢妻良母；於一九二六年結婚，在紐約或波爾登郊外家中，夫唱婦隨，其樂融融。他有一個兒子爲二次大戰退伍軍人，另外一個在韓從軍。他在空閒時，在家弄孫作戲，欣賞太太親手調製的法國布丁，極盡天倫之樂。

洛奇於去年二月間受命爲美國出席聯合國代表團首席代表時，在應付蘇俄代表的技術上，首先建立了另一種作風。在過去，每遇蘇俄代表在聯合國會議中大放厥詞時，美國代表總是向華盛頓國務院的戰略家們請示應付方針，等到指示到達，爲時已晚，蘇俄代表的攻擊言論，雖屬滑稽背理，但已廣布流傳，使蘇俄達到宣傳的目的。

洛奇完全改變了這一種技術。他對他的親密助手說：『這是一種最要不得的辦法。蘇俄獨裁者正是在宣傳技術方面從根本來打擊我們。我一定要爭取時機，乘蘇俄代表不備而予以反擊。我要做到我們不能在思想的鬥爭上失敗，這是我的任務。』

洛奇出任美國首席代表後，已一面證明爲聯合國中一位最有雄辯力的演說者。這並不是由於他是天生的演說家（他實際上不是），是因爲他說話出於至誠，而能以至誠感動聽衆。此外，他更具有無比的勇氣。

（五）

艾森豪就是了解洛奇兼具這一切才幹的人物，甯願放棄了其他在外交上富有經驗的老人，提拔這個新人。當洛奇被委爲首席代表發表時，許多舊日老政治家都竊竊私語，說他只是一個紈袴子弟，準在聯合國丟臉。但白宮方面卻是信心堅定。結果，這位初登國際壇坫的新人，不但在美國報章雜誌，無綫電廣播上，而且在國外，贏取一致的喝彩，聲譽日隆。

洛奇對於工作的興趣，使其他國家的代表大爲驚奇。在聯合國大會期中，他每日工作達十六至十八小時。他的一個屬員有一次很不高興地批評洛奇：『我不以爲他會了解「休息」兩個字。他是以多工作算做休息。』

洛奇從星期一到星期四，每天早晨九時就出現於紐約的辦公室中，指揮職員討論會議。晨間工作完畢，即出席大會。午餐時間，他邊吃邊處理公事，從不停手。午後再出席大會，約六時再回辦公室。星期四晚，他搭車或飛機離紐約赴華盛頓，參加白宮的週五內閣會議。這是洛奇每週工作中最重要的一項，因爲他可在閣議上直接向總統艾森豪和國務卿杜爾斯報告一切。

（六）

洛奇是美國歷次出席聯合國代表中，能和總統直接保持密切關係的第一個人，這確實增加了他在國際壇坫上的聲望。閣議完畢，他即赴京都山會見參衆兩院的舊日同僚，聽取意見，下午仍和他的上司國務卿杜爾斯保持接觸，直至週五深晚始返紐約。

週末和週日在別的外交家，也許是假日，但對洛奇，一切如常，他仍到紐約辦公室照常辦公。他常常對人說：

『聯合國創立時，我們對牠希望過高。失望在所難免。許多人都認爲聯合國應該可以比現在做更多點的工作。我也仍相信，聯合國可成爲一種對世界和平有效的力量，我正竭我所能督促全國爲此努力。我們要培養世界輿論團結力量，支持自由人民所信仰的工作。如此，聯合國才能在建立集體的自由力量上成爲世界最偉大的工作』。（下）

義政府縱容下：共黨機關報活躍

．莫特譯．

本月中，羅馬的「團結報」刊出了這樣的大標題：「明日本市公共汽車與電車，將由上午九時至十一時，下午三時至五時舉行罷工。」這次罷工是共黨控制的工會發動的，果不出該報所料，次日如期舉行，這事並未引起任何人詫異，因爲「團結報」不僅報導了這條新聞，實際上也製造了這次罷工。

鐵幕外最大共報

「團結報」是自由世界中最大和最有勢力的共黨機關報，日銷五十萬份，義大利共產黨徒看這份報紙，不祇在閱讀它所載的新聞，且從中尋找共黨對他們的指示，應該採取什麼行動。在本月初，該報適逢創刊三十週年，曾舉行盛大慶祝，發動銷報運動，組織羣衆集會，由共黨巨頭出席演講，且對該報忠誠員工的遺族頒發「光榮勳章」。最近出於交際花蒙特茜神秘命案，更使該報銷路大增。該報一個高級職員曾傲然地說：「團結報是各『人民民主國家』外絕對的最大共黨報紙。」

「團結報」不僅在共黨標準上是一張大報，即在全義大利而論，它也是最大的新聞事業之一（義大利各報的銷數都是嚴守秘密的）。它的羅馬「中央版」，與米蘭、都林、和日諾亞的分社，都有直接通訊網，這三處都另出「團結報」的地方版。它的職員，有八個編輯，一百十五名記者和撰述員，八名國外特派員，此外還有二千八百七十五名共產黨員替它作義務通訊員，遍佈全國各地。「團結報」兼出二十七種分版，刊有出版地區的地方新聞，因此它和西方世界中其他共黨機關報不同，它也極力顧到爭取新聞。別的共黨機關報，如紐約的「每日勞工報」和舊金山的「人民世界」報等，都對新聞不甚重視。

藉地方新聞爭取讀者

「團結報」由於其注重新聞，不僅成爲共產黨員必讀的報紙，同時也吸引了不屬共黨的讀者。許多讀者去買這份報紙，祇是爲了它的新聞多，對犯罪，醜聞，運動，娛樂等方面的新聞從不遺漏，但在這些新聞的糖衣下，這些讀者也無形中吞下了共黨宣傳。例如關於這宗「蒙特西艷屍案」，「團結報」所報導的消息便特別詳盡，而也完全配合了共黨反政府的鬥爭。有一位身爲復辟黨黨員的讀者就這樣說：「我絕不贊成『團結報』的政治觀點，但它的文字流暢而簡潔，且告訴你別的報紙所沒有的事情。」

「團結報」並未掩飾它和共黨的關係。它常在第一版登出對共產黨員發佈的指示，例如：「一切共黨參議員，沒有一人例外，都須出席明日的會議」之類。當「團結報」當局摸不清共黨對某一問題的態度時，它有簡單的解決辦法，其編輯祇需向義共首腦陶格里亞帶去請示。陶格里亞本人亦曾當過該報編輯，且仍是該報最高決策人，又是它的最大股東。但在陶格里亞本人也沒有接到莫斯科指示時，「團結報」便祇好將這消息壓住不發，例如「猶太醫生案」在莫斯科發生時，它就比義大利其他各報晚了一天才登出這消息。

共黨巨頭幫助推銷

「團結報」由於有共黨支持，對推廣銷路可毋庸擔心，每年該報擇定一月爲「新聞月」，在全國各地舉行「團結報」遊行和羣衆集會。而共黨也下令數萬黨員做義務推銷員，成年替它向各處兜售，在大規模推銷運動中，陶格里亞等共黨巨頭都跑到講台上替該報大力宣傳招攬生意。

「團結報」的職員，全部都是共產黨員，上層分設幾個委員會管理，但報社中最重要的二個人是編輯巴斯土爾，和總經理兼推銷與營業經理德蘭齊。巴斯土爾已六十六歲，自一九二四年該報創刊時即任編輯，且任國會參議員，目前德蘭齊的辦公室牆上，掛滿了營業情況統計表，無異於其他報社。在「團結報」任職，先決條件，是目前對共黨的忠誠，其過去的政治傾向可以不計，例如其米蘭分社的編輯拉裴洛，過去是一個重要的法西斯記者；在西班牙內戰中，曾參加墨索里尼的褐衫隊作戰，後來才投向共黨。職員的待遇，都低於義大利非共報館的最低水準，但「團結報」卻曾發動運動，要求義大利各報都需遵守最低的工資水準，不能再行壓低。

戰後佔據大印刷廠

「團結報」所以能有今日的成就，部份原因是由於政府的容忍，它創刊二年後，法西斯政府便把它查禁，祇好秘密出版，這樣一直到一九四四年盟軍解放羅馬之後，它才敢再度公開出現。這時它佔據了羅馬最大印刷廠之一，當天便出報十五萬份。後來政府雖收回了該廠的合法控御權，但仍容許「團結報」租用，迄今未有更動。其實祇要政府願意，它極可能不許「團結報」再使用這所印刷廠，「團結報」便必然遭遇重大挫折，可是雖然這張共黨機關報公然表明它和莫斯科的關係，義政府仍沒有任何表示，願意以這種手段來對付它。（譯自「時代」週刊）

攝影機前義共噤若寒蟬

義大利的政局不穩定，這是注意國際政局者大都知道的事情，而義政局不穩的因素固然很多，義國共產黨勢力的龐大卻是主因之一。每逢義國會開會的時候，凡遇有政府議員或內閣閣員爲政府的政策辯護時，義共黨員每高聲呼叫，來擾亂或打斷政府黨員表白意見的機會，他們囂張的氣燄確實令人驚心，而政府也深受這種搗亂的痛苦，應該可以通過的法案常受阻宕，但格於議會的議事條例，卻也奈何共產黨員不得。

最近，義政府卻想出一條奇妙的對策，足以使義共不敢在議會中囂張妄動，原來他們在議院中準備了新聞片電影攝影機和電視傳眞器，一俟義共們拍桌打椅，高聲亂叫並投擲墨水瓶的時候，立即把這些「照妖鏡」式的武器搬出來，果然議會中頓時安靜下來，原來那些共產黨徒們也怕在民衆面前丟醜哩。

麥卡賽擁有新武器

美國參議員麥卡賽與陸軍部的爭執最近似乎沉寂了一點，其實據熟悉內幕的人說，目前雙方只是在厲兵秣馬的階段，弄得不好，又會有一場大的厮殺。

又據接近麥卡賽的人說，麥卡賽手中還有兩支極厲害的武器，準備大戰再起時，用爲攻擊陸軍部的手段。據說，麥氏打算邀請一位著名的專欄作家，和一位駐華府的記者（他們兩位都是支持麥卡賽的有力份子）來支持他的指責，指控陸軍部長史蒂文斯曾企圖促使麥卡賽在調查陸軍部之前，先調查海軍和空軍方面的活動。當然如果麥卡賽眞正採取這種行動後，史蒂文斯所受的打擊一定是非同小可的。不過，陸軍方面卻也有一支有效的防範武器，爲了應付麥卡賽的突擊，他們可能指責上述那位專欄作家，曾三次圖謀爲麥卡賽的寵兒施恩在陸軍部中獲得一個職位。（孟衡）

天下小事

編者讀者

△有關吳國楨事件的文章，我們已經發表不少，現在未發表的還有好幾篇，因爲大體意見都是和已發表的相差不遠，因此我們不打算再刊登了，謹此向各位熱心的作者致歉。

△上期我們發表徐道鄰先生討論經濟問題的「寓言一則」，本期又刊載一篇陳訓[illegible]先生討論西德經濟的文章，都是贊成自由經濟這原則的。關於這類文章，我們希望作者能够多賜稿件。不過經濟問題至爲複雜，究竟應自由抑還統調，或者半自由統制，我們並沒有一定成見，還是要向讀者和作者聲明的。

△勞影、易人、劉岱瓛、孫旗、楊柳絲、楊若瑛，諸先生：惠稿均已收到，至深感幸。

三論雲南士習

・毛以亨・

來港以後，極少與台灣朋友通問，能與張先生在自由人上討論問題，以代晤談，頗足欣慰。但期以互相切磋為主，若以少年好勝之積習相責，則知罪矣！

曾子曰：「士不可以不弘毅，任重而道遠。仁以為己任，不亦重乎？死而後已，不亦遠乎？」這段話，等于北京大學的校訓，入學試驗好幾次都有這個題目。我以為蔡元培先生的精神，可借用此數語而表達出來。今於反共萬分困難之候，欲借以勉人自勉，亦與張先生心同此理。根本上的觀點，大家是相同的，其餘皆是枝葉之詞，而成為贅言。

蔡鍔用權術非純儒

我嘗謂儒家以一死為盡責之極致，乃是中國文化的精華。西洋人則盡責後而仍無辦法，即俘虜或投降並不以為恥，在西洋人的理論上，可以認為中國人較為殘忍，但在中國社會，任何團體而沒有死士與死節之人，則必然糟糕。中國人亦祇好行中國道理，外國人的話，都可認為廢話，不必管他許多。我認為蔡松坡若無死而後已的精神，是鼓不起反抗袁世凱的勇氣的。但如有蔡松坡，而無一班雲南人之具有相同的儒家精神，亦是孤掌難鳴而幹不起來。雲南人之具有此類精神，其發源地在五華書院，而實始于阮元，所好者數百年來未嘗脫節過，這是最近看揅經堂仁說而聯想到的。所可惜者，阮元之教，經數百年之久，而逐漸漸減。蔡松坡有權術，未能稱為純儒，唐繼堯則權術多過了儒術，至龍雲盧漢則純為權術了。此等推論，張先生或有個人好惡參雜其間，或所知較我為多，而不願一概論，其見解自與我不同。然其結論則相同，他欲以弘毅勉其後輩，我則欲重振阮元之緒，而繼蔡鍔之統。

根本問題說完，再論到枝葉問題。或者張先生愛桑梓之情切，而誤會我藐視雲南人，故翻出若干雲南聞人為佐證，以表其莫謂秦無人之憤慨。其實我絕無此等意思，因為十室之邑必有忠信，知人論世，無須問地域，這是我的基本信念。例如浙江人或姓毛的雖好，而好的未必是我，不好還靠自修。不過若要論及地域，則雲南之鮮聞人，乃為一種政治統計，我是根據梁任公中國人文之地理分佈一文而立論，似不為爭的事實。

影響雲南士習最大者

雲南早被中國文化，邊境夷地且有諸葛老爹廟，清代我佩服袁子才的老尹壯闊。惟張先生所舉的雲南人中，如楊一清是交結內侍的天閹，是個權臣，根本不是弘毅之士，可以不論。錢東注來彈劾過和坤，祇奏請和坤，羅長安，止于如意門外。而傳說則謂和坤恐為所彈劾，乃先將其竇斃。他曾劾過陝甘總督畢沅，與山東巡撫國泰。明史毛玉傳謂為雲南右衛軍家子，先世為良鄉人。以伏闕爭大禮下獄，受杖竟卒，後贈光祿大夫。又楊慎傳，言與慎同時被杖者，有王元正，劉濟，安磐，張漢卿，張原，王時，柯寶七人，所以未及毛玉者，蓋受杖在同一年而不同時耳。楊慎本遺戍鎮南永昌軍，以其為致仕宰相楊用和之子，謫吏多優容之，故許其稱滇昆明講學，又得私自回四川省父，並奉旨特許其奔父喪。但慎于七十歲還蜀，巡撫且遣四指揮逮之還。明史稱其記誦之博，著作之富，明代推慎為第一，詩文外雜著至百餘種。然查明儒學案，未為慎立傳，似乎也是一位博學的文人，有類于蘇東坡，故我意亦就不能稱為弘毅之士。而且這些人，給與護法前後的雲南士習之影響較少，其直接影響當時者，即高等學堂，承五華書院之緒，講宋元學案與明儒學案。以純儒的人格為吾人的模範，而啟吾人之效法，此則與外國人之崇拜上帝，形式上雖不相同，而以宗教情緒言，則完全相同的。而間接的影響，則當遠溯阮元，至少阮元之教，在當時沒有脫節，現在則雖脫節亦不久，不難加以恢復，而使其適合於現代。

我本有拋磚引玉之意，但引起張先生在外交上之牢騷，雖有益于史乘，然在我總是一種罪過。故應表示歉意，並以感謝張先生之指教。」

中共禍新見聞錄（三）
暗無天日的新省奴工

・吳彥傑・

從事生產的奴工

他把搜刮茹山八爺（全新疆首富維族人已故，由其子繼承）的黃金二十萬兩，及搜刮各地富戶的黃金共約二百萬兩，作為資本，擴建迪化紡紗廠，除現有奴工七千人外，將來擬增加至三四萬人，並在南疆產棉各地與吐魯番，提建工廠，擬共容奴工人六萬人，以中亞細亞及蘇俄邊境，為銷場尾閭，因上列地區，均係寒帶。不產棉花，以紗與布疋易羊毛返回新疆，重加製造，其計劃非常龐大，迪化紡紗廠初步於一九五〇年十月開工，其擴建部分與南疆東疆各分廠，原定於一九五二年十月一日開工，情形尚待查證，此七萬七千人，為固定奴工，比較流動奴工稍好。

王震於一九五〇年春，役使數萬奴工從事勞動生產，因缺乏耕牛農具完全用十字鈎，圓鍬，板鍬，扒鋤，來挖耕水地和旱地。規定最低限度，每日每人挖荒地一畝，以挖到一畝六分為入選「勞動英雄」的標準。平常用耕牛犂地，牛壯人強，一牛一人每日可犂地一畝八分，通常以一畝二分為準。中共規定奴工耕地限額如此之高，故參加生產勞動之奴工，只好用淺挖普蓋的「跳間地」來塞責，挖地普遍不及二寸，在相當距離內，把挖出來的新土，蓋於舊土之上來塞責。至於監督的共幹，亦隨便得很，並且相互競賽，爭取成績，要逃過上級的眼睛，便算數了。一九五〇年農歷二月半起至五月中止，中共在新疆共墾荒地二十萬新石（即五百萬市畝），把一九四九年多強迫人民所獻的獸糞和人糞舖在土上，共播稻麥雜糧種籽二十萬新石（即約七十萬市石），但秋收結果，是年全省所得糧食一共不到十萬新石，收回不及種子一半，眞是白白糟蹋人民的糧食（他們各色種籽，都是在新疆農村搜刮而來）。

逃亡者凌遲處死

蘇俄在新疆開鑛，對於奴工的待遇，比較中共奴工略勝一籌，但對逃亡者，仍用嚴厲手段處死。所有奴工，從一九五〇年多起，左臂上均刺有墨色五星偽誌，使各綠查哨便於識別檢查，逃亡者一經捕獲，必須解返工作原地原組，當衆赤膊綑綁，把預先印好的「懺悔詞」，迫令逃亡者面當衆朗誦。如果逃亡者不照樣朗誦，表示懺悔，即用種種酷刑，使奴工死去活來，[illegible]為止。不表示懺悔的因受酷刑至死，即懺悔的亦仍多不免一死。許多逃亡奴工，對筆者談及：他們目見的凌遲處死慘狀時，猶有餘悸。（下）

「長夜」讀後

・萬竭明・

作者：力匡

出版：自由出版社

（一）

有一種書，它既沒有什麼值得大書特書的廣告費替它吹噓，但是，它只要是偶然被人發掘，它只要是被人匆匆一瞥，它的印象，它的故事，便會印在人們的記憶中，久久難忘。

力匡的新著「長夜」，可說是這樣的一本書。

力匡的創作並不少，但是，據我所知，他只出版過三本書，人人出版社所出的有散文「北窗集」，詩歌「燕語」，和現在自由出版社所出的短篇小說集「長夜」。只要是我們的要求不是過高，在這個文壇荒蕪的今日，還是幾本頗值一觀的創作。尤其是後者——「長夜」，這是一本很新穎的小說。

（二）

如果以一般人的看「故事」的眼光看「長夜」，則這本書我不敢向讀者推荐。不錯，這裏面也有一些美麗的故事的，關及一個男人和一個女孩子所發生的愛情，關及一個男人的家庭和他自己的成長，但比起一般全以曲折離奇，巧合偶遇，以「故事」為中心的都市傳奇之類，作者的故事，顯然是大有遜色。

那麼，作者的主題和重點放在什麼呢？那就是一些透過故事的忠實新穎的描寫，一個清新的格調，一個年青的靈魂所發出的呼號和思想。

是不是一本書除了看它底「故事」便別無所取呢？我想，一些眞正是懂得看書的人，都不會同意這個淺薄的說法的吧？

嚴格說起來，作者的小說，散文，詩都是二而一，一而二的，他有他的自己獨特的格調。用一個文學的說法，體裁只是他的外衣，反映眞理才是他衣飾上的要領。「長夜」裏所包含的好幾篇小說，作者都是用一個人絮絮說話的口吻來描出一個主題，一個故事，你看它，正像一個熟悉自己的朋友或者作者在你底身旁促膝長談，講一些過去，又隨時囑望着將來。

作者在表現的方式上是有着其特色的，第一，他拋開了一切贅累的文字堆砌，用壓縮，簡鍊的文字來道達他的主題。其次，作者的題材的載取是與別不同的，他在一般別的作者認為是瑣事的領域裏截取題材，他把一個小圈子的故事用精細的文筆刻劃出來，加上了潤飾，使他的精力集中於一個焦點，使我們像親歷親為的感到親切。

在一篇題為「點路燈的人」的小說裏，作者描繪出一個以終生點路燈為業的老人，他沒有厭憎自己的工作——一般人認為最乏味的工作，他只是淡淡自然的說：「燈總要有人點的！」於是作者便沉思到「生命如果離開了工作，那生命的意義又在什麼地方呢？」了。

在以「故事」為題的一篇小說上，作者說出了他認為虛偽的一段愛情，於是作者領悟到「我這才看到了自己的錯誤，我在沙丘裏想建築自己的大廈，却忘記了基礎是虛浮的，終會有一天倒下。」

這只是兩個小小的例——臨時想到的兩篇小說的例。

一個人看到一些好書，應該把它們推荐，為了不埋沒一些作者的才華，為了不招使讀者的「眼福」損失。像「長夜」這樣的小說，是應該給予讚譽的。然而它的出世是這樣寂寞，是很不公平的！

失學保健均應重視
興華教材不能過急

香港數逾二百萬市民所感到比較嚴重的困難，似無過於耳熟能詳的住屋問題。因此大多數人的注意力便集中於房荒，如何解除房荒已形成了改進社會設施者研究中的焦點。然而比此更重與更大的教育問題却很少有人關切，因其對社會具有直接的刺激與影響，失學、保健與教育水準，予整個社會的優良或窳敗有決定性關聯。

現行香港的教育制度，中等教育大致分為以英語授課的英文中學及用粵語授課的中文中學，兩者的總數共有二百六十九所，私立倒佔有二百二十六所；這些私立學校中，除了教會人士主辦之外，也有許多對辦學有興趣的教育界人士投資，因此，學校的環境與設施，均取決於經濟力量學生多寡，並無一定標準。至於小學，設備似乎更差，目前小學在校學生雖亦擁有十五萬二千一百三十一人，其中且有甚多超齡學童；去年的人數較前（增二萬人）年則已減少了二千名；幼稚園共有一百五十三所，學生一萬三千九百十八人，似僅能算是都市的點綴，收費過高，顯非一般小市民能夠負担，以致初進學校就讀小學一年級的學生，猶如「越級爬山」，十分費力。通常每因成績低劣，使其家長灰心，任令失學。倘使這一基本困難無從設法打破，今後小學學生失學數字只會增加難望減少。中學生的失學數字如果加以統計也很驚人。

港府去年付出教育方面的費用二千二百五十萬元；用於官校校舍與建費用，估有一百五十萬元，免息貸與私校與建校舍或擴充校舍一百五十五萬元。覺得花費了這麼大的款項，對殖民地教育尚無顯著進展，似乎十分遺憾。事實上，港府五年教育計劃，推行殖民地新教育，現時僅能說是試驗時期，除了中學，小學本年度的課本，大致均已採用。這些包括有國文、歷史、地理以及科學理論和音樂教材，一般的學生家長對中文課本略去了本國史地也是非常遺憾，且認為與原規定「以漸進方法」實施相悖。當然，這種操之過急的措施如見於中文中學，殆將引起反感。然則現實的問題，搶救失學比興革教材更為重要，舉辦保健比推行保健更屬有效。全港學生總數約有二十四萬，參加繳費「保健」的僅佔三分之一，其餘三分二的多數顯然是學生家長平時對學費支出尚感費力，決不是為了慳吝十五元一年的保健費，任令他們的子弟健康失去保障。（言）

「總路線」運動下
大陸商人遭殃
柳州新華烟廠受騙
廠長被拘復遭沒收

【本報訊】中共為貫澈「總路線」運動，把鐵幕內的人民都帶到悲苦的深淵，一些正式商人也毫無例外地逐漸「過渡」到奴隸牛馬生活中了；「商業社會主義改造」，正是他們荼毒商人唯一有利的武器。

這一家廠商是廣西柳州新華烟廠。該廠出產的捲烟，銷路極為暢旺，其中「水電牌」香烟，更受農村中歡迎，營業蒸蒸日上，遂為桂共眼紅，早具掠奪之心。去年九月由桂共經營的柳州「專賣公司」出面，與該廠協商，包銷該廠產品，該廠董事長蘇欽明在桂共的威力下，不得不與訂立包銷合同。

自訂立包銷合同後，新華烟廠的麻煩，也就一天一天的加多起來，譬如：該廠暢銷農村的「水電牌」香烟，原來每包烟捲本是放有八錢以上重量的烟絲，「專賣公司」指責該廠在「增產節約」運動中，是浪費現象，迫令把烟捲鬆，每包只放烟絲七錢五、六分，以便減少訂價。農村裏的農民，因為烟絲少，烟枝鬆，空頭多，不願再購買這種香烟，風行一時的「水電牌」香烟，遂滯銷起來；該「公司」又迫令該廠把烟枝變細變鬆的辦法來欺騙農民，但始終不能打開銷路。

最後，該「專賣公司」竟妙想天開，勸令該廠以三萬三千四百多斤沒有經過撕骨的烟葉，要他捲烟出賣；這樣一來，「水電牌」香烟以及其他的牌子，統統被滯銷積壓變成廢品，蒙受了四千七百餘萬元（偽幣）的巨大損失。該「公司」不自咎責，遂嫁禍於人，指該廠經理蘇欽明欺騙「市工商局」，蔑視與「專賣公司」簽訂合同的規定，以低級菸葉及共他變質菸葉及滲菸筋的辦法進行偷工減料，並指出蘇欽明在二千多大箱烟中，共偷工減料二萬四千六百斤菸葉，價值一億餘元。結果，由柳州市「人民法院」指為不法行為，將蘇拘捕，烟廠沒收。

所謂「訓話」也者

·馬五先生·

君主政治時代的皇帝對臣民說話，叫作上諭或聖旨，其他百官對老百姓所說的話，叫作憲諭。「諭」者何？教訓之意，即老子教訓兒子的意義是也。皇帝與其百官們都是騎在人民頭上的大好佬，他們對臣民說話，就等於老子訓誡兒子一樣，句句是金科玉律，受訓者只有垂首恭聽，欽遵無違，決無懷疑研究的餘地。談民主政治的人，指稱這種情形爲封建專制政治，非剷除不可。所以，歐美各民主國家的官吏，對人民常自稱爲「你的最忠誠的公僕」，即其行政元首如總統對僚屬和人民說話，也只是名爲演說，而不敢以訓諭自居。中華民國據說是行的民主政治，

可是，一切大官小吏對僚屬和人民說話時，皆號爲「訓話」，也就是「上諭」或「憲諭」之意，口含天憲，更要即聖哲天生，一貫作官，既已作之君，更要作之師，任何人皆應聽其教訓，官位越高的，學問越大，民，使得人民都成爲……般品學兼優的教育家「作之師」的風度，因而建國時表示政府……，政教分工，到了民主世紀，官吏竟當教君師之任，予智自雄，對人開口就是訓話，封建意味十足，莫名其妙，視天下人皆爲孺子愚夫，然又自號爲民主政治，寧不致人啞呵可鄙乎？中國如要學習民主生活，必須打倒訓話主義！

百花生日瑣談

·韓名鋼·

百花生日與花朝有別，近人混爲一談，是不對的。百花生日爲農曆二月十二日，而二月十五日才是花朝。因花朝月夕是相對而言的，二八兩月爲春秋二季之中，故以二月半爲花朝，八月半爲月夕。提要錄云：「唐以二月十五日爲花朝。」風土記云：「浙江風俗言，春序正中，百花競放，乃遊賞之時，花朝月夕，老圃所稱。」可知花朝即是二月十五日。吳中風俗，亦以二月十二日爲百花生日，與二月十五日無異。三春之半，花朝二月十二日爲百花生日。

小戶，精紅絲綢於樹枝上，亦裁紅繒帖插花枝上，以爲是日便是花朝，花朝一半，十二日爲花朝，供奉花神。虎邱花市，亦以二月十二日，千枝錦繡，奏樂於花神廟前，而賀花神。二月十五日的異同，百花生日爲花朝，人皆淡漠，竟無任何點綴，忘却花朝。但可以糾正世俗之謬。蔡雲吳歈百詠云：「每到百花生日最良辰，未到花朝一半春。」不知他所說的百花生日，是二月十二日，還是二月十五日？

百花生日既是花朝芳辰，最是愛賞春花上壽，不然億萬紅繫，便算了事。唐人羅虬仿照歷史上「九錫」的成規，撰「花九錫」，那九錫呢？一、重頂帷，二、金錯刀，三、甘泉浸花，四、玉缸貯花，五、雕文台座安置花，六、畫圖寫花，七、翻曲詠花，八、美醲賞花，九、新詩詠花。

張心齋幽夢影云：「花之宜於目而復宜於鼻者：梅也，菊也，蘭也，水仙也，珠蘭也，木香也，玫瑰也，臘梅也。餘則皆宜於目者也。花與葉俱可觀者：秋海棠爲最，荷次之，海棠，酴醾，虞美人，水仙，又次之。葉勝於花者，止雁來紅，美人蕉而已。」寥寥數十字，可抵得一篇百花總讚。

百花生日，理宜……從梅花起，至水仙止，是用詞牌分詠百花，如詠梅的詞牌是「隔溪梅令」，迎春的詞牌是「迎春樂」，桃花的詞牌是「桃源憶故人」，木蘭的詞牌是「減字木蘭花」，珠蘭的詞牌是「一斛珠」，海棠的詞牌是「月上海棠」，水仙的詞牌是「天仙子」，均與其本花有關，所用詞牌，可謂異想天開，詞繁多，不能備誌，茲錄其首章詠梅，及末章詠水仙，當第一斑，全豹便如見了。詠梅，調寄「隔溪梅令」云：「一分澹水一痕沙，影橫斜，爭似玲瓏月子印窗紗，白描瀟湘淡花？江南江北雪交加，太寒些，多謝一枝驛使寄天涯，夢隨香到家。」詠水仙，調寄「天仙子」云：「素襪凌波腰浣……，紅羅亭子唱迴波，月明千里湘江綠。」

如今隔身海隅，既無心賞花，更無興梅花，唯有抱膝長嘆耳。雖是「春風又綠江南岸」，百花門芳的季節，但在鐵幕低垂的今日大陸，已不是桃李滿郊，而是遍地血花了。（四三、三、十一、夜台北）

憶郁達夫與風雨茅廬

·鐵頭·

郁達夫在日本帝國大學，原是學經濟很有成績的高材生，乃不知怎麼一來，竟愛好了文學，變成了作家。畢業回國後，和一些朋友，搞創造社，卽寓居上海。後來與王映霞闊戀愛，時常往杭州跑。王映霞初則若即若離，又似半就半推，只弄得達夫，像熱鍋上的螞蟻，——走頭無路。每星期三，必有一封長信與映霞；每星期六，必到杭州住上一兩天。回上海後，則又胡天胡帝的亂闖，所有的茶樓酒館，不分大小，莫不時有他的蹤跡；乃至四馬路的野雞，八仙橋的燕子窩，都是他時常交易的對象。其生活糜爛，其文筆則益發斐然，那有名的「日記九種」，就是在這一階段完成的。而其內容，乃係將他的黑暗面，光明面，同時暴露，無所隱諱，在中國文壇上，眞是一種創作。衛道先生們，固然大喫一驚，連罵「該死」！但青年們則歡迎一時，頗有聞所未見，儼若看到了另一世面，新奇的感覺。亦有點像一二十年以後，一般人讀到了內幕新聞後的神情。因之，「日記九種」，風行一時，郁達夫之名，乃大噪。不久，居然被他達到目的，與王映霞結了婚。他那富陽家中的黃臉婆，也只好委屈求全，讓他們去渡那名士美人的生涯。婚後，仍居上海，有人問王映霞說：『妳對于「日記九種」的感想如何呢？』映霞初則微笑不答；後來綠蔭結子，新娘的羞嫩面孔，慢慢收起，大概又受了達夫的薰陶之功能？居然也學會了飲酒，而且量雅品高，對于那「舉杯輕，入口深，眉毛平」的各種飲酒姿勢，莫不加以美化，另具一種青春少婦的嬌憨媚態，使人于醉醺之外，另有一種不可思議的陶然之感。於是一般酒友，每遇機會，無不樂與她們夫婦共遊。偶爾酒後，有人又問她道：『達夫將妳作主題，赤裸裸地寫在「日記九種」中，妳當時以雲英未嫁的小姐身份，看了是嗔？還是喜？』映霞雖則猶有一點靦覥，但終因酒蓋了面，乃坦然說道：『當時看了，實在恨得要死，然而內心深處，又喜歡得要命，對于他——達夫——這個人，也是同樣矛盾，同一心理。』於是聽到的朋友們，哈哈大笑道：『郁達夫能有本事使王映霞在恨愛交併中，嫁給他，這眞是得到了戀愛的「三昧」！』（一）

菩薩蠻

·王德箴·

金陵往事成追憶。親朋散落無消息。紅粉老他鄉。低徊枉斷腸。曉窗新病起。懶把絲桐理。日影弄花枝。黃鶯是故知。

台銀的「一家」

·娑婆生·

人生在衣食住行的四大生活以外，尤須有精神的寄托，精神寄托必需注重樂藝。因此台銀的員工，往昔注重於體育，最近復增及於戲劇，以調劑公餘的情緒。今年春節，僅有兩週之排練，即於裴甲之家，公演喜劇「一家」，余在參觀以後，覺得成績非常美滿，演技均在水準以上，當然最成功者，以大嫂爲首屆，茲略述之。

亞明妻由葉世銖小姐飾，描寫公務員眷屬的節儉度日，與一般性的羨慕富貴生活，表現到刻畫殆盡。而應答的口氣不同，隨現實爲轉移，尤是微妙。勸亞男接受手表，婉轉勸誘。促其夫覓工作，那樣懇摯。以未曾演過話劇而有如此成績，實是不易多得。亞男由沈敏思小姐飾，現出自學校出來的一種高傲，不慕虛榮，願從事藝業的精神，與厭棄李瑜，就睡懷陸，與兩副不同姿態，均能闡發無遺。惟與懷陸親愛，似乎中間尚有若干距離，不夠貞切，是否有不好意思在。陳母由黃有漢小姐飾，老態龍鍾，維妙維肖。爲大嫂借房租，與懷陸談亞男，其說白及神氣，皆是十足。在話劇中，最難是老人與刁悍婦女，因爲不易成功，黃小姐之活肖，值得驚佩。亞明由嵇惠民飾，時刻不忘身份證，時看書報，對於柴米油鹽，似不過問，曲畫一學究。對於亞男婚姻，所發妙論，有如溫吞水之概。在吃菜的時候，對於菜的批評，而糖醋鯉魚一句話，說時如將全劇關鍵，特別提示，亦甚佳。李瑜由劉氏生飾，十足如今之十三太保，化裝完全不在乎的神情，能夠儘量發揮，不過在醋字上，尚不夠勁道。陳懷陸由田秉剛飾，一副溫純的新聞人員頗像，惟在與李爭沈的情緒上，猶不嫌不夠勁，須再努力。通觀各位演技，皆在水準以上，盡善盡美，短期成就，實爲難得。聞該行同人，在下期表演「台北一夜」，有定「新紅樓夢」，或注力於劇的運動，公餘是值得一稱之。台北的銀行業，尚無劇團的組織，今由台銀開始提倡，此後將予展開劇運，在提倡樂藝的過程中，且聞尚有平劇的組織。余寫此稿，極望此後銀行從業人員，當拋棄影舞的消遣，改變其作風，創一良好的樂藝運動。

閒談彭玉麟

·太希·

張之洞最推服彭剛直，其督粵時，彭奉命防海，張於輓詩中，手註云，「虎門爲廣州前敵，黃埔爲次敵，公於虎門外沙角大角二山，築砲台自督湘軍守之，粵淮各軍皆愧服，聽指揮無異詞。」觀張此註，彭所以得盛名者，在身先士卒，又措置公平也。

彭巡江防海，姓名著於婦孺之口，然其少年寒苦堅忍，與弟玉麒，奉其寡母，鄉人欺其孤貧，備極凌辱。其母告其兄弟曰，此鄉不可居，汝等皆男子，當遠出避禍，努力成人，然後相見。彭是時年十六，遂入石鼓書院，經史無不致力，爲文辭氣淸雅，然書院膏火不足飽，乃投協標，得支月餉，迎母至復相守，而弟已從商人遠游，久不聞消息。衡州知府高某，閱詣書院，見彭文字曰，此字體奇秀當大貴，卽召至署，與語益大喜，彭遂執弟子禮，高親課之如嚴師，評文之語每有他日柱石名臣之譽，彭才氣過人，嘗爲父友某經理典押業於耒陽，値歲荒亂，彭矯東主之命，散錢賑飢貧，貸困厄，不責其券息，耗錢巨萬，人以告其東主某，某曰，錢已用，可復得耶，遂置不問，其後郴耒陷寇，耒陽十室九空，然寇過典押門，乃曰，此嘗施惠吾輩，不可掠也，以此竟從容收貲本，還報東主，論者謂彭一貧士，爲人司出納，視其財若己有，放散無忌，而其東主亦無幾微吝惜意，皆可謂豪傑人也。

彭在耒陽，見無賴將謀不逞，知必亂，陰條列奸究數十名，請縣密捕，爲奸人偵知，伺彭出辱之，彭嘗習拳技，時藏鐵尺，痛擊奸人。是時曾國藩治兵衡湘，博求奇士，衡陽常豫介彭謁曾，彭以母喪未逾年，意不欲出，曾亦居母喪，遣人謂曰，鄉里紛紛，父子且不相保，能長守丘墓乎，彭感奮，遂入軍，佐陸營，自此三十八年，諸將帥或官或罷，或先亡故，惟彭始終在軍，未嘗一日息，亦未嘗一日官也。其弟玉麒，自幼相失，後在江西論爲船戶，彭已貴，或有告玉麒曰，新任欽差大臣長江提督名彭玉麟，得毋汝兄耶，玉麒姑往請見，衛士不納，玉麒怒譟，幕府某詢其名帶之入，兄弟始復相見焉。

法國教育危機

·敏之譯·

巴黎著名學府「蘇波納」上月間突在大門外貼起了黃色大標語，寫着：「缺乏經費，這一天，學校停課」，且列隊走上街頭，舉行大遊行。他們的行動並不孤立，法國全國的大學和中學，差不多全體罷課，學生和教師不僅共同罷課，響應他們的抗議運動。

這次大罷課雖祗一天即告結束，但其影響却十分嚴重。在最近四個月來，這已是法國第三次罷課運動，而且學校的罷課運動，也不致就此終止。本月中，全國教育協會即已莊嚴地宣佈，除非政府能迅速糾正全國教育制度的惡化趨勢，否則全國學校將被迫再度罷課。

法國的教育危機由來已久。自大戰結束以來，中學每班的學生從平均三十人增加到四十五至五十名；在過去四年中，學生數字增加了百分之二十五。但政府却未能適應這種情勢而增加教育經費，甚至學校房舍的修理費也未撥給。例如布雷塞的市立中學，其校舍在戰時炸毀後，便一直沒有重建。「蘇波納」大學的法學院祗好擴充到以前的拳擊運動房。同時，這所學校實驗室中，樣樣設備都感缺乏，學生在作實驗時，因爲天平的金屬碼子不足，祗好剪紙板來代替。

法國的學校不僅缺乏課室，且缺乏師資，其主要原因是教員待遇比一般職業都低。一個小學教師，平均月薪僅合八十五美元，就是一個正式大學教授，其月薪也祗三百美元。國會議員維亞德會說：「每年，那些得到物理學教員的正式資格的人，差不多人人都放棄教育事業。照規定，一個人得到這樣的資格，便應入中學或大學執教，但工業界却都以高薪把他們請了去。工廠的待遇，可比教書高出三倍之多。」一位教員協會的發言人也說：「我們教員的收入，還不如汽車修理廠的一個熟練技工。屠夫或雜貨店老闆，他們的生活，也好過我們的大學教授。」

法國學生的生活，則更加艱苦，由於工廠和商店差不多全不願雇用學生，所以學生能以半工半讀在大學求學的，簡直寥寥無幾。法國的十五萬大學生中，祗有二萬五千名得到政府的獎學金，而就是這些人，他們每月也祗拿到合美金二十八元五角的津貼。通常一個學生的房屋，每月平均需付租金二十三元，因此，他們可說沒有餘資再用到衣食和書籍方面了。全國學生協會秘書馬洛埃說：「一個學生，除非家裏有錢，否則在這種情形下，祗有挨餓。」一千個學生中，祗有三十二人的父母是勞工。「蘇波納」大學的七千二百個法學系學生，大部份就是因爲沒有錢而祗有好休學。同時由於缺乏營養，學生一百六十人中便有一人患肺病，其比率之高，超過全國其他任何階層的人。

政府雖也了解這危機的嚴重，但一九五一年草擬的以七千五百億法郎澈底改善教育制度的計劃，到現在仍沒有實行的希望。再罷一次課有沒有用呢？一位哲學教授黯然嘆道：「可惜我們不是鐵道、電廠或郵局的員工，他們的罷工尙能刺激政府而得到結果。但我們祗是一羣教員學生，我們的抗議不會有何效果的。」

中華民國僑務委員會頒發登記證台數新字第一零二號
中華民國郵政登記第一類新聞紙類

自由人

THE FREEMAN
（半週刊每星期三六出版）
（第三二一期）
每份港幣壹毫
督印人：羅嘉獻
社址：香港高士威道二十號四樓
20 CAUSEWAY RD 3 rd. fl. HONG KONG
香港發行及事務接洽：高士威道六十六號
電話：七〇四五五三
承印者：東南印務出版社 地址：高士打道六十四號
台灣特派員辦事處 台灣總經銷處：台北市館前街五十號
台北中華路五九四號之一 台部郵發儲金戶九二五二

從碧瑤會議到漢城會議

碧瑤會議失敗了，漢城會議會成功嗎？

許漢劍

南韓最近定於四月底在漢城召開亞洲反共會議，據說中國、泰國、馬來亞都可能派遣使節參與會議，這個會議的召開目的在促進亞洲民族的團結，和對於快在日內瓦召開的國際會議作一項嚴正的對抗，表示亞洲民族自決運動的不容漠視。但自決和團結有密切的聯繫，亞洲民族不能團結，也就是不能凝聚成一種力量，沒有力量，則所謂民族自決只成爲白紙黑字的口號，人爲刀俎，我爲魚肉，亞洲民族將永遠處於受大國支配的地位。

反應未符理想

南韓這次召集亞洲反共會議的重量似乎是不微的，就是南韓本身恐怕也未能作較高的估價，第一是被邀請的國家並沒有包括所有亞洲的重要的國家，第二是這次會議祇是民間代表的會議，各國的出席代表並不是代表各國政府，於是將來會議決議也祇能局限於宣傳性和建議性，距離亞洲民族希求之的亞洲聯盟，民族自決，還不可以道里計。

怪不得南韓召集會議決定以後，亞洲各國的反應並未符理想，未被邀請的國家固然漠然置之，就是被邀請的國家，如自由中國也表示作有限度的參加，菲律賓乾脆予以拒絕，有人以爲參加的國家如能代表亞洲國家作重要的決議實非容易。

亞洲聯盟的前途

亞洲因爲幅員廣大，民族複雜，宗教紛歧，人口衆多，在世界上是各洲中最錯綜複雜的一洲。西亞有阿剌伯集團國家另爲一幟，北亞爲蘇聯鐵幕西伯利亞，南亞的印度儼然欲以中立的姿態僭居亞洲的領袖，東亞的菲律賓在美國扶助之下，朝氣勃勃，也儼然亦有欲執亞洲牛耳之閫，中國在勝利之初爲世界五強之一，是五強中代表亞洲的唯一國家，但自從中共叛亂，國民政府退出大陸，現在台灣秣馬厲兵，一意反攻，對亞洲聯盟領袖，已沒有問鼎之志了。此外還有一個日本，戰敗以後，臥薪嘗胆，茹苦含辛，年來經軍整武，已不復是吳下阿蒙。在這樣錯綜複雜的形勢中，每一個國家，都各有打算，各有困難，對於義務責任，力量權威，很難一致。亞洲國家雖有唇亡齒寒同舟共濟之感，但因爲利害參差，各不相下，亞洲聯盟遂如海上仙山可望而不可即了。

碧瑤會議的失敗

過去菲律賓召開過碧瑤會議，會議的本旨是舉行過了，會議的結果却在不作政治決定的前提下，只對經濟合作文化溝通作若干空泛不加約束的[illegible]，捨本逐末，亞洲聯盟的藍圖遂胎死腹中，碧瑤會議失敗了，[illegible]集什麼會議了。

日本未受邀請

南韓這次亞洲反共會議的召集，當然[illegible]成，『亞洲反共會議』這個招牌，『亞洲』二字已欠周延，『亞洲』包括亞洲所有的國家，縱有反共二字作限制，亞洲反共的國家也不限於南韓發出邀請的區區數國，日本便是一個亞洲鄰者，反共的國家，可是却不在被邀請之列。

南韓爲什麼不邀請日本參加呢？這完全基於韓國對日本的[illegible]一個重要因素。亞洲各國大家的事[illegible]民族的團結，縱使韓日兩國過去有什麼深仇大恨，現在盱衡世變也應摒棄前嫌言歸於好，這對於整個亞洲，乃至韓國的安全關係重大，爲國家前途打算絕對不應逞一時之意氣。所以我們對韓日間的嫌隙深表憂慮，這是亞洲民族團結的一塊絆脚石。

消除民族間成見

我們並不是有所偏愛於日本，但是我們要正視現實，我們不能否認日本是亞洲反共國家中重要的一環，如果把日本安排於反共集團之外，其後果之壞將不可想像，日本於珍珠港一役使美日感情瀕於極度惡化，美國朝野人士對日同仇敵愾幾欲食其肉而寢其皮，但一旦獲致最後勝利，便盡釋前嫌以全力扶助其復興，對日政策獲得全國朝野人士一致的支持，即使反對黨也會無間言，這種高瞻遠矚汪洋大度的大國民風度，確使世人無限欽遲。

民族間仇恨的泯除不是一朝一夕之功，我承認這句話，曾如中日數十年夙怨，至今雖締和言好，互派使節，過去之芥蒂仍未能完全根絕，但這並不影響中日兩國的邦交。這些事實都值得南韓朝野人士參考三思的。

菲律賓拒絕參加

何況這次民間代表的會議，不是政府代表的會議，縱使日本過去侵略過韓國，這只應由過去的日本政府負責，與日本一般老百姓何干！爲什麼要把日本民間代表拒於亞洲反共會議大門之外！

試以演戲爲例：如果要賣座力強，號召力足，一定要担任主角和配角支配勻稱，主角是一個鼎鼎大名的明星，配角馬虎，一點還可以應付，如果主角是藉藉無名的脚角，必須配角齊全落力拍演才能收效，菲律賓所以拒絕配角，也許不滿意導演，不滿意主角，不滿意劇本，三者必居其一，而其他亞洲國家對這齣戲將來不能賣座似都有同感。

南韓現在已決心排演這齣戲，角色、劇名都已決定了，一部份角色也答應參加演出了。碧瑤會議失敗了，漢城會議會成功嗎？大家且密切注視南韓大導演李承晚的手法。

簡體字筆戰的止戰論

彭楚珩

字體論戰的開場白

自由中國反攻大陸的軍事戰，正待發動的當兒，却先要展開一場簡體字的筆戰；是反攻戰爭的序幕？還是一般文人們看着前一番的軍事演習，看得眼紅了，也要來表演一番。不然，只是要戰士們的脾肉不生，而文士們的腕肉過肥，也不是好玩的事體。

談起我國的文字論戰，其戰史的悠久，比第十四五世紀英法間的百年戰爭的歷程，還要長過幾十倍，幾百倍，以至於全無止境，都有可能的。如果要在這綿延不決的戰門進程中，又來開闢一個新戰場，燃的戰火，實在是多餘的一回事。雙方的戰士們：你們自以爲十八般武藝，件件皆能，硬要一顯身手，爭取勝利，我看算了吧！一場打了幾千年的歷史的字體戰，你們手上，就會打出結果來，筆者有點不敢相信。所以，筆者的『止戰論』，便是這樣而產生了。有沒有理由，且看筆者下面的敍述。

我國字體的幾大變遷

首先，爲着敍述的便利，先得把我國文字演變的經過，說個大概，然後再說我那『止戰論』的理由。

在我國上古的時候，人民榛榛狉狉，無知無識，沒有書契，也沒有文字，以結繩記事，以手勢表意。到了黃帝時候，史官蒼頡，才依照『鳥獸之跡』和『事理可分辨』的形勢，造出許多象形文字來，以後事務更繁，象形文字，不能應用，又逐漸演進。東漢許愼的說文解字就指出了有所謂六書的規定，——即象形、指事、形聲、會意、轉注、假借六種，他說周朝以前的文字，大概都是象形字，[illegible]出來。開始寫的字體稱爲科斗文，也就是鐘鼎文，這便是原始的字體了。在周宣王的時候，字體上發生了一個很大的變化，太史籀把鐘鼎文的繁複者，作成大篆字體，也就是大家所稱的『籀文』。到秦始皇時代，當時的人們，又嫌『籀文』繁雜，由丞相李斯作蒼頡篇，車府令趙高作爰歷篇，太史令胡毋敬作博學篇，都把大篆改成了小篆，也就叫作秦篆。小篆比大篆是簡得太多了，但是寫的時候須用圓筆，在秦末漢[illegible]方便，[illegible]，因爲犯了罪，在獄中日長無[illegible]，秦始皇當時很賞識他，[illegible]隸書行了很久，[illegible]候，東漢程帝建初年間，有王次仲其人，已經把隸書寫成了正體字，同時，也有人說隸書根本就是他所創造的。到三國的時代，鍾繇又創造楷書字體，就是現在我們所用的楷書字，使用一千九百多年，也就不能不起變化了。以上是我國字體上的幾大變遷的大概。一般人看起來，不爭論，毫無問題，就多得很了。接着筆者就要說一說這打不清的筆墨官司的大概。

打不清的筆墨官司

兩千年來的筆墨官司，就沒有打清楚過，而且越來越厲害，清代的學者們，比以前那一個朝代都兇些。現代的文人們，一個立法委員廖維藩，擺得立法院大開院會，一個考試院副院長羅家倫，洋洋灑灑幾萬字的長文，害得整版整版的登載，筆者看來，此時此地，眞是多此一舉。

我們看：從漢初今古文尚書的眞僞問題，就是因字體上的不同而發生的。伏生口授的今文尚書，魯恭王在孔子宅的夾壁裏所發現的古文尚書，東晉時梅賾另一種多二十五篇的古文尚書，尙書還是尙書，因字體的不同，就弄出四種來，而且門戶森嚴，各有論據，一場尙書官司，打了兩千多年，一直就沒有打清楚，以現在這原子時代的眼光去看它，不特笑得人死，而且也就氣得人死。

比如，前面說過，大篆是周宣王的太史籀所作，而唐人張懷瓘的書斷即說『大篆與籀文，應分爲兩種』。王國維更說『籀』字是作誦讀的解釋，連『籀』這個人也被否認着。

又如小篆，在李斯的蒼頡篇中，小篆中雜寫許多大篆字，正和今日的楷書字裏寫簡體字一樣的情形，說他創造小篆字，怎麼還會雜寫大篆？

小篆以後，就是隸書，程邈作隸書，我們認爲沒有問題吧？不見得，宋代陳思撰的書苑菁華就說『隸書起於周代』，而劉尚的列仙傳更說：『王次仲變篆爲隸，始皇召之不至，將殺之，次仲乃仙去』。另一說是『囚犯們所作的』。宣和書譜又明明地載着：『字法之變，至隸極矣！猶有古意，至楷法則全無古意矣！在漢建初有王次仲者，始以隸書作楷法』。究竟隸書是程邈作的？還是王次仲作的？楷書是王次仲作的？還是鍾繇作的？都是有問題的。只有漢朝的人聰明，他們索性把王次仲『成仙而去』，看你們如何去追究！

（下轉第二版）

半週展望

旭軍

對日內瓦會議訂戰略

最近三天時局的重心在華府應付日內瓦會議的擬訂戰略。然而美國目前最感棘手的是謀建立美英法三國統一戰綫。因爲蘇聯以對共貿易問題引誘英國，以越南休戰問題引誘法國。欲使英國迫令美國放寬禁運，與鬆弛阻止中共進入聯合國的決心。欲使法國以越南休戰談判作對歐洲軍問題與美國講價之本錢。一則鬆懈越南法軍作戰之士氣，二則破壞歐洲防衛集團。

美國謀針對蘇聯的反間計，故最近派國外援助署長史塔森至倫敦舉行三強的經濟會議，商定貿易新政策，欲使英國雖與鐵幕進行貿易，而不致增強共產集團之軍事工業。同時使英國不致因貿易問題而與美國外交政策生齟齬。

杜爾斯國務卿廿九日之演說，主要目的在針對蘇聯之引誘法國。他說：美國不會答允中共要求以換取中共停止攻越南。表示美國已下了決心，應付中共蘇聯加於東南亞的威脅。越南之門決不被共軍敞開，換而言之，蘇聯與法國均不得以越南休戰問題來作自私的談判本錢。

杜爾斯的警告

作爲應付日內瓦會議的戰略，美政府如此的措施，是頭痛醫頭脚痛醫脚適當的辦法。根本上日內瓦會議是蘇聯的陷阱，美國目前的努力是自己討來的麻煩。

不論國務卿杜爾斯發出如何強硬的聲明，美國政府與國會表示任何策略與理論。如要鬆弛世界緊張局勢，必先要推翻中共政權。如要達到長久的世界和平，必先要瓦解當今克姆林宮的統治集團。

杜爾斯發出嚴厲警告，說：苟中共派兵干涉越局，將惹起嚴重後果，使戰局不限於印度支那本身。但中共派兵與否，實無從證實。在今之計，祗有以實力周旋，任何警告皆屬無用。

待看美國之有力行動

今日蘇聯祗用離間大國與瓦解小國反共政權之法，去蠶食，而不敢發動大戰者，不過因原子武器之競賽上仍居落後而已。在今天我們應注意一個問題，即『自由世界在蘇聯的原子武器還未追上自由世界之時，應該如何定下一勇敢的策略。』

爲美國借箸代謀，首先要擺脫一兩個所謂「大國」的牽制，以免陷於困惑。邇乎美助理國務卿在二十九日所說的：蘇聯在亞洲挑戰，奪取中國人力，日本工業，東南資源。以及台灣地位關係美國與世界安全，等等議論。已可稱正確萬分。最近美國衆院外委會小組從事研究美國對遠東區域十一國的政策方案，和會同東南亞和太平洋特別調查團發表的報告書，已認定台灣係世界戰略前哨。又謂亞洲甚或美國歷史決於自由中國前途。也是一針見血之論。

然而美國終不敢貫徹「解放政策」之原因，實在太過顧慮英法之反對。

在蘇聯居原子武器尚落後而不敢發動大戰的大前提之下，援助自由中國反攻大陸，當如援助越南消滅越盟同樣的不會發生世界大戰的後果。但消滅中共政權，對世界的影響，便遠超過消滅越盟不知大若干倍。

中國大陸如屬自由世界，則印度支那自然不受侵略之威脅，英國貿易之困難，立即解決。東亞既不受威脅，法國在越南之負担已卸脫，歐洲防衛之困難問題即迎刃而解。韓國立即統一，日本自無受威脅之虞。印度與中東亦無中立投機之地步可言。南美之共黨猖害，更無發作之機。

美國在最近朝野所發表之言論有足令人樂觀者。但待看其在日內瓦是否能果敢剛毅發出有力之行動而已。

國外通訊

埃及政變內幕及其影響

・王　可・

【三月十八日開羅特約通訊】埃及此次政變（二月十五日）乃總統納吉甫與副總理拉沙耳兩人鬥法，衝突的結果，納吉甫鑒於大權旁落，不能再繼續幹下去，於是憤然辭職。拉沙耳也乾脆，以為「你是我捧出來的，你既不幹，正好，等我來」，初不料民衆對納吉甫熱烈擁護，軍隊也因此而形成兩派，互相對立，蘇丹親埃政府又提出嚴重警告，英兵且在開羅郊外演習示威，內憂外患，同時並臻，有不可收拾之勢，拉沙耳面對此種危機，祇得再請納吉甫出來。

遠因極為複雜

納氏之辭職，近因雖出於想阻遏軍人氣燄，要求革命委員會予以否決及罷免兩大權，但遠因則殊為複雜，茲略述之：

（一）革命委員會中人，除納吉甫本人年齡較高外，其他均係革命工作秘密時期的少壯軍人，平均年齡不過三十，平均地位最高者，不過中校。彼等之邀納氏參加革命，純係利用其號召能力。迨革命成功，納氏作用已畢，於是心理上發生了「基本」與「非基本」會員的問題。基本會員中，成色複雜，且有納粹與左傾份子，而其態度之激烈則一，故納氏在此一年半時間內，對於革命委員會各種議決案，無法左右，孤掌難鳴，因為祇有一票發言權之故，大權全為拉沙耳所操縱。

（二）革命委員會公舉納吉甫出任領導，拉沙耳在幕後主持，初時尚謹慎，不敢放肆，當利用政界上的有名人士，主持政務。後來幾經變化，如罷斥前首相麻恰耳，前攝政米漢納等，均進行順利，在社會上未發生顯著不良反響，於是增加了拉沙耳的膽量，以為天下事不過如此而已。拉沙耳逐漸敢於大露鋒芒，公開與納吉甫爭雄，認定納氏不過為伊所支持之傀儡，可以招之使來，自可揮之使去，將整個利害關係，錯誤估計。

少壯軍人的主張

（三）納吉甫與少壯軍人有根本不同的立場。納氏觀念，以為軍人係代表人民起而革命，革命既已成功，應從速結束軍事，實行憲政，還政於民。少壯軍人則以為「老子拚命的革了命，自當享受革命的成果」，非到英軍撤退，國內惡勢力剷除淨盡，不能行憲，並案性規定過渡時期為三年。三年中，以革命委員會為國家行政與立法的最高機關，實行集體獨裁。故態度上納氏與少壯軍人，有緩和與激烈之分，在思想上，亦有「集體獨裁」與「民主政治」之別。

（四）由以上各因素，反映於外交的，即納吉甫主張對撤兵問題，在適可條件下與英達成協議，期避免國內經濟崩潰，少壯派則反對與英國作任何讓步，並準備於必要時，在蘇彝士運河區作游擊戰，又採取中立政策，以威脅西方國家，在經濟上，更有不惜向蘇俄及其附屬國家看齊之勢。對內政方面，納吉甫主張採取不流血的寬大與緩和的政策，少壯派軍人醉心於極端的鎮壓設施，決議了一連串的「土地限制法案」，「革命法庭」，解散「回教兄弟會」以及其他民衆團體等。雷厲風行，已到處樹敵。人民脅於武力，敢怒而不敢言。納氏既與拉沙耳裂痕，此種民怨便乘機發洩。

埃及聲譽大受打擊

此次事變，埃及在國際聲譽上，已受重大打擊。英國自埃及革命後，對於撤兵問題，雖作若干讓步，但不願全部滿足埃及要求，其所藉口者，為埃及政局不穩定，且以同樣理由，力勸美國，不宜予埃支援，初時美國人士，尚有對此猶疑者，至是似已證實英國之判斷不誤。三月一日的蘇丹暴動，亦與此次分裂，弱點暴露有關。今後要如何彌補，須看埃人的作法如何了。此外，對於阿拉伯同盟國家的團結問題，亦已發生影響，尤為不能忽視。蓋在阿盟中，埃及向居領導地位。阿盟各國因欲援助埃及，先解決英埃糾紛。對於各自的本身問題，暫時擱置不談，以求對外態度之一致。而此次風波一來，有些國家大為失望，再不願作無限期的「等待」，以影響自己前途。其中最堪注意者，即為親英的伊拉克，該國因地理關係，受蘇俄威脅，急需外援，且自帝敗國挾小埃及，實有合併敘利亞與約旦之野心，以往因埃及反對，不便公開活動。今埃及既突然分裂，聲威大減。阿盟為一難得機會。是以此後之阿盟步驟，將更不易於整齊，團結恐成問題。

共黨彭張實為隱憂

今日革命軍人在民心喪散，對革命的信心，發生動搖，一時難於振作，加以埃及國內，威信已一落千丈，殆無疑義。恢復大不容易。納吉甫個人雖然勝利，但反革命份子乘機活動，社會已呈不安現象。最大危險厥為共黨蠢動，乘機活動，無孔不入，混水摸魚，已到處煽動學生工人，罷課罷工，所呼口號為：「擁護納吉甫打倒革命委員會」，其目的無非在打倒革命委員會之後，再打倒納吉甫，取而代之。實行個個擊破的策略也。

現在觸目驚心的現象，即蘇俄在埃勢力，無論在政治文化與經濟上均已日趨發展。蘇俄的公使館業已要求埃及政府升格為大使館，並交涉准許在埃設文化學會，映放蘇俄電影片，舉行工業展覽會，加強兩國間貿易等。開羅的報紙天天如此大肆渲染，此外東歐附庸國家如羅馬尼亞之汽油，匈牙利之砂糖，捷克之軍火，或業已成交，或正在商談中。這些複雜的情形之趨勢，真令人不禁為埃及前途抱無限的隱憂。

△越南軍騎象在前線協助運輸情形▽

放射性雲層蹤跡渺然

這一次美國舉行的氫彈爆炸，其規模之大，和爆炸力之強，直開美國（也是世界）核子爆炸的新紀元。日漁船被放射性塵波及，船員皆因此受傷，這是大家都知道的事實，其實還有一件相當嚴重的事，只不過美國原子能委員會，沒有將之公開討論罷了。據很可靠的消息說，三月一日在瓜加林環礁島附近所進行的氫彈試爆，其所產生的放射性「蕈狀」雲，科學家們已在暗地裏擔憂。因為在美國舉行核子試驗後數天之內，美國各地的實驗室即紛紛向原子能委員會報告，在空氣中發現少量的放射塵，而迄目前時止，三月一日試爆的放射性雲塊，仍舊蹤跡渺然，事實上，這次爆炸的威力遠超過主管人的意料之外，蕈狀雲上升的高度竟達二十哩，紐約一家科學家要為這些「死雲」的行蹤發愁了。

原子能委員對議員不滿

馬歇爾群島氫彈試爆中，據已經知道的，受傷的土著已達二百六十四人，但有些國會議員認為，除此之外，一定還有其他的土著受到很嚴重的放射能損害，在試驗地區中，當局仍在盡力的搜索，以援救可能的受傷人。

因為某一些國會議員曾將有關爆炸的情形向報界「透露」，於是這次爆炸的威力出人意外啦，其未來結果如何，無法預知啦的傳言，立刻使整個社會為之騷然，原子能委員會的委員對此大為不滿，因為事情流到外間，這些意外的情形很難使原子專家們能倉促向外間作滿意的解釋。

蘇俄選舉另有內幕

前一個星期，蘇聯最高蘇維埃舉行選舉，當選的同盟院與民族院代表共計一千三百四十七人。一般人只看到報上的表面文章，因此卻忽略了一個重要的事實，因為即使是共產黨的報紙，也只登了一批高級顯要當選者的名單，如馬倫科夫、莫洛托夫，赫魯曉夫等等，全部一千三百四十七人的名單，除了莫斯科的眞理報之外，俄國境外的任何報紙並不會詳細發表。而此中卻就有一個重要的綫索，那便是在這次俄國形式上的選舉中，幾乎有三分之二的舊代表被當局所剷除，換一句話說，舊代表一千三百四十七人中，有三分之二換了新面孔。據西方情報機構比對新舊代表的名單，在一九五〇年史達林時代所選出的代表中，幾有八百名在馬倫科夫主政下被剔除了。這是否意味着大規模的整肅，西方情報人員大多作正面的看法，目前正在盡力搜集證據，以求得到更具體的證明。

克里姆林最怕細菌戰

出席細菌戰會議的德國科學家們，他們在抵達華府時帶來一個極祕密的情報，據他們說，克里姆林宮所憂慮的，固然是美國在馬紹爾群島所進行的氫彈試驗，但在程度上說，赤魯們所最懼怕的，卻是美國在馬里蘭州底德力克營所作的活動，因為底德力克營科學家已完成一種可怖的工作，利用飛機將殺害農作物的細菌大批寄投在農田裏，一旦大戰爆發時，美國將立即發動這種細菌戰的攻勢，蘇俄的數億軍民可能會活活的餓死。（孟衡）

人物述評

典型學人——馬君武

・紹華・

（一）

桂林馬君武先生，是現代典型的學人，他早年參加同盟會，奔走革命，對於推翻滿清，討袁，護法諸役，頗多貢獻。民國成立以後，他先後服務於中央和地方，以廉潔著稱。他主持過許多高等教育機關，最後病逝於廣西大學校長任內。他富有天才，刻苦力學，故此能夠多方面發展，文學、哲學、科學的造詣俱精，一般淺薄之徒，委實不能夠望其項背。即就他對於翻譯界的貢獻來說，亦不弱於嚴復和林紓。現在距離馬先生逝世的日子，已經十幾個年頭了，「雖無老成人，尚有典型。」爰草是篇，以備治國聞者參攷，倘由是而使「頑夫廉，懦夫於立志」，那麼，這一篇評述文字不虛作了。

（二）

他是一個勤苦奮鬥成功的學生，當他的父親衛臣先生逝世時，他才九歲，哀毀盡禮，如成年人。其後從表舅陳俊卿讀書，授以科舉制藝之學，應書院試，恒列前茅。陳氏的怡樸藏書，恐資涉獵。那時風氣未開，智識份子，多以官幕科學為進身之階，他以此俱無裨實用，不屑為，留意於經世致用的實學，從况晴臯，龍伯純遊，研治國故，窺其門徑。旋肄業於廣西體用學堂，習英算，奠定研究科學的基礎，那時張之洞的勸學篇提出「中學為體，西學為用」的主張，是風靡一時的。不久君武先生由桂林赴廣州，在石室的天主堂習法文。石室向例每月學費三元，非預先繳納，即不能續學，故此每到月底，他便感覺徬徨無措，把生活減至最低限度，日食番薯充飢，晚間，就路燈下讀書，比較范仲淹斷虀畫粥，匡衡的鑿壁偷光，其刻苦自勵情形，實在有過之而無不及。後來得到鄉人劉某資助，贈以銀元四十元，遂赴日本留學，於民國前六年，畢業於日本京都帝國大學。即回滬瀏辦中國公學，清吏以他為革命黨人，將加逮捕，亟思避禍赴德，苦無資斧，乃將所譯印物競天擇論，達爾文物種由來等書和版權讓與某君，得五百元，方成行，肄業於柏林工業大學，且工且讀，復譯書以資學費，並濟家用，畢業授工程師學位，民五君武先生再赴德國，在柏林工業大學提出論文，得工學博士學位。我國留德學生，得博士學位，他是第一人了。

（三）

君武先生留日時代，在東京進謁中山先生，即參加革命，英年有為，深蒙嘉許，旋奉命和陳天華等起草同盟會章，又和章太炎，胡漢民辦民報，作為同盟會的喉舌，鼓吹革命，風動一時。辛亥武昌起義，復參與起草臨時政府組織法。民國成立，以廣西代表，參與起草臨時約法，那時各省區的代表，集會南京，推選元首，衆議紛紜，他昌言戡亂定國，非孫公莫屬，一言而決。臨時政府成立，他被任實業部次長，代理部務。南北統一，中山先生欲實現鐵路政策，專辦路政，讓總統位於袁世凱，汪胡諸人亦表贊同，他獨期期以為不可，以為袁氏以梟雄之姿，在北洋厚植勢力，乘時竊位，不過會圖富貴，未必造福於民國。及見袁氏就職後，種種措施，大相刺謬，中山先生以他有知人之鑒，倚畀殊深。國會成立，他被舉為參議院議員，旋被推舉為參議院議員，未幾袁氏解散國會，背叛民國，他復奉命奔走海內外，以謀傾覆袁氏，君武先生與梁任公蔡松坡交情素篤，雲南起義計劃，實所預聞。及護法政府成立，君武先生出任交通部長，無烟藥廠總工程師，總統府秘書長，廣西省長，這是他服官的經過。（上）

簡體字筆戰的止戰論

（上接第一版）所以，呂思勉在他所著的中國通史二八八頁曾說：『凡文字，總是大衆合力，於無形中逐漸創造的；也總是大衆於無形之間，將其逐漸改變的，由一人制定文字，頒諸大衆，令其照用，古無此事』。這一段話，實在是我國文字變遷史上的一個定評。如果說頒定文字可以作用的話，那麼唐時武則天詔定的八個字，現在有幾個人能認識呢？說文字變遷可以阻住的話，為什麼由鐘鼎文而大小篆，由大而小篆隸書，由隸而楷呢？宜和書譜懷念隸書的喪失，正和現在担心簡體字的推行，楷書必滅的情形，同一心情，然而於事何補！

我看不必多此一舉

因此，筆者覺得：要想把推行簡體字的大名，攬在一個人的身上，以期名垂千古而不朽，王次仲成仙去了，你會成嗎？程邈坐了牢仙十年？你曾坐過牢嗎？要想阻住簡體字的流行，也不要空費大力，因為先民曾經這樣作過，都失敗了，你又何必蹈此覆轍呢！所以，筆者以為：這樣幾千年都打不清的筆墨官司，最好不要打了，因為比這件事更重要的事體，還多着啦。我們要知道：我們現在住的是海島，並非大陸；我們面對着大敵，修文還不是時候；立法院院會討論一場這樣的不急之務，考試院的副院長，不在拔取人才上去用功夫，而寫那洋洋幾萬言的空文章，在我們老百姓看來，都是一些浪費，大人先生們：你們可以休矣！

編者　讀者

△本期毛以亨先生「讀史述評」一文，是對目前學術思想有所批判的學術專著，並非鑽研故紙堆，以求知自娛的東西，他在敍論中，已經有很明白的說明，謹誌數語於此，藉向讀者介紹。

△黃文衡先生：三月廿七惠書敬悉，我們以後自當留意，並此誌謝！

△白古、劉志宏、韓名鋼、劉岱巖、高鳳諸先生：承惠稿，已收到，至深感謝。

讀史述評（一）

——續讀通鑑論

・毛以亨・

叙論

聽到朋友們的談論，謂曾琦自以爲天下第一流策士，毛澤東自稱爲勝似秦皇漢武的霸主，而其枕中祕寶，不傳之心法，祗是王船山讀通鑑論一部。先嚴謂船山之學不純，曾國藩，唐鑑，羅澤南等，爲之整理，而去其駁。是以有因維護舊文化而平定洪楊的事業。若毛澤東等則重拾其糟粕，而返于駁，天下焉得不亂，生民焉得不憔悴而陷于死地？當今以船山之學亂天下者多矣，又豈僅曾琦毛澤東哉？

王船山不諱言權術

淸初顧亭林，黃梨洲，王船山三大儒，皆爲民族主義之首倡。今此風未熄，故仍爲人所稱道。通經而貫明史，王則經史並重，爲貫澈其民族主義計，大有對于其他一切流弊，在所不顧之概。其議論雖以守經爲本，以儒道爲歸。然放言所至，亦不諱權謀術數，而無所底止。嘗之而合于事實者，則爲權奸所假借，以益肆其奸。嘗之而無當者，則爲處士橫議，盜賊利用之以張頑民之膽，而傾人國。儒道本非游俠，即無以振其氣，郭解誅而黨錮生，最後則淸議息而干戈興了。儒道之終不免爲盜賊所受用，其駁雖是內伏而潛在的，排其駁而使之純，前人之功不可沒者在此。

今日而欲繼前人淸理之業，做補充的工夫：第一當取船山所揭出的文化上，社會上，經濟上，政治上各種問題中在今日尙成爲問題者，重新加以討論。而於其已不成問題者去之；第二須以合于現代之新解釋來檢討，不必拘守其舊觀點。然所謂新解釋者，有時亦不能擺脫舊觀點，即使社會變亂，人心亦不會大變的，游牧時代的耶穌，仍爲原子時代的中心信仰。不過有若干基本原則不能謂爲毫無變化，所以我們的想法，有與古人相異之處，古人之所謂天經地義者，今日則視爲連告朔之餼羊亦不如，故即謂之新解釋，亦無不可。

中共志在絕滅舊文化

惟中共的新解釋，則不特歪曲事實，而意在改變中國人舊觀念，絕滅中國數千年舊文化。其著者爲范文瀾與翦伯贊，然亦未能擺脫舊觀念：范之通史，雖衣中共的外衣，然其舊貨多襲北大陳漢章的中國歷史講義，及張相文的帝賊錄，中共責其脩改是在意料中的；翦伯贊以戰國年代錯誤而出名，絕不能有創見，殊無識爲。我對於中共編著的歷史，祗指出其錯誤而止，理由以舉不勝舉，索性不說了。茲舉船山之言，闡明此意：

「天下有大公至正之是非焉，匹夫匹婦之與知，聖人莫能違也。然而君子之是非，終不與匹夫匹婦爭鳴，以口說爲名教，故其是非一出，而天下莫敢不服。……孟子曰：春秋成而亂臣賊子懼。推其片言而折之，於是彼詐遽之游辯，不復能逞。……」（讀通鑑論敘論二）

「天下相師於僞，不但僞以迹也，並其心亦移而誠於僞，故小人之誠，不如其無誠也。誠者，虛位也，知仁勇實以行乎虛者也，故誠仁，誠知，誠勇，而不但言誠。（讀通鑑論平帝）

……嗚呼僞以迹而公論自伸於迹露之日，僞以誠而舉天下以如狂，莫有能自信其哀怒哀樂者，於是而天理民彝，澌滅盡矣。（讀通鑑論平帝。）

定論不宜隨便推翻

安史旣可以爲聖人，毛澤東又何嘗不可被稱爲聖人，特其時乾坤已熄，其人是非，天下未亂，是非先亂，是以賢者當世僞與知盡民而已。倘對良心負責的話，必不敢騁其游辯，以淆遽是非。祗在疑似之間，而一以正史爲指歸，野史與演義式之傳聞與推敲，暫置勿論。船山之學所以爲大純者在此，而其小疵則爲說得太多，知道得因嫌其少，似未注意到闕疑之戒。例如三蘇策論，東萊博議諸書，在當時無非欲推出新意，不料爲從事舉業者所借重，以引起考官的注意爲務。乃不惜先揚鄒衍之晉，曲終奏雅，如云六國自亡，秦未出之，莊公負叔段，叔段何負於莊公之類，逼王船山亦有項羽不渡烏江爲失策之言。若細思之，其實有間，這些話何從得到證明？闈墨八股中且有「舜大不孝人也」之破題，實與游戲文章中「人皆以爲樹在廟前，我獨以爲廟在樹後」之語無異。故太炎先生以蘇軾，已偏謬繆，搖曳生姿，其醜無比。

史識應濟之以史德

然就歷史上定論作翻案以推出新義之結論，如推崇曹操，與劉歆，實新莽大惡之殺，忘其實，人爲王。流風所及，李四光以滿洲人爲漢族，胡適之推崇王莽與秦檜，中共則推崇黃巢，洪，闖，獻了。是非旣淆，好惡不分，中共乃得以售其黨同伐異之技，使凡屬於彼者，雖壞人亦是好人。必須盜賊還他是盜賊，奸佞還他是奸佞，始有是非功罪之可言，而得共同以致討。至此則知劉知幾史才史識之說，已生出矜奇好異的流弊，而非濟之以章實齋的史德主張不可。蓋忖度於吾心之至當，而不肆其一往不返之奇論者，拿現代話來說，就是先將自己主觀之意見客觀化，而求其普遍，再將客觀之眞理，轉化爲主觀而成爲信仰。

吾於通鑑之義，亦與前人的解釋有別，讀史不能知來，而能鑒往即爲已足。鑒往者，知吾民族精神凝聚之所在，辨是非爲初步工夫，開闢新天地則爲最後目的。換吾民族精神以趨者，嘗祗相得於會心，抑亦具有無堅不摧，無事不立之信心，捨讀史豈有他道哉？

評：流浪者

・山禾・

作者：秦風
出版者：亞洲出版社

（一）

流浪者是亞洲出版社出版的新書之一，是一部故事動人底眞實小說。故事圍繞着女主人公朱娣的活動而展開，一直到她流浪到香港而結束。牠描寫十年來流浪生涯中，刻畫着這一代都市青年男女在政治矛盾中的內心的衝突與苦悶，從而反映出這十年間整個時代的紛擾和動亂！

故事從抗戰時期淪入鐵蹄的上海爲主要背景，序幕揭開於珍珠港事件爆發，日軍進佔上海租界的時候。故事的人物大體是：朱娣是大家閨秀，與代表中共的艾金，以及灰色份子的鍾倫都是大學同學或朋友。這些人除她和鍾倫外，他們在合作對敵僞進行鬥爭。鍾倫一向追求她很緊，她卻愛艾金。敵軍進佔租界後，艾金的廬山眞面目卸去，對羅萊等的抗日工作進行破壞，形成了三角鬥爭。鍾倫也由灰色而正式附了敵，他就乘勢逼走了艾金，佔有了朱娣。不久，羅萊行刺敵酋受傷，敵軍和鍾倫追捕甚急，賴朱娣掩護逃往蘇北，並在朱娣幫助下，使秦吉和羅萊挾持了鍾倫，利用其時准通行的汽車脫離了上海，這時艾金密報日軍，大隊日軍出動追捕，朱娣於混亂中深夜而走，偶然間參加了太湖游擊隊，一度變成了游擊隊長的情人。後來游擊隊被艾金的游擊隊誘去吃掉，隊長被殺，朱娣又落入了艾金手中，但艾金只對她玩弄，不敢傾心愛她。恰在此時，鍾倫居然已投奔了共黨，當了情報主任，又奪回了朱娣。不久，抗戰勝利，羅，秦，艾三人適分任蘇北三人小組的代表，共軍開到用朱娣籠絡羅萊，却反被羅萊之助，逃出了共軍的羅網，回到上海。因已家破人亡，便一度流浪爲吉浦的女郎。後國共破裂，秦吉抗艾金決鬥被共軍射殺，鍾倫挾巨款出亡海外，羅萊亦被囚回美。共軍渡江後，朱娣流亡到香港，羅萊與鍾倫先後到港，艾金亦覺悟中共之非而逃來香港，由是而羅萊一處，檢討往事之後，決定從新戰鬥。

（二）

作者寫的這本書主題，是所謂：「從一粒沙看一個世界，從一個女人看一個世代」，想從朱娣這一個女人的故事中刻劃出這一個世代的形象和演變來。從這方面講，大致是成功的。但只在浮面的直線的刻劃出這個世代演變的經過，如能深刻地刻劃出這個世代的內層的話，當更有成就。

但這本書似有不少的缺點：首先是作者似乎過份強調了戲劇化的趣味，以致當時情節有些牽強；這種大團圓的結局，大多爲現代小說所不取，在動亂的時代中也很少有它的可能性，雖標明「眞實故事」，却反令人覺得不眞實。

其次是作者在前章介紹人物時，和在以後若干處描寫他們的行爲時，發生了不少的矛盾。例如：在介紹艾金時，曾說他是一個性格爽朗，富有朝氣，和一切都很圓而富有理想的人；然而在他的作風中卻並不爽朗，相反的是很儒弱和遷就現實。在介紹鍾倫時，曾說他是一個紳士型的溫文爾雅的和藹可親的人，然而他所表現的，卻與流氓無賴相似。在介紹羅萊時，曾將他說成爲一個浪漫不羈的水手，後來卻又將他說成爲一個憤世嫉俗，慷慨激昂的人。在介紹朱娣時，曾說她悟性很高，對哲學和常識都有廣泛的理解，然而在故事中，她彷彿完全是一個無知、墮落、浪漫而任性的人。

（三）

在故事的銜接方面，也不夠緊密。例如以朱娣爲中心的巧合太多，而若干人物在許多神出鬼沒之間的補綴則有疏漏或太潦草。最明顯的是鍾倫在搜捕艾金與鍾倫如何突然脫險始終是一個謎。朱娣和鍾倫突然訂婚的由屈服到親密過程的也太潦草。

在若干小節方面也頗有疑問。例如：日軍已進租界，羅萊這個美國人竟還能幹行動工作？天下雨反而沒有腳印？朱娣學了幾個月射擊竟能三中紅心？（幾十年的老兵都沒此可能）鍾倫當了共軍的情報主任，竟會有權管住作爲黨幹委艾金？這些小節在常識上都很有問題，問題雖小，卻爲大疵。

三。日。小。評

我們滿意岐樂嘉的話

・旭軍・

立法局開會，通過香港政府一九五四年至五五年下年度政費預算案，預算額決定爲三億八千八百廿六萬二千零五十元。比較首讀會時之預算額反增加三萬四千六百廿六元。數字雖然龐大，但財政司岐樂嘉最後發表的演說，却令人相當滿意。

第一、是他說明來年不擬提出加稅，因爲政府所獲識比期待者爲佳。最符合市民願望者，則是他聲明政府對政費支出問題堅守量入爲出之原則。他說：『我們目前所進行的一切計劃，如果不是目前所急需的，那就無異留給後代一些負担。』這不獨在香港情形是如此，就是推想到國家財政措施也是如此。我們聯想到在一省或一國的建設，往往不分輕重緩急，結果徒自耗民財，對人民毫無實益，其計劃雖能實現，亦如中國之萬里長城而已。至於共產政權更無論矣。曾死千千萬萬的老百姓，却不可不「勝利完成」其移山倒海的「光榮計劃」。愛民之政府與害民之政府之分別在此一點！

今政府既不擬增稅，則不發行公債自無問題了。因據岐樂嘉先生說，政府之急需設施如大欖涌水塘及啓德機場工程建築費尙可自儲備金撥用。

至於米糧方面，香港市民不但明瞭政府的困難，而且極讚佩政府維持民食的勞績。岐樂嘉先生說：『關於米糧方面沒有人比我是更感不安。因爲在白米所支付的損失，實在是太大，本港一向米食不足。由於商辦米現正和政府競爭，不只在質的方面，同時在價格方面，政府一方面極力設法減少所受損失，同時又須以廉價供應居民。』這是說明一個肯爲人民服務的政府自然遭遇到的困難。但我們仍盼望香港政府仍努方不餒更切實執行維持民食之良好政策。

中學的師資問題

在立法局會議中，署理教育司毛勤說明本港教育最重要的問題是中學的師資。筆者謹提出一個治標和一個治本的方法。現香港失業的受高等教育人士極多，在學識方面能作中學校內的傳授智識者，固綽有餘裕，但未能令人放心者，在容或有「暫求棲枝」之觀念，而無眞正樂育英才之興趣，以及許多未受過師範教育，不適宜於做教員。然而千萬人中未必完全無教育興趣者，若徵求此等人士而加以短期訓練，吾人可逆料中學師資不慮缺乏。至有治本之計在多設師範學校。香港大學收費甚昂，而畢業後出任教師所獲之酬報比其同學就其他職業者遠遜，是亦值得考慮之問題。

中共國營農場遭受慘重失敗

「本報訊」據北平中共官方消息，正當中共大肆宣傳並推行農業集體操作，向蘇俄集體農莊制度推進之時，東北大批大規模農場之生產，宣告慘敗。該批農場係中共「國營農場」，計爲：寶泉嶺農場，「九三」榮軍農場，永安農場，二龍山農場，通北農場，紅星農場，紅旗農場，公主嶺農場，撫順農場，薩爾圖農場，皆係東北區國營農場管理局」所直接領導。該十大農場，合計擁有耕地四萬八千七百十四垧，每垧合十五畝，共有七十餘萬畝之多，但上年秋收時，僅共收穫數四萬零九百十四噸，約合食米僅五十餘萬石，平均每畝生產量，尙不足一石。失敗之原因，中共認係管理不善，浪費嚴重，以及耕作之方法均欠妥善。其他各地中共所經營的集體農場，據共黨報紙「讀者投書」中發表，亦充滿上述現象！收穫量普通低落，其主要原因爲共幹顢頇無能所致。

徐雁羣被逼自殺

・王世昭・

徐雁羣，大埔人，曾參加庚戌及黃花崗之役。張勛復辟，氏以工兵營長隨姚雨平北上，終毀小朝廷。大陸變色後，氏以年老力衰，不及去粵，就食於增家。初共幹頗疑之，因託姚雨平告葉劍英曰：「我年已老，無能爲。必欲殺我，當自縛，不須日夕訪問，使我精神陷於不安也！」以故共幹遂不復來。惟仍暗中監視之，如此又數月。一日天大雨，偶避雨茶肆，逾一小時歸家。共幹隨之來，問：「與何人開會？」曰：「避雨」！共幹曰：「避雨何須許久？非開會而何？須坦白！」徐曰：「避雨屬實，坦白無以應命。」糾纏到夜半一時，共幹尙未去。徐曰：「君可以行矣，余實未開會，故無法坦白，必欲追究，徒費光陰無益也。」共幹既去，氏自覺長此以往，生機亦盡，盍若自殺，以了殘生。遂投環自縊於門楣中。比天明，人來方知徐氏已死。姚雨平與吳奇偉均來奠，姚助三十萬人民幣，吳助四十萬人民幣，草草成殮。親友爲揮淚者姚氏一人，餘則酸鼻不敢，何況哭乎！

×　×　×

忌諱之說

馬五先生

這次國民代表大會之後，開始選舉總統，秘書處通知正名爲「選舉總統大會」，有人當場提出異議，認爲多此一舉，何不照樣稱爲國民大會呢？嗣經主席說明，因爲開始選舉總統之日，恰爲第十三次大會，頗嫌「十三」數字不祥，因而另予正名，以示祥瑞。

「十三」的忌諱原是洋人所發明的，中國似乎不必全盤西化。不過，此時恰有吳國楨上書國大會議，詆毀政府當局的突發事件，這等於當年耶穌信徒中發生了一個出賣教主的叛徒，確屬非同小可，避開「十三次大會」的名義，實符舊禮教之國粹思想，非完全出於洋迷信也！

可是，我們另一個民意代表的立法院長卻偏偏不信邪，就在此時發表文告，向行政院提出詰詢吳國楨過去違法瀆職的十三點罪行，要求答復。他既不像我國固有的罵人術，臚列十大罪狀，表示罪惡貫滿盈；也不編成一打之數，以昭整齊劃一。不多不少，剛剛十三點！這似乎是在跟國大會議祕書長唱對台戲，要打破那種洋迷信，確彰中國本位的氣概。就愛國主義說，院長這一手確比秘書長來得精警，硬是要得！

據說：咱們上海所謂對愚蠢無知的人叫作「十三點」。見了院長這十三點的書面質詢，不免要大吃一驚道：阿要難爲情？齊巧十三點！

趙爺叔

・易人・

洪大嫂的家裏今天從香港來了一位若難的朋友——趙先生。洪大嫂一向是見過大場面的，她看了趙先生那種狼狽的表情，內心裏着實也有幾分同情，她開口就安慰趙先生：「這時候，眞是若難，有了生命，便是大幸，現在請你安心暫住，再作打算。」

趙先生很謙恭的答謝：「謝謝大嫂！」他說到末後一字，已是嗚咽不成聲了，可是他立刻鎭靜下去，兩顆眼珠兒，凝視着從鼻子裏面出來的烟氣。

洪大嫂的家裏的確沒有餘屋可供客人住宿的，祗有吃飯的地方，臨時搭上地舖，從這天起，趙先生就做了洪府的食客。

洪大嫂眞是好福氣，不到四十年齡的人，不但還有一位忠厚儉樸的婆婆，幫助她料理家事，而且還娶進了一房媳婦，一家門很完整的團聚合歡，每餐吃飯，終是嘻嘻哈哈的一整桌，這對趙先生的處境，眞是一個相反的對照。

趙先生從來不會做過食客，他處處感到拘束，特別是開始吃飯的那一剎那間，當他每次坐下桌邊那條櫈子時，終覺得很不自然，讓別人先坐下，最後他始就位，像他這樣自以爲有禮貌的舉止時，可是始終得不到任何對方的答禮，這是他感到最慚愧也最痛苦的地方，他祗是低着頭嚼，眞沒有勇氣向同桌人瞟了一眼，或者向遠處下箸，去分嘗一點名貴的菜肴。

洪府的飯桌原來是有一定坐位的，正中是洪先生坐的，東首是老太太與洪大嫂，西首是洪少爺夫婦，因爲趙先生住的日子多了，也得規定一個坐位，那便是正中的下面一位。一天一天過去，趙先生毫無辦法解決生活，白天常是向外亂逛一陣，有時遍遊遍唸：「唉！我的家呢？我的妻兒呢？我終不能死呀！」他這樣唸着，他的右手早就從口袋裏摸出了手帕，輕輕地把眼角抹了又抹。

在一個幽靜的晚上，皎潔的月兒當空掛着，趙先生佇立院中，聽遠處吹來的音樂，正在仰望若思之間，洪大嫂偕着媳婦迎面走來喊了一聲：

「趙先生，又在想家裏了？」

趙先生趕快笑顏相迎，說：「沒有」，大家便站下來聊天，洪大嫂的媳婦是一位年輕活潑的姑娘，她在聊天中突然提出了一個問題，請問她的婆婆：

「媽媽，常來我家的沈局長和劉主任，我稱呼他們是沈伯伯，劉伯伯，如今住在我家的趙先生，與我們的爸爸也有深厚的關係，我應該怎樣稱呼？」

洪大嫂立刻合上兩眼，像很費力的思索一回，他想：「如果照禮貌上，或者從年齡上來說，洪先生還比趙先生少了幾歲，依理也該稱呼伯伯，祇是這樣稱呼，好像有點不大順耳，趙先生如今這樣狼狽，連下女們也瞧不起他，如果過分尊敬了，怕會影響了自家的品格」，她這樣想了一回，才回答媳婦：「你以後稱爺叔好了」。

媳婦是天眞的，她好像得到了一個新奇玩意兒似的，一面哈哈的笑，一面就連聲的喊：「爺叔，爺叔：」由於這一陣笑聲與喊聲的怪僻，正在廚房裏洗碗的下女阿英也出來看熱鬧了。

「小姐，什麼爺叔？爺叔？」阿英懷着好奇的神態發問。

媳婦指着趙先生，帶笑帶喊的回答阿英，「哪，趙先生是我們的爺叔，以後要喊爺叔，爺叔，……」

那時趙先生很不自然的，也很謙恭的連聲說：「不敢，不敢，隨便，隨便。」

可是趙先生就從此起，洪府裏的人都稱他爲「爺叔」了，過了些時，甚至洪先生或下女阿英也都這樣稱呼了，很自然的「爺叔」兩字就成了趙先生另一個的名號，像「老陳」「老王」一樣的順口喊起來。

自卑感的由來

・溶溶・

我們每一個人，永遠藏着一面看不見的鏡子，這個鏡子，使我們看見自己，看見我們體格上的表現，品格和個性，除了很少的例外，這個鏡子有些缺點，有些裂痕或盲點，在若干特別方面會使我們的印象有點變態，叫一個朋友說及他的自己，他很少能說得自己準確或者合理。

美國猶大州醫學院的勃郎博士爲了這個問題曾經作過很廣泛的研究，他訪問過上千的有自卑感的人，小部是過度自誇，大部份是自己輕視自己的，已若干例證證明自卑感是從這人的下意識得來，有若干病者是不善處理交際而產生內心矛盾的，更有些做出自己的想像來諱言他的困難，日子一久，他的信仰便無法磨滅了。這個動機領導人們到自卑感便永無了期了。

下面舉出六個舉例，是從實際病例中抽出來的，但每一個例證中亦代表一個很普通的型式。

（一）對身體的變態觀念，一個很美麗的女子，她自己以爲生得很怪，雖然街上遇到男子看見她，得每再回頭端詳她，她自己覺得她之所以被人端詳是因爲自己生得怪，她想像出自己生得又高又瘦又難看，雖然多方對她解釋也屬無用，大約會有一個肯定的理由她怎樣會有這一個觀念，她會有許多生理上的問題不願面對的，她總是認爲自己生得醜，常常對自己說：「若果我能夠生得美麗一點，我的憂慮便可解除了」。

（二）恐懼失敗，一個二百磅體重的足球員，是龐然大物，他不以爲自己相反的，他認爲自己是一個無膽懦夫，時常因閃電行雷而驚惶失措，他對醫生說：「我好像又強又大，別人對我也是這樣看法，有時我可以把電話簿撕作兩半，但實際上我只是一個懦夫。」大約他變態的原因，是因爲他恐懼有一天表現得不好，所以心理上他得替自己製造一個托辭。

（三）基本憂慮，一個廿六歲的礦場工程師，當我向他說：「我想，你會已經過自己的感覺，他對我是「矮，瘦，光頭了」，事實上他是五呎七吋高，實重一百九十磅，我再問他仍有很多頭髮，他實在是過份的害羞，在社會交際中完全無功，他自己表示他很渺小，絕無主觀，他實際上因爲他害羞，果爲內造一個精神的想像去滿足自己，然後指責那想像去掩飾自己的害羞。（上）

玉樓春

・楊若瑛・

眉梢眼角潛相盼，未敢人前端正看。有情裝得似無情，對面恍如千丈遠。

溫香軟玉嬌無限，蜜愛輕憐愁夜短。枕邊私語最纏綿，又聽城樓更鼓點。

憶郁達夫與風雨茅廬

・鐵頭・

後來，創造社的一般人，慢慢星散，做官的做官去了，搞黨的搞黨去了。達夫依然故我，頓覺孤單，加以在職業上遭了一點打擊：原來他在武漢大學任過教，隨後中央教育當局換了人，新的當局，認爲達夫乃頹廢主義者，竟把他和性史博士張競生，列爲一類，說是他們影響了青年的思想，不應該混迹在高等教育裏面，竟將他解了聘。他不免意興闌珊，頓萌「歸隱」之念。于是摒擋一切現金，在杭州大學路旁邊，買了一方地皮，蓋了三四間平房，打算和王映霞及一羣兒女，作歸耄之計。

屋子是杭州普通流行的樣式，一進門有兩間小廂房，正房三間，分隔前後，就變成了六間，坐北朝南，狹長的小天井中，也種了一點花草，牆邊兩頭，還栽上兩株垂楊。那垂楊與一般的楊柳不同，葉小而曲，初春爆芽時，有如一顆一顆的綠珠，綴在銀條上面。暮春三月，則又變成了綠紗小繡球一般的纍纍相綴，隨着柔枝，依依下垂，微風飄拂，輒搖搖起舞。襯着那達夫的清癯身材，頗有點象徵意義。于是有一個朋友打趣她們夫婦道：『這楊柳之旁，應該補點什麼，你們知道麼？』達夫未及回答，映霞先接着道：『不知呀！你說應該種點甚麼呢？』那朋友道：『應該補幾株芙蓉』。映霞若有所覺似的，橫着那晶瑩的雙目，翹着那猩紅的兩唇，嫣媚的趕着問道：『那是什麼意思呢？』『芙蓉如面柳如眉，……你們忘記了嗎？』

那朋友一面說，一面笑，一面就腳下抹油，趕緊跑開，恐怕映霞嬌嗔起來，或許會將手中正擎着的一杯滾熱龍井，朝他身上淋去的緣故。達夫則連忙攔住，叫他不要跑，當心跌倒。說：『還是到我的書房去坐罷。』

那書房，可說是全棟房屋的精華。原來他在正房的東面，另闢了一個小院落，蓋了方方正正的一個大房間，房間裏面，上上下下四面八方，全部都擺滿了書籍，日文的，英文的，德文的，法文的，以及中式的綫裝，樣樣俱有。其中尤以日文的較多，日本創造社所出版的或翻印的整套與全集，差不多他都蒐羅起來。的略估計，大概那一間屋子所堆疊的總數，當在萬册以上。據達夫說：『還有許多書，猶放在上海，慢慢再拿回來。』但是，據朋友看，再拿回來，那書房中，實在無處可擺，除非他再在正房中，另闢一室。（二）

論蒹葭樓主黃節詩

・王世昭・

自命不凡的黃節

何以我說黃節自命不凡？只要看他詩集題簽爲「蒹葭樓詩」可以見之。

蒹葭四言詩見於詩三百篇，詩云：

「蒹葭蒼蒼，白露爲霜。所謂伊人，在水一方。」

自清末以至民國，中國有幾個詩人？在黃晦聞的心目中，除了陳三立，羅癭公，蘇曼殊，諸宗元，張爾田等之外，恐怕也就寥寥可數了。所以，他以「蒹葭」自喻，還怕人們不瞭解，故又名其樓曰「蒹葭樓」，我們的詩人坐在蒹葭樓上，可望見「在水一方」的「伊人」，這伊人是誰？可望不可即。既是可望不可即，除了自己之外還有什麼人？所以我說：黃節是「自命不凡」的。

黃節既以不凡自命，他的詩究竟是不是不凡的？最近我讀他的詩集，的確感覺到這一位不凡詩人的詩的風格，技巧，內容，自有其不凡的造詣，黃晦聞是不可以估量的。前不久我見到左舜生先生，他說：「在現代詩人中，黃晦聞的詩寫得很好。」我當時不置可否，但到處找黃晦聞的詩想讀一讀。恰好王韶生兄有這一部蒹葭樓詩，我拿回來後一口氣讀完，覺到左舜生先生所談的頗有根據，黃晦聞的詩是話不虛傳的，故讀後爲作評述，第一段文字即以「自命不凡的黃節」說起。

黃節時代是什麼時代？

黃節生於清同治最末一年，卒於民國二十四年一月，得壽六十二。這個時代正是國危民病禍變無日的時代，張爾田爲之序云：

「金之亡也，顯宦紳如羣羊，木佛編鐘，括宮排市，而元遺山之詩作。明之亡也，白骨如麻，赤地千里，至奴僕呼家主以兄弟，撤棄文書，結寨焚殺，而屈翁山，顧亭林諸君子之詩作。嗚乎，今乃得君而三矣。」

張爾田至比黃節之詩於元遺山，屈翁山，顧亭林，那麼黃節所處的時代是什麼時代？也可以思過半了。至於黃節是怎樣的一個人物？張爾田又說：

「君既以詩鳴海內，居京師十年，窮且餓，當項城稱帝，時名士趨之若坑谷，而君獨翛然南歸，又有徵之出者，亦堅臥不一應。」

可見黃節是個很有氣節的人物。我常說民國時代的詩人，若論其用處，康有爲未可厚非，梁任公亦可無間；鄭孝胥以言爲滿清忠臣，以言民國則反賊；汪精衛則以民國革命黨人而背叛民國，自難逃漢奸之誚。其餘爲民國官而附滿而附逆或諂擁者，皆得以貳臣視之。士君子立身處世，不談氣節，而專作東倒西歪之夢者，可以鑑諸！此孔子之所以作春秋，而亂臣賊子之所以懼者，蓋亦有由了。（一）

彭雪琴遺札

・太希・

友人出示家藏彭雪琴致沈觀察函稿一件，按其時沈爲兩江總督，彭則巡閱長江，蓋沈彭皆同治初名人中砥礪廉隅，切直果斷，見義不稍讓者。

今節錄數則如下：「洋務言防海，防江則軍務也，尤須得人相助爲理，尤須得有經驗之軍事人才相助爲理，始有濟耳，否則無地無人才，不諳軍務，用之非徒無益，何也，議論多而成事少，成事少則耗公費，議論多則易搖惑，非親歷軍務多年，識不卓而論不確，非親歷軍中利害，識不透而論多歧，同是人才，用之不當，與無人才同，甚矣辦大事之難得人也，不得人則主政者多受累，而事不行，得人則主政者隨益而事多濟，承示台事得手，剿撫兼施，最得要領，勞苦功高，敬佩無任，不卜何日東來還以大江南北人民之望，弟約厚庵宮保，於湖口而會，弟俟晤商後，即行上巡荊襄一帶，沿途耽滯，恐須秋暮始能歸衡陽舊廬，彈指流光，彈指又是來春下駛之候，明歲荷花生日，當必暢領教益於六朝山色中也，又密啓者，長江水師，於八年歸標後，不數載即敗壞者，實提督黃翼升多革去老兵以遂其私而壞之也，黃翼升僞君子，實眞小人，深堪痛恨，不可交也。」

考彭此書，有極警句，如論議多而成事少之言甚精卓，又有極堪爲史料者，如昔人常以彭與楊載福黃翼升同稱爲江防人才，觀此書言，則可見黃之品格，又函中有論金陵籌防局，言「所用之人多未親歷戎行，與長發頗能幹事，江陰礮台乃其修築，其餘統領，尚有婁軍，均未見實效，惟嫌金陵陸軍統領多，恐一旦有事，調度不得歸劃一，誤事耳。」此尤見老成謀國之忠，慮患之深，戒備之夙，若彭公生於今日，覩此顢頇，正不知如何悲憤也。

中華民國僑務委員會領發登記證台教新字第一零二號
中華民國郵政登記第一類新聞紙類

自由人

THE FREEMAN
（半週刊每星期三六出版）
（第三二二期）
每份港幣壹毫
督印人：羅嘉歐
社址：香港高士威道二十號四樓
20 CAUSEWAY RD 3 rd. fl. HONG KONG
香港發行及事務接洽：高士打道六六號
電話：七四〇五三
承印者：東南印務出版社
地址：高士打道六十四號
台灣特派員辦事處：台北市館前街五十號
台灣總經銷處：台北中華路五九四號之一
台郵撥儲金戶九二五二

國民大會閉幕以後

南容先生這篇文章，吐詞雖不免有些過於激切的地方，但一片憂時愛國的心情，却是躍然紙上的。主文譎諫，言之者無罪，聞之者足誡，希望我們的讀者，不要以詞害意爲好。——編者

・南容

新政府的蜜月時期

第一屆國民大會第二次會議，經過三十四天，於三月廿五日閉幕。這一次會議，各方說也是成功的。而且各方也說是空前偉大的成功。國民大會許多代表先生這樣說。國民大會許多海外名流也是這樣說。乃至國民大會秘書長對新聞記者也是公開這樣說明的。當然，國家元首任期屆滿，依法辦理選舉，將國家的生命依法延續下去，這是一件可以平穩地完成，就開會本來讀，這是成功的。但是我們再想一想，民主憲政國家辦理大選，還是在憲政常軌上一件極平常的事。在施行憲政制度的國家，所謂成功，那是就勝利的黨及當選的人，至於大選以後，國人對新政府感到欣慰，那要看新政府施政的結果。美國人稱新總統就職後短時期爲蜜月時期，蜜月時期的甜蜜，一剎那即過去。

萬物皆備於我矣

今天國家的情勢，正如蔣總統在閉幕辭中所說「今日大陸淪陷，人民所受的浩劫，是五千年來未有的浩劫」。在這句話中，全國上下，可以深深領悟，今天我們國家應該十分戰戰兢兢，想到前途的艱困，我們的心情中，不能稍存半點倖倖快樂，更說不上一時一刻的蜜月，新政府滿目瘡痍。我們對於選舉僅有勝利者的感想與勗勉，也只是論語上一句話：「反身而誠，樂莫大焉」。全國人民經過其代表選舉下一任的元首，把國家民族整個的命運交給當選的人，這是何等謹嚴的任務。今天全國上下，眞是「萬物皆備於我矣」。全國人民所仰望於新政府的，就是一個誠字——對民主憲政的正心誠意。新政府正心誠意實行民主憲政，新政府一絲一毫的誠意，人民沒有不知道。反之，新政府一絲一毫的不誠意，全國人民及天下後世也決沒有不知道的！

民主不在形式裝點

民主憲政是生活方式，也是心理狀態。民主憲政的保證，要在日常生活中；國家有沒有民主憲政，要在全國上下心理狀態中去表現，不在形式上的裝點，更不是利害上一時的措施。國民大會開會期中，大家口不離憲法，這並不一定是民主。國民大會閉會場一切佈置，秘書處各種服務，還是大家一致所稱賞的。但不能就稱此爲民主憲政已實現。國大秘書長於閉幕後對新聞記者表示這次大會如何成功，似已超出職權，不免有點失態。我們要轉變全國上下，正心誠意去實行憲法，排除各種形式舖張。[illegible]會場附近區域似乎已成爲特殊區域，居民爲之不便，正顯示心理上尚欠民主。這種辦法是辦勤務，而不是民主憲政方式的事務。我們看過多少民主國家的大選，從來沒有像我們這樣的。

應爭取保障人權

「我們要生活得到自由，法治得到保障，就要以生命來保衛我們的憲法。以生命來保衛我們的民主憲法」。這是蔣總統在國大閉幕時所昭告全體代表。我們覺得憲法所以值得我們的保衛，就在這部憲法，代表了國家數千年的文化，及近代世界文明。而憲法中最值得我們擁護的，便是第二章「人民之權利與義務」。民主國家與極權國家的不同，全在人權的尊重與否。民主國家憲法上所列的人權，是切實可以兌現的。極權國家憲法上的人權，完全是欺騙與僞裝的。民主國家所以能經得起各種危機的考驗，就因爲人民享受充分的人權。今天國民大會閉幕以後，大家既須以生命來保衛民主的憲法，就應以生命來爭取人權的保障。民間掛彩放鞭炮的對象，應該立刻移到保障人權的憲法條文上去。國大閉幕以後，各級民意機關應把這一個問題作爲擁護憲政的第一個課題。一個民主憲政國家，如果人民的人權不能保障，這種狀態，是經不起考驗的。今天擁護民主憲政的人民，大家應一致恪遵蔣總統在國大閉幕時所講：「盡量協助政府，秉公舉發，嚴密監督，切實調查，看我們政府是不是不民主不自由。」

酒食行樂可爲痛心

、國民大會這次三十四天會期中，開會時好的方面，說的人已多，不必我們來錦上添花。我們站在一個平民的純粹立場，今天遭逢五千年未有之浩劫，稍有人心的，何人再有興緻酒食行樂。稍有是非，今天自由中國的上上下下，那一個不是罪戾滿身。但是實際情形，這幾十天來酒飯館的情形，鞭炮舖的生意，實在使我們言之痛心。我們大家在今天有什麼可慶賀！又有什麼人夠得上受特殊的歡迎。有幾位代表說，在台一月中，每餐應酬平均三次，假是再加茶會酒食，便是鬧得昏天黑地。這種情形，固然不是每人如此，但多數代表是如此，尤其是若干海外名流代表是如此。國大閉會時各種情形，使我們惶惑不解者，莫過於此。國難嚴重到如此地步，有心人瞻念大局，正是稍有不幸，不知死所。今天國大閉會，辦理大選，在憲政國家是尋常而尋常的事。有那一點要使大家自我陶醉至此！

社會盡量表現自卑感

說到海外僑胞代表，誰也不能否認他們對於祖國的貢獻。我們歡迎僑胞代表歸來，正是對於全體僑胞的認識，在復國中地位的重大。全體僑胞在此次反共抗俄大運動中，已經顯示了極大的功績，今後還希望他們爲祖國加倍的奮鬥。我們對僑胞的敬佩，因爲他們多少年來對祖國，只是貢獻服務，而不求名利。他們期望祖國的強盛，這是赤心忠誠。我們對海外僑胞之敬仰，並不能與所謂海外名流代表們相提並論。這次代表祖國對若干海外名流禮遇似乎太過份了。一月來，尤其近旬中，各界對於若干海外名流代表之倒屣歡迎。排日歡宴。一如這個國民大會，沒有他們來裝點門面，將使大局黯然無光。而所謂海外名流代表本身，似亦自居爲國家之上賓，以爲回國開會，已經爲國家爭回面子。許多人以望見顏色爲榮，立監兩院，一再舉行茶會歡迎。這正是充分顯露民意機關失去尊嚴，社會盡量表現其自卑感。講到這次各方到會代表，惟有所謂海外名流代表之表現，最難令人滿意。例如某先生一方簽署王雲五競選副總統，陳誠當選後，他又對記者說：「正中下懷」，「副總統應兼行政院長」。這種歪來倒去的人，必須嚴厲加以糾正，不應胡亂去恭維。

國大閉幕後，政府與社會恢復常態。今天應做的事太多。所應做的事，便是政府上下，徹底檢討，把事實來表現我們的民主憲政。把事實來答覆吳國楨等對國家的誣衊。國家法統絕續之交。正是大家憂勤惕勵，艱難締造之會，「入則無法家拂士，出則無敵國外患者，國恒亡」。現在敵國外患已擺在眼前，何處是法家拂士？這是新政府所當虛心訪求的。法家拂士，不會自天而降，當局如果誠心要求法家拂士，那就滿目都是法家拂士了。

埃及的中立主義

「我們必須竭盡所能，爭取蘇俄的援助，支持我們的鬥爭，並須予蘇俄某種報償。」這是埃及派駐莫斯科大使馬茲拉在二月初公開宣佈的。也正是這位在二次世界大戰期中曾任軸心國派在中東的地下份子馬茲拉，[illegible]這是值得重視的事實。[illegible]一九四一年[illegible]飛機[illegible]西部沙漠中，終遭逮捕。在他宣佈的談話後一天，納塞將軍也宣佈，他已召集埃及駐外使節會議，釐訂一項新的中立外交政策。

埃及爲什麼突然採取中立主義？其中最主要的一個原因，是開羅方面對於美國努力促成「中東防衛計劃」——巴格達公約——安撫阿拉伯國家，排除埃及於預定的軍事援助之外，引起了憤怒。這種憤怒是不會[illegible]的，因爲埃及去年曾阻擾一種擬議中的中東防衛組織之產生，可是目前的計劃必將削弱埃及的縱橫捭闔的權力。

其次，埃及的政策是着眼於利用強國間的衝突。納塞特別是利用目前東西雙方的衝突。納塞將軍及其助手們認爲，他們藉建立[illegible]，較參加一種西方防衛公約，可以獲得美國的更多經軍援助。埃及之向東德和其他附屬國家謀取接近，就是由於這些原因從中作祟。可是事有湊巧，

今日中東的形勢

・焦木譯・

[illegible]種現實的政策。美國的中東[illegible]力安撫阿拉伯同盟的各國政[illegible]些國家的政治安定和軍事[illegible]滿意地了解那些專家的心理[illegible]攫取不少的利益。

阿拉伯同盟與西方

[illegible]拉伯同盟的中立主義，還有[illegible]以對阿拉伯的政策同阿根[illegible]例：美國人會協助[illegible]拒絕支持西方而驚異，憂慮，憤怒。可是，阿根廷——和阿拉伯國家比較——卻是一個經濟上發達，政治上自覺的國家。阿根廷的統治者，同阿拉伯同盟各國的統治者比較，可以認爲是民主的，自由的誠進步的。此外，阿根廷並沒有受一種認回教徒天生成比別人優越的信仰所刺激，並沒有受激烈的中立主義，或極力從事侵略和擴大領土的鼓吹所刺激。可是華盛頓與倍諾斯變動之間的關係，自然並不協調。因此，阿拉伯同盟與西方之間的關係爲什麼不會更惡化呢？

有人似乎認爲在西方存在着一種「陰謀」，於分析目前阿拉伯國家時，不注意殘酷的政治現實。這項意見，向爲保守的報刊如「泰晤士報」以及同一立場的英國「新政治家」所倡導，卻是掩飾了眞正的情況。牠對於目前的挫折，無疑地要負相當大的責任。眞正的事實淸楚地指出，目前沒有理由足以認爲阿拉伯同盟肯參加西方的聯盟——至代價如何可置而不論。

這也不是說，阿拉伯人將更和蘇俄謀取接近。這只是說，阿拉伯同盟的軍事領袖和封建領袖認爲他們和西方的資本家誠東方的共產黨間，並無共同之處。如納奎勃於去年十二月間告訴貝文的，他們也相信，任何蘇俄的未來侵略必先在中歐發動。他們認爲，當這種侵略一旦發動，莫斯科自不願在中東另闢第二戰場，從此阿拉伯同盟的中立當可受到尊重，立於不敗之地。

以色列和埃及的糾紛

但是，當西方擬訂對中東的一九五四年計劃時，阿拉伯世界的新中立政策，並不是唯一必須考慮的問題。舉例說，當撰本文時，蘇彝士運河的糾紛仍如火如荼。埃及議會的大多數議員，不到一九五六年英軍撤退運河區時（依據舊條約），不願和英國簽訂一項新協定。可是縱在舊條約未滿期前即成立一項協定，也不值得我們在本文討論。沒有理由足以認定納奎勃，肯與英軍有關戰事發生可以「重建」蘇彝士運河基地的諾言。（下轉第二版）

半週展望

・李秋生・

以聯合行動阻止侵略

杜爾斯在三月二十九日的外交政策演說中，關於美對當前遠東局勢的立場，講得透澈極了。他主要提出了兩點：如果蘇俄與中共侵略東南亞，必須以自由世界的聯合行動來對付；美決不承認中共或同意其進聯合國，對於自由中國要維持傳統的友誼。未來的日內瓦會議正籠罩在姑息妥協的氣氛之中，杜氏這樣斷然表明了美方立場，無疑減輕了世人許多疑慮。

然而，美國立場雖極堅決，姑息主義者也在處心積慮以圖一逞。日內瓦會議中三對二的局面，在西方已比柏林會議中的三對一吃虧；如果西方內部再發生一對二的分化，則美方地位孤立，當更感應付吃力。

最主要的問題仍在：所謂聯合行動，到底何所指，是否能發揮有效遏阻侵略的功效。遠東太平洋到底缺之一個像北大西洋公約那樣的機構，已久爲人所詬病，但其間困阻多端，至今尚無善策。像南韓所號召的亞洲反共會議，就日來形勢看，未必就比四年以前的碧瑤會議有更好的成就。但此次杜爾斯既以聯合行動爲中心政策，想當必有良好的腹稿，並可能由美國來推動。亡羊補牢，猶未爲遲，但願不要像一年前的解放政策那樣，一陣哄鬨之後，便整個東之高閣了。

萬愚節的建議

因爲蘇聯建議參加北大西洋公約的消息，適在四月一日報紙刊出，巴黎與莫斯科等地的讀者都懷疑那是萬愚節消息，紛紛打電報到報館，詢問是否事實。其實這事倒是意在愚弄他人，只是並非報社編輯的狡獪，而是出自克里姆林宮的奸計。誰不知道，北大西洋公約是爲防範蘇俄侵略而締結。蘇俄一向斥之爲「侵略性的集團」，現在竟自己要求參加，成爲「侵略集團」的一員，事之奇詭，孰過於此？無怪美國官方人員說也許蘇俄會繼而提議參加美國國家安全委員會和中央情報局了。

這項建議，是從其在柏林會議中所提的全歐安全公約建議一發展而來。最初該建議是排除美國，繼則一變而允許美國參加，現在更進一步而要求參加北大西洋公約。然而萬變不離其宗，簡單說來，只是要破壞西方的團結，破壞建立歐洲軍的實現而已。

可異的是：西方也就有人甘心受愚，在法國，政治家如達拉第，軍人如戴高樂和茹安，都是甘願上蘇俄的圈套，卻不肯與德釋嫌修好，斷肩建軍的人。茹安免職之後，法政局可能因此引起軒然大波，更增加批准歐洲軍的困難。西方內部情形如此，也就無怪蘇俄的詭計層出不窮了。

恐氫彈狂

因爲三月一日美國試爆氫彈裝置，有兩百多人遭放射性灰塵灼傷，於是舉世皇皇，紛紛要求美政府從此停止試爆氫彈，甚至有人提議請美停止製造。然而，是否美國停止製造或試驗氫彈，這世界就永遠安寧了呢？

羅素到底不愧一位大哲，他雖對美國並沒有太多的好感，但當新紀事報記者問他對此事的看法時，他卻表示除非蘇俄也停止試驗氫彈，美國也會停止。其實美國之開始製造氫彈，也正是由於蘇俄的刺激。因爲美方有關氫彈秘密，已被一些科學間諜洩露給蘇俄，所以美國除也加緊製造外，實無他途可循。據原子能委員會主席此次在報告氫彈試爆成功時透露，蘇俄開始研究此種武器實較美國更早。

現在的情形，氫彈並非美國所能獨占。去年八月十二日，蘇俄試爆氫彈雛型時，是否也有許多人遭受灼傷，因爲鐵幕關防森嚴，消息秘不外洩，也就沒有人籲請蘇俄停試氫彈。現在卻單對美國這樣大驚小怪。淺言之，這是鴕鳥型的短視。更深一步來看，則簡直是要解除自由世界的武裝，卻放縱了敵人。

中共官營商業的失敗

沈著

中共一切皆講統制，商業自不例外。幾年來，中共一方而在逐步限制和劫收私營商業，一方而普遍建立各種國營商業機構以取而代之。迄目前止，中共業已基本上完成了他的澈底統制全國商業的目的；他業已分別在中央，省（或特別市）、縣（或省轄市）設立了一系列的各種國營公司或批發站與採購站等機構，並已在縣以下的廣大地區普遍設立了農村供銷合作社；全面佈下了商業統制網，澈底壟斷了民間的買賣行爲和商業利益。

但是商業活動，原爲一極複雜的社會經濟工作，過去在自由經營和自由買賣的狀態下，由於商人爲本身利潤而努力的結果，它大致自然而然的滿足了民間供求的需要，自然而然的發揮了社會物資調節的作用，在中共實行全面統制以後，則情形大變：不僅民間的供求因顧此失彼而普遍失調；而中共國營商業機構的本身，亦因經營不善或風氣敗壞而普遍造成了損耗，斷蝕，浪費，積壓，脫銷，貪污，敷衍，以及嚴重的錯誤現象。致使中共的國營商業，到處焦頭爛額，雖竭力糾正，再三檢討，仍無多所改變，顯已陷入極度困擾之中！

所以造成中共國營商業困擾的原因和主要現象，根據中共報紙歷來所檢討認承的情形加以研究，大致可作如下的分析，報導。

幹部問題最嚴重

使中共國營商業困擾的一個最基本的原因，乃爲幹部問題。綜合言之，約有三端：

其一、爲幹部荒　從事於中共國營商業的工作，固被中共一般幹部認爲「肥缺」而極所嚮往，但中共却沒有足够的幹部從其他機關調用於日漸增多和擴大的商業機構。大凡一個經營全國業務的中央級公司，自總經理，科長，會計，出納，及各種業務人員，不過五、六十人，一個省市級公司，不過三、四十人；一個縣級公司或站，不過十餘人；一個區鄉級合作社，不過五、六人；根本就不足以應付日常行政和業務。中共亦明知幹部不足，但一來無處補充，二來爲了節約，故除了一再強調「一人當兩人用」以外，別無補救辦法。

其二、爲幹部程度太差　因中共的商業單位爲「肥缺」，故一般商業機構的高級領導幹部如經理，副經理等，大多給予有功於「革命」而缺乏政治能力的老幹部担任以資酬功；而以其他若干中共認爲比較優秀的幹部分別担任秘書，科長主任等中堅幹部，以補領導者的不足。前者的程度太差，固不用說；即後者的程度，中共雖認爲比較優秀，亦大多不足以勝任此種複雜的社會經濟工作。其最主要原因，乃爲缺乏商業知識，其次爲缺乏商業經驗。即以一般文化水準而論，據中共的統計：曾受高等教育者，僅百分之五左右；曾受中等教育者，僅百分之三十左右；其餘皆爲僅受小學教育或初級識字教育者。其幹部程度之低弱，即可見一斑。在此種情形下，不僅「一人當兩人用」爲不可能，即「兩人當一人用」，亦未見即能搞好其統制商業和適應社會供求的複雜任務。

其三、爲幹部的官僚習氣和貪污風氣太盛　打開中共報紙看檢討批評官僚作風和貪污事件的文字，以中共之國營商業機構中爲最多，且爲最嚴重。貪污的數額，固因其本身爲經濟機構而非常方便，浩大；即官僚主義作風之下的荒唐怪誕的程度，也往往出於一般人的想像之外。（本港各報常有此類怪事刊佈，故不再舉例）由於此等幹部官僚及貪污所造成的業務上的失敗，實爲最上最嚴重而又最普遍的原因。

缺乏完密的計劃

使中共國營商業困擾的次一個原因，乃爲自中央以至地方，都缺乏其完密的計劃。

從表面上看，中共所實行的是國家計劃經濟，一切都講計劃，商業部門，自中央級公司到鄉村級合作社，無不訂有供銷計劃。但其所訂計劃，實際上，形同虛設，故等於無計劃。以中央級公司而言，不僅因不够瞭解全國各地商品的社會經濟狀況，而不够瞭解各地商品不同的供求情形，以致在訂計劃時，便未能確實掌握市場而造成了嚴重的一面大量積壓和一面大量脫銷的現象；同時因其本就不瞭解人民的購買能力，致在向國營工廠訂立商品定貨合同時，不是過多，便是過少。在此種情形下，中共的統制商業，原始在全國性的計劃中，就已失去了調節社會供求的作用，造成了大市場的混亂。（上）

國民大會的防範貪污案

【台北通訊】此次國民大會，提案很多，筆者認爲其中最有意義的爲三月十五日第九次大會通過的實施文武官員財產登記，保證廉潔政治，以杜流弊案。該案辦法如下：

（一）政府應訂頒文武官員財產登記辦法，嚴格督飭實施。

（二）登記辦法，應規定主要下列四點（１）凡文武官員在台灣現有之財產，及留存大陸之財產，應併報告登記（２）凡同居家屬之財產，須併行登記（３）文武官員不得在國外存款及購置財產（４）登記後如經人舉發，有財產增加之情事，登記人應說明財產增加之來源，其來歷不明者，應根究貪污事實，依法沒收之。法善意良，值得擁護。

該案將來如何實施，自然還不知。筆者爲要使該案實施有效，不妨補充辦法如下：即（一）文武官員卸職後兩年內，不許以任何理由請領出國護照，留候查核有無貪污情弊。（二）貪污官吏已逃難海外者，應由政府設法加以懲處。庶貪污之風可以杜絕。也不至貪官污吏藉外人之庇護，以肆意詆譭政府。（黎德操）

人物述評

典型學人—馬君武

紹華

（一）

民十三國民黨改組後，這一位革命的老鬥士，似乎暫時和現實政治脫節。一本他平日辦立學校，著書教育的百年根本大計，在這以後短短數年之間，他曾先後出任上海大夏大學校長，國立北京工業大學校長，與淞中國公學校長，那時兵荒馬亂，政潮起伏，雖然不能够大展抱負，但是論起大學校長的理想條件，他是很適合的，可以樹之風聲，儀型多士。

以往他是做過幾任大學和專科學校校長。可惜時間不長，他對於高等教育的貢獻，是在主持廣西大學這一個階段了。

民十六年廣西省政府等設廣西大學，推舉馬君武、黃紹竑、盤珠祁、雷沛鴻、黃華表、陳杜、岑德彰、蘇民、劉贊琛、孫植儀、凌鴻勛十一人爲委員，校址擇定梧州蝶山，民十七年十月十節，廣西大學成立，馬先生被推爲首任校長，盤珠祁副之。蝶山地勢閎深幽秀，氣象萬千，是很理想的校址。開辦之始，頭緒萬端，特盤珠祁游歐未歸，由馬先生力負全責，規劃課堂宿舍，購置儀器，延聘名流學者，殫竭心力。西大開辦一年，以粵桂軍興，校務停頓了一些時期，等到二十年夏，政局粗安，才能够於安定中求進步。西大成立的時候，是先辦理理工農三個學院，大概那時桂省當局注重培養實用的技術人材，而對於發揚文化，鼓鑄思潮的文學院，獨付闕如。他在校八載，事必躬親，用人行政，採公開態度，對於公帑，尤能不浪費分文，訓育諸生，注重薰陶感化，而不採取干涉手段，羣情悅服。計畢業於預科及本科者凡五百一十八人，這般人後來都成爲桂省抗戰建國時期的中級幹部。

民二十五年夏，西大奉令改組，他離開原來的崗位，赴南京接洽辦湘桂鐵路事，抗戰軍興，出任最高國際會議參議，廿七年任國民參政會參政員，至二十八年夏，他又再度出長西大，那時西大已由省立改爲國立，校址亦早已由梧州蝶山，遷至桂林良豐的雁山了。

君武先生在最後主持西大兩年，以年事已高和體力關係，不及當年的積極。有時嘯傲湖山，寄情絲竹，尋求精神上的慰藉。但有一件事值得稱道的，便是民廿八年的時候，他和李四光等設科學實驗館於良豐，規模宏遠，設計精密，可惜後來因經費支絀而停頓。

（二）

他是民二十九年八月一日病逝的，先是西大員生以七月廿六日爲君武先生六十生辰，舉行慶祝，晉他祝壽，他強登壇演講，對各生加以訓勉，並歷敍他少年飄零，求學艱辛，不覺悲從中來，掩巾拭淚，凡受親友匡濟之助，歷舉他們姓名，表示謝意。這一種誠摯的態度，殊無博士冠帶氣象。他的文學造詣，亦極精到。他留日時期，在新民叢報寫隨筆，那時新民叢報有二個人是以寫隨筆署名的，一是他，另一位是蔣觀雲（智由）可惜這些隨筆後來沒有刊行，假如刊行，我想，當不讓洪邁的容齋隨筆專美於前了。

他的詩，工力很不錯。他和葉楚傖、陳去病、胡韞安等同隸於南社，這班革命詩人，「慷慨以使氣，磊落以使才」，有一種新的風格，不落光宣詩人的窠臼，早年南社刊行的詩集，他和葉楚傖的詩，登出的不少。九一八瀋陽失陷，他仿李義山句法，作詩托諷，「趙四風流朱五狂，翩翩蝴蝶最顛狂」七絕兩首，尤爲傳誦一時。他早年在新文學發表他翻譯的哀希臘歌，以古體詩的格調翻譯拜倫的詩篇，結下了中西文學的因緣，比之蘇曼殊、胡適之所譯，實在各有千秋。胡譯以騷體出之，委婉盡情，曲折達意。然椎輪爲大輅之始，積水爲層冰之漸，「不薄今人愛古人」。這是我們評論家應有的態度。

（三）

君武先生翻譯的世界文學名著有兩種，一是俄國文豪托爾斯泰的心獄，另一是德國文豪席勒的威廉退爾。後一種是近五十年來翻譯界最成功的譯品，劇本中的對話和歌唱，完全以文言文出之，對話則明晰有力，歌唱則沉鬱頓挫，讀過的人，沒有不受感動的。他着手翻譯這書，是在再度留德時期，登載於中華書局的新中華雜誌，他的小序說，他翻譯這部書，曾流過不少眼淚，由此可知道他是一位深情至性的人。

他生平寸陰是惜，教學稍暇，則譯書，日以三千字爲率。譯述的書，除以上所舉外，尚有彌勒的自由論，斯賓塞爾社會學原始，赫克爾一元哲學，盧騷民約論，基爾伯特微分方程，杜本爾平面幾何，阮葉化學原理，及有機化學，朗約斯丁機械學，費里包農業政策，收入及勞工政策，交通政策，商業政策，工業政策凡數百萬言。

君武先生有二子，長葆之，留美，農業專家，次衛之，留德，音樂家。（下）

今日中東的形勢

（上接第一版）以色列和埃及間的緊張，也繼續增加，這種緊張，有可能在今年達於頂點而出之戰爭。一九五一年九月間，安全理事會通過蘇彝士運河『撤除對蘇彝士運河通過負國際商運和貨物往來的通道之限制』。埃及認爲其本國仍在技術上和以色列處於交戰狀態，且一八八八年所訂管理蘇彝士運河行政的條約，賦予她採取保護權利。這項主張爲安全理事會所否決，理由是停戰協定原則上在巴勒斯坦恢復永久和平。各軍要通商國家也對埃及封鎖蘇彝士運河，提出抗議，未生效力。開羅當局毫不表示畏懼，反而不僅繼續軍火和軍用物沒收資，而且沒收化學品，燃料、曳引機和車輛。在十二月間，這一項應受沒收的貨物『清單』更形擴大，目前已沒有東西可以通過蘇彝士運河運赴以色列。以色列曾向安全理事會提出抗議，並向西方列強指出，這種惡例一開，終至會以同樣行動對付其他國家。可是我們可以斷定以色列的抗議，效果很微。至多亦不過是安理會採取一項溫和的決議，譴責埃及而已，但可能甚至連這種決議也不見得會有，因爲西方顯然不願得罪阿拉伯同盟。

以色列號召直接行動

因此，以色列人民號召『直接行動』，就更起勁。以色列的新總理沙瑞特，固然較前任總理慎重，但誰都不敢斷定，他對於埃及利用非法的外交途徑禁止航運一事究能容忍多久。

『直接行動』將採取何種形式，或『直接行動』後可能發生的後果如何，是一項不待說明的問題。它可能使以色列失敗，或在另一方面，它可能破壞目前的阿拉伯國家，造成阿拉伯世界的混亂局面。這一類後果——和政治無關——並不是一定不可避免，但很有可能發生。這裏也要指出，以色列對於蘇彝士運河封鎖之反響，並不是引起衝突的唯一關係。而阿拉伯同盟獲得西方軍事援助之鼓勵，可能認此爲對以色列作『第二回合』之戰的良好時機。

西方如何定中東政策

西方在擬訂牠的中東政策時，務須不要在好與壞的政治之間去抉擇，應在弊害最大與弊害最少之間去抉擇。不幸得很，目前有一個時期，美國寧願選擇弊害最大的一方面。而且這種傾向似仍將繼續不予放棄。華盛頓方面的亞洲和中東問題專家們仍不了解，輸送軍火至缺少政治統一的區域，或至各鄰國間和平關係微弱的區域，是危險的。這可從最近美國對巴基斯坦的談判，獲得證明。輸送美國軍火至巴基斯坦，如對印度沒有相似的援助，勢必只有增加了印度和阿富汗對美國的惡感。沒有人敢否認美國或巴基斯坦有權簽訂一項條約，但一切考慮應起決定的作用，具有實際性和目的——不能僅憑一種抽象的權利。

中東的情勢，含有高度的爆炸性：印度與巴基斯坦雙方不和；阿拉伯同盟仍堅持對以色列處於交戰狀態；最近埃及和敍利亞對土耳其的挑撥，表示阿拉伯人，感到自己還有別的敵人。若不先在中東達成某項政治上的協定，即冒然對這些國家中的任何一個予以武裝，則美國不過是在火上加油而已。所以，西方在一九五四年，雖然必須集中力量去恢復中東的常態及和平。這也許是一項艱苦的任務，但這是任何防衛計劃所必需的條件。事實上，除非阿拉伯國家中出人意外地發生遠大的政治上，社會上以及經濟上的變革，否則，縱使恢復常態，所期待於牠們的至多亦不過是好意的中立而已。無論如何，最壞的結果亦不過是非友好的中立。兩者之間的區別，並不足以爲一項西方政策作袒護；這項政策與其說是加強毋寧說是減弱中東的地位。（譯自『新領袖』二月號）

馬倫科夫改穿漂亮西服

蘇俄總理馬倫科夫，最近對衣飾展開重大的「革命」，他對漂亮的衣服忽然愛好起來，在最近某些公共場合中，他已不再穿着沒有領帶，皺摺骯髒的列甯服，反之他所穿的，是一身整潔而華麗的雙排扣西服，他這種打扮立刻爲那些愛穿着的共黨黨徒樹了榜樣，於是位居要津的共官紛紛學將起來，史達林生前，從來不曾穿過西裝，特別愛好制服，馬倫科夫投其所好，現在史魔死後，馬倫科夫竟一改舊態，有些觀察家認爲這或許意味着史達林路綫的改變，在政治上說，倒有深長的意義哩。

印度工人看穿中共內幕

中共自作聰明，他們邀請印度的工人前往共區參觀，預先把列入參觀的地區打掃得整齊清潔，而且還安置許多虛僞的設備，希望印度工人看後，留存很深的印象，將來回國後，能在印度及國際間大肆宣傳一番，他們這種打算自以爲萬無一失，誰知印度工人回國後，下機場就向新聞記者宣佈中共工人的生活情況太使他們「可怕」，他們把大陸比爲「地獄」，甚至將共幹喻爲「魔鬼」。中共費了一肚子力氣，安排得盡善盡美，誰知在印度工人眼中，仍然分文不値，大陸工人的眞正生活如何，也就可想而知了。（孟衡）

編者讀者

△本刊最近發表徐道鄰先生討論經濟管制問題的寓言一則，和陳訓悆先生的西德經濟迅速發展的原因兩文後，曾接若干讀者來信，表示對這兩文的重視。現在我們打算在下一期再發表陳式銳先生一篇「台灣經濟的動向」。陳先生是講台灣經濟最切實的一人。他對目前台灣經濟措施有精闢的批評，他主張目前的台灣應確立以「自由經濟爲主，管制爲輔」的政策。特此預告，請讀者留意。

△周騏、郭敏行、林長林、周樹聲、易敏子、吳傑、周渠子諸先生：承惠稿已收到，至感謝。

讀史述評（二）

·毛以亨·

——續讀通鑑論

秦始皇（二六〇——二一〇BC）

奴工的發明者

他是壞事做盡的人，就其人品與做事的動機言，會一無是處。若從秦人家天下的角度去看，他是惟一的敗家子，而且他是冒充的秦室子孫。故身死而不蒙顯戮，幸也，即不死亦無法阻遏陳涉等之倡亂，而非如唐玄宗之失國不可，胡亥，子嬰，僅爲代罪之羔羊，故無譏焉。在專制時代，苟承强盛之業，即遇無道之君，亦未有三年而失國者，惡不積則不彰也。惟外雖仍保其强盛之衣穀，而其內容則已腐敗淨盡，故一經戳穿，即橫潰而不可收拾，故亡之如是其速耳。

所以人民對于專制的反動，秦趙以亡秦，其實任是應由始皇自負的。且其罪亦不祗專制，他是集中而擴大奴工的發明者，而且對于奴工的使用，亦在用于個人享樂者爲多，修阿房宮有七十萬人，防匈奴僅三十萬人。即在築長城，平南越，併六國，徙豪富于咸陽，並以實證之誹論，其動機亦爲保有其家天下之私，而非有感於發揚民族之公。奴工爲自救其死亡，而起反抗，以亡秦國，我們祗有同情。若反而羨慕奴役人民之秦始皇，如毛澤東之所爲，則誠是何居心？殊不知人民何樂而爲統一之奴隸，且亦何樂而願爲鞏威異域之奴隸？

集權專制的措施

茲先就史記所載，始皇統一後之事跡，再會通以觀，分別以論之于下：

二十六年，始皇曰「寡人以眇眇之身，興兵誅暴亂，賴宗廟之靈，六王咸伏其辜，天下大定。今名號不更，無以稱成功，傳後世。其議帝號。」[illegible]「昔者五帝地方千里，其外侯服夷服，諸侯或朝或否，天子不能制。今陛下興義兵，誅殘賊，平定天下，海內爲郡縣，法令由一統，自上古以來未嘗有，五帝所不及。臣等謹與博士議曰：古有天皇，有地皇，有泰皇，泰皇最貴。臣等昧死上尊號，王爲泰皇。」[illegible]曰：「去泰著皇，采上古帝位號，號曰皇帝。」[illegible]朕爲始皇帝，後世以計數，二世三世至于萬世，傳之無窮。」[illegible]乃分天下以爲三十六郡[illegible]。徙天下豪富於咸陽十二萬戶，每破諸侯，寫放其宮室，作之咸陽北阪上。[illegible]

二十七年，[illegible]。二十八年，東巡郡縣，封泰山，[illegible]。二十九年，[illegible]。三十一年，[illegible]。三十二年，燕人盧生入海，[illegible]亡秦者胡也[illegible]，乃使蒙恬發兵三十萬人北擊胡。三十三年，發諸[illegible]人，贅壻，賈人南征，置桂林，象郡，南海以戍之。北逐匈奴，置三十四縣，徙民實邊。

三十四年，築長城及南越地。李斯說「三代之事，何足法也！……古者天下散亂，莫之能一，是以諸侯並作。語皆道古以害今，飾虛言以亂實，人善其所私學，以非上之所建立。今皇帝並有天下，別黑白而定一尊。私學而相與非法教，人聞令下，則各以其學議之，入則心非，出則巷議，夸主以爲名，異取以爲高，率羣下以造謗。如此弗禁，則主勢降乎上，黨與成乎下，禁之便。臣請史官非秦記皆燒之。非博士官所職，天下敢有藏詩書百家語者，悉詣守尉雜燒之。[illegible]若欲有學法令，以吏爲師。」制曰可。

以爲自古莫己及

三十五年，築阿房宮，東西五百步，南北五十丈，上可以坐萬人，下可以建五丈旗。隱宮徒刑者七十餘萬人。[illegible]內，宮觀二百七十，複道甬道相連，帷帳鐘鼓美人充之。所幸[illegible]洩其處者死，[illegible]李斯亦莫知其所在。決事悉於咸陽宮。侯生盧生相與謀曰「始皇爲人，天性剛戾自用。以爲自古莫及己。[illegible]獄吏得親幸，博士七十人，特備員弗用。丞相諸大臣皆受成事倚辦於上。上樂以刑殺爲威，[illegible]乃亡去。[illegible]犯禁者四百六十餘人，皆坑之咸陽，此即所謂坑儒也。

三十六年，[illegible]刻石曰：「始皇死而地分」，[illegible]使者曰：「今年祖龍死」[illegible]。

三十七年，[illegible]崩於沙丘。胡亥從，[illegible]葬於酈山，天下[illegible]七十餘萬人，工匠皆死不得出。

又秦[illegible]民得納粟拜爵，爲後[illegible]，始皇四年令「世」官之始。

儒道與自由主義

我們根據這些記載，知道他是[illegible]自私，殘忍，[illegible]的人。始皇的[illegible]，好像毛澤東的話，李斯的話，亦何其[illegible]今日共黨人的[illegible]。[illegible]商鞅，張儀以至李斯，[illegible]惟有儒生，[illegible]

[illegible]儒道[illegible]而盛生等[illegible]儒術[illegible]以傳，[illegible]未收成效[illegible]，而卒以奠定儒學在中國二千年之基礎，亦與西方之基督教等[illegible]，亦未嘗不是儒學的影響。[illegible]而視秦政爲殷鑑，[illegible]仍逞其殘暴，以求[illegible]於一時者，祗行之[illegible]盜賊之間，爲創業之帝王所不取。盜之[illegible]反與中國之儒術相[illegible]而與西洋之霸主相[illegible]者，即以歐洲十五[illegible]紀以後，始聞儒道而產生自由主義。毛澤東乃欲並用盜道與西洋馬克斯之[illegible]人，而儒術與自由[illegible]道，無怪以秦政爲同[illegible]義，乃遇到嚴重的[illegible]驗。（上）

中共的思想改造

·範羣·

金達凱著　友聯出版社出版

（一）

金達凱先生的近著「中共的思想改造」，是一本好書。一本好書，就是深入淺出。近來出版的研究中共[illegible]，有不少只是東抄一段，西抄一段，混亂拼湊地把中共的宣傳文件堆成一本書，所以既不能深入，也不能淺出。這本書就不同了，至少作者對於中共的各種文件，是咀嚼過的，作者已完全消化了的，所以吐出來的是有條理的研究結晶。經過嚴密組織，有條理的研究之後，可以使讀者容易得到一個清晰的概念，明白一向被視爲神秘，恐懼的中共的思想改造，到底是什麼一回事。

本書連同緒言共分六節。緒言一節，字數不多，但是全書的綱領。在這節裏，說出中共思想改造的源出蘇聯，追敍到一九一七年十月革命的思想控制制度。不僅介紹了列寧、恩格斯的話，也簡要地敍述了蘇聯思想改造的過程。自然，在這一節裏，最重要的，是作者指出了中共思想改造的目的和手段。目的方面，作者說：「中共的思想改造，表面上儘管有許多口號與名詞，但實際目的只有一個，即加强控制，鞏固統治。他們要取而代之」，「要獨裁」，「要統治」，「要專政」。作者的話，沒有誣衊中共，是根據毛澤東的論人民民主專政的。在手段方面，作者指出：「中共以政治學習」灌輸馬列主義，以「批評與自我批評」否定人格，扼殺人類心靈，以「階級鬥爭」糟蹋人性和摧毀社會文明，以「勞動改造」折磨人民的肉體與生命。」「其經常使用的方法；第一是發動群衆，造成多數壓制少數的態勢，以團體組織孤立個人。第二是製造典型人，起帶頭作用。第三是運用報紙、刊物、播音及其他各種文藝宣傳形式，佈置一廣泛的火網，使得個人在恐怖的氣氛中，「坦白」一切。」

（二）

第二節爲思想改造的演變，作者分爲三個階段：從蘇區到陝北的思想改造爲第一階段，中共初建立政權時期的思想改造爲第二個階段，韓戰發生後的思想改造作爲第三個階段。這種分階段的辦法，可以有二點好處：第一是可以瞭解中共該階段所處的地位，由此明瞭該階段中共所以要思想改造的動機和目標；第二也可以瞭解中共的思想改造雖源遠流長，但各階段有其重點，而這種重點，又完全決定於中共該階段所處的內外形勢的階段要求。所以這種分階段辦法，可以不致把思想改造孤立地看。

第三節思想改造的內容包括了：一、改造的理論；二、改造的對象；三、否定價值的思想；四、智識價值的曲解。作者把中共甚至馬列主義那些似是而非的可笑論據，都扼要地指出。讀來不感枯燥無味，這是作者成功的地方。

（三）

第四節討論思想改造的法術，也就是在緒言所指出的思想改造的四種手段。在此節中對一、政治學習運動二、批評與自我批評三、階級鬥爭四、勞動改造，都追敍其淵委，揭出其辦法，以及中共所獲得的成效與對中國智識份子的迫害情況，也扼要地指出。

對思想改造的內容，演變和法術了解之後，但要深切地掌握思想改造的真相，還得從思想改造的實例中去求證明。所以作者在第五節中，在千千萬萬實例中，找出了四個有代表性的實例。延安時代的思想改造，以「王實味思想的鬥爭和清算」作線索來貫穿。中共佔領大陸，建立政權時，露出「一面倒」的漢奸政權面目時，作者以「蕭軍及其文化報」事件爲中心闡揚我國民族主義是無法扼殺的。作者又以「武訓傳」的討論及其他，作爲文藝思想改造場面的擺佈。韓戰爆發以後，中共思想改造的重點在反美和反自由主義的思想，作者以「胡適批判」作爲這個階段的代表性事例。上面所列舉的四個事例，都是有的中共中心攻擊的對象，其影響雖然不限所攻擊的對象，但終是特出的思想改造事例，一般性的思想改造事例還不能完全包括在內。因此，作者又增設了二段：一、平津教授的改造始末；二、各地教育界的坦白運動來容納更多的有代表性的事例。

（四）

第六節也是本書的結論，作者指出了三點：（一）不屈服的典型——這表揚了中國智識份子的高貴品質，梁漱溟邱椿等教授始終保持人性莊嚴，堅持自己理想，而不易爲惡勢力的壓迫而搖動的。（二）無法消除的矛盾——作者不僅歸納出中共思想改造的若干矛盾，並且也舉出不少事例來證明：「這些顛三倒四的一串不調和的矛盾，說明了共黨本身也無法建立一個比較完整的思想體系去，「幾套戲法變來變去，變得連他們自己也不相信了。」這段話，說得深刻。（三）思想改造的沒落——作者的結語，是：「思想的本質，是生的意志的發揮，是生的活動的表現，不是任何暴力所能摧毀，所能改變。因此，作者從各種角度來說明思想改造是不會有若何成效的。作者指出的，有中共的同路人如民盟等「民主黨派」的代言人，大學教授，各級程度的學生，甚至連到中共中國科學院近代史研究所主任范文瀾的思想，也還沒有改造成功的。

一般中共問題的研究，都苦於資料太少，而思想改造一事，且又苦於連篇累牘，讀來難於理出頭緒來。這本書最值得推荐的地方，就是作者已經從千萬的中共文件中，摘出了要點，作了深入的分析和確切的批判。

加稅舉債瀕臨抉擇

當前市民所關切的問題，大致祇是否增稅，港大學制和租務糾紛。[illegible]

香港三日

毛勤闖中學生出路

[illegible]就不加考慮了。至於文、理科的中文班，這是他們發現「賈士域報告書」指出本港教育存在着一個[illegible]不能解決，[illegible]以及中文學生升學[illegible]已甚爲嚴重。此一令人困擾的[illegible]推翻賈士域反[illegible]考慮改變學制，[illegible]用中文授課，[illegible]訓練學校，[illegible]預科一年或[illegible]的消息，[illegible]一新頁[illegible]展開[illegible]加租的糾紛接踵。

橡膠垃圾筒

通化工廠共幹貪污　壓迫勞工粗製濫造

【本報訊】遼東省通化市中共經營的「地方國營橡膠廠」，向來就稱爲藏垢納污的垃圾筒，中共一些貪污腐化幹部，都潛跡在這個廠裏，掌握了廠的行政，利用職權，斷蝕公款，盜賣材料，經常發現，加緊的壓迫工人，生產了一些粗製濫造的東西，向外推銷，這現象是異常的嚴重，引起了當地消費衆羣的不滿。曾一度以三萬七千雙粗製濫造的膠鞋，銷售到「百貨公司」安東和梅河口兩地區批發站，使該「百貨公司」蒙受巨大損失。最近被檢舉出來，才發現共中黑幕。

據共報自承：「遼東省百貨公司根據該廠的計劃，向該廠訂購三萬七千雙膠鞋，在第一次交貨時梅河口批發站發現所交膠鞋有下幾種情形：（一）鞋舌短半寸到一寸；（二）五個鞋扣眼距離不一，彎曲不直，有的扣子沒有釘住，特別嚴重的眼大口小，露出毛邊；（三）鞋裏面很髒，膠漿抹得裏外都有；（四）一種顏色的鞋面（藍色）但有四種顏色（咖啡、白、藍、灰）鞋帶。當站方以這種種情形電告該廠，廠方竟置之不理，經再三追問，僅派一人到梅口站看一下，也不解決問題便走了。安東批發站同時也發現這種情形。最後交涉結果，三萬七千雙膠鞋合同，只交二萬六千雙就廢止了。但已交的那批鞋的問題，並未解決。」

後來，經遼東省「百貨公司」鄒運榮把這情形，反映到上級，經省公司「經理」杜奇在梅河口檢查結果，證明與上述情形相符，安東站也是一樣，於是呈報到「省財委會」，「財委會」相應不理，再呈報到「工業廳」，才開始追查責任，原來該廠領導共幹吳常波平日狂嫖濫賭，把生產材料都變賣了，任意在賭場中作纏頭費和賭本，迨到生產時，只好役使工人粗製濫造一些產品，企圖卸責。（天）

三無主義

馬五先生

自由談

胡適之博士最近在台北公開講演，提倡老子學說，大談其「三無主義」。他讚美歷史上若干以黃老之術治天下的統治人物，如漢文帝及宰相曹參等。因此，他主張現代民主國家的總統，必須以三無主義爲使行治權的原則，才可以眞正實現民主自由的政治生活。

三無主義云者，無知無能無爲是也。這意思並非說作總統的人一定是些無知識，無行爲能力的蠢材，乃是說一般統治階級的人物，不要予智自雄，自命萬能，任意而爲。統治人物平日若遇事感到自身的知識有限，能力薄弱，行動躊躇，如是乎，天下一切智勇辯力之士，皆相率草茅思奮，願爲明君效馳驅，以期有以自見，而明君亦就運用了天下人的知能以施政，國家自然進步發展。表面無爲，實際卻是大大的有爲哩！

如果統治主認爲自己無所不知，無所不能，勢必無所顧忌，任性胡來。那末，天下的才智之士，有的自慚形穢，不敢獻曝；有的失望沮喪，明哲保身；有的懷才莫遇，挺而走險。所有替統治主服務的文武百官，盡是些唯唯諾諾的機器人，自甘奴役，也唯有經常表示「天王聖明，臣罪當誅」的奴役心情，纔可以安於其位。結果是只剩下一個明君，全國人民都是些阿斗，漫說民主政治云云，永遠是神話，即其國家也非大亂不可。這道理本來很淺明，可惜統治階級的人物，每每見不及此，人類生活史迹之所以亂多而治少也歟！

「反攻」百期樂會

娑婆生

人生至百歲可以壽，事業至百年可以傳，文字至百期也可以紀。反攻月刊爲宣揚政府的國策，堅決人民的意志，唯一的刊物。發行以來，欣至百期，主者爲慶祝使命之克副，民意之堅定，舉一個紀念樂會。凡當代碩彥，文藝先進，無不邀請，不佞以徐炎之兄所約，幸叨爲會，參列第廿排之座，飽聆會中游藝。願如該刊編者之言，反攻在望甚盼再來之樂會，能在首都紫金山下舉行，則復興中華，光復山河，萬民來蘇，將有無限之興奮。

此會有一特色，即雜曲崑腔平劇，各色均有，爲其他樂會所無。而演唱之節目，包含忠義情愛與夫倫常，使聽者觀者，對於每個節目，另有會意，以維繫吾國固有之道德。反對匪區之不忠於國家，無夫婦情分，無友朋交誼，簡直是非人所願爲。彰彰揭明，可以知之。

（二）

章翠鳳的大鼓嘗武關，是寶島最著名之雜曲，向來不肯常唱，茲特一歌。聲調抑揚頓挫，激昂充沛。就其唱詞，可以體會當時情景。此齣之高音甚多，疾徐不定，惟章一唱，便極有神。章爲劉寶全得意弟子，算得扼其神髓而傳衣缽。卅年前，余客故都，常聽寶全大鼓，不下數十，其時學劉者，僅白鳳鳴比較近之。嗣後南歸，於海上聽小黑姑娘，評爲酷肖。後在白門，聽翠鳳與小綵舞，均不錯，迄今惟翠鳳獨步陪都矣。

托兆碰碑，爲生行最吃重之戲，無充分的嗇，不敢試之。蔣偉民兄的平劇，余前寫絃邊偶憶，曾述其腔調，沉穩而不浮，簡練而不俏，純粹取法乎老派，爲羅亮生許良臣之弟子。是夕簾內倒板金烏墜一段，蒼涼沉靜。反二黃嘆楊家一大段，尤其悲哀感歎，通劇圓穩，可稱多才。惟盔甲內襯綠袖，及頭戴紅絨盔，似乎太寬而漂亮，下次再演，宜用澄黃色盔甲，不露內袖，方合老令公氣概。廉國良之七郎，沈厚有味，所惜鼻音太差，孫新銘六郎平平。

（三）

遊園爲崑曲牡丹亭之一折，如夢，更爲好看，但甚吃重。俞良濟夫人程韻英之杜麗娘，蔣偉民夫人徐穗蘭之春香，裝束雅淡而不俗，容態嫻靜而不浮，其身段靈活剔透。兩人載歌載舞，亦步亦趨，其飄颻之姿，有如驚鴻飛過。尤其春香小姐活潑玲瓏，滿台走邊，姿勢美好。各人手中一執一摺，相映成趣，[illegible]俞夫人之[illegible]，似乎稍大一點，如果再演，不妨小。此劇在崑曲同期，已演多次，所以在台上，極爲生動，毫無遲滯，宜其佳妙。

[illegible]追蹤小翠花。至於幾句四平調之朗潤可聽，尤其餘事。[illegible]宋江「[illegible]」，好，但不甚對工。因爲四平低音者，無須高音，未能如之亮顯有精彩。做作尚[illegible]一段，則佳[illegible]劇精采。黃玉麟之張[illegible]，宜乎減少，免損全[illegible]宋江追[illegible]刺激太重，有點不堪[illegible]山，讀而不蕩，動作有如[illegible]同場，余回憶此二[illegible]以反攻百期會記，故邊配以並[illegible]，皆傳神入微，惟以存之。

水調歌頭

中秋　求衣

我欲問明月。今夜向誰圓。客中縱有杯酒。哀樂總難言。遙念故都禾黍。回憶故園親友。大陸正翻天。北望雲垂幕。莫與共嬋娟。滴涼露。吹暗雨。起愁烟。西風吼樹。紅葉如血走中原。動則寒蛩似訴。靜則秋聲變徵。無計可安眠。遼唳迴孤雁。知汝最堪憐。

憶郁達夫與風雨茅廬

鐵頭

「風雨茅廬」，是達夫自己替他這屋子取的名字，乃寫在通東院書房底那個月洞門裏面上的。任何人初到他新居裏，都看不見，除非在書房裏賞鑑一番之後，走出來抬頭一望，才能看到四個東倒西歪既不像蘇、又不像柳的「郁達夫體」字。因之，又有朋友調侃他道：『你這「茅廬」，既在「風雨」之中，使人不便過訪，又將招牌，懸在無人能見之處，恐怕就是劉玄德經過門口，也要失之交臂哩！』達夫笑着答道：『一次看不到，就顧兩次，兩次看不到，就顧三次。三次，總是要看到的了。此茅廬之所以必須三顧也。』

那時節——民國二十三四年間。——的郁達夫，確與初回國時候的郁達夫，有些不同了。生活並不浪漫，行動也很習良，不過酒量越外大了，差不多一杯在手，可以終日長飲不停；有一次，我們幾個朋友，偕同達夫映霞，同遊虎跑寺，先在旗下（杭州靠西湖的新市場，舊爲滿州軍駐防地，稱爲旗下營，後仍多沿舊稱。）大同川菜館，吃得酒醉飯飽，然後再分乘小汽車前往。但到了虎跑，玩了一陣，飲了兩杯有名的虎跑泉水泡龍井茅茶，幾位女太太，正在用一個大飯碗，斟滿了泉水，再以一大把銅元，一個一個的輕輕放入碗內，以試驗那泉水的凝結力。果然，一大把銅元，都放完了，那泉水高出碗口，幾達分許，但並不溢出。低頭從碗的側面望將過去，好似堆了一塊圓水晶在碗面之上，不過微微有些顫動。是時，一個和尚走過來說：『只要太太們不闖動桌子，它是永遠不會流出來的。這是我們虎跑泉的特點，通天下再沒有第二處有的。……』那和尚尚未吹完，只見達夫一把將他的僧袍大袖口拉着，問道：『你們廟裏有酒沒有？』——王映霞一聽，就向我們擠擠眼道：『又要喝酒了，鬼才陪他喝呢？』我們一聽，也不禁笑道：『剛才喝了三四斤「善釀」（就是紹興一種不用水而以酒釀成的酒名。）還沒有落胃哩，你竟有如此雅量？』——那和尚慢慢搖頭道：『我們廟裏，向來不賣酒的。』

達夫一聽，好像很掃興，我乃說道：『這樣罷：我們在此稍坐一下，轉往九溪十八澗去，那九溪茶場的聽老頭，與我素有交易，又是好朋友，他家弄得上好的「一雞三吃」，想必也有好酒藏着，我們到了那裏，都脫掉鞋襪，下溪裏去摸幾條小鮮魚，用油一炸，大家再來吃酒，吃醉了，就睏在茶場不走，豈不有趣？』達夫聽到如此一說，欣然鼓掌，恨不得馬上就走。但幾位女太太，一致反對，說是：『從來沒有看見中飯才吃了不到兩個鐘頭，就接着吃晚飯的。』她們向來礙在一起，就是「聯合戰綫」，沒有辦法攻破的。

（三）

南斯拉夫發現反狄托組織

杜特

在三月二十八日，南斯拉夫首都貝爾格萊德的外國記者都接到一份匿名傳單，宣佈一個祕密政黨已告成立，定名爲「南斯拉夫社會黨」，召人民起來對抗狄托的獨裁。傳單上特別註明，閱後即銷燬，以免落入南共祕密警察之手。這些記者其後又接到神祕電話，特別探問他們有沒收到這樣的傳單，已接到，便請代爲發消息。有幾位記者曾拿了這傳單去見南外交部新聞處長特斯柯維克，請他發表評論，但他祇輕描淡寫地一笑置之，說這種莫名其妙的、祕可笑的文件」，不値注意。

這傳單之散發，適在南共中共委會召開全體大會前夕，而這次會議的遠因是年一月南國副總理兼[illegible]議會議長傑拉斯斷而起，因此有人以爲這個祕密組織或是在傑拉斯後支持下成立的。但不能確定所是那些人發起，或其勢力到何種程度，這是[illegible]治組織之出現，表示南國內部反狄托獨裁的人已設立一個組織的運動，仍値得注意。

狄托雖擺出親西方面孔，積極力爭取美援，且與希土締結同盟，表示一旦大戰爆發，或會與西方合作，但他的對內政策，始終不脫極權共產主義實質，自由世界中仍有不少人以爲他極可能背叛[illegible]逃亡西方的前南國外交部高級官員[illegible]即執此看法。

共黨作風，早已在國內引起極大不滿，因此，他唯有加強其對人民的控制來鞏固共產黨的組織，目前正努力加强黨的紀律，在最近十六個月以來，他已將「不可靠」的分子七萬名黨員，大規模整肅了，但他卻說「這種[illegible]」，並不是整肅，而只是「打掃房屋」罷了。在這種情形下，南共黨員的總數，已減少了百分之十。同時，狄托[illegible]特別嚴格。過去，許多南斯拉夫人要求入黨，主要是爲了黨員的特權，祇要能享受多種特權，[illegible]便能名利雙收，這種情況，[illegible]一個良好的黨員，[illegible]不僅需要澈底了解共黨的思想路綫，且須[illegible]

自卑感的由來

溶溶

（四）浮誇的人，[illegible]完了，整個生命浪費的[illegible]

使，這例和上一個例，剛剛相反，他是學生，身高五呎多一點，他自己覺得自己[illegible]一架小外國汽車，他覺得小車很大，絕沒有[illegible]

（五）覺得自己[illegible]七十五歲[illegible]

彩雲

高風

我願化作一簇柔美的彩雲，
在碧藍的夜空自由地飛行；
今夜停留在故鄉的舊屋，
窺探懷戀的慈母是否康寧？

我願化作一簇綺麗的彩雲，
在綠色的月下悠然地航行；
今夜停留在塵封的庭院，
探望夢裏的伊人是否安寧？

論蒹葭樓主黃節詩

王世昭

黃節詩的工力

黃節詩的工力在什麼地方？第一首調自然而不灼，如「十月十一夜月中有懷曼殊」云：「四載離懷感索居，懷君南渡又年餘。未違蹤跡人世間，稍慰平安海外書。向晚梅花纔數點，當頭明月滿前除。絕勝風景懷人地，回首江樓總不如。」

又如「五月初三日王靜安自沈頤和園昆明湖中舉命，越五日，余偕楊川子琦、小平、超方，出西郊訪其故居，賦詩弔之」云：「掩淚循過西郭村，揭來今日始知門。尋常溪徑多行路，絕代湖山瀰寂垣。名地得人能死，[illegible]衞木可償怨。徒聞後學抵君者，獨有[illegible]不敢言。」

第二運用典實而不刻削，如「江干與實虹觀曼殊殯」云：「一棺江舍未歸時，圖舊來尋或有期。尺書[illegible]，晚識孤居不可期。已負死生元伯諾，所哀風雨步兵詩。祇有茫茫思意，[illegible]斜照共卿悲。」

又如「生朝早起作」云：「壯士怕聞生日詩，起看牛斗欲明時。蓮荒[illegible]如初覺，已矣堂堂亦[illegible]。餘事可隨詩並老，世間[illegible]能知。閒身爲驅辛勞樂，花市歸南恐倘遲。」

第三立意矜鍊而不流滑，如「岳墳」云：「中原十載拜祠堂，不及西湖山更蒼。鐵像曉鳴鳥石，一市秋茶說岳王。大漢天聲悲斷絕，萬方兵氣比潛藏。獨有西夫[illegible]去，從來忠憤使人傷。」

又如「南屏謁張蒼水墓」云：「斜日南屏[illegible]行，疏疏堤柳不勝情。一湖山色分明好，[illegible]酒氣[illegible]秋[illegible]，[illegible]光照樹鳥悲鳴。[illegible]復步一[illegible]風拜，[illegible]冰樓集刊成。」

這兩首詩，上一首弔宋岳武穆，後一首弔張蒼水，一氣呵成，另有慨然，眞乃矜鍊奇絕之筆，想杜子美在世，亦當爲之懷慨而三折股也。

總之，黃氏的詩，以七律爲最上選，其次七絕，又次古風。但古風多[illegible]，非復如七律之細味解讀，處處見寶。陳三立評黃詩云：「格澹而奇，趣新而妙，造詣勝道，[illegible]自成孤詣，莊生[illegible]之神人，肌膚若冰雪，綽約若處子，又杜陵稱一洗萬古凡馬空，[illegible]」黃氏有「詩派能開[illegible]」[illegible]

[illegible]癡懷排比[illegible]寒。書來此事堪相慰，別後經年所獨閑。[illegible]不敢城南賦問文。」

（二）

中華民國僑務委員會僑發登記證台教新字第一零二號
中華民國郵政登記第一類新聞紙類

自由人

THE FREEMAN
（半週刊每星期三六出版）
（第三二三期）
每份港幣壹毫
督印人：羅嘉獻
社址：香港高士威道二十號四樓
20 CAUSEWAY RD 3 rd. fl. HONG KONG
香港發行及事務接洽：高士打道六六號
電話：七四〇五三
承印者：東南印務出版社
地址：高士打道六十四號
台灣特派員辦事處：台北市館前街五十號
台灣總經銷處：台北 中華路五九四號之一
台郵撥儲金戶九二五二

台灣經濟的動向

·陳式銳·

由公營轉為民營，理論上朝野已趨一致，應確立以自由經濟為主管制為輔的政策。海島型底經濟，地區分工性很大，貿易實為生命之所寄。當局應面對現實，求貿易問題的解決。台灣既有共同的理論，應當視為定論，今後應貫注精神，研究執行，倘若守舊不變，即不能自救，還要累人。

言論自由與民主政治有不可分底關係，前者活動的程度，就反映沒有進步的里程。理論上，不但西方言之甚詳；我們古代的民本論，所謂「天視自我民視，天聽自我民聽」，不也有其含義嗎？政府以民意爲依歸，可以說是中國傳統底規範了。台灣的言論，合理而有根據底批評，就個人的經驗，當局儘管有某些人心理上不自然；其結果，認識之後，大體且已進至有多少接納底雅量了。

公營轉民營的趨勢

台灣經濟，「公營」與「私營」一問題，爲制度上辯論的中心。台灣的公營事業佔百分之七八十，民營事業不過百分之二三十。這一局面爲陳儀接收時所造成，因而種下台灣經濟的病根。這一公營制度，不能逃出考驗，毛病百出；一方面公營事業不斷虧累而縮小資力，另一方面則民間沒有正當企業機會而轉入投機與浪費。在輿論批評之下，當局提出「整頓」了。至於整頓的成果，據當局一負責人自己指出：「目前國營事業之浪費問題，經整頓後已有進步，如台糖可節省二三百萬元；但此是否即可起死回生呢？絕對不可能，不過風氣轉變過來而已」。因此，又在輿論批評之下，當局的觀念變了。行政院長陳誠氏三月四日對國民大會的施政報告說：「在此我要特別指出的，即今後欲謀台灣經濟建設的充份發展，必須繼續擴大企業自由，凡屬可以讓與民營的企業，儘量開放民營，爲私人資本打開一條廣闊平坦的出路」。是公營轉爲民營，理論上朝野已趨一致；所留下底問題，是怎樣開放？何時開放？

自由爲主管制爲輔

其次，「管制」與「自由」一問題，爲政策上辯論的中心。當局向來以戰時爲理由，強調管制經濟的必要。但實際底經驗，却顯示管制的害多於利；如四十年的花紗布管制所引起底紛亂情形，可爲明證。戰時固然重視國防與民生，惟台灣談不到國防工業，民生則爲有無問題，調節尚在其次。因此民間輿論，不斷批評當局的管制政策。到了四十二年除夕，經濟安定委員會工業委員會召集人尹仲容發表了「台灣工業政策試擬」二篇；表面上看，他似乎轉向自由經濟，他主張「擴大民營範圍以發揮私人企業之優點」，他又說「爲了達到工業正常發達之目的，從長時期看，必須聽其自由競爭，以期提高效率，淘汰不經濟之生產，亦所以鼓勵事業之獨立奮鬥精神」。但是，另一方面，他却說：「台灣工業發展，在時間上必須求快速，在資源上不能有浪費。但此兩點，决非自由放任之經濟所能做到，而必須有賴政府積極參加經濟活動，訂立完善計劃，並監督其執行」。尹氏的眞實態度，毋寧說還是主張強度底管制政策。一個試擬包含兩個相反底矛盾，若以尹氏的處境（現任中央信託局局長）言，固不足怪，以整個台灣經濟着眼，也未免太缺乏研究了。輿論對此，表示不贊同者多。尹氏於三月十六日乃又對記者提出一個「中庸之道」，他說：「我們不可能像美國一樣完全放任，我們有計劃，但也有限度，在這一限度範圍之內，可以自由競爭」。今日講「自由經濟」，已與斯密亞丹時代不同，它的意義是企業家自由發展，但不能縱其損害他人或國策；換言之，政府的任務，積極在鼓勵、指導、及護保私營企業，消極才干涉其妨害國計民生之均衡發展。尹說的「中庸之道」，可視爲其所擬政策的修正，但他所提出底「限度」，仍嫌混淆不清。我的意見，莫如順應潮流，直捷地確立以「自由經濟爲主管制爲輔」底政策。這一點，希望當局有進一步加以採納底雅量。

貿易問題如何解決

第三，台灣屬海島經濟，爲一不辯底事實；只是，對於「自給自足」一點，朝野有不同底見解。兩年前，我曾看過當局的一重要文件，它說：「我們必須注重自給自足的原則，力求增產我們自己所必需的物資」；又說：「台灣不產棉花，紗布惟賴輸入，所以我們必須發展紡織工業，增加紗布生產」。它既認識海島型底經濟是「地區分工性」很大，那末貿易才是生命之所寄。所謂「自給自足」，乃是國際貿易收支之平衡，並非在求生產樣樣自己的必需品，甚至自己沒有棉花也要發展紡織業。因爲理解的不充足，所以把首要底原則，降而並列：「同時又應注重以生產配合貿易，以貿易誘導生產的原則，力求增加可供外銷的物資」。正因爲輕重變置，弄到貿易問題，雖經當局不斷地努力，數年來仍得不到合理底解決。直到陳院長三月四日對國民大會底施政報告才指出一個合理底途徑：「在亞洲地區，貿易對各國幾均爲生死的關鍵，故彼此競爭非常劇烈，且均注重自給自足。這種經濟情勢的發展，不但要引起日益劇烈的競爭，且將使各國經濟感受更大的困難。本院認爲：要謀求亞洲經濟的發展，減輕各國自身的經濟困難，必須發展區域經濟合作；以合作代替競爭以互助代替排斥」。至就生產配合貿易一點言，因幣值貶低到五分之一的結果，一美元照理應該值新台幣廿五元（黑市廿七八元），但當局高估爲十五元六角；那末，進口必無疑是獲利，而出口必虧本了。在這一情況之下，貿易如何誘導生產？更何得以增加外銷物資？就台糖言，它佔外匯百分之六十五，在這一政策營運之下，來年減產底局面已造成，對台灣經濟不能不說是一個威脅！這一局面，直到此刻，當局尚無面對現實底跡象。

美國經濟行政的動向

自由主義與社會主義，彼此或進或退，英國保守黨與工黨政權的交替，已有明顯底實例；則在美國，亦復如是。它的轉變，一視政府干涉的程度。羅斯福總統的「新政」，意義是政府直接用錢，供給就業，重新分配所得；私人企業受到抑制，政府居於指揮地位，因此有人稱其轉向社會主義。杜魯門總統的「公政」，意在應用新政原理於戰後，以應付通貨膨脹；在這一時代，政府管制物價，影響工資及投資。到了艾森豪總統，他的公式：獎賞成功，鼓勵前進。新政府的基本原理，以私人用錢得較政府聰明而有效，因而主張政府僅居於間接幫助地位；政府鼓勵企業家擴展經濟，因以擴展就業。在這一政策之下，政府的干涉儘量減低，是以有人指其由社會主義轉回自由企業。

美國的「就業法」，意在「增進最高就業、生產及購買力」……由此以培養競爭企業而增進全民的福利」。美國政府對於就業的努力，無人或忘；此法，歷來羅斯福氏由政府直接增加就業，今艾森豪氏的政府却以鼓勵擴展經濟，從而間接增加就業，只此不同而已。後者的主旨，乃在培育經濟動機，凡努力必享受公正底報酬；在這一前提之下，無論人工、儲蓄、投資，皆有獲得正確酬報底保障，那末人人致力於改進以增加效率，而整個經濟勢必由是而發達了。

我檢討台灣現階段底經濟制度、政策、與貿易之後，進而介紹美國經濟行政的動向，以明今日自由世界的潮流。

（下轉第二版）

一個抗議

·陳伯莊·

（一）

自由人三月三十一日彭楚珩先生的「個體字筆戰止戰論」的末段從「因此，筆者覺……大人先生們可以休矣」和「人生」雜誌第八十一期王震先生的「談羅家倫先生簡化文字」，這兩文於反對簡體字之外，都對羅先生個人加以攻擊。

筆者曾於去年十一月廿一日自由人報投了一篇「文壇風範」，反對討論問題時，攻擊對方個人，因爲覺得這種攻擊有兩個重大的惡果：（一）妨礙健全輿論的發展，而健全輿論爲發展政治民主的重要條件之一。（二）妨礙客觀的學術研究的發展，而這發展又爲建設自由新中國的重要條件之一。

（二）

從論事而轉入攻擊個人的傾向，實在是源遠流長根深蒂固的社會現象，是我國社會嚴重病態之一，因而是建設自由民主新中國的重要障礙之一。所以提出抗議。

人類行爲，不論其動機在道德標準上爲善的或爲惡的，如沒有相當多的「社會的贊許」SOCIAL APPROVAL 沒有許多人的點頭或拍手，它不會成爲風氣的。愛聽攻擊個人的言詞，其一部份的理由，韓愈於一千數百年前寫的「原毁」，已經把它說出來。所以我說這是源遠流長現象。

任何人居於一個被人妬視的地位，必定有人愛聽攻擊這個人的說話的。（一個看人不起的人，一個愛出風頭的人，一個言不顧行的人，也都會造成了這樣的對象。）在一個有特權階級的社會，在一個法律權威不能暢伸，公正輿論權威不能暢伸的社會，在一個禮不下庶人，刑不上大夫的社會，正確的憤怒不能循正當的途徑發洩，於是從旁敲側擊的途徑發洩去。說得越俏皮，越缺德，越快。而這些說俏皮缺德的專門刊物，不論是事實或造謠，都同樣有人看見稱一搜，根柢往往多有特權人物爲之撑腰，這却是眞自由眞民主的敵人。

（三）

我請求彭王兩先生了解，這段話是對「社會贊許」試作初步分析，根本不是說兩先生攻擊羅先生的議論。

所以，我這段分析的主要用意是希望政府重視發展健全輿論——政治民主的條件，把這樣的「社會的贊許」的一部份原因消除。同時希望「自由人」和「人生」主編人，請注意到這問題。攻擊個人的自由是要珍視的，如傅斯年先生那年攻擊行政院長宋子文先生那一類文字，但討論問題，而牽涉到攻擊對方作者個人是不好的。

趁這機會，請「自由人」給我一個聲明機會，我本年一月廿三日的投稿，「亞洲心理作祟」一文第一段說及司馬璐曹聚仁兩先生，原稿都沒有「先生」兩字的，可是排印出來之後，一有一無，是與原稿有出入的。

（編者按：討論問題牽涉到個人的攻擊，我們向來視爲戒條，但有時仍不免有疏忽的地方，承陳先生指正，雅意可感。謹此致謝。）

半週展望

·陳克文·

報復行動還待何時？

越共攻擊奠邊府的攻防惡戰，現在已繼續三星期之久，越共雖遭受了二萬人以上重大傷亡的損失，但戰事還沒有結束的跡像，可是這一戰役關係東南亞大集團未來在政治上和軍事上的發展太大了，雙方都不會輕易放手的。最少在四月廿六日日內瓦會議之前，是不會有結束之希望的。

四月六日美國務卿杜勒斯說，中共「已十分接近」直接使用軍隊參加越盟的指揮工作和維修工作。他更指出中共的軍事人員參加越盟的指揮工作和中共軍事援助越盟的實際情形。他要求自由國家支持法越邦守軍，救護共黨不能以「自殺性的大規模攻擊」毀壞自由。

事實上，中共之支持越盟侵略，早已公開於世，祗差沒有採取志願軍方式，和對韓作戰的方式罷了。杜氏的聲明是否爲即將採取報復行動的先聲呢？抑或要等待中共志願軍大舉入越，或奠邊府陷落之後，才作行動呢？經過韓戰教訓，中共大概再不會用志願軍的方式了，奠邊府的戰事如果不幸陷落，法越聯軍的士氣將大受打擊，局面將一發不可收拾。報復行動若不及其時，坐失時機，必貽噬臍之痛。

中共對農村的仇視

中共是靠農村起家的，但中共竊奪了大陸政權之後，對農村的百般剝削仇視已爲近年來司空見慣的事。最近中共內政部長謝覺哉宣佈他們已完成廿一省市的基層選舉，這一措施更充分表示中共如何仇視農村，和廣大農民痛恨中共的統治。據廣播電台四月五日的廣播，謝覺哉說這次選舉要嚴密提防地富份子與農村惡霸，他說這些人比以前的地主還要利害，時常表示反抗和不服從政府的政策和採取破壞方式。又說，目前農村裏這些人，反抗和不服從政府的政策。這就是說明中共想藉選舉以達到控制農村的目的，但農民決不甘受中共的殘暴統治，無時不在暗中反抗，見於行動。農民是不是可以長期忍受呢，更不是可以長期繼續的，將來推翻中共統治的也必然是農民羣衆的力量。

大西洋盟約的五周年

四月四日爲北大西洋盟約五周年紀念，艾森豪總統讚這盟約爲「象徵危急時代自由人士的團結」，英外相艾登亦認爲「我們的努力必須保持」。

這幾年來，蘇俄的侵略勢力所以不敢向西歐作進一步的發展，我們實可斷言得力於北大西洋盟約的力量最多。所惜的是法國的態度，始終對西德存心疑忌，對西德的重建軍備總採阻撓政策，以至影響這盟約的充分發展。然不論如何，這盟約已成爲歐洲防止赤潮泛濫的有力堤防，已是共產主義無法突破的了。亞洲的設施，韓戰越戰因爲不得志於歐洲，遂改變其侵略方向，加緊其勢力的。現在太平洋的反共聯盟似一時無實現的可能，阻遏亞洲的赤潮蔓延，勢不能不寄望於杜勒斯的聯合行動能愈早實施，亞洲的赤潮侵略亦可以愈早戢止。

亞洲共產侵略中心的中共統治，現時內部正存在着許多矛盾和弱點，祗要報復行動一旦實施，勢必隨之瓦解。自由世界應該劍及履及，勿使大好時機輕易錯過。

海洋寶藏無限量

德榮譯

年代一年年地過，地球上大陸和小島緩漸濬解到附近的海裏，結果，我們可以從海裏取得海洋資源和礦物、植物和動物來供給我們的營養，那種產品是無盡藏而永不會竭的，看來像在長期打算，人類注定了從海洋取物資多於從陸地。

海洋資源無限

那裏大約有三億立方哩的海水，蓋了地球表面百分之七十一，這廣大海洋的寶藏包含了溶解的礦物或鹽，足夠供給將來的「化學」社會所有的礦物和五金質的需要。

還有，海裏有足夠的食物，像魚，甲殼動物和藻，去給海邊全部陸地人類以至將來的人口增加，有足夠的水來作灌溉之用。

說到肥料，海洋比陸地肥美，以一畝比一畝來論，比陸地更多出產，那裏沒有旱災或水災，沒有疾病，截至目前，人類只是收穫及百分之一最小數的植物和動物。海藻類製造炭水化合物比樹快一半，在第一次世界大戰，我們開始向海洋樹林探險，大部都是原始的，有一個勘探估計有一千七百萬噸浮藻在北美太平洋的退潮點至九十呎深處，在比較但未探勘過的南美海岸也有相當的浮藻，海洋專家也未對太西洋和太平洋海岸的大量底生海藻作估計。

這海藻含最少百分七十五水份，但曬乾了卻有很多的礦物和炭水化合物，比較少蛋白質，幾乎沒有脂肪。

海洋的動物產品

我們知道海洋動物產品的豐富，有些用比較不大的資本便可以收効，在聯合國科學會議資源統籌會中，有些漁業專家指出在目前二千萬噸產量中，在十年間可以增加魚產一倍，眞的，海洋魚業「北成沙」已經表現枯竭，但移植海洋魚業卻可以補充，鯡在肥水中蓄養可以增加重量至十八倍，只要在國際科學管理下便可以獲得更多的資源了。

在會議中，專家提出一個經濟魚源表，他們估計戰前生產量可最少增加百分廿二、二百七十萬噸自寒帶和溫帶得來，一百三十萬噸從熱帶及亞熱帶得來。這估計並未將活水地中的生產計算在內，在遠東方面，我們知道的還有很多未開發的「深海魚層」，最近由進步的迴聲器在二次大戰中測出來的。海洋研究家同意那回聲是生物聚集的迴聲，但是不能斷定它是魚或蝦抑甲殼動物，甚或是一種未名的動物，有時多過一層給紀錄了，它們都是在日出至日落間浮上海面，其餘時間便沉下去了，在三千呎深的地方最厚，可能不是在一日間移動出來的，更可能有些層從不移動的。

在一九五三年的研究，可能使我們發現了從未夢想到的海產食品的數量，商業的漁獵並不適宜於發掘深海魚層，爲了建造試驗船，聯國食物農產組需要但沒有這二十萬元去建造一個中型船。事實上研究和實施資本兩感缺乏，而耗用在地面上農業試驗太多了，太平洋的鯡魚（像沙甸魚）工業需時廿五年去發展，在一九五〇年投資七千七百萬，每年平均捕獲量是五十五萬噸，世界上蛋白質的缺乏，而深海漁層還沒法去開發，豈不是一個悲劇嗎？

政治家造成饑餓路綫

在遠東方面，中國有五十萬畝魚塘，每年每畝可產一百三十至四千磅。大約紀錄上最有價值的漁業，並不在海洋而在埃及的三角洲湖裏，每年產魚二萬米突噸，印度魚塘生產量比陸地生產更多收入，中國稻田每畝產魚一百廿磅——十倍飼料——魚還替農人吃了稻虫，同時也撲滅了瘧病菌，加爾各答便藉養魚清潔溝渠。印度和菲律賓各有百萬畝坭塘，可以利用作魚產繁殖，以色列也將壓地改作植魚。

聯合國幫助發展魚塘，無疑地可以幫助發展深海漁業，但是不要期望它很快可以實現，魚業生物學家華爾福試擬寫着：「魚業生育像其他有機物生育一樣，視乎魚藏的大小，人口數量如何消耗它，能放幾許資本去育養它，加上許多其他因素，我的意見以爲人類最有効的做法去增養食物，是去刺激新漁業的相互關係」。

像所有其他的專家，華爾福找出所有趨於饑餓的路綫都是由政治家做出來，怎樣去刺激呢？他以爲只有動員權威家和政府資本去合作。政府有「曼克頓計劃」，不防又來一個「海島計劃」，在幾年間，大量開發海洋寶藏，使人類穩足與和平獲得穩定。）

（譯自 SCIENCE DIGEST（HARVESTING THE OCEANS）三月號）。

台灣經濟的動向

守舊不變誤己累人

陳式銳

（上接第一版）一個政策的形成，每有它的時代背景，最要者在發現有礙難行之處，應當改變。英國工黨政權轉入保守黨之手，美國民主黨政權轉入共和黨之手，皆爲公意的表現，其特徵爲由干涉轉向自由。我們的台灣經濟，無可諱言底過去缺乏理論的指導，所以不免蕪亂無章；近來對於制度、政策……等等，朝野觀點漸漸地有趨於會流的傾向。譬如此次國民大會於三月十七日通過底「當前經濟改進方針案」，它經過準備、草擬、提出、審查、通過，或出通過政黨關係，乃至經過政府有關代表的辯論與修正，不能不視爲一個共同底意見，會通過陳院長表示他必重視國民大會的提案；我深深地希望它眞能夠被採擇施行。我以爲台灣既有共同底理論，今後大家的精神，就應當視爲定論，就當注於執行的研究。今日的經濟，屬於自由世界的共同體，我們不能閉關自守，我們應當迎合潮流，與其他國家互助合作，共同策進；我們倘若守舊不變，我們不但不能自救，同時要拖累他人。陳院長在對國民大會施政報告中提出一種「開拓事業的精神力量」，而呼籲「每一國民皆應具有新的認識，新的動機，新的志願與新的估價觀念，以爲推動經濟建設的基本動力」。我站在輿論界一份子的地位，除對當局正視輿論提案批評再寄予厚望外，我擁護陳院長的呼籲，並引作朝野共同勉勵。尤有進者，今日各國對於新思想的追求，新設備的引用，與減低成本的講究，都不遺餘力；美國公私對於研究工作，一年支付四十億美元，此爲進步的原動力。自由中國任重道遠，在這一方面，我更應多致意。

美陸空軍爭奪定向飛彈

有一椿外間所不知道的事情，但事實上，美國聯合參謀部內部因某一個問題，發生劇烈而秘密的爭執，雙方爭持不下，使聯合參謀部主席雷德福海軍上將爲之頭痛不已，這事情是因定向飛彈而引起的，因之熟悉內幕的人都稱之爲「定向飛彈事件」。

原來在現時情形下，陸軍和空軍方面都以相當數量的金錢，時間和人力用在發展定向飛彈上。因而在研究工作上雙方有許多重複的地方，爲了戰略和經濟上的理由，聯合參謀部必需立刻有一個決定，指定發展定向飛彈的工作，歸陸軍或是由空軍全權來處理。但在討論這一問題時，陸空軍部卻堅持自己的立場。陸軍參謀長李治威將軍認爲定向飛彈只是一種大砲，故必須由陸軍控制，將以支援其陸軍的地面部隊。而空軍參謀長端寧將軍的意見則不同，他堅稱定向飛彈只是一種無人駕駛的轟炸機，故應由空軍方面來管轄。雙方各持己見，使國防部長威爾遜也感到無能爲力，看來這一椿爭執十九會提請國會來解決的。

美空軍人事文武不和

美國空軍方面的人事一向不大調和，這裏所說的人事尤指文官的空軍部長和武職的空軍參謀長而言，以前擔任參謀長的范登堡上將（一九四八至一九五三年任空軍參謀長）和前空軍部長西明頓弄得很不好，以後，芬勒特繼任空軍部長，仍和范登堡上將關係很「緊張」，這話一點也不會過。但現在空軍部長泰波特和空軍參謀長端寧將軍的關係卻十分和諧，直到空軍歷史上的首先例，他們極少發生爭執。像范登堡和芬列特間官語衝突，更是不會見過。

日內瓦有兩間中國菜館

瑞士日內瓦有兩間小型的中國菜館，十六日內瓦會議開會前後，着實大撈一筆。本來，這兩間菜館的生意非常淡得出奇，聽說中共的「土包子」可能有兩百個前往日內瓦開會，他們當然不想把這筆大生意放過，此外其他國籍人開的餐館，也忙於佈置一新，添加東方菜式，因爲除了中共的兩百人以外，可能還有南北韓，越南，寮國，高棉及越共的官員兩百人，來參加這個討論韓越問題的會議。

由於日內瓦會議舉行的時候，也正是歐洲大陸旅行的季節，同時還有其他五個國際會議將先後召開，因而將美英法三國代表團和近千名的記者計算在所需的旅館房間將達三千間。蘇俄集團要求給予容納龐大代表團的旅館，但是還不到五家，而中共與北韓都各自還未預定一家。瑞士聯邦政府沒有法子，只好將擁有一百七十個房間的「首都大旅館」，交給中共代表團，並很不客氣地通知中共辦事人員說，他們的「代表」只好委屈一下，分成好幾個旅館，要整間旅館，決無辦法。（孟衡）

天下小事

人物述評

憶吳雨僧教授

楊柳綠

近來讀到一本好書。崔書琴先生的「大陸學人的悲劇」。記述許多自由主義的教授們，如何在作「學習」「坦白」與「自我檢討」。其中有一位最引起筆者注意的；便是十年前筆者親承教澤的吳雨僧先生。吳先生名宓，字雨僧，又名雨生。陝西人。如今算來，應該是六十開外的老人了。

（一）

吳先生早年畢業清華留美預備班，赴美欲習新聞。及低新大陸後，發現那一套「爭奇鬥勝搶頭條」的米蘇里緊張作風與原意不合，乃改習西洋文學，從人文主義大師白璧德遊。歸國後，五四運動風起雲湧，胡適之陳獨秀等創辦新青年；白話文學書刊風靡全土。而吳先生獨持異議，與梅光迪教授等創國衡雜志。並主編天津大公報文藝副刊第一期至第一百數十期。倡古典主義。當時人稱爲國衡派。惟孤軍奮鬥「曲高和寡」遠不如「我的朋友胡適之」嘗試集之博得廣大聲勢。

吳氏在美曾與江山毛××女士相戀，論嫁娶矣！回國後，乃與其原配離婚。以便與毛氏結合。不意此時毛突下嫁前國務總理熊希齡。白髮紅顏，一時傳爲佳話。而吳則「陪了夫人又折兵」。受刺激甚深，此事影響其日後生活思想至深且巨。當時南北報刊，爭以此題材入之於新篇詩文，漫畫，小說，甚至有編成覆式傳奇以諷誌其事。而吳先生遂亦不幸淪爲此一悲劇中不幸的角色。然對吳在文學上之造詣，反能更進一境。吳癡情不斷，著有「懺情詩」若干卷。友人唱和亦多。因吳爲名詩人，與四川吳芳吉氏並稱兩吳生。似合刊有「兩吳生集」。中華版「吳宓詩集」一部，刊吳本人詩稿外並有同時人詩選及照片（印書而刊登私人生活照片爲當時風氣。）等，成一巨帙。有柳儀徵等酬唱。若干諷刺俳諧之作，亦搜入其中，如「吳宓苦愛毛××，三州人士共驚聞」，「白髮貞金，紅顏黑心，儕伊儕俾，悔我深情」之類。一時喧炙人口。而懺情詩中珠玉之篇，反未爲一斑人欣賞。

（二）

抗戰時，清華南遷，合組西南聯大於昆明。吳氏任教「世界文學史」，並開「中西詩之比較」「文學與人生」諸選科。恒嘗以希臘羅馬文化，基督教文明，印度佛家哲理，及中國固有文化四大傳統；比較印證，以「文學照當生活」「生活體驗文學」爲主旨。時昆明有石社之組織。以研究紅樓夢爲中外古今第一說部。吳氏亦與劉文典教授等兼爲南食堂，品評紅樓人物思想。共師友詩文及個人戀愛故事，亦穿插其中。逸趣橫生，所謂「談來猶玉顏先喜，說到癡獃氣便殊」是。然吳先生時已五十之年，道貌岸然，痛斥全盤西化，深惡簡體俗字，認拉丁化爲毀滅聖賢。較所謂「錢穆」型思想更事頑強。人或以「賈政」目之，而吳先生固竊以「寶玉」自許也。

當時昆明爲後方重鎮；眞所謂人文薈萃，百家爭鳴。聯大教授雷海宗，林同濟，陳銓等人辦小型「戰國策」週刊，介紹叔本華，尼采，倡「春秋大一統」之說。共黨及其同路人斥爲法西斯復活，對陳銓，野玫瑰一劇（電影天字第一號所本，但思想週異）尤抨擊不遺餘力。斥爲個人英雄主義背景。爲「汪記」張目。新華報有文專論其事。而以吳宓談紅樓夢附評於文尾。吳氏聞後，一笑置之。曰：「我自有主張，固非戰國策派也。」

時昆明尚有一「生活導報」爲小型綜合性報刊。其「一週一人」有「醫子先生——吳宓」一文，取溫源甯教授「英文稿」資料，並雜湊其他材料出之。對吳氏推崇備至。譽爲當代大儒。然吳氏閱後，大不滿。一則認作者對其思想行誼，並無了解。徒剽竊成文，爲「文章幾例所不許」。曾綴數千言長文作「讀後感」一傳觀。以太史公史記列傳及約翰生傳等爲例談「評傳」作法。尤對「醫子先生」一標題不滿。認違「尊師重道」之旨，並言「將視宓爲戲台上老生乎？抑小丑乎？」且詳細標明溫源甯一文命意，謂溫文言其「頭顱如一顆炸彈」乃極言其思想之精湛，而CLEAN-SHAVEL詞則在述其「儀容之整肅」，文末更自述其近年內心情如槁木死灰，且雞刀刃片將盡，故少剃鬍。云云。自無遺位好心的作者，碰了一鼻子灰。自無法再置一詞。而吳先生頑強不苟的書生氣習，也表現無織矣。

（上）

中共官營商業的失敗

沈著

以省縣級公司或站而言，大多犯有幾種通病：一方面是爲了盲目表功，故意擴大計劃，在計劃上盲目虛列銷和購買數字，以致不僅使計劃根本脫離了實際，且供更加深了商品積壓的程度。除了資金積壓的結果，便不免造成陳舊，霉損等損耗。一方面是不瞭解民間購買力的季節性，致使甚多商品在遭受積壓的教訓以後，便無計劃的大量減少此等商品的儲備，乃相反的在一定時期內造成了脫銷的恐慌。又一方面，省縣級的公司或站，往往有很深的門戶之見，（中共稱爲狹隘的單位思想）將不易銷的商品向外擠，而將易於售的商品囤積在自己的門市部中，倘過此等熱門貨在別區脫銷情形非常嚴重，而本身儲存是有多餘，卻亦不願意賣給別地區。（下轉第三版）

編者讀者

△關於國營中問題的討論，本期發表陳伯莊先生的一個抗議，是涉及到這一問題的，此外我們還收到其他讀者的文章，將陸續發表。

△印度名勞工領袖印度代表團報告中作了一篇「勞工代表見聞」，現由譯者詳加描述，可以發表。

△吳傑先生來稿「西伯利亞正名」，理由是根據本刊所在來的。下期我們將把它發表。

△張維翰、楊維經、陳……及其通過情形，倘倚、諸先生：惠稿均已收到，謝謝。

讀史述評（二）　·毛以亨·

——續讀通鑑論

秦始皇（二六〇——二一〇BC）

私天下的秦始皇

世有以大一統多秦始皇者，顧其動機則爲一人一姓之私，王船山以爲天有以將其變爲天下之大公，然吾則認爲始皇固不能貪天之功以爲己有。巡狩，封禪，刻石，求仙固是私，設官制使軍民分治，而皇帝獨攬大權亦是私，甚至對外作戰，使天下豪傑不徙咸陽，即從邊疆，仍爲欲保其家天下之私。顧六國餘孽，未能盡剪，乃羣起而亡秦。故統一非爲秦所完成。而繼秦以完成中國之統一者，其十里亭長劉邦也。

有以始皇之能滅六國，從而盛稱其功業者，其實秦之滅六國，既不得力于客鄉，亦不能歸功于始皇。漢時以賈誼過秦論爲定論，司馬遷至錄之以實己說，雖雄才統，而大致尚不差。賈誼以仁義不施而攻守之勢異爲言，曰，「近古之無王者久矣……諸侯力政，强侵弱，衆暴寡，兵革不休，士民罷敝。今秦南面而王天下，是上有天子也，既元元之民，既得安其性命，莫不虛心而仰上。……秦王懷貪鄙之心，行自奮之智，……先詐力而復仁義，以暴虐爲天下始。夫並兼者高詐力，安定者貴順權，此言取與守不同術也。……」在賈誼之前，婁敬亦以馬上得天下，不能以馬上守之勸漢高祖。不料漢人看法，竟爲共產黨人范文瀾所採用，他說，「……人民不願意打仗，誰能統一中國，人民就希望從他那裏得到和平」。（見所著中國史九六頁。）無怪共產黨人要責他改正，批評其有封建思想了。

毛與秦同具自卑感

其實秦自孝公以來，至始皇幾一百年，猛將謀臣，已將諸侯收拾淨盡，如易他人，亦會統一的，故非始皇的才略有以致之，而統一之局，至昭襄王在位五十一年即已奠定，西周東周之君，與九鼎寶器均入秦了。至秦之所以能大，則與周之所以興，同爲得其地利，亦不盡由于孝公與商鞅之人定勝天。漢書地理志稱，「秦地天下三分之一，（按合巴蜀而言），而人衆不過其三，然量其富，居什六。」據此則與周文王三分天下有其二，以服事殷的情形，相類似了。且秦初爲遊牧民族，總能戰勝耕稼民族的，詩秦風無衣篇，「王于興師，修其甲兵，與子偕行」，何其壯也！車轔，小戎諸篇，則爲遊牧，征伐之什，此之謂夏聲，夫能夏則大，大之至也，其周舊乎？」秦始皇席累世之業，而誤爲乃己之才略所致，此固神經質者之常態，惟其有此等變態心理（Complex），故出其私智，遂至愈鬧愈糟，秦國百年之基業，成于三世者，竟爲其一世所敗壞。

毛王朝將與秦無異

今言其身世，秦始皇是呂不韋的私生子，其父名子楚質于趙，母爲趙姬，不韋獻之于子楚。時已有孕，後生始皇，因正月初一生，名之爲政。不韋說子楚之父寵姬華陽夫人立之爲嗣，並使之歸秦。孝文王立，一年薨，子楚立，是爲莊襄王，以呂不韋爲丞相，封文信侯，食十萬戶。三年莊襄王薨，政以十三歲冲齡，即秦王位。他具有其父母之遺傳，貪詐類不韋，荒淫似其母。立九年，殺其母所嬖的嫪毐，十年殺不韋。嫪毐係不韋薦于太后者，私生二子，且謀于太后，殺政以此子繼統。政乃夷嫪毐三族，並殺二子，遷太后于雍，尋復歸咸陽。使不韋就國，並與之書曰，「君何功於秦，秦封君河南，食十萬戶，君何親于秦，號稱仲父。」不韋乃飲酖死。殺父殺弟出母之始皇，奚望其能有孝子賢孫，以繼承大統哉？

王船山以「秦始皇之宜短祚也不一，而莫甚于不知人。」顧不知人亦不至遽亡國，權奸用事數十人而國仍在，以此爲言，未免見其小而遺其大，知其一端，而未窺及全豹。其另一說謂秦非土崩而爲瓦解之說甚善，蓋已知秦之無可補救了，茲錄之以終茲篇：「瓦解者，無與施其補葺，而坐視其盡，土崩者，或欲支之而不能也。秦非土崩也……揀本不固，……積本不完，……當其瓦合之時，已無有相浹而相維之勢矣。隋之亦猶是也！」我願爲之贅一詞曰，毛澤東王朝亦猶是也！（下）

若以心理學來研究，則其易怒，由于胆怯，嗜殺生于畏懼，貪鄙由于寒儉，疑忌源于自卑，事必躬親，爲狃于近利。必須明其性格究其爲何如人，始可對其事功爲明確之估價，而欲知其性格則必推原其身世，身世一明，則其有變態心理，亦因之確定了。毛澤東以秦始皇自擬，可謂有自知之明，蓋同爲具自卑感，而對舊社會施其報復者。惟其間亦不盡同，秦皇究籍祖宗之餘蔭，而毛澤東則爲外國之傀儡，故尤爲無恥。

台北的鐵路交通

·樹聲·

台灣通訊

【台北通訊】台灣鐵路局前將頭二三等，等次廢除，一律改爲平等號車，乃仿照美國，火車不分等級的辦法。車輛亦舒適整潔，可謂力求進步。惟不對號之平等車，以前因聯絡不够緊密，（尤以下午五時三十分自台北開出之車爲甚）又坐位不敷，致列車開到，尚未停住，旅客即爭先恐後，紛紛攀登，不但擁擠不堪，秩序大亂，且有被擠落車軌斃的危險！往往身强力壯者，先登車就坐，老弱婦孺及攜帶物件較多的人，一概落後，即能上車，皆無坐位，此種情形，自屬極大缺點。筆者曾獻議鐵路當局三項補救辦法：（一）加掛車輛，使皆有位可坐；（二）將該次列車早數分鐘停靠站台，以便旅客循序而上；（三）晚數分鐘再行剪票，以免遂擁而前，三項之中，只有一項辦到，問題即可解決。該局以車輛不敷分配，加掛雖感困難，稍晚剪票，亦恐時間不及，惟列車早停站台，可以照辦。最近筆者，細心觀察，第一月台甫經騰出，該次平等號空車，立時駛進，隨即開始剪票，聯絡異常緊密，而旅客依次魚貫上車，秩序已經井然，不再有擁擠紛亂現象。該路局能博採輿論，從善如流，甚可欣慰，台省交通，現時有待改進的地方尚多，其他機關，亦深盼能接受民衆意見，隨時改善行政，使符合民衆利益，所謂改革官僚作風，爲民衆服務，應從此等地方作起，筆者有厚望焉。

中共官營商業的失敗

（上接第二版）而在中共的中央級公司方面，對於全國各地商品的臨時調節，亦未能及時處置。因此，在在都使中共的國營商業陷於無計劃的混亂狀態，且始終無法克復。以鄉村合作社而言，由於受上級公司政策的影響，便普遍產生了兩種極端相反的病態。其一是在商品積壓時，採用强迫推銷手段，往往逼到民間鷄犬不甯，怨聲騰天，在民間造成了極惡劣的影響。其一是往往有多種商品經常不能門市供應，人民前來購買時，以搖頭了之，因此目前鄉村人民已普遍稱合作社爲「搖頭店」而不名，可見其情形嚴重之一斑。

經營和調節的矛盾

使中共國營商業困擾的另一個原因，是在經營和調節上有極大的矛盾。

大陸商業爲中共全面統制以後，主要是一般商業幹部只知商業謀利的行爲，而不懂得商業調節社會供求的作用，有些幹部雖懂得商業調節社會供求的作用，但仍爲一種爲表面的成績觀念所造成的片面的營利思想所左右，以致顧到了營利，便抹煞了調節作用。尤其所有商品在中共的壟斷商業之下，已失去了自由的正常的流轉，乃益使經營和調節在中共的國營商業中形成了深刻的矛盾。因此，中共一方面雖在拚命指斥私營商業的投機取巧，謀取暴利，破壞市場，一方面他的國營商業卻在公開而合法地囤積、壟斷、套購，利用種種方法，達成他們營利的目的，而相應的造成正當市場的僵化。同時，中共一般商業幹部對於經營的方式，亦頗爲搖擺不定，往往出爾反爾，例如，中共在壟斷商業之後，因對商品統制過嚴，致使一般商品皆不能普遍深入民間市場，以致銷路經常呆滯。（下）

蘇俄掠奪撫順石油的新措施

擴大撫順人造石油廠

近據瀋陽消息：蘇聯爲適應戰爭需要，業已擇定撫順煤礦所在地，建一最大規模之人造石油廠，中共稱撫順爲「人造石油基地」。查撫順原有東北石油一廠及二廠，現再作更大規模之開採，預計全部工程，於兩年內成完。蘇聯燃料工業部現已派出所謂「專家」一批，會同中共燃料工業部所派之領導幹部，至撫順計劃一切。建廠基本工程，業已開始。按撫順煤田的煤層和地面之間，埋藏約有幾十億立方公尺的油母頁岩，人造石油的原料蘊藏至富，可供一座年產原油一百萬噸的大煉油廠晝夜不息地生產一百餘年之久。故爲蘇俄所垂涎。此項更大規模之石油廠成立後，中共出賣國家資源，又多一項罪行矣。

改進學生保健計畫

革新會徵廣泛意見

香港三日

香港每年用於嬰兒保健的經費，倘特別分列細目，數字必然驚人，受惠的貧苦嬰兒也很普遍。一個小孩出生以後，一經登記，就可獲得港府照顧，每星期在公立醫院免費檢查身體之後；服食奶粉的，可領足够一週的適量奶粉、魚肝油，以及洗澡用的肥皂，都是免費享受的，假如係飲煉乳的，也能領到平價的優待劵，這種設施，不問曾否受惠的市民，幾沒有不交口稱道。數字十分龐大的嬰孩健康既經常獲得指導，倘遇疾患，另由專責醫生負責診療、打針、服藥，全不收費。兒童則不再享受這種權利，患病求診，與一般成人無別；未經登記參加保健的嬰兒，也同樣要花一元掛號費，而且又無配給奶粉等的權利。而參加保健的，大致都是當地出生。但亦並不規定祇適非土生的參加。

兒童保健雖然和嬰兒同樣重要，但當局則偏重於學童，且征保健費用；教育當局每年通令各校協助鼓勵學童參加，然以每年每名收費十五元，參與保健兒童並不踴躍，這當然不是忽視健康，而係無力負担這筆費用，香港現有就學的學生二十四萬，參加繳費保健的僅及三分之一；三分之二的學生家長們可以相信他們對子女教育費的支出已感不易，自難顧到子女們的健康而慳吝付出七元的保健費的。本報第三二零期中曾就一問題提出檢討，並且呼籲當局重視現實，普遍實施保健計劃。市政局民選議員區達年，極力支持本報建議，他認爲此事雖非市政局討論範圍，革新會爲了全市學生的健康保障，自應籲請教育當局注意，收取保健費用，不啻劃了一條限制趨向健康之路的界綫。雖然參加保健的學生，當局也需支付費用，如配眼鏡等畢竟還是少數。假如給予免費或減收少許保健費，參加人數既多，健康當可普遍獲得保障，則保健費收入的總和，不見得比目前爲少。革新會當局希望市民提供有關此一問題的意見，俾以向當局建議設法改善，相信教育當局必能予以考慮的。

倫理問題　·王君實·

著者：毛以亨　出版者：香港自由出版社

（一）

倫理學，是研究人類行爲的學問；不過研究的，不是行爲的事實，而是行爲的價值。倫理學家看人類行爲不是一種生理的活動，也不只是一種心理的活動，而是具有價值的行爲。「善」與「惡」，「是」與「非」等等名詞，就是用來表示行爲價值的，這種價值，稱爲道德價值。杜威及吐夫次在其共著的倫理學中，給倫理學立個界說道：「倫理學是討論行爲的科學，而此行爲只限於有是非善惡的」。又說「倫理學之目標，在對行爲下評價。給它一個有系統的說明，而此評價之施於行爲，只限於站在是非善惡的立場上」便是這個意義。

我國以往出版的倫理學書籍：如蔡元培著的倫理學；范源濂著的倫理學精義；黃建中著的比較倫理學；內容精簡扼要，風行一時。毛以亨先生這本倫理問題，則羅列衆說，剖析纖毫，確定一己的思想系統，同時於適當的地方，引用許多材料以充實內容，體大精深，超越元箸，自非績學之士，不易辦到。本書主要部份，共分五篇：一倫理體系；二倫理的政治；三良心、自律、與自由；四善與惡價值論；五論諸德。其他兩篇一爲結尾語，一爲附錄參考書目。

（二）

第一篇倫理的體系，這是一種純粹理論式的研究，將倫理判斷中所用的判斷和原理，用論理來分析，來求得其正確意義。著者首先引述索羅鑑教授的主張，把倫理體系分爲三大類：一觀念的倫理體系；二感覺的倫理體系；三理性的倫理體系；一一加以說明。並且把這幾種西洋倫理思想，從紀元前五世紀起，至廿世紀止，在每一個年代所發生的支配力量，加以概括的敍述。其次是引述馬肯棐倫理學課本的圖表，加以分析與說明，將各派的主要理論如：（一）快樂論；（二）功利論；（三）進化論；（四）苦行論；（五）直覺論；（六）解脫論；（七）自律論；（八）完全論；權衡其輕重得失。使研治倫理學的人，可以入室升堂，窺見「宗廟之美，百官之富」。

倫理是說明人與人的關係，尤其是個人與社會的關係。在社會變動劇烈，生活方式常常改換的地方，更容易促進這樣的研究，因而常有新的理論發生。著者說：「自宗教改革，文藝復興以後，倫理由上帝之城，重回人間，無法不與政治相混了。等到二十世紀則政治與倫理問題已公開的說明爲交織的不可分，而意見之分歧，在究竟以個人自身爲目的呢？抑是社會爲目的呢？由前之說，則爲自由民主主義；由後之說，則爲全能極權主義與共產主義」（原書第二十六頁）。這裏，著者強調倫理的政治性。

（三）

著者就倫理上，政治上之觀點來分析，認定了「列寧爲崇奉非希德之一人，所謂列寧主義就是加上浪漫主義色彩非希德主義的馬克斯主義，再加上斯拉夫民族之神秘氣氛，成爲三者之合璧」。（原書第四一頁）著者批評柏拉圖與馬克斯的倫理觀點的異同說：「柏拉圖之共產主義，與馬克斯之共產國際，同認以人類需要而有社會，但前者祇求靈魂之滿足，而後者爲物質之滿足，則出發點已有不同。自其同者以觀，皆主張專制，皆認有倫理之眞理，皆認有哲學上與思想之領袖，皆認幹部與宣傳之需要。然其目的則，柏氏以榮譽爲目的，馬氏則以財貨爲目的，柏氏謂財貨能使人分裂，馬氏則以權力強其不分裂，則又近乎於法西斯之惟權力是營了。」（原書第四六頁）著者批評列寧主義，眞是一針見血，而對於馬克斯的倫理觀則有摧陷廓清之功。著者在第二篇末段提出民主主義倫理項目（一）人權，（二）人民立法，（三）自由生活，（四）法律上平等，（五）合理主義，（六）個人主義，（七）良心之自覺，（八）義務之自律。顯爲顛撲不破的理論。（上）

× × ×

鋒頭主義作怪

自由談　馬五先生

怪事常常有，沒有我國多。十年以前，有位教育部長編訂了一本簡體字，準備通令各小學校嘗試習用，而當時的考試院長戴季陶居士大發雷霆，認爲這是擾亂中華民族固有文化，[illegible]，絕不容許，[illegible]。這一來，[illegible]。十年以後，[illegible]考試院長[illegible]。保國粹，正人心，而其[illegible]兩位正副院長大人自己[illegible]胖子跳井，彼此不下去，笑話連天，[illegible]怪象！我決不承認所謂簡體字運動是與「學說」有關的事，如果這也叫做學說，[illegible]擾亂私塾，[illegible]部古書擺在故紙堆裏[illegible]。

[illegible]爲舉人了！再看以倉頡復生自命的簡體字救主的學說，他解「止戈爲武」之義，說是[illegible]「在這反共抗俄的聚會，不要打仗嗎？」這樣的「學說」，應該打屁股四十大板，以昭炯戒！[illegible]指那倡說簡體字的人是「匪諜行爲」，[illegible]。

[illegible]

中廣社慶三週年晚會

·我生·

二月二十八，適逢中國廣播公司平劇研究社成立三周年紀念，該社是晚假台灣省鐵路局禮堂舉行慶祝會，招待各有關團體首長同樂，節目排得相當好，演出的情况以藝術眼光來批評的話，的確是相當精彩，原因是演出人員在事先準備工作作得充份，所以到了演戲的時候，并不手忙脚亂，笑話百出。

大軸戲寶蓮燈，演[illegible]沈視成之[illegible]前途一定不凡的。[illegible]學習，將來她的藝術[illegible]。劉當去劇中的秋兒，張小霞去劇中的沉香，這兩人的演技很難下評語，因爲她們都是剛入門的新手，平素對戲劇似未多用功夫學習研究，[illegible]

出情况相當好，把全場觀衆的情緒，爲之振轉，振奮觀衆的心理[illegible]！實君這天的[illegible]表情做得非常動人，這是我觀其演唱以來的空前紀錄。

沈視成的王桂英，工架美滿，做作精細，尤其寶蓮燈秋兒和沉香的一場，表情恰到好處，頗似[illegible]人。佐以周長英的[illegible]奏，使全場生色[illegible]加了不少光彩，沈視[illegible]誠只要肯苦心孤詣的[illegible]

[illegible]中人物的[illegible]情，一邊却以手指[illegible]合上的表演引不起她[illegible]練綫，這也是遊藝場的興趣之故。也可見這一晚的演出是不大精彩了。

憶郁達夫與風雨茅廬

·鐵頭·

她們堅持要聽王皐山，以助消化。遊伴中的胡兒，胡兒老于世故，對于太太的意見，素來都是不表示異議的。不是[illegible]，但冷眼看達夫與我表演[illegible]，於是我們勢孤力弱，一個巴掌拍不響，兩個巴掌，寬拍也不敢拍，只好掉轉車回頭，轉到四眼井，打算從玉皇山山背後小路爬上去。誰知一下汽車，達夫就不見了。我們閒閒嘻嘻哈哈，拉拉扯扯，大家還未覺得，一走到上山的羊腸小徑，天然成了單行，舉目一望，[illegible]的人兒，却是少了一個，我首先發覺，喊道：『不對！丟了人。』大家同時停住腳步，又同時發覺是達夫不見了。[illegible]說：『轉去，去找他。』映霞一面走，一面說：『你們不用忙，我一找就找着。』

『說話之間，已回到了四眼井石頭亭子裏面，抬頭一望，只見達夫先生，站在那個小攤子旁邊，左手捏着一個粗瓷茶碗，在那裏大飲土酒，右手正抓花生米，夾七夾八地向口內直送，一面又和那攤子的姑娘，[illegible]，好像忘記了我們這一羣同遊的人們的[illegible]。那時，王映霞一馬當先，走在最前[illegible]頭，從達夫的背面，[illegible]的意思。乃轉手朝後一擺，[illegible]還是黃酒的姑娘回頭[illegible]首，一看我們這種姿態，不禁啞然失笑了。說：『你們竟然把我當小孩子，怕丟了不成？我讓你們去爬山，我一個人在此飲酒吃花生，還不是各得其所！』王映霞不等他說下去，三腳兩步，搶上前去，把粗瓷茶杯奪下，放在攤上，一隻手拉着他的膀子，口中連說：『你同我走！你同我走！』[illegible]我留在後頭，[illegible]那姑娘，[illegible]毛，扁扁地鼻[illegible]模樣兒和儒林外史上，馬二先生遊杭州時所形容的杭州姑娘[illegible]也是一個日曬[illegible]顯露出來。那[illegible]『沒有關係，好幾次老酒了，下次也會付的[illegible]小買，我因[illegible]還是[illegible]很熟，心裏相[illegible]同時恐怕也[illegible]罷？』放下一[illegible]』就走，她一[illegible]

智利古屍引起冷戰

·黃禮譯·

智利首都聖地牙哥的科學界，最近因發現了一具四百年前的完整人屍，引起激烈「冷戰」，國立歷史博物館，與智利大學的考古學院的學者，都牽涉在內，相互爭執。

此事的起因，是兩個趕驢的人於三月間從聖地牙哥附近的山上下來，攜有一具「木乃伊」出售。他們說，他們於數年前曾在一萬七千呎高的普洛莫山顛峯附近發現若干錢幣，最近再去發掘，則發現了這具人屍。他們先向自然歷史博物館兜售，索價八萬比索（約合七百二十八美元），但政府每年撥給該院的經費，却僅有三萬五千比索可供收買及維護各項標本。

這時，有智利大學兩位學生，便與這兩人接洽，他們抱着滿腔考古熱誠，把身邊的錢全部掏出，再加上兩人這一月薪水的餘款，湊成了四萬五千比索，結果趕驢的答應把他們帶到這座高山九千八百呎的地方，掘出了那具屍體。這個人屍，在高山的冷雲中保藏完整，外面且裹有服飾。這兩位學生把它帶回學校裏，儲入冷藏庫。

可是等到這屍體取下山來，自然歷史博物館却認爲依理須歸該院所有，即派人到冷藏庫中「搶」了過來。學生們聽到這消息，自然大爲憤怒，立刻招待記者，表示他們所發現的這具屍體「足可改變關於印加族在智利的歷史知識，」且認爲應該再儲入冷藏庫，以免腐化。但據一位醫生說，這個屍體，應該放在陽光而晒乾才對。而自然歷史博物館的福爾柴立達博士却把它放入一個匣內，用黑紙圍了起來。起先，一般人都以爲它是古印第安人的公主，但後來脫除服飾研究後，才斷定是男性。至於其所有權，則至今仍未解決。但國立歷史博物館館長說：「這個古屍，應該屬於這座博物館。政府有明令規定，一切智利人的遺物，都應放在這裏。」於是這場爭奪戰，又增加了一個角色，本來祗是智利大學與自然歷史博物館之爭，現在，國立歷史博物館也牽涉了進去，把事情弄得更爲複雜，且解決自然也益形困難，到目前爲止，政府尚未表明立場，但新聞界却已將此事大加渲染，使這具古屍似乎成了稀世珍寶。

但那兩個智利學生既出了錢，結果落得一場空，於是決定再去爬普洛莫山，希望能掘到另一批古物。

木蘭花慢

（黃花節聯宴陸海空先生）

桐綺

溯黃花節日，聯起義，是羣英。想一夜圍攻，幾番轉戰，功敗垂成。創亡已爲先烈，計脫逃，剩得似零星。況被流年淘汰，至今尚有孤丁。　誰知國破走江城。仇恨總難平。數四十年前，事情如繪，說甚分明。惟思這同革命，把深杯，齊獻老人傾。更望河山迅復，再來詩酒重賡。

陸屬老，是參加辛亥革命三月廿九之役，今在港，年七十餘，昨黃花節日，寶安鄒勉之，邀集同志，宴之於凱旋酒家。

論蕙葭樓主黃節詩

·王世昭·

貞壯即諸宗元，黃節與之倡和酬寄僞多，詩亦頗崇黃氏，憶其爲蕙葭樓詩集題句云：「十年刻燭恣吟詩，讀君別後五年詩。縱橫著語成唐律，鈎索之洗鍊已難知。」老去江湖嘗自惜，如夢鈎天合樂時。」蔡樓屢同雨晦坐，蘇曼殊對黃詩亦極其贊許，有詩「寄晦聞」云：

「忽聞鄰女艷陽歌，南國詩人近若何？欲寄數行相問訊，落花如雨亂愁多。」胡漢民於其於不盡室詩鈔中會兩「題黃晦聞蒹葭樓詩後」，茲錄其一首（上所列二首詩，不見於黃集）：

「散原於君詩，推挹實已至。格澹更多奇，趣新仍雅字。白石託孤明，類嶇一名家，亦病鮮。洪沙白亦后山，軒輊求比多此翁，放出一頭地，讓以先登幟。嘔心四十年，辛苦自知味，」是中有緊。胡氏好雅，於黃詩的評許，甚中肯綮。至云「嘔心四十年，辛苦自知味」，則又進之盛一籌了。

黃節是怎樣的人？

黃節是怎樣的一個人物？章太炎爲之作墓誌云：

「晦聞諱節，廣東順德人。弱冠，事同縣簡朝亮先生者，與康有爲同師，而學不務恢怪，性尤清峻，寡交遊。事之數歲，通貫大體，冠其儕。歸獨佛寺讀，又十年。學既就，會清廷失敗，羣化用事，遂走上海，與同學鄧實等，集國學保存會，彙集明清間禁書數十種，作國粹學報，以辨夷夏之義。時炳麟方出繫，東避日本，作民報與相應，士大夫傾心克服自此始。簡先生聞二生抗言，以爲狂，頗風止焉。而二生持論如故。時兩江總督端方知不可奈何，欲以賂傾之，不能得。香山孫公主中國同盟會，聞晦聞賢，以書招之，亦不就。及民國興，諸危言士大抵通顯，晦聞獨寂寞所附，其介特蓋天性也。始自廣東高等學堂監督，歷京師大學文史教授，凡在北平十七年。中間曾出任廣東教育廳長，通志館長，歲餘即解去。其爲學無所不窺，而歸之修己自植，然猶好詩，時託意歌詠，亦往往以授弟子。以爲小家瑣說，際亂而起，與之辯別致詘，詘終不可止。詩者在性情之際，學者浸潤其辭，足以自得，雖好異者不能奪也。其風旨大抵近白沙，而自爲激昂，庸峻過之。自漢魏樂府，及魏三祖，陳王，阮籍，謝靈運，謝朓，鮑照詩，皆爲詮釋。最後好顧山顧氏詩，蓋以自擬云。……」

道義把黃氏的師承，學問，經歷，教法，以及詩的成就，原原本本，敘述無遺。至對於革命時期，振聾啓聵之功，亦聯帶地加以暗示。惟於却袁之聘尚未道出，茲再抄胡漢民詩一首，以證黃氏之高風亮節。黃氏雖非國民黨人，以視汪季新後來組織僞府一段經過，九泉之下想當爲之愧死也。胡詩云：

「少說白石仙，高吟哀朱至。常爲却曲欲，不見凋疏字。膀卑愁老材，何足擾清思。風節寓文章，國維徵士類。南北仕隱間，略知所取棄。箋註魏晉賢，輒及興亡事。憤慨儲傳詩，我聞非世意。却聘晚過車，擬夷早樹幟。可惜張樵人，但賣酸辛味。」

章胡二氏於人不輕許，證以詩文，黃節當可不朽。若以「蒹葭樓詩」而論，黃節於近代詩人中，將與陳三立，鄭太夷，鼎足而三，惟奔放不及黃公度，而奇巧或亦有遜於易哭庵也。（續完）

東園博湛

·姿婆生·

余因平居無事，常以涉足歌場爲遣興，此在故都如寓居在十年以上者，皆有此癖。因爲聽歌，始識津門李東園先生。幾度徵逐，匪聞雅奏，驚佩其劇學之淵博精湛，在自由中國，恐無出其右。

東園爲研究孫派戲劇，幾至傾家，而本人才技極精，所以能以科學標本自贍，絕不僅取仕進。當其離津之時，共匪因其舉辦慈善事業有名，搜捕其人。幸而隻身脫逃，方離鹹幕。目前碩果僅存之孫派名票，也無二人。歲首相與買醉中華路小酒館，偶談其能演之戲，不下七十齣，茲摘錄之，幾乎老鄉親所能者，皆可演出。

（一）屬於孫派者：桑園寄子瘋涼閣浣紗計魚腸劍硃砂痣七星燈戰北原罵王朗罵楊廣烏盆計喜封侯打金枝取滎陽取成都鐵獅闖天水關武昭關斷密澗大保國二進宮逍遙津南天門將相和三娘敎子法場換子焚棉山托兆碰碑完璧歸趙搜孤救孤南陽關上天台黃鶴樓四進士馬鞍山桑園會

（二）不屬於孫派者：戰樊城寶蓮燈拾黃金武家坡迴龍閣打棍出箱汾河灣跑城播松探母賣馬打漁殺家借東風甘露寺定軍山戰太平天雷報烏龍院珠簾寨捉放曹八大鍾斬黃袍哭祖廟文昭關狀元譜轅門斬子失空斬洪洋洞法門寺審頭白門樓

紀述至此，極願一般之稍能數齣者，幸勿自詡爲名票，趾高氣揚，目空一切，應知能者，固大有人在。

×　×　×

中華民國僑務委員會頒發登記證台教新字第一〇二號
中華民國郵政登記第一類新聞紙類

自由人

THE FREEMAN
（半週刊每逢星期三六出版）
（第三二四期）
每份港幣壹毫
社址：香港高士威道二十二號四樓 20 CAUSEWAY RD 3 rd. fl. HONG KONG
香港發行及接洽事務處：高士打道六十六號 電話：七〇五五三
承印者：東南印務出版社 地址：高士打道六十四號
台灣總經銷處：台北市館前街五十號
台北郵政劃撥儲金帳戶九五五二號之一

新政府努力的方向

・韋政通・

國民大會第二次會議閉幕以後，當選為第二屆副總統的陳誠先生，曾邀請海外歸來非國民黨籍的代表胡適、于斌、左舜生等晤談。據陳氏曾把未來新政府的革新計劃告訴他們，希望他們提供意見。同時，陳氏又向全體一百廿多位的海外代表提出保證：新政府成立後，將有一番徹底的改革，創造一種新的政風。

這個消息，是我們大家樂聞的，政府已往的錯誤，並不可怕，祇要有革新的勇氣，總可以朝理想的境地漸漸前進的。

革新計劃的內容，我們還不知道，於此，我們願意提出幾點原則性的意見，供關心時局者和政府的參考。

民主和極權的分別

新政府成立後，應該努力的方向是什麼呢？曰自由，曰民主，曰法治，曰清廉。

前幾天，我讀完了一本美國政治制度（MAGRUDER'S AMERICAN GOVERNMENT）的互著，使我深深感到，美國這樣一個國家，這樣一個民族，確是很可愛的。願意在這裏先介紹一段：

作者「論自由與權力」說：『為美國和每個人民得自由權利，是引導美國革命領袖們的基本力量，並且還要自由一直在我們反對共產黨在全世界的侵略，為的是要使「我們自己和我們的後代享有自由的幸福」。』

又說：『行使個人自由，必須兼顧到別人的自由。政府的權力也須有限制，假如一個政府願意怎樣便怎樣，那麼個人自由就完全沒有了。蘇俄及其附庸國用殘暴手段壓制個人自由，因為他們怕人民叛變。……現時在蘇俄，人民所想的，所說的，所寫的必須是政府所喜歡的』。這與我們可以看到，什麼是民主，什麼是極權。以及民主與極權的區別。

翻開近代西洋史，許多偉大的運動，幾乎都是為了爭自由，爭民主，尤其是英國，他們的人民愛好自由與珍惜自由，甚於一切財富。為了自由，他們不惜犧牲生命，財產，和神聖的榮譽，這是史實。足以證明合法的自由，合理的民主，是人民的基本要求，也便形成了現代政治思想的主流。

尊重自由為當務之急

新政府的主要任務是反共抗俄，為了完成這一個艱巨的任務，要求每個國民都作更大的犧牲，是應該的。但要發揚真正的愛國精神，必須在有利於一個民主的政府下。假如在一個政府之下，只有政府所喜歡的人物，全國人民都被迫去信奉欽定的「主義」，一切言論都要經過政府所喜歡的言論，在這樣的情形下，人民不能自由地思想，也不能自由地發表言論，要人民去愛國，祗是被動的而非自發的，國家那能進步強。所以，要大家發揚愛國精神，政府必須尊重人民的自由，實現真正民主制度。

其次，談到法治。所謂法治，就是一切都要遵從法律，以法治國，以法理民，法律之前人人平等。要問國家是否民主，可以從遵守法律的程度看出來，故法治是民主的基礎。

我們已有了一部民主的憲法，可以稱為一個法治國家，不過憲法的存在，並不等於民主政治的實行。還要看政府和人民遵從的程度如何。憲法第二章，對「人民之權利義務」，已有明文規定，其中最基本的就是人身的自由，言論出版的自由，以及集會結社等自由。當然根本談不到言論出版自由，和集會結社的自由。過去政府沒有給予人民以這些自由，至少是不夠充分。如何使人民有法可守，必須首先從政府做起，希望政府今後遵從憲法，這才是民主憲政最基本的要求。

如何杜絕貪污

最後，談到清廉。貪官污吏的存在，一由於用人不當，過事放縱。二由於公務員待遇不平，生活清苦。前者大都會造成重大的貪污案，後者通常所犯案件，性質比較輕微。政府過去五年來，大小貪污案件，可說還是層出不窮，最著的，為毛邦初案，和最近的吳國楨案。這兩案的性質雖不盡同，但確由於用人失當，和過事縱容所致。以吳案為例，如不嚴加整頓，誰敢保證不會有第二個吳國楨出現呢？政府有這種人物出現，是有損政府信譽的，這種教訓，是值得當政者深切反省的。故新政府的革新計劃，必須首先肅清貪官污吏，如任令偽善者混跡政府之內，我們就會永遠停留在現階段，民主，自由，法治，一切都談不到了。

我們相信今日的當政者有革新決心，也能拿得出一個改革計劃來，但將來能否實施，仍是「人」的問題。今後用人必須採取慎嚴的態度，使毛吳事件永遠不再發生，方為上策。根據台灣許多貪污案件來看，以發生於公營事業機關的為最多。這是值得注意的現象。這不祇是管理問題，也是經濟制度問題。政府如能實行「自由經濟」，開放民營，使人人能夠「勤儉起家」。進而達到「人人有產」。則公營事業機構的浪費和貪污現象，自然可以逐漸絕跡；人人都可靠自己的勞動，換得一份「私產」，生活自然有保障，誰還願意觸犯法律呢？這個問題太大，非本文所能詳述，我的意思只是指出造成貪污現象的根源。

以上幾點，是新政府革新計劃的主要內容，是我們理想中的民主政治方向，我們也確信政府有此認識，有此誠意，但必須切實執行，把握時間，才能逐漸見諸實效。

挪威已準備為抗俄而戰

——自由世界應付俄帝侵略的好榜樣——

北歐斯干的那維亞半島之西的挪威，在二次大戰時，慘遭納粹鐵蹄的蹂躪，迄今瘡痍未復；而東北近鄰的「北極之熊」，又復虎視眈眈，其欲逐逐。她是怎樣安排她的未來呢？她是堅決而明智的：她並不以本身的貧弱而稍存猶豫，畏葸，苟安的打算；她從正視現實中充分了解自己的命運，而用自己的手來牢握着自己的命運，大有「寧為玉碎，不願瓦全」之慨！在西歐所謂強大國家正在作和平幻夢時，她已開始作假想敵——蘇俄踏進國土的必要部署，進行明恥教戰，舉國皆兵的最後準備。這是北大西洋公約國中最強韌的前哨，也是自由世界裏面預謀應付俄帝侵略的最好的榜樣。

挪威的戰略地位

她有十四萬九千餘方哩的面積，和三百萬的人口，東界瑞典，南濱北海，西面大西洋，北臨北極海。在北極圈上，她是與蘇俄接壤，而有蘇俄的後花園之稱。任誰也知道她對蘇俄的戰略價值，如果俄能控制了北部挪威，則在俄領海港亞爾干日爾和莫曼斯基的潛艇，便可直貫而進大西洋，嚴重威脅了西方國家在大西洋的航運；相反的，在挪威境內的任何空軍基地，都足以給俄潛艇以致命的打擊。所以俄國如果不能使挪威中立化，便要擾為己有。但早在五年前，她已加入了北大西洋公約，且已批准了歐洲軍約了，自無中立可言，最近在挪境內的空軍基地，也紛紛建立，正中俄帝的要害。此後，歐洲的戰火不燃則已，一旦有變，俄軍必以雷霆萬鈞之力，與挪軍作速戰速決，作機先的佔領。

三百萬人口而戰後元氣未復的挪威，絕非俄國的敵手，但命運註定了她非面臨這個遭遇不可。北大西洋公約的盟國雖決不會袖手旁觀，但遠水不能救得近火。因此，她便決定採取陸海兩方面的游擊戰，作延阻的抵抗，以待外援的戰略，她的盟國也只要求她能達到延阻的目的，便可及時應援。而她所以敢嘗試此一着者，自有其客觀的環境和主觀的自信。

原來挪威是個山國，無論縱橫面都給崇山峻嶺分隔為無數的小區域，交通網很難建立，目前國內的交通，也還多於陸運。這是本國動員雖期迅速的原因，也是敵軍無可克服的障礙，而最宜於作游擊戰，以困擾敵人。

寧為玉碎不為瓦全

過去在二次大戰時，德軍雖然很快速的侵入，但雖作全面佔領，給當地的游擊隊騷擾得疲於奔命。在那幾年的游擊作戰中，政府對人民的愛國心，是有深刻的認識，堅信全國人無論男女老幼，對外敵的入侵，是同仇敵愾的。我們且看挪威政府所頒佈的命令，便知道它的決心和信念了。在這命令第七段裏面規定：（下轉第二版）

・林長林・

馬倫可夫說：「法蘭西小姐……？」

——陶天翼作——

半週展望

・旭軍・

我們要真正的『聯合行動』

這半週以來，全世界人士集中注意到美國國務卿杜爾斯的『聯合行動』聲明。

在蘇聯集團方面看，認為是虛聲恫嚇，不足恐懼的。存心求苟安和平的人盼望這個『警告』祇限於警告，不要弄壞了那十餘天後便舉行的日內瓦會議。能在開會前壯一壯聲勢，也是好的，臨到開會時可充賭本維厚姿態。在傾心謀反侵略反奴役的人，是盼望杜爾斯的聲明能夠兌現。不要由「聯合行動」轉回到「聯合警告」，再退到「聯合商量」，如此，結果祇有「聯合投降」。

筆者在上兩次的評論都強調過：『不要太顧慮那些所謂大國盟友的歧見，而陷於困惑，應迅速把真正肯為反奴役尋求自由而奮鬥肉搏的盟友領導結合起來。這樣才能有真正的『聯合行動』。』

『主動領導遠東反共國家』

七日蔣介石總統發表應組織亞洲反共聯盟的『聯合行動』主張。其最精要處，在着重實行方面。他認為如無美國之『主動領導』，東亞各國，則太平洋或亞洲地區之區域性組織無成功可能。即有組織，也不會發生效力。在另一方面任何太平洋或亞洲地區之組織，如無『遠東反共國家』參加在內，即不能望其解決任何問題，而且最後必會得到相反結果，易言之，聯合行動必須聯合東亞有關反共各國的所有力量。

上文的括號是筆者所加的。蔣總統這一篇談話主旨也就是括號內『主動領導遠東反共國家』十個大字。

如果要我再選擇最重的字眼，我便選擇「主動」這兩個字。

太平洋或亞洲區域性的同盟的主張，早已為有識之士呼籲了許久。為什麼不實行呢，就是我上文所說的『美國太顧慮那些所謂大國盟友的歧見』。

在今天他必要以挽世界免於沉淪為已任麼？美國要『主動領導遠東反共國家』為首要任務。我不是說不要盟友而獨行獨斷。而是肝衡大局，權衡緩急輕重，謀制敵先機，出以精明果斷的行動，而不受苟安自私的影響，而弄到泄泄沓沓，延誤時機之謂也。

克姆林宮的一套魔術

如果發了一個聲明後，不積極安排行動，而與「盟友」研究再研究。檢討再檢討。今天表示不即採行動，明天表示暫行觀望。閃縮搖擺。結果適為敵所洞悉弱點，而自陷於分歧混亂。未開日內瓦會議之前，早已居於劣勢。到了日內瓦開會時，更陷於孤立困惑。

今天美國有原子武器的戰略，而無原子時代的政略。

事實擺在眼前，蘇聯的工業落後。史太林未死之前在一九四六年宣佈要有十五年的工業建設，分三個五年計劃。要到一九六〇年才能與美國一較上下之可能。但馬林柯夫登位後，顯然因民生困苦而改變或注重農業生活，延遲工業生產計劃。他渴望世界有長久的僵持，讓他養精蓄銳，同時離間大國，鞏固落後區域。這是「花拳繡腿」。自由世界應「以快打慢」來對付蘇聯集團。

在原子時代已不容絲毫「情願想法」存在。這是原子時代政略的基本觀念。蘇聯集團的毒而妙之計，在培養自由世界「情願想法」。其秘訣在「會議」兩字。拖了三年的板門店會議，挽救了一個潰敗；而今美軍的血，幾等白流。繼而又來一個日內瓦會議，再來一個柏林會議，又來一個日內瓦會議。柏林會議未開成，蘇聯已有主張拖長他們養精蓄銳的時間。日內瓦會議，同時締結遠東安全公約的新花樣，這完全是困惑敵人的手段。如日內瓦會議無結果，再能再攪一個「新德里」會議。這樣一來，杜爾斯總是跟着莫洛托夫跑。自由世界國家失去主動，就是因為中了克姆林宮這一套魔術！

一個印度社會主義者眼中的
中共區的奴工實況

·羅敏譯·

本文作者夏斯特利是印度著名勞工領袖和社會主義者，去春曾隨印度勞工代表團赴中共區訪問六週，下文是他數篇關於中共區見聞的報導之一，敘述在「長江水利工程」區所見情形。 譯者

美麗幻想的破滅

我們的大汽車緩緩向長城駛去，兩邊的窗子都關得密不通風，外面是漫天黃色風沙。我們不時憑窗遠眺，但車行數里都不見人跡。我們這一羣人混合了不少種族，有印度人、俄人、還有二位中國籍的翻譯。他們有的在閒談，有的唱着民歌，我也想找一位同伴隨便談談，以遣旅途寂寞，但我的頭腦卻似乎不和我合作，我是被在這裏所親眼目擊的現實粉碎了我在印度對這「新中國」的幻想。

我們是四月二十三日進入中共區的，三星期來沒有一樣事物，可證實我們在遙遠的印度所想像的中共區的「美麗景色」，相反地，我過去的想像和今日所見的事實，兩者之間的鴻溝，正愈來愈深。有時，我想，自己也許過份悲觀了，因爲我們這代表團中的共黨份子，對每樣屬於中國共產黨的東西都稱揚不置，有一天，我們會看到婦女們傴僂着在田裏用雙手耕種，但我那些共黨朋友卻認爲這是「新中國」建設熱誠的證明。我腦中泛濫着一連串疑問，思潮起伏，比窗外的大風尤爲激烈。

這天早晨，我們曾去參觀過長江水利工程，這一地區據說經常氣候惡劣，日夜都有暴風雨，使工作人員難有機會得到精神上的慰息。我們從北平乘着有空氣調節設備的火車專車出發，到這水利工程一處建築場所附近停下，中共已預備了特別公共汽車在迎接我們。

強迫勞工的可憐生活

這一天又逢狂風暴雨，我把雨衣裹得緊緊的，去接受共黨爲我們佈置的招待。在建築中的水壩附近，有一排特殊的低屋，是專給共幹和其他官員職員用的。這裏約有五千個勞工在工作着，不論是敲石、挖掘隧道、或搬移大石，都用赤裸裸的雙手，他們所用的簡單工具，簡直與博物館中所陳列的那些古代工具無異。

我們一踏下汽車，共黨便送上來一些有色眼鏡和面幕，以防風砂，但勞工們卻沒有一人能得到這樣的東西。長江水利工程的重要性，僅次於淮河水利工程。這裏的景象使我約略認識了在決心的驅策下，人類勞力所能發出的力量。但當我看到這些勞工在強迫下工作的情形，我的感覺已超過了憐憫與同情，我祇感到可怕。人類畢竟不是野獸，即使爲了國家建設，他們也不應該被當作便利的工具。像我這樣的政治工作者，決不會支持中共驅策這些勞工的方式，我們不僅須憑雙手去從事這樣艱苦的工作，更須遭受暴風雨打擊，而這裏的風沙甚至能使人盲目，他們的工資只能有五十單位一個月。今日中共的勞工工資，都採單位制度，每單位合二千二百至二千四百「人民幣」。一個勞工的工資，約有百分之八十須用於食物。中共區的日常用品，都較印度昂貴，米、衣服、石油、煤、鹽，約超過印度百分之五十，其他物品則更貴得驚人。每個勞工月入五十單位，其生活水準之低，自可想見。中國人是個刻苦耐勞的民族，這些勞工們還是嘗着這低得可憐的工資，勉強維持着他們的生活。

強迫勞役不許轉業

這些勞工大多數是從遠處調來，即使不堪忍受，想到別處另找新的職業，也決難獲得共黨許可。這種被迫的勞役，也許就是西方所說的「勞工集中營」或「強迫勞工」了。

我們正參觀的時候，一位印度共黨突然大聲讚揚說，在我們印度，沒有一處水利工程可與他在這裏所目擊的相比擬，於是我們的翻譯朱小姐，便走來問我，此人所說的是否確實。我說：「在印度，我們確沒有一處水利工程完全是用勞工的勞力來建築的，我們也有一些水利工程，但其中多數工作是運用機器，既方便勞工，也可增加速度。不過我必須承認，這種建築工作，並不能像「中國」這樣同時可解決失業問題。」爲了避免無益的論爭，我祇好這麼答覆，但我一面卻想到僅就印度的蔡雅水壩一處而論，它所產生的灌溉利益與發電量，即能超過長江水利工程十倍。

一牆之隔天壤之別

回到招待所，引導我們參觀的共幹向我們解釋了這水利工程的詳情，豐盛的菜餚和各種飲料已在等待我們，就是印度最好的飯店，也極少能在午餐時間搬出這樣豪華的食物，一張長桌上放着各式各樣的酒，但我祇要了一杯橙汁。

窗外聚集着幾羣兒童，以羨妒的目光窺着我們，饞涎欲滴，那位年輕的翻譯極力勸我來一杯威士忌，但我拒絕了。使她失望，我感到不安，可是這時候，就是這美麗女郎的勸酒和毛澤東的「神奇」的名字，也提不起我飲酒的興趣了。我想着隔了這一道薄薄的牆壁，外面是一羣羣勞工被強迫用手在敲石塊挖洞，企圖衝破高山的障礙，但在這一面，是另一批人圍着餐桌飲酒作樂；這強烈的矛盾，縈旋於我腦中，在我胸中引起一陣莫名的難過。

秦始皇和毛澤東

我正想着，另一位翻譯李小姐突叫了我一聲，告訴我長城已在眼前，且問我長城對我有何感想，我假裝對長城毫無所知，請她解釋。於是她不厭其詳的告訴我長城如何在二千年前由一位暴君強迫無數勞工造成，犧牲了多少男女的性命，爲了歌頌他個人的功德。

這時，我突然想到今日中共政權和那位暴君統治許多相似之處，我請李小姐唱一曲中共的「國歌」，因爲裏面有一句提到把血肉建築一條新的長城。但她是一個老黨員，機警異常，迅即了解我的用意，她故意問我，是不是想把那暴君的統治和今日中共政權來作一比照。我正想回答，汽車又在長城旁停下，我感謝了李小姐對長城的解釋，匆忙跳下車去。（譯自「國際自由工聯新聞」）

人物述評

憶吳雨僧教授

楊柳綠

（三）

戰時重慶大公報某日曾有一「新聞花絮」論及西南教授羣，謂若干人布衣敝履，安貧樂道，若干人則兼職、兼差，以事俯仰。其中有吳氏任南屏影院翻譯之語。實則另有其人；當時昆明外語影片譯文字幕詩文之佳，實非等閒所能勝任。一傳係聞一多所譯，但未能證實。因南屏傳爲「龍三公子」所創。故更不悅。曾作「更正與自由」一文，擬投登大公報，後未果行。因吳任天津大公報副刊主編時，王芸生任校對，有求於吳未獲允也。

當時吳氏擬辦一三日刊：友人程兆熊君及某軍長助成其事，以繼續其「國衛雜誌」之主張，已籌備就緒，後因程等離開西南，其事遂寢。

重慶時代教育部選有專長之權威教授若干人，聘爲「部聘教授」，吳先生受命之日，在課室言：「教育部聘我爲部聘教授，我不以爲榮；不聘我也不以爲恥」。蓋「趙孟之所貴，趙孟能賤之也」云其作此語，實其反抗權威之個性如此，非有他意也。吳氏常相過從及與趣相投之人士爲：當時尚未南來之陳寅格，及中文系之劉文典，哲學系之湯用彤、沈有鼎諸氏。對當時之新文學家嗤之以鼻，左派文化人更無論矣。後劉文典氏因西南某土司禮邀講學，並主持一窮荒中之中學。且有上好烟土供應。因而休假一再延長，爲清華解聘。劉氏極爲不平。且以外文系當年之教授星散，陣容已非昔比。吳更感頹喪。嘗自許爲當年外文系中「關張趙馬黃」外之「魏延」也。

（四）

太平洋戰事爆發時，毛××女士適在香港。時熊希齡先生已歸道山。毛氏文君新寡，主持香山慈幼院。吳又去電邀晤，終未得獲。有「慰未亡人詩」，至情流露，然終非世俗所能了解。時先生好讀佛經，然仍不得解脫；纏纏綿綿凝情，有「讀楞嚴猶未解情」之句。遂謂「別無他願，惟求此生再得一晤，以了孽緣」，並謂「欲效韓湘子渡林英故事」，此固僅在文學班中爲少數友生言之。他人聞之，眞可算有神經病了。

抗戰勝利後，吳似未隨清華北歸。一度主武大外文系。崔書云現任教西南師院。民三十七年時，因主編譯「牛津字典」「中文版」事來南京一行，曾訪其老友葉公超於外交部。時葉任歐洲司長。事忙致約始得一晤。嘗許爲「國家幹才」。然對其棄莎氏比亞（葉似爲新月派詩人，在清華開「莎翁樂府」稱權威）從政，仍三致其太息耳。

盧漢附逆，吳乃陷身西南，四年來已不聞音問。謠傳其一度至峨嵋山出家。此在其晚年之心理與精神上言，實有可能，惟實際則非事實。但其心境之痛苦則已不待言了。今年國大集會，海外代表紛紛賦歸。當年唱對台之「胡適六師」及戀愛故事中「女主角」毛××氏，均轉返自由中國，但不知尤憶及此落拓詩人否耶？

讀崔書琴書，吳先生正與大陸年青新貴，對談其昔年提倡人文主義，小圈子溫情主義的錯誤；並懺悔其戀愛故事之荒唐。嗚呼！「寶黛之愛」已矣！「滿目當盡是一些「買辦」與「多姑娘型」人物，吳先生所最鄙視的「第四流戀愛方式實行者」。其中心痛苦又爲如何耶？一個力主保存固有文化，必求字正方圓，的老詩人，對着那些拉丁化簡繁字，比吳詩所謂：「託托徵征誤，忘以云爲雲」當更粗劣一層；吳先生「痛見國無文」之餘，其中心之憤怒與痛苦又如何耶？

拉雜成篇，吳先生如果看到時，也將認爲「殘羹賸飯，雜以清水煮之爲可食」的，這也是不合「文章義例」的，然而今日吳先生連眼見這樣的東西自由也不可得了，那又是如何殘酷的感情的愴傷呢。（下）

天下小事

俄火箭機僅飛七分鐘

據瑞士情報人員說，蘇俄現在擁有一種火箭截擊機，這種飛機重僅四噸，駕駛員的操縱飛機方式很奇特，是躺在飛機裏駕駛的。據說：這種火箭機時速超過七百哩，每秒鐘能爬高三百五十呎，機上裝備有口徑三吋對空放射的火箭，但由於這種飛機的容油量有限，而速度甚高，所以其燃料僅能支持七分鐘之久，升空後失去截擊敵機的機會時，便須設法降落。

一場會議三百萬美金

不久前，華府曾一度盛傳，杜爾斯起程赴日內瓦，出席四月二十六日召開的韓越問題會議時，將有一位高級的共和黨議員隨行，理由是國會深恐杜爾斯在會議中遭受英法兩國的壓力，致又像在柏林會議中一樣，向共方讓步，這一消息傳出後，不久即歸沉寂，據說共和黨議員能否成行，還是問題，因爲這必須得艾森豪總統的許可。有許多權威人士估計，這次日內瓦會議將對美國有損無益，最起碼的損失是美國要消耗兩百七十萬元，因爲估計美國每天要在會議中耗用三萬美元，而會議至少會持續九十天之久。（孟衡）

挪威已準備爲抗俄而戰

（上接第一版）

「任何武裝的侵略一旦發生，全面而立刻的總動員，便應視爲開始，不必期待國王或內閣的命令，因爲那時政府可能被控制了。任何停戰命令雖以政府的名義發出，也應視爲虛僞的」。

在第八段裏面，還有幾點更嚴厲的規定：

「一，所有挪威人應用任何方式，就地進行抵抗任何的武裝侵略。二，抵抗至最後一人，光景已在極度的困難，甚至絕望，也要抵抗，不管敵人用怎樣殘酷的毀滅手段。三，在作戰行中，任何相反的進命令，都不必理會，雖用國王，內閣或其他高級官員的名義發出，也要提防他們或被俘虜或被挾持。四，如果是必要撤出一個地區，應即用盡一切方法，覓取友軍的連繫，加入另一個無論國內或國外的戰場。五，在取得友軍聯系前，挪威已局部或全部被敵人佔領，也要在被佔領區以內或以外，視本身的能力作任何規模的反攻。」

從這些命令來看，在政府的心目中已認定隨時有兵臨城下的可能，而挪威人爲反抗侵略而戰，除了勝利之外，也是永遠不會停止的。究竟挪威現在能用於抵抗侵略的實力有多少呢？據最近官方的宣佈，包括各部門的軍力，只有二十七萬人，這比一九五〇年已增多了百分之三十。其中六萬是用於維持治安。四萬是保護工業。另外尚有相當數量的婦女志願隊。在空軍方面，最近未獲正確報導，惟三年前政府的計劃，是要成立十五隊大隊戰鬥機，配備美製F84式雷霆噴射機，飛行員則由加拿大和美國代爲訓練的。現在舊式機場均已被擴大，且依戰略的需要，增築許多新機場。海軍方面，依北大西洋公約的計劃，挪威毋需重型艦隻，到被侵略時，自有盟國艦隊馳援。因此，她只集中力量去建造輕型艦艇，平時用以保護海岸的交通和港口的安全，戰時則作海上游擊。關於海上游擊隊的編組，現已實施，半由徵集，半由志願，夏季是訓練和演習時間，使隊員都熟習二千一百哩海岸綫的形勢，以便於戰時出沒自如，至海岸要塞和砲台也比戰前倍數的增加，和改善，前年英美艦隊包括潛艇聯合對卑爾根港，作演習性的進攻，海陸兩方防守人員都有優越的表現，尤其是那些業餘志願員兵，如砲手，無綫電員等，能於命令發出後四十五分鐘內，全部抵達正確的位置，可見人民愛國的熱忱之一斑。

這些有形的軍力縱屬有限，但另有廣大的潛力，足以輔助正規軍，達成戰略目的，就是地方自衛隊（戰時游擊隊）。這是根據二次大戰時對德軍作游擊戰的經驗，而建立的。他們把武器和制服都放在家裏，隨時聽到政府無綫電的號令，便提槍射擊，挪國的每一寸河山，都印滿他們的足跡，敵人怎能走出他們的視野呢！據官方的宣佈，現經訓練完成而已發給比較現代化武器的有十二萬人，還有久經戰陣現已退役，而無須訓練的中年人爲數亦多。參加組織人的都是志願而來，不限年齡和性別。他們的分工是這樣：年富力強的，担任爆破，狙擊，挖掘坑壕，破壞或阻塞道路，圍捕敵人傘兵，和襲擊敵人空運；年老的，担任保護電力工廠，橋樑及於必要，爆破之，較老的便專司警報，或照料難民和看管監犯；婦女志願隊，是最初的計劃，是要成立二十五萬人，現在還未達成這個限度，她們是負担醫療，看護和給養的責任，據有游擊經驗的挪威人說：被他們徹底破壞的道路，非經數月不能修復，如果俄軍一師入侵，非有另外相等於三師的補給，不能立足。

這些游擊的潛力確是無可估計的，俄共如敢冒險，看他們一個一個墮落無底的陷坑。

編者讀者

△憲政實施，必須容許甚至必須鼓勵有力的反對黨之建立，這是本刊一貫的主張。現在我們收到高遠先生一篇「多數政黨與憲政」的文章，這篇文章對目前各政黨的實際情形和對於現實政治的關係，作透闢公平的分析，最後對於如何成立有力的反對黨更作具體建議，實在是一篇切中肯綮的好文章，下期將在本刊發表，我們希望讀者對此問題能夠多多發表意見。

△台灣方面各位惠稿先生：請勿附寄台灣郵票，因爲這裏是不適用的，稿件如不合用，只要加以聲明，我們自當退回。

△萬子蘇，萬燭明，楊若瑛，易人，張溥生，卜一，羅自芳，鈕先箴，儲先生：惠稿均已收到，至感謝！

△李範寰先生：請示通訊處，有事奉商。

國・民・大・會・通・過
西伯利亞正名鮮卑利亞
鮮卑利亞必須民族自決

台灣通訊

【本報台灣特訊】國民大會第二屆會議，業已圓滿閉幕，皇皇二英寸六百多個提案和決議，亦已印刷完成。記者通讀終宵，發現國民代表諸君提出兩件歷史性的提案，其一是趙代表錫九等二十餘位所提，請政府宣佈收回尼布楚條約（一六八九年）以後被俄國侵略而去的中國領土，尤其重要的是其二，由周代表治平等二十七位所提的四一四號案，「西伯利亞應正名爲鮮卑利亞建議政府貫徹實行案」。

鮮卑利亞屬我領土

這一提案的「理由」稱：「查鮮卑爲黃種民族，與中華民族發生關係，確見於古史者，始於夏禹時代，距今已四千餘年，時名『織皮』（晉試比）。『因極是來』，受禹錫封，書經所謂『織皮即叙』云者，即列爲夏朝領土之意，（見禹貢）。周成王時（公元前一一一五年以後），『鮮卑守燎』（見國語）與楚並列，魯昭公時，『姺邳』見史，與殷失和（見左傳）。至於戰國，『小袖秀頸，若鮮卑只』（楚辭大招），自鮮卑郭洛（今譯格勒）暇帶南來（見國語及史記註），騷人譯爲鮮卑。鮮，晉析，亦晉西，美也；卑晉比，即婢，今稱『美麗姑娘』。東漢光武，封鮮卑於仇賁爲王（見後漢書），西晉各帝，用鮮卑拓跋氏之兵（見晉書）。其後拓跋建立北魏，爲我國史上正統王朝之一，留有『魏書』，『北史』兩部正史，乃世界罕有之鮮卑史，列入二十五史之中，北魏自稱禪讓於黃帝，見諸此兩部正史，其土領北至北海（今貝加爾湖），西至烏拉山，亦經英國名史家韋爾斯所考定（見韋氏世界史綱）唐代，今之黑海南部名拓跋思單（今譯斯坦），亦來入貢。北宋之時，拓跋後裔建西夏於今陝、甘、甯一帶。迨成吉思汗興，收『失必兒』（鮮卑）地，其孫拔都建欽察汗國，實括鮮卑利亞西部在內。根據上述簡史，可知鮮卑利亞爲我宗族之一，鮮卑利亞爲我領土之一部，信而有徵，無可否認。所不幸者，俄寇肆虐，適曆一五〇一年（明孝宗弘治十四年），伊凡三世滅欽察汗國，一五八一年（明神宗萬曆九年），伊凡四世滅庫程汗，遂併西部鮮卑利亞（見元史譯文證補），彼得一世繼之，一路東侵，至一六八九年（康熙二十八年），迫有淸政府簽訂尼布楚條約，其後中俄續訂璦琿，及西北界約，於是此四百八十三萬二千方哩之中國領土，遂淪入俄國。四百年來，斯民也淪爲俄奴，斯土也淪爲俄土，火熱水深，誠堪浩嘆。」

尼布楚條約喪權辱國

按：有淸本爲鮮卑之一族，至今滿宗族中尚有『錫伯』（即鮮卑）一支，或住東北，或戍新疆；何以當年英明之康熙大帝竟與俄寇簽訂此喪族失地之尼布楚條約？揆其原因，則以其時主外交者不通國史，而西洋教士妄譯鮮卑利亞爲『西伯利亞』之所致。直至有清道光中，何秋濤著朔方備乘，光緒中，丁謙著後漢書鮮卑傳地理考證，光緒中，洪鈞著元史譯文證補，鮮卑利亞之爲中國領土被俄侵略，始爲少數史地學家所通悉。但二三百年來所有關書及小學中學大學教科書，迄仍沿用錯誤之『西伯利亞』一名，未經改正，致令今日大中小學生，無人知鮮卑利亞之爲我國領土者。馴致俄寇日敵，毛匪外向，整個大陸，亦告沉淪。竊以爲反共抗俄必自明史地入手，而欲明史地必須自正名入手，吾人今後斷斷不應再用『西伯利亞』一詞，而須正名爲鮮卑利亞或鮮卑地方。」

向政府建議四點

根據上述理由，周代表等所提議之「辦法」原文如下：「請大會作成決議，將下列四事建議政府貫徹實行：一、由行政院轉飭教育部國立編譯館，於審定及編輯各級教科書時，將本案上列理由，即史實，編入其中，並將所有『西伯利亞』，『悉畢利亞』，『錫伯』，『悉畢爾』，『席比』……等名，一律正爲鮮卑。二、由行政院轉飭教育部，分令各有關機構及書局，將所有圖書中，『西伯利亞』等字樣，一律改爲鮮卑利亞。三、由行政院令外部交，就鮮卑利亞史地編成白皮書。四、由行政院令外交部，把握時機，嚴正表示，堅持鮮卑利亞必須民族自決。」

看過去所有會議都有「決而不行」的毛病，對本提案人的苦心，就誤現實的問題，周代表等的提案究竟能「貫徹實行」到什麼程度？實不可知！但這一歷史的事實，民族的呼聲，反共抗俄的目的，世界和平的關鍵——「西伯利亞」應正名爲鮮卑利亞，鮮卑利亞必須民族自決的偉大提議，由二十七人簽署，獲得當日出席一千五百多位代表裏九百八十多隻手的表決，總算是一百年來何秋濤、丁謙、洪鈞、趙尺子等位學者研究鮮卑史地的苦心，未曾白費，這也就是値得他們安慰的了。

還有一個重要的新聞，値得報導：中華生命綫半月刊社在三月裏出版了十色套印巨幅「最新中國立體大地圖」五千份，經國大僑界代表於上案通過後，購去三千幅，帶往世界各角落。這幅地圖已將「西伯利亞」正名爲鮮卑地方，並經內政部地圖司正式核准發行。內政部裏誠有史地學者，否則不會有這一正確的措置的。（三月二十五日，於台北）

倫理問題

著者：毛以亨　出版者：香港自由出版社

●王君實●

（四）、

著者在第三篇良心自律與自由中，除引述英國密爾直覺派功脫萊的良心說，與德國大哲康德的無上命令外，並分析決定論與自由論的觀點，認爲自由論與決定論之爭，是神學，玄學，科學，哲學上數千年爭而未決的問題。著者力持謹慎的態度，不輕易遽下判斷，僅列舉兩說對倫理之影響，互相比較，就它們中間，求出觀念的眞意義。

本書第四篇，善與價値論，著者強調以理性估定善的價値。他首先分述西洋倫理思想中各派對善之不同估價，如（一）霍布士的利己說。（二）斯賓奴莎的個人說。（三）休姆之功利觀。（四）斯賓塞之進化的倫理觀，一一加以分析說明，並進而解釋善的意義：（一）善以訓快樂。（二）善以訓可滿足其需要。（三）善以訓有效的行動。（四）善以訓由內在之善所產生者。（五）善以訓彼生產之好果。（六）善以訓本來的好。（七）善以訓最後的好爲整個的好。（八）善以訓有特點的好。（九）善以訓道德上的好行爲。（十）善以訓道德上的好人，這種解釋雖然仍有餘蘊，不能夠盡包，可是已經打破穆爾所說善不能解釋的論點了。此外著者很爲贊同的解釋最後之善，以蘇格拉底的主張爲綱領。注重內省之知爲我們進德的階梯，而實現眞善美與幸福的生活。

（五）

第五篇論諸德，著者首先依據范靜生的義務說列一個表，次就穆勒衛德依據亞理斯多德的倫理學而加以改易使合於現代人生活狀況的諸德表列出，以資比較，復次依據亞理斯多德之釋諸德，以中庸爲本，另列一表，加以說明。亞氏以智德爲行德之本。分理智爲根本的與附屬的兩大幹，如（一）科學，（二）直觀理性，（三）智慧，（四）藝術，（五）深慮，是屬於根本的。（一）考慮，（二）智力，（三）判斷，（四）機敏，是屬於附屬的。依據理智之德，以完成其實行之德。雖所言爲屬個人之倫理，然個人之修養而成爲熟習定型之品格。求個人人格的完成，亦正吻合於民主主義下的道德。著者對於西洋倫理思想，探究本源，論列殊多精到處。惟本書對於中國倫理思想尙欠專篇論述。只於行文中偶提及，以資印證，這並不是著者不讀線裝書，尤其是宋明諸儒的語錄和學案，大概著者態度矜愼的緣故，所以沒有把中國倫理問題搁入了。觀於結尾語，論及中西文化的異同時，著者僅標舉黃建中氏的五點意見。略加以引申或批評，足見作者對學問的忠實。

總之，這是値得推薦的一本好書，希望學術界的人緩緩把它咀嚼一番，一定能引人入勝的。（下）

中共教育的怪現象

丁友成

師資低劣　茫無所知

「過去是窮教師，現在是忙教師，將來是病教師。」據說：第一句，是國民黨在大陸時代的現象，第二第三句話，是中共侵佔大陸後的現象。中共一來，各地教育，突然混亂不堪。任何那一行人的忙，都及不到「人民教師」的忙，你不相信的話，聽我慢慢報導出來：東方發白「人民教師」就要起身學習政治，批改課卷，備課，早餐，洗衣，早操，參加晨會，上課等等，一天到晚，忙得走頭無路。中共文教當局，口口聲聲說：教育要向工、農、兵、子弟開門，凡在學齡兒童，強迫入學。每班人數，超出了定額，有的一班學生七八十人，甚至於百人以上。所以課堂秩序混亂，無法施敎。中高級的作文，每週兩週，內容語句，多半是不知所云。照照文教科的規定，爲保持兒童自尊心起見，不管它文不對題；似通非通，原來語句，必須全部保留，稍稍改正幾個別字就算了。可是大陸的「人民教師」大多數出身九流三教，質量低劣，不堪設想，自己連小學都沒有畢業，所以別字也揀不出來。什麼教育原理，兒童心理，難怪茫然無知，就是普通常識，曉得也很少，因此笑話百出，教師被迫檢討，担白，視爲家常便飯，學生隨時地胡鬧，辱罵教師，文教當局，熟視無睹，假使教師嚴格管教學生，却受學生鬥爭，說你思想頑固，反動派，特務。教師只得採取放任主義，內心苦悶，自不待言了，這樣生命比較安全些，不致有飛來橫禍。

不講眞理只講宣傳

蘇州木瀆鎮教師葛天民，上自然課，講到製造玻璃的原料問題，無意之中，補充材料，很天眞的對學生說：「玻璃絲襪的原料，是不是跟玻璃的原料一樣的？」講到我國的毛線，順便談到外國貨的質料，「但是我們精心研究，改進，不難要比外國貨好。」散課後：這幾句普通話，由學生傳到政治教師的耳朵裏，就說葛天民有「崇美思想」，硬要他自我檢討，向學生坦白。他自覺毫無錯誤，當然不願意，反問政治教師，「我何來有『崇美思想』」請指點出來，如你們睹三話四，我情願餓死，不再教書，我從來不說昧良心的話。」政治教師奈何他不得，遂放棄威脅手段。另外有個姓曹的教師，正在土改時期，教學認眞，得罪了學生同學，莫名其妙的不知怎麼一來，學生多當他是特務，嚇得星夜潛逃，否則遭到意外的麻煩了。寶山縣解放區人民教師，名叫何來運，由村幹部起家，當了「人民教師」，風頭出足，人很固執，老教師妒嫉他，想把他攢走，當初沒來辦法，最後捧了特務的高帽子給他戴，果然得手。因爲鄉村比都市更黑暗，竟無處申冤，後來恐怕被鬥爭，急得他上吊自殺了，等到上級查明死因，却無法還魂了。

餓死了人民教師

寶山縣屬羅涇小學人民教師張正南，家庭地主成份，大陸「解放」時，所謂站穩立場，保持飯碗，以後處處表示思想前進，整天工作，担任該校教導主任，兼五年班主任，時常配合鄉「人民政府」各種會議，替他們出黑板報，學生出牆報，平均每天開會四五次之多，事務繁忙，達於極點，所以大小便都沒有時間了，整天工作十七八時左右，精神消耗過度，伙食太壞，又加之睡眠不足，每星期要參加鄉「人民政府」一連串的會議，開會時間的久暫，從來沒有確定過，以完成中心任務爲止，如候搞參軍，參幹，會一開始，起碼幾小時，有時通宵達旦，不准回家吃飯，飢飢餓餓，幹部知而不聞不問，弄得精神憔悴，胃病，失眠，神經衰弱，相繼襲來，張正南步入了諸葛亮那樣的食少事繁的境地。一天早晨，大家吃了粥後，羅涇中心校來了視導員周恬齋，發現六年級王班主任，積壓作文五六篇未改，大發脾氣，請負責教導的張正南到隊室，提出質問，話沒有說完，張正南突然仰臥牀上，叫他不作聲，才知道暈倒了。全校員生頓時驚慌起來，用人功呼吸法救他，可是始終沒有一點反應，就此做了忙碌現象的犧牲者。

勸母親嫁人才是光榮

大陸各縣到學期結束，「文教科」照例開教育總結大會，所有全縣的人民教師，都要參加他們自己的縣單位，他們對於這個大會，認爲生死關頭，撤職，檢討，担白，記過，表揚，好壞都要在此刻決定，會中關於教學檢查一項，要各教師先由小組上討論，檢查什麼呢？就是你有幾個老婆？打過牌沒有？但是也有少數教師，實空寶容，時談一陣，敷衍了事，多數是做人做事，像寶山縣劉行區，婚姻法檢在小組上。組長楊明體報告：「文教科女科長，思想前進，並且在總結大會上，特別提出，加以表揚，說明[illegible]不愧爲模範的人民教師，勸母親嫁人是光榮的。」

[illegible]，毛以亨先生的[illegible]科，暫停一期。

平民住房需擴大興建
救濟學生不應限小數

儘管各處興築新樓宇，也儘管不收頂費，建築費的補償，或是十倍於月租的按金，受薪階級還是祇有望屋興歎。而業主爲了空閒新屋資金無法周轉，又耽心港府征用，寧可減價出售，不願降低租値，一萬多元分層出賣，很少找到買主。然另一方面，中等受薪階級希望能租到一間够住的屋猶感無力。不過這種不合理的矛盾現象，現在看來，也許不久可望打破了。

香港平民屋宇公司已擬就初步造屋計劃，希望解決一部分受薪階級的住屋困難。當局聞已撥出荔枝角一個地段，面積四萬二千方呎，公司方面則現正進行設計工作。凡去年曾認購該公司發行的公債一萬五千元的人，可獲優先介紹一戶入住的權利。餘屋將視申請者薪給高低，以抽籤方式決定。這一初步計劃，倘能順利完成，以後將逐漸廣泛推行。

至於學校教師享受平價屋宇問題，有關當局尚在考慮，市政局民選議員曾建議由港府酌予補助，因教師待遇甚低，大致均不超過月薪二百元，申請前項平價房屋，不能符合規定，（前者最低薪給爲三百元）；但教師人數衆多，尙待詳擬計劃，一時尙難確定。有人提議對學校教師應建「教師宿舍」，限現任教師居住，在經費方面可以便以估計，故第一步希望當局撥給適當地段，然後方可草擬計劃，統計低薪教師人數。則此等房屋既爲低薪教師而建，不足二百元月薪的應獲優先申請。

× × ×

美國基督教聯合大學基金委員會，於一年前在本港錄取四名學生現已赴美留學，這四名學生李安娓、洪繼政、莫昌年、鄭冠信，均由基督教資助中國學生聯合委員會補助。他們一年前獲選之時；原擬資助赴菲律賓深造，但因入境困難，未能成行，爲了他們的學業，不能再事躭延，於是逕行赴美了。他們所有旅費、衣食雜用，全由該會供給。

大陸未陷共之前，美國基督教聯合大學基金委員會，對中國十三間基督教大學學生設有補助基金。迨大陸陷共，該項基金便轉用於香港、日本、菲律賓。此次四名留美學生費用，均自此筆基金撥出。然而自大陸陷共，流亡香港數字衆多，他們亟待繼續深造或是輔導就業，該會對於此一問題似亦應注意，倘能予以適當安排，則本港學生失學的嚴重性，當可稍見減輕了。

知人與自知

馬五先生

古人謂爲知人甚難，所謂「知人知面不知心」，故有「知人則哲」的感嘆語。實則知人雖不易，而自知更難。因爲人各有其先天的個性，作其主觀構成的基本要素，再要加以後天修養的差別，即不免有所蔽與惑，遇事失去了自知之明，如是乎，文過飾非，剛愎自用的心性就形成了。

至於知人問題，如果具有相當的智慧，慎思明辨，細心觀察，比較可以得到正確結論的。孔夫子論人，主張「視其所以，觀其所由，察其所安」，實爲最具妥當性的認識論。大概平日對人接物表情過份，決不是以共患難；上諂下驕，好說小話，走邪路徑的，決不足以當大任。論者如果治中之流家，試問自回想他們過去所行所爲的情事，不是栩栩然若在目前嗎？其他說假話，作假事，當面裝出忠直勇敢的姿態，聲稱不成功即成仁的，酒[illegible]烈士姿態，光涵那種損家，即可斷定其爲不可靠的勢利之徒。所以，我認爲知人之需經深淵，只要運用理智來仔細觀察，多少還有點把握。

最難就是自知。譬如：我寫的文與字，自己決不感覺有不好的，甚至於打麻將十次輸九次，也決不承認自己的技術太差，反說別人的手氣太好，受其拖累。小者既然如此，大者更不用說了：搞政治，自信世界且不足平，遑論一國，羅斯福邱吉爾算得甚麼？談文學，但丁拜倫曾不足道？自己是無所不通，無所不能的。因此，我一輩子還是一個窮儒，前途永無發展，沒有自知之明的故也。

人貴有自知，天下許多事都是從此弄壞的。我認爲能自知，才是世界第一等偉大的人物，能知人，是第二等偉人。希望立志做偉人的朋友們，先從自知之道下功夫吧！

詞壇翹楚：王蓬累

·味腴·

當代詞家，僑居香江者，當推劉滄海百端爲巨擘；蜃樓蓬島者，則王蓬累審度，堪稱翹楚焉。滄海樓詞，清新雅勁，紹莘先生評述已詳。恰稱分際，茲不復論。蓬累籍衡陽，所居曰綠涉野屋，因自號綠野散人。其先世青草漁父，詩詞雅著，號稱四絕；梅鶴居士，兼擅考據詞章，以內閣中書名滿代咸同間，蓬累紹述先芬，早歲知名。其詩詞分錄，並爲沈子培，梁任公，陳鶴柴，曾農髯諸先生所推許。

（一）

民國元年，蓬累甫冠，初至金陵，作「雨霖鈴」一首，送宋鈍初先生北上。有：「看萬里壯闊河山。自有風雲會龍虎」之句；一時傳誦，以爲壯語。黃季剛先生許蓬累所爲漢雪齋詞曰：「綠野散人詞，小令齊香二主，長調胎息蘇辛，中調精妙，古今無兩，是能冶蓮溪稼軒於一爐者。」推許可謂至矣。

蓬累平日作詞，首重氣勢，次主情韻，不甚修飾字面。如「滿路花」記夢云：「洞庭青草湖，春滿武陵溪。碧桃枝上語蠻，囀黃鸝。穿花尋路，香氣襲人衣。直到靈源處，曳步丹墀。人間景象全非。——瓊樓玉宇，高會集瑤池。麻姑擣紫手，拂金髮。穆王何在，伴我夜光杯。緊得瓊枝實，氣吐虹霓。乘風歸去何處。」無一字險怪，無一句晦語，而出以[illegible]之語，閑遠之情。令人讀之，頗有飄飄欲仙之意。又「鶯啼序」宜午泛舟玄武湖後園云：「[illegible]」……小令，中調，長調，無論[illegible]，無不一氣渾成，看似[illegible]，可見其得力於[illegible]，稼軒者深。

蓬累對於詞學，允有精深研究。所作「詞體辨證」一文，闡於小令，中調，長調之區別，分析明確，發前人所未發。茲摘其界說如下：「（一）小令爲晚唐五代人所創詞體，其構成以變化基本聲律四聯爲正格，即等於變化絕句二首或律詩一首；亦有三聯者；其字數少在二十左右，多在六十左右。（二）中調爲五代人所創詞體，其構成以變化基本聲律六聯爲正格，即等於變化絕句三首，亦有五聯者；其字數少在六十左右，多在九十左右。（三）長調爲北宋人所創詞體，其構成以變化基本聲律八聯爲正格，即等於變化絕句四首或律詩二首，亦有七聯者；其字數少在九十左右，多在一百二十左右。其九聯以上構成之長調，字數在百二十以上者，總別之曰特長慢詞；如柳耆卿之「夜半樂」，「浪淘沙慢」；周美成之「六醜」，「蘭陵王」等屬之。」又曰：『小令與中調之別，可就「定風波」，「臨江仙」二調辨之，最易瞭然。定風波爲基本聲律七言四聯，外加泛聲字二言三個所構成；臨江仙爲基本聲律五言，六言各二聯，七言一聯所構成。故定風波雖六十二字，仍爲四聯構成之小令；臨江仙僅五十八字，（或六十字。）却爲五聯構成之中調也。至於中調與長調之別，依此類推。』

按宋人所編「草堂詩餘」一書，別詞爲小令，中調，長調三體，而未標明分試之義例。清初毛先舒作塡詞名解。謂：「五十八字內爲小令，自五十九字至九十字爲中調，九十一字以外爲長調；此古人之定例也」亦未說明定例所由來。其後萬樹作詞律，駁之曰：「所謂定例，有何依據？若以少一字爲長，多一字爲短，必無是理。如七娘子一調，有五十八字者，有六十字者；將名之曰小令乎？抑中調乎？如雪獅兒一調，有八十九字者，有九十一字者；將名之曰中調乎？抑長調乎？」自萬氏此論出，幾將毛說根本推翻。於是三種詞體，究竟如何區別，遂成懸案。以王靜安之精於詞學，其人間詞話所論，乃若不知詞有中調之一體者，此受萬說影響之過也。茲經蓬累詳加辯證，正毛氏之誤，斥萬說之謬，爲草堂追尋義例；依據正確，分析明白，可謂有功於詞壇矣。

蓬累論詞，常謂初學作詞，應知三要：一要平仄叶調，二要標韻響亮，三要句法不亂；而句法尤關重要，苟非深明聲律，不可妄自移易。又曰：「小令易學而難工，長調難學而易工；中調既不易學，亦不易工；所以前人詞集中，中調所佔者極少，名作亦少。蓋小令以[illegible]勝，長調以氣勝，介兩者間，必也二者兼勝，斯稱佳構，所以爲尤難。」此亦前人所未道也。

憶郁達夫與風雨茅廬

·鐵頭·

我趕上了行列後，就攔造故事，說是：『那賣酒的「文君」，對達夫一往情深，竟不要酒錢，並且還要和映霞打架，以維護達夫啊！』大家又是一陣狂笑。我們邊走邊談，說說笑笑地帶笑的上了山頂，進了玉皇觀的大門，朝左一轉，只見那七十高齡的李老道，哈哈大笑，聲如洪鐘，腳步輕健的迎將出來，一邊說：『難得！難得！諸位今天光臨，必定要多坐坐再去。』一面說，一面讓我們進坐在他客所架的客廳中，領一壺碗新茶，菓盒點心，就搬將出來。我們一面吃茶，一面欣賞內湖外江的杭州全景，不禁心曠神怡！可是那些勇敢的太太們，已一個一個地躍到隔鄰房中去躺下了，說是腿子有些痛痛啊！

李老道終於備下一桌豐富的素齋，自然是沒有酒的，定講留我們吃飽了，才讓下山。歸途中，[illegible]車子，就我們在清波門分道。我的車子，一直送達夫到場官巷的風雨茅廬。她們廬下車時，我說：『達夫先生，今天對不起，向未盡興，現在你們回家，關着房門，兩口兒慢慢地痛飲吧？』車子一掉頭，忽聽到映霞：『下次再不要這樣說，當心他們吵嘴了。』我問什麼緣故？映霞說自己對我說：說是有一次郁先生吃醉了回家，她不讓他上床去，罰了一夜，叫他在地板上睡了一夜。』我遂說：『豈有此理！豈有此理！』

又有一次，我們同趙兒夫婦，約達夫映霞去遊宜興的庚桑，善卷兩洞，那天特別早起，六個人會齊了，在[illegible]館吃飽了蝦仁麵，又買了白雞，醬鴨，油蝦，熏魚等若干，都用荷葉包好，另又買上一大包花生米，再灌上好的花彫四瓶，然後共乘一輛大型的小轎車動身，經過宜興等處，一路玩耍，無知到了莫干山附近，車子出了毛病，停下來修理。那時各人隨便到附近散步，三位太太，當然行動一致，我與趙兒也偶然坐在一處綠草地上，天南地北的扯起來，[illegible]以爲先生們定在一起。誰知他却等我們都下車後，他一個人攜了兩瓶酒，抓了兩個荷葉包，就[illegible]。——不對！[illegible]無從酌起。——他只是乾脆把酒瓶木塞拔出，將冷酒直灌下肚去，[illegible]我不知什麼時候，[illegible]睡了一覺。後來車子修好了，重行上路，我[illegible]到籃中想找，竟找不到，我[illegible]『醬鴨兒那裏去了？』大家都不懂，惟有[illegible]，我回頭一認，[illegible]，再一檢在酒瓶，[illegible]我說：『咦！你竟[illegible]』趙嫂大聲道：『我也餓了，要吃東西！』于是荷葉包打開，分別傳遞。（五）

送梁均默先生之臺灣

·桐綺·

又聽先生近入台，離筵何敢惜深杯。陸機入洛名經著，賈誼遊梁志未灰。復國應咨謀國是，救時正急濟時才。如何纔慰吾人望，宏論憂聞飛報來。

不打自招文鈔

下面是中共出版物文章的原文，一字不改照抄如下，讀者看過之後，一定覺得中共的教育是如何「進步」了！

撲克牌迷

湖南邵陽沈重周

「老師，上晚自習了，請您指導複習。」值日生來請班主任。

「雨太大了，讓同學們自修罷！」

教員們律有味地玩着撲克牌，連頭都沒有抬一下。

時鐘已經敲過十二下，夜已深了。燈火通明的教員宿舍裏，一陣陣地傳出「八十五分」「九十」「紅桃主」……刺耳的喊叫聲，吵得學生們在床上翻來覆去不能入睡。一個學生實在受不住了，他爬起來，披上衣服前來央求：「老師，聲音小一點好麼？我們要睡覺呢！」

牌桌上的馬老師用少有的溫和語氣說：「好，好，玩過這一牌就不玩了。」接着又輕輕地向正在洗牌的王老師說：「快，快發呀！」

隨後，馬老師恐聲恐氣地說：「這些學生什麼事都太認眞了。看樣子明天上課又要做檢討了，我默了三次代數練習沒改呢！」煤油燈下，馬老師的臉顯得那樣蒼白，眼眶陷得更深了。

王老師一邊發牌，一邊叨叨：「老馬，說起來你還好一點，改代數練習簿，改好一本，其餘的照來。可是我的作文本就不行，一本一個樣。眞是頭疼！」

「你們是打牌還是訴苦呢？請問。」半天沒吭聲的齋主任有點不耐煩地說了。

王老師忽然眉飛色舞地衝着齋主任的臉說：「噯，明天要去買教學用品吧？一定要記着買幾付好撲克牌回來。買來了，我們一定高呼：『總務主任萬歲！』」大家都笑了起來，然後又興高采烈地玩下去。

說起來也眞叫人費解：王老師是有頭疼病的，平日開會超過兩小時他就說支持不住，可是從晚飯後一直到現在，整整八個鐘頭，他沒有離開牌桌，而且精神抖擻，鬥與正濃。馬老師據說生了幾年肺病，分配工作的時候，當衆表示：「請領導照顧我的身體，少給一點。」但是一上了牌桌，從晚上到天亮，比健康的人還經熬，突然門外有人喊：「張醫生，你快去看看，王志強燒得說胡話呢！」

牌桌上的校醫回答：「這的時候，明天再說吧！」

當這場「戰鬥」結束時，這些人笑得那麼瑤無顧忌，彷彿世界上已經沒有別人存在。

「走，走！」又是陣吵嚷，拖上鞋了的，撐着雨傘，勇敢地冒着[illegible]，踏着泥濘的路，一同上街吃[illegible]雨。

不止一次，學生以關切的口吻向老師說：「您們也要注意健康，適當地休息呀！」老師回答：「文娛活動就是休息。你們[illegible]」學生常常以質問的口吻向校長說：「王老師上課不是打盹就是打[illegible]精神教書；馬老師把我們的作業本一個多月了還不改回來。他們再這樣下去，怎麼得了。」校長說：「適當的節制是應該的。應該適當[illegible]們。」

但是，校長並沒有這樣做，原來他也是牌桌上的「座上客」。除了「八十分」「九十」「梅花主」……牌迷們的腦子裏，幾乎是什麼都忘記了。

·文抄公·

李森科失勢了

吉俊譯

自一九四八年以來，李森科一直獨步蘇俄生物學及農學界，他的學說，所謂植物能隨其環境的變化而發生本質上的變化，曾受世界生物學家一致駁斥，但由於頗能投合共主子的共產主義理論，故曾大受史達林寵愛。在政治力量支持下，他的勢力大增，出言幾如法律。蘇俄科學家凡反對他的，不僅可能身敗名裂，甚至突告失蹤。

但自馬倫科夫登台後，李森科似已失勢，「眞理報」最近在共黨充份支持下，約略披露了一點蘇俄科學家複雜錯誤的爭執情形。此事的開始，是李森科一個叫特密脫利夫的得意弟子向蘇俄遺傳學研究院申請博士學位，「眞理報」登出了一封不屬共黨的史坦柯夫教授的來信，說特密脫利夫的博士論文「論據不足」。

起先該院拒絕授與博士學位。李森科是院長，據史坦柯夫說，李森科隨即「以他慣常的傲慢態度」干涉，對批評特密脫利夫的人濫[illegible]。到二月二十日，該院對此事[illegible]，結果批准了這個博士學位，史坦柯夫說，這種行動，無疑是「[illegible]蘇俄科學。」

「眞理報」並未詳述後來的[illegible]由「編者」加一附註說，該院舉行第三次會議，將關於特密脫利夫的「補充資料」加以考慮後，撤銷了這項給不久的學位。（譯自時代週刊）

中華民國僑務委員會頒發登記證台數新字第一零二號
中華民國郵政登記第一類新聞紙類

自由人

THE FREEMAN
（半週刊每星期三六出版）
（第三二五期）
每份港幣壹毫
督印人：雷嘯岑
社址：香港高士威道二十號四樓
20 CAUSEWAY RD 3 rd. fl. HONG KONG
香港發行及事務接洽：高士打道六十六號　電話：七四〇五三
承印者：東南印務出版社　地址：高士打道六十四號
台灣特派員辦事處：台北市館前街五十號
台灣總經銷處：台北中華路五九四號之一　台北郵儲金戶九二五二

多數政黨與憲政

一黨政治是憲政未能發展的大原因，反對黨的成立已經沒有人懷疑。國民黨不應拒絕，應加歡迎。目前各政黨的實際情形，均未能成為有力的反對黨，希望胡適之先生做傑佛遜，出來組織新的反對黨。

‧高遠‧

憲政成績未能滿意

國家行憲，已經六年。論憲政的形式，我們有憲法，有憲法上各種政府機關，更有政府與人民的各種關係規定。今年二月至三月舉行的第一屆國民大會第二次會議，也是根據憲法選舉總統與副總統。六年以來，我們的憲政，是不是可以滿意？這是全國上下一個問題。今天國民大會閉幕，大選已告完成。我想正是大家檢討這個問題的時候。如果不是甘心自我陶醉，或自欺欺人，我想不會有人對我們的憲政成績表示太滿意。因爲要想把我們的憲政，求其不斷的進步與滿意，所以在每一個重要階段，我們應當把憲政的成績來檢討。憲政的成敗，憲政的缺失或美滿，關係國家整個的命運，也就是反共抗俄大業成敗之所繫。所以在今天來討論憲政的成績，是每一個公民應有的責任與權利。

今天憲政成績之不能太滿人意，固然原因很多，尤其六年來的共匪猖亂，使國家安全與秩序，發生極大的騷動。這是憲政成績不好主因之一。但是，今天痛定思痛，共禍爲患，不是一天所能蕩平。我們要實施憲政，不能靜待共禍平定以後，再來補救缺失。而且，充實憲政，發揚憲政，正是縮短我們撥定大難最有效的方法。經過二十年的大難，我們今天應該充分認識憲政治的重要。過去禍患之一致不可收拾，都因我們的政治不好。憲政是針對這個病症的一服藥，可是憲政這服藥，要求其藥到病除，如果不講求用藥之精良，與配藥之適宜，那病是不會好的。又如果一個醫生天天把一包「萬應良藥」掛在病人床前，這服「良藥」不能發生符咒的作用，而使病人看看藥包便會病除。所以今天一切的憲法形式主義，救不了國家，更不能撥平了大難。如果今天有人舉出這次國民大會開會時選舉如何一致，乃至會場布置，及代表招待等如何週到精密，把這許多事物，一一演成電影新聞，編印精美刊物，以此流傳四方，便自詡這是我們憲政的成功，那我們還有什麼話說！如其不然，今天正應誠懇切實來檢討憲政的過去與將來。

一黨政治是憲政缺點

過去的憲政成績，所以不能滿意，除了國家安全問題而外，其最大之原因，實因有憲政而無政黨政治。憲政制度下面的民意機關，從國民大會到立法院與監察院，其中代表的黨籍，中國國民黨佔百分之九十五以上。這等於說我們憲政制度下面，是一個一黨政治，而不是兩黨或多黨政治。留心政治的人，觀察立法院開會時的情形，再留心觀察社會的輿論，無處不是一面倒的現象。所以我們眞正愛國家及擁護憲政的人，如果把六年來的政績檢討，我們實在可以發現不少違憲的事。那種違憲的事，當發生的時候，大家是感到的，但是沒有人敢說，更沒有人敢根據憲法來爭。這當然是在朝者（包括民意代表）的瀆職。但在制度上，一黨政治實是一個主因。民主憲政下面，沒有反對黨，沒有在野黨，這實在是一種不可思議之事。記得「自由人」在去年前曾經發表過不少關於反對黨的文章，可惜後來就不甚多見。我們想這一個問題不是新鮮的。這一個問題的理論，今天已是大家所公認的。行憲已到六年，我想決不會再有人誤會反對黨是想造反的；或誤解反對政見就是「危害國家」。這種明白的認識，也是幾年來各方面提倡的效果。

多黨政治已到成熟期

一黨政治對國家政治沒有好處，只有壞處。這是大家已經公認的。不需我們多講。一黨政治對政府本身沒有好處，只有壞處。一黨政治對執政的政黨本身，沒有好處，只有壞處。這一層道理，今天也漸漸爲多數人所明瞭。不是我們危言聳聽，如果中國國民黨繼續一黨執政下去，國民黨的當局，無論如何衡心積慮去改革，也是枉費的。一黨政治多延長一天，國民黨必將日漸喪失其活力，終且要趨於衰亡。所以爲國民黨本身計，實行多黨政治，是團結內部，發揮活力的最好考驗。何況國民黨有那麼長久的歷史，有那樣偉大的功業。絕對是不怕競爭。我們設想假使一天實行多黨政治，國民黨內部的組織與人才，必因相互競爭而大放光明，所以實行多黨政治，照我們看來，國民黨不應當拒絕而應當歡迎的。我們從國民黨的歷史傳統看，從國民黨創造者與繼承者的偉大人格研究，更從國民黨主義分析，國民黨應該歡迎多黨政治而不應自滿於一黨政治的現狀。國民大會閉幕後若干時日中，自由中國已充滿了這種議論，希望充滿了這種空氣。尤其我們十分欣慰的，政府與國民黨當局，對這種主張，在原則上都表示贊成。不僅在原則理論上贊成此種主張，在事實上且爲各種行爲傾向於此一趨勢之實現。所以實行多黨政治，現今已到了十分成熟的時期。現在爲了促成這一個大事，我們想在具體方法上，再做一點引導的工作。

如何實現多黨政治

講到政黨。在目前現狀下，國民黨以外，原有青年黨及民社黨。這兩個政黨，各有其光明的歷史，與其對國家的貢獻。如果今天提倡多黨政治，青民兩黨出來負這個責任，原是輕而易舉，順理成章的事。但是忠誠老實地觀察這幾年來的事實。我們十分担心這一個責任，青民兩黨是否担負得起。兩年前青年黨內部的分裂，是關心政黨政治者所十分痛心的事。幸而最近該黨的趨勢，由分而合，這是十分欣慰的事。但是一個黨經過分裂，元氣不免受傷，再加別種條件，要此時盼望青年黨出來担負反對黨的任務，我們不敢貿然贊同。至於民社黨方面，其內部團結與實力，據說都成問題。所以在目前狀況下面，要請青民兩黨出來担負反對黨的任務，是值得慎重考慮的。這種看法，絕不是對兩黨的不敬。而實在是爲國家爲兩黨一種周詳的考慮。在這一辦法以外，青民兩黨，是否能合併或擴大組織一個強大的反對黨。據聞這一個辦法，頗有人主張且從事奔走。不過我們覺得一個黨的成立，均各有其歷史與背景。把兩個歷史與背景不同之黨，強爲合併或擴大。比較組織新黨恐還要困難。所以上述兩個辦法，並不一定能走得通。

其次，就是由國民黨分出一部份人來組織新黨，主張這個辦法的，胡適之先生是強有力的一個。他的理由，認爲國民黨歷史久，黨員多。而且在長久的執政時間中，國民黨內辦黨的人才特別充足。按照土耳其的舊例。由一黨政治變成多黨或兩黨政治，由執政黨脫胎演化最爲自然。胡先生提倡這個主張已多年。在國民黨方面，在原則上雖並不加以反對。然若干人認爲事實上有其困難。譬如有人說，現在國民黨在總裁制度下面，無人敢於出來組黨的。所以胡先生這個主張，是否能實現。問題實不簡單。

希望胡適做傑佛遜

上面幾個辦法，既都不易辦到。有人提議只有由國內國際負重望的人而且爲現在當局所敬重的人出來組黨。這就等於說由胡適之先生出來領導組黨。這在社會各方面以及國民黨方面，都認爲惟有胡先生自己出來担當這個任務，方能開創我國政黨政治的新局面。我們想來想去，在現狀下面，也惟有這一條路。胡先生在離開台灣前答覆人家這一個問題，總是笑笑說：「朽木不可雕也。」知道胡先生的人，當然知道胡先生的興趣與性格，並不宜於辦黨。並且辦黨是十分麻煩並且齷齪的事。但是如果今天中國政治新局面的開創，要靠這一條路，我們只有呼籲胡先生來自我犧牲。胡先生是教育家，教育家當百年樹人的過程中，同樣是麻煩而瑣碎。但是到了收穫的時候，實在可以自己安慰。如果政黨政治是今天挽救國運的惟一辦法。胡先生負了全國的重望，又何能自私而悍然不顧。況且政黨中自有組織，領袖人物所要做的，只是提綱挈領，籠罩全局，不必躬親細務。美國開國時傑佛遜同樣是學者哲學家，他就是美國民主黨的創造者，我們祝福中國今天有華盛頓，也同時有傑佛遜。我們盼望國民黨的總裁蔣先生做華盛頓，無黨無派的胡適之先生做傑佛遜。胡先生久居美國，一念美國人民對傑佛遜的千秋俎豆，當可鼓起勇氣，來替中國開創一個政治的新局！

從日內瓦會議看美外交

‧黃同仇‧

數年來美國外交雖在原則上沒有重大改變，但在行動上則是時常搖擺的。這次日內瓦會議雖然不是美國外交基本政策的動搖，但亦不是一種明智之舉。

日內瓦會議美國失策

不管杜爾斯在美國國會和美國人民面前如何堅強的抗辯，認爲日內瓦會議並非承認中共加入聯合國的階梯，而是使共黨在世界輿論前受審，但日內瓦會議的召開，不能不說是美國外交的失策。至少，事實上的證明，美國並不是蘇聯的需要。

第一，就目前國際形勢看，世界大戰的爆發，無論如何是對蘇聯不利的。除了美國的原子優勢足以毀滅蘇聯外，蘇聯內部的問題也是足以使蘇聯走向崩潰的。我們從蘇聯農業的增產計劃和馬倫可夫的廣播談話，便可看出。蘇聯人民的生活水準是蘇維埃政權的建立到現在，一直都在飢餓的死亡線上掙扎，工人的不滿和農民的怨恨都隱藏着蘇聯社會爆炸的危機，世界大戰足以促使這種危機迅速發展，直至共產政權的崩潰。故克里姆林宮的政客們絕不敢冒然的發動世界大戰，以自取滅亡；同時他們畏戰的心理確實超過西方在任何國家。

第二，因爲蘇聯畏懼戰爭，所以它最恐懼的是西方國家的團結，尤其是歐洲軍的建立。它爲了要瓦解西方的團結，阻止歐洲軍的建立，不惜付出重大的代價，以使西方團結的解體，和歐洲軍約的無限延岩。

蘇俄的延岩政策

第三，蘇聯雖然畏懼世界大戰，但是他們爲了無產階級世界革命的不斷發展，卻需要不斷的發動小型戰爭，局部戰爭，或土匪式，游擊式的叛亂戰爭。因爲這樣的戰爭，一方面可以鍛鍊「無產階級革命」的武力，一方面又可以消耗所謂「帝國主義者」的實力。在這種目前的情況下，蘇聯一方面要大力阻止世界大戰的爆發，一方面卻要大力發展全世界的小型戰爭或局部戰爭。這是蘇聯的矛盾所在。

第四，蘇聯的世界革命在史達林時代已經採取了毀滅資本主義建設的口號，而實際上卻在暗中進行着完全以國防爲目的的重工業建設，而在表面上進行着以和平爲幌子的反侵略的戰爭。而實際上卻在暗中進行着征服中歐，赤化中歐的資本。於不知不覺中造成了一個龐然大物的蘇維埃帝國。

（下轉第二版）

半週展望

‧李秋生‧

國軍發動反攻問題

隨着越南戰局的惡化，日來美國朝野又紛紛提起動用我國國軍問題。共黨的決心侵略，斷非空言警告所能奏效，英法均無鬥志，美軍在越參戰，至少在目前尚無可能，則要想以實力打擊中共，挽救越局，環顧遠東現勢，除我國國軍之外，亦別無可用之兵了。

我國幾十萬大軍，在台灣養兵以待，枕戈待旦，只要有機會，對共軍作戰，自無不踴躍用命。而且，我國素以遠東大局爲重，在過去自身防衛實力不甚充實之際，且一聞聯合國號召，即願以三師之衆，援韓助戰，則今日對於東南亞的危局，也同樣不肯坐視。

但事實卻並不如此簡單。第一，必須立即在遠東建立全面防衛安全體系，對抗蘇俄中共的聯合力量，以免國軍陷於孤軍獨戰的危險。第二，遠東慕尼黑的氣氛，在國際間仍在醞釀，美國自由世界，應明白宣言，完全放棄綏靖幻想。第三，過去美國對我軍援，多以防禦性爲主體，攻勢裝備尚嫌不足，爲了作有效反攻，從大砲坦克到軍刀式機登陸艇都要有充分供應，始克有濟。

無論是援越也好，反攻大陸也好，我們的根本立場都是要予中共以徹底打擊，消滅遠東的禍根，而不應該是爲了解救越戰的危局。

聯合行動與自由行動

爲了聯合警告中共，阻遏其在東南亞的擴展，杜勒斯國務卿匆匆趕赴西歐，與英法當局進行磋商。現在距離日內瓦會議召開，只有旬日之隔，在該會之前，北大西洋公約理事會的召開，杜勒斯竟還有最大決心，與英法三強，迫不及待的往返磋商，可以想見他焦急的心情。但只是英法兩國，現在對中共的態度，仍在模稜兩可之間，這「聯合行動」是否能如所預期，實在不無疑問。

亞洲民族自救之道

說來說去，還是脫不出「天助自助者」的一句老話。遠東東南亞，欲求自保，主要還靠自己的決心和努力。列強的任何支援，當然歡迎之不暇，但決不能一切都仰望西方。即就美國而論，其對外施策也不盡於正義和理想，主要還是爲了本身的國防利益。其他在東方擁有殖民地的宗主國，對財富更感興趣，絕不能把阻遏中共侵略的希望，托在他們身上。

越南政府前天下令總動員，準備徵集全國壯丁抗共，並邀請美國直接支援，而越南政府有意宣佈完全獨立，亦是一個民族爭取自由的正當途徑。具有這樣的雄心抱負和氣魄，這民族決不會亡。

今後亞洲在多災多難中，可喜的是各民族之間的精誠團結，都一個個挺然自立了。因而我們不禁對於將與日內瓦會議同日召開的鎮海反共會議，抱有無窮希望。

所望於反共救國會議者

・韋政通・

國民大會閉過之後，團結海內外一切反共力量的反共救國會議，很快便要召集了。這會議如何開得好，如何可以實際收到團結之效？是不很簡單的。我認為要達到真正團結的目標，應特別注意下列幾點：

（一）：政府應承認各反共黨派的合法地位。凡是反共的，在共同反共的大目標之下，即使過去對政府曾有所批評，不過表現民主政治下的不同意見而已。即使對政府有所不滿，亦不過不滿政府若干措施，或某些作風而已。並不是否認政府，或存心顛覆政府。因此政府對於這些黨派，也不應以非法視之。

（二）：不應有地域的觀念。現在反共抗俄，已成海內外一致的要求，我們在台灣的要反共，在海外的也要反共。如果說在台灣的才是真正反共，不在台灣的非真正反共，這種心理是極錯誤的。這會影響到團結的。這種觀念雖不敢說很多，但並不是沒有的。我們必須澄清這一類的錯誤觀念。

（三）：注重大陸上的革命力量。我們要反攻大陸，重光國土，必須儘量鼓勵大陸上被壓迫的民衆，支援大陸上反抗共黨的勢力，已為人所共知，無待煩言。反共會議的籌備會議，曾擬定組成份子共分八大類，其中把大陸游擊區的代表亦已列入，這是很明智的措施，但此類組織代表，必須是真正來自大陸，確能代表大陸鐵幕裏無數反共羣衆的意見者，不應虛應故事，有名無實。這樣才可以給大陸游擊隊以真正的鼓勵，並可以真正了解他們的意見和要求。

（四）：發動大陸上的革命運動。政府當局對此早已注意，也許因為工作須守秘密，外間不易知道，但此種工作做得還是不夠，卻是事實。將來反共救國會議，必須把此問題切實討論，議定具體辦法，使反共力量打進鐵幕，能在敵後生根，敵前敵後團結一致，才有反攻勝利的希望。

（五）：構成份子不宜太濫。反共會議的構成份子必須包括各方面，自不待言。因為如此，纔能充分代表全國性，才能收集思廣益之效。但我反對過去聲名狼藉之輩，也不贊成現任政府官員參加這個會議。已經不齒於國人的政客或棍徒，說來便令人頭痛，如果現在還邀他們來參加，反共救國會議，便注定失敗，說不定他們還會藉這機會，借屍還魂。至現任政府官員，是政策的執行者，反共救國會議旨在聽取政府以外各方面的意見，故無參加的必要。我贊成程滄波先生在本刊發表的意見，政府選聘人，千萬不要專從名氏中兜圈子。應從社會各方面，物色特立獨行的人物來參加。不要講關係，不要論黨派。

（六）：會議進行必須公開。秘密會議的方式，是共黨極權統治所優為的，它們處處要欺騙人民，故一切措施不得不從秘密中進行。民主政治，一切措施，沒有不可告訴人民的。我們今日講反共講救國，更需要獲得全體人民的諒解和支持，因此我建議當局，會議進行情形，以及與會各代會的發言，應儘量公開，使大白於天下，我相信，這樣會議才能走上成功之路。

從日內瓦會議看美外交

・黃同仇・

（上接第一版）這便是全世界共產黨所歌頌的所謂「偉大的史達林主義」。現在的馬倫可夫正在循着史達林的老路前進，而莫洛托夫也在抄襲十五年前李維諾夫的藍本，替克里姆林宮進行着矇化西方的工作。無疑的，他們一面在離間西方，消弭世界威逼蘇聯的聯合攻勢，一面卻在爭取充裕的時間，準備着下一步或最後的一戰。

愚弄民主國家的手法

第五，蘇聯為了酬勞中共在韓戰中的損失，為了增加共產集團在國際冷戰上的助手，每次都在聯合國會議中替中共爭取席位，不幸，每次都遭到多數會員國代表的拒絕，蘇聯於無可如何中，又想出五強會議的把戲。他們以為聯合國的大門既不得入，不妨從後門鑽進去。雖然五國會議與聯合國根本無關，日內瓦會議亦非五強會議。但是，共產集團的對內宣傳則故意張大其詞，便說日內瓦會議就是五強會議。這樣，中共便可一躍而躋於世界強國之列，血手未乾的侵略兇犯，竟可搖身一變而成為民主國家的上賓，並且在國際舞台前分庭抗禮。會議成功，他們固可名利雙收；失敗，他們可藉此加深共產集團與民主國家的仇恨。幾乎大有進退咸宜，無往不利之概。克姆林宮政客們之狡獪有如此甚，實非常人所能料及。其最奸險之處，乃利用敵人為其訓練附屬之工具。當民主國家態度軟弱，遇事遷就之時，蘇聯便藉此增大其附屬之驕氣，使其侵略野心愈益蓬勃，變本加厲，難於遏止。當民主國家態度堅強，一切不為所惑，使共產集團一無所得的時候，蘇聯便乘機蠱誘其附屬，對「帝國主義者」不可再存幻想，趕快回去秣馬厲兵，準備從戰場上再現身手。總之，蘇聯的一言一行，一動一靜，皆有極其目的存乎其間，民主國家不能絲毫有所疏忽。柏林會議也好，日內瓦會議也好，五強會議也好，十強八強會議也好，凡屬蘇聯建議及蘇聯參加之會議，它必抱有極大之陰謀，[illegible]蘇聯不但在欺騙民主國家，同時也在愚弄它自己的國民和自己的附庸。

補救的方法有二

現在，我們試問，美國要舉行這一會議，要參加這一會議，究竟目的何在？是為了拖延時間嗎？是想利用這一會議來分化敵人嗎？或者是想利用這一會議來增加民主國家的團結嗎？或者是想利用這一會議來鼓勵自由國家的反共情緒嗎？這些都不得完全是美國的目的，也不完全不是美國的目的。但是這些目的恐怕目的未達而枝節橫生，未見其利，先見其害。

當中最令人就憂者是英法兩國。他們各有不可告人的苦衷，也各有不可告人的目的。前者有一個朝野一致的要求，便是韓戰徹底結束，對中共禁運的全部解除，使英倫三島的經濟以走向繁榮，人民不再受戰爭的苦惱；後者也具有一個願望，就是一致的停止戰爭，給與法國人民的困擾，僅次於第一次和第二次世界大戰；但其使人厭倦，尚有甚於兩次大戰之處。[illegible]

人物　述評

女教育家—胡素貞

・紹華・

（一）

居住在香港的人，提起聖保羅書院校長胡素貞，沒有人不知道的。她是一位虔誠的基督徒，而且也是終身致力於教育事業的專家，在她主持聖保羅書院校務一段悠長的時間，她表現的熱誠和毅力，辦事的計劃和效率，是值得稱道的。年前她以年老退休，實際上她已為聖保羅書院奠定了百年不拔的根基。

她的父親是一位牧師，母親王氏是一位勤奮主婦，父親早卒，全靠母親的教養和供給，她和哥哥胡繼德醫生得以完成大學教育。

她是香港大學出身，留學美國，返港後即獻身教育，與教會中人經營聖保羅女校。為建築校舍事，她再次橫渡太平洋到美國募捐，完成建校的宏願，目今屹立於[illegible]之間的七層紅色莊嚴而[illegible]的校舍，和畢業出來一批批優秀青年，莫非她畢生心血栽培實現的。

（二）

大凡辦理教育的人，最怕沒有理想或沒有眼光，把學校當作商業機構，以牟利為目的。這樣的教育事業，產生了「學店」「僱主」和「可憐的待遇」種種不祥的名詞，叫人傷心刺目。胡素貞女士秉着服務精神，專家的態度，不同乎流俗，[illegible]可說是「朝陽鳴鳳」了。

胡女士是主張中西文化並重，中西文化交流的。因此聖保羅女書院設立了英文班，同時亦設立了中文班。英文班的課程是遵照英國的教育制度，中文班則遵照中國的教育制度，擷取了中英教育制度的優點，使生徒們獲得學習東方和西方的文化思潮的機會，深切了解東方和西方的文化，這是她的卓識。譬如香港大學，年來有許多專家主張增設中文部，但[illegible]尚未能付之實施，[illegible]

她還有一項重要主張，便是主張男女同校，聖保羅女書院是首先開放，招收男生的。[illegible]

（三）

在胡女士主持下的聖保羅書院，會考放射出萬丈的光芒。歷次畢業會考的學生不特全部及格，而且成績優異，因此該院獲得香港教育當局的贊許和津貼。[illegible]

胡女士退休後安居於九龍塘住宅，頤養天年，她是個獨身主義的人。「不婚」是她的主張，成功的秘密，不是偶然的呀！

（編者按：胡博士退休後，因健康關係赴美療養，現在似還沒有回港）。

葛羅米柯癌病嚴重

據某一位熟悉蘇俄內幕的情報權威說，一度担任過蘇俄出席聯合國代表及駐英大使，而有西方問題專家之稱的葛羅米柯癌症漸見嚴重，現已被送入莫斯科某醫院療治。兩月以前，葛羅米柯尚出席過柏林四外長會議，担任俄外長莫洛托夫的得力助手，但自從會議結束，他返抵莫斯科以後，即未見在公共場合裏露面。有一次，蘇俄外交部舉行重要的歡迎會，身任俄外次的葛羅米柯照理應該出席，但當時俄外部高級官員統統到齊，獨不見葛羅米柯的蹤影。後來接獲消息，纔知道葛羅米柯病況嚴重，已經入了醫院。據說，葛羅米柯經過近兩月的調養，病勢仍無起色。日內瓦會議旬日後即將舉行，這個俄國的「西方通」不能隨莫洛托夫參加，倒真是俄國的一大損失哩。

巴克萊太太沒有野心

美國前任副總統巴克萊決定競選參議員，本刊不久前曾予報導，巴克萊招待記者，正式宣佈參加競選後，華府和紐約一帶即盛傳一則離奇的消息，流傳這次巴克萊竟以高齡之身，而出來參加競選者，完全是受了太太的慫恿，並說他的夫人野心如何如何，不堪忍受冷寞的生活。但現在有種種跡象證明事實，與謠傳完全相反，巴克萊出而競選，完全是他一人的主意，他的太太曾幾次出而阻撓，依然沒有成功。據說巴克萊太太之所以如此者，完全是深恐競選會危害他的健康，和妨礙他們家庭間恬靜的生活。

艾克總統案牘勞形

有一條報紙上讀不到的新聞，[illegible]非空穴來風，而是千眞萬確的事實，那便是在最近數週中，艾森豪總統缺少了幾位主要的得力顧問，以致他自己不得不案牘勞形，親自執行辦起公事來。原來總統助理亞當姆斯，自進入白宮以來，一直為艾克分勞，工作異常忙碌，一年多以來，他不曾度過一次假，整日為總統處理公事，有時遇到重要的問題，還要絞盡腦汁，為艾克貢獻良策，因而自担任了這個「苦差事」以來，體重減輕，身體日漸衰弱，幾週前見公務比較清閒，便要他到外面休假。誰知他出去旅行以後，白宮的幾位智囊竟先後病倒，其中之一是國家安全委員會的羅拔・卡特勒，另一位是機要秘書加羅爾准將，此外尚有一位高級顧問。這時卡特勒等病的病，而亞當姆斯又沒有回來，艾克個人的辛勞[illegible]自然用不着說了。上星期四當姆斯回白宮銷假以後，病倒的顧問也都能次第恢復起來。

美氫彈的實際威力

上月間美國在馬紹爾群島所舉行的氫彈試爆，其威力之大，可以在報章上概略看到。但據國防部某官員表示，報章上所登載的關於此次氫彈威力的估計，仍嫌太保守了一點，他的話當中暗示，所有有關氫彈的推測，較之實際情形，實在差得太多。這次氫彈的威力究竟如何呢？[illegible]一九四五年原子彈相當於TNT烈性炸藥兩萬噸，[illegible]此次試驗中氫彈的威力則為TNT炸藥一千二百萬至一千四百萬噸。然而上述國防部那位官員不同意這種意見，[illegible]如果他的估計是正確的話，那麼這次試爆的氫彈，約等於TNT烈性炸藥兩千八百萬噸了。（孟衡）

天下事

編者　讀者

讀者來函

編者先生：似乎應當先向你說一句，「我是你們的忠實讀者」，然後才好向你說我想說的話。

我第一想說的，過分深奧的文章不是多數人所能領會的，[illegible]

第二，[illegible]

第三，太與我們沒有直接關係的文字，似乎不要的好。

第四，編排似乎不太醒目。

第五，希望你多刊些淺顯一些的文字，因為大衆能了解的。

第六，不打自招我文抄，有好多篇很好的，為甚麼不抄？我是不是說的太直率了？請原諒！

一讀者　四月八日

這一讀者先生：承蒙來函指教，甚感盛情！[illegible]

[illegible]

敬謝：王操、劉鳳、[illegible]諸先生。

讀史評述（三）

——續讀通鑑論

·毛以亨·

趙高

秦代統一以後，繁覽大權的，除始皇外，祇有趙高。故亡國的責任，始皇死後，亦祇有趙高負之，因爲二世是趙高的傀儡學生，言聽計從，乃倚之以統治的。而所謂丞相李斯者，早已不能常見到始皇，並且不知其所在。始皇決事于宮中，惟趙高爲親近，隨侍二十餘年，權已盡落于高手。始皇死後，立二世，殺扶蘇，及秦公子公主二十餘人，皆趙高之計，不特李斯爲其傀儡，即二世及秦之滿朝文武，亦爲其俘虜了。

太炎報趙仇論不足信

惟太炎先生，謂趙亡而趙高自閹入秦宮，爲趙報仇，乃故意顚倒其措施，以速秦之亡。此類詭奇之談，殊爲一般人所喜聞，但考之事實，揆之情理，雖近似而究非實情。以事實論，始皇三十七年，趙高對李斯說，他入宮已二十餘年了。則高至遲亦于十六年已入秦宮，而秦軍入趙都邯鄲，則爲十九年，故高入秦在趙亡之先。意者高與三晉談法之士，同應秦之需要，而千祿於秦。其時秦孝公商鞅尚法之治，已由范雎、張儀、呂不韋而稍變。惟尉繚始皇之「爲人，蜂準，長目，鷙鳥膺，豺聲，少恩而虎狼心，居約易出人下，得志亦輕食人。」這是一個標準法家面孔，爲重振其法治作風，而重用趙高，亦在情理之中。高因以附驥尾而相得益彰，早已把趙忘掉，秦之客卿，大抵如此，高豈能例外！

所謂趙高爲趙報仇，自閹以亡秦之論，我以爲乃太炎先生提倡民族主義的一時憤慨之言。辛亥革命後，此類偏見已經放棄，因無徵不信，故不錄于集中。

翻案議論出自船山

我所看見的，是他的一首詩，可視爲「韓亡子房憤」的引義，不必認眞視爲史實。而此類翻案議論，我以爲脫胎自王船山，船山曾說：「小人之心，智者弗能測也，剛者弗能制也，料其必不能而或能之矣，料其必不欲而或欲之矣。項羽之暴也，沛公之明也，章邯之怨方新也，舉天下欲食高之肉，而寢處其皮。使高滅嬴氏之宗，開關以延諸侯，豈能免于刀俎，而況受地之封乎？則以智者料高，而固知其與秦相終始，以愚者料高，而亦決其與秦同糜粉也。然而必弑胡亥以徼幸於一得，豈徒胡亥之愚，矢入穽而不寤哉？明而熟于計者，未有謂其且然者矣。禍福之外，有無窮之欲焉，死生之外，有無窮之變焉，俄頃之間，利亦有所不喻，而無所不爲，而後君子莫能爲之防，故聖人且猶難之，誠哉其難之也。」

船山謂趙高的行動，連聖人都不懂，姑以君子小人間的抽象分別來解釋。太炎先生則曾適遇到革命，知道君子小人間，在現實社會中，無眞正的鴻溝可言。革命黨常用小人，且以小人之尤的會匪爲基本，故以能否革命爲其好惡的標準。太史公則以儒道爲指歸，而輕法吏，故看不起趙高，至不爲立傳。太史公與王船山的標準，是根據中國傳統精神立論的，自然與革命之新標準不合，故論及趙高，遂各異詞了。

趙高叛秦的史實

要明瞭趙高何以有如此行動，若拿我們自己的主觀心理來解釋，必如王船山之認爲不可解。故須先明趙高是怎樣一種人，再分這種人的變態心理來解釋，始可知其動機與眞相。茲先舉出事實，再來說明如下：

二世本紀三年多，趙高爲丞相，「章邯等軍數却，上書請益助。燕、趙、齊、楚、韓、魏皆立爲王，自關以東，大氐盡畔秦吏，應諸侯，諸侯咸率其衆西鄉。沛公將數萬人已屠武關，使人私于高，高恐二世怒，誅及其身，乃謝病不朝見。二世：：使使責讓高以盜賊事，高懼，乃陰與其婿咸陽令閻樂，其弟趙成謀曰，上不聽諫，今事急，欲歸禍於吾宗，吾欲易置上，：：使郎中令（趙成）爲內應，詐爲有大賊，令樂召吏發卒追，劫樂母置高舍（按以母爲人質），遣樂將吏卒千餘人至望夷宮殿門，縛衛令僕射，曰，賊入此，何不止？衛令曰，周廬（四周瞭望台）設卒甚謹，安得賊敢入宮？樂遂斬衛令，直將吏入，行射郎宦者大驚，或走或格，格者輒死，死者數十人。郎中令與樂俱入，射上幄坐幃。二世怒召左右，左右皆惶擾不鬥，旁有宦者一人侍不敢去。二世入內，謂曰，公何不早告我，乃至於此。宦者曰，臣不敢言故得全，使臣早言皆已誅，安得而今？」「閻樂前即二世數曰，足下驕恣，誅殺無道，天下共畔足下，足下其自爲計！二世曰，丞相可得見否？樂曰不可。二世曰，吾願得一郡爲王，弗許，又曰願爲萬戶侯，不許，曰，願與妻子爲黔首。比諸公子。閻樂曰，臣受命于丞相，爲天下誅足下，足下雖多言，臣不敢報，麾其兵進，二世自殺，閻樂歸報趙高。」「趙高乃悉召諸大臣公子，告以誅二世之狀。曰，「秦故王國，始皇君天下，故稱帝，今六國復自立，秦地益小，乃以空名爲帝，不可，宜爲王如故，便立二世之兄子公子嬰爲秦王。……子嬰與其二子謀曰，……我聞趙高乃與楚約滅秦宗室，而王關中，今使我齋見廟，此欲因廟中殺我。我稱病不行，丞相必自來，來則殺之。……子嬰遂殺高於齋宮。」（上）

新生的高棉

·羅自芳·

編著：蘇子。出版：自由出版社

（一）

目前全世界人士，都極關心地注視着烽火如荼的「越南」戰爭，因爲「越南」戰事的勝負得失，關係着亞洲和平的前途，它的嚴重性實際比韓戰尤有過之。韓境共軍獲勝，最多盟軍退出韓國，把大韓民國給併進了北韓的共產政權而已。越戰則不然，一旦共軍得勢，整個東南亞地區將爲赤潮所掩蓋，亞洲國家將全部捲入恐怖的漩渦，世界局面便全部改觀了。

我們中國人對於「越局」的關懷，其程度當更較旁人爲甚，因爲我們不獨比鄰而居，而且大批華僑的身家性命都寄託在那裏，那邊的安危，都與我們息息相關，具有切膚之痛。

（二）

時到今日，怎樣才能使「越境」抗共戰爭獲取勝利，已成爲大家所急須研究的課題，因而對於「越境」內部的情況，都應該多知道一點。實際上，大家對這方面相當隔膜，而且是一知半解的居多。即「越戰」這個名詞，也有點混淆不清，原來法國自從由我國手中奪去了印度支那半島的幾個藩邦之後，人們一向就籠統地呼作「法屬越南」或叫做「法屬印度支那」，其實裏頭始終照舊分成越南，寮國（老撾）高棉（東埔寨）三個單位，各自成一行政系統，因此今日之所謂「越戰」，並不單指越南，而實際包括越寮高三邦在內的。

本書乃就三邦之一的高棉，從歷史沿革及其現狀的概括敍述，雖只屬於高棉局部的情形，但對越南整個問題，已足以提供一部份參考的資料。這些資料雖仍不算十分詳盡新穎，抑已鈎畫出一個大概的廓輪。在現下這類書刊極感貧乏的時候，頗值得我們一讀。

（三）

作者蘇子，早歲曾旅「越」多年，足跡遍歷三邦許多地方，故其所述，都是耳聞目見的事實，並非純從書本上掇拾而來的東西。他前此曾寫過「今日越南」一書（亦係自由出版社發行），其中所蒐集的資料似較本書更爲豐富些。讀者於看了本書後，再找該書一讀，將有相得益彰之妙，而於越局整個形勢，當能獲得一個更清晰的觀念。

本書篇幅不多，在資料方面略嫌過於簡單些，但關于高棉現況的分析，相當正確，尤其是指出法國過去以至現在那種統治手法之錯誤，以及指出今後三邦必須獲得完全獨立，然後民獲得抗共戰爭的最後勝利一點，實爲中肯之論。

邇者，由於美國國務卿杜爾斯呼籲聯合行動，以對抗共黨在越侵略戰爭的言論，已引起該方面的新情勢，同時又有出動我國軍入越作戰的議論。則吾人對越南三邦的研究，益不容緩。特把本書介紹給讀者們，相信必爲大家所歡迎的罷。

×　×　×

論簡化文字

·周塵·

最近因羅家倫先生主張變革中國文字，另造一種簡體字，引起了部份立法委員的非議，於三月一日由廖維藩先生等一百餘人連署，以書面提出議案，請立法院從速製定中國文字法案，藉維中國文化於不墜。此事迄在立院討論之中。三月十七日羅家倫先生復以「簡體字之提倡甚爲必要」爲題，著論在台北各報發表，全文長數萬言，接着輿論界又相繼刊出不少有關改革的文字。一時衆說紛紜，莫衷一是。

我對簡體字的提倡，在原則上是贊成的。不過，在技術方面，有幾點值得我們考慮。

簡化要避免雷同

第一、文字的簡化應該儘量避免雷同。我們知道，我們的祖先所用的文字，本來無幾，很簡單的。庖犧畫八卦，不過八個形體在演變。但至許慎作說文解字時，則已有九千三百五十三個字。這九千三百五十三個字比起八個形體來，總是繁複得多，照說是不方便極了。但是爲什麼有這種不方便呢？原因當然是適應。人類是在不斷進化的，人類愈進化，則社會愈複雜，社會愈複雜，日常事務也愈多，爲了應付這繁多的事務，避免歧義的混淆，字體也就一而二，二而四的逐漸變多，加繁。如現今的捨字就是由古舍字加繁而來。設若我們把這個捨字再簡爲舍字，雖然在筆劃上可以省却三劃，但解釋起來就麻煩多了。

第二，文字的變易要有通盤計劃，語言和文字同是維繫人類生活的工具，關係一國家，一民族的文化至深且鉅，我國的語言向來不統一，但能使中國文化維持五千餘年，至今不衰的，不能不說因爲有統一的文字。我們今日的文字不變則已，若變則對各種行業上新興的簡體字，應加攷慮，例如商業上通用的減却一個貝的才，在單純的商業方面應用，自然可以減却不少時間和精力。一旦把它搬到新的全國通行的簡體字裏，「財」雖一方變成「才」，雖一方，這個註解可就難下了，萬萬不可行的。

第三，文字雖能變，不能易。人類從蛻變而來，文明是積漸成功的。造成人類文明的文化自然也有源流可尋。文字當然也不會例外。文字先有音形義，其後雖有轉注和假借，但皆由音形義而來。六書雖然不是限制中國字的鐵律，但是我們却不能不承認以後陸續形成的字，不是本於六書。孫行者不會從石頭裏蹦出，從石頭裏蹦出的孫行者只是神話罷咧！

文字不能憑空創造

上面三點，只是我個人的看法，當然不能與提倡簡化者的意見完全吻合。今日所謂簡體字是否會簡化到庖犧氏時期的八個形體？或像初民一樣可以不需要字。我不敢擅加論斷。但就「創造言，倉頡能造字，我們不能造嗎？我們的智慧難道不如古人嗎」？這一點，難免不爲人詬病。倉頡誠能造字，可是我們也不應忽略，遠在倉頡不知若干年前，庖犧氏已在造字，而且不止庖犧氏一個，還有很多像庖犧氏一樣的人也在繼續不斷造字，倉頡不過是集其大成，後人所以目倉頡爲造字的，也不過是象徵而已。如果說現在的所謂創造，也是沿襲這一種用法，只是象徵性的。那麼我們便要問，我們的簡體字興起有多少年？我們現在在民間流行的簡體字究竟有多少？除開含渾的，只能在專業中用的又有多少簡體字？秦皇帝變封建爲郡縣。有鄭子產的上大夫克敵受郡，下大夫克敵受縣的蹤跡可尋。中間由春秋到秦不知經過若干年的歷史。而胡適之先生的提倡白話文，更早在唐宋便在民間習用，不單此也，而且見於詩，詞，小說之中。我們現在的簡體字，無疑的，年代還不够，像一個胎兒在母體腹中，還正逐漸形成，因其自然之性，投以解毒，滑心的藥劑，使其順利降生則可。否則，硬要把它拖出來，不是死胎腹中，就是畸形，影響中國文化很大的。

文字的困難在不學

至說今日流行的文字，學習有困難，這是實在的。世間困難的事還不止文字。幾乎可以說沒有一項事物不困難，也沒有一樣是難困難的。這就要看你肯不肯學。文字自然也是一樣。英國的文字，據說是不困難的，A，a，A，a却有四個之多，並且構成一個字可以長至十幾二十個字母。但是我學了它十幾年，因爲打不起勁，到現在還丈二金剛，摸不着頭腦，更不要說寫打講了。所以我說我們中國的文字也並不困難，困難的是不肯學。台灣本省人因爲過去讀日本書，現在對中國文字一時脚接不來，自然是實在的。僑居國外的人因爲使用本國文字的機會較少，困難也是實情。至於一般中國人對文字感覺到困難的，我想並不多，即令有也不是文字本身的事，而是整個教育的問題。

結論

周禮八歲入小學，保氏教國子先以六書。這就是文字是一種普遍的學識。而漢蕭何定律，諷書九千字，乃得爲吏，更見對文字的推重。今日提倡改革的先生們，不在這方面有所打算，徒然想中馬騾而把屬挑丟掉，這不能說不是一時的高興，要後悔的。但書法定的，也不免執一，孟子說的：「所惡執一者，其爲賊道也。」可不勉哉！（青年節於台北）

三。日。小。評

·旭軍·

經紀埠

香港因大陸被關入鐵幕，以及大陸的經濟生活變了質，故而跟着改變了港口的性質。在今天的香港商人，因生意冷淡，彼此將商品作玩魔術工具，已非如昔日之正式轉運港口，而已變成一個經紀埠。其差別在：前者爲經常合乎正規取穩實之利益。而後者帶有相當的投機性。如要恢復健康的轉口商埠，根本上要中國大陸是屬於自由世界，彼此進行眞正自由貿易方可。

加工工業

香港商業既凋零，賴以維持經濟穩定者有香港之工業。但香港之工業亦如商業之未合乎經常正道。大多數投資者祇係利用香港賤價勞動力。購入別人的製造貨物，加上一比二人工便成爲出品了。試在每年於九龍舉行的工業出品展覽會看一看，許多是加工工業品。許多工廠是沒有烟囱的。因爲大陸逃出來的人多，勞動力過剩，便給資本家利用。英國下議院有人提出質問說香港運往英倫的手套不是在香港製造。其實是香港的勞動力賤，成本少，貨的確是香港製出的。但英國廠商方面却有意或無意說是日本貨改頭換面製成的。

香港原是轉口商埠未適宜於作大工業埠，主要原因是缺少良好的動力條件，沒有水力可用，沒有廉價的燃料。如果原子能發動機能成功，香港便可作大工業埠。至於原料來源在香港也成問題，中國大陸被關入鐵幕，對香港工業也有相當影響。

蔴雀學校

本港的「蔴雀學校」是一種奇特的名詞。打蔴雀而有訓練處，眞正世界奇聞。其實就是「蔴雀賭館」。不過近日市民在報紙上紛紛抨擊蔴雀學校，害人不淺。因入蔴雀學校弄到身敗名裂家散人亡的已有數宗了。我想香港當局應鄭重考慮此一有關社會幸福的問題，而民選議員也當關心而眞正起來爲市民說話了。

搶民主帽子

●馬五先生●

蘇俄「紅星報」最近發佈論文，指摘美國政府近來試爆氫彈，以及強化越南反共軍事力量的種種措施，是對俄共集團「民主陣營」的一大威脅。我們素來稱歐美亞各民主國家的反共鬥爭為民主陣營，乃基於人民生活內容是自由，抑非極權的現實性而云然的，並非玩弄美好名詞也。詎料以極權奴役為統治手段的俄共們，也自命為「民主陣營」，恬不知恥，這眞是令人啼笑皆非了？

中國賣剪刀著名的招牌叫作王麻子，一般奸商市儈亦競以「王麻子」名其剪刀店，欺騙世人，冀牟厚利，因而眞假王麻子之爭大起，甚至涉訟公庭。現在俄共們自稱為「民主陣營」，即與奸商竊號「王麻子」的用意相同，皆在騙人耳。過去希特勒與慕梭里尼得勢時，亦自稱其政治行為為眞民主，而指英美各國是假民主生活。共產主義和納粹主義法西斯主義是三位一體的玩藝，因此又得到了一項確切的證明哩！

民主不民主，是要以現實生活給人民來體驗認定的，光是搶着民主帽子戴在頭上，而實施極權奴役的統治方法，縱然死七八賴的嚎吠狂叫，終歸逃不過人民大衆那副雪亮的眼睛，徒然是心勞日拙而已。共產黨人最大的本事就是不要臉，好話說盡，美名用盡，而惡事皆做盡，總以為天下人全是盲聾之徒，可以隨便欺騙的。他們潰敗的基因即在此也。希望反共的民主國家，千萬不要學習共黨搶民主帽子的醜行呵！

× × ×

彭玉麟風格與湘軍精神

●劉伯驥●

（一）

洪楊之亂，曾國藩秉書生本色而出而整軍經武——以禮義名教來激勵士大夫；以忠臣瀾字來勸喻鄉農，用兵十餘年，卒將大局扭轉，挽回清室命運垂六十年。此中固有賴於他「擴然大公」的精神，援引人才，運用穩紮穩打，步步為營的戰略所致。惟其關鍵之點，還是因為湘軍將領，大都全是儒生出身，既沒有富貴功名之意圖，所以也就不存「自立門戶」「割據坐大」的觀念。彼此激於鄉情道義；由是均能本着曾氏治軍一貫主張「用恩莫如用仁，用威莫如用禮，待弁勇如待子弟，持之以敬，臨之以莊，泰而不驕，威而不猛。」實事求是，故能開誠相見，做到「能用人之死力」而至「夷險一節，心堅屈鐵，萬死辭他。」所謂「我不知戰，但知無走，平生久要，臨難不苟。」這正是湘軍勁旅決勝戰場的精神，也是曾國藩「汗馬勳名，問牛相業」揮宏經世之學奠立了中興大業的基礎。所以說湘軍致勝的原因，其精神教育無疑是莫大的潛力。這種精神誠如曾氏自述：「非誠非奇，忠義是寶，下賢同袍，上盟有昊。」旨哉斯言，誠千古御兵不易的典則。湘軍除了精神教育，為致勝因素外，而建立水師，較諸太平天國早著一策，得以控制長江上下游（上海），出奇制勝，實為整個戰略根本的轉捩。且因曾國藩知人善任，當時分領水師的幾位有力幹部，像楊岳斌、彭玉麟等，都堪稱嘯代奇才。尤以彭玉麟驍勇善戰，攻克長江險隘小姑山一役，才促使軍事局勢，全盤改觀，而採取對敵四面包圍，漸逼漸緊，底定江甯，敉平大亂。至今我們讀他遺作：「書生笑率戰船來，江上旌旗耀日開，十萬貔貅齊奏凱，彭郎奪得小姑回。」猶覺豪放雄風躍然紙面。觀此可知彭玉麟在湘軍平亂史上，佔有極重要的一頁。

（二）

彭玉麟是出身士林節行高尚的學者，他因激於保國衛鄉之義，為維護歷史、文化、倫常、名教，起而獻身戎馬生涯。所以一心一志祇在平亂，絲毫沒有揚名顯達的願望。從他積無數軍功，不肯服官堅辭升遷機遇者，計有安徽巡撫、兵部侍郎……乃至兵部尚書。由此足證他不屑高官厚爵，而祇是胸懷功成不居，急流勇退之素志。國父云：「要立志做大事，不要做大官。」考諸史籍惟彭玉麟能備此風度之一格。無如當時有人不瞭解他的初衷，出言譏諷譏劾他說：抗旨鳴高，開功臣驕蹇之漸。還得他不由不上書朝廷自明心地云：「臣素無室家之累，安逸之志，治軍十餘年，未嘗營一瓦之覆，一畝之殖。受傷積勞，未嘗請一日之假，終年風濤矢石之中，未嘗移居岸上求一日之安。誠以親服未終，出從戎旅，既難免不孝之罪，豈復為身家之圖？臣嘗聞士大夫出處進退，關係風俗之盛衰，臣之從戎，志滅賊也，賊已滅而不歸，近於貪位；長江既設提鎮，實有攸司，臣猶在軍，近於戀權；改易初心，貪戀權位，則昔此辭官疑，於作偽；三年之制，賢愚所同，軍事已終，仍不補行終制，涉於忘親：四者有一焉，皆足傷風敗俗。夫天下之亂，不徒在盜賊之未平，而在士大夫之進無禮，退無義，伏冀皇上中興大業，正宜扶植名教，整肅綱紀，以振起人心。臣豈敢稍涉不韙，以傷朝廷之雅化？」百年之後吾人讀此心地光明，事理暢暢之文，猶覺錚錚有聲，令人肅然起敬。其實湘軍中此種人物甚多，惟彭玉麟之風範尤為佼佼者。質言之湘軍所以能成為中興勁旅，即因結合此等公忠體國之仁人志士而始生。遍觀湘軍戰史部將祇有與守土共存亡，絕無棄職投降或倒戈之事實。其難能可貴者則將士有必死之決心，無倖生之非念。然究其從容赴義，慷慨就死的原因，無非是「不愛錢」，「不怕死」之精神所啟迪也。惟不愛錢才不怕死，兩者是二而一互為因果的。湘軍將領能薄功名輕利祿，不得不謂是風氣之先。

（三）

回憶過去大陸剿匪時期將吏守土殉職者，屈指寥寥可數，而軍中「吃缺」之風竟成公開秘密，結果帶兵單位主官，無不個個腦滿腸肥，腰纏萬貫，惟恐不能保命，固無論殉職效死了。記得卅八年我服役於閩南某部隊，就曾親眼看見一個團長，竟吃兵缺達二百餘名之多，其他營、連也交相私吃其缺，結果戰鬥力自然可想而知，一旦軍情緊急他們不但無必死之心，而團長早已準備開溜打算，把子彈箱裝好袁大頭數大箱（小頭雜洋均特意抽出發給官兵薪餉），交其妻子空運來台。以後這位團長也來到台灣，一家團聚，過其小型寓公生活，喪師失地，似乎不是他的責任，而且現仍躍躍欲試要闖東山再起呢！無奈當年我位卑職小，軍中尤未倡什麼四大公開，所以目覩當時情景，祇是敢怒而不敢言（其實言了也無濟於事）。今天河山變色，家破人亡，飄零一身，悵望故國，我衷心實有無限愴悲之情。所幸今日軍事革新日進千里，已無當年劣跡，惟望那些貽誤戎機，禍國害民的幹部們捫心自問，本諸有則改之，無則嘉勉之義，在未來反攻軍事過程中，拿出一顆心，獻出一條命來與共匪一決生死。更希望此後文官、武官都不怕死，也不愛錢。因為武官吃缺，[illegible]我大好河山亦可拭目以待了！

臨江仙

●鈕先箴●

柳外遊絲渾不定，慳忪三兩鶯聲。午陰庭院不勝清。春慵如中酒，無力倩人憑。簾捲亂紅雙燕子，楊花繚碎心情。怕要黃昏却要黃昏。夢隨芳草遠，不記幾多程。

短篇小說　愛

●莫泊桑著●

●孫旗譯●

在報紙上各種文章中，我讀到一種悲劇的戀愛事件，首先被殺害的是他的情人，然後是他自己。他們的個性並不使我關懷。對於我却是他們的熱烈戀愛的興趣，不是因為我已觸知，或者無意中發覺，激動，或者使我悲傷；而是為了這件事喚起我年青時代的記憶，一種奇妙的偶然的刺激，在我認為是一種愛的表現，像那些聳立天空的十字架，早就為基督教所承認的一樣。

我的天性是容易衝動和敏感，而且也被推理和感覺的精神約制着。我是熱中地委身於刺激和追逐；然而當我獵獲到一隻鳥，牠的鮮血染紅羽毛和我的手時，我的心激動得幾乎顫抖了。

有一年，冬季遲遲地結束，寒冷繼續着人，我的表兄卡爾•勞賽爾邀請我，拂曉時同他到沼澤去獵取野鴨。我的表兄是個四十歲的樂天派，有血性，魁偉，滿臉濃厚鬍子，典型的鄉下紳士，活潑而粗獷，幾乎和賦有高盧人機智給予的魔力是同樣的。他住的房子，半農場，半莊園式的傍於一條闊河灘中。兩旁雜亂地覆蓋着繁茂的森林，壯麗的樹叢保護着法國最珍奇的鳥禽。雖然鷹鷲有時能在那兒擄獲到，而移棲的鳥類却少有飛訪土著鳥的地區，牠們幾乎非常重視這區古老的叢林，很少作過破例的旅行，好像牠們知道或者察覺這點遺蹟的原始森林已給予的庇護，繼續牠們臨時的夜間覓食和休息。河灘低處安置下寬闊的牧場，由於濠溝，分水界，柵欄都浸了水，所以更加陷落下去了；那個開鑿運河的一點，拓展成一片廣大的沼澤。這是我從未見過的最優美的獵場，同時我的表兄對于這兒興趣很濃厚，看待它好像一個公園。我仍穿過蘆葦——開闢了一片繁多的，竊竊私語的——一條狹窄的通路，走下平底船用竹竿划着，像竊盜獸默地涉過了水，掠過蘆葦叢，被驚動的魚兒，在雜草中得到庇護；同時野禽呼喚一聲之後，潛入水中，牠們突然伸伸頭，黑影便在眼前消失了。

對于水我是無法節制熱情的；大海，是那麼闊大，那麼無休止，也超過任何東西的容量；河流，是很美麗的，難於捉摸和難於捕獲的東西；但是特別是沼澤，禽類的住居完全充滿了神祕的生命，一片沼澤就是整個世界中的一個世界，一個不同的世界，有它獨特的生命，有它永久的居民，有它偶然的訪客，有它的聲音，有它獨有的奇妙與神祕。有時一片沼澤，是野禽最大的出沒着，驚悸着，恐怖着的地方。何以恐怖會徘徊在水上呢？那是蘆葦的私語，不可思議的鬼火，深遠靜寂的永夜，或者夢幻似的霧，踐踏蘆葦披着的幽靈外衣似的，或者幾乎聽不見水的波響，如此低沉的，如此幽雅的，比砲手或者蓄犬更被尋去神經似的，一種夢鄉的氛圍氣包裹着沼澤，一個望而生畏的地域還藏匿些難以名狀的恐怖和神祕嗎？沒有。另有道理。在濃霧覆蓋的淵深中，更外的莊嚴神祕，這神祕是它的自我創造。它不是沉澱的淤泥，濃厚濕氣的沼澤，浸潰在太陽的蒸騰中，混雜着的生命便震動，萌芽，甦醒了嗎？（上）

憶郁達夫與風雨茅廬

●鐵頭●

正吃間，達夫又提了兩瓶酒，作倒灌狀，大家笑他牛飲，我趕快搶了唯一剩下的一瓶，遞與趙兄，說：『不要讓他獨吞完了，我們也分潤。』趙兄也依樣葫蘆，吞下一口，然後用手絹將瓶揩淨，轉遞與我，我也照樣辦理，又轉遞與關，復轉與映霞及趙嫂。於是，我們五人，共享一瓶，達夫則獨享一瓶，未及走到湖州，酒菜俱完。只剩了大半包白斬雞，因為沒有醬油，沒有鹽，大家吃不慣淡的，所以少嘗輒止，否則，也是早要光的。我看未到宜興，準備進入洞府去享受神仙之樂的仙釀與佳肴，都已化為烏有，一旦眞的入洞，過着了呂洞賓，李鐵枴之流，無可酬酢，豈不大煞風景？我就將此意說明，並提議到湖州停車半小時，由我進城去採購食品。我說：『湖州人同嘉興人一樣，喜歡飲竹葉青，我有兩次在湖州朋友家中，吃到很醇冽的陳品，是在杭州沒有遇到的。而且嘉湖細點，天下馳名，那儒林外史上有名的鶯脰湖盛會，笙簫鼓樂，在船上作長夜之飲，就是寫的湖州風光，勢必要欣賞一番。我此去改變方針，不買鹹的東西，專辦甜的食品，諸公以為如何？』我的話，剛剛說完，車上即吵作一片——趙兄說：『說話不通，稱呼錯誤，這車上豈能籠統稱「公」？』達夫說：『外交，外交！（杭州土話，即外行之意。）吃酒的人，絕不喜歡吃甜的。』映霞將嘴一扁喝道：『買來就讓你一個人吃？』趙嫂大聲喊道：『不准停車，這鬼車子在路上走了兩個鐘頭，就修理了三個鐘頭，看樣子明天也到不了宜興，你還要到湖州去耍子兒，湖州女人寥聲寥氣，莫不是你在湖州有情人？一把將你推下車去，我們就走！不管你！』關也連說：『不要再躭擱了！我們三個家中，都有小伢兒，眞個讓他們在屋裏造反不成？』這時，我個人單槍匹馬，四面楚歌，大吃其癟，只好做了一個怪臉，不再開腔。

那一次的三洞之遊，可說也痛快，回返湖邊，業已紅日西沉，萬家燈火。車子在大同川菜館門口停下，一上樓去，大家都說：『這樓梯好高呀！[illegible]』我吐嘴說：『先來一碗酸辣湯，讓我們醒醒神吧？』原來歸途中，衆人[illegible]有點疲倦，不知不覺都睡了大覺。酸辣湯一來，風捲殘雲，[illegible]連添三碗。六個人，一共吃了[illegible]碗酸辣湯，也可算打破紀錄。[illegible]達夫和趙兄，各人又喝了三兩酒，[illegible]過了兩天，他在東南日報上，發表了一篇『國道飆車記』，就是記這次旅行，原來杭州國道之遊的公路，屬于京杭國道之一段。那時，全程通車不久，故他題用此名稱。[illegible]後杭州人，結伴往遊的，即絡繹不絕了。（續完）

毛以亨聲明

前日關心我的朋友，拿四月七日的眞報來，說曹聚仁飛給我一頂帽子，他「關于思想的帽子」一函，括弧中說「忘機先生替蔣介石作喇叭，都反對秦政，也是矛盾的」。茲簡單說明，以告關心我者：

一、我反對秦政的文章，載在自由人，署名為毛以亨。忘機是在天文台的筆名，亦沒有在天文台上講秦政。曹某稱為忘機，雖非事實上的錯誤，亦是[illegible]上與修詞上的不合。

二、我反對秦政不要緊，問題在以秦政來反對毛澤東，所以喇叭，矛盾，這些話都飛來了。我打算寫「秦始皇與毛澤東之比較」一文，目的為想把是非說得格外分明點。

三、說我「替蔣介石作喇叭」，是沒有根據的，我的政治主張，見于自由陣線[illegible]格督國民黨領袖作喇叭。但是我仍拿台灣正朔的，假使是反攻大陸的話，我是寧願作喇叭而已，[illegible]想做前線上的號兵。

四、我素不參加論戰的，故既非統戰派，又非反統戰派。這些不知所云之說太多了，實理不勝理，因為我有自己研究工作要做。

中華民國僑務委員會頒發登記證台發新字第一零二號
中華民國郵政登記第一類新聞紙類

自由人

THE FREEMAN
（逢星期三六出版）
（第三二六期）
每份港幣壹毫
督印人：雷嘯岑
社址：香港高士威道二十號四樓
20 CAUSEWAY RD
3 rd. fl.
HONG KONG
香港發行及廣告接洽事務處：高士打道六十六號
電話：七〇五五三
承印者：東南印務出版社
地址：高士打道六十四號
台灣特派員辦事處：台北市館前街五十號
台灣總經銷處：台北中華路九五號之一
郵政劃撥儲金戶九二五二

根據國力估計
蘇聯不敢發動大戰

・旭軍・

到了今天，你我的命運有關的世界冷戰，形成西方集團與共產集團相對抗衡。但不管對抗之發展係長期冷戰，或行將爆發原子彈與氫彈戰爭，我們當最注意美蘇兩巨頭的實力消長。

美蘇兩國的經濟實力

一九四六年，史太林曾公開強調經濟基礎之重要。當時他定下了一驚人的工業發展巨標。以三個五年計劃去達成。那麼一九六〇年就是他的心目中的決鬥年。

美國亦明白經濟與世界領導權之重大關係。自一九二九年，出產飛躍突增，自然係因應付冷戰與熱戰而盡量增強其力量。

現馬林柯夫面對嚴重的糧食缺乏，其政策扭轉到停止工業建設之急進，而先滿足消費者。在美國方面，盛傳經濟不景氣可能來臨。而新政府亦深信達到繁榮之高峯。在工業方面在相當時期可維持超越過蘇聯之優勢，須謹慎，勿過度膨脹，陷入不景氣。

為研究華盛頓與莫斯科雙方改變其基本經濟政策，以致到達史太林所選定之目標年雙方之實力究竟如何，美國之「世界什誌」（WORLD）特請英國名作家愛德華，克蘭梭（CRANKSHAW）批評蘇聯的經濟，及估計至一九六〇年她的實力如何。克蘭梭曾在一九四一—四三年任英國軍事代表團團員，在蘇聯乘機觀察至一九四七年亦因莫斯科開外長會議而赴蘇一行，以下係克蘭梭著述的節譯。

史太林的經濟計劃

一九四六年史太林描述美蘇兩國即進行潛在國力之比賽。他瞻望未來之十五年，便對蘇聯人民說：『我們必須使我們的工業每年能產五千萬噸的熟鐵。六千萬噸的鋼。五億噸的煤。六千萬噸的石油。唯有如此，方足以使蘇聯應付突變。我認為至少要實行三個五年計劃。』

現在距史太林作此語時，已有九年了。顯然的，他的希望與現實相差極遠。馬林柯夫在黑夜中吹口哨，假裝鎮定而已。雖然蘇聯拚命的發展重工業。今天蘇聯在生產力上與美國相比，較諸一九四六年更為落後。預料至一九六〇年及以後，克姆林宮亦無較佳之期望。檢討蘇聯經濟，應分成四個時期：（一）革命前一年即一九一三年至一九二八年。（二）第一個五年計劃開始之前夕一九二六年至一九四〇年。（三）希特勒進攻蘇聯前一年一九四〇年至一九四五年。（四）蘇聯艱若應得戰爭勝利而經濟破殘之一九四五年至戰後第一個五年計劃完畢之一九五〇年。

一九二八年的生活水準，大概比革命前提高。工業勝利對農業尚無妨礙。但史太林尚以為此種自由的經濟發展太慢，便開始實行其第一個五年計劃，要人民勒緊肚皮，拚命擴大重工業。即為機器而製造機器，共黨日夕吹『為了將來美麗的天堂，而犧牲現在』。實行了兩個五年計劃，和第三個的二年，蘇聯的領袖極感狂妄。誇言工業勝利，這個勝利是犧牲人民的生活幸福換來的。試看在後面列出的統計數字便知道這個工業革命引起了生活水準降低。這是在獨裁政治之下才有可能。當時進行「強制集體農場」的內戰，就是農民激烈反對政府強迫實行的集體農場計劃。糧食生產大受影響。一九一三年俄國是個穀類出口的國家，至革命爆發後，至一九二八年中止。一九二八年是因革命戰爭而衰落的農業，已恢復至自給水準。但史太林要解決『農民減少工人增加』，引起糧食不足的饑荒。不得不強迫人民集體農場。農人憤而宰殺牲口，燒燬農場。結果一九三一年間饑荒。一直至一九五〇年都是以降低人民生活水準去取工業的發展。這是附屬國向老大哥學習的一項大課。

工業勝利農業失敗

茲將史太林的「工業勝利」和「農業失敗」的數字列如下：

工業數字（以一千萬米噸作單位）

年份（每年產量）	熟鐵	鋼	煤	石油
一九一三	四・二	四・二	二・九	九・二
一九二八	三・四	四・三	三・六	一一・五
一九四〇	一五・〇	一八・三	一六・六	三一・〇
一九四五	九・〇	一一・〇	一四・九	一九・四
一九五〇	一九・四	二七・三	二九・〇	三七・八
假定一九六〇年的目標數量	五〇・〇	六〇・〇	五〇・〇	六〇・〇

農業數字（畜類以一百萬頭作單位穀類以百萬噸作單位）

年份	牛	羊	猪	穀類
一九一三	六〇・三	二〇・三	一二一・〇	八〇・一
一九二八	七〇・五	二六・〇	一四六・七	七三・三
一九三二	四〇・七	一一・六	五二・一	六九・九
一九四一	五四・五	二七・五	九一・六	一一九・〇
一九四六	四七・〇	一〇・五	六九・四	六一・〇
一九五〇	五七・二	二九・三	九九・〇	一二五・二
一九六〇假定標準	八一・〇	五三・〇	二五六・〇	二三〇・〇

不敢再說與美競賽

在一九三九年，史太林及莫洛托夫曾誇言「勝利完成」工業的生產超過美國最繁榮之一九二九年每人之生產量。但到了一九四六年，蘇聯的生產遠落在美國人之後。確不再見蘇聯敢公開誇言與美國競賽了。蘇聯欲追上一九四八年美國每人生產水準，須歷長久時期。如欲趕到目前的水準，需時更久。

（下轉第二版）

述最近留台觀感（上）

左舜生

（一）

『君自台灣來，應知台灣事。』我最近因為到台灣住了四十天，（二月二十八日到四月九日，實際十分之九的時間都留在台北。）回到香港以後，不免有許多朋友都跑來向我問長問短。其實在這短短的四十天，忙於開會，忙於看朋友，幾乎每日三餐，都被朋友們招待去吃點心，吃飯，或被邀到一種集會的場所去講話，確實使我感到有點疲於奔命。

在最近的四年半，我已習慣過着一種比較有規律的生活，差不多每天讀書和工作，都有一定的時間，這四十天的台北旅居，乃使得我這種生活方式完全起了變化；再加上當地的氣候，比較香港更不正常：陰晴無定，冷熱不時，衣服少穿不是，多穿更不是，儘管我隨時都在小心應付，可是留在那裏四十天，我便害了四十天的傷風，這實在使得我精神上非常鬱鬱！

（二）

關於台灣各方面的情形，我聽得很多，看得太少，搜集了七大包有關的資料，昨天才由郵局遞到，什麼時候有機會能擇要的看看，現在還很難說。我近年已養成一種習慣：大凡對一件事的處理，或一個問題的解決，假如我不能源源本本弄得明明白白，您問我對這件事或這個問題有什麼意見，我便無從置答。好比您問我：從『三七五減租』到『耕者有其田』這一套政策的推行，所及於台灣整個社會的影響怎樣？我便只好老實對您說：我不知道，或者說我不大清楚。因為就這一套政策來說，從理論到事實，從政策的提出到執行，從執行中所得到各方的反應，乃至過去台灣地主與佃農間的關係，以及這一政策執行後所及於地主和一般農民的實際利害，……這一切一切，我都沒有研究，您叫我對這一件事發言，我確實是無從說起。

話雖如此，說我留在台灣四十天，便完全沒有一些感想，又不盡然；無已，我只好就我比較看得親切一點的若干事實，概括的來說一說。

三十八年的四月到八月，我曾在台北住過四個月，其時蔣先生雖已到了台灣，但一個自由中國的中央政府，還沒有在台北出現。當時主持台灣省政的，便是今天的行政院長陳先生。其時台灣給我的印象，只覺得是一個可以有為的地方而已，至其前途的命運如何，則似乎還沒有人敢下一句斷語。事隔五年，情況完全不同了：今天不只是已經有了一個中央政府，而且這個政府確實是相當穩定。從某一點上看，好像是由於土地的褊小，人口的不算太多，真正可以由這個政府來處理的政務，似乎是非常有限；可是從另一觀點來看，只要不以現狀自甘，而有決心把台灣建設好作為我們未來建國的張本，則今日應興應革之事，何止千千萬萬。

（三）

先就台北市一般情況來說，我覺得值得讚許的方面不少，應該注意的方面也頗多：

一、社會秩序良好：在四十天中，我不曾聽到有人在街上高聲吵架；不曾見軍、警、憲對人民有公然不禮貌的行為；在火車站及巴士站，不見擁擠凌亂的情事；小偷僅有，（如國大代表韓君的衣物，一夕被小偷竊去；鄭君皮包遺失，但由憲兵拾得交還。）乞丐則可說絕無；即在一切餐館，也很少看見有人使酒胡鬧。我這次完全沒有工夫看戲看電影，但聽說場場滿座，買票子頗不容易，黃牛黨異常猖獗。

三十八年我聽過兩次的顧正秋，現在已為前台灣省政府財政廳長任顯羣藏之金屋，有錢人當然應該享有這種自由。麻將牌的流行，不下於香港，嚴格取締，固可不必，但為增加一點備戰的氣氛，似乎總以少打為是。

二、市內交通工具較五年前加多，收費亦尚合理，頗稱方便。幾條幹路，尚能維持原狀，但支路則多失修，且極不整潔。一般市民的室內衛生以及飲食店等等，似乎沒有嚴格檢查，頗值得注意。至於水電供給充足，電話裝置普遍，這類情形，即香港也略遜一籌。

三、一般人民的生活情況，大致安穩。公教人員的待遇不算高，但配給制（煤、米、油、鹽）辦得很澈底，且多數有住宅或宿舍，子女教育費的負担極輕微。金融安定，物價波動不大，除衣料及舶來品外，關於食住行三項的費用，較香港的低三分之一，至少亦低五分之一。台灣對美鈔的官價與黑市，相差甚遠，但從前南京新街口及五年前台北衡陽街一帶那種按黑市沿街兌換的情形，却很少看見。就我所訪問過三十個左右的家庭，（包括市內和郊外）其生活大抵舒適，少數且相當奢靡，像這樣下去，會不會使大家在精神上流於晏安，而發生一種『此間樂不復思蜀』的流弊？這一點確實也是我所担心的。

四、我一共跑了十幾家書店，覺得台北的出版界非常不景氣。香港這方面的情形，已經不能使我滿意，台北又較香港不如。聽說台北的印刷紙張都比香港貴；銷路不廣；稿酬太低；向台灣以外推銷，則以定價太高，頗不容易；凡此種種，大概都是台北出版物貧乏的癥結所在。據我看，在香港出版的書籍，十之八九應該是可以在台灣出賣的，可是因為審查的手續太繁，無謂的挑剔太多，更加上一個嚴重的外滙問題，於是使得一般出版商都相率裹足，這實在是一件很可惜的事。現在輸進台灣的電影片子，好像美國的，日本的，香港的都為數不少，其他的奢侈品也很多，難道這些都不需要外滙？何以對於輸入書籍的外滙獨吝而不予呢？

半週展望

・陳克文・

杜爾斯歐行的收穫

上星期日美國務卿杜爾斯飛到倫敦，兩日後又到巴黎，和英法當局磋商應付共黨侵略越南和日內瓦會議的策略，現在已經回到了美國。

他回抵國門發表談話，認為「結果甚令人滿意」。他此行的具體結果，是組織東南太平洋十國聯盟以阻止共黨侵略。據他表示此一聯盟已得英法同意，泰菲亦準備參加。另據紐約記者報導，杜艾（登）會談，尚有三項未宣布的成績，除上項聯盟已成定論外，還有：如中共大舉入越，將訂秘密協議以確保聯合軍事行動，日內瓦會議決不姑息北平和莫斯科。

從這些初步報導看，杜氏此行可謂不虛。他赴歐前原有勸說英法在日內瓦會議前對中共採取聯合警告，不許對越南再作侵略之議。現在聯合警告雖未發出，但換來具體的十國聯盟，同時，三國對亞洲政策的歧見似亦因此而大為縮短距離，不能不說是美國外交的又一勝利。

在三國團結一致之下，十國聯盟如果能迅速實現，我想共黨對東南亞的侵略一定會知難而退。將來日內瓦會議，西方各國也一定可以爭取主動地位，而不至陷入蘇俄所安排的圈套。

十國聯盟何以無中韓

十國聯盟的意義，本在團結自由國家，以實力對付共黨侵略。共黨所懼怕的只有實力，最近台灣海峽的軍事實習，和國軍入越或反攻大陸的消息，已經使中共發生震懾。中共的宣傳機構已因此大事抨擊美國，說美國加深緊張局勢，破壞日內瓦會議，威脅遠東和平。因此，太平洋聯盟必須包括亞洲所有反共的自由國家在內。何以十國聯盟，反將擁有素具反共精神和能征慣戰百萬大軍的自由中國和南韓排除在外呢？很明顯的這是英法的私心作祟，英法心目中的十國聯盟祇不過在於確保東方殖民地的利益而已，不願意以此開罪於中共。如果聯盟骨子裏竟存着這樣不可告人的隱衷，便注定要失敗的。反共決不是為着殖民地，殖民地主義是亞洲反共運動的最大弱點，我們要警告美英法，必須及早根絕此一落後觀念，亞洲的反共運動才有成功希望。

貝萬的怪論！

英工黨左翼領袖貝萬於本月十四日突行退出工黨影子內閣，使工黨陷於分裂狀態，英國政局亦因此而發生重大轉變。保守黨可能提前辦理普選，以爭取更大的控制力量。將來的影響如何，此時且不作推測之詞。

我們覺得奇怪的是貝萬反對工黨政策的理由，據他自己說：他反對西德重整武裝，反對艾登與杜爾斯所商定的東南亞聯防計劃——說是英國對美國壓力的投降。他又反對工黨大多數對歐洲聯防的意見。這些議論，不是十足共產黨的議論嗎？貝萬的主張在英國雖還是少數，可是他對於英國的外交是足以發生牽制作用的。大戰期間，英國不惜發出英美聯合的口號，現在貝萬之流不問東南亞聯防是否需要，動以投降為醜詆之詞，何其淺見？又何其意氣從事乃爾？此真可為嘆息者也！

提倡簡體字未便苟同

·黎德操·

考試院副院長羅家倫，提倡簡體字，主張由政府明令公佈施行，引起一般人士，尤其是立法委員，咸認為羅氏之主張，不合時宜，不切實際，結果，不特不能達成羅氏所要求的原來目的，反而因求簡便而陷於麻煩。因為中國數千年來之字體，係根據六書制定，經過相當時日歷史，為國人所習見易寫，不能輕易改變，更不能以法令強迫人民使用，而失去用字的自由的。

不能強人以簡

現在字體之寫用，有應簡者，自然而簡，不應簡者，不能強人以簡。因為習慣應用，一旦強求簡化，反形混亂，不易辨認，且陷於誤會的。比方：「擡」字簡為「抬」字，「髓」字則應寫為「秏」字，「種」字簡為「种」字，「勛」字則應寫為「勳」字，實不是易滋混亂，確難使人辨識之例證麼？

所謂俗字簡字運動，是不研究文字學而開倒車的行為，背棄六書原理，集古今俗字別字錯字破字廢字死字的大成，脈絡全無，條理混亂，門類不分，來歷欠明，既沒有系統可尋，又不能觸類旁通，音義各個不同，字字必須強記，求簡而愈繁，求易而愈難，以致欲簡益繁，舛誤百出，摧毀文化，危及國本，莫此為甚。

文字一經受歷史承認，便不可以私人意見擅自更改，因為尊重歷史的傳統，即是尊重廣大民眾的公意，羅氏的主張，思想已入牛角尖中，實不可惜。

求簡必需避免淆亂

比方：三體石經中，「五」字只打一個×，「基」字只有三筆六，「及」字只有一勺？，為什麼後人不憚煩添頭添腳呢？無他，避免淆亂而已。「蘇」字原無「日」字，「勢」字原無「力」字，加「日」加「力」者，因「莫」「執」可以發生混淆也。我們需要簡單，但亦必須避免混亂，一亂即更繁矣。又如一二三四……，較諸壹貳叁肆……，簡便得多，何以銀行商店之票據帳簿，偏從大寫，而不從小寫，蓋恐簡寫易為添改發生混亂耳。又如：射箭之「射」字，及高矮之「矮」字，原是寸身為「射」（讀矮音），委矢為「矮」（讀射音），取其義也。射為矮之誤，矮為射之誤，射矮二字，明知倒轉錯用，而不加改正者，誠恐久慣習用，一旦更改，反滋誤會耳。要之，白中生白，簡外求簡，結果必致一片混亂，終於變為鬼畫符的。如要簡化使人強記，非令全民大衆個個，都要從頭讀過書不可，這會不是太過麻煩弄巧反拙的事情嗎？

簡字是一事，這是無人反對的，比方我們數目字，應寫為一二三四……，自然照寫，但必須寫為壹貳叁肆……的，亦應照寫，又如「對」字寫作「对」字，「羅」字寫作「罗」字，「變」字寫為「変」字，「臺」字寫為「台」，「實」字成寫「实」字，「際」字寫成「际」字，又如中醫師開藥單，一錢寫為一卜，一分寫為一卜，這樣一來，寫的人以達其意，看的人已知其意，習慣用，不令自行，何須強為簡體，教人麻煩，陷於誤會？

文字改革不是急事

現在急需的，係以喚起民眾，全體動員，消滅共匪，反攻大陸，復國建國，為最急迫的事情，怎能把寶貴時間和精力，用在咬文嚼字方面，文字改變是大事，不是急事，是必需，不是急需，應當改的，自然會改，應當添的，自然會添，係循着人類進化，歷史過程，漸趨改變，臻於善美的，不容勉強改革，致滋混亂的。

蘇聯不敢發動大戰

根。據。國。力。估。計

旭軍

（上接第一版）

如以史太林死時蘇聯的軍工業進展速度推算，係可以達到他定下的一九六〇年水準。但必須加緊鎮壓蘇聯人民的反叛。但以美國工業生產進步之速，蘇聯實是望塵莫及。茲列表比較如下：

	蘇聯若要到美國一九四八達年的每人生產標準，則必須有之生產量。	蘇聯實際的一九五〇年生產量。
石油	377.6（百萬噸）	37.8（百萬噸）
電力	459.6十億KWH	93.3十億KWH
鋼	110.0（百萬噸）	27.3（百萬噸）
煤	630.0（百萬噸）	205.0（百萬噸）
毛織品	600.0 百萬公尺	167.0 百萬公尺

蘇聯追及美國的生產水準，結果必起反叛革命。馬林柯夫一開始登位時，即面對一個什麼的蘇聯國家呢？就是為了一九六〇年不致易受一外國的攻擊，已把經濟弄到枯竭已極。當前人民的健康與舒適仍為此目的而犧牲，除非美國遭遇到經濟的悲慘崩潰，否則蘇聯不能達到她夢想的目的。所以蘇聯堅稱，『美國之不景氣係不可避免者』。這真是黑夜吹口哨，自己欺自己，以求假裝鎮靜」而已。

△美援噴射機運到西班牙▽

蘇聯決不能向美挑戰

馬林柯夫和克魯曉夫已明白：史太林所訂下的一九六〇年「生產目標，已經變成了毫無意義了。光是講尋常武器戰爭，他們已不敢作大戰之想。何況是美國在原子武器已遠超過蘇聯的成就呢？

馬林柯夫初掌政權，已有注重民生消耗品之表示。在外表上他不宣佈改變史太林的計劃目標。但如要着重提高人民生活水準，則必然要犧牲重工業。我們可以想到蘇聯起碼在十年內不能與美國一國的工業相抗衡，更無論與全自由世界的工業總和相抗衡了。還說什麼原子武器競爭呢？

我們也要記得蘇聯已不能自顧本身。雖然東歐的附庸國能夠自顧，但中共偽黨蘇聯極為迫切。當史太林在一九四六年定下生產目標時，是不容許計算援助中共在內的。

不管美國的生產如何的進步，馬林柯夫及其同僚已決定蘇聯內生產不超過一九六〇年的標準（除石油為例外）。他們祗能焦慮地研究共黨政權。根據蘇聯的經濟力量來看，縱然到了一九六〇年，蘇聯仍不敢，且不能，向美國挑釁發動大戰的。美國及自由世界應根據這個事實和推測，定下對付蘇聯與中共的戰略和政略！

波蘭陰謀一石兩鳥

據由鐵幕後面傳來的可靠消息說，共黨波蘭正打算出面建議，召開外長會議，辯論蘇俄所提的歐洲安全建議問題。據情報方面說，波蘭此舉有兩大目標：第一，以維持「老大哥」的面子；第二，使東德獲得「自主」以來第一次國際上的邀請，因為蘇俄宣佈予東德獨立自主的主權後，依然未能引起國際上的重視，波蘭此種行動，又無異在旁邊為蘇俄吶喊助陣，並企圖利用旁敲側擊的手法，暗地裏抬高東德的國際地位，這種一石兩鳥的陰謀已經積極準備就緒，在克里姆林宮的指使之下，波蘭已打算在日內瓦會議期間，分送邀請會議的請帖。

麥卡賽議員健康可慮

美國麥卡賽參議員最近又為「奧本海瑪事件」忙碌異常，這一宗可能牽涉「共黨間諜」的案件，自然是麥卡賽所不願輕輕放過的題目。可是，許多麥卡賽的親友們，卻為他的健康問題而深感焦慮，陸軍部與麥卡賽間爭執的高潮已漸漸下降，他們方慶幸麥卡賽可有一番好好的休息，卻不料奧本海瑪案又從旁殺出，使得麥卡賽無法安靜下去。據說麥卡賽的病癥而且雜，他的胃病很嚴重，一年以前就應該施行手術，但因工作繁忙，迄未如願，此外他常常頭痛，還有筋疲力竭的象徵。

威爾遜將參觀氫彈試爆

美國氫彈威力之大，本刊上期已有報導，因為這種炸彈的力量，甚至遠超過科學家們的估計，所以今後的試爆計劃便不能不從長考慮，據熟悉內幕的人士報導，繼三月間的氫彈試爆後，美當局原計劃繼續舉行試驗，由B—三十六式重轟炸機凌空投擲氫彈，但這一計劃最近幾經考慮，已決定予以放棄，原因是科學家們擔心安全因素可能無法控制。

同時，美國防部長威爾遜對上次氫彈試爆的報告印象極深，他已決定親往參觀下次舉行的氫彈試驗。

敘利亞政變餘音嫋嫋

敘利亞的政變成功後，前總理「鐵腕人物」希歇克利雖已倉皇出國，但事件並未就此結束。原來希歇克利早知自己地位不穩，除了政變前，經常在機場佈置專機，並命私人機師隨時準備起飛外，他還預先自國庫中盜取一千五百萬敘幣，存入瑞士銀行，作為將來流亡瑞士的費用，現在他這種貪污的行徑已為新政權所查出，預料短期間內，新政府就會宣佈希歇克利的罪狀，並將要求瑞士政府引渡希歇克利回國治罪。（孟衡）

人物介紹

西德經濟復興功臣 艾爾哈特其人

·兪嬰·

從一九四五年到現在九年中，西德已從殘破不堪的廢墟，迅速地恢復舊觀，而且呈現着蓬勃欣欣向榮的氣象，許多曾經到過西德的人，都異口同聲的稱讚這種復興為奇蹟。

（一）

事實上，西德的復興工作，真是一日千里。從一九四九年後，就有一百五十萬間住宅，在敗瓦頹垣中建設起來，而且由目前及以後，這種住宅建設仍繼續進行，每年的速率是四十萬到五十萬間，比較英法兩國綜合建設的速率還高。又以汽車廠出品而論，一九四五年的汽車產量是六十八百輛，但到一九五三年，就飛速的增至四十五萬輛。在貨幣方面，因為接受美國主持的貨幣革新計劃，使貨幣更形穩定，導致工商業的迅速發展，由一九四八年到一九五三年這期間，西德出口貨品增加了五倍；在同一時期中，政府的收入增加了約達兩倍。西德的工人生活水準，比較從前增加百分之四十，購買力高出戰前百分之十七。

（二）

西德經濟迅速復興的現象，無疑是可喜的。領導着西德的經濟復興，名義上雖然是屬於阿登諾政府，但實際上乃是負責實施經濟政策的經濟部長魯德維希艾爾哈特。

艾爾哈特現年五十七歲，出生于南德的佛爾特市，一九二四年畢業于法蘭克福大學，後在當時代表德國自由主義經濟學說的福爾茲·奧本海馬教授指導之下，研究經濟學理，獲得了經濟學博士名銜。

艾爾哈特主持的經濟部，面對着瘡痍滿目的西德，怎樣做他的復興工作呢？他吸取了德國近代史上那些理財技術的優良傳統，配合他一貫的自由主義經濟的思想，所以他一來，就採取了十九世紀英國的自由通商政策，這種作風，在美國初期發展的階段亦復如此。在二十世紀六十年代的今日，西德採取「復古主義」的措施，居然收效，而且出乎人們意料之外的成功。

（三）

艾爾哈特所採的經濟政策，是「反對社會主義」，對於經濟活動，盡量抑制國家的干涉，並在技術上和組織上加以現代方法的改善。因此，自由企業能大肆伸長，同時更降低關稅壁壘，擴大自由通商，使通貨恢復了交換性，使馬克的幣值提高，在國際市場上，和英鎊、法郎自由兌換。貨幣革新計劃，雖使人們手上的舊馬克，每百元得回六·五新馬克，貶退了百分之九三·九，飽嘗痛苦，但卻替西德帶來新的生命，使西德的經濟由安定而趨繁榮。

由於西德經濟邁向繁榮之途，現在，德國人已把艾爾哈特稱為經濟學鼻祖亞丹斯密斯在德國的化身，意味着艾爾哈特經濟部長是德國自由主義經濟學的泰斗，因為他不僅是有理論，而且透過理論表現事實，把理論和實踐統一起來，建立起不可磨滅的事功。且看他動人的言論如：「讓經濟抬起頭來！」「把人民及利之所在放寬，便可造成強國！」無怪西德的人們如此的讚揚他了。

（四）

西德經濟能夠獲得迅速復興，客觀的條件固是異常重大，如獲得美國的物質和技術的援助——由一九四五年七月一日至一九五二年六月三十日，德國接獲三十四億五千六百四十萬美元的援助，以及協助改革貨幣制度。但最要的，還是決定于主觀的條件。誠如我國所謂「為政在人，人存政舉，人亡政息」的因素，所以負起沉重復興担子的阿登諾政府和主持經濟部門的艾爾哈特部長，都是功不可沒的。

現在，西德的生產，已接近了顛峯狀態，德國的商品，不斷在中東、近東、南美、東南亞各國輸出，更有不少商品，到達遠東的香港市場，竟使西方國家的工業製品，受到了威脅。由此可見，艾爾哈特是西德的經濟長才，他的經濟政策——採取自由而摒棄統制，使西德一路向着復興之途邁進中。

西德經濟的復興，固然有可能吸引鐵幕國家——尤其是東德，起而推翻極權統制的暴政；但那些落後的國家，尤其是接受美國援助的國家，能否也出現如艾爾哈特其人，使衰落蕭條動盪的經濟現象，措於磐石，邁向繁榮呢？

編者　讀者

△婆娑生，楊柳青兩先生：承惠長函，詳細指出本刊的優點和缺點，以及一般讀者對本刊的反應，更進而提出具體的改革主張。我們對兩位先生愛護本刊的熱情和寶貴意見，除表示無限感謝外，自當切實努力，力求改革，俾符雅望。本刊目前以限於各種條件，自審缺點甚多，但我們相信，讀者能這樣不斷的予我們以鼓勵和指導，一定可以逐漸向理想的境地前進的。

△下一期我們將發表：楊桐孫先生國父革命真諦和周榭聲先生台灣工業化問題兩文，前者闡發中山先生的革命真義，對目前實際政治有所批評。後者對目前台灣經濟，有正確的分析，對工業化的辦法有具體的意見，均屬極有價值的文章，謹先為讀者介紹。

△季舟，萬燭，孫秉權，婆娑生，韓名鍋，諸先生：惠稿已收到，謝謝！

△惠稿諸君如有垂詢事件，請另紙開示，勿附寫稿末，以免稽遲奉復。

△沈雲龍，易健超，鄭匯析，凌翁諸先生請向本報台北總經銷處洽取稿酬。

讀史評述（三）

——續讀通鑑論

·毛以亨·

趙高

趙高裝出爲六國亡秦的姿態，其事實不過如是，若謂即此而可證其有久懷爲趙報仇之心，實未免太天眞了。亡國之臣，長欲保其富貴與性命，以暗通于其主子的敵人，所謂靠攏與立功自贖者，歷史上數見不鮮，而趙高的行動，即屬此類。趙高甚至進一步幻想到，收拾秦之殘局，殆非彼莫屬，以後降將章邯等三人，亦王三秦，故高曾與高祖約，分王關中。然高即不死于子嬰之手，亦必死于高祖之手的，殆非如章邯之可比。

靠攏立功自贖的小人

高祖既以除暴秦之背法爲號召，而秦之惡，即高之惡，秦之背法，即高之背法也。爲民請命，即非殺趙高不可。故安定關中，可假手于降將，而無須趙高，而安定人心，尤須犧牲趙高了。且叛二世的趙高，既如此的不放心二世，必去之而後快，則叛秦之諸侯，當然亦更不放心趙高了。潛夫論曰，「故國已亂而不知，禍既作而不救，此非國共棄君，乃君以衆命擧趙高，病自絕于民也。」趙高既要老百姓的命，則老百姓自然非要他的命不可了。

所難解的，爲如此強幹的趙高，竟做出此等愚蠢的事，這就是王船山的疑問，然亦片言可解的。趙高者，殆爲最能幹的文吏，而于儒道實一無所知。若以儒者忠恕之道責趙高，則其愚誠不可及，氣節是由修養得來，而他何嘗有一日此類之修養？則其貪生畏死之情見乎詞，富貴勢位之想，縈其心，誠哉其愚也！

茲採王充論衡之言，以實吾說，程材篇曰：「論者多謂儒生不及彼文吏，見文吏利便，而儒生陸落，則詆訾儒生以爲淺短，稱譽文吏謂之深長，是不知儒生，亦不知文吏也。……文吏理繁，身役于職，職判功立，將尊其能。儒生栗栗，不能當劇，將有煩疑，不能效力，……是故世俗常高文吏，賤下儒生。……志在修德，務在立化，則夫文吏瓦石，儒生珠玉也。……文吏以事勝，以忠負，儒生以節優，以職劣，二者長短，各有所宜。……儒生所學者道也，文吏所學者事也。……，事末於道，儒生治本，文吏理末，道本與事末，比定尊卑之高下可得程矣。」張釋之曰：「秦任刀筆小吏，陵遲至於二世，天下土崩。」

李斯始終服膺荀卿

李斯之較趙高，猶勝一籌者，獨不私通于楚漢耳。故斯自以爲忠臣，而上擬龍逢，比干及伍子胥。趙高譖斯于二世曰：「今陛下已立爲帝，而丞相貴不益，此其意亦望裂地而王矣。……丞相長男李由，爲三川守，楚盜陳勝等，皆丞相傍縣之子，以故楚盜公行，過三川，城守不肯擊。高聞其文書相往來，未得其審，故不敢以聞，且丞相居外，權重于陛下。」二世命高治李斯罪，且使人案三川之守，至則項梁已擊殺之。我們如以現代病態心理學來解釋，即知其對二世所言無啻趙高自己之坦白書，祗是以李斯爲其自己之替代而已，證之趙高以後之反狀，則皆驗。

李斯學于荀卿而客于呂不韋，名爲法家，而是儒家的底子。——斯度楚不足事，而六國皆弱，乃西入秦，辭于荀卿曰，「秦王欲吞天下，稱帝而治，此布衣馳騖之時，而游說者之秋也。處卑賤之位，而計不爲者，此禽鹿視肉，人面而能強行者耳（案猶言人面獸心）。故詬莫大于貧賤，而悲莫甚于窮困。久處卑賤之位，困苦之地，非世而惡利，自托于無爲，此非士之情也。故斯將西說秦王矣！」後李斯諸男皆尙秦公主，女悉嫁秦諸公子，但在全盛之時，就有將衰的預感，輒喟然嘆曰，「嗟乎吾聞之荀卿曰，『物禁太盛』，……物極則衰，吾未知所稅駕也。」讀此則知李斯是始終服膺荀卿者。惟斯爲祗知保祿位，仰承人主意旨的賤，是一位儒實可憐人。斯勸始皇絕私學而謗止，又勸二世滅仁義之途，絕諫爭之辨，皆所謂曲學阿世也。王船山譏其「畏死之心切，而有所不避。」又稱其，「前所以自進者非其功，後所以自效者非其道，退所以自保者非其術，退所以自匿者無其方。」太史公譏斯阿順苟合，然稍明六藝，猶足自守，不至如高之以通敵爲得計也。（中）

大陸工人反共嗎？

·沈著·

大陸工人反共嗎？這是一個值得談談的問題。我說大陸工人多數反共，這麼說，也許有人會不十分同意吧？我可以把理由和事實說出來。那末大陸工人究竟爲甚麼對中共政權引起反感呢？事實顯示：一方面由於中共對工人的壓迫和奴役制度化，一方面是由於工人生活待遇的苛薄。

超額的強迫勞動

以前者言：中共對任何生產部門（包括工廠、礦場、築建工地，運輸組織、農場、以及碼頭工人等等）都要求「超額完成任務」，於是經常使用兩種業已成爲制度的方法。一種是每月都有的「突擊生產」，一種是每年至少有三、四次的「勞動競賽」。

所謂「突擊生產」，就是在若干日期內，提高勞動強度和延長勞動時間——所謂「加班加點」——即使產生比平時大約加倍的生產效果。這種「突擊生產」，大約在每月下半月舉行。

所謂「勞動競賽」，一般人都耳熟能詳；這種「競賽」，在中共佔踞大陸初期，因工人容易受惑和衝動，原曾採用「挑戰」方式，使工人自動競爭表功，但不久以後，所有工人對此種慫勵已完全洩氣，乃改用共幹用強迫方法，驅使工人進行「競賽」。「競賽」目的，除了提高工作強度和延長工作時間外，並提高工作的速度。此種「競賽」除每年年度終了前，必定舉行外，其他時間何時舉行，並無一定。「競賽」的時間，少則一月，多則兩月，工人在「競賽」期間內，身體和精神上的傷害，當然非常嚴重。

此外，還有一種原因，亦非常引起工人的反感和怨恨，即工人通常在極危險惡劣的環境下工作——例如：在工地的高空建築中工作，在低氣壓的和悶熱的鍋爐間工作，在含毒的瀝青間工作，在缺乏空氣的隧道中工作等等——同時監督工作的共幹經常在個人表功的「任務」觀念之下，不管死活，以強迫命令驅使工人冒死工作。工人倘表示反對，動輒便予以辱罵、檢討、鬥爭、拘押，乃至毆打。此種情形，不免引起工人的集體消極反抗。

工資低下　健康惡劣

關於工資，中共佔踞大陸初期，還相當過得去。不久，幣值下降，物價高漲，工人待遇，無形中日降一日。至一九五二年六月間，據當時（一九五二年六月廿五日）「人民日報」透露不完全統計，一般操勞程度較烈的礦工工資，每月只在二十五萬元至三十萬元之間，折合食米，僅在一石三斗半至一石七斗之間（註：當時一般米價，每石十八萬元）；折合港幣，僅在六十二元至七十五元之間（註：人民幣折換港幣官價，在一九五二年以後，一直維持在一萬元比兩元五毫左右）。比此種待遇，個人最低限度生活，尙可勉強維持，當時便有不足了。當時河北省有兩工人（署名紫淵、本林，恐係化名）曾向「人民日報」投出呼籲，說：「許多工人就靠借貸或出賣什物維持生活；某些來自外地的工人，沒有家業，借貸無門，只好一家老少撿煤渣、拾菜葉，甚至行乞度日。」（上）

大陸今年仍將多災

上月二十四日，中共之政務院業已發出：「關於加強災害性天氣的預報，警報和預防工作的指示」。中共承認去年的颱風、寒潮、暴風雨、霜凍、冰雹、洪水、乾旱等災，曾給大部地區造成了農作物的荒歉，和人畜的嚴重傷亡，已使「國家」資財遭致嚴重的損失，增加了財政經濟上的困難，且謂據天文台的研究預測，今年大部地區仍可能遭受各種不同的災害，故特制頒上一指示，飭各地黨政機關迅即組織當地電台和氣象台準備作氣象預報及警報；並一面加設氣象預報站，一面組織人民作種種連絡、預防、及緊急應變的準備。中共曾力戒各地避免驚擾和混亂，但其發出此一指示之口氣，則頗有自相驚擾之狀。中共認今年最可能遭受的大災害，爲春夏之交的颱風和洪水。

失蹤美人傳在北平

布爾太太飛瑞索夫

最近，有兩件事情是值得重視的：一是一年前在港海遭中共武裝綁架而去的三個美國人有了下落，另一便是民航公司秘書布爾夫人赴日內瓦向中共代表索還她的丈夫。

×　×　×

美國國家廣播公司記者亞普格特，國際社記者傑克遜，伊斯勃關遜輪船公司船長克拉斯納，這三個美國公民，一年前同乘「寇特」號遊艇，由港赴澳，中途被中共武裝匪艇劫而去，使美國朝野同表憤慨，美國國務院曾經三次透過英國外交部的關係，向中共提出嚴重抗議，却始終不獲答覆。但在世界輿論壓力下，中共通過英國共黨報紙關係，由「每日工人報」記者溫甯敦，在韓國「中立區」以側面方式替中共洗脫罪責，說中共並沒有在港海於去年三月二十一日擄劫「寇特」號遊艇和架走了三個美國人，誣稱恐係「海盜所爲」。美國務院隨即再提抗議，促中共迅將拘留大陸所有美國公民全部釋放，其中特別提及兩位新聞記者和一個船公司的商人；不久，駐日的美國記者，聯合各國駐東京記者們，也致電共酋毛澤東，要求立即將被綁經年的亞普格特和傑克遜釋返，但至今仍無回音。早幾天，據本港英文報紙消息：這三個美國人現被拘北平，並稱他們現受「中俄反間諜人員審訊」。這一消息雖未引述來源，然言之鑿鑿；中共雖堅不承認，這事當終有水落石出的一日。

×　×　×

至於民航公司秘書布爾夫人，她的丈夫於一九五零年在滇省蒙自供職該公司任機航組主任，當時因雲南甫陷未及撤退，致被中共扣持，一九五一年她接丈夫自大陸發出的一封信之後，從此消息杳沉。她現正趕瑞士途中。這一次長途旅行的主要原因，是趕上本月二十六日有中共代表參加的日內瓦會期，她將向中共索還她的丈夫布爾，使這個磋商韓國政治問題與越南局勢的會議中增加了一項側面的新點綴。

愛的清算

·楊維之·

（一）

許瓊女士，繼「毛澤東殺了我的丈夫」以後，又一部十六萬字的長篇，書名「愛的清算」，由亞洲出版社於民國四十二年十二月出版。

從許瓊女士的自白裏，我們可以看到她自幼就愛好文學的，她在上海讀中學的時代，就學習寫作，從事投稿，與若干當時知名的作家往來，受他們陶冶，受他們鼓勵，所以她得到了不少的經驗，她的天資再加她的努力，使她養成了相當寫作的能力。

許瓊女士因爲戀愛，在中學畢業後，進復旦大學，讀了不多久，懷了孕，所以走出了學校，踏上社會，結了婚，過着不平凡的生活，使她的生活經驗豐富起來。是幸福，又夾着悲苦；是平易，又帶着艱難；是希望，又摻着幻滅；是興奮，又雜着憤恨；而最後，她的丈夫被殺了，因此短短的十多年之間，使她嘗盡人生的甜酸苦辣各種滋味。

（二）

這本「愛的清算」，便是她的「戀愛回憶錄」，便是她的「生命歷程的紀錄」。她的文筆很不錯，非常流暢，所以文字淸新活潑，毫無做作，非常自然，使讀者讀着時，像聽她頭頭是道的娓娓淸談。

她把戀愛的經過坦白地供述了出來，她寫出了和趙景深、索非、巴金、錢歌川、黑嬰、王深林，以及她的丈夫莫自新的交往經過的，不過，在主要意識上，這書的主題實在是令人費解的，作者一再強調的是反抗家庭，反抗封建社會和革命，作者在敍述去的故事中，她曾經和若干左翼文人有情感並參加過中共的救國會活動，那麼作者所說的革命，就應該有代交的必要，結果這本書從作者自己到所牽涉的人物，全是糊塗的，因而意識上也是糊塗的，雖然在少數地方加了些罵共黨的話，作爲一部文藝作品，反而極感不自然。

她所寫的那些經過，都是事實嗎？其中不免有誇大或隱諱的。她在「後記」裏說，她爲了寫這本「自傳性的小說」，曾經寫信給書中人物錢歌川和趙景深，錢歌川在台灣，趙景深在上海。錢歌川回信說：

「你想把我也寫進去，我不能反對，不過宜多寫你自己一方面的事比較更眞實。寫配角要以意爲之。」

錢歌川的又一信中說：

「我不知你是怎樣寫法的，結婚與戀愛故事是不是也進寫去。如果把結婚與戀愛分開，就不應該寫進去，如果不寫進去，後面就不宜把愛情債務償還在孩子們的身上。因爲這是每個女人的行爲，古今中外一樣，甚至三從四德也是如此，「夫死從子」，寫來太平凡了。同時，這畢竟是小說，有些地方可以誇張一點，不要太忠實於事實。」

趙景深的回信大意說：

「你寫自傳，可就你的看法去寫，自然，必須是你所眞實感到的。「不誇張，儘量眞實」，這是對的。」

（三）

許女士自己說是向「不誇張的眞實」寫下來的，那末這本書，經過作者的洗鍊，應該是小說也就是眞實，是眞實也就是小說。但說是向眞實性一面寫，作者疏忽的地方就太多了，比如說：「小說月報」是商務印書館出版的，作者寫了良友圖書公司。民國二十四年的王獨淸，已經是托派在文學上的主將，作者還把他列爲青年作家，在對白中，也令人感到有欠眞實，作者在少女時代，一些談吐中，就有豐富的文學知識和政治知識，不能不令人有些驚駭和贊佩，但在若干年後，作者的一些知識也是如此。

許女士寫和那些人有戀情，而很多是在差不多的時期裏的，這在錯綜複雜的情形中，她能不紊亂的，輕重適度的來敍出來，不以「自傳」來看，我們覺得她對小說的結構確實有了相當的學養。不過，這本書如果不是一大批索非的信盡了「點睛」的作用，單就故事來說，氣氛太平淡了。索非是個無政府主義者，又是一個後來投共的作家，所以讀過本書之後，更令人增加一種困惑之感。

（四）

此外在結構上，第六十二節的二七〇頁，作者寫了很少的一些逃出桂林，在中度縣的艱苦生活，接着來一句：「抗戰結束了，我們回到上海。」便寫回到上海的事情，這於故事的發展上，失去了平衡，似乎來得太突兀。如果把六十二節分成逃出桂林後，與回上海爲兩節，較爲適當。

一部文學作品，如果太多的談些思想上不成熟的「思想問題」，是易於失敗的。而且極不易爲讀者所接受所感動，「愛的清算」這本書就是一個教訓。

×　×　×

中國的麥卡錫

馬五先生

自由談

胡適之先生最近由台灣赴美洲新大陸，他在旅途中告訴新聞記者：「蔣經國是中國的麥卡錫」！這話很有意義。

美國的麥卡錫參議員，以獵狩搜索美國朝野各階層的共產黨徒及其同路人爲職志，因此而招致了全國各界人士的指摘譏評；尤其是民主黨人，自杜魯門，史蒂文生以次，皆痛駡麥氏爲「政治怪物」，新創「麥卡錫主義」的名詞，作爲一個顢頇胡鬧人物的綽號，其厭惡心情，可以想見了。然而，麥氏我行我素，照樣執行他那非美活動的調查工作，是是非非，一切訴之於民意，證之以事實。國會議員要調查他的調查工作，請他暫時迴避「參院調查小組委員會主席」職位，他亦無所謂，他所恃的是站在他背後的選民支持力。人民大衆如果要支持他，誰也奈何他不得，這就是民主政治的偉大功用！

蔣經國氏對於獵狩搜索中國各階層的共黨及其同路人。其用力之勤，負責之勇，府怨招謗之多，視麥卡錫尤有甚焉。但他似乎尙未獲得社會大衆的諒許與支持，其故安在？就在沒有讓興論界隨時公開而自由地討論他的所作所爲。最近仙蹤然對我們一些來自海外的國大代表們，敍述過他所負使命的眞實內容，且提示了不少的證據。然我們終究是社會大衆中的少數人，不容易改變社會大衆的觀感。唯一有效的方法，還是依照民主政治坦途，把問題公開讓興論界自由研討，倘之風聲，言者無罪，聞者足戒。

美國的麥卡錫已成功爲反共的民族英雄了，任何政敵也打他不倒的，近日「原子先生」與本海鑄事件發生後，更足以增加他的信譽。我希望中國的麥卡錫先生見賢思齊，東西媲美，反共前途，實利賴之！

×　×　×

新居瑣記

·鐵聲·

自從大陸淪陷後，我們逃命到香港，一住就是五個年頭。初居九華徑，繼遷青山道，最後搬到荃灣來了。到了荃灣又搬過三次，這個地方是鄉下，我的房子下方是鶴鶉墜，後而是豆腐作，東邊是茅廁，幸距離稍遠；西向是禿頭路，可不虞有竊賊光臨。不過，附近多半是菜園，菜花開時放出芬芳氣息我有分，但到了黃昏之頃，農民灑大糞我也無法躲避。好在每週只有一二次，一二次也不過午後二三小時，所以大體上還可以過得去。除此之外，這裏的好處却也說不盡，譬如：背後大的幛峯就夠偉大，這是香港四百方英里之內唯一的高峯。對面的青衣島何等秀氣，這是我們荃灣有數的案山。東邊的芙蓉水何等清漣，柳子厚不寫過「輕風亂颭芙蓉水」的佳句嗎？雖然句子是在柳州寫的，我們這裏也可以應用得上。西邊是荃灣，又何等壯闊，一直可以通到南海，也可以通到太平洋，大人物的眼光都是舍近圖遠的，我又何常不可以向他們學習！而且，近海的天特別藍，藍得發青；四圍的青草到了春天都成嫩綠，綠到令人心曠神怡。再說我們的房間，一窗朝南，一窗向東；向東的可透日光，把房裏所有的微生物通通殺死。朝南的那就妙不可言了，太陽在多天可以進來，在夏天就要躲開去。而且到了夏天，南風不斷的吹，吹到令人大喊快哉快哉，這個享受不是羲皇上人是什麼。

而且我們這裏的山是山脚凸出的一部分，當然不怕大水災，——像前年那樣荃灣水塘爆裂那樣大水災——。而且我們的房子又是獨立的石屋，就像前天海壩街那樣大火也不怕。就令吏農人下午在菜園潑糞，很臭也不過二三小時，二三小時我們不可以把窗子閉一閉也就過去了嗎？所以我想來想去，總覺得住在這個地方利多而害小。而且這個房子很堅固，就有大颶風，也不會像去年住在木屋裏面的時候那樣提心吊膽。而且房租又便宜，前天在城內我的朋友曾評價，像這樣房子在九龍要一百元，在香港要一百五十元，我想起來也覺得有十分道理。即使說進佐頓道車費來回要一元不上算，其實在城內也要坐巴士，一次相差不過六角而已。如果每週進城兩次，所花不過一元二，一月加起來不過四元八角而已。即使一月多是三十一天，也不過多一次，一次多六角，合起來五元四角而已，又有什麼不上算？

而且這裏是鄉村，居鄉的人少疾病，疾病既少，醫藥費照比例可以免掉，算來算去，還是住在鄉下好。

而且住鄉下又可以少應酬。而且我的書棹是放在東窗與南窗之間，若論光線，可以左右逢源。我的精神既爽，文章生產力自然會加強；文章生產力既加強，銷路自然暢旺了。而且，我最近賣文章由香港賣到南洋，又由南洋賣到台灣和澳門，除了大陸之外，我的生意可謂興隆暢旺，這與這間房子的風水似乎也大有關聯的了。我記得地理先生說：『有陰宅必有陽宅！』荃灣陰宅名著全港的鄧家祖墳叫作『半月照潭穴』的，那個吉穴是開族大地，大發『財丁貴』已七百餘年。我的房子背倚大帽山主峯，來龍雄猛異常；前面有水，水是財源；水外有山，三峯鼎峙，那就叫作筆架山。筆架山大大有利於我們文人的呀。就是說到左青龍與右白虎，也是扶溺而出，旗鼓相當。所以我今年文章大暢銷便是得大帽峯與筆架山的氣勢之所賜了。而且荃灣又是深海，八千噸大船都可以入港，水深波闊，財源旺暢自亦不消說了！

飯吃飽了：捫捫肚子無事做，因作瑣記。

鷓鴣天

·楊若瑛·

猶恐嬌嗔氣未平：偸從眉眼看卿卿。含顰初似雲間月，一笑還同雨後晴。

攜素手，步中庭，滿庭花影悄無聲。鳳城今夜人多少：爾我雙雙最有情！

浣溪沙

有感

·周樹聲·

未得言歸怨杜鵑，春愁寂寞不成眠，故園西望淚潛潛。

回首豈堪思往事，驚心已逝是華年，昨宵魂夢到家山。

愛

短篇小說

·莫泊桑著·
·孫旗譯·

天黑了，結上一層堅厚的冰，這時我趕到我表兄那兒去，我們在大廳進完了餐，便爬上桌子、牆和樓板上去，無限制地跳着玩，或者抓着枝柱，學着各種鳥類的棲息：如鷹、蒼鷺、梟、食魚鳥、鷗、小鷹、兀鷹、雀。我的表兄，表演北極地方一種奇異的動物在海豹皮大衣裏；並且告訴我要準備玩得很晚。我們在早晨三點半至四點半出發到那兒去，用冰塊建造一個作冰戰到黎明前的隱蔽所，那場冰戰，完全像一場撕殺，一場肉搏，一場笨刺，有如鉗子夾的痛苦，有如火烤的灼痛。我的表兄廝擦着他的手。

「我從不知道那麼寒冷，早晨六點鐘只有廿一度呢。」

直到飯後我倒下睡覺，才被木材火溫暖了。我穿了三件衣服，又加上一件羊皮大衣，我的表兄穿一件獸皮大衣。

我們各人吞下兩杯熱咖啡和兩杯白蘭地，一個僕人和兩條獵狗——勃郎更和皮洛特——陪同着，我們便跑出去了。

走了幾步，寒氣砭人肌骨。算是這些時日中一個冷寂如死的夜。沒有絲毫生氣的鼓舞；寒氣凍得人臉像凝固的冰，凝固如死的；侵蝕着，刺激着，捶擊着，殺害着森林，草，昆虫；甚至小鳥凍得像硬土塊，從樹枝上跌落在堅硬的地上。

殘月移向天角，好像在霧氣中漸漸昏暗了，緩緩地移向天邊，被如冰似的天吸緊得無力了。無力地跌落在地上，呈現着憂鬱的，鉛灰色的，微弱的光芒沉落了。

我們的手插在衣袋里，槍挾在臂下，卡爾和我歪歪扭扭地向前走着。我們纏起毛巾圍着半長靴，這樣我們緩步涉過冰凍的河水而不被滑倒，我們寂靜地行進。棕色的狗在白色的霧氣中喘息。

我們便立刻走下沼澤的一條路通過森林蔭蔽着的乾蘆葦叢。我們的臂膀長長地伸出，披拂着，像根草葉帶子，遠離模糊的沙沙聲。沼澤有力地喚起我從未有過的奇妙而強烈的情感。沼澤似乎是躺着的死者，凍殭了的死者，我們便是踏過他身上的軍隊，行列衆多的蘆葦變得乾枯了。

突然走在一條彎路上，我尋找那作隱蔽所的冰造小屋。進了屋，我們才領悟到一點鐘前，一羣飛的鳥兒，我裹緊羊皮大衣企鵝溫暖一下再爬起來。躺下來之後，我抬頭望望月亮，透過冰造小屋。不甚透明的驕扭曲了，似乎成了四個尖。然而在這非常寒冷的沼澤，冰冷的牆，冰冷的天氣中，我已開始暖和了，我的表兄很感不安。「眞是慘事，寒氣還進我們的衣袋裏了，」他說：「我不能叫你受寒，我們就燃一堆火吧！」（中）

暴露共黨陰謀

埃革命政權內鬨

革命委員莫赫汀被放逐

埃副總理納塞中校與總統兼總理納吉布將軍的爭權衝突中，經六週的拉鋸戰，終告獲勝，於是納氏迅速着手鞏固其權力，轉而解決一個背信的朋友。納氏在密謀推翻法魯克王朝的數年中，曾親手挑擇十四個密友，組成革命委員會，這就是今日執政的軍人機構，這十四人也成爲其基本委員，其中有一個就是莫赫汀少校。納塞早知道這個三十三歲的青年軍官是共產黨員，但仍相信他脫離共黨以及效忠於革命的誓言。

但在本年二月，納塞和納吉布發生衝突時，莫赫汀却又暴露了他的共黨色彩。他曾領導一批騎兵軍官，要求納塞將全部權力交與納吉布，他似乎把納吉布視作埃及革命的克倫斯基，自己希望將來能做埃及的列寧，壓倒納吉布而奪取政權。

納塞有一時期對莫赫汀一班人不得不低頭。最近納吉布因神經衰弱而病倒，納塞勢力大增，已力足對付這個背信的朋友了。他在一次革命委員會會議後宣佈說，莫赫汀已辭職，將赴義大利公幹，其後再在歐洲長期休假。這是埃及二十一個月來的革命運動中又一個溫和手段的特徵，對政敵仍特別寬大，使放逐了事。要是莫赫汀和他的共黨同志得勢的話，納塞肯定不會舒舒服服的能去義大利休養避難的。（羊）

不打自招文抄

『我們的父親斯達林』

·文抄公·

最近看到「北京」出版的「新觀察」半月刊，一九五四年第三期及第五期，有幾段「妙文」抄供讀者在煩熱的天氣中，來一陣「汗毛站班」。以下是「新觀察」的原文。

×　×

「讀者、作者、編者」

「有的同志建議把目錄擺在最前面。我們刊物頁碼較少，爲了節省篇幅，同時參考了蘇聯中文版的幾種刊物，覺得還是可以把目錄擺在後面。」

·新觀察·

×　×

斯大林和我們在一起

「偉大的導師和慈父離開我們了麼？啊，他離開我們了。——不，他沒有離開我們。」

·新觀察·

×　×

他永遠活着

「天空上的太陽呵
——萬物因你而生長
我們的父親呵斯大林
是你把我們的心照亮」

·李季生·

絃邊偶紀

玉琴載譽

·娑婆生·

正秋嫁了，正芬又擬環島漫游，預備創造享名的資本，合北劇團，將復軍歸於靜寂。不意小劉玉琴由金山歸來，允許現身說法，以供顧曲者之欣賞。迪化街上，依然車水馬龍，不減當年顧氏的威風。此多由今福建省政府主席胡璉將軍親題名曰，金門女兒。因其在軍中服務，達二年以上，如寂寬山谷，得到幽揚的琴聲，予前綫三軍以無限的安慰。胡將軍之賜名，蓋有所自來。

（一）

當三月之中旬，玉琴在永樂戲院登台，首夕，唱起解會審，盛況空前。場中所懸匾額聯，不下數十，擇其較佳錄存。橫額有「玉殿月開歌夜永。長樂春曉聽瑤琴。」「玉音妙韻，琴調雅作。」似爲恰切。贈聯有台南天南眾房所擬頗好，「玉繭情絲，莫學春蠶自縛。」「琴絃愁緒，易挑寒士幽懷。」台北所贈爲「玉韻琴音，繪聲繪色，名噪自由中國。」「譽滿寶島，維妙維肖，歌聲美麗寶島。」亦尚可誦。最足動人，以爲鼓舞三軍四大字。幕幔除繡有飛鳥以外，中有一船，風帆飽掛，船中有兒女二三，似作拉帆之狀，乘風破浪前進，含有打回大陸，重光河山之意，頗具匠意。

玉琴的成功，不能不說有助於二枝綠葉。所謂綠葉，即乃弟玉麟之小生，其扮相之英俊，做作之精細，唱白之清朗，在今日台北劇圈，頗難覓到此種人才。小生之難，須要溫雅而不俗，瀟脫而不呆，玉麟够到此條件。從前顧正秋辭了儲金鵬，而請其爲配，卒因受不住老板的架子而走，是表示不願屈居轅下。乃妹玉霞，容貌亦妍麗，功夫也可以，在勝利回家一齣中，給予其姊，很有幫助，所唱歌曲，雖多詼諧，但合乎潮流之所趨。其他所配各戲，皆能盡職，平添神彩，爲如正芬昔日之佐正秋一般。

（二）

玉琴頗有雄心，將紡棉花改爲勝利回家，編上一段人人所願望之心緒，插入歌曲，以作點綴。博得觀衆的歡呼，尤其是勇三軍，在劇終歸鄉前進，獨在呼喚小劉玉琴，其映印像國際寬深，爲余耳所親聞此聲。一月以來，演出各劇，均甚精采，當然以紡棉花爲最拿手。有些友朋，認爲是海派而來的，我從前的茫茫無知，亦何嘗不如是，雖不能絕對否認，可是縱觀目前的劇人，有幾個眞能稱京朝派，即正秋也不能免。但其花衫戲，當不下於能而無不及。尤其踩蹻的功夫，非顧能及。而會審醉酒，更能唱做兩工，却異常精采，宇正腔圓，做作完全遵照京朝的典型，不愧爲工，啞口無言。此次玉琴在永樂所演的結果，可算是畏友極少，載譽而還。她也知好景不長，花開那有百日紅，將於十四日與台北歌台，皆組織趕赴金門前線，以慰勞將士，盡其藝人之所職，爰爲紀之。

中華民國僑務委員會僑報登記證台教新字第一〇二號

自由人

中華民國郵政登記第一類新聞紙類

THE FREEMAN

（半週刊星期三六出版）

（第三二七期）

每份港幣壹毫

督印人：[illegible]

社址：香港高士打道二十號四樓
20 CAUSEWAY RD 4th fl. HONG KONG

香港發行及本報事務所：高士打道二十號

電話：七〇五五三

承印者：東南印務出版社　地址：香港高士打道六十四號

台灣總經銷：台北市館前街五十號

台北合作郵政信箱

論革命眞諦

·樓桐孫·

「革命」一詞，首見於易經，是一個十分道地的國字。易革卦說：「革，水火相息，二女同居，其志不相得，曰革。……天地革而四時成，湯武革命，順乎天而應乎人。……」雜卦傳又說：「革，去故也。鼎，取新也。」因此我們又有「革故鼎新」的說法，有時也把革命稱爲「鼎革」。這原是易象所要表現天地萬物和人類社會一切變易的原理。

人類社會是一個「生生不已」的有機體：不但要生活，而且要永存。這應該就是國父孫中山先生所說「社會的生存」，其實亦即是「羣衆的生命」的一部份或其整體：——假使指人類各種的社會而言，是一部份；假使指全人類而言，那就是整體。

革命應以道德爲前提

是以「革命」的涵義是非常廣大的。「天地革」是指「人」以外一切自然現象的變易而言，自不屬於本文討論範圍之內。湯武革命是「人革」。依王船山的說法，這種「不相得者，爭也；爭則有不兩存之勢」的人事革命，「非但易位而已：」「文質之損益，俱不相沿；天地之正朔，人之典禮，物之聲色臭味，皆懲其敝而易其用，俾可久而成數百年之大法」。目前自由世界對於共產集團勢難並立的鬥爭，無疑的即屬於這一種徹頭徹尾的「非常之事」。因此，王船山又說：「革者，非常之事。一代之必廢而後一代以興；前王之法已敝，而後更爲制作：——非其德之夙明者不敢革也。……以有其德，乘其時，居其位而後可革。」由此可知談革命當應以道德爲前提。假如本身不講道德，不重視德，欲治不修明，則人心不悅服，「而欲遍革」，適將正有合於王氏所說：「王莽篡而亂滋，[illegible]悔何及乎？」所以梁任公也曾慨然說過：「非有高尚純潔之道德心者不可以行革命」。這是革命家最應時時自我警惕的一點。

中山先生的革命理想

國父倡導革命，[illegible]這個道理，出生入死，凡四十年。民國七年[illegible]，國父著「孫文學說」，快將完成，[illegible]。那時北京大學校長蔡孑民先生對此已有所聞，曾與張蔚西先生上書國父，有云：「擬自南京政府取消之日止，上溯清世秘密諸會黨，倣司馬公通鑑外紀之例，爲一書，名曰「國史前編」，所以示民國開創如斯其難也。」要求國父「不吝教誨，以徵文考獻，皆將於是乎賴之！」這當然是一件純正的重大要求。誰知國父竟不以爲然！民國八年一月十四日覆書他們，「以清世秘密諸會黨，皆緣起於明末遺民，其主旨在復清扶明。故民族之主義雖甚溥及，而內部組織仍爲專制，階級甚嚴，于共和原理，民權主義，皆概乎未有所聞。故于共和革命，關係實淺，似宜另編爲秘密會黨史，而不以雜廁民國史中，庶界劃井然不紊，此亦希注意及之也！」國父革命理想的崇高，革命態度的嚴正，一則曰「共和原理」，再則曰「民權主義」，特舉之以與「秘密會黨」的「專制」「階級」相對稱，可知在他的心目中所要用革命手段來建造的國家制度，正合於「湯武干戈，擧其損益」，無非是想「舉兩朝之積濁，轉而爲文明」（分見周易「疏」，「講」），而使「陽道相孚，故卒成乎兌而天下悅之」的「數百年之大法」。

台灣尚缺少鼎新氣象

國父這種革命主張高遠大的精神，後來一般革命家似乎都不會加以深切領會的瞭解和注意。這無疑是國父逝世後，我國共和革命的莫大損失！直至民國三十一年一月，吳稚暉先生序[illegible]先生的「國父革命緣起詳註」一段，始再提及這一段史實而稍加以發揮；言外不勝感慨之意。[illegible]以來，[illegible]各方面都不能不進步，惟尚少「革故鼎新」氣象，少數地方仍然不免殘留有「水火相息，二女同居，其志不相得」的惡劣現象。請讀者恕我嘮叨，特將吳先生一段原文照錄於後，藉供國人省覽：

「……民國七八年，蔡孑民、張蔚西兩先生已與國父商榷此事（指「國史前編」）。國父恐涉篹者不能認清彼所欲造之國爲何如之國，當時蔡張兩先生即欲上溯清世秘密諸黨會，則以自古帝[illegible]常革命與尋常造國視同一例可知。有如古代湯武革命，撥亂而造治國，秦漢之[illegible]……國父所造之國，[illegible]其造國之全景，乃合三民主義，[illegible]一從前世界所未有，爲今後世界最美滿之模範國！」

勿蹈歷史循環的覆轍

看了以上所述，可知國父所懸的革命目標和所抱的革命理想，實[illegible]湯武革命而上之。至於商周以後，我國歷史上只[illegible]十次大大小小換朝[illegible]姓，爭帝爭王的所謂革命，到底有那一[illegible]是夠得上國父革命[illegible]標準和意義，值得[illegible]加分析，可說是[illegible]僅有，都不過是[illegible]同項羽所說「彼可[illegible]而代也」的老把戲[illegible]中國政治幾千年[illegible]所以一直籠罩停[illegible]深深陷入歷史循環[illegible]泥坑之中，革命[illegible]的末路，革命[illegible]

革命者應有的警惕

我國學人以「革命」二字傳譯西文的REVOLUTION，凡參加這種活動的人，自稱爲「革命者」（REVOLUTIONARY）而稱不同於我的人爲「反革命」或「反動」。這本來也很恰當。但若羣英美法各國所經歷的革命名詞和我國歷來的革命相較，實質上根本不同的地方也很多，而國父所倡導的革命，却又比他們的革命更爲完整而美滿！國父說：「余深信革命乃順天應人之事業，其不成功者，不爲也，非不能也」。我們讀國父書，言國父言，既然知道了國父革命的眞諦，就應該共同努力實行，以完成國父「尚未成功」的革命事業！

台灣工業化問題

·周樹聲·

政府努力尚嫌不足，工業化的五項條件。僑資與外資何以不能大量入台？法令尙須徹底修改。培植人才與獎勵發明必須有更切實和更具體的辦法。

台灣四面環海，面積三萬餘平方公里，人口據最近統計，爲八百三十餘萬，各級行政機構而外，尙有保衛必需的海陸空軍六十萬，財政負担，不爲不重，近數年來，政府勵精圖治，開源節流，更有美援源源而來，財政尙能維持，經濟亦得穩定，然美援不能長恃，現在美國政府，傾向停止無償，而美國對台灣之經濟援助，亦有至一九五七年以後即行停止之說。政府新訂經濟四年建設計劃，意在至美援停止時，我可以自給自足。蓋台灣面積，既不能擴展，人口則增加甚速，（據估計照現在增加速度，二十餘年後，可能再增一倍。）必須早爲之計。減少人口既不可能，唯一解決之道，乃在加速經濟建設。查政府所訂之經濟四年建設計劃，分農業和工業兩大部門，目的爲全面增產，至其內容之是否完全適當，則另爲一事，不必在此敘述。

農業進步超日據時代

台灣在農業增產上，近年經政府不斷的努力，已有很大的進步，米的產量，較之日據時代最高額之一四〇萬噸，早經超過，且在繼續增進中，然土地面積，不過如此，以後擴充，及在單位面積產量上之求提高，究亦有其限度，但在工業上求發展，尙無限量，此台灣工業化之所以刻不容緩耳，（雖工業資源，並非豐富，亦只能採取此途。）然工業化之途徑如何？必若何而後可以達到工業化？此爲今日亟待研究之問題。

工業發展的必備條件

今日世界上工業成績最優而規模又最偉大之國家，莫如美國，美國雖有關國防之飛機、汽車、軍火、汽油、鋼鐵、電力、鐵路、煤礦，等一切重要工業，尙是民營，其他次要之各種工業，概屬民營，更無論矣，往往規模之大，殊堪驚人，其中如汽車大王福特，如煤油大王洛斐克基，如飛機巨擘道格拉斯等諸人，（其餘仍多姑不具述。）當發軔之始，全是赤手空拳，經數十年之經營，成爲全球最大之企業，所以如此，最得力之處，即受法律上之嚴格保護，並不受社會上之種種牽制，加以政治民主，秩序安定，科學精進，乃克以逐步進行，日臻發展，以有今日。

有人謂美國地大物博，得天獨厚，情形不同，未可並論，然則最近之例，則有西德。

德國自第二次大戰以後，所有工業設備，除遭受極嚴重之轟炸及破壞外，復被佔領軍拆運無餘，當時全國破產，生活困難，悽慘然不可終日，到今天不過八九年，而西德的經濟，業已復興，他的工業，生產水準，居然超過戰前，以生產效率論，同時超過英法比諸國，貿易由入超而變爲出超，（去年出超總額達美金六億以上。）人民由困苦而變爲康樂，收入增多，所以生活自亦因之充實，其所以能有如此之奇蹟者，雖由德國政府，善於利用大量美援，德國人民之智識技術，水準甚高，上下一心，抱着卓絕的奮鬥精神，而其總理艾德諾及財政部長艾哈德等，堅決採取自由企業政策，減少管制，鼓勵人民自動從事生產，乃能人盡其才，地盡其利，貨暢其流，以達到全國的經濟復興。

台灣工業化的展望

今日欲求實現台灣工業化，其應採取之途徑，以爲政府政策所趨向，而尚未能收到實效者，有尚未爲政府注意及之者，茲申論如次：

一、積極提倡民營企業，美德等國工業之所以能如此發達，由於鼓勵及保護民營，已如上述，現在政府政策，固亦有此趨勢，如耕者有其田條例之公布實施，如國營事業轉讓民營條例之製訂，欲將國營事業，讓與民營，凡此種種，不能說政府非苦心孤詣思所以發展民營企業者。

（下轉第二版）

一週展望

·雷嘯岑·

看日內瓦會議前途

這幾天的國際要聞中，最熱鬧的無過於日內瓦會議了。這會議原是西方列强想要安撫俄共集團而製造出來的一幕冷把戲。美國爲着敷衍盟邦，明知其不可爲而爲之；英國希望俄共集團終有妥協之日，藉此表示其最後嘗試的心情；只有法國最起勁，認爲這是結束越戰的大好機會！如是乎，莫斯科與北平，天天大叫「結束越戰」，攻擊美國援法越軍，以激起法國人的求和情緒，且進而對歐洲軍條約長期擱置，不予批准。

就俄帝的世界革命利害設想，它一定教唆中越共在日內瓦會議中表示情願結束越戰的誠意，先把西方列强的陣營拆散一下再說。越戰如果眞是依談判方式結束了，反正越共即從此取得公開的合法地位，在越南三邦積極活動，肆無忌憚，不到若干時，法蘭西的殖民地控制勢力也必然結束的！這是俄帝的一石二鳥政策，法國自願入彀，可樂不爲呢！要想挽救越南不淪於鐵幕的唯一有效辦法，只有請法國先放棄其「寧與外賊，不與家奴」的政策，讓越南三邦取得完全獨立自主地位，然後將越戰問題交由聯合國來處理。所謂日內瓦會議，絕對議不出好結果的！

至於韓戰善後問題，更休想在這次會議中得到解決，俄共集團可能又提出另行召集其他甚末會議的主張來，從事糾纏，以免美國焦急，南韓憤慨，實際是在弄成「不了了之」的冷和局面以待變耳。

漢城會議應該急進

南韓所倡導的亞洲反共統一陣綫，已決定於六月間在漢城舉行會議，這是我們亞洲人自己處理亞洲的事，比所謂日內瓦會議的意義與作用更爲重大。不管將來參加會議的單位有若干個，對亞洲反共前途總是有益無損的。而西方列强要抱着把持亞洲的反共事宜，而又以各自的現實小利害爲出發點，視東方人的自由生活爲隨時可以犧牲的祭品，我們決不能俯仰由人，聽受擺佈。

漢城會議那怕它只有三幾個國家參加，其作用也是不可輕視的，尤其是自由中國和南韓這兩個反共最堅決，人力最雄厚的國家，鑒於最近西方列强所玩弄的甚末「東南亞十國聯防計劃」，必須精誠合作，自求多福。否則「人爲刀俎，我爲魚肉」，太可怕了！我們有自由抉擇共命運的權力和方法，不可妄自菲薄，任人作踐。

泰、菲各國原是反共甚力的，印尼政府當局最近也聲明不受俄共集團勢力的支配，即應該熱烈地參加漢城會議，表示亞洲人的團結力，以免他日隨時有被人出賣的危險。

西方列强必要時不妨退出亞洲，自固吾圉的，我們不能完全倚賴他們來支持，希望亞洲一切反共非共的國家，趕快省悟，自己團結起來，漢城會議即是亞洲反共十字軍聯盟，不要錯過時機了。

關於自由中國的護照問題

最近有位中國的地理學者，應「南太平洋學會」之邀，準備由海閣前往參加會議，曾向政府請求核發出國護照，因爲他不願意作大陸上的「人民」，所以向自由中國政府申請也。

我認爲這類特殊事項，無論是否合於現行的護照法規，政府皆應予以許可的。然而，主管機關接得申請書時，歷久不予答復，等到經過兩三個月之後，才告訴申請人，學會的開會時間已過，不必發護照了。這明明是一種官樣文章的花頭，何必多此一場做作呢？如果不能核發，登時答復申請人「礙難照辦」，別人或許可以另想辦法，即令終止其行，對政府也沒有甚末怨懟的。惟有這樣的作風，是使一般傾向政府的學人，無端引起莫大的反感，我們期期以爲不可，要表示抗議！

述最近留台觀感（中）

——生產事業與軍事——

左舜生

（四）

有一件事是我未到台灣以前已決定要做的，便是多訪問幾位從事生產事業的朋友，聽聽台灣這幾年農工各方面生產的實況。依據我從三十位左右這方面主要工作者所得來的口頭報告，我覺得情形確實不壞。他們對我說的話很多，我現在只想提出農業方面的米和水產，工業方面的製糖，紡織以及化學肥料等方面來轉述一下。

米（糙米）在日據時代的最高產量爲一百四十萬公噸，從三十四年一直到三十八年的五年間，雖說每年都有進步，可是始終不曾趕上這個最高數字。到了三十九年，我們的產量已經是一百四十二萬公噸，四十年爲一百四十八萬公噸，四十一年爲一百五十七萬公噸，到去年，則已達到一百六十四萬公噸，比較日據時代的最高數字，已超過百分之一六．九四了！今年的情況依然很好，看來仍是有增無減的。米的產量其所以能有這樣的成績，一方面固由農田面積比較日據時代已增加了百分之二七．一二，（日據時代爲六二五，三三九公頃，現在爲七九五，○○○公頃）而肥料供給與水利發展的情況日趨良好，亦有密切的關係。

水產爲台灣一個極有前途的事業，可惜目前經營的規模還不夠大，且漁獲多限於近海，很少及於遠洋，養殖也不怎樣發達。可是就四一四二兩年的產量而論，也已超過日據時代的最高產量不少了。（日據時代的產量最高數字爲一一九，五二○公噸，去年爲一三○，五九七公噸，已超過百分之九．二七）

台灣糖的產量，去年曾達到八十八萬二千公噸，這是近九年間一個最高的數字，但比較日據時代最高產量的一百四十一萬八千公噸，仍相去甚遠。其原因係由蔗田面積比日據時代的最高數字，已減少了百分之三十以上。以目前的趨勢而論，只要世界市場的糖價不至過份低落，而經營與管理又能逐漸改良，達到一百萬公噸，依然是大有可能的。

輕工業的紡織部門，我們在大陸原是有了基礎的，這幾年的台灣工業，也以紗布的增產最爲迅速，尤其以三十七年到四十二年的這六年間，更是突飛猛進。三六——三七年間所產的棉紗，還只有七十三萬公斤，棉布還只有一千二百四十五萬公尺，到四十一——四二年度，棉紗已躍進到了一千九百五十萬公斤，棉布已到了一億三千零二十三萬公尺。以日據時代的數字比之，已是小巫見大巫了。現在台灣的紗布，已經有了可以自給而有多餘的可以出口，所可惜的只是台灣不產棉花，仍不能不仰賴美棉的輸入就是了。

日據時代，台灣所產的化學肥料極少，最高不足四萬公噸（但台灣所需，每年乃非五十萬公噸不可），三十八年我留在台北的時候，已比較日據時代所產稍多，但仍不足五萬公噸，去年的數字，則已超過十七萬公噸了。現在一共有五個廠，統屬於「台灣肥料公司」，一切情況良好，且已接受美援，正在作第六廠籌建的準備，大致三年以後，我們要產生一百八十萬噸的米，一百萬噸的糖，肥料問題，已有把握可完全解決了。

此外農業方面的茶葉，水菓，（包括香蕉，鳳梨，柑桔等等）雖產量尚不及日據時代，但已逐年有加；工業方面的製碱，（包括燒碱，液氯，鹽酸）煉油，（包括汽油，煤油，柴油，燃料油等）也發展得很快。尤其有一點令我們非常滿意的，便是電力與水利的建設，均已超過日據時代遠甚，這更是發展工農兩業一個最可靠的保證。

（五）

關於軍事的進步，這是一件有目共睹的事實；現在美國方面有一個龐大的代表團留在台灣工作，並且隨時有陸海空的大員到台視察，這也早已爲舉世所周知；我對軍事是絕對外行，這一方面的情況，正好藏拙，不必有所敍述了。但此外有兩件事我必得在這裏提一提：對於共諜的破獲與防止，這幾年政府方面確下過很大的工夫，現在雖沒有人敢保證台灣已絕無共諜，但要像大陸國共對峙時代那樣猖狂無忌，殆已絕不可能。因之因防共之故而牽及好人受累的種種措施，似已有簡化而力求專注的必要，此其一。有人懷疑台灣對大陸的情報相當隔膜，但就我訪問所得，知道台灣對大陸所做到的切實工作確已不少，中共在大陸的一切動向，想要逃避台灣的嚴密監視，殆已甚難。因之由台灣所透出一切有關中共的情報，已應該足以取得所有防共國家的信任，此其二。統而言之，就一般的觀點來說，今天已經不是如何去奪取台灣的問題，而是台灣如何去打擊中共才能有效的問題；我相信，國際的突變不會來得太遲，台灣對大陸的反攻，也決不會遲延得太久。

台灣工業化問題

周樹聲

（上接第一版）

然以余所見，僅此實尚不足以語台灣工業化，因國營事業縱使全部移轉民營，亦不過等於由此手移彼手耳，既未增加一公司，又未添設一工廠，於工業化何與？我之所謂提倡民營企業，以臻於工業化之要旨，乃在於提起人民對於經營企業之興趣，使其自然趨向此途，其方法不外以下數項：（一）能獲合法之利潤。（二）確受法律之保護。（三）改良稅法及進出口管制辦法。（四）講取原料及銷售貨品多予便利，盡可能使其成本輕減。（五）減少各種手續上之麻煩。其條件如此，可謂甚爲簡單，但果使此五項條件確能做到，人民未有不樂於投資者，游資皆納入工業，趨於生產之途，而工業化之目的，可以漸達。

外資僑資何以不來

二、吸引外資僑資來台開辦工礦事業，此一方針，政府業經採行，推行年餘，至今不僅外資未來，僑資亦迄未來，所謂經濟部核准由香港遷台的幾十家工廠，其資本，只不過幾萬港幣，或幾萬美金，談不上吸引僑資，雖然政府鑒於績效未彰，正對有關法令加以修改，但如修改而不澈底，其效力仍等於零。其實只要前節所述之五項條件，確能達到，再加以其所獲之紅利及資本，可以自由匯回原來地方，且其滙率之損失，有方法可以彌補，則僑資定可大量擁來，毫無疑義，匪僅僑資如此，即外資亦何嘗不能來耶。

培植人才應爲急務

三、大量培植技術人才，欲求工業化，非有大量技術人才不可，近數年來，台灣投考大學之學生，人數雖衆，然考文法商等科者甚多，而考理工科者甚少，倘建設工程突飛猛進，實不足以應需要，似宜由教育部訂立獎勵工科規章，使學生改變方向，自動投考工科，並將工學院及工業職業學校之儀器設備，加以充實，工科教授，尤須慎選賢能，至於出洋留學學生，亦應暫以習工科者爲限，因有限之外滙，除習工科有用國家需要之外，其餘科目，尚可暫緩，如此措施，則風氣可以轉移，技術人才，當必蔚起，況建設事業發展，需要技術人才，技術人才多，亦可促建設事業，二者乃相因相成，互爲因果。

獎勵發明應得其道

四、切實獎勵發明，工業人才，既宜培養增加，特殊發明，尤須獎勵，試觀外國之發明家，其所享之榮譽，與所得之報酬，其優越程度，非任何人所能企及，以前我國對於某種發明，例係呈報經濟部，經審查認可後，僅許以專利幾年，事實上發明人未必有資本，即有，亦以開設工廠，則專利云云，今欲工業化台灣，技術一門，最關重要，宜效法外國之道，自可不限於專利，除由政府給以專利外，並宜予以鉅額之獎金，並酬以特殊之榮譽，以示鼓勵，[illegible]以求之者。中國人之聰明，決不愚拙，抑有進者，近年對於克難英雄已有獎勵，愚謂應有進一步之辦法，即（一）應不限於軍人，凡人民有發明者，同須獎勵（二）不僅給以一時之榮譽，應有長久可享之報酬。

以上所舉，乃是幾項原則，至於如何互相配合，審時度勢，妥善推行，是在行政當局耳。

人物介紹

反共健將麥卡賽：其人其事

焦木

最近由於美國參院調查小組揭發陸軍部的共黨事件，引起了軒然大波，使反共健將麥卡賽參議員的名氣更大，轟激了全世界。各方對於麥氏的觀感，見仁見智，意見紛歧。反對他的人認爲他是不擇手段，孜孜爲名。但成千成萬擁護他的人，則認爲他是一位勇敢的反共鬥士，是美國安全，甚至全世界安全的救星。事實上，目前擁護他的人總還是佔着多數。

農家出身

麥卡賽從一個農民家世，經過多年的奮鬥而躋於目前的地位，並不是偶然的。他生於一九○九年。雙親是在威斯康森州務農，爲愛爾蘭和巴伐利亞混血種。他有兄弟姊妹六人，幼時一面在鄉村小學讀書，一面幫助父母農耕。他對讀書不感興趣，於高小畢業後即休學在家。但他卻是一位具有事業雄心的青年，每於農耕之暇，代人工作，積蓄了美金六十五元，他即利用這一筆區區數目，開始養鷄事業，獲利甚豐。十九歲那年，他倦於農事，遂在他的家鄉附近馬拉蒂鎮的一家雜貨店謀得經理職。他計劃許多新的經營方法，使自己的雜貨店變成鎮上居民和鄉村農民的聚集場所，致營業日漸發展。

折節讀書

當他住在馬拉蒂鎮時，他遇到了一位賢明的房東太太。這位房東太太極力勸促他求學，認爲一個人只有具備高深的學識，才能有燦爛的前途。他在這位太太的苦口婆心勸勉之下，終給說服了。他克勤克儉以六年的光陰，完成了一般美國青年需要十一年學習的學業。起初他立志想將來成爲一個工程人才，所以於一九三○年考進密爾瓦基的孟奎特大學。但因爲後來結交了一批學法律的同學，他突然改變初衷。入校一年後，他即改入法科。一九三五年他獲得法律學位。他從中學到大學，不依靠家庭，僅靠自己工作所入，以資維持。

法官生活

麥卡賽最初在威斯康森州之華巴卡經營律師業務，後來與當地一位年長的律師合作。律務並不如理想。他參加政治活動，以民主黨人的身份競選檢察官，他對選民提出堅決實行法治的諾言，但他競選失敗了。他對於競選的經驗仍感不足。當時適遇一巡迴法官席七十三歲高齡，選予重選。麥卡賽即出而奔走競選。他在競選期中，遍訪三區農村，訪問農家，紀錄農民的談話，他親自幫助農民，發信函，向農民致候。在選舉前夕，每家農戶都接到麥卡賽的名信片。競選結果，麥卡賽以一萬五千票獲勝，當時年僅二十九歲。

空軍槍手

麥卡賽担任法官之後，對法律條文記得爛熟。每遇審案，均獲得迅速的判決；在法庭上，一切進行均輕鬆順利，使得好評。麥卡賽的雄心勃勃，決不以充任一法官爲滿足。他常對朋友表示，有出競選參議員之意。不料二次大戰爆發，打破了他的計劃。一九四二年他告假參加陸戰隊。初被委爲中尉職，後因升至上尉，被派往沙羅門群島，担任陸戰隊航空隊的情報官。麥卡賽上尉每日在軍中研究空軍的偵察情報，深覺報國須上前綫與敵人搏鬥，才有意義。經過考試後，他合於擔任航空機槍手。他欣然前去，穿起飛行裝，活躍於日軍上空，有時任機槍手，有時任攝影員。他坐在機艙內手攝機鬥士照片，遂經常出現於威斯康森的報紙上。

他雖身在前綫，仍夢寐不忘政治。一九四四年威斯康森州有一參議員席空需要選補。他在前綫投函以共和黨候選人參加競選。國內的親友熱烈擁護，代爲鼓吹進行，給予麥卡賽以機槍手「阿球」的雅號。他雖敗於參議員韋勒之手，但仍獲十萬票，在選民之間留下深刻的印象。（上）

美海軍將領特別吃香

據熟悉美國五角大廈內幕的靈通人士說，美國防部長威爾遜對於海軍將領特別具有好感。就在這一內幕消息傳出來的時候，華府陸軍部和空軍部的某些官員即指稱威爾遜受了海軍軍官的包圍，他們且指出事實爲證，說聯合參謀部主席雷德福是一員海軍上將，繼任海軍部長的湯瑪斯也是海軍方面的舊人。國防部副部長凱斯出缺後，威爾遜卻把原海軍部長安德遜擢升爲國防部副部長。前海軍少將麥克尼爾現任國防部助理部長，掌管部中一個很重要的部門——武裝部隊的財政。陸軍方面的人且抱怨艾森豪總統，說他是陸軍方面的老前輩，竟不多多照顧陸軍人物，言下頗有不高興的表示。

蘇聯代表日內瓦碰壁

討論韓越問題的日內瓦會議開幕在即，有關國家的代表團正紛紛前往瑞士途中，俄代表團首批團員八名且已於日前乘機飛抵日內瓦，在這批俄人飛瑞以前，俄當局曾與瑞士政府接洽，提出許多無理的條件，均遭瑞士政府斷然拒絕，成爲瑞士外國使節團中流傳的一大笑柄。據說，就在本月初間，俄政府曾請求瑞士當局，給予他們代表團以特殊的交通便利，將來他們代表團抵達以後，團員專用的汽車可以在鬧市中隨時通行無阻，不受交通指揮燈的管制，瑞士政府問他們憑何請求這種特權，俄官員引經據典，說明了一大套理由，主要根據尤在乎英國皇室享有這種特殊的權利，英女皇的汽車離開白金漢宮後，即不受交通燈的管制，可以自由馳騁。這些毫無理由的理由提出後，瑞士政府官員爲之啼笑不得，他們只好不客氣地告訴俄官員說，第一，這是瑞士，不是英國；第二，你們共產國家的代表並不是英國皇室，因而所請不受「交通燈管制」的請求，「礙難照准」。

美空軍技士將加派赴越

美派往越南的美空軍技術人員原定六月中旬調回國內，這是美政府當局向國會宣佈的正式日期，但由於越戰的愈益緊張，這種撤回技術人員的計劃恐怕會有改變。由於美國已加派更多的B—26式機增援法軍，因而國防部內人員已在研究增加技術人員，以應需要。看來即使六月中有一批美空軍技士調回國，但事實上必會有更多的技士調派去越哩。（孟衡）

編者·讀者

△印度社會主義者夏斯特利，去年和印度工會代表團前往赤色大陸訪問六星期。回國後，陸續發表許多篇訪問記，第一篇已由羅敏先生譯載四月十日本刊，下一期即將刊載該文的第二篇，都是很客觀而公平的報導，使我們能更加了解鐵幕內的實際情形。

△下一期我們將發表高語罕先生的一篇「下一個新政風與新聞界」的文章，高先生對目前自由中國的言論界有着很沉痛的觀察和很率直的批評，他認爲言論界須先求言論的獨立自由，才可以形成新政風。特此預告。

△章政通，張林，楊力行，葆岡，卿知三，周景森，劉達梅，劉韻石，王耀翔，劉鐵如，諸先生：惠稿均收到，謝謝！

△楊力行先生：惠札敬悉，承詢各點，另行奉覆。

讀史評述（三）

——續讀通鑑論

・毛以亨・

趙高

李斯爲趙高所逼脅

胡亥爲始皇第十八子，非李斯之威，而爲趙高的學生。殺扶蘇而立二世，趙高實爲主謀，而脅斯以相從，李斯本不願扶蘇立胡亥的，乃爲彼所逼，至不得不奉令以行，以術與事言，斯固遠遜于趙高也。李斯傳載立二世之經過，高固玩斯于股掌之上，而卒使之屈服也：

「高乃謂丞相斯曰，上崩賜長子書，與喪會咸陽，而立爲嗣。書未行，今上崩，未有知者也，所賜長子書及符璽皆在胡亥所，定太子在君侯與胡亥之口耳，事將何如？」斯曰安得亡國之言，此非人臣所當議也。」

按此段平敍，斯即毅然拒絕了。

「高曰君侯自料能孰與蒙恬？功高孰與蒙恬？謀遠不失孰與蒙恬？無怨于天下孰與蒙恬？長子舊而信之孰與蒙恬？斯曰，此五者皆不及蒙恬，而君責之何深也。」

這段斯以爲將相不相及，沒有關係，並非眞正自信不如蒙恬，仍自抬高其地位。

「高曰，高固內官之廝役也，幸得以刀筆之文，進入秦宮，管事二十餘年，未嘗見秦免罷丞相功臣，有封及二世者也，卒皆以誅亡。皇帝二十餘子，皆君之所知，長子剛毅而武勇，信人而奮士，即位必用蒙恬爲丞相，君侯終不懷通侯之印，歸於鄉里明矣。高受詔教習胡亥，使學以法事數年矣，未嘗見過失，慈仁篤厚，輕財重士，辯于心而詘于口，盡禮敬士。秦之諸子未有及此者，可以爲嗣君，計而定之。」斯曰，君其反位，斯奉主之詔，聽天之命，何慮之可定也？」

此段趙高以利害安危說之，而且把胡亥說成與之合得來的儒家。斯已自認爲無辦法而委之天，雖表示不參加，然其薄弱的意志，已見動搖了。

「高曰，安可危也，危可安也，安危不定，何以貴聖？斯曰，斯上蔡布衣也，上幸擢爲丞相，封爲通侯，子孫皆至尊位重祿者，故將以存亡安危屬臣也，豈可負哉？夫忠臣不避死而庶幾，孝子不勤勞而見危，人臣各守其職而已矣。君其勿復言，致令斯得罪。」

此段是說李斯承認個人利害誠如所言，但恐外間的批評，怕無法交代。

儒道不講秦因以至亡

「高曰，蓋聞聖人遷徙無常，就變而從時，見末而知本，觀指而視歸，物固有之，安得常法哉？方今天下之權，命懸于胡亥，高能得志焉。且夫從外制中謂之惑，從下制上謂之賊，故秋霜降者草木落，水搖動者萬物作，此必然之效也，君何見之晚？斯曰，吾聞晉易太子，三世不安，齊桓兄弟爭位，身死爲戮，紂殺親戚，不聽諫者，國爲丘墟，遂危社稷，三者逆天，宗廟不血食。斯其猶人哉，安足與謀？」

此段因斯心動而仍推來推去，高遂加以實體，且以危其生命爲威脅，並以社稷之危，固爲儒者常識，但這總是將來之事，可以徐圖補救的，總不如本身之危的急切。

「高曰上下合同，可以長久，中外若一，事無表裏。君聽臣之計，即長有封侯，世世稱孤，必有喬松之壽，孔墨之智。今釋此而不從，禍及子孫，足以爲寒心。善者因禍以爲福，君何處焉？斯乃仰天而嘆，垂淚太息曰，嗟乎，獨遭亂世，既不能以死，安托命哉？」

這是最後的威脅，李斯久已無權，乃不得不屈服聽命。趙高出其文吏之長，以佈置宮廷的陰謀，李斯雖號稱法家，是望塵莫及的。

然舉大事則用儒，論精細須明法，始皇以李斯趙高並用，民雖怨禍雖伏，而尚未至勃發。二世專用趙高，羣盜並起，三年遂亡其國。陳勝之起，諸生三十餘人，得引公羊人臣無將以對，而項王與高祖軍中，儒生獨多。故儒生能亡秦，亦能興漢，文吏之所認爲無用者，實儒生之大用也。漢高祖稱李斯以善歸主，以惡歸己，而責嬴何以刀筆吏而不能如此，亦儒者之效也。趙高固擅文吏之長，又能厄儒生而置之于死地，故既不知文吏之所短，又不識儒生之所長。不知所守，而趨附權勢，如飛蛾之撲火，身死名毀，爲天下笑，至不自悟其非。以後之宦官，權臣，無一不蹈趙高之覆轍而無悔，然則儒道豈可不講哉？（下）

大陸工人反共嗎？（下）

工人待遇苛薄，生活艱難，可見一斑。實行所謂「八級工資制」，到了同年十月間，中共借口「調整工資」，將工人分作雜工，搬運工，管車工，技工等等，分級計酬，如何計算法，未見公佈，但當時新華日報透露：「實行八級工資制後，差不多都降低了。」當時工人對此種玩弄手段的「調整」，當然非常怨恨，因此更引起工人的消極反抗。當時中共各報曾大肆宣傳，要工人以「國家主人翁」的精神，「個人利益，服從國家利益」，「體認國家在恢復時期的重大意義」，要工人服從長久利益。」然而此種宣傳不能平息工人因生活困若而激發的怨忿情緒，或悲觀情緒，以後工人怠工曠工等等行爲，遂漸漸變成風氣。

因中共只有苛要求達成生產任務，忽視工人的體力，和超時間的工作，醫藥衛生關於工人的健康的設備，又極欠缺，以致甚多工人積勞成疾，或遭受傷害得不到醫治。以唐山市公營石頭公司爲例：該公司有礦工三千多人，只有醫生二人，除病傷嚴重臥床不起者外，普通病傷者仍須繼續工作，（見一九五二年六月廿五日人民日報）大陸各地工人的疾病情形，以胃病和癆肺症爲最普遍，肺病爲最嚴重。因此引起工人對中共怨恨，乃極自然的事。因中共各廠礦領導幹部態度顢頇，和各廠礦安全設備過於缺乏或簡陋，以致爆炸、焚燒、流電、中毒、崩塌等意外層出不窮，造成大量的傷亡。因工人傷亡過多引起局部的停工（中共避用罷工二字，其實即爲罷工）事件。中共去年春間曾公開檢討，安撫工人情緒，並制訂一「安全制度」，令各廠礦貫行。但此一制度，多未切實執行。

自由中國創作小說選集

——台灣新創作出版社編印——

「因爲今日中國大陸，正遭逢一個人類精神文明的黑暗時代，……最終遂爆發了如火如荼的文藝復興運動，擊潰了宗教的專權，使人類自由的精神再現。」這是「自由中國創作小說選集」前言裏的一段。這使人意味着自由中國作家們，所負荷的是新文藝復興的歷史重任。

（一）

這部小說選集，計選錄作家四十九人，其中十四位是女作家，三十五位男作家。論年齡，有已過知命之年的，有剛滿二十歲的。論地域，包括全國各省。居留香港的一人，居台灣的四十八人。論職業，以從事文化事業的爲最多。其中有在大陸時代就具名作家的，如蘇雪林、李輝英、孫陵、金溟若、王平陵、王藍等是。有後起之秀，如郭良蕙、張漱菡、陳紀瀅、郭衣洞等是。三十左右的專門小說創作家，如邱七七、王臨泰、郭衣洞、彭歌、楊海宴、潘人木、穆穆、蕭傳文、李輝英、冷楓、徐斌等是。兼長散文和小說的：如王書川、尹雪曼、方瑜、艾雯、馬各、陳香梅、張秀亞、琰如、劉心皇等是。兼長詩和小說的：如公孫嬿、楊念慈、墨人等是。兼長戲劇和小說的：如王平陵、郭嗣汾、郭良蕙、蕭銅等是。兼長理論和小說的：如孫陵、孫旗、陳紀瀅、鳳兮等是。他們的表現場景，包括家庭、戰場、鐵幕、以及社會各階層，各個角落，主題都屬於積極方面的。至於文章風格，幾乎人各一格，代表各派的都有。精神健康，和反共意旨，却是相同的。這就是這部選集能够代表自由中國小說氣派的道理。

還有一個特色，便是各篇之首都附有作家的評介和報導。使讀者對每一作家的作品有個容易了解的提要。這種提要分爲兩種，一種是自己寫的，一種是編者代寫的。有的謙虛，有的恭謹，有的自我介紹。女作家多不附寫年齡，老作家也一樣不寫年齡，這倒是很有趣的巧合。

（二）

這部小說選集，我覺得有幾點缺憾：第一，似乎沒有把有代表性的作家或優秀的小說家，盡量包括在內，因爲還有少數小說家，並未選入，不得不說這是缺憾；其次有少數作品，似乎還未到成熟時期。我以爲創作小說和其他寫作不同，散文和詩多憑天才的秀發，小說須憑社會生活的體驗，任何一個「天才」作家，如果缺少這份體驗，都很難成爲成熟的小說家的，因此，就年齡論最少要到三十歲，最好是不惑之年，才能成爲成熟的小說家。集中年齡在廿五歲以下的，便不免有過於早熟之嫌了。

還有一點我認爲是不很好的，就是集中作品如果作者對小說的理解不够，或者技巧上缺乏修養的話，就難免流於寫故事了，這是很自然的結果。

不過，這部小說選集是有其價值，一般說來，集中作品都是水準以上的，同時足以代表自由中國小說的概勢；這是自由中國文藝的光榮，值得我們珍重稱道的。

四三，三，十四夜。

・楊柳怨・

百份之九十工人怠工

大陸工人怎樣反抗中共呢？大致可分兩時期來說：

第一個時期，在中共未大舉「整飭勞動紀律」以前（去年八月以前），工人是用怠工、曠工、遲到、早退或無故請假等方式實行消極抵抗。到去年四月至六月間，已公然形成風氣，達到高潮。當時據中共各報在檢討中指出，工人怠工、曠工等等的行爲，雖非正式集體性的，但已在工人間無形建立默契，除積極份子以外，幾乎有百分之九十以上的工人都在互相輪流的怠工、曠工、遲到、早退、請假，平均每一工礦單位每一天內缺勤率，都在百分之三十以上；比較嚴重的，竟達百分之五十左右之多。

因此，大陸所有工業生產單位之生產率在當時都突然下降。中共鑒於問題嚴重，既非個別現象，亦非個別處理所能克服，乃於去年六月二十七日由人民日報發動了一次「整飭勞動紀律運動」，大肆鎮壓工人此種反抗行動。

第二個時期，是在中共推行「整飭勞動紀律」以後，工人們便由半集體性的公然的消極反抗行動轉變成了個別的秘密的積極的反抗行動。最嚴重的，是鐵路工人的秘密破壞鐵路，損壞機車，（通常是用旋鬆釘，抽去枕木，軋斷車廂彈簧等方法）造成火車出軌，人物毀傷。其次廠礦工人秘密破壞機件，爆炸爐鍋，剪斷電綫等，造成物資損失，生產停頓。又其次故意秘密違反操作規程：故密不服技術指導；表面積極工作，實際上盡量降低工作質量，使建築工程，造成大量返工；使一般產品，造成大量次品和廢品；並盡量消耗原料，造成虧損；甚至故意製造生產意外，造成秩序混亂等。

整飭工紀嚴厲鎮壓

中共對於工人的鎮壓迫害，先爲突擊性，即前面所說的「整飭勞動紀律運動」。此一「運動」，乃針對工人之消極反抗者。去年六月二十日起首先自上海、瀋陽及東北等地帶頭展開，然後全國紛紛響應，約經過兩個多月，方無形結束。此一「運動」進行時，係由中共各級黨部指導，由各地勞動局會同工會主持「鬥爭」。當時究有多少工人被整肅迫害，中共諱莫如深，統無人數統計公佈；惟本報當時接獲上海通訊（本報二五一期曾刊出此項消息），謂一般怠工，曠工等情形較嚴重者，中共即指爲「反動特務」或「破壞嫌疑」，紛紛由公安機關加以拘捕，移送當地「人民法院」判刑。在運動開始之初，僅上海新申紗廠和民生藥廠兩廠，即有各約三百名工人被捕判刑入獄。（沈著）

中共限制青年求學

中共於最近發出「整頓和改進小學教育」的指示，並召開「全國中學教育會議」以後，已接着發出了「大力加強中、小學校學生勞動教育」的指示。中共認爲去年大批中、小學校學生畢業後，都不願參加工農生產勞動，紛紛要求升學；而已參加生產之學生，亦都因體力不支，或憎厭此種過份操勞和待遇苛薄的奴役而不安於位。故中共現特正式決定強制執行「限制學生升學」的政令，除硬性規定極大部份中、小學校學生畢業後必須參加工農勞動生產外，並即在所有中、小學校加強「政治思想教育」和「勞動教育」。中共在指示中強調指出：必須通過該兩種「教育」，養成學生「熱愛集體，和尊重集體的制度與紀律的習慣」，並通過集體，「消滅個人的作風和習慣」云。

三・日・小・評

・旭軍・

遷台工廠

年來本港工業界受到台灣方面的鼓勵，遷廠到台灣設廠的據調查共有三十九家之多。已去台正在籌建未開工的，以及準備遷台的，尚有十家之多。但據說：此三十九家只得一家綢廠及一家針織製造廠尚可勉強維持。其餘的遭過各種困難。大概（一）因原料進口關稅過重。（二）因原料供應困難。（三）流動資金週轉困難。台灣又未能予以貸款經營便利。（四）技術工員核准入境困難。（五）營利所得稅率未能依照資本大小作標準，不能以獲利數字計。（六）日本工業品大量在台傾銷並出口銷路大受打擊。（七）貨品向外推銷政府未能切實協助。以上各種原因，固然有些是初遷廠難以避免的困難。但有些是政府的能力所能扶助及改善的，望當局予以注意。

普及國語運動

最近香港僑校方面發動普及國語運動。爲要使國語成爲本港二百萬僑胞主要語言，必須從學校裏推行。目前初步計劃是從訓練國語師資着手。

香港在地理上接近說廣州話區域，所以廣州話成爲大多數人的言語，其餘是客家與潮州話。說國語的很少。這是自然的現象，一時難以改變。到底和南洋各地不同。因南洋華僑說粵語與閩語的比較平衡，易有以國語爲兩種人的中介語之機會。但南洋的學校認眞推行國語，也是在南洋國語比在香港普遍的主要原因。但聞僑校校長交換意見，以爲先從中等學校推行。筆者以爲應包括小學及幼稚園推行爲宜。因小孩學言語，年齡愈幼而愈容易。故應不論大小中級學校一律推行。

逃港資金日多

香港商業雖不景，但逃來香港的資金日趨增加。因近來傳說美國擴大凍結香港商人的美元。而一般人認爲香港的安危是繫於世界兩陣營是否有總解決的可能。故尚認爲有相當長久時期的安定。近日越南局勢緊張，越南資金瘋狂逃出。由越南逃來的資金暫時沒有逃往他處之趨勢。但也沒有大量流入金融市場。其中原因之一係越南外滙缺乏，而管制外滙極嚴。故大部資金均轉成貨物運來香港。

利用游資，疏通貨物，是本港工商界所應注意之事。開闢工業區，也是其中方法之一。本港工業勵力雖缺乏，但可資利用的勞働力甚多。在東南亞市場可有出路。如自由世界各國能開經濟會議，解決貿易的障礙。香港是有前途的。

人才淺說

馬五先生

古今來身居治國平天下的統治地位者，沒有不想把國家治理好，使人民得到安樂生活的。但，歷史上所紀錄的事實，人類社會總是亂多於治，統治人物失敗的超過成功的數字。這原因，史家認爲人才的關係最大，所謂「得人者昌，失人者亡」，而統治當局亦常有才難之歎。可見統治人物也希望「天下英雄皆入彀中」，相助爲理的，問題在對人才的認識如何？

昔賢有言：「王者與師處，霸者與友處，亡國者與役處」。在客觀的認識上，這所謂師、友、役三種人的本質與作爲是迥然有別的。但在操持用人之權的統治者底主觀上，却認爲這三種人皆可爲我效馳驅之勞，即都是人才，無所軒輊的，只是如何使用他們而已。

人之恆情，喜諛惡直，護短矜長。然一般對統治者具有師友之誼的人，遇事却容易直言極諫，面折廷爭，統治人物非有大智大仁大勇的精神修養，必然感覺別扭難耐，只好敬而遠之。以唐太宗之精明，尚且討厭魏徵的諍諫，而想「撲殺此獠」其他可以概見。因此之故，在政治上能够受知見信的人才，從古迄今，自然以「役」之一類爲普遍的結果了。「役」的本質原是奴才，决非人才呀！與役處者，就是寄輔弼之任於奴役，國家焉得而不敗亡呢？

求治求才的心情大家是一樣的，區別只在對人才的認識上，治亂之基，奠於是也。

× × ×

逃脫俄特魔掌後

我們的生活

·林芬譯·

數月前，美國議員訪問曾經震動世界的蘇俄叛徒高森科，八年以後，他的名字與生活又引起世人的注意了。這裏是高森科太太一篇敘述她和她丈夫孩子在加拿大生活的眞實情形。

在加拿大，我同我的丈夫正同幾個鄰居的朋友一起晚餐時，有人提到報紙上一條新聞：兩個美國議員已經到達加拿大，要與前蘇聯駐渥大華大使館的紅軍情報書記員艾戈爾．高森科討論蘇維埃間諜的事件。

我的朋友談到高森科，以及他如何在一九四五年攜帶了大量的蘇維埃的官方文件投到加拿大政府，暴露了蘇聯的間諜網。

『我很想知道，我們任何一個或者會遇得見高森科偶湊于，』其中一人說道：『報紙上說他與他的妻子、孩子都居住在加拿大，當然爲了避免蘇聯會加害於他，沒有人會說他住在甚麼地方的。』

我不禁偷瞥了一下我的丈夫，他正不置一詞的忙着進餐，好像有點厭煩這個話題。現在同他坐在一起的這些人如果知道了他就是艾戈爾．高森科，眞不知他們如何想法了。

『如果蘇聯知道了高森科在什麼地方的話，』又一個人說道：『那就將會是他的末日了。他同他的妻子一定過着非常寂寞的生活。』

我眞要抑制着自己不要大聲的笑起來。眞的在這八年的日子中，我們都隱埋着我們的姓名，唯一知道我們的居住地的，只是少數的加拿大政府的官員與一個保護我丈夫的加拿大騎警察，他化裝爲我們的車夫。僅僅對於少數的人，我們是以艾戈爾．高森科先生與夫人的名義接見的，那就是我們的律師，出版我丈夫的著作的編輯及一些美國與加拿大的新聞記者。

當我們用眞實的姓名接見這些人時，我們是在一個朋友的家裏與他們會面，這個朋友也是不知道我們的住址。我們把汽車停在離這朋友的屋子相當遠的地方，然後再坐的士到他們那裏。就是我們自己的孩子也不知道他們的眞名實姓。

用着假名的我們仍舊過着忙碌的社交生活，我們交了許多的新朋友，我們一樣的參加各種聚會與運動。我自己在婦女俱樂部與家長教師會中都很活躍。我的丈夫同我都感覺到這種正規的生活是我們逃開了蘇聯的報復，如果我們過着隱居生活反而會惹起疑惑的。

雖然如此，我們還是隨時都很謹慎的。在幾個禮拜前，一個男子把他的汽車停在我們的大門前換一隻漏氣的車輪，我的丈夫變得緊張起來，從我們客廳的窗口攝了些這架車子與牌照板的照片。

『那只是一個換車胎的人。』我對他說。

『我知道，』艾戈爾回答說：『但是爲甚麼他偏偏要停在我們的房子前面呢？』

後來警察調出這個人是居住在我們一條街的，因此他有把車停在我們門前的可能。

艾戈爾和我都極力的裝做我們是生長在加拿大的，我們的朋友們以及我們的兩個孩子—男孩十歲，女孩八歲—都沒有我們是生長在俄國的觀念。他們只以爲我們是由歐洲的一個國家來到加拿大的。

我從未到過這個國家，但是我能告訴你關於她的一切。我過去的歷史都被加拿大情報局的專家們編定好了，我也牢牢的記在心裏。我牢記着關於我生長的城市中的商店主人與學校教師的姓名，我所居住過的房屋的傢俱與花園內的樹木花草，在這方面我是很難被人看破的。（上）

呈珮雲

·思瓊·

勸君無再面如霜，無以冰炭置我腸。非是有心存薄倖，定當着意改疎狂。半生憂患人將老，似海恩情死不忘。滿眼溫柔堪供養，晨窗梳洗看新妝。

見燕感賦

·莫可非·

春紅卸去不辭勞，舊壘知經幾度秋？屈指每多興廢感，捫心原爲室家謀。簡書長見新兵氣，風雨情牽故國愁！應是華堂今換主，飛旋遙望海東頭。

短篇小說

愛

·莫泊桑著·　·孫旗譯·

於是，他便命僕人去砍些乾蘆葦來，屋頂有烟囪可以出烟，我們便在屋裏堆起蘆葦，點燃了紅色火燄，冰牆也熱融了，逐漸的好像冒出汗珠。卡爾要我出去看看，我遂命出去，然而我却被迷惑地站着。看那圓錐形的冰造小屋，像一個巨大的金鑽鑽，懷着一顆如火的心，突然跳到冰凍的沼澤上。兩隻狗被燃溫了，好像在夢幻中。

一種奇異的，獨孤的，漂泊者的啼喚聲掠過我們上空。野禽被我們的火光驚起來了。再也沒有像這有生命的動物能激勵我，牠渺小的，迅速地飛向黑暗的地方，寥冷的光芒照明着冰凍的沼澤。那種啼喚聲，生在鳥羽上而在結冰時凋落，我覺得這景象是來自宇宙的靈魂。

「揭掘火，」卡爾說：「天明了。」

眞的，天色灰白了，野鴨成黑楔形向天邊飛去，迅速地掠過我們上空，在遼方迅速地消失了。一片閃爍的光芒刺破了黑暗。卡爾在烤火，兩隻狗各自作着採拾獵物的遊戲。現在，隨時我們都看見鳥飛在蘆葦上的影子。驚了一口氣，皮洛特和勃郎更都哨着血淋淋的鳥，在我們看來，牠們還沒有全死呢。此刻，天是大亮了，而且是晴朗的鮮明的早晨。太陽從遠方的山尖升起，我們計劃着回家了。這時有兩隻鳥，伸頸展翅地，飛過我們的頭上。我興奮極了，其中的一隻差不多落在我腳邊，牠是一隻銀色胸脯的水鴨。在我頭上，有一隻鳥尖銳的，撕裂的啼叫，時常啼叫着重複的語調。這隻野禽，早就開始在藍天下飛旋着，注視着他的情人。我握着手站着。

卡爾以槍抵住肩胛，跪着瞄準，等待這隻鳥落入瞄準點上。「你殺掉這隻雌的，」他說：「雄的[illegible]

[illegible]

[illegible]一天到巴黎去了。（下）

鷄鴨別墅

下面這篇文章，連題目，作者姓名，頭銜，左下角附圖，均從大陸中共區最近出版的某什誌轉載過來的。

對外貿易部基建處　廣鎔

敬愛的讀者，在你沒有看這篇短文之前，請你先看插圖。

在南京一個風景如畫的地方，修築了四十三所這樣的房子。每所房子牆壁上端，裝有彈簧玻璃窗子，窗子是只能透入空氣不能淋入雨水的「雨淋窗」，室內是雪白的牆壁，朱漆窗框和亮晶晶的電燈。通過一條寬寬的走廊，便是一個個單間房間。房前是游泳池，房後竹籬花牆圍着一個空場，作爲遊戲場。

這樣漂亮的房子，給誰住呢？說來你一定不會相信，這是給鷄鴨住的。原來南京鷄鴨加工廠爲了給將要宰殺的鷄鴨蓋一座臨時宿舍，便請聰明的工程師設計了這所房子。這位工程師設計時着實花了一番腦筋，喏，單間是給鷄鴨分組住的，牠們吃飽了可以到房外平坦的遊泳池坪上散散步。他看着房子按圖表建築起來了，心裏委實得意，新社會連鷄鴨也「翻身」了啊。

可是沒有多久，當地羣衆便揭發開了，他們認爲這是不可容忍的浪費現象，蘇聯專家參觀了以後說：在蘇聯，現在也還沒有這樣考究的鷄鴨舍哩。於是

鷄鴨也翻身了

·文抄公·

上級機關來檢查，監察機關來檢查，別的不說，單屋頂和室內地面就浪費了二億五千多萬元。這一來鷄鴨加工廠驚醒了，立即在「鷄鴨別墅」旁邊另外搭了草棚。

鷄鴨住草棚倒不打緊，只要有飯吃就行。可是飼養牠們的主人像生氣了似的，一點也不注意牠們的「伙食」，只在池子裏或地面上撒些飼料就算了事。這樣一來，鷄鴨爭着啄食，弱者難得一飽，許多鷄鴨餓得瘦了。

鷄鴨「瘦了」，這就是說鷄鴨宰後要減少肉的重量，產品不合規格，國家的收入就要受到損失。道理很單易懂，但沒有引起工作人員的注意。

一位蘇聯專家建議不要把飼料撒在泥土上，應當準備些食槽，槽裏經常放有飼料，讓鷄鴨隨時可吃，才能把鷄鴨養肥。專家還特地把四百隻鴨子分用兩種方法飼養了兩星期，示範給廠裏的工作人員看，果然食槽飼養比在地上飼養要好。但是，這樣簡而易行的先進方法，也未被這個廠的負責人重視。現在鷄鴨仍然過着飢餓的生活，進行着激烈的爭食吃的「鬥爭」。

無原則的提高建築規格，造成浪費；不注意對鷄鴨的飼養，造成損失。這樣的工作態度，是和總路綫的精神相違背的。

文抄公按：這篇文章的作者，對中共統治的顢頇浪費，可謂已盡譏諷的能事。工廠主持人這最簡單飼養牲口的方法也裝作不懂，眞可謂爲佯狂自保的幽默大家了。

·不打自招文鈔·

讀林覺民烈士書札

·莫可非·

（一）

近讀林覺民烈士與妻訣別書，其中一段：『迴憶後街之屋，入門穿廊，過前後廳，又三四折，有小廳，廳旁一室，爲吾與汝雙棲之所。初婚三四個月，適冬之望日前後，窗外疏梅篩月影，依稀掩映；吾與汝並肩攜手，低低切切，何事不語，何情不訴，及今思之，空餘淚痕。……』

讀這封信，原文約一千六百多字，大意說明參加革命不惜一死，[illegible]。寫信日期是辛亥三月廿六夜四鼓，地點是香港。同時我又讀到他同時同地寫給父親的信，原文如下：

『不孝兒覺民叩稟：父親大人：兒死矣！惟累大人吃苦，弟妹缺衣食耳！然大有補于全國同胞也，大罪乞恕之。』

遺稟寥寥四十一字，極盡悲歌慷慨之情，和他的與妻訣別書，纏綿悱惻，自有不同。

（二）

在我們文學遺產中，荊軻渡易水歌，劉邦大風歌，項羽垓下歌……全都是寥寥十數字的，焦仲卿妻孔雀東南飛，却長到一千七百八十多字。論文藝價值，無法有所軒輊的。我們因爲無論字數多少，都是一律把所要發抒的情感，表現恰到好處。

中國傳統讀書的人，其所受教養，是對於君、父是忠孝，是『貞亮死節』，是『鞠躬盡瘁』。對於夫婦是恩愛，是『關雎之好』，『燕婉之求』。前者是大義，所表現出來的爲慷慨。後者是私情，所表現出來的爲纏綿。慷慨近於宗教熱忱，是讀書人上傾的表現。是一種「以天下爲己任」的豪傑本色。纏綿近於藝術情操，是讀書人內傾的表現，是一種『孤芳自賞』的名士風格。

辛亥前後，爲中華民國而犧牲的先烈，如熊成基，林覺民之外，秋瑾，趙聲，鄒容，吳樾；以至陳英士，朱執信諸人，都是對中國文化有極深修養的。他們因爲激於部族政權黑暗腐敗，決心革命。在思想上，受顧亭林，黃梨洲，阮元，以至龔定盦的影響最深。從他們的立身行事看，可以說，既纏綿悱惻而又慷慨淋漓的。（上）

中華民國僑務委員會僑務登記證台僑新字第一零二號

中華民國郵政登記第一類新聞紙類

自由人

THE FREEMAN

（半週刊每星期三六出版）

（第三八二期）

每份港幣壹毫

督印人：雷嘯岑

社址：香港高士威道二十四號四樓

20 CAUSEWAY RD 3 rd. fl. HONG KONG

香港發行及事務接洽處：高打士道六十六號

電話：三五〇四七

承印者：東南印務出版社

地址：高打士道六十四號

台灣特約經銷處：台北市館前街五十一號

台灣總經銷處：台北中華路五九四號之一

郵政劃撥儲金戶二九一二三

新政風與新聞界

·高清言·

遠在海外的每一個愛國的中國人，日夕謳香祝禱的，不是私人的窮通得失，而是祖國的復興。在海外每一角落的同胞，見面時第一個問題：「祖國有什麼好消息麼？」「幾時可以反攻大陸？」這一種話，雖然過於籠統而只賦，但是忠心赤忱希望祖國進步強盛，是沒有疑問的。國民大會開會選舉第二任總統與副總統，在海外僑胞中，一片歡騰，幾十天沒有消滅。十足證明一個人離開了祖國，對國家的忠誠，比較在國內還要增高百倍。現在國民大會閉會已及兩旬，新總統就任之期，還須經月。海外所得的消息，國內正是布滿着新政風與新氣象。究竟所謂新氣象與新政風的內容是什麼？我們摸不清楚。照我們所接到的報紙與雜誌研究，所謂新氣象與新政風，大概是一反過去的舊氣象與舊政風而言。

新聞界應有新生氣

國民大會第二次會議閉幕時蔣總統的致辭，海外僑胞讀了，有感極而泣淚者再四，因為蔣總統在致辭中，一再以遵守憲法，維護憲法，鼓勵全國。他要以全力實現民主自由，他更希望有反對黨，守分地輔助政府，甚至於檢舉政府有任何違反憲法的行動。接着陳院長在閉幕後，邀請海外若干代表如胡適之、蔣廷黻等各位先生，舉行十餘小時的座談，在座談中，代表把當前一切問題，都痛快地說出來，當局也坦白地答覆。這種情形，我們在海外只能在報紙雜誌上窺見一鱗一爪。因而明白所謂新政風，就是當局與人民間忠誠合作。在英美國家新舊政府交替之際，美國名此時期曰 LAME DUCK SESSION，英國名此時期曰 CARE TAKER GOVERNMENT。都是大家對新政府期望最深切的時期。我們深信兩月後的新政府必能具體表現新政風，我們自然希望新聞界也有新生氣，新聞界也應有新的作風，來推動與培養新的國家氣象，推進新政的新生機。

輿論為時代性的表現

測驗時代，攷察社會風氣，從某時某地的新聞刊物去觀察，應該是最準確的方法。時代性質與社會風氣，在某時某地的報紙與雜誌之字裏行間，應該是暴露最清楚的。遠者不談。就最近兩個時代大段落來說，對日抗戰與反共抗俄，無疑地是近代中國兩個大時代。這兩個時代段落，將來歷史家可從兩個時代的新聞刊物來測驗與考察它們的性質與特徵。譬如拿思想史來做比擬，抗戰時代的新聞界，假定說可比之為春秋與戰國時期。那一時期新聞界反映的輿論與思想，譬如周秦諸子。那末，反共抗俄時期的輿論界，是不是到了明朝的八股，甚至於清朝的「時文」與「墨卷」。這一個譬喻，是否恰當，我不敢肯定。但是如果我們有勇氣檢討現實，我們應該有勇氣來承認現實。我們認為這一個問題的重要性，與政府改革是同等的。政府改革不能專靠政治領袖幾個人，還應該社會大多數人跟着上去。社會輿論中心的新聞界，應當是推動改革與開創風氣的一個泉源與動力。

獨立言論與獨立民族

偶在手頭翻閱戈公振所編中國報學史，內引錄于右任先生於民元前二年（前清宣統二年）八月二十八日民立報發刊辭。這篇文章用駢體，正是報紙文章別開生面之作。文章開頭：「秋深矣！鳴蟬寂矣！草木漸搖落，萬籟無聲，時聞寒蛩，似斷似續，如訴如泣矣！此佳節乎，而有心人當之，悲夫，殆生無窮之感慨！[illegible]是以有獨立之民族，始有獨立之國家；有獨立之國家，始能發生獨立之言論；再推而言之，有獨立之言論，始產獨立之民族，始能衛其獨立之國家。言論也，民族也，國家也，相依為命，此傷則彼傷，彼斷則此不能獨立者也。」民立報發刊詞距今已四十五年。我們特別讚賞「獨立言論」這一句話。「有獨立之言論，始產獨立之民族，有獨立之民族，始能衛其獨立之國家」。這是今天新聞界起死回生的一服良藥。多少年來大家呼號言論自由，極少聽說提倡言論獨立。我想獨立的言論，是言論自由的先決條件。惟有先求言論之獨立，而後言論得獨立共發嚴。獲得其領導思想的權威。然後言論自由方有價值。反過來說，如輿論界充滿了不獨立的言論，一切的言論，一面倒，一窩風。那末，那種言論，有什麼價值，即使爭取了自由，又有什麼影響。

獨立人格與眞理信仰

獨立言論的養成，必須先於發表言論之人與機關，養成其獨立之人格，與眞理之信仰。我們今天在報紙上雜誌上，登載一條新聞，做一句評論，都應根據我們在眞理上的信仰。是非上的判別。而不是為討那一個人的歡心，或那一羣人的歡心，我辦一張報紙，或一份雜誌，我自覺是為天地生民做頂天立地的工作，而不是為自己吃飯，更不是為自己升官發財。

（下轉第二版）

述最近留台觀感（下）

——對幾個問題的簡單答復——

左舜生

上面兩段，我只把台灣近年的一般情況和生產建設略略的敘述了一番，此外還有幾個問題：例如一、台灣對於反攻的準備究竟如何？『今年是決定年』，作何解釋？二、國民黨、青年黨、民社黨的關係怎樣？三、台灣的特務，在美國大肆攻擊，其內容究竟如何？四、聽說台灣的特務組織工作辦得十分有效，一般青年的訓練工作收到預期的效果沒有？五、台灣是否真正有了言論自由？報紙和一般的刊物，敢不敢說話？如此等等，也是一般港九的朋友所歡喜向我提出的。

以上這些問題，有的我只有一些看法，所謂見智見仁，對不對卻很難說；有的我知道得相當清楚，但我不願說得太多；有的問題，要說也無從說起，我只好大概的來談一談。

反攻的準備

關於第一個問題，所謂反攻的準備，這個話很難說，今天台灣各方面的工作，自然都很緊張，可是在反攻前，反攻中，反攻後，其間所需要的準備，要如何準備才算十分充足，誰敢擔保？當局所謂『今年是決定年』，據我了解，並不作今年決定反攻的解釋，而是說一個世界民主陣營的國際局勢的演變，一定要在今年決定。事實上，台灣決不能單獨的動作，這猶之乎南韓不得美國的援助而想揮軍北上，或越南三邦不得法美的支持而想單獨去消滅越盟，都是一種不可想像的事！

關於黨派問題

關於第二個黨派問題，我不想在這裏多說，但我知道，這次各方面的人士集合台灣，對於這個問題確曾加以充分的考慮，而且引起了當前的注意。蔣總統曾公開的告訴青年民社兩黨的負責人，希望兩黨合而為一，使成一個較大的野黨；胡適之先生則主張國民黨不妨自動分而為二，一個在朝，一個在野，比較來得迅速有效。但據我所知，在今天國民黨之無法可分，也正如青年黨之無法可合，正是同一道理；不可分與不可合，卻又並不是絕對的；到了不能不分的時候，便自然會分；到了可能合作的時候，也自然會合；但決非今天所能為力。國民黨的朋友，我知道他們決不反對有一個像樣子的反對黨，毋寧說他們今天已有了這種迫切的要求，可是在事實上卻依然無法實現，例如今天的青年黨人，即站在當地一個鄉長，或一個縣長，那怕在各縣市當一個鄉長，或一個縣長，還是無法安於其位。[illegible]只是一個工作與合作不夠的問題，即在國民黨與國民黨之間，又何嘗不是發生相當的困難？我另一個相信：今天大多數的國民黨員，並沒有意思要對黨的政策一成不變，但過去若干年的習慣卻不容易矯正得過來，乃一般下級黨員對黨的整個政策的理解，乃不如他們對黨的習慣的遵守來得更為深切就是了。

關於特務工作

關於特務工作的內容，我這次僅僅在一個少數人的座談會中，聽過蔣經國先生作了約一小時的簡單報告，確實知道得不很詳細。但我從這次報告中所得的印象，覺得過去幾年對於台灣共諜的應付和處理，確實下了不少的工夫；而且收了不小的效果。所以還有多少懷疑的：是不是這類組織機構微嫌太多？工作的對象是否完全明確？參與這類工作的人員，其能力是否確能勝任？胡適之先生在這個座談會中，曾說明美國聯邦調查局的工作人員，悉須大學畢業，再加特種訓練，頗值得注意。以吳國楨過去在台灣的地位，對這件事他所說的也確有相當的煽動性，因此必得審慎應付，正確的應付，不在口舌之爭，而在有明朗的態度，與世人以共見。

短期訓練可懷疑

關於目前台灣各色各樣的訓練班，我很想知道，也很想參觀，但沒有時間，也沒有機會。我是一個相信正規教育，而不大相信這類短期訓練的，而且我相信訓練班所用的教材，也盡可容納於正規教育之中，似乎並沒有架床疊屋的必要。依據我過去教書的經驗，我覺得教一學期或兩學期的一個課程，總能使用功的學生有所得，作三五次的講演，則給予學生的印象決不會深。這次我看見一個受過訓練的青年，他們一班的程度是高中，訓練期是十天，編制是一營，（即二百幾十名學生的集體）我問他訓的是一些什麼材料，他說是俄帝侵華史，偉人故事，以及『讀訓』等等。我問他感不感興趣，他乾脆回答：『不感興趣』。我又問：『你個人不感興趣，還是一班都不感興趣？』他回答：『都不感興趣！』我相信這個青年說話很天真，他決不是預備好來答復我的。至於那些高級訓練班，要找到從事訓練的人才真不容易；對一個四十五十的人，要想在最短時間改變他們的思想，改造他們的人生觀，真是千難萬難啊！尤其那些自請受訓的人，其動機便不容易明白，他們是不是藉受訓來作為進身之階？果然如此，那就更是醉翁之意不在酒，要得到預期的效果，恐怕是很難了。至於高中和大學畢業生，規定要受一時期的嚴格軍事訓練，這一點我完全贊成。

言論自由有了進步

最後說到言論自由，我覺得目前的尺度確比從前放寬了不少。例如從前不能進入台灣的報紙，如『星島』、『華僑』、『中南』、『天文台』等等，現在已能進去；雜誌如『自由中國』、『民主潮』之類，也時有不客氣的批評；但我從當地一部份報紙所嗅到的氣息，總好比裹過腳的女子差不多，儘管已在逐漸解放，步子還是放不大就是了。又關於紀載新聞的方法，遇蔣總統兩字一定要空一格，提到行政院長不用他正式的官名稱陳院長，而一定要稱『陳揆』，這都是一些不良的習慣，大可不必。至於書籍進口的情形尚待改善，審查的機關必須簡化，則我在上文已經提到，現在不多說了。

半週展望

·李秋生·

范弗立訪問中韓意義

適當日內瓦會議召開前夜，美國防部長威爾遜宣佈前駐韓美軍第八軍統帥范弗立將軍，以美國總統特別代表身分前來遠東，[illegible]考慮建軍問題，後他回來的計劃[illegible]任務，但在今日自由中國新聞報道中，並未加以說明。我們以迫切的心情[illegible]曉得范弗立將軍是一位極幹練的美國軍人，他曾在希臘協助希人消滅共黨，在韓國抵住共軍的攻勢，他曾主張大規模訓練韓軍，他的意見雖未完全被採納，在韓國遇阻，在韓戰中[illegible]。美國遠東政策，與各國人士的期望[illegible]。如果一旦有事，勢必如此[illegible]，則范弗立將軍的訪問中韓兩國，是最適當的人選。

越南得到獨立了

從三月八日開始的越南獨立談判，總算有了具體結果：越南獲得獨立，但仍留在法蘭聯邦以內。本來，獨立的原則問題早已經雙方商決，只因法越間聯合方式問題未決，以致延遲至今。這一從戰後就形成懸案的問題，到今天纔獲得解決，時機已嫌過遲。因為胡志明一向以爭取民族主義為標榜，法方在越統治也實難激發越人對戰事的熱情。法方如早有扶助越人獨立的決心，東南亞當不致敗壞至此。但是無論如何，東南亞這一文化古國，終於脫離殖民地羈絆，形成獨立國家，今後共黨再不能藉反對殖民主義做為侵略擴展的藉口，總是一件十分令人快慰的事。

法國統治越南一百七十年，掠奪了大量財富，對於越人的福利和進步卻殊少措意；只有這次作戰，以鐵幕之一軍事行動使越南免於全部淪入鐵幕，若是一項有意義的貢獻。但顯法人能畢其全功，使越南完全的消除共產侵略的威脅，並扶助越南獨立。不要今後沒有殖民利益可自得，對越戰即不感興趣，只求停戰脫身，不計一切後果：如果那樣，正是坐實了共方的宣傳：法軍在越作戰，只是為了維護殖民利益而已。

蘇俄特務幹部紛紛離叛

[illegible]彼得洛夫夫婦要求政治庇護事件，仍[illegible]

[illegible]這三年中，有東京的蘇俄代表處[illegible]，柏林的[illegible]紛紛逃向自由世界[illegible]

蘇俄特務統治之上，特務就是共黨的生命線。[illegible]的共黨特務分子，都是久經訓練，萬分可靠的；但[illegible]何以在他們不斷叛離，實無異於敲響共黨政權的喪鐘。有人說，現在蘇俄特務頭腦[illegible]是皮相之論。[illegible]員，近年來[illegible]案件發生後，何以沒有許多特務人員攜帶機密文件或資料投向西方呢？

比史達林一時代更混亂，不安，這件事可以斷定：馬倫可夫的蘇俄，[illegible]的內部危機。

史大林死後一年

·豈弟譯·

愷撒大帝希望縛住他後繼人的手，是可能的嗎？最有權力和最狡猾的統治者定下一種政治制度，希望此制度在他死後仍然存在，是可能的嗎？

史大林已經死去一年了。——史大林主義能否比史大林更能長久存在嗎？這是一個問題。

他在生的時候把眞實的和潛在的反對派，一一消滅了。掌握了無上的權力，歷時三十餘年。他的助手祇是一羣傀儡，執行他的命令。他很明顯的曾爲繼承大事預作種種安排。然而他一旦死亡，蘇維埃政權的金字塔，已開始破裂崩潰了。經過殘忍和艱苦鬥爭才成立的制度也開始破裂了。一年來錯綜複雜的變化以及未來的趨向是可以看得出來的。

史大林死後形勢大變

史大林死後，數天之內，黨部與政府的領導結構，已經改組。史大林所遺留下來的規模已經改變。要期匆忙過去，個人崇拜已經正式取消，而代之以「集體領導」了。這並非僅對史氏個人的反叛。後繼者的心目中，以爲史氏所能做的，他們能夠做得更好。於是發出「和平，寬裕，和自由」的口號。他們對於西方各國，也改用較有禮貌的態度。對於國內人民，又許下迅速的改革，表示他們有憲法上的權力，宣佈大赦，甚至史大林的主要工具——秘密警察，也因此而加以挫折。這恐怖工具本是史大林政權的最正基礎。在史大林死前，這恐怖勢力，已達最高峯。所謂「犯罪醫師」案，大多數猶太人被捕入獄。好像新的大屠殺即將開始。但史大林死後，不到一個月，整個形勢便變了。這一計劃被斥爲羅織虛構，醫師們也恢復了自由。該案主辦人物，反以使用「不合憲法的手段」追取口供的罪名而被控。

這並非單獨的偶然事件。翻案措施也出現於史大林的老家喬其亞，及其他共和國中。在那些地方裏，所謂「小資產階級國家主義者」，已被釋出獄，原告則以俄羅斯化及勒逼的罪名被控。一陣新風氣似乎吹遍了整個蘇維埃。

在一百天後，莫斯科又發生了一樁出人意外的政治性大事。新朝中，地位僅次於馬倫可夫而且是有權有勢的秘密警察首領貝利亞突然被斥爲「小資產階級國家主義者」和「帝國主義擁客」。當時克姆林宮中全部爭辯與磋商的經過如何，雖有待日後說明；然而，貝利亞是被犧牲了。

貝利亞是改革派

現在已很清楚，貝利亞是改革派的主動者，在獨裁制度之下，警察往往最能察覺全國人心向背。貝利亞可能已經覺得，新朝代要繼續存在，必須放鬆控制。又可能計算到，他如果主張自由主義，可能得人心而爭衆望。因此，他冒險主張限制警察權力，也因此而受極刑處罰。可是，除去一個人，比除去一個人的主張或政見容易。貝利亞下台後，六個月來，陸軍大爲得勢，貝利亞的舊屬，則陸續被清除。

一年來蘇俄最大的變化可從他們的宣傳重點看出來。這重點已從「憲法的權利」移到「經濟的需要」之上了。去年八月，馬倫可夫發表一次政策演說，他說蘇維埃人民的生活標準，「能夠並且必須迅速提高」。一個月後，俄共黨部書記克魯曉夫評論蘇維埃農業的惡劣情況。宣佈他的城鄉交流計劃，作一種暫時退却；頒行一種新的獎勵政策，要使農民迅速獲得不可或缺的食物及農業原料。但政府並無意降低重工業的擴充速率，並且爲了政治原因，不能不顧到中共的工業和軍械的需要。

這期間，蘇俄的政治，忽而趨向史大林主義，忽而又背離此一主義，好像患了思想分裂病症。「俄羅斯主義者」在各共和國中，已恢復了原職。同時著作家奉命抛棄粉紅色的眼鏡，要他們批評蘇維埃社會中各種缺點。外國觀察者所得的印象，是蘇俄想回復去年三月五日（史大林忌辰）的原地位，但沒有成功。貝利亞的審判，於去年十二月間開庭，是關着門舉行的。被告由拘留所提到刑場槍決之前，並未讓公衆看見。羅織醫師案的負責人，國家安全部部長衣格奈提夫，去年四月間曾受撤免處分，現在正在巴勲冠利亞出現爲議會候選人。

陸軍已漸得勢

現在蘇俄兩派的鬥爭依然勝敗未分，恢復史大林主義的企圖，現今仍在活躍中，可能是已經失敗的了。舊的政治結構，祗有萬能的統治者才能維持得住。史大林主義的恢復既屬無望，蘇維埃聯邦最可能的發展，是什麼呢？如果馬倫可夫和他的繼嗣不能夠避免黨的公開分裂，並用漸進的改革方法和緩各方的衝突。則必然是一個分裂的局面，[illegible]爭奪的勢力將告消失，政權將落於軍人獨裁之手。現在陸軍在貝利亞鬥爭中，已經逐漸得勢，陸軍發言在克姆林宮會議席上，已佔極大的重量；本屆蘇維埃選舉，陸軍的候選人多過以前任何時期。假定死硬派得了勝利，懾服了全部反對者，並恢復了秘密警察統治權力，則蘇維埃的拿破崙，可能出來操縱大權，成爲眞正的繼承人。（譯一九五四年三月六日「經濟學人報」）

新政風與新聞界

高濟言

（上接第一版）

我的新聞取捨標準，我所表言論之褒貶抑揚，是根據眞理，是非，及整個社會福利。而不是爲討好那一個或那一羣人。因此討好而使自己可以升官發財。我常常有一個感想而且常對與論界的朋友說，如果要想升官發財，何必假手於新聞官！由新聞官去求其升官發財之大欲？是緣木求魚。孔子說：「富貴如可求，雖執鞭之士，吾亦爲之。」我想引申其義，富貴如可求，辦稅局，做私人秘書，乃至充侍從，均可爲之，何必去辦報。今天最可痛哭流涕之事，乃以辦稅局，充侍從之心理去辦新聞事業，要望新聞事業之驅世覺民，豈非癡人說夢！

羅家倫的長文章

前天晚上從朋友處借到一大疊最近台灣報紙，漏夜翻閱，發現兩則「讀者投書」，深堪尋味。其一爲胡秋原在四月十二日新生報發表的一封信。第一段原文如下：「編者先生，貴報與台北各報一齊同時刊羅家倫君關於簡字的文章。我想以一新聞界退伍者的資格詢問先生：世界各國報紙，除了對其國家元首，或代表政府者之演說或論文外，有無此種辦法？……」四月十三日新生報及中央日報同時登載另一讀者投書，下面署名羅家倫。茲再節錄其原文如下：「編者先生：拜讀昨天貴報讀者投書，敬請惠見如下：（一）一文見致報，無論中外，都是平常的事。讀者也曾隨時見過。任何文稿取捨之權，都在編者，而不在投稿的人。……」看了這兩篇「投書」，使我們想起今天自由中國所謂「簡體字的爭辯」。更使我們聯想到半月前台灣各報同時連續登載羅家倫的長文，一共連登到四五天之久。台灣報紙登載以後，接着許多銷行台灣的港報，也照樣登載。羅家倫那篇大文，計字大概共達三萬字，照今天台灣報紙的篇幅（一大張半），全體報紙要把同一篇文章同時連載達四五天之久。區區也曾久遊世界各國，久久留心各國報紙，這樣的登載辦法，恰是古今中外，空前的奇事。羅家倫君認爲「無論中外，都是平常的事」。大概他自己所做的事，便是平常，別人所做的，那就是非常。胡秋原君函中說「除了對其國家元首或代表政府者之演說或論文外，有無此種辦法？」胡君質問何見之不廣耶？像羅先生今日在自由中國，身兼什麼常務監察人，主任委員，副院長，中央候補委員諸職。至少在羅先生個人，一言一動，當然代表政府而有餘。所以他的言論文章，台北各報乃至海外各報，非爭先恐後，搶着登載不可。因爲今日的時代，第一須配合國策。而自由中國思想重鎮如羅家倫氏，他就是國家，他的腦子也就是國策的淵泉。他在政府與黨，既佔有若彼重要的地位，而且他的老師胡適博士，還遠處支持他這一運動，說與三十年前新文化運動後先媲美。所以誰敢說個否字，這還了得！我們伏處海隅，向來對羅副院長是[illegible]，今天因爲讀了他公開投函「任何文稿取捨之權，都在編者，而不在投稿的人」，實在彼他一派官腔覺得臌門破脹。不能不奉讀幾聲，羅家倫先生不是還憑他自己一點權勢，去強迫今天的新聞界，非把他的長而且臭的文章逐日登載，大顯聲勢，這是自由中國及海外共聞共知之事。據一位某報負責人說，登了他的文章不算，他見報上登了反對的文章，還不高興，另托人寫信去那位負責人，表示不滿。另據一位報紙負責人說：羅家倫寄了一篇稿子，對他說：這是一篇重要的文章，要你獨家登載。大概羅君所說「任何文稿取捨之權，都在編者」，就是這樣的內容！

新聞界抵抗力太弱

羅家倫先生的簡體字不簡體字，原與本題無關。但是一篇長達二三萬字文章，可以利用自己地位，脅迫各報紙，同時連續登載到四五天之久，這是中國新聞史上一件大事！我想中國新聞事業百年的歷史，對權勢如此屈伏！這在新聞界是空前的！一個有權勢的人，對新聞界如此濫用其權勢，這在中國新聞史上也是空前的。羅家倫先生利用了自己的權勢，還要在報紙上投書，說「任何文稿取捨之權操之編者」。旣然欺世，還要盜名！如果他的權勢再爲增加，則中國的文化，豈無噍類矣！中國新聞界今天負起時代使命，第一要獨立，其次遑談得到爭自由。一個羅家倫，已足摧殘自由中國的言論自由，不言獨立而有餘。不是羅家倫的思想過人，而是新聞界的抵抗力太薄弱了！如果明天有一位趙家倫，其權勢或超過羅家倫，大文以十萬字計，威勢[illegible]各報以同時連載一致，難道全體報紙也懾於威勢而恪遵照辦嗎？

新政風的形成，同時政府與社會應該共同努力。新聞界的責任，[illegible]。羅家倫近年新文章[illegible]。新聞界虛弱[illegible]。新聞界應該對任何摧殘言論獨立與言論自由的惡勢力，作殊死鬥爭，站在一個新聞記者的崗位，[illegible]。言論獨立與言論自由，正是每一個民主自由國家新聞人士的對象，我們要站起來，要獨立，要自由，就不能讓那一種惡勢力橫行！（四三·四·十八·九龍。）

人物介紹

反·共·健·將　麥卡賽其人其事

·焦木·

當選議員

一九四五年，麥卡賽脫離軍隊生活，返國重任巡迴法官。他對參議員一席仍念念不忘，於一九四六年再度出而以共和黨候選人資格參加競選。他第一步努力設法爭取共和黨自助委員會的支持。但這一委員會的許多領袖對麥卡賽不表歡迎。麥氏絲毛不感氣餒。他不斷致函各委員，奔走全州，參加各地委員會會議，說服各地委員。結果，皇天不負苦心人，他遂得了共和黨幫助委員會的核准爲候選人。他的敵手是現任參議員福勒德，在初選舉行前兩週始從華盛頓返威斯康森，可是麥卡賽却已走遍了全州。他的競選演說，甚少提及共產主義，是以戰後國內工業衰落及勞工不安爲主題，因爲他的敵手福勒德是羅斯福新政的擁護者，他即對症下藥，認爲新政是造成國內經濟社會不安的主因。這一着正中敵手的要害，福勒德被擊敗，麥卡賽當選爲參議員，總算償了宿願。

議會生活

從威斯康森鄉間，一飛冲天，而踏上風雲際會的政治大舞台華盛頓，三十七歲的麥卡賽參議員總仍有點驚惶失措之感。據麥氏的知己朋友說，在最初三年中，他的天才，他的學識，尚未見有精彩的表現。可是他在參院中，雖發表演說不多，却已成爲聽衆最多的人物之一。他雖來自以孤立主義者稱的威斯康森州，但對國際合作却熱心擁護，對希士軍援協定，馬歇爾計劃及北大西洋安全公約均投票贊成。然而對減少援外款額亦總是表示擁護。他在勞工問題及其他內政方面，總是追隨已逝世的衆議員塔虎脫之後，採取一致的立場，因爲他來自威斯康森州，自然常常贊同提高農產品價格。可是他決不是百分之百的從政黨員，在一百六十四件重要議案中，共和黨有一百三十二件占多數，他却反對過三十二件。

反共健將

光陰如流水，三年的參議員生活，平淡地過去了。麥卡賽開始感到焦慮，徬徨。恰巧希斯共諜叛國案發生，震撼了美國，甚至全世界。麥卡賽看中了這一個千載難逢的好機會，覺得是表現身手的時候了。他攻擊國務院潛伏共諜，搜集證據，從事揭露，獲得美國千百萬人的同情與擁護，建立了他的無比權威。至一九五二年，再度當選爲參議員。

麥卡賽性情和易，喜交遊，愛說笑話，和人握手，熱誠可親。大家都叫他「阿球」的雅號，他卻沾沾自喜，不以爲忤。凡和麥卡賽有一面緣者，莫不喜歡他。他嗜杯中物，但因患嚴重的鼻腔炎，故不吸煙，且不喜歡別人在他的面前吸煙。

麥卡賽身高六呎，體重二百磅，精力充沛。說話時聲如聯珠砲，但極簡要有力。工作無定時，遲睡晏起。最喜吃爛熟牛排。

問鼎白宮

他一直是獨身者，直至去年九月間才和他的女秘書珍妮小姐結婚。在婚禮舉行之日，規模之豪華，曾鬨動了全美。

目前，麥卡賽不但是美國的數一數二的名人，而且是國際間舉足輕重的人物。他的遠景如何，確是全世界所關心注目的問題。最近當他和艾森豪總統爲了陸軍潛伏共諜問題發生激烈的爭執時，一位記者曾經問過他有沒有意思想跨進白宮，過一過宮中生活的癮。

『你說長期嗎？』麥卡賽提出反問。

『長期也好，臨時也好。』那記者說。

麥卡賽笑笑：『長期嗎，我不想。至於臨時呢，我是無所謂。』

麥卡賽的雄心，當可從這幾句簡單的問答中窺知大概了。（取材『美國新聞與世界報導』）

（下）

編者　讀者

讀者來書　關於王蓬累的詞體界說

編輯先生大鑒：「自由人」第三二四期，（四月十日）載味腴先生「詞壇翔德王蓬累」一文，節錄王先生所著「詞學辯證」三種詞體界說一段，讀了不勝欣喜。此一段文字，不特在詞壇上具有崇高價值，也是中國文學史及國學概論上的珍貴資料。過去前人所著文學史及國學概論各書，對於三種詞體之區別，都只能說到毛稚黃（先舒）萬紅友（樹）的論戰爲止；未有能明白確定其界說的。自宋迄今，久成懸案，今得王蓬累先生的辯證，明白指出，大快人心。可惜僅讀這一節，只見一斑，極希望得窺全豹爲幸，想文藝界朋友，都具此感也。不知王先生詞體辯證一文，是否印有單行本，或載在何時何地何種刊物？擬請轉詢味腴先生。或請味腴先生將王先生作全文抄錄一份，請在貴刊發表，俾研究詞學者得先睹爲快！讀者盧劍謹啓四月十八日于台北

△謝一收、周家豪、梁婆生、韋政通、易雲樵、陳訓騏諸先生：承惠稿，均收到謝謝！

△本刊三一二期以前稿酬業已清發，惠稿諸先生請分向香港高士打道六六號地下張國雄君或台北本報總經銷處張執中君洽領。

一個印度社會主義者的鐵幕印象記

・旭軍譯・

作者夏斯特利（Brajkishore Shastri）去年四五月間曾參與印度工會代表團，進入中國大陸。下面是他在竹幕內六星期耳聞目睹的眞相紀錄之節譯。原文載印度出版之『思潮週刊』（Thought）。夏斯特利係富有經驗的政治觀察家，平日最關心勞工問題。在印度社會黨佔有重要地位。他第一篇報導，已譯載四月十日本刊，題爲「中共區的奴工實況」，這是他的第二篇報導。—譯者—

大陸生活不及印度

五月二十一日早上我們代表團一羣人準備去參觀南京的工人醫院和一小機器工廠。我吃過了早餐，咬着橙子。我想中共爲甚麼這樣的竭力招待我們。我們住的是最大的旅館，我們如果沒得到警察局的預先批准，任何中國人是不許進來的。樓下有公安局的警兵守着。我們初到時每人獲三十萬元（人民幣）作零用。臨到離開之前，如又獲得七十萬元。如何用這些錢確成問題。因爲祇要稍一提及想要什麼東西，不久這東西便出現在我的房間裏。有一天和我們同來的一個代表向旅館內附設商店買一瓶髮蠟。店員堅拒收費。他說：會由勞工總會支付。還有一層我們不懂中國話購物也非常困難。我們每天的參觀秩序是由中共政府安排。參觀的人不能自己作主張說出一點意見。中共的報紙雜誌滿載讚頌中國新統治者的文章。令人看不出一點眞相。

我的同伴閣南達走進房來，拾起桌上一張證，哈哈大笑說：「你不知道怎樣珍視中國工人懇懃招待的美意，你知道麼？在中國一隻橙幾乎值印幣二盧布。現在你可以予取予求。如此隆情厚意，你覷若無睹，豈不可怪。如此好果不吃，中國人會以爲印度的勞動領袖不知道吃橙子。」

他問我對於今早我們看過的中共的工人醫院有什麼意見？我道：「南京不是一個工業城，爲什麼有一間如此大的醫院專門供工人留醫的呢？而且在中國醫藥是如此的昂貴。極不可能令人相信工人們能支付得起醫藥用的。印度人民的生活水準雖然低得可憐，但從任何一角度看，印度人民的生活的確是高過中國大陸人民的。而且印度的醫藥比中國低廉。縱然如此，在印度還有許多人無力支付醫藥費。我對今早參觀過的那一間醫院，殊感大惑不解。」

閣南達道：「你專好吹毛求疵。人家新中國是要絕對服從的，共產黨和毛主席是永不會錯誤的。」

今早我們到小機器工廠參觀時，該廠的工會副主席說：該廠工人一一六三人。其中九八七人是工會會員。後來我到他們的「文化室」，要找數字材料來證實他剛才說的話。他答得很有趣。他道：「如果以一九四九年的人數一百作基數，則工人已增加了百分之八十。」我堅稱要眞實的數字。但沒有得到答覆。這種滑稽的事情，是我們在中國常遇到的。我告訴閣南達。他祇有哈哈大笑。但我們另一同伴，他是印度共產黨，却怪我們提出太多問題。他狺狺咆哮道：「中國人沒有那麼多的時間來答覆我們這種愚蠢的問題。」

冷落的中山陵

當天我們去中山陵致敬於建造現代中國的孫逸仙先生。他還算閣南達老成。他預知到那裏沒有花可買。他催促我們在將前先行準備買花，我記得某代表團曾對中共表示想買點花去致祭。中共對他們的建議很冷淡。此種情形和日前我們到所謂烈士紀念堂的情形，有極不相同的對照。那個紀念堂係紀念一九二七年至一九四九年與蔣介石作戰而犧牲的人。在那裏主人給我們每人一花球，而且替各工會領袖準備大花圈去獻奉。今天到中山陵，祇備一塊花圈代表世界勞工聯會及蘇聯代表團。我們每個人祇有一片誠心哀獻致敬而已。我不知道宋慶齡女士對此有何感想。

如此普選

我們回到北平後，中共內政部長對我們說及未來的普選。在答覆我的問題時，他說：未來大選中，各政黨不能互相批評。在普選中不容許競爭辯論。政府預備一張被選人名單，人民祇能在單上選擇。政府已動員一二百萬智識份子去推動此項選舉。他們的工作係『勸』人民祇能從那所謂已獲得各政黨同意的被選人名單中選擇。他說中國除了共產黨以外，還有八個政黨；我請求他們給我一份憲法列本。但迄今仍未能如願。

其實所謂聯合政府的組織，政黨不過是紙上點綴。無論到何處，聽人說一切的功績歸於共產黨和毛主席。其他八個政黨却沒有提及他們有什麼任務和成績。

全國變成一大監獄

我想到這三百萬的推動「普選」的人，是不是被政府利用去推行中共發展其黨勢力的新方法呢？在他們的共同計劃第五項說明：中國公民有思想、言論、結社、信仰、通訊的自由。但事實上是怎樣？若稍有批評及政府的，便會完全失蹤。沒有司法制度去執行法律，給人民空洞的諾言，又有何用？今天法律在中國祇是執行命令而已。所以中共統治下囚犯日增，是不以爲奇的。而且百分之七十五是政治犯。當全國變成了一個大監獄。則國內的監獄也是多餘的了。如果一個村民想到另一村探訪親友，他必須先獲得共幹的許可。如要乘火車旅行，則必須預先一星期向警察申請旅行證，說明旅行理由，還要說出旅行將居留地方。沒有警察許可證不能買票。一個家主在下午十時以後，不能容許一個沒有警察批准的親友進入他的家中。五月十七日，我們參觀撫順，約定下午六時半回來，因爲我們要看撫順內部詳細情形，因此延遲了兩小時。我們回來時看見有男女老少約一萬五千人排列道旁歡送我們。據說：他們在六時半齊集路旁，足足等候我們兩小時餘。我當時欽羨中共政府推行其命令如此的嚴格。但有人告訴我，這毫不算奇怪。因爲每一戶主持有一名冊，登記了家中各人姓名年齡及一切行動。每一星期或兩星期政府派人去檢查各戶的册子，街長甲長負責推行一政府的命令。

我看「夜曲」

作者：慕容羽軍　出版者：學生社

・萬竭明・

（一）

一個朋友跟我談起，說他最近看了一本書，深深地打動了他底枯槁的心靈。他用盡了一切美麗的形容詞，想證明他的話並沒有對我欺騙，最後他還說假如我需要想看一看這本書的話，他可以借給我。

好奇的心理是人人有的，一方面也爲了想證實朋友所說的眞假，我借來看了，抱着一顆好像要到天國探險的奇妙的心情。

這本書原來是慕容羽軍先生的新作，長篇的散文集——「夜曲」。

我正奇怪於慕容先生這幾個月來爲什麼在報章的副刊裏很難讀到他的作品——那些灑脫飄逸，清麗脫俗的散文，原來他底全部精力竟在創作這本匠心獨運的偉構「夜曲」。

像故友重逢，像久渴中得進滴甘露，我的喜悅是無法形容的，我以一種誠眞的愛意讀着「夜曲」。

（二）

「夜曲」，一個極富詩意的名字，作者巧妙地用這作爲他底書名，在我看來，「夜曲」就像一支深夜的笛音，一部長篇的發乎天籟的詩篇。

無疑的，散文的壽命在文學史上並不算長，但是，散文是在近代文學的表現形式上成了獨樹一幟。上一輩遺留下了一些優秀作品，今後的前途更是廣泛，今後的發展也更無限。林適存先生在這本書的序裏也明白的指出，今後小說的發展，今後小說的道路，也將是小說散文化，只有這樣，小說的地位才可以屹立不移。

我個人對於散文似乎是特別偏好的，我愛它那種沒有說理的艱澀、嚴肅，但不流於散漫，我愛它那種奔放的熱情中還有着理智。它像隨筆，但是沒有隨筆的瑣屑；它像雜文，但它沒有雜文的辛辣。散文是有其獨特的個性的，這個性也値得人愛。

培根（BACON）的散文該是散文中的表表了，他的創作雖不算多，却使我們足夠回味。在外國，我愛讀培根，太戈爾的散文；在中國，除了老一輩的冰心，徐志摩的散文外，慕容羽軍的「夜曲」使我看到了散文界的一綫曙光。

「夜曲」，這是一篇長篇的散文，透過作者豐富的生活經驗，透過多彩多姿的人生，透過愛恨與笑淚，作者毫無保留，以樸素而多彩的文筆刻劃下來，就奏成了一首人生的交響樂：「夜曲」。

「夜曲」裏，有自然的素描，有眨眼的星星，有恬靜的湖海、有雲、有風、有日……有最美最美的自然畫面。有美麗的女孩子，有純眞的愛情，有親切的發自靈魂的話語，有最深最深的動人的人生刻劃。

作者是用春夏秋冬四季來表現一個不同的畫面，他是成功的，他是感人的；而尤使人感動的該是作者創作態度的嚴肅和一顆詩人的良善的心。在自序裏，作者便誠懇地指出，他這本書是要在這佈滿着鬥爭仇恨情緒的今日，散播下愛的種子，同時他更要有力的提出，「豐盛的生命力，健康的情緒」，願藉着「夜曲」這小册子而獻與大衆。

（三）

我的朋友的話說對了，看「夜曲」後的想法我與他實有同感。「夜曲」像一枝童話裏的魔杖，只要經作者輕輕一點，便能使讀者幻出一個大千的世界來。我無法來形容「夜曲」對我的吸引，我無法形容「夜曲」對我的感動，我記起了英國詩人雪萊的一首名作來：

「當我在一小徑徜徉
荒寂的冬日忽換上春光
花草的芬芳令人沉醉
流水的聲音如是悠揚」

漫漫的夜是不會長的，「夜曲」就是黎明的前奏！

大陸工人反共嗎？

中共以「藝術勞動紀律」爲名鎭壓的結果，表面上懾服了工人的消極反抗，但事實上反激起了工人的祕密反抗。於是中共繼突擊性的鎭壓之後，又採行了兩種經常性的鎭壓措施。此兩種鎭壓措施，一爲設立鐵路沿綫之「專門法院」及「志審判會」。前者係專門檢察署」；一爲專對鐵路員工及沿鐵在各地廠礦設立「同路人民而設，後者則係對一般工人而設。

據中共人民日報在「政法評述」中解釋：「專門法院」及「專門檢察署」之職權，不僅具有普通法院及檢察署的權力，且擁有特別刑事處理權，對於被認爲有「反革命活動嫌疑」或有「破壞鐵道交通行爲的反革命份子」，有緊急處置之權。該一制度，首先自天津、瀋陽兩地創設。現因各鐵路破壞事件層出不窮，中共已令各地鐵道部門會同高級司法機關進行普遍設此種機構鎭壓鐵路員工之手段極爲嚴酷，僅天津鐵路管理局「專門法院」在短期內所判決的案件，據人民日報不完全的統計已有工人二名被處死；十七名工人被判十年以上的徒刑；六十餘名工人被判十年以下徒刑。

所謂同志審判會

關於「同志審判會」，據去年十一月間中共人民日報披露，首先在鞍山、旅大、瀋陽等地各工廠礦場開始試行，據本年二月間該報刊謂此種組織，業已取得經驗，將於最近期內在各地廠礦普遍建立。此一組織之性質，爲羣衆性的檢討，鬥爭和處分，它有權對工人警告、鬥爭、記過、降職或停職，亦有權將認爲情節較重者拘送當地「人民法院」審辦，而在未移送以前，可作出初步審訊紀錄，移交「人民法院」作判決之參考。中共稱此一組織，爲介乎法院與羣衆大會之間的執法組織，亦即爲法院最基層之分支機構。中共稱所以要普遍在各廠礦建立此一組織者，因各廠礦工人之責任事件（指爆破行爲），生產事件（指降低生產質量，造成次品廢品及損毀原料等）及偷盜、毆打，違反勞動紀律等等之行爲過多所致。換言之，即因工人之反抗行爲日形嚴重，故必須在廠礦單位中建立鎭壓工人之組織，以經常鎭壓工人之反抗行動。

迫害工人日益加甚

最後，據上月二十九日新華社透露消息：僞政務院政治法律委員會已制定了一項「一九五四年政法工作的主要任務」。所謂主要任務，即要全面加強生產部門的司法工作，檢察工作，和保安工作（乃特務工作的另一稱呼）。謂「除了要繼續嚴厲鎭壓反革命破壞活動以外，對於其他危害國家建設和人民民主秩序的罪犯份子，也要實行嚴厲的法律制裁，……堅決執行勞動紀律。」云云。

至此，我們可以獲得結論。大陸工人的確多數是反共的，因何反共？怎樣反共？也可以明瞭了。（沈齋・下）

改善環境衛生　亟需全面推動

香港三日

天時漸熱，本港的環境衛生，當局已十分重視。主管衛生機構，這幾天正動員督察人員分赴各區巡視。一方面呼籲市民協助，務使潔淨工作能夠發揮高度效能。這一個問題並不簡單，在市區，比較寬闊街道，本來就比較清潔，橫街後巷的穢物，現在雖已着手清除，但是郊區人烟稠密地帶，衛生設施向來甚少被人重視。垃圾，污水隨處傾倒，日久堆積，形成了孕育病菌的淵藪。然而這並不是無法處置的問題，當局設能擴大衛生宣傳，提高市民警覺。倘能隨時派員檢查，督促市民自動自發改善環境衛生，必能獲致良效；另一方面，實施全面性的消毒，利用飛機在空中施放DDT，這無疑是最根本杜絕疫菌的辦法，倘若能夠每周施行一次衛生檢查，和施行空中全面性的消毒，必然會產生重大效果的。假如僅注意市區的清潔，忽略了郊區的不良衛生，疫癘一經滋生，殆將蔓延市區，自是應該同加重視的。

× × ×

香港的醫務行政辦理很好，這是無可諱言的事實。本年度醫務署將續增公務員二百五十八人，總數共達二千八百八十七人，而政費預算額亦隨之增加，暫定二千七百八十四萬三千五百五十三元；上年度僅二千三百八十六萬二百六十二元，修訂額二千四百九十二萬九千元；前年度實際支銷僅祗二千一百三十三萬八千七百七十元而已。預擬中增聘的職位，由行政官級至普通文員，佔三十四類。關於醫療設備，以及醫院的增設，就一般情形看來，前者固已充分地發展到應求均衡的境界，而後者依然仍感不敷，每一所公立醫院，輪候掛號的病者仍極擁擠。但是，增設醫院到底不是輕而易舉的事。何況目下工商業不景現象無法消除之時，凡有關市民對自身的健康隨時注意，這使環境衛生更感重要了。可是改善衛生決不是一朝一夕的事，也不是衛生當局獨力可以完成的，必須喚起全市居民，勇於自動改善，當局經常派員督促指導。能這樣全面推動，最低限度可望逐漸減少病症了。

稿約

本報闢地公開，歡迎讀者投稿，性質不拘，最好勿超過二千字，譯作請註明出處；來稿如不合刊用時，當儘速退還。

—編輯室—

請先革心

馬五先生

偶讀胡漢民先生所寫自傳，說他於民元在南京臨時總統府作秘書長時，粵省各部民軍首領王和順等，與代都督陳炯明不相能，擬擁戴孫大總統之兄孫眉爲都督，紛電南京請命，眉亦曾往南京向其介弟總統示意。殊孫公大不謂然，自擬電文斥責乃兄，謂「素知兄無力當此軍民大任，毋誤粵局」！粵垣政潮即平息了。此一事也。又聞吾友陳君言：民十三年後隨在任之廣州市長孫哲生赴東北報聘張作霖，途中謂市長素與東北人物無往還，緣何膺此使命？孫答：老人偶聞本黨同志論事時，有言「哲生對某事不合作者」，爲避嫌起見，乃教我遠去東北數月，免滋誤會。此又一事也。

少時見孫公喜書「天下爲公」一語以示人，初疑其或以此四字筆畫簡單，易於揮毫耳。及壯，聞長老述孫公言行，知其天下爲公之精神，昭然若揭。觀於上述兩事，則其公誠謀國之心，雖父子兄弟間，亦毫無假借，且處處留意勿使世人對他稍有徇私的觀感。偉大哉，國父也！

我常以爲政治上任用私親，乃農業經濟社會中無可避免的現象。實則此項推論只是適用於庸俗的政治人物，他們滿腹英雄思想，必走「所識窮乏者得我」，以期滿足個人的虛榮心；下焉者且想藉此鞏固其政治地位與權力。如是乎，不知不覺地就構成了天下爲私的作風，終致誤盡蒼生，身敗名裂。

我們不在乎言必稱國父，會必背遺囑，請先從革心工夫做起，把國父那種天下爲公的精神學到一半，中華民國也就有救了！

×　×　×

煙的故事

·牛布衣·

牛布衣是一個平凡的人。他在家裏開了一間私家館，教授成年人補習英文，門徒數十人，生涯還算不惡。

他最喜歡吸烟。他時常說，『下課的十分鐘，要是沒有烟，好似在荒郊遇到暴雨，眞非狼狽兩字所能形容也。』

他把他的學生分成三類。第一類是頂講人情的學生，人數不多，時常帶一兩聽香烟，孝敬老師。第二類比較普通些，因爲這些學生吸烟的時候，總還送一兩根給老師，算是好學生。第三類是不吸烟的，或者吸烟的時候，只管自己吸，是最普通的一類。

兩年以前，牛布衣不費一文，吸了許多名貴的香烟。因此他是不需要，而且是不應該戒烟的。他的戒烟爲的是義憤。

兩年半以前一個下午，下了課，牛布衣點了一根香烟在看讀者文摘。看的一篇文章是講艾森豪威的，把老艾捧了上天。那篇文章結束的時候這樣說。『老艾是一位最有決斷的人。一天下午醫生對他說道，「總統先生，你的血壓很高，你不能再吸烟了。」「很好。」老艾說道，從那天起，他便把烟戒了。戒烟是一件最不容易辦到的事情，只有偉大的人物才能够有這樣偉大的決斷，平凡的人是夢想不到的。』

牛布衣看到這裏氣極了。他氣憤讀者文摘的勢利。戒烟這樣平凡的事情，也能算是偉大的決斷麼？眞是豈有此理！他不覺把拳頭向桌上一擊，砰的一聲，把太太和三個小孩都嚇慌了。

『什麼事這樣緊張？』太太問。

『從現在起，我戒烟了』。牛布衣說，把剩下的半根烟投進了烟灰盤。

『什麼！你戒香烟？是眞是假？』太太問。

『如假包換。』

牛布衣答：

『換什麼；』太太問。

『換鷄，』牛布衣說，『以後，每吸一口烟罰鷄二十隻，晚上做夢吸烟也罰鷄一隻。』

『很好，很好！你是從來不講假話的。這一次當然不能例外。我現在就出去買一隻鷄回來，慶賀你的偉大決定。』

立法太嚴了。布衣的決定和允諾好比水泥鋼脚，建立了他的戒烟基礎。從那天起，他便沒有吸過一根香烟。

牛布衣戒了烟一個禮拜，他的得意門徒老陳帶了一聽[illegible]拿香烟來上課，開了罐，拿了一根香烟遞給牛布衣。

『謝，謝。我戒烟了。』

『爲什麼戒烟呢？』老陳說。『儲蓄？生活太辛苦了？不吸烟也儲不了錢，還是吸烟好。』

『金錢買不到幸福。清心寡欲是人生最大的幸福。』牛布衣答。

下了課，老陳仍然把烟留下。他是牛布衣最解人情的學生。

壽高少航六十晉七詩次蘇笑鷗韻

張維翰

柏臺同凜歲寒姿。猶憶觀風左海時。
布政優優頻報最。吉人藹藹早臻耆。
相看上壽應能致。未覩中興豈認衰。
揆覽百花生日後。春光初照淡[illegible]湄。

贈徐叔謨詩用王家鴻韻

寄居南野似歸田。一徑蓬蒿鎖翠煙。
世局縱談來舊雨。朋簪遠隔已多年。
列邦爭訟勞繩尺。匝月休閒越海天。
回首雞鳴風雪宴。敦槃曾記有詩篇。

（註）二十五年前王儒堂外長邀法使及中法識同人宴雞鳴寺豁蒙樓余曾有詩紀之

憶詩畫家陳樹人

紅·棉·花·放

·楊力行·

吾友禺山陳樹人，應知摩詰是前身；詩情畫意稱雙絕，舉案鴻光那及君。這是現居台北的黨國元老馮自由先生輓陳樹人的詩。

院子裏紅棉大放，紅棉盛產嶺南，香港亦多；屬喬木類，花朵比玉蘭還大，紅得老練，而熾烈，似乎與朝暾競輝，夕陽爭妍；即在月夜，也極能撩人情致。造物者是以無比的奢侈，製成這種奇葩，供詩人騷客的吟咏。但台灣却不多見。每逢陽春三月，我便不免有「紅棉花開憶故人」之感！故人爲誰，已故黨國元老，近代詩畫家陳樹人先生是也。

（一）

樹人先生，筆名「猛進」，廣東番禺人。少聰穎好學，工詩古文詞，性好畫，尤愛紅棉。稍長，從遊於名畫家居古泉（廉）之門，與高劍父（崙）同硯。馮自由先生稱爲「詩情畫意稱雙絕」，與湘帆先生悼樹人先生詩，亦有「南國紅棉筆一枝」之句，均非諂詞，蓋紀實也。居古泉有姪女曰若文，亦擅長繪事，因於門弟子中擇婿，以樹人最篤實，遂以若文妻之。粵劇中有「閨留學廣」一齣，故事爲同門師兄妹締姻喜劇，時人多以此艷稱之。

民國前八年，歲次癸卯、甲辰間，革命思潮風起雲湧。時樹人在粵，瀏覽香港「中國日報」及各種革命圖書，漸傾向革命排滿之說。聞中國日報記者鄭貫公名，往訪之，一見如故。時貫公方計劃另創「廣東日報」，約樹人任撰述。慨然應允。該報於乙巳春出版，樹人的「猛進」筆名，亦自此始。時貫公以駐日本通訊事委托中國日報記者馮自由，陳、馮文字往返，從此時漸多。

廣東日報出版半載，以財力不繼停刊。貫公復與樹人合創「有所謂小日報」，於乙巳年秋出版，號稱唯一趣報，莊諧並茂，風行一時。香港華人之傾向革命運動，以是大盛。同年八月，馮自由赴香港，組織香港、廣州、澳門等處同盟會，樹人以鄭貫公之介，率先加盟。是歲其長女公子美魂出生廣州。樹人在「有所謂」論文下，署名曰「美魂女士」，以爲紀念。適其友陳垣過訪（陳垣任北平輔仁大學校長，現已投靠中共，聞已被清算中），叩以誰爲美魂女士，樹人笑曰：「君欲余介紹乎？」旋抱襁褓小女嬰出曰：「此即美魂女士也」！相與大笑不已。

民國前六年，歲次丙午夏，鄭貫公以疫卒於羊城，「有所謂報」因而停刊。樹人乃與劉思復、謝英伯等另創「東方日報」，重張旗鼓，銷路不減於前。後亦因經濟不繼而停刊。於是樹人東渡求學，專心東方藝術，繪畫天才益加進步，博得日本當時各畫家讚美。辛亥春夏間，廣州革命性報紙紛起，革命黨人潘達微、鄧慕韓等創刊「平民日報」，附以畫刊。樹人即在日本担任該報通訊，爲革命宣傳，盡力不少。

（一）

讀林覺民烈士書札

·莫可非·

（三）

辛亥以後，起了一次文化革命，把孔子從祭壇上摔下來，文化殿堂中，穿插着達爾文、尼采、黑格爾、叔本華、莎士比亞、易卜生這些人，跟着馬克斯和列甯也給請進來了。於是有人主張焚掉綫裝書，也有人主張廢除方塊字。我們原來的人文主義被鄙薄了，代以一套唯物論，和一套並不正確的民主見解，在當時，這種摧陷廓清的工夫，似乎做得十分澈底。後來日本人打來了，西方輸入的文化武器，似乎並不中用，八個年頭支持艱苦歲月的精神力量，似乎仍然是曾經鄙薄過的『保家衛國』的鄉土觀念，和『非我族類，其心必異』的民族意識。

（四）

共產黨瞄準了這一點，於是披上了民族主義外衣，手上拿着的，却正是我們先前所拋掉的一把標槍。仔細看看，那把標槍，對準自己進攻的，也許就是自己的兒女或學生。于是尼采哲學，易卜生主義，連同太上感應篇，文昌帝君寶經，以至於天地君親師的木主，釘在十字架上的耶穌基督聖像，都只好全部繳械，挾起屁股逃跑出來。田園家室沒有了，『國破家亡』，這一點可歌可泣的事跡也抓不着，十足『茫茫若喪家之犬，急急如漏網之魚』。最壞的，還想湊台舞劇本，終於都寂然了。組織幫會，擁護某派某人，印些專員縣長的委狀去騙錢。上焉者也不過寫「×鄉血淚」，「大陸見聞」，「鬥爭××年」；或刊幾幅「地主被公審」，「殺頭」，「吃辣椒水」的照片。這些到底搔不着癢處，這就看到我們既沒有纏綿悱惻的深情也沒有慷慨赴義的勇氣。於是大陸上便有人高唱：『史太林爸爸，永恒的太陽，不朽的鋼』了。

（五）

現在的國文教科書，上面說的林覺民寄妻書，最纏綿那一段被編輯的人删去了。也許以爲必須這樣，纔够嚴肅。其實他不知道：『十年浮海一身輕，歸對梨渦尚有情』的胡銓，偏是敢於上書請斬秦檜的硬漢。我以爲林覺民之所以能完成完全的革命人格，慷慨赴義，就在於他能纏綿。我更覺得反共抗俄的人物所需要的氣質，仍然是辛亥革命人物的氣質。

孫中山先生，民國元年弔劉道一烈士詩，也有『尚餘遺孽艱難甚，誰與斯人慷慨同』之句。前賢往矣，法式猶存。我們如果肯回頭認識我們的傳統精神，覺悟以往的錯誤，我們是終能復興起來的。

（下）

日本的豪華遊客

日本的外來遊客，一向是它外匯收入的主要來源，甚至超過其紡織業的輸出總數。在本月中，日本的旅行局官員更帶着特殊笑容，歡迎一批從美國來的豪華遊客。他們所乘的郵船「卡羅尼亞」號，也特別華貴，票價最低需二千七百五十美元，最貴的達二萬九千元之鉅，在太平洋共旅行九十九天，分訪遠東各名勝。這批遊客在神戶東京登岸，差不多有百分九十五是全付精力用於爭購紀念品，祇剩百分之五去遊覽風景，他們所到之處，有一輛卡車跟着，專載他們所買的貨物，各大百貨公司的名貴禮品，愈貴愈賣得快，結果就是這一批五百人，竟使日本得到了三十萬美元。（知之）

我們的生活

逃出俄特魔掌後

·林芬譯·

過去六年內，我們曾搬過三次家，艾戈爾覺得最好不要在一個地方住得太久。

我們曾經兩次更換假名，但是現在我們不可能再改名換姓了，因爲我們的孩子已經漸漸的長大了，我們是很難向他們解釋新姓名的。

我們現在已不再憂慮了，因爲我們已在危險中渡過了一段長的時期，我覺得如果蘇聯的特務不能在一九四五年的秋天——那個神經緊張的月份裏發現我們，他們以後便無法提到我們了。

當其艾戈爾將秘密文件藏在身上逃出蘇聯大使館時，那時我們會生活於緊張之中。大使館官員知道了艾戈爾重要文件失蹤了，但不知他轉向到加拿大或到美國，他們本希望在他未與人接洽之前尋到他，但是未能成功。蘇聯大使館的頭一夜，特務們擁入我們住的阿太華·索門威斯街的寓房門，大事搜索。艾戈爾同我與孩子都藏在對面一個鄰舍裏。第二日晨，加拿大參議院已開始傾聽我丈夫的敘述與研究這些重要文件了。在文件裏，得知鈾的樣品已經從美國化驗室偷出送到莫斯科去了，而正在爲原子彈工作的一個高級科學家張南倫麥博士並已將製造計劃詳細的報告與俄國了。後來麥博士供認了，並已在英國判以監禁。從他的案情中，又引用格羅斯卑其斯以及盧森堡夫婦的案子。

證明了我丈夫所說的都是眞實的以後，加拿大政府立刻竭一切能力將我們三人保護起來，不使人們發現。但是我們還是完全生活在自由之中，雖然我們是受着小心的保護的。加拿大政府沒有限制我們的社交活動，我們在假名姓之下一樣的同朋友往來，我們旅行加拿大任何地方。我們在加拿大已够快樂了，並未去過美國，這並不是禁止我們前往美國，而是艾戈爾自己不願引起麻煩。

艾戈爾花費了四年的時間，寫了一本關於蘇聯生活情形的小說，書名叫「大力神的墮落」，不久就將在美、加、英三國同時出版。如果我們的朋友早已知道艾戈爾的眞名印行，他們定會以他所作的書來找尋高森科這個人。但是他們至今只知道他在家裏工作，並且想像他是一個工業設計家。

民主制度對於我們是很好的，二十世紀霍士影片公司會因使用他的故事「鐵幕」作影片材料，而報酬了艾戈爾的版權稅七萬五千元美金。四海雜誌又曾給他稿費五萬元美金。此外我們還有按月一百美元的退休金。就這樣我們成爲加拿大的自由公民，我們現在在加拿大住的一所簡單的房子比之在俄國所的住，可以算作皇宮了。

當其我回想蘇俄時，我總懷念在海參威碼頭上的一個老年人對我們所說的話，那時我們正待船向國外出發，我們都很高興。

『我曾經看見許多俄國人像你們一樣向美國去了又回來。』他向我說，『你現在是高興得笑嘻嘻的，但是你回來以後，你就會哭的啊。』

現在我更了解他的話的意義了。

（譯自讀者文摘）

（下）

中華民國僑務委員會頒發登記證台僑新字第一零二號
中華民國郵政登記第一類新聞紙類

自由人

THE FREEMAN

（半週刊每星期三六出版）
（第三二九期）
每份港幣壹毫

督印人：雷嘉獻
社址：香港高士威道二十二號四樓
20 CAUSEWAY RD
3 rd. fl.
HONG KONG
香港發行事務接洽處：高士打道六十六號
電話：七四〇五三
承印者：東南印務出版社
地址：高士打道六十四號
台灣特派員辦事處：台北市館前街五十號
台灣總經銷處：台北中華路一九四號之一
台郵政儲金戶九二二

從麥卡錫說到欒盈

・陳伯莊・

麥卡錫已引起美國人的討厭，這教訓是值得注意的。政治家應重視輿情的擺動轉向，輿論的反應需要時間，國民革命能以武力消滅人民厭惡的對象，故得人民的擁護。

麥卡錫走下坡道

站在自由世界方面，反共尤其有勢的，反共當然是重要的。然而麥卡錫的反共如世所知乃別有用心之舉，是政客攫取民衆同情來增加自己政治資本之舉。當一九五〇年以前共產黨，共產黨同路人，及類似共產黨同路人等等鬼影幢幢於杜魯門馬歇爾艾其遜的樞府之際，麥卡錫如春雷動蟄，雅的把鬼影打散，確有摧陷廓清之功。然而這位阿JOE越來越得意忘形，在其紅運初走之時，祇有英國輿論加以抨擊；到於今，據美國朋友說，連他維斯康辛本州的輿情已多有討厭阿JOE的了。顯然地，阿JOE的政客流年已到了下坡道。

馬歇爾，司徒雷登兩人，略跡原心，總不失為好人。然而眼光見識太不够了，總是知其一不知其二，見其近不見其遠，執其偏而顧其全，而演亘於胸中的，又一則有不平之氣，一則有自恃之蔽，幢幢鬼影乃得乘虛而肆虐，無意做秦檜，而結果做了秦檜。

然而我所要說並不在此。而在何以當時美國輿情對這些幢幢鬼影，居然見鬼不當他是鬼，至少也是無視無覺，一到一九五〇年，麥卡錫大賣花鎗之時，一轉而動輒相驚以伯有，到於今，又有些討厭麥卡錫，看穿他是職業妖道，動輒拿鬼來嚇人，久而久之，恐怕會由厭惡而轉入另一種偏激，妖道倒霉本不足惜，怕的是凡打鬼的都斥為妖道，到這時鬼豈不要再度得其所哉了嗎？

政治家勿忽輿情轉向

麥卡錫的教訓是很值得注意的，凡事一經過份過火，而其中又帶有別有用心的成份，是會引起反感，不但會失去輿情，而且更會使得輿情轉向的。說到輿情轉向這一點，卻是政治家所要注意的事。例如民主自由本來是好的，而抗戰時期，民盟份子盡量利用民主自由的大招牌來爭取政治資本，而又暗中依仗共產黨來壓迫國民黨，結果羅隆基等乾脆向毛朝稱臣，無恥之極，利用了民主自由，因而致令一部份反共人士連提倡民主自由都加以反對，斥為替共產黨再造機會的了。

政治總勢是有點像鐘擺一樣的。擺向一邊，不到極點，不會轉向。這是有其在人類心理上的根據的，古來所說的「人心思亂」，「亂極思治」，「否極泰來」，都是這心理的註腳。然而人們犧牲，就在這擺來擺去的過程中够受了。

反應需要時間

政治家似乎應該十分注意到輿情的循環擺動，同時還要注意到反應需要時間。甚麼叫反應需要時間呢？說得明白不過的，莫如左傳晉士鞅被欒黶所迫奔秦，秦伯問士鞅對欒氏前途一段議論了。茲照抄如次。「秦伯問於士鞅曰，晉大夫其誰先亡？對曰，其欒氏乎！秦伯曰，以其汰乎？對曰，然，欒黶汰虐已甚，猶可以免，其在盈乎？秦伯曰，何故？

（下轉第二版）

如此圍堵

—陶天翼—

十國公約

防洪大堤

中日韓

看越戰的經濟面

・林長林・

農民經濟狀況

越南出產的米糧和橡膠，不論怎樣豐富，但越南人的生活，卻常處於饑餓的邊沿。越南全人口百分之九十是農民，這廣大的農民竟所擁有的土地，僅佔可耕地百分之八而已。在人口稠密的東京區，農民所得耕地不及一畝的，佔有百分之六十一・六，其餘百分之三十強，亦祇有四畝半。在寮國，所得耕地少過兩畝半的農民，佔四分之三，其餘四分一則有十二畝左右，情形較好。高棉境內，貧無立錐的農民，至少佔三分之一，整個產米區，給地主控制過半。農民雖亦有耕地至二十五畝之多的，但須支付百分之五十以上的地租。農村經濟建築在這樣脆弱的基礎上，想動員農民的力量，來反抗共產主義的侵入，自然是一個吃力不討好的事情。

百分之百的高利貸

土地分配的狀態，已基本地決定農民的命運，而陷越民於窮苦的深淵者，還有高利貸在作祟。在東京地區內，無論手工業或外僑，都知道籍高利貸致富比從事任何企業為易，每年在青黃不接時，農民便到城市來舉債。償還期如果是以一造計，利息由百分之三十至六十，如以年計，往往高達百分之百。在高棉，則高利貸是連環性的發展：耕農向地主舉債，地主則向大商人揭注；散工向工頭借款，工頭則向屋主周轉；漁民向魚販預借，魚販又求漁市場的商人通融。大家都在債權債務的圈子內打滾。甚至官員也常向富戶地主借錢。而在寮國，許多商人慣常放出六個月至八個月的貸款給農民，利息也竟是百分之百，到期不能償債，債務人或其家人子女淪為奴隸。儘管世界其他地區，高利貸早已被人視為非法和不人道的行徑，這是不足為怪的。

這種不合理現象，就是孕育胡志明的反動力量之主因。一般人只見北越東之連天烽火，不知胡志明對越南的經濟戰和宣傳戰，早已短兵相接。自一九四五年以來，胡志明的勢力所以像雪球一樣，愈滾愈大，中共的「大力支援」外，其最引人注意的口號——「二五減租和取銷高利貸」的運動，亦收莫大的效果。他們力量所及的地方，實施減租運動，不遺餘力推行。就是赤化未及的地方，這兩個運動的民衆也存嚮往之心，這是現實生活使然，初無關主義的優劣。

保大的經濟改革

保大政府之重建，是在胡志明興起之後，除了軍事的防禦外，以內政的革新和胡志明對抗，是他主要的任務。他能够達成任務嗎？前年他曾阻遏共產勢力的蔓延，曾計劃在經濟戰上給胡志明以一個有力的打擊。所以宣布了一個包括政治、經濟、社會的改革綱領。現且將其關經濟和社會兩方面引述如下：

一是計劃建立民族性的大企業，歡迎法國和其他友邦的援助；二是加強開發出產米，茶，橡膠地區的資源，關於開發資源說來有難以令人置信的，整個越南三邦，目前還有百分之五十七的土地，仍在原始森林蔭蔽下，三十多，這是法國長期統治的結果。

在社會改革方面，重點是在農民生活條件之改善，採取的步驟：（一）是重建新式的農村，（二）是在保障農戶的所有權之前提下，實行土地改革，（三）經過法律手續，解除農民在債務上的負累，並實行普遍的農貸。這些自然是當務之急，只是一隅一點。

一九五三年六月，保大才簽署一個土地改革的基本方案，其要旨如下：（一）准許在土地上耕作三年以上的農民，對該土地有臨時的所有權。（二）實行限田制度，規定地主所有土地的最高額，在北部中折為一百一十畝，南部為二百五十畝，（三）把所有公地發放與農民領耕，並規定軍人家屬佔有優先權利，（四）規定最高額地租不得超過收穫量百分之十五。這進步的土地改革方案，實行起來，自然能給越南畫出一幅燦爛的遠景，可是在越盟統治下的農民，也望之嚮往，越國政府也在極力壓抑高利貸的發展，並打擊壟斷農產品之投機買賣。

現已局部的建立起政府的農貸制度，農民可按其土地價值之三分一的限度內，向政府要求貸款，利息只是八厘。這些都是針對共黨的經濟宣傳戰發出來的還擊。

改革成效令人喪氣

但九個多月來，保大政府，已實行了多少呢？換句話說，越南的農民，工人和漁民的生活改善了多少呢？只是一個令人喪氣的答案。據西方記者的考察，只見有地方農業改良機構，職務只限於農業智識之傳播，且其中人員所知的，也有限得很。而寮國所實行的農貸制度，也僅選擇幾個地區作為示範，財政的能力，尚難容許她普遍的推行。

這自然是因為各國政府太窮了，而有關國家也只集中注意力於熱戰場上，而忽略了作戰原動力的培養，就是美國在這方面，所做的也太少了。除了直接作戰用的武器外，年來美國援越的成績，彰彰在人耳目者，是海防電力廠的改建，西貢機場的擴大，和有關軍運的鐵路器材之補充，其他有關民生事業的推進，還未感興趣呢！法國更不用說了。

所以在經濟作戰上，越南三邦政府，雖明知非謀政治經濟之根本革新，雖期對共黨作有效的反攻，但形格勢禁，空言多於實踐，迄未能把人民生活作切實的改進。如果軍事的勝敗，是取決於民心與經濟的話，我們實為越南三邦的前途危！（摘譯現代史料）

半週展望

・東　旭・

美國受考驗了

日內瓦會議居然開幕了。杜爾斯宣佈的美國外交政策，而臨到考驗了。美國是不是以承認中共的代價去購買危險的印支和平呢？美國會不會順從法國及若干歐洲盟邦屈服於蘇聯集團提出的休戰建議，而讓共黨鋪下一條以政治控制整個印支的道路？杜爾斯是否堅持他的一項聲明立場，即北平政權的代表到日內瓦絕非接受光榮的尊重，而是在世界輿論法庭前說明在韓國及印支等地協助侵略的行為？

假使能堅持原定自己的主張，則蘇聯集團便無法施其伎倆。英法亦不敢與美國離異。誰都知道越南戰爭純屬政治的意味，使法國受窘而分化西方陣綫，苟西方三強不惜聯合起來與共黨集團一戰，則克姆林宮的詭計完全被粉碎是毫無疑義的。

蘇聯的重工業與軍火工業已壓迫到人民不能忍耐的程度，米高揚發出農業與消耗品工業增產的諾言，亦毫無兌現的辦法。這都是有確實報道的事實。駐蘇聯任通訊員凡六年的萊翁斯亦詳述蘇聯國內人民已成了自由世界的秘密盟友。假使美國還未握有氫彈的王牌，克姆林宮的惡魔亦不敢全面大打，是可斷言的。他們祇能以小規模半熱半冷戰來孤立美國，中共和越盟，北韓，就是蘇聯作小規模半熱半冷戰的賭本。自由世界必須以不惜攤牌的勇氣，去對付蘇聯。如果心存苟安作「有限的戰爭」則正中敵人之計。

要有攤牌決心

挽救越南不必在越南死纏。如向北韓與華南進攻，則不但越南之圍可解，中共政權亦迅速崩潰。中共政權不崩潰東亞無眞正的和平。蘇聯政權不崩潰世界永無眞正的和平。與其給國際大騙子打嘛醉針逐部分割，不如聯合同施壓力，令共黨侵略集團粉碎。

今天美國不必怕人指責破壞世界和平，應大聲疾呼為世界眞正永久和平而「戰」。鐵幕內外二十餘億人民心目中誰是破壞和平者已心裏有數。斷不容許外交界少數苟安份子所牽掣，而不能發揮其解放政策。杜爾斯在日內瓦應喚起日內瓦會議去注意美國政府的報導，即中共要負自一九四九年後一千五百萬中國人民被清算的罪行，以及蘇聯在鐵幕內奴役人民的罪行。

有此不惜大攤牌的決心，才能採取主動。越戰並不重要，越南不隨着共黨指定地區來作挨打的戰爭。為什麼呢？因主動在我。我可以封鎖中國大陸，我可以轟炸中共主要交通綫，可以華南登陸，華東登陸，進攻北韓。為什麼不以其人之道還治其身呢？

馬林柯夫吹口哨

其實蘇聯最懼怕解放鐵幕奴役的戰爭。自由世界一旦團結起來一致，鐵幕必破碎。目前請聽馬林柯夫在二十六日的演說。他道：如果西方使用原子彈將促使資本主義滅亡。促使資本主義滅亡是馬林柯夫日夜禱告祈求而不得的願望。為什麼反勸西方不用原子彈呢？足見克姆林宮中的惡魔已經在「彈指」了。馬林柯夫又強調法蘇及英蘇公約的重要。蘇聯一向視公約如廢紙，隨時可以撕毀。德蘇協定可為明證。現在為什麼又說重視對英法的公約呢？窺其用意係因投懼自由世界之聯合團結，欲假藉英蘇與法蘇公約實施「歐洲門羅主義」排斥美國於門外。其用心誠狠毒。但其計必不售。稍明瞭國際關係的人早已看清了。為什麼他竟口不擇言，宣說出來呢？正表示其內心的彷徨罷了。

艾森豪威爾總統與杜爾斯國務卿必須以大仁大智大勇去幹。不但無償事之虞。而且必然成功。

予抗議者以抗議

——致陳伯莊先生的公開信——

·彭楚珩·

伯莊先生：

讀自由人四月七日『一個抗議』的大作以後，一方面極佩高明，不同凡響。可是另一方面，還是要提出我的一個反抗議來。

（一）

我寫那篇『一個微字籤戰的止戰論』的時候，根本就沒有想攻擊羅、應兩位的意思，而所舉的史例，也都是一些史實，比如王次仲作書以不應秦始皇之召，而劉向稱其『成仙以去』。程邈在雲陽獄中作隸書，也曾見之史乘。王次仲成仙不成仙，不是神話，就是托詞，如以此而目為對羅先生的攻擊的話，實不敢承。至於程邈，因於雲陽，為時十年，始成隸字。就今日的時候而言，就今日的國事而言，就今日羅先生的地位而言，都不會有此漫長的時間，以完成這非短時期所能完成的不急之務。而有其更重大的責任，等待他去達成的；我對於他個人是這個期望，即於立法院。[illegible]

[illegible]

只講不攻擊個人，我認為是片面之論。但是，我還得要聲明一句：這次討論簡體字問題的其人其事，都不是壞人壞事，所以我不用攻擊，因而也沒有攻擊。

（三）

陳先生！請你原諒我，我確實是一股熱枕，為着國事而發議論。我致意的：絕對地是就事論事，絕對地沒有存心要攻擊某一個人，在我那篇『簡體字筆戰的止戰論』文裏，我並沒有反對簡體字的意思，也並沒有像你那『一個抗議』的文裏，『那些『偽皮』『缺德』，『眞自由眞民主的敵人』的字眼和語句，實在不好說，只有我是在攻擊個人，而你就沒有攻擊個人了。最後，我要說的是：你我的互相抗議，都是善意的。我尤其相信：這一場小小的筆墨官司，或許成了我們之間文字因緣吧！臨了，祝你健康！（四月九日寄自台北）

答彭楚珩

·陳伯莊·

楚珩先生：自由人編者要我把答復先生的反抗議，一齊發表，我一面謝謝自由人編者給我這答復機會，一面要向先生道歉。我雖然於「一個抗議」文內特別說『我請求彭王兩先生了解，這段說是對「社會覺許」試作初步分析，根本不是批評兩先生攻擊羅先生的議論。』然而先生還是不容賜教，可見我文章做得不清楚，我承認錯誤，向你道歉。

先生說：「而所謂不攻擊個人之論，還是後天的磨練，」這是金石之言謹受教。

還請先生注意我原文，我並不是無條件的反對攻擊個人。我明明說：「攻擊個人自由是要珍視的，如傅斯年先生那年攻擊行政院長宋子文先生那類文字，但對討論問題，而牽涉到攻擊對方個人是不對的。」所以我不反對你做一篇專以攻擊羅家倫先生為論題的文章，我祇反對你於駁他主張簡體字的論文中，夾着攻擊他個人的議論。

劉戡將軍殉國六週年

·胡靄如·

（一）

前三十七集團軍總司令劉戡將軍以民國卅七年三月一日，殉難於陝北宜川。迄今已經六週年了。[illegible]

（二）

[illegible]

」相持至下午一時左右，彈藥消耗將盡，敵攻益急，於是率殘餘部衆向敵東側猛烈衝擊，突進約四百公尺，至一小山林中。此時部屬，僅餘十數人，敵跟蹤圍擊，勢如潮湧。劉將軍自知不免，乃以手榴彈自戕，一代英傑，從此捐軀報國，實踐了「革命軍人不成功便成仁」的訓誡。

（三）

劉將軍殉難後，以國內情勢日非，追掉及表揚之事，迄未舉行。四十一年三月台灣友好，始為之發起追悼會，藉慰忠魂，當時蔣總統頒以「精忠永念」輓詞，各界輓詞甚多，行政院陳誠院長的輓聯有句云：蟠賊躪中原，力戰責中方掃蕩；龍沙餘敵壘，殊勳青史自榮光。更足以表揚劉將軍壯烈犧牲，赤忠愛國精神。劉將軍殉職已經六年了，當此反攻復國大業尚未完成之際，緬懷先烈，能不令人興大風思猛士之心乎！

人物·述評

三巨頭將有新聯絡辦法

美國的「立即報復」政策據說已秘密獲得英法兩國的同意，這個新政策的重點是，如果共黨再作進一步的侵略，盟國即動員陸海空軍——尤着重原子武器——予以最嚴厲的報復，為了能「立即」予以報復，三國間得以迅速磋商，乃成了實行此一政策的前提，現在盟國的工程師正在設計一種最新式的通訊方法，以便一旦共黨發動進一步侵略時，艾森豪總統，邱吉爾首相和蘭尼總理可以立刻商量大舉報復的方式。

俄將坐視美進攻中共

蘇俄的共黨機關報「眞理報」現在正集中全力，大事抨擊美國，它們一方面陰圖分裂美法；另方面則以最惡毒的詞句，指責美國企圖進攻中共。但據美國研究蘇俄宣傳手法的專家們說，這些俄國的宣傳中，有一個很重要的漏洞，這個漏洞極重要，一向極端僅慎的俄國宣傳家是不應也不會予以忽略的。因此，美國的專家認為，這個漏洞可能正表示着俄國的重要決策。他們注意到蘇俄雖極力宣傳美國謀進攻中共，但對一旦美國進攻中共時，俄國將採取怎樣的行動卻一字不提，因而美國專家們相信，至少目前俄國不預備干預美國和中共間的戰事，如果美國現時進攻中國大陸，雖然蘇俄和中共間簽訂有「共同防衛條約」，但俄國袖手旁觀的成份仍會居多。

杜卿歐行前的一段波折

對於新聞的發佈，美國務卿杜爾斯一向是維持「門戶開放」政策的，但前不久他為了促進「聯合行動」而前往倫敦及巴黎的旅行，事先竟無半點風聲透露出來，當時駐華府的美國及其他國家記者都不明內中的道理，到現在內幕揭露開來，纔知道完全是法國玩出來的把戲。原來杜爾斯本計劃在四月八日那天，將他旅行倫敦及巴黎的計劃向外宣佈，但法國政府卻反對此舉，蘭尼總理要求在向外宣佈之前，有時間和國民議會講商杜卿往訪英法的事情，他並警告美駐法大使說，過早宣佈可能會傾覆他的政府，美國務院終於同意了蘭尼的要求，對杜卿歐洲之行的打算嚴密保持秘密，但後來杜爾斯行將訪歐的新聞，還是被法報紙首先透露出來了，而時間且在蘭尼向國民議會演說之前哩。

原子彈照片即將發表

美國原子能委員會計劃在短期內將早期原子彈模型的照片和圖表向外公佈，委員會這次舉措，來得有點突兀，據說，美國情報當局接獲報告，共黨破壞份子可能將小型原子彈偷運入美。此項機密報告轉知原子能委員會後，委員會幾經考慮，乃有公佈照片的計劃，其目的係希望藉此幫助警察及情報人員辨認原子彈，以便遇有上述情事發生時，能立刻採取有效措置。（孟衡）

從麥卡錫說到欒盈

（上接第一版）

對曰，武子之德在民，如周人之思召公焉；愛其甘棠，況其子乎。欒黶死，盈之善未能及人，武子之所施沒矣；而黶之怨實章，將於是乎在。」

變是事理之常，政治轉變之機息，則在輿情的開始轉向。多若寒而恐燠之時，則忘卻酷熱之苦；夏若熱而恐燠之時，忘卻奇寒之苦：人性總是這樣重視當前，而忽視將來的。人性如此，輿情自然亦如此。

反感一起，即為轉向的開始，由厭倦而進於厭棄，厭惡，棄祇消極，惡便引起積極反抗；所以成為厭倦的對象，結果便可能成為被革命的對象。例如民二國會初開到民十二曹錕賄選，人們對英美式共和民主法治理想的試驗失敗，在火熱水深中，轉到裁兵，和平統一，好人政府，聯省自治等等治標而不治本的幻想，於是一反英美理想的以黨建國的國民革命得以勃興。假如在民元二個導以黨建國，輿情是不會接受的。國民革命是以其武力能消滅人們所最厭惡的對象——北洋軍閥，而獲得支持的。如祇倡導以黨建國，而武力卻不能打出長江，反顧的情形便不同了。從憲法，記憶猶新，卅五須析述，從這數十年的政治史看來，和反應呈鐘擺之象，輿情需要時間；這兩現象也是很顯明的。「夜長夢何時旦」，祇是情感的吶喊，歷史事實沒有這回事，所以希望在此云云，「吾欲云云，吾欲之時，仍祇是主觀的企望，所當做夢的在此。「青山一髮是中原」，因此，從麥卡錫說到欒盈。

編者　讀者

[illegible]

△讀者來函▽

[illegible]

讀史評述（四）

——續讀通鑑論

·毛以亨·

亡秦者奴

奴工爲何以必反

秦以前，漢以後，均有奴隸制度，然徭役未有如是之重，其集團人數亦無如是動輒數十萬人之多。有之祗有今日共產黨之中國，導淮也，東北西北之遷移，與工業興建也，較秦長城之役，咸陽南越之徙，與阿房驪山之徒，有過之無不及。今日之所謂勞動改造，即始皇時之適戍之意。至二世時，則進而使一般百姓都要服役，更像今日之大批徵募了。奴工爲秦時之最大階級，而充滿了當時整個世界，世界亦不久爲奴工們所有，是即所謂漢朝。

奴工們非力竭而死，是不能獲得翻身的，其管理之嚴密，組織之層次井然，實無異于軍隊。郡有守，縣有令，鄉亭有長，逃役是不易的。徵集以後，直接管奴工者有工頭，工頭以上有校尉，逃避更不易了。奴工們逼自己性命都難保，要想造反，豈非笑話？不特二世與趙高沒有料到，亦豈一般人所能料到？然而逼人到死亡邊上去，困獸猶鬥，總會逼出禍來的。

官吏們賴工頭以控制奴工，然工頭與奴工總是同其命運與利害的，因爲做得好，大家固相安無事，不好則工頭負其責任而一併處死。政府本意，祗要養住工頭，就可控制住奴工，而不管奴工之死活。然而等到逼工頭也養不起之日，也祗好一併視如奴工，於是工頭與奴工相結合，爲救死而造反。猶之今日中共，祗知養共幹與軍隊，不惜壓搾老百姓，然必有逼共幹與軍隊都養不起之日，共幹必然造反，共黨的理論，亦不比秦法高明多少。

工頭必用種種方法以控制與敷衍奴工，否則帶不住奴工，自己即犯罪了。然亦決沒有不犯罪的工頭，所以往往勾結胥吏，藉其曲解秦法，以爲之開脫，而胥吏亦與險相結納，以免出了。故奴工，工頭，胥吏，常相結納，以對付官吏，而圖自保。朝廷的法令，至縣而止，縣以下即爲他們三種人的世界，守令與下情，是扞格而始終通不了的。

奴工領袖的性格

造反的陳涉，項梁，劉季，皆是工頭，而帶奴工們造反，其餘各小股，如齊之田儋，趙之張耳陳餘，亦悉如此。但是會稽守殷通，要使項梁約桓楚造反，項梁即不放心他，非乘機殺了殷通之後再造反不可。沛令亦約劉季造反，劉季則祗與其掾吏蕭何，曹參相勾結，令殺沛令，再造反。初起時，項羽固以屠城著名，即劉季亦多殺戮，皆不敢與守吏妥協。等到局面大了，陳涉用傭人，始知受降有好處，劉季先受宛令之降，項羽亦受章邯之降。

我不贊成范文瀾農民大革命的說法，因爲這明明是奴工的革命。這不是農業的歉收，或饑荒，或任何農業上之原因而造成。所苦的是徭役的奇重，而其勵機，祗是爲逃死刑而拚命。我更不贊成他的職業分類，如說張良是貴族，陳平是游士，蕭何曹參是縣吏，任敖是牢頭，樊噲是屠狗，周勃是吹鼓手，灌嬰是布販，婁敬是車夫，韓信是流氓，彭越是強盜。又說陳涉是貧農，劉邦是中農，項羽是貴族，這些都是討過去的身份來說。而其現在的地位，則皆爲奴工，與賀閒的人們。且其任務，亦多轉變，而非本業，縣吏曹參可以爲大將，身被七十餘創，車夫婁敬可以搖身一變爲儒士。

奴工造反的方法

試看這些人如何造反法？二世元年七月（二〇九B。C）陽城人（今河南登封）陳涉，陽夏人（今太康）吳廣首先起義。史記陳涉世家謂『發閭左（按左邊爲窮人所居）適戍漁陽（密雲縣南十八里），九百人屯大澤鄉（沛郡蘄縣），陳勝，吳廣皆次當行，爲屯長。會天大雨，道不通，度已失期，失期法皆斬。陳勝吳廣乃謀曰，今亡亦死，舉大計亦死，等死，死國可乎？……今誠以吾衆，詐自稱公子扶蘇項燕，爲天下唱，宜多應者，吳廣以爲然。乃行卜，卜者知其指意，曰，足下事皆有成功，然足下卜之鬼乎？陳涉吳廣喜念鬼曰，此教我先威衆耳。乃丹書帛曰，陳勝王，置人所罾魚腹中，卒買魚烹食，得魚腹中書，固以怪之矣。又間吳廣之次所旁叢祠中，夜篝火狐鳴，呼曰，大楚興，陳勝王，卒皆夜驚恐，旦日卒中往往語，皆指目陳勝。吳廣素愛人，士卒多爲用者。將尉醉，廣故數言欲亡，忿恚尉，令辱之，以激怒其衆。尉果笞廣，尉劍挺，廣起奪而殺尉，陳勝佐之，並殺兩尉。召令徒屬曰，公等遇雨，皆已失期，失期當斬，藉第令毋斬，而戍死者固十六七。且壯士不死即已，死即舉大名耳，王侯將相寧有種乎？徒屬皆曰，敬受命，乃詐稱公子扶蘇，項燕，從民欲也，袒右，稱大楚，爲壇而盟，祭以尉首，陳勝自立爲將軍，吳廣爲都尉，……行收兵，北至陳，車六七百乘，騎千餘，卒數萬人，……陳涉乃立爲王，號爲張楚。乃以吳叔爲假王，監諸將，以西擊滎陽，令陳人武臣張耳，陳餘徇趙地，……魏人周市徇魏，……周文……西擊，行收兵至關，車千乘，卒數十萬，至戲軍焉。秦令少府章邯，免酈山徒人，奴產子，悉發以擊楚大軍，盡敗之。……臘月（十二月）……其御莊賈殺以降秦。』陳涉凡五個月而亡，然繼起之勢，已莫能遏了。（上）

讀者論壇

文·化·界：應做消毒工作

·稽山·

（一）

幾年來，中共在大陸上的倒行逆施，人民遭受暴政的痛苦，已屬有目共覩，毋待辭費的了。

然而此時此地少數知識份子，還假借言論自由的招牌，忽視現實，有意巧妙地爲中共的統治者張目。

這些人或盜用民主自由的名義，或則假造其他口實如「觀變主義」之類，以暗惑當世，甚或沾沾自喜，引春秋戰國百家爭鳴以自況。這豈不是讀書人的悲哀，知識份子的沒落嗎？

（二）

稍爲知道共黨實情的人，大抵總明白知識份子在他們唯物論者心目中，實狗彘之不如。列寧早說過：「卑污的兒狠的貪慾，寄食者的奴隸性，這就是現代知識份子的社會基礎。」根據這位「革命祖師」的論斷，十月革命後俄國知識份子，便遭受了空前的浩劫，「解放」後的中國知識份子，自然也不能例外。對智識份子的「改造」，「批評」，「坦白」，「自我批評」，不啻是侮蔑，污辱，的代名詞。學人如馮友蘭，朱光潛，潘光旦……等，誰能逃過唾面自乾的凌辱和虐待！

人格受了侮辱，精神慘遭酷刑，不但沒有呻吟太息的餘地，而且還要自己捏造許多莫須有的罪狀，痛斥自己。這種自摑面頰的阿Q精神，不圖竟普遍見諸鐵幕內飽讀詩書的中國知識分子之中。是他們甘心如此嗎！他們情願毀棄個人的起碼尊嚴俯首受辱嗎！

（三）

我們必須清楚共產黨是知識份子的唯一敵人，任何人可以不反對共產黨，知識份子決不能容忍共產黨的存在。

在這涇渭分明，是非大白的現在，除了甘爲共黨利用的虎倀之外，我認爲知識分子——尤其是文化界的知識分子，實在不該讓那些假借「自由民主」，爲敵張目的敗類，再作歪曲眞理顚倒是非的荒謬言論！也就是說，我們應該在文化界切實展開消毒的工作。

農夫的孩子

原著：L.I.WILDER　譯者：趙唐理　出版：華國出版社

·羅自芳·

（一）

本書主要的描寫對象，是幾個孩子，這些孩子生長在一個快樂的農家之中。然而請莫除掉描寫童變的天性之外，更側重關於生產服務的鼓勵和兒童自治自覺的教訓。

本書描寫美國北方靠近聖羅倫斯河的地方。那裏一到秋末冬初，便成了冰雪漫天的世界了。在氣候苦寒的環境中，每個人都要具備刻苦奮鬥的精神，才能解決他們自身的生活。

作者對于農家生活熟悉，對各種農事技術富有經驗，所以他的敘述安排，頭頭是道，恰如其分，毫無勉強湊合的地方，使人讀後發生親切之感。和若干對農村生活並不熟習的作者寫出來的農家景況，大不相同。

農人們在作物獲得收成的時候，自然是快活的，但一絲一粟，都是經過艱辛困苦的耕耘得來的。所謂「誰知盤中餐，粒粒皆辛苦」便是。而且種瓜得瓜，種豆得豆，一切都是不能倖致的。本書對於這些道理，很巧妙地用暗示的手法襯托出來，並不直接用說教般的態度，予以道破，使讀者耐於尋味。

（二）

書中一貫主旨，可以說是鼓勵人從事「直接生產」，一切要自力更生。因此，在結束的地方，爲了那個做農夫的父親聽了朋友的慫恿，想把自己的幼子送進城裏做學徒時，作者便借着那位母親的口吻，極力抨擊那些社會上寄生的——無論是直接的抑或是間接的人物。她說：「呵，羅謌（她的在學院念書的大兒子）什麼也不學；只要作店主，已經夠壞了！也許他會賺錢，但決不會是像你一樣的那種人。踞蹐別人來求自己的生活，整個他的日子——永遠也不會叫他自己的靈魂是他自己的」。她也不贊成她的學時髦的大女兒伊利沙金的態度。

書裏對兄姊弟妹間互愛合作的描寫，極細膩動人。童稚之間的淘氣爭執，自是難免的，但若能把手足之愛發揮出來，便自然化作一團和氣了。伊利沙金拿做大姐姐的身份，指揮阿爾曼如擦沙鍋子，她的氣焰有點使小弟弟受不過，因而忿然的把擦子拋了過去，摔壞了客廳裏的壁紙，但伊利沙金還未讓阿爾曼知到之前，就不聲不響地把壞紙糊補完好了，一直等到父母回家之後，阿爾曼如正硬着頭皮準備給母親一場痛責，而結果發現壁紙完好如故，絲毫沒有給母親看出破綻。於是他心中委實感激慚愧，對大姐姐敬仰佩服到極地。這短短的一段，對於一般孩子的教訓是很好的，同時還可使人明白，做一個家庭領導者，應該養成怎樣的一種領袖風度。

（三）

當那位父親率領着全家人，爭取于大地未冰凍之前，趕挖馬鈴薯的日子，孩子們露立冷風之下，挨饑抵寒。阿爾曼如藉着父親的許可，向火堆中烤馬鈴薯，乘機躲躲懶，卻不幸給烤熟了的薯爆傷了眼睛，就在這個時候，他覺着良心的驅使，和姐姐愛麗絲讓讓着剩下的那幾馬鈴薯，表現了純眞的天性之發。像這樣的描寫，更是十分動人的。還有一點值得提出說說的：作者爲了強調生產服務的深意，處處鼓勵勞儉樸，謹慎小心的習慣。作者這種思想的根源，跟我們中國一脈相傳的社會傳統，很有共通的地方。所以這種作品，最能適合我國少年閱讀，他們一定會易於領會接受的。

這便是我特別熱心，要把這本書介紹給少年讀者的理由。至於譯筆方面，有些地方未能令人十分滿意，讀起來略有格格難入之感。而校對之不精，也是亟應注意改善的。

三。日。小。評

·旭軍·

所謂「親共影片吃香」

近日港報載稱：美聯社華盛頓訊，美國情報處報告稱，遠東各地製造及放映反西方與親共產影片數目激增，此項增加在東南亞極爲顯著，尤以香港爲甚，三分之二濃厚色彩的影片係親共製片家所拍製。香港影片有誇張的共產宣傳以至巧妙的反西方主題，在許多例子中，影片的反派角色通常扮作美國人云云。

該訊又謂：蘇聯片亦擁有大量觀衆。「蘇聯大馬戲團」放映時是香港最受歡迎的一套影片。

以上的報導已被本港各影院當事人指出不實不盡。祗以一笑置之。在本港放映之俄國片「俄國馬戲團」擁有大量觀衆係事實。但並非因該片之宣傳性。而祗係老幼咸宜的看大鼻子玩把戲而已。凡屬宣傳片不論在廣州或香港都是令人作三日嘔的。

我感覺美國的新聞記者往往過於看重Sensation Lism。我們作新聞記者，雖然不必像極權國家事事以宣傳價值作準繩，不惜歪曲事實以遷就宣傳政策。但起碼要顧及眞實性，不能徒求聳動聽聞以逞已能。往往執着一點事實，自作聰明加枝加葉，無意間幹下有違自由世界利益的而有助於侵略者的行爲。此種心理有類於一般自詡中立博取大衆同情以求報紙銷路增加的弄巧反拙而已。

世界小姐競選

一九五四年度世界小姐香港區報名候選，至本月二十六日爲止，塡交報名表格的，祗有六人。但距離截止報名日期尚有三星期。選美會在第一次公開招待報界時，曾經說出入圍的十名小姐都將獲得名貴禮物。據說：亞軍小姐，雖不能赴長堤競選，也可以獲得民航空運隊洽商，贈送由港到日本的來回客票一份。今年參加人類是否踴躍，現在很難判定。大衆冷淡，也不算稀奇。因爲前年第一次港區競選結果，弄出很多不愉快的氣氛。社會輿論頗有煩言。尤其是舉行競選的收入應該完全公開宣佈，撥歸本港慈善事業用途才是。

徙置區實惠及貧民麼？

本港當局爲解決居民住的問題，故開闢荒地，建築平民房屋，將被拆去木屋的居民遷徙到此等房屋。此等區域名爲「徙置區」。用意良佳。但實行的技術，尚有許多待改進的。最重者莫如應着重廉價出租，因爲廉價出售事實上無益於一般貧民。雖然按期繳價，但貧民實無力繳待出，受不到實惠。不如老老實實廉價租給他們罷。

中共統制糧食　秩序頓陷混亂

近據上海、天津、武漢等地消息，中共於宣佈全面實施糧食「計劃收購與計劃供應」（實即統購統銷）以後，以一方面由於準備欠週，交接無方；一方面則於中共供應糧食之本意不誠，限額過嚴；致上述各地糧食市場及民間秩序，頓還混亂之象。據悉：中共於實行糧食統購統銷後，即行查封所有糧號，然後經過所謂「甄別」，視其平日較能順應中共「法令」者，准其改組爲中共糧食公司所屬之「代售店」。惟在此一「甄別」時期，既大致皆有兩日至四日不等的時間陷於停頓，使市民無法購到口糧；即在指定部份「代售店」以後，因中共配撥食米的數量過少，致似有部份市民遭遇無法購到食米的情形而發生爭執、擾攘的現象。則依此推想，其他各地當必有相同的情形發生。

稿約

本報園地公開，歡迎讀者投稿，性質不拘，最好勿超過二千字，譯作請註明出處；來稿如不合刊用時，當儘速退還。

——編輯室——

詩詞的刊載問題

馬五先生

近有讀者致函本報，主張不必列載舊詩詞一類作品，說那些都是「無病呻吟」之作。一張報紙的編排內容，當然沒法教每個讀者都滿意的，我們只有默察各方讀者的意見，綜合計較，力圖適應大衆的期望而已。反對舊詩詞的固然有，贊成的也不敢說無，這問題確值得考慮。

我不會作舊詩，即的嗎，啦，呀的新體詩亦未嘗學問，對於詩之一道，完全外行。但，日常却喜歡閱讀別人的詩詞，不管它是舊體或新體，一律平等視之，無所軒輊，只看它使我讀後是否引起共鳴之感，撼動我的心絃？譬如：我讀到古人所作的「兵車行」「悲憤行」；近代人王壬秋的「圓明園詞」，樊樊山的「彩雲曲」等，都能激動心靈，而感情即被作者所左右。同樣是大詩人的作品，像白居易的「長恨歌」，就覺得它有如蓮花落，讀之興味索然了。袁子才所述牧童思母歌：「叫一聲，哭一聲，兒的聲音娘慣聽，爲何娘不應？」這是何等感人心脾的白話詞調呵！

所以，詩詞原是文藝之一種，未可盡棄，問題是在內容如何。「佛手老咬嘴」這類故意雕琢，令人一見頭痛的玩藝固然不足觀；而「舍弟江南逝，家兄塞北亡」那樣無病呻吟的謊謅，更爲討厭；甚至於光是吟風弄月，堆砌詞藻，玩弄雕蟲小技，以及對達官貴人壽祝婚的阿諛之作，也不足取。詩的內容必須具有「興觀羣怨」的作用，更應與時代相配合。本報今後對於刊載詩詞的標準，將不外是也。

悼廖懺菴先生

·懷冰·

堅社詞壇盟主廖懺菴（恩燾）先生，本月十三號病逝於香港堅尼地道私邸，十五日下葬於薄扶道基督教墳場，一代詞宗，撒手人寰，大雅云亡，風騷孰主？怎不叫人臨風霑涕！

（一）

由晚清而入民國詞人，在上海者如朱彊村，況蕙笙，在廣東者如黎六禾，陳述叔，他們都和懺菴先生聲求氣應，聯鑣共進，隱然負海內重望。自朱況黎陳相繼逝世之後，懺菴先生有如魯靈光殿，巍然獨存。民卅八先生避地居港，和詞家劉伯端丈迭有唱和，郵筒無虛日。

卅九年多季，伯端丈介紹我晉謁懺菴先生，他不以我爲馬前走卒，一見親切如故，並以鄉人子禮待我，絮絮談鄉國事，歷一二個鐘頭，毫無倦容；雖然他已年逾大耋，而精神矍鑠，議論滔滔不竭，給我以深刻的印象。那天他吩咐他的女公子九小姐（錢乃文夫人）準備一席很豐富的酒菜，留我們晚飯，並紀念堅社成立。我塡了一首念奴嬌詞，以紀其事。詞云：「蓬萊高會，伴耆英洛下，忘年剛九。四牡騑騑誰健者？精力未甘衰朽。看劍傾杯，撿書燒燭，壯氣吞牛斗。歌詞傳漏，黍盟壇坫之後。何限萬水千山，蠻陬荒鶴，解唱青青柳。駿馬輕裘當日事，剩有夙懷如舊，梅蕊潮芬，霜筠傲雪，頗醞紅爐酒。夜闌燈火，海天容與回首。」蓋紀實也。

（二）

堅社成立之後，每月一會，均假座他府上舉行。廖宅背負青山，面臨滄海，山幽谷靜，時鳥變聲，而且窗明几淨四壁圖書，身處其中，有瀟灑出塵之想。懺菴先生夫人碧桐君雅好賓客，親製美點相餉，更有賓至如歸之樂。

我塡詞雖懂得一點門徑，但不能夠深造，他對我殷勤指點，曾把他親自批點的精刻的夢窗詞贈給我。他對於夢窗詞鑽研功深，全集多能背誦如流，猶之乎伯端丈對於白詞一般。

去年十二月堅社同人設宴爲他祝壽，隔了幾天，他回請我們。懺菴先生叫我代作主人，替他勸酒，仍能夠乾三兩小杯白蘭地。他的意興非常佳，他對我說「照他的身體，他能夠活到九十六歲」，那知道竟沒有兌現。

（三）

懺菴先生任古巴公使時間很久，在古巴有一別墅，水木清華，極饒亭台池閣之勝。曾收藏丹青妙手繪製影樹亭塡詞圖十幀，各極其妙；他撰影樹亭塡詞圖記，文極雅潔。去冬他曾借給我看，囑我撰文記其事，我以俗務栗六，沒有交卷。回想舊遊，我心如搗，擬存的句子有說，「原林觸慘，凝披谷口之霧；衛歌哀怨，悲彌山陽之笛」。想起來眞是感不絕於予心。

懺菴先生逝世後，伯端丈首塡木蘭花慢詞一闋輓他，詞云：

「百年人事短，數歲月，半天涯。悵落日迴帆，蓬瀛三淺，綵眼都非。儻歸噹傷啼宇，算西湖雖好莫吟詩。贈蕊先收殘稿，一場大夢驚回。尋思玉樂久離披，君去更淒其！記空山月冷，哀絃夜奏，影樹亭西。當時漫留一語，悔白頭三度放驚飛。佇立斜陽淚滿，馬蹄花落誰知。」撮錄於此，同誌哀悼之意。

和韻喜毛以亨卜居落成

·百閔·

山間屋壁著清華，古木依然是舊家。北去傳車成逝水，南來載筆又生花。椎秦孺子師黃石，變夏夷奴帝赤沙。天意早開公失脚，何時重見故園茶？

註：1，晉書，北狄匈奴傳：入居塞內，有赤沙種。

2，毛公昨年失脚；東都故事載陳摶騎驢入汴，聞宋太祖登極，墜驢失脚，大笑謂天下大定。

紅·棉·花·放

憶詩畫家陳樹人

·楊力行·

（二）

民國肇建，樹人無意仕進，攜眷留日，從事學問。民三，中華革命黨成立於東京，時樹人肄業基督教「立教大學」。常至靈南坂九號，國父寓所担任革命工作，兼任橫濱華僑學校教員，藉資自給。民四多，馮自由以漫遊美洲各埠，募款討袁，無暇兼理舊金山「民口雜誌」編輯事務，轉托樹人在日代理。樹人欣然應允，招集留東志士之能文者，分任撰述。自是民口雜誌在海內外各地銷路日廣，成爲三次革命之木鐸。撰述人署名「葭外」者，亦樹人筆名也。蒹葭樓主本爲詩人黃節（晦聞），與樹人爲莫逆交，「蒹葭樓詩」的封面便是樹人題的，可知他取名「葭外」者亦有由來也。

北美加拿大各地國民黨分支機構黨務，自從馮自由、夏重民等先後主持，發展甚速。民五，袁世凱以帝制不成自斃，革命黨駐美各特派員馮自由、謝英伯、夏重民、林森等先後返國。各分部請國父派幹員主持，馮自由以樹人進，樹人亦慨然請行。國父深爲嘉許。遂於民六犂春赴加，以特派員名義，兼任加支部長，並遙領維多利亞埠「新民國報」編輯。加屬黨務爲之大振。民七九月，旅加愛國華僑理髮師王昌，聞湯化龍奉北方軍閥命赴美磋商賣國借款，道經維多利亞埠，偵得湯氏於九月七日抵埠，由溫哥華領事王麟閣招待。遂以迅雷不及掩耳之行動，槍殺湯於彼黎酒樓。得手後，以身列國民黨籍，恐牽涉黨務，從容自戕死。時年三十二歲。十二年春，孫大元帥念忠烈，遣使歸骨廣州東郊永勝寺。旋於三月三日以黨禮榮葬於黃花崗七十二烈士墓之左，以彰功烈。去年台北中山堂光復廳先後舉行僑展中，均懸有王昌槍殺湯化龍巨幅油畫。（現此畫仍懸掛台北中山北路國父紀念館）當時加政府竟指國民黨爲暗殺團體，將加屬數十個黨的分支部，予以封閉。樹人延律師力與抗辯，訴訟年餘，卒得直，在加國民黨機構遂解禁，外人耳目亦爲之一新。樹人乘機倡辦「加拿大晨報」於溫哥華，又募款建築黨務辦公處，年餘均告成立。

（三）

民國十一年多，樹人挈眷返國，適胡展堂（漢民）辭廣東省長，徐紹楨繼任，政務廳長人選，物色困難，而謁國父請示。國父答以：「有一好人可以勝任，但從未做過任何官吏，君盍試探之」？問爲何人，答以樹人。徐遂徵得樹人同意，相偕赴穗。樹人復荐黃晦聞出任教育廳長。親自北上勸黃。時馮自由任北京參議院議員，樹人偕其姪翰鑾同往訪馮。馮設宴正陽樓即席賦詩贈樹人，「千古騷人無此福，正陽樓上吃涮鍋」。蓋樹人曾在加乘飛機過洛磯山，有「千古騷人無此福，飛機高坐浪吟詩」之句，故馮以此謔之也。時晦聞任教北京大學，終未應召。馮姪翰鑾時肄業陸軍大學，民十三，樹人荐之於黃埔軍校任教官，爲俄人鮑羅廷所排，後竟被鮑陰謀刺殺。樹人悲傷備至，嘗以林則徐名言：「今後其爲中國大患者，其俄羅斯乎」？書記事冊中自警，樹人對俄野心蓋早有所見矣。（二）

姜尚八十遇文王

煙的故事（二）

·牛布衣·

溫東原是牛布衣的一個好學生，已經六十七歲了，從前留學過美國，他的專門是工程。到了香港，朋友要他担任商行的文牘。老溫是個有學問的人，很虛心，所以他來請教牛布衣。

老溫每次到來，總送三根香烟給牛先生。初到的時候一根。上了半課，他說道，『老師太辛苦了，吸一根香烟休息一下走罷』。臨走又是一根。

『有好烟，先生吸』，這大概也是儒家倫理的精髓。老溫眞可以說是最了解人情味的好學生。

布衣戒烟的第二天，老溫來上課。才坐下，便照例送一根香烟給老師。

『謝謝！從昨天起，我戒烟了。』牛布衣說。

『很好，很好！』老溫說。他是一個通達世故的人，對於牛布衣的戒烟並不覺得稀奇。他抽了一口烟，笑着說道，『老師，讓我告訴你，我戒烟的故事罷。

『三十三歲那一年——那是我從美國回來的第五年，結了婚的第二年——我担任了一家工廠的總經理。家住法租界，還有一輛汽車。那時我得意洋洋，自以爲前程無限，應該十分保重自己的身體，所以決定了戒烟。

『一天下午，我對太太說，「我不願意再受香烟的束縛，從今天起，我決定戒烟了！」我的太太是一位最能體諒丈夫的賢妻，她說道，「是嗎？聽說香烟最不容易戒，你有決心麼？」我說道，「從今天起，我不買烟，也不接受任何人給我的烟，那不是解決了戒烟問題了麼」？太太說，「你眞想得周到」。

『戒烟實在是一件不容易的事情。那天晚上勉强過去了。第二天回到工廠裏，便覺得十分難受。每一個人口中都含着香烟，每一口噴出來的烟霧都向我揶揄。我眼睛望着放在桌子上的敬客香烟，好幾次要伸手到煙匣裏去。我能彀違背對太太許下的諾言嗎？我可以食言自肥嗎？不！絕對不行。

『我的眼睛慢慢移到烟灰碟，碟子裏有好些殘餘烟頭。我不知不覺拿起烟頭，點了火便吸。吸烟頭並不違背諾言，旣沒有拿錢買烟，也不是朋友的給予。我找到了這個理由，我高興極了！白天在廠裏抽烟頭，晚間，還揀了些回到家裏，飯後躲到廁所裏享受。烟灰總供不應求時，便從地上找些補充。

『三個月後一個下午，偶然大意，沒有把藏在口袋裏的烟頭另外藏好。太太拿我的外衣交給工人，在口袋裏，發見了一隻沒有封口的白信封，信封裏露出五根烟頭。太太呆了，望着我，我也望着她。過了一會，她跑到我的椅子傍邊，拉着我的手說道，「你怎麼弄到這個地步？」我答道，「這雖然是不堪，可是並沒有違背諾言呀」！

『現在我老了，更談不到戒烟了。』嘆了一口氣，溫老先生結束了他的故事。

『不要失望，』牛布衣說，『姜太公八十歲才遇到周文王呢。』

朱古力法官

在西德小城達姆斯德，一個十七歲的青年偷了一輛機器腳踏車，隨即駕駛着在街頭橫衝直撞，終被警察拘捕，送上法庭。審理此案的法官荷兹施，是一向以慈祥著名的，判案處處兼顧人情。他對這個青年，並未判處徒刑，祇笑着說：「你這樣像瘋子一般駕車濫撞，永遠不會知道大自然的美麗。我判你加入本市的步行俱樂部一年。」這青年就此被釋放了。

在過去二年中，達姆斯德市對於荷兹施這類拋棄法律成規的特殊懲罰方式已習慣了。他現年四十六歲，頭髮已漸光禿，時時帶着笑容，市內不論認識或不認識他的人，都喜歡把他叫做「朱古力法官」。這名字的起源，是他有一次曾對一個偷竊朱古力的女孩子，判她每星期捐出一塊糖菓，送給孤兒院。還有一些人則把他稱作「達姆斯德的蘇羅門」，以示尊敬。從他開始在達姆斯達地方法院任法官以來，當地的青年犯罪案件，已減少了百分之四十，幾乎全部是他之功。

他的判罪理論，十分簡單。他說：「除了一些顯著的罪犯以外，多數青年的犯罪，都是一時之誤，他們應該再有自新機會。他們的行動如果犯了法，便應該使他們以類似的行動，向好的方面去做」。他在每次開審以前，必先設法認識被告，探問他的興趣，平時讀些什麼書；等到審訊結束，他再按照他的理論對每一宗案子作適當的判決。有一次一個麵包商的學徒偷了老闆的錢，他的懲罰是復活節沒有休假，烤製一批蛋糕送給當地的醫院。（敏譯）

不打自招文鈔

·文抄公·

以下是有關中共農村宣傳情形的文章，見共區最近出版的某雜誌，一字不易照抄如下：

半生不熟

上海　謝雲

張同志滿懷信心地到農村宣傳總路綫。到了村裏就召開羣衆大會，照着筆記本一字一字地讀起來。報告完了，接着是討論。有人提出了疑問：『同志，你講了半天，甚麼「過渡」，甚麼「因素」，甚麼「傾向」，咱們可聞不清。』話音未落，一個老年人氣憤憤地站起來問道：『你說：「改造」「改造」，改造是對付地主的辦法，怎麼「下雨掉了草帽子」，「改造」又淋（臨）到我們頭上來啦？』張同志只好又作了詳細的解釋，但是農民們却越聽越糊塗，最後只好草草散會。

會後，張同志向領導上彙報說：『農民的水平這樣低，怎麼能懂得總路綫呢？……』領導上沒有多說甚麼，只是把他調到另一村和李同志一道去工作去了。

中華民國僑務委員會僑務登記證台僑新字第一零二號
中華民國郵政登記第一類新聞紙類

自由人

THE FREEMAN
（半週刊每星期三六出版）
（第三三〇期）
每份港幣壹毫
督印人：羅露[illegible]
社址：香港高士威道二十號四樓
20 CAUSEWAY RD
3 rd. fl.
HONG KONG
香港發行及事務接洽：高士打道六六號
電話：七四〇五三
承印者：東南印務出版社
地址：高士打道六十四號
台灣特派員辦事處：台北市館前街五十號
台灣總經銷處：台北 中華路九四號之一
台郵撥儲金戶九二五二

日內瓦的場外交易

許漢劍

日內瓦會議前途黯淡，各國都把希望寄托於場外交易，莫洛托夫已棋先一着，活躍會議場外了。

中共得意忘形

舉世矚目的日內瓦會議已經開幕了，這個會議會有結果嗎？恐怕沒有人敢寄與較大的期待，就是會議的召集人英美法蘇四國也洞燭知其不可爲而爲之的心情赴會的，美國國務卿杜勒斯更乾脆的表示會議將沒有什麼成就，他雖然親率代表團前往出席，但已預定只留在日內瓦十天左右，不俟會議結束便要提前返美了。

中共手揮五絃目送飛鴻，以爲日內瓦會議就是成功湖的後門，其得意忘形之情已溢於辭表，其他各國代表爲什麼肯扮演跑龍套角色替中共做機會呢？

各國出席代表中最引得勁的無過於中共，在蘇俄的扶持之下，儼然以五強之一的姿態赴會，雖然英美法蘇是召集國，但中共代表團人數超過二百人，浩浩蕩蕩，破題兒第一遭出席國際正式會議，頗覺得躊躇滿志，上次伍修權只是列席聯合國會議，已風頭十足，這次周恩來獨佔一座二百餘房間的別墅，排場之大，傴蓋旅店的英美代表，似乎也望塵莫及。

西方三國各有心事

問題就在英美法三國都有自己的打算：英美法三國之間雖經杜勒斯掉其三寸不爛之舌遊說英法兩國，結果並未成立圓滿的協議，於是只得分頭活動，三國和蘇聯商討與本身密切有關的問題，法國提出的是越戰結束問題，英國提出的是貿易問題，美國提出的是原子能管制問題。

利用什麼地方和蘇聯作討價還價的交涉，最適當是日內瓦會議。

日內瓦會議的議程限於討論朝鮮問題和越南問題，這是在柏林召開的四國外長會議決定的。根據目前形勢觀察，無論是朝鮮問題或越南問題都不容易獲得雙方一致同意的協議，那就是說日內瓦會議的失敗已註定，如果能成功，除非出現奇蹟。

筆者認爲奇蹟可能出現，但奇蹟不會出現在日內瓦會議會場之內，而將出現日內瓦會議會場之外。用一個商場的術語來說明，就是場外交易。

歷史上的場外交易

在國際正式會議不能解決，結果在場外磋商反能獲得協議的，歷史上曾數見不鮮，最著名的例子就是華盛頓會議。中日兩國因山東問題，雙方相持不下，巴黎和議不能解決，華盛頓會議不能解決，但兩國在華盛頓會議會場之外，竟成立了協議，這是國際會議中場外交易出現的一個例子，誰能斷定這次日內瓦會議不會出現場外交易的奇蹟呢？

場外交易就是祕密外交的一種方式，是不足爲訓的。歷史家把世界第一次大戰爆發的因素歸咎於祕密外交，因爲各國施行祕密外交，國家的安危大計操縱於少數興風作浪的野心政客和窮兵黷武的軍閥手中，不只大多數國民都蒙在鼓裏，就是代表國民立法的議會議員也往往懵無所知，這實在是違反民主政治的最惡劣政風，前事不忘，後者之師，我們反對祕密外交，反對國際會議一切的場外交易！

正式會議只是幌子

很多會議其實祗是一個幌子，會議重要的決議早在會議之前決定了，會議宣言也早已擬妥了，預備會議只是循例推定會議的主席與規定議程，實際上連每一次會議輪到每一個代表發言而至發言的內容也早已指定了，所謂正式會議不過是把試演的戲認眞地再排演一次罷了。

歷史上許多重要國際會議都是如此，第一次大戰後的巴黎和會大計早決定於和會三巨頭，後來的正式大會只是虛應故事而已。

這次日內瓦會議，法國當然是一個主要的角色，目前法國急切期待的是解決越戰，法國知到如未獲與蘇聯成立協議之前，日內瓦會議無從作任何的決議，所以法國將費史多辱舌和蘇聯先作會場外的折衝。至於國際貿易問題與原子能管制問題既規定不在日內瓦會議議程以內，英國與美國如果企圖在這些問題與蘇聯獲得一部份協議，更非利用這次日內瓦會議作場外交易不可！

莫洛托夫的手法

日內瓦會議開幕伊始，日報載蘇聯代表莫洛托夫訪法國代表皮杜爾商越局問題，又與美國代表杜勒斯商原子管制問題，可是這就證實了「否先生」的莫洛托夫已棋先一着，與英美兩國進行場外交易。據報章消息，這次英、蘇、泰、輪流做主席的主張是艾登的主意，共黨報紙卻說是莫洛托夫的主意。可見場外交易已經初次出現。至將來能否有更大成交出現奇蹟，將待下文分解了。

蘇俄不打正式熱戰的原因

張六師

本刊三二六期（四月十七）曾刊載「蘇聯不敢發動大戰」一文，是根據蘇俄的經濟力量來作判斷的，張先生此文另從軍事和政治作立論根據，兩文參讀，對蘇實相更易了解。——編者。

從蘇俄共產黨的言論，行動，與在鐵幕後面的積極備戰，並在各民主國家內部扶植破壞性的暴力，已經證明蘇俄一天不打倒，世界決無和平可以獲致，緊張仇恨的冷戰，也決無緩和的可能。

國際共產黨在宣傳詞令中，口口聲聲願意「和平」，但在鐵幕後訓練教育人民，則絲毫不離戰爭與「世界革命的戰爭」。

蘇俄對西方的顧慮

史達林在他所著的「列寧主義問題」裏，（一九四七年版）曾肯截了當的敍述如何統治全球的目的和方法，並明白說出方法的開始是「從宣傳與滲透入手，以至暴動和軍事攻勢」。又說「必須把蘇聯作爲一個推翻一切國家中的立腳點，」又說「除了作爲世界革命基地以外，我們還個建立社會主義國家，還有什麼目的」？

在他的這些教條中，許多國家內的罷工、暴動、爭辯、流血、和死亡就接踵而至。無論在東方和西方的各民主國家內的大小紛爭與擾亂不安，和仇恨內亂與政變暗殺，那一件不與共產黨有關？最肉麻可笑的字句，無過於還自稱「社會主義的國家」，和「社會主義的建設」。他們三十年來，做慣言行相違的事，說慣言行相反的話，竟不以爲恥，眞是不愧爲「唯物論」與「矛盾論」的信徒。

不過除了少數執迷不悟的同路人以外，世人皆知所謂「蘇維埃聯邦」的本身，其作用就是一個共產世界聯邦制的初步模型，它早已向聯合國成爲對立的組織，而且攻入聯合國內部，並且掌握着聯合國的否決權，使它不能有所作爲。對於全世界被它所控制着的國家，只要它願意，隨時都可像立陶宛，拉脫維亞，愛沙尼亞……等一樣，來一個「通過」「自願申請」加入蘇維埃聯邦。可是目前在東歐與亞洲許多共黨國家，乃至如西半球的危地馬拉之類，何以還不如此做呢？就是蘇俄對於自由世界的日趨堅強，已有所畏懼和顧慮。它寧可用緩進「通過」歸併內的陰謀來蠶食，卻已不敢再如韓戰的公開進軍實行鯨吞。並且不斷在冷戰宣傳中，失去一種騙人的宣傳工具。然則它怕的是什麼呢？明白的說：除了不敢打正式的熱戰外，其他都無所畏懼的。

蘇俄何以不願熱戰

蘇俄今日對於自由世界的積極重整軍備，目標就是指它，而仍不敢先發制人；明知美國的基地政策，正在四面對它展開包圍而不敢公開對抗；眼看大西洋，太平洋公約的日趨堅強與充實而故作鎮靜；面對美國氫彈壓力而故作「和平」叫囂，這都是由於自己的實力不足，另有弱點，因爲如果不能一舉澈底殲滅對方的報復力量，則必蹈日本的覆轍，蘇俄它敢嗎？蘇俄也明知艾克的「新貌國防政策」是甚於遭受敵人打擊以後才施行報復的手段，蘇俄在無把握使美國一擊不能再起以前，它決不如此愚蠢對美先行襲擊，除非自由世界繼續給彼以充分完成軍事實力準備的時間，那時它要襲擊，自然必使美國的報復政策也不能執行，才會幹的。所以今日的「新貌政策」，其實等於「沒有政策」。基此理由，蘇俄所以不敢打正式熱戰的內在原因是另有所在的。

蘇俄的八大弱點

世界名作家約翰根室，曾列舉出八種理由，說明蘇俄之所以不敢打正式熱戰，其主要的原因爲：一、美國擁有大量在儲的原子彈。二、美國擁有一支龐大略的戰空軍，可對蘇俄各工業中心，發動轟擊。三、制海權掌握在西方國家之手。四、美國鋼鐵生產，擁有比蘇俄多過四倍的優勢。五、上次大戰，一千四百萬人的傷亡數字，在俄國人，今日記憶猶新，蘇俄怕大規模的屠殺慘劇再見，必引起內部革命。六、波蘭、匈牙利和捷克、西德……等國家，在危急時，都靠不住和蘇俄一致。七、蘇聯希望德國問題，能在對俄有利條件下解決。八、蘇俄相信：目前用他的代理人——各國共產黨與左翼僞裝民主份子，實行有限度侵略的冷戰，比發動正式熱戰爲有利。

我們認爲這八種理由中，除了五、六、八三種之外，其餘五種都是蘇俄本身以外爲他所不能奈何的事，其權是操之在民主國家，而且就是民主國家可以掌握主動的有利條件，只可惜民主國家不善運用而已。事實上今天最足使蘇俄戰慄的一方雖是來自空中的氫彈打擊，但即令民主國家無此種優勢的條件，單就蘇俄本身的弱點而言，亦即足以使蘇俄不敢明目張膽挺而走險了。

交通系統脆弱不堪

第一是蘇俄的地理空間雖然廣闊，但工業地區與資源地區多不完全相連，必靠鐵路聯繫方能生產。各聯邦與各自治省相互間人口疏密程度，極不平衡，一旦遭受破壞，全部即歸癱瘓。二次大戰中，德軍只以自己一部份空軍出動，配合軍隊作戰，即將蘇俄空軍打擊至無法還手；當時德空軍並未對蘇俄後方交通綫，實行破壞轟炸。故俄軍後方運輸——無論水陸兩方，雖因在隆冬必須有一長時間不能使用，但在此時間以外，仍舊可以完成積極向西增援的軍運。鐵路之於俄國，猶之海運之於自由世界，因爲它那龐大的歐亞北部草原，荒漠是猶如各別的孤立地區，全靠鐵道來貫通聯繫，在二次戰後，史達林鑑於空軍轟炸的威力，特別把工業向亞洲東移，同時爲減少空中來的破壞。

（下轉第二版）

半週展望

•左舜生•

周恩來的『狂想曲』

我們讀了中共代表周恩來四月二十八日在日內瓦會議的一篇演說，我們知道中共所召集的這一次和平的會議，已經算是被中共蘇聯破壞了。他們的目的，決不在如何正式完成該會所付予的一種使命，完完全全只在利用這一會議宣傳他們的一偏之見。

亞洲的事，我們亞洲人比較看得清楚；中國的事，尤其我們中國人看得最清楚。

上次大戰以後，整個亞洲，北起鴨綠江，南達東南亞，其所以鬧得雞犬不安，到處充滿火藥氣味，和平的威脅，便完全是由於蘇聯及其工具中共，已正式發動了對世界的侵略。

今天，無論在歐洲，在亞洲，一切反共國家其所以不能不加強團結，西德和日本其所以不能不開始建軍，完全只是對侵略者蘇聯及其工具中共的一種正當防衛，而侵略者是蘇聯，只有蘇聯才是唯一的禍首罪魁！

中共是蘇聯花了三十年的氣力，一手提拔起來的一個傀儡政權。發明在中國建立傀儡政權以求達到侵略整個中華民國，進而威脅整個亞洲整個世界的，是過去日本的軍閥，承襲了日本軍閥的衣缽，依據同一腳本而來繼續上演的便是蘇聯。蘇聯攫奪了原屬中國領土的外蒙，控制了整個中國的新疆，北，且進而踏入了青海與西藏；十萬個特務型的所謂顧問與技術人員之類，更把整個中國大陸完全歸入蘇聯的掌握，而對中共的一舉一動，也完全由蘇聯人員加以嚴密的監視。中共生息於這種情況之下，一切惟蘇聯之命是聽，已三十五年於茲，一步逼緊一步，現在看見大禍臨頭，美國仗義執言，更知道韓國問題求得一個歸宿，越南問題決不能照着蘇聯的如意算盤，乃由蘇聯造出一個小傀儡，給予大傀儡一個今天的日內瓦會議登場的機會。

現在周恩來居然在那裏高呼：

一切外國軍隊退出韓國！所有亞洲各國的外國軍事基地應予撤除！

停止日本建軍，西德建軍！實行普遍裁軍，禁止使用原子武器，氫武器，和其他大規模毀滅性的武器！取消經濟封鎖！制止太平洋可能實現的反共同盟，東南亞的防衛協定！

參加歐洲聯軍，而代以一個由蘇聯發起的全歐洲集體安全協定！甚至還主張，停止大西洋公約，以及歐洲聯軍……

[illegible]

馬林可夫的一篇演說

這篇演說，是在蘇聯『最高蘇維埃』第五屆開幕的時候，他把他們所謂第五個五年計劃如何如何成功的大吹大擂了一番之後，他便說了一句最得意的話：『使用原子武器，必遭同樣的反擊，其結果便是文明的毀滅！』這可以看出他們內心是何等恐怖！至其餘種種的說法，大抵便是北韓代表南日和中共代表周恩來的意義。馬林可夫說話是二十六，南日在日內瓦說話是二十七，周恩來是二十八，連說話的次序也要排得這樣緊，這傀儡戲真是好看煞人！世界問題果然是這樣簡單嗎？我看傀儡們還是不要太高興早了吧！

反對黨的建立問題（一）

言論自由可代替反對黨

鄭知三

高達先生在自由人三二五期發表「多數政黨與憲政」一文，是近年來不可多得的一篇好文章，循讀再三，深用敬佩。關於政黨問題，我也有一點意見，奉獻於關心憲政的人士。

先來一個假定

政黨本來是政見相同或相近的一種自由結合，目的是把許許多多發自每一個人內心相同或相近的政見結合起來並使之實現。所以一個政黨，黨員愈多就表示它的政策愈為多數人所贊同，假使全國人民都成為這個政黨的黨員（指由自由結合所致），那麼這個政黨當然是再好不過了，這樣反對黨沒法成立，也不需要成立，因為人民不能同時存兩種相反意見的。但這不是說，這個政黨可以永久地擁有全國人民為其黨員，因時勢環境的變易，也可能漸漸地為若干人民乃至全國人民所摒棄，這是自由入黨自由脫黨的當然結果，這個時候如果有一個反對黨出現，無疑的，將會迅速而堅強的建立起來。

國民黨如何分家

上面的假定，如果不錯，進而討論今日反對黨（指有力的反對黨，非僅指新黨而言）的建立問題，我們便不至沒有一個討論的原則，原則為何？一曰要不要建立反對黨，二曰能不能建立反對黨，前者是理論問題，後者是事實問題，關於前一問題，我的答案是肯定的一個『要』字，因為全國人民今天還沒有做到都屬於任何一個政黨黨員的程度，故無妨成立一個反對黨。關於後一問題，我們就得先把當前環境與事實看個清楚，然後立論方有所據。我覺得民主政治的極致，不過是讓每一個國民都能自由選擇最好的或較好的（包括好的法與好的行法的人）而已，這「自由選擇」就是民主的正解，但是在我們這國度裏，人民對於這種「自由選擇」的修養與習慣，無可諱言地還是不夠的。你如果要想成立一個反對黨，無論政策怎麼樣，贊成與反對的可能都不是為了真正政見的選擇，就算這個反對黨能夠建立起來，對於真正民意的表現，能否有所幫助，也是值得懷疑的。所以有人主張由國民黨分出一部份人來組織反對黨，我認為這是一種重政黨而不重政見的說法（有點近乎削足適履），因為同為國民黨的人，他們的政見照理是相同的，硬要他們分出一部份人拋棄原來的政見，另外想出一套政見，那麼這種政見還有甚麼可貴？

反對黨目前不能出現

至於民青兩黨不能成為今日有力的反對黨，也還是老百姓「自由選擇」的問題，以政策爭取老百姓的選擇，原是憲政政黨的常軌，祇要你的政策好，今天沒有人選擇你，明天後天總有一天會有人會選擇你的，何懼有之？因此，反對黨的建立，祇能寄望「水到渠成」，不能求功於「旗開得勝」，其理至為顯然，所以在今日如欲馬上有個有力的反對黨出現，是斷乎不能的，就是由胡適之先生出來組黨也不能例外，原因很簡單，即前面所說的人民對於「自由選擇」的修養與習慣還不夠之故。

言論自由的大作用

當然，我說今日不能有有力的反對黨，這是能不能的問題，並非要不要的問題，沒有反對黨，對於民主政治，無可否認的是一種進步的障礙。但要祛除此種障礙，除了獨立反對黨外，是否還有其他辦法呢？我說有的，那就是「言論自由」，別小看「言論自由」這四字，實際上一個反對黨所能為者亦以此事為最重要。我們不妨杜撰一個名詞，稱「言論自由」為「無形的反對黨」。言論有了自由，對於政府可以嚴厲加以批評，對於人民可以大聲疾呼，效他們選擇。果能如此，雖一黨政治亦無傷也，不一定要讓成兩黨數之。

與論質詢制度

關於「言論自由」，我認為最重要的是獨立與論質詢制度，質詢制度在兩大黨政治，議會最能發揮其功效。在吾國今日政黨政治尚在幼稚時期，議會對於質詢制度之運用，雖免遜色，與論質詢制度之健存，有待於言論督促，議會怠於質詢時，興論可以逕自發問，讓會議於質詢時，與論亦可興直錯枉。與論有了力量，可以慢慢地使人民對於執政者發生一種正確的印象（包括好的壞的），等到有一天要老百姓選擇的時候，他們當然就會曉得去選擇，最好或較好的了。所以我說，在還沒有有力的反對黨之前，一個可以多少代替反對黨的力量的是言論自由。

蘇俄不打正式熱戰的原因

（上接第一版）更採取工廠內「疏散」政策」，但在疏散之間的通路，則不得不全盤鐵道，因之也就更容易在戰時被空襲遭斷。假如將少數的鐵道樞紐澈底破壞，則所有的工廠生產，也就失去作用。二次大戰中，盟軍對德國的交通運輸體系的攻擊，即是促成希特勒第三帝國經濟體系完全瓦解的致命打擊，並且顯然的也削弱了陸軍的戰術機動力。這個教訓，在今日克姆林宮內的獨裁者，心裏是很明白的，所以它們敢冒險嗎？

油料和戰略物資缺乏

第二是蘇俄的飛機工業，雖然自二次大戰後即不斷的擴充和改良，並努力增加生產，但對於油料的供應，由於估生產數額最大的巴庫油田，戰時必被殲滅，東部北部新油區的供應與儲藏，是否能適應戰時大量的消耗，頗成問題。尤以今日作戰，大部是以機械代替人力，裝甲部隊的機動力，全靠汽油來維持，否則即變成死物。[illegible]……等之必須依賴由外輸入，而它的煤、鐵、石油……的生產還遠不如美國？再加上北美，西歐和日本各民主國家的重工業，更佔有決大的優勢，蘇俄歷年來之所以只用陰謀與間諜來加強冷戰，而必以「和平」爲裝掩護滲透，儘量避免正式熱戰，即係由於彼等尚有自知之明。

日內瓦會議的前途

在目前正當日內瓦會議召開之際，民主集團與共產集團間的攤牌階段，已日漸接近，也即是對於與蘇俄解決國際爭端的重要考驗。此次會議，雖不算是最後，但無可否認的，都是世界形勢好轉與惡化的重要分界。我們在前述的分析中，是比較偏重軍事方面的看法，但政治因素的重要，則更不可忽視。

毫無疑義的是蘇俄共產奴役制度的產生，和暴力專制的行爲，在俄國內部所培養滋生的反抗力量，和在鐵幕外面所產生的恐怖，與對抗的仇恨羣衆，已相互結成埋葬這羅專制階級的洪流。他們遲早必粉碎鐵幕，解放共產魔掌下的七億奴隸，是毫無問題的。只今日時機還未成熟，自由世界中的政治家，猶狠多還未完全瞭解蘇俄的陰賊險狠而不能作大智大勇決策而已。

在過去柏林會議已證明不能解決德奧問題，就是由於蘇俄恐懼德奧的完全倒向民主集團，[illegible]。第三是自由中國臥薪嘗膽的準備，隨時可能進軍大陸，這個行動的擴大，勢必影響蘇俄的「亞洲僞蠱」之經營，也影響美國西太平洋防線的前途和未來東南亞的安危。

西方國家的失策

蘇俄既不敢打正式熱戰，當然以在會議中盡取爲合算。幸杜勒斯的東南亞防禦同盟，有反共的決心，把有實力的中華民國，韓國和日本三國除外（可是越南），這就[illegible]。所謂十國同盟的精神，不過是在紙面上[illegible]，長期的冷戰相持之局，這正是蘇俄中共所企求的目的。[illegible]中共可能以有條件的誘惑，[illegible]

彭蒂柯夫徒勞無功

據盟國的地下工作人員報告，一九五〇年由英國逃往俄國，義國出生的原子科學家彭蒂柯夫，現在又有新的活動。他奉克里姆林宮之命，為俄國收買物理學家，以從事蘇俄的原子工作。最近他接觸的對象是西柏林的德國科學家，有人曾在東柏林見到彭蒂柯夫與西德物理學家接觸。據說，彭蒂柯夫提出的條件是，月薪兩千美元，另供膳宿，但一經簽訂合約後，便須絕對受俄國當局的指揮，不能中途毀棄。這種條件雖不謂不優厚，只以德國科學家早已看清俄帝的面目，所以彭蒂柯夫雖幾經奔走，至今還不曾有人上鉤。

斐列特將軍東來內幕

美總統艾森豪派斐列特將軍東來，是下過一番決心的，斐列特上將的東行，據說其主要目的尤在韓國，艾森豪的計劃是，把斐列特以總統特使的名義派至韓國，讓他詳細觀察韓國最近的情形，然後授給他全權，使他能自由處理韓國各方面的問題。艾克此舉，其幕後的背景有三：第一，斐列特是韓國上下所崇拜的英雄，他的意見和勸告，對韓國當有特別的效力。第二，利用他對韓國具有的豐富認識以及駕輕就熟的便利。第三，艾森豪本人與斐列特間不平凡的關係。據說，斐氏東來，完全是艾克一人的主意，他在下達命令之前，事先並未與國防首長威爾遜等商量。

日科學家的發現

雖然外間一直不會宣佈過，但是日本科學家卻已偶然發現了相當的證據，顯示在美國於三月一日試爆氫彈（也就是日漁船染上放射性霉塵的那一次）後不久，蘇俄曾於三月十二日左右也舉行過一次核子裝置爆炸。因爲日本北部某縣的科學家，曾在三月中旬對充斥於該縣上空的放射塵作化學定性分析，他們竟發現這種放射塵是花崗巖變成的。而美國試爆的「比基尼放射塵」卻是珊瑚礁造成的，兩者的性質絕不相同。因此可以斷定決非同一次爆炸所引起的放射塵，憑種種因素推斷，蘇俄一定在三月上中旬之間有過一次核子爆炸，雖然其規模及爆炸威力不明，但舉行試爆確有其事，日美科學界都表示同意。（孟衡）

天下大事

人物述評

自由報人——陳錫餘

紹芊

（一）

華南新聞界的人物，前廣州大光報社長陳錫餘，是一位知名之士。當他畢業於廣州國民大學後，即投身新聞界工作，抗戰前入香港大公報任編輯，工作勤謹，報導翔實，站穩了工作崗位。以前在張季鸞、吳鼎昌、胡政之三位一體主辦的大公報下，培植出不少新聞人材，如王芸生、范長江、楊剛等。現在這般人都投入共產黨陣營，替毛政權工作，只有陳錫餘和他們分手，如蒼頭異軍特起，為自由中國而奮鬥，這是值得稱道的。

（二）

錫餘是廣東化縣人，這個縣份是隸屬高州府，以產生橘紅著名。當李漢魂在粵北主持省政時，想起在曲江辦報，南路人士有以錫餘應者，李立電召他赴曲江，在省府支持下，他便在曲江創辦大光報。這份報紙，雖然說是民營，但無形中作爲省府的宣傳機構之一；和第七戰區司令長官部支持下的建國日報，一樣並駕齊驅。那時，曲江尚有國民黨中宣部主辦的中山日報，中山日報注重黨務，建國日報注重軍事，大光報注重政聞，各擅勝場。大光報更闢一專欄羅致中大和其他院校的教授發表意見，提高水準，更受知識份子的歡迎。

（三）

民卅四年日本投降，大光報由內地遷回廣州，接收了一部份敵僞遺留下的器材，大事擴張，增設了汕頭版、海南版，這是大光報的鼎盛時代。[illegible]

（四）

卅八年共軍侵入廣州，他事先跟隨[illegible]省府遷移海口，繼續辦報，廣州的報社[illegible]一大損失。卅九年春，海南[illegible]錫餘攜同兒女避居香港。[illegible]可算定力過人。

（五）

[illegible]在港瀕辦中南日報，後來和廣州報界一部份同人，再接再厲，繼續爲反抗極權，爭取自由而[illegible]

編者讀者

△下一期，我們將刊載陶百川先生一篇「開闢言路，善視異議」的文章，[illegible]

△張忠建先生：[illegible]承惠稿，已收到，至感幸！

△吳文蔚先生：大函敬悉，承加獎飭，至深愧悚。

△牟力非先生：四月廿三日下午五時右函悉，隨另行奉復。

△上一期二版「劉鐵將軍殉國六周年」作者劉鐵如，「劉」誤植爲「謝」，合行更正。

△本期稿擠，書評暫停。

印度代表團目擊 中共工人生活實況

·旭軍譯·

這是印度社會黨勞工代表夏斯特利關於中共統治下的又一報導，見印度思潮周刊。——譯者。

五月十日，我們寄居在廣州珠江旁的一間十三層大廈。從窗可望出窗外，見河上的船隻移動，對岸有一大廈，上面插着一枝鐮刀斧頭旗。

今早我們去到一間市區陳列室。內中陳列一九二七年共產黨在廣州叛亂的史跡。這裏有許多圖畫和像片，表示國民黨怎樣殺共產黨，人民怎樣被捕，街上散佈着屍體，這些像片的確給人恐怖的深刻印象。但我們代表團中有人表示懷疑其眞實性。在當時空前大屠殺中，共黨怎樣一一攝影起來呢？英國豈不是曾有一個時期在印度鎮壓暴象好像一九二七年廣州平共黨之亂一般的慘烈麼？但英國留下這一類的像片來證明他們的當日的行動麼？爲什麼中國政府如此的缺乏遠見呢？我們的同伴向該室管理員提出此種問題。那管理員回答道：這是在國民黨政府檔案室中發現的。這樣的解答是很奇妙了。如此說法，我們印度人可以在國內找尋這樣的圖片來證明昔日英國的行爲」

中共統治下的階級

當我寫下今早所得的印象時，廣州工會派來一位年輕貌美的女傳譯員，她攜來許多禮物。（我們無論初到什麼地方都是獲得許多的禮物）。她穿着華麗的衣裙，頸上掛着金頸鍊，下懸寶石，姿態倒還楚楚動人。但她今早在辦公廳時還照例穿着一套藍制服而已。

我們正在談話間，陳南達闖進來，他想知道我得的是什麼禮物，我便給他看。他不是懷有好奇心，而是有意查看代表團領袖和團員所獲得的禮物優劣不同。我本來不介意這種事情。但陳南達却堅指出中共對客有歧視，凡是領袖們享受特別的旅館，特別房間，和汽車，以及一切特別的優待。陳南達說：「階級是上帝安排定了的。縱使在共產國家也分成領導者和被領導者兩個階級。」那女傳譯員聽到了臉泛紅暈。默不作聲。

我們常聞中國現在人人平等了。但我的眼睛看見的和耳聞的完全兩樣。我看見人力車夫的行列，他們的樣子很可憐。工資少到令人驚訝。拉了兩哩之遙，才得四安那之工資，（一安那等於十六分之一盧卑。當時每一盧卑値人民幣四七〇〇元）。

中共政府設宴款待我們。周恩來「總理」乘着裝甲車來，這又令我大惑不解，一個人民總理居然要乘着鐵甲車來！印度代表希望毛澤東來參加這中國全國工會歡宴會，但不獲同意。一般人以爲毛必來，因爲是全中國勞工聯合大會第一次。然而毛終不出現。

工資和物價

我們曾和一中共工資專家談話。他說出的數字。此由可見中共的工人生活比不上印度。他援引工資數字，以分計算，每一分等於〇．八斤米，〇．〇二斤鹽，〇．〇五斤油，兩斤煤，三吋布，及二．五斤柴。此種計分制運用到工業工人。每一分工資等於人民幣二二〇〇至二五〇〇元，在杭州等於二二〇〇元。在上海等於二五〇〇元。照中共專家估計工人每月需要五十分工資才可以維持他個人自己生活。在印度每家以三人計算。但在中國祇以兩人計算。此外中共最低工資不包括醫藥費婚嫁生死費用（娛樂費自然沒有了）。中共工人每餐吃的比印度工人較劣。中共工人每餐吃的包括飯，一碗蔬菜湯、和一碟菜。每月膳費也須支付十萬至十二萬五千元人民幣。如以工資分來說，要五十分才行。某日我購買一把眼鏡支付二二三〇〇〇元人民幣。一塊普通的洗身肥皂值印度幣兩盧比。但米自然還是印度較貴。中共米價自一七〇〇元至二〇四〇元（人民幣）不等。一斤小麥值一二〇〇元。我在杭州買綢每碼值三六〇〇〇元。較好的每碼至少值五六〇〇〇元。某日我們購買四分之一磅凡士林支付二六〇〇〇元。三安士裝的髮油一瓶值一四〇〇〇元。若在印度購買則不到一盧卑（一盧卑值人民幣四七〇〇元）。工人工資不特各種工業不同，而且各廠亦不同。工人工資與經理薪金相差極遠。在五月二十五日我們到上海市附近一間士敏士廠參觀。據說這是私人資本工廠的模範了。該廠附近還另有五間較小規模的。廠主的長子任經理，他除了獲得投資之利潤以外，還每月獲薪金五，六〇〇，〇〇〇元，如以工資分計算，則獲二七五〇分。至於農業工人，沒有至低工資規定的立法。

工人當家的意義

在印度，一個工人不能被強迫工作超過八小時。在這八小時之內必須至少有半小時休息。但在中國規定每日工作十二小時。自然更沒有休息時間在內。每年祇有四天是支工資的休假日。工業工人分成三類：（一）普通工人，（二）模範工人，（三）工人英雄。所謂模範工人是比普通工人生產較多的，或幫助「合理化生產」的人。所謂勞動英雄是共產黨員，而能協助政府推行命令及推行黨的訓令。差不多每一間工廠都有所謂「文化室」，其實此種室是共產黨的宣傳中心，經常在那裏「洗腦」。

夜幕綏綏地低垂，罩籠着廣州市。珠江上一片死寂景象，燈光逐漸消滅，我仍回想在這個共產國家所得之印象。我愈想愈糊塗。所謂「工人」「當家」有什麼意思呢？所謂「勞工專政」是工人階段受著的被管治麼？我希望更多印度人來這裏看一看這裏的眞實情形。

我亦攘臂說簡字

·淳·

、口對鼻說：你憑我吃飯養活你，爲甚麼你六模大樣地敢於居我之上！鼻答：你沒我，連香臭都不分，你會吃屎呢！口想：果然有理，你就居我之上罷。鼻對眼說：你爲何居我之上？眼答：沒有我，你會碰得滿身灰。鼻於是取消抗議。眼對眉說：你有何用，敢居我上？眉皺也不皺從容答道：的確我沒有多大用，那就改居你之下如何？眼想：這多麼不雅觀；算了罷，還是讓他擺擺架子罷。

雅俗問題

眞有些兒像眉生眼下一樣，簡字多麼俗！多麼不雅！的確簡化不得。以前廣州市有一位圖書館長，他創造「圕」這字，來代替「圖書館」。這位仁兄本來就不甚得人緣，敢於創造這個怪字，令我對人對字發生了雙料的反感。

究竟俗和雅有沒有標準？有的，「雅」是陶冶出來的嗜尙 CULTIVATED TASTE。陶冶者是文化，被陶冶者是生長於這文化中的人。「雅」又是最有階級性的，並且常兼有文化個別性的。拿王右軍的書法來說；中國鄉下不識字的老農和西洋愛好美術的收藏家，同樣不欣賞「快雪時晴」帖。

「雅」却又是心理自然律的產物，是人們保守性的表現。懷舊爲保守之母，旣是「懷」便是情感的作用。而心理自然律之一是；人們的記憶是最富選擇性的，凡醜惡的，痛苦的乃至一切不恰於心的，人們都不願意記着它們，祇揀那些美好的，快樂的，乃至一切恰於心的，讓其受記憶力的偏惠。

保守與進步

保守並不一定是不好，也不一定是好；好不好的判斷標準，是看所保守的發生的影響與後果。假如完全沒有保守，晚上睡一覺，明天醒來樣樣都變相了，或者都忘記了，不但沒有文化，連社會都解體了。反之，樣樣都牢保不放，甚麼進步都沒有了。所以，實際上保守和急進，祇是相對的，程度的，實際上決沒有百分之百的保守。如以「羌笛」「琵琶」，「鋼琴」「小提琴」爲例；一般的審美感想，認爲以「羌笛」「琵琶」入詩，便覺其雅；如以「鋼琴」「小提琴」入詩，便覺其俗。無他「羌笛」有「羌笛何須怨楊柳」的名句把其美化了，「琵琶」有「欲飲琵琶馬上催」的名句把其美化了。而「鋼琴」和「小提琴」尙未有名詞以便覺甚俗。因此，我們可以說「雅」生於聯想，出於保守，成於懷念。「鋼琴」「琵琶」兩名詞就其本身說來，並沒有內在的俗性或雅性。

字的原性與主要的功用，爲表達意思的符號。但用之旣久，在其使用的歷程中，拖上了許多瓜葛。所以慣用了的字看來順眼，簡體俗字看來不順眼；這對象明明是帶有情感的對象，這問題明明不是純理智純符號的問題。差不多係眉生眼下，看來必不順眼。

最小阻力綫

可是，循最小阻力綫又是人類行爲的自然律之一。簡體字流年運氣雖遭赤口，然而它有最小阻力綫的吉星照命，勝利終屬它的。吳稚暉先生的注音字母，要識字的人們費力另外學習一番，這犯了循最小阻力綫的自然律，所以勞而無功。

我於此，又想到「老子軍」的張仲仁先生。他是極力主張晉符字的（羅馬字抑或注音字母，我忘記了），他和我談揮完一番偉論之後，我斜眼看他長桌上好幾綑宣紙是朋友們請他寫字的，是「敬求墨寶」的抗議品。我心中忍俊不禁的暗地裏笑。或者試送一張宣紙請羅家倫先生大筆一揮，便可試出他的習慣與主張有無矛盾。

老實說：科舉已廢，旣無廟諱可避，又無破體字可犯，隨便寫寫，豈不寫意！

從前一個算術教員，責學生所計數，定錯零零下一位算錯了。學生抗辯說：先生，你眞猶太，何必計較錙銖！反正我們寫的正楷，連文王，周公，孔子都認不得的，何必計較錙銖！

×　×　×　×

違章建築住戶厄運 中共承認港海擄人

港府對於嚴重的屋荒正在積極努力謀疏解之時，突有數逾萬人居民將受到迫遷威脅。他們原被安置於天台寮屋或是閣仔；此種寮屋與閣仔，事先沒有獲得當局許可，而係業主一時牟利的權宜設施。現有很多業主突然奉到拆卸命令，限期房客搬遷。由於這一重大的打擊，正醞釀着一項嚴重的社會問題。本來，樓宇架設閣仔，在建築期間，大小寬闊有一定標準，此種標準係由劃則師擬訂之時規定，而獲當局許可的，大致都是地下舖面，樓上絕不許可。近年來因爲屋荒租昂，許多業主爲了牟利，就於比較寬敞樓宇中架設閣仔；或者天台闢築木屋，間有竟蓋了石屋出租與人。雖然現時無人對於這種違章建築加以統計，一般地說，數字相當驚人，住戶至少逾萬。當局所以取締此種閣仔與天台木屋、石屋的原因，殆係避免日久坍塌，以及颶風的侵襲，易遭不測。目下他們認爲過去的歲月當局旣不下令取締，突然勒令遷拆，不僅業主與房客間勢將引起糾紛，而被迫遷後之住客，如無力另覓住所，流落街頭，對於社會秩序安靜，無疑將使當局多了一層顧慮；與其如此，莫如以逐步取締的方式分區進行。另一方面，最好這種被迫遷的住戶視同木屋居民，享有相等的徙置待遇。處此屋荒尙未全面解除，當局亟應縝密考慮與愼重抉擇的。

×　×　×

一年前在港海遭遇中共綁架的美國記者二人及另一美國航海家，據說中共現已承認。這三個美國人是：美國國家廣播公司記者亞普格特，國際社記者傑克遜，另一爲伊斯勃蘭遜輪船公司船長克拉斯納，現時均被拘禁於北平。因爲亞普格特曾在遠東廣播中批評中共，致爲中共不滿，乃於去年三月二十一日亞氏乘「寇特」號遊艇赴澳途中，在武裝脅迫下連艇擄去，其他的兩人說是巧合。但並未說明艇中尙有一個中國籍少女，是否亦屬無辜，未加說明，然據一般消息靈通人士斷言這一女子殆係中共特務無疑。自亞氏等被擄之後，美國屢向中共間接提出抗議，但均未予置理。現時日內瓦正舉行會議，布爾夫人向中共詰詢丈夫下落，中共代表團已允考慮；美國代表團對於此一問題也應該向中共交涉。

香港三日

讀史評述（四）——續讀通鑑論

·毛以亨·

亡秦者奴

劉邦的宣傳術

在陳涉與劉季均以奴工頭起家，而一面收拾人心，一面造謠惑衆，則爲當時稷下儒士風氣，亦同符劉季。特史記對陳涉，則用直敍法來識穿，對其本朝之高祖，則用隱喻法，而本爲識穿，然如對照來看，即可明高祖一樣的用欺騙手段。陳涉之敗，因秦方強，且不知兵，不如劉季之在項氏處歷練以後始發于彌，則成敗又須從論了。惟旣以造謠之宣傳爲開其先路，與醫卜星相，婦人老弱及講讖緯神仙的方士們都用得着。

漢高祖小字季，即位後始名劉邦，父曰太公，母曰劉媼，他自己與其父母，都是沒有名字的，可見其出身之下流低微。他說謊的技術，靈得自其父的遺傳，史記稱，「劉媼嘗息大澤之陂，夢與神遇。是時雷電晦冥，太公往視，則見蛟龍於其上，已而有身，遂產高祖。」這不是太公說謊而何，他亦有陳勝利用術士的那一套，不過改問卜爲看相，不特叫他老丈人說「相人多矣，無如季相，」並且兩夫妻謅出老相士來，說他們夫婦子女，都貴不可言。他亦會如陳勝的妖言惑衆，史記稱其「好酒及色。常從王媼，武負貰酒，醉臥，武負王媼見其上常有龍，怪之。高祖每酤留飲酒，讎數倍，及見怪，歲竟，此兩家常折券棄責。」這不是和他們鬼混，並給錢使他們造謠麼？以至斬白蛇而老嫗哭，引始皇帝東南有天子氣，以及望雲氣而知其所在，都是呂氏造出來的鬼話，通篇何都說過「劉季多大言，少成事」了。不過他儀表堂堂，旣能狎侮人，而又能聯絡人，尤其慷慨捨得花錢。

奴工要有名將領導

他是泗水亭長，秦法十里一亭，十亭一鄉，泗水亭在今沛縣東一百步，故有高帝廟，等于今日鄉村之共幹。他曾循役咸陽，據望見秦皇，喟然大丈夫固當如此。至其造反的原因，與陳涉亦極似，史記稱其「爲縣送徒驪山，徒多道亡。自度比至皆亡之。到豐西澤中止飲，夜乃解縱所送徒曰：公等皆去，吾亦從此逝矣。」從者僅十餘人，不如陳涉之能立即起兵，乃亡於芒碭山澤巖石之間，大概是在做土匪。然其衆僅數十人。蕭何曹參[illegible]皆文吏，自愛，恐事不就，後秦種族其家，盡讓劉季。乃立季爲沛公。」時二世元年九月也，於是少年豪吏如蕭曹樊噲等皆爲收沛子弟二三千人。[illegible]收碭兵[illegible]六千人。這些奴工，[illegible]

政治的「權」與「立」

馬五先生

自由談

搞政治不能沒有權術，這是天經地義。從事於實際政治工作，而又身居高位，手握權力的人，如果遇事不分輕重，對人不問親疏，一律用赤心，說眞話，那當然要吃虧失敗的。項羽跟劉邦爭天下，遇事表現其婦人之仁，連發給一個拜爵封官之文武幹部人員的印信，也常常靳而不與。像這樣毫無一點權謀術數的老實作風，宜其敗也！

可是，權術只能當作政治生活的藥劑，却不可視爲家常便飯，否則結果必爲權術所害，古今來這類史事不勝枚舉，近代人袁世凱的情形，即是顯著的例證。他以權謀術數取得政權，最後亦因此而身敗名裂，被其素來恃爲股肱心腹的兩名親信——陳宧，湯薌銘——所氣死！這是孔夫子所謂「可與權，未可與立」的人物，固然說不上王政，也談不上霸業的。

甚末叫作「立」呢？則現代術語所謂政理是也。用人行政，有時候不妨使用權術，藉權威利祿來驅策駕馭一般智勇辯力之士。但不可使奇策詐術，教大家漠視理性，抹煞人格，必須使其養成有所不爲的政治節操，知恥自愛的從政觀念。此之謂政本，亦即孔子之所謂「立」也。

現在世界上專講權謀術數的政治人物，再莫過於共產黨徒了。他們根本把人類當作工具，無所謂禮義廉恥，其權術的澈底性爲何如者！我們既要反共，若又不講「立」理，也完全使用權謀術數，寧不爲共黨所竊笑乎？

慰勞之夜

·婆婆生·

上月立法院同人，在選出總統的一夜，舉行慰勞，款待國大代表晚會，除了杯酒外，尙有戲劇遣興。是日節目，有平劇四齣，話劇一幕，皆相當精彩。話劇另有述評，茲將平劇略言之，以留紀念。

（一）

王鳳亭的牧虎關，爲其拿手，在中廣電台曾播送多次，沉穩有味，做作亦頗發噱。所惜配搭太差，終未大顯其能。龐鴻瑞王之春秋配，由其飾姜秋蓮，嗓音既日臻圓朗，而腔越加宛轉，其動作有楚楚可憐之態，而扮相却甚甜蜜，百尺竿頭，如能再進，可成名家。盧智卿李春波，溫雅工正，絕無俗氣，以善演花衫而能致此，實屬不易。就其唱小生的程度，似較李寶泠爲勝之。于金驊竇氏，王鳴詠乳娘，雖尙可以，究不及醉客張書海之老練而有神。此齣有許多捧者，每句叫好，擾人視聽，爲座客所不滿爲止。

（二）

陳懸君沈規城之寶蓮燈，可稱工力悉敵。懸君自上次在鐵路局禮堂，演紡棉花，南腔北調，大受歡迎，聲名震驚。最近在警察電台播送寶蓮燈，亦爲是日精采部份之一。是夕，搖板原板以及昔日裏之三眼，均能腔圓字正，顧盼之妙。其做作之精細，盡目送手揮之能，毫無生硬，差疑是內行，而非票友，以公正評判，似乎並不在曹會縉之下，所謂斷輪老手者。規城之王桂英，則較前大進步，眞是士別三日，刮目相看。一切對白動作，已到圓轉自然之境。出場一大段，亦娓娓動聽。惟余有意見，所穿之帔，過於太花，對於動作間，不甚合宜，下次聽改爲黯色帔衫，則更大方，而合情調，於襯綫越爲美滿，望採納之。

（三）

大登殿，由曹會縉扮平貴，其細容嗓音，氣派堂皇，唱詞以二簧原板搖板每一段爲最妙，其餘散板亦均不差，祇長安城內把[illegible]一段，稍爲[illegible]，問題是在周長華的[illegible]，不甚適合當生調門，上次余化龍即亦犯此，倘易張正芬飾王寶釧，是無瑕可擊，說什麼與十三暎，但是抑揚頓挫，腔好而學楊托亦好，可謂婦唱夫隨，他人爲能得此。是夕陳曾光較往日亮而潤，亦特別[illegible]綠。于玉驊之代戰，王鳴詠之王夫人，即大致不差，尙能稱職。張正芬之天女散花，在永樂已演過七次，得場必滿。正芬上次演出古裝戲之後，似乎將台北觀衆的眼光，另有一新，改變了以往觀念。是夜祇演行路散花兩場，[illegible]

憶詩畫家陳樹人

紅·棉·花·放

·楊力行。

民國十四五年間，國民黨派遣青年赴莫斯科留學，樹人長公子陳復亦前往。未幾，樹人接其子來書，勸以「切勿思想落伍」，樹人閱之，初大笑，繼痛心愛子中俄帝毒素，復函促歸。後陳復歸國，以共匪嫌疑被捕，瘐死獄中，樹人悲傷不自已。

民國二十一年，樹人任僑務委員會委員長，凡歷十餘年，始終以廉潔自矢，最爲人稱道者即僑委會以節餘經費二萬餘元，擲數解回財政部一事。

（四）

抗戰期間，日機大肆轟炸重慶，人日夕挈其夫人若文女士至防空壕中避難，常有紀事詩，後連同平日在渝所作鼓舞民心士氣之作共千餘首，於「專愛集」之外，集爲「戰塵集」。當時有一小事，爲外間少知者，二十九年六月十二日，日機九十九架，分批侵入渝市，更翻濫炸，時筆者服務賑委會，緊急警報鐘後，匆匆走入大田灣防空壕，時樹人夫婦與交部次長彭學沛並坐，笑語自若。見筆者入，樹人笑指曰：「老弟誠胆大如斗矣」，言未已，彈中防空壕東北二門，震耳欲聾，烟塵濃蔽，少頃相偕摸索出，見傷者數人血流滿身，樹人立將所着白綢襯衣脫下，撕成布條，作臨時綳帶，親手爲傷者包紮，施行緊急救濟，以俟若救護人員到達。急難救人的精神，大爲當時在場者所感動。

民國二十三、四年間樹人以其賣畫所得，建一精巧畫室於南京國父陵園，自謂來日退休，以此終其餘年。二十六年冬，日閥陷南京，畫室遭燬，三十四年九月復員還都，陳氏假華僑謝某陋室一椽以棲。三十六年冬，卸除僑委會委員長職務後，移居上海新樂路三媳婦娘家濡宅，後回廣州，擬在東山寓宅地址，重建一小型畫室，廣植紅棉顏曰「紅棉齋」，作終老之計。因建築費不足，窮數月精力，日夕作畫，因此精力消耗過甚，[illegible]逝世。[illegible]大家，[illegible]今又匆匆五年矣。

（五）

樹人有子女六人，三男三女，長子復早故，次子[illegible]，經營進[illegible]三子[illegible]畢業中山大學工[illegible]現在香[illegible]實業家[illegible]三娘[illegible]長女[illegible]林桂坫[illegible]務[illegible]之子銘敬。[illegible]之弟宗新。[illegible]次長，現任中[illegible]（竹銘）之[illegible]

樹人的[illegible]外，詩集有民國二十五年編印之「專愛集」，及三十年由中華書局印行之「戰塵集」。三十年以後的作品，散見報章雜誌者頗多，尙無單行本問世。（三）

送四弟吉煊入台並簡吉林吉權吉煊諸弟暨祥鸞姪

馮吉煌

邪說橫行吾道窮，南來身世等飄蓬。
家園已陷胡塵裏，骨肉紛集寶島中。
鳳噦高岡迎曉日，鷹揚大漠趁秋風。
艱難事業期羣季，何日方收覆楚功。

平生聲氣重鴒原，攜手河梁欲斷魂。
春草池塘他日夢，關山明月去時痕。
請纓既遂終軍願，擊楫毋忘祖逖言。
大樹家風今尙在，滹沱麥飯應重溫。

噴射直昇機

科·學·新·知

·莫道林譯·

噴射機和直昇飛機的進展，爲現代航空界打開了一個新的局面，噴射機在民航方面雖尙羽毛未豐，但其未來的大規模應用已可預卜，至多不出五六年，世界各主要航空公司必將[illegible]使用了。而直昇飛機自第二次大戰中開始[illegible]運用後，近年來其用途日益擴大，它在韓戰中的表現，無疑已建立了它在軍事上的地位，今日越戰和馬來剿共戰爭，也隨時需要直昇機來從事比較輕便的工作，諸如運送傷兵，低空偵察，投遞小型供應品等等。

有人預料，到數十年後，直昇機也許可能取今日的巴士的地位而代之，成爲人類的普通交通工具，在一般房屋的平台即可降落。這當然還祇是一種夢想，但照今日直昇機的進步看來，這夢想的實現，也不會太遠了。

美國對於直昇機的改進，現正加緊推動，最近更製成數種新式的直昇機，陸軍都已公佈了其中兩種，一種是單人的，另一種可乘兩人，其都運用噴射引擎。其試驗性的模型已告完成，即將在勒拉格堡舉行複雜的試驗。

那種單座的XH二六型直昇機，是美國直昇機公司所製，另一種ＸＨ三二型的兩座式，則是希勒直昇機公司的出品，兩種的速度，都在每小時七十五哩至一百哩之間，遠較舊式的直昇機迅速。它們的噴射引擎，結構也比舊式的簡單得多，如用了需要更換，祇需五分鐘便能換上新的，它的燃料是使用火水，比汽油便宜。

ＸＨ三十二型重量一千磅，陸軍準備將它用於担任通訊、聯絡、搬運傷兵、舖置電綫、及偵察等工作。ＸＨ二十六型的構造則是直昇機上的革命，它的重量僅三百磅，其兩具引擎，竟祇有十五磅，因此異常輕便，它的機件拆卸和裝配都很容易。陸軍認爲這種飛機可拆散後，由普通運輸機運載，隨着傘兵投落到必要的地方，迅速地重裝起來，立時可以使用，以担任偵察、指揮砲兵、聯絡及舖置電綫的工作。它最適合於連級部隊運用，每連可裝備一架，在其防區內往來飛行。在商業上，這種小型飛機更可能成爲眞正的私人飛機，它不僅駕駛方便，且不需要廣大的機場，在普通的屋頂上就可降落。

意中人

煙的故事（三）

·牛布衣·

一九四五年秋天，居留重慶的外籍人士都紛紛準備回家。日本投降了，誰還願意困居山城呢？牛布衣定好了飛機票，還有兩天空閑時間，所以跑到南溫泉去遊遊。

南溫泉的風景很不錯，有瀑布，泉聲和鳥歌混合成一種大自然的交響樂。牛布衣正在山徑中欣賞秋色，無意中發現前面兩顆松樹後的墳前，有一個時裝少婦，正從烟盒裏取出香烟，放在墓碑前面一隻古銅的香爐裏燃燒。少婦的年紀大約三十歲，態度溫文，類似機關裏的女職員。『難道用檀香爐子燃燒香烟來祭墓麼？』那眞是一件稀奇而且奧妙的事情。牛布衣一面想一面緣着小徑向少婦的所在走去。距離不及二十尺的時候，她注意到了，站起來，向牛布衣點頭招呼。

『我在這裏燒香烟做祭品，你覺得稀奇吧！』少婦問。

『對不起，打擾你了。自然我覺得有點稀奇。』牛布衣答。

於是談話開始了，少婦告訴牛布衣，墳裏人是她的丈夫。她自己姓劉，本是機關裏一個公務員，結婚只得三個月，丈夫便爲國犧牲了。用香烟做祭品，是有一段原委的。少婦繼續說：

『五年前的一個秋天，我和一位女同事到這裏來欣賞秋色。在離這裏不遠的小徑裏，我第一次遇見我的丈夫，我們的良媒便是香烟。』

原來抗戰期內，重慶和外國的交通，重要的是天空的一綫。那時候，一般人最感覺缺乏的便是香烟。香烟這東西雖然不是必需品，但是在緊張而興奮的生活狀態之下，香烟的需要是遠在必需品之上。那個時候舶來的香烟最爲名貴，大家都叫舶來香烟做「意中人」。「意中人」是一般吸烟同志的寶貝。手啣大的人找到了一兩根放在烟盒子裏，總舍不得抽。「意中人」的價値往往遠在鈔票之上，牛布衣對當時的情形是十分了解的。那少婦接着說：

『起初我和我的女同事隨意在前面那小徑遊覽。忽然清風送來一陣撲鼻的捲烟的香味，那是美國香烟才有的一種香味。原來前面不遠的地方，有兩個身穿空軍制服的男子，坐在岩石上看着深淵的流水，互相閒談；我當時並沒注意到。我的女同事是歡喜香烟的，因此把我肩膀向她一推，叫一聲「意中人！」

『對呀，是「意中人」，我們是同志。小姐，請吸一枝罷。』忽然前面岩石上一位少年站起來，手裏拿着一包香烟，向我們迎面跑來。他英俊而有禮，態度溫雅，和甜蜜的笑容，使我[illegible]了一會子呆。過了一刻，我鎭定下來。我說『謝謝！我並不吸烟，不過我並不反對意中人。』

『這樣因爲「意中人」做媒介，不久他們便四個人併成兩雙，一個月之後，他們都結了婚。』於是牛布衣笑着說：『這可說是「烟作之合了」』少婦也不禁爲之展然，後來少婦繼續說她丈夫吸烟的性格！

『……我的丈夫還是一個藝術家呢？他在上海一家大學裏念文學，剛畢業，日本便發動了侵略戰爭。他恨極了，跑到美國學航空，回國後，擔任中隊長。（上）

更正

三二七及三二八期本報第四版「我們的生活」一文爲瀚命先生所譯，誤植林芬，合更正。

醫藥新發現

德榮

骨脊灰質炎新藥

美國李氏藥物研究所宣佈，第二種脊髓灰質炎症的新藥已經發明，在製造方面與從前國家小兒癱瘓症基金委會所採用的並不相同。新藥係用一塊腎臟作接種用。另一種培植脊髓灰質炎病菌工作，爲了更安全去使用，採用紫外光。

以上兩種實際試驗工作都在一九五四年進行，試驗結果要在一九五五年才可斷定它的準確效果。

兩隊試驗都在隔離試驗中。從病菌攝影中見到的是一個尖的圓錐形，大小約爲一吋之百萬份之一。現在，派克戴維新藥廠和加州大學都在獨立研究中。

病菌的隔離至一種純潔方式，將會幫助達成更安全更有效的接種。

原子彈傷者的下一代

在長崎的原子委員會宣佈，原子輻射患者的下一代是沒有惡劣影響的。以前遺傳學者深恐患者的子女會變畸形。但是新生的小孩極少畸形，甚至未有發現，而且重量也和普通的嬰兒一樣。

這調査是一般性的和極廣泛的，他們將研究再下一代。

自由人

中華民國僑務委員會登記證台僑新字第一零二號
中華民國郵政登記第一類新聞紙類

THE FREEMAN

（半週刊每星期三六出版）

（第三三一期）

每份港幣壹毫

督印人：羅錦[illegible]

社址：香港高士威道二十二號四樓

20 CAUSEWAY RD 3 rd. fl. HONG KONG

香港發行及事務接洽：高士打道六六號　電話：七四○五五三

承印者：東南印務出版社　地址：高士打道六十四號

台灣特派辦事處：台北市館前街五十號

台灣總經銷處：台北中華路四號之一　郵政信箱金門九二五二

廣開言路善視異議

僅有言論自由是不夠的，政府必須主動的廣開言路，善視異議，人民才會跟上來，台灣輿論界的寂寞現象才可以打破。立監委員能善盡諫爭責任，然後當局可望不離令名，政府可望不陷不義。

•陶百川•

據胡適之先生對新聞記者透露，政府將給人民以更多的民主和言論自由。胡先生認爲台灣因此將有新氣象。

我一向以爲國家永遠需要批評。政府中人即使個個是聖人，但是常言說得好：『聖人也有三分錯』，所以曾子要『吾日三省吾身』，『禹聞善言則拜』，『大舜有大焉，善與人同』，爲的是『人誰無過』，『三人同行，必有我師焉』。我曾在本刊以『需要批評』爲題，呼籲台灣應有更廣大的言論自由。胡先生的看法，自是自由中國的『福音』。

開闢言路善視異議

但我現在開始覺得僅有言論自由已經不夠了。所謂言論自由，大概是說，人民在法律範圍內可以批評政府，而政府不施加干涉。[illegible]

言論自由方能放出光芒，表現力量，以促進新氣象的發生。國策所載的『鄒忌諷齊王納諫』，便是一個好榜樣。

鄒忌是戰國時代齊國的大夫，身高八尺，容貌秀麗。一天，他穿好朝服，照鏡子問他的夫人說：『我和城北的徐公比較，那個美麗呢？』他夫人說：『你美得很，徐公怎能和你比呢！』城北徐公是齊國著名的美男子。鄒忌不能自信，問他的小妾說：『我和徐公比較，誰美？』小妾說：『徐公怎能和你比呢？』第二天，有客從外來，坐談之餘，鄒忌又以此相問。客說：『徐公不及你美麗。』第三天，徐公來了，鄒忌仔細看了看，自己覺得不及徐公的美麗；再照鏡子看看，更覺不如。

位愈高則蔽愈甚

晚上睡下仔細一想，恍然大悟，原來：『妻子說我美，是因爲私我啊！妾說我美，是因爲怕我啊！客說我美，是因爲有求於我啊！』

鄒忌去朝見齊威王說：『我自己本來知道實在不及徐公的美麗，可是我的妻子偏私我，妾怕懼我，客人有求於我，因而都說我比徐公美麗。現在齊國地方千里，城一百二十個。宮中的妃子和左右，那一個不偏私你；朝中的官員，那一個不怕你；全國的百姓，那一個不對你有所求？足見他們對你的蒙蔽是怎樣的厲害啊！』威王說：『不錯！』於是下令開言路。

他的命令說：『凡能當面指摘我的錯處的，受上等賞；能上奏章來規勸我的，受中等賞；能在市朝或朝庭中批評我的過錯而傳入我的耳中的，受下等賞。』命令下達之後，進諫的人很多，宮門庭院擠得像市場那樣的熱鬧。經過幾個月之後，進諫的人漸漸減少。一年以後，雖想批評，可是沒有什麼可以批評的資料了。於是齊國的氣象更新，國家大治。

怎樣才可得到諫爭

更可怕的是一般執政的人，即使受蒙蔽，以致自以爲明白得很。因爲那些怕他的或有求於他的人，常會編造情報給他看，捏造消息給他聽；而君子可欺以其方，到了那步田地，不由他不信以爲真。更因自己有過錯，因而不肯接納人家對他的批評，而他人見他也就不敢，甚至情願『偕亡』，也不願對他有所諫。

齊威王究竟不失爲一英明之主，一聽便通，一通便做。尤其可貴的，是態度誠懇，辦法切實，所以使臣民都敢說敢寫。假使威王口是心非，不肯寬能善視異議，不肯求怨異己，而是敷衍搪塞，雖下詔求言，而我敢斷言，在君王積威之下，決沒有多少人敢以飯碗紗帽和頭顱去供無謂的犧牲。

[illegible]勝於朝廷。這就是所謂『戰國策』[illegible]的故事。直到二千三百餘年以後的今天，仍[illegible]很容易受蒙蔽啊！你看那些有私[illegible]，因爲怕他[illegible]，保飯碗，保紗帽，保頭顱，少一事，[illegible]

台灣的輿論情形

以上是就過去和現在的情形而論。現在試論我們今天的台灣輿論：

第一個問題：台灣當局是否需要批評？我的答案是：『國家永遠需要批評』，當然不是例外。

第二個問題：台灣人民對於當局是否有許多話想說而不說？以爲想說的人和說的話一定很多。

第三個問題：台灣當局是否箝制輿論？是否許人民說話？台灣報紙不受檢查，言論和新聞的尺度相當寬，過去雖有人因言不愼而遭殃，可是情形並不怎樣嚴重，人民應該有說話的膽。

第四個問題：然則輿論界何以這樣寂寞？報紙刊物何以這樣單調？人民何以想說而不說？引用鄒忌的看法，第一是因爲有私於當局，第二是因爲有懼於當局，第三是因爲有求於當局。

第五個問題：誰來打開這個沉悶的局面？人民方面不可能。政府即使多許一些言論自由，也必無濟於事。政府方面須採取主動，第一須廣開言路，第二須善視異議，而後人民才會跟上來。所謂『善視』，不是無視，不是蔑視，更不是歧視；而是以善意去推測它的動機，以誠意去研究它的內容；有益於我，採擇施行，有所誤會，加以解釋。至於開闢言路的辦法，民主國家已有成規可循，但政府必須先有需要批評的感覺，而後辦法才會生效。所以我們最當首先注意的，就是：政府是否已認爲『國家永遠需要批評』？政府如有這樣的感覺和觀念，則問題可說已經解決大半了。

寄厚望於立監委員

政府如果沒有需要批評的感覺，或雖有此感覺而缺少誠意和雅量，他就不肯廣開言路，更不能善視異議，那麼人民雖有千言萬語，勢必不敢表示，更不能上達。於是我們祇能寄厚望於立法委員和監察委員，因爲他們本有監督政府責任，自當善盡進言的義務。

胡適之先生這次回國，曾在監察院演講。他引孝經諫爭章，說明諫爭的重要，並望監察委員都做政府的爭友。

孝經諫爭章第十五載：曾子曰：『若夫慈愛恭敬，安親揚名，則聞命矣。敢問：子從父之令，可謂孝乎？』子曰：『是何言與！是何言與！昔者天子有爭臣七人，雖無道，不失其天下。諸侯有爭臣五人，雖無道，不失其國。大夫有爭臣三人，雖無道，不失其家。士有爭友，則身不離於令名。父有爭子，則身不陷於不義。故當不義，則子不可以不爭於父，臣不可以不爭於君。故當不義則爭之。從父之令，又焉得爲孝乎？』

台灣有立法委員五百餘人和監察委員九十餘人，如有十分之一善盡諫爭的責任，則照孔老夫子的說法，當局可望不離於令名，政府可望不陷於不義，國可不失，民皆利賴。企予望之！願共勉之！

自由乎？管制乎？

陳訓烱

自由、放任、與管制、干涉，一向是經濟學人爭辯不清的問題。且說事實，純粹推行自由經濟的國家，誠如鳳毛麟角。有時爲應付緊急而採取少許適當的管制，究亦十分必要。但自由和管制的利弊得失，與此時之潮流所趨，在各國所具豐富的經驗中，實不難獲得若干重要的啓示。

美國儘量減少管制

大家知道，美國原是實行自由經濟的典型。但自一九二九年的不景氣後，經過羅斯福的新政，第二次世界大戰，迄至韓戰期間，聯邦政府對國民經濟各部門所採取的多少管制，隨也大大改變了自由經濟的本來面目。去年民主黨下台，共和黨領袖們鑑於從前所遺留的許多管制或限制辦法，覺得在政府方面固會因之擴大行政機構，增加經費負擔，甚且滋長官僚作風，在人民方面却往往招致煩擾，增多束縛，終又不免妨礙私人創設，削弱經濟動機，故特就新政府的施政綱領上，揭櫫儘量放寬各種不必要的管制，以爲經濟施策的最高原則。當艾森豪總統就職之初，除對民間一般活動大大放寬自由的尺度外，乃即下令解除數十項物價及工資的管制。蓋謂欲求物價工資的穩定，嗣後應從遏制通貨膨脹的治本工作着手，初非說政府對此等問題不予深切注意。同時，華府當局亦會責成主管機關極力避免使用政府力量，以干涉雇主與工人的集體契約談判（Collective bargain），遂使一九五三年間大規模的罷工並未發生，小規模的怠工亦見減少。識者因說去年美國各重要工業所以能順利增產，突破往年紀錄，與政府之減少管制甚有關係。及至今年，雖則季節性的失業略有所增，華府首要却仍在研擬放寬對外貿易限制，期能便利自由國家的輸入，以與美國貨品競爭。

英國轉回自由老路

在英國，戰時與戰後的物資缺乏，本可爲政府採取種種管制的最好解釋。而工黨之厲行社會主義益使官方管制干涉的領域迅速擴展，也算是不爭的事實。可是，當時擴展的結果，不但民生未曾改善，而英國的黃金外匯準備反日見枯竭，它方面只爲保守黨催速其重握政權的機會。於是，主持英國財經大計的白特勒財相，乃痛改工黨數年來的失策，急急領導英國經濟回復自由的老路。其重要傑作，即把國家化的若干事業（如鋼、鐵、運輸等）發還民營。又把從前官辦主要物資的輸入，改由商人承辦。自解除國家化後，那些重要產業才能裁減大批冗員，政府預算也減輕了許多。不久，由於生產增加，物資充裕，實施多年的配給制度因得全面解除。由於減少浪費，生產與輸入成本降低，英貨的輸出亦得順利開展。終致英鎊地位不斷提高，庫藏黃金與美元準備漸漸恢復舊觀。最近且更進一步，解除了政府對黃金市場的管制，開放其十五年來所未見的自由交易，期能促進英鎊對各國貨幣之全面自由兌換。凡此保守黨經濟上的成就（毋寧說白特勒的成就），當然博得英國大衆的歡呼。

（下轉第二版）

每週展望

·雷嘯岑·

杜爾斯悄然回國

美國出席日內瓦會議的首席代表杜爾斯國務卿，參加了一禮拜的會議後，悄然回國了。

杜氏大概看清了英法盟邦的妥協主義思想甚爲濃厚，而美國國內的民意又不贊成對越戰單獨行動；尤其是英國的作風，好像要乘此機會取得自由世界對亞洲的領導權，不惜先對自由陣營發抒其外交戰略。科倫坡五國總理會議及其聯合公報內容之所由來，恐怕都與日內瓦會議息息相關吧！

美國當然知道英國的用心所在，決不會向俄共集團投降的，祇是不願意遇事跟着美國政策走而已。更知道越南英法的妥協主義求解決，乃是厝薪救火之計，結果將使大戰的因素更爲增進，最後還是要靠美國來處理的。因此，杜爾斯只好先回到日內瓦去，避免參預英法與俄共集團的妥協把戲，以實踐其出發前夕對國會議員的諾言。他的內心似乎注意於兩件事：一是加速進行東南亞集體聯盟工作；一爲敦促歐洲防衛軍公約之及早實現。所以他繞道與義大利當局商量，促意國趕快批准歐洲軍計劃；至於法國方面，如其政府始終在延宕，不予通過，最後即直接武裝西德，辦理徵兵手續了。

不單獨行動的內在因素

美國目前除表示對俄共集團不妥協，不願重演慕尼黑悲劇而外，將祇有作最壞的打算，存最好的希望，今後將以引導輿論，激起民意爲首務。民主國家的政府當局，如不得到多數民意的贊成，即無法對外採取非常行動的。

美國對越戰突然冷漠下來，決定不單獨行動，表面說是英國不同意，實則內在的原因也有大半。美國今年是國會大選年，共和黨目前在參衆兩院所佔有的多數，微乎其微。民主黨政府之垮台，中國問題搞糟了是主要的敗因，韓戰問題沒法收場亦大有關係。共和黨藉此兩大問題作武器，取得了勝利，艾克一登台，又把韓戰停下來了，這是共和黨在國內一項最大的政治信譽，必須保持的。如果單獨參預越戰，勢將演成第二韓戰，此其一。艾克政府的裁員減政，緊縮國庫開支，減低稅率等政策，亦已逐漸見效，所得稅現已減少了百分之十點五，這也是共和黨爭取人心的一項成績。如其單獨參預越戰，曠日持久，耗費必然大增，可能把過去這點成績喪失掉，此其二。這兩點都對今年十一月的國會大選前途，影響重大，因而不得不採取對越戰不單獨行動的決策。

馬丁之言可證

美衆院議長馬丁，前天發表談話，聲明美國現無派軍隊到越南或亞洲其他地方的必要，認爲亞歐已有足夠的反共人力，『如果他們能獲得自由世界各國物質與精神的支援，即能取得勝利』。這意味着美國今後必致力於亞洲的集體反共聯盟。他特別強調說：『艾森豪總統在外交政策中的最大成就，即爲使韓戰得以停止』。這更是迎合民意的言論，目的多半在爲本年國會大選爭取人心。

周恩來的宣傳術

中共頭目周恩來在日內瓦已發表了兩次宣傳言論，從『亞洲人之亞洲』，『一切外國軍隊自亞洲撤退』，一直說到要求西方撤除在亞洲的軍事基地等論調，說到原子彈氫彈問題，再又說出甚麼『七國協議處置韓戰停戰』一類的話。他完全是把日內瓦會場當作宣傳台，沒有絲毫誠意與關係國家解決韓越問題的意念。

自由世界列強的歧見鬧得越厲害，妥協思想越強烈，共黨的宣傳就越誇大。他們最樂從的事即是開會，最怕的即是實力。我們且看英法各國有甚麼錦囊妙計，能攝出「光榮的和平」來？

反對黨的建立問題（二）

必須先建立基本的自由

·韋政通·

中華民國自民元開始設議會，講民主以來，已有四十二年的歷史，但成就甚少，無可諱言。最近自由中國充滿建立反對黨的言論，這自然與民主政治關係甚大。在我個人看來，爭取憲法上最基本的身體自由，最為重要。此外憲法中人權條款與政治問題有關的，當然是言論出版集會結社等自由。如果這自由不能獲得充分保障，還談什麼反對黨的建立呢？反對黨的勢力，是滙合各種不同的反對意見而形成的，故反對黨必須依賴這種勢力，納入組織，發為行動，如果沒有這些自由，又何從說起？

一種非常錯誤的觀念

建立一個有力的黨（反對黨），必須要有理想，有遠見，過去辦黨的人，不會不知道這種平凡的道理，但事實上，似乎都疏忽了這一點。假如一個在野黨，僅是為了向執政黨弄幾個特任官幹幹，在政府機關寫多安插幾個位置，這是非常錯誤的觀念。今天大陸上共產黨所玩的「政協」，不是也包括所謂其他黨派在內嗎？這祇是為統治者點綴場面的，這決不是反對黨，祇是「尾巴黨」而已。

一個真正的反對黨，必然要有它不同的主張和政見。它批評政府也必然苛刻，不客氣。而且一個有出息的反對黨，是應該有野心的，要以正確的觀念和主張，來爭取廣大群眾的擁護，逐漸壯大起來，變成多數黨，在多數擁護之下，取得政權的。

目前在野黨的弱點

我國現在雖然也有兩個歷史悠久的在野黨，可是似乎缺乏遠見，（當然有理想的黨員不乏其人），不免落在現實的圈子裏，過混的生活。這樣便永遠祇有跟着別人走，失去反對黨的意義了。我們要實現政黨政治，在野黨必須放大眼光，不能斤斤於眼前的利害。必須清除內部歧見，避免內鬨，加強團結。如果本身陷於分裂傾軋的狀態，是不能獲得廣大人民的同情和擁護的。要想和執政黨分庭抗禮，就更難了。

急就和拼盤都要不得

當前情勢，現有的在野黨，要負起反對黨的責任，恐怕很難實現，於是有人提出兩種主張：一、由胡適之先生領導自由人士組織反對黨；二、由青民兩黨再加上社會賢達，成立「聯合陣綫」。就前者言，胡適之先生曾主張國民黨自動分成兩個黨。我們覺得胡先生這種觀念並不健全。如果從執政黨中分出一部份人來，便可以成立反對黨，那末，歐美各國近百年來，爭取自由民主的運動，不是一種浪費了嗎？事實很明顯，國民黨中，縱有一部份人對政府某些措施不滿意，可是當他入黨的時候，總是經過一番考慮，認為滿意或比較滿意的，入黨後的不滿意祇是一時的或局部的。因此，胡先生這種急就現成的想法，是不能成為事實的。至胡先生個人，向來做學問工夫的學者，是否適宜組黨，是否適宜做今日自由中國反對黨的領袖，當然又是另一個問題了。

我以為建立真正的反對黨，不能靠「權威」、「偶像」和「招牌」。祇是個人的聲望一時足以和國民黨分庭抗禮，還是不够的。反對黨的基礎必須建立在理想上，和廣大人民的同情上，上面已經說過。其次談到「聯合陣綫」，以現有兩個在野黨和社會賢達聯合起來，自然，青民兩黨主張很多，不過事實上困難也很多。[illegible]黨內部，各有糾紛，再加上歷史上許多人事上的恩怨，和大拼盤一樣的湊拼起來，即使可能，也只是一個有名無實的反對黨，也不會有甚麼力量的。

我的結論是，要建立名實相符的反對黨，必須先實行建立反對黨所必需的先決條件，即我們上面所說的各種自由。基本自由實現了，將來自會有水到渠成之一日。急就章，或大拼盤的反對黨，都不能實現反對黨真正作用，和真正民主政治，是不相干的。

自由乎？管制乎？

陳訓炯

（上接第一版）即反對黨阿特里亦禁為之鼓掌。唯少數人因既得利益損，雖免深致不滿（例如向日仰賴官方輸入而得廉價配給原料，今日只可求於自由市場）。但在英國高層的決策者看來，不管少數人之埋怨，無論如何，自由總是值得享有的（Freedom is worth having）。所以，自由是一陣清風，但當你不習慣時才覺得寒冷！Freedom is a cleanwind, but a chilly one, when you are not used to it!

東西德之強烈對照

再看到黑暗的一面，在戰後中西歐各國中，東德管制最嚴，經濟情形最慘。所有工廠，除拆卸運往蘇聯先作賠款外，幾乎全部收為公營，由傀儡政權派遣「親信」負責管理。諸凡原料、糧食、設備及勞力等項概須經過上級統籌分配，而科學及技術員工亦須嚴受管束，悉遵官方調度，好似置入「石棺」之內，令人動彈透氣不得（用東德難民語）。唯其如此重重管制剝削，東德為人作嫁的重工業及軍火生產乃不無可觀，對克里姆林宮總算有了貢獻。但東德人民所渴望的各種消費品的生產，却瞠乎其後，遠不足供應民間的最低需求。正如鐵幕內其他附庸國一樣，東德人民對於食品，衣着及其它日用品，無不極感缺乏，甚至普通食店菜單特別規定，「顧客欲食馬鈴薯者，無論採任何方法怎樣，須各自隨帶等量的生薯，以補償店方。」此罕見的食店規定，正表明俄共控制下德人所過生活之淒涼。可是，瀕於飢餓的人民去年幸有機會拾取艾森豪的糧包時，仍然沒有一點自由，愛盡軍警攔阻的臭氣！無怪東德人民只有不斷冒死奔向西德，而西德所以有此偉大的吸引力，亦不過當政者能知反其道而行之（詳見另一拙作載三月廿七日自由人）。按最近波昂經濟部長艾哈特氏遊歷南美，有人問其何由而致西德經濟的奇蹟，這位受人崇拜為經濟的魔術家却說：「在德國的經濟復興中並無奇蹟，但有自由經濟的一個秘訣而已。」

法義兩國徘徊歧路

又，今日西方國家受共黨擾亂較深，同時可說是徘徊於社會主義與自由主義之間者，莫如法義二國。法國本是酷愛自由之邦。不幸國家多故，且有社會黨，激進社會黨及共產黨在等議會裏佔着許多席次，致當年所倡的自由平等，竟已易為安全與安定（Securite et stabilite）的口號。其所見於財政經濟方面，則政府的干涉範圍擴大，公營事業增多，國家與人民負担沉重，預算收支不易平衡，乃至物價愈抑愈高，工潮愈演愈烈，歷任內閣幾無一不為經濟難題而去職。多少年來，祇有前此皮耐及蘭尼爾兩位總理在任較久，也只因兩氏的經濟知識能切中時弊。他們認定：與其崇奉管制主義（法文所謂 Dirigisme），不如擴大自由。要平衡預算，必先厲行節約。要安定物價，必先控制膨脹。兩年來法國經濟之稍有進境，實即反映這兩任內閣的財經政策尚經得起現實的考驗！

說到義大利，現在執政黨，即天主教民主黨，雖曾一再宣言「欲於共產主義的社會至上與自由主義的個人至上間，求一折衷，從而取得社會各階層的協調合作」，而事實上，由於國內共黨猖獗，與戰後接收處理不慎，匪特該民主黨的折衷願望未償，並且公營與黨營事業（多屬共產黨營）充斥，致使浪費、貪污、走私、投機、種種腐敗蔚成風氣。許多管制法令反徒供特殊階級開闢財源，儘管義國戰後所得美援不下卅億美元，至今國計民生尚未有顯著的改善。民間所見的，却只是遊手與失業俱增，豪富與赤貧懸絕。自今年新內閣成立，始開色爾巴（Scelba）總理痛下決心，慨然有改革之志。據悉第一砲是對着公營及黨營事業，曾經組織了清查整頓委員會，並嚴禁民意代表及政府官員兼任公營及黨營事業董監事，以杜勾結營私或浪費公帑之弊……。

總之，無論大小強弱，今自由國家的趨勢總是儘量減少管制，不惜擴大自由。唯極權的國家，才無所不管，無所不制，其結果亦無不哀鴻遍地，民不聊生。真正民主所以貴於極權者，豈不在於自由與管制的分野？自由所以勝於管制者，豈不為其利多而弊少？

人物述評

納撒中校

——埃及的中心人物

·焦木·

埃及政局自本年二月間發生戲劇性的政權爭奪戰以來，那蓋勃將軍和納撒中校的幕後暗鬥，已似大家庭中父子的內鬨，始終未息。至四月十八日，政潮再度爆發，正在療養心臟病中的五十三歲那蓋勃將軍僅保留總統的虛名，納撒中校又出現於開羅政壇，接長埃及總理和革命委員會主席。在這一次政變中，納撒的勝利，完全是由幕後掌握陸軍實權的革命委員會為他鋪好了道路。他一上了台，立即將內閣全部改組。他的目的，顯然是準備肅清埃及的所有職業政客和出身新聞界的要員，根本消滅他們此後對他的政權作任何反抗的企圖，並推翻了那蓋勃將軍恢復議會政治的最後努力。

在阿拉伯世界中，納撒中校兩年前還是藉藉無聞。一九五二年七月間推翻法魯克王朝時，始突從埃及秘密的自由軍官運動幕後出現，漸露頭角。至本年二月開羅發生政變，他正式跨上埃及政壇，一舉而名聞天下，被全世界視為傳奇的人物。

郵務員的兒子

納撒中校今年僅三十六歲，身高六尺，面容瘦削，眼鼻似鷹，他是開羅郵政總局的一個郵務員的兒子。所以他的思想，是和埃及的中產階級的思想完全一致。他也認為剝削埃及人民的英國，貪污舞弊的官僚政治以及壓搾農民的皇族大地主，是埃及的主要敵人，非予以徹底消滅不可。他在幼年時，即參加反埃及卑鄙政府及英國的暴動。因此，起初曾使他無法獲准投效軍官學校，一九三八年他成為步兵中尉。

一九四八年，納撒已升至少校，這適逢埃及對以色列戰爭爆發，他也和那蓋勃一樣，帶領了一支裝備低劣的埃及軍隊開赴巴勒斯坦作戰。他在戰爭中，肩部曾受重傷，但因為他在反攻法魯查圍城一戰中，作戰非常英勇，救出了被圍的埃及，遂贏得了『法魯查之虎』的雅號。然而正由於這一次的戰爭，使他對當時埃及及王朝的昏聵發生了不滿。他曾對人說：『以色列猶民拖住了我們的後腿，但我們還要防備國內的惡狼對人民的貪得無厭的剝削。』他對當時政府的憤恨，可在這幾句簡單而顯明的話中看得出來。

自由軍官運動

他為籌謀取陸軍的團結，反抗法魯克王朝，在法魯查前綫組織了『自由軍官運動』。第一次秘密會議，即在法魯查前綫戰壕，於砲聲隆隆中舉行。他的這一組織，可說是秘密團體中的一項傑作。參加的自由軍官約有七百名，各人均不保持直接的聯繫，全恃細胞組織來維持組織的關係。一直到現在，納撒仍能清楚地記住那七百軍官的姓名。他的工作策略，是使自由軍官滲透軍隊中，獲得了重要軍職，如陸軍總司令，參謀總長等位置。而且更滲入法魯克的宮廷佔據要津。法魯克被推翻後所成立的革命委員會，實即自由軍官運動的後身。這一委員會目前實際上是掌握埃及政權的太上機構。她由十一個年均不滿四十歲的青年中下級軍官所組成，現以納撒中校為主席。（上）

人物

赫魯曉夫成第二號

華府的美國情報當局認為，蘇俄共產黨總書記赫魯曉夫已躍升為成克里姆林宮第二號重要人物，他的地位顯已在俄外長莫洛托夫之上。美情報當局的根據是，前不久赫魯曉夫慶其六十歲生辰的時候，除得到列寧勳章外，莫斯科報紙還曾以相當多的篇幅，刊載國外各地向其祝賀的電報，電報的內容固可以看出他是馬倫科夫一人以下萬人以上的人物，而俄報的這樣捧場也是對史達林和馬倫科夫以外所僅見的。

洛奇將任白宮參謀長

據熟悉白宮內幕的人士揣測，美國前參議員，現任駐聯合國首席代表的洛奇，將替代亞當姆斯而為艾森豪總統的「白宮參謀長」。洛奇是艾森豪競選總統時的經理人，所有關於競選的大計，都由他主理籌劃，當艾森豪當選總統的時候，許多人即預測白宮助理一職定非洛奇莫屬，等到事後任命發表，很多人都認為很意外，由此也可以見到艾森豪和洛奇的關係，實在很不平常。據說，洛奇現雖為美國駐聯合國的「大使」，但他耗在白宮辦公桌上的時間較之他在紐約聯合國總部中還多。他出任總統助理的好處之一，是他與參議院的關係較為密切，他以前參議員的身份，在改進白宮與參院的關係上，一定比亞當姆斯有效。

鎮邊府陣前將易帥

在鎮邊府戰局緊張聲中，巴黎的法軍最高當局正秘密草擬撤換越南法軍總司令納伐爾將軍的計劃，這件事的起因，當然是鎮邊府戰役法軍挫敗的結果。當初納伐爾初抵越南，提出其有名的「納伐爾計劃」的時候，一度認為這項計劃足以逐漸消滅越共的。法國軍事專家現在也認為這個計劃僅足邀請共軍，對無法防守的鎮邊府施以攻擊。他們以為幾個月前，納伐爾調遣傘兵在鎮邊府降落，自共軍手中搶奪這個易攻難守的鎮邊府，就已犯了戰略上的錯誤，而在整個戰局上，鎮邊府的地位並無舉足輕重的價值，佔有或失去這個據點，對大局都無所損益，而現在為了面子與士氣問題，法國却要不顧損失，強硬撐持下去，因此巴黎國防部檢討得失，咸認為納伐爾計劃利少而害多。聽說撤換納伐爾的決定，也已得到美國的鼓勵。

美軍如赴越將攜原子彈

美國防部長威爾遜最近曾私下估計，由一九五一年會計年度至一九五五年間，這幾年的導向飛彈之研究與生產預計為四十七億美元，約為一九四二年迄今美國用於原子武器費用的半數還多一點。又據美國防部內層人士所傳出的消息說，如果美軍決定調往越南作戰，國防部的決策人必定會請求總統及國會讓美軍攜帶原子武器同去，他們認為中共一向是怕硬欺軟的，美軍果真配備了原子武器，一定會減少而不致增加中共公開參加越戰的機會。（孟衡）

天下小事

編者　讀者

△暑假快到了，如何利便海外僑生回台升學，教育當局自應早為準備。我們收到行素先生一篇討論這種工作的文章，裏面有許多具體建議，亦切實可行，本刊將在下一期發表這篇文章。

△如何建立有力的反對黨，討論這一問題的文章，我們已經刊載了好幾篇，現在又收到張南容先生一篇，他認為在目前政治環境下，反對黨的成立不是易事，他主張先辦一張獨立的報紙，他對於獨立和自由的探討，獨具慧眼。這篇文章，也將於下一期發表。

△楊柳青先生：大函和文稿均收到，至感雅意，謹復。

△劉鐵如、味腴、蓬果、柳曉、張秀舍、易人、楊力行、周廉、姚立民、孟玉、鄧庭析、莫司非諸先生：惠稿已一一收到，至感謝！

台灣通訊

這是一篇國大海外代表旅行台灣中南部後的報導文章，篇幅相當長，將分期在本版刊出。——編者

台灣中南行（二）

魏希文

國大海外代表

國民大會第二次會議，於二月九日開始報到，海外國大代表（包括港澳），共約二百餘人，陸續從自由世界各地飛抵台北，這些海外代表，有的來自南北美洲，來自歐洲，來自澳洲，來自印尼，來自東南亞各地，來自韓國和日本，來自港澳，使我們想到有人說有太陽的地方就有華僑，同樣有華僑的地方也就有國民大會代表！

這次海外代表，不辭萬里跋涉，遠渡重洋來台，眞是一件令人興奮的盛事；以海外代表的年齡來說，從白髮蒼蒼的老華僑，到正是壯年在海外從事各項事業的男女代表；其中有的是教育家、醫師、律師、工商事業家、新聞文化從業人員。也有正在海外就讀於世界文化最悠久，歷史最老的埃及開羅大學的學生；這些代表爲了看到他們正在爲自由正義而奮鬥的自由祖國台灣，也爲了維護法統，選舉第二屆總統副總統，投下最神聖的一票，他們由衷的歡欣是溢於言表的。

在五十天國民大會過程中，海外代表自始至終都受着熱烈的歡迎，在主席團中，來自海外的代表如胡適、于斌、左舜生、張子田等，都被選爲主席團的主席，同時，報紙上不斷有對海外代表的訪問，政府各級首長非常誠懇地聽取來自海外代表的意見，而且好幾次對海外代表舉行盛大的茶會、酒會、宴會，充分地顯露政府對海外代表的期望和盛情。

就在一次蔣總統招待海外代表的茶會上，蔣總統對海外代表誠懇的致詞，以及海外代表出自內心，如同遠遊回來的孩子，看見了他的家，他的父兄那種激動的感情，也不是現在筆者能夠追述於萬一的。

僑委會的盛情

這次國民大會的成功，是由於共匪叛亂，大陸淪陷所得來的血淚教訓，是由於總統賢明卓越的領導——他的偉大革命精神的感召；也是大陸四億五千萬同胞和一千三百萬僑胞的引頸渴望的結果。這些因素奠定了國民大會必然成功的基礎。

大會在三月廿五日完滿閉幕以後，海外代表都要紛紛起程回到自由世界各地之際，我們來自海外的代表，不能不感謝僑務委員會鄭彥棻委員長，他以僑務委員會的名義，招待海外代表，作一次台灣中部和南部的七天旅行，使海外代表享受幾天旅行中的輕鬆生活。同時，也可以對自由中國台灣，有一個更深刻的認識。當我隨同大家旅行回到台北，朋友問到我對這次旅行的觀感，並且現着不勝羨慕的笑容說：「你們眞是好運氣，我在台灣住了幾年，也難得到這樣好的機會呢？」我一時無從作答，想了一刻我說：「那麼我寫一篇這次旅行的散記，一則把我們自由中國台灣的眞實情形，介紹給海外僑胞知道，一則也作爲我這次參加旅行留下一個文字的紀念。」

談到這次海外代表旅行參觀台灣中南部，我們又要說到鄭彥棻委員長了，在國民大會中，他同海外代表接觸得最多，有些代表在同他閒談中，說到今後希望有一次旅行的機會，他總是笑着說：「你們回到自己的老家了，這個老家，不管怎樣，總要請你們去看看的。」就在後來一次聚會上，他公開對海外代表們說：「我們現在已準備各位七天的旅行了，各位開會很忙，我們準備在會後請各位旅行到日月潭休息休息。」他還沒有說完，便博得一陣熱烈的掌聲。鄭委員長被這一片熱烈的掌聲激動，倒覺得有些難爲情似的。這幾年來海外僑胞對於自由祖國的熱愛，不斷的有海外各地的觀光團來到台灣，鄭先生的努力，是值得記述的。在大會閉幕後的第二天，我們就接到僑委會的「參觀台灣中南部手冊」，除了有詳細的規定事項以外，還附了一個名冊，以代表之職業或海外居留地區的不同分爲六個組，每組由僑委會派兩位高級職員負責聯絡照料，其中有一組大概都是來自美洲的，由於彼此相識較深，這樣編組倒很合實際情況。（未完）

讀史評述（四）

——續讀通鑑論

毛以亨

奴工項氏崛起

陳涉吳廣，自稱扶蘇項燕，國號張楚，而始大，稱楚王于東城（今豫州定遠縣東南）。武臣到邯鄲，自立爲趙王，韓廣爲燕王，周市立魏王，田儋爲齊王。這些都是陳涉時代，六國的復活，而楚地最大。今之蘇北皖北，盜賊尤多，故假楚之名者尤衆。但陳涉後竟自稱陳王，眞正能代表楚之人物，當推項梁，而出，項氏叔姪，遂以應起了。[illegible]

梁遲陳涉兩個月，于九月起事，殺會稽守，持其頭佩其印綬以示衆，衆始伏。繇受陳王封，爲楚上柱國。乃以八千人渡江，至廣陵之東陽，陳嬰屬以兵二萬，英布，蒲將軍亦以兵屬之，皆盜匪，盜匪則奴工犯死罪者流亡之徒也，計共六七萬人。軍下邳（泗水縣），至彭城（徐州），而並其軍。以擊景駒，敗秦嘉，最章邯軍在碭（沛郡），乃入薛。沛公往附項梁，梁益以兵五千人將十人，沛公兵乃强。又立懷王孫心爲楚王，都盱台（今臨淮）從范增計也。

史記稱「居鄛人（巢縣）范增，年七十，素居家好奇計。往說項梁曰，陳勝敗固當。夫秦滅六國，楚最無罪，自懷王入秦不反，楚人憐之至今，故楚南公曰，楚雖三戶，亡秦必楚也。今陳勝首事，不立楚後而自立，其勢不長。今君起江東，楚蠭起之將，皆爭附君者，以君世世楚將，爲能復立楚之後也。」後人同情于失敗者，皆以項羽有一范增而不能用爲憾，其實范增之智，殊不可用，王船山已先言之。蓋

老百姓需要甚麼？

當時之需要，爲組成有紀律的軍隊以抗秦，而無需立六國之後，此則陳涉不能，獨項氏叔姪能之。六國之後，式微已甚，轉徙死亡垂盡，沒有號召衆，已經捧不起來了。奴工們之歸心六國，乃因秦之暴而起的反激，實爲一時的意氣與幻想，決不能持久的。且百姓們所盼望的，爲統一後所得的和平，若仍分爲六國，則因互相兼併，而又要連年戰爭，於老百姓是不利的。亦惟有七十歲的老頭兒，纔有此等懷舊思古的幽情，太史公稱之爲奇計，與陳平傳中所稱的奇計，同一文義，蓋貶詞也。實項氏以復楚而不自立，猶是迂儒之見，距張良遠矣，良亦三代爲韓相，六國之後也。

范增之說，實誤項梁，一誤項籍，而梁死，再誤項籍，而籍亡。籍于其入關後大封諸侯，等于爲自己製造麻煩，而授人以隙，范增之長，爲忠于項氏，助其殺宋義，徙懷王，並主張殺劉季，以圖補救。羽之不聽其言，使兩人意見日趨參商，固也。然不能專以此責羽，增之過且較羽爲大，王船山謂其立楚之說，祇以服楚人之心，而不足與於興亡。

項羽勳望最高時

秦將章邯大敗楚軍于定陶（曹州），項梁死，由于宋義遊說懷王，挑撥齊之田榮，使不相救，又分兵于沛公，而與相勾結所致。梁死，章邯且以楚不足憂而去攻趙，可見楚內部當時之混亂。其時懷王到彭城，奪項羽軍，以宋義爲上將軍，項羽爲次將，范增爲末將，皆屬宋。義去救趙，而頓兵四十六日于安陽，不往鉅鹿。並別遣沛公先入關，而以項羽慓悍不可遣，皆爲奪羽之權，以分畀宋義與劉季。項羽此時的境遇，殆與劉縯死後之劉秀，見扼于更始略同。而羽終能自奮，奪回軍權，殺宋義者，蓋將士之同情，有以致之。故諸將皆曰，『首立楚者將軍家也。』羽遂率楚兵救趙，以解鉅鹿圍，破釜沉舟，持三日糧，一以當十，諸侯作壁上觀而皆伏，至膝行莫敢仰視者，蓋已盡行發揮哀兵必勝之義了。蓋叛徒們並不需要六國與楚之後，而需要良將以破秦軍，而羽則恐如其願，故其時羽之功業與人望，乃達最高峯。坑秦降卒二十餘萬于新安之後，雖入關已不能久居，蓋秦人對坑其子弟之怨，已不可解，章邯亦失秦人心而無法牽制沛公。然不坑之，則楚軍與降卒之數相若，亦無以策入關用兵之安全。（上）

新書介紹

克拉克將軍著：從多瑙河到鴨綠江

出版者：美哈普出版公司　售價：美金五元

克拉克將軍和任何人一樣，相信戰爭必須戰勝，他的個性與第二次大戰期間的經歷，都證明他決不會以不獲勝利爲滿足，但他在最近出版的新著「從多瑙河到鴨綠江」中，却不得不開頭就說：「我執行政府的命令，得到了一個不羨慕的殊榮，成爲歷史上第一個美國陸軍司令簽署不獲勝利的休戰協定。」

在克拉克於一九五二年五月接任遠東最高統帥時，美國政府已放棄在戰爭中取得軍事勝利的想法。克拉克認爲這種沮喪的態度必須拋棄，聯軍應該轟炸鴨綠江後的中共基地與機場，中國大陸沿海應該予以封鎖，他認爲直截地說出了這些主張，他相信爲其結果不會引起第三次大戰，反而能加强軍力阻遏任何地區的共黨侵略。

克拉克將軍的主張未實現，但他在歐洲及亞洲的經驗中形成了這本傑作，說明了美國在韓戰中所遭遇的敵人。由於克拉克已於一九五三年退役，現在南加洛林納州的歷史性「衛城軍校」校長，他已不受約束，能在這本書中暢所欲言。

克拉克未赴亞洲前，曾於戰後在奧地利任美國高級專員二年，在這一職務上，他能實地觀察共黨的基本思想與方法。當時他的對手是蘇俄駐奧高級專員柯尼夫。他說，柯尼夫在外交宴會上是個頗能討人喜歡的傢伙，但作爲世界革命的奴僕，却完全變成另一個人了。他在那裏一切奉命行事，他的活動，似乎要克里姆林宮按上一個電鈕才開始。因此在韓戰時，他對南日和談中竟能連續二個多小時默不作聲，以及南日之策動戰俘營中共軍戰俘的暴動，而利用這類事件發動宣傳，當然絕不驚訝。他說：「共黨在板門店並不是和我們談判，不過是利用我們，最後我們所以能獲得停火，祇是因爲共黨在戰場上已遭如此重大的損傷。」

克拉克且發現，韓共二個最佳的司令官金日成與南日都曾於第二次大戰時期在俄軍中任軍官；在韓戰中，蘇俄的高射砲隊也曾積極參戰。他對蘇俄與中共都未估計過低，他認爲中共的學習能力很高，它的軍力到韓戰停戰時已較最初參戰時爲强。他說，在他擔任聯軍統帥期內，聯軍在軍事上從沒有獲得決定性勝利的能力，他所說的是從一九五二年五月開始，到停戰時爲止，因此與斐列特的說法並無矛盾，斐列特曾說，在一九五一年，聯軍確有獲得勝利的機會，但這機會終被錯過。

克拉克在這本書中所說的一切都極坦白，他對李承晚總統的美國熱誠大爲敬仰，但他不滿意李氏的政治手段。他對將來提出的幾個建議，也同樣坦白：一，他認爲美軍應退出韓國，而對共黨提出警告，如再發動侵略，必然引起大戰；也對李氏表示，南韓軍如北攻，將被指爲侵略者而難獲他國援助；二，擴建南韓，越南，及日本的軍力；三，組織與北大西洋公約相同的太平洋聯盟。

關於對共談判，克拉克已得到深切教訓，他說，唯一能使共黨尊敬的論據，祇有武力，但他既未炫耀武力，也沒有虛妄的幻想。像一切正直的人一樣，他對停火能終止屠殺感到快慰，但他說：「當我簽署休戰協定的時候，我當然知道，抗共鬥爭並未就此結束，而在我這一生中也不會結束。韓戰不過是一場小戰，一場在自由世界邊緣打的慘烈而代價極高的小戰。」（黃明易譯自「時代週刊」）

三．日．小．評

旭軍．

廉價房屋

香港政府已決定撥款五千五百萬元進行建築廉價房屋。四月二十八日港府立法局會議將此一九五四年建造民房法案予以二三讀通過。且定此款內九百五十萬元移交香港屋宇會社應用。而市政局小組委員會主張：先行建築適應四至七人單位的家庭樓房。承租人家庭入息以每月三百至四百五十元爲合格。租金擬定每月六十元至九十元。樓宇之建築須要堅固可使用三十年以上。每層自成一個單位。有廚房、廁所、花灑浴室，騎樓，並兒童讀書設備。

撥款建廉價房屋是市民渴望早日實現之事。但技術問題尚有待磋商者。以英國的屋宇問題討論來參考，便知道建屋必須先慎密調查：（一）人口情形，（二）現在屋宇，（三）家庭大小（即普通每一家人口若干），（四）生活程度。據英國調查英國居住情形，近年來人口不增加，而屋宇須增加者，係因每一居住單位（狹義的說法是一家庭）的人數縮小了。其原因甚多，大概傾向小家庭，或因如貝萬所說工人生活提高水準，有許多有能力獨租一層。至於香港情形恐不如英國，反而每一居住單位包含人數必多。因此建築的房屋必要慎重分層。過大，則非一家之人能力所能租得起。過小又不適合人數多的家庭所用。

歹徒威脅學生事件

月前本港迭次發生學生被非法者威脅強迫參加其非法組織。據說「阿飛幫」之學生，常在放學歸途中，將其同學脅持至橫街闢巷，將之圍毆，或藉端勒索金錢。否則與以不利，或甘作歹徒之媒介，恣意威脅同學加入其組織。

這不單是學校教育問題，而且是社會治安問題。現教育當局密切查究，通告各學校督促各學生活動。但筆者看來，與學校的訓育陶冶，和公民娛樂教育極有關係。青年的精力充沛，要有良好的場合給他發揮才是。香港的圖書館，博物館，運動場、公園、以及一切正當娛樂的地方太少了。甚至有些完全缺少。德性的薰陶足以影響青年氣質。禁止不良的行爲不如代以有益的活動。

香港三日

中共整肅已露端倪

據上月二十二日「人民日報」披露消息：中共中央現已指向全黨，中共黨員公開發出「學習四中全會」的文件，指示，迅即展開批評，中共各地區各單位組織之黨員先行展開批評與自我批評。中共中央批評學習之用意，作爲黨員有計劃有秩序的，正式進行中共[illegible]之開展。整黨鬥爭另已自此開端，仍現中共中央之華北各地大部消息所傳，任職黨政機關與人民日報有關係者，反黨者若干人，擁有地方上[illegible]和實力（可謂相當於中共高級幹部）的[illegible]，情形此次作戰準備[illegible]，[illegible]溫和[illegible]。

不可忽視的事

自由談

報載：台灣台中市一位議員，在開會期間因案被捕了。省議會議長黃朝琴頗不謂然，認爲這是違背現行憲法所規定的原則，曾向省府提出抗議。

這件事我認爲政府當局要以很公正而合法合理的態度來處置，決不宜又採用「大事化小，小事化無」主義，但期息事寧人，不問是非曲直之所在。現在我國朝野人士都盛倡民主政治，民主精神是要靠法治來發揚的，不尊重法治，就不必侈談民主！究竟那位議員是否在開會期間被捕的？逮捕之前是否已對議會通知過？這情形很容易查明白，是則是，非則非，把內容向社會公佈，讓輿論批判，纔才叫作民主政治。

在我國政治社會中，逮捕一個人，並不認爲是件嚴重的事兒，即令捕錯了，放你回去就是，而且還使用「交保」辦法。如其被捕者眞有可捕的罪行，那更是千該萬該，至於法定的逮捕手續，即不必多所顧慮。我國一個警察派出所，把人民拘留一下，毫無所謂，若在尊重人權與法治的歐美民主國內，便是駭人聽聞的問題了。所以，兩年前美國紐約州長杜威由台灣過香港時，對人談到「特務」問題，竟將台北的警察局亦看成特務機關，就因爲警察可以隨便拘留人民，這在杜威的觀感上，自然要另眼看待的。

希望台省當局把這件事依法處理，表現法治精神，樹之風聲，培養民主軌範，千萬毋以善小而不爲，馬馬虎虎地敷衍過去！

馬五先生

寄禪上人其人其詩

·韓名鋼·

（一）

寄禪上人，別號八指頭陀，姓黃氏，本名讀山，其先世爲山谷苗裔，居贛之茶陵，明末，始徙湘潭，業農。幼爲田家牧牛，一日，見籬間白桃花，忽爲暴風雨所摧敗，不禁大慟，因慨然有出塵之思，遂投湘陰之法華寺爲僧，法諱敬安，燃兩指供佛，故自號八指頭陀。

初，不甚識字，後因省舅過巴陵，登岳陽樓，友輩分韻賦詩，上人獨澄神趺坐，下觀湖光，一碧萬頃，忽得「洞庭波送一僧來」之句，遂神悟能詩，並用心研讀，所作清空靈妙，大有飄飄出世之意，見者無不大奇之。

或有問其唐詩與宋詩分別處，則曰：「唐人詩純，宋人詩駁；唐人詩活，宋人詩滯；唐詩自在，宋詩費力；唐詩縝密，宋詩疏漏；唐詩鏗鏘，宋詩散緩；唐詩溫潤，宋詩枯燥；唐人詩如貴介公子，舉止風流；宋人詩如三家村乍富人，盛服揖賓，辭容鄙俗；唐人詩如有各千秋，聲調高下疾徐，皆合律呂，宋人詩如村鼓島笛，雜亂無章。」此論雖屬偏激，但自亦有見地，並非信口開河者。

（二）

上人拙於書法，復患口吃，期期艾艾，不善應答。嘗宿於楊度家，度出屏紙，強其錄詩，什有九誤，點劃不備，窘極，書未半，言願作詩以求赦免，度允之，命題擊缽，百韻立成。或有識之者。曰：「字不欲工，略存寫意，語不欲明，略存話意」。人竟無以難。

上人主天童山方丈時，有自鑿之冷香塔，有銘識曰：「瓶鉢，吾生詎有涯，詩心一明月，埋骨萬樹花。丹嶂插青天，青山過客家。來來此塔，長與伴烟霞」，未知如今尙在否？

（三）

「寄禪上人集」，都十九卷，七人遺作也，其警句如：「袖底白生知海色，眉端青點是天痕」，「樵燕飛何處？江可聽！」「忍草綠當，禪花過雨香，低凋秋綠，疊花怯晚紅」……

」又有金陵雞詩十二章，皆膾炙人口，茲錄其一云：「石城鴉雨腥，楊柳碧餘春，獨放青天鶴，來尋白道人。溪雲淨入夢，潭水近禪心。坐覺滄洲晚，微風動葛巾」。洵可傳世也。

詩稿，有客見上人手抄不易辨識，嘗書「花下一壺酒」句，而不知寫字，竟畫一酒壺代之，亦可謂趣聞。何云何！」

（四）

上人又曾爲育王寺當家，有武弁數人聯袂入山，懸寺中與上人談詩，頗自驕矜，若不屑酬對者，頃之，一操湘音者吟曰：「一步一步」，旁一人曰：「永遠育五嶺」，相與大笑，上人應聲續之曰：「夕陽在寒山，馬蹄踏人影」。武弁爲之拍案叫絕，皆拜服。又有以「寒山釣雪圖」向上人索題者，題曰：「垂釣板橋東，雪壓簑衣冷，寒江水不流，魚嚼樹花影」。上人游嶽麓山，援筆吟曰：「意行隨所適，林深闃無人，佳處輒心領，清溪戀孤影」。以是人稱爲「三影和尙」云。

上人與龍陽才子易哭庵友善，一日，同宿山寺，易偶得句云：「山鬼聽談詩，窺窗微有影」，上人笑謂：「君寫鬼影未工，我意易爲『孤燈生綠影』何如？」易爲之傾倒，曰：「摩詰詩中有畫，寄禪詩中有鬼，願以百金易此句可乎？」上人曰：「文章千古事，得失寸心知，雖十倍，衲亦不易也。」其嗜詩如此。民國以後，湘中法華寺產爲官中所據，上人被推爲中國佛學會長，以二年入京請願，護教，與內務部禮俗司長杜某言語牴牾，杜大怒，起摑其頰，上人氣憤難宣，歸所寓法源寺，一夕示寂而死。楊度收其平生詩文遺稿，彙印行世，即「寄禪上人集」也。

×　×　×

滿江紅

·韓名鋼·

極目神州，海天闊，朔風凜冽，懷故國，赤焰瀰漫，秦淮嗚咽，荊棘遺途通客夥，蕭條城廓人烟絕，嘆險隘龍罩夕陽邊，肝腸結。頭可斷，保名節，冒萬死，滿腔熱，恨山河變色，鼠狐僭竊，去去休流兒女淚，來來齊灑英雄血，想而今揮動魯陽戈，胡塵滅。

憶詩畫家陳樹人

·楊力行·

紅·棉·花·放

茲摘錄數首如下，以見一斑：

花朝寄粵中清遊會友

故鄉見說非人境，羊石春光尙有不？翠梿紅錦俱黯淡，諸君何以作清遊？

爲若文夫人繪紅葉小禽。

紺霜紅葉未飄蕭，借得寒枝暫當巢；萬里江關秋風厲，故園無計避鴟鴞。

爲羅卓英（慈威）將軍「呼江吸海樓詩集」題詩

大雪空山正淨飛，元戎躬自款茅茨；攜來轉戰長征集，盡是忠貞壯烈詞。君勝衛青弘鑄武，我慚汲黯乏匡時；平夷指日還鄉去，更赴郊埛野老期。

（六）

樹人生平處己待人，有其一貫作風，從來不願隨便批評他人言行。他自己雖愛好寫詩作畫，絕不肯說他人的詩或畫不好。反之，他卻常向人說自己的詩或畫，某一首或某一句是如何好，某一幅或某一筆是怎樣神妙，其詩格與畫風係怎樣轉變而來，或說某人說他的詩如何好，某公說他的畫如何妙，津津樂道，毫無倦容，猶記民國三十六年十月二十日，予因公由濟南飛滬，下機後至大新公司參觀樹人個人畫展，見他與陸丹林、勞敬修、馮自由等多人，在畫幅前，指手畫腳，解說這一幅如何好，那一幅多麼妙！口若懸河，滔滔不絕，見予來，即拉至巨幅紅棉畫前，指點解說，竟達二十分鐘之久。是以任何人與其論畫或詩，祇聽見他口口聲聲在說他自己詩畫之優美處。不知者以爲他太自矜，未免目無餘子，自我陶醉；實則珍視自己作品，所謂「敝帚自珍」之意，無可厚非的。

樹人平生風采素美，衣飾整潔，言談極有分寸，不肯隨便承諾他人請托，一經承諾，必定作到，從不肯口是心非。閒談中，絕口不談人是非，即對報上新聞，亦不願隨便肯定其是否眞實性。守口如瓶，不肯得罪人，這是他一貫君子風度。性嗜酒，非好友在坐不醉，醉中吟詠，出口成章；醉中作畫，益見妙筆。

平居淡泊明志，甯靜致遠，不事生產，而廣於交遊，逝世之日，識與不識，咸爲痛惜。

挽章甚多，不少佳作。除前面所引馮自由先生挽詩外，以予記憶所及，尙有吳天任悼詩云：「隔年一面竟難追，臘意清遊轉惢支；頭白早傳尋夢集，官清稍耐醉吟詩。頻寃骨肉悲秋草，投老光陰作畫師；地下張黃應共笑，九重泉路續交期。」吳湘帆哭詩云：「年頻憂患忍何之，湖上曾吟背謳詩；玉宇皇皇終寄感，齋讀隱隱不勝悲。中山荒草花千面，南國紅棉筆一枝；相對默然凝讀畫，驚心零落淚絲絲。」

陳氏逝世後國府曾明令褒揚，生平事跡宣付國史館立傳，並從優議恤，以彰忠藎，馮自由先生曾爲立一傳略，筆者據以寫成此文，自慚掛一漏萬，現正廣徵資料，擬爲立一詳傳，並附年表，請海內外讀者多多賜教，至爲感盼。（四月十六日耶穌受難之日寫於台北近郊妙諦齋。）

（續完）

稿約

本報園地公開，歡迎讀者投稿，性質不拘，最好勿超過二千字，譯作請註明出處；來稿如不合用時，當儘速退還。

—編輯室—

煙的故事

（三）

·牛布衣·

意中人

『因爲他是個藝術家。無論對什麼事物，總有他特殊的領會和意見。他雖喜歡香烟，但並不多吸。他喜歡不可捉摸的虛無飄渺的烟霧，他以爲烟霧可以表現他的幻夢，和象徵他的願望。

『他吸烟的習慣和一般人不同。祗於興到的時候吸一兩根，他說過，「一個人要是非吸烟不行，要是規定某一個時候，和非吸若干支不可，那麼他便做了香烟的奴隸，受香烟的束縛。一個自由人，不應該遭受到任何束縛。我祗拿香烟做消遣，把我的幻想寄托在虛無飄渺的烟霧裏，我在烟霧裏找到一種特殊的意境。

說到這裏她停頓了一會，繼續說婚後的生活，她說：

『婚後第二個月，敵人加緊對重慶的夜襲。好幾次，他率隊於午夜迎戰，建立了不少功績。一天晚上，他對我說，「我現在以身許國，隨時可以喪生。假使我遇到不測，你不要悲傷。身體雖然死了，精神是不會死的。祗要你永遠不忘記我，我便永遠存在你的心裏。如果你思念到我，需要我的時候，只需在這個爐裏燃燒一些香烟，我會來陪伴你，安慰你，像生時一樣。你將來上墳，千萬不要攜帶香燭，只需在墓碑前燃燒些香烟，那虛無飄渺的烟霧便能夠把你的情意傳給我』。他這一開玩笑的話，想不到竟成了讖語。

『婚後第三個月一個午夜，敵人又大舉夜襲，投下了許多燃燒彈，把重慶變成了一個大火海。他率領五機迎戰，在一小時內擊落敵人重轟炸機三架。不幸坐機油箱中彈着火，他便殉國了』

說到這裏，他欷噓很久，纔着她說到怎樣把屍體領了回來，葬在他們第一次會面的地方，以後每覺到悲哀和無聊的時候，便跑到那裏，依照丈夫的囑咐把香烟放在爐裏，讓它燃燒。並且覺得那虛無飄渺的烟霧彷彿把丈夫帶了回來，心情因此快慰，憂慮悲哀得以消逝。

她很興奮的說：

『他才離開我，剛才他到這裏陪我，我還告訴他，戰事結束了，我要離開山城回家去了。我是永遠不會忘記他的，我們結婚生活雖只三個月，可是他給我的慰藉，快樂，和幸福是不能以語言傳訴的。現在我悲哀？憂傷麼？不，他永遠存在我的心裏，我是不會感到寂寞凄涼的。』

銅爐裏的香烟燃化了，她拿出一條綢巾，準備包裝香爐回去。

牛布衣聽得呆了，問了，『他怎樣安慰你呢？他出現你面前，像生時一樣和你談話麼？』

她笑了，她說道，『不，他並沒出現我面前，可是我的感覺卻和他在我身傍沒有兩樣。香烟燃燒起不到幾分鐘，他便跟隨那飄渺的烟霧到我面前，我感覺到他的來臨。宇宙驟然增加了光輝，我心裏感覺到十分的溫暖和安慰，和他生前在我身傍沒有兩樣，所以我曉得他來了。

愛情不朽，精靈永存，牛布衣驟然覺得宇宙眞的增加了光輝了。

（下）

不打自招文鈔

·文抄公·

中共在大陸農村中強迫收購糧食，農民的反應是怎麼樣？請看下面這篇文章。以下是中共區內某雜誌最近刊載的原文：

李村長

濟南　楊漢

李村長穿戴好衣帽，剛想出門，忽聽「嘭嘭嘭」的敲門聲，他開開門，見是村東頭的老破頭。「啊，是老破叔，這麼早，糧食都準備好啦？」

「不，俺找你就正爲談這個事呢，……」

「什麼事？」

「俺沒有糧食賣啦。你想想，俺家四口人吃哩。」老破頭神態不大自然，他歪着頭，抓了抓新買的一頂灰氈帽。

「喲，你昨天不是報名賣五百斤嗎？怎樣又變啦？」

「那是俺算得不準嘛。」老破頭含糊地答着。

「昨天咱核計得滿準的，你忘啦？區裏王助理員還幫着你算哩！」

老破頭被村長這一追問，臉忽然變了顏色，就索性賭氣似地說：「是算啦，可是這會兒俺不賣啦。」

「那又爲啥？」

「這個嘛，問你爹就知道了。」

老破頭說完，掉頭就往外走，嘴裏嘀咕着：「瞧他，天底下沒有這樣的傻瓜……」

「老破叔，慢點走，俺還沒聽懂你的意思！」李村長追上去說。可是老破頭連頭也不回，朝村東頭走去了。

李村長看着他的背影，有點納悶：昨天他那樣積極，很多人都受了他的影響，今天忽然變了，連一斤也不賣。這裏面一定有道理，他本想進房去問問父親，但細想了一下，還是弄清楚再說，便走出大門，邁開腳步向村政府走去了。

李村長剛進村政府的門，便有人悄悄告訴他：老破頭在村邊跟人說，昨夜有個商人從村長家扛去一袋糧食，準是村長家偷偷賣給私商的。現在，這個消息在村裏傳開了。

中華民國僑務委員會僑務登記證台教新字第一零二號
中華民國郵政登記第一類新聞紙類
自由人
THE FREEMAN
（中華民國卅六年三月創刊星期三六出版）
（第三三二期）
每份港幣壹毫
督印人：雷嘯岑
社址：香港高士威道二十二號四樓
20 CAUSEWAY RD 3 rd. fl. HONG KONG
香港發行及事務接洽：高士打道六十六號
電話：二四〇七五三
承印者：東南印務出版社
地址：高士打道六十四號
台灣特派員辦事處：台北市館前街五十號
台灣總經銷處：台北中華路五九四號之一
台郵劃撥儲金戶九二五二

先辦一張獨立的報紙

·張南容·

感謝自由人的編者，最近登載多篇有關自由祖國的文章，供給我們許多關於祖國政情動態的報導，讀許多報導，從軍事，政治，文化以及社會各方面，都使我們得着深刻的印象。這許多消息，相信不是其他報紙或刊物所能透露。「自由人」這種偉大的動力，對自由祖國乃至對整個自由世界，其功績是深遠的。

一片晴朗的政治氣候

綜合最近「自由人」以及其他報章雜誌所透露，民主憲政在自由祖國確已有進一步的成功。至少在意識上，這次國民大會開會後，一般人對憲政的要求加高了。政府當局的態度也更開明而進步了。左舜生先生在「自由人」第三二八期（四月廿四日）「述最近留台觀感下篇」一文中，關於黨派問題，有如下的紀載：「蔣總統曾公開的告訴青民兩黨的負責人，希望兩黨合而為一，作為一個較有力的在野黨。胡適之先生則主張國民黨不妨自動分而為二個黨，以一個在朝，一個在野。比較的來得迅速而有效。但據我所知，在今天國民黨之無法可分，也正如青民兩黨之無法可合。不可分不可合，過去所謂不可，卻又不是絕對的，到了不能不分的時候，便自然會分的，到了可能合作的時候，也許自然會合。但決非所論於今天就是了。」我們必須引述左先生這段原文，因為他方從台灣歸來，他參加各方重要的談話，他的筆述，等於重要的時代文獻。在左舜生先生發表其留台觀感以前，高遠先生在本刊曾著「多數政黨與憲政」一文，內面亦有重要的報導，就是許多方面希望胡適之先生出來領導，組織一個在野黨，高先生在文中，還殷勤屬望胡先生做中國的傑佛生。

目前，台灣政治季節，似已過去。許多海外名流，已紛紛乘風飛去，曲終人散，難道這一場熱鬧，就此收場。照我們的期望，人雖暫時散了，「曲」並沒有終了。而且這一場熱鬧，象徵着自由祖國中興復國。更顯示了自由祖國當局的百尺竿頭，日新又新。所以今天反共抗俄的大局，可以說是五年來最光明的一個階段。我們的樂觀，不在任何數字，亦不在任何有形的跡象，而寄托在這一片晴朗的政治氣候上。根據最近的趨勢，在政治改革方面的在野黨問題，既如左舜生先生所記述，「國民黨之無法可分，正如青民兩黨之無法可合。」更如高遠先生文中所論，胡適之先生儘管為各方所屬望，但被他的「朽木不可雕也」一句話，輕描淡寫地所吹散了。最近半月中，台北報紙所登載民社黨內部分裂的消息，使樂談政黨政治的人，正是澆着一頭冷水。政黨政治硬是要人來幹的，並且還要熱心志士百折不迴地來幹。今天我們沒有傑佛生，沒有瑪志尼，也沒有加爾波爾提。雖有加富爾，還是不濟事的。

一個有效的改革動力

我們對這一個問題想來想去，既不能如胡適之先生飄然遠去，亦不能如于斌先生跪地求主。在目前的形勢環境下面，惟有創辦一張獨立的報紙，對目前的問題是比較的一服良藥。一張報紙當然不能像一個政黨，有極大的力量。然而一張獨立的報紙，至少在現存狀況下面，未始不是改革政治一個有效的動力，我們於「自由人」」倘誦了高清言先生「新政風與新聞界」一文後，更認為一張獨立的報紙，在今天自由祖國是可能旋乾轉坤的。前幾天台灣報紙登載老報人于右任先生壽辰盛況，使我們聯想他那傳誦數十年的民立報發刊辭。『有獨立之民族，始有獨立之國家。有獨立之國家，始能發生獨立之言論。再推而言之，有獨立之言論，始產生獨立之民族。有獨立之民族，始能衛其獨立之國家。』久矣乎，我們不瀏到「獨立」兩個字！獨立言論與獨立人格是相互關聯的。有獨立之人格，始能產生獨立之言論。亦惟有獨立之言論，始能產生獨立之社會與國家」。我們對今天自由祖國新聞界之觀感，雖不如高清言先生那樣憤激，「今天最可痛哭流涕之事，乃以辦稅局充侍從，當副官的心理去辦新聞事業。」但是今天自由中國新聞界的情形，每一個報紙讀者是一致搖頭的，所以照今天自由中國新聞界的情形，即使政治社會各方面有改革，在這種輿論氣候之下，政治大局是無法十分圓滿的。左舜生先生批評「陳揆」一類用語，左先生正是溫柔敦厚之至了。我們要改革今天的新聞界，第一件大事，要辦一張獨立的報紙。如何能辦成一種獨立的報紙，首先要結合一羣富於獨立精神，具備獨立人格的老少報人。把辦報當復仇復國的大事去做，這一個事業自然是十分艱巨，但是大家抱着成仁的決心去幹。其成功實可保證的。

獨立與自由相依為命

在西洋思想史上，十六世紀十七世紀是講獨立。十八世紀同時提倡獨立與自由。十九世紀便單講自由。今天只聽到講自由，這是有時代的因果。英國在十六世紀中葉頒布了宗教統一法，建立國教。組合教會起而反抗。克林威爾推翻王政，組合教派及獨立主義始抬頭。英國王政復辟，宗教之禁網更嚴，組合教會及獨立派之反抗更甚。組合教會之黨徒荷蘭，移殖美洲，均為這一原因。組合教會及獨立派之主旨，在於直接上帝，信仰之事，不受任何宗教政治權力之干涉。獨立主義者自己對上帝負責，對自己良心人格負責。美洲移民初期，獨立教派在新英格蘭地方勢力最大，這是北美獨立的思想種子。傑佛生暮年自撰墓碑，「此為獨立宣言起草人，佛琴尼州宗教自由法案提案人，佛琴尼大學創辦人之墓。」可見十八世紀十九世紀西方偉人思想結晶及自負之處。今天英美政黨政治超越其他國家，而獨立主義者 Independents 始終為政壇所推崇，因為獨立與自由，正是相依為命。有獨立之人格與思想，然後能享得自由，享受自由。亦惟建立自由之環境，方益能保障其獨立。今天我們要談自由而絕口不提獨立。無論自由決不易得，即使幸而獲得自由，那種自由是無根的。那種自由是不能滋長的。今天在自由中國要培植清明的政治與社會氣候，必先使輿論之主宰，操於一羣獨立奮鬥者之手，然後阿媚疲輭的輿論空氣可以澄清而掃除。

獨立報人應有的抱負

今天辦報，物質條件的要求甚大。工業資本的社會，小資本企業，難與大資本企業競爭。這一個物質條件的困難，當然使許多有志辦報的人，為之裹足不前。不過我的愚昧的想法，意志力量還能克服物質困難。眼前我們的反共抗俄，講物質條件，我們何嘗充足。但是不能因為物質條件的困乏，便放棄這個生死鬥爭。今天要辦獨立的報紙，性質也是同樣的。只須我們有堅強的意志，獨立奮鬥的精神，實在沒有不可克服的困難。如果有一羣民主自由的鬥士，立下宏願，從辦獨立報紙來復國，必須自己先下決心，辦報不受政府分文津貼。主持報紙的人，更須立志長期在野，十年或二十年永不做官，不受政府任何官職或名譽之羈縻。還須在心理上精神上準備甘受冷落或甚至坐牢。以此為獨立奮鬥之基本信條，然後為真理，為是非而奮鬥，為國家民族而奮鬥。更抱定這種宗旨，成功必定宏大而迅速的。政府當局如果有心培植在野黨而一時不克實現，何如先行鼓勵與培植一個民營獨立的報紙。一個聲効遠大的獨立報紙，對政府做諍友，對國家作諍臣。政府決不要害怕一個獨立的報紙，一個建設性批評的獨立報紙，對政府只有幫助而不會妨害的。數十年為新聞自由獨立奮鬥的老報人，今天自由中國尚不乏人，此在舉國望治之中，政府上下應該協力提倡促成的一件大事。

如·何·解·決　僑生回台升學的困難

行素

台灣師資只有過剩，並無不足，各校房屋，如善為利用，校舍亦不成問題。與其設立新大學，不如擴充現有大學，可事半而功倍。設立夜校為目前事實所切要，不能以粗製濫造目之。

這幾年來，海外華僑子弟，被中共誘騙投入鐵幕的，為數甚多。美國副總統尼克遜上次來台訪問，在某次座談會上說：「他訪問印尼，獲悉最近數年，華僑子弟回赤色中國受教育者，多至一萬人。」（見王震五怎樣爭取僑民一文，載本刊。）尼氏在台中為東海大學行破土禮時，又說：「他在印尼，看見成千青年到香港，而來台灣的百不得一。」（見新生報副刊厚安先生文）這些數字是否正確，尚屬問題，然其為數之多，似是事實。

再看台灣，近幾年來，僑生回台升學究竟有多少人？據僑務委員會統計：四十年一〇六人，（內港澳八五人，印尼越南各三人，菲律賓二人，星馬十一人，泰國瑞士各一人。）四十一年二六七人，（內港澳二二七人，印尼一八人，越南一一人，菲律賓七人，星馬印度各二人）。四十二年八七七人，（內港澳六六〇人，印尼六七人，越南五七人，韓國四〇人，菲律賓一五人，星馬一一人，印度緬甸各七人，泰國五人，模里斯智利各三人，美國法國各一人。）三年來，共一二五〇人，如將港澳除外，來自其他海外的僅二八八人。不過僑生回台，歷年都有增加，是差強人意的。

國民政府對於僑生回台升學並不是不加注意。例如來台升學學生入境手續簡化，僑生保送標準尺度放寬，錄取名額逐年增加，來台不滿一年尚未入學者，投考時可享有考試成績總分加二十之優待。又四十年僑生保送升學僅限於大專學校，四十二年起，將範圍擴及中學。僑生在台，如無適當保人，並可由家長委託僑委會負責保證等，足以證明。然而僑生回台升學，為數仍不甚多，蓋尚有事實的困難在。

師資和校舍如何解決

台灣現有大專學校九所，（軍事學校不在內），因校舍設備關係，名額有限。台灣學生每年升入大專的，尚不能盡量容納，故對於僑生，自有愛莫能助之感。惟筆者覺得，這種困難，並不是不能克服的，是沒有人想法克服而已。第一說師資：大陸學人來台的很多，除已執教者外，閒散者亦不少。近年台北補習學校多如雨後春筍，未聞缺乏師資。聞某補習學校有教授五十餘人，其中有博士學位者四十多人。可見台灣師資過剩，並非不足。其次校舍：新成立學校，校舍確不敷用（如行專等校），其他各校，校舍多規模宏大，如果善為利用，並不是毫無辦法。茲以台大為例。本部包括四個學院，房屋甚多，容納二千多學生。其中一部份房屋，所謂一號館二號館三號館者，均三層洋樓，佔地甚廣，房間甚多，裏面多數房間，固有正當用途，但尚有少數空置，堆放破爛東西，或者僅一二人在內做研究工作，所佔房屋很大。這三處大樓，如果作一合理調整，總可騰出不少課室來。說到實驗室：每一學院都擁有不少實驗室，如一系有一系的公共實驗室，一個教授有一個教授的實驗室。在學術立場說，這確是好現象，可是在這「屋荒」情形下，可否遷就些，酌量合併，或作經濟的利用，將不必要的改作課室。

（下轉第二版）

半週展望

·陳克文·

新亞洲共榮圈

中共總理周恩來在日內瓦會議席上，高呼亞洲人的亞洲，所有外國軍隊都要從亞洲撤退出去。美參議員諾蘭說周恩來這話不啻說亞洲是共產黨的亞洲。更有人指出，共產黨的長期政治戰略已開始顯露，它的主要路綫是亞洲由中共領導，歐洲由蘇聯領導。都可以說是一針見血的評論。

我們還不會忘記，日本軍閥進行太平洋侵略戰爭的時候，會經高唱過亞洲共榮圈的論調。中共的「亞洲是亞洲人的亞洲」也就是日本軍閥的「亞洲人的亞洲」，「亞洲共榮圈」的意義。日本軍閥是失敗了，中共「亞洲共榮圈」自然也不會例外。然而，我們不要忘記共榮圈的謬論在當時確實給予東南亞各民族以不小的誘惑，對日本的侵略行動也發生過很大的作用。在殖民地勢力沒有徹底消滅的今日，中共這一口號還是能夠發生其引誘和離間的效力的。

現時在東南亞還擁有殖民地利益的祗剩英法兩國，你們對越南和馬來亞還不能及早改變政策，充分給這些地方以獨立主權，則中共這一口號一定會發生效力，荷蘭在東印度的崩潰，也便是你們前車之鑑。不錯，越南獨立現在已經成為事實，英國的馬來亞政策也迅速在改變中，可惜時間已嫌過遲。勢不能不另求補救方法，這方法便是杜爾斯所倡導的亞洲聯盟。惟有亞洲聯盟迅速成立，才可以避免共產黨的滲透分化，各個擊破，保護自由獨立的新國家，不至以羽毛未豐，為共產黨所乘。

英國有了日內瓦會議的經驗，大概已經覺悟和共產黨在會議桌上打交道是決沒有希望的了，據說已經同意亞洲聯盟的組織。我們認為西方國家現在想挽回日內瓦會議的失策，必須從速進行亞洲聯盟，才可以避免東南亞淪於鐵幕的命運。

越韓的統一問題

越韓的統一問題，現時在日內瓦準備提出的方案，西方主張在越舉行普選，共方則主張組織聯合政府，劃界分治之說似乎已成過去。韓國問題，西方主張在聯合國監督下，北韓補選，共方則反對聯合國監督選舉。到底會議席上雙方所提方案如何？能否獲得協議，此時言之似屬過早。奠邊府的戰事演變對於越南政治影響尤大。如果這幾天奠邊府失陷，落入越盟之手，則共方開價必定更高，越南的統一更為困難。於此，有一件事是確定了的。即共黨勢力決不會退出越韓，也決不會在將來無法蠶食或併吞越韓全境的條件之下，讓越韓統一起來。此時即使在選舉問題或其他政治問題對西方有所遷就，亦不過因為目前形勢不利，暫作退一步進兩步的打算而已。

因此，西方國家如果不願踏入共黨圈套，不貪圖一時的苟安，以造成未來更大的危機，則日內瓦會議對於越韓統一問題是很難和共產國家獲得妥協的。

五國軍事會議

現在西方國家的最大弱點，便是法國政局的不安和失敗投降心理的作祟，共產黨正充分利用這弱點，來分化西方以求取勝利。美國為針對此一弱點，已經宣布將於月內在新加坡或華府舉行美英法澳新五國軍事會議，在軍事上討論保障日內瓦對越南問題光榮解決，以防止法國投降。紐西蘭總理亦宣稱，不久將在新加坡與美英法澳舉行軍事會議，討論東南亞防衛問題。這樣，杜爾斯在日內瓦會議前所主張的聯合行動，大概可以見諸實行了。艾總統說，一個戰役尚未終了，不能說到失敗。我們相信，亞洲聯盟和軍事聯合行動這兩個步驟如果能夠切實實施，則日內瓦會議的失敗，是不會落在西方國家的。

金門見聞

葉非葉

【台北通訊】我以半個月功夫走遍金門島。由縣城循沙公路到農村，再渡海到最前線的小鎮碉堡，還有機關辦公室和店坊茶肆，也走了不少。我發覺島上軍民蘊藏着高度的戰鬥情緒，大家都有反共抗俄必勝的信念。

經濟情況

每年魚汛季節，是島民的黃金時期。現在漁民在海軍巡艇保護之下揚帆到大陸邊緣撈魚。皺皮皓首的老漁民告訴我：「三年來一直如此。」冒砲火打漁總不可怕——他們不僅是打魚的漁民，如今他們又是反攻的先鋒，不少共軍因他們的掩護而反正歸來了。島上漁民作生意的本錢不足，許多人把漁網作主要資產。現在當局擬在島上發展食品工業，希望僑領投資。據說美援輔導加工，也可在島上實現。這都是居民熱望的。現在經濟計劃並沒有把金門列入計劃範圍之內，這是很可惜的。希望政府和美方體察實情，使金門也得分享其益。

教育文化

島上民情純樸，惟經濟狀況，較遜台灣，政府正謀改善，歡迎僑資，將來也可以改進。

金門有一家中華日報，八開版，印刷欠佳。又有金門中學附設師範班，讀書風氣很好，教育素質，教材也欠完備。學生自動出壁報，很精彩，可和島上的軍中壁報互相媲美。島上婚嫁喜事甚多，儀式仍舊講究排場。有兩家閱書報雜誌店，台灣報紙刊物抵達太遲，亦間有香港雜誌報紙出售，價格與台灣相差無幾。舶來乳粉和可可粉亦並不甚貴，比台灣便宜拾數元。

軍民融洽

某宴會席上主人用茶點招待來賓和軍人，人數甚多，這現象在台灣反不常見。此外軍民共耕，軍民同座，談笑自若，男女融洽，更爲島上特色。軍民相處和諧，於此可見一斑。在一望無際的黃沙中，士兵作攻擊演習，野居民聚足而觀，竊竊私語，指望他們早日反攻。縣城珠埔鎮有一民衆補習班，聽講者軍民雜坐，老幼共來，大兵教歌唱，其樂融融。民間盛行圍棋象棋爲消遣，沒像台灣那樣賭風四起。軍營牆壁上，滿貼標語。軍中康樂辦理也很不錯。戰濠裏有胡琴口琴，娛樂之事不一而足。軍隊中的讀物，以宣傳品爲主，但數量過少，不夠分配，送到時間也太遲，壹星期前的台灣報紙，也不容易看到。

僑生回台升學的困難

（上接第一版）

最後，我說到研究室：日治時代，台北帝國大學和日本其他大學一樣，是用講座制度的。當時學生人數極少，所以教授們每人都可以分得一大片房屋做他們的研究場所。光復後，這些研究室，依舊存在。據我所知，現在許多研究室，雖有研究室，並不大利用它，偶然到裏面坐坐，（也有終日在內研究，不能一概而論）無非去找幾本參考書，帶回公館去研究。因爲台大配給宿舍，每位先生總可分得一所像樣的房屋，可以騰出一室作書房，從事研究，所以沒有課的時候，也就懶得到學校裏研究室去（學校裏有教員預備室，上下課儘有地方），故許多研究室好像沒有必要。這些房子如果改成課室，豈不甚好？再如台大法學院，係與校本部分開，位於台北市徐州路，裏面有一圖書分館，分成三個部份，第一閱覽室，第二閱覽室，和書庫，第一閱覽室不去說，書庫藏書，據說有七八萬冊，德日英法文都有，（日文佔多數）是日治時代台北高等商業學校遺留下來的。這些書籍是否都有價值，我不能說它全無價值，但可供參考的恐怕不太多。可是，這個書庫佔了一幢樓房，以該院現有教室而論，可以劃成七個大教室。這個書庫如果有參考價值的書，不妨陳列於第二閱覽室，其餘的書併入第一閱覽室的書庫去，將書庫改成七八個教室，每室以容納五十人計算，便可多招一百五十名新生。

最後說到教學設備：台灣各大專學校的設備，多半是日本人遺留下來的，接收後也有添購？以台大爲例，現在的設備，儘可供四千多員生之用，如大量招收新生，再酌量添些，便不會發生供不應求現象。所成問題的還是學生宿舍，這一點留在後面講。

設備和宿舍也非難事

以上提供的辦法，除師資可以就地羅致外，關於清理房屋，合併實驗室，取消研究室等，似乎牽涉很多，不易實行，尤其這樣做法，或者有人說，這是不尊重學術研究，其實，並沒有不尊重學術之處。我們總認爲國家處境艱難，我們總應抱着這種「到什麼山砍什麼柴」的態度。萬不能坐在象牙塔裏，自我欣賞。有人說過：「教育以經濟爲基礎，脫離了經濟基礎，教育變成了形式主義，變成了洋八股，對於社會無益而且有害。我們這個窮社會要採用窮辦法，「徒讀父書」的美國式教育專家，把富社會的富辦法，搬到這窮社會來，害得我們社會越弄越窮。」這段話，說得多麼中肯。因此，我們教育當局，應注意各校房屋支配情形，學校當局也要破除情面，決心整理，教授先生們也要體念時艱，協力合作。

至各校原有設備，不敷將來擴充之用，又怎末辦？這一點，我有交代。據聞政府有爲華僑專辦一所大學的計議，但新辦一所大學，不是一件容易的事，縱然有了經費，也要相當時日，始能樹立規模，因此，政府倘籌得相當經費，似不如以之擴充各校原有設備，藉收事半功倍之效。過去僑生宿舍，已傷透各校腦筋，今後各校大量容納僑生，則宿舍問題，當更感棘手。這一筆宿舍建築費，如果政府不能增加負擔，似可向海外僑胞捐募。試觀新加坡南洋大學籌募基金，一經發動，馬上就得到東南亞各地華僑熱烈支持。只要取之於僑，用之於僑，僑胞愛護祖國，這種捐獻，一定是很踴躍的。

窮人打算應開夜校

以上校舍利用的計劃，如果有人認爲窒礙難行，我願介紹徐文台先生「大學擴充教育」一文，（一月十八日台灣新生報）藉供參考。該文首先說：「開辦新大學，籌備時間，至少一年，譬如台中東海大學，范威廉先生奔馳於紐約台北之間，已有二年，美國派人來了，買地皮，造房子，忙個不了。據說今年秋間可以開學。可以招收的，祇有兩百人。就本省中學生失學問題來說，僑像蘇東坡所說：「寄蜉蝣於天地，渺滄海之一粟！」照我的計劃，立刻可以開辦招收的人數，當以千計，當以萬計。」究竟徐先生是什麼錦囊妙計？他繼續告訴我們：『台灣許多公立學校的房子，到了夜晚，一毫沒有用處，我們要把這個廢物，（夜間校舍是廢物）化「腐臭爲神奇」。……夏天不放假，別人休息的時候，正是大學擴充教育吃緊的時候。夏季校舍空起來像廢物，我們正要充分利用。……星期日普通的大學放假，校舍空了出來，擴充教育不妨規定星期日上課，……』徐先生主張大學擴充教育，利用學校校舍夜間上課，夏天上課，星期上課，在我們這個窮社會不能多開辦大學的窮國家，不失爲一種對症下藥辦法。猶憶去年立法院教育委員會召集大專學校負責人，討論中學畢業生失學問題，結果認爲開辦夜校可以救濟。並聞有兩校同意帶回去考慮。可是事隔多日，毫無迹象。惟一反應的，是某校某院長爲文反對開辦夜校，他認爲這種辦法，是迹近「粗製濫造」。是否「粗製濫造」，明眼人自能知之，毋待雄辯。衛挺生教授最近兩篇菲島通訊（均見本刊）說：『馬尼剌商店店員，自經理以至工役，什之八九皆讀夜校。各大學中學教員，多同時兼讀大學夜校。已得學士學位者，多攻讀碩士或博士課程。……』菲京城郊有大學十餘所，專科學校倍之。現在大學各級及研究院讀書者，日夜人數在萬人以上之大學四五所，皆爲學位而讀書。總計現在全國專科大學在學之學生十倍於台灣，而其人口僅爲台灣之一倍。……』可知大學的必要，似不能以「開辦夜校，自有事實」「學店」目之。

必須爲青年僑生打算

最後，我要特別指出的，中共誘騙僑生返國升學，可謂無微不至，所謂「救助旅費回國升學」，「免費入學」，「放寬投考資格」，以及「僑生服務成績優良者，送往蘇俄留學」等等。僑生一面惑於中共之宣傳，一面因僑居所在地升學困難，爲急於求出路，不得不誤入歧途。我們對於這些青年，自然只有同情和惋惜。往者已矣，來者可追，我們面對那些正徘徊觀望或有意來台的海外青年，還不想法解決他們的困難嗎？美國會調查團在去年年底訪問遠東十一國的報告書中，對「中國政府可有機會吸引僑生回台受高等教育」一事，印象頗深。報告書指出中共已作特別努力吸引僑生，乃建議台灣方面，政府應再估計其安全甄別措施，俾更多的僑生能回台升學。此次國民大會開會，有華僑代表彭浩「等卅九人向大會提「請政府簡化華僑學生入口手續，並迅速開辦華僑大學及附屬高中或先修班，積極爭取華僑青年」案；張培梓等廿二代表向大會提「請政府設立華僑中學二所，以收容海外來台升學僑生，並請政府擴充大專學校僑生學額」案。可見爭取僑生來台升學，是目前自由中國一件大事，人同此心，心同此理。最近（四月十四日）教部邀大專校長商討高等教育問題，其中有兩個問題（一是專科以上學校增收僑生，一是專科以上學校設置夜間部或補習問題。）皆與僑生回國升學直接間接有關。我們極願這兩個問題，能從長討論，得到一個比較圓滿的結論，以慰海外千萬僑生喁喁之望！

人物・述評

清心寡慾的生活

納撒中校已結婚，有子女四人，現均居於開羅郊外軍營中一座平房內，屋內佈置簡陋，生活一如平民。納撒每日早晨五時半起牀，即在他的書房辦公室內接見如潮湧至的賓客，包括閣員，外交代表，青年軍官以及來自鄉間的村長等等。至八時半，他動身赴革命委員會辦公。這一委員會現設在法魯克的昔日一座富麗堂皇的別墅中，棕櫚成蔭，風景宜人。他經常的在辦公桌上用午餐，只有一道本地豆燒的菜，樸實無華。

納撒中校也是一個嗜烟成癖的人，常在飯後口啣一支雪茄，悠然自得，但他從來不在大庭廣衆之間吸烟，也一向不讓人攝取吸烟時的鏡頭。他的目的，是不想予人以法魯克的奢華重現的印象。因此，他堅決主張，他的同僚應取法於他，對醇酒美人應保持一種決不沾染的清心寡慾的態度。他空下來休息的時候，非常喜歡講笑話，但他是很少有空的。他發怒的時候，暴戾異常，但發怒的時候也不多見。

埃及的中心人物 納撒中校

・焦木・

辣手的工人問題

納撒中校因出身於軍隊，自己也承認政治閱歷過於淺薄，這一次他重掌埃及政權後，改組了的二十二個內閣閣員中，有八個是屬於革命委員會的年青人物，他們都具有優良的工作經驗和專門學識，但入閣爲時過暫，目前尚未能表現他們的政績。在另一方面，納撒中校確是獲得了勞動階級的有力的支持，使職業政客及其他官僚所遺留下來的政治上的真空，得以重行充實起來。但納撒也必會遭遇一項危險，勞動階級之盡力支持他，勢必向他提出滿足勞動階級的要求。這一點恐將成爲納撒政府今後極感棘手的問題。

操縱阿拉伯外交

納撒中校對於國際問題的觀點，仍不出以他昔日在參謀大學所吸收知識爲基礎，他認爲埃及是居於三個大圈圈的中央：這三個大圈就是阿拉伯世界，非洲及整個回教世界。他在上週曾對美國提出了嚴重的警告，他說美國如不改變中東政策，勢將「自食其果」。他的這一警告，是根據下面兩項憂慮而來的：（一）西方各國在聯合國中施壓力，目的是在於威迫阿拉伯國家對以色列訂立和平條約；（二）美國批准土耳其巴基斯坦防衛協定，勢必破壞阿拉伯世界的統一。事實上，伊拉克已有表示參加土巴防衛協定的迹象。

納撒中校認爲與西方強國謀取協定是他所求之不得的。但因爲他及其同僚對於英國仇恨過深，『帝國主義』的暗影難免時時浮上腦際，所以他主張，西方國家最主要的步驟是英國撤退蘇彝士運河的駐軍，表示誠意，否則，一切均無從談起。他在今後執政中，不讓蘇俄在阿拉伯世界幕後操縱外交，阿拉伯世界如和西方達成緊密的結合，在反共防衛體系中，確佔有舉足輕重之勢。當此埃及及納撒政權未穩，政策未定的時候，英美國家應及時權衡利害，提出明智的解決英埃糾紛方案，不讓埃投入蘇俄的懷抱。（四月二十五日）（下）

天下小事

原子潛艇延期試航

美國原子潛艇鸚鵡螺號原定於今年夏間正式試航，但據極可靠的內幕消息說，這個計劃已決定取消了。海軍部當局爲安全起見，已打算把正式試航的日期延至今年秋間，並已請得更高當局的同意，不久後即可以正式向外間宣佈此事。據說，鸚鵡螺號這次延期試航的原因，主要是潛艇本身的設計遭遇困難的關係。當初設計人的藍圖不可謂不精密，但這究竟是史無前例的巨大潛艇，而且是世界上第一艘用原子力推動的船舶，困難重重，自早在意料之中。據悉，這次遭遇的困難是鸚鵡螺號的最後一道難關，當事人已有解決的把握。今年秋間，一定可看到鸚鵡螺號正式巡弋於大海中了。

美參院杯葛前駐韓大使

留心韓國政局的人，相信沒有一位不知道繆錫俄的，繆錫俄是前任美國駐韓大使，自他調回國內後，才由現在的布瑞吉斯接替。他回國後，一直鬱鬱不得志，據說其中內幕是他的人緣太劣，最近傳出他有奉調使外的消息，但參議員勞里奇又馬上發表聲明，他將反對批准繆錫俄的任何任命，這樣一條，國務院又有所躊躇起來，看來繆氏短期內仍難有解凍的希望。關於美國對外活動的人事方面，據可靠消息說，短期內可能有新的大變動。主持美國新聞總署（包括美國之音在內）的署長史特雷柏可能另調他職，調職的原因不得而知，繼任人選爲誰？目前也尋不出眉目，但史特雷柏離職之說，據說是有七八分可靠性的。

彼德羅夫情報壓後發表

蘇俄駐澳大使館三等秘書彼德羅夫自請求澳政府作政治庇護後，已陸續供出若干有關蘇俄特務活動的情報，因爲他是俄國駐澳的特務首腦，他所透露的情報自然極爲盟國當局所重視。據說他所透露有關蘇俄間諜活動的報告中，牽連了許多澳洲人。但正因爲這一點關係，非至本月二十九日澳洲舉行選舉後，彼德羅夫的驚人報告將不至向外間發表。原因乃在澳總理孟齊斯雅不欲使其反對黨（工黨）獲有指責他的機會，因爲他如在普選前公佈或請彼德羅夫透露更多的秘密，工黨一定會指他利用彼德羅夫案件作爲競取政治利益的手段。孟齊斯爲避免此種嫌疑，才決定採此行動。所以在今年六月初以後，我們必可聽到許多駭人聽聞的共黨秘密。（孟衡）

編者讀者

△最近台灣省議員和縣市長的選舉，爲關心民主政制人士所特別注意。最近我們收到有關這一件事的報導和評論文字很多，下一期起將擇要在本刊發表。

△簡體字問題的討論，本刊已經刊過幾篇文章，現在又陸續收到若干篇。關於這類文章如果不是有特殊見解的，我們打算不再發表。

△楊力行先生：大作收到後，五月八日的稿子已經付印完畢，來不及刊載，隨後發表。又前函囑查之件已經取回，即日付郵，請查收爲感。

△黎德操、楊柳青、傅中梅、冷少泉、劉讚石、東平、楊柳笛、楊力行、敝忤、郭之奇、葉非、葉儲先生：惠稿均已收到，至深感幸！

台灣通訊

台灣中南行（三）

魏希文

「裝甲之家」的餐會

三月廿七上午，接到通知，十二點前趕到「裝甲之家」，這是裝甲部隊的俱樂部，我趕到時，門口已停了七輛交通車，大廳上已分組擺好餐桌，有些代表已坐在餐桌前等候，大廳門口好像辦喜事一樣，有一張緞子的簽名單，而且依照各組次序。走廊旁邊堆下了代表們的行李。

參加旅行的代表，每人左襟胸前，佩着一個圓形紙質證章，不少代表還在胸前掛了一個攝影機，僑委會派在各組的聯絡同志，手上持一面代表各組不同顏色的三角旗，這就是每組的標幟。十二點半，出發前的餐會開始了，首由鄭彥棻致詞，接着他介紹和我們同行的李副委員長樸生先生，和派在各組的聯絡員——僑委會的處長科長。主客一共二百餘人，台灣省政府派了人，經濟部也派了人，還有隨行的海外駐台報紙的記者，說來眞是一支浩浩蕩蕩的旅行隊伍。

參加旅行的海外代表，夫婦代表有三四對之多，僑委會事前不知道，竟然把一對夫婦代表編在不同的兩組，事後不覺，鄭彥棻先生笑着說，這眞是莫大的錯誤，竟把一雙姻緣幾乎拆散了，於是大家在一陣閧笑中，立刻在出發前改過來，並且還有要找老朋友在一路上多有機會聊天的也改正過來，最後皆大歡喜的出發。

這次國民大會，女性代表，據說近兩百人，而海外女代表佔了百分之十以上，其實海外女代表不但數字可觀，在大會中海外女代表也鋒頭甚健。我們旅行隊伍中，女代表自然也是行色最壯的旅客。有一位女代表，戴了一頂大草帽，白的恤衫和杏黃色短褲，白拊膠鞋，完全一副旅行裝束，好像學生時代領隊的童軍女教官，至於照像鏡，攝影機之類，自然也以女代表們配備最齊全。

下午一時開「裝甲之家」，七輛新型交通車駛向車站，各組的組旗飄揚窗外，我們便這樣開始向台灣中南部作旅行進軍。

綠野一片農村風光

基隆車站，是台北市的交通中樞，火車以此為起點，奔馳各地，而台北至各地的公路汽車也以此為起點。車站上一列一列的售票窗孔，也一列一列的擺下了購票上車的長龍。車站上萬頭鑽動的情況，比之大陸的上海車站實有過之。

鐵路局為我們在客車中掛了四個車廂，在登車前我們各組在月台上各自來了一個團體照。不久，我們便在舒適的坐位上各據一席，雖然我們在國民大會中，代表們同進同出有五十天之久，但除了平日相識的，或者出席時[illegible]位的代表有過交談外，便很少有認識同人的機會。可是上車之後，彼此交談，無拘無束，顯得輕鬆自然。尤其有幾位健談的代表，暢談古今趣聞，吸引了不少同坐的代表，解除了不少行車中的寂寞。

火車的目的地點是台中市，國大同人中頗有不少人是住在台中的，原因是台中的物價較台北低，馬路寬暢，找房子容易，而且比台北便宜。因之，許多人都樂意在台中居住。

台北為政治經濟中心，一般公務員除在台北市區配給有住屋外，大都住在台北附近鄉鎮，如新店，北投，士林，景美等地，一則空氣好，風景好，再則屋租較低。同時除火車外公路局的直達車，每隔一二十分鐘即有一輛開出，雖然住在台北市區之外，但由於交通的便利，實在與住在台北市區無異。因之台北的公務員，每天到台北市辦公的，和來台北市讀書的青年男女學生，每到早晚絡繹不絕，頗有英國倫敦或日本東京的風味。可[illegible]的立法委員，監察委員和國大代表們，便索性在台中住家。

台灣交通發達，實在值得讚美，不但火車穿過田野村莊，汽車在與火車並行的公路上，同樣川流不息。我們從車窗外望，一輛一輛的公路汽車駛過去了，就是村莊的小道上，也有着不少足踏車奔馳，這正如台灣所有的農村都有電燈自來水一樣，汽車，足踏車，也是任何一角都可以看到的交通工具。

萬家燈火到台中

不少代表早就買了一本台灣旅行之類的書，也有的帶了一兩本雜誌，這時就展開閱讀，窗外一片綠綠油油的平原看倦了，書也看倦了，便小睡一忽，大概四時半左右，車上有人捧了一大箱用紙包好的點心送來，還跟着一個人，在每人面前放下一份，打開來原來是三明治，接着還各人送給一橘子，這橘子不但大，而且水份多，也很甜，比金山橙並不低下。我在香港也吃過，到台灣以後，才知道這美好的橘子也是台灣的特產，據說在台北的陽明山就盛產此物，有幾次在朋友家裏吃飯，飯後還吃橘子，橘子上掛一兩片綠葉，紅綠相映非常好看，朋友的太太告訴我，這是從橘樹上剛摘下來到市場賣的，所以非常新鮮，我為她這句話所引誘，竟一口氣吃了兩個。

吃過下午茶點，不久車窗外的天色也就暗下來，我們這組的聯絡同志蘇科長，走來告訴我們說不久就可以到台中市了，等下就要發給各位的住宿卡。果然不多時，蘇科長領了住宿卡後，這是一張黃色黑字的卡片，印得很精緻，我那張住宿卡上寫着住涵碧樓三十四號房，還寫着我旅行的號碼和名字，有位駐在台北的老記者對我說：「涵碧樓是日月潭裏最好的旅館，住在那裏日月潭的風光都收入你的眼簾中了。」其實，僅憑那涵碧樓美麗的三個字，也就夠你感到喜悅。

車到台中，已是萬家燈火。我們還沒有下月台，月台上已是一片爆竹聲，接着樂隊也奏了起來，月台上有人向我們揮手打招呼；我們在樂聲中，魚貫下車，大家向歡迎者親熱的握手，剛要走出車站門口，便有一位向我們遞熱手巾。幾小時的行車，對於這個溫暖的手巾，如同此時此地的溫暖的人情味一樣，使我們特別感到親切。

下了火車，便在車站外登赴日月潭的汽車，一共是六輛新型的客車，各組一輛，我們登車後，馬達齊鳴，歡迎者向我們揮手，我們向歡迎者揮手，便這樣暫時匆匆別了台中，向日月潭進發了。（未完）

讀史評述（四）
——續讀通鑑論

·毛以亨·

項羽失敗於舊觀念

惟沛公則降子嬰，約法三章而得秦人心，其在秦之基礎已固，關中殆已非沛公莫屬。鴻門之宴，即殺沛公，亦不過洩憤，在羽亦不能策萬全，張良之穩，樊噲之壯，均為有恃無恐的表示。羽祇有率諸侯東歸，而以周秦之舊業委諸劉氏了。乃大封諸侯以分其勢：立章邯為雍王，司馬欣為塞王，董翳為翟王，而以沛公為漢王，俾關閉在漢中。魏王豹為西魏王，申陽為河南王，成仍為韓王，司馬卬為殷王，徙趙王歇為代王，張耳為常山王，黥布為九江王，吳芮為衡山王，共敖為臨江王，徙燕王韓廣為遼東王，臧荼為燕王，田都為齊王，田市為膠東王，田安為濟北王。而不封田榮，陳餘，徙義帝于郴縣，使人殺之于途。而自稱為西楚霸王，有九郡城，踵桓文之舊業，還是破落戶貴族的舊觀念在那裏作祟，無需自行證明行將為新時代所淘汰。社會已變，新桓文不能再起，羽亦自我陶醉，沐猴而冠以強自鎮慰其失敗之創痕而已。

天下之終為漢所有，而項羽一定失敗，蓋在分封東歸就國之日，不必待垓下之圍，已早可斷定了。分封無非製造矛盾，藉遷延，而相安一時，然分封所失之地，多為羽可以佔有之地，若漢王則有百利而無一弊，挑撥在其後方之齊，牽制楚兵，使不得西向，遂定三秦，而出兵與之相持于滎陽成皋間。楚漢正面之戰，楚雖優勢，然仍以田榮的牽制，終不敢深入。牽制的力量，再擴大而及彭越，則羽之糧道危，最後擴大而至英布，則其心腹之患生。尤其韓信之兵，自魏而趙燕以至齊，與楚決戰，則為古今來最大之迂迴戰，以時計之，自漢高三年至五年，共歷五年之久。垓下之圍，史稱「淮陰侯將三十萬自當之，……皇帝（高祖）在後，絳侯柴將軍在皇帝後，項羽之卒可十萬。」項羽之自殺而不渡烏江者，蓋漢王是擅長迂迴戰之人，蓋漢之勢力，已抄其後，而至長沙九江了。

奮私智而不覺悟

項羽的成功，為人們需要一個良將以擊敗秦軍，故惟項羽能完成其任務。秦亡後需要能代表奴工羣的新主，另推劉季，而非六國後世家子的項羽。他不能把握奴工們的新觀念，而欲以六國之舊觀念禦奴工羣衆難矣。太史公深惜羽之「奮其私智……尚不覺悟。」然則項羽固非一勇之夫明矣。王船山以智謀最不可恃，亦可為項羽用私智失敗的說明，其言曰：

「夫人無一可恃者也，已恃之，人亦以名歸之。名之所歸，人之防之也深，禦之也力，而能終有其所恃者無有。以勇名者，人以勇禦之，而死于勇，以謀名者，人以謀禦之，而死于名，二者係自亡之道也。何也，勇者一與一相當者也，萬刃林立，而所當者一二人，其他皆疏隔而不相及也。……謀則退而揣之者，盡人可測也：一人有涯之機智，而欲應無涯之事變，而欲以勝千萬人之忖度乎？」

是以項羽之鬥力鬥智，雖皆能勝漢王，且為千古以來智勇雙全之唯一人物，太史公亦亟稱之，然其如漢之「猛將如雲，謀臣如雨何？」

漢高認識新環境

王船山又謂其量不足，其言曰，「成而不傾，敗而不亡，存乎其量之所持而已，智非所及也。量者心之體，智者心之用，用者用其體，體不定，則用不足以行，體不定，而用或有所當，惟其機也。機者發而可中，而不足以持久，雖成必敗，苟敗必亡，故曰，非智所及也。項羽戰而必勝，犯大敵而不撓，非徒其勇也，知機之捷亦智矣。項羽不足以持敗，……豈止于一勝之威，敗出于意外，而弗能固也。……量者定體于恒者也，體定于百年之長慮，而後機不失於俄頃之利鈍。」這段話，可以做漢高豁達大度與好大言的解釋。惟不能說羽不知機，其所持者，蓋六國時代之體，故封為魯公，而魯為之守，初不肯下。所患者，在其六國之體與新時代之用不相應，而劉季則知道應付這般人，例如好讀書就是應付下流社會的好辦法。但其體則須百年後而立，有待于武帝之新儒學。故劉季反為一個不識大體的人。然而所以能成功者，就是能認識新環境，而不為舊體制所拘。

漢的世界，為奴工所創造的新天地，而與舊日六國士大夫絕緣了。（完）

一本青年好讀物
中國民族英雄

·書影·

著者：易君左
出版：亞洲出版社

我的一個朋友，生平最不喜歡讀歷史，在學校裏，每逢歷史堂便覺頭痛。最近他卻對我說，對於歷史已感興趣，還向我借了許多歷史書籍。後來我明白，原來他最近看過了「中國民族英雄」，因此他被這本書吸引了。我也忍不住去買這本看看。

「中國民族英雄」的著者易君左先生，這是大家熟悉的作家，他筆調老到，細膩，淺白。他學問好，常識富。所以這部「中國民族英雄」很受青年讀者歡迎。

學校的歷史教科書，為甚麼學生不感興趣呢？多半因為歷史教科書文字枯燥，敘述呆板，不能引起讀者的興趣，這一本書，作者能把過去的歷史事實，用有生命有活力的文章寫成故事的性質，而且文字簡淺，引人入勝。是其長處。雖是這樣，這本書並不是故事新編，百份之百是歷史書，書內每一個民族英雄的故事，都有他的歷史根據，並不是虛構杜撰的。因此這一本書，是不可多得的好史書，是青年人值得一讀的。

數千年的中國歷史，不知經過了多少內憂外患。中國的外患多來自北方。但中國人民雖是愛好和平的，也不怕戰事。為了保護生命，財產，和民族的自由，歷史上便產生許多流鮮血，擲頭顱，執干戈衛社稷，給侵略者以迎頭痛擊的民族英雄。這些英雄都是犧牲小我，完成大我，以身家性命和外敵搏鬥的。他們做出很多轟轟烈烈，可歌可泣的事蹟，永垂後世。「中國民族英雄」便是把歷代這樣的民族英雄事跡，活生生地描寫出來。

作者根據歷史事實，用巧妙的筆法把每一個英雄的身世，經歷，和值得歌頌的地方，都詳細敘述出來，使我們讀後，不祇增加對民族英雄的敬仰崇拜，同時也增加了我們對國家民族的熱愛。

現在我們的祖國正陷於赤燄之中，水深火熱，民不聊生，我們讀了這本書之後，更使我們熱血沸騰，我們如果不能夠恢復大陸，復興中華民國，我們眞是愧對歷史上許多民族英雄了。

總商會大廈將落成
紅色書籍引起煩惱

中華總商會大廈快要落成之時，會董間因圖書館應否恢復問題，正醞釀着一股政治暗流。本來，這個問題是不成問題的，舊會所有圖書館設置，新會所自然應該恢復。許讓成曾在會董會開會的時候，屢次提議，要求將圖書館迅即恢復，並且還主張把六樓闢為館址；願意負責全部應需經費。這是許氏純粹的為了會員以及各界人士，獲得免費借閱參考書的機會。但每次會議中一經提出了這個議案之後，會董間各持己見，迄今尚未交付表決。是不是因為高卓雄去了日本，總商會沒有舉足輕重的人物，還是別有緣因呢？現在高氏已經回來，這一困難，當有解決之望，然而在局外人看來，設圖書館並不是難事，何況原先已經有了一點規模，再加許讓成私人願意斥資，充實圖書的內容，自是更沒有困難了。據說，會董間的歧見，並不是恢復與不恢復的問題，而係心裏有說不出的苦，這種苦惱也是「在商言商」而來，他們根本就怕牽涉到政治漩渦裏。

左派「仁兄」似乎有意無意地跟他們為「難」，「善意」地送了一批紅色書籍過去，使做為商人的「領導者」，對這種「善意」的「佈施」，實在感覺拒受兩難。然而，畢竟已經受了，煩惱就來了，把它束諸高閣也就算了，假如圖書館恢復，不把它陳列，不免有所顧慮；陳列吧，這些書根本就不是商人們歡迎的；有一位商人說：「大陸上黨擁商人所遭遇的慘痛後果，還不夠我們警惕嗎？許多同業，如最顯著的西藥商去年所受到的退貨損失，創痛尤深，那些書籍一經陳列，勢必致會掀起風波的。」因此，許讓成的建議終被擱置了。實在說，除了營業上的得失之外，根本就沒有什麼意外的顧慮，祇是總商會年來的立場晦澀，而造成了接二連三的煩擾，消極的會員抱不與聞的態度，積極的紛紛退會。相反，九龍總商會的會員逐漸增加，會務迅速發展，中總的實力無形中被削弱了。倘若中總的立場堅定，不特左派「仁兄」無隙可乘，不必要的苦惱也就沒有了。現實的「困難」，並且不難打破，圖書館儘管恢復，在商應學商，不陳列有色書籍，不是很好的辦法嗎？

江浙繅絲廠
將迫遷新疆

中共現正計劃將上海、長安、無錫等地繅絲廠遷往新疆。此項計劃，料將於今年十月以前完成。頃據來自大陸可靠消息稱，中共為實現「城市工業化計劃」，除了小規模的輕工業儘可能擴充增設之外，尚有若干「公私合營」及民營工廠，將再度迫遷。新疆自今年一月以來，即已大規模闢設絲廠，上海、長安、無錫等地已經開設的絲廠，現已開始遷新。同時並在江浙兩省征集年輕健康女子八百餘名，派在各埠絲廠中學習技能。此等女工的技術訓練，約需半年，就可熟練，然後將全被派赴新疆工作。（梓）

外行人語

馬五先生

報載：蔣總統最近對「中國文藝協會」年會上致辭詞，闡述文藝反攻之道。這是一項雋穎的指示，令人興奮。反共復國大業若不從文化上做工夫，即使光復河山，亦很難奠定長治久安之基哩！

我不懂文藝之事，對純文藝的創作問題不敢瞎說，但由於總統先生訓詞的啓示，就政治觀點設想，有兩點小問題不妨提出來談談。

我們現有的國歌，是軍政與訓政時期的創作，也就是黨治精神的表現。自行憲以後，黨治已告結束，行的是全民政治，各黨各派都參預政府工作，這歌詞似可予以更新了。我每次在唱國歌的羣衆集會中，常見着許多人閉口無聲，祇有國民黨人狼狼高歌，即深深地感覺這情形不足以激發全民的愛國精神，甚爲沮喪。政府此刻不妨公開懸獎徵求國歌新作品，以期將來製曲通行。這是屬於文藝範疇的事，不妨從長計議，但可早作準備。至於現有的國歌詞曲，將來專作國民黨歌，還那樣沉雄莊嚴的詞調，很可以激起黨員們的奮鬥意志，至少我個人確有這種不期然而然的心理反應，其作用比較對一般羣衆的心情強得多。

現在文武公職人員的就職宣誓詞，早已變成虛應故事的玩藝，國法或黨紀上，並無處罰作假誓的規定，所謂「如違背誓言，願受本黨最嚴厲之制裁」云云，豈非廢話？不特此也，如果宣誓人是個無黨無派的社會賢達者流，而又教他作這種誓言，更是天大的笑話了！這項誓詞若依然要使用，第一應該把上述「本黨」兩字改爲「政府」；其次，在公務員獎懲法規上，還加入違背誓言的罰則，庶幾乎像是那麼回事。我這類咬文嚼字的外行人語，或許並非「犬儒主義」吧！

海洋詩人姚行軒

•王世昭•

談海洋文學，英國人爲拿手好戲，若說海洋詩，則中國亦未敢後人，現在我提出一個二百年來，素不爲人所注意的海洋詩人姚行軒，

（一）

姚行軒，廣東瓊海人，生於清乾隆二十九年甲申（西紀一七六四），卒於道光十六年丙申（一八三六），得年七十二。我讀他遺遊倦遊詩鈔（續名曰姚行軒詩集），生平作詩近二千首，洪亮吉謂其「纏綿沈摯，慨慷悲涼，……一唱三歎，綽有餘音。」王芑孫更和以詩，有句云：「……今逢姚合厚下交，先從大集聆廣謌。湖海行藏一詩豪，揮汗直欲掃糠粺，若非心具錦繡，幾定因月斧一環肝肺。」其爲時流所推仰如此。

行軒海洋詩何以成功？我們當追溯他早年的遭遇。原來行軒的父親宦遊瓊州（即今海南島），任滿率家人歸里；不料海上遇颶風，全舟沉於海底。時行軒方三週歲，在海上漂浮七晝夜，爲巨風飄近於瓊州港口沙灘上，獲救於漁家。二兄櫝光聞訊，瓊辦善後，訪得行軒，得於故里。生母陳氏雖卒，慈母劉氏鞠之成人，故遠遊詩鈔第一篇「慈母別並引」，即詳述幼年坎坷，與其出仕初期之經歷。至其詳細經過，則李黼所題「漂海曲」敍之甚至，已見集中，故不贅。

（二）

然而行軒還有更慘的一事，即自身爲波臣所召，而其姪遠先於東行時，亦遇大風。同舟六十四人，幾遭沒頂，雖屬生還，固屬大幸。乃禍不單行，行軒叔姪二人，雖不死於海，而其長男伯龍則竟死於海者。倦遊詩鈔中有「哭長男伯龍航海遭颶覆沒」四首，茲錄其二首云：「臨沒猶懷我二人，傳聞若語劇酸辛。早知航海終行險，何似居家共樂貧。生計艱難頻涉遠，中流漂泊竟亡身。五更風雨招魂慘，知汝歸來自水濱。」又云：「一秋翹首盼佳音，魚雁無憑已到今。夢哀人歸魂欲斷，門前客弔淚難禁。難全孝友平生志，長負才華大海沉。德媳嬌啼三稚女，空牽當日報劉心。」

憶全集中，有關於海上風颶者，凡數十首，茲錄其「風潮歎」云：「颶陣作，海潮翻，拔木呑江天地昏。頑雲叠起走飛砲，猛雨一注如傾盆。雷[illegible]，金蛇閃爍亂摧激。水伯[illegible]從隰上行，山鬼驚向穴中瞰。去舸來船[illegible]漂搖，空中萬丈飛[illegible]隋。兩涯不辨水與[illegible]，可憐生命飄鴻毛。」

（三）

上面這一首詩，只是狀日前[illegible]之景，後面讀我再錄一首，則是自然界與心靈界血液交迸的好文章，題曰：「癸巳颶風歎」，詩云：「海神[illegible]起，滄浪飛山[illegible]千[illegible]。商船聯絡半[illegible]，十人漂泊九人死。[illegible]尸飽飫鯨鯢[illegible]，排出白骨擁涯涘。東[illegible]夫西哭子，使我聞之潸歔欷。當日雙親值颶飄，全舟沒入滄波裏。去秋炮車發颶尾，長男北渡溺爲鬼。今初澳南陸遭此，觸景傷心情何已。我身恨非精衛比，誓塡溟渤平如砥。」

香港接近海洋，亦是多颶的地方，可是關於海洋文學的創作卻很少，寫颶風的更不多見，所以不能不讓澄海的姚詩人獨步於前了。

可是姚詩人的海洋詩多悲語，未若英詩人那樣樂觀，這是時代使然，不足深異。我希望中國航海家，以及多數瀕洋過海的詩人，多多寫些海上創作，以充實中國的海洋文學纔好！

悼亡散記

•懷冰•

（一）

莊周說：「方生方死，方死方生」。（齊物論）這兩句說話，雖然不算是和佛家輪迴之說吻合，亦不算是和科學家主張「物質不滅」說相同，但實際上已勘破死生的境界。晉人雖號稱曠達，然王羲之序蘭亭詩，竟有「死生大事，豈不痛哉」的說話，比較莊周的理解，似乎遠遜了。

和我結褵二十五年的妻——潘學源女士——不幸於四月廿六號上午十時（香港時間）病歿了，她的死，使我心靈上留下創傷！同時，這慘痛的追憶：是不可磨滅的。

妻，是患腸瘤死的。從起病到死亡，一共在病床上煎熬了八十四天；最後才於呼吸微弱，睡眠狀態中，悠然死去。王戎說，「聖人忘情，最下不及情，情之所鍾，正在我輩」。（世說新語•傷逝）怎能不放聲一慟！

（二）

當二月四號那一天，妻感覺得不舒服，肚痛，便秘，連續請了二位西醫診治，沒有見效，後來請了一位中醫來看脈，食了二劑中藥，亦如「石沉大海」。到了九號，病情急劇轉變，腹中彿隔二三分鐘，劇痛一次；同時嘔吐大作。十號那天蒙朋友幫忙，設法送入瑪利醫院，隔了二天，醫生和妻開了刀，安然渡過了七十二小時，我們覺得慶幸，以爲這回安然渡過一關了。

十三號下課後，我到瑪麗醫院去探病，兒子靜靜地引我到騎樓邊，細聲對我說：『主理醫生摩根盧剛才說：「開刀後，發覺媽媽的腸瘤不能割，生命是遲早間的事。」醫生對病者是不講老實話的，只有用些希望話來哄病人。因此我們亦依樣畫葫蘆的來哄妻，這時只有把眼淚藏於眼底，強作歡笑。那晚，回到家裏，父子二人，默默地相對流淚。後來醫生同妻開了人工肛門，手術完成後，把妻送到荔枝角醫院休養，靜待傷口好了出院。妻在那裏一直住了五個星期。最初兩個星期情形尚好，到了第三個禮拜，溫度和脈搏又上升了，我們心裏非常憂慮。到了四月十二號，我會見摩根盧，他拉我到外面說：「病者是沒有希望的，但生命還有幾個月，你如果要領她出院，返家休養是可以的。」因此我和兒子，二哥商量一番，決定和妻出院。

出院後，妻的心靈上似乎獲到在醫院中獲不到的溫暖，我和二哥，兒子輪班來看護妻，我們窮，不壓請特別看護，一切只有自己來做。不過我們幾番請來的中西醫實際亦不能夠治療這一種不治之症。後來病況一天天嚴重，但妻的神志仍然十分清楚，距離彌留前幾天，喘氣，聲啞，惟飲啖如恒，不時還和我們絮談家常，有時要我們扶她起來，安閒地坐在籐椅上，到了廿六號早，我扶妻到床上，發覺她手足冰冷，氣息微弱，過了幾個鐘頭，妻便撒手人寰了。（上）

賀海光師嘉禮

•柳曉•

纖素心儀重士流，軒昂氣概傲王侯。嘯懷放論崇民主；倚馬揮毫尙自由。慕道相從沾化雨；安邦共許獻新猷。良辰喜詠關雎句，論學蒔花到白頭。

沁園春

（歡送畢業同學）

•立民•

南國風光，綠上芭蕉，青在椰榆。看柳暗花明，只知春夏；天高雲朗，不辨冬秋。共仰春風，同沾膏火，萍水天涯結好儔。更難遇，同舟話風雨，患難相投。江山好似嬌姝，眞英雄本色是風流。綠島蒙塵，應非久策；黃龍痛飲，方是雄圖。此日同發，他年共樂，先拯民羣後己謀。今暫別，願眞情永在，壯志長留！

詞體辯證

•蓬累•

按蓬累先生遺稿文字，原係「中國文化」月刊約定刊登；嗣以該刊停止發行，致未刊出。茲承盧劍先生詢及，特鈔錄全文寄上自由人發表，用答雅意，並賞同好。　•味腴記•

中調有待辯明

自宋人所編「草堂詩餘」，別詞爲小令，中調，長調三體。正與編詩者，分詩爲古詩，律詩，絕句三種同。但三種詩體，截然易分；而三種詞體，倏俯難辨。究竟區別何在？自宋迄今，尙無正確界說。實則小令與長調，自可一望而別；惟中調耳，其界限不清，亟待辨明者。毛先舒塡詞名解云：『五十八字以內爲小令，自五十九字至九十字爲中調，九十字以外爲長調，此古人定例也。』而未說明其定例所由來。萬樹詞律駁之曰：『所謂定例，有何依據？若以少一字爲短，多一字爲長，必無是理。如七娘子一調，有五十八字者，有六十字者，將名之曰小令乎？抑中調乎？如雪獅兒一調，有八十九字者，有九十一字者，將名之曰中調乎？抑長調乎？』萬氏此論出，似將毛說根本推翻，遂令後學認爲詞體義例，失傳已久，既然無由考求，即可置之不論。雖邃於詞學，如周介存，譚復堂，王半塘，鄭叔問，朱彊邨，況蕙風諸公，亦無有對此從事研究者矣。王靜安人間詞話云：『近體詩體制，以五，七言絕句爲最尊，律詩次之，排律最下。詞中小令如絕句，長調似律詩，若長調之百字令，沁園春等，則近於排律矣。』靜安先生[illegible]，其所說，若不知詞中[illegible]一體者，此則萬樹之論有以蔽之[illegible]。[illegible]靜安所指長調之似律詩者，正是宋人所謂中調；其指近於排律之百字令，沁園春等，方是宋人所謂長調也。但靜安雖未諳中調之體，而頗重視中調之詞，即此亦可概見。

詞的衍變過程

余意三體之分，雖自宋人，必有所本。而毛先舒所稱古人定例者，亦屬非出自杜撰，必也當時詞壇，相沿有此傳說。因就詞之起源，義例顯然；而察其衍變，然後知草堂所分，亦體之不[illegible]。蓋詞起於中唐，而盛於宋代，原[illegible]叶和聲律，被之管絃，俾字句與曲拍一致，而[illegible]於歌謳耳。唐人所歌，其初借取近體詩句，而五，七言絕句爲其主體，亦間有取律詩者。但詩句整齊，而曲拍錯落，故必雜以散聲，方能配合成調。後乃就其散聲，而以字句實之，所謂依拍填句也，於是長短句之詞興焉。詞句雖可[illegible]化無窮，其必叶[illegible]律一[illegible]。[illegible]絕句已[illegible]之矣。唐人所[illegible]單調小令，但就絕句一首，[illegible]二聯，略予變化耳。（上）

勃凡的魯莽

英工黨叛徒勃凡最近接到一張警局傳票，被控危險駕車，並違抗警察指揮，拒絕停車。這事發生於倫敦附近，其本身雖爲小事，但勃凡的行動粗莽，在這次事件中已可獲得證明。他與工黨領袖艾德禮因德國重整武裝與對美政策問題發生衝突，憤然退出工黨「影子內閣」，已引起英政界軒然大波，保守黨和工黨報章評論，差乎一致對他的態度大肆抨擊。左翼的「新政治家與民族」說：「勃凡這種粗魯行徑，已延緩了他繼任工黨領袖的希望，且可能就此永遠喪失這種機會。」保守性的泰晤士報說：「勃凡退出影子內閣，已使工黨本身未來的存在問題發生危險。」孟徹斯特導報評論說：「勃凡如果能使工黨保持英國在美蘇之間作爲中立的政策，他也許可能成爲工黨的領導者，但在英國政治上，最不可能的事，莫過於勃凡的成功了。」甚至工黨本身的「每日鏡報」也說：「勃凡已再度證明，工黨如選舉他做領袖，將造成如何重大的錯誤。一個人不能忠於其領導者，又怎能獲得別人忠於他呢？」（羅譯）

不打自招文鈔

•文抄公•

中共對外宣傳，總是說大陸農民生活怎樣好，現在請看最近大陸出版的什誌以「死路一條」爲題的一篇文章，你便知道實際的情形是怎樣了。以下便是原文：

死路一條

安徽安慶　王濟生

下鄉時在路上碰見一個農民，二十開外的年紀。我們一邊走，一邊閒談起來，從莊稼活談到家常。……

不錯，小夥子確實有兩下，多閒時，他又循着過去的路子搞起「副業」，他說：「『人往高處走，水向低處流』，生活要一天天更好才行呀！」於是，他打算把糧食做酒，當然這是不可能的事；打算熬糖，賺頭又不大。最後他便到四鄉裏換雞蛋。往年是不錯，農村婦女，會把雞蛋用很低的價錢賣給他，挑到城裏的蛋商處，也會賺到一些「腳力錢」。可是今年政府到處有合作社啦，收購站啦，婦女們不再換給他了。好容易收到一擔雞蛋，花了不少腳力和開銷，城裏的蛋販子嫌小啦，少啦的；過秤吧，又說秤大啦，秤小啦，高啦，低啦的，……弄了好幾天才賣掉，掐着指頭一算，跑了一趟並沒有得到什麼好處。談到這裏，他長長地吐了口氣，好像對我訴苦似的說道：「唉！莊稼人做生意，是『瞎子過河——死路一條！』」

中華民國僑務委員會頒發登記證台僑新字第一零二號

自由人

中華民國郵政登記第一類新聞紙類

THE FREEMAN
（半週刊每星期三六出版）
（第三三三期）
每份港幣壹毫
台北市售價台幣伍角
督印人：羅嘉猷
社址：香港高士威道二十二號四樓
20 CAUSEWAY RD
3 rd. fl.
HONG KONG
香港發行及事務接洽：高士打道六十六號
電話：七四〇五三
承印者：東南印務出版社
地址：高士打道六十四號
台灣特派員辦事處：台北市館前街五十號
台灣總經銷處：台北中華路九五四號之一
台郵撥儲金戶九二五二

本報特別啓事

本刊零售價格，每份港幣一角，台北市新台幣五角。三年來均屬如此，現匯率雖已調整，航運費亦已增加，本刊爲顧及讀者利益計，報費仍決定照舊，不擬增加。敬祈讀者亮鑒爲荷。

地方選舉失敗　國民黨應切實反省

傅中梅

英美政黨政治，對地方選舉，向極重視，認爲可以測驗民意向背，並預示未來大選的成敗。台省此次地方選舉，雖與英美不同，惟台北市選舉，執政的國民黨竟告失敗，其意義亦大可研究。傅先生此文指出國民黨失敗的原因，並希望國民黨能夠反省，自是一篇中肯之論，留心自由中國政局者不可不讀。編者。

五月二日，台灣有十五個縣市，同時分別辦理省議員和縣市長選舉。這是二屆省議員和縣市長的第二期選舉，有一小部份的縣市，已在第一期辦過了。

五月三日中央日報對這次選舉，已有統計發表，如屬正確的話，此次平均投票率，已達百分之七六•〇四，並非很低，這是值得欣慰的現象。

競選並不熱烈

但這次參加競選的，似乎並不踴躍，以五月二日選出的十三位縣市長而論，除宜蘭縣有三位候選人，其他如高雄市，以及澎湖、新竹、嘉義、花蓮、桃園等縣，都只有兩候選人，連人才薈萃的台北市也沒有例外。最可怪的是台北、南投、台中、高雄、屏東等五縣，竟只有一個候選人，這原因是值得研究的。據筆者所知，政府對選舉所加的各種有形無形的限制，和國民黨黨內提名制，實在是這現象發生的大主因。縣市長競選中，如果只有一位候選人，試問候選人如何去競？選舉人又如何去選？如果我們注意到這五縣的投票率，便可推知，選民因爲無可競，無可選，以至減低了參加投票的興趣，爲了增加老百姓對民主政治的興趣，充分發揮憲政制度的優點，國民黨似乎要加以考慮，多做些鼓勵工作，少用些不必要的限制。

台北市選國民黨失敗

若以台北市市長的選舉論，民意的表現，似乎進步得多了。台北市是目前的首都所在地。國民黨在台北市的成敗，較之一般縣市，當然更爲重要。國民黨經過一番研究，決定支持王民寗氏出馬充候選人。台北市，政府機關特別多，公教人員，又多國民黨中堅分子，這是誰都知道的事，照理國民黨是可操勝算的。選舉前夕，國民黨的台北市負責人，也表自信，認爲王氏當選可無問題。結果，國民黨全力支持的王民寗氏，竟吃了敗仗，而且是不很小的敗仗。以無黨無派身份出現的高玉樹氏竟以一一〇四一五票，奪取了市長寶座，王民寗氏以九七六一三票落選。這一個慘敗，是國民黨人士所沒有想到的。也是一般老百姓覺得意外的。在首都所在地，執政黨的國民黨候選人，爲何失敗於一位無黨無派的對手呢？這是值得深長思慮的問題。台北市的國民黨黨員，人數雖多，與整個選民人數相較，究竟只是少數。市民心目中所希望選出來的市長，當然是能爲市民大衆解決實際問題的公僕，而不是一位善於對付上司的官僚。人們值得做官的「官僚」人物。更不會同情於一般熱衷名位的人所發表的競選意見的。他們平日行事，個人性格，便是選擇的依據，他們是不會注意到其他限制的。他們更不會注意誰是黨的好幹部，他們祇注意到誰是好公僕。本來，一個政黨不能離開老百姓，離開了老百姓，總是難得選民的同情。這是極淺顯的道理。今後國民黨黨員必須深入羣衆，才能避免再次的失敗，所謂「得民者昌」，這句古語，今天還是很正確的呀！

國民黨本身的弱點

國民黨的失敗，可能又是本身不團結的一個原因。據說高玉樹競選事務所的實際負責人某君，本是台北市有地位的國民黨黨員，這次高君當選，得某君的力量不少。某君爲甚麼要和自己的黨作對，去幫助黨的政敵呢？原因是他本意是自己要參加競選的。因爲黨內提名以假投票失敗了。他認爲假投票的失敗，實際上是黨內重要人物的決定，假投票只是形式，並無實質，也便是組織的決定，因此其他心裏不服。也有因此，若干黨員不惜在投票中，以行動表示這種不滿的也不少。這裏當然又牽涉到另一個問題了。

組織決定一切的反響

國民黨改造以後，因爲要矯正過去組織散渙的毛病，要加強組織的力量，於是提出「一切透過組織」、「一切服從組織」、「組織決定一切」等口號。以爲黨員一切應該以組織的意見爲意見，一切遵從組織決定。但是組織實際上離不了人，離開人便沒有組織。因此少數重要人物便成爲組織的化身。故所謂「一切透過組織」、「一切服從組織」、「組織決定一切」，便不免是少數重要人物決定一切了。在平時黨員雖表示服從黨的決定，到了這種場合，便難免退有後言了。不服從組織決定，公開或不公開反對組織的，也就發生了。組織的決定如果不是根據全體黨員多數的意見，祇是根據少數有特殊地位的黨員意見，這種反對，實在是很難避免的。黨不能離開黨員而存在，現在所謂組織決定，是否眞正符合黨員多數的意見？還是少數有特殊地位的黨員意見？這又是國民黨負實際領導的先生們，應該切實反省的。叛黨份子本是歐美民主政黨常有的事，祇要黨的決定是眞正出於黨員大多數的意見，叛黨行動是並無損於政黨本身的。

認識失敗才能成功

這次台北市長競選的結果，雖有種種不同的看法，國民黨以外的人說，這是國民黨的失敗，國民黨若干黨員說，這是黨部負責人的失敗，國民黨黨部的負責人說，這是王民寗的失敗。不管如何，失敗總是離不開了國民黨。假使這一次失敗，能夠引起國民黨的反省和覺悟，也不是沒有意義的。內政部長黃季陸在巡視各地選舉情形後，發表談話，認爲以後應該改進的：一爲儘量獎勵提倡公開而正當的競選，是地方性自治性的選舉。要避免以黨派任務的身份來主持選舉，黃先生這種說法是厚道的。我們希望全國國民黨黨員，都會對於這次選舉加以反省和認識。以則激底的失敗，安知不還是一次將來的成功？

蘇俄政權的脆弱

李加雪

一個政權能否存在，存在多少時間。自然要看這個政權本身的結構，和人民對它的態度怎樣。

共黨大員已失信心

蘇聯是怎樣的一個政權呢？據美國蘇聯研究專家彼得夫（Michael Por）的統計，自一九一七年起，蘇聯黨政大員被認爲『勾結資本主義或帝國主義，圖謀傾覆蘇聯共產制度，』而被處死刑的，計：——

十一個閣員中有九人。（一九三六年）

七個中央執行委員會主席中有五人。（立國至現在）

五十三個共黨中央機構書記中有四十三人。（立國至現在）

憲法起草大員二十七人中有十五人。

軍事委員會委員八十人中有七十人。（立國至現在）

每五個大元帥中有三人被處死刑。

列甯創辦的政治局和內閣人員，除史大林外，全數被處死刑。

最近被處死刑的貝里亞和他的黨徒還沒有算在裏頭。當蘇聯宣布貝里亞勾結資本主義，圖謀傾覆政府，被處死刑的時候，合衆社的電訊加了這樣的一句，『貝里亞唯一的大罪是第二，坐不到第一把交椅！』世界的輿論似乎不相信貝里亞和其他蘇聯被處死刑的領袖會勾結資本主義，傾覆蘇國。但是，若果我們設身處地，發現了坐第一把交椅的同志立心叵測。他的一舉一動都是爲的是權力，爲的自私自利，心目中沒有人民，也沒有國家，而且就要來消滅你，以鞏固他的地位，這個時候，你將怎樣呢？你會想到你走錯了路嗎？你會賜共產主義萬惡嗎？你會想到自由國家嗎？你會設法請求自由國家的援救嗎？

所以到了萬分緊急的情況下，蘇聯領袖們希望自由國家援手，甚或實際請求自由國家援手，實在也是人情之常。因爲這是一求生存的途徑。

我們對於這的統計，得到了什麼觀念？蘇聯是什麼樣的政權？根據這個統計，可見蘇聯自立國以來，黨政大員百分之七十以上，都是因爲對共產主義失了信心，希望傾覆蘇維埃政府，以至被處死刑的。這是何等驚人的數字，意義又何等嚴重呵！我們能從中國歷史上找到這樣一個政權嗎？能從世界歷史上找到這樣一個類似的政權嗎？試問這樣的一個政治機構是能夠存在的嗎？能夠在世界上存在到五十年的嗎？

蘇聯人民憎恨已極

蘇聯人民對於蘇維埃政府的態度又怎麼樣呢？美國名記者里安（Eugene Lyons）曾駐在蘇聯六年，他最近發表了一本書，叫做，『我們的盟友，蘇聯人民』，在美國風行一時。在這本書裏，里安說『蘇聯政府和人民之間有了很深的猜忌。我們駐在蘇聯的情報人員——蘇聯人民』。

其次，蘇聯人民反對蘇維埃政府有沒有實際行動呢？這一點，里安說，『因爲參加反對政府的行動以至被殺害的蘇聯人民，數目有好幾百萬。這些人或者參加遊擊隊去殺害政府的官員和警察，或者採取不合作主義——怠工，或盜竊國家金錢和物資，甚至破壞國家的機器——無所不用其極。』

里安又說：『爲了對付人民的反抗，蘇聯使用秘密警察，數目已超過兩百萬人。秘密警察佈所有的政府機關，工廠，學校，礦坑，集體農場，旅舍，和其他地方，互相監視，互相偵察，採取一種以霉攻霉的方法，來對付人民。』

紅軍投降的四百萬人

讀者或者會發生疑問，蘇聯人民既憎惡政府至於此極，爲什麼世界第二次大戰的時候，蘇聯人民又有這樣英勇的表現呢？里安氏在書裏也有很詳盡的答復。他說：『戰事初起，蘇聯軍隊祇作極微弱的抵抗，便集體投降。全軍投降的爲數不少，而且情願調轉槍頭，攻打莫斯科。

（下轉第二版）

華週展望

旭車

奠邊府的教訓

奠邊府失陷不足爲奇，苟不失陷方足稱奇！人皆盡知奠邊府之爭，非限於法軍對越盟。越盟在中共直接援助之下，猛烈進攻，被圍之法軍雖孤軍奮鬥，但空投補給究比不上外圍有陸路補給之共軍，終有一天精疲力盡而招架不住的。奠邊府能不失？

共黨方面，軍火兵員源源不絕供給。但西方三國皆幻想於日內瓦會議。或冷眼旁觀，或互相指責。但英國祗欲日內瓦會議弄出一個日內瓦會議。法國惟恐美國軍事援越，會破壞日內瓦會議而拖住英法。美國的杜勒斯艾森豪威爾，被英法拖住，弄到進退維谷。所以終說出這樣洩氣的話：『美國可以獲得諒解，依德問題的方法，以基於現實的基礎與共產陣營獲得諒解，解決越南問題。』這樣便表示與英法一樣的躊躇不前了。

捱打的政略，必產出捱打的戰略。捱打的戰略，必產出捱打的戰術。捱打的戰術必然失敗。我眞爲卡斯特里與守奠邊府的守軍叫屈，而犧牲得不值。

美國必須重訂外交政策

奠邊府失陷雖爲自由世界可惋惜之事，但亦係一含有刺激警覺之教訓。第不知美國當局能否猛醒而已。美民主黨參議員史瑪哲斯說，說出了要求重訂美國外交政策與尋求新的反共盟友的正確意見。這不是憤激過激語，而是從事實教訓而體念到的。筆者兩月以來已屢次說過，美國必須聯合眞正肯爲自由而奮鬥的盟友，沒有維護自由，解放奴役的意志之盟友，雖有等於無。

共黨國家之聯合，與非共黨國家之聯合相異。極權體系有其作戰之優點，其聯合係自上向下運串之控制。蘇聯中共越盟的關係可爲一例。蘇聯以軍火供給中共作戰，中共爲戰爭代理人。中共以軍火供給越盟作戰，越盟爲戰爭代理人。此所謂「代理戰爭」（WAR BY PROXY）。而委托人可以高唱和平，在會議中大施其縱橫捭闔的手段。

但杜爾斯所唱的聯合行動，是有聯合之名，而無聯合之實。杜爾斯也自認集體防衛有困難，『種族及文化頗有不同，在民族自治方面亦有不同。已擺脫西方殖民主義和日本帝國主義的制扼而獲得獨立的國家，對於他們所以擺脫的以往威脅關注往往超過於目前新帝國主義的威脅。』因此組織東南亞集體防衛公約，實不容易。筆者不反對此種大聯合。其聯合有其意義與價值。但非對付上述共產集團聯合的切實方法。北大西洋組織固有其價值。但歐洲軍迄今尚組織不起。如果沒有原子武器使侵略者顧忌，則北大西洋組織之價值如何，實成問題。又如聯合國軍之在韓遏止侵略，實際出力的祇有美國與南韓。當日蘇聯不杯葛聯合國，聯合國軍是否能及時出動，亦至成疑問，因此筆者認爲美國今後的重訂外交政策，不應齊軍大而無當徒惹口舌紛擾的橫面聯合。應該切實援助有解放鐵幕志願的盟友。作縱深的刺入。連橫勝合縱，即爲此理之明證。美國聯合行動應尋求新的反共盟友。這是一針見血之論。但誰爲盟友，須針對蘇聯的計策，今天在東南亞誰爲美國最急需之盟友，已可不言而喻了！

所謂聯合軍事會議

據路透社電說：日內瓦將宣佈在新加坡安排五國高級軍事會議，目標在針對日內瓦會議失敗後有關國家聯合行動。記者可斷言這種會議的聯合不出消極的延宕大戰危機的範疇。英國心目中的聯合，認爲越南問題一旦區域化也是英國所建議的集體安全組織予以保障及支持起來，就可以用杜爾斯建議的集體安全組織予以保障及支持起來。如日內瓦會議失敗，也祗求共軍在印支暫行停止進攻的一服止頭痛散而已。

評奠邊府之戰

這篇文章是前法國陸軍總參謀長李維爾將軍最近在奠邊府未失陷前，為紐約先驅論壇報寫的。李將軍軍界馳名全球，為傑出之軍事家，一向以反對法政府所採印支政策著名於世。他說奠邊府的失敗，主要是政治的，又說日內瓦會議是未成熟的，獨具隻眼，道人之所未道。——編者

加斯特里准將英勇死守奠邊府，世人交譽，然吾人對越戰應加冷靜判斷，戰爭究竟是在何種情形之下進行的？

挨打的堡壘戰殊失策

首先，在印支的叢林深處作堅強據點的堡壘戰，是合理的遭勝機會嗎？奠邊府為最重要的要塞，現時被圍困不能機動的遠一萬衆。

我以為這種困在挨打的堡壘式戰略是不相宜的。

在印支這種地方，公路網是幾乎沒有的。並無一條出路能驅使敵人到戰場去決勝負，同時外國到處是越盟軍，他們能夠任意移出公路外任何地帶。

這樣的據點，需要相當廣闊的地面，最少也要有一英里長的着陸點。若想保護這着陸地帶的安全，使免受敵人臼砲的破壞，必須有周圍兩英里的佔領地，山岳高地且不說。

總之，若以一個營為作戰中心，則需要十營兵力來保護這戰場，這實實在在是很不經濟的作戰法。

我們除非萬不得已，不應被迫出此為萬的人不能機動的挨打戰法。這被迫的原因，或者為阻止敵人入寮國亦未可定。但能夠阻擋得了嗎？我不知道。

敵人對這些據點可用陣地戰攻擊法，亦可用圍困法。現在越盟是先用第一法，最近又用第二法。圍困主要用大砲對付我們的位置，再集中火力於着陸地帶上。

所以，我們不得不用空投來接濟奠邊府的人員和物資。試想，以這狹小的地點，前來的人口逐漸增加，受傷的無法疏散出來，但又不得不以新運來的來代替傷亡！

政治左右行軍實危險

在組織「那沁」營塞時，我曾警告過，堡壘式的作戰法不可採用，現在奠邊府方面也不能例外。我恐怕這類軍事措施是純由政治觀點生起的，此種行軍為政治動機所左右，通常是最險的。

現在我們已經膠着了，許多精銳部隊在那裏，內中有外來的騎兵步兵，也包括了些寮國軍隊在內，這些寮國士兵的隊伍，在被圍日久，士氣消降的時候很容易受共盟長期的宣傳而生變的。

我的批評是作戰方法，不是對人的。我敢說在法軍內，想找一位比加斯特里准將更適宜的人來應付這個戰爭，甚少可能。

……一次具此經驗的是在摩洛哥。他的特殊材能不在於受訓而在戰場，在巴黎衛戍軍裏他固然是最使上司們頭痛的軍官之一，但在戰場上就堅若卓絕，死戰不退，這是法軍裏無人不知的。

……我最希望這些英勇的守陣將士們能長期堅守，使敵人放棄而……可以不致損失太大……

另外一個可能就是……上校所……的隊伍……可及時趕至……以解此圍。但這可能性是很微渺的。他們現雖已向北推援，但還在一三〇英里之外，路上俱是崇山峻嶺的叢林地帶，這救兵的實現是很少可能。

奠邊府戰爭的影響

實際上奠邊府之戰影響所有一切的作戰場合，北圻地帶的主要區域，現已因缺少兵力而逐漸形勢惡劣。最近支鵝林及其他機場所受敵人的襲擊破壞，損失慘重。自海防至河內的公路，不啻是這越北二大城市的生命線，這公路的暢通無阻，大抵依靠支鵝林不遠的杜美爾大橋，萬一此橋被炸，這二城市的聯絡便告斷絕。現奠邊府敵我短兵相接所距極近，致飛機師不敢投射敵人以免誤傷己方部隊。故此時印支之軍事形勢甚為黯淡，自不待言。鄙見以為所以致此之原因厥為政治，我們信任保大，但保大並不得民心。

我以為我們必須給予越南以主要的獨立權，包括着紙幣發行流通權、司法權、陸軍權等。必須慷慨地給予，不稍吝惜，以示大信。

至於想解決爭端而欲藉會議達成，使得效果，我甚懷疑。徒然在講壇上變相各不相讓，提出互相矛盾的文章以作宣傳而已。

但我相信可舉一種忍耐而冷靜的交涉，一方面保證越人獲得真正的自由，他方面再保證我們不從南面去攻擊中共。不知法當局以為然否。

一言以蔽之，日內瓦會議是未到成熟時期的，因乏外交上的準備故。

人物述評

托洛斯基（一）

・旭軍譯・

在今天如果你詢問蘇聯的青年：托洛斯基是什麼人？大概他不會答覆。縱然答覆，也僅會說托洛斯基是一個壞人。至於托洛斯基主義是什麼，他也不會完全知道。祇會說：這是教人做壞事的道理。假如你姑且和他議論，而說托洛斯基對於一九一七年俄國革命有許多決定性的貢獻，絕不是列寧的敵人所能否定的。而且在艱難中他是列寧的忠心支持者。——那蘇聯青年將會面帶憤怒反對你，他會說你和托洛斯基一般的是「帝國主義特務」。

蘇聯較晚的一代，對於昔日蘇聯革命沒有直接獲得真確的智識，難怪他們對此事一無所知。

過去三十五年俄國的歷史由共產黨人濫肆的改寫，一切書籍文件都被收沒或删改，任何人如果要蘇聯方面作消息來源，必然不知道托洛斯基是一個重要人物。這是不足怪的。

你若好像我以往一般的到過莫斯科的革命紀念及列寧紀念展覽堂遊覽，你一定看不到表示曾有托洛斯基其人的跡象。固然，他的偉像也是沒有了。但如果他和他人共在一幅像片，也被很巧妙的技術修改去掉。去年出版的蘇維埃共產黨史檢索性完全不提及他。

祇要你向較老的一代，曾經歷一九一七年革命的老年人談及此事時，他才會承認托洛斯基是當年一個了不起的人物。（還須要你確知沒有他人在旁聆聽才行）你極可能會見這種老人衷心敬仰那位俄國真正孚衆望的人之神態。

此種模範英雄的原因，可在最近出版的『武裝的先知托洛斯基，一八七九——一九二一年』一書第一冊中可以窺見，該書由艾錫。杜茲釀所著。該書包括紀載托氏事業醞釀時期，以及如杜茲釀所稱之『武裝』時期，——即實際參加俄國革命時期。第二冊中將論及托洛斯基被『解除武裝』，及放逐，最後被追蹤謀殺的經過。（兇手最近宣稱，他甯願留在墨西哥監獄，而不願被釋放給托派及史太林爪牙伺機加害。）

杜茲釀著作此書係第一次能完全記錄托氏本人一生經過及其工作者。他以學者態度，重新估評這一個在二十世紀中不能忘記的人物。

史太林黨羽之猛烈攻擊托洛斯基，間接有助於托氏之變為重要人物。該書亦透露那些平凡庸俗卑詐的人對於這個政見容或錯誤但天才橫溢放縱不羈的托洛斯基，有什麼反應。

當俄國革命達到高潮時，托洛斯基在諸領袖中是唯一能鎮壓暴亂的人物。（上）

蘇聯政權的脆弱

李加雪

（上接第一版）德軍所到的地方人民簞食壺漿，表示歡迎，認為德軍是他們的救主。第一年，紅軍向德軍投降的數達四百餘萬！打破了歷史上的紀錄！那個時候，史大林狼狽極了。知道蘇聯人民對共產主義的憎恨。於是在戰事宣傳裏，絕口不提共產主義，也不提列寧，馬克斯，和五年計劃，集體農場。他祇宣傳民族主義，把帝俄時代的英雄——給共產黨大罵過的十——加上民族英雄的暇裝，向人民號召。同時又准許人民參加禮拜，把沒收了的禮拜堂退回教會，以討好人民。」

因此，里安說：『若果德國當時能夠利用這個機會，利用降軍和蘇聯人民對共產政權的憎惡，把他們做盟友看待，對俄戰事在第二年便可結束了。」可是，希特拉認為他是上帝的選民，他憎惡共產黨，同時又憎惡俄國人民。他對於降軍和佔領區的人民加以極端虐待，視同奴隸。這樣蘇聯人民知道希特拉並不是一個解放者，於是只得集合於史大林的民族主義旗幟之下，來抵抗德國。」

蘇政權難存在五十年

戰事勝利結束了，四百多萬被俘虜的紅軍，應該很高興的回到祖國去了，事實又並不如此，里安的書裏紀載說。『史大林請求同盟國把紅軍四百萬俘虜全數遣送回國。同盟國答應了，可是俘虜卻反對回去。他們在集中營裏集體逃亡，願意在歐洲做沒有國籍的人民，等到同盟國派遣兵隊據守集中營的時候，只剩了一百萬人。這一百多萬人還是不願意回去。同盟國軍隊只好用槍頭，甚至催淚彈，把他們從集中營驅逐出來，押到蘇聯的軍車或輪船。到了車上跳車的和在船上跳海的，為數又不下幾十萬。回到俄國的為數已經有限。回到俄國後，三分之二送到西伯利亞，三分之一，分別解回原處隊伍，判處死刑！』

里安在結束的時候，很感嘆地說：『以往不究，來者可追，蘇聯人民決不是我們的敵人，而是我們的盟友。不論冷戰或熱戰，我們如果能夠把蘇聯人民當做盟友，世界將來的危險總算不能完全避免，也可大大把時間縮短』

里安這種觀察，我認為是十分正確的。若果蘇聯一旦對自由國家宣戰，自由國家切實做到把蘇聯人民當盟友，把他們一定會在自由旗幟之下，起來推翻蘇維埃政權，解放自己。羅馬教王說得好，『共產主義是人民一種顛狂表現，這種顛狂無論如何，不能繼續到五十年的。』共產主義在蘇聯的歷史，已有了三十多年，已太瘋狂了。人民對於它的仇恨也太深了。於是蘇維埃政府只能採用鐵幕來隱藏起來的。所以蘇維埃政權決不敢撤去鐵幕，決不敢向自由世界宣戰，以自取滅亡。我們希望馬倫可夫能夠有這個勇氣。

民主的確切解釋

・布衣・

秘魯自奧都里亞 MANUEL ODRIA 執政後，採取了自由經濟政策，把政府經營的工商業都交回人民。現在秘魯變成了南美洲最興旺而穩定的國家。他的出身雖然是軍人，可是他最懂得民主。他對於民主的解釋是：『民主這個東西不偏左也不偏右。民主實行之後，人民在政治及經濟兩方都獲得了自由。人民的自由加大，國家的力量也跟隨增大。』

蘇聯的黑市

・布衣・

東泰尼TOM WHITNEY駐蘇聯九年後回國，最近在華爾街日報發表一篇文章，他說，『只要接某一個電話號碼，你能夠在二十四小時內購到一架平常經過兩三個月的登記，才能夠買到的電視機。同一電話可以購到洗衣機，可以召到醫生，建築工匠，和修理工人。可是多付的價錢卻比官價加了百分二十五。』

雷德福舉足輕重

據熟悉白宮的內幕人士報導：美國聯合參謀首長主席雷德福海軍上將，現在已經成為艾森豪的最親信人物之一，在美國高級軍政首腦中，他是真正能與總統密切接觸的一人，在艾森豪所有的高級顧問中，幾乎只有雷德福等極少數人才能使他言聽計從。所以最近雷德福勸說英法，致促兩國採取挽救越南的緊急行動，實在不是偶然的。

雷德福一向主張對共黨採取強硬政策，他曾經主張轟炸中國大陸，徹底摧毀中共，在越南方面，他更主張美海空軍干入越戰，利用優勢軍力遏阻共黨向東南亞侵略。所以他的這些主張逐漸成為艾森豪的最主要顧問，已深深引起美國內外高級當局的注意。

艾杜雷三位一體

艾森豪在軍事方面信任雷德福的意見，在外交方面信賴杜爾斯的政策，這幾已成為華府公開的秘密，而杜爾斯與雷德福之間，又有極懇摯的友誼，內此許多人現在說艾（森豪）杜（爾斯）雷（德福）三位一體。事實上，他們三位的親密關係在一九五二年十二月就已定了型的。當時艾森豪已當選總統，為了履行他的諾言，曾偕杜爾斯往韓國一行，遠東歸來途中，他們曾與雷德福在巡洋艦海倫娜號（那時雷德福還是太平洋艦隊總司令）上會晤，自後，艾森豪對雷德福的才幹念念不忘，他們三人間的友誼實以海倫娜號上的晤會為起點。

史密斯也有功勞

杜爾斯與艾森豪的關係在一年以前原來沒有什麼，大家都知道現任副國務卿史密斯和艾森豪的友誼遠比艾杜之間為密切，艾森豪戰時任歐洲盟軍統帥時，史密斯是他的參謀長，所以當初白宮任命杜爾斯為國務卿，史密斯為副國務卿的時候，一般敏感的人都認為內中必有文章，將來杜爾斯可能只是名義上的國務卿，實際的事務全由史密斯負責。但現在事實證明，這種推斷完全錯誤，艾森豪不僅對杜爾斯非常信任，且稱他為從未見過的美國最偉大的國務卿，副總統尼克遜在演講中，也常常對杜爾斯備加讚譽。這一方面固由於杜本身的能力使然，其實史密斯的做人處事也必須提上一筆，他雖與艾森豪有極不平常的關係，但從未越過他的上司（杜卿）而與艾森豪直接商量。

演講詞相互指正

至於杜爾斯與雷德福之間，他們兩人的合作也十分緊密，在全國安全委員會或是白宮召開會議以後，雷德福總是和杜爾斯一塊兒去國務院吃午飯，他們對亞洲具有同樣的興趣，對遠東同擁有廣泛的經驗，這或者是內中的原因之一，另一個原因是艾森豪力主軍事與外交方面應密切配合，對於重大的國際問題，兩方面的主管必須常會同研究。因此杜雷之間的合作已為美國歷史上所罕見，他們在發表演說之前，常常請對方閱讀預先擬定的演詞，並盡量提出修正意見，他們的屬僚也密切合作，特別是現任國務院顧問（曾在艾森豪盟軍總部任民政顧問）小麥克阿瑟和雷德福的高級助理安德遜上尉間，合作得更為緊密，雷德福從沒有軍人的驕橫姿態，他在公開演說中，提到杜爾斯的時候，很有禮貌地稱為「國務卿先生」。

北極海俄建空軍基地

現在的情勢已愈來愈明顯，蘇俄正在北極海的佛蘭茲約瑟夫島建立龐大的空軍基地，這地方距離美國在格陵蘭島的基地不遠。據美國情報方面的報告說，俄國正在那裏建築轟炸機及導向飛彈的基地，準備用為蘇俄空襲美國的跳板。由佛蘭茲約瑟夫島起飛，長程轟炸機可能在六小時之內飛抵芝加哥，克利夫蘭及華盛頓的漢佛德原子工廠大肆轟炸。為了應付這種可能的突襲，格陵蘭的美空軍當局已在籌劃對策。（孟衡）

天下小事

編者　讀者

△毛以亨先生讀史述評，關於奴工亡秦一節，已刊載完畢。下一期我們將刊載毛先生的另一篇文章，題為「毛澤東與秦始皇」。

△慕南橋，我生，王世昭，損士，孟玉，常崇寶，陳謀煊，丁辰一知，各位先生：惠稿已一一收到，黎德操，葉非葉，不勝感謝。

△劉敏行先生：五月六日大函敬悉。發行人員粗心，竟把一張印壞了的報紙，送到尊處，十分愧歉，希望以後不至再有同樣對不起讀者的事情。謹復。

△尹士灃先生：五月四日大函奉悉。本刊自創刊至今，始終沒有加價的事，承告各節，自當查明制止，謹此奉復。

大陸工人的思想傾向

中共對工人的宣傳和教育全失敗了，工人再不相信社會主義，工人所羨慕的是資產階級的生活。

沈秉文

中共去年六月間大學發動「藝術勞動紀律」以後，便經常在黨報中指斥工人種種「錯誤思想」，現在綜合各方所得資料，對大陸工人思想的演變和傾向，作一報導。

好感變成惡感

過去許多大陸工人對中共政權發生政治情感；從而爲之搖旗吶喊，拚命生產，這是事實。不過工人所希冀於中共的：爲提高待遇，改善生活；而中共所要求於工人的，則爲長期的高度奴役。而兩者之間，根本就有着不可調和的矛盾。此種矛盾，由於工人對中共的希望日漸幻滅，和中共對工人的要求步步逼進，而日形尖銳化。於是工人對中共的政治情感漸由好感變成惡感。

此種事實，現在中共亦已無法諱言。中共報紙，以北平「人民日報」爲首，一直在指斥工人有「資產階級個人主義的殘餘思想」，「階級覺悟不夠」，以及「政治思想教育薄弱」等等。於是一再訓令所有生產部門的黨、工會、和行政機構，要經常加強對工人的共產主義思想教育，除在每個工人基層組織中設置政治教員外，並在每年的冬季，大規模實施所謂「工人冬訓工作」。（見一九五三年十一月人民日報）。

中共的宣傳已失敗

中共深知工人政治情感的轉變，是由工人個人利益與共政權利益不能調和所致。因此一再利用些「冠冕堂皇」的理論，企圖克服工人的利害觀念。一貫用「愛國主義」，「共產主義者的高貴品質」這一類動聽詞句，要求工人犧牲個人利益，服從國家利益；犧牲今天的利益服從明天的利益。把眼前的改善生活的要求服從生產的要求。（見本年四月五日「人民日報」）。不過中共所要求於工人的，是經常保持超常的勞動強度，並「不斷的提高生產指標」（見四月廿一日「人民日報」）但工人的體力和精神實無法經常保持其超常的勞動強度；而且得不到實際的利益。中共不斷以積累國家資金不斷提高生產爲藉口，壓迫工人不遺餘力。工人的反感可想而知。

中共之所以不斷強調克服「個人主義」，提倡「集體主義」，「犧牲個人利益」，促成「國家利益」，不斷呼喊普遍提高工人「生產積極性」，大喊「一切爲了社會主義工業化」，「提高勞動熱情」，可見工人反感情緒之一斑。（見本年四月五日人民日報）。

工人不相信社會主義

大陸工人對中共所稱的「社會主義的前途」已普遍發生懷疑，動搖，乃至憎厭了。中共對工人施行所謂「社會主義前途的教育」，早在一九五二年春間即已開始；但據今年一月間自廣西柳州來港的一位傷殘工人說：「一般工人對中共所宣傳的社會主義的遠景，已經再不相信了。比較明白的工人，已認識中共的社會主義，並不是爲工人的生活，祇是爲中共的政權」。

這位工人又說：「今日大陸一般工人的思想，雖不能說是嚮往資本主義，但就目前生活和以往生活作比較，無疑寧願資本主義之復生。」他又說：「理由非常明顯，工人目前生活比以往遠爲艱苦，工作時間和勞力強度，又遠比從前爲久長劇烈。以往資方（商人）雖有刻薄的地方，但尚有爭退餘地，而且可以轉廠、請願、或罷工。現在資方（中共）的刻薄尤有過之，一切唯命令是行。故無論中共標榜甚麼主義，工人前途都是悲觀的。」

羨慕資產階級生活

中共上海市委宣傳部在本月五日北平「人民日報」「黨的生活」一文中透露：今年三月中共宣佈再度提高工作定額（即個人生產指標）後，一般工人情緒又大起反感，擾動，生產率又因而一度下降。

又據該部所進行的重點檢查結果，以國營上海第二紡織機械廠爲例，指出「職工羣衆中有不少錯誤思想，有些工人已滋長着剝削思想，和剝削行爲。據九個車間一千九百五十一個工人的統計，有五十四個工人想當老闆，有的已置了工具，準備開廠；有幾個工人一面在廠裏做工，一面偷偷的在外面開了個小廠。這些工人大多是技術水平較高的老年工人。另有些工人分不清勞動與剝削界限，羨慕資產階級生活」。又說：「工人中較普遍的存在着經濟主義思想。有的工人爲了多得獎，不願提高定額，有些工人受了私營廠商引誘，跳到私營廠去做工。也有部份工人白天在本廠做工，晚上便到私營工廠去做「包生活」。」又說：「此外，有些工人嫌生活苦，兩頭「早出晚歸，不見太陽」，作想開小店，小作坊，從自謀生活」。

從上面中共自己的報導，可以明顯地看出：有積蓄條件可以自立經營的工人想當老闆；一般工人羨慕資產階級的生活，普遍存有經濟主義的思想；「國營」工廠的生活待遇不及私營工廠；一般工人都嫌工作和生活太苦，想掙脫中共的奴役自謀生活。這些情形在在都足以說明今日大陸工人的思想，已普遍而充分地傾向於自由經濟制度，而反抗中共的奴役。

三日小評

旭軍

少年吸毒

最近香港的紅黑白霸氣之瀰漫開展，已成爲無可諱言事實。此等毒物包括海洛因、鴉片、「印度大麻」麻醉劑、嗎啡、與柯高鹼。

印度麻製醉劑（INDIAN HEMP）本來毒性很微，美國衛生局原不列入嗜好麻醉劑。所以有些香烟摻雜了這些大麻麻醉劑，不顧道德的商人引誘顧客上了癖癮，以後非吸他們的香烟不可，往往令吸者追求更大的刺激，便進而吸食鴉片等麻醉劑。英美兩國政府均注意防止吸食落麻醉劑的香烟（DOPED CIGARETTE），尤其是少年人（十三歲至十九歲）。據紐約估計耽溺於大麻醉劑的少年共六千人。大城市如芝加哥與三藩市等，亦有同樣之情形。據加利福尼亞的報告說有學童越過界入墨西哥境購買海洛因注射。可見少年由大麻麻醉劑漸轉用較大刺激的東西了。

現在香港以「白粉」毒爲害最烈，因爲吸食便利，三五成羣之擦鞋仔牛王仔公然作「高射砲」之吸毒表演。一般人不知他們違法呼籲，誤以爲他們吸食香烟而已。還有一種原因是快速感癖。據說有一青年已做了三個兒女的父親，且營小商店度日，但去年十二月結識壞朋友吸食白麵毒已上了癮，吸了便覺精神百倍，每日要吃兩小包；價值二元左右，現在無法戒除。可見其售價廉，而受誘上癮者愈多。被荼毒之青年日在驚人激增中。此誠爲社會之一嚴重問題。

「阿飛」問題

還有一種大都市的病態，影響及少年青年的，是黑社會的引誘及欺壓學生。此種案件一天比一天增加，最近一週來，學生被人恐嚇繳納費用的事，又有多宗發生。有兩宗給警方查到，抓了一個年僅十四歲的失學學童，和兩個年僅十七歲的少年。據說向小學生施壓迫的，大多數是失學青年，這是和社會經濟狀況有關，他們常和歹徒來往，主腦的人物正是那批剛剛加入三合會黑社會爲黨徒的『新雀』。「老雀」是不屑幹的。給歹徒施行恐嚇而勒索的小學生，大多數是以往曾和阿飛仔的頑童來往，其後便和那批三合會歹徒接觸。所以最有效的辦法，是家長防止學生和阿飛仔來往。基本的原因是社會不景失學失業青年太多了。

台灣通訊

台灣中南行（三）

魏希文

夜到涵碧樓

六輛客車，在黑夜裏向日月潭奔馳，蘇科長成了我們詢問的中心，他過去曾陪同海外觀光團到過日月潭，他說大概三小時半可到，我一看腕錶，大概到達日月潭，總在十點鐘以後了。

日月潭距離台中市七八、七公里，汽車沿着山邊蜿蜒而上，一路中我們走過不少吊橋，長的吊橋竟達數百呎之長。也穿過山洞，可惜是在晚上，不能看個清楚。但是，我們探首窗外，看到甯靜的農村，依稀看到屋宇中點點燈光，台灣所有的農村都用電燈，因之，稻田上縱橫的電燈桿，眞是農村都市化了。

終於，在彎彎曲曲的山道上，前面三輛車在日月潭的龍湖閣停下了，我們再車行片刻，也就在樹木掩映着的涵碧樓停下來，門口已經站着歡迎我們的旅館主人，還有幾位忙着替我們取行李的女侍，我站在門口，看見那古樹參天中閃爍的燈光，而且夜深中，從樹木花草中散出來清新涼爽的氣息，舉目所見，都是一片夢一般的幽靜，詩一般的甜美，即使不遊日月潭，也够令人心暢目悅。

涵碧樓是台灣旅行社主辦的旅館，它在日月潭的西畔。在日治時代，據說這是給日皇太子準備的休憩之所，繞着山坡，涵碧樓一共分幾部份，我們五六組住在穿過小徑路下的一部。

但涵碧樓任何部一份房舍，只要推開窗門，便都面臨着日月潭的山色湖光，有人說：「如果說日月潭是台灣第一勝景，則涵碧樓可算是日月潭的精華之所在。」現在置身其中，實在此語不虛。我們住的是塌塌米房子，房間頗大，臨窗有沙發一套，單身者四人共住一房，年長和夫婦代表各住一房。代表中年高者有方子樵先生等。和我同房的有李琦、樂山、浩一、冥明諸兄，倒是頗爲談得來的朋友。

放下行李，第一件大事便是洗浴，頃時洗臉間，浴室都有人滿之患。大家洗浴完畢，涵碧樓本部已經有人來催我們過去吃飯了。

涵碧樓大餐廳中，擺下了十餘桌，大概大家都餓了，大盆的菜肴，都不給它留下點滴。飯後，李副委員長俟生先生宣佈明天遊日月潭的計劃，大家在一片熱烈的鼓掌聲中，各自回到自己的房間度過這個山中的甯靜之夜。

晨霧中看日月潭

早上，我醒得最早，洗盥後便是坐在窗前的沙發上，推開窗門，一陣特有的晨間清新氣息，直向鼻尖撲來，窗下的花圃，處處開着花朵，經過一夜露水潤澤，顯得格外嬌艷可愛。再看那眼簾下的日月潭，這時正還在一片晨靄中，浮雲也在峯巒間飄蕩，漸漸晨風吹散了雲霧，遠近的山峰都出現了她青翠的面目，潭面也看到它微波蕩漾了，畔邊潭密的樹蔭裏，住在那裏的人家，眞是人間仙境。

我靜靜的享受這美麗幽靜的日月潭之晨，我索性走到樓外的花圃前去低徊漫步，想不到比我還有更早的人，朱君先我已在欣賞日月潭的早晨了。

講到日月潭，似乎要介紹一下這台灣各名勝的來歷，據說舊時稱爲水社大湖，又稱龍湖，後來改爲日月潭，是由於前清時代一位將帥丁如霖，他在駐守水社的時候，看見這潭面一半狀似日輪，一半又如月弧，因之改名爲日月潭，一直延稱至今。另有一傳說：那是幾百年前，大埔豬母蚋社高山族的山胞，曾經發現了一隻白鹿，於是集合全社男女追捕，始終他們的刀矛箭弩的射程不能達到，後來白鹿失跡了，他們費了三天三夜的尋覓，再沒有發現白鹿，卻發現了日月潭。

日月潭的潭面拔海有七百六十公尺，周圍二十四公里，水深十八公尺，全台灣省的水力發電，就是以這個潭爲最大的泉源。日月潭之著名世界，大概這也是原因之一。

漂亮的女推銷員

在早餐之前，我同朱君信步走到涵碧樓的本部所在，在旅館門口的斜對面，有一家賣紀念品的舖子，所賣的有日月潭的照片、手杖、烟嘴、筷子、竹編的花瓶、本片製的牆壁飾物、蝴蝶圖等。主持的是一位年青貌美的小姐，她的普通話講得很好，擠在那店子裏的同人們不少，她肆應都很週到，而且頗有推銷口才，我拿一根手杖問價，她說要三十元，我頗爲驚奇，怎麼一根竹木杖要賣到如此大價呢？她說這根木杖要長二三十年才有一根，原來價昂的原因在此。我買了幾個烟嘴，作爲這次旅行日月潭給朋友的紀念品，另外買了一包筷子，一張木板的牆壁飾物，大概旅行的同人都或多或少的都買了一點作爲紀念。等我們從那店子裏回到涵碧樓的小花園中，已經有不少代表們在選擇好背景照相了。我同志超、星福兩兄，也還了假山邊，和以日月潭爲背景合攝了一張，最後還承張紅薇女代表給我在迴廊上，明窗淨几之間照了一幀。留得日月潭之如此山光水色，該是不虛此行。

八時餘早餐，有肉鬆、皮蛋、花生米等四樣佐粥，愛吃辣椒的湖南朋友，似乎吃粥也不可沒有辣椒。至於在海外吃慣喋啡土司作早餐的代表們，似乎是初嘗家鄉味了。餐後，九時餘，我們沿山坡而下，住在龍湖閣的一二三組代表們，同我們在日月潭畔會合出發。

毛王爺和他的小姐

同人中有的着香港衫，有的手杖一支，飄飄如紳士。女代表們用大花巾包着頭髮，有的一襲短裝，一幅旅行打扮。帶有攝影機的代表們，到處被人扯着要他「鏡頭」一番。不知什麼時候，四海雲報的劉先生把毛王爺（高山族的酋長）和大公主請來了，她還帶了一批十四五歲的小公主來，一時大家都爭着要同毛王爺和公主合影，使得她們眞有應接不暇之勢。

這位高山族的毛王爺，他名叫毛信孝，赤足，寬寬的胸脯，紫黑色的面孔，顯得很結實健康，他穿着一套中古騎士似的服裝，頭上戴着有羽毛的王冠，腰間插着一柄短刀，氣概軒昂。他的一位女公主，覆着的頭髮上圍着一個花圈，那衣服就像是裙子，外面罩着一件都市小姐所流行短及腰上的外衣，不過她們不是毛繩或呢絨，只是彩色的花布質料而已。本來這位毛王爺有大小二位女公主，我們在報上也曾見過，現在那位小公主病故了，大公主卻挺着一個快要臨盆的大肚皮，臉上有些憔悴，表情也有些凝滯，好像是不勝身體上的負担似的。另外一羣小公主們，都穿着一個式樣的花布衣服，所不同的除大公主以外，她們都是赤足的，其中有幾位長得很目俊秀，腰肢婀娜，不過在二十幾歲以後，大多都因爲操作，皮膚粗糙，腰身也粗碩了。

這一羣高山族的男女，全部人口一百五十餘人，都住在日月潭的東岸，走上蕃社大那獨木橋，那便是化蕃社的通道。（未完）

馬來亞教材問題引起教育界困惑

香港的教育制度，依據港府頒行的五年教育計劃，原擬以漸進方式逐步改用新訂教材，這種新的馬來亞課本已有大多數小學採用。中學除了英文採用馬來亞課本之外，其他教材各校都不感興趣。主要原因，不外是馬來亞教材內容嫌太籠統，即就小學的「社會」而言，删去本國史地，學生家長不無感覺對本國太隔膜，外國的常識於小學中吸收未免太早。因而有人認爲與其採用馬來亞不合實用的教材，莫如沿用過去的本國版教材。一般教育界人士認爲：小學教育係學生基本教育，港府既規定以「漸進方式」改革殖民地教材，除了官立或受津貼的學校硬性規定固無可非議，私校不應操之過急，他們既不獲當局在經濟上支持，自無必須嚴格推行殖民地教育的義務。但也有人認爲小學教育無足重視，一般學生的家長，令其子女入學目的，無非求知養性，不管課本的內容如何，祇要不是赤色的「不要媽媽」與「不要爸爸」教材，都可以接受；比較重要的，倒是中學，中學教育自應特加重視。

一位資歷很深的中學校長，他認爲當局推行採用殖民地教材，在技術上並沒有作過深刻的研究。多數的教師對於新教材不感興趣的原因，大致均因新教材必須準備新的資料，過去所學，變成了學非所用。於是構成了香港教育界人士極大困惑。（寒梅）

新舊官僚政治的性能

馬五先生

舊式的官僚政治，是以大事化小，小事化無爲原則。遇事先問人的關係如何，是非利害在其次，法律紀綱更屬末務，必要時，法律且可以負之以趨，有如莊子「胠篋」篇之言，箱篋櫃管鎖得牢固，遇着大盜連箱子亦負之以趨時，他唯恐鎖鑰之不堅牢哩！所以，舞文弄法，敷衍搪塞，諂上瞞下，附勢趨炎，即成爲舊有官僚政治社會中的普遍現象。

新式的官僚政治隨着時代進化，自然有所不同了。表面上不能不以新時代的政治人物自命，口頭革命不輟，演說訓話不休，而其唯一的拿手傑作，就是厲行開會主義，事無鉅細，一是皆以開會爲本。本來嘛，民主政治是注重公開的，一切事宜都由會議決定，實係公開之至，也是民主之至，誰說不對呢？對了就好，芝蔴綠豆般大的問題皆用開會主義來解決，大夥兒共同負責，免得某一個人任勞任怨，受謗招尤。事情搞糟了，有會議紀錄可查，不是那一個人的主意，烏龜不笑鼈，大家泥裏歇，不亦妙乎！如是乎，舊官僚那套敷衍應付，推拖詐騙的作用，都在民主公開的新面目之下，應有盡有，而且變本加厲，振振有詞了！

新舊官僚政治的性能，在本質上沒有多大的差別，只是表現的方式各異而已。例如：舊官僚對人民好出煌煌佈告，對政事好作不負責任的因循敷衍；新官僚對人民即好作訓話或發表書面談話，對政事則出以開會推拖手段。

官僚不絕，開會不歇，口頭革命，政獄民病。如要整飭庶政，請先打倒不分青紅皂白的瞎開會主義吧！

紋邊偶憶

——正榮不凡

婆娑生

（一）

近廿年來，平劇圈裏的景象，都是旦角走紅，生角祇可跨刀，成爲裙下，自由中國的劇壇，亦復如此。所以顧正秋在永樂，撐持了五年，鬚生絕難出頭。自從顧嫁了任顯羣後，劇壇靜寂了好久，才由張正芬來接替。張亦知好景不長，唱了兩月打住。在張隱退之時，不意有周正榮來作過渡橋頭，竟以生角而獨挑大樑。演出其失空斬，戳太平，樊城昭關，問樵鬧府，打棍出箱，定軍山帶陽平關五天，眞是爲生行大吐一口氣，前此所未有也。

（二）

正榮與顧同爲上海戲曲學校高材生，自論輩份尚是師兄，來台後，迄未得意，曾一度應小劉玉琴之邀，在金門軍中，當過一時期的忙，嗣後即蟄伏未演。此次出演，其戲碼之硬，爲一般生行所側目。無相當根底與修養，功夫不夠，即不敢爲之。因此海報一揭，頓使顧曲周郎，紛往欣賞。其嗓音雖不寬亮，卻能善用。對於換氣走腔，頗得奧妙，故唱得非常動聽。而身上腳下，動作皆能中肯，於是姿勢好看，乾淨俐落，絕無拖沓之病。在台上可稱步步合乎規矩，處處遵於窠型。五天之戲，論唱當以戳太平昭關爲最難，論做則鬧府問樵更爲吃重，若言唱做兼重，則定軍山陽平關，出場次數最多，亮相不少，非十年寒窗，不能達此程度。就寶島的劇人而言，能說是的確不凡。聞正榮對於觀衆之好評與鼓勵，非常欣慰，頗知自愛，更加研究。不久將來，又重復出現，以求公正的鑒賞。

（三）

正榮的身世，茲略言之。原籍蘇州，乃父周嘯芳，是昔年有名的旦角。他幼年並未承繼父業，依然攻讀，十三歲才考入戲劇學校，開始其藝術生涯。在校中嘗盡人間艱苦，受遍小人排擠，可是從不氣餒，努力用功，以至成就。其品學均優，[illegible]無嗜好，[illegible]通文理，習書法，因此在上劇校中，有鶴立雞羣之譽。再事求深造，北上投入名伶李洪春之門。專研武功，苦練得來，如蹦大殿，走過桌，乾拔，搶背吊毛，皆所熟練。李爲延請王福山說問樵鬧府一類，求雷喜福說許多文戲，如此鑽研，當然有獲。尤其勤用功，在滬時，每侵晨五時至打浦橋喊嗓，下午在劇院練把式，寒暑不輟，風雨無阻。焉得不進步。可知今日之收獲，皆當年之耕耘。倘能不以十日寒之，勿予荒廢，則他年可繼譚富英李少春之後。余有以告正榮，即此後出演，勿計較於包銀，認爲自己練習，多多露相，則技藝可因此而日精，實寄以厚望。

詞體辯證

蓬累

如張志和之漁父詞，白居易之憶江南，韋應物之調笑令，韓翃之章台柳等調，其明例也。其後由簡趨繁，形式由單調衍爲雙叠，內容由兩聯擴至四聯。即等於變化絕句二首而成矣。小令體製，於焉成熟，如晚唐溫庭筠韋莊等之菩薩蠻，更漏子，河瀆神，清平樂，荷葉杯等調，其明例也。五代時始創中調之體，並無中調之名，特其構成，由四聯衍變而至五聯，六聯。則等於變化絕句三首，略予增減矣。或謂之引，或謂之近，以其近似小令，從而引之也。如薛昭蘊之離別難，成幼文之踏月引，鹿虔扆之臨江仙，毛熙震之何滿子，毛文錫之甘州遍，歐陽炯之獻衷心等調，其明例也。宋初張先柳永嘗始創長調，當時亦無長調之名，但謂之慢。慢者，引之愈長，慢聲而歌也。子野耆卿集中，均有卜算子慢一調。字數，韻數，句法，平仄悉同，當爲以慢名詞之最早者。但其內容，乃爲七聯構成，尙非長調之正格；必如子野之謝池春慢，山亭宴慢，耆卿之雨霖鈴，傾杯樂，八聲甘州等調。其構成爲四聯小令之加倍，等於變化絕句四首者，方是長調之正格。但詞至慢詞，變化愈繁，有長至三叠，四叠者。誠如靜安所識，謂於寄興言情，兩無所當，殆有韻之駢體文耳。此就詞之起源，由單調小令，而變叠，而引，而慢，而三叠，而四叠，衍變之過程也。然而三種詞體之區別，即已昭然若揭矣。

三類詞的定例

宋人編輯詞集，因就其衍進之階段，構成之內容，而別之爲小令，中調，長調三大類。將唐人所創令詞，由基本聲律兩聯，三聯，四聯構成者；無論單調，雙叠，統謂之曰小令，後人新添之調類此者，並納入之。將五代人所創引，近，由基本聲律五聯，六聯構成者，統謂之曰中調。後人新添之調類此者，並納入之。將宋人所創慢詞，由基本聲律七聯以上構成者，統謂之曰長調。此其大較也。而毛先舒氏所稱古人定例，其依據當亦本此。蓋小令構成，雖有兩聯，三聯，四聯之分，但詞主聲律，而聲律主偶數，故二聯爲單調之主體，而四聯爲雙叠之主體，而雙叠四聯構成者，更爲小令之主體。中調，長調亦然。試觀古人詞集，其間小令，調輒以四聯佔最大多數；中調輒以六聯佔最大多數；長調輒以八聯佔最大多數。故四聯構成之雙叠詞，爲小令之主體；六聯構成之雙叠詞，爲中調之主體；八聯構成之雙叠詞，爲長調之主體。詞本分韻不分聯，然細察之，其分韻也，仍多少含有聯之意味在。即韻以求聯，則其構造之跡象顯然矣。（中）

初春苦雨

郭敏行

連綿春雨迫深秋，欲去餘寒還復留，天似有情同灑淚，地猶無處可埋愁。花因細雨增新怨，柳爲狂風減却柔。獨立蒼茫思悵惘，幾時浮海放歸舟！

春夜有懷

耿耿銀河入夢遙，起持銅管學吹簫，愁翻春水眉爭翠，月來殘紅色益嬌。濁酒杯杯和淚飲，新詩字字嘔心雕！吟成一卷難醫瘦，託與蟲聲共寂寥。

美飛行員紛紛應徵 赴越空運軍品

法國最近曾與美國一家拒絕透露名稱的航空公司訂立合同，在越協助運輸供應品，這公司又委託新澤西州一所職業介紹所徵求飛行員，準備將來調往越南。

據這介紹所主持者三十四歲的賓特說：這些飛行員如被羅用，年薪可達二萬五千美元。這介紹所在報上登出一個小廣告後，探詢的電話即從未間斷，有銀行職員、醫生、律師、加拿大國籍飛行員、前德國空軍飛行員，有專爲錢的，也有爲憎恨共黨的，甚至還有一個牧師，都紛紛前往探問。賓特說：「這些志願飛行員，足夠組織一支私人空軍而有餘。」

這介紹所設在一個飛機場旁的大廈四樓，其辦事處終日擠滿了許多應徵者。一個不肯吐露姓名的中年人也擠在人羣中，據他自己說，他現在的職業是律師，按照這介紹所規定的資格，應徵者必須在三十六歲以下，曾任C四六型運輸機正駕駛員，飛過一千小時以上，如過去所駕駛的飛機較小，則飛行經驗必須超過二千小時，此人完全合格。他說「如果我太太知道我在這裏，她一定會氣得跳起來。不過我是這樣想：如果我們必須在這個小戰中提供一點助力，以防止一個大戰，我們就應該現在就去做，這比將來讓我們的兒子去做要好得多。」

房間後面突然有一個喊了起來，他是詢問這裏的秘書。他說：「他們是不是保證，我們的屍首會被運回來……」有幾個人現出微笑，但沒有一個發出笑聲。

賓特自己在第二次大戰中也曾任轟炸機駕駛員，在西貢附近炸毀了一艘日軍驅逐艦。他說：「對於這件事情，我也不願隨便草率辦去。現在越南還沒有空中抵抗，但不久就會有了。在越南運輸軍品的C四六型運輸機，要應付共黨的戰鬥機，等於逆入虎口。現在我們已有了一萬人登記，還有幾百人且自願參加作戰。我不能透露詳情，但我祇可以，我們和陳納德將軍的民航隊絕無關係。」

賓特從寫字桌上拿起一些應徵者的電報和信，有三封這麼寫着：「我不是飛行員，但我曾在太平洋服役過四十二個月，任軍武裝部隊的排長。現在我是有執照的藥劑師。」「我現在已是美國公民，但從前是個法軍飛行員，越南的情況一直使我關懷：……」「我可坦直地說，我是爲了錢。」確有不少是爲了錢，但多數卻並不是爲了錢，祇希望對越戰出一點力，爲了正義，這些應徵的人中並沒有把戰爭的危險放在心上。（羅譯）

悼亡散記

懷冰

（三）

我們夫婦，同是教育工作者，在社會上無赫赫之功。妻的一生一死，不外是靜靜地來，靜靜的去，是一件平凡的事。但由於妻的死，卻引起我慘痛的回憶。現在讓我寫出平凡人物一二段小故事：

當民三十五年的春天，友人羅香林兄長廣東省立文理學院，那正是國共協商的時候，中共指揮職業學生到處搗蛋，增加政府的困難。担任文理訓導工作的熊某，知道風潮快發動了，預先提出辭呈；香林兄要我替代熊某担任訓導工作，明知是跳火坑的舉動，只有硬着頭皮，勉爲其難。隔了幾天，職業學生藉口公費問題發難，在禮堂開會，聲勢洶洶，我單人匹馬進入禮堂，和他們談判，對於他們提出的問題，可以接納的接納，應該駁斥的駁斥。他們看見嚇我不動，那天晚上用報紙包裹了一件危險爆炸品，擱在我住的門口，當我發覺的時候，拿到房裏想動手拆開來看，妻驚慌說「你粗手粗腳，不要拆，讓我來拆。」妻慢慢把報紙一層層打開，赫然是一枚俄式手榴彈。妻把我的生命看得重，自己的生命看得輕，要她自己來冒這次的危險。事後歷史系教授某君對我說：「你到外邊躲避一下吧！不要住在學院裏。」我的意志是堅強無比的，表示決不躲避，妻亦表示不要躲避，甯願生死與共。

（四）

民卅八年秋，中共的部隊，越過曲江口了，我奉命退出，攜同兒子來港。那時妻回到她的故鄉侍候她爸爸的病，沒有同來。事隔一個月，中共的「女同志」和同路人，寫信給妻，說「什麼國大代表，立法委員，監察委員，如果歸擁，決不究治。」她們要她勸我返廣州，踏進中共的陷阱。妻是有政治頭腦的，同時認識民族大義，拒絕她們的勸告。不久妻的爸爸逝世，她於料理喪事完畢，帶了簡單的行李，從石岐搭輪船經轉澳來港。當妻經過三巖時，有一位面目頗熟的「中共工作同志」，惡狠狠的把她盯住，翻箱倒篋，大搜查一頓，才讓她出境，當妻穿着村婦的服裝安全到達香港時，我們何等慶幸！

我們不是官僚，我們不是地主，我們一家三口純粹靠着工作來維持生活。但我們卻愛自由，愛民主，決心脫離魔掌。妻的五年來，過着流亡艱苦的生活。妻的個性相當強，而且富有敏感性。我們於處理某些問題，意見不免有些出入，但我們對於國事的看法，始終是一致的。

妻現在是長眠地下了，若干年後，我們重回大陸，一定把妻的骨骸葬於白雲山麓。雲山蒼蒼，江水泱泱，一片忠貞，希望與社會同其不朽。（下）

母親節哭雙親

雙親被共匪慘殺廿四週年紀念祭

楊力行

民國十九年五月九日，先父玉書公諱貴龍，先母李太夫人靜環老人，同時被朱毛匪黨慘殺於湘東原籍，迄今已二十四週年矣。際此神州陸沉，墓木已拱，祭掃無由，言念及此，倍感國仇家難之痛。「遺澤猶存，一世辛勤成幻夢；大仇未報，多年歲月竟蹉跎」，今歲忌辰，適爲母親節，益增遊子悲傷！謹於台北寓所，設靈遙祭，因哭以詩云：

髫齡飄泊歷艱辛，不惑年華夢裏身。[illegible]劍兩捐留一願，待將勝利告先塋。

生兒辛苦[illegible]忙，浩劫飛臨各一方，未盡烏私無限恨，客餘血淚滿衣裳。

汪洋大度感人深，問暖噓寒費苦心，四海澄清期異日，教兒何計答親恩。

[illegible]人間萬事盡滄桑，[illegible]在，親去春歸歲月窮。

鞠育松楸一望迷，思親怕聽子規啼，酒殘祭掃知何日，無限傷心生死離。

十齡離別赴長沙，日日飄零處處家，遍地災黎苦烽火，朔方香黑一烏鴉。

永別音容廿四年，國仇家難更連綿，南天遙奠一杯酒，莫羨淮川雁北還。

年年今日總凄然，昨忽英靈入夢中，爲述當年殉難事，醒來血淚染衣紅。

中華民國僑務委員會頒發登記證台教新字第一零二號
中華民國郵政登記第一類新聞紙類

自由人

THE FREEMAN
（半週刊每星期三六出版）
（第三三四期）
每份港幣壹毫
台北市售價台幣伍角
督印人：瞿嘉猷
社址：香港高士威道二十號四樓
20 CAUSEWAY RD
3 rd. fl.
HONG KONG
香港發行及事務接洽：高士打道六十六號
電話：七四〇五三
承印者：東南印務出版社
地址：高士打道六十四號
台灣特派員辦事處：台北市館前街五十號
台灣總經銷處：台北中華路五九號四之一
台北郵撥儲金戶九二五二二

本報特別啓事

本刊零售價格，每份港幣一角，台北市新台幣五角。三年來均屬如此，現匯率雖已調整，航運費亦已增加，本刊爲顧及讀者利益計，報費仍決定照舊，不擬增加。敬祈讀者亮鑒爲荷。

有拖垮整個經濟可能的——台灣工業建設

·徐道鄰·

增產愈多，滯銷和虧本的現象亦愈甚，原因由於成本過高，而其癥結則在於公營事業彼此互相抬高生產成本。民營事業也因此而受到影響。有限的資金不宜用以創辦新企業，應用來救濟現有企業。台灣農業仍大有發展餘地，努力推進，可有利國際收支平衡。三年前重視紡織工業而輕視肥料工業的政策，現已自食惡果。長此下去，工業建設大有拖垮整個經濟的可能。

生產增加物價却上漲

台灣的工業建設，去年一年的表現，不能說不令人興奮。據當局說：四十二年的工業生產，不但比起四十一年來，增加了百分之三十多。就是比起民國二十年日據時代的生產，也增加了百分之三十多。如若以民國三十七年作爲基期計算，台灣的生產指數（224%），是僅次於日本（252%）和西德（248%），而超過了英（119%）法（130%）義（161%）比（115%）。若以發電量的增加爲標準，則台灣（80%）是僅次於西德（84%），而超過了所有其餘的五國（日本36%，英44%，法40%，義33%，比21%）。

但是，我們的工業增產雖然是辦到了，然而我們的社會經濟有沒有日趨繁榮？我們的國民所得有沒有普遍增加？我們人民的生活水準有沒有逐漸的提高？我們政府的財政狀況有沒有比例的改善？兩年以來，國際物價在不斷下跌，台灣的物價，却始終是在上漲。去年（一至十月平，香港物價下跌了5.46%，台灣的物價，照零售價算是上升了7.17%，若照躉售計算，竟是上升了11.68%！（台灣經濟月刊，十卷一期，頁69）

增產結果滯銷虧本

我們若再研究一下工業增產的實際效果，則更不免嚇一跳，原來我們增產是增產了，但是產品沒有銷路。據說去年一年，滯銷的貨品，有四十餘種之多（財政經濟月刊，四卷三期，頁18），所代表的價值，約七億台幣（公營事業積存產品約六億：民主評論四卷十六期，頁20。民營紡織業積存棉布約一億，財經月刊，同上頁）。而銷售了的，又差不多沒有一種不是虧本生意。譬如去年的台糖公司，營業虧損五千九百餘萬，收購虧損二億七千餘萬，合計虧損三億三千二百十六萬元，而必須靠政府發行巨額公債來補貼。水泥的外銷，成本是二百八十四元二角，而外銷祇得得到二百〇五元，合每噸損失七十九元二角。鳳梨出口，每箱成本六美元餘，實售僅五元餘，而虧損了四百〇九萬元。農林公司出口的蔴，收購價格，即比外銷價格爲高（皆見台經月刊，九卷四期，頁9）。凡此之類，大家切不可誤認爲虧損的是台幣，進手的是外滙，更不可拿出口成本的台幣和進手外滙的黑市價格，比一比的計算。因爲這些貨物，在製造和出口過程中，已經銷耗過若干外滙（機器，零件，材料，包裝），所以進手的外滙，並不是全部淨賺進來的。再則計算這些物品成本的台幣價格時，內中若干部份本是官價外滙的比價（凡是進口的材料，全部是在台灣銀行結滙的）。所以計算這一類貿易的實際損益時，不能拿台幣成本和外滙黑市平衡對比。——增產就要滯銷，外銷就得虧本：工業增產而社會不隨之繁榮，又何足怪？

工業成本高的原因

爲什麼我們的工業產品，不易推銷呢？原因是售價太貴。爲什麼售價太貴呢？原因是成本太高。爲什麼成本太高呢？原因是這麼多的生產事業都是公營（整個工業百分之八十以上），而公營事業的管理費用既高，而其所應用的原料器材，又大多數是其他公營事業的產品。

公營事業產品的價目之高，說起來，真是可怕！譬如台灣出產的報紙，售價每噸合台幣八千元。而美國的白報紙，品質比它好，每噸美金126元，加上運費保險費，照161元算，折合結滙不過台幣2531元（即照黑市28算，也不過4531元）。台灣報紙的生產，每年256噸。如若說因此[illegible]

製造史上的笑話

再拿台灣的碱業爲例。我們知道，燒碱（CAUSTIC SODA）是基本化學原料之一，凡是化學工業，很少一樣能少掉它的。可是某一公營公司，雖然有現代化的設備，利用電解法大量的製造燒碱，以其管理不善，售價太高，使民間許多小廠家，由國外進口純碱SODA ASH，（台灣也有部份，但是沒有進口的便宜）付出了貨價，運費、關稅，再使用陳舊方[illegible]

（下轉第二版）

論美國的政治智慧

韋政通

前年十一月，美國共和黨總統候選人艾森豪當選，許多人都爲此歡欣鼓舞，寄予極大的希望。那時候，我一直沉默着。共和黨登台十五個月來，一切表現似乎平常，那些人又開始感到失望，而我的心情人則感是更覺沉重。

我曾很關切的注意當時民主共和兩黨的競選情形，也研究過共和黨獲勝的原因。共和黨登台後的種種表演，自然更加關切。

羅斯福上史太林的當

我潛心研究現代的民主政治。對美國這民族，可以說是衷心讚揚和欽佩的。但接觸到深一層的時候，總覺得這民族缺少些什麼似的。一年多來，我時時把美國的歷史和現實連貫起來想，最後，我得到一個答案，美國今天所缺乏的正是政治智慧。

美國人認爲大政治家的羅斯福總統，當史太林宣佈解散第三國際的時候，在史太林心目中自付這套手法誰也會拆穿的。但羅斯福竟天真的還視自己成功。跟着把大批的戰略物資運給蘇俄。這還不能不說是美國政治智慧低能的表現。過去如此，於今爲烈。最可怪的，美國本身似乎始終並未自覺。

共和黨的失策

共和黨在競選的時候，基本策略上，猛烈攻擊民主黨的路綫，說是社會主義的，是導引政治走向極權的。這一頂大帽子壓在民主黨的頭上，愛好自由民主的美國人民，當然會引起極大的同情，給共和黨以支持。

從羅斯福新政沿革下來的路綫，民主黨接近社會主義這是事實，共和黨的攻擊當然是正中要害。然而共和黨當政一年以來，其所表現的，竟和共和黨本來的意願相反，豈非怪事？

自板門店和談，到柏林會議，以至現時在日內瓦召開的會議，都足以證明美國的外交運用並未成功，並且是失策的。其所表現的處處是姑息和妥協。美國政府說，這是因爲美國人民不願意戰爭，艾森豪的文告和演說，也一再表示，世界和平並未絕望，美蘇之間的併存，並非不可能，戰爭總是應該避免的。

大斯拉夫主義的預言

十九世紀俄國大哲學家達尼萊夫斯基，在距今八十餘年前，曾預言過：「歐洲之仇視俄國與斯拉夫民族，即因歐洲文明與斯拉夫文明乃兩種不同的歷史文化類型。而歐洲文明已入於衰替時期，斯拉夫文明則方興未艾」。又說：「衰落的歐洲文明與少壯的斯拉夫文明之間，無法造成眞實的友誼……歐洲與俄國之間的戰爭，終難避免」。

達尼萊夫斯基的思想出[illegible]主義，其結論一如今日蘇俄官方的[illegible]論偏頗，然其所作俄國與歐洲間那[illegible]的判斷，至今似已爲經驗的世界[illegible]。難道美國的政治家們，[illegible]這些理論嗎？還是不敢承認這個道[illegible]

真的反對社會主義嗎

今天自由世界與極權世界的鬥爭，[illegible]是一個思想的鬥爭，是民主政治思想和社會主義思想的大決鬥。這兩種思想是[illegible]和黨似乎瞭解這個道理，但[illegible]好姑息，妥協，還是戰爭應[illegible]正應該避免，或可以避免的[illegible]「民主政治和社會主義可以[illegible]黨反對民主黨的路綫，豈不[illegible]段？所謂反對民主政治與社[illegible]義可以導致極權，也尚未加[illegible]還是美國當前政治路綫[illegible]

沒有真和美國合作的

本來，英國的政治智慧，要比美國高些，可是英國本身今天陷於[illegible]藥的經濟危機中。她一方面需要美援，另一方面她不能放棄鐵幕國家的通商貿易。在這種微妙的關係下，英國非但不能同美國同心協力對付當前的大敵，反而處處給美國以壓力牽制。憑藉財富力量的美國，民主國家幾乎無一不靠着她援助，但目前並沒有一個國家眞正和美國合作，這不是美國政治智慧低下的又一證據嗎？

智慧低下的原因

德國哲學家斯賓格勒，在其巨著「西方的沒落」一書中說：「新聞紙爲當代西方民主政治一最有勢力的宣傳武器，爲貨幣政治不可分離的一部份。新聞紙操縱輿論，其所謂的民衆教育作用，實際乃在排斥嚴肅性的書籍，以堵塞自發的思想，以灌輸其所謂事實與眞理。在不背於言論自由的原則下，新聞紙自需要於取捨中鼓勵或封鎖任何思想，任何意見」。斯氏之論，深爲當代東西兩方所反對，嫌其過激而悲觀。但我覺得這一段話確可說明美國人政治智慧不能發揚光大的原因所在。

斯氏又說：「貨幣政治，其結果，將使民主政治成爲其自身的破壞者，以導致獨裁政治。在新聞紙及其他工具的鞭策下，人民的活動，一概遵循政黨所預先佈置的步驟，以造成其黨魁的獨裁地位」。說美國民主政治將走向獨裁，似屬過慮，但「人民活動，遵循政黨所預先佈置的步驟」，則確係事實。

半週展望

·雷嘯岑·

美國的苦肉計

法國要在越南維持殖民政策，英國要對共黨試行妥協主義，自由陣營的前進之路上，放置着這樣的兩大絆脚石，即使越戰趨於危殆境地，而美國的聯合行動計劃乃告擱淺了。

美國願在兩種情況下，對越戰出以積極的應付方法，一是越南三邦自動向美國請求援助，使越戰國際化；否則日內瓦的妥協交易不成，英法贊成把越戰問題提交聯合國處理，可是這兩點都難實現，法國既不願完全放棄其殖民地統治權力，讓越南三邦自由行動，使共集團更不會相迫過急，爲他人作嫁，促成英法與美國的聯合行動。

因此，美國祇好聽任越南暫時危亡，通高棉、寮國亦朝不保夕。這樣，不特法國的殖民政策自行收檔，英國的妥協主義徒勞無益，而印、緬、印尼那些中立壁壘，也將同時驚醒。那時節，美國要實行強硬政策，不管是聯合行動也能，單獨應付也能，都比現時容易實現些，最重要的政治作用，即避免了「殖民地戰爭」的惡名，更能獲得國內人民的支持。美國是眞正的民主國家，沒有大多數人民的贊成，政府是不能爲所欲爲的。

日內瓦會議前途

日內瓦會議的主題——韓戰善後與越戰談判，至今沒有達成協議的端倪，而南韓已大感不耐，聲稱期滿九十天不獲結果，即行退出會議。法國國民會議僅以兩票的多數，讓蘭尼爾內閣在日內瓦作最後的掙扎。美國爲防範慕尼黑醜劇之演出，杜爾斯匆匆回國，進行東南亞聯盟運動。近日連澳洲的外長加賽也離開日內瓦了。剩下艾登，莫洛托夫二人，以和事佬姿態，各懷心事，互顯神通，皮杜爾只是跟在艾登背後，亦步亦趨。韓越問題的眞正當事人——南韓與越南政府代表——所發表的意見，彼此格格不相入，而和事佬似乎亦不重視。

越南可能被出賣，搞出一種停戰協議來，南韓却不會自甘愚弄，接受甚末聯合政府的妥協計劃。日內瓦會議的最大成就，只能完成將越南分而治之的苟和把戲而已。

亞洲人的問題，偏要煩勞歐洲人來冒充主人，說是說非，妄作主張，尤其讓那非歐非亞——在歐洲是個告化子，在亞洲自命西洋人——的俄國人來干預，更屬荒謬不經。日內瓦會議前途之凶多吉少，這是根本的因素！

日本的態度漸趨明朗了

最近日本駐華大使芳澤謙吉聲言日本決不走中立路綫，一定站在自由世界以盡其應有的職責，並指斥中共頭目周恩來在日內瓦所發「亞洲人的亞洲」言論，用意歪曲，決不能代表亞洲人的思想。日外相岡崎勝男亦聲明日本願意參加自由世界所組合的太平洋聯盟，在憲法許可範圍內，担負聯盟責任。

日本近年來的言行，頗有與印度走同樣路綫的迹象，如今兩位外交大員都作此明朗的表示，可知其政府當局已有新的外交決策了，這是自由世界的好消息。日本是東北亞方面的堅強堡壘，也是俄共集團欲得而甘心的對象。我們希望日本的實事求是，先對東亞自由地區建立良好的邦交，携手合作，互助互信。如日韓兩國的懸案，即盼日本能用「以大事小」的態度和方針，推誠相與，及早解決之。同時也盼南韓本諸「不念舊惡」的心情，[illegible]

西方列強[illegible]亞洲人基於民族仇恨與政治成見，不易團結，[illegible]年來，他們就利用我們的這些弱點，從而分化之，控制之，過去百年，我們都是過的這種生活。現在大家應該切實省悟，自求多福，老毛病不消除，[illegible]亞洲人還是站不起來的。中華民國的人民老早已認識了這種利害關係，日韓兩國該有同感吧！

印度社會主義者對中共教育的印象

·旭軍譯·

這是印度思潮周刊載，印度社會主義者夏斯特利到中共區訪問後，另一篇報導。·譯者·

五月二十五日，我們住到上海最大的旅館。主持招待的是「中國勞工同盟」的劉甯一。

肉麻的歌頌

大廈門前有公園，周圍豎着蘇聯領袖的肖像。我看見有少女二千人，在公園中受檢閱。前面有軍樂隊領導，儼若鼓舞戰鬥精神，令人懷疑，中國是正在準備戰爭、我們無論去到什麼地方，都遇見此種整軍備武的情形。那些女子正唱着『東方紅，毛澤東』和『起來不願做奴隸的人們』那首義勇軍進行曲。也許中國統治者有意釀成戰爭的歇斯的里亞病態。猜忌與仇恨是他們的武器。因爲極權政治是需要這種東西的。獨裁者常談及彼人包圍了的言論。爲了製造一適當的戰爭氣氛，他們力求將自己變成神聖，而令人民祗盡忠於他的政黨。希特拉，墨索里尼和史太林如同出一轍。現在的毛澤東有意和他們「媲美」。全力把毛澤東變爲神化。所謂「新中國的教育政策」是向着這條路綫走。甚至文化亦無出他目的，無論到什麼地方，都見共黨強迫人民向毛澤東作肉麻的諂媚，甚至不論幼稚園、戲院、寺院、或清眞寺，歌頌毛澤東是不可少的儀式。

教育水準不及印度

教育部長馬敍倫向教師訓話時說：「你們要改造自己，凡接受毛澤東作光明的來源，及努力爲大衆服務，便已吸收新思想。他們應從新的主義了解新教育的重大，排除舊有思想與制度。」

當我靜坐沉思默想時，我回憶到在北平參觀一間小學。該校設二十五班學生，共一〇九六人。那時北平行將舉行五一勞動節紀念。該校學生幾乎人人預期和毛主席見面。當局絞盡腦汁，打算怎樣讓學童列隊伍，應唱什麼歌，當他們經過毛澤東面前應該採取什麼姿勢，眞是無微不至。

目前在中國大陸，除非預先獲政府批准，否則任何學生都不能升入大學。有若干得寵的學生，可免繳學費，而且還有津貼。中國大陸的教育水準顯然遠遜於印度的。

印度工人和蘇聯工人

此次來中共大陸參觀的各國勞工代表團中，祗有印度代表團中有非共產黨代表，對世界勞工同盟代表，印度與蘇聯兩代表團特別殷勤招待。蘇聯代表團共六人。三男三女，蘇印兩國代表團常同居一旅館，參觀同一地點，有同樣的交通工具，但參觀旅行的計劃，是由世界勞工同盟代表和蘇聯勞工代表決定，印度代表無法表示意見。一直到四月二十六日印度代表團和蘇聯代表團才有機會交談。我們的代表團中，有人指出中共的勞工組織基於蘇聯的史德漢諾夫運動。但蘇聯人民顯然不願意幹此種勞動競賽。祗是關心到要證明俄國是工人的天堂。我們的同伴亦指出不應犧牲政治民主去換取他們所謂「經濟的民主」。這個問題引起熱烈的爭辯。我爲着避免不愉快的結果，便換了另一個題目。於是說道不論你說蘇聯工人如何的快樂，祗就假期來說，便比不上印度工人。印度工人一年有四十五天的節期放假日，十五天的病假，十五天的臨時假期，除了每星期例假外，還有一個月的假期。蘇聯代表們的辯論很奇怪，他們說：『這是違反國家的利益。』一印度代表反駁道：『愈能鬆弛身心，愈增大工作效能。』

大陸失學兒童甚多

我又提出一個問題即爲什麼中國不實行義務初等教育？我初到中國便看見許多兒童在田間做着工。後來我們發見窮人實在負担不起教育兒女的費用。今天中共大陸上，大多數兒童無受教育的機會。我對蘇聯代表團說：印度有許多省的初等教育是義務教育，他們祗有啞口無言。

在我們的談話當中，我們看見一種不愉快的情形。當我將蘇聯的工人假期和印度工人相比較，以及拿中國的初級教育和印度的初級義務教育相比較時，我們印度代表團中有一人憤怒起來，光火失態，我祗有忍耐，心中感到痛苦。我們團體中有三種人。有一種看來華參觀如同回教徒的麥加朝聖。也有人來找鼓舞靈感。但第三種人是來研究事物的。此種情形令我再三疑問：究竟是否値得派出此種一無所知而光是藐視自己的國家的人出外丟醜。

控制言論工具

我看見許多兒童戴着面罩，不知是否純屬防疫衞生，或防禦他們所謂「美帝的細菌爭」。講到公共衞生，中共有一套經濟辦法，就是每一家負責門前那一段路面的清潔。稍有差池，便遭嚴厲的刑罰。但各人的身上不清潔依然如故。

我在漢口看見各學校以閱報紙爲一項課程。教員對學生解釋報紙內容，並向他們發問。政府控制一切報紙。所謂報紙並沒有一點新聞。祗是宣傳美國在韓國的「暴行」，中共國內工廠生產數字，某鄉村的收穫，某共產黨領袖的言論。我們可以說讀報的和讀些學生完全不知道目前世界的情形。自然無人能訂購一份外國報紙的。甚至短波無綫電播音也不准收聽。縱使有一架能收外國播音的收音機，也不敢收聽外國消息。北平大學副校長在向我們致歡迎詞時，說：在「解放」前所學的智識都是虛僞的應該揚棄。在「解放」後，從毛澤東獲得新的光明。其實什麼是新光明？什麼是新教育？宣傳和教育沒有分別麼？黨路綫和文明沒有分別麼？聰明的人應該想一想。

台灣工業建設

·徐道鄰·

（上接第一版）

小小規模的以純碱製成燒碱，而其售價之低，仍使得某公司的電解燒碱無法出售。政府爲了保護這家公司的營業，不得不停止純碱進口，以減少民間的競爭。但以其價格太高之故，民間不惜由國外進口小蘇打SODIUM BICARBONATE（小蘇打是由純碱做出來的），再以小蘇打還原爲純碱（小蘇打和純碱的國際價格差不多，但十噸小蘇打祗能還原七噸純碱），再以此用小蘇打還原的純碱作成燒碱出售，不但還是能壓倒某公司的電解燒碱，而且還頗有利潤可圖。最後政府不得不再把小蘇打也停止進口（祗由政府採購機關進口，配售給藥廠藥房）使廠商再無法獲得小蘇打來改製純碱，這家公司的燒碱，才算有了銷路。電解的燒碱，不如用純碱製的燒碱便宜，直接製造的純碱，不如進口的便宜，也不如用進口小蘇打還原的純碱便宜，甚至於電解的燒碱，還不如以進口小蘇打還原成純碱再以之改造的燒碱便宜：工業製造史上的笑話，到此眞可稱爲絕頂矣！而國際價格六十美元一噸的純碱，在台灣要賣到台幣四千多，不知道一直賣了有多久（最近總算是勉強跌進了三千以內），那麼台灣出品貨物的成本，怎麼會不高？

公營事業與提高成本

台糖公司，去年收購蔴袋，如若向國外購買，貨價運費之外，加上關稅，港工捐，起卸費用，每只合台幣五元八角一分（第二批合五元八角三分），但是因爲某公營公司也有蔴袋出品，不得不改用省產品，而售價則是台幣十元二角。於是八百二十萬隻蔴袋，使台糖公司多付出三千九百五十七萬四千元台幣。請問成本焉得而不高？（見財經月刊，四卷三期，頁4）。像這個公營事業都得使用許多其他公營事業的出品，於是因果循環，彼此互相提高了對方的生產成本。

有人說，公營事業雖然成本高，但是養活了不少的人口，和節省了不少的外滙。那麼請問用報紙的消費者，以每年至少八千九百萬的台幣，來養活三千紙業工人，是否合理？表面上似乎節省了一點外滙，但是事實上却把成本提高，因而使許多本來可以出口賺外滙的貨物不能出口去賺更多的外滙，這樣是否合算？

民營也走上公營之路

至於民營的生產事業，原是靠競爭立足的。本應該可以供應合理價格的產品，但是一經政府提倡保護，價格就馬上飛昇。結果這一個工業固然是被扶植而暫時得法，可是直接的却減低了民衆的消費，而間接的更提高了一切其他生產的成本。譬如以台灣的紡織業說罷，還是政府三年來加意培護的寵兒。可是在前年去年中間，原先以一石米換一匹的布，其價格漲到了三石米換不到一匹。消費者一年中的損失，就是兩億二千八百多萬（自由中國七卷一期，頁9）。請問這一筆浩大的損失，怎麼能夠不影響到一切生產的成本。

近年來政府代替民間進口的工業原料，而其配售的價格，總是一天比一天多，而比民間自己進口的要高出若干。因之政府服務的項目愈多，各項生產的成本亦隨之而愈高。政府在培植紡織業之後，繼之而注意的據說有玻璃、車胎、純碱、塑膠、煉焦、人造纖維等等。我有一位朋友，曾經在日本定了機器，預備進口塑膠原料，在台設廠製造印花塑膠布。可是他一聽說政府要提倡自製塑膠原料，他馬上取銷了原來的計劃，而甘受籌備期的種種損失。他的理由是，政府保護的原料，焉由不貴之！？原料一貴，成品就難推銷。這位朋友的決定是否聰明，我不願批評，但不知我們的工業當局，聞之作何感想？

放款政策應加改變

大家都知道，台灣的生產事業，不管公營民營，最大的弱點都是資金缺乏。台銀的放款，放給公營事業的，去年有八億四千萬元之多。公營事業負担的利息，有一億一千六百萬元，佔生產費用百分之七・八（尙有向省銀借款的，利息佔生產費用百分之十五！）。這是怎麼樣的一個嚴重情形！因之要謀成本減低，一切莫急於資金的補充。據最近官方的透露，預備向台糖公司投資美金一千二百萬元，以改良設備和革新技術，可使其食糖的生產成本由目前每噸一千四百元降低至一千元（五月五日聯合報）。台灣的公營事業，請問那一家不是處於同樣情形？我不懂得，我們的當局者，手中把握着的祇是極少數的資金，爲什麼不用以整頓培養那些過去已經成功的事業，而却孜孜不休的拿着去創辦種種並不太有把握的新玩意？

農業還是可以發展的

第二件事，我不大懂得的：爲什麼一般人都認爲台灣的農業已經沒有太多的發展餘地？我們知道，台灣稻米種植面積，近年來一直在擴展，如若增加水利，將來更能擴展。即就現在的八十二萬公頃（一二兩期合計）計算，如能再增料肥的使用，把現有的1998公斤的面積產量，提高到日據時期2242公斤的標準，即可增產米糧二十萬噸。再就擴充水利以求增加及改善耕地面積而言，現在水利局所擬的一個小型計劃，所費不過二億五千萬元（民四十年紡織界一年中之純利，即二億二千八百萬元），即可增加新面積二萬七千餘公頃，而改善原有面積十五萬七千公頃。此外改良耕作技術，加強防治病蟲，減少儲藏和運輸消耗等等，皆未經有力推施。果能集中人才及資金，全力以赴，則求增加四十萬噸食米之輸出，應非太難之事。即此七八千萬美元之增加，當已可使現在國際收支平衡而有餘。而此外農業產品可增加輸出者，茶葉可達八百萬美元，鳳梨可達九百六十萬美元。開拓山地，可增養肉牛三十萬頭（豐年三卷二十期），擴充漁產，可節省每年進口鹹魚數百萬美元（去年輸入鹹魚合台幣三千五百萬元，魷魚鯗一千六百二十萬元，折合三百三十萬美元）。我不懂得，我們爲甚麼不多分出一點建設工業的人力財力，使用到農林漁牧上去呢？（大家不要忘記，四十一年度台灣出口的金額，僅達戰前正常時期的27%而已。台經月刊，九卷四期，頁十一）（下轉第三版）

人物述評

托洛斯基

·旭軍譯·

（三）

在一九〇五至一九一七年革命低潮時期，托洛斯基激動的精神引起爭辯和反對，給史太林日後作抨擊托洛斯基的材料。但列甯認識托氏的性格。在列氏最後遺囑中，曾說及不能再用昔日的理論去反對托氏。

托洛斯基對各方面畢露鋒芒。無論做什麼事，都是熱烈的去幹。他表示他是一個卓越的政治家、宣傳家、外交家、軍事領袖、行政者以及記者。

但最能表現他天才的是演說。杜茲慨說：在此次革命中有遠大理想的言論，比軍旅要有力量。有煽動性的長篇演說，就等於正式對陣戰。

在短短的革命波濤洶湧時期，及其理想未遭受打擊之前，托洛斯基眞是氣勢炎炎，他公然指責俄帝主義，自由主義，曼雪弗主義，軍國主義，以及帝國主義，並描述俄國未來的自由民主。

在革命的前夕他的權力如日中天。他担任被得格勒蘇維埃主席，他宣稱：蘇維埃應有尊重法律及給予各政黨充份自由的精神。在一九一七年未盡逝之前，黨內部雖有不安之情形，但托洛斯基的地位僅次於列甯，他坦率而堅持主張成立布爾扎維克佔絕對優勢的政府。

在一九一八年他担任軍事委員長時，他着手建立紅軍，他對於鎭壓軍隊的叛亂，比他人出力更多。他發施命令道：

『凡煽動違抗蘇維埃政府者，必須逮捕解來莫斯科，由特別法庭審訊。凡帝國主義特務鼓吹攻勢行動（進攻德國），及對蘇維埃當局實行武裝反抗者，應被槍斃。』

（四）

托洛斯基首先實行將軍官之妻及家人看管，作爲他們忠於政府的人質。這種辦法一直實行到現在。始創紅軍各級政治特派員制度的，也是托洛斯基。

他用這種方法，使在一九一七年不到七千人的赤衞軍，祗隔兩年，便增大到五百餘萬人。他的組織力，配合着他那種驚人的鼓勵軍隊的才幹，證明他完全的軍事天才。

他說：『戰爭不是一種科學，而是實用的藝術，一種技術。……一種野蠻流血的藝術。……如欲藉馬克思主義構成新軍事原理，無異於欲借助於馬克思主義去構成建築學新原理或寫一本新的獸醫學教科書。』但托洛斯基的一切承繼人都企圖幹這種事。

其後托洛斯基從事解決國內復興建設問題，他始創強迫勞工制度，及完成全國工會受政府控制的制度。

托洛斯基的理想却被史太林所實行。但托氏本人不甘承認其咎。『當他看見他的政敵實行時，感覺自己的計劃是殘酷而有退縮之意。』

由此可以答覆一個問題，即若在革命後蘇聯受托洛斯基領導天才治理而非史太林，則蘇聯是否情形較好？

托洛斯基不敢實行的，而且代表此次革命所否定的理想主義之政策，正是給少數狂妄的而奪得政權的人所利用。

在被戰爭蹂躪其經濟生活而以農民爲主體的落後國家，正以此方法維持其政權。托洛斯基開始接納此種政策，其後在革命勝利後不到幾個月便感到不良的反應。但已無法去阻止其實行了。

在今天已無托洛斯基其人了。須要經過許多的歲月，才會由於大勢所趨必然發生的反對目前獨裁政權趨勢產生另一個托洛斯基。（譯自倫敦『自由電訊』報）（下）

編者讀者

讀者來函

編輯先生：「自由人」三二二期，紹莘先生，「典型學人——馬君武」下篇，引述馬氏因九一八瀋陽失陷，作詩諷張學良，就我記憶所得，原詩係『趙四風流朱五狂，翩翩蝴蝶最當行，溫柔鄉是英雄塚，那管金兵入瀋陽』。第二句並非「翩翩蝴蝶舞最顛狂」。此係二十餘年前在上海讀書時，因平日喜讀申報「自由談」而讀到的。歷時過久，第二首已記不起，乘便寫在這裏，藉供參考。

尹士鑾　五月四日

編者的話

△上一期，本刊發表了傅中梅先生一篇地方選舉失敗國民黨應加反省的文章，陳伯莊先生看見了，他有相反的意見，他已寫了一篇「賀國民黨」，將在下一期發表。

△牟力非先生：大札奉悉，台端愛護本刊，至深感謝。承示各節，自當力加注意，並請隨時惠教，爲幸！

△彭楚珩、神凡、黎德操、陸覺、劉鐵如、周鏖、周景彝、諸先生：惠稿均已收到，謝謝！

毛澤東與秦始皇（一）

·毛以亨·

是非如何定？

我所要首先提出的，為體系與是非之糾纏不清的問題，倘不先為說明，足以亂是非的。某君自以為其學問有體系，似此即可本其體系與先驗知識把是非分辨得很清楚了。但又謂是非不能定于一。不知體系不僅使人能辨是非，而是必須將是非定于一的玄學上玩意兒。大概他誤以為體系是科學上所謂系統知識了。遂自誇為其學有體系，是自明思想有系統而不凌亂之意。不過這樣說來，足見其在思想上為門外漢，因沒有一位思想家，肯自稱其思想之體系如何如何的。至其所謂是非不能定于一，顯然的等于說，中共是不能非的，此種心境，固易于瞭解。其實有許多是非，不待推理，更不得某君所謂波丹定向論的高深相對論來解決。這些我固不甚懂，恐怕某君更不懂，而我們均可用直覺方法來決定是非，如對中共是，但如直覺而忽明忽昧起來就不成了。無論如何，斷沒有既不要是非，反而要體系的道理，而不要體系，祇要是非倒屬可能。

體系和是非

體系一詞，在哲學的習用上，是保留與歐洲大陸之理性主義者的，而英國之經驗派則反對體系。經驗派的巨子為休姆，至羅素則以反對體系而被舉為現代的休姆。自稱學問有體系已是笑話了，又謂其偏服羅素，真是笑話之笑話。羅素用以否定理性主義者之工具，為其數理哲學，這是他的基本理論，而我們都非專家，故不易懂。彼自謂權羅得素集為最基本，這真所謂妄人了。理性派之設體系網，以安排其思想，蓋借自玄學與神學，以證明上帝之共相與存在。其與中國人體用之說，亦不盡同，中西哲學本很難以會通方法來說明的。上帝本是東方最專制君主之抽象化（羅素語），故言體系者，多稱必然。而其應用于具體事實上，為絕對的專制，將是非定于一尊。所謂真理，即是以所奉行的體系為根據，無容多說，有異議者即為異端，祇有去死。教主的真理，最不含糊，加爾文氏殺其好友塞維杜斯，其言曰，誰叫你違背我的體系，誰叫你碰到我的真理刀口上來？故馬克思是有體系的，列甯，史太林亦應該有體系的。康德不肯言玄學，是闡明普魯士王國，馬克思乃借之以啓發其共產主義之奴隸王國。故民主主義者，多根據經驗派之說，以否定體系論，因為牠太可怕了。我想破體系謬妄之言，擬暫作如此極簡單的說明而止，再次說明是非標準的如何確立。

是非標準的確立

所謂此亦一是非，彼亦一是非，是非不定于一尊，並不是說，是非不能或不必要來確定。而是說，是非之標準不同。必須兼採各種標準來比較，始能確定是非。如說秦始皇罷，以人道主義言，則為千古之罪人。顧以民族主義言，則其統一六國，平南越，防匈奴，仍可謂為功臣。此兩種說法，是矛盾的，然以時代之需要，風氣之變更，決定重視那一種標準，而作出定論來。如果一個社會，不能折衷出一個是非的公論來，即證明社會上有兩派以上人的根本觀點，不能調和，此即所謂社會的失調，就是所謂亂世。然失調之後，舊社會即將死亡，而新社會亦必產生，則又生出一個公同的是非標準來，此即所謂治世。故曰天下未亂，是非先亂，未治，是非亦先明，是非之重要如此，可不講麼？

秦皇是無法讚譽的

先儒對于秦始皇，各以其時代之標準，定其好惡，如顧亭林，章太炎對他，雖不揄揚，却有恕詞。西漢人則率實誼過秦論之說，一概稱為暴秦，此並非漢朝人不許稱贊前朝人之故，周人亦亟稱殷人，古代，是在所不禁的。蓋去秦未遠，身受暴秦之痛苦者，猶有餘悸，後嗣拾其傳聞，痛定思痛，當無褒詞了。如長江流域，慘受太平之禍，使吾人無法空談民族主義，來治愈自己的創痕，而相信其比滿清為好。而辛亥至今稱太平為民族英雄，稱曾左為漢奸之說，乃一時憤慨之言。吾人總覺其於心未愜。因為太平雖自謂合于民族主義標準，但曾左諸人另有其高度的中國文化標準，以掩蓋此似是而非的民族標準。且即以民族主義之標準論，亦非唯一至高無上，而眞能掩蓋其他標準。而其他標準，有時且比較的受重視。如黃黎洲則為當時的民主主義者，故直斥秦始皇，不以其對民族主義有貢獻，所與以寬假。王船山雖贊成其廢封建為郡縣，然亦罵秦始皇。其言曰：「秦始皇之宜短祚也不一，而莫甚於不知人，非其不察也，惟其好諛也。」故傳統上對秦始皇，看得很壞，瑜不勝瑕，這是不易作翻案的。（未完）

台灣中南行（四）

魏希文

台灣通訊

八尺長人一勇士

大家正在搶着同毛王爺和公主們照相的時候，突然又在潭畔出現了一位彪形大漢。他身高八尺以上，粗眉、大眼、大嘴巴，我們站在他身邊，眞像小孩子站在大人的身旁，他穿着一套草綠色軍服，後來一問才知道他是裝甲部隊的一位軍人，河北籍，名叫張英武，誠不虛此名。於是大家又搶着和他合影，毛王爺站在他身邊，也成了小巫見大巫了。這位北方大漢，原來是看潭畔熱鬧的，不料他自己却成了熱鬧的中心。有位女代表張女士，在他身邊，高只及到他腰邊，這位巨人告訴我說，他穿的東西除了定做，便沒有辦法可以買到。攝映完畢，才紛紛登上汽艇，汽艇可容四十餘人，公主們也陪我們登上汽艇，在微波蕩漾的潭上，我們駛向對岸的文武廟。

文武廟就在日月潭畔，登岸後，迎面是石級，據說有三百六十五級，不少女代表走到百十級，便不還有許多女代表行於途中，有些年長代表，索性便坐在汽艇中，等我們遊罷回來。（未完）

中共工業經濟要論

范清平著 自由出版社出版

·大鈞·

本書對中共控制下工業的過去基礎，現在的情形，和未來的前途，根據中共自己的材料，作客觀而扼要的剖解。論斷具體而翔實。作者以科學的眼光解答中共工業及其政權的命運，指出它必然失敗的前途。

中共工業的特質

全書共六章，現在分章簡述如下：

第一章「序論」，指出中共工業經濟的特質是「黨性」，以共產黨的利益為利益，全面為政治性所貫穿的，是鎮壓的，剝削的，計劃的，主動性極其強烈的。其所實施的經濟核算制；是各個企業部門為共黨積累財富，剝削人民的制度。隨着佔有和生產的擴大，國營企業與合作社所交納的利潤和稅款已逐漸躍居收入的第一位。公營工業和私營工業的比重，公營佔絕對壓倒的地位。這些都是統制經濟的必然現象。

第二章及第三章「四年來大陸工業生產概況」，作者根據中共所發表的工業報告和統計數字，作比較的論述，指出從大陸陷共到一九五二年底，共區工業生產雖粗率的恢復了，但弊端百出，廢貨劣貨充斥，且恢復原因並非人民購買力加強，而是國防和軍需的訂貨，和中共龐大機構的需要，強迫勞動，與中共追求利潤的結果。這兩章舉證詳確，剖析分明，資料相當豐富，列舉圖表甚多，是全書最精采的部份。

經濟體系中的矛盾

第四章「中共經濟體系的各種矛盾」，由於中共黨性和幹部官僚主義作祟，以及主客觀條件關係，工業經濟體系中，存在着幾種根本矛盾，即國地劃分之矛盾，公私關係之矛盾，浪費盲目與計劃之間的矛盾，工農產品比價的矛盾，工業與勞動的矛盾，嚴重地影響了中共工業化的進展。

第五章「五年計劃可能嗎？後來如何？」。中共在先天不足，後天失調的工業條件下，要建設重工業，實現「國家工業化，國防時代化」的夢想，不得不依賴蘇聯的資金和技術等等援助。作者在這章裏很警闢的指出：「第一是蘇聯會允許中共以更快速的步伐追上蘇聯，與蘇聯並駕齊驅嗎？第二，蘇聯快速度工業化是把人民自由與享受降低到最低限度的結果，中國人民也會像蘇聯人民那樣地沉默嗎？這兩個問題將是中共工業化的嚴重考驗。」並說：「無論中共工業能否完全效法蘇聯，仍會落後於蘇聯，即使能如蘇聯一樣，工業發展成功了，但是人民福利自由却全都喪失了。到頭來，都變成中共少數官僚軍人的奴隸而已。」最後指出中共工業化前途要從整個世界局勢找答案。

第六章「結語」，作者從分析今日中共的處境並不像十月革命後布爾什維克那樣幸運以及中國人民的反抗意志之強烈將超過蘇聯人民，歸結到「即使資金、技術、資源都解決了，而且蘇聯也肯幫忙，然而工業化之夢還是會破滅的。」

本書的缺點

據筆者初看，本書尚未有盡之處如下：

（一）作者對於資料的消化稍嫌不夠，如中共最強調的「國家資本主義」的本質和特點，都沒有加以論述。

（二）資料略嫌陳舊，因為寫作和出版時間的關係，新近重要的資料未及列入，最近中共「中央財經委會副主任委員」李維漢在全國工商聯會的報告，也付諸缺如。

（三）第四章列舉各種矛盾中似尚不足，如理論與事實的矛盾，（馬列主義係經濟發展為政治基礎，中共則以政治控制經濟，恰與馬列主義觀點相反。）人與人的矛盾（即赤色官僚與勞動者的矛盾）都未指出。

× × × ×

中共毒計誘騙僑生

英輿論籲港大吸收

港九各中等學校本年度畢業學生數字逾萬，升學港大殆猶不足百分之一，就業或由初中轉入英文書院以及高中的，約佔百分之五十，其餘半數，綜有志於擲往自由中國繼續升學，未必能夠全部獲得如願。雖然下年度台灣對於海外學生招生名額放寬，終因不能盡量容納，引為一大憾憾。

相反的，中共則於印尼設置一個專事招致海外學生返大陸的機構，不管學生的程度如何，無不盡量吸收。學生頭腦簡單，祇求升學機會，絕少計及利害，今年三月以來，自印尼、緬甸、馬來亞、新加坡各地的失學學生，被分批遣往大陸的數字，已有一千二百餘人，星馬當局雖曾作有效堵截措施，仍未獲致具體效果，學生家長雖有不願其子弟去大陸，然防不勝防。因此，中共誘騙海外學生日形猖獗，主要原因，顯係自由中國僑生「僑生勿去大陸」之心，並無充分「容納之量」。

香港接近大陸，對中共之擺攏青年早有深切認識，學生擲往自由中國最切，但他們對於祖國不能打破招生限制，內心不無怨懟，稍有資產的家庭，畢竟是少數，大多數都屬清貧，如去年日本在港招生，眞能有力赴日升學，僅佔錄取的三分之二，就是一個好證。日遷延，一般有志向學青年，就受中共特詭計，綜非出於自願，迫於環境，也祇好勉強去大陸了。此種貽害青年的責任究竟應由誰負？然亦不僅害了青年，與國家社會之影響尤其大。

不久以前，英國權威報紙倫敦泰晤士報對於這一嚴重問題，曾著論呼籲各方人士注意，並建議香港大學應盡量吸收中國青年，免於流入共黨之手，介紹以中西文化。該報評論略稱：香港大學創立於一九一二年，當時盧押爵士任香港總督，其目的是在於將英國語言與中國的語言文學的教授混為一體。力言香港為共黨控制區所包圍之際，其彌足重要者，該大學應吸引中國學生，不止介紹以西方之思想，且須及其祖國之固有文化。就該報評論全文看來，不乏兩大要旨，一為極力容納學生，以免誤入共黨手中；次為應有設置中文部的必要，提高學生興趣。英國輿論尚且如此重視搶救學生，免落共黨手中。自由中國基地的台灣，自更應該努力謀求改善吸收海外僑生的辦法，免遭中共誘赴大陸。

香港三日

台灣工業建設

輕肥重紡結果如何

徐道鄰

（上接第二版）記得三年前，政府在開始扶植紡織工業時，輿論上曾熱烈的加以反對。但是當局意志堅定，不為所動。這一個政策，不但扶植了民族紡織工業，而且節省了不少外匯。恐怕不止七八億元，即三年來市場上價格高出國際市場價格的紡織品，而這被扶植起來的紡織業，難得有一天可以脫離保護而自立。就現在的情形說，以美金一百九[illegible]的價格，在台灣織成布[illegible]磅，在台灣製造棉布每[illegible]三十五元，可值美金[illegible]元，但是紡織工資，就要合台幣[illegible]元，本錢都不夠，那裏還說得到利潤？（台經月刊十卷一期，頁[illegible]）[illegible]主張的肥料工業呢？台灣能使用的肥料，每年四十萬噸不為多。前年本省出產不過十來萬噸，即使再投資美金二千七百萬元，及台幣一億元，增產肥料三十一萬四千噸，也還不見得夠用，而紡織工業，祇添了十來萬錠子，已經使幾十萬布匹，三十多人失業（台灣月刊十卷二期，頁[illegible]）。用擴充的力量（和美援）不以擴充紡織工業的，來擴充肥料工業，是什麼道理？（大家[illegible]看好。因為過去食米生產，却尚未恢復到一九四〇年以前的水準（台經月刊九卷一期，頁二〇）

也許有人說，政府之要扶植紡織業，必因為它是人民生活必需品。然而我們並沒聽說過瑞士人因為要吃麵包而主張自種小麥，或者英國人因吃牛肉而主張養牛羊。於是乎有人說『對了！你看！你所代表的正是「國際分工論」，而那個看法正是我們所不敢苟同的「國際分工論」』的，那麼請問，不贊同「國際分工論」的，是不是另有一套「一國萬能」論呢？

工業建設將拖垮經濟

過去的民四十二年，據說是台灣實施四年經濟計劃的第一年。就這一年的情形而論，再加上過去三年的經驗，我深怕台灣的經濟，要被這樣的『工業建設』拖垮，讀者容我再作一段寓言，作為結束。

東南鄉有幾家木箱廠，全都是從一家木料行買進木板，至於其他材料：也全在市場上採購：洋釘每公斤五元，油漆每公斤十二元，洋鎖每把六元。作成木箱，售價是每隻四十元。祇有一家木箱廠則不然。他們的大兒子接辦了一家洋釘廠，出品每公斤十二元五角；二兒子接辦了一家油漆廠，出品每公斤三十六元；三兒子接辦了一家洋鎖廠，出品每只二十元。因此台記工廠作出來的木箱，祇算成本，就要每隻五十二元。當然售價太高，無人過問，以致長期滯銷，而最後不得不賤價求售，要淨賠十二元，老板娘賣掉了一點首飾來貼補，才勉強開出工資。然而他們不但不覺悟，並且還天天在喊著要增產增產，叫四兒子去製革，五兒子去造汽車，六兒子去……事業；還有他們家裏的好幾十頃稻田，許多養豬，好幾個魚塘，都等待著他們開的鷄着這幾個兒子，原來都是辦工業的好手，雖不高明，但却是東南鄉這個地方，而近年來一直在鬧着魚荒肉荒。（完）

行己有恥

馬五先生

「博學於文，行己有恥」，這是我們民族先賢顧亭林垂敎士大夫做人處世的兩句格言。自明末以來，直到而今數百年間，我國的知識界人士，博學於文的指不勝屈，學貫中西，號稱博士者亦所在多有，唯行己有恥的，似乎越來越少。尤其到了現代，讀書人幾被社會視爲「四民之末」，政治上的統治階級更把讀書人看成「十儒九丐」的告化子，鄙薄蹧蹋，滯不在乎。

這情形，我不敢說完全是士大夫咎由自取的，客觀環境的關係當然很大。可是，在最近半個世紀中，我們這羣號稱知識份子的讀書人，缺乏了人格主義的人文思想來作生活潛力，卻爲無可否認的事實。祇就區區個人在近卅年來所看到的情況，即令人大惑不解的地方很多。平日學問高超，且著淸譽，而生活亦並不感到貧困的人，一旦從政，奴顏婢膝之態，即栩栩可掬，是非正義之思，竟懵懵揚棄，患得患失，逢惡長惡。從來未聞有爲維護正義而有所不爲者，更未見有因人格受到蹂躪而恥居官位者。中國的產業固然不發達，士大夫謀生的途徑殊窄，但除卻從政以外，未必就會餓死？而根本不感生活恐慌的人，何以亦自甘下流，恬不知恥呢？難怪近代政治上所謂禮賢下士，徵辟隱逸的遺風乃告絕跡，隨時但見奔走營緣，爲目的不擇手段，有些作官的，甚至以膺受長官辱罵爲榮譽，靦然鋪張，驕其親朋鄉黨。讀書人這樣不爭氣，自不爲世所重視了。爭甚末氣？爭氣節，爭人格是也。

我們今日提倡反極權奴役主義，而其責任又多半要靠知識份子來担當。所以，應該先從自身不過役奴生活作起，夫是之謂行己有恥！

潮州涵元塔吐烟記

·敝杵·

（一）

潮州揭陽涵元塔，爲揭陽八景之一。最近塔頂吐烟三日，消息傳來，潮州旅港人士，竟爲談柄，在飽嘗中共暴政，人心思漢之下，偶有奇蹟發現，即生揣測之詞，可爲民意傾向之表示，未可以怪誕目之。

涵元塔在揭陽東南三十里。建于龜山之上，又名龜山塔，榕水南流繞其上，浩浩蕩蕩，孤帆遠際塔影浮光，儼成一幅天然畫圖。考揭陽縣誌，明崇正壬戌年，潮州後七賢郭之奇，黃奇遇，宋兆瀹等，以名進士身份，號召建塔，其動機；是迷信堪輿。又値縣令馮元颷，爲「復社」健將，與郭等同魁，而又同一派系，抗淸一氣，樂于肩承，政治力量既充，遂於崇正壬戌年興建，鳩工庀材，罰鍰徵賦。塔分七層，高十六丈八尺，池基闊幅與高度等，八面玲瓏，作螺旋形，有石級可達頂巔，塔尖置有銅製葫蘆，大可三圍，仰承天水，終年不涸，鷲鳥含魚育其中，牧童常爬上捕魚，鳥松更繁其上，至崇禎乙亥年落成，歷時十三載，費錢八百緡，出之罰鍰者十之三，出之賦稅者十之七。（按明朝進士，最有勢力，藏富戶之竹槓居多，否則區區八百萬安能建偉大巨塔）。塔成之翌年，揭陽登賢舘者十三人，郭之奇又以翰林入値，旋又輔弼桂王于廣西，升爲大學士，支拄南明殘阼，及後與桂王同走緬甸，途中爲汗奸吳三桂所擒，勸降，不屈遇害，臨死時遺絕命詩二首，蒼涼悲壯，譜有勁節載于揭陽縣誌及韓江聞見錄中。潮人睹塔思人，景仰前賢手創遺蹟，至今尙有故國文物之思！

（二）

康熙十四年，鄭成功薨，其子經，席乃父餘業，奉明朝正朔，踞有台灣，出兵縱橫漳、泉、惠、潮諸郡，潮州總兵劉進忠，目擊滿虜摧殘潮人，反正舉義，遂舉兵殺滿人，揭陽武生劉公顯，起而響應。統率義勇軍九大隊入揭陽城，殺死縣令，誅鋤豪劣與走狗份子，明明是民族英雄，而縣誌則稱爲：「九軍賊」。在城陷那年，涵元塔初建未久，而塔之葫蘆吐烟三日，亦見諸揭邑誌記乘。康熙七年，鄭邑潮陽縣內之文光塔，亦吐出烟，亦爲當年義勇軍攻陷，越明年再出烟而又陷，亦見潮陽邑乘。則是塔之出烟，似有關災異，且無獨而有偶，引起潮人不可思擬之迷信。降至宣統辛亥涵元塔出烟，淸室亡而民國興。民國卅三年農歷十月一日出烟，十月廿三日日軍遂陷揭陽，卅四年七月初一出烟三日，初八日日軍投降。卅八年七月出烟，八月共軍進陷揭陽，舉國同遭赤禍。今年農歷三月初三淸明，又爲上巳辰，涵元塔又再出烟三日。近塔廈崗鄉陳淸河君親眼看見，陳君新近抵港，述及塔頂出烟狀況，是日淸晨，見有烟從塔出，直冲霄漢，裊裊空際，達二句餘鐘，始隨風消失，五十里內皆可望見。老百姓雖不敢明言中共將傾，已各有會心。又內共軍在沿海退縮二十里，在內陸加緊徵工構築工事，做工並不給値，人心更爲蠢動，東望王師，有奚徯蘇來之感！同時潮僑眷屬，亦有來函述及國機近來常飛潮汕上空，共幹加緊控制人民行動，入夜常聞冲殺之聲，俗稱爲浮地煞。涵元塔吐烟，人心向背已可概見。

（三）

涵元塔至今已有三百三十三年歷史，雖經民七戊午正月初三潮汕大地震，民十一壬戌八二大風災，仍巍然矗立，高處無恙。惟塔之外面，飽受風雨侵蝕，塔內古甎又爲附近鄉民爭取用，用作豬寮與建灶之用，稱爲：「可保人口六畜之興旺」。年長日久，遂生破爛與空虛，邑人深恐蹈杭州西湖「雷峯塔圮」之故轍！民廿一年壬申，倡議重修，邑令謝鶴年董其事；鍾者則擔任重修工程，得窺塔之內外全貌。祇試內外全以士敏土、泥苴罅漏，斷塞風雨與人手攫取痕隙，費錢三千五百寰頭，謝令並鐫石記其事。據故老相傳，三百餘年前，建塔工程師，設計極精巧，方塔落成，偏欹斜向東南。衆責塔勢不直。當時的工程師說，東南風大，三百年後，風勢自會把塔扶直。今其言果驗。

北投春游

姚味辛

碧樹溫泉路，攜筇客獨游。溪煙知水煖，谷鳥覺山幽；以此消長日，何曾解杞憂？避秦眞束手，彈指五經秋！

和許紹棣破帽之作

前人

新帽今如此，不覺爲客久，晏裘三十年后，平生恥消受。物理有盛衰，用舍有先後，棄舊而迎新，世情誰獨厚？已矣勿復道，高歌且縱酒，寧復向人前，衣冠爭妍醜！

談民族詩人陸放翁

·張溥生·

（一）

我生平好讀劍南詩稿，以放翁詩清新剛健，開闊雄渾，豪放婉麗，兼而有之也。因精選百數十首，手自抄錄，風雨之夕，吟哦的詩經及覽讀書物，均未攜出。不讀放翁詩，數年矣。最近忽得之台北市立圖書館，有如故人重逢，歡愉之情，可想而知！

放翁生宋徽宗宣和七年，正宋室式微，金人南侵之際。次年，靖康北狩，金兵南下。高宗難避臨安，然終成偏安之局。

放翁少時，是很自負的：「兒時祝身願，事主談笑可使中原淸」。（壬子除夕）大有天下興亡，匹夫有責之意。他惟生平未做過大官，[illegible]十九舉進士，卅四歲始爲福建寧德主簿，相當于現在縣政府科長職務。三十六歲除敕局删定官，次年爲樞密院編修官。四十通判建康，旋移官夔州，四十五入蜀，通判夔州，在蜀先後近十年。其間曾攝蜀、嘉、榮三州，並爲蜀帥范成大的參議官，等他被召東下，已經是五十四歲了。七十九，上章請致仕，但未邀准，不過事實上已得退休，在這二十五年中，放歸十有二年。除知嚴州府二年，算是獨當一面外，其他不論在中央或地方有官職，大概也和以前差不多，所以他的政治生涯，可說是中國一般士人的典型生活。宦海浮沉數十年，綜其一生行事，閒散的時間多，做事的時間少，「志士淒涼閒處老，名花零落雨中看」。（病起）時代是磨折人的，經過一再折磨的人，眼看到鑽營奔競的人，個個都騰官直上，飛黃騰達了。而自己坎坷蹭蹬，鬼尾途中，豈有不壯志銷沉，心灰意懶的嗎？「生憎快馬隨鞭影，甯作癡人（村居）。「已甘身作溝中斷，不願人知爨下晉」，（夜坐偶書）。「壯歲功名慚汗馬，暮年心事許沙鷗」，（月夜泛小舟湖中三更乃歸）。這豈是放翁個人的歎息，實是一般士人的悲哀哩！

（二）

放翁既蹭蹬不得意，所以他的一生，也像杜甫陶潛一樣，經常過着貧困憂戚的生活。宋代的官爵濫，財政上的收入，除了寅費政費的開支，還要向金人奉「歲幣」，俸祿料想不會很厚，如無特殊生財之道，做一輩子小官，是不會有積蓄的。看他下面二詩，即可想見其生活的窘況：

自笑

自笑謀生事事疎，年來錐與地俱無，
平章春韭秋菘味，拆補天吳紫鳳圖。
食肉定知無骨相，珥貂空自誑頭顱，
惟餘數卷殘書在，破篋蕭然笑獠奴。

霜風

十月霜風吼屋邊，衣裘未辦一銖緜，
豈惟饑索鄰僧米，眞是寒無坐客氈。
身老嘯歌悲永夜，家貧撑拄過凶年。
丈夫經此寧非福？破涕燈前一粲然。

造化弄人，無可奈何，只好委命任運，逆來順受，苦中求樂，在不幸中含着微笑。「詩稿鵰向窮途得，蹭蹬人間未必非！」（舟過樊江憩民家具食），失之于功名富貴，收之于道德文章，「窮而後工」，正是天公玉成他的地方，窮一點又有什麼關係呢？（上）

稿約

本報闢地公開，歡迎讀者投稿，性質不拘，最好勿超過二千字，譯作請註明出處；來稿如不合刊用時，當儘速退還。

——編輯室——

詞體辯證

·逢累·

各體詞的字數

至於各體字數若干，即就聯數推之，亦可得其概數。小令以四聯構成爲主體，約等於絕句二首；以七言計，基本已是五十六字。詞句不似詩句整齊，必略有增減，故小令字數，至多可到六十左右。如七娘子，蝶戀花等，均六十字；定風波，蘇幕遮，漁家傲等，均六十二字是也。中調以六聯構成爲主，約等於絕句三首，以五言計，基本已是六十字，如臨江仙，有六十字者，有五十八字者是也。以七言計，基本已是八十四字，略增數字，便到九十字左右。如梨花影，憶莫愁等，均爲九十字是也。故中調字數，至少在六十左右，至多在九十左右。長調以八聯構成爲主，約等於絕句四首，以五言計，基本僅八十字，但長調純由五言句法變化構成者極尠，其用五言句最多者，莫如謝池春慢一調，已是九十字矣。所以長調字數，至少應在九十左右。如惜紅衣爲八十八字，探芳信，卜算子慢均爲八十九字是也。至長調字數之最多者，如鶯啼序已多至二百四十字矣。觀上所述，較之毛氏所稱古人定例者，並無多大出入。但執毛氏之說，可犯三種錯誤，萬樹所駁，特其一耳。外如中調字數之最少者，不必多於小令字數之最多者，又中調字數之最多者，亦不必少於長調字數之最少者，如上述之臨江仙，中調也，僅五十八字。而小令之定風波等，反多至六十二字。又如惜紅衣，長調也，僅八十八字。而中調之憶莫愁等，反多至九十字。此則詞家所宜細辨也。而毛氏以爲小令字數，必定少於中調，長調字數必定多於中調，又兩失之矣。顧此不應歸咎於毛氏也，一則此爲相沿傳說，並非毛氏創論。二則吾國昔日詩人詞人，對於數學觀念，大都不求甚解，類如此也。須知此之所謂字數若干，但可視爲概數，不能看作定數也。茲爲修正毛氏所述定例，並說明其依據，而確定其界說如下：

三類詞的界說

『小令』，爲唐人所創詞體，其構成以變化基本聲律四聯——等於絕句二首——爲主。亦有二聯，三聯者。其字數至多在六十左右。

『中調』，爲五代人所創詞體。其構成以變化基本聲律六聯——等於絕句三首——爲主。亦有五聯者。其字數至少在六十左右，至多在九十左右。

『長調』，爲宋人所創詞體。其構成以變化基本聲律八聯——等於絕句四首，或律詩二首——爲主。亦有七聯者。其字數至少在九十左右。多在百二十字左右。其九聯以上構成之長調，字數在百二十字以上者，應別之曰特長慢詞。如柳耆卿之夜半樂，浪淘沙慢，周美成之六醜，蘭陵王等屬之。（下）

醫藥新發現

·德榮·

潰瘍新藥

一種新的消化器官潰瘍藥丸已經開始在芝加哥曲氏醫院中試用，這種丸是使一種酸性中和混合物經常維持於胃裏，丸是放在兩肉和牙肉的中間，使他慢慢地溶化。在最近醫院所採的方式，是使病者慢慢步進牛奶和鹼，有時也使病者服鹼酸丸，但這丸不能長久留在病者胃裏，如果每一小時服一丸，僅使胃裏的酸性中和十五至卅分鐘，之後腐蝕性的化合物又復生產出來，曲氏醫院的史蒂文醫生宣稱：病者每日服十至十六粒新丸，便可長期使中和性保存了。

一年前陳尼醫生採用椰菜汁作治療，但是現在採用提煉方法，每天只需服三湯匙，而不需再進四份一侖加的雞喝的生的菜汁了。椰菜裏面大量的未經分析的維他命L，可以使胃裏的纖維聲固起來去抵抗酸素。

在一百個供試驗的病者中，潰口在一三·四日內結口，以前用舊藥要四九·九日才可復完。

主婦的手

皮膚科醫生的病人，十個中便有一個皮膚炎的患者，而所有的患者都是主婦，這是因爲家庭的責任使她們如此的，最普通的原因是（一）冷、熱、浸潤、潮濕、晒和摩擦。（二）肥皂、地臘和洗衣藥的侵蝕。（三）食物或化學物的反應。（四）營養不良和賀爾蒙不平衡使皮膚變化。

中華民國僑務委員會頒發登記證台教新字第一零二號
中華民國郵政登記第一類新聞紙類

自由人

THE FREEMAN
（半週刊每星期三六出版）
（第三三五期）
每份港幣壹毫
台北市售價台幣伍角
督印人：瞿嘉猷
社址：香港高士威道二十號四樓
20 CAUSEWAY RD 3 rd. fl. HONG KONG
香港發行及事務接洽：高士打道六六號
電話：七四〇五三
承印者：東南印務出版社
地址：高士打道六十四號
台灣特派員辦事處：台北市館前街五十號
台灣總經銷處：台北中華路五九四號之一
台郵撥儲金戶九二五二二

本報特別啟事

本刊零售價格，每份港幣一角，台北市新台幣五角。三年來均屬如此，現匯率雖已調整，航運費亦已增加，本刊爲顧及讀者利益計，報費仍決定照舊，不擬增加。敬祈讀者亮鑒爲荷。

寫在政府改組以前

希望新政府能尊重憲法　調整經濟政策增强外交

左舜生

自由中國第二屆的總統和副總統，已由第一屆國民大會的第二次會議產生，而且按照一定的程序，明天便要在台北就職。我們只要看最近海外赴台觀禮的人數之多，和情緒的熱烈，便可知道一般人對自由中國的前途，確實是滿懷希望！

他們希望的是什麼？他們希望反攻復國能於最短期間提早實現，以便他們能返回大陸，去重整他們的家園，重溫他們安居樂業的舊夢，並有機會去訪問他們在大陸已經剩餘得極有限的若干親友！

希望國民黨人才內閣

至於一般比較關心政治的人們，他們所希望的卻是更進一步：他們不只是對反攻復國存着一種攏統的期待，他們是希望隨着第二屆總統的就職，政府也確能有一度像樣子的改組。怎樣改組？以國民黨現有人才，就其學識，經驗，及其在黨內黨外所獲得的聲望，認眞選擇，妥慎安排，俾人得其所，而又人盡其才，成立一個純粹國民黨的內閣，負起責任好好的來幹一幹。至對青民兩黨，則不妨使他們成爲一種純粹在野黨的象徵，即一個政務委員，也沒有邀他們參加的必要，只要能以公平態度，使他們得着正常的發展，換言之，即使他們在社會各方面，能有正當的活動，而不阻遏其生機，以減輕其內部的矛盾。能如此，我相信這兩個小黨，在反共復國的大前提下，他們一定能繼續支持政府，而發揮其可能的作用。

像這樣做會有什麼好處呢？第一個好處便是更能促成國民黨的精誠團結。這幾年大家只看見青年黨鬧分裂，民社黨鬧分裂，而國民黨在其蔣總裁的領導之下，卻始終是平穩進行，並無任何分裂現象，有何促成團結的必要？實際這種看法也只是知其一不知其二：國民黨今天在台灣的現狀也不必分析，即以最近幾年在海外所發生的第三勢力或新勢力運動問題來說，其領導人物十之八九，又何一非過去國民黨的重要幹部？我平日常說：今天的所謂第三勢力運動，從某一意義上看，實際也就只是一種國民黨的分裂運動。胡適之先生最近在台北主張，把一個國民黨分成兩個，大概他還沒有注意到國民黨早已有這種分化事實的存在。不過因爲不能得着在朝國民黨的諒解，不容易產生一個公當的領導機構，而願意對這一運動予以支持的友邦，又認識不足（注意：中國近五十年來的一切重要黨派，幾乎沒有一個是不曾得過他們的友邦支持的。）再加上主持這種運動的人，自己的意識也不大淸楚，所以至今尚無所成就，而已。

以我接觸所及，就學識、器度、資望……等條件來說，國民黨今天要組成一個有力的反攻內閣，並不缺少人才，甚至同時要使得軍事力量加强，外交陣容改善，也還是儘有餘裕。所成問題的，乃在如何形成一種黨的意識，使這類人才各得其所，而有以自效於國，自效於黨而已。

就目前客觀的事實來說，國民黨要形成一種黨的意識，使黨內人才能各展所長，因以團結國民黨者進而團結全國，恐怕依然還要經過相當的時間，或若干事實的變化；因之對於當前的政府改組，我還是奉勸大家，不必過存奢望。在今天所產生的政府，總還是一個平穩待機的政府，決不會是一個冒險進取的政府；總還是一個大家覺得還過得去的政府，決不是一個使內外耳目一新的政府。

對新政府幾點希望

可是雖然如此，我們也還是願意表示我們幾點起碼的希望：

一、今天的這個政府是依據憲法所規定，按照憲法的手續而產生，因之這部一百七十五條的憲法，我們總希望能夠得到尊重。即令在今天不是一字一句都能見諸實行，但總希望不與憲法的精神完全違反。所謂『動員戡亂時期臨時條款』，不到眞正動員戡亂的時候，似乎不宜輕予援用，即援用也必得按照一定的手續。

二、依據憲法第七條至二十四條，涉及人民權利義務的一章，我們總希望政府與人民隨時都不要忘記，尤其不希望造成與這些規定顯著相違的事例。

三、依據憲法第一百三十八和第一百三十九兩條的規定，軍隊黨化便無存在的餘地。當日制憲者的心理，是明明看到軍隊黨化，只有製造革命黨的可能，而決無產生和平政黨的可能。今天的軍隊是否仍在黨化，這是值得檢討的。

四、依據憲法第一百五十八到一百六十九這十二條關於敎育文化的規定，黨化敎育確實已於現行憲法上毫無地位，假定還要使敎育繼續黨化，則不僅一個新的野黨無法產生，即原有的兩個小黨，今後亦決無吸收黨員的可能，不出三五年，必然歸於消滅。這是與憲政精神絕對相反的一種舉措，十分值得注意。

五、台灣近年的生產事業，確有不小的進步，但不能說這裏面沒有包括相當的危機（如徐道鄰先生在本刊上期所說）今後如何從思想上，政策上，人事上，機構上加以調整，使之能達成一個更遠大的使命，當然也值得新政府的留意。

六、自由中國的反共復國成功，必須寄希望於國際形勢的密切配合，如何才能配合國際，其所需條件自然不止一端，但外交陣容的充實與外交人員的有效活動，要爲主要的條件之一。我們自來的感到外交陣容不夠堅强，外交人才不夠充實，這一點似乎依然值得新政府致慮。

反對黨的建立問題

——最好組織「聯合陣綫」

陳謀煊

我讀了鄭知三和韋政通兩先生在自由人三三〇、三三一期，先後發表的「言論自由可代替反對黨」和「必須先建立基本的自由」以後，茲略抒管見，供討論這一問題者的參考。

第一、我對鄭先生的「言論自由可代替反對黨」的意見，頗有疑問。「言論自由」，正如韋先生所說「必須先建立基本的自由」，根本上談不到「反對黨」。如果有了「基本的自由」，不組成「一個團體」——反對黨——來策動，也不能發揮力量。個人的言論，「僅有言論自由是不夠的。」陶百川先生也曾說。

過去的民青兩黨

第二、我國現在雖然有兩個與國民黨患難相共歷史悠久的在野黨——青民兩黨——其所以不能成爲有力的反對黨的原因，並不完全如韋先生所說「似乎缺乏遠見」；像它們自始至終，就力持反共主張，對共產黨不姑息，就是很好的說明。該兩黨之所以不能發揮力量，老實說，並不是它本身力量的不夠，最大的原因，而是執政的國民黨，不讓它有發展的機會。國民黨在其訓政時期，限制人民言論和集會結社的自由，標榜「黨外無黨」種種作法，根本就沒有給予其他黨派公開活動的餘地。抗日期間——廿七年，迫于外患，國民黨雖曾正式承認青民兩黨的合法地位，而其政治體制及黨務方針並未稍有改變。三十六年行憲之際，普選就未依照協商選舉合作，故無法與國民黨抗衡競選。今日之已否爲名實相符的三黨政府，事實昭然，毋-庸置議。

幾項基本條件

第三、從過去的事實看，我以爲針對中國今日的情形來說，要出現一個眞正的反對黨，除了「基本的自由」外，執政和在野兩方必須具備下列幾項的基本條件：

（一）天下爲公　是中山先生追求政治最高的理想，我們今日談民主，談反對黨，應該首先實踐這「天下爲公」四個字的眞諦，才能達成我們的理想。

（二）容忍異己　「天下爲公」尤有望于執政黨須有容忍在野黨活黨的雅量。在野黨的任務，是以反對執政黨不合理的政治的，它對政府的批評，自然比普通人來得厲害，而且它有野心，爭取羣衆，有理由爭取執政地位。如果執政黨不能容忍，以其權力加以干涉，或不許有異己的言論，甚至或明或暗的去阻撓或威脅它的發展和生存，所謂反對黨，從何說起。所以，我以爲中國要建立起有力的反對黨，須要執政黨有容忍反對黨活動的雅量——切實做到黨派平等，然後才能順利形成。

在野黨不能急功好利

（三）樹立黨派平等的風度　我們要談民主，不論團體對團體，個人對個人，都應該站在公平的立場作合理的競賽，決不容許任何團體或個人有特權觀念或優越感的存在。——如驅迫公務員集體入黨或學生集體入團是。若能任由人民獲得社會地位與權力均機會平等，不受黨籍的影響，並有選擇政黨的自由，有力的反對黨，才能建立得起來。

（四）在野黨不能有急功好利的觀念，必須甘於退處在野，善盡反對黨的責任，不要「爲了向執政黨弄幾個特任官幹幹，在政府機關裏多安插幾個位置」就笑逐顏開。而把本身應有的責任忘記得一乾二淨。

因利乘便的方法

基於上述各點，如果在目前成立一個反對黨，雖有很好的理想，並有了「基本的自由」而沒有合法的地位，沒有得使社會了解以前，要成爲一個有力的反對黨，眞是談何容易？因此，我以爲應就現有的青民兩黨和社會賢達民主人士，大家起來組織「聯合陣綫」，這並不是因陋就簡，而是因利乘便，不然，意志不集中，即許有更多的自由，更多的民主，也將不發生力量的。

×　×　×　×

半週展望

李秋生

正副總統就職大典

明天二十日，由國民大會選出的第二屆總統副總統蔣陳二先生，在台北舉行就職典禮。台北民衆準備熱烈慶祝，即在港九，也有許多僑胞們紛紛返國觀光，參與祝賀盛典。在國難嚴重期間，這是同胞們愛國至情的表現。

迴想政府當還台之初，銳意興革，一切都與過去大陸時代形成尖銳的對比，替反共復國前途帶來無限希望。但日久難免頑生，國人在生活相當安定之餘，有些就忘了現在還是在生死鬥爭的非常時代。數月以來，政府若干興革，因總統任期屆滿而推行有待，也更使人發生不夠緊張的印象，雖然一切腹案都早在積極策劃中，中樞從未忽視過必要的施政。正副總統就職之後，一切自當立即氣象一新，與民更始，最重要的卻是如何重振積極奮鬥的精神，提高國人對反攻復土的信念和期望。

台灣海峽的警號

過去一週間，自由中國與中共海空軍在東南沿海一帶，至少發生過五次衝突，衝突的結果都是共軍遭受創傷，鎩羽而退。這雖然都只是前哨小接觸的性質，但已足證明自由中國軍士的戰意高昂，作戰技術精進，比起東山島登步島的大捷，今日的國軍已進入到一個新的境界了。

據說當三十九年共軍侵韓之先，台灣也曾被列爲共方進侵對象之一，後來也許是認爲攻韓比攻台更易奏效，戰事纔在三八綫上爆發。這幾年間，台灣實力與日俱進，成爲東南亞洲整個地區中最堅强的反共堡壘。時至今日，問題重心已從共黨何時攻台轉到自由中國何時反攻。

自從美當局撤消第七艦隊對中共海岸的保護，共方即不斷加强沿海兵力和工事，就其一切佈置的性質看來，仍屬防衛重於進攻。即就一週來的海空衝突而言，也都是發生在共區沿海附近。但這並不是說台灣就根本不會遭受侵擾。從根本說來，台灣這一堅强反共堡壘存在，是中共心腹大患，決沒有長期相安的可能。專就軍事意義言，則「進攻是最好的防禦」這原則，共軍最懂得也最善於運用。中共的軍事企圖，很可能與現今瀰漫國際間的姑息暗潮互爲呼應而伺機一逞。自由中國及其盟邦，現在不只要加强警惕，更應講求基本的有效對策。

菲共領袖投降

越共自攻陷鎮邊府後，在軍事政治雙方都較前更形猖獗，但與此同時，在東南亞另一重要國家——菲律濱共黨，卻瀕臨總崩潰的末運，菲共第二號領袖，即農抗軍（HUK）魁首塔魯克，且於十七日晨向菲總統馬格塞塞的代表投降了。

在東南亞各國中，菲律濱是曾經遭受共黨嚴重威脅的一個國家。菲共與越共馬共等同爲第二次世界大戰的產物，菲共的叛亂雖從未發展到越共那等規模，卻也不亞於緬共馬共，過去在菲共兇焰方張之際，連馬尼剌首都都不安全，一出郊門，即有遭受共軍綁架劫殺之虞。然而曾幾何時，已如土崩瓦解。塔魯克雖不是菲共最高領袖，他的名氣卻比菲共第一號人物拉伐更高，而且他在戰時是抗日游擊隊領袖，至今仍爲農抗軍中最有實力的人物。過去他曾一度投降，近數月來，塔魯克治降消息更時有所聞，不久以前，據傳他被菲共開除，也許這是促成他斷然離棄共黨主因之一，但這件事無疑在表示着菲共的分裂衰落。

菲共的失敗原因之一，是菲島與鐵幕隔絕，即使共黨能設法滲入，到底無法像在韓越那樣大舉干涉。其次則菲島自獨立後，經濟政治都在長足進步中，共黨逐漸喪失吸引人民的力量。而馬格塞塞從國防部長到總統任內，堅强剿共反共的措施，也給予菲共以致命打擊。凡此種種，在東南亞遭受共禍威脅的各國，都該取爲借鑑。

賀國民黨

·陳伯莊·

讀傅中梅先生的「地方選舉失敗，國民黨應切實反省」一文（見本刊三三一期）之後，我的反應和傅先生的感想完全不同。

自由競選可貴

我要賀國民黨的理由是：當局的政黨，一定沒有把持選舉，然後一位無黨派的人士（據傅君原文）才能和國民黨台北市長候選人競選而獲勝。一個當局政黨的候選人落選其事小，而選舉或者更理想些，「國的自由選舉」有了實現的機運，其於踏上民主自由道路的意義和可喜可樂觀了，其事大。這是自由中國民主進步史上應該大書特書的一頁，我們該昭告世界我們的統治者不做操縱選舉、製造選舉的醜行。

為民服務爭取擁護

統治者如能担起歷史任務，必然在修德而不在逞強迫力。德也好，力也好，祇有被治者的裁判才是真的。民主的政府不向人民請裁判，還向誰請裁判。德能服人，誰不擁護。（自然不能以局部選舉來做全部裁判的標準。）與其請國民黨反省，講求黨內民主加強組織，不如請它修其爲人民服務的美德，來爭取真正的擁護。

民主集中乃共黨作風

加強組織，實行鐵的紀律，實現黨內民主集中制，此乃共產黨的作風。此乃共產黨所標榜的一黨專政，以實行其所謂社會革命的論據。今當獨攬行憲再變法統之後，當以自由民主號召反共抗俄之時，執政黨對於黨該如何，是應徹頭徹尾反省一番，尋求可大可久可負起歷史重任的新方向。民主集中一概念，自列寧時代便載入布爾什維克的黨章。徒聞其語，未見其事。再不然，自蓄其優越感。「牛雖瘦，償於豚上」，行見「揀肉棧棚，僞將豎騙」而已。

台北市長選舉散記

·周景彝·

（台北通訊）此次台北市選舉，高玉樹以一一〇，四一五票對倒多數，當選爲台北市長。關於競選情形，報章刊載已多，這裏所要報告的是些還少有人道及的瑣事：

高氏這次競選，計劃頗爲詳密，他學的是機械工程，頭腦自然仔細周到，評定步驟。競選前他和摯友李爾春，莊夢熊兩人先行交換意見，李莊兩人本來也有意參加競選的，交換意見的結果，認爲力量不宜分散，並決定用抽籤方法，來決定由三人中究竟誰做候選人，結果高玉樹抽中了。因此李莊二人便傾全力支持高氏。

三位好朋友，大家都是沒有錢的，祇能憑各方面的人緣，和青年人的勇氣與活力，廣泛的努力爭取選民。高氏在競選演說宣布政見時，完全針對選民心理而發，態度誠懇，樸實無華，博得選民的好感，這些便是他成功的重要因素。

●據各方報導，高氏個人的家庭環境，也可能有助於他的成功。他的夫人黃寶豐女士，現任台北保健所醫師，有固定職業和收入。他四個小孩子，有他的母親和外祖母照顧；夫婦兩人都可以專心於他們的事業。此外他的夫人在武昌街有一所住宅，樓下租給新大昌文具舖，所以都有固定租金收入。因此高氏的私人經濟雖非富有，亦過安定，對於他的家庭負担，一點用不着分心。聽說他在就任市長後，要宣佈他的私人財產，這倒是地方民主政治的一種新氣象。

高氏膺選後，連日拜訪各方友好，並計劃就任後，怎樣實踐他競選的諾言。現在他雖是無黨派人士，但也是三民主義的信徒，他在發表競選演說時，曾經提過，他將來不會要求加入國民黨。高氏本是機械工程家，對彈道素有研究，現任某兵工廠顧問。膺選之後，可能不會兼任這職務了。不過有關方面，仍舊希望他能兼顧這項工作。他對這一方面素有興趣，在可能範圍內，或不至完全放棄本行工作。筆者以市民一份子，對高氏當選，自然寄予莫大的希望，希望高氏登台後，能切實爲市民服務，實踐他的競選諾言。

西德的整軍

十二師新軍仍在紙上

·商雲·

在西德首都邦城，每個人都在談論着重整武裝問題，可是什麼人都沒有對這事有所行動，至少許多西德人士都有此感覺，結果，一個月一個月的過去了。德國人一直聽說美國需要西德建軍十二個師，參加西歐防務。假如已整好，表示這些部隊能迅速召集而裝備起來，祇要獲得訊號，即能開始付諸實行。一個非正式的國防部已在邦城成立，等待着新軍誕生的日子。

但是，如果你深入看一下這問題的實際情況，重整武裝的佈置，仍然絕無成就，邦城具體而微的國防部因爲一再受挫而大傷腦筋，職員們紛紛抱怨各事都還停留在設計階段。許多幕僚人員幾乎已決定離開這裏，另到別處尋找可能實際做些事情的工作。這裏的新聞官已辭職到一家報館去工作了。

同時，美國已在西德儲集了足夠建立德軍三個師的裝備。可是還沒有人被授權向美軍把這批裝備接收過來，西德的邊境警務，是德國最近似軍隊的組織，他們大致將得到一部份美國的裝備，用於訓練目的，但就是這一點也被盟國的決議阻攔了。邊境警察全部實力只是一萬人，一九五〇年時曾在原則上增加一倍，但是西德人士說，由於法英兩國反對這擴充計劃，又無法實行，結果，這支部隊仍然太少，不能成爲訓練軍官的核心，以備將來供德國新軍之需。

現在邊境警察約有百分之八十士兵已服役三年了，他們當中有許多很可能在未來的德國正規軍中成爲優良的士官。現在西德的軍官訓練學校，可能加以擴充，以訓練新軍的尉官，而且，邊境警察總部現在已保有大批申請者的名單，源源不絕，可望隨時召集，使軍官訓練計劃得以持續進行，不致因爲缺乏新人而中斷，可是沒有人採用行動把這一批人員加以利用。西德國防局也同樣接到許多人的申請，願受軍官訓練，待西德建軍成爲合法，這批人即可運用，可是這名冊已空放三年之久，從沒有人設法整理，研究一下這些申請者是不是仍適合現況。現在沒有人知道他們的根本體格和政治思想是不是適合，或甚至他們今日是不是仍可以參加新軍。這些人當中，已有一部份，今日已不在西德了。西德國防準備一方面是完全受阻，陷於這種停滯地步，也在另一方面共黨却在持續擴建東德的軍事力量，東德早已具有一支相當強大的軍隊，且正不斷擴充。據邦城所得到的情報，東德的軍方陸軍有十萬人，海軍九千人，空軍七千人，蘇管區各軍官訓練學校遍設，若干高級訓練學校且正進行作戰訓練，裝備着蘇俄的坦克，裝甲車，和其他武器。一部份明瞭俄管區情況的西德人士說，現在的西方盟國的裝甲部隊還比不上東德的同樣部隊。蘇俄所招募的東德部隊都經過蘇俄人予以特殊裝備，且有俄人派在一切裝甲部隊負責指揮。

西德軍事專家對東德軍隊本身的力量大感不安，這對本身武裝的問題，他們又感到無計可施，到目前爲止，他們所能看到的，仍祇是紙上的十二個師，但是這支軍隊，也極可能在尙未正式實現以前，便已不合時宜了。

組織遠東反共陣線之 美國防部長威爾遜

·焦木·

（一）

鑒於遠東局勢趨於嚴重，美國對日內瓦會議已不再存幻想。要另行籌謀計劃了。繼艾森豪總統特使斐列特將軍訪問遠東之後，美國國防部長威爾遜也於本月十日離美訪日，韓，菲，非。威爾遜在艾森豪政府中是一重要決策人物，地位之隆，出乎白宮任何部長之上，此時奉派遠東，其意義之大，自不待言。

郤利威爾遜有「鋼鐵部長」之稱。艾森豪提名他任命爲國防部長時，曾因他擁有通用汽車公司三萬多股股票，時值二百五十萬美元，遭民主黨反對，終於被迫拋售所有股票，才得走進五角大廈，坐上國防部長的寶座。

（二）

威爾遜出身工程師，爲美國最成功的工業管理家。他一進五角大廈，就一反過去各任部長的舊習，完全採用工商管理原則，以處理行政事務。他是美國五任國防部長中，第一個獲得可以任意選擇助手的人。他所選擇的全是有過經營大企業經驗的人，而且是懂得節省共用的人。他設立七個助理部長，裁撤大批辦事機構，將工作交助理部長直接處理，結果，減少了國防部許多冗員。工作上他和各助理部長之間，被稱爲「查利叔叔」，可知他和下屬工作上合作之密，感情之佳。

威爾遜一生事業，從未失敗過。今年六十三歲，生於俄亥俄州米納瓦。父親爲當地公立學校校長。他先進卑茨堡的學校，後入卡尼奇工科大學，在校時曾爲籃球和足球選手，且爲一勤讀學生。

十八歲，獲得電機工程學位，是卡尼奇大學歷來獲此學位最年輕的學生。旋考入西屋公司爲實習生，工資每小時僅一角八分。二十二歲，發明第一架西屋電廠造發動機。這時候他和西屋電氣公司一位週薪八元的女速記員戀愛。一九一二年九月結婚。婚後夫婦生活，甚爲融洽，共育子女六人，三男三女，現孫兒也有了十四人。

（三）

威爾遜二十八歲，受僱於通用汽車公司附屬雷米電器公司，脫離了西屋。他爲汽車主任工程師，他在該公司實行一連串計劃，使行將破產的公司，獲得財政重上軌道，因此獲得公司當局的信任。一九二八年，他被調回底特律通用汽車總公司，升任副董事長，當時他三十八歲。一九四一年，繼任通用公司董事長，時年五十一歲。在第二次大戰中，他以驚人的才幹，使美國最大的生產企業——通用公司變成軍需生產，使美國獲得民主國家兵工廠的殊榮。大戰結束後，他更大胆地實施擴張計劃，使從事軍需生產的通用公司再度恢復爲和平時代的民用工業。（上）

杜爾斯兩記殺手鐧

美國務卿杜爾斯上次去英法遊說聯合行動，碰了一鼻子灰回來，最近在日內瓦中，又因法國的軟弱而使得共黨集團更爲猖獗，他懷了滿肚皮的氣回到華盛頓後，即着手重新估計美國對歐洲的政策。國務院的專家也奉令詳細研究歐洲的局勢，這一切都在極端祕密中進行，所以到了前幾天（十一日），杜爾斯已在衆院外委會秘密會議中要求國會授權自由運用援越基金，必要時可以之用爲武裝東南亞聯盟的友國。杜爾斯此舉：已引起法國朝野的震驚，認爲美國有意拋棄越南，另在亞洲及東南亞劃定新的堅強反共防線。其實據內幕消息說，自由運用援越基金還不過是杜爾預定的初步行動，他感到法國的荏弱過度牽制了美國的對外政策。最近的將來還打算對美法的關係採取進一步行動，他可能擺脫法國封鎖歐洲軍的束縛，鼓勵德國逕自進行成立二十一個師的陸軍，並且與美英兩國部隊相連繫。

斐列特未來新出處

艾森豪總統特使斐列特這次遠東之行，一般都知道是考察中日韓的局勢以及美軍援在三國運用的情形，可是據熟悉美國防部內幕的人說，斐列特將軍東來，極可能更多一種任務，他可能在美法關於美國訓練越南軍隊一事獲致協議的時候，抽身前往越南觀察，並主持訓練越軍的工作。據說，美國高級官員（大概是美副國務卿史密斯）正在日內瓦與皮杜爾頻頻接洽，試圖說服法國讓美國接管訓練越南軍隊的任務，美當局屬意於斐列特將軍在希臘及韓國練軍的成就，並已向法國說明，將來練軍一事，打算由斐列特出山負責。可是不幸得很，法國對此事的反應迄今仍很冷淡。斐列特那天才能成行，誰也無法預測。

與唐尼爾內心不愉快

美國派駐越南的軍援代表團長奧唐尼爾少將，曾頂着太平洋區美地面部隊中將總司令的地位跑到越南，一方面固見他所負責任的重大，同時另一方面他自己也對越南有一番偉大的抱負。可是他到達越南以後，屢次向法軍總司令納伐爾將軍提出建議或意見，後者總把它當作耳邊風，幾乎沒有一次接納了的。因此奧唐尼爾最近曾有報告給美國防部，表示他在越南的工作深有不愉快之感。正在此時奠邊府陷落後，法軍參謀總長艾利將軍等一行又奉命前往越南視察，在雙重壓力之下，納伐爾的總司令更可能不保（納伐爾可能被撤職，本刊日前曾加報導）了。

印共在東德受破壞訓練

東德的德累斯頓一向是共黨訓練國際特務的中心，最近已有一批印度共黨黨員抵達該地接受特別訓練，受訓的課目是如何進行破壞活動，據說印度共黨已計劃擴大組織，加強地下活動，等到時機成熟的時候，一舉推翻尼赫魯政府，而使印度成爲克里林宮的另一個附庸（孟衡）

編者讀者

讀者來書 對紙彈的獻議

執事先生（上略）：

我們日日企望反攻。現在看局勢，似乎時機快成熟了。勝利快在望了。最近我機飛大陸投紙彈，又該是多好的消息啊！我眞高興極了！

今天本港報紙把此次所投紙彈內容，影印九張出來，一看，我的心却冷了。這話怎說呢？我覺得這是坐在辦公桌上辦公的「師爺」搞的，不是深入民間做宣傳工作的人做的，敵不過共匪那一套的！因爲投紙彈的宣傳，是大衆，他們是不耐煩看，用長篇大論和很嚴肅的詞句向他們宣傳，是無心看下去的。讀書少，識字少的，要看也看不懂，這句子不夠通俗嗎？我只有搖頭了。我希望報上所登的，還得不好，另外或者確有更好的使人滿意的字句。

我愛國，我於批評之後，要向中華民國政府建議，這種宣傳品，第一，要通俗淺白，愈淺白愈好！第二，要趣味化，絕對不要用嚴肅的詞句。第三，要有諷刺個性，才要印象深刻。第四，要單純而又多用有趣味和諷刺性的字句。這樣才能收到效果。（下略）

S.T.上 五，十七

馬君武諷張詩

編輯先生：頃讀貴刊第三三四期，讀者尹士灃君函錄馬君武諷張學良詩，我記得第二首是：「戎馬倥偬比地來，開場絃管又相催，瀋陽已陷休回顧，更抱阿嬌舞幾回」。至第一首末句「那管東師入瀋陽」，應該是「那管金兵入瀋陽」，茲並錄上，藉供參考。

黃民，五月十五日。

編者的話

△沈雲龍、鄭士瑋、林長林、韋政通、徐文台、尹明、華國梅、成璞完、柳英、諸先生：惠稿已一一收到，謝謝！

△楊力行先生：四月卅日函悉，查明另復。

△謝勞影先生：大作下月初發表。

毛澤東與秦始皇（二）

·毛以亨·

反人道主義的兩暴君

我所提出的新命題，認秦始皇和毛澤東，同爲奴役其大羣人民的反人道主義。吾人生命，如隨時有危險，而失其人性與尊嚴，則一切民族民主的主義，都不與我們相干。故以人道主義，爲高出一切的是非標準，而以其他標準爲次要，這是自由世界的最高標準，與基本原則。但毛澤東雖不合于我們上述這些標準，却另有其共產主義，而以之爲最高的標準。不過中共之共產主義，始終是神秘的，忽而社會主義，忽而社會民主主義，忽而新民主主義，忽而又是在殖民地之民族主義。這些都不可能成爲一種理論，而且是互相矛盾之若干理論，然俱置之于共產主義之體系下。可惜中共要人，並不甚懂得馬克思之共產主義，而我們雖明共產主義，但毫無共產意識，似乎無標利來懂得他們的主義。於是我們祇好用我們的舊標準來衡量中共，而斥爲民族罪人之漢奸，反民主的獨裁者，反人道的暴君，和天下的魔王，水滸傳的强盜等等。其中有若干點都和秦始皇相合，祇是程度不同，祇始皇不是漢奸與强盜而已。我嘗說，今日而不知反共，誠不知「讀聖賢書，所學何事。」

然理性是求彼此之會心，根源還在各人的直覺上，遇到裝假說謊的人，硬說他不明白，他不是這樣看法，或者他的良心上直覺出了毛病，也會有時而窮的。則祇有請其回到大陸去，享受一番「毛主席說不盡的恩典」從體驗與實踐方面，來證明到底誰的話說得對。

毛澤東與秦皇相同處

他們最主要的政策，都是利用大批奴工，把人類弄得不象人樣。我們於此，切不可誤認秦以前，漢以後皆有奴隸制，與犯罪沒有奴婢之律，而認爲不能歸罪于秦。因爲惟秦代對普通自由人，亦以犯罪與循役爲理由，而使其陷于奴隸之境。且尚不肯罷手，必驅其死亡而後已，則與今日之中共，差可彷彿。世稱魯仲連爲高士，然亦如其他齊稷下儒之誇大而好奇策，因爲他義不帝秦，願蹈東海而死，不忍爲秦之民，至爲天下人所重。他說：「彼秦者，棄禮義，而上首功之國也。（索隱曰，秦法斬首多爲上功，謂斬一人首，賜爵一級，故謂秦爲首功之國也。譙周曰，秦人戰勝，老弱婦人皆死，計功賞至萬數，天下謂之上首功之國。）權使其士，虜使其民。（索隱，言以奴虜使其人民也。）」倘六國與秦一樣虜使其民，則魯仲連必不出此言，即說亦不爲天下人如此的重視。長平之戰，秦發國內十五歲以下童子，而死者過半。我因以聯想到毛澤東的奴隸帝國，悉以人海戰術來造成。其移民東北與西北，猶始皇之移民北境與南越。而所謂淮河工程，亦無當秦代之長城與驪山的工程。其公路工程，則尤與秦之驛道無異。頗想不到二十世紀，還有此等變本加厲的野蠻辦法，此其相同者一。

賈誼過秦論，謂秦以爲天下萬已若。史紀始皇帝紀，「廷尉斯等皆曰，……自上古以來未嘗有，五帝所不及。……古有泰皇最貴。臣等昧死上尊號，王爲泰皇。……王曰去泰著皇，采上古帝位號，號曰皇帝。……朕爲始皇帝，後世以計數，二世，三世至于萬世，傳之無窮。」其琅邪刻石亦曰，「功蓋五帝，澤及牛馬。」周青臣以「自上古不及陛下威德」爲頌而始皇悅。李斯至以「三代之事何足法也，」爲言。毛澤東則欲且看今朝，自謂有以超過秦皇漢武了，故同屬于誇大狂之神經病。而亦同爲出身低微之自卑感的發展，此其相同者二。

貪鄙私智是相同的

賈誼又謂始皇有貪鄙之心，與自奮之智，先詐力而民危。統一之後，民危益甚，讖緯論識其猶病水者而益以水。史記謂「更名河水曰德水，以爲水德之始。剛毅戾深，事皆決于法，刻削毋仁恩和義，然後合五德之數，於是急法久者不赦。」所言多與尉繚，盧生之稱始皇，剛戾自用，天下皆爲之虜相合。令我想到毛澤東之貪鄙與私智，以及其在大陸倒行逆施之多，此其相同者三。

賈誼且謂秦人多忌諱，使人莫敢盡言與盡忠。叔孫通且諱言反，而謂「此特羣盜鼠竊狗盜耳，何足置之齒牙間？」遂至不可收拾，以成橫潰瓦解之局。今大陸糧食日缺，而猶侈言增產與出口，飢民已嘯聚爲盜，猶云游擊除業已肅清。惟秦統一後十五年而亡，今中共已統治了五年，而台灣猶存反共者之正朔。勝敗之數，大約不決于中國之本身，而決于國際，此又爲同中之異了。

中共殘暴甚於秦皇

三、秦始皇與毛澤東相異之點。

中共的殘暴，類于東羅馬，大約從俄人轉販得來，故爲中國歷史上所未有，更非秦政所能比了。太炎先生，以爲秦非完全是法家之治，其毅可歸納爲下列諸點。

一、秦代法雖嚴，而不能悉行於下，背亘因緣爲奸，而人殺人，而可亡匿至與刺客十日不得，張良亦藉以免禍。如項梁，博浪沙之役，大索以之倖免。

二、秦代尚有言論自由，淳于越斥周青臣之諛。說苑至公篇，鮑白令斥始皇行桀紂之道。京房稱趙高用事，有正先，用非刺高死。成公游談不仕，著書三篇在名家，縱橫家有零陵令信一篇，雖丞相李斯。內外薦紳之士，與褐衣游公卿者，皆抵禁無所懼。

三、燒書本秦覆制，韓非言商鞅焚詩書，鞅嘗以詩書爲六蝨，既誅而法令猶在。然張儀、范雎、蔡澤、呂不韋亦數稱六藝，法令所不能禁。

四、秦主獨貴，則其政平，子弟爲庶人，其卓絕在上，不與士民等夷者，獨天子一人耳，故百姓病之者寡。漢武則任衛霍，爲外戚之漸，一怒則擅殺大臣與太守，非如秦皇之不妄誅一吏可比。

然章先生終謂「秦皇弱點，獨在起房阿……」。錢四賓贊美秦皇，然亦謂「秦代政治的失敗，最主要的，在其役使民力之逾量。我以爲秦之成績，在政治上爲設立郡縣制度，而在社會上爲因巴寡婦而設懷淸台，以提倡婦女之貞節。此誠可以超越前代，而造成中國社會一種新型態的。（未完）

一、到處打撈　二、活動頻繁　三、約請佳賓　四、心神不定　五、裝修門面　六、逃之夭夭

這幅漫畫是共方雜誌描寫共幹生活情形的，爰轉載如上——文抄公。

新書介紹

草原上的小屋

·羅自芳·

譯者：趙唐理

出版：華國出版社

（一）

現在這世紀裏，由於邪說宣傳，使人與人之間，充滿憎恨、嫉妒、仇視、鬥爭。於是但求目的而不擇手段，爲着鞏固個人或集團的利益，不惜出諸勒索、擄取、迫害和殘殺，弄到整個世界社會混亂紛擾永無寧日。

我們應當知道，世間唯有愛，才能使人快樂，假如人類缺少了愛，只知猜疑和恐懼，絕沒有快樂可言。因此，我們需要「愛的教育」，不是「恨的教育」。

這本「草原上的小屋」，是一本童話小說，但並沒有離奇怪誕的神話，也不是虛無飄渺的想像。它借兩個幼稚天眞小女孩子的見聞，描述美國初期拓殖者向西方拓荒的生活。

（二）

故事很簡單，敘述一個有勇氣有毅力的父親，帶着妻子和兒女，從威斯康辛森林區，邁向干薩斯無際的草原上。在當年，這漫長的千里沿途，盡是一片荒蕪無人烟地帶，他們寂寞孤行，風餐露宿，歷盡許多艱辛險阻。——他們渡過將要融冰的密士瑟必河，利用木排渡過浩瀚寬深的米蘇里河，又利用獸馬游泳渡過干薩斯正在氾濫的一條急流小河，方才達到他們所選擇的目的地。

到達草原中，決定居留之後，甚至連一枚鐵釘也沒有，居然把一間能避風雨野獸侵襲的堅固房子建立起來，跟着開鑿水井，墾闢耕地，從事種植。

這許多事情充分表現勇敢冒險的進取精神，也充分表現百折不撓卒底於成的堅强毅力，足爲青年效法，給予少年讀者以鼓舞的力量。

書中雖一直敘述拓荒者的冒險進取故事，但到處流露一種偉大的愛——父母之愛，手足之愛，鄰居之愛，以至異族之愛，民胞物與之愛……總之，在作者筆下這些天眞小兒女的心目中，她們覺得無一不是可愛的，唯其是可愛，所以才是快樂的。

這便是本書最重要的啓示。作者並不是用說教的態度，把這些理論直接講出來。他借小女兒的見談閒話，從側面寫出這種無形的因果關係。蘊藉含蓄，感人更深。

（三）

愛的感情作用，不獨人與人之間要培植起來，即對於動物，亦不可少。本書中那隻叫做賈克的狗，以及獸車的兩匹馬，牠們和主人之間，也具有熱烈的感情，也常常關心愛護主人。作者在這些描寫中，沒有半點誇張和虛構的成份，只是極自然地把動物的天性表露出來而已。

許多人覺得印第安人是野蠻不可理喻的，但事實上，那場幾乎很難避免的流血鬥爭——印第安人反抗白人侵佔其固有地盤的鬥爭，却由一位明白大義知大體的阿舍吉族酋長蘇爾德淸的制止而消弭了。可見人類間一切仇恨，大都從歧見造成的，如果運用愛心，拿感情消除隔膜，許多大困難，都可迎刃而解的，蘇爾德淸之所以挺身而出，制止鬥爭，不能說是受這個拓荒者的家平時和善的態度所感化，因此出來仗義執言。古語有云：「出其言善，千里應之，苟違斯義，同姦以疑」，就是這個道理。

因此，我要鄭重把這本書推薦給青年讀者，這是值得一讀的好書。書中也有些缺點，譯文不少生硬牽强和錯誤的地方，譯名又前後不一致，校對方面，亦多大意。希望再版時，能夠改善。

新界農業前途

美國農業考察團前日抵港，爲謀瞭解本港農業發展實況及商業情形，曾由港府[illegible]陪導前往新界農村作竟日視察。該團對本港畜牧業設備齊全及進步，大表讚許。對新界之農業狀況及需要，亦表儘可能將於回國後予以協助。

本港農業[illegible]有優良條件[illegible]去年及今年[illegible]至成問題者，則爲產品之銷路。[illegible]菜價格，早已從[illegible]事農業者寒心。其主要原因在經營者只知生產，不明瞭市場之變化，年來生蔬市場受中共大陸方面之控制，銷售美國市場之出品亦受控制。此次美國考察團團長[illegible]係美國農業合作處[illegible]爲美國農業[illegible]明農蔬方面之需求[illegible]勢。但土質環境各有不同，本港之農業生產，亦有許多係美國所歡迎者，甚盼雙方業務商討，解決諸銷售供求的障礙問題。

三·日·小·評

·風行·

中共以信仰自由作宣傳，其實一切宗教均受監視與利用。强迫將共產主義理論滲入教義中，使宗教的理論含有共產毒素。稍有抗拒，即被指爲圖謀不軌作非法宗教活動而予以迫害。虛僞和殘酷之遭遇，特較爲顯著者耳。

×　×　×

本港常有被中共迫害，驅逐出境之教士，指出到港之教士[illegible]一切宗教均受監視與[illegible]

中共迫害宗教狂

目前香港時報副刊曾載有一篇「虛雲師尊遭難記」文章，內容詳述現年一百一十五歲的高僧虛雲被中共强奪寺產拘禁凌辱，以及中共殺佛教徒三萬以上等事實。年來中共迫害宗教徒與天主教徒之報導已甚多，此次所傳佛教大會之報導尚以此爲最詳盡。在此翰墨同全世界佛教大會之際，我們願將此文之事實提出控訴。

台灣中南行（五）

魏希文

·台灣通訊·

文武廟不大，廟內祀孔子與關公，這大概就是文武廟之由來。我們登上廟前的坪中，站立高處，遠近的山我水風光都在們的眼底了，這時四海畫報的攝影記者和僑委會的攝影先生，就在廟門前，依照組的次序照了一幀團體照片，另外女代表們又集合照了一張。游罷文武廟，紛紛下山，趕到岸邊乘艇去看化蕃社的山地姑娘跳舞。

參觀化蕃社

登上汽艇後，我們向化蕃社進發，這時湖上也發現其他游艇，也是向化蕃社去的，後來樂山兄告訴我，才想起今天是各地游人趕來日月潭游玩的星期日。

潭水是深暗的碧綠色，除了微波蕩漾以外，水面非常平靜，湖風涼拂，我們想到化蕃社的公主們在這裏月夜泛舟，想到山胞在一葉獨木舟上垂釣，說他們過的是世外桃源的優美生活，該不爲過吧。

不多時，汽艇靠岸，是一處湖灘，我們從艇上跨到竹排上，走過一片濕泥地，迎面便是黃泥大道，大道兩邊都是一些賣山地產物的舖子，其中擺設許多日月潭紀念品，比我們在涵碧樓對面那家店子所見的還多，不過都是山地婦女充當女老板，她們笑臉迎人招徠我們光顧。許多代表各自選買帶回台北送親友的紀念品，其中一種用細竹片編織的小花瓶，用竹片織成鷺鷥的圖案，他們的聰明和藝術天才並不低下，那裏有一個爲山胞工作的服務處，還有一個日月潭國校水社（化蕃社）的分班，從這裏可以看到政府提高山胞文化水準的努力，他們（她們）不但能講閩南語，國語，而且漢字也寫得不壞，比如你買的紀念品，如果需要她們爲你寫字留念，那麼她們寫出來的中華民國幾個字，倒也楚楚可觀的。（未完）

對新政府的小願望

自由談　馬五先生

總統就職大典之期，只有一天了，據說，自由中國政府將有一番更新氣象，在政制與人事上，都要謀革新，以配合內外局勢的演變，而達成反攻復國的大願，甚盛事也。

我們是自由中國老百姓的一份子，[illegible]不敢妄參末議，只好從小處着眼，聊貢芻蕘，意思是萬分誠摯的：一願新任的行政院長以身作則，於下事伊始，即通令所屬各級文武機關首長，今後對任何會議席上致詞時，不得再用「訓話」二字樣，以表示人民公僕的民主生活，作了官的人，無論[illegible]，社會大衆說話就變成了訓詞[illegible]，這是根據那類書本上的義理而然的？區區中華民國的人民，竊所未喻！

二願新政府的各級行政人員，今後少開些莫名其妙的會議，以節省勞力；少寫些不必要的簽呈，以赴事功。一道電話即可協商解決的事，何必開會？三言兩語即可確定的事，何必簽呈？職責分明，法規俱在，守法奉職，不亦宜乎！這種情形如不改革，[illegible]

近代女詞人呂碧城

·徐真·

讖首探花亦可哀，平生功績忍重埋？匆匆說法談經後，我到人間祇此回！

這是女詩人呂碧城臨死時候吟出的自輓詩，從這二十八字中，不特是悟澈生死，了無罣礙，而造意遣詞，也算[illegible]了！她死的日子，是中華民國三十二年一月二十四日，地點是香港九龍。當時香港是在淪陷期中，國內也在對日抗戰，交通阻梗，消息隔絕，因此到了勝利以後，還有人在探詢她的狀況。

自古才人偏命薄，尤其美艷多才的女人，似乎更遭天妒，呂碧城自也逃脫不了造化的安排。她原籍安徽旌德，父名瑞田，和樊樊山是同年通籍，交情也相當密切。那時兒女論婚，祇求門第，碧城在髫稚之年，就與同鄉汪姓訂婚，不幸到她十二歲時，她父親一病去世，她的母親嚴夫人，又給強徒擄掠，道路謠傳，[illegible]，碧城便寫信求她的年伯樊樊山，請設法救援，那時樊山適任江蘇布政司，急電安徽當道，經過許多曲折，纔從強徒手中營救脫險，而汪姓親家卻因了這件事，認爲門戶之玷，對呂家提出退婚，碧城父親死後，算是失勢了，所以也沒有異議。

清光緒廿九年，袁世凱任直隸總督，唐紹儀任天津海關道，都是顯赫的官兒，這時大公報已出世，碧城自遭重叠的家難，復受汪姓退婚的打擊，——那時候女子被人退婚是認爲絕大恥辱的。遂隻身到天津，即寓居大公報館，擔任撰述，文詞流暢，辯才無礙，女俠秋瑾對她最爲欽慕，不久成爲密友，後來秋瑾所辦的中國女報，發刊詞便是碧城提刀的。時值「歐風東漸」，辦學辦報風氣甚盛，碧城以名家才媛，又值當道官紳非父執即世交，一時聲華稱最，不久便由英歛之、杭辛齋、方藥雨等署名發起辦學，並經唐紹儀、楊士驤、嚴範孫等全力協助，進言於袁，由袁批示撥公款她辦，校名天津北洋女子公學，即爲河北女師校的前身，先充總教習，不久升充監督，時碧城祇廿一歲。

碧城姿態嫻雅，吐屬尤佳，傾才慕艷者大不乏人，而她自和汪姓仳離後，絕口不提婚嫁，秋瑾等赴日留學後，碧城也渡美求深造，以後漫游美歐，在美法英意的首都和瑞士都有相當時間的勾留，尤其住在日內瓦的時間最久，在美國進哥倫比亞大學美術院也好幾年，中間也回國兩次不久又渡洋去了，民國九年筆者在津尚與一面，已是卅許佳人，渾身西服，文采輝映，深有端莊流麗之概。後赴歐與各國慈善家發起「護生戒殺運動」，同時以英文翻譯佛經，傳播佛學思想，這時她信佛已深，實行茹素戒殺，記得民國廿四年她在香港購屋居住時，在搬入不久，忽發現所居螢生白蟻，使她極端爲難起來，她認爲如把牠消除，便違殺生之戒，若任棟柱蛀壞，又有傾圮之憂，終於她把房屋貶價讓售給別人。她生平著作很多，中西文論著而外，詩詞集先後印過好幾次，如信芳集，曉珠集等。她在自序裏說明她自己訂稿付印的緣因，說：「余慨世事艱虞，家難奇劇，凡有著作，宜及身而定，隨時付梓，庶免身後湮沒……」也可想見這個女詞人雖已逃禪，名心卻未淨盡。但她的作品，確屬蕭而不賦，質而能諧，而沉哀緩怨又不勝身世之感者，則當爲人所同情，如「瓊樓」七律：「瓊樓秋思入高寒，看盡蒼冥意已闌，棋罷忘言誰勝負，夢餘無迹任悲歡，金輪轉劫知難盡，碧海量愁未覺寬，欲擬騷詞賦天問，萬靈悽惻繞吟壇。」「隔鄰家琴聲」絕句：「[illegible]紅樓媚晚晴，[illegible]留夕陽明，隔牆誰奏悲娵娜，也作西來鐵騎聲。」把PIANO譯作悲娵娜，至覺穎僞！她的詞尤爲樊山所推重，在詞集裏樊山每讀一首，都有評語，如「南唐二主之遺」，「鬆於梅溪，細於龍洲」，「稼軒寶釵分桃葉渡，不能專美於前」，「清深蒼秀，不減樊榭」，「此詞居然北宋」等，雖是老年伯極意捧場，但她的素養與造詣，是不容抹煞的。

甲午黃花節日同志公讌陸覺老於凱旋酒家賦贈

馬兆驥

其一

豈隨風雲浪得名。獨留正氣萬人矜。羊頭犬鬻皆千石。驥尾蠅[illegible]舊盟。碧血千秋堪仰止。黃花三徑最鮮明。即今老作遼陽鶴。猶矢孤忠報國情。

（註）覺老曾參加辛亥三月廿九之役，現在港。

其二　·梁均默·

矢志[illegible]嘗在名。當年革命出哀矜。良知麻木羞新貴。苦節悽愴憶舊盟。世局翻夢知待變。心燈難熄照長明。招魂又是春三月。復國軍中一往情。

其三　·伍澗三·

從來志士貌英名。莫與爭能在不矜。一夜戰功僨革命。卅年前事憶同盟。青天白日昏難昧。晚節黃花春尚明。七二名坟荒草遍。雲山遠望不勝情。

其四　·方君文·

留得千秋萬歲名。黃花高塚最堪矜。不辭肝腦塗青史。應有鬚眉話舊盟。芳草連城同在望。王孫歸路記分明。天涯遲暮供多難。盡是英雄捫髀情。

爲什麼要吸烟

美國人何拔胡林HERBERT BREAN著了一本書，叫做『怎樣戒烟』。是一本很薄的小冊，可是售價一元九角五分美金。他在書裏說，『要是買了他的書，依照書中的方法，戒烟不成功，原價奉還。』現在節譯原書第一章，『我們爲什麼要吸烟』。

點一根香烟，抽了他，領略到了烟的苦味，把他熄滅了。你不感覺到什麼快感，可是你覺得經過一個短時間，你又得抽第二根，你對於香烟發生了一種需要。

爲什麼呢？當你吸烟的時候，尼古丁，炭酸化合物等毒質吸入了肺裏和口腔，你的神經系統受了刺激。口唾馬上增多，血壓加強，脈搏加速，使到你的手指震動，漸至減低了體溫，最要緊的是你的血管收縮了，使到你身體上的機能都弛緩下來。

如果你每天吸香烟三十根，那麼等於醒覺時每三十分鐘吸一根。你的身體習慣了這種刺激變成了一種需要，所以每隔半小時你便得吸烟一根，沒有他你便感覺到不快的。

吸烟給你快感嗎？不！烟的辛辣滋味，加以熱而乾燥的火氣使到你脣裂而口焦。因爲你的身體需要尼古丁的刺激，使你每天經歷三十次的苦楚。你不相信吸烟是一種苦楚嗎？要是你能夠在二十四小時內，暫停吸烟。二十四小時滿了，你點一根香烟用勁抽兩口，你便覺得吸烟是什麼樣的一種感覺。停止了二十四小時後的第一根香烟使你感覺到頭暈，和手腳震動。因爲需要尼古丁的刺激，每個吸烟的人每天要遭受到三十次至五十次傷難堪的苦楚。

煙的故事（四）

·牛布衣

塔虎脫的毒瘤

因爲吸捲烟而發生腳部毒瘤，以致喪生，美國參議會多數派領袖塔虎脫便是一個很好的例子。去年四月艾森豪在阿加斯丁休息，塔虎脫乘飛機去和他商量公務。公務完畢，他們兩個開始玩高夫球。到了第七個洞，塔虎脫他的右腿有一點僵硬，勉強完了場。回到家裏塔虎脫覺得腿部酸痛，呼吸急促，膝部無力。

四月底，塔虎脫去看他華盛頓的醫生，醫生勸他到醫院裏診治。跟着幾個禮拜，塔虎脫在好幾家著名醫院裏診治。檢驗結果，發現塔虎脫的體溫比較常人爲低，有一點貧血，可是找不出他腿痛的原因。

五月的第一個禮拜，塔虎脫有點不良於行，且感覺到相當痛苦，可是他仍然繼續工作。五月底，塔虎脫頭部長了一個小黑塊，腹部也有兩個。經過割治，發現這些都是散布的毒瘤。病源在那裏呢？光顧了許多醫院，總找不出病源。七月八日，他在紐約一家醫院裏剖腹檢驗，也檢驗不出端倪，毒瘤並非發源於腹部。

開刀後，一個早晨，塔虎脫覺得他喪失了記憶力的一部。醫生發現毒瘤經已漫延到他的腦部，七月三十一日塔虎脫死了。

死後尸體剖解，才發現了毒瘤發源的地方。毒瘤的位置在右邊肺部的一條支氣管裏頭，面積和鉛筆頭上的膠刷差不多大小。起因是因爲吸烟。塔虎脫每天吸烟三十支，而且喜歡把烟吸入肺裏。支氣管起了革命，細胞脫離組織，另作不規則的發展，那便是他肺部毒瘤的起因。肺部毒瘤是最危險的一種，英國前王喬治因此喪生。美國威林禮醫生說，『吸烟千萬不能將烟吸入肺內，把烟吸入肺內等於慢性自殺』吸烟的同志們應該特別注意此點。

談民族詩人陸放翁

·張溥生·

（三）

他是古今來惟一多産的詩人，其詩流傳于今者，不下萬首，都爲有感而發，無無病呻吟之語。可惜當時沒有版權稿費的制度，否則還筆收入，對他一向困苦的生活，可能大有補益。

他的詩自成一家，其豪放處似李白，沉雄處如杜甫，而描寫田園的情趣，又頗似陶潛，王維。他有出世和入世的雙重性格，是儒家的底子，並時刻流露着道家的精神。因此他的詩，很多忠憤耿耿傷時憂國之作，但亦不少才情物證，興會淋漓，放蕩不羈，超然物外的產品。「小李白」的雅號，當係由此得來。看他的長歌行等詩，感情之奔放，氣勢之雄偉，比之李白，眞不多讓。

長歌行

人生不作安期生，醉入東海騎長鯨，猶當出作李西平，手梟逆賊清舊京；金印煌煌未入手，白髮種種來無情；成都古寺臥秋晚，落日偏傍僧窗明；豈其馬上破賊手，哦詩長作寒螿鳴；興來買盡市橋酒，大車磊落推長瓶；哀絲豪竹助劇飲，如鉅野受黃河傾；平時一滴不入口，意氣頓使千人驚；國仇未報壯士老，匣中寶劍夜有聲；何當凱還宴將士，三更雪壓飛狐城。

他因爲受了家國之痛，故其詩悲憤激越之風，一片愛國熱忱，瀰漫于感激豪壯的情調中，茲錄其膾炙人口的七律三首，仔細咀嚼，興味無窮：

新夏感事

百花過盡綠陰成，漠漠爐香睡晚晴，病起兼旬疏把酒，山深四月始聞鶯。近傳下詔通言路，已卜餘年見太平。聖主不忘初政美，小儒惟有涕縱橫！

送七兄赴揚州帥幕

初報邊烽照石頭，旋聞胡馬集瓜州，諸公誰聽芻蕘策，吾輩空懷畎畝憂。急雪打窗心共碎，危樓望遠涕俱流。豈知今日淮南路，亂絮飛花送客舟。

夜泊水村

腰間羽箭久凋零，太息燕然未勒銘，老子猶堪絕大漠，諸君何至泣新亭？一身報國有萬死，雙鬢向人無再青。記取江湖泊船處，臥聞新雁落寒汀。

（四）

放翁詩的另一特點，是[illegible]了無兒女之態，梁任公詩云：「詩界千年靡靡風，兵魂銷盡國魂空，集中什九從軍樂，亙古男兒一放翁。」可謂的評。[illegible]確是難能可貴。[illegible]生活，還時想爲國家效其死力，[illegible]令人無限敬佩。（中）

松山歡迎三影星

我生

向有東方瑪麗蓮夢露之稱的影星劉琦小姐，五月六日由香港搭機飛抵台北，她是影迷所熟稔的自由中國紅星。亞洲電影公司第一部影片「傳統」，及第二部影片「楊娥」都由她主演。博得影界一致讚譽。

在「傳統」片中，劉琦飾演風騷、潑辣、生活糜爛的曹三小姐。

她這次是第二度回到自由祖國，上次因時間怱促，未能到前綫勞軍，她認爲是憾事，這一次她已經練習好西班牙舞，準備以熱情的舞姿，獻給前綫的三軍將士和觀衆欣賞。

鍾情，年輕、活潑、嬌豔，是影界後起之秀。她參加電影工作，不過短短兩年，四十一年春天，她先後爲泰山影業公司拍攝「戀春曲」、「再生花」、「七姊妹」等片。奠定了她從影的基石。去年冬天，亞洲公司爲了拍攝「楊娥」，片中的吳三桂寵姬連兒一角，需要一個年青、嬌美、像懂事、又像不懂事的女主角，該公司選擇的結果，鍾情獲選。她在亞洲公司「滿庭芳」片中，扮演一個牛仔女郎。她說，她最適合這種角色。

王萊是地道的北國兒女，遠在十多年前，便丟下書本，獻身舞台。她參加電影工作，雖僅兩年，因具豐富舞台經驗，所以她在已經演出的近十部影片中，都有斐然的成績表現。她能飾演多類型性的角色，月前台北上的「春天不是讀書天」一片，她飾林黛的姑媽一角，因演技出色爲台灣觀衆所欣賞。

她天生一副美麗的開麥拉臉型，再配上苗條勻稱的身材與悅耳動聽的國語，確是影劇界中難得的人才。她是有前程的影星，她不僅是優秀的演員，也是一個賢慧的妻子，與夫婿賀賓結褵已近十年，至今仍像一對戀人，此次夫婦二人相偕回國，即是明證。

中華民國僑務委員會頒發登記證台救新字第一零二號
中華民國郵政登記第一類新聞紙類

自由人

THE FREEMAN
（半週刊每星期三六出版）
（第三三六期）
每份港幣壹毫
台北市售價台幣伍角
督印人：雷嘯岑
社址：香港高士威道廿二號四樓
20 CAUSEWAY RD
3 rd. fl.
HONG KONG
香港發行及辦事處 高士威道六十六號 電話：七〇四五五三
承印者：東方印刷出版社 地址：高士威道十六號四樓
台灣總經銷處 台北市館前街五十號
台北郵政劃撥儲金戶九二二二 台北市中華路九四號之一

「中國人的中國」與「自由人的世界」

·胡秋原·

最近「馬林可夫公司」駐華副經理周恩來忽然提出「亞洲人的亞洲」的口號。這實際的意思，無非是「俄國人的亞洲」。俄帝及共奸目前侵略之主要對象是亞洲。他們今後可能還要大大宣傳這一套。這是對亞洲人之愚弄侮辱。我們必須澈底唾棄之。

中共無面目稱亞洲人

這口號的底版是「俄國人的俄國」。彼得一世後，俄國女主專政，亦即他們的一般德國「面首」專政。俄人不服氣，以「俄國人的俄國」這口號打倒一般面首。這還不失爲民族主義。以後美國有「門羅主義」，意即「美洲人的美洲」。這是對抗歐洲以及俄國當時對美洲之侵略與干涉的。這口號是自衛性的。

九一八後日本人提倡「亞洲人的亞洲」。其實際是「大東亞新秩序」，亦即「日本人的亞洲」。這是侵略性的，而也失敗了。

今日俄帝及其工具學舌於天羽英二以及廣田東條之類，表示他們「聰明」已窮，而也表示其末日快到。

但我想說的還不止此。任何一個亞洲人還可說說「亞洲人的亞洲」，而中共以及周恩來之流，實在沒有任何臉面自稱亞洲人。他們是俄國人——「比俄國人更俄國人」。他們一切學俄國，一切爲俄國，而殘害一切中國人，可以爲證。俄國人尚且不在韓國越南打仗，而他們竟要去送命；可以爲證。

俄國人應退出中國

其次，我們應該有三個口號。第一個是：「中國人的中國」。這是沒有人能否認的。我們應該「請」俄國人退出中國；退出東北，退出新疆，退出蒙古和西藏，假如他們不走，我們一定要將他們打走。如果中共不將俄國人請走，而且還要以亡國於「老大哥」爲榮，那是你們的「志願」。但是，你們不得自稱中國人，亞洲人。而你們也必須担負俄國人的責任。

其次，我們贊成「俄國人的俄國」的口號。我們不反對俄國人殺死貝里亞，因爲貝里亞是喬治亞人。如果莫洛托夫朱可夫有一天殺死馬林可夫，我們也不反對。因爲馬林可夫是半俄國人。但俄國有俄國的疆界。他無權到波蘭，無權到高加索，無權過烏拉山，更無權到烏梁海，庫倫和旅大。然俄國人要做「北京的主人」，有百年之久。而今日事實亦的確如此。我們必須告訴俄國人，如果俄國人必須認爲中國是「俄國人的中國」，則我敢斷言，終然有一日，中國軍隊要暫時進到莫斯科，直到「中國的歸中國，俄國的歸俄國」，算得清清楚楚爲止。

世界三大原則的調和

再其次，我要說無論「亞洲人的亞洲」，或「歐洲人的歐洲」，或「美洲人的美洲」，在今天都是一種無聊的口號。如果一洲之中有一強國，侵略他國，則他洲的人，當然不能坐視。例如德國打法國，日本打中國，難道他們能有權利說「歐洲人的歐洲」，「亞洲人的亞洲」，反對他洲他國的干涉嗎？而這些口號就能有效嗎？許多歐洲國家在美洲有重大利益，若干美洲國家（如美國）在歐洲有重大利益，若干亞洲國家（如土耳其）也在歐洲有重大利益。今日一國的命運與他洲不可分。繁榮與貧窮，和平和戰爭皆不可分。今後的時代，除了「X國人的X國」以外，我們只能有一個口號，那就是「自由人的世界」。此地球業已縮小，天下必須一家。絕對民族主義且須修正，區域性的「與泰基主義」更只足爲野心家的濫調。今後世界必須維持三大原則之調和：個人的自由，國家的獨立，國際的合作。這三者是不可缺一的。此之謂「自由人的世界」。

（下轉第二版）

佛烈特的建議

·布衣·

世界偉大的反共戰士，前韓戰第八軍軍長佛烈特將軍代表艾森豪，現在到了台灣。佛將軍在希臘被共黨包圍，危在旦夕的時候，曾助希國練了三師兵，在一年內，把希臘的老共打得落花流水，片甲不留。他上次在韓主持對共戰事，建議多不見納，韓戰因而變成僵局。

他在讀者文摘撰了長文一篇，紀載當時經過，頗多慨嘆的話。茲將其中關於台灣部分，節譯如下：

『當韓戰初起，蔣總統願允以軍隊援助。假若我們接受了他的貢獻，美國可以不必遠涉重洋，派遣一兵一卒到韓國。蔣總統的軍隊和中共的隊伍都是中國人，本乎同膚相親，同氣相求的原則，台灣的國軍能夠將中共叫了過來。中共軍隊的集體投降是絕對可能的。當我在韓的時候，千數的共俘給我血書，請求把他們編入隊伍，要是不可能的話，請求把他們送到台灣，參加解放大陸的工作。』

『現在，台灣國軍仍然是中共的一個大威脅。若果國軍能夠利用某一種機會，派遣十五師至二十一師隊伍在人口稠密的地方，或者靠近安南的地方登陸，中共的隊伍將會集體向國軍投降。這樣，中共增派一師援兵，國軍即可增加一師隊伍的力量。』

佛將軍最熟悉共黨缺點，他對中共的判斷是正確的。他和艾森豪是西點同學。他今後對於有關台灣的建議，想不致再遭白眼。

× × × ×

在這世界裏，不知是因生存空間不够，抑或是貪慾難塡，好像凡是富源所在，就成了紛爭的中心。先進國家開疆闢土，在一世紀前，已佔盡了近水樓台。到近代，只有向南極這塊渺無人煙的地帶進展，以力爭機先，因此南極洲就成了各國角逐之場。

世界最大冷藏庫

普通地理圖籍，關於南極洲的記載，類多語焉不詳，有些竟留下空白。裏面的情形，究竟怎樣呢？它是六百萬方哩的大洲，相當於美國與歐洲面積的總和，雖大部已給冰河掩蓋了，然卻有一萬五千尺的高山，點綴其間，成爲低級生物的逋逃藪。氣溫常在華氏表零下八十五度，自然沒有宜於墾殖的沃野，但有得天獨厚的地方，就是沒有腐爛或銹蝕的現象，也沒有微菌的存在，堪稱世界最大的冷藏庫。山區裏面，却又不同，高處既有淡水湖，比較和暖，且有火山，懸崖下的峽谷，也綠草如茵，地衣尤爲繁茂，不過動物，則僅有半寸大而沒翼的昆蟲而已。

國際爭奪的根源

礦產已給人發現的：山間煤層的煤脈，如經開發，足供全世界相當時期的消耗，還有未知存量的銅、銀、鉬、鐵、金、甚至鈾也大量的埋藏在幾千年的冰層

誰是南極的主人？

林長林

從前南極是最好捕鯨區。嗣以北極鯨量稀少，南極便變爲捕鯨者之唯一去處。晚近又發見多富源，則更引起列國的覬覦，自在意中。試一覽本洲的地圖，極北的泵馬半島，以七百五十哩的長度，伸出海中，與南美洲的南端，遙遙相望，早已號稱爲英國，阿根廷，和智利所屬有。緊鄰半島的內陸是維德皇后地，則號稱爲挪威所屬有，原爲第一個抵達南極的挪威人阿孟會發見。在廉德皇后地的東方，與印度洋爲鄰，是澳洲人所屬有，這塊澳人遠領的土地，幾佔全洲之半，這是澳人實地探險得來的，也包括在內。而法國自稱領有的阿第萊地，也插入澳領的中央。在澳領的正西方，是「小美利加」，那是美人裴爾德實地探險所得，已正式建爲美國的殖民地，劃有四個美國居民的村落，郵政局和無綫電站，都經設立。但這唯一的文化區却正落在紐西蘭所自認的羅西屬地。唯一未被人掛號的地區，是在「小亞美利加」與泵馬半島的中間，乃美人裴爾德所發見，也經自號爲馬利裴爾德地，並宣佈爲美國所屬有。像這樣錯綜複雜的境界，固已孕育國際間爭權奪利的根源，而蘇聯則更大胆的宣稱：整個南極洲是她的所有，因爲在沙皇時代，已早爲俄國所發見，這雖屬有點狂妄，然亦因她已預見此地必生國際糾紛，將來可以乘機染指。

紛爭已露端倪

近年已露紛爭的端倪：在一九五二年春，英國人航向泵馬半島，欲重返其於一九四九年已放棄，隨被阿根廷佔領的基地，當皇家艦隊正想登岸時，却爲來自阿境的排砲所警告，事後雖因阿國之道歉而未啓釁，但這些地區的管屬問題，則躁形嚴重。前此，智利總統親臨其屬地，有從事軍事建設的意圖，立即激動阿人的情緒，五艘阿艦，接踵而至，在南非的英國巡艦也同時到達，幸而沒有演成「砲戲」，然在關係國的心理上，已投下一重陰影。

山姆叔畢竟可人，從沒因略地而與人發生齟齬；惟自一九四八年，蘇俄海軍官兵僞裝爲捕鯨者，到南極去過以後，美國人對這方面的戰略價值重視起來了。據曾四次替美國在南極開疆闢土的裴爾德所指陳：南極的戰略價值是很重大的。

南極的戰爭價值

在戰時，如果她北端的泵馬半島給人控制了，便可切斷美國的生命綫，因爲一旦巴拿馬運河中了原子彈，則船艦便要經過南美南端的和倫角與南極之間，才能由大西洋到太平洋，假使沒有預防，讓敵人佔了機先，則航運便窒息了。所以他主張，要在這裏建立空軍基地，乃至原子兵工廠；廣漠無垠的雪地，便是天然的機場，雪掩的坡地，正好給飛機失事時，滑翔下來。他說，這裏如有一個戰略轟炸基地，則南美、澳洲、新西蘭、南太平洋島嶼及非洲的一部所受蘇俄的威脅，都可解除。且平時也可利用當地天然環境，來作貯存多餘食物的冷藏庫，以備不時之需，進而以原子爆炸來消滅冰河，更可利用無限的寶藏，但在徒負佔有的虛名之七個國家間，還存着彼疆此界的自私觀念，裴氏的如意算盤，恐難打得響。這就是自由世界每每棋差一着的地方了。（取材自天主教文摘四月號）

半週展望

·雷嘯岑·

民主政治的兩大要點

蔣總統就職宣言，以「實行民主」與「反攻復國」爲今後施政的準則。對於實行民主政治的方法，特別指出「法治」和「制度」兩大要點，可謂切中肯綮，吾無間言。

不尊重法治，即無從談憲政生活，法治的最高典範是憲法。但，憲法的本身只是白紙黑字，其實質等於泥塑木雕的偶像，全賴人們以形而上的心情來尊敬它，信仰它，朝夕頂禮膜拜，給它以神聖化，權力化的效能，好似宗教徒信崇上帝一樣，那憲法才可以發生作用。人們信奉神祇，說是「誠則靈」，對憲法亦然。全國上下皆能矢誠矢信的尊重憲法，不敢違背或玩弄它，自然就靈驗如神了。無論怎樣靈驗的金剛菩薩，如果有人把它摔到地下，踐踏一番，再又供奉在神龕上，那就再無靈驗之可言。因此，國人對於現行憲法，不管它是否完善，應否修改，在未經過合法手續予以損益之前，必須毫無保留，一致信守不渝。尤其是政府當局，更應以身作則，不稍假借，玩法之念一滋生，行法之心即銳減。其始也簡，將畢也鉅，有法總勝於無法，或困而行之，或勉強而行之，非咬定牙齦，以遵奉它不可！

制度必從守法的精神而來，沒有尊重法律的習慣，能建立良好的制度，這是必然的結論。例如：各方面所倡導的分層負責制，始終未能奠定，政治上癥結就在大家不守法規，不明份際。「責任」與「權能」是要相輔而行的，它有如車輛上的兩個輪子，缺一就行不得也。假使負有多大的責任，即須有多大的權力，然他却不能自由行使其應有職權，用一人，非請示上級不可，除一弊或興一利，即有若干好管閒事的婆婆媽媽來干涉阻撓。這樣的話，試問那居方面之任者，如何能夠負責呢？結果只好敷敷衍衍，得過且過，遇事往上推，但求少惹煩惱。如是乎，實際乃變成負責而不分層，分層而不負責，非演化爲官僚主義，即形成爲極權思想，二者必居其一。所謂良好的行政制度，永遠是如同海市蜃樓，可望而不可接，廢話一句罷了！

今人好談民主自由，在野人士尤好以憲法上所規定的人民權利，作攻擊政府當局的武器。實則人民除權利以外，尚有義務，且民主憲政也有一定的軌範，不能隨便以意爲之的。譬如：既要執政當局實施憲法之治，則起碼應該愛護這個行憲的政府，才可以站穩立場。執政者不好，儘可反對他，却不能併政府而槪予否定之。有些人一面抨擊執政者違憲不民主，一面又連中華民國和其政府亦表示唾棄的詞色，而不省察自己的立場何在？這些都不是尊重法治的應有態度。

我們第一希望政府當局先要理解兩點事實，才可以促進憲法之治。第一是講法治一定會感到許多別扭的地方，以礙手礙腳，甚不痛快；第二是無論執政當局怎樣決心努力來實行民主，而民間還是不會完全滿意的，批評指摘，不一而足。這種情形，在任何一個民主國家都不免，就需要有「容忍」精神來調劑它。如果當局者一遇到別扭不痛快的事，或稍聞求全責備的批評，即忍耐不住，任性而行，那就是把朝夕供奉的神像一怒擲到地下，日後再供奉如儀，決不靈了。沒有這兩點覺悟──受得住氣，挨得了罵──便談不到眞正的民主憲政。

台灣的狂歡狀態

前天總統就職大典，台灣各界人士充滿着狂歡狀態，這是應有現象，表示人民對行政元首的熱烈擁戴之忱，誰曰不宜！

但是，過了大典之日以後，民間若再有慶祝的場面，我希望政府當局予以勸阻。理由很淺顯，自由中國現在正是「運厄陽九」的多難時期，故國河山，尚待規復，大陸同胞，猶未解放，我們應該以「毋忘在莒」的心情，戒愼恐懼，先天下之憂而憂，過份的歡樂，大可不必！

一個工人口述的——大陸工人遭遇

·沈　着·

【本報特訊】據新近自上海到港的紡織工人某君談（原係上海新中紗廠技術工人，該廠被中共改爲「公私合營」後，不滿中共待遇，再三設法來港，入某紗廠工作者）。

三類工人待遇

目前大陸工人大致可分爲三類，其待遇亦各有不同。第一類爲私營工廠，待遇最好；第二類爲「公私合營」，其待遇次之。第三類爲中共之「國營工廠」，包括礦場，建築工地，搬運工人，交通工人，以及合作社組織中的手工業者等，待遇最爲惡劣。

中共對工人待遇，係按工人的勞動價值分八個等級以「工資分」計算。不問私營，「公私合營」或「國營」皆如此。惟「工資分」的基數（即最低級工資）及等級之間的差額，有極大距離。

所謂八個等級，係從雜工人，普通工人，試用工人，熟練工人，直到技術工人和指導工人（中共稱爲小組長，領班或領頭）之間，成八個等級。

所謂「工資分」和中共「折實單位」無異，係以米，油，鹽，柴，煤，布等六項主要生活資料之市價折算而成，每一「工資分」的價值，隨該六項主要生活資料價格之漲跌而有變動；以最近而論，一般地區的分值約在人民幣「兩千元至兩千兩百元之間。上海一般物價較高，一直維持在兩千五百元左右。

上述三類工人的「工資分」：私營工廠最低級工資爲二百分，每級加二十分，最高爲三百四十分；「公私合營」工廠，最低級爲一百五十分，每級加十五分，最高爲兩百五十五分；中共「國營」工廠最低級工資僅一百分，每級加十分，最高爲一百七十分。

若以分值最高（每分兩千五百元）的上海爲標準，私營工廠最低級的工資爲「人民幣」五十萬元（約合港幣一百二十五元），最高爲八十五萬元（約合港幣兩百十二元）。「公私合營」工廠則最低級工資爲「人民幣」三十七萬五千元，（約合港幣九十四元），最高爲六十三萬餘元（約合港幣一百五十七元）。中共「國營」工廠最低級工資僅人民幣二十五萬元，（約合港幣六十二元），最高亦不過四十二萬五千元（約合港幣一百另六元）。若以各地分值計算，工人的待遇更低。

工人的待遇如此徵薄，故中共報章雜誌從未公佈。惟他們能與上列情形相合者，亦略有透露：如今年三月二十六日天津大公報在「苗族鐵匠組織起來了」一文，曾稱每一鐵匠工資，每月可得大米二百斤（按大米二百斤，即爲一石四斗，現值「人民幣」約二十八萬元，適與上述第三類相合，又同年四月十六日該報在「救濟」一文中，曾稱木匠的工資最低爲每日人民幣一萬元，最高一萬四千元，亦與上述第三類相合。

私營工業逐步消滅中

又據稱：在此種情形下，大陸一般工人生活，甚爲艱苦。上述第一，二兩類工人的待遇，雖與香港相近，但此兩類工人，已在逐步消滅之中。（在不久將來，私營企業將被改成「公私合營」，而「公私合營」則又將被改爲「國營」）佔極大多數的工人，都是「國營」之第三類工人，其待遇，距離香港工人甚遠。

他說：各項生活必需品，除食米及生油價格，較香港低廉外，其他各項，無一不較香港昂貴，生活困難可知。中共以「國營」工人的最低工資，僅能維持個人最低生活，有家室的工人，即無法維持生活，今年二月十七日北平「人民日報」「員熱愛農業生產」一文，即坦然指出，今日工人生活並不優裕，該文說「三口之家的工人，生活即感艱難」，中共對於一般工人，並不因此而稍存憐恤，工作時間和工作程度，仍步步緊逼。目前大陸私營和「公私合營」工廠工作時間爲十二小時，中共「國營」工廠，均在十四小時以上。其生產指標（中共稱工作定額）和「再提高合理化建議」，亦將日趨超過私營工廠的百分之三十五左右。以一鐵工人爲例，在私營工廠一天完成一百二十件零件即算完工。「國營」工廠，非完成一百七十件，則算未完工，且須扣除工資。四月五日「國營」工廠規定「工作時間」，因時間暇行「突擊生產」，「加班加點」，或「勞動競賽」，故實際工作時間，紙形中改作十四小時以上。據四月五日「人民日報」稱：「有些工人生活苦，早出晚歸，兩頭不見太陽」，可見其工作時間之長。

工人絕無擇業自由

故目前大陸一般「國營」工廠工人，本身受待遇及工作時間與工作強度的三種壓迫，情緒至爲惡劣，時常企圖轉入私營工廠。但中共的規定，工人並無選擇職業的自由，最近「國營」上海第二紡織機械廠中，有一部份技術工人利用工餘時間，替私營工廠兼些部份工，即遭到中共上海市委會嚴厲的斥責（見四月五日「人民日報」）。

私營工廠工資高於「國營」工廠，並是別有用心的，在中共允許少數私營工廠工人較高待遇，又故意由工會組成比等工人，其目的在減低勞動力，增加成本，使私營工廠陷於破產，自動接受「公私合營」。私營工廠經中共此種方式迫害，十九已宣告無法經營，只得接受「國營」公司加工定貨的，其所得盈餘，須按「四馬分肥」的規定實行分配，即將盈餘分作四股，一股爲所得稅，一股爲再生產資金，一股爲「公積」，一股爲工人福利，資方只得一股，不論在任何情形之下，資方都非俯首聽命中共不可。

鎮邊府陷共是誰的錯？

一度成爲世人注目焦點的鎮邊府，現在雖已棄守，但清查失守的責任，却仍在幕後秘密進行着。法武裝部隊參謀長艾利中將一行已經抵達越南，他們表面的任務是商討應付越共進攻三角洲的戰略，可是骨子裏却另有一項使命，那便是檢討鎮邊府陷共的經過，並追查應該由誰負責。他們尚未抵越之前，駐越南法軍將領即已緊張起來，都在策謀對策。其中北圻法軍總司令高寧將軍，表示他一向反對死守鎮邊府，證明責任不在他；當越南法軍總司令納伐爾將軍採取此一戰略行動時，他完全不明內情，而且曾加劇烈反對。納伐爾將軍却說，此次戰役失利，完全是高寧的責任，攻擊更不遺餘力。據說納伐爾正在收集大批緊急電報的草稿（要求援軍防守鎮邊府而遭巴黎參謀部拒絕的電報），準備一旦自己被撤職的時候，即向軍部提出控訴。他還表示，如果他不幸離職，將有比他職位更高的將領也一齊滾蛋。

法軍方遇到新困難

在共軍十萬進逼紅河三角洲聲中，法軍方於焦頭爛額之餘，又遭遇了一個新而重大的困難，越南土著軍逃亡的愈來愈多。最近在海防以南的南定附近，即有三百名左右的越南軍攜械投向共軍，及越南軍參謀總長阮文興（北圻法軍司令高寧）正商討如何應付防範的時候，誰知海防軍區又發來報，原來在海防以北的廣安附近一個越南士兵叛變，將他的長官都參加越共去了。

共志願空軍蠢蠢欲動

據盟國所獲的可靠情報說：蘇俄和中共已秘密建立了一枝「志願空軍」，打算派往越南援助越共作戰。這一枝空軍據稱擁有俄製及捷製飛機約四百架，飛行人員八百名，已秘密集中在桂越邊境的四個機場上，只待克里姆林宮命令一下，便準備公開出動。據說，他們對陳納德將軍的民航空運隊恨之刺骨，曾計劃在一旦獲得參戰命令的時候，即首先集中力量向民航空運隊的飛機進攻。

美特種艦隊升火待發

爲阻遏共黨囊括越南，或進一步侵佔東南亞，美國防部已在作積極的準備，以菲律賓爲基地的美國特種艦隊（以航空母艦爲主力）最近已開往越南附近的水域，且已配備了原子武器，只要盟國關於參戰的磋商已告成熟，這些航艦上的飛機即可能逕飛越南，參加實際的戰鬥。所以軍事觀察家預料，在最近的將來越南上空即將有劇烈的空戰發生，現在兩方面準備都已就緒，劍拔弩張，一觸即發。（孟衡）

天下小事

「中國人的中國」與「自由人的世界」

·胡秋原·

俄國必須全盤改造

（上接第一版）這是今後人類的途。各國必調整自己，適應此趨勢；而必須全盤改造的，是俄國。必須使俄國有自由的個人，所謂「蘇聯」範圍內有許多民族應該獨立，而他破壞國際和平合作行爲，尤必須有效制止。然後，在「自由人的世界」中，俄國人自亦有其應得之地位。

我們中國人反對中共最主要的理由，即中共是以中國人的面目——並恃他們有一副中國人的軀殼——做俄國最壞的一批人的事情，乃至做俄國人都不敢做的事情。中共既不能算中國人，當然不能算亞洲人。一切亞洲人、美洲人、澳洲人、歐洲人，如不認毛澤東周恩來爲俄國人，而竟認爲中國人，則必陷於政治的大錯；而世界和平，亦永無希望。

組織遠東反共陣綫之　美國防部長威爾遜

焦　木

他在通用公司，不但掌握大權，而且收入最豐，一九五二年，他的年薪花紅爲五十八萬一千一百美元。當民主黨反對他任國防部長時，他在參院小組委員會中曾對參議員說：『總而言之，恐怕我是全美國薪水最高的人。』他本來計劃於一九五五年退休，返回底特律附近的鳥湖故居，和子孫們共聚，以享餘年，不料經不起艾森豪的敦促，終於出任五角大廈的主人。

（四）

威爾遜在通用公司時期，每晨總是九時開始辦公。入主五角大廈後，八時十五分，即在辦公室出現，八時半和助手會議，聽取口頭簡單報告，最主要的是聽取私人秘書莫爾的報告。他進五角大廈後不久，即發覺行政效力低劣。他有一次向人說：『這裏（指五角大廈）的工作人員經常向你作簡略報告。他們一天至少要做這項工作八小時。他們說給你聽的備忘錄，多至不可勝數，但其中甚少有爲我所要搜尋的資料。』

每日十二時半，威爾遜赴他私人餐廳午餐，同時在餐桌上和軍要下屬討論一切問題。餐食非常簡單，桌上總是專爲威爾遜預備一碟鹽水花生。每逢週二，他固定謁見艾森豪總統，並參加由五角大廈最高文職人員所組織的武裝部隊政策委員會。週三他出席國家安全委員會。週四他和陸海空軍三部長舉行正式常會；週五出席白宮閣議。

（五）

威爾遜精力非常充沛，極富涵養，不易動怒。凡遇爭執，他往往說：『好，我們從別方面下手試試看。』但一到某種決定已經達成，他就非堅持實行不可。因此，他的部屬常出怨言，認爲他缺乏伸縮性。他是一個慣於發命令的人物，而不是專向部屬做解釋工作的。

威爾遜自長國防部以來，已經實行了許多改革。他簡化舊日的辦事程序，建立了威權。他建立經常的考核工作，增進行政效力。但最主要的還是他的新國防政策。

他的新國防政策，是爲艾森豪所支持的。他主張美國必須依靠增強的空軍力量，並盡量應用各式新的原子武器，以保護世界的和平。同時，將陸軍和海軍的規模與作用予以減低，認爲龐大的陸海軍耗費過鉅。他說他的這一新計劃，一定可使美國的力量比以前更爲強大，並可節省美國納稅人的一大筆金錢。

（六）

威爾遜的這一稱爲『新面貌』的軍事計劃，目前尚未獲得各方一致擁護，陸海軍方面更覺不滿，且有人認爲這一計劃是一種賭注，優劣仍屬疑問。

在目前，國際風雲變幻無常，遠東形勢尤岌岌可危，美國的軍事政策已成爲全世界所注目。主持美國國防大計的威爾遜自成爲重要人物。他藉他個人威望去影響五角大廈各軍事首腦，他的新計劃可能影響到未來的歷史。在過去美國的四任國防部長中，約翰森曾向人民誇過口，說要裁減軍費，調整軍備，不幸韓戰爆發，全部計劃，不能實現，本人亦遭各方攻擊。今日，誰都不敢預測冷戰發展的前途，更不敢預測熱戰再在世界何處重起。一旦熱戰爆發，可能會予威爾遜的新軍事計劃以重大的影響。未來歷史當可予以公正的判斷。（五月十三日）（下）

編者　讀者

讀者來函　小學生額外負担

編輯先生：

我們是台北市省立小學的家長，常常收到學校通知，要我們買書。本來，國民教育是免費的，書本也由政府供給。但額外負擔却隨時都有，貧窮的家長實在難於應付。茲抄錄學校最近一次給我們的通知，可知我們所說的，全是事實。

「敬啓者，頃奉教育廳教五字第（一〇九四六）號令，以國際資料供應社出版『地獄天堂』連環圖畫，弘揚共匪土改情形，作一強烈對照，極富教育價值，希予購閱。查該畫冊，內容豐富，對啓發學生智慧，加強反共認識，極有裨益。原定價新台幣十二元，預約價每部祇收新台幣八元。敬請貴家長惠予訂購一部，作爲學生課外讀本，書款請交本校代收，以便統籌購買。」

我們還要提出的，是：

（一）國際資料供應社，顧名思義，應以供給報社或研究機關以國際資料爲任務。爲什麼要出版連環圖畫？還要教育廳推銷？

（二）小學學生是否能了解「土改」？爲什麼要必讀？

（三）聽說該社係行政院高級職員所辦，故教育廳不得不代爲推銷，未知確否？如果是的，則公務員不得兼營新聞業務的禁令，豈非成了具文？請貴刊發表此函，俾獲得社會上的公正裁判。

讀者黃尙志、黨允禮同上　五月十四日。

編者的話

△有關此次台省地方選舉的報導和評論文字，我們收到的很多。三三三期已刊載傅中梅先生「地方選舉失敗國民黨應切實反省」一文，其他各文，因篇幅關係，不能全部刊出，請作者亮察爲荷！

△陳訓炯、楊力行、關伯勉、吳彥傑、王世昭、大醉的、走卒，諸先生：惠稿已收到，甚感謝！

△戴主德先生：函悉，另行查復。

毛澤東與秦始皇（三）

·毛以亨·

嚴刑峻法與民爭利

中國人不喜統治者之嚴刑峻法和與民爭利，太炎先生有秦人惟與孝公之說，蓋本諸賈誼之非秦。謂：商鞅收百倍之利，國以富強，然利不從天來，不從地出，一取之民間。又謂其「棄禮誼而用權詐，廢仁義而任刑」，以虐民爲俗。」我嘗細讀歷史，則知商鞅之道，身死而名滅，秦襲一變商鞅之法，參用儒術，而始能使其民復蘇，休養生息，漸成周之業，以定天下。始皇雖性近於法家，亦不敢不參用儒道，至二世趙高爲政，則悉尚法，故未三年而亡。蓋本此無以證太炎先生之所言，與西漢儒生之所論，茲歷舉事實如下。

孝公在位廿四年，商鞅以三年變法，六年被任爲左庶長，十年爲大良造，廿四年車裂以殉。是鞅之佐秦爲廿一年，而其前後約不過十一年。惠文王嗣立，在位二十八年，五年以公孫衍爲大良造，十年張儀相秦，張儀之爲相自此始也。張儀爲秦出相魏與楚，用事凡二十年，重在外交，蓋已變法家爲縱橫家之術。且其本傳稱：「張儀天下，收服諸侯」，則蕭何入關之收秦圖籍，殆亦儀之故智乎。武王在位四年，二年以樗里疾，甘茂爲左右丞相，史稱甘茂學百家之言，與樗里疾皆以智名。昭襄王乃樗里疾所扶立，故樗里疾仍爲相，八年始卒，樗里以滑稽多智，秦人號爲智囊，故亦非法家。昭襄王在位共五十六年，穰侯擢相，秉政三十年左右，爲居相位之最久。初年母后聽政，十年相穰侯，母后死，始被逐。穰侯雖中侯事著，穰侯與樗里之須賈，蘇代等，又用白起，故戰無不勝。他主張外交與軍事雙管齊下，一手成其大功，則亦不用法家之道。太史公曰：「秦所以東益地，弱諸侯，嘗稱帝於天下，天下皆西嚮稽首者，穰侯之功也。」白起以大良造出征，而秦不相總其成，商鞅之制，則以大良造總其成，蓋制度亦已變了。

范睢以儒術爲本

至昭襄王四十一年入相范睢，睢亦以名器爲言，而惡人，然其學實以儒爲先王之評禮，此一番之言，皆倡復周，以任使縱橫爲輔。儒家的大道理，爲秦說昭王收回其大權於太后及穰侯之手，固爲上書曰：「臣聞明主立政，有功者不得不賞，有能者不得不官，勞大者其祿厚，功多者其爵尊。」范睢以至孫卿見昭王，而秦之用法，仍以儒術爲本。孫卿亦儒家之長，已說而言之，與俱歸，故文王收功於呂尚。

而卒王天下。今臣，處人骨肉之間，願效愚忠。已把儒者聖君賢相一番道理，都搬出來，永爲後世儒者法式。於是秦王爲大爲感動，至謂「事無大小，上至太后，下及大臣，願先生悉以教寡人，無疑寡人也。」於是「秦王拜范睢爲相，秦卒以之亡」。其所授者，如以亡國，其所授者，以成其私，御下蔽上，以成其私，而主不覺悟，故失其國。」凡此法先王之言，皆倡復周，以外的儒學，王乃拜范睢爲相，以代穰侯，睢必以儒者，並稱其「一飯之德必償，睚眥之怨必報」，以廉潔爲所效法，以啓漢初之風氣，始以俠振儒者之氣，早已與商君之用人，其以故人相屬。

之贈，而敵須賈，千古傳爲佳話。秦王爲睢報讎，而伐魏帝，代報私仇，即犯罪，秦王亦不問，則秦王亦與法家不同。此一大陰謀之治絕對相反。五十二年睢稱疾不出，蓋父，十年罷免。

呂不韋陰謀家之祖師

莊襄王即位三日而卒，子政立，是爲始皇，年以呂不韋爲相，封文信侯，號仲父。始皇四十年開始，直乃後世陰謀家之祖師，奇謀多變，與法家吃然不能勸搖。此一大陰謀，從昭王四十年開始，直春秋號爲雜家，外儒術而內黃老，我以爲

蔡澤以自代，歷年餘，蓋皆以開西漢之風氣，故曰商君之法治，早已變了八十年了。以善終。范睢蔡澤，則殊類張良，

印度社會黨重要人物夏斯特利，去年參加印度勞工代表團，赴中共區訪問，歸國後發表見聞錄數篇於印度「思潮週報」。本刊已譯載數篇，這是最後的一篇。——譯者

別了中國

六月一日，我們到了深圳，省府中共政府的迎賓館距車站不遠。英國人的「新舊都市的行程」，一小河作中英領土之界線。我和入中共區曾對旅客檢查入口處，要看中共統治下的「新氣象」。到了今天，我感覺這種在這個星期的旅行觀察受兩種障礙。第一，是我們語言不通。因此不能更深入了解中國。然而總算覺得一個相當可靠的輪廓。

我在車站時，被中共政府人員要求發表「對中國人民告別辭」。讓他們將我的談話錄下來。這是我的觀察，我不想答應，也難推却。在瀋陽、上海、及杭州等地，中共人員力促我們作所謂對亞洲人民演說詞，讓他們紀錄下來，拿去廣播。我常拒絕他們的要求。但這

一回我却擺不來。有一中國青年名叫（譯音），他自杭州一直送我們到深圳車站。他很沉默，好像完全不懂英語，常常感動，時常「留心着眼」我們，臨別時，他還請我寫下通訊地址，現在他力...

纏着我。硬要我說話給他錄音。我實在不耐煩。因此在深圳車站我答應他的要求了。於是

快的表情。我聊作數語表示感謝他的熱情招待我們，但印中兩古國維持久的友誼，過去兩國文化交流，希望將來在政治、哲學、經濟、及社會思想上彼此切磋獲益不鮮。

斷送了四十萬人命

像我一般的外來人，在今日中國的市場上獲得最新鮮的印象，就是買賣的交易進行。現在似乎完全消滅以往的買賣雙方講價。實際上在大部份原因係中共政府迫着他們這樣做的。主不論售出什麼東西，一律要寫發票。如拒絕寫發票，則這賣主必受警察嚴厲處分。購者也常被極大的努力去查明此發票。警察往往問他是否獲得物價，或黑市交易情事。如有過份索取物價，或黑市交

中國往那裏去？

·旭軍譯·

易的嫌疑居主立即被公安局逮捕。其後有被嚴厲處分。有時被罰將貨物三分之二充公。據我們知道這是沒有司法秩序，正由警局判決。據說去年警局藉「反賄路」、「反貪污」的名目施行更殘酷的手段，造成恐怖的景象。許多被嫌疑的人會嚴格，而不欲受警方的虐待。我們從上海一個朋友口聽到：「一九五二年的一個冬天晚上，由窗口跳樓自殺的，有三百七十三人之多。自殺之風傳播疫一般迅速蔓延開來，以致當局不得不暫行改取較柔和的手段。當時上海人們在夜間必須要完全關閉窗戶。否則被指爲犯律例。因爲開窗便有企圖自殺之嫌疑。他們說反賄賂反貪污一役便斷送了四十萬條人命。

中國往那裏去

我常常自己發問道：「中國往那裏去？」模仿歐洲？便能使人民獲得幸福愉快麼？用恐怖統治剝奪人民的自由，便會使人民到達自由平等博愛的環境麼？資本與媒鐵不足；中國能模仿歐洲，去實行工業化麼？爲什麼中國大陸的統治者瘋狂的力求重工業化呢？集中政權是否爲實行獨裁政治的預兆呢？

四年來中國大陸之所謂進步，令人民感到生活前途與和平沒有絲毫希望。縱然中國的資源開發有限，其進步出乎預料，但中國大陸統治者用的是什麼方法？要人民犧牲一切去求所謂國家的光榮是否合理？

農學教科書的笑話

蔡南橋

【台北通訊】我是職業學校的學生，我要向讀者報告我們所讀的一本教科書的內容。這本書自然是從外國翻譯來的。

我們讀的一本畜牧教科書說：「一本畜床材料常要多用軟木磚（CORK BRICK OR CAEOS LOCK WOODEN BLOCK）鋪成」，照教畜牧的先生說，他所到過的大都市，實在不少，只有清華大學的地板有一部份是用軟木磚的。書中還有用豬油渣和魚肝油來餵牛餵豬，我想中國人沒有能力做到，即美國富甲全球，恐怕也不容易辦得到吧。

我想私人獵狗，或科學館，也許用做木磚建築畜舍，用豬油渣餵狗，或甚至用雞蛋，豬肉，牛乳，來餵狗也不爲奇。做大規模畜牧事業的那能辦到呢？編譯教科書的先生，竟這樣的搬到中國來。我們讀了之後，將來怎樣辦呢？

還有氣象學的氣壓計，和觀察下雨的天候，在德國下使用的，譯書的也照原樣抄來，我不知道中國或台灣是否也適用這樣的教科書，教育部也就審定，准予出版了。各大學的農科的講義，如果都是如此的話，我不知道我們畢業後能夠做甚麼事？

担心祖國額滿見遺

先向香港師院報考

台北傳來教部發表本年度海外招生名額，大多數學生家長對其子弟升學問題大爲困惑之時，香港教育司宣布：羅富國、葛量洪師範專科學校現已開始接受一九五四年九月新生入學申請。這對於担心投奔自由祖國升學，恐額滿見遺的，無疑是一喜訊。申請入的年齡在一九五四年九月一日或是日以前應滿十八歲，取錄標準將視學歷及其在原肄業學校成績；入學試，體格檢驗結果，復考察其是否適宜担任教職作最後的取舍。錄取學生，港府不僅免其學費，必要時得以生活補助方式給予經濟上之資助。使其安心學業。

羅富國專校的肄業期間規定兩年，授予小學高級班及中學低級班的一般科目和教學方法。除了中文科目，概以英語講授各種基本課程，學科或術科的選科，英文與英文科的教法，或中文與中文科的教法。申請入學如擬入英文組應具有港大學試英文科及格暨其他三科合格的程度，或同等學歷的資格；中文組則須中文中學高中畢業會考及格，而中文考試或成績均佳，纔具申請投考必需條件。

葛量洪專校係培養市區及鄉村小學的師資，肄業期限一年，申請入學資格，須經中文中學高中畢業會考及格而中英文及其他各科考試成績均合格或經英文中學會考及格而中文考試成績優良的。錄取各生通常以粵語授課，如係住在鄉村或港九郊區的，可以供給宿舍，以免往返誤時。

這兩所學校對於申請入學學生，如認爲特別適宜担任教職，得斟酌情形，而給予欄宜放寬其入學普通條件。但申請書經向教育司署或該兩校任一索取填妥之後，必須在下（六）月二十六日以前直接交回各該校校長，一經認可，即予通知。

教育司規定本年度的教師講習班，申請入學的限期是本（五）月二十二日正午十二時以前截止。這一個講習班是專爲市區各津貼及私立日校一般不合格的教師而設，凡具有（一）經教育司署校准後有三年以上教學經驗；（二）有高中三年級的普通教育程度；（三）能說流利粵語等資格的教師，都可申請，該班設於羅富國師範專科學校。

台灣中南行（六）

魏希文

到十七年之後，始能實現。而此十七年中，不特大賈呂不韋已破其產，且莊襄王與不韋之亡入秦軍，秦政母子仍匿於邯鄲，皆爲戲劇化的行動，緊張之餘，使大家都害了神經病。參加此一陰謀者，連始皇在內，皆成爲神經反常之人，於是好戲不惜一演再演。不韋雖若嫪毐，私於太后，而生二子，並欲廢始皇，立其私生子。始皇九年，時已廿二歲，乃令相國昌平君，昌文君攻毐勝之。昌平君者，楚王之庶子，始皇二十三年，項燕立之爲荊王，反于淮南者也。

小姑獨居的山胞小姐

說到山胞，據說現在還有十多萬人，他們散佈在台灣省各地，他們都有一種番社的組織，每社人數由數十人到數千人不等，日月潭的化番社也就是山胞組織中的一種，他們的祖先毛天福，據說會協助清兵，討平了林爽文的叛亂，會立下不少功勞，現在化番社即忠孝村的村長毛信孝，也就是一般人稱爲毛王爺，他就是毛天福的後裔。

我們在民家服務社給山胞簽名留下紀紀，這時有兩位化番社的姑娘拉我們女代表們去參觀她們的閨房，好奇的男士們也跟了去，果然房間裏桌椅齊全，只是光線暗一點，我們心奇怪，怎麼正値婚齡女郎的小姐却單獨居住呢？後來看到一本書上說：「三山胞婚姻不請媒妁，女年及笄時，築屋獨居，男人如對她有意，即彈嘴琴挑逗，女出而招入同居，名曰『牽手』，過了一個月以後，彼此情投意合，再分別告知父母，準備婚嫁。」這才打破我對小姑獨居之謎，看來她們兩位還正在物色如意郎君吧！

高山小姐的歌舞

不久各處觀光團來的人，都集合在日月潭國校水社分班的門前，因爲我們全體要在此攝影留念，自然毛王爺和女公主們也全體參加的。攝影之後，我們便全體集合到毛王爺的門口廣場，毛王爺的公館是一連三間平行的房子，中間是客廳，大概一間是他的臥室，一間是他大公主的臥室，誰是駙馬爺，我們却沒有看到，他的大公主挺着大肚皮招呼我們坐，桌上就擺了不少她的照片，並且還有一套一套的，她自己並可以簽名給你留下一個紀念。看來購買的同人不少。有人問到二公主因何病故？她似乎也很傷心，沒有置答。可是，一對姊妹花如今只剩下一個，固然她很傷心，我想游客們也不無悵悵的。

接着舞蹈開始了。第一個節目是兩個婦女，用一根木杵，在一塊大石頭上起落的擊着，她們便隨着這木石拍擊所發出來的樂聲唱了起來，這大概是她們勞作時一種調劑精神的娛樂，據說這是杵音歌唱。這個節目完了之後，便是舞蹈，一共有十幾位山地姑娘，或牽手而舞，或跳成一個圓形，或分成幾組，步伐很有節奏，還用手做着姿態邊唱邊跳，看來她們的舞步和士風舞差不多，據說高山族是屬於馬來亞人的一種，從舞蹈上來看，頗有幾分道理。我們代表中有一位雲南籍的黃先生，他是愜得滇邊擺夷族的舞蹈的，一時聽了這悅耳的山歌，看了這動人的舞蹈，觸動了他的鄉思，引起他舞興大發，居然也加入她們之中舞唱起來，博得我們鼓掌不絕。正在這時，有一位女代表張新葆穿了高山族的女裝走了出來，大家一陣叫好之餘，許多攝影機都對着她取鏡頭了，旁邊有一個人發現她沒有脫去鞋子，嚷着說：「喂，高山族的小姐是光着足的呀！」她這才忙着把鞋子脫下來，人叢中有人笑着說：「歡迎也來一個表演！」

最後一個節目是大公主清唱一曲，她唱的不是山歌，却是一曲改良的流亡曲，是有許多詞句是從抗戰時的流亡曲編擬下來的，由那位担任翻譯的同她對唱，辭句中那些打倒朱毛，反攻復國的歌聲，博得同人的叫好不絕。（未完）

人才與國運

馬五先生

時勢造英雄，英雄亦可以創造時勢，但其前提必須有英雄人物存在於當時。縱然是無名英雄，由於時勢的推演，亦會應運而起，名震遐邇的。所以，凡是一個國家的治亂興亡，必與那一時代的政治人物息息相關。當其興也，滿朝文武皆先滋潤俊安發皇的氣象，而參預密笏，默籌可否的元老重臣，莫不各有所守，處處表現當國的英雄氣概，處處表現出大政治家的風範；及其亡也，情形即完全相反。卅年前，在日本讀書時，見明治維新時期諸政治家的照片和銅像，如西鄉隆盛，大久保利通，伊藤博文等，其氣宇磅礴非凡，再看其傳記史實，更信其不愧爲豐臣之士，宜乎國運勃興，稱雄世界。第二次大戰時，當政的顯要人物，如近衛文麿，東條英機，松岡洋右這般人，那一個都沒有半點大政治家的氣概，只看他們的面目，即不及明治維新時代那些人士遠矣。尤其是松岡，乃一小丑式政客。當他以日本首席代表身份，在日內瓦出席國聯大會時，身懷小刀，在車站出示記者，說是他母親所給予的，教他如果任務失敗，即用此小刀切腹殉國，像這樣小花臉表演戲劇的鄙俗之流，在二次大戰期間，竟爲日本政治上的第一流人才，即象徵日本的國運已進入衰弱危亡之境，不待原子彈投擲，亦非潰敗不可了。

個人的命運未必可信，然國家的氣運却值得注意。我希望自由中國的政治人物，以及政治要人的，也學做英雄豪傑，個個都是英雄豪傑，至少也，因爲現在是英雄造時勢的歷史過程呵！

×　×　×　×　×

何謂文藝正大的路

莫可非

最近台北中央社電訊：中國文藝協會，呈請政府設立文藝活動場所，目的在於使中國文藝，能在正大的道路上前進。這似乎說過去或現在，中國文藝所走的路，並非正大的路，至少是不「大正大」的，因此我想起『五四』。

五四運動的影響

『五四』運動的時候，那班高舉文學革命大旗的先驅者們，打倒傳統的倫理，攻擊古典文學，提倡新思潮，新文學，創造社，語絲社……幾支大軍，色無光。林紓，吳汝綸都是桐城謬種，選學妖孽。梁啓超，王國維說不定是因此而氣得自殺的。於是我們這一代，有了自由戀愛，有了沒有韻的白話詩，有：……『牛糞火』，『馬吃麵，大狗叫』，『小狗跳』的教科書。從這一條路殺進去，後來的收穫是兒子清算老子的新倫理觀，一杯水主義的新靈魂……陳獨秀仍嫌讀得太多，所以『不保』，死得很寂寞。魯迅彷徨了，硬譯了幾本老大哥的作品，於是被封爲『革命導師』，郭沫若倒乖覺，從歧路上牽起魯迅精神做盾牌，（郭和魯迅春夜詩，加注說：我一直在魯迅精神感召之下，他把先前屬於他的事全忘了）因此做了『關總理』，奇怪的是，反對白話文用力於章士釗，却和當歌頌毛澤東：『翔合百世南處面，首出如今祗作師』（見大文合載章士釗詩選），湖南出了做『惡帝』的，他要做了一杯興沛的父老，世滄桑，這恐怕都不是當日那些先烈所始料所及的嗎？

不會有全新的文學

「五四」以後的作家，他們的寫作態度，新，在形式上則仍力求「暴露」與「諷實」的老調。巴金的家，魯迅的吶喊，固然讀來未免過紅樓夢，或儒林外史的水準；郁達夫寫尋常的妓女，張資平寫處女的肉香（見張著：梅嶺之春），其實是更低級的誨淫而已。另外一種較確是跟着有了用白話文翻譯的——比文言文更難讀的出版物。和許多冗長而荒誕的歷史故事。寫的歷史有過這樣的說話：金聖嘆：「古人能力未到處，今人亦未必能到處；今人能力已到處，古人却亦到了」，文學當有全新的科學，却永不能有全新的文學，儘管用白話寫，而是從文言演化而來的，任你有多大本領，也跳不出這個歷史的圈子。倣出的先生們所來，既不能做出全新的，則「革命」亦只能算作一種「縫補」，不能薄古人，求一時的快意，所以杜子美『不薄今人愛古人』之論，却愈見其公允了。記得抗戰前，有人在上海公開徵求用白話翻譯『昔我往矣，楊柳依依，今我來思，雨雪霏霏』。聲明願意出兩毛錢的火腿作酬，却並沒有人敢應徵，白話文的應用，也有技窮處，我們不必以爲它能產生什麼奇蹟。

鄉居雜作

郭敏行

市遠茅齋靜，閒雲任去馳。濁醪存妙理，禪語發深思；倦鳥歸林急，斜陽沒海遲。一棋消永晝，得失寸心知。

其二

獨自尋芳去，春深覺已遲。看山悲世路，臨水嘆花癡！村犬欺新客，寒鴉噪晚枝，歸來天雨黑，無語發幽思。

沒有純粹的白話文學

我無法知道，文藝協會的先生們所謂「正大道路」是怎樣的道路。但我很樂於說出一些個人的意見。

（一）我不贊同文藝復古，却主張文人尊古，「五四」時代的一班前輩，單就文學方面說，提倡白話文，其功是，其罪恐不免是鄙薄文言文。胡適之先生至今仍常說：『我們這一代的人，已不能做出純粹的白話文了，因爲我們曾讀過古書，要產生純粹的白話文學，必須寄希望于完全不讀古書的一代』，如果我們承認白話的語類是從文言演化而來的，這樣，除非我們根本廢掉中國文字，是不會有純粹白話文學的。但是，我們從國語羅馬字注音運動的失敗看來，廢掉中國文字這一件事，又必須根本沒有了中國之後纔能實現的。有了汽車不要轎子是可以的，有了白話文不要文言文，恐怕問題就不簡單了。我以爲青年人可以不作文言文，但不能叫他們完全不讀文言文。「五四」時代的先生們，有一套成見，凡中國的東西都不，毀棄了舊的，創造不出新的，遠離了歷史去談革命，便結下來今日的一枚苦果！

，雷同的教條。這些都是我們今日談文藝的人，應該重新覺悟的。

「五四」往矣，今後的歷史要重寫，我希望從事文藝工作的朋友，不要忘懷已往失敗的教訓。

文藝活動是個性伸展

（二）文藝只可現代化，却不必歐化，這問題原是從上面的問題連帶發生的。因爲歸薄古人，即不免于崇拜洋人，新文學運動，攻擊用典，却祗攻擊用中國的典，若外國的典，則反而是深喜之的。我們嘲笑前清不懂外國語的洋務官，却歆羨民國後不懂中國話的外交官。在這一風氣之下，我們有了許多無人能讀的翻譯，因而純粹的國語文學也永遠不能產生。我不明白，許多鼓吹文學革命的大師們，他們在外國讀書的時候，肯潛心三五年的外國古典文學。回到中國來，却叫青年們不必讀古書，用一個中國的典是落伍，用一個半生不熟的外國術語却是博雅！

（三）文藝活動是個性的伸展，不是用法規，訓令可以限制其發展的。文藝亦不是對策，經訓，不能以之作爲宣傳。每個人有其不同的胸襟，抱負，趣味，和理解；在思想自由的原則下，他自然會宣洩吐露。文藝的本質是情，技巧是才，其理論是學，其風格是品。陶冶其才，情，品，學的條件，是山川風物；是對于歷史傳統的思慕嚮往，和未來世運的嚮向追求。除此以外，我們無從看見文藝有什麼正大的路可走。

桎梏人的個性談文藝，文藝便成爲一具僵屍。以對策，經訓，爲文藝，文藝不過是一些贋僞，抄襲

短篇小說　午餐

毛姆作　廉有譯

在戲院裏碰見了她；她先和我打招呼，於是在休息時，走過去，在她旁邊坐下。和她很久不見，要是沒有旁人提起她的名字，我恐怕已經認不出她了。她很高興地和我寒喧一番。

「啊，我們一別好多年了。時間飛過得真快！我們都已青春不再了。你記得我初次見你嗎？你還邀我吃了頓午餐呢。」

我還記得嗎？

說起來是二十年前的事了，那時我住在巴黎，在拉丁區租了一間面臨墳場的小房，每月賺的錢勉強夠糊口而已。她讀過我寫的一本書，特地給我寫了一封信。我覆信給她致謝，接着就又得到她另一封信，說她正要路過巴黎，頗願和我一談；但她時間有限，僅僅在星期四那天勻得出空；那天一早她去盧森堡，問我可否等她回來時在「馥郁」招待她一頓便飯？「馥郁」這家飯館在巴黎，乃達官貴人光顧的地方，像我這樣窮書生是從不敢問津的。然而既承她看得起，我不免有點自鳴得意，況且我也太年青，還不曾學會對一個女人說「否」。（我可以補上一句，很少人是早經學會，等得年紀太老了，再會說時，女人也就滿不在乎了。）我共有八十法郎（金法郎），存着維持這一個月的生活的；一頓平常的午餐，所費大概不致於超過十五法郎。如果下半個月內省掉咖啡，我總還能夠度過去。

我就覆信約訂星期四中午十二時半在「馥郁」和我的文字交相晤。她並非如我所想像的那樣年青，外表顯得有點造作，不大動人。其實她已經是一位四十歲的女人了（是有風趣的年華，然而却不能使人一見鍾情，遽然爲之喪魂失魄的），她給我的印象是滿嘴都是牙，又白，又大，又整齊，多得像是超過了實際的需要。她頗爲健談；因爲她似乎一心祗想談論關於我的事，我也祗好洗耳恭聽了。

菜單子送上來時，我不禁隱隱爲之一驚，因爲所標的價碼比我預料的要高出許多。還好，她倒使我安了心。

「午餐時，我從不吃什麼東西的，」她說。

「哦，請不要客氣！」我大大方方地回答。

「我頂多吃一樣東西。我以爲現在一般人都吃的太多了。一點魚，還可以。我不曉得，這裏有沒有預備鮮魚。」

啊，這個季節吃鮮魚未免太早，價目單上還沒有標出來呢，但我仍把侍者喚來，問問究竟有沒有。有，一條漂亮的鮮魚剛剛送到，這是他們今年來的第一條新貨色。我替我的客人要了這味菜。侍者問她，烹調的時候，可要加點什麼配合。

（上）

談民族詩人陸放翁

張溥生

南宋四大家，然四人之中，享名之盛，造詣之深，影響之大，壹品之豐，則以陸氏爲第一。「夢中近事君知否？家家團扇畫放翁」。（六月廿四日夜分夢中）雖是夢中之作，然亦爲寫實之語，及身得見其詩風行流傳，這總算他辛苦一生的惟一安慰了。

排悶

四十從軍渭水濱，功名無命氣猶全，白頭爛醉吳市，自拔長刀劃鬢眉。

十一月十四日風雨大作

僵臥孤村不自哀，尚思爲國戍輪台，夜闌臥聽風吹雨，鐵馬冰河入夢來。

他好游俠，崇拜國士，歌頌民族英雄：「……君不見昔時東都宗大尹（宗澤），義感百萬虎與狼，疾危尚念起擊賊，大呼過河身已僵」。（感秋詩）「劉琨死後無奇士，獨聽荒雞淚滿衣」、（夜歸偶懷故人獨孤景略）「生擬入山隨李廣，死當穿塚近要離」。（月下醉題）其例甚多，不勝枚舉。

（五）

我們知道：南宋詩人，除放翁外，尚有范成大，楊萬里，尤袤三人，同稱

放翁少年，因熟讀王摩詰詩，好莊周齊物之說，所以胸懷沖淡，政治上雖不得意，但不戚戚于心，變爲屈原賈誼之續，其得力處，就在能「遺物以貴吾身，棄智以全吾眞」。（自贊四）。其能得享天年，壽至大耋，非偶然也。

放翁晚年，雖善自排遣，肆于閒適，不以物傷其性，但一腔忠憤，仍蘊積于內心深處，流露于詩句的字裏行間。又因早受國破家亡之痛，故時時以掃清河洛，規復中原爲念。他的示兒詩：「死去原知萬事空，但悲不見九州同。王師北定中原日，家祭無忘告乃翁。」他那裏想到，南宋一批不爭氣的君臣，被西湖旖旎的山光水色迷昏了，被暖風吹得薰薰的，只知道管弦絲竹，歌舞昇平，在文恬武嬉的環境中，不知勵精圖治，雪恥圖強，雖有放翁一字一淚的詩句，亦不能喚醒他們的頭腦，鼓勵其同仇敵愾，團結奮鬥的精神。南宋半壁江山，就在賈似道一般人，鬥鬥蟋蟀之中，不到六十餘年，斷送給一異族了。陸氏的子孫，家祭時，如以此告，放翁地下有知，我想一定會頓足捶胸，痛哭流涕于九泉之下的。

（四十三年四月于台北大直）

輕鋅化合物的新奇用途

衣

輕鋅化合物HYDRAGINE是一種液體，味道有一點像亞摩尼亞。世界第二次大戰時，德國化學家把他製成發動飛彈的燃料之後，世人才加以注意。經過多年試驗，醫藥界把輕鋅化合物製成一種JSON IAZID，是肺癆病的一種良藥。另一種可以治血壓高，還有一種可以治雞瘟。最妙的一種輕鋅化合物MH40，這種化合物，能夠使植物不向上增高。若把他噴在草地上，使草不增高，可以節省許多刈割的困難。MH40是植物的安眠丸，對於農人的用處很大。山芋在收割前噴射MH40之後，可使他在一年內不發芽，洋葱，也是一樣。若將他噴射在菸草植物上，他即停止向上伸展，對於採摘菓實增加了極大的便利。最近紡織商把他加入爲尼龍原料，使製成的尼龍能夠吸收水份與眞絲無異，成了紡織界的一個大革命。

愛迪生孵卵

華爾斯 G.B. WALLS 新刊行的愛迪生傳說，「發明留聲機及電燈的愛迪生，他在剛會走路的時候就和其他孩童不同。當他五歲的時候，一個春天晚上，忽然失了蹤。經過長時間的找尋，他的父母發現他蹲在鄰人家鴨房的一籃鴨卵上面。他父母硬把他抱了回去。他抗議說，『不要動我，我覺得我能夠將那些卵孵成鴨子。』

「第二天，天剛亮，他偷偷地又跑回鄰人的鴨房裏頭，繼續他的實驗。這是他第一次實驗，可是在這一次實驗裏頭，他表現出他那堅毅的性格。」

中華民國僑務委員會頒發登記證台教新字第一零二號
中華民國郵政登記第一類新聞紙類
自由人
THE FREEMAN
（半週刊每星期三六出版）
（第三三七期）
每份港幣壹毫
台北市售價合幣伍角
督印人：羅嘉猷
社址：香港高士威道二十號四樓
20 CAUSEWAY RD
3 rd. fl.
HONG KONG
香港發行及事務接洽
高士打道六六號
電話：七四〇五三
承印者：東南印務出版社
地址：高士打道六十四號
台灣特派員辦事處
台北市館前街五十號
台灣總經銷處
台北　中華路五九四號之一
台郵政劃撥儲金戶九二五二

政府改組中的觀感

·宜賓·

根據中央社十七日電訊，行政院院長陳誠及全體政務委員，因中華民國第二任總統副總統將於本月二十日就職，已決於十八日由行政院院長領銜向蔣總統提出辭呈。院長、副院長、各部會首長、秘書長、副秘書長、各部政務次長、及行政院主計長、新聞局局長，均已[illegible]辭職。在行政院全體總辭而外，凡經總統提名的首長，如司法院正副院長，考試院正副院長，考試委員及審計長，據傳亦同樣提出辭職。至於立法監察兩院正副院長，因由各該院委員選舉，在憲法上不與總統同進退。但台北報紙傳載，立法院院長張道藩，擬於總統就職後決向立法院提出辭職，以冀在政治上建立一個好的先例。

現實政治過重安定

我們對於上述消息的第一個感想，是政府這一次的改組，是全盤的改組，也可說是徹底的改組（至少在形式上是如此）。政府這一次的改組，是我們政治上由停滯而進於變動；由不變而進於變。政治上的道理是沒有絕對的。古今來的理論或制度，都是補偏救弊的。安定是政治上一個原則；然安定而至於呆滯，則安定已經是一種偏弊，而不能不設法補救。變動進步也是政治上一個原則；但變動而至於混亂紛擾，則變動亦成了一種偏弊，而不能不予以補救。古今政治上許多理論與制度，都在這兩個原則中間求其平衡。講到我們現代的政治，從國民政府出師北伐，定都南京，以至行憲迄於今日。我們現實政治上的特殊現象，是過於重視「安定」，而忽視了變動與進步。

把最近二十六七年的政情分析，我們政府的組織與人事，實在太呆滯而不變動了。尤其在人事方面，一位政務官可任職十年二十年乃至二十餘年之久，社會上視爲固然，任職者自身亦引以爲榮。在大陸時期，什麼機關還常常舉行慶祝會，慶祝其首長任職數十年紀念。在今天看來，這是我們政治上不進步的一個主因，這也是我們不能產生政治家的重要原因。尤其在青年目光中看來，高官厚祿，只是某某少數人的特權，在社會中看出去，亦只覺得政府高層，充滿了戀棧不去的龍鍾老人。這對政治的新生機，是何等有害的事！

第一要注意政治責任

「政治責任」是民主憲政制度中最重要的一個核心。從這一角度來說，責任政府是民主憲政的政府，不講責任的政府，不是民主憲政的政府。用最淺顯的譬喻來解釋責任政府。一個責任的政府，便是在某一政治階段中，政府是能交得出賬來的。不負責的政府，在某一政治階段中，是交不出賬來。政治上的政績，便是政府的賬。交不出賬來的政府，等於開店倒賬的經理。在從前舊社會中，倒賬或倒店的掌櫃，是終身見不得人，不齒於社會，人家永遠不敢再請教他的。在民主憲政下面，責任政府的賬冊上，第一是對憲法的尊重與實施。其次在對人民的幸福。在現代政治上，遠者不談。即以行憲以後的情形而講，行憲後第一任內閣，在位時間雖僅半年，而這一個內閣惟一個「政績」，便是金元券政策。歷史永遠是公平的，中國憲政史不會遺漏這一頁。翁文灝內閣的金元券政策，就是在政治上交不出賬來的政府，以翁文灝在政治上宣告死刑，豈待他投降共黨。我們宏揚民主憲政，始終應當把握政治責任這一個原則，去衡量過去，儆戒將來。個人恩怨可以輕恕，政治上的責任是不能隨便的。政府改組，必需注意政治責任，政治責任，不能因時過境遷而輕易放鬆。

憲政需要常人領導

民主憲政制度下面，不需要超人來領導政府，也不需要「強人」（STRONG MAN）來叱吒風雲。民主憲政制度下面需要的政治領導人物是常人（PLAIN MAN）不是超人或強人。所謂常人，是富具常識與理性的人。也是以大衆的是非好惡爲是非好惡的人。在十九世紀中，英國自由黨領袖格蘭斯頓被稱爲人民的領袖。美國林肯總統被譽爲「我們的總統」。常人不是庸人，更不是鄉愿。常人是有好惡是非的，而庸人與鄉愿則否。在政府改組中，我們第一希望的[illegible]政府；第二希望領導政府的人是常人，而不是庸人與鄉愿。政治是常人的事，所以政治不是神秘或神奇。領導政治的人，只須具常人的常識與理性，自能使政治日有起色。今天我們政治的弊病，就在從觀念到行爲，處處想用秘方，而結果政治上[illegible]是非好惡，與[illegible]一個世界。[illegible]於不能出現，[illegible]艱困。第三，我們希望領導政府的人有理想，並有氣骨。這是政務官與事務官最大分野。廉潔勤勞[illegible]政治家的條件，不能[illegible]這幾個條件。理想、氣骨與魄力，是一個政治家的必要條件。一個標準的事務官，常常會成一個最失敗的政務官。一個標準的事務官，很少能成功一個政治家。

政治家應對民意負責

在政府改組聲中，我們在各報看到監察院對司法行政部部長林彬的彈劾案。這一個彈劾案已經依法成立，送到公務員懲戒委員會。一位內閣閣員的被彈劾，在憲政國家是一件大事。就政治責任的原則上說，也是一件重大的政治責任。我們暫時不談這個彈劾案的內容，但就全盤政治講，我們上面所說政治上兩個原理——安定與變動，實在值得今後新政府的特別注意。內閣的局部改組，實在一方面不妨害整個政局的安定。同時也是時時求進步的一道。一個內閣中如果發生了一位違法瀆職的閣員，與其遷就情感，實在不如立刻割除，於公於私皆比較有益。如果一位不洽輿情，甚至違法瀆職的部長，必待整個內閣改組之時，始自然讓其脫離。此對國家與政府之損失，其數量是不可估計的。政治家負責任，應對民意與輿論負責任；應對是非及正義負責任；更應對天下後世負責任。而不是對左右鄉黨負責任。這是政治行爲上一重大課題。

新政府的人選原則

新行政院院長在正式提出立法院以前，我們實不願對社會傳說之人選，預作抑揚褒貶之詞。

（下轉第二版）

且看俄共如何競賽

陳訓烱

崇奉馬列主義者，一向詛咒自由資本經濟必趨毀滅。最近馬林可夫現身說法，却又揚言要和資本主義國家作「經濟競賽」。大概是知道徒徒詛咒他人無異自卑，克里姆林宮新主人乃故弄玄虛，稍稍改變其法術，而轉以「競賽」爲言。因此，我們要問俄共究竟憑什麼來競賽？

藐視人權註定失敗

第一，還經濟制度嗎？據我們所知，共產制度與自由制度是無法比擬的。姑不說自由經濟也有許多缺點，而現在所謂的自由經濟，更不是古典派學者所提出的那個模樣，共產國家註定的失敗乃在其絕滅人性，與藐視人權。它不但否定私產制度，而且否定人民的一切自由及其生存權利。在俄共所推行的「計劃經濟」下，所有土地及生產工具，諸如工廠、礦場、森林、銀行、交通等等，固已收歸國有，而人民的經濟動機與私人創發，更蕩然無存。政府計劃既把所有物力和人力集中於擴大侵略的用途，其奴役的人民只成了實行這計劃的「活工具」（Living Tools），而民生的最低需求却至今無法予以滿足。單憑這一點，看鐵幕以內之普遍飢饉，與俄共頭目近年大聲疾呼要求消費品生產大量擴充一節，誰都知道共產國家與資本國家相比，已不啻天壤之別，怎能侈言競賽？

生產效率更遠不如人

其次，還生產效率嗎？所謂生產效率原是投入與產出（Input and output）的比例，也是以最少勞費獲致最大收益的意思，這在資本國家固屬天經地義，即在共產國家亦何能不講究，但，由於生產要素之企圖統制，他們國內既無自由市場，又乏自由競爭，一切價格與生產成本概由官方隨意訂定，自無任何眞實性之可言。故究竟某一部門的生產是否不合經濟原則，或有相當的效率表現，在他們就不易核算得出。如今俄共的第五次五年計劃瞬將結束，而以往各次計劃的效率如何，儘管其對外宣傳極盡誇張，實際却似乎「天曉得」。遠者不說，近者當史達林將死之時，他對國內生產效率之低與產品品質之劣，迭經責備同志，不予掩飾。迄至前年召開的第十九屆聯會，馬林可夫本人亦曾公然承認：「浪費和不生產的支出激增，鐵路效率減退，公路運輸組織欠佳，勞動的生產力不易提高，到處發生房荒，產品品質惡劣，，黨內瀰漫着引用私人的風氣，甚至一般作家和藝術家的特殊級層已同受感染，以致今日沒有充分優良的影片和足够諷刺的作品……」即在最近舉行的最高蘇維埃會議，現任財政部長竟以生產之落後，浪費，公開評擊經濟部門的失職。可見俄共的一般生產效率，前後雖經四——五次五年計劃，至今還[illegible]西方許多資本國家，如美、英、加拿大、西德等等，則無不一日千里！

農工業落後難望改觀

即以農工業的實際產量來說，大家都知道俄共歷次計劃的實際產量，很少能達預定的目標。其上次及本次五年計劃大都不例外（詳見拙作「從農業生產看蘇聯第五次五年計劃」載財政經濟月刊今年三月號）。過去農業生產比較工業固是不斷落後，而重工業雖經多年的努力擴展，[illegible]，以視美國在一九四六年的生產水準，依然大有遜色。現在基於種種原因，如農作物發展不齊，耕種面積不能擴大，畜產擴充困難，以至集體農場的[illegible]，已可斷言蘇聯的農業生產前途[illegible]，今後隨農業失敗而來的，顯然又是消費品工業之萎縮。儘管馬林可夫再三呼籲消費品工業應大量增產，而該工業所必要的各種原料却受着農產品供應的間接限制。這兩方面前途之黯淡，雖未必立足阻礙軍備生產或重工業的發展，但，不久以後，只須蘇聯人民的生活水準繼續降低，無論軍備重工業生產斷無不受影響之理，因史實昭示，一國工業化之加速推展，能永久憑藉奴工和飢餓的人民，畢竟古今尙未多遘。

只得以貿易從事分化

從上述，可知俄共在若干年內，不但談不上什末「經濟競賽」，且消費品和原料的迫切需要，實已逼其走上拓展對外貿易轉向資本世界求助的一途。自去年八月後蘇聯對外所訂的一連串貿易協定——如對法國、西德、荷蘭、挪威、丹麥、埃及、印度及日本等——及在歐大量拋售黃金，正表示其一貫僞裝「自給自足」的模樣終於無法維持。據悉最近俄共的貿易攻勢已自歐亞各地深入中南美腹心，例如阿根廷對蘇貿易關係在一九五二年間尙未建立，而今阿蘇協定的貿易額竟達一億五千萬美元。可是西方國家於此不爲防堵，反而逐步放寬對鐵幕的貿易限制！須記住，俄共之志在求資本國家的毀滅。史達林在一九五二年十月間的一篇文章裏，早經坦白說明：「蘇聯對外政策的要領應在消滅資本國家……要達成這目標，必須在經濟上分化他們……」到如今，詛咒既已無功，競賽又不可能，俄共只得以貿易從事分化，西方國家豈可等閒視之？

× × ×

半週展望

·陳克文·

聯合國的前途

今年二月的柏林四國會議和現在日內瓦的九國會議，東西各國想在聯合國之外另有解決韓越兩國問題的途徑。現在，日內瓦會議看來有隨柏林會議而失敗之勢，於是美國又想回到聯合國去。據廿二日華府電，美國將請聯合國派遣特別委員會前赴東南亞，以決定越南戰事是否威脅世界和平與安全。

越戰威脅世界和平與安全，現在還要調查嗎？這使人憶及一九三一年國際聯盟的李頓東北調查團。李頓調查團對於防止日本侵略毫無作用，祇暴露了國際聯盟的軟弱無能，以加速第二次大戰的來臨。

又據前電報導，美國已認越戰威脅世界和平與安全，需採集體行動以應付，惟非經聯合國闡明對越戰的道義問題，獲得大多數國家支持，美國不會干預越戰。似此，則所謂特別委員會與當年的李頓調查團似並非出於同樣的動機。換言之，特別委員會乃聯合行動的先聲，而李頓調查團則不過推卸責任的藉口而已。

聯合行動可能實現

聯合國果能組織特別委員會之後，而出之以積極的聯合行動，則聯合國或可避免陷於國際聯盟的同一命運，否則此一國際和平機構的崩潰，實爲難於避免之事，而第三次世界大戰恐亦將接踵而至矣！

早在日內瓦會議開會前，美國務卿杜爾斯已提出聯合報復行動之議，嗣爲英法所阻，認爲足以影響日內瓦會議。現在英國已感到日內瓦之勞而無功，曾明白警告中共，如果不能獲致協議，即將與美採一致行動，法國的投降思想似也很少有實現可能，英美法澳紐五國且將於下月初在華府舉行高級軍事會議，以討論越南與東南亞的目前軍事形勢。

最近美國防部長威爾遜和艾總統特使菲特烈來往於韓台菲港之間，頻頻有所接觸。我們相信，杜爾斯聯合報復行動的佈置和時機都很要成熟了。

特別委員會的作用，一面在於爲聯合國闡明干預越南的道義問題作鋪路工作，一面在於測驗大多數國家是否支持此一行動。因此，我們相信，特別委員會不會是李頓調查團，聯合國也決不應放任蘇聯及中共的侵略，以至重蹈國際聯盟的覆轍。日內瓦會議的失敗，應該是聯合行動的開始了。

法人還不覺悟嗎？

法越軍在越南作戰了八年，奠邊府丢了，河內岌岌可危，法國軍事首長艾利將軍最近到越南視察之後返到巴黎，對於戰局前途並不見得有甚麼挽回頹勢的妙策。

越南局勢弄成今日這樣子，可以說全是法政府過去軍事和政治的失策。照目前情勢的發展，越南不是整個落於共黨之手，即越南三聯邦的完全獨立，法國在越南的殖民勢力已歸到了再沒有插足餘地的時候了。

在兩種趨勢之下，法國何去何從，二者必須擇一。法國如果堅持越南三聯邦必須留在法國聯邦之內，這不啻對共產黨爲淵敺魚，於法國是沒有一點好處的。我們知道印尼獨立之初，荷蘭還不是和現在的法國一樣，強迫印尼加入荷蘭的範圍，但現在的結果是怎樣呢？

法國如果眞的不讓共黨席捲越南，以危害整個東南亞，現在必須徹底覺悟，即時宣告予三聯邦以全存獨立，同時以最大的誠意和努力參加聯合行動，才能挽救越南的悲慘命運。

不·會·消·滅·的——

西北反共力量

尹明

這是西北反共領導人之一，逃出鐵幕後的報導。可知中共無論用甚麼方法鎭壓此一運動，都是不會生效的。

【本報特訊】最近報載中央社轉據西安「羣衆日報」刊布消息。略稱，甘肅省平涼等八縣農民會發生大規模暴動，中共出動大隊兵力，瘋狂鎭壓，僞暴動農民擊斃三千餘人。其後暴動羣衆因領導者壯烈成仁，彈盡援絕，遂退入山區基地。惟此一壯烈戰役，先後凡歷時三月餘云。筆者爲西北反共運動倡導人之一，於四十年秋間，逃出鐵幕，於西北反共運動的組織及其發展知之甚詳。讀了這一段新聞，對於西北反共運動又受了一次新挫折，心中自然十分難過，但西北的反共力量是不會因此消滅的。現在我要把我所經歷的和所知道的事實，向讀者作一簡單握要的報導如下：

反共組織及反共軍

卅八年秋間，西北淪陷後留落在那裏的忠貞份子，暗中團結起來，從事救國自救之計。經少數有遠見定見的人士策勵運用，漸具規模，先後組織西北反共救國會和三個分會，並成立總部及三個邊區總部。以救國軍從事武裝的鬥爭，救國會側重城市工作，分頭活動，配合發展。最初進行雖極感困難，繼以總統復職，韓戰爆發，於是人心大振，工作迅速開展。兵力最多時曾達三萬餘人，救國會人數亦逾五千。構成份子，包括漢、回、蒙、藏各族。救國軍成立於卅八年冬，卅九年一年內，飛躍發展。與共軍作戰，大小戰役凡卅餘次。其中攻佔平涼、兆岷山區、及馬鬃山三戰役，出動部隊均近萬人，予中共以重大打擊。卅九年春夏間，最爲活躍。西蘭公路（西安——蘭州）的交通大動脈（其時隴海鐵路寶鷄蘭州段尚未修通），因此呈癱瘓狀態，達三四月之久。是年三月底四月初，攻克陝甘樞紐的平涼縣城，震撼整個西北局面。當時殲滅中共正規軍一個團，救出被囚獄中的反共志士六百餘人，並將僞「糧食分局」及「貿易分公司」的存糧存貨，全部散發人民。嗣以中共第七軍全力總攻，反共救國軍犧牲慘烈，不支而退。

反共志士的壯烈犧牲

救國會成立後的表現，則以下列兩事爲最著：其一爲利用中共迫派「人民勝利公債」，及僞「婦聯會」調查登記兒童，人心極度憤恨的機會，發動一次萬餘人的反共大遊行。又一即乘僞「甘肅人民代表大會」在蘭州集會期間，於卅九年十月十四日，將蔣總統國慶文告，油印散發於僞「代表」的會議席上，及招待所的床舖上，並張貼於僞「蘭州市府」的公告牌上，使中共大感驚動。盡力搜索，先後在蘭州，平涼，天水，武威等地，逮捕反共人士三百餘人，多屬青年志士。在蘭州被捕的，有劉士宏、郭凱、裴廣漢等七十四人，十一月十七日及十二月九日，先後被中共集體殺害於蘭州東郊之紅山根。當時各烈士高唱國歌，呼口號，慷慨就義，備極壯烈。劉士宏就義時，中共竟將其妻潘裕青綁去「陪綁」，潘女士堅欲與夫同殉，被中共阻止，以至格鬥，卒未如願。郭裴諸志士，均係廿餘歲知識青年。事前分別打入僞「西北軍區」，「甘肅省府」，「蘭州市府」，「民盟支部」等組織內，潛伏工作，經此犧牲，蘭州市地下反共組織核心，遂大受打擊。惟西北反共力量並不因此而完全消滅也。

無法消滅的反共鬥爭

先是中共初陷西北，鑒於民族複雜，民風強悍，爲免釀成大亂，曾採取所謂「寬大政策」，對於反共活動，認爲「政治瓦解重於軍事淸剿」，故當時反共救國軍遭受壓力，尚不過分沉重，利於潛伏發展。嗣彭德懷接納叛賊韓鍊成（時任僞「一野」兼「西北軍區」副參謀長）建議，改用「威力鎭壓政治爭取」的策略，調集僞「第七軍」及另外兩師，其正規軍五師以及各「軍分區」的地方武力，對反共救國軍瘋狂進迫。更派韓鍊成、任謙、周祥初、及回教敗類馬震武、馬輔臣、馬匡武、馬丕烈等，利用各種關係，四出煽惑，希圖以宣傳及軍事雙管齊下，殲滅反共軍。然而壓力愈大，抗力亦愈強，誘惑愈甚，凝結亦愈固。反共救國軍從無一人中途變節者。上述報載之最近大暴動，即爲事實之證明。不過西北邊遠，鐵幕深垂，眞相不易外洩於自由世界而已。

最後，還有一點小事，筆者願在此一提的，即筆者在大陸時，曾有許多人問我，政府不能盡保國衛民的責任，將廣土衆民委之而去。今日自由中國的刊物，往往稱大陸爲「匪區」，豈非以「匪」視大陸同胞？我當時解釋，「匪區」是指「匪盤踞的地區」或「匪佔領區」而言，他們似仍不服氣，頗表憤懣。我覺得宣傳用語應加小心，否則不免引起誤會，使人反感。不知輿論界及有關方面，亦以爲然否。

這是柳先生最近從美國棉尼蘇達（Minnesota）寄來的一篇文章。柳先生來函說，韓淑英是一位轟動全美的中國女作家的筆名。這位作家在國內恐怕還很少人知道。——編者——

轟動全美的新作家：韓淑英

柳英華

（一）

中國人在美國文壇上享受盛名的，要算是幽默大師林語堂了。林氏的成名是一九三五年出版的「吾國與吾國人」；該書一年內翻印了三十餘版，接着「生活的藝術」一書問世，也暢銷一時。

近年來，林大師似乎專心於小說的寫作，據筆者所看到的，已有小說五本。其中「瞬息京華」，與最近出版的「朱門」，頗有價值一讀。不過，林氏的小說寫得並不十分高明，他雖談諧，諷刺，俏皮、善辯見長，然在文學創造上，似不足言天才。

筆者最近看到兩本我國人寫的英文小說：F．S．張君的「鳳凰不至」（Until the Phoenix）及韓淑英的「光榮的事」（A Many Splendored Thing）。

張君的小說，內容及結構，確屬上乘，令人讀來，風趣生動，引人入勝；惟張君究限於外國語言的隔閡，文字上的修飾及運用，不免略遜一籌耳。

（二）

至韓淑英（Han Su-yin）的作品，便迥然不同了。她出身四川郫縣的一個世家，父親是留學生，母親歐籍人。幼時就在北平外國學校裏念書，打好了英法文的根基。同時，她又受到一個國賓式書香人家的文學薰陶；她的作品，可說是中西文化的混合結晶品。具有西洋人的勇敢、熱情、及正義；又兼有東方人的智慧、深刻，和人情味。在生活上，她絲毫沒有帶中國人寫英文的生硬筆法，更沒有情意造作的文字困難，加以天才洋溢，筆力雄渾，寫出來的故事，輕鬆流暢。「光榮的事」（一九五二年底出版），可以說是美國文壇上，近來罕見的佳作，不但博得書評家的好評和推崇，並且在電台上及文藝集會中，也時常被人朗誦。已讀過此書的人，莫不交口稱讚，欽佩不已；就以筆者個人而言，也是讀了又讀，愛不忍釋的。

韓女士的處女作（Destination Chungking）爲「向重慶去」。書中敍述她與未婚夫湯君——一個中央軍校畢業的軍官——放棄在英國的舒適生活及學業，返國參加抗戰工作的經過。其中包括武漢撤退，南嶽風光，衡陽旅途上，五四轟炸，成都小吃，大家庭的情趣，軍人的羈苦等等生活寫照。

「向重慶去」一書，韓女士充份表現出來她的文學天才。筆致非常俏麗，情調悲壯眞切。但是，此書究是一部未成熟的作品。其中也有錯誤的地方，她把關羽寫爲關飛，洞庭湖當着鄱陽湖，錯認宋哲元爲孫傳芳，處處顯明她的年齡太輕（寫書時只廿三歲），常識欠豐。

（三）

十年後的韓淑英，確有令人「士別三日，刮目相看」之感了。無論在思想上，文學修養上，及文字工力上，均已有驚人的進步。

「光榮的事」是一篇纏綿悱惻的愛情小說。書中女主人（也便是她自己），一九四九年在英國完成醫科學程，再度返抵國門（香港）；此時，大陸已赤禍滔滔，山河變色。她的丈夫湯君在國共戰爭中陣亡，遺留下一個九歲的孤女。她[illegible]造成個人的悲劇。但她對於中共，仍存着幻想，希望於政局澄清後，回到祖國，以技術人員的身份，爲人民服務，完成亡夫的遺志。

留港觀望期間，她在某一宴會席上，遇見了馬克——一個已婚的英國記者，迷不住他的誘惑，在她心房中的一泓靜止潭水，竟掀起巨大的波瀾，使她寅緣入愛情的深淵。其中經過，在她美妙的筆下，娓娓道來，「熱情奔放，細膩入微。」同時她那模糊、悵惘、矛盾、屈服的心情，也活神活現的躍躍紙上。

一九五〇年，她隻身回返大陸，在一個醫院裏工作，親眼看到共黨的瘋狂、愚昧，殘暴、與反動的行爲；結果，大失所望，終又出走到香港，回到愛人的懷抱裏。

不久，韓戰發生，馬克被派往前方，採訪新聞，在美軍節節敗退中，也竟犧牲了性命。

（四）

「光榮的事」有內容，有詞藻，有思想，有哲理，確是一篇超羣不凡的傑作。她的文學價值，可與賽珍珠的「大地」媲美。前幾天筆者與兩位在大學教英文的外國朋友們談及這書，他們認爲書中文字優美極了，對筆者的看法，也表示同意。

爲什麼韓女士的書在美國，不能像「大地」一樣狂銷呢？這完全是因爲它不能適合美國大衆口味的原故。我們要知道美國人究竟還是一個幼稚、膚淺、及種族偏見極深的民族啊！

好在韓女士才華卓越，尚在青年。「十年有成，前程似錦」。自由中國愛好文藝的朋友們，不要忽視了這一顆異軍突起光芒萬丈的新起文壇彗星！（完）

鐵幕內的阿飛

·風行譯·

下面這篇節譯文章，係取材於瑞士的『世界評論什誌』（本年五月份）。作者哈柏林錄取鐵幕內報紙登載之事實，表明蘇聯及其附庸國的少年犯罪，很快成爲嚴重的問題。共產國家對於青年施行其所謂『集體主義』企圖消滅個人自由非常嚴厲。但愈壓迫反抗愈大。蘇俄集團國家已承認其對青年的教育工作失敗，這是值得注意的。——譯者——

附庸國的青年風氣

鐵幕內有阿飛型的少年或青年麼？有的。波蘭的報紙常常飾驚和指責這種人。波蘭勞工聯合總會機關報 Glos Pracy 最近特別注意此問題，該報描寫常見的阿飛，是在街頭和電影院門前鬧事、酗酒、騷擾行人、對父母傲慢。該報說其原因一部份係由於波蘭被軍事佔領時期之流毒，一部份由於『階級敵人』攫取一切機會，利用青年去破壞『新秩序』。

在其他的附庸國亦有同樣的不滿言論。例如保加利亞的『文學陣綫』什誌說：首都蘇菲亞音樂學院一羣學生被那校長的兒子威迫利誘，去偸竊汽車。說這是「美國作風」。照理推測，這不過是偸爲駕駛去「遊車河」罷了。因爲保加利亞汽車不多，警察管理嚴密，偸來的車難以售出。該什誌又說：有一羣中學生，大多數是社會有地位的或進步份子的或黨員的子女，常嗜看引人犯罪的書籍，飲酒宴樂，或行偸竊，和一切浪漫行爲。最糟糕的是保加利亞美麗的城市和街道名改成美國化的名字。例如在黑海濱的納錫巴改爲「新西摩城」。同樣的捷克報紙也說到青年愛取「美國化」的名字。

鐵幕國家創造一個新名詞『比堅尼主義』，說是「美國式的浪漫主義」的別名。捷克首都布拉格的一間工會報社，指責的一間製襪廠出產許多艷色橫紋襪子，和不滿布拉格製鞋廠出產厚底的鞋子。因爲這是適合阿飛時髦胃口的。

蘇俄的阿飛羣

比堅尼主義之流行於此等附庸國，並非由於無充份時間去將他們的共產黨的主義思想來教育青年。因爲從蘇聯看，蘇聯共黨執政權已三十六年了，國內仍有同樣的現象。共產黨青年團機關報「青年眞理報」報告說：有一羣十九歲左右的青年常舉行夜會，大約在早上三時大喝櫻桃白蘭地，其後那黨魁用他父親的一輛汽車，載着同伴出遊，到達郊外俱樂部，繼續宴飲至黃昏。因爲他們所有的金錢不能應付此種生活之費用，於是首先偸竊家中的東西，其後又盜竊一間大學科學家實驗室的一架顯微鏡。最後弄到一些手槍和彈藥，用來去打劫了，後來黨羽中有一「不隱份子」，大家想把他清除，遂釀成謀殺案，而悲慘散場。這些人的父母在社會上是有地位的，包括一位有名的學者，（他有一輛小汽車給他的兒子用，此外每月還給予一千盧布）一個著名的女科學家，一個紅軍的上校等人士。

在一切共產黨國家都是費了很大的力量拉住青年、少年、及兒童。常用共產主義思想去薰陶，甚至教他們去反對非共產黨的父母，在各級學校與大學，學生們的頭腦灌輸進馬列主義。政府和黨部極力去贏取這所謂後一代的歡心。他們安排成立大的青年集會。在報紙上大量登載青年的活動，給青年們一種印象，即政府很看重他們。

共產主義的新貴青年

但這些措施不足以阻止大多數青年被「比堅尼主義」浪濤沖捲去。同時此等共產黨青年機關不滿情緒冷淡，會員日減，以及各種活動很少人參加的情形。

蘇聯的所謂幽默刊物「鱷魚雜誌」的一幅漫畫，上面繪着一個好逸惡勞彼姑息放縱的少年，坐在電視機旁，吸着父親購來的香烟。同時他的母親恃着丈夫的勢力爲她的兒子和學校爭論她的兒子的成績。

蘇聯革命三十七年了，革出一班新貴族階級，騎在人民的頭上。四四三〇〇〇盧布買一條頭鍊，二十萬盧布買一隻戒指，十二萬盧布買一手錶。但一般勞苦大衆過牛馬生活。四年的工資還比不上新貴族夫人的一條頭鍊。共產黨人還有什麼面子罵老百中的二流子。新貴族階級的少年和青年，自然驕奢放蕩。有頭腦的青年，自然看穿共產黨的所謂「集體主義」，所謂「反個人主義」是什麼用意了。

政府改組中的觀感

宜賓

（上接第一版）

我們所注意的是人選的原則。才難之嘆，古今所同。一位行政院院長總率百僚，安邦定國，其人選當然不是容易。今天自由中國的處境，其艱危困阨，眞是空前。選拔一個行政院長不易。但是我們希望在自由中國之內，在人才的本質，分量，才能，與資望方面盡量挑選最合條件之人。我們更希望這一次新行政院長提出後，能使內外觀感一新，中外輿情翕服。若幾天來台灣英文中國日報的評述。把傳說中若干政府首長，每人紀述一篇，揄揚稱頌，無所不至。我們的觀感是有點不同，是非賢不肖，不應跟着官位走的。英文中國日報心目中的標準政治家是好萊嵩。今天自由中國乃僞而起的政治家，乃爲O．K．俞，及K．C．嚴。自由中國「齊一變至於魯」，難道這是代表自由中國對外宣傳的輿論！這又是政府改組中一聲附帶的勞嘆，原與本題無關宏旨。

四三，五，十八。

編者　讀者

編者的話

△傅中梅，鄭士琺，陳式銳，朱旗，韓名卿，徐則鳴，鄭知三，鄭紀夢，誠修，胡冷，諸先生：惠稿已一一收到，謝謝！

△韓名鍋先生：函悉，該件已於本月十八日付函。請查收。

△黃乃紳先生：來函已轉陳先生，並請逕復。

△楊力行先生：「懷鄉客」稿酬，請向台總經銷處張執中君治領。

毛澤東與秦始皇（四）

．毛以亨．

從縱橫家，游俠家，而至陰謀之雜家，凡三變，時歷百年。若思濟陰謀家之窮，則以不變應萬變，惟有返於法家之治，然此為始皇之新政，而非秦之舊政。於是從戰而斬首者，皆拜爵，中大夫二十人附逆者皆梟首，車裂嫪毐以徇，滅其宗，其舍人遷蜀者四千餘家。車裂之刑，與斬首晉級之律，皆為商鞅之政，今悉恢復了。然何嘗不祇此，殺弟殺弟，而鞅禁其母，皆出於始皇，甚不實始皇之生父。執法而不徇情，本為法家之本色，然以嫪毐為假父之情，以罪相隨，其父母死地以發揮其賦性者，尚不及多矣。且秦皇尚不肯赦其淫亂之罪，帥，聽茅焦之諫，復迎歸咸陽。始皇十九年之邯鄲，「諸嘗與王生趙時，母家有仇怨，皆阬之。」亦未嘗不枉法以報私人之恩怨。始皇好封禪刻石，凡五巡狩，文信秦下之傳說，而求神仙於海上，凡茲所為皆受儒者之影響使然。

趙高邀秦皇恩寵

不韋既死，始皇方親政專征，何人繼相，史未及書，疑自十年至二十三年為楚人昌平君，二十六年統一後，為王琯，三十四年，李斯始相。秦既統一，乃採諸侯之風，而廢秦之舊俗，凡齊誇，楚狂，東周之辨，三晉之法，均用于秦，故不能盡為法家言，而呂不韋之遺風猶在。史稱不韋家僮萬人，門客三千人，諸侯游士賓客成集其門。莊襄王卒時，楚人李斯始為不韋舍人，薦之為郎，因以得說秦王。甘茂孫甘羅十二歲，亦事不韋，游其說，割趙五城。太史公曰，「甘羅……一出奇計，聲稱後世，雖非篤行之君子，然亦戰國之策士也。」我疑趙高，為莊襄王與不韋自邯鄲攜以俱西，故雖位卑，而得始皇之親信，惜書闕有間，未能征實。史記蒙恬傳，稱「趙高者，諸趙疏遠屬也，趙高兄弟數人，皆生隱宮。（索隱謂蓋其父犯宮刑，其妻復野合，生子姓，並宮之。）……其母被刑僇，世世卑賤。秦王聞高強力，通于獄法，舉以為中車府令。……高有大罪，秦王令蒙毅治之，毅不敢阿法，當高罪死，除其宦籍。帝以高之敦于事也，赦之，復其官爵。」我疑這是受嫪毐及不韋之案的牽連，然高之特邀始皇恩寵，則為事實。

始皇未全復法治

始皇時之大臣，為秦世卿者，祇蒙氏一家，故使太子扶蘇入蒙恬軍。恬大父蒙驁，昭王時為上卿，恬與弟毅，俱通獄法，惟齊人誇妄，總不如三晉人如趙高者之相宜，故恬改將兵，而毅亦用為內史。毅死時，以不殺無罪，不誅無辜為言。恬死時則曰，「自吾先人，及至子孫，積功信于秦三世矣。今臣將兵三十餘萬，……其勢足以倍畔。自知必死而守義者，不敢辱先人之教以不忘先主也。」死時太息曰，「吾何罪于天，無過而死乎？」觀此則知蒙氏曾三世為將于秦，終是稷下儒之見，而未忘其故習。乃知始皇曾任之為大臣，然執法則祇有用趙高，然又祇肯任之為小臣，而小臣即無力推行峻法。故始皇實未嘗完全恢復商鞅時代的法治，太炎先生的見解，是最準確的了。

毛澤東之暴非秦皇比

始皇時代為半法治，中國人尚受不了，稱為暴秦，蓋恍其用法之嚴。毛澤東之暴，是學自在世界上以殘暴著稱的俄國暴君，讀其全集，知其主張之胎息于中國傳統者極少，而抄自蘇聯者為多。此等暴政，遠非中國的法家與酷吏所可望其項背，中國人又如何能受得了呢？試取中共四年在大陸之暴政，以與任何暴君相比較，自桀紂以至雍正，均非其倫，豈特半法治之秦始皇哉？

結論

秦始皇是著名的暴君，大家都願將他與毛澤東相比較。使大家本于自己固有的暴之觀念，來認識毛澤東之暴的限度，則知始皇與毛澤東，相差實不止十萬八千里。但兩者之暴不僅量的不同，而亦為質的差別。然因量的不同，以生出質的差異之成分，尚不計算在內。所謂質的差別者，始皇因一意推行其暴政，然因怕暴政推行不動，不能不有所顧忌，而無法一意推行下去，於是以其他因素，冲淡了暴政，至民間的儒生力量，牽制了政府的法治，而其暴政亦變了質。若毛澤東則一意孤行其暴政，不怕民間的反抗，還直有蘇聯的大力量支持他。中國人之支持與否，以及人心如何，他並不計較，因為與他的政權得失毫無關係。以一意孤行，則類于流賊，不顧一切，言外國力量之支持，以全言，則類于兒皇帝。以此我以秦始皇比毛澤東，是說明其以暴力控制奴工的一點。然祇能明毛澤東的一部分，欲明瞭毛澤東的輪廓，我擬尚續寫毛澤東與流寇及毛澤東與兒皇帝兩篇文章。（完）

台灣中南行（五）

魏希文

不知是誰發起慰勞山胞，由每位代表獻出台幣，舞蹈完了，款也收齊了，一共湊了一千元交給村長毛王爺。這次山胞，他們也然亦足穿着一身西服，不但代表出現在人叢中，他不但代表山胞領慰勞金，而且代表山胞向我們致詞，謝我們反共抗俄的成功，於是同人也一致祝福山胞的健康，大家在揮手，鼓掌中離開了忠孝村。

環遊珠仔山

我們登舟以後，向光華島前進，早上我在涵碧樓的花園中，便看見日月潭的中央有一小島，島上好像長着整齊的樹林，非常美麗。我問一位來過的記者，他告訴我這個島周圍約四百公尺，高出潭面約十五公尺，島上原有一個日本神社，現已毀。站在島上，全潭風光可以一覽無餘。據台灣史話中說：「潭中浮一島嶼，形狀如珠，舊名珠仔山，現在改稱光華島。」汽艇沿着光華島的外面繞過，本來打算登岸一遊，因為時間已近下午一時，有的同人不主張上去，因為島上風光已經盡入眼簾了。而且這時天氣驟然陰暗下來，湖風拂在身上，頓覺有些冷浸浸之感。靠岸以後，雨點便已打落在身上。

回到涵碧樓午餐，一二三組回龍湖閣。在午餐中，李煥生宣佈下午的計劃是自由去看日月潭發電的水源，不去的可作自由活動。

午睡一忽之後，我同他們去看日月潭發電水源，這一個浩大的工程，我們看了之後，抓不住什麼印象，那位工程師的滔滔談話，倒聽來動人。約半小時不到，我們便回到涵碧樓了。

雨中淺酌

回到涵碧樓，氣候更冷，雨也下大了，許多少帶衣服的同人，頗有不勝春寒料峭之苦。我們來台南部旅行的時候，台北的朋友說，中南部氣候溫暖，要少帶衣服，僑委會也告訴我們說，中南部天氣較台北溫暖，服裝以夏秋天者為宜，只穿夏天服裝的同人，在陡變的氣候中，自然不免有些抖索了。

我們坐在涵碧樓的大餐廳中，享受一下鄉彥棨先生所說的，讓我們在這幽靜的日月潭中得到休息。大廳上，有舒適的坐椅，面對着雨中迷濛的湖山，階前的花朵，在點滴的雨珠中，更有一番嬌艷。如果在一杯下女送來的濃茶之前，夾着一支烟雲嬝嬝的烟捲，作片刻的遐思凝想，或者是打上一個小盹，這真是人生一件樂事。有我這樣趣味的同人當然不少，漸漸地餐桌上的來客多了，湖山雨中的變幻，固然會引起往事重重，但在這坐對烟雨濛濛的涵碧樓前，茫茫一片，叫人有不知受，我想這應該是最好的一頁。（未完）

三．日．小．評

．風行．

從水荒看社會道德

在非常事變，可以測驗人的修養，亦可以判定社會文化道德水準之高低。鐵達尼郵船沉沒時，船上衆人秩序井然，永為後世稱道。

美國一九五一年東部遭遇天旱，大鬧水荒，當時紐約城高呼用水節約。實行星期四天不沐浴，不刮鬍，以及不用水洗汽車。其時水荒之嚴重程度比諸香港，有過之而無不及。但全市遵守公訂規約，而無浪費水及為水打鬥之事。甚至有許多人自動節用水，有人用海綿吸櫥櫃油拭小孩，而不用水洗。有人用紙杯碟，以免洗杯碟耗水。

本港目前鬧水荒，每天因爭水而起糾紛不知若干處，甚至因爭食水而動武揮刀斬人。當局對此糾紛，比諸水荒本身更感到頭痛。

事實上，水荒問題現階段還是不患寡而患不均。香港的屋宇平均是四層樓高的，如果每天開水喉四小時，平均每一層樓有一小時的供給時間，則儘可足用而有餘。但有些不顧道德的樓下居民，把四小時的放水時間盡量佔用，致令樓上居民無法得水。甚至把昨日接來的水嫌其為「隔夜水」而傾倒去。至於街喉長龍，往往被二三惡霸佔着水喉，不斷的換桶取水，壟斷漁利，令人髮指。現當局召集街坊首長應付水荒辦法，但首要之務，還在切實懲治不顧公德自私自利之人。

藝人赴台

本港藝人返自由祖國觀光或勞軍者甚衆，其意義深遠表示海外僑胞一致擁護政府反攻復國。但有些文化界中人，以此種事作遊戲文章之材料。姑不問其居心如何，但都是有害於自由世界，而間接有助於殘暴之極權。

現在社會流行了一種錯誤的觀念，認為政治是惡俗污穢的，不清高。其實無論何人不能擺脫政治的關係。國父孫中山先生說：『政治是衆人的事。』焉能不過問？假政治以謀私利，固然是要不得。但如果自炫不問政治而謀私利，其居心亦可誅。

女藝人金素琴說得很對。她道：『我是一個對政治不感興趣的人，自然與人性有關……但所謂對政治不感興趣，我的意思是指有關政治的活動而言，並不是說連國家民族觀念也沒有。現在我轉變了：轉變到關心政治，有如關心自己的日常生活。……從前我看不到自由對于一個人的關係如此重要，現在我才感到自由的可貴。因此我要選擇自由。』我希望一般自認「清高」而「聰明」的文化人三味斯言！

評「陝北奴工營」

蘇偉權著　亞洲出版社出版

楊白年

（一）

本書作者前中共黨員蘇偉權，一九三八年參加中共，一九三九年去延安，一九四〇年畢業於抗大，直至一九四二年担任共軍排級幹部，一九四三——一九四四年，任共軍連級幹部，一九四五年調冀察晉邊區，並隨軍至張家口，同年內復返延安，一九四九年任訓練被俘國軍工作，一九五〇年任「西北改造總團」（即本書所述之「陝北奴工營」）教練員，分團副政委等職。一九五一年，於被調廣州服務時，乘機脫逃到港。

本書所述，多係一九五〇年內作者担任中共「西北改造總團」工作時期的報告。作者對於寫作似欠熟練，文字有不能達意的，讀來頗覺費力。但書中所揭露的，有許多駭人聽聞的暴行，作者係當時親身參予其事的共幹，則其所述，自屬可靠的事實。

（二）

本書首述「陝北奴工營」建立的經過：一九五〇年元月，駐延安的「中共中央西北聯合辦事處」，奉中共指示，將延安軍區及部份家屬，一律撥入新成立的「西北改造總團」，該團由中共「西北反動份子勞動改造委員會」主持。

本書資料豐富，對於奴工營的組織，活動及其發展敍述至詳，並有圖表輔助說明，根據這些資料的統計，陝北奴工營共有奴工近六十萬人。中共規定奴工勞動改造的時間，是沒有限制的，彼等每日工作時間達十二小時。奴工營有「保衛部」，為管理奴工之特務指揮部。

本書有一驚人的事實報導，即中共在奴工營內曾利用衰弱奴工作細菌戰的試驗，作者說：「中共曾經一再力竭聲嘶地指斥美國在朝鮮進行細菌戰，這種無恥的欺騙宣傳，早被自由世界駁斥，然而中共自己却眞正地在準備細菌戰」。

本書另一重要的事實報導，即震驚西北的延安大暴動經過。延安是陝北奴工營的一部分，是中國著名的油礦區。由于該區內奴工被中共任意處決，激起廣大奴工的公憤。一九五一年四月七日，遂發生大暴動，參加者有三萬人，徒手和共軍搏鬥，事後被共軍集體屠殺三千三百餘人。此章寫來有聲有色，非常生動，為全書最精彩部分。全部經過，有曲折，有高潮，是一部很好的小說場面。

（三）

本書對於宗教徒在奴工營所受的摧殘，也有詳細敍述；奴工營中宗教徒單獨編成一大隊，監視較其他奴工更嚴，有一奴工因藏聖經，竟遭槍殺。

奴工營中貪污成風，幹部間集團貪污，狼狽為奸，公開分贓，據本書作者說：「我平均每月正式貪污達一百二十萬。」（一一五頁）

中共的奴工政策，本書介紹中共「全國總工會勞工福利部」部長易禮容的話說：「保護勞工是指正式的勞工。絕不是被强迫勞動的反動份子。」這些奴工是「沒有資格接受三八制，勞工福利，養老退休金，因工受傷撫邮等優待」的（一二一頁）。

本書與亞洲出版社另一新書「我來自東北奴工營」，可以配合研究，一寫西北，一寫東北。一個作者即為奴工身份，另一作者係中共奴工營幹部的身份。兩書合讀，可對中共的奴工營有全面的了解。「我來自東北奴工營」寫得親切動人，「陝北奴工營」資料則較多，各有長處。

新省哈薩溝為——蘇俄第二原子城

．吳彥傑．

亞洲西北部之烏拉山山脈中，為蘇俄製造原子武器的第一中心，外間早有報導。至新疆料米哈薩溝為蘇俄製造原子武器之第二中心，世人似尚少知到。

一九四七年，蘇俄因烏斯滿拒絕移交阿山金鑛後，史達林即命令紅軍與伊匪打走烏斯滿，侵佔阿山。隨後發現阿爾泰山山脈與六山山脈，鈾鑛蘊藏均甚富。即着手在阿山局部開採，並選擇哈薩溝山峽為製鍊中心。中共竊據整個中國大陸後，新疆全省鑛產，盡歸蘇俄掌握，蘇俄採鍊工作更為積極，所有新省鈾鑛，均經由河山運往哈薩溝提鍊。全省每月約可產鈾砂四公噸，均就產地，用厚木板箱，堅釘固封，用載重車裝運，每車不超過一公噸。

據曾承運鈾砂之汽車司機對我說：『哈薩溝原子城，約有工人萬人，多為蘇俄人，間有其他外國人。其中有德國原子專家十餘人，待遇極優，均有蘇俄鑛警多人監視，行動極不自由。原子工場內，普通工人工價亦高過一般工人十倍。工人住所均在山外平原地帶；上下工均由汽車接送。哈薩溝山峽，兩邊壁立，中有寬約五丈以上的公路一條，沿路無數洞口編列號碼，通入山洞。汽車停在洞口，每洞口各寬三丈以上。平時汽車停在洞中，工廠則設在山洞深處。滲鈾砂汽車在洞口交付，不許入洞。滲砂汽車駛出時，每車均有俄警數人押送，沿途不許停留，大小便均須俄警跟隨，不指定休息地點外，不得隨便走動。汽車駛出峽口後，才能恢復自由。東西兩峽口，警戒森嚴。』哈薩溝全長約百二十餘華里。俄國革命後，曾有逃亡之哈薩克民族數萬人被集體屠殺於峽中，故俗又稱為殺人溝。不料此一恐怖地帶現在又成為製造殺人利器的中心。

亂世的政治現象

馬五先生

國家治亂與亡的道理很多，雖百萬言也說不盡。但有一項放之四海而皆準的定律，却古今同然，絲毫不爽的，那便是：治世的政治現象以除暴安良爲主，亂世即唯除良安暴是務。這現象，在最近幾十年來的中國政治上，表現得淋漓盡致，洋洋大觀。

凡講注重公道是非，講究人格道德，遇事有所不爲的人物，不論是文的武的，都不合時宜，自然歸於淘汰，往事歷歷，可資枚舉。因爲這類人平日處世接物，多半循規蹈矩，安份自愛，而亂世的政治是崇尚雜霸之術的。既然安份守己，有所不爲，即沒有造反作亂的本事，就是平庸之輩，當然不必顧慮，料你也不敢爲非作歹，何用重視呢！

如其暮四朝三，翻雲覆雨的無所不爲之徒，那必然飛黃騰達，無往而不利。譬如：穿長衫的朋友，不得志於時，三五成羣，組織團體，發表文字，反對當局，不滿現狀，越激烈越好，儼然第三勢力，一定就有人來接洽，然後表示可以合作，如是乎，官也，錢也，不愁缺乏；穿二尺半的武裝同志，只要掌握着一部分雜牌隊伍，今天擁護甲，明天也可以奉戴乙，有奶是娘，唯利是圖，亦得大行其道，顯赫當時。即如吳國楨之子，過去要求出國，於法不合，迨吳在美國實行言論造反，兒子的出國護照馬上就於法有據，准予發給了！

亂世政治家的政治哲理，是專講「今天」的現實利害，明天怎樣，暫不必問，這就不知不覺地造成了除良安暴現象，而亂事乃循環不已。中國的近代政治史，可說是一部除良安暴史，悲夫！

夏天口渴的人注意

飲水可致死

·土木譯·

我們常聽說飲水對人體衞生極爲重要，實際上這種重要性未免誇大，所謂飲水可能幫助安睡，治療傷風，降低體重等說法，都屬荒謬，醫生所說，成人每日必須飲水八大杯，也已證明錯誤。甚至水中的礦物質對人體有益的理論，也被否定了。

相反的，飲水太多，反足促成失眠，消化不良，和膝部浮腫，而且如果飲水的時候不當，甚至可能使人中毒，以致死亡。

最近醫學界的研究，已發現水並不是一種「營養品」，過去許多關於水的觀念已被打破，我們當然沒有水不能生存，但飲得過量，却可能將我們「淹死」。外國人通常都在進餐時要飲大量白水，特別是美國人，他們除進餐時同飲的白水之外，平時還飲大量的茶，嚟啡，啤酒，及其他軟性飲料，每年他們所飲的橙汁、提子汁，與牛奶，足可填滿大海，供軍艦行駛其上。

他們飲用這許多以大量水份組成的東西，總以爲「這對身體有益」，豈知事實剛巧相反。過度的水份，能使腰子與胆臟工作過勞，水份儲集於身體纖維中增加重量，慢慢形成心臟衰弱，體內的熱力也被消耗，陷於不足。

在夏天身體太熱，流汗過多，自需要飲水，但決不能一時大飲特飲，不知節制，否則突然暴飲，反會引起嚴重後果。習慣於沙漠生活的人對這事了解最深，他們如發現一個過客因於乾渴而幾告暈厥或瘋狂，一定祇給他極小量的水，救他性命，決不會讓他飲個痛快，直到滿足爲止，因爲他們知道，這時如給他大量的水，反會送了他的性命。

但在世界不愁沒有食水的地方，人們並不明瞭這種危險。例如去年夏天，美國長島便發生過這樣一宗意外事件：幾個勞工踏到一所工廠醫務所，說他們都感頭暈腦脹，幾已無法支持，護士把他們逐一加以詳細診視，無法發現其原因，祇得把醫生召來，醫生的第一句話便是：「你們剛喝過很多水嗎？」他們都承認喝了不少水，於是醫生說：他們因爲喝水太多，已近乎「微醉」，這便是飲水中毒的現象之一。其原因是在炎熱氣候中，出汗太多，體內喪失了許多鹽份，如僅以水來補充，而不同時補充所失去的鹽份，則體內的水與鹽便失却平衡，頭昏腦脹不過是一種警告，表示身體某一部門失去正常機能。有時，水與鹽的不平衡過甚，以致神經系統或其他器官難以抵禦，此人可能就此暴卒。

有人以爲，在進餐的時候，如飲小量的水，它可以幫助胃內的活動比較流暢，因而促進消化，這也是謬說，醫學界最近發現，進餐時飲水可能有兩種影響，一是食物隨水吞入食管，未經牙齒好好咀嚼；另一是水可能把胃液沖淡，使胃不能消化食物中的糖份與澱粉，它們爲血管所吸收。更壞的是有人喜歡在水中放冰塊，在這種情形下，水的寒冷將使胃部四周血液的流動宣告緩慢，胃的機能也受妨礙，要到其溫度逐漸昇至正常水準時才能恢復正常。（上）

辜鴻銘的筆記（上）

舜生

研究人才在地理上的分佈，這是很有趣的一個問題。

幾位提倡改革最早而地位也最高的人物如容閎（1828—1912），康有爲（1858—1927），孫文（1866—1925），梁啓超（1873—1929）都出生於廣東，這是不難理解的。大陸退出以前若干金融界的鉅子，多籍隸江浙，乃至被日本人替我們造出一個『江浙財閥』的名辭，這也不難解釋。可是清民之際的三位高等翻譯人才——林紓（1852—1924），嚴復（1853—1921）辜湯生（1857—1928）都出生於福建，我却看不出有什麼一定的道理。

林籍福建閩縣，嚴籍福建侯官，辜籍福建同安。同安在明清兩代均屬泉州府，民初屬廈門道。

『清史稿』以林嚴辜三人合傳，這是很恰當的。林嚴兩位都是由西譯中，而且他們對中國文學的造詣都很高，因此他們在中國享名甚大。辜是由中譯西，中文雖然也不算太壞，但與林嚴却不能相提並論，因此他在歐洲和日本的地位，反而要比在中國的來得高。

現在我姑且把『清史稿』爲辜寫的這篇簡單而且不太正確的傳記錄在下面：

『辜湯生字鴻銘，同安人。幼學於英國，爲博士。（？）遍遊德法意奥諸邦，通其政藝。年三十，始返而求中國學術，窮四子五經之奥，兼涉羣籍。爽然曰：「道在是矣！」乃譯四子書，述春秋大義及禮制諸書。西人見之，始歎中國學理之精，爭起傳譯。庚子拳亂，聯軍北犯，湯生以英文草『尊王篇』，申大義，列強知中華以禮教立國，終不可侮，和議乃就。（？）張之洞周馥皆奇其才，歷委辦議約濬浦等事。旋爲外務部員外郎中，擢左丞。湯生論學，以正誼明道爲歸，嘗謂歐美之主強權，務其外者也；中國之主禮教，修其內者也。又謂近人欲以歐美政學變中國，是亂中國也。異日世界之爭必烈，微中國禮教不能弭此禍也。湯生好辯，善罵世，國變後，悲憤尤甚，窮無所之，日人聘講東方文化。留東數年歸，卒，年七十有二。』

此外關於辜氏的事蹟我知道得很少，我僅僅曉得他在張之洞的幕府最久，曾一度執教鞭於北大，也曾任過某英文報的總編輯。最近某君告余，張宗昌在山東的時候，他曾任過山東某大學的校長，則不知是否確實。他有一張在北平和太戈爾合拍的照片，長袍馬褂，樣子很不錯。

辜氏入民國以後，更以頑固保守著稱，儘管保守也是人類的美德之一，但並小脚、辮子、姨太太、鴉片烟一並保守之，則毋乃太過。他的中文著作絕少，除掉下面我所要介紹的這部『張文襄幕府紀聞』的筆記以外，我也實在舉不出第二部了。

萬竹樓隨筆

邱翁不吃燒猪

這個世界上，什麼地方最不容易進去呢？美國的名記者以斯門氏很肯定地認爲是莫斯科的克姆林宮。外國記者要是有機會進入那一共有四十三畝面積的宮裏，持槍的衞士總把槍頭對着他，使他不敢左右視。

以前史大林住那一所房子呢？現在馬林可夫又住那一所房子呢？自由世界裏頭曾經到過史大林那房子裏的，只有邱吉爾一個人。那是德國投降之後，史大林歡迎他的救命盟友羅斯福和邱吉爾到莫斯科。跟據老邱歐戰回憶錄的記載史大林在克姆林宮的大餐廳裏請羅斯福和他吃晚飯。酒菜的豐富自不用說。餐後，史大林對老邱說道，『我在私人的飯廳裏準備了一些酒菜，要和你比一個酒的勝負。』老邱隨他到一所餐廳，比剛才的大廳還要華麗，只是小些。桌上擺了兩隻大酒杯，和一隻對半切開的燒猪。史大林倒了一杯酒，拿了半隻燒猪交給老邱。老邱接了酒，推了燒猪，史大林把那半邊燒猪吃了，還吃了三大杯酒。因爲那是晚上，老邱又吃了一點酒，他竟分不清方向，連史大林的房子是什麼樣的，在克姆林宮那一邊，那座房子究竟有多大？他都記不起了。』

（布衣）

短篇小說

午餐

毛姆作　廉有譯

「不，」她回答，「我頂多吃一樣東西。除非你們加少許俄國魚子醬。」那個我倒不反對。

我心裏有點發緊。我明白，魚子醬我可吃不消，但我又實在不便告訴她。我祇好吩咐侍者，一定要來一點魚子醬。我自己呢，挑了菜單上最便宜的一樣，一客羊排。

「我以爲你點肉吃不大高明，」她說。「我不懂，吃了羊排這樣多的東西，飯後怎麼還能夠再工作。「我不主張把我的胃裝的太多。」

該提「喝點什麼了。

「午餐時我從不飲酒，」她說。

「我也不，」我脫口衝出。

「除了白酒，」她一直往下說，就像我並不會開口說話似的。「這些法國白酒多麼清淡，對於幫助消化倒是大有功效。」

「你喜歡什麼酒呢？」我問，作爲主人，不得不善爲款待，可是話說的並不見十分爽快。

她對我嫣然一笑，閃露出滿嘴白牙。

「除了香檳，我的醫生不許我飲別種酒。」

我恐怕，我的臉色有點慘白。我要了半瓶香檳。輕描淡寫地表示，我的醫生絕對禁止我喝香檳酒。

「那麼你要點什麼來喝呢？」

「白水。」

她吃下了魚子醬，吃下了鮭魚。她興高彩烈地暢談藝術，文學和音樂。我却担心賬單不曉得要開上多少。等到我的羊排端上來時，她鄭重其事地和我談論起來。

「我看，你已經成習慣了，午餐要大吃一頓。我敢斷然說，這是不對的。爲什麼不照我的樣子祇吃一樣東西呢？我敢斷然說，照我的樣子，你一定會覺得舒服得好多。」

「正是從今我要開始祇吃一樣東西了，」我說，那時侍者拿着賬單又上來了。

輕輕示一示意，她把侍者揮去一邊。「不，不，午餐時我從不吃什麼的。祇不過一小口，我從不多吃的，而且除非是吃這一小口，也無非爲的可藉此談話，如斯而已。我實在不能再吃什麼了——除非是他們有大顆的蘆筍。要是在巴黎不嚐一嚐蘆筍風味，離開後，我會引爲遺憾的。」

我的心緊作一團。我在舖子裏曾經看見過大蘆筍，知道價錢貴得嚇人。我看見時也不免饞涎欲滴。

「這位女客想知道，你們有沒有那種大顆的蘆筍。」我問侍者。

我急出一身汗，想示意侍者回道沒有。可是他那胖臉上現出一付笑容，滿口地回我說，他們正有這麼大，這麼新鮮，這麼嫩的貨色，簡直是仙品。（中）

不打自招文抄

·文抄公·

下面這篇短文，是中共雜誌，描寫「人民銀行」行員的辦事態度和中共怎樣對待農民的文章，照抄如下：

人民銀行

河南洛陽　尚修慶

銀行下午上班的時間規定在一點半鐘。按時，櫃台前已排成了一行長蛇隊；有的是來存款，有的是來取款。櫃台裏的人都開始工作了，惟獨取錢的地方還沒有人管。一點三十五分的時候，一個二十多歲的女同志上班來了。一進來，她就埋怨起來：「倒霉！又晚五分鐘！」她這句話說得次數太多了。

站在取款處最前頭的，一個五十多歲的農民。老人見她坐下，就把一個存摺遞了過去說：「喂！同志」

「急什麼？沒看我剛坐下嗎？」她連看都沒看，話說得又響又乾脆。

「噢，……」老人對自己這樣性急似乎感到很抱歉。這位女行員慢慢取下圍巾，脫了手套，拉開左手的抽屜，又拉開右手的，最後又拉開中間的，亂翻亂找一陣，看樣子，像是丟了什麼貴重東西，最後拿出來幾個印章、一盒大頭針、一盒迴形針。她把這幾樣東西擺得整整齊齊，又吹了吹灰塵，端詳後，又對這幾樣東西，把它們又調換了一下位置。銀行的鐘已是一點四十分了。老人忍耐不住，終於說話了：「同志！取售糧儲款是不是在這兒？」女行員眼一愣，滿臉不耐煩地說：「是的！是的！不是剛剛向你講過，請你等一會兒嗎？急什麼？」

「怎麼，你看我閑着嗎？」她生了氣，迅速的把圍巾手套摔進抽屜裏，忽然她又敏感地感到，領子上也許是臉上有了什麼髒東西，於是，掏出手絹，細細地抹抹擦擦一陣。

此刻，銀行的鐘已是一點五十分了。女行員開始工作了，手往外一伸說：「喂，拿來吧！」老人把存摺遞過去，嘴唇微微動了動，想說話，可是他終於止住了。女行員把存摺放在桌上，並不去看它。她撥拉幾下算盤，望望桌面，於是又拉開幾個抽屜，翻了一陣，這次拿出來的是一傳票和鋼筆、墨水瓶。然後才輪到……銀行的鐘已經快兩點了。「你這是存什麼款啊？」「那上面不是寫着的，是市郊區張莊鄉生產合作社的售糧存款嘛！」老人有點氣憤。女行員講話心裏也有些急，不悅，她把存摺甩在桌上說：「你當然知道……」「不是要你們對我說嗎？」問老人，老人一辯，說：「好像一會兒難領得，怎對住了。」老人眼睛忽閃忽閃的沒說話。

「取多少？」女行員接着問：頭髮沒老人有一隻手搔着，女行員仰起臉，細細地帶着責備的口吻：「你急切，取多少？你看，有多少人等着？取錢哪，別人的事！快點兒取了全說吧！」老人忍不住了。心中的怒火爆發了：「你們剛剛存了一個月怎末全取走？」

「你們銀行同志說，存在銀行裏，要啥時候就啥時候取，隨便多少都可以。你爲什麼不叫取？」老人說：「正是，爭吵間，一位行員走來說：「你們存摺存款是愛國家建設，表現行裏能幫助國家建設。」……

「這個道理我懂。」

「是啊！你們社裏的售糧存了七百多萬元，當然裏頭給國家增加了一分力量。如果你們存些錢都給國家用，當然可以全部取走。不過，你們用一下得取七百萬完嗎？」

老人聽到這裏，說：「你說得都在理，你們的先生們的想法跟你說的一樣。我們來以後，就上『熊』理我不會理，覺得取錢太難爲人了，才決定全取走。」

牆上掛的鐘已經敲過兩點了。

中華民國僑務委員會頒發登記證台教新字第一零二一號
中華民國郵政登記第一類新聞紙類

自由人

THE FREEMAN
（半週刊每星期三六出版）
（第三三八期）
每份港幣壹毫
台北市售價台幣伍角
督印人：羅嘉猷
社址：香港高士威道二十號四樓
20 CAUSEWAY RD
3 rd. fl.
HONG KONG
香港發行及事務接洽：高士打道六十六號　電話：七四〇五三
承印者：東南印務出版社　地址：高士打道六十四號
台灣特派員辦事處：台北市館前街五十號
台灣總經銷處：台北中華路五九四號之一
郵政劃撥儲金戶九二五二

俞・鴻・鈞・論

・湯亮吉・

國民政府行憲後第二任總統的行政院長，已經總統提名俞鴻鈞氏，並獲得了立法院的同意。

循規蹈矩的新人

在「用新人行新政」的呼聲之下提出的俞氏，其姓名並不太陌生，但是從國民黨的立場來看，俞氏却不失其爲「新人」。國民政府的內閣，從訓政、行憲、戡亂，到如今，歷任的行政院長，不是革命的先進人物，就是北伐時有功勳的人士。惟有俞氏，則一直到了九一八，還不過是一名普普通通的地方公務員。所以就黨國先進的眼光來看，俞氏之任行政院長，可以說是新而又新的了。

俞氏在聖約翰讀書時，是一位非常循規蹈矩的馴良學生。畢業後一度經商，也是一位循規蹈矩的馴良商人。北伐成功後，到上海市政府作秘書，後來代理秘書長，眞除秘書長，代理市長，眞除市長，表現的也是一位非常循規蹈矩的馴良公務員。上海是個華洋雜處的地方，俞氏是教會學校的畢業生，又作過英文報紙的記者，所以在應付地方上的人事外交，俞氏的表現頗爲不錯，而這也就成了俞氏主要的政治資本之一。

財政金融專家

俞氏號稱爲管理財政金融的專家。但是俞氏之與財金生緣，還是在抗戰期中大陸淪陷以後的事情。俞氏之參加中信局，是二十七年在香港的時候，當時不過是許多常務理事中之一，到了三十年，到了重慶，作孔祥熙的政務次長，這是他第一次預聞財政。從此他也就和財政結了不解之緣。三十三年，他繼任財政部長，三十四年，兼任中央銀行總裁。三十五年，又兼任中國銀行常務董事。三十七年，辭財政部長，三十八年，辭中央銀行總裁。但第二年，到了台灣，又回任中央銀行總裁，兼任交通銀行董事長，四十年兼任菲律賓交通銀行董事長，四十一年兼任台灣銀行董事長。這樣子集所有金融大權於一身，即在過去孔宋的時代，也沒有過這種局面的。我們過去每到時局艱危的時期，都是由負財政金融責任的人來當行政院長，今日俞氏之膺此重任，也可以說是很自然的。

一員福將

根據俞氏的過去，他眞可以說是一員福將。自從他參預財政以後，每次興革大事，他都是有職有責的。黃金儲蓄，是他財政部任內的事，後來之不兌現，也是他任內之事，因而不得不大量的拋售黃金以致庫存銳減，也是他任內之事，金圓券的改革，則是他中央銀行任內之事。這一連串的驚人措施，沒有一樣是出於他的主張，也可以說全都是他心裏所不贊成的，然而他也終於一次一次的作了名義上的決策者。所以是否他代人家負責，還是人家代他負責，我們倒不易評判。然而因此雖然民怨沸騰，却從來沒有人責備到他的頭上。俞氏可稱福將，也是在此。

對俞氏的希望

俞氏的操守和私生活，是十二分值得稱讚的。他雖主持財政金融多年，他的家庭生活始終安靜樸素。他的衣着既不過份的漂亮考究，他請客吃飯也從來沒有什麼「名廚」「名菜」。他應人接物，一點也沒有官僚的氣燄。他從不到處安插私人。他的太太，也從來不干涉俞氏的用人行政，而不失爲一位安分守己的賢內助。

在俞氏提名之後，有新聞界詢問他，「他說他是一個公務員，公務員的起碼條件是服從長官的命令」，上峯要他做什麼他就做什麼（五月二十二日[illegible]）。[illegible]恐怕多少難免有些「吃不消」之感。而且行政院是責任[illegible]「服從」[illegible]慰與情[illegible]我們希望[illegible]多有一點振作。

△越北三角洲前線的法軍軍營▽

談台灣外滙政策的變動

・陳式銳・

要發展，必須要動；反之，不動，也就不能發展。要動，就牽連到變，換言之，變與動，有如影之隨形。

台灣經濟，就生產方面言，加入人口激增底因素，與戰前比較，不足百分之四十；就國民所得看，粗略比較，今方及昔的百分之四十三。就貿易自身觀之，出口僅及百分之四十，進口才及三分之一，加入美援，也不過百分之八十；再聯想到人口的增加，不足的程度尤甚，沒有美援，更不待言了。一個如是貧乏底經濟，談「安定中求進步」，眞是不可思議！談台灣經濟，依我之見，應當求發展，要發展，就應該動，也就應該變；所以應當談「發展（變動）中求進步」。在自由中國政府更新之時，一個談經濟底人，守他的崗位，未能免俗地提出一個「經濟變動」底要求，以作爲他的第一個希望。

外匯高估出口窒息

台灣是海島型底經濟，爲不辯底事實；那末，它的生命寄託在貿易，也是不易底眞理。自由中國經濟求生產的增加，以追及百分之四十底不足，方針正確無誤。但在貿易方面，因爲外滙的高估，却使出口窒息，也就使生產困難，不但不進，反要被迫後退，以占國際貿易首位底台糖爲例，可爲明證。何以言之？貿易的中準爲貨幣，新台幣自改幣以來，因爲膨脹，已貶値至五分之一，對外比値，原爲一美元比新台幣五元，貶値後應該是廿五元（黑市廿七八元），人爲地定爲十五元六角，在學理上叫做高估；這樣一來，出口一美元，不談黑市，就損失九元四角，進口一美元，也不談黑市，就多得九元四角。這一措施，出口因損失必定減退，進口因獲利必定交爭；換言之，無異限制出口而鼓勵進口。它的後果，自然由出口的減退，而使生產沒有出路；由進口的交爭，而使當局無以應付，從而發生不平與弊端。它無疑地，已經與增加生產底方針，背道而馳了。

卅七年以來，台糖出口平均占百分之六十五，它的增產就意味着出口的增加。台灣有一個糖米相剋底問題，沿習已久，牢不可破；就是糖貴而有利農民，就多種甘蔗，米貴而有利農民，就多種稻穀，必須到兩者價格比例接近，彼此的生產才能得到平衡。舉例言之，日本向我們購糖，每公噸一百十五美元，照新台幣貶値程度（「1－5」）美元應等於廿五元，那末台糖每公噸應該得到新台幣二千八百七十五元，但當局折付率是一四·四九元，僅一千六百六十六元，相距一千二百零九元，即損失百分之四十二。台米在去年甘蔗種植末期，市價每公噸新台幣二千五百六十七元，與台糖出口所得一千六百六十六元比較，着額爲九百零一元，即百分之三十五。由此觀之，外滙高估的結果，台糖公噸出口，在價格上損失百分之四十二；因此，它與米在比價上，又落後到百分之三十五。而甘蔗（糖的原料）的種植，台糖本身與農民比率爲2：8，即十分之八賴於農民，糖價不如米價，那末農民自然不願意種甘蔗。所以四三——四期甘蔗[illegible]種僅及一半，台糖的減產已經命定了。

外匯政策與增產關係

[illegible]

政策必須公開討論

[illegible]作整個底「革新」；年來在理論上已呈現着滙流，它與實現尚待週密底研究與準備。在過渡中間，現行外滙政策既然成爲台灣經濟的死結，大家首先應該及早把它解開，使台灣經濟在貿易（出口）方面懸一口氣，藉以刺激生產而轉向復蘇。只是經濟政策以自由爲主，政府的干涉，應當解釋爲兩方面：（一）在技術上予以指導與鼓勵，（二）在供求上予以合理底調節。而且，蔣總統於第二任就職時說：「我們爲了保證自由與民主的發展，第一要厲行法治，第二要建立制度」。談法治，最高底根據是憲法，它的第一百四十五條載明：「國家對於私人財富及私營事業，認爲有妨害國計民生之平衡發展者，應以法律限制之。……國民生產事業及對外貿易，應受國家之獎勵，指導及保護」；這一大底經濟變革，既關係生產與貿易，而仍帶有干涉（限制）的性質，我以爲新內閣應該把新方案送由立法院立法，藉以建立制度的基礎。而在方案未制定之前，應該讓有關方面，尤其與論公開討論，多方供給意見，以求盡善盡美。於此，我引用聯合國人員賽爾氏的經驗話：「革新亦足以惹起種族首領或擁有既得特權者的反對」，這一班既得特權者在社會上佔着地位，有口有勢，每可製造歪曲事例，以紊亂視聽。惟有公開討論，他們乃無可施其技倆，眞理也才可以顯出來，希望朝野共同注意及之」。

英工黨接受中共邀約

我們對英國工黨接受中共邀請，準備於今年的八九月間由艾德禮率領一個八人代表團（包括貝凡）赴中國大陸訪問，這一件事，不能不表示我們的一些看法和疑慮。我們的看法很客觀，我們的疑慮也不完全是爲的自由中國。

我們一貫承認英國在當前世界的處境相當微妙；我們隨時在提醒一般人不可忽視英國在亞洲的傳統關係及其潛在的力量；我們對邱吉爾首相及其內閣用盡種種手法去重建大英帝國的光榮，也認爲是人情之常，並無何等不可理解之處；過去工黨內閣之承認中共，完全是爲的英國現實利益，可能修得着邱吉爾先生的欣賞，只看保守黨登台後對這一政策無所修正，即爲事實上的一個證明；近年英國對世界的一切重大舉措，必在事前取得美國的諒解，而英國所持的態度也一定與美國保持多少的一致，這一點也不難於索解；這次工黨毅然接受中共的邀請，據說保守黨方面頗爲驚訝，認爲於目前的國際局勢不宜，但我們則認爲這僅是一種姿態，其目的在和緩美國，實際則可能已取得邱吉爾首相某一程度的默契，枉駕到莫斯科與蘇聯的領袖去握握手，談談心，這本來是年來邱吉爾首相的一種懷抱，現在他自己的這一目的暫時還不能達到，先讓工黨與中共去周旋周旋，又有何不可而值得什麼驚訝呢。

這話雖如此，却依然不能不表示我們對英國所採取的這一步驟，在當前的國際局勢中，我們非常的疑慮：

本週展望

・左舜生・

第一，在美蘇分別領導的兩大集團之外，本來就有人在那裏不揣冒昧的想製造出一個所謂第三勢力，例如年來的印度總理尼赫魯先生便正是朝着這一方面去努力的。假如英國所採的步驟更進一步，換言之，即與蘇聯站得更近一點，與美國站得更遠一點，則未來領導所謂第三勢力的便可能不是印度而是英國。我們還不願意說尼赫魯早已得到英國的鼓勵與支持，但[illegible]。如果因爲印度的地位還不大適宜擔負這一工作，而由英國公然出來承擔，則整個世界的形勢，便不能不改觀，而美國對世界的一切佈署，也不能不重新加以全盤的考慮。

第二，如英美間的歧見逐漸加深，以至於無法消釋，這便不能不說是蘇聯的一大成功。[illegible]而得到更多的收穫。

第三，在亞洲，對英國的政策不勝其心嚮往之誠的，是今日日本的吉田內閣。[illegible]

評俞閣

俞閣的人選已全部發表，果然不出我們所料：這一屆的內閣，依然不是一個反攻內閣，而僅僅只是一個穩定現狀的內閣。[illegible]……這大概是俞閣可能負起的使命。

我承認，這是不可少的。但有一點必須注意：我們拿出這一萬元的賭本，已經輸得只剩下五百元，假如我們拿這五百元作孤注一擲，其結果自然是過於冒險，但永遠只敢以一元兩元的去下注，其結果是非全部輸完不止的！

勝利終屬西方

林長林譯

冷戰所造成的國際緊張局面，彷彿已到引滿待發的情景，究竟會不會有天石交加的日子呢？如果東西集團有一天眞的開火，西方能穩操勝算嗎？這是生存與毀滅，自由與奴役的關頭，是億萬人所關心的問題。這裏有四項基本因素，値得拿來作比較檢討的：

工業潛能的比較

第一、西方國家的工業潛能是無匹的，第三次世界大戰如果來臨，自然是生產力的決賽，尤其是科學技術的角力，雖然到現在爲止，原子武器已非西方所專有，但生產力還是遠超鐵幕國家。我們試從數字來看，則強弱之勢，已明若觀火。

根據聯合國一九五三年的統計：蘇俄和東歐附庸的生鋼產量，是五千五百萬噸；美國則一億一千八百萬噸；西歐自由國家合計，則七千二百萬噸。煤的產量，蘇俄及其附庸一九五二年的數字，是三億萬噸；美國則五億五千一百萬噸；西歐則四億七千二百萬噸。電力的產量，蘇俄及其附庸在一九五二年所表現的數字，爲一千一百七十億瓩特；美國則四千億瓩特；西歐亦超過二千億瓩特。油的產量，蘇俄及其附庸在一九五二年，佔世界產量百分之八；美國則佔世界產量百分之五十二；西歐及其他國佔百分之二十四；中東佔百分十六。

不過値得注意的是蘇俄的生產率是驚人的，如與過去二十年比，一九五二年鋼的產量比一九四〇年，幾乎增加了百分之九十，煤的產量也增加了百分之八十，電力則將達百分之一百四十。還有，她的原料全被政府控制利用，不若西方國家之普遍供應人民的需要。倘若中東和東南亞也被赤化了，她的比重便大大提高，即將來的戰爭，一定比較長期而艱著的。

西方海軍力量無匹

第二、西方國家的海軍是無敵的。這不是說，光是優勢的海軍，便可克勝；不過海軍的性能與陸軍不同，海岸是陸軍的天然極限，優勢的海軍國，即使陸戰敗了，還可憑海洋的天險，退到安全地帶，等到陸軍精強起來，才選擇適當的時間地點，再行反攻；而且從海洋截斷遠程補給，使略地的敵人，師老無功。這在第二次大戰時，已獲證明。目前，蘇聯雖誇大其潛艇威力，但西方的海軍力量始終會超遠她。原子武器可以克制海軍嗎？這是要待事實來證明，因爲在前次大戰期中，還沒有這經驗，不過以目前所知的來判斷，原子武器，還未能否定了海軍的價値。

展望第三次大戰的遠景，共產勢力在初期可能佔有歷史上最大的區域，將淹有由易北河至太平洋，南極至希馬拉雅山，控制七億七千萬的居民。但共黨集團對西方國家的工業技術，中東的油源，和東南亞的橡膠與錫，若果都利用不到的話，則終局不能不吐出其侵略的果實，而西方最後制勝的方式，是由海軍選擇有利的時間和地點，掩護陸軍發動反攻，再來一次諾曼地的登陸。

偉大的精神潛力

這是物質的因素，在西方國家中，還有更重要的潛力，是自由的習尙和宗教的信仰。

西方人對生活，思想和信仰的自由，久已視爲稟自天賦，如果西方人遭逢到「一去不返」的鐵門，父子夫婦互相監視，出言須忌黨諱，黨的密探像幽靈般無往而不在你身邊，則「不自由毋寧死」的精神，必沛然勃發，滙成不可克服的戰志。

世界上的宗教，無論回教，基督教，佛教和印度教，都是以仁愛爲出發點，從未有以一個階級毀滅其他階級的意念，但共產主義則必以毀滅異已爲唯一的精神信仰。在血液已融貫了基督教信仰的西方人，決不讓這無神論的惡魔，進來統治，這又是不可克服的戰志。

物質的力量，既具壓倒的優勢，精神的因素更加不可搖撼，勝敗之數，還待蓍卜嗎？（取材天主教文摘四月號）

義大利共黨的溫和革命

．明尼譯．

共產主義在義大利等於一個大事業，義共每年的支出達四千至四千八百萬美元，設在羅馬「黑店街」的龐大總部，每年經費又需一百萬美元。蘇俄雖一直予以若干資助，但義共去年竟有餘資，可捐贈四十八萬美元，給予法國日趨窮困的共黨同志。在義大利，陸軍通訊部隊，公用事業，鐵路，政府官僚，甚至法官間，都有共黨。

但這些事實，義大利共產黨員本身也到最近才知道，這是由於義大利名記者巴齊尼在五月中寫了一篇專文，連載於米蘭一份著名報紙，其中舉出了這些事實。此文是義大利新聞界第一篇對義共透澈的分析，巴齊尼曾親向共產黨員搜集有關義共的事實與數字，他們稍經躊躇後，終於向他提供了一部份他所要求的東西。結果，他的文章，並不是魯莽的譴責，或缺乏根據的描寫，而是冷靜的報道，處處都以事實爲基礎。

義共首腦陶格里亞蒂去工作時，不論是衣著或行動，都酷似一個工業鉅子。巴齊尼說：「陶格里亞蒂知道沒有人喜歡直正好戰的共產主義，他也知道這樣的共產主義最後必然陷於悲慘結局，以致引起反對者結集成強有力的集團。陶格里亞蒂寧作任何犧牲及讓步，祇要共黨能夠延存。他們恐懼的祇有二點：孤立和堅強不屈的反共勢力。」

在這種「溫和政策」下，義共已成爲一個「嚴肅、危險、而有修養的政黨」，它實際上已排除了布爾什維克狂熱份子，不負責任的恐怖份子，及好鬥的危險份子。因此，義大利年紀較大的人，都感到陶格里亞蒂那種溫和而商人型式的共產黨人似乎不會是眞正的共產主義者，而年輕的義大利人則認爲共產黨人並不是激烈而雜亂無章的人。義共不復設法恐嚇中產階級。巴齊尼說：「今日在義大利，做一個共產黨員，已並不是危險，令人不安，或會引起損害的事，而且有人以爲做一個共產黨員，明日也許可以得救。」

許多義大利共產黨員，在他們緩和的赤色外貌下，實際是個人主義者，愛好自由，且害怕全面性的共黨勝利。「在羅馬西區格那及艾衛里亞區的共產黨員，都是傳統的自由愛好者，他們不能容忍紀律，也決不愛好共產主義將不可避免地建立的官僚主義。這些人，幾乎人人都知道自由對每個人都有利，不僅對富人如此，而對勞工和農民亦然。他們的鬥爭，已爭取到那些馬克斯主義國家內所沒有的權利。」

自第二次大戰中盟國解放義大利以來，義共的路線並不是製造革命，而是避免革命。「戰後不久，陶格里亞蒂的任務之一，便是促使共產黨徒不會企圖以武力奪取政權，雖然這時候共黨以武力爭取政權的時機正好成熟，共黨的抗戰部隊還有武裝，許多地區也仍陷於恐怖中，政府荏弱，共黨又控制政府及警察中若干要職。但陶格里亞蒂卻說，共黨這時發動任何叛亂，必會被盟軍完全摧毀，今日他再談起這問題時，常引希臘共黨一九四四年的慘敗爲例。他並不是一個喜歡冒險的人。」

一旦對俄戰爭爆發，義共的計劃早已準備妥當。六年前的情形便是一個顯著例證，這時陶格里亞蒂遭暗殺幾乎斃命，共黨曾一度表現其粗暴的做法。他們阻塞了通往吉諾亞的七十條公路使政府軍無法進入該市。他們又佔領威尼斯的電台，廣播假消息。巴齊尼相信，一旦發生意外，義共將可能在數小時內佔據全國「一切重要地點」。今日的義大利，「社會治安所以能維持，並不是由於法治的力量，而由於共產黨徒的『謙遜』。」

同時，共黨正努力爭取時間，他們的路線是「緩慢的滲透」。巴齊尼說：「這是一種靜靜的溫和的革命，它的進行仍受法律支持，並不忽促，在每一次選舉中逐漸擴充勢力；最後使全國面對一個既成事實，不致引起激烈反應，而使任何人幾乎都不知道這是怎麼一回事。」（節譯「時代週刊」）

追念張靈甫將軍

人物述評

．丁辰．

（一）

抗戰勝利後第三年，即民國卅六年五月十六日，國民革命軍整編第七十四師師長張靈甫將軍，在魯南孟良崮勦匪之役，率副師長蔡仁傑旅長盧醒團長周少賓參謀處長劉立梓等，集體殉國。壯烈犧牲，成仁取義，實爲國軍悲壯光輝戰史之一頁。光陰荏苒，張將軍殉國瞬已七年，緬懷先烈，令人無限感慨，茲謹將其行誼及勳績略述如左：

（二）

靈甫將軍，陝西長安人，黃埔軍校四期生，爲人慷慨好義，剛毅果斷，有「北方之强」的性格。精書法，喜書岳武穆「滿江紅」詞贈人，友人中亦有藏其所書之「正氣歌」以爲留念者。當代書法家于右任院長，對其書法，頗多嘉譽。

張將軍初任第一師下級幹部，從事北伐。繼調七四軍五一師參加八一三上海抗戰之役。廿八年江西搶救高安之役，任旅長，曾受重傷，受手術於本港瑪利醫院。傷愈，調本軍五八師師長。惟走路仍微跛，常持手杖伴行，故綽號稱張拐子。嗣後參加上高會戰，長沙會戰，鄂西會戰，常德會戰，長衡會戰等，每戰多捷，勝利後調升本軍軍長，駐紮南京。旋該軍改新編制，稱整編七四師，張將軍改任師長。時中共全面叛國，張將軍奉命率師在蘇北向魯南追勦，擊潰陳毅所部。卅六年五月中旬，乘勝向魯南蒙陰山地追勦，惟該師以前進較速，被共軍在孟良崮反包圍，援軍行動稍遲，遂陷孤軍奮鬥，傷亡重大，鏖戰三日，彈盡援絕。張將軍於萬分危急之際，決心成仁，召集副師長張旅長處長等商援機宜。最後高呼「三民主義萬歲」「中華民國萬歲」口號，即集體殉國。此種「殺身成仁」「捨身取義」的精神，就是中國的軍人魂，也就是孫子所謂「智、信、仁、勇、嚴、」五德。

（三）

張將軍殉難後，當時政府曾發表文告嘉獎，中有句云：

「不惜犧牲一已，以策全局之安危，犧牲本軍，以赴友軍之急難。而能至死不屈，捨身取義，如七四師全體官兵之在魯南一役，壯烈犧牲殉職者，實爲國軍最悲壯最光輝之史詩，亦爲我革命軍人莫大之光榮。」

可見張將軍殉國之光榮與價値了。張將軍所以有此偉大的表現，在其個人平日的學識與修養，他平日不僅勤於讀書，尤深佩文天祥與岳武穆之爲人。故學養甚高，人格尤爲卓絕。抗戰期間建立戰功，羅卓英將軍至譽爲「抗戰鐵軍」。吾人今日盱衡反攻復國的形勢，緬懷先烈，益覺得張將軍之偉大，不愧爲中國的模範軍人。（五月八日）

北韓傀儡招兵買馬

日內瓦韓國問題僵持聲中，北韓卻在招兵買馬，積極從事作戰準備，韓戰期間，此韓的噴射機尙實力有限，但經過休戰期間的擴充，他們現在已能以MIG—15式噴射機的中隊大編隊（十二架）出擊了，據極可靠的消息說，韓共現時每天都破壞了停戰協定，大量的兵員、軍需和裝備不斷越過鴨綠江輸入北韓。此外，他們還在接近南韓的邊境趕建空軍基地。

越共精銳秘密進軍寮國

自越南鎭邊府陷共後，舉世的目光隨之轉移至河內，大家都認爲越共會進而攻取紅河三角洲，由最近的事實證明，三角洲府里附近連日發生劇戰，已可預見共軍的動態。但依據可靠的情報，共軍不僅有攻佔河內的趨勢，而且已在向寮國王都瑯勃喇邦發動進攻。進攻鎭邊府的共軍共計四個師，其中最精銳的三一六師現在正自鎭邊府南進，準備向寮王都作最大規模的攻勢，陰圖攻下瑯勃喇邦後，再由莫洛托夫周恩來出面，強迫盟國接受承認寮國「幽靈」政權的要求。至於其餘的三個師，則正朝紅河三角洲出發，所以河內及瑯勃喇邦之戰可能在同一時期進行。

俄外交代表作黑市生意

據西方情報機構最近接獲的秘密消息說，阿爾巴尼亞附庸政權現在正請求克里姆林宮，召回幾個俄國派駐阿爾巴尼亞的外交代表。他們提出了許多強有力的證據，指控這些俄國人大規模從事黑市交易，影響阿爾巴尼亞的經濟和金融穩定，而更糟糕的是，俄國人意把經營黑市的利潤一批批偷運出外，轉存在義大利和瑞士的銀行裏。據說，阿爾巴尼亞在俄特與俄籍軍政官員壓榨之下，早已民窮財盡，他們早想向莫斯科告狀，又恐怕事機不密，反而遭了那些俄國人的毒手，最近忍無可忍，乃秘密訓令阿國駐蘇俄大使，向外交部提出嚴厲的控訴，結果如何，到現在仍無眉目。盟國情報機關預測，馬倫科夫下令召回這些俄國人只是時間問題，因爲壓榨附庸國的血汗，在蘇俄看起來固然是無可厚非，但將錢財儲在國外，卻是一樁極嚴重的罪行哩。

克拉克被迫坐商用客機

美國前任遠東軍統帥（也是聯合國軍遠東統帥）克拉克上將，最近計劃前往羅馬，參加義大利自納粹手中解放的紀念儀式。因爲他目前還是西達合爾軍校的校長，官階仍是四星上將，所以曾請求國防部指撥一架專機，供他往返美義之用。可是這件事情卻沒有獲得國防部最高當局的批准，威爾遜在啓程東來之前，即已堅決拒絕克拉克的請求，是以克拉克赴義時，勢必要乘普通客機前往。穿着四星上將的軍服而搭乘商用飛機，據說在美國軍界上是極少見的。（孟衡）

天下小事

稿約

本報園地公開，歡迎讀者投稿，性質不拘，最好勿超過二千字，譯作請註明出處；來稿如不合刊用時，當儘速退還。

—編輯室—

編者 讀者

△讀者來書

中總圖書館問題

編輯先生：香港中華總商會新建會所行將落成。有遠見卓識的會員，主張規復戰前先賢創辦已經多年的圖書館，但不獲多數會董通過。據報端揭露，原因是會董們以「出租較多收入」。（中略）

本港雖不是沒有圖書館；例如馮平山圖書館，學海書樓，英國文化委員會圖書館，美國新聞處圖書館。前二者多中文書籍，但不是完全公開性質，後二者以英文書籍爲主，中文書籍是很少的。我覺得中華總商會的前身華商總會先賢們所創辦的以中文書籍爲主的圖書館，不能利用新會址，從新恢復，是一極大的缺憾。

僑胞先賢所創辦的文化事業，到了現在的僑領手中，竟以金錢的收入爲理由，而予以廢棄，這豈不是我們這一代僑胞的恥辱嗎？大醉，五月十九日。

馬君武詩

△編輯先生：「自由人」三三四期士灣先生引述馬君武氏瀋陽失陷時所作諷張學良詩，他記不起第二首，就我記憶所得，原詩係「告急軍書夜半來，開場絃管又相催，瀋陽已陷休回顧，更抱佳人舞幾回。」第一首，「趙四風流朱五狂，翩翩蝴蝶最當行，溫柔鄉是英雄塚，那管東師入瀋陽。」末句並非「那管金兵入瀋陽」。弟一介武夫，當時適在湘軍，消息傳來，痛恨張學良之無用，喪失山河，讀馬詩，有感於懷，特記在心，茲乘便寫出，藉供參考。

李杲曉　五，十七。

編者的話

△彭先澤，辛午僧，敝杵，張浩，傅中梅，徐玉虎，莫司非諸先生：惠稿均已收到，甚感謝！

△毛以亨先生的讀史述評，下一期起，繼續在本刊發表。

簡體字紛爭的報道

余錚

討論簡體字問題的文章，本刊已經刊載不少，正反意見均備。我們覺得這是不易得到結論的問題，現在我們再發表余錚先生一篇綜合性的報導，以後，打算不再刊載這一類文字了。——編者

這些時，自由中國輿論界，爲着簡體字問題，展開了激烈的爭辯。這個爭辯，離正題也愈來愈複雜，愈來愈遠。看樣子，一時還不易平息下去。這裏，筆者想把這件事發生的經過以及其間爭論之點，盡可能地以客觀來剖析、報道，其間自不免夾着我個人對這問題的看法，但我當力求心平氣和，不陷入情感之爭。同時我希望本文讀者，及參加討論的人，也留心這種態度的保持。

簡字問題發生經過

首先我要指出的，簡體字問題的提出，不自今日始。遠在民國二十四年，教育部曾經擬議過推行簡體字，只因當時（以黨治國的訓政時期）戴季陶先生在中央政治會議堅決反對，以至沒有用政令推行。現在教育部設立簡體字研究委員會，可以說是遠承過去那個擬議而來的。羅家倫先生是簡體字研究委員會委員之一，他這次發表關於推行簡體字的言論，並不是一個創舉，有功，他個人不能獨居；有罪，他個人不能獨負。大家了解了這一點，我們才好平心靜氣把這個問題談下去。

這個問題所以鬧得軒然大波，不大留心的人總以爲是由於羅家倫先生那篇長文章引起的。其實，我們只要查查報紙，可知這個問題之所以鬧大，不是羅文，而是立委廖維藩先生那篇制定文字法的提案。廖文是三月一日在台北聯合版報紙上發表，三月六日立法院列入議程的，而羅文則遲到三月十七日才開始發表。在廖文發表之前，羅先生本有一次公開講演提倡簡體字的推行，廖先生的提案是由此而來的。不過羅的那篇講演，並未引起當時社會大多的注意。輿論界的軒然大波，實因先有廖案，繼有羅文而引起。

一般人的觀感

現在台北一般人對於廖案及羅文的觀感是這樣：這裏，暫且撇開廖案所提議的辦法不談，大家對於廖案的說明文，是有反感的。因爲廖先生把羅先生與大陸的共匪相提並論，認爲羅之提倡簡體字，是與共匪隔海唱和，同時還說及這是「危害國家命脈」的行爲。這種論調，出之於一位立法委員的手筆，大家確很驚訝。就是廖先生的好友，也爲廖先生之有失風度而惋惜。例如廖案副署人當中，就有人明白表示不贊同廖案中的一些詞句。由此可知廖先生以立委身份隨便給人加上罪名，是不易獲得同情的。羅先生是被駡者，自然他有點冒火。

所以他就在三月十七日開始發表了那篇長文。文中，有幾處是對廖文反駁的。這篇文章同時登在中央新生兩報。「一文兩登」，這確是羅先生一種不好的作風。過去他也多次這樣做過，有的人視之爲鋒頭主義。但就這一次來講，倒有不少人原諒他。因爲他給別人駡得不像話了，難怪他要把反駁的文章，廣爲登載。後來又有人把這件事扯到濫用權勢的話題上面去，說是羅文之同時登載中央新生兩報，是憑藉他的權勢「壓迫」「威脅」新聞界。同樣地使第三者覺得是過甚其詞。事實上，中央新生兩報自登載羅文以後，有好幾天不斷地登出了對於簡體字贊成和反對者兩方面的意見（論文和讀者投書）。這足以證明所謂新聞界受壓迫云云，是言過其實。

簡體字案審查情形

廖案在立法院院會中激烈辯論了幾次以後，決議交給教育、內政、法制三個委員會聯合審查。現在還在這個審查的階段，四月廿四日該三委員會邀請有關人士和學者專家（包括教育部部長及羅先生）舉行座談會，請他們提供意見。那一天的情形，據廿五日新生報的記載是這樣的：

「幾位被邀爲『文字問題專家』的人士，昨天上午應立法院教育、內政、法制三委員會聯席座談會之邀，就簡體字問題，提供意見。發言的專家中，除羅家倫外，幾乎一致對簡體字運動予以抨擊。迄散會時止，還沒有另一位贊成簡體字的專家，發表意見。因此，立委吳延環即在會中提出程序問題，詢問主席爲什麼不把專家們的發言次序，就正反兩面，作合理的排定，而使形成『一邊倒』的現象。內政委員會召集人也大聲地說：『這許多位專家，是什麼人邀請的？我是內政委員會的召集委員，爲什麼事先連我都不知道？』」

立院三委員會經過這一爭執之後，據中央日報報道：「最後，會議決定原定下星期三（廿七日）舉行的第二次座談會暫時取消，改開教育、內政、法制三委員會聯席會議，就審查進行辦法先行討論，待獲得決定，再行繼續舉行座談會」。

四月廿九日第二次座談會舉行了。我們把廿五日及卅日的報紙對照一看，可知這次被邀的人士已增加了。增加的人，其中有台大教授沈剛伯、毛子水兩先生。他們都是贊成推行簡體字的。沈先生在這次會中說出他的理由以後，最後還表示，「這個問題最好廣泛徵求小學教師們的意見」。他這個表示，似乎是在忠告立法委員們，在討論某一案件時，不要忽視了有關方面的多數意見！

幾種有力的主張

以上所報道的，都是簡體字問題本身以外的事件。但問題既已牽涉到這些方面，我們就不得不把它先弄清白，以澄清大家的視聽。以下我再說到簡體字問題的本身。

四月十六日的「自由中國」，有一篇社論，是贊成簡體字的。他們在這篇社論中提出四點結論：「（一）字體簡化是大衆的要求，是有其必要的。（二）已經通行的簡體字，應取得與楷書同樣的地位，（在學生作業簿和試卷上寫這一類的簡體字，不應吃槓子；教科書和習字本上（尤其是小學的），應該儘早盡量採用這一類的簡體字。（三）尚未通行或形式紛歧的簡體字，應使之標準化。（四）標準化以及新制簡體字（包括部首簡體化），均應由教育部主辦，並陸續通令採用；立法院不必過問，也不應過問。」他們這四點結論，在該文中均有其簡潔而有力的論據。台北的人（包括公務人員、大中學中小學教師、大中學生等等）就我個人所接觸到的，無不對此社論表示同意。在「自由中國」那篇社論發表以前，四月四日新生報也有一篇贊成簡體字的社論。其間有一句「不贊成由教育部來強制推行」，但接着他們也說「教育部儘需准許教育機關簡繁並用，不加干預……因爲這樣做的結果，大家必然捨繁就簡。」這就是說：教育廳前此禁止學生寫簡體字的那紙命令，教育部應該令其取消。這個主張，是一般贊成簡體字的人所一致支持的。但在目前這種氣氛之下，教育當局恐怕不願意這樣作。說實在話，許多人同意新生報社論中所說的另一句話：「一種社會文化改革，所遭逢阻力之大，眞是叫人吃驚！」

四十三年四月卅日於台北。

新書介紹

「蜀道青天」

——描寫大陸游擊戰的——

張孟桓著　亞洲出版社出版

・山禾・

（一）

我一口氣讀完了這一本描寫大陸反共游擊戰爭的「蜀道青天」，正覺得和該書編者在卷首所說，自始至終而深受本書的影響，充滿着一種孤忿悲涼的情緒。我想其他讀者，也會一樣感覺的。

這本書是作者現身說法的一部相當眞實的反共游擊野史。書中描寫的雖僅屬四川一隅的事，但關於反共游擊的精神，和有利情形，民間的同情援助，以至其遭遇的困難和本身存在的弱點，我想其他各地的游擊，大概也是相類似的。因此我願鄭重的予以推荐。

大陸失敗後，國軍中雖不少苟且偷生的降將軍，但畢竟還有許多忠義節烈之士，誓不降賊，以孤軍奮鬥的犧牲精神，保衛國家和民族的。這些壯烈的游擊史實，在這一本書裏，充分表現出來。我們因此可以相信，中國的老百姓是永遠不會屈服於赤色暴政，永遠不肯做蘇俄共產主義的臣民的。

（二）

作者寫這部書，是以李寒冰（即梁季風）在川西游擊，和柴建南奮鬥於小峨山的故事做骨幹的。書中的敘述，最足以鉤劃出大陸淪陷時，倉皇混亂的情景，也足以說明中共對付游擊隊的慘毒殘忍的情形。

本書爲小說體裁的報導文學，詞句簡潔，敘事分明，情感眞摯。開始先敘述作者的家鄉和家庭和平融樂的情景。接着敘述其本人進入成都軍校讀書的經過。然後說到共軍進攻四川，地方混亂，和國軍倉皇撤守和紛紛崩潰的情形。許多下級軍官不甘附逆，紛紛組織游擊隊，實行反抗中共，也便在此時開始。書中對於李寒冰在彭縣灌縣崇寧郫縣一帶，游擊反共，及有關的四川農民大暴動和成都反共志士的地下活動情形。敘述極爲詳細。李寒冰的游擊工作失敗後，即轉敘柴建南、伍正富等進軍小峨山的情形直到作者本人準備逃出鐵幕爲止。

（三）

從這本書所描寫的事實，我們可以得到下列幾個印象：

一、大陸淪陷時，國軍部隊所以垮得這樣快，是失去了上層的有效統率。部隊與部隊之間又缺乏佈置與連絡，於是互相誤認對方是「八路」，弄得遍地皆敵，鬥志瓦解，不攻自垮。

二、高級將領大多喪失了作戰信心，存心投降者有之。惟中下級軍官與士兵，則恰好與此相反。

三、游擊戰，人不在多，而在部隊內的團結和部隊與部隊之間的呼應。作戰時，下級幹部的堅強，確可以一當十。

四、現時大陸上的游擊隊雖困難甚多，但決不會爲中共所消滅，一旦有利的形勢到來，仍將成爲打擊中共的致命力量。

作者文字，相當樸實流暢，若干處寫得相當細膩、幽默、沉痛而深刻。作者在卷首「獻給生死未卜的四位戰友」一文中，說「如今逃到性命，反覺性命是多餘的了」。雖覺沉痛，但似乎太「氣短」太悲觀了。

清潔公司與救青會

垃圾之爭各有千秋

今夏氣候特別亢旱，食水糾紛已形成了必然現象。但喧擾人們耳中的，又有一幕「垃圾爭奪戰」。這一令人不愉快的事，困擾着一個救助失業青年協進會與九家清潔公司，他們競爭的原因，無非爲了錢，前者是具有搶救失業青年的組織，後者則是投了資本僱工牟利的機構，出發點都是清除港九住戶的垃圾，性質迥然不同了。

香港救助失業青年協進會是一個新設的機構，他們成立以後，登記失業人數已逾四千，這一個不能算小的數目，反映出港九市面的不景氣，與失業問題的嚴重性；儘管主持人都是社會名流，在工商業日形凋敝的現階段，安置這些失業者的位置，依然感覺到十分困難。在第一期登記名單中，總算有一百多名獲得了裝訂門牌工作。此後他們覺得港九住戶們的清潔工作也是非常重要的，擬就登記者的表格中選擇一批適當的人來負起這一項工作來，希望於大多數人的協助，以少數（每戶每月二元）代價，來解決這些失業者的麵包問題，却不知道另有少數人認爲「搶」他們「生意」。

「海記」、「公成」、「ABC」等九家清潔公司，是營業性的清除垃圾機構，他們雖不反對「救青會」的計劃，認爲這件事該由九家公司全權辦理，並以僱傭方式延攬失業青年。可是這九家公司不能全部容納失業青年，這對於此前「救青會」負責人員納祺、區達年所揭示該會的原旨相悖，「救青會」唯一目標爲救助所有登記的青年，能夠都有一席噉飯地，但九家清潔公司僅能向該會僱用十五名，此與所謂「全權辦理」似乎自相矛盾了。

另一方面，公司對於「救青會」所定收費每月每戶二元，覺得太平，最少須增加一倍。然「救青會」所定二元的收費標準，原係兼顧一般市民長期負担，倘收費過高，未必能夠獲得市民所泛協助，假若有人加以反對，間或有人拒絕付費，牽一髮而動全身，對於整個經濟預算勢將受到影響，自不能與一般祇求現實牟利的商業機構相提並論的。擺在眼前的事實，那九家清潔公司既不能廣泛僱用失業青年，「救青會」祇有出於獨行其是一途。清潔公司的收費過高，則未必爲港九市民所歡迎。

香港三日

台灣中南行（六）

魏希文

涵碧樓的晚會

在低斟淺酌的席上，唐代表告訴我今天晚七就在這大廳裏有一個同人晚會，問我有什麼可以參加的節目，我笑着搖搖頭，學生時代我演過遊藝會上的話劇，也登台唱過平劇，投入社會二十幾年來，抗戰時我曾帶了一大中學生從事農村宣傳工作，也曾領導過一個劇團；一霎眼又是十幾年前的往事，現在却沒有這份雅興了。

晚會八時在餐廳舉行，U形的坐位，坐滿了代表同人，坐位前面放一張條桌，這就是臨時舞台。首由一位女同人報告節目，項目甚多：有平劇清唱，有講故事，說笑話，也有口技和地方戲，同人中眞是人材不少。可是誰也不肯首先露面，聽衆來了一次鼓掌，又來二次鼓掌，場面顯然有些僵冷了，還是我們那位籌備同人唐代表先來了一段開鑼戲，接着便繼起有人，張新傑女代本來是要唱一段青衣鎖麟囊，但是那位從代表中臨時找出來的一位琴師，紅着臉兒說拉不來，這位女同人居然也就改唱一段老生，聲音很圓潤，味兒甚佳，博得掌聲四起。

張女代表的清唱之後，報告員報告華女代表唱歌，可是一個再個，她始終不肯登場，她說這個節目是誰給她安排的就請誰登場，堅持了一陣，只有進行下一個節目由女同人劉蕙馨代表說故事，劉女士雖然是熱河人，却生長在北平，她這次是從錫蘭來出席國民大會的，在大會中便聽過她流利的演說，和綽大方的風度。這時未登台便已掌聲一片，她的故事是說一個吝嗇人請客的故事，引得我們笑了多次，另一個有趣的節目是黃美之代表唱一齣滇戲「搜孤救孤」。

晚會中最精彩的一個節目，我認爲要算祝代表秀俠所預備的燈謎，他幽然地走在台前說：「我們這個節目，不但不收費，不要諸位鼓掌捧場，還給打中燈謎的朋友，贈送雙喜香烟一包，伙計，開鑼了！」接着就掛起了許多琳瑯滿目的燈謎，這些燈謎，都是打的同人的名字，每張燈謎條上都寫着打代表各一，誰也沒有想到會有這樣一個節目，都在可惜着，急着沒有帶名冊。有幾位帶着名冊的忙個翻閱不停，我正在遲疑中，不想說出去，不料却被人搶先說了，落空了好幾包雙喜烟，可惜。

在那許多燈謎中，有不少佳作，我現在能記到的有「我爲仁者」——代表名余樂山，「花落水流紅」——代表名朱江，「陳院長願喜歡闊」——女代表名陳喜清，「尺牘專家」——代表名簡作楨，「美容以事君」——女代表名蕭淑君等。大約三十個燈謎中，省府交通處派來的吳先生，他中了四五個，眞不愧爲燈謎能手。

安靜悠閒的台中

這個海外代表集團的晚會，却純粹是中國風味的，十時餘盡歡而散。同人回到自己的臥室中，同人還在談着燈謎呢？我坐在窗前，日月潭的山光湖色在雨霧中隱沒了，只有樹林中點點燈光，隱約地浮在這幽靜的境界，該是窗前聽雨時了。

廿九日早晨八時半，我們吃過早餐，便收拾行李離開涵碧樓，過龍湖閣時，會合了住在那裏的同人，於是六輛客車，便浩浩蕩蕩的回向台中市去。

（未完）

自由談

法庭上的把戲

馬五先生

台灣有人在法院打選舉官司，原告竟將城隍菩薩亦帶到法庭上，還要點起香火，以表示其「所供是實」的心情。如果我是審理此案的法官，一定先教他跪在菩薩面前作供，然後裁定他的控告爲「不起訴處分」，依法教他担負全部訴訟費。

我這話並非出於破除迷信的動機，也不是立意要剷除神權，乃係積數十年來在政治社會中觀察人們言行的經驗，斷定此人所作所爲，是與過去有些人物，以撞擊皮鞋後跟作奇響爲表示忠肝義胆的玩藝相同，表情過當，行徑乖僻，吾斯之未能信也。

對日抗戰初期，中央政府移駐武漢時，汪精衛在國民參政會講演焦土抗戰政策，連哭帶跳，聲淚俱下，幾乎把擴音機都推倒了。那副悲壯熱烈的情態，後來我在電影中看到，也不禁爲之飲泣。然而，曾幾何時，他却到南京去跟日本皇軍合作了！我祗舉出這一項大家共見共聞的顯明例證，即知上述理由，決非個人偏私猖激意見，實爲經驗有得之談。讀者試省察自己體驗所及的人與事，你就相信我這話的正確性了。

越是篤實誠信的人，無論在任何場合，對人接物，越就不肯作過份的表演，一舉一動，皆在情理之中。但中國的政治社會裏，却以矯飾詐僞，貌似恭順忠貞，口頭大言不慚爲取得富貴利祿的必備條件。因此，我預測那位抱城隍菩薩上法庭的先生，將來必然官運亨通，即拜相封侯，也不稀奇哩！

談明史劇

·懷冰·

研究廣東文獻廿餘年的簡又文先生，以表彰鄉邦忠烈，發揚民族精神爲主旨，編了一本張玉喬的歷史劇，他根據風倒梧桐記，小腆紀年，青燐集等書，肯定『張玉喬是張二喬之妹，即陳子壯之妾，亦即李成棟之妾，用三千兩銀運動戲人英雄蕃等起義。』關於劇中人物的眞實性，李春風先生首提出疑問，他根據明季南略，和粵事記等書指出「李成棟之妾，係彼由松江購來，更沒有清楚的肯定其妾的姓名是張玉喬」。（見自然日報送凝集）這一個論戰，在文壇上頗惹人注意。

春風先生的意見，以爲編寫史劇，應該忠實的根據歷史事實，找出確證實據來。不過中國的戲劇家，自元代的關漢卿，高明以來，他們編撰的劇本，劇中的故事和人物，大都和歷史事實不甚符台。如關漢卿撰的漢宮秋，演述元帝送昭君和番事，說「呼韓邪單于受毛延壽慫使向漢求索王嬙，元帝無奈，命嬙出塞和番；嬙行至黑龍江，投江而死，單于慮結怨，因縛毛延壽於漢，遂斬以祭嬙」，全劇的劇情雖然悲壯動人，但與史書紀載的，顯然不符。王嬙嫁了單于之後，封爲閼氏，並且爲單于生下了兒子。說利她投黑龍江而死，完全是杜撰的。又如高明撰的琵琶記，劇中的人物蔡邕，赴京應試，高中狀元後，給牛太師招親。他的原配在鄉中奉養翁姑，自己吃糠度日。這當然又與歷史事實不符。左翼文人郭沫若是喜歡編撰歷史劇的，在他編著的虎符一劇中，杜撰了信陵君和平原君夫人的生母魏太妃，因如姬盜了虎符，魏王震怒，太妃把這件事扯到自己身上，結果給魏王親手殺了。我們查遍了史記魏世家和信陵君列傳都沒有這項紀載，不曉得出於什麼秘本？所以我說中國的劇作家，所編史劇，自來是不忠於歷史的。

英國的戲劇家莎士比亞，他編著的史劇如羅馬大將，李爾王等劇本，是極力求與歷史符合的，決不是舊瓶裝新酒，亦不是空中樓閣，而是歷史戲劇化，把歷史人物搬上舞台。莎士比亞所遺留的「三一律」，西洋劇作家都嚴格的遵守，務求時地人三者不會有一些子矛盾。這一點我想中國的劇作家應該注意。

關於粵劇的歷史劇，以前大都出於編戲師爺的手，如近日搬上舞台光緒皇夜祭珍妃一齣；說那拉后命令翁同龢和監視珍妃投井，這當然是一種附會穿鑿。翁同龢和於戊戌政變失敗後，因贊成新黨罷官後在原籍（常熟）給地方官嚴厲管制，何來監視珍妃投井？

總之，簡又文先生以「文壇宗師」來改良粵劇。他的苦心是可佩的，我們要略跡原情。至於春風先生的嚴肅態度，是一種正確的求眞精神。「實事求是，莫作調人」。這裏只說明我的觀點，而不是想作調人呀！

帶光明給伊朗的盲人

·布衣·

我們都認爲盲人是可憐的，可是伊朗前任教育部長下晨博士却以爲不然。下晨博士是伊朗的聖人，他的理論和著述馳名全世界。他是一個瞎子，可是他說，『因爲我盲了，我倒省却了許多麻煩和失望。』

下晨博士三歲便盲了。或許是因爲盲的關係，對於知識他感到極端的饑渴。雖然看不見，他叫人念書給他聽。還不够十歲，他便能够背誦整部可蘭經，後來他得到了開羅大學的獎學金，一九一四年他得到了開羅大學的第一個哲學博士學位。開羅大學送他到法國去念書，他在巴黎得到第二哲學博士學位，和一位美貌的法國太太。

回到開羅，他担任開羅大學的校務長。他主張破除迷信和極力提倡義務教育。他說，『教育和學問不是一種商品，不能擺在市場上出售。教育有類乎陽光和空氣，這種權利是人人所應該享受的』。

他對於義務教育提倡了二十年，經過多少困難才於一九四三年在國會通過一個小學教育不收學費的議案。一九五〇年伊朗的新政府請他担任教育部長，他提出一個交換條件，他要求將中學的教育也免收學費。當局答應了，他才就了教育部長的職務。下晨博士雖然是盲人，他却把光明帶給伊朗的人民。

辜鴻銘的筆記（下）

舜生

辜鴻銘這部筆記，印行於宣統二年（1910）八月，其時去張之洞的去世，剛好一年。（張之洞卒於宣統元年八月二十一日）他對於張的估價，雖不以爲是怎樣了不起，可是以張和清末那般大官作一比較，他畢竟覺得張還是很難得的。而且以他自己那樣一種落落寡合的性格，張還是他一生中惟一的知己呢！因此，辜在這部筆記的自序裏說：

『余爲張文襄屬吏，粵鄂相隨二十餘年，雖未敢云以國士相待，然始終禮遇不少衰。去年文襄作古，不無今昔之感，今夏多閒，摭拾舊聞，隨事紀錄，便爾成帙，亦以見雪泥鴻爪之遺云爾。……』

又筆記中有一條，題爲『公利私利』，記辜與張之洞，就利害與是非的一種討論，辜主論事當問是非，張則主私利不可講，而公利却不可不講。彼此多方辯難，辜終不以張說爲然。辜在這段筆記的最後說：『今日余聞文襄作古後，竟至饔飧不繼，無以爲子孫後輩計，回憶昔年公利私利之言，爲之愴然者累日。』這種地方，不僅可以看出張之爲人，也可看出辜對張的感情確實不壞。

辜在本筆記中，有兩處曾以曾文正（國藩）李文忠（鴻章）和張文襄相提並論，他認曾是大臣，李是功臣，張則爲儒臣。他說：『三公論道，此儒臣事也；計天下之安危，論行政之得失，此大臣事也。國無大臣則無政，國無儒臣則無教，政之有無，關國家之興亡；教之有無，關人類之存滅；且無教之政，終必至於無政也。』他以爲在洪楊平定以後，曾文正爲清廷所定的大計，不外兩端，其一辦善後，其一禦外侮。關於禦外侮一點，當時一般人認定西洋之所以敢於欺侮我，不外由於他們有鐵艦鎗礮而已，至於他們的學術制度文物，乃非中國人所願過問，即曾文正的見識也不過如此。及李文忠繼起，乃如曹參之遵蕭何約束，一切無所變更，其結果乃造成甲午一役之不可收拾。等到張文襄寫『勸學篇』的時候，居然已知道有所謂『西學』，可是張也並不是對西學有什麼眞知灼見，當時其所以要印行『勸學篇』，其目的不外『絕康梁以謝天下』，換言之，實不外爲自己洗刷而已。

辜對曾李張的批評不過如此，至對袁世凱盛宣懷輩，當然認爲更不足道，他的筆記裏有一條說：

丁未年（光緒三十三年）張文襄與袁項城由封疆外任，同入軍機，項城見駐京德國公使曰：『張中堂是講學問的，我是辦事的。』其幕僚某，將此語轉述於余，以爲項城得意之談。予答曰：『誠然，然要看所辦是何等事，如老媽子倒馬桶，固用不着學問，除倒馬桶外，我不知天下有何事是無學問的人可以辦得好！』

另一條說：

昔年余至上海謁盛杏蓀宮保，宮保問余中庸譯英文一書刊成，見索，謂余曰：『中庸一書，乃是有大經濟之書，乞君檢送一本，爲予讀。』余對曰：『中庸一部要旨，宮保謂當在何句？』宮保曰：『君意云何？』余曰：『賤貨貴德。』宮保乃顧左右而言他。

清史稿謂辜『善譏世』，其譏評當時人物，蓋大率類此也。

短篇小說　午餐

毛姆作　廉有譯

「我一點也不餓，」我的客人舒了一口氣，「不過你的盛意難却，我倒不得不要叨擾一嘗蘆筍的風味。」

我要了蘆筍。

「你難道不要一點嗎？」

「不，我從來不吃蘆筍的。」

「我知道有好些人不喜歡蘆筍。這就是因爲你們吃的肉把你們的胃口弄壞了。」

我們在等待蘆筍這道菜。我不免發慌。現在問題已經不是我還可以剩下多少錢來對付下半個月的伙食費，而是我究竟是否付得出賬。如果差了十法郎，而不得不向我的客人借一下，那够多麼丟臉。我可不能那樣做。我到底有多少錢，自己有數，要是賬單開了來，錢不够付，我就打算，先把手在口袋內摸摸，然後一如假裝怪聲大叫，一下子跳起來，口裏直嚷，遇了扒手，話又說回來了，假使她也沒有足够的現錢開銷，豈不更僵。那麼我祗好把錶留下來，說是等回再來付賬了。

蘆筍捧上了桌。眞是又肥又嫩，令人食指大動。油香一陣陣刺激我的鼻孔，祗有倒嚥口水。我注視這位忘了形的女人，狼吞虎嚥地一口一口往喉嚨裏塞，我的腦中不覺幻出一幅蟲圖。看着她吃完了。

「咖啡？」我說。

「好，就祇一客雪糕和咖啡，」她回答。

我也橫了心了，索性替自己要了一杯咖啡，而爲她要了雪糕和咖啡。

「你曉得，有一件事我是澈底相信的，」她邊吃雪糕邊講。「每次用過餐，應該老覺得還有餘意未盡。」

「你還覺得餓吧？」我問，有氣無力地。

「哦，不，我並不餓；你明白，我是不吃午餐的。早上一杯咖啡，再就是晚飯，午餐呢，我從來祇不過吃一樣東西而已。我講的是你呀。」

「哦，我明白！」

要命的事又來了。在等咖啡的當兒，侍者頭子帶着一副討好的假笑臉，提了滿滿一籃大桃子，向我們走來。顏色似一個天眞無邪的少女臉上的紅暈；眞是多采多姿，美得像一幅意大利風景。但是，這個時候可不是的的確確還沒有到桃子的季節？天曉得要賣多少錢一枚。不一會兒，我也就知道價錢了，因爲我的客人，一面照樣談下去，一面若不經心地順手就抓起一枚。

「你瞧，你的胃裏已經裝滿了一大堆肉」——我那小得可憐的一塊排骨——「所以你就再吃不下什麼了。可是，我不過用了一點點心，我倒還要享受一枚桃子。」

賬單開上來了，開銷之後，剩下來的，付小費還嫌不够。看見我祇打發了侍者三個法郎，她的兩隻眼狠狠盯了一下；我知道，她心裏是在說我太鄙吝。但是當我走出飯館大門後，還有大半個月日子要過，而我的口袋中已分文莫名了。

「學我的樣子」，在握手道別時，她對我說，「午餐時，千萬祇要吃一樣東西。」

「我還要比那個更高明些」，我回了一句嘴。「今天晚餐，我一點東西都不吃。」

「幽默大家！」她開心地叫了出來，跑進了車。「你眞是一位幽默大家！」

終歸有了報應。我並不是一個氣量小的人，然而看到老天爺冥冥中自有公道，不禁引以爲快，亦屬人情之常。如今，她的體重足足有二百九十多磅。

（下）

夏天口喝的人注意　飲水可致死

·土木譯·

我們在夏天，時時僅爲得到精神上的安靜而飲大量的凍水，可是我們非但不能得到安寧，反而因爲身體器官必須以過度的工作，使這些凍水的溫度得以增高，更感疲乏，也更難睡覺。

這當然也會影響到身體的其他部份。熱是能的來源，如果大量的熱需用於提高胃部的溫度，能便被浪費了。這是我們在夏天常感疲乏而昏昏欲睡的原因之一。

至於水中的礦物，諸如鐵和鈣等等，我們身體所需要的份量，原已在普通食物中即可得到。即使水中含有這些礦物，但它們超過了人體所需要的限度，必然被排洩體外，或儲積於體內某處，以鈣來說，如果過量的鈣，未被排洩，而仍留在體內，則可能造成極嚴重的病症，是癌病的起因之一，醫生在檢查身體時，如發現鈣質的儲積，一定會提議開刀把它取出。

因此，醫生們的意見，認爲人體雖然絕不可能缺水，但也絕不能飲得過量，照一般人的標準，每天大致需要二公升到三公升的水就够了，事實上，我們的食物中也通常含有不少水份，所以，每天進餐之外，飲一二杯水已足供身體所需而有餘。（下）

煙的故事

可怕的烟毒（五）

·牛布衣·

美國威林禮醫生刊行一本書，叫做『如何避免烟毒』。售價美金二元五角。那本書的第一章是『香烟的毒害達到什麼程度。』茲節譯如下。

吸烟過度可能構成嚴重的疾病，可能減短生命。根據統計，五十歲以上的人，吸烟者的死亡率比較不吸烟者爲二對一。

吸烟對於喉癌、心病、及胃病均有極不良之影響。醫學方面現在證實了，舉凡二十至四十歲的男性對於性慾不感興趣，或減少了性行爲，大多數是因爲過度的吸烟。根據德國的研究，婦女之不孕，小產、和月經不調大多數也因爲吸烟。在醫生的候診室裏有許多病人，他們有一種說不出的病，也可以說是沒有病；他們都是吸烟的人。

若果能毅把烟戒了。下列的病症如失眠，慢性的不消化，呼吸急速，心悸，和心的跳躍過速都可以減輕，甚至完全痊愈。

×　×　×

產兒紀錄

世界上產兒紀錄是一個芝加哥的母親，在十九個月零十九日裏面生三個孩子，她是甘夫人，二十歲，她在一九五一年七月十三日生一女，五二年五月十三生一女，五三年三月十四日生一子。（棠）

中華民國僑務委員會頒發登記證台教新字第一零二號
中華民國郵政登記第一類新聞紙類

自由人

THE FREEMAN
（半週刊每星期三六出版）
（第三三九期）
每份港幣壹毫
台北市售價台幣伍角
督印人：瞿嘉猷
社址：香港高士威道二十號四樓
20 CAUSEWAY RD 3 rd. fl. HONG KONG
香港發行及事務接洽 高士打道六十六號
電話：七四〇五三
承印者：東南印務出版社 地址：高士打道六十四號
台灣特派員辦事處 台北市館前街五十號
台灣總經銷處 台北 中華路五九四號之一
台北郵政劃撥儲金戶九二五五二

對俞鴻鈞院長的希望

·陳伯莊·

（一）

「魯欲使樂正子爲政，孟子曰，吾聞之喜而不寐。……曰，其爲人也好善。好善足乎？曰，好善優於天下，而況魯國乎！」

「孟子之平陸，謂其大夫曰，子之持戟之士，一日而三失伍，則去之否乎？曰，不待三。……今有受人之牛羊，而爲之牧之者，則必爲之求牧與芻矣，求牧與芻而不得，則反諸其人乎，抑亦立而俟其死歟？」

（二）

俞鴻鈞先生是個正人君子，而且是一個道地的中華人，他飯依基督教的謙光，所以見者無不親善。他自然地不會有越份的作爲，所以從來不談所謂「倡論」。以行政院長的權責，憲法怎樣規定，還緊是怎樣活地去運用。說到運用，每個人的才能和其人事關係各不相同。就俞氏和元首的歷史關係而論，書所謂「爾有嘉謀嘉猷，則入告爾后於內，爾乃順之於外，曰斯謀斯猷，惟我后之德。」蘇東坡所謂「唐之房杜，傳無赫赫之功……蓋事已立而跡不見，功已成而人不知。」在今天都係俞氏所優爲者。

（三）

今天報載俞氏與全體閣員約法三章：（一）提高行政效率，（二）開誠布公，互相檢討，（三）[illegible]理。自然這些都是極其重要，不論怎樣好的政策，要是執行方面，做不到這三種，必需的成果，那一紙是空談。雖然，（一）行政效率何以不能提高？（二）做事何以總藏匿全面，又不能虛心改進？（三）辦事何以敷衍拖延，或用陰謀權術，互相傾軋？這種種有更根本的原因，自然一談到病源所在，便涉及種種的重大的政治意識和政治見識的問題，除掉希望行政院長以身作則肩負起基本的糾正挽回的責任，還希望化潛移的重責，還一貼 ALTERATIVE 的王道聖藥，俞先生應該是一個醫國聖手。我想對每一件具體問題，俞氏一定看得到的，比我們還要看得更清楚更切實，問題是「求牧與芻而不得，則反諸其人乎，抑亦立而俟其死歟！」而已。

「秋風白下無多日，月夜黃河第幾灣」，世變至此，今日尚矣，遠人於喜而不寐之餘，願致其「時哉不可失」的希望。

不屈不撓的土耳其

土耳其這個國家，值得我們欽佩。一個小國，面積不及我國的一省，人口僅及二千萬。她的北面是一個兇惡無比的豺狼——蘇聯，她的邊界的半數——四百英里——毗連共產帝國。可是她一無恐懼，全不把蘇聯放在眼內。每一次蘇聯向她作無理要求時，土耳其必唾其面，而斥其無禮。

土耳其的英文名，叫做 Turkey 即火雞之意。最近一個學生問我，『爲什麼土耳其的國名和火雞相同。』我說：『火雞代表英勇，因爲土耳其民族是世界最英勇的民族，所以外國人稱她做火雞。』韓戰的時候，土耳其是第一個要求派兵參戰的國家。她自己提出的數目是一個師，可是美國只接受她一個旅，一共五千人。這五千人是韓戰中聯合國軍英勇的戰士，共產黨最爲痛恨。一夜，共軍派好幾師兵進攻，想消滅這五千土耳其軍，由日至晚，土耳其軍未嘗退讓寸土，一連繼續好幾晚，共軍遭遇了極大損失，方才罷手。戰事結束，交換俘虜的時候，共軍被俘放回的戰士只有一人，而且是因負重傷而被俘的。

土耳其爲什麼這樣憎恨蘇聯呢？土耳其和蘇聯是世仇，此其一。蘇聯把東歐許多小國都併吞之後，露出了本來的侵略面目，土耳其曉得蘇聯絕對不會放過她的，此其二。所以土耳其是決心要和共產國家拚個死活的國家。

美國名記者格斯基曾到土耳其遊覽了好幾個月，後來在美國雜誌發表了一篇關於土耳其的文章，下面便是原文一部分的撮要。

『土耳其人從來不輕信外國人。外國人到土耳其的，常露密探跟蹤。可是土耳其人曉得美國人對她沒有野心。美國人到土耳其不是爲遊覽，便是做援助土國工作，因此對美國人不加仇視』。

『土耳其對蘇聯仇恨極深。一個年老土耳其人說，他年輕的時候，和四十四個青年人去打俄羅斯，都戰死了，只剩一個人回來。他現在只剩下一條腿，其餘一條給俄國人打斷了。』

『土耳其雖然有四百英里長的邊界和世仇蘇聯及保加利亞毗連，可是毗鄰蘇聯邊界的人民，比較倫敦和紐約的居民還要鎮定得多。邊界上一個土國營長指着蘇聯的一個小城說道，「我讓他們來，一個土耳其人打得過十個俄國人。」一個土耳其的小鄉長說，「我這裏過去沒有一百步便是蘇聯的鄉村。你以爲我們恐怕俄國嗎？不！他們要是敢來，我們都把他們殺盡。來一個，殺一個！」』『來一個，殺一個！』壯哉，土耳其！（布衣）

如何發展台灣農業

鄭士珪

台灣直到現在還是一個農業的省份，歷來各種產業的總生產量，農產物所佔最多。即工業方面，大部份的產品，也是依靠農產物的原料，故言經濟建設，必首先發展農業。惟我們知道台灣是一個海島，它的面積不大，可耕之地極爲有限，近年來在政府獎勵增產與人民努力下農作物產量已超過日據時代的最高紀錄而有增加，加以衛生建設的進步，人民生殖率高而死亡率低，人口一年比一年增加，在此種情勢之下，農業發展已少可能，將來僅能在集約經營以求增加單位面積的產量。而工業尚在萌芽時期，增加生產之可能性較大，故台灣經濟建設之方向，似不應照數年前的辦法，須視目前實際環境而擬經充分發展而被忽略者，利用其豐富的天然資源，採其輕易可實行者，作爲當前台灣農業建設選擇的途徑。

以農業培養工業

工業化雖是現代國家建設的首要，各國經濟發展必由的途徑，不過工業化的基礎建立於農業之上的，工業化的前驅是農業工業化。我們知道英國是近世工業革命起源的國家，但它的工業最先發端於農業。目前的台灣還是農業社會的典型，礦產資源非常貧乏，所賴以輸出海外以換回本島缺乏而需要的物資，祗有農產物。如將所產之糖，鳳梨以純粹輸出，就台灣經濟立場上言，自然遠不及加工製造後輸出爲有利，這些農產品，糖與鳳梨雖是農產品，但經過動力機器製成與裝罐，所以也是工業品。實則工業生產的原料，雖有農產物礦產物等，但主要的都是農產物，世界上生產額最大的工業是棉花毛料的纖維工業，而所用的主要原料大部份都是農業產品，而工業製造品的銷場亦在於廣大的農村，農業發達之後，可以使生活必須品充實，人口增加，如此發展工業所用的勞力，供給必須富而農民的購買力增進，更可使工業產品迅速的推銷，農業與工業，關係是密切，猶如鳥之兩翼，缺一不可，故今後台灣經濟建設應根據「以農業培養工業，以工業發展農業」的原則，立即促其實現。

開拓遠洋的漁業

台灣的農業雖然發達，工業生產的可能性亦大，但因地上的活動受了自然的限制，所以還不能十分理想。而水產事業卻特別具有優良的先天條件成爲台灣最可靠的天然資源。就地理形勢來說，它是一個狹長的蕃薯狀的孤懸海外的島嶼，東臨太平洋，西瀕台灣海峽，與大陸之福建僅隔一衣帶水，東北經琉球群島與日本九州之南端相對，南隔巴士海峽遙望菲律賓群島，誠我國國防上之重要據點，也是世界海洋交通的要衝，其海岸綫長達一、五九六公里，周圍漁場羅佈適處於寒暖的交流地帶。在這遼闊的魚倉裏。至少還有五百七十平方公里的未開墾的處女漁場，如果眞有一日，台灣的漁船駛遍了九百萬平方公里的海洋，則一年之內，台灣水產的產量，就能夠飛躍到百餘萬噸——比戰前最高產量（民國廿九年）還要多十餘倍。

從建設的角度上看，海產品之容易漁獲物之加工製造，以及漁具的供需，必須依賴工業之發展。我們沒有造船工業，即不能發展漁業。倘能在促進漁業工業化的前提下長足開拓遠洋漁業，利用這些天然資源，則海上將吸收更多的漁民，工廠裏的將大量地需要着工人，這無疑的會有助於消滅或減少失業，直接解決了一部份人民生計的問題。故開拓遠洋漁業，在現在台灣耕地幾全爲利用的今日更顯重要與迫切！如能善爲發展，它將有力幫助台灣社會經濟走上繁榮的路途。

造林護林的方法

「森林是台灣的生命」這句話誰都不能否認。也就是說它關係着數百萬人民的財產和生命，因爲森林不但能調節氣候防止水旱災，且木材是建造房屋與用具的重要原料。

本省林野面積，根據林業統計報告，全面積二，二七八，九五六公頃，國有者二，〇四五，二八三公頃，內森林面積一，五八三，二五七公頃，原野四六二，〇二六公頃，公有者一七，四一三公頃，森林面積一五，一一〇公頃，原野二，三〇三公頃，私有者二一六，二六〇公頃，森林面積一八四，五二二公頃，原野三一，七三八公頃，總計森林面積一，七八二，八八九公頃，其中林野（指國有）施業區完成調查及檢討工作者計五十一萬餘公頃，可見國營林業，至少尚有百數十萬公頃的林地，有待發展利用。（此項數字係估計）。若由此項林業所獲的利益，實際上是無法以數字計算。如根據監察委員調查報告：台省木材蓄積量內針葉樹（使用價值較高的種類）按經濟利用率百分之三十三計算，如標準年成量爲百分之一，每年生產率爲百分之一約有廿餘立方公尺，以最低時價估計，每年最少純益要在一億五千餘萬元以上。然而實際解繳國庫爲數甚乏可得憐！推其原因台灣森林自光復迄今任意濫伐，以致財源糟塌。農復會主委蔣夢麟先生曾大聲疾呼，他說：「全島四週及較深的山地裏，到處燒山濫伐，結果造成全島的水源都將淤塞積水潭將爲沙石填滿，工業生命綫的水力，農業生命綫的水利都將毀滅無餘。淮河流域的歷史，雨則泛濫，乾則枯涸將重演於本省。」眞是「滿目青山成痢攠」，驚心寶島變「沙坵」。

森林既是台灣的生命，要整頓林業問題，首先對于濫伐要嚴禁，然後將未利用之地儘量造林，造了林還得妥善的保護，才得有成林的希望，成了林更不能任意的濫伐，實即造林護林與斧斤以時，這期間都有交互關係，也可說一事的三方面而已。

增大土地的經濟供給

土地利用的最高原則，應爲地盡其利，所謂地盡其利是使未利用而可利用的土地得到利用，並使已利用的土地得到合理充分的利用，簡言之就是增加土地之經濟供給。國父說：「竊嘗深維歐洲富強之本，不盡在於船堅炮利，壘固兵強，而在於人能盡其才，地能盡其利，物能盡其用，貨能暢其流」。此四事者，富強之大經，治國之大本也，而其最注意的，却是地盡其利。地盡其利的途徑除墾荒以擴張土地利用外，改進農業生產以集約和應用現代技術更其重要。

（下轉第二版）

半週展望

·雷嘯岑·

第二個板門店

日內瓦會議經過若干次的秘密談判後，俄共集團纔答應了先行協商越南停戰問題，使艾登、皮杜爾欣喜不置、現在第二步關於監督停火辦法，共方堅決反對由聯合國來主持其事，不承認聯合國的中立地位，而要以印度、波蘭、捷克、巴基斯坦、印尼這些國家組織中立國委員會負責監督，這完全是板門店和談的翻版，而板門店之所以搞得那樣糟糕。主要原因，也就是英國的關係！

俄帝原以避免大戰持續小戰爲目的，英法則以苟安一時，只顧本身利害爲主旨。對於越戰停火問題，無論共方怎樣刁難作梗，我相信一定要妥協下來的，試看印度代表梅農在日內瓦那末起勁的奔走活動，即思過半矣。

美國反對有甚末用？

越戰美國代表史密斯極力反對這照板門店的停戰方式來處理，說波蘭捷克絕對不是中立國。然則當年在板門店又何以承認波捷爲中立這停的監督國家呢？美國對韓戰是出力最大的當事國，既已創此惡例，今日對越戰出力最大的法國，當然顧意[illegible]隨，何況還有英國從中斡意乎？史密斯在會議席上提出瑞士瑞典代表，證明他們在韓戰停火監督委員會中，無法行使中立職權的兩件，以爲反對波捷兩國參加越戰和談事宜的證據，那有屁的用場？一當失錯，全局皆非，自板門店停戰協定出現以後，西方民主陣營間的弱點已暴露無餘了，豈是口舌之爭所能挽救的？

美國如果眞有不使東南亞淪於鐵幕的決心，唯一要着，就是不必希望在亞洲擁有殖民地的國家聯合行動，自己積極領導亞洲的反共非共國家，切實組織，有備無患。[illegible]

諾蘭所獲得的中共侵略計畫

華盛頓消息：參議員諾蘭最近將其所獲中共對亞洲的侵略藍圖，列入國會記錄中，使一般國會議員大感驚震。那計畫是準備於一九五五年征服全越南，而於一九六〇年掌握緬甸，泰國與印尼，而於一九六五年控制全亞洲。據說，這文件是一九五三年以備忘錄形式送往莫斯科備案的。

這項秘密文件，即令千眞萬確，也不會引起西方列強的注視，何以見得呢？試看我國在二次大戰以前，將所獲得的日本向外侵略計畫——有名的「田中奏摺」，公佈於世，又正式送到「國際聯盟」，請各國注意。那奏摺內明明說是：「要征服英美，必先控制亞洲；要控制亞洲，必先征服支那」！後來日本軍閥的向外侵略行動，從「九·一八」事變起，完全是按照這計畫從事的。但在當時，西方列強尤其英國，却嗤之以鼻，認爲是中國的僞造品。對「九·一八」事變，無論是在國聯會議或九國公約會議中，拚命替日本軍閥張目助勢，不理中國的呼籲。等到香港星加坡淪陷攻佔時，才知道那「田中奏摺」是眞的，然而噬臍莫及了！現在英法正拚命地對中共進行妥協，美國想藉此教英法知所警惕，依然是如中國當年公佈「田中奏摺」的情形一樣，絲毫不生作用。

[illegible]記得一九四九年杜魯門艾契遜們對中共所發出的嚴厲警告麼？說中共再要向中國大陸以外的地區擴張，美國就決不坐視了，結果怎末樣呢？

最後還是靠美國

英法難道就讓共黨征服全亞洲嗎？不然！決不然！英國最後的國防綫是在地中海與蘇彝士運河，必要時丟掉一個越南，更不在乎。[illegible]如果共黨席捲了東南亞，英美也得如今日西歐一樣猛力抗拒，那時美國一定要來作總統的艾森豪，英法自不會再[illegible]，站在一起了！

最下者與之爭

談不向國父遺像行禮事件

·常崇寶·

關於少數學生不肯向國父遺像行禮的問題，曾引起許多討論。台灣報章雜誌發表了不少讀者投書和名人談話。大多數認爲他們認識不清，觀察錯誤。但未見教會方面有人出來作辯護。據四月十七日台北報載，教育部已發佈命令以信教爲由，不向國旗及國父遺像行禮者，教職員撤職，學生則予以退學處分。筆者覺得爲鼓勵民族精神，增進人民對國父的崇敬，此種消極處分，似有商榷餘地。願借「自由人」篇幅，對這問題，稍抒淺見。

基督徒與國父

筆者瞭解：國旗絕不能認爲偶像，基督教也沒有說不應向國旗行禮的。現在不向國旗及國父遺像行禮事件，都是發生於紀念週或動員月會一類場合中的。此類場合，據台灣省政府規定，禮堂上黨國旗及國父遺像，同時懸掛。向黨旗行禮，是否完全合理，是另一問題，下文再談。由此，所謂基督徒不向國旗及國父遺像行禮，似乎祇是對國父遺像成了問題。

基督徒是否不許崇敬國父的呢？以美國爲例：百分之九十以上的人，都是基督徒。但上自總統下至販夫走卒，沒有說不崇敬他們的國父華盛頓的。孫中山先生手創民國，凡我同胞，無不衷心敬仰，即在共黨統治地區，也還不敢公然示異。我們似可肯定，基督教徒不會視國父遺像爲偶像。崇敬國父，必不至與基督教精神相抵觸。說到向國父遺像行禮，就是向遺像行三鞠躬禮，這在形式上是否與基督徒不拜偶像的傳統，有所衝突呢？

政府處理實嫌操切

筆者對於基督教義瞭解不深，惟對國父遺像行三鞠躬禮的儀式，已遵行了三十年之久。一向沒有發生過問題。現在既然發生了問題，自應平心靜氣，探求原因。有關宗教問題，如果「齊之以刑」，往往揚湯止沸，也許本來不成問題的，反而成了問題。歷史證明，以政治力量和宗教力量對立，是最不聰明的辦法。以古羅馬爲例，從公元五十四年即位的尼羅王起，到公元三〇五年退位的狄奧克里仙止，兩世紀半的時期中，對初創伊始的基督教會十次最大的壓迫。尤以狄奧克里仙時期爲甚，一切教會職員概被監禁，教民不肯背教者，處極刑，並焚毀聖經，直欲斬草除根；其兇狠惡毒，可謂已極。然而結果不但沒有成功，最後反而羞愧自縊，（公元三一三年）。草創的基督教，經此屢次磨鍊，反而日益開展。自堪司坦丁帝以後，竟成了羅馬國教。直到現在，成爲全世界信徒最多，勢力最大的宗教。可知以政治力量壓迫宗教是一件徒勞無功的事。我國是信教自由的國家，對任何宗教，向無壓迫情事，並沒有政教對立的情形。只是這一件事的政府處理，似仍覺急躁一點。太史公有云：「善者因之，其次利道之，其次教誨之，其次整齊之，最下者與之爭。」這幾個不向國父行禮的學生，觀點錯誤，似應用說服辦法，從他們自己觀點，指出其錯誤，才是利導，教誨。才能使人口服心悅。當然，教育當局曾經派員「開導」過，但只講單方面道理，而且以退學作威脅的「開導」，事實上正犯了「與之爭」的毛病。被開導的人，假如不能心服，即使形式上行禮如儀，心理上還是存着反感的。

關於教義的意見

據報載，教育部已向教會方面接洽，希望勸導教徒，勿再有這種錯誤行爲。可見政府已注意到根本解決之道。不過筆者個人私見，認爲最好是政府請教會具體解答這個問題，而不是政府自定主張強人附合。教會方面最好博徵衆議，就經典和教義來作一次深切的討論。舉例說，彼得曾說：「你們爲主的緣故，要順服人的一切制度，」（彼得前書第二章）。耶穌也說：「凱撒的事物歸於凱撒，上帝的事物歸於上帝。」（馬太廿二章，馬可十二章）。意思是說，國家的事歸政府管理，道德方面由上帝管理。約翰第一書雖有：「你們要自守，遠避偶像」的話。但其全文所告誡徒衆的，是不要信「假先知」，「敵基督者的靈」，仍是指精神道德方面的魔鬼而言。並不是教人不要崇敬國家的偉人。像這些例子，似乎都可以作爲討論的根據。再進一步說，遺像與聖經上所說的偶像（IDOIS）是否完全相同？這雖近詭辯，但原則上也不是不可討論的。前面說過，我對教義領會不深，上面所舉，不過信手拈來，也許一經討論，便會找出論證，對政府主張，作正面肯定的解釋。這樣由教會自己探討出來的結論，不但比政府的強迫命令來得自然，亦比少數要人發表一些不着邊際的談話，更有效得多。如此，問題自然可以消減於無形，退學懲罰一類下乘武器，也可擱而不用。

儀式不可修改嗎

但，有人要問，如果討論結果，不能得到上述正面解釋，又當如何？依我愚見，假如眞有這種情形，更不可「與之爭」，應用「善者因之」的方式，國家根本大法尚可修改，典禮儀式又何嘗不能修改？只要表面的形式稍加修改，亦即可以解決這個問題的。現在行典禮程序中不是有「靜默三分鐘」一項嗎？何妨將這一項合併於向國旗及國父遺像致敬那一項中，改爲「向國旗及國父遺像致敬靜默三分鐘」。如此，既可避免向遺像行禮這個形式，又不失對國父表示崇敬的原意。或許有人認爲不鞠躬，不夠鄭重，其實致敬重在內心，若就禮儀形式論，則三鞠躬比之三跪九叩首又是否夠鄭重呢？靜默致敬，事實上全世界已成爲一種鄭重紀念的儀節了。再退一步，作最壞的打算。假如學生或教職員，仍然「執迷不悟」，但既不強迫他們，總不至於在大家靜默時，故意高聲喧嘩的。這樣至少可以維持政府的威信。所以筆者認爲這實不失爲解決問題的一個好辦法。

對黨旗行禮問題

於此，再附帶談談黨旗行禮問題。在訓政時期，這問題是不容討論的。憲政實施後，情形顯然不同。行政院卅七年二月曾通令全國，規定集會場所的佈置應於正面懸掛國旗一面，下方懸掛國父遺像，這規定至今有效，中央各院部會都是如此。唯台灣省政府卅八年八月，准國民黨台灣省黨部函送國父紀念週舉行辦法，通令全省，明白規定，黨國旗同時懸掛，向黨國旗及國父遺像行三鞠躬禮。後來某機關將大小數種黨國旗像並列的圖樣，由省政府以命令頒發各地中小學校及其他機關團體。因此各地方政府機關，中小學校，甚至人民團體及代表民意的議會，很多採用這種圖像佈置禮堂。這樣一來，向國旗行禮時，便很自然地要同時向黨旗三鞠躬了。事實上，各級政府及議會，都有非國民黨員。中小學生加入任何政黨，更是教育部和教育廳三次以上嚴令禁止的。以非黨員而要向黨旗行禮，姑不談憲法，即就情理上說，也是不合式的。不明事實眞相的人，據以批評政府，豈非自尋煩惱？

這事雖不算甚麼大問題，若不加糾正，對於團結力量不無影響。謹以國民一份子，提出意見，請政府加以注意，或者對於新氣象的造成，也不無多少裨益。

人物述評

白宮裏的：神秘人物——蓋勒

·德榮·

（一）

在白宮的人物圈中，每談到蓋勒(ROBERT CUTIER)便使人立刻浮起一個印象——一個笑的面孔和用手搔搔頭。你會覺得他是一個了不起的人物，並不是因爲貝比——他喜歡人叫他作(BOBBY)，也是一個獨身漢，五十八歲還踏腳踏車作消遣，在華盛頓每小時行十哩，他的祖先十代以來都在波士頓，一樣都是那樣大眞活潑，一樣都是有着自尊心、且比到華盛頓以前是在新英倫最大的信託公司的主持人。

蓋勒時常服飾整齊，衣服限於灰和藍，表現出波士頓人的典型。他說話帶很重牛津哈佛的口音，在白宮的吸煙室裏時常念出詼諧的詩句。他是艾森豪的伴侶中一個詼諧人物。他有像火藥的活力，靈敏的頭腦和盡忠職守。他是艾森豪國家安全會的助手。有些華盛頓觀察家認爲在艾森豪整個管理機構裏面，他是一個成功最大的獨力支持者——把國家安全會移轉最重要政策製定機構這是美國以前所未有的。

（二）

國家安全會自一九四七年成立以來，是被人不大看重的，它想把許多分離的國家安全機構合成爲一，但是得不到人們的興趣和重視，所以這方面的工作一直被人批評是推諉多於決策。

在艾森豪領導下，得蓋勒的推動力量，國家安全會已經成爲中樞決策機構，每一件事都是爲了爭取和平。譬如決定多用原子能去抵抗侵略，減少軍事預算約四億元。在未決定此種戰略觀點以前，國家安全會曾經遭到許多困難問題。例如，俄國侃的用原子彈進攻的話，在大陸上要使用多少錢作空防之用？雖然受到國會反對，但是仍與援外款若干？在減稅後國家財政會怎樣？

總統和副總統之外，國家安全會的常委包括國務卿，國防部長，財政部長，防衛動員會首長，國外經濟局長等。艾森豪曾明白指示，他希望全體常委充分準備，且活躍地參加，會商後即作決定。評常他聽取有關機構報告後，立刻決定一連串的政策。

（三）

艾森豪有時認爲重要的，常常談到離題萬丈。有一次總統使到會議沉默了半小時，他說到新武器破壞世界太利害了。另一次戰爭將不會有勝利者。但他並不灰心，他覺得我們必需向敵人的鐵幕找漏洞。他解釋此點：他說有一次被要求改期攻擊，因爲下雨的原故，他說敵人方面可能也在下雨啊。

有幾點足以表示國家安全會已變成戰時和平時的內閣，廣泛些說，此正常的內閣更重要。在杜魯門時代，該會每年集會廿五次，作一百次行動。艾氏執政以後，第一年該會集會五十一次，採取三百另五次行動。

該會之有這樣的成功，主要責任在蓋勒身上。每一次集會蓋勒把當天提出的問題作概述。艾森豪很注意的傾聽着。蓋勒每每爲了解釋餓着肚子，他帶了助手占士李，有時代蓋勒作概述，他才有機會塞點東西到肚裏去。

作爲一個高級官員，蓋勒要作成一個漏斗把任何東西都經過他，他決定某事不完備，某一問題已經盡力去做，某一問題則故作迴避。該會是否有遠見或者太爲目前困難所阻限，都和蓋勒有關。怪不得該會某一委員說，「如果我要做華盛頓最有權威影響政策的人，我便選擇蓋勒的工作了，沒有一個閣員的位置比得上他」。

事實上，蓋勒的表現是一個最善於處事的人，有靈敏的感覺。他的影響力完全隱藏在個人能力之後。在華盛頓，他極力避免任何邀請，而且拒絕和記者會面和談話，他故意離羣獨處，使他成爲一個神秘人物，有些人不知他的出處，另外有人說，他是艾森豪的夏里·霍金斯。

想斷定一個總統的助手，究有幾大的影響力量，是一件很難的事，但蓋勒很清楚地滿足白宮兩項需要，艾森豪習慣和他的助手一起工作。每一個人代表一種詳盡的事務。並且他是一個緊張的人，有一個容易發火的脾氣，他是不輕易去休息的。蓋勒不只是像汽球一樣的緊張，而且他對於小事也一樣照顧週到，使他成爲一個不平常的詳盡稱職的人。（上）

如何發展台灣農業

鄭士珪

（上接第一版）

台灣爲地少人多之區，目前可耕土地雖已全部利用，但這些已利用的土地還未得到合理充分的利用，今後除擴張墾河道湖面的利用外，應多加勞力的資本以增加單位面積的產量。其次爲興修水利，改作物品種與推廣良種，防治病虫害，施用優良肥料及引用新式農機具等，他如部份減少穀類栽培面積，改營出息較大的經濟事業。考美蘇地廣人稀等國，因適於粗放的農業經營，故出產穀類肉毛等特富，反之人口稠密土地狹小不適於大規模的機器生產，則多從事經濟物品的出產，如日本之絲，埃及之棉花，丹麥之牛肉及蛋，印度之茶，皆其著例，而台灣之香蕉與甘蔗雖每年產量僅次於糖茶米而爲重要產物，尤其香蕉輸出海外換回之外滙爲數頗鉅，惟因此兩項農產品售價低廉且香蕉耐不貯存，自產地運至銷售地超過七天以上即有腐爛之虞，大陸變色後，僅能運銷日本，市場狹隘，而甘蔗只是省內自用不能外銷。當此生存競爭，如此劇烈的今天，地力勞力分外寶貴，如能加以限制種植面積，改種他項經濟作物獲利自必豐厚。

扶助農村副業

台灣農村副業種類甚多，除豬鴨雞等外，便要算手工藝品，其中以蓆帽、珊瑚、竹製品、通草紙、蛇皮牛角骨等爲最發達，所有產品，其使用部份重於玩賞部分，故在整個社會建設之地位，乃經濟意味大于藝術意味，此項手工製品，多爲推銷國外，極受歐美人士歡迎。而本省鄉間一般農家，無論男女老幼，莫不善此。尤其各地殺雞宰鴨後廢棄或散置的羽毛收集加工精製，輸出海外即具有相當經濟價值而可換取寶貴的外滙，惟因近兩三年來國際市場價格下跌，而本省出口底價未能作機動性調整，致大批羽毛等于廢物被棄置，使羽毛出口事業發生了很嚴重的危機，政府也無形中失去了一筆可觀的外滙。這種不花地力與本錢的天然物資而不加利用，實在可惜。當此本省農村人口過飽和而產生農村勞力過甚之時，政府如能善爲扶助農業品與農業工具之加工製造，以及農村副產物之精製。使與農業有關之工業散布于農村，而奠立工業之基礎。然後以與農業有用之器材推行于農事，而改善農業之經營，以發揮農村潛力，實爲發展生產之重要事項。

總之，目前台灣經濟建設應採之途徑爲「重工」而不「廢農」。非獨積極的發展工業生產，同時農業生產必以合理經營及應用現代技術爲的，換句話說：即于工業發展之過程中顧及農業資源之開發與利用，而在農業改進及推廣之目標，仍顧及如何促進工業生產是也。

編者　讀者

讀者來函

螺旋機勝米格機

編輯先生：我有幾句話要借貴刊一吐。

（一）用螺旋槳機戰勝米格機。我們雖佩服忠勇的空軍健兒，但我們不能洋洋得意，必須趕緊設法，由劣勢轉爲優勢，因爲這祇是偶然的勝利。

（二）最近台灣報紙竟有螺旋槳機的性能在作戰上優于米格機的謬論，假使螺旋機可以眞個勝於米格機，則世界飛機改進的工作，可以停下來了。我認爲這種心理最要不得，過去大陸的失敗，這種心理也是一大因素。

（三）政府爲什麼不向美國要求佩刀機呢？過去說過已有噴射機抵台，爲什麼不使用呢？

（四）我要以中國自由人民的身份，向美國抗議，爲什麼不澈底對我們援助？像這樣不上不下的援助成什麼話呢？假如美國能切實援助，我們不是可以立刻打回去嗎？

我熱愛祖國，我認爲不應事事自諱，更不應自欺欺人，凡事要求進步。一讀者啓五，廿八

△編者的話

△穆秦、范光陵、彭楚珩、傅中梅、胡冷、林長林、易人、楊力行，諸先生：惠稿一一收到，不勝感幸！

△范光陵、易人、彭先澤三先生：來函敬悉，另行奉復。

論漢高祖（一）（二四七——一九五ＢＣ）

毛以亨

前言

吾友牟宗三，前在民主評論談漢高祖，頌其天才，持論徜徉，不可方物，傾倒不少讀者。我茲亦論漢高祖，但意不在[illegible]實，而期與天下人以共見，不以個人好惡之私，而亂民族是非之公。究其居心，觀其言辭，證其行爲，驗其後果，持其大體，以審慎的判斷其是非功罪，自謂語語眞實。一切判斷，均於分析與[illegible]。我以爲高祖乃功不掩罪，宣傳勝于事實之民族罪人也。不學無術之人，而欲凌駕天下人之上，結果亦祇有如此。我素不喜作翻案文字，且爲重傳統之是非者，然史册猶存，豈容厚誣，特患不讀書耳！

我亦認高祖有天才，但對天才一詞，必須下一個定義，以免持論跡出範圍之外。據現代心理分析的解釋，天才與神經病，同爲反常的行爲，故實爲一物，其應付者爲神經病，要以能否克服環境爲主，就其實驗主義，爲其衡量的方法。所以無論說高祖有天才也好，說其爲英雄爲豪傑也好，總是在神經病邊緣上，非常或反常的行爲，證之以其言行之奇特徵之處。我想他如不害嚴重自卑感的神經病，決計不想而且亦做不成皇帝。但受了神經病的困擾，不斷的自造陰謀與殺伐的環境，而無法使天下安定。大祇皆由自作，幻[illegible]意生，祇有使其環境變得更壞，而無法緩和與化除。

高祖稱帝十二年，享年五十三歲，而前五年是項羽的天下，眞正在帝位不過七年、即在此七年之中，外迫於匈奴及異姓諸王，內則大權旁落于呂雉，他並沒有如秦始皇的把政權握在自己手中，而獲得眞正的統一。

（一）說謊與誇大

他是好造謠言，說謊話的人，這是神經病的一種症候。而且這種神經病他已害得很深，欺人到了忘其所以的程度，連到自己也幾於被欺過去了。欺人自欺，本來是極壞的事，而高祖竟賴以得天下，這便是所謂天才了。劉媼臥上常有龍，其相貫與龍交而生高祖，醉不可言，赤帝子斬白帝子，東南有天子氣，所居上常有雲氣，這一連串都是他與其家人所編造出來以期使人不要輕視他的謠言，而皆源于自卑感。等到丞老告與王濞謂東南有天子氣，則自己亦忘其爲謠言，已到自欺的階段了。然遇到理論上說不通時，他亦會修改其謠言的，他本自以爲代表火德，故造出老嫗哭赤帝子斬白帝子的故事。但秦既爲水德，若依五行始終之說，豈有火能克水，漢能代秦之理？於是認秦短祚，不在五德終始之列，而自稱爲代表水德了。漢書郊祀志稱二年冬高祖『問故秦時上帝祠，何帝也？對曰四帝，有白青黃赤帝之祠。高祖曰，吾聞天有五帝，而四，何也？莫知其說。於是高祖曰，吾知之矣，迺待我而具五也，乃立黑帝祠。』然公孫臣以爲漢爲土德，而張蒼則以爲水德，後來又以漢仍爲火德之說。倒底屬于那一德，始終弄不清，總之，宗教家是說謊者，無非以謊話修正謊話而已。

以私心打天下

他對于最精巧的宗教的謊話，都懂得使用，則其粗淺謊話來對付世俗，更覺遊刃有餘了。查高祖本紀「[illegible]，令諸大夫曰，進不滿千錢，坐之堂下。高祖乃紿爲謁曰『賀錢萬』，實不持一錢。……蕭何曰，劉季固多大言，少成事。高祖因狎侮諸客，遂坐上坐。」蕭何所謂多大言，就是說大話，現在廣東人所謂講大話，就是合乎古語的大言。他說謊[illegible]必要，而能以使人相信，決不亂說。如與項羽戰而傷胸，乃捫足曰，虜傷吾指，[illegible]使軍心不至動搖。韓信請爲齊假王，「[illegible]大丈夫定諸侯，即爲眞王耳，何以假爲？」（淮陰侯傳）[illegible]

[illegible]切的所有者之類。此種幻覺，常會實現，[illegible]下，則新天地之以打天下，新文化之產生，與新宗教之成立，亦莫不以牠以大力來推動。以其以天下爲大私，然因而不復有人[illegible]，故其歸結則爲大公了。高祖以私天下之心打天下，以爲到手之後，則天下之財，皆爲我所有，故不再貪小財了。范增曰，「沛公居山東時，貪于財貨，好美姬。今入關，財物無所取，婦女無所幸，此其志不在小。」故志不在小財，爲最準確的解釋，並非於其貪財之基本觀念有所改變，范增知道得最清楚。王船山論之曰：「有天下者，而有私財，業業然守之以爲固，而官天地府萬物之大用，皆若與己不相親，而任其盈虛。……滅人之國，入其都，彼之帑皆我帑也，則據之以爲天子之私。唐克西京，而隋氏之有在唐，宋入汴宮，而五代之積在宋，蒙古遁，而大都之藏，輦而之於南[illegible]。嗚呼！奢者因之以修其嗜欲，儉者因之以卑其志趣，……垂至其亡，而爲盜資，夫亦何樂而有此哉？漢王之入秦宮，而有艷心，見不及此，樊噲曰，將欲爲富家翁耶，英達之君，而見不及噲者多矣。……以垂訓後嗣，而文景之治，至于晝免天下田租而國不憂貧，數百年君臣交裕之略，定于此矣。」

誇大狂造成奇蹟

船山以後果與理性來解釋，其實財與色爲可使人衝動的慾望，豈是後果與理性所能說得清，顧得及的見，亦適證其爲書生之見而已。這是天才與奇蹟所致，俱受神經病與宗教情緒的支配，是無法說明的。高祖兩奪韓信之兵，而行若無事，雖張耳、曹參、灌嬰皆在信軍中，而忠于高祖，預有佈置，然信豈易與者？船山之論，亦嫌未盡，其言曰「何以使信帖然聽命，而抑不解體以颺去哉，此漢王之所以不可及也。制之者氣也，非徒氣也，其措置予奪之審，有以大服之也。結之者情也，非徒情也，無所偏任，無所聽熒，可使信坦然見其心也。……信固知己之終爲漢王倚任，而不在軍之去留也。故其視軍之屬漢也，無以異于己，無疑無怨，何所靳而生其枝甚乎？」

我以爲軍事上的佈置總是韓信比高祖精密點，曹參、灌嬰即在信軍，亦非韓信的對手。倘信僅爲名義上的軍事長官，而實權落于曹參諸人之手，則項羽不至派人游說他去反漢，蒯通亦不至爲韓信打算，而說之再三。信將三十萬人圍項羽于垓下時，項羽僅有兵十萬，高祖之兵亦不滿二十萬，項羽一敗，高祖即馳入信軍盡收其兵，亦不患信之反抗。此乃船山所謂氣者，若以近代語來說，則爲視天下之兵皆爲己兵之誇大狂，所造成之天才與奇蹟。

大陸與香港

由於大陸內地糧荒饑饉情形日甚，失業人數激增，廣州中共對市民申請出口赴港之管制，乃無形中予以相當放寬。自撤銷歸保申請規定後，一般失業男女之申請來港者[illegible]不甚嚴格，即獲批准。據交通界中人估計：目前每日[illegible]，平均每日[illegible]五六百人外，而經澳門來港之大陸男女更多，其[illegible]他們雖[illegible]，但其中極多在抵港後即將[illegible]郵寄返廣州報銷，便長期留港。據稱：最近兩個月廣州失業人數激增，因大小商店[illegible]，當局所謂[illegible]在個別商店面臨歸併[illegible]自己支持，迫得聯合營業，這一來就無異將十間八間歸併一間，便減少大部份夥伴了。第二個原因是由於外縣四鄉米食不足，普通每人每日僅配售得四兩至六兩米量，從何得飽。雜糧亦少。故四鄉[illegible]

三日小評

風行

香港之安危

五月三十日本港舉行[illegible]紀念，共閱兵典禮備極隆重。港督主持檢閱，頒發勛章，而對防衛軍演說時，強調維持港境安全必須充份準備，即在治安之維持。[illegible]蘇聯共產集團不敢發動世界大戰，在今天已是大多數人所了解了。但不能不特常提高警覺，應居安思危。共產黨在目前冷戰中的擴張策略，是製造傀儡政權，派第五縱隊滲入當地煽動人民推翻政權。幸而本港僑胞因近處鐵幕之旁，鐵幕地獄情況，知之甚詳，故人心趨向自由世界佔絕大多數。[illegible]香港所以能安定而敵人無法施其伎倆之最大因素。但以商場的不景，經濟情形惡劣，種種困難，殊堪担憂。故香港之安全，除兵甲之準備外，治外與居民福利及經濟問題之解決佔極重要的地位。

談「讀者文摘」

是興趣最濃厚的雜誌　是學英語最好的課本

牛布衣

（一）

美國的讀者文摘（READERS DIGEST），每期刊行到一千七百餘萬册，而且除英文本外，同時印行八種外國文刊本，受全世界的歡迎。這種偉大的成就，絕對不能够由一種機會，或者宣傳所構成。刊行至今，雖僅三十餘年，可是銷路一日千里，僅英文本每期即超過一千五百萬册，打破了任何刊物銷售的紀錄。筆者閱讀文摘超過二十年，採取文摘作英文課本教授生徒亦超過八年，覺得文摘實在是種一興趣最濃，而且是老少咸宜的讀物，本人閱讀文摘的興趣與日俱增，所授生徒多年青有志之士，他們亦認爲文摘是最富興趣，而且是增益常識的讀物。

（二）

讀者文摘爲什麼有這種魔力呢？讓我把這每月刊行一册，每册厚約一百八十頁的雜誌稍加分析如下：

讀者文摘的文章百分之七十是取材其他刊物的，內容經過極精細的删剪，比較原文的篇幅僅及三分之一，可是精華一點沒有遺漏。所以許多人說讀一本文摘勝讀三本同篇幅的其他讀物。此一百二十頁讀物取材最廣，上自天文下至地理，最新的科學，最有興趣的史事，無不應有盡有。文筆簡潔，而富有幽默的逸趣。

其他的三分一是文摘特約的文章，和書評。文摘特約的文章大約是一般人極想知道的事情和極待解決的問題。去年文摘登載了三篇關於韓戰的長文章，裏頭有兩篇是前任第八軍軍長佛特力將軍寫的。佛將軍報導將戰事的實在情形，敵我的實力，敵人作戰的策略，和所謂人海戰術，描寫得淋漓盡致。讀了這兩篇文章，我們知道敵人最強烈的攻勢，支持不到四十八個小時，敵人上次請求停戰，是軍力消耗殆盡的一種表示，聯盟國答應了停戰，是中了共產黨的奸計。讀了文摘的特約文章，我個人時常有，『聽君一夕話，勝讀十年書，』的感想。

此外還有兩種特別有趣味的文章，其中的一種是，『我一生最不能忘懷的人物。』此種人物的特寫，大多數是兒子紀念他的父親，妻子描寫她的丈夫，是一種親切而翔實的素描。另一種是，『坐談旅行。』這一類文章將我們帶到另一種新奇的境地。和意想不到的仙境。

（三）

文摘的書評，每一期只介紹一本或兩本新刊行的書籍，除了在篇首引用一兩段報章上的評語之外，全文由十多頁至二十多頁，只敘述原書的內容，是原書的一個縮影。這是文摘每期最精彩的部份。我時常將這一類的長文章留在禮拜日下午欣賞。禮拜日下午臥在睡椅上，看一兩本名著縮影，簡直是人生的一種福氣。有好幾次，心裏極不舒暢，可是看了文摘的書評，總使我心曠神怡。

（四）

讀者文摘這種刊物好像百科全書似的，無所不有，無所不載。文體特別簡括清朗，最適合用作研習英語的課本。高中或者大學學生與研究近代英語者，最好詳讀文摘。閱讀時，須備具最新英語字典一本，最好是用英文解釋的，最低限度也得有中英兩種文字解釋者，才能够適用。讀者將一篇生字查明後，得詳讀一次。讀完一次，仍然不能够完全明瞭大意時，應該再細味一次，至到完全領會爲止。文摘文章最富趣味，查字典雖屬苦事，可是苦中富有樂趣也。

台灣中南行（七）

魏希文

雖然未雨，但天空還沒有晴朗，車行的道旁儘是田園屋宇，我們來日月潭時，因爲黑夜行車，看不到窗外的景色，現在蜿蜒在此地公路客車上的我們，窗外每一風光景物都映入我們的眼簾。

沿途所見，到處都是一片綠色，山坡上下，不是農田，便是茶樹。鄉村道路，整齊而寬暢，鄉村姑娘穿着短衣長裙怡然自樂。足踏車也常在鄉村道上飛過，這種農村景色，頗似江南。但這農村現代化的都市享受，卻不是江南農村所可比擬。據說台灣的農作物，不但可以自給自足，而且每年還有大量出口，記得香港去年鬧豬肉荒的時候，台灣的豬肉也曾輸到香港，人稱寶島台灣，便可由此爲證。此地也够得上稱一聲「農家樂」了。

同時，我們看到台灣的公路，不但四通八達，而且寬幅平坦，公路兩旁的田野景色，尤爲美麗。近幾年來，據說台灣公路的開闢發展，遠超過日治時代不知多少倍。尤以公路上的客車，坐位固然舒適，車上的裝飾，有絲絨窗幔，有的還有插瓶，有收音機；雖然在長途跋涉中，有如此舒適華麗的客車，大可樂不思家了。在台北謁見一位朋友說，台灣省公路局長譚嶽泉先生是一位若幹負責的建設人材，後來有一次在一個宴會中，偶然同席，我們雖然沒有交談幾句，但從他豪爽坦白的風度上看，堪稱一位幹材。

大約在十一時半便到台中市了。先前由台北到台中，立即由台中車站登車去日月潭。現在才算一睹台中市整齊的市容，縱橫寬暢的柏油馬路，街樹成蔭，行人悠閑，使來到的人有一種恬靜安閑之感。

遠東第一大橋

我們的客車一直駛到醉月樓停下來，因爲台中市各界在這裏招待我們午宴，醉月樓爲台中最大的一家，共四層樓，我們走進三樓大廳時，已經開三十餘席了。不久市長楊基先先生和議長徐灶生先生入場，在熱烈鼓掌聲中，他先向我們致詞。楊市長是民選市長，身材很結實魁梧，鼻上架着一幅眼鏡，看來溫厚敦重，他說的是台灣官話，但我們都能聽懂。在他致詞以後，同人中由曾公義代表致答詞，曾先生是由西印度羣島占美加回國出席大會的，他的身材結實，頗與楊市長相似。說話沉重有力，他說海外一千三百萬僑胞的心都是熱愛着祖國台灣的。

於是，我們在杯酒交歡中，這坐大廳上洋溢着一片熱鬧的談笑，住在台中的代表同人，不少起來看我們，其中在農學院執教的周邦道先生，他堅邀我們去他家裏午餐，我們便索性把他拉在一起坐下，可是，他因爲家裏有客，稍坐即離去。

談記者招待會

馬五先生

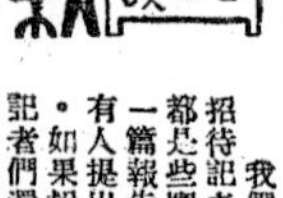

執政人物隨時舉行新聞記者招待會，是民主政治生活的重要行爲，因爲藉此可以溝通政府與民間的意志，使社會大衆對現實政治發生興趣，構成健全的輿論。所以，在眞正以民意好惡爲施政方針的美國，自總統以至國務卿，皆隨時舉行招待記者這項工作。

招待記者的作用並非聯絡感情，應酬故事。第一是要招待人必須對時政有所闡述和指示，致輿論界瞭解某項政策的要義；第二是要讓記者們自由提出問題來質詢研討，而且沒有甚末限制，當局者對某些問題儘可以不予解答，卻不能禁止別人提詢的。杜魯門總統招待記者時，有人請問他對於戀愛問題的觀感如何？他亦只好笑笑，說是要請教上帝才明白喔！第三尤其要緊，即平日須使新聞記者眞能言論自由，言者無罪，聞者足戒，如有逾越法軌的情事，自可依法處理。具備了這三項條件，舉行記者招待會總算有意義，否則不如其已！英國政府人物即很少招待記者，然不失其爲民主憲政的先進國家。

我們中國政治界亦常有招待記者的盛事，可惜多半都是些應酬交際性，招待人一篇報告或演說之後，很少有人提出問題來質疑問難的。如果招待人是一位大官，記者們還得推舉代表答詞，道謝恭維一番。像這種禮儀萬千的君子之風，原係中國固有文化的國粹表現，未可厚非，但與民主政治生活下的記者招待會意義，相去遠矣。我們儘可不必學習別國的玩藝，要學，就得像樣一點，刻鵠不成，何若作鶩耶？

× × ×

屈原論

——爲大詩人二千二百卅八週年祭作

·王世昭·

屈原卒於紀元前二百八十五年，加上一千九百五十四年，到了今年五月五日，正是二千二百三十八週年。

（一）

五年來流亡港九，我爲屈原寫了五篇文章，翻譯他的創作二十三篇爲白由詩，其發表先後如次：

一、詩王屈靈均——見人生雜誌及拙著中國詩人新論

二、南方文學之祖屈原——見拙著中國文人新論

三、狂飆運動與屈原——見人生雜誌

四、九歌辯——見天文合報

五、論屈原及其著作——見自由陣綫

六、譯「離騷」「天問」，「招魂」，「九章」，「九歌」等二十三篇爲自由詩——見香港大華書店即將出版的屈原創作集。

（二）爲什麼我要研究屈原？

第一，屈原爲中國古代最偉大的文學家、思想家、愛國詩人。第二，屈原的文學創作，與希臘的荷馬，印度的迦里陀莎，意大利的但丁同垂於不朽。而其思想上的懷疑精神，又爲全世界的先導者，中國的司馬遷，王充先受其影響。歐洲十六世紀的啓蒙運動，文藝復興，宗教改革則蹤乎其後，所以不能不爲之特別頌揚。第三，中國共產黨年來在大陸，拚命地爭取文化傳統，撿揚屈原，尊之爲中國最偉大的詩人，列之於世界四大文學家之中。而且去年爲了紀念屈原，爲之發行郵票，把屈原宣揚於國外，深入於民間。反顧我們自由中國，對於這個有關文化史的偉大人物，卻一聲不響，讓他奉行故事。最了不得的，來個私人集會，爲之紀念一番，看起來眞是有些「衰」（廣東話是倒霉的意思）了。第四，前昨兩年，我見到郭沫若的「屈原賦今譯」，與文懷沙的「屈原：……」什麼集，對於屈原既沒有眞的了解，又爲之胡亂地翻譯一番，讀後不禁爲之笑到肚痛。因此，我不管這個工作是不是冷門，似乎有重新爲之整理的必要，所以接二連三發表了幾篇文章，發憤把二十三篇的屈原創作用自由詩體裁譯出，並加考證與註釋，書名「屈原創作集」。最先送到××出版社洽商出版，那曉得他們忙於反共宣傳，卻忘了爭取反共的民族文化傳統，將原稿子全盤歸趙；想起來眞覺到滑稽、矛盾、有趣。難得大華書店就是一個小書店，可是這位主事人卻有大眼光，知道我這本稿子還沒有出版，急忙忙地跑到鄉下來找我，無論如何要出版這本書。而且他對我說：「不論蝕本賺錢，這一本書我們都要出版，我們是不問犧牲與報銷的！」因此我便把稿子交給他了，這都不在話下。

（三）

現在讓我說說屈原的貢獻。屈原在中國歷史上，在人類進化史上，他創造了一個堅強不朽的人格，與政治家的模範典型。應該幹的他就幹，應該死的他就死，絕不猶夷於二者之間去投機取巧。所以政治上失敗了，他不依靠外國——如他外交路綫以東方諸侯爲與國的齊國，也不投奔敵人——如他反對與西方國家攜手的秦國，坦坦蕩蕩，明明白白地表示出來。在中國舊道德上說，只有繫懷君主之忱；在民族傳統精神上說，只有愛國家，愛人民，赤裸裸的熱情；這種熱情，在離騷與九章上表現得最明白。而在文學上，依內形韻律來說，他的語言是中國古人中最美的語言，他的文字是中國文字中最優良的文字，多一句不得，少一句似乎也要不得。說到外形韻律，如節奏、聲調、格律等，節奏是宛轉依徊，聲調是鏗鏘嘹喨，格律是創出前所未有的變化與長言詠歎的創格。如天問，是前所未有的四言長篇，離騷與招魂，是前所未有的長短句，中篇如九章，短篇如九歌，多發前人之所未發。如果我們檢識詩經，或挈古詩源作參考，就會發現屈原在中國文學上是前無古人的大創造者，如果再續漢以後詩辭歌賦，又會發現屈原是後無來者的大詩人。如以之與荷馬的「依利亞特」與「奧德賽」，印度的「羅摩耶那」與「摩訶婆羅多」四補史詩相對照，則荷馬所表現是屬於歷史的，印度所表現屬於歷史宗教的；屈原所表現則屬於人性尊嚴這一方面，可謂徹頭徹尾的愛國詩人。至於情節，則迦里陀莎的莎恭妲羅是屬於劇曲之類，但丁神曲屬於劇詩之類，屈原的二十三篇創作則屬於典實的、浪漫的、抒情的、美的有韻散文詩。

若論年代，可與屈原比美的，只有荷馬與印度的四種史詩（均二千二百年前），其次迦里陀莎的「莎恭妲羅」（一千四百年前），又次但丁的「神曲」（六百年前）。所以屈原的偉大，在中國是無與比肩的，在世界上只有希臘的荷馬，印度的二大史詩可與稱兄道弟而已。

但但丁神曲卻有與屈原創作相通之點在。但丁創地獄、淨土、天堂三部曲，屈原亦創招魂、離騷與天問三部曲。體裁即嘗不同，而內心的苦悶則完全一致。不過，但丁寄居在外，置精神於宗教領域，故能全其生。屈原則抽思無告，把生命投擲於淸流，故遂絕生於南土罷了。

（四）

全部屈原創作中，最有趣的是天問。但丁是相信上帝主宰一切的，故作天堂曲，而屈原則否！屈原於天問中提出宇宙人生所不可解的一百七十二疑問，這裏包括天文、地理、歷史、傳說、神話，以及歷象上的許多問題，這便是中國古人懷疑精神的開始，郭沫若於屈原賦今譯中統以「神話」二字抹殺一切，未免不合理。與屈原的莫同時，西方有一哲人曰蘇格拉底，也正在向國人作種種問難，我們中國的屈原雖不向國人問難，但卻暗暗地記在心頭，寫在篇策上，作風雖不同，而其精神之相通則一。他的遺訓，卻給後人無數的影響，我前面已舉出司馬遷，王充，後來中國的哲學家也無不受其薰陶，南宋朱熹即是顯著的一位，不然，他不會把屈原創作的「離騷」抬到「經」的地位，這是後話了。至於歐洲的懷疑學派，雖以希臘爲不祧之祖，可是如果讀到天問，我想如不拍案叫絕那才怪！

今年是中華民國四十三年，也是屈原二千二百三十八週年祭，我用什麼來紀念他？寫篇「屈原論」，就算秀才人情紙半張也罷。

荔莊集的明史詩

懷冰

關於明史詩，清遺老如吳玉臣（道鎔）張漢三（學華），都有撰述，吳著有明代樂府百詠，張著有百徵詠（詠明代忠臣百人）他們在民國時代，以遺老自居，只有借「他人酒杯，澆自己塊壘。」發洩自己胸中心事，當然這些史詩，比不上杜甫的赴奉先詠懷，和北征的偉大，亦比不上荷馬的伊利亞特和奧德賽的偉大。

前幾天，我接到友人吳荔莊（天任）的荔莊詩集，內有明史詩八首，感時撫事，蒼勁入古。題云讀明史平寇志，明季北略，烈皇小識，幸存錄諸書，雜取李自成亡明史事爲詩述之凡八首。茲鈔錄二首，以供同好。

闖也工脅衆，所至放亮兒。不許想父母，想必刀送之。初獲縛五■，再獲黥而皮。終身不得逃，逃者磔成臁。其間落草者，常雜僧道曙；各以其藝用，一一爲驅馳。人言賊無謀，賊狠人豈知。官既失民心，賊計益用奇。從者遍州郡，既入難自歸。經年號百萬，荼毒無子遺。莫聯潢池盜，因之天下移。

註一：賊所至放火，名曰放亮兒。凡擄人，問想父母妻子否？倘云想，則一刀殺之曰吾送汝去。初擄者縛五日始釋。逃而復獲，則截耳黥面；甚則磔之。賊追營百里，警戒嚴密，逃者竟日不得越，名曰落草。所擄人，各以其藝用，編爲裁縫，銀匠，鼓吹手等隊。

甘言滿閭閻，勸以仁義託。傳聞弔民師，不殺亦不掠。兒歌吃他娘，闖來盡歡樂。免差免納糧，迎者縻好爵。又傳愛斯文，秀才喜張樂。先遣投順牌，次第過村落。賊來但三銃，望風下城郭。發粟賑饑翁，結衆三章約。殺人甚父仇，淫人我母若；以茲啗黔首，趨如蛇赴壑。哀我塗炭民，更陷蜂蠆蠚。

註二賊揚言不殺不掠，編口號使小兒歌曰吃他娘，穿他娘，吃着不盡有闖王；不當差，不納糧。出示以三年免徵，一人不殺爲號召。賊又扮客商傳言頗愛斯文，秀才迎者即與爵賞。至城下發三銃，即須百姓跪接。立投順牌，城破，回向負牌至村落，降者不殺。又散財粟，賑飢民，自成自陝而東出令曰殺一人，如殺我父；淫一人，如淫我母。

荔莊的明史詩，除這裏引用兩首外，第三首詠李闖軍師獻策組織小鬼隊，第四首詠流寇屠殺的慘酷，第五首詠明君臣招撫的失策，第六首詠流寇善用間諜，第七首詠流寇擄掠勛舊奉獻金帛，第八首詠李闖行事險驚機警。將把這幾首詩細細咀嚼，那麼甲申之變，恍如歷史重演。主文譎諫，言之者無罪，聞之者足戒。荔莊愛國的心情，固活躍紙上也。在此大時代中，我希望作家們，繼續努力能夠產生更偉大的史劇和史詩！

煙的故事（六）

如何減少毒烟

若讀者認爲他不願意或者不能夠戒烟，那麼我向他們報導威林禮醫生減少毒烟的方法。

（一）減少吸烟的數目。

（二）千萬不要將烟吸入肺裏。將烟吸入肺裏等於慢性自殺，因爲肺將烟所含的毒素都吸入了血裏。

（三）我們要曉得熱是一種刺激。烟頭的烟最熱，毒質也最多。吸烟、應該慢，以減少熱度。頭烟不宜吸。烟斗因爲烟的燃燒範圍大，比較香烟爲熱，可是因爲烟斗的烟不容易吸入肺內，所以吸烟斗的害處沒有香烟大。若果能夠只吸半斗，像吸香烟只吸半根一樣，那麼烟斗可以說是比較他種吸烟的方法安全。雪茄也是一樣，只能吸半根。每一根雪茄等於五根香烟，吸雪茄的人應該注意到這一點。

·布衣·

中篇小說

金珠

勞影

第一章　一條手帕

民國三十六年秋，爲了爭取自由我開始在一個離不開家的年齡離開了家。此而後，生命便像一隻斷了綫的風箏，任情地飄，盲目地飄，飄，飄着……永遠飄向着一些無法預先知道的方向。因此，在一個年青人應該歡笑的年代裏，我不知道如何才能使自己像別人一樣地縱情歡笑；我甚至漠然於幸福的解釋。

四五年的流浪生涯雖然不是一個太長的日子，可是，它卻完整地剝奪了我生命中最可貴的一段光陰。在這四五年中，我學會了用什麼方法去抵禦過連續的飢餓與襲擊，以及怎麼樣向環境的壓力適應，怎麼樣在風雪中用艱苦的跋涉去打發漫沉沉的寒夜……在這四五年中，我也有時不免於發出嘆息，儘管，我的熱情沉澱了，而浮游着的，是一層又一層的蒼老和抑鬱。我開始對眞理表示懷疑；對善表示憎惡；對美化表示嘲弄；——這就是命運之神對我這個孤獨靈魂的賜予。

也許我仍然和所有的青年人一樣地渴求着友情與愛情的滋潤，甚至超過了一般人的需要。可是，我變質行爲表現的恰正相反；因此，每一個認識我的人都以爲我是一個寡情者，一個沉醉於幻想世界的精神變態者；由於我不善於，也不欲於爲自己辯護，於是，我更孤獨了。

數年來，我以幾乎相同的生活方式默默地迎送着那些來去不由人的無聲無色的歲月。

每天，除了職業所賦予的工作外，我總把自己關在房間裏，用一杯清茶慢慢地冲洗着自己的思維，然後再藉一根捲烟的烟霧來排遣一切。

過去，爲了夢想破毁命運牢固的安排，我也曾通宵地狂賭過，我也曾把身心浸沉在一次又一次的酗飲裏，我也曾爲一二個不愛我但爲我所愛的女人費盡心血寫過冗長的情信……總之，我曾經一度將自己整個浸溺在荒唐的生活裏，任其浮沉；之後，來到台灣，一切新生景象令我清醒過來，我覺得過去的生活，對命運無疑祇是一種無力的呻吟；於是我重新調整生命的腳步，我愛平凡了，——自從我發覺了自己的平凡，我就開始緘默起來，我用緘默鎖緊也隔絕了一切。我用緘默來修養並充實自己。

寂寞是歡樂的影子，歡樂與寂寞永遠相循而生，我小心地迴避着可能消沉生活信心的寂寞，所以我也拒絕於歡樂的尋求。我常獨自躑躅於落漠荒郊，或者徘徊於寂寥的叢林之間，或者月明夜靜的湖沼之邊，倒也別具樂趣；這時候，我摒棄了塵世，塵世也已將我遺忘！我靜靜地以無聲的腳步鋪開自己未來要走的路，以修長的身影測量着逝去的歲月，以狂放的思維去聯綴自我的夢幻世界。由於我是一個不爲上帝所喜愛的兒女，因此歷年以來，我所期望的都落了空，而我所遭遇到的呢？——我幾乎沒有勇氣來述說下面這個故事。（一）

對啦，我剛結婚

安迪生對於事業專心極了，可是專心到什麼程度呢？萊爾士新利行的安迪生傳有下列一段驚人的記載。

「一八七一年十二月二十五日，聖誕日，安迪生跟瑪麗史特威結了婚。瑪麗是一個十八歲的少女。她是主日學校的教師，也是他轄下一家工廠的職員。結了婚沒有幾分鐘，他便對他的親友說，我有一點事，要出去一下，一刻鐘便可以回來。他跑回他的實驗室，一直到半夜還是聚精會神地在試驗着關於電學的實驗。他的伴郎找到了他，說道，「你應該回家了。」

「不，我太忙了，沒有工夫回家。」安迪生回答。

「你忘記了你今天結了婚嗎？瑪麗等候了半天，要和你一道到波士頓去渡蜜月呢。」

安迪生才如夢初醒，說道，「對啦，我剛才結了婚！」」

中華民國僑務委員會頒發登記證台數新字第一零二號
中華民國郵政登記第一類新聞紙類

自由人

THE FREEMAN
（半週刊每星期三六出版）
（第三四〇期）
每份港幣壹毫
台北市售價台幣伍角
督印人：嶽騫
社址：香港高士威道二十二號四樓
20 CAUSEWAY RD 3 rd. fl. HONG KONG
香港發行及事務接洽：高士打道六十六號
電話：七〇四五三
承印者：東南印務出版社
地址：高士打道六十六號
台灣特派員辦事處：台北市館前街五十號
台灣總經銷處：台北市中華路九五四號之一
郵政劃撥儲金九二二二

從吉田出國看日本

尤其是日本的外交政策

左舜生

千呼萬喚的吉田環球訪問之行，事前好像經過一番考量，畢竟已成事實。吉田老了，他似乎也是一個不大歡喜走動的人，但世界局勢演變到了現階段，爲日本國家的前途着想，他好像覺得此行確有其必要。

他出國的行程

前兩天，路透社巳報導由日本官方所頒發一份吉田出國時間的日程表：

『六月四日從東京羽田機場動身，六日到達三藩市，十一日到華盛頓，十二日抵紐約市，十三日從紐約到渥大瓦，十六日再從紐約搭乘伊麗沙白皇后號前往倫敦。

從六月二十日起，到六月底止，預備留倫敦十天。

七月一日到巴黎，留一星期。此外可能留西德波恩四天，羅馬一星期；然後行旌東指，留略拉嗤兩天，新德里兩天，星加坡兩天，曼谷兩天，大致在七月二十七日返回東京。』

吉田此行的眞正目的如何？希望得着何等成就？這裏姑且不談，但從他這次旅行的路綫，却不難窺見他今後外交政策的全貌：

英國重於一切

歐重於美，英國重於一切；因爲他不曾忘記往日日本帝國的光榮，當然他也不會忘記過去英日兩國近二十年的同盟舊好；對東南亞他自然不能忘情，但他暫時不要打仗，也不能打仗，在今後若干年對亞洲問題的應付，他可能是英國的追隨者，決不是美國的追隨者；他對日本軍備的重建，卜是不進，而是緩進，他覺得必如此，才不會過度影響日本的經財，也才不會過度陷溺於美國的倚賴；反共，吉田自然也是反共的，但只是英國式的反共，決不是美國式的反共；吉田對中國大陸的貿易，只存有一億美元左右的希望，並不會作過分的幻想，然藉此可以暫時和緩蘇聯，吉田却自以爲得計。

吉田想做什麼？

像吉田這樣一種做法，在如今天這樣一個波瀾壯闊的洋面上，這一條『日本皇后號』能否安全開到她的目的地，在目前是不可知的。

然而，以日本的現狀論，如果吉田還想繼續維持他的政權，甚至他還想做未來一個由右派大聯合所構成的新黨領袖，他便只有力求國內安定之一法。所謂國內安定者，即左右不走極端，避免國際無把握的冒險，在經濟上多求活路，財政措施上力求穩當，以一般國民生活的改進，以求得國家多方面的繁榮，吉田所一向憧憬者，從大體上觀察，總不外如此。

說到吉田秉政時期的長久，大概自明治十八年（一八八五即日本頒布憲法前三年）以來，他僅僅次於伊藤與桂，假定他還要繼續下去的話，他便可能超過他的前輩也正難說。可是吉田與伊藤與桂之不能相提並論，這大概在吉田本人也有自知之明。可見一個政治家之所以成爲政治家，和他秉政時間的長短，並無必然的關係。伊藤在明治十八年第一次組閣的時候，他的年齡才四十四歲，其少壯有爲，也正與日本方興的國勢相當，可是今天的吉田已經老了！他懂培植他的後進嗎？

▷第二次世界大戰期中，被蘇聯俘虜的馳名全球的西班牙志願反共藍師團官兵二百八十五人，被拘在蘇聯集中營中十二年後，最近才獲釋放回到西班牙重渡自由生活。圖爲守寡十二年的妻子，在碼頭上找到了從奴役走回自由之路的丈夫。△

吉田與邱吉爾

吉田對於當代人物，所手摹而心追的，大概是邱吉爾首相，可是邱吉爾能寫明暢而浩瀚的散文，也能畫幾筆油畫，這是一個終日爲現實問題所縈繞的政治家在精神上所不可少的一種緩衝，否則便會耍趨於流俗而缺之遠見。可是吉田除掉口中所含的一支雪茄，和走路說話帶幾分傲慢，乃至也還略工心計，有多少和邱吉爾相似以外，究竟又還有什麼呢？

不過話仍得說回頭，在一般根本不談政策的政治人物中，吉田畢竟也還不是完全沒有政策，自日本戰敗投降以至今日，他究竟不失爲是日本過渡時期一個不可少的重心；可是以吉田的年齡考之，以世界之現狀和日本的環境考之，我恐怕吉田亦只是日本這一代一個過渡的人物而已。

『九州雲氣鬱風雷，萬馬齊瘖究可哀；但願天公重抖擻，不拘一格降人才！』我唸着龔定庵這首絕句，不禁爲日本的前途默禱，但我又何嘗只是爲日本默禱呢？

論批評態度

思光

在四月七日出版的自由人半週刊上，我讀到陳伯莊先生以『一個抗議』爲題的短文。讀後頗有所感。

陳先生所抗議的是『從論事而轉入攻擊個人的傾向』；並曾舉彭楚珩先生和王震批評簡體字運動的兩篇爲例。我對於彭王各文和簡體字運動在這裏不打算涉及，只打算談談對陳先生此一抗議的感想。

理應與人無干

無論是學院性問題，或者實際性問題，人們在討論時，不能不是談一個道理。而理本應與人無干。倘若我們研究某一問題，受個人心理影響而有某種偏向的主張或論斷，而這種心理只與此一主張或論斷的發生過程有關，並不能決定此主張是否合理，此論斷是否爲眞。而批評者也只應以邏輯及事實材料爲根據來衡度其得失，不能故作誅心之論。這並不是勸人『忠厚』或保持『君子風度』而已，實在因爲『避理』而『歸人』的作風本身有礙於事理眞象的明朗。

意識型態說的魔套

崇奉意識型態說的人，最喜歡把『異己』一切的主張，在一頂大帽子下抹煞；整個意識型態說，嚴加分析時，便只是一種以心理過程代替眞僞問題的謬誤說法。馬列之徒批評一切非共產主義的思想技術，都只用『資產階級的產物』一詞概括否定。其實即使維護資產階級利益是某些思想家的實有的欲求，他們的學說是否正確，仍並不能由此決定。例如經濟學上的邊際價值說，不論立說者是何居心，它的眞僞只能在證驗於經濟事象時決定，生物學上有得性是否能遺傳的問題，也不管立說者是爲那一階級着想，祇能證之於事實。這本來是人人都懂的道理。但意識型態說之流行，結果竟使許多人不知不覺地在批評別人主張時，也採用了『誅心』的辦法。不嚴論理之是非，却一味胡亂揣測言者的心理。這種風氣往大處說，實可使我們跳入意識型態說的魔套；往小處說，也必養成人們不尊理而尊弄小聰明的懷病。因爲罵人『居心不良』，總比『硬碰硬』地指出理論上的得失省事得多。

情緒是理的死敵

陳先生這篇文章雖就人們對簡體字運動的批評說，但我把它瞭解爲針對普遍性問題而發。倘若彼此相鄙的習慣不能矯正，則不但浪費學人精力，而且會造成人間感情之不協調，一切問題的眞象亦將越來越弄不明白。

情緒是道理的死敵；但人總是不免受情緒影響的；人爲情緒所支配時，便自然感到『罵人的需要』。這是只能使自己克制的事。我們在已往或多或少總不免犯過這種毛病；我願每一個人從現在起自省自制，清除私念，以理衡事，建立起新風氣來。

最後，我覺得學人作風並非完全不可批評；我所要避免的只在討論一理時而攻擊個人——即我所謂『避理而歸人』。我們儘可正式批評學人，因爲那也是談一道理；但要注意的是不要用罵人的辦法來躲避本題正題的問題。

半週展望

李秋生

越戰問題提安理會

泰國代表在美方支持下把越戰問題提出安理會，要求聯合國派員視察泰越邊境，是近頃一連串國際逆流中一項差强人意的事。

聯合國基本任務是制止侵略維護安全，中共干涉越戰已構成對整個東南亞的威脅，安理會應該過問是天經地義。如果連這樣大事件都視若無睹，則聯合國眞要步國聯後塵，成爲告朔餼羊了。

但由於法國的自私，和姑息主義自知在聯合國衆目睽睽下難以上下其手，於是這樣一個威脅安全的重大問題竟然越過聯合國，而私相授受的召開日內瓦會議去商討，實在是民主國家政治家的重大恥辱。美國在日內瓦遭受挫折，只能說咎由自取。

蘇聯無法阻撓越戰列入安理會議程，是因爲在程序問題上否決權依法不能應用，到一旦要決定實施步驟，則一定會遭蘇方梗阻而無從展布。然而還有聯合國大會在，事實證明眞能在國際間主持正義者，往往到是一些小國。

我們並不對聯合國存過大奢望，但無論如何總勝於名不正而言不順的日內瓦會議。

美援華新方案構成

經過威爾遜范佛利相繼訪台，和蔡斯返美報告之後，據說美援華新方案已構成。其具體內容具有最高機密性，外間自然無由獲悉。但我們只有一點簡單希望，就是今後的軍援性質必須防禦性轉變爲進攻性，纔能與今日遠東與自由中國的客觀要求。今日中共已獲得大量的米格十五式機裝備，我們竟還要以P五一型去對付噴射戰鬥機，這情形決不能再繼續下去。

美當局與科學家

年餘以來，美當局內外許多措施都難使人滿意，其外交政策的失敗已成爲世所共見，內政方面的措施也有不少地方很失人心，對於麥加錫參議員之注意破壞政府內部威信而無力作有效應付，是一件事，未能實踐修改塔孚脫哈特萊諾言而失却工會支持是另一件事，此外又一再發生政府對權威科學家間的糾紛，很可能嚴重影響到今後科學家對美政府的協力。

共和黨政府就職不久，就發生商務部長威克斯受少數工商業者影響把標準局長阿斯汀博士免職事件，其後雖經艾克親自干涉，證明阿斯汀並無愆尤而繼續留職，但在政府與全國科學家間已留下不愉快的痕跡。最近又發生英國量子力學泰斗狄拉克被拒發入境簽證事件，國務院最初宣佈此事，次日又說關於此事並未獲得駐英大使館正式報告，態度模稜，無疑也會傷害國內外科學界感情。其影響最大者，當無過於奧本海默與「危及安全」事件。調查此案的三人委員會並未公布檔案，我們自然無從得悉其既肯定奧氏忠貞而又禁其接近原子秘密文件的理由。從過去各方公布的若干資料看來，他的可疑之處只是在十餘年前曾一度接近共黨和左翼份子，和一度反對製造氫彈而已。但他不只是原子彈的主要設計人，美國最機密的原子武器機構洛杉潑實驗所是他一手所組織主持，如果他有不可靠之處，則美國的原子權威早告傾圮，更何待今日的調查？

美國科學近十餘年來突飛猛進，主要因爲具有自由研究的氛圍，乃能使歐洲遭受極權迫害的科學家趨之若鶩，這也是美國能首先製成原子彈的重要因素之一。克里姆林宮一切都倒行逆施，但却深知科學家的可貴，不惜予以極優裕的待遇和相當的研究自由。在自由民主的美國政府反而不知科學權威的頭腦是國家瑰寶，往往以莫須有的罪名，加以精神或物質上的傷害。十七世紀歐陸的宗教迫害使優秀工匠大批移殖英國，形成英國產業革命前驅，在德義的獨裁高壓下歐陸第一流科學家羣赴美國，促成原子能的發展，我很担心這種不幸事件又會在美國重演。

南斯拉夫的經濟制度

·旭軍譯·

處在自由世界與蘇俄共產集團之間的南斯拉夫，佔着很重要的地位。但我們對於她的政治與經濟制度性質，所能了解者，甚少。下面是南斯拉夫聯邦「國會經濟委員會」主席普俟維克，在最近前往仰光參加亞洲社會主義者大會途經新德里時，在五月十一日接見印度記者之問題而作解答的演說。普俟維克可算南國的經濟權威，因爲南國經濟計劃係由國會決定的。本文有參考價值。——譯者

初期的制度

在我們的（指南斯拉夫）經濟制度裏，一切的生產手段均歸國有。至於就農民來說，農業及小手工業，私有權及私人主動處理權尚存在。目前工業的企業與工廠等等，透過工人的選舉，由工人管理。但開始時並非如此，在開始時一切企業管理人由國家委派。須知在當時政府機關掌有計劃。工資物價由政府決定。低級機關雖由大衆選舉出來，但祇能作高級當局的執行機關。此種制度一直實行到一九五〇年爲止。因爲南斯拉夫的經濟在戰時大受損失，故必須有此種制度。

基本計劃的製定

在一九五〇年至去年尾的當中，是經濟制度的過渡時期。目前南國工業由工人選舉出的勞工委員會管理。他們自由決定生產什麼，及在市場他們的出產品售價如何。其貿易由營業部主理，由經理襄助。經理的選擇與委派由該企業之勞工委員會代表與地方議會代表組成聯合委員會來主持。該經理工作依照現行法律及勞工委員會與地方生產委員會的訓令進行。

基本經濟計劃由南斯拉夫國會兩院製成。他們決定經濟發展的大概趨勢。換言之，南國的經濟計劃由選舉代表製定，而非係由行政機關。但選民選出的國會祇決定三項實際事務：（一）決定工業企業支付若干在貶值時保證償補損失之準備金。（二）企業給予基本生產手段的利息，及售貨應納之稅。國家機關不管生產本身，而係由該企業及市場而決定。（三）國會有時考慮開拓新企業。例如擴張鐵路綫及重工業，這是有利於經濟較落後的區域。

工人管理工廠

在基本工業上，我們當然需要外援。我們從國際銀行及私人公司借款，由國家接取此種借款。大部份用來購買南國不能產生的機器。但一旦機器開始產生，工廠由工人代表機關管理，一如上述。這是南斯拉夫經濟制度的基本原則。但管理機關須遵照現行法律行事。此種法律包括由當地市鎮鄉議會訂定者，內容有關工資投資等事宜。但管理機關決定物價以適應市場情形。

新的企業可由現存的企業，地方人民，國會或工人團體發起。投資來自下列方法：各企業每年支一筆款到中央投資信託局。對發起新企業有興趣的人可申請貸款。各種企業每年支付若干專利給基本生產手段及一般的生產手段，換而言之，即爲他們所獲得的機器及基本資產納利息。

申請貸款者必須提出優良條件，以競取批准。大概肯給高利率的利息的，和能早償還者獲優先批准。如果國會認爲某種企業對國家有利益者，則較易批准。例如重工業及基本工業與農業享受此種利便。

工人決定工資

國會規定各種工資最低額。各工人的工資由工廠內勞工委員通過的規章作準則。各種企業工人決定他們自己的工資。中央國會決定各種經濟生活中之最低工資額而已。

事實上各種企業無有不能支付國會所規定的最低工資者，如有此種情形不過係因計算投資不準確而已。但假如工業生產品在市場景況不佳，則中央國會可能考慮其他補救方法。例如可能減低繳納固定資產的利息，使其經濟情形良好。但有時亦有某種企業不能自給者。於是地方議會爲之負責。因爲地方上可以從他們的特別款項予此種企業上的輔助。（譯自五月份印度思潮什誌）

戰時生活在那裏？

傅中梅

台灣通訊

【台北通訊】這次正副總統就職，場面的偉大，情況的熱烈，是自由中國幾年來所少見，尤其是香港影星七十幾位趕來參加這一大典，更使自由中國首都爲之生色不少，使[illegible]加許多熱烈，萬民歡騰，天下歸心的情形，自不在話下。

少享受一點罷

不過幾年來，大家天天喊克難，處處講克難，像今天這樣的豪華近張舞昇平的盛況，是否有點稍嫌過分呢？是否有點不合乎克難和環境呢？大家似乎感覺到：越是講克難的地方，似乎越是不克難；越是喊克難的地方，越是反克難。且看今天奢侈品最多的地方是台北，享受最多的也是台北；而最接近美國化的也是官貴人；前綫戰士和大多數老百姓過着茹苦含辛的戰時生活，由達官貴人在台北過的，還是紙醉金迷的太平日子。即以這次影星公開演出而言，定票最多的是政府機關，黑市票賣到兩百塊新台幣以上，有錢的老爺們照樣搶購不絕，想到保衛國家的戰士，一個月收入也不過是十五塊錢的新台幣時，眞不知要作如何解釋！娛樂固然重要，但在這樣一個戰時首都，少數人的特殊享受，難道不是一種罪惡嗎？難道不是對民心士氣一種不良的刺激嗎？奉勸政府機關的首長們，少享受一點吧！尤其勸你們的太太們，不要在外賓參觀的時候煞有介事的到甚麼會縫衣做鞋，只要平時少用一點美國奢侈品和少做一點特殊享受就夠了！

行憲六年，我們從大陸退守到台灣，這且不說。僅就到台灣以後這幾年來說，儘管軍事上經濟上有一點進步，但政治上有的進步在那裏呢？還說行憲六年，還需要更多的民主，更多的自由，甚至於要黨退出軍隊與學校的老調，甚或希望政府扶植一個反對黨云云，這豈非對六年憲政的銳利諷刺嗎？政府該如何以具體的成績來安慰老百姓，而不只是以文告或訓詞給予若離人民一點虛無飄渺的希望，實在是最緊要不過的事。

台灣非久居之地

過去我們曾聽到「一年準備，兩年反攻，三年掃蕩，五年成功。」言猶在耳。時隔五年，五年來，每一個飽經流亡痛苦的中國人，都希望悲慘暗淡的歲月快點過去，光明的日子早日到來。雖然由於客觀環境的限制，未能如期實現，老百姓不至有任何怨言。但台灣究非久居之地，只是避難和復國的基地，不能希望在這彈丸孤島作長治久安之計的。鄭成功第二，是萬萬做不得的呀！五年的願望沒有達到，時間實在不能拉得太長了。

今天大家正該以待罪的心情，臥薪嘗膽的精神，以圖打倒中共暴政；酒食行樂，非其時也；此時此地，我們眞是慶無可慶，賀無可賀；如有所慶，如有所賀，應該在重回大陸的日子。現在慶祝的熱潮已過去了，大家應該冷靜下來，仔細想想的時候了。

白宮裏的：神秘人物——蓋勒

·德榮·

（四）

在艾森豪競選軍裏面，他是一個舞台經理人。選舉以後，艾克和媽咪送他一張雙人照片，槓着簽：「送給貝比蓋勒，你把我從神經錯亂中拯救出來」。一艾克夫人在下面加簽：「愛和吻」。一個未婚的寡佬，沒有家庭生活，他是僚屬中在白宮住得最長久的一個。

艾克和貝比有着同樣的宗教信仰，蓋勒的相貌很像一個二十世紀的中古和尚，他堅強的氣質，明白表示出來，每每工作到深夜。爲了信仰，他做什麼都全副精神去應付。他工作得又狂熱又緊張，好像要把自己也放在工作裏面，好幾次他工作至昏倒。

在波士頓老殖民地信託公司總理任內，蓋勒的辦公室出名叫做「暴風角」。假如事情做錯了，他會大發脾氣，把秘書和其他職員，罵得狗血淋頭，正像老處女發嬌嗔一樣，不過還要利害些罷了。他經常的把職員考試，每一細節都注意到，作爲更動職員的標準。他對休息的解釋，認爲一個人工作到盡力不能支持時候才需要休息。他休息的方法，是在哈佛山裏鋸木破柴，或者騎幾點鐘腳踏車。

如果蓋勒需要一個定期的絕對休息，他要先得到別人的允許。他要別人同情他是一個獨身漢和他是怎樣的一個超時工作者。如果你和他一同工作，你總會在幾分鐘內聽到他覆述上面理由一次。

他每當獨身應付困難任務的時候，他會拒絕朋友的邀請，一兩星期後，他自然會宴請邀過他的朋友，朋友們總不能阻止他替他自己解釋。

（五）

還有幾件事可以明白蓋勒的爲人；他對社交沒有興趣。有一天下雨，他脫了濕淋淋的鞋子挽在手裏，赤着腳走進他的銀行辦公室。他不玩牌，但喜歡喝酒。有一次他在一個公衆宴會演說，他藏了一瓶威士忌酒在桌下。使人驚到記者記起，他不時躲到桌下。一個波士頓噴水加在威士忌裏的聲音，一會他又站起來了，手裏拿着那酒杯。另外一個巧妙的手法他是常用的，他常常用毡酒預先倒到水壺裏，因爲它是沒有顏色像用開水一樣。

在波士頓，蓋勒是餐後最惹人發笑的一位演說家。有一次他開始指責在火車裏一夜不能睡眠，「這個演說可能不同了，講者會熱睡，而聽者倒醒着。」許多關於他的幽默故事，只能用摹仿的姿勢表現出來，是不能用筆墨來說明的。

（六）

蓋勒最密切的朋友，覺得好嬉弄，是他一部份的特性，是很容易表現出來的。這特性是從他的父親遺傳下來的，他父親蓋治蓋勒，高六呎二吋，體重二百另二磅，有男性活潑的天資，相信天資是一種工作的原動力，他在五十多歲的時候，剖腹取出一塊膽石，有棒球那麼大，他常常拿出來給朋友看，在開刀那早晨，醫生發覺他在病床上吸着一支又大又黑的雪茄，剖割完畢的第二天，他便出去打哥爾夫球了。

蓋勒的父親有一套教兒子的方法，他不喜歡對兒子長篇大論地演說，只用自己的行爲作他們的模範。他帶他們行九哩至廿哩去釣魚，扒獨木艇。夏天和聖誕，舉家躲到新白爾士域森林裏面，在那裏他建了一間木屋，在他的木材公司的土地上。

他只有兩條家規傳給他的子女：要他們尊重母親和永遠不准欺騙，要說眞話。他們鬧到怎樣的田地都不管。他們打完足球，乘着最美麗的敞篷車，用石子投擲每一條電燈桿，這樣訓練他們長大後會有進取心。老蓋勒主張他們的家門永不關閉，使他的兒子感着在世上所有的門都爲他們開着的。當然囉，孩子們對於父親祗有仰慕，受他的影響，而爭着上進。有一事件，可以表明兒子們在做錯事以後，怎樣用孝心成立協定。當老蓋勒死後下葬的時候，山頂僅容他們兄弟五人平排站立。當時的雪和冰，使他們要很小心行動。葬禮開始，一個推着一個，把站在邊緣最大的約翰擠下山去，剩下的四個，爲了這惡作劇，而大笑起來。事後他們都同意說，「爸爸是喜歡這樣的。」

（中）

原子地雷阻紅軍西進

駐在西德的美國情報機構最近揭發了一宗共黨可怕的陰謀，據共匪在大力宣傳美軍防守西德擬定了極惡毒的計劃，並印成許多小冊子和傳單秘密運入西德。他們除以強力電台向西德不斷廣播外，他們在西德散佈謠言，說美軍正在萊茵區完成稱爲「S作戰工程」的防守計劃，以原子地雷埋藏在萊茵一帶，以備一旦三次大戰爆發時，可藉此阻斷紅軍的西進，這些反美宣傳表面上很平常，但實際上對於西德的人心士氣，却有重大的影響。

夏秋之交大戰將爆發

就在共黨散播這些反美謠言的時候，美國特務又獲得一件可靠的情報，證實蘇俄的陸空軍正計劃於今年夏間在鐵幕後舉行最大規模的作戰演習，所有附庸國的軍隊都將奉命參加，東德、捷克、波蘭、羅馬尼亞、保加利亞及匈牙利的陸空軍都已奉命集中，準備參與演習，這兩件事（反美謠言及軍事演習）發生於同一時候，西方觀察家認爲決非偶然的巧合，敏感的人認爲今年夏秋之交，國際間將有重大的事件發生，說不定共產集團將伸出引發第三次世界大戰的血手。

安德遜紅透半邊天

美國前任海軍部長安德遜自接任國防部副部長後，與威爾遜部長的感情處得很融洽，而且由於他不凡的才幹，已深獲艾森豪與威爾遜的信任。最近威爾遜來往考察，國防部人事與行政大權便完全交託了他。而安德遜在這一段期間由於職務的需要，又與白宮及國務院建立了極密切的關係。據熟悉內幕的人士說，安德遜在國防部政策及與國務院的關係上，已奠定了一種新基礎。他[illegible]一般人有不平凡的看法，[illegible]可能作極重要的改變。

但在另一方面，美陸軍參謀長李治威將軍却與國防部主管間的關係搞得很不好，李治威一向反對威爾遜等倡導的「新面目」計劃，過去他曾公開演說，對「新面目」計劃有所抨擊，後來受到當局的警告，才未公開表示他的不滿，最近他視察各地軍事設施時，曾很謹慎地避免談及國防計劃的「新面目」，但據說，他仍私下令人獲有一種印象，那便是他對新面目計劃，確實十分不快。

俄軍火偷入中美洲

蘇俄製造的武器正源源運入中美洲的尼加拉瓜，尼政府的警隊已在幾處森林中發現「俄國軍火儲藏庫」。據尼總統索瑪查暗示，這些俄國軍火是由俄潛艇運至海岸，再由尼共偷運入內陸的。而且那些武器上不是印有紅星，就是印有鐮刀斧頭的標誌。

（孟衡）

天下小事

編者讀者

讀者來函

關於新作家韓淑英

主編先生：貴刊三三七期「蘇勵全美的新作家韓淑英」一文。韓女士的英文著作弟未寓目，其身世亦不詳。惟現有馳名於東南亞尤其星加坡馬來聯邦一帶之女作家漢素音女士，僑居星、馬已二年，[illegible]

……據其事業之所述，[illegible]……漢素音女士。[illegible]……讀者彭澤先拜啓。五月廿七。

論漢高祖（二）

（二四七——一九五ＢＣ）

·毛以亨·

（二）無所不爲的人生觀

讀史述評

人們行動，率受良心與倫理的限制，而有所不爲。惟高祖則不講甚爲無類。既然是無所不爲的人，則其活動的範圍自然擴大，其成就的可能自然加多。祇要熟計利害，想盡方法但求目前拉攏各方力量與他合作，以反對項羽即得。在舊世界的觀念已經推翻之時，是非漫無標準，故可讓他任意胡爲。而其敵人項羽，則不特受良心與倫理觀的拘束，而且根據六國舊社會的是非標準，所以于拉攏各方力量時，要不過高祖，以致失敗。在項羽方面的人，總要守臣道，以爲項王打天下。然各路英雄，則欲爲自己的利益而奮鬥，以割據天下，這是項羽所不能答應的。而高祖則能答應，他竟公認各人佔到的地盤，都屬於各人自己。實則是一時權宜之欺騙手段，把統一天下，收拾羣雄之事，留到第二步俟打完項羽後再做。所以連韓彭英布，都去投高祖，其他諸侯，亦趨之若騖，祇是少數有特殊情形者如魏王豹，趙王歇，陳餘爲例外，不肯投漢，漢王乃使韓信一一打平他們。

不守倫理原則

項羽既敗，高祖問羣臣，漢之所以得天下，與羽之所以失天下，其故安在。戇直的王陵，即起來說老實話了。他說，「陛下嫚而侮人，項羽仁而敬人。然陛下攻城略地，所降下者，因以與之，與天下同利也。」這明指高祖以地賂啗羣雄，其時高祖對之，既不承認，亦不否認，僅藉詞于你知其一，未知其二的說開去，等於顧左右而言他。韓信謂項羽於有功當封爵者，刓印而不封，陳平謂項王雖遇奇士不能用。皆與王陵的說法差不多。所以成稱高祖爲豁達大度，然其大度是虛僞的，欺騙的，其人蓋於倫理上諸原則，是無一肯遵守的。

西漢以孝治天下，故惠、文、景、武諸帝的謚法，皆冠以孝字。惟高皇帝例外，不稱爲孝高皇帝，無論如何孝字終與他無緣，而加不到他頭上去。史記高祖本紀，「六年，高祖五日一朝太公，如家人父子禮。太公家令說太公曰，天無二日，土無二王，今高祖雖子，人主也，太公雖父，人臣也。奈何以人主拜人臣，如此則威令不行。後高祖朝，太公擁篲，迎門卻行，高祖大驚，下扶太公。太公曰，帝人主也，奈何以我亂天下法？」彝倫失了序，太公似乎要孝起高祖來了，殊爲任何帝王家所未有，這是什麼？然高祖卒心善家令言，賜金五百斤。所以此事仍應由高祖負其失當的責任。九年未央宮成，高祖起爲太上皇壽曰，「始大人常以臣無賴，不能治業，不如仲力，今之業，所就孰與仲多？」殿上羣臣皆呼萬歲，大笑爲樂。」可謂高祖在清算太公，且侮辱之，而大臣們亦做了侮辱太公的喇喇隊。但是空前絕後的奇談。方太公爲項羽所擄，置於俎上，欲烹之以威脅高祖時，高祖竟曰，吾翁即若翁，幸分我一杯羹，結果不忍之心反生於項羽，而不出於高祖。漢家而果欲以孝爲標榜者，似應把高皇帝的神主牌，先行除去，方爲妥當。不過帝王之孝，皆在父死而子即位之後，甚與母后有關，出接即爲使外戚抬頭。則西漢之以孝治天下，與事實既合，與高祖之可藐視太公，亦不矛盾。故高皇帝之神主，仍可不必除去。

不明君道的流弊

他的朝廷，簡直不像一個朝廷。他動輒罵人，且罵人爲功狗，祇稱蕭何爲功臣，罵大臣爲狗，似乎亦是少見的事。在女子爲他洗脚時，他可以見酈生，擁抱着太監尋樂時，可以讓樊噲闖進去，婁敬穿着推車的牛衣，可以去見他。這些都證明他還是一個叫化子式皇帝，與瓦缸窯之稈交金差不多，所以後來也自覺不妥，非用叔孫通定朝儀不可。而尤奇者，群臣爭功，可以拔劍擊柱，經年不決，而所爭者，不爲凌烟閣上的勳名，而是領土的分割。所以韓信請爲齊王而居之不疑，隨何爲英布爭九江王，使他雖想賴而一時又賴不了，祇好以誣人造反來闘賴。索性殺了功臣，藉以收回其所封之土地，實與下流社會謀財害命之心術相同。然而可用之人少了，所以匈奴之外患來了，呂后的幹部亦相形強大了，幾以覆其國。劉氏的天下，直至文景時代，對內綏安定，至武帝時代，外患始排除。這都是不會做皇帝的人，不明君道遺下來的禍殃。魯兩生謂禮樂百年而後興，自高祖至武帝蓋已百年了。然猶未盡興，有待於將來，以大行其儒道，於是等出一位王莽來了。

終其身叛者不絕

高祖既不明君道，自己也不講臣道，所以雖責人以盡臣道。他先從假王景駒，後從項梁，梁益以卒五千人，五大夫將十人而始大。項羽既擊秦之主力於鉅鹿，高祖遂以偏師入關。項羽旋亦入關，自稱爲西楚霸王，而分封十八王，高祖亦受封爲漢王，王巴蜀漢中，故亦爲項羽之臣。漢之國號，實本羽所封，太史公於始皇二世本紀後，即緊接項羽本紀，而後始爲高祖本紀。故以漢繼秦，是後世的說法，當時漢家自己即欲如此說，亦做不到。西漢人的說法，爲項氏亡秦，而漢又叛項，故史記之以項羽入本紀，乃爲謹嚴的史法，並非同情於羽，即可顛倒其序。直至東漢，班孟堅貶項羽與陳涉，同入列傳，然班書爲漢代之史，不妨尊劉以抑項，而史記爲通史，故其勢不能。揚子雲當日西蜀之孔子，司馬光亦頗稱之，至程朱始有貶詞。然子雲之言曰，（法言重黎篇），秦十五載而楚，楚五載而漢，五十載之間，而天下三擅。……項氏暴彊，改宰侯王，故天下擅楚，擅楚之月，有漢創業山南，發迹三秦，故天下擅漢，天也。人？曰，漢屈（盡力）羣策，羣策屈羣力。楚嫐（忌）羣策，而自屈其力。屈人者克，自屈者負，天曷故焉？」則高祖已三易其主，爲項氏的叛將了，故雖成功，然終無揚湯止沸，以叛止叛之理，以是終其身而叛者不絕，此皆臣道未能一建立之過。

新書介紹

民生主義的戰後經濟政策研究

作者：范苑聲　本年三月台灣出版

一、

這是一本根據民生主義的原則，討論和擬議戰後經濟政策的專題研究叢書，這裏所指的「戰後」，是將來光復大陸以後的意思。作者范苑聲先生，係現任立法委員，近年來在台灣悉心研究有關經濟問題，曾先後著有「中國農村社會經濟研究」、「民生主義經濟政策之理論體系」、「農民的新生活」、「中國農民離村問題之研究」、「中國土地制度沿革史」及「經濟學原論」等書，並在「中國經濟」、「建設」、「民主中國」、「民力」及「徵信新聞」等雜誌繼續發表有關經濟政策、工農業生產及土地問題的論文甚多。其中「民生主義經濟政策之理論體系」一書，列爲總理學說研究叢書之一。本書，係作者經數年研究，採引各專家學者意見，加以歸納，做成的結論，理論與實際都能兼顧。「民生主義經濟政策之理論體系」着重闡述理論，本書則着重經濟政策及制度，實爲前書的姊妹篇。本書立論正確，引證甚詳，內容豐富，不僅足供制訂政策當局之參考，亦可爲大專學校學生作研究之用。

二、

作者在第一章緒論中，首先提出中國經濟建設，應走資本主義道路呢？還是走社會主義的道路？以及中國經濟制度，應採自由經濟？還是計劃經濟，或統制經濟等問題。於是逐一加以批評，從而竭力闡揚民生主義經濟原則的準確性及其優點。主張光復大陸之後，應切實遵照民生主義的原則，有計劃的全面從事經濟建設。這是本書立論的基本態度。

第二章論對民生主義的基本認識，曾將民生主義是不是社會主義或共產主義？民生主義是不是資本主義等錯誤的見解加以澄清。然後對民生主義經濟政策的基本原則加以說明。

第三章論民生主義的經濟制度，對自由經濟與計劃經濟的利弊得失詳加研討，然後提出他的積極主張，主張在民生主義的原則之下，採取「計劃性的自由經濟制度」。作者認爲計劃經濟，有扼殺經濟發展之弊；而自由經濟，則又有危害國家或多數人利益的集中資本的傾向。他認爲倘一方面採取自由經濟，發展民營生產事業；一方面由國家作適度的限制，並發展國家資本：扶植民營事業，相輔而行，則正切合民生主義的精神，可以免去兩者之弊，而收兩者之利，立論頗爲精闢。

三、

以上三章，可說是本書理論或原則上的重心，以下第四章起至第七章，轉而討論若干具體的題目。第四章主要討論光復後的土地問題及資本問題。第五章討論光復後的財政金融制度，如財政政策、貨幣政策、銀行制度、貿易政策等。該兩章有甚多具體建議。第六章討論戰後經濟政策上幾個基本問題，對中國工業化、工業民主化，將來之接收工作和戰後工作等，論列甚詳。第七章尾語，提出交通建設、實業計劃、社會道德、精神條件等有關經濟建設的重要問題，促起各方注意。

是書共分七章，三十一節，約八萬五千餘言。關心國家經濟建設問題的，允宜一讀。

·沈　著·

台灣中南行（八）

魏希文

大家酒酣耳熱，紛紛前往敬酒。這時淡脊是各桌推派代表，李副委員長鐵生又道謝楊市長及各界，宣佈一項報告，他說要參觀西螺大橋的同人，會餐後便登車前往西螺大橋，起自雲林縣西螺鎮，止於彰化縣水尾村，我們竚立橋中，首尾不能相顧，其長度爲一·九三九·〇三公尺，人稱爲遠東第一大橋。如果要留在台中訪親友的同人，下午四時在鐵路飯店集合，因爲我們四時半便要搭火車去高雄市了。

對台中市，我們來也匆匆，去也匆匆，對於台中市的風物，固然沒有時間去欣賞，就是台中市的朋友們，也不能登門拜訪，全市暢遊，我想只有待之異日了。

青年人的熱情

四時餘，我們全體同人在車站上會合了，沒有去西螺大橋參觀的同人，訪問親友之後，卻也帶來了送行的親友。我們到了車站，去西螺大橋的同人尚未趕到，終於在開車之前，同人紛紛趕到。楊市長在月台上向我們揮手，同人們也從車窗中伸手來向他告別。

我在日月潭拍的幾張底片，一位青年朋友特趕來送給我，他服務於市政府，由市府派他伴我們去日月潭的，他趕回來就忙去沖洗，底片沖出來了，沖放照片時間不及，便只有趕來把底片送給我；這種盛情非常可感。也說明了青年人的熱情。我在窗前展觀底片，每張所取的鏡頭均佳，不愧爲攝影專家。

車窗外已經夜色逐漸降臨，同人用閒談消磨車上的寂寞，健談的同人不少，車中也頗覺熱鬧。而且在我們這一列車中，記者們有好幾位，其中丁匯蕃，張力行兩君又爲我的老友，其實我也可算是一個新聞隊伍中的老兵，記者相見，大概也和其他同行一樣，總離不了本行，話題便又轉到本行，記者先生們採訪的方法雖各有不同，但隨時隨地把握機會取材，就像攝影記者們一樣，不會放棄機會的。

夜到高雄

六時，僑委會又給我們預備點心了，一份紙包的三明治，一個大橘子，到高雄吃晚飯恐怕是十點鐘以後了。

終於，到了高雄車站，在未到站的半小時，僑委會便把住宿卡交由各組聯絡同志給我們，我們第五組分配在中央別館。

高雄市大概幾家大旅館都給我們同人住下來的。火車剛一進站，便聽到樂隊奏樂歡迎，我們在車上停了一下，等旅客下車以後，我們同人列隊下車，歡迎的各界一一握手，出車站，大客車已在站外等我們，每輛車上都貼了一張字條，說明是那一組的用車。兩百人的團體，上下車一切辦得很有秩序，固然是[illegible]會同人[illegible]各地方政府的準備週到，更是值得海外代表同人深爲感激。我們一共六組，分住在幾家旅館，如華僑之家，國際飯店，長春旅館，中央別館。[illegible]

（未完）

當局培養大量師資

本年度增設講習班

港府爲了培養大量師資，以適應年度需要，依照原訂計畫，就各校現任乙級教師普遍調訓，使之成爲甲級師資，待遇方面也跟着調整，這一個訓練任務，分由羅富國和葛量洪兩師範學院專設機構辦理的。現在，當局已將此一計畫擴及新界地區，分別在九龍葛量洪師範專科學校及元朗公主中學設置教師講習班，報名參加訓練範圍，除了目前在新界私立學校任職的教師、新界津貼學校的乙級教師，或是持有教育司署舉辦的高中會考畢業證書，或具同等學歷的，但必須能說流利的粵語，或經由教育司特許者，都有報名參加訓練的資格，修業期間兩年，但並不妨礙原職。

講習班每逢星期五上課一次，每次二小時（下午三至五時）；在各校暑假中，各教師須上課四星期，每星期五天，每天三小時（上午八時至下午一時）。課程方面：第一學年爲教育概論及教學法二十四講，示範教學十次，中文教學法二十四講，算術教學法十八講，參觀港九各校兩次。第二學年的課程爲實習教學，由導師分別到各校（學員服務的學校）指導，社會科學教學法十二講，衛生教育十二講，鄉村科學法十二講，示範教學及批評教學十五次；美術教學法（選科）十講，音樂教法（選科）十講，手工教學法（選科）十講，體育教學法（選科）十講，每一受訓教師可在四科中選修兩科。

但在受訓期間，上課次數不得少過全部百分之八十，否則不准參加畢業考試；各項課程全部業期滿，經考試及格之後將頒予承認爲津貼學校法令所規定的及格教師。但須在港九或新界學校實習兩年，如教學成績認爲滿意始准予畢業，由教育司發給畢業證書。雖然訓練兩年，實際須經過四載苦鍊，纔能獲得教師的終身保障。訓練班預定九月十七日開課，惟學額僅祗一百二十名，現在已開始接受申請，相信不止此數。願意接受訓練的，可逕向教育司署視學處或葛量洪師範專門學校，元朗公立中學，新界大埔小學領取入學申請書，於本月十二日正午十二時前填妥，送達教育司新界視學官胡與德辦理。

×　×

用頭顱打賭

馬五先生

新任台北市長高玉樹，下車伊始，宣佈他的私人財產只有磚造三層樓房一幢，值台幣十餘萬元，別無銀行存款，已經會計師審查過了。他說等到三年任滿之後，還要請人清查他的私人財產有無增加？

不管這位市長先生將來成績如何，他能夠表示清白的誠實坦白的做人態度，至少是不想從「升官」之中來「發財」的。我曾經在台北市報過戶口，也算是市民一份子，欣聞佳音，曷勝雀躍，對此廉潔自矢的父母官，好不贊佩也！

一二年前，我曾在本報和其他報紙上寫過文字，主張凡在大陸上從政領軍辦黨有年，而又來台灣卓著績業位列顯達的先生們，向政府自報其私有財產，連在大陸的不動產，或在海外的動產，一律申報清楚。這主張當然沒人理會，也不能理會，譬如許多達官貴人和在野名宦們，一面大呼克難節約，而兒女照樣出洋留學，自身生活照常豪華，那些錢是那裏來的呢？又如某某在當過一任上海市長後，光是滬上的私有房產，在一個里弄內就有百多幢（共產黨將其沒收後，曾經公佈過）這又怎能列報呢？我的主張之不合時宜，理也，亦勢也，吾無間言。

現在居然有個台省同胞與我同志，以身作則，一行作吏，即對社會宣佈其私有財產，讓比我主張只向政府申報的方法更澈底了，眞是吾道不孤。假如台省主席暨各省，以及其他各市縣長，都能向高市長看齊的話，我敢學習同業中一位鐵大砲的調調兒：如果再打不倒共匪，請收我的頭！

× × ×

瑣記郁達夫

王耀荊

「兄等平安否？記離時，都門擊筑，滬濱賭酒。別後光陰駒隙，又是一年將盡，怕說與近來病瘦。我是無能甘命薄，最傷心，母老妻兒幼。身後事，賴良友。半生積貯風囊袖，悔當初，千金買笑，量珠論斗。往日牢騷今懶發，發了還愁丟醜。且莫問文章可有。即使續成秋柳稿，語荒唐，要被萬人咒。言不盡，弟頓首。」

（一）

讀鐵頭先生「憶郁達夫與風雨茅廬」，想起這一個浪漫詩人仿顧梁汾寄吳季子的金縷曲，填寄給他朋友的一首詞；滿紙淒苦音調，把憂憤悲怨的心情，曲曲道出。春宵寂坐，默念前遊，恍如夢寐，閒哦遺句，對這個風流跌宕以悲劇收場的亂世文人，深致無窮的感悼。

（二）

民國十一年的初秋，我和幾個同學從家鄉渡過暑假再回到舊都，過上海時，陳澹廬兄弟，約我們去喫飯。那時候所謂新文藝運動，正是風起雲湧，我們一班年青氣盛的小伙子，都是自命不凡，且也加入了文藝的組織，因此也高興和已成名了的作家見面，於是，在一頓飯裏，經過介紹認識了孤軍社的林植夫，和創造社的郁達夫，這是我和他第一次的見面。吾然初次見面，大家「久仰」一番，說不上「一見如故」，酒足飯飽之餘，一鬨而別，不過對他們的文章早已讀過，當然早已有了印象。更從澹廬談話裏，更詳細地知道他籍浙江富陽，留日京都大學政經科，歸國以後却以文章見長，趙南公在上海服務泰東書局，聘達夫和郭沫若成仿吾易君左一班人任編輯，達夫處女作「沉淪」，便是這一時的產品。在離滬的前夕，澹廬和我們幾個人在街上閒蕩，路過馬霍路，他指點着一個小弄堂的房子，說是達夫的寓處，因此我們也禮貌地特地留下名刺，作為訪候，也算做告辭。此後從北平書攤裏看到達夫所寫的「采石磯」及「碧浪湖之夜」等創作，覺得造意遣詞，比以前不無小異。更從友人通訊裏，知道達夫還去安慶，在體育專門學校教書，不久又回到上海，去過杭州，十五年到過廣州，在國立中山大學任文科教授，也還不斷寫作。

（三）

一直到我從北平南歸，再過上海，在王二南先生寓所，又遇見了達夫。這是民國十七年，也就是達夫和王映霞的戀愛到了白熱化的時候。這位王二南先生，是映霞的祖父，却也就是外公。他是杭州有名的飽學耆宿，幼年的時候，稱為神童；每讀一書，過眼成誦，至老不忘，經史百家天文地理朝章典故，無所不知，對於詩古文詞，尤稱高手。歷來文人無不嗜酒，這位老先生自然也不例外，平常喝十來斤不醉，酒酣更歡喜和少年人談笑，論列古今上下，所以他的朋友和學生都歡喜和他在一起。他早年喪偶，也沒有續絃，生子世鏊，未成年即夭，一女嫁與他門人金冰孫，又在民國八年夏間一病不起，遺有二子二女、二南先生，時已六十七八，他很曠達，雖然一門鰥寡孤獨，他還是飲酒賦詩。為了嗣續，他把大的外孫女——即映霞——和最小男外孫，立繼為後，因此把他女兒一家接在家裏。十五年多，革命軍政浙，孫傳芳一系軍閥頑抗，王先生便移居上海哈同路民厚南里，映霞在杭州女中肄業時，即有艷名，號稱杭州小姐，達夫一見，詫為天人，傾倒備至，時達夫已三十三，映霞年華才雙十，二南對達夫文章才調，甚為賞識，惟以兩人年齒懸殊，且嫌達夫已娶。（上）

詩人節感言

·張忠逵·

春秋戰國時代，許多想做官發財的無聊政客，都可用「朝秦暮楚」四字來形容他們。

但當時的屈大夫，（名原，號靈均，楚國西鄙人——如今湖北省秭歸縣），和他們却大不相類。他替楚王起草重要公文稿，朝野人士，都知道他的大名。那是正是蘇秦提倡六國聯合抗秦，張儀又提倡分化六國，各別和秦訂約的勸遊亂世，和現在的世局是差不多的。

那時秦國的謀士陳軫，從秦國到了齊國，不久，又從齊國到楚國。這樣「朝秦暮楚」的人很多。楚的黃歇，燕的蔡澤，前後投奔秦國，都是這類人物。

屈大夫雖生在同時，他看不起這些不顧廉恥如同「狗掀門帘子」全憑一張嘴的政客們。不願意和他們醉生夢死，同流合汚，因為受小人謠言中傷，被楚王放逐兩次，很有勇氣，在國內公開發牢騷寫詩篇，終於自己綁着石頭，投汨羅江自殺。

他本着「士勝莫若自修」的原則，即死後的清白身體，也不讓軀殼漂流到下游的吳國去。誰還能在他死後造謠呢？他是一位不待蓋棺，即可論定的愛國實踐者。

他生為楚人，死為楚鬼，絕不因為和政府的意見不合，和一般「朝秦暮楚」的政客一樣，藉外國勢力的庇護，到外國作無恥的狂吹！所以屈大夫不但是一個很有成就的詩人，而且是一個不折不扣的愛國者。黃帝子孫們每年到了詩人節的今天，用角黍（粽子）祭，龍舟競賽，來紀念他，不是沒有原因的。

× × ×

金珠

中篇小說　·勞影·

那是四十年晚夏的某一夜。

我從外面打球回來，洗了澡，渾身疲乏鬆散，由於天氣炎熱，我跨着足踏車去到植物園，植物園裏滿是人，我揀了一株最僻靜的椰子樹，在樹根下坐下來，抽完烟，閉上眼養神，晚風吹來，涼爽快意，起初我還能清楚周圍的步聲和笑語，漸漸，漸漸地迷糊了，跟着，我的思維朦朧起來。

等我醒來的時候，已經是十二時差三分。

我伸伸懶腰，渴睡反而沒有了，這時園裏祇賸下我一個人，我又在樹林裏走了幾圈，抽了一根烟，才懶懶地去打開車鎖。

忽然間，我縮住了手，我聽到一種石子擊水的聲響，看錶，十二點十七分，奇怪，此刻還有第二個人留在這個園裏麼？我昂首極目四顧，我看見了，——在蓮池旁。

一個人影。

但我分不出它是男人還是女人，我想應該是個男的。

我緩緩開啟我的車鎖，當然我仍留心那個影子，我幾乎懷疑他是我的同道；現在，那個影子站起來了，並向我這邊走來，我知道他要從博愛路這邊的木柵口出去。

因為我意外地發現她是個女人，我下意識地把自己藏了起來，當她經過我的身邊五六步遠時，我驚得差點叫出聲來，她不就是一年前我住在鶯歌，替我們宿舍裏燒飯的阿巧嗎？她後來也到了台北？看服飾她還過得不錯呢。難道她已嫁了人？最令我不解的，她為什麼深更半夜還一個人留在這裏？

「我倒要看個究竟！」我想。

等我抬起頭來時，她人已不見了，我趕出木柵口，二個車夫在打瞌睡，遠處一個蠕動的黑影消失在愛國路拐彎處，我祇好回頭，眞後悔沒有出聲招呼她。其實，沒有招呼她也好，事隔年餘，他已忘記了我這個王先生也不一定，何況這園裏祇餘下我們二人，阿巧的胆量素來小……啊，不對了，她的胆小不錯，她既然胆小，怎麼還會在深更半夜獨自留在這裏？

還有些矛盾。

一年來，我已經把這個孩子遺忘了，她的確是個好孩子，我幾本藏書居然給她看光，一個本省籍祇讀過小學的女孩子，看三國，能知道為呂布的勇而無義惋惜，實在難得。我想着，想着……不覺又已走回原處，我在椰林裏站立了一會兒，然後，我朝阿巧剛才坐的那片草地走過去。

我承認我這樣做毫無意義。

我在草地上坐下來，抬頭看天，月亮凄迷地照着整個大地，滿園一片霧濛濛。低下頭來，池水反蕩着一片片的銀灰色鱗光。我用手摸摸地上的草葉，露水滿手，我直覺以為我並沒有坐在一塊曾經有人坐過的地方，我試着把身體移動了幾下，對了，我已經坐對了，我發覺月亮此刻正懸在兩棵椰子樹的頂枝中間，看起來別具美感，地下也比較乾燥一點，我用手摸着，突然間我手裏抓起一件東西，哦，手帕，一條女人的手帕，證實了，我坐的方位正對。

坐對了又怎麼樣？多可笑——我想，應該回去了。（二）

不打自招文鈔

·文抄公·

下面是中共出版物刊載的一篇妙文，照抄如下：

陳站長的洗臉盆

吉林省長嶺縣　叢景雨·鄭星海

吉林省長嶺縣運輸站站長陳海春和保康鎮運輸營業所主任李家業到省裏去學習。

他倆來到吉林的時候，聽說離開學還有兩天。他倆打開行李，一邊整理東西，一邊談笑說。突然，陳站長驚叫了一聲，說笑停止了。

「哦！咋的啦？」李主任望着陳站長驚惶失措的臉色，急忙問。

「這下子可糟了！」陳站長焦急萬分的說。

「啥事呀？」李主任更加擔心的問道。

「我的花臉盆忘帶來了！」

「原來是這麼點事兒！還值得大驚小怪的，急得那樣！再買一個算了。」李主任鬆了一口氣說。

「再買一個？」陳站長面紅耳赤地說。「買一個臉盆得花兩三萬元，有錢也不買閒物。再說可能節約的就不能浪費！……」

「那咋辦呢？」

陳站長看了李主任一眼，沒有回答，屋子寂靜了。僅能夠聽見陳站長低頭在屋裏來回踱着的腳步聲。這件看來不大的事，却使陳站長大傷腦筋。但聰明的陳站長終於想出一個好辦法：「回長嶺取去」。

陳站長決定後，要李主任陪他一道去。當天他倆從吉林車站乘上火車，回長嶺。途中，也許為了減少心中的愁悶吧，到長春他倆看了電影，然後經過四平到了保康。

保康離長嶺還有一百二十華里。算一下，開學日期已到，時間再不允許他們回到長嶺去，陳站長心神不安，可是靈機一動：「啊！有啦，為什麼不打長途電話叫人給捎來呢！」於是到運輸營業所搖動了電話：

「喂！你是長嶺運輸站嗎？小邵啊！我是陳海春……我的洗臉盆忘帶來了，你叫汽車給我捎來……千萬……」但他還怕不妥當：「小邵忘了咋辦？」於是再次拿起電話，又囑託了一番。第二次打電話，他還是放不下心，坐也不是，站也不是，直到在第三次電話中得到小邵「保證捎去」的答覆後，陳站長才把耳機一放，長吁了一口氣放心了。

當天下午，陳站長的洗臉盆捎到了保康。陳站長取到他心愛的花臉盆了。

陳站長立即把兩人花的路費，長途電話費等單據叫人捎給長嶺運輸站報銷。隨後，便帶着他那心愛的洗臉盆興高采烈地又乘火車到吉林，二人往返火車費是二十一萬六千八百元；掛三回（六次）長途電話電話費是三萬六千元；在長春看電影等還花了兩萬元，共計二十七萬三千八百元。

陳站長為什麼不花兩三萬元另買一個洗臉盆，而不辭辛苦的親自從吉林回到保康來取呢？這只好問問他自己了。

文藝良知

·我生·

許多做文藝工作的人都說應該拿出良知來寫點眞正文藝作品。但他們只知叫嚷，只曉得要求別人，或指摘別人。自己總看不出又好作品寫出來。

因此，社會上「名作家」特別多，似乎名氣全仗兩條腿跑出來的，不用動手動腦的。老實說，靠腿的人應該到運動場去，憑嘴的人就應該上演講台去，眞正搞文藝的人都得停住腳，閉着嘴，收拾起那顆心，老老實實關上房門，好好拚命寫作，這樣才會寫出一點像樣的東西來。

不過，祇是寫還不是路，還得要注意寫出來的東西，對一般讀者會發生什麼影響，所以必須要憑藝術良心去寫，同時文藝批評工作者，也要本着藝術良心來批評，這樣，文藝水準，才可以提高，文藝才有進步。

然而，近幾年來的書評，都些千篇一律的話，甚麼「三十年來最偉大的一部小說」，「徐志摩以後的第一個成功的詩人」，「青年天才作家……」。彷彿天才和文豪，一掃帚可以掃一籮筐似的。

為什麼會發生這種情形呢？原因是批評的，都是感情用事，對好的固然說好，不好的東西的也往往說好。好壞不分，黑白不明。這是批評工作者昧着良心，欺騙自己，也欺騙了讀者和作者。有形無形的助長了昧着藝術良心的創作，把文壇弄成一團糟。

社會沒有曲直，好人難得出頭，文壇缺少是非，好作品是始終不能露面的。我以為文藝批評工作者，要像哲人一樣有理性，像法官一樣有公正。好，就講好，歹，就說歹。獎勵好的，打擊壞的。這樣藝術工作者才會有前程。

中華民國僑務委員會僑發登記證台敘新字第一零二號
中華民國郵政登記第一類新聞紙類

自由人

THE FREEMAN
（半週刊每星期三六出版）
（第三四一期）
每份港幣壹毫　臺北售價每份新臺幣伍角
督印人：雷嘯岑
社址：香港高士威道廿二號四樓　20 CAUSEWAY RD 3 rd. fl. HONG KONG
香港發行及接洽事務處：高士打道六十六號　電話：七四〇五五三
承印者：印務出版社　地址：高士打道六十四號
臺北特派員辦事處：臺北市館前街五十號
臺北總經銷處：中華路九四號之一　台北郵政信箱金九二二

英國只剩了一份「笨拙」

·滄波·

最近英國「笨拙」PUNCH週刊，登載一幅諷刺漫畫，帽子雨傘都是張伯倫的，連旅行箱公文包也是他的遺物，只是箱子上貼的「前赴慕尼黑」簽條，改成「前赴日內瓦」。公文包上的張伯倫N.C.縮寫，改成艾登A.E.。那位外交家，有點像艾登，但卻更像張伯倫的影子。

笨拙週刊的水準

到過英國的人，沒有人不知道「笨拙」週刊。研究英國的人，更沒有人不認識這一份雜誌在英國社會的潛在力量。英國名政論家拔克（ERNEST BARKER）談英國人性格，說英國人的性格是多元的混合，猶之英國人日常喜歡的讀物，包括一張混合雜湊的單子。譬如悲劇、喜劇的劇本，宗教、詩歌、小說，英國人均隨便瀏覽。欽定本的聖經，莎士樂府，狄更斯的小說，柏爾格雷武的「英詩集錦」以及波斯威爾的約翰生行述等等，都是英國人的日常讀物。而英國人天天翻閱的，即為罕姆斯的冒險小說（THE ADVENTURES OF SHERLOCK HOLMES），每日快報，及「笨拙」週刊。笨拙週刊是英國最流行的諷刺漫畫週報，這份報的特點是諷刺的漫畫或文字，戲劇與文學的批評，水準極高，為英國文壇一致所公認。這本刊物是一八四一年七月十一日創立，到現在已有一百十餘年的歷史。在這一百餘年中，「拙笨」週刊一幅漫畫，常常代表先覺的民意，其流傳之廣與影響之久遠，常與第一流名著媲美。我們在許多傳記中常常看見書中引載當時拙笨週刊的漫畫，作為當時輿情的反映，所以「拙笨」週刊的一幅漫畫，與任何名著或高文，同樣流傳後世，永垂不朽。

笨拙發出最後警鐘

兩次世界大戰的結果，大英帝國的國勢一落千丈了。一個國家的興復，與個人的升沉窮通是相同的。個人升沉窮通沒有大關係，最主要的關鍵，人到窮時要有志氣，要維持他精神上的元氣不衰。一個國家也是如此，國家到國勢衰落，立國要有理想，要維持他立國的正義傳統。英帝國昔日之強盛，不是一日造成的。更不是單靠她的海軍與外交。正如邱吉爾的老子倫道爾夫邱吉爾所說：英國的強盛，在於他維護國際的自由。根據這個理想而建立的外交政策。十八十九世紀英國的強盛在此。兩次世界大戰，英國所負的責任十分重大。第二次大戰，英國所負的責任，更為罪孽深重。慕尼黑的張伯倫僅僅是一個象徵。第二次大戰以後的世局，今天混亂到這個地步，英國同樣要負極大的責任。最近五六年英國的趨向，正是一步一步向着另一次大戰的道路前進。而以最近的柏林會議與日內瓦會議英國所表現者為尤烈。老昏了的邱吉爾，功名近視的艾登，把英國和世界一夥兒拉進了泥淖深淵。英國的執政黨希望和馬林可夫面談。英國的反對黨，接受中共邀請，組織訪問團今秋訪問北平。英國全國的報紙包括左翼的新政治家週刊在內，一致讚賞艾登的努力和平。在英國八表同昏的環境中，只剩下「笨拙」週刊，最近登出了上述一幅漫畫，說明了今天保守黨政府所做的，完全是十餘年前張伯倫的同一行徑！其最後的結果，當然只有培養再一次的大戰。全世界英國的朋友，天天讀着日內瓦的消息，聽着這位張伯倫化身的艾登，周旋於莫洛托夫、周恩來與皮杜爾，史密斯間。歐洲的一團漆黑，英國的八表同昏，只剩下一份「笨拙」週刊，替歐洲，替英國，做最後的警鐘。這是今天英國多大的悲哀！又是人類多大的悲哀！

邱吉爾所憧憬的和平

美國時代週刊，本期（五月卅一日）刊載倫敦特派員拉葛爾（ANDRE LAGUERRE）關於英國近情的報導，實在是近來國際報導中第一流的觀察。他的報導中說，要了解英國今天在外交上直蹈死路，必須明白三個因素：第一是邱吉爾；第二是艾登；第三是保守黨。

第一、外面人都知道邱吉爾老了，而且天天在衰老，但很少人能確知邱吉爾究竟老到怎麼樣？許多遇見他的人，似乎覺得他還壯健。但沒有知道他的精神與身體，已經到了一陣好一陣壞的境地。當他一陣壞的時候，他幾乎到了不可支持而頹昏迷。他實在想立即退休，但他腦中常掛着一種憧憬，他要完成一件大事而去。這件大事，便是一個偉大的和平製造者。他過去好久的時候，他夢想實現一次戲劇式的世界三巨頭會議——從史太林到馬倫可夫。現在，他想在亞洲造成一次和平，作為他的臨別紀念。

外交英雄艾登

第二、艾登企圖取邱吉爾而代之，已非一日。如果這次亞洲的和平成功，邱吉爾自然即退，艾登自然順序而進。而且艾登還着日內瓦的成功，自將光榮地進入唐寧街。外間對於艾登，至今有一個誤解，一直以為他過去在慕尼黑時代，是反對綏靖政策的。當時他竇不顧跟着張伯倫去推進綏靖政策。豈知當時的事實真相正是如此！當時逼着艾登辭職的，是當時的外務次官——現在世間盛稱的沙利斯柏雷勳爵（LORD SALISBURY）而且在當時，英國輿論開始反對綏靖政策，艾登當時的辭職，使他不僅在保守黨中，甚至在許多自由黨及左翼人士中，成為一個光明磊落的英雄政治家。到今天為止，艾登又成了英國外交上的英雄了。可是他成為英雄的道理，今天正與上次相反。今天英國全國，除了笨拙週刊以外，全國輿論都是對他喝采的。艾登的朋友，讚美他是西方唯一的外交家。艾登自身亦沾沾自喜，以為這次日內瓦是他立功的機會。確實今天除了他，誰能中午與史密斯及皮杜爾共飯，下午再與周恩來吃茶，晚間與莫洛托夫吃晚餐？英國報紙正因此陶醉，但是絕不想着他和周恩來吃茶會吃出什麼結果來？

始終曚混的保守黨

第三、講到保守黨，今天還和二十年前一樣的曚混。二十年前，主張對希特勒妥協的，是保守黨，不是工黨。而保守黨本身不是理想主義者，但亦不信本黨以外有理想。當時保守黨對希特勒，以為張伯倫的口號「照常經商」，（BUSINESS AS USUAL），必能吸住希魔而不使他想進一步侵略。今天保守黨的想像，俄共與中共，必能自滿其已得的侵略，暫時止於消化其已得的侵略而不想再擴其帝國。另一方面，保守黨在國內，時時不忘再一次大選。希望在再一次大選中，能在國會中得着五十席的多數。保守黨內的政策決定人，以為照現在外交上的做法，必可使國人相信邱吉爾不是馴從美國，而是自己另走一條路，不如英國的選民，美國或法國，他們對外交政策一類問題，常是茫然的。情願讓專家去判斷。這種情形，對政治安定是有好處，但是當一個政府失去其領導的自動地位時，這樣的選民放任態度，極容易造成政治上的大危機。有人也那麼想，如果保守黨在議會的多數能增加，也許他們做事更能勇敢而負責。這種想法，不過是一種假定而已。在保守黨內，最近幸而已有若干人，覺得「等待日內瓦結果」的政策，十分不安。他們憂慮英美兩國的歧見日深，莎利斯柏雷勳爵是此中的主要份子。他是邱吉爾旁邊對外交發言最有力的人，他亦是保守黨中唯一公開反對承認中共的人。去年夏天，他代表病假中的艾登去華盛頓開會。他是西方外長會議中唯一反對召開柏林會議的人，可惜被杜勒斯及皮杜爾反對而取消。現在莎侯抱着兩種堅信：（一）英國外交政策決不能與美國分離；（二）對流氓決不能妥協，不管他是法西斯共產黨。在現前的危機中，莎侯再四對邱吉爾進言，日內瓦會議應有時限，過了某種時限，英國應有與美國「聯合行動」之自由，邱吉爾與艾登，過去及現在，都沒有鄭重注意莎侯的進言，所以在英國外交史上造成一次最搖動的地位。

笨拙週刊只剩下一份

以上是美國時代週刊倫敦特派員最近對英國國情的報導，我認為這是最近國際情勢觀察第一流的文字，所以不憚詳為譯載介紹。看了這一段報導，今天英國的情勢與世局前途，都可舉一反三。美國時代週刊是英國人向來所看不起的。拉斯基教授說時代週刊等刊物，是美國暴發戶富翁在交際席上用以與人酬應的資料。但是我們今天細細研究英國全國的言論，從名流學者到各大日報與刊物，尋不出一篇文章像時代週刊所測驗的英國國勢文化與輿情。英國今天的社會與政治是「八表同昏」，其最後結果，則為原子彈毀滅三島！英國數百年思想文化，今天只剩下了一份笨拙週刊，可哀的英國！可憐的英國！（四十三年五月卅一日）

論僑務政策的重點

彭先澤

蔣總統在第二屆就職宣言中曾鄭重提示下列一點：「我們一千二百萬僑胞遍佈于全球各地，這正是我們中華民國與世界各個反共抗俄的自由國家聯絡的橋樑。我希望各地僑胞，本着一向忠貞愛國的精神，與當地政府密切合作，來從事反共抗俄的鬥爭。」

蔣先生沒有明白指出這是僑務政策，但筆者認為這應該作為自由中國目前及今後僑務政策的一部份，而且是最重要的一部份。

沒有重點的僑務政策

五十年來，海外僑胞對於祖國的革命，救國運動以及教育社會經濟各方面，都有其偉大的貢獻。這不但表現了他們愛國的熱情，而且表現了他們巨大的潛力。大陸淪陷，政府遷台以後，一千二百萬僑胞在抗俄反共和復國的大業上，無疑又增加了其比重，成為極重要的地位了。政府面對這一基本情勢，早應該確定一個具體的僑務政策，特別是僑務政策的要點。筆者不敢說政府沒有僑務政策，最少前年雙十節舉行的全球性僑務會議時，所發表的文告及決議案中，我們已可窺見政府僑務政策的輪廓。但從近年的實際表現，實在看不出僑務政策的重點何在？更看不出如何去完成此一政策。甚至若干地方還不免有輕重倒置之嫌。

整個僑務政策，固然要由當局根據國家當前的需要，和針對一般的，以及各別的僑胞所在地實際情況，去詳密訂定。但筆者以為必須根據下面幾個原則來確定僑務政策的重點：

地區應重東南亞

第一，從地區說，一千二百萬僑胞遍佈全世界任何角落，所謂「海水到處，皆有華僑」。但就人數言，東南亞這一系列，實際佔了百分之七十五以上。經濟的潛力，亦以東南亞的華僑居於首位。而且由于地理上及政治上的關係，他們對國內（包括大陸）及對國外（包括當地及與當地有直接間接關係的西方國家及日本）的影響亦較大。因此，僑務政策的「地域重點」應該放在東南亞。這並不是說其他地區不重要，而是說這一地域特別重要。

第二，從方針說，僑務政策的措施方針，應該置重於怎樣鞏固及發展僑胞的地位——利用他們的地位及潛力去做政府所不能做，或者由他們做比政府做在效能上還要好的工作。不應該只要他們一味跟着政府走，特別是為了政府表面上及一時的利益而走，更不該忽視他們本身環境的困難。

不久以前，胡適博士在回國出席國大的時候，曾發表過希望政府應該使華僑在當地「生根」的談話。胡先生知道的似乎只限于美洲方面的僑況，他已經有了這樣鞭辟入裏的感覺，假使他能夠實地考察東南亞的情況，我相信他將更感覺到使華僑「生根」這一個課題是如何的重要與急切的。

（下轉第二版）

越南獲得了新自由

越南總理布祿王子於本月四日和法總理拉尼爾在巴黎簽訂協定，使法國統治了七十二年的越南殖民地，得到新的自由，成為獨立國家。此事不祗影響法國目前在日內瓦會議的地位，同時也增強了東南亞反抗共產主義的力量，自不待言。目前越南局勢已經萬分危迫，法國此時才讓越南獨立，雖不免有為時過晚之感，但仍不失為一種明智之舉。

布祿王子攜帶獨立協定於本月六日回到越南，越南國民的反應又如何呢？據外電報導，路人的態度是「協定生效時，才相信真的獨立」。可見真正的獨立，還不是一紙協定所能收效的。據傳越南政府已準備組織第一次國會，又將從事改善人民生活，更有保大王亦將辭職之說。雖真相未明，但我們總相信，必須政治上有一番徹底改革，經濟上有若干合理的新措施，再加以外交上有盟邦的切實援助，才可以奠定這新獨立的青年國家的安全基礎。現在，共產黨的軍隊已經逐步緊迫河內，共產集團國家又利用日內瓦會議，充份扶植越共的發展。羽毛未豐的新越南，如果沒有民主國家的切實援助，是否能有時間從事內政的改革，實在不無疑問。不過，法國從新任命艾利將軍負責對越軍政大權後，態度已較前積極，美國干預越戰的空氣又日趨濃厚。看來越局雖危，還不是完全絕望的。

半週展望

·陳克文·

共方真意還未明白嗎？

拖延了七個星期的日內瓦會議，越韓問題的談判均毫無結果。艾登所說有決定性的半個月早已過去。莫洛托夫和周恩來的真意何在，應該早為西方國家所了解。據路透社電，艾登重獲倫敦支持，為試探共方真意，尚須更多時間。換言之，日內瓦會議還要繼續拖延下去。板門店會議可以拖延一年以上，日內瓦會議拖延一年半載，本來不足為奇。拖延是對共方有好處的，吃虧的是西方國家，和戰場上的將士和老百姓而已。

共方怕戰避戰是真的，但他們要避的是大戰，不是小戰。他們要利用小戰和和平煙幕，以逐漸達到併吞全越和全韓的目的，這便是他們的真意。他們決不希望越韓的真正自由獨立。如果有礙於他們這目標的實現，甚麼選舉，甚麼監督，都勢非反對不可。因此，日內瓦會議除非真的成為慕尼黑第二，否則決不會有甚麼結果的。日內瓦會議以來，共方分化西方國家的政策，已顯然收到相當效果，會議愈久，則西方的携貳亦將愈甚，故拖延是對共方有利的。

寄望鎮海會議

日內瓦會議是不會有利於越韓自由獨立的，更不會有利於東南亞抵抗共產主義之侵略的。亞洲反共國家將於六月十五日在韓國鎮海舉行東南亞人民反共會議。我們希望此一會議能夠做到成立以政府為單位的同盟組織。尤其自由中國和韓越兩國受共禍最深，了解共產主義的遺毒最切，必須加倍努力，以促進亞洲反共國家的團結合作。惟有亞洲人民自己先行團結起來，努力自救，才可以獲得盟邦有力和有效的援助。中韓越三國如果能切實合作，在人力上最少可有近百萬可用之兵，有了這樣一個有力的組織做基礎，再進一步把日本，菲律賓，及其他亞洲反共國家團結起來，自不難成為亞洲的北大西洋組織。亞洲的和平才有真正的希望，韓越的統一和自由中國的反攻，才有實現之可能。

世外桃源——紐·西·蘭

。李加雪。

美、英、法、澳、紐，現正在華盛頓舉行五國軍事會議，藉此一談紐國國情，當不是沒有意義的事。

紐西蘭共有兩大島，偏北的叫做北島，偏南的叫做南島。面積等於我國兩省，人口只有幾百萬。澳洲離開紐西蘭一千二百海里，獨立在太平洋的南端。

富裕的樂土

一百年前，白人還沒有到過紐西蘭。那時候，紐西蘭可以說是世外桃源。一百年前，紐西蘭沒有野獸，只有一種生長在樹林裏的白鼠，土人叫牠做白豬，是土人唯一的肉食。鳥類，因爲沒有捕食牠們的動物，逍遙自在，漸失了飛翔的能力。這時候的土人無慮無憂，無饑衣食。

十八世紀，白人到了紐西蘭，把舊世界許多動物移植到新天地裏，因而發生了許多災害。

十八世紀末，英國最偉大的探險家克克氏 CAPTAIN COOK 第一次到紐西蘭，看見這可愛的國土只有一種白鼠，他把船上的五頭大豬，放在山裏。現在紐西蘭滿山遍野都是豬，法律上加以保護。一八六〇年，英國一位貴族到了紐西蘭，他說愛這個國家的景物，只缺少野獸，因此把自己花園中的鹿，運了三頭到紐西蘭的郊野。現在蕃殖得很快，損害了許多農場。政府組織一個專事獵打野鹿的組織，人民參加這個組織，除得到野鹿，還可以得獎金！兔子也是一樣，太多了。有些地方山羊太多了，政府鼓勵人民打山羊，同時領獎金。所以他們說，在紐西蘭只要有一技術，生活便可以解決。

理想的政治組織

由一九三五年至一九四九年，十五年的時間，紐西蘭由工黨執政。那時候，紐西蘭捐稅最重，可是政府稅收百分之四十六用於福利。只謀福利和養老金就有十二種之多。六十五歲以上的人，得老年的津貼，不論貧富，都可以獲得。無恆產的人，六十歲便可以獲得這個權利。寡婦有寡婦的津貼，孤兒有孤兒的津貼，疾病和失業，自不在話下。最難得的是家庭的津貼，紐西蘭人民每生一個兒女，由出生的日子起到十六歲止，政府每禮拜給予十個先令的津貼。紐西蘭現在雖然由保守黨執政，可是社會黨的政策依然保留不缺。紐西蘭人民不怕疾病，因爲醫藥的費用大部由政府担任。每一次的醫藥費用，不論門診或到診，規定十先令六便士，可是人民只担負三先令。至於住醫院的重症，則一切費用都由政府支付。這是一種何等合理的事情呀！因爲費用大部由政府負担，紐西蘭醫生的業務特別興旺，可是人民却減少了疾病，和其他因疾病而發生的恐怖。

對外貿易和人種

若以人口的數目做單位，紐西蘭的對外貿易佔世界對外貿易的首位。紐西蘭的基本生產是農業，而其輸出最多的產品是羊毛，紐西蘭羊的數目比人口多至百倍以上。其次是牛奶的製品，如牛油和乳酪。紐西蘭牛奶製品標準最高，大部分銷售英國。去年蘇聯特別向紐西蘭定購好幾千萬磅的牛油，蘇聯肯把黃金拿來交換紐西蘭農產品，是因爲紐西蘭農產的品質最好。

紐西蘭對於移民是十分珍惜的。從一八四〇年開始，所有往紐西蘭的移民，必須經過英國教會或蘇格蘭長老會的證明，才能夠前往。澳洲則不然，凡屬英國公民皆得申請前往澳洲，且英國將大部罪犯移殖到那裏。現在這種限制雖然取消了，紐西蘭人民在英國聯邦中仍爲最純粹的英國人種，非英國人獲得移殖紐西蘭者爲數至鮮。此外唯一之異族爲毛利種人，爲數僅十二萬。

紐西蘭這個新國度，人口最稀，生產最富。我說他是世外桃源，人間仙境，想大家可以同意的。

論僑務政策的重點

彭先澤

應向外而不是向內

（上接第一版）中國的僑民不同於英、法、荷等國的殖民，亦不同於戰前德日移民。後者有其國家政策上的指導與贊助，而中國僑民之有今日的地位，可說完全是自力的結果。但這一種形勢，到了第二次大戰後，世界普遍不景氣時，已漸漸動搖了。第二次大戰後，東南亞新興民族主義——及東方新興民族主義的三面夾攻，僑的處境已到了「魚游釜底」之上了。東南亞所有非共產國家，又承認共產中國的國家不必說，即使和自由中國保持友好與一樣的國家，他們對於華僑經濟上教育上都採取排擠的手段，層出不窮，我們應該理解這些不幸的現象之由來，正是華僑在當地未能眞正「生根」的結果。我們應該做的工作，是釜底抽薪的工作，而不是待火已燃眉方才奔走，焦頭爛額去搶救。因此，筆者認爲當前僑務政策的另一重點，應該是向外而不是向內。應該從根本上做工夫而不應是一時一事的應付。

如何使華僑生根

第三，爲了使華僑能夠在當地眞的「生根」，使他們能夠鞏固自己的地位進而對祖國對自由世界有更大的貢獻，在目前最根本最重要的還是如何使他們能夠與當地民族在情感上融洽無間，在思想意識上增進了解，在若干事業上能夠合作。這樣方可使當地政府與人民深切地認識華僑是構成當地社會的重要成員。華僑的存在對於他們不但有益而且是必要。還有，可使他們更清楚地認識自由中國的眞面目與地位。這即是總統所提示的爲「世界各個反共抗俄的自由國家間結合的橋樑」。亦是國民外交的實際運用。倘使若干年前，我們早就注意到這一點，而且早已這樣做的話，今天，不但華僑本身可以減少若干阻力與困難，對於阻遏共產主義的侵略與滲透，必然亦已發揮了更大的助力。

培養僑務人才

第四，如何達成上述的任務與目標，自然不是一蹴可就，而必須假以時日及有切實的計劃與步驟。首先是僑務人才的培養。所謂僑務人才，應分爲國內的指導級人才與國外的執行級人才。這裏單說後者：亦即是實際組織僑團及對當地民族負責聯絡的人才。

東南亞華僑社會不同於台灣、港、澳及美國，稍爲高級的智識分子，向來感覺貧乏之。僑社可算得上僑務的專門人才，更如鳳毛麟角。在僑團上領導的人物大都是工商界的僑領，而僑界有的智識分子通常只居於屬僚地位。再加以戰後各地移民條例苛刻的限制，外來的智識分子往往不得其門而入。如果停滯於過去及現在的情況，顯然不能夠適應新環境的要求。

上述僑務人才的標準，除須對祖國文化有高深的學養，對國際情勢有清楚的認識外，並須通曉國際通行的語文與當地民族的語言，和一種以上的華僑方言。此外最好還有一種專門學識。

要有劃時代的措施

政府對於這類人才的培養，可從台、港、澳及東南亞各地分別物色及考選，在經過短期訓練之後，協同各地僑團僑領設法解決他們的就業問題。先讓他們在華僑社會中取得了信賴，漸次得到當地民族，特別是智識分子公教人員的尊重。他們除在本業外，應該還要致力於幫助組織僑團及推動聯絡當地民族的工作。我深信像過去一樣由兩國政府的高層人物所組織的象徵式的××文化協會，遠不如各地華僑與當地民族自動組織的聯歡會或聯誼會的效能來得更大。

當此國際共產主義侵略勢力的箭頭正指着東南亞這一塊大富庶而又爲絕大多數華僑聚集的地域，及自由世界作爲抵抗共產侵略勢力的東南亞防衛聯盟呼之欲出的今天，要是政府對於這一方面的僑務，還不急速地採取劃時代的措施，而希望萬僑對於反共抗俄，復國建國的大業，能有輝煌的貢獻，實在是難以想像的。

四三，五，廿六　于香港

人物述評

白宮裏的：神秘人物——蓋勒

．德榮．

蓋勒每年都獲得光榮，包括五個名譽學位，兩個社會服務獎狀。他的哥哥愛理歐任波德賓醫院主任醫師，一九四七年死於癌症，他繼任院長。以後才負院務的責任，捐了百五十萬元。一九五〇年，他被人認爲可當省長候選人，但他的最大希望是在華盛頓。兩次離職替政府做特別工作。一九四八年國防部長福萊斯特叫他擬就向國會報告程序的計劃，艾克是這管理的主要證人。蓋勒替艾克工作時，有人拿艾克用鉛筆寫的記事條，送給蓋勒，他很尊敬的把它鑲了木架掛起來。一九五〇年艾克替哥倫比亞大學捐款，蓋勒在波士頓邀請適當的人選參加他的餐會。不久之後，自比得對人說及，唯有擁艾克當選總統才能挽救美國的命運。競選開始，艾克攻擊杜魯門政府，輕視國家安全，使僅成爲一個幌子，他必須改組這機構，主要的責任放在這有才力的蓋勒身上。他在未提名前，早已着眼這職務，他的朋友很知道，他很想能影響促成一個攻擊性的外交政策。（七）

決定。

他認爲用武器壓迫蘇俄是不可能的，應該以牙還牙，用滲透方法，入鐵幕裏推翻共黨。利用聯合國作這恐怖機構。他預計史太林死後，俄國內部會爆炸的。最近他更相信心理戰爭，去年六月，他會合傑克遜建議總統，提議心理戰在整個政策上要佔一個位置。

像大部新英倫共和黨人，蓋勒也反對塔虎脫生前崇拜馬歇爾的政策，他也反對麥加錫，他在國家安全會的工作影響艾克最大，國家安全會的工作提出研究後便寫成「行動書」，係由蓋勒領導的計劃委會擬就的，他把爭議點詳列給安全會。

爲了追上蓋勒的早餐至睡眠的工作時間，計劃會的人員，必須取銷所有消遣運動，他們的工作情緒特別高，蓋勒在表現出很公平。更重要的，他們的正直和誠懇在事情送到他面前都表現出來，使計劃會人員覺得他們的努力是值得的，甚至工作到死也是甘願的。百納柏魯福和許多人希望國家安全會應該是「和平總參謀」，這樣的活動力現在雖然還沒達到，但是已經證明了他本身是一個能工作的機器，逐漸把外交和內政政策提到平衡，同時在爭取和平的秩序中，認識早已存在的危險。作一個有系統的和緊張的計算，這是任何一個以前承平時的政府所沒有完成的。（八）

蓋勒另一改革，是將每一行動需用幾多錢都標明出來，這反影出安全和負担，是同等重要。這是艾克的安全會最大一項的收穫，但它仍然要面對更多的最艱鉅試驗，任何外交政策，如果沒有軍事力量去支持，便沒法強硬得起來。但從撥款到實軍事力量，需要三年時間。除非能做到外交政策看前幾年，則缺乏一種恰可的基礎去決定需要幾多力量。另一方面，那最待努力而有效的參謀工作能夠完成是有限度的，除非預知時間能夠配合。蓋勒本身，不能希望他能完成這些條件。在他全部成就中，在他的法律工作，慈善活動，銀行工作，他從沒有自責基礎預測。時常由別人出題目，由蓋勒供給他的特殊魄力去組織，去將最困難的事情簡單化。

最後，蓋勒並不是一本戲的劇作家或者明星，這仍是留給艾克自己去做，但艾克已經找到一個舞台總管，他能夠將給他的任何劇本去生產出價值來。（譯自「週六晚郵」）（下）

編者讀者

楊濤聲先生函

編者先生，一個愛自由的「自由人」讀者，爲什麼要讚「自由人」？因爲它的言論公正，强韌與獨立。更因爲它能脫盡官式言論的腔調與八股。如果要讚官式言論，可讀的刊物太多了。如果要讀頌揚肉麻的文字，可讀的駢四驪六或類於此的文字也太多了。貴刊三三九期所載陳伯莊先生「對俞鴻鈞院長的希望」一文，文中究竟講的是什麼？吐吐吞吞維頌揚，我做俞鴻鈞，我也讀了不過癮，一個愛自由的「自由人」讀者，更覺得陳先生的話，有些欠妥，不知所云。陳先生如果要慶賀俞先生，他盡可多化幾文，打一通賀電，少化幾文，也可寄一封快郵代電。何若作這樣的文章？向自由人發表？自由人多少好文章，被陳先生這樣賀電式文章完全打消了！我愛自由人，我替「自由人」可惜，也替「自由人」「不平」。「自由人」編者，希望你秉着自由人的優良傳統，慣眞發載一切文字。在編排方面，更請你注意，譬如三三九期陳伯莊一文，後面小題「不屈不撓」的土耳其，究竟是一篇文章，還是兩篇？實在不倫不類之至。這是我出於擁護自由人的一片忠誠。「自由人」如果有誠與勇氣。承認錯誤，應該把我這信發表出來。接受批評，「自由人」對社會負責，這是一個考驗。

讀者楊濤聲敬上　六月三日

造成節約風氣

編輯先生：茲屆端節，報上又發現政府通令所屬，切實遵行「不送禮、不受禮、不請客、不赴宴」的運動，用意當然很好。今日台灣的社會風氣，確須徹底改革一番，輿論界負有督導責任，貴刊對於自由中國各方面，貢獻甚多，我希望記者先生對於轉移風氣的文章，多做幾篇，使台灣社會風氣能有強烈的轉變，爲反共工作奠下穩固的基礎，那是功德無量的。

易人　五月二八日

編者的話

△楊力行、周景森、鄭士珪、王羽之、陳文受、大醉、陳謀煊、干雲、姚立民、任之、諸先生：惠稿已一一收到，謝謝！

△鄭知三、張溥生、兩先生：函悉，遵辦。

△吳文蔚先生：函悉，另復。

△劉靄如先生：函悉，餘稿稍緩可刊出。

台碱公司來函

——答徐道鄰先生——

五月十五日本報徐道鄰先生「有推動整個經濟可能的台灣工業建設」一文中有一段論及台灣碱業，茲接台灣碱業公司來函說明如左：

在人工製碱方法發明以前，人類用天然碱。純碱工業誕生以後，開始用純碱，將正必需用燒碱處，純碱苛化爲燒碱。電解食鹽水製造燒碱工業誕生後，電解法與純碱苛化法並立。自一九四〇年以後，因氯氣用途日見增加，故電解法燒碱漸佔優勢。工業諸進如美國者，去年所產燒碱中，仍有五十萬噸係由純碱苛化法製成，其價格仍能與電解法所製者競爭。

台灣在日據時代末期，建立了電解法製造燒碱工廠，但未設立純碱工廠，所以凡可以用燒碱替代純碱的地方，莫不多都用燒碱；非用純碱不可的地方，纔用純碱。台灣光復後，有民營純碱廠設立，規模太小，故大部份需要進口。電解法製燒碱工廠，除公營的台灣碱業公司外，另有民營工廠十餘所；目前所產燒碱，足供當地需用，也無滯存。

在台灣並無以純碱苛化製燒碱的工廠，亦未有以小蘇打製成純碱轉製燒碱的工廠。以前民間在請得官價外滙購得純碱，當市面上燒碱缺貨時，將純碱苛化爲燒碱，應付主顧，間或有之；惟不是經常業務，且數量極微，對市場不生影響。在純碱缺貨，燒碱過剩時，亦有將燒碱轉製成純碱出售的。至於小蘇打，則爲氨法製純碱過程中的半製品，自蘇打製純碱是正常的工業製造程序；食用或藥用的小蘇打，則是由純碱加工製成的精製品。

（下轉第三版）

論漢高祖（三）

（二四七——一九五B.C.）

·毛以亨·

讀史述評

五倫無一可取

高祖本與呂氏合力打天下的，樊噲以其婦爲呂后之妹，成爲呂后死黨。高祖晚年欲殺噲，已經辦不到，無人敢執行其命令。關於呂后之事，將另文論之，茲所欲寫者爲高祖晚年，大權已旁落于呂氏。趙王如意雖據寵而不得立，齊王肥以長子而不得立，而惠帝之立，完全爲其母的實力所支持。是以商山四皓，與叔孫通，俱助惠帝。高祖嘆爲羽翼已成，無所謂四皓，而實暗指呂氏。漢書高五王傳，「高皇帝八男，呂后生孝惠帝，曹夫人生齊悼惠王肥，薄姬生孝文帝，戚夫人生趙隱王如意，趙姬生淮南厲王長，諸姬生趙幽王友，趙共王恢，燕靈王建。」諸子皆立，終于帝王之基礎，業已動搖而起，而以倫常之不修爲主因。

總上所述，他于五倫，殆無一可取，也不大懂。故其事業的基礎，亦如在沙地上的造屋，非其身下來不可。等到將死之候，他心緒已感到空虛與寂寞，乃一如他人，寄托其希望於故鄉以及子姪。

大風歌的情緒

十二年高祖過沛，置酒沛宮，「悉召故人父老子弟縱酒，發沛中兒得百二十人，教之歌。酒酣，高祖擊筑，自爲歌詩曰，大風起兮雲飛揚，威加海內兮歸故鄉，安得猛士兮守四方。令兒皆和習之。高祖乃起舞，慷慨傷懷，泣數行下。謂沛父兄曰，游子悲故鄉，吾雖都關中，萬歲後吾魂魄猶樂思沛。」此即因故鄉而思及故人與故人中之猛士，高祖便覺到其殺功臣，已不能無悔意。大風歌的好處，全在悲劇情緒的濃厚，若與其殺功臣之罪惡對照讀之，可見高祖之格外明白其悲劇情調。而一般人讀之，乃爲其悲劇情調所感動。人，一旦因已無可爲而停止活動的時候，悲劇情緒自會隨以俱來的。故鄉已是幫不了他多大的忙，晝日猛士，死的死，散的散，老的老，變心的變心了，亦都幫不了他的忙。與他爭天下的，了與之取天下的呂氏，「此陛下家事」，祇好由其家人來抵擋。幸而他有姪，總能擊敗呂氏，把劉氏江山保住。而他亦預先把劉氏子弟，漏散各處，且栽培齊王的實力，並鼓勵吳王濞造反。然這是同姓諸王的七國，而非舊時的六國了。

他臨死時不肯就醫，飯是人生到此，笑道論了。漢書高帝記，「上擊布時爲流矢所中，行道疾。疾甚，呂后迎良醫，醫入見，上問醫曰，疾可治不？醫曰可治。吾以布衣提三尺劍，取天下，非天命乎？命乃在天，雖扁鵲何益。遂不使治疾，賜黃金五十斤罷之。」這一段事，不特醫生摸不齊頭腦，通我們

（三）打天下的方法

他于打仗，非其所長，更非項羽的對手，所以在將諸侯五十六萬，攻破項羽的都城彭城時，反被項羽率精銳三萬，自齊回師，殺得片甲不返。但他最後所以能戰勝項羽，統一天下，尚另有其他辦法，而這些辦法，今日爲人們繼續採取而不稍衰，故值得一提。

一、不守城而據有戰略要地——據城本六國舊降，未可厚非。項羽亦守此原則，成吉思汗之作戰原則，爲白起與王翦的風，爲兵事計有迅速廣大之發展。不過爲避對方門意志和見，則莫如納降，所謂仁者無敵，不嗜殺人者，能一天下也。高祖與項羽爭攻城陽，都未屠城，降，後因酈生，主張降，始改其法，於是自宛以西，無不下者，其收降郡守實自高祖始。最後則收降子嬰而不加害，因以大得秦人心。

二、用金錢啗將領——入關時，秦軍尚強，乃以軍利啗秦將，此亦酈生所使，秦將果叛。張良以其疑兵以壯己勢，因其懈而擊之，遂敗秦軍于藍田，此與合于和平攻勢之意。

三、用金錢作反間——交與陳平金四萬斤，使羽之君臣相疑。

四、牽制迂迴與主力戰——彭越乃絕楚糧道的游擊隊，齊之田氏爲項羽正面的正規軍，羽以攻齊而力分，至不能勝。韓信則爲最大之迂迴戰，迂迴既成，遂破羽于垓下。至高祖所以能守得住滎陽成皋，則賴秦校尉練成之灌嬰爲將的騎兵，羽步兵雖強，而騎兵則不如漢，故無法進展至滎陽以西，得新騎兵，則步兵更疲於奔命了。（未完）

台灣中南行（九）

魏希文

他告訴我們，市長是本省澎湖人，抗戰時在國內很久，本省第二屆民選市長的當選人，自然由於他的精明幹練，頗具政治經驗，我想是會獲得選民的擁戴。

洗浴完畢，在一個大家飯館裏，每人得一份晚餐，頗似吃西餐一般，吃過晚餐，就照我們預定的參觀程序，明天是訪問海軍總部，同時海軍總部也給我們送了一個節目單，明天除了晚上六時高雄市各界招待我們的晚宴以外，整天的時間都用於海軍方面的訪問。

參觀海軍的一天

三十日的早晨，我們在旅館吃過早餐以後，便到四海之家集合，由那裏出發，到海軍總部已是八點四十分了。我們進入總部的門口，便有一位海軍高級軍官登車，招待我們參觀，我們一致鼓掌表示歡迎和敬意。

到「四海之家」，這是一個規模宏大的禮堂，大概海軍方面的許多大集會都是在這裏舉行的。這時政治部主任趙龍文先生站在門口，和我們每一位同人握手。

在「四海之家」，首由趙主任說明馬紀壯總司令因公去台北，不能參加，表示歉意。接着說明海軍發展的經過，並介紹領導我們參觀的各組負責人見面。簡單莊嚴的茶會之後，我們全體同人乘車到海軍忠烈將士紀念塔前獻花致敬。

在一個廣場的中央，我們面對海軍忠烈將士紀念塔立着，由代表同人中香翰屏代表主祭，各組並推出代表一人陪祭，莊嚴肅穆的儀式，便在全體沉痛感奮的心情下完成了。

上午的節目是參觀軍官學校，機械學校，海軍士兵學校及造船、試驗兩所，和供應司令部六個單位，平均每一單位只有半小時的時間，自然只有走車觀花（我們所乘的客車，每到一地，都駛在參觀的場所之內。）（未完）

三·日·小·評

·風行·

啃猪頭骨

英國商業團體正在日內瓦與中共貿易代表進行談判，本港商人密切注意。但有識之士認爲這次談判，對本港商業，按照目前中共區的貿易政策，香港市場已非昇平時代入中國的口岸，而是大陸土產輸出的轉運站。他只是利用香港一切便宜來出售土產，並不是和港商立於平等地位交易。香港商人爲貪圖這一點小利，所以才讓港商有一些土產生意可做。中共既不以香港作爲其貿易終站，而盡可能直接向歐洲訂貨，因此中共與英國代表們商談，其這個談判即與中共代表們訂立大批合同，但對香港商人並無裨益。我們希望英國談判方面以香港爲鑑戒。蟻蟲內早已無眞正之商人。貿易已是由其獨裁的政府進行。貿易之性質，已起了變化，並非自由交易。共黨以貿易作推進其分化西方陣線策略的詭計，同時欲藉此以輸取戰略物資而已。香港商人和中共做生意十有九被咬到血淋淋。十次交易九次蝕，壓低市價，欺騙貿易，種種措施，令到眞正商人毫無保障的聽受摧殘。本港商人年來都覺得做大陸生意頭痛，麻煩，利錢少，好像一塊猪頭骨。但我以爲猪頭骨吃了還沒有什麼，怕的是和共匪做生意是在無路可訴的。年前蘇聯向英國貿易團代表訂出一堆的定單，其實十有九係戰略物資。因此香港有一個與大陸商業有關的商人獨持異議，坦白的說：『中共與英商談判成功後，許多現存於香港之戰略物資即可以往大陸，變爲現金。』並謂：『禁運貨品名單減短以後，香港的商人即可以心曠開暢』。好一個『戰略物資運大陸心曠開暢』！

泰波拿

泰波拿（TOMBOLA）原爲社交中之一種大衆消遣，故原流行於法國及美國南部各州，但不以金錢作賭博，而是以優美獎品作彩而已。但現在香港的泰波拿已成變相的賭博。投機者假借社團或體育會俱樂部名義籌款，以求避免與法律抵觸而已。九龍方面先後成立五家，他們除晚上遊戲至深夜外，週末及星期日日間照常舉行。不少婦女日夜流連忘返，深盼當局嚴予取締。

評「史達林眞傳」

·王羽之·

鄭學稼著　亞洲出版社出版

本書作者鄭學稼先生，是當前自由中國對俄共歷史最有研究的學人之一。

（一）

全書共分十七章，第一章述十九歲以前史達林的家庭與學校生活。第二至四各章，述史達林參加布爾希維克黨後，由南高加索一帶的地方黨，到被圈定爲布黨中央委員一段時期的活動。第五到第八各章敘述俄國革命以後，列寧死去的一段時期，史達林如何逐漸由一個中央委員爬到核心人物的地位。第九到十三各章，敘述史達林由攫取權力到成爲獨裁者的過程，並分析他使用的手段。第十四到十六各章寫史達林在國際舞台上背信棄義的作爲，一直到他的死亡。最後一章是對史氏的總批判。

（二）

今日在俄共御用的歷史家筆下，已不可能瞭解俄共及其黨人的眞正史實，本書作者及「克里姆宮內閣祕史」作者王平一，均對俄共有豐富的知識。王書內容之大部，係個人回憶；本書則從俄共官報稗史，旁證博引，反覆證述，故其學術方面的價值更較後者爲高。惟此二書可參酌閱讀。

本書的寫作態度，作者說：「本書的特點，是註釋。它，有的是指正史達林的歪曲史實及僞造史實；有的是引述有趣的一般人所未見過的史料；有的是補充正文。雖然著者是史達林及其主義的極端憎惡者，但當執筆時，毫無憎惡的情感，且不下主觀的論評。對於傳記寫作頗有經驗的著者，曾自以爲最好的傳記家，是歷史家。第一流的歷史家，一定公平地判斷歷史，而第一流的傳記家，却不一定對自己的主人公有公平的判詞」。（序言）

本書在若干部分，特別是引述早期俄共刊行的出版物，逐段駁斥目前俄共出版的「黨史」「聯共黨史」「史達林傳」「百科全書」。最爲精彩，如本書作者指出，史達林參加「革命軍事委員會」，是在十月革命以後的事（六十二頁及二五三頁）。本書指出史達林的特性「是狡猾、殘忍、猜忌、報復，是善于陰謀詭計、是富于鬥爭力、是能屈能伸。」「他的才幹，他的文章，甚至他的口才，無一足與托洛斯基，季諾維埃夫、加米涅夫及布哈林們相比擬。」（二四四頁）。但他終於戰勝他的敵手，作者也很客觀的指出：第一、他不是書生，他是行動者；第二、他比其他諸人更熟悉俄羅斯。

（三）

正如作者在序言裏所說：「就本書各章的結構而言，顯示它的不均衡。」作者指出：「第一、史達林幼、青年的生活，被列爲蘇維埃國家的秘密；第二、列寧死前，史達林在布黨中是第二流的人物。」

本書作者的觀點比較接近舊日的托洛斯基派，比如他的結論認爲史達林的獨裁是由于一天天遠離理想的結果。（二四三頁）。

本書對于史達林與其他俄共領導人物間的鬥爭，多着重于情感上的摩擦與權術上的運用，對于政策上的分歧份量極少，這是本書不足之處。

本書在文字上不甚流暢，生硬之處甚多，似出外文書直譯而來。

本書第二頁稱史達林之父結婚于一八七七年，史達林爲第四子，生於一八七九年，年代上可能有錯誤。

本書錯字甚多，希望出版當局能加注意。

台碱公司來函

—答徐道鄰先生—

（上接第二版）如以官價外匯進口純碱，苛化成燒碱，其產品應該可以與台碱公司的電解法燒碱競爭。實質上進口純碱轉製燒碱，與直接進口燒碱甚少差別。苛化純碱，設備簡單，小規模粗糙的做，並無不可。至於管制純碱及小蘇打進口，則并不是出於台碱公司的要求，爲維持燒碱市價的原故。台碱公司從未請求政府停止純碱及小蘇打的進口；至於政府停止純碱及小蘇打進口，是否爲保護台碱公司之營業，亦非台碱公司所得知。

台碱公司的燒碱，目前不能與工業發達國家的產品在國際市場上競爭，其原因如次：

（一）匯率偏低，無論將外貨外幣價格折合成台幣，或將台貨台幣價格折合成外幣，比較出來，總是台貨吃虧。

（二）外國工廠規模宏大。大規模生產，單位產品分擔不變動成本小，因此生產總成本低。

（三）外國電解法燒碱廠所產生的氯氣，都再加工來製造溶劑、塑膠、農藥、纖維及各種日用品，直接供消費者需用，可以獲得較高的代價。他們的燒碱，居於副產品地位，所分擔成本低，可以賤價傾銷。台碱公司的氯氣，經常祇能利用到50%（這是因爲台灣工業化的程度低，所以需用碱量在比例上較需用氯量爲高。台碱公司本身則因限於資金，未能建立新氯品製造工廠），而所利用的都做成工業原料（如鹽酸、液氯）。其餘不能利用的50%，需另加人工、物料、電力處理後廢棄。這筆費用，需由燒碱負擔，加高燒碱成本。其實工業先進國在新建電解法製碱工業之初年，亦視氯氣爲無可奈何的負擔；嗣後工業逐漸發達，氯氣的用途推廣，變爲珍貴的工業原料，電解法製碱工業驟改舊觀。台碱公司的經營，亦本此原則發展。在各雜誌發表的文字很多，可資參考。

（四）外國工廠的生產設備新，並且用機器工作的分量多，用人工少，所以效率高，人工成本低。台碱公司的生產設備係接收日本人經盟機轟炸後的舊工廠，修殘補缺，拼湊而成的，故效率較低。經最近數年來的添配補充，工作效率已與日本工廠差不多。至於用人工多，不能充分機械化，則是工業化初期社會的必然現象，係由於資本缺乏，人工過剩的原故。

（五）台灣的一般工業環境，亦不及工業發達國家爲有利。例如利率、捐稅，在總成本中所佔分量比較重；他如預繳盈餘，週轉資金短絀，在在影響生產成本。此爲一般工業的情形，不僅限于燒碱一種。

台碱公司爲供應工業原料，對碱氯的大用戶，不論是公營的或民營的，都分別予以折扣。四十二年燒碱平均售價，爲牌價的92%（液碱）。台灣紙業公司新營廠製漿，和台灣鋁廠製鋁錠，所用燒碱達台碱公司燒碱總銷量的一半，而所產的紙漿和鋁錠外銷者亦都達產量的半數。台碱公司更參酌外貨碱氯價格，另訂特別減價合約，俾紙漿與鋁錠的售價能在國際市場上競爭。徐先生文中曾提到去年一年台灣的物價上升，至十月爲零售7.7%，而同期間台碱公司的燒碱平均售價則下降7.5%。本年五月份平均售價，較比去年十月又降低15%。此後仍可希望繼續下降。

王瑤卿死矣！

馬五先生

平劇藝人王瑤卿，據共黨報紙消息，說他於本月三日在故都患「腦神經病」死了！共報且以報喪的姿態處理這項新聞，表示其重視悼惜的模樣，更使我發生疑惑，恐怕王瑤卿未必是善終的。

王氏在二十年前，即因倒嗓不再現身紅氍毹上了，專以對梨園子弟授藝爲生，自梅蘭芳以次皆當代伶工之演青衣花衫者，莫不向他請益。近廿年前，許多流行的旦角新腔，大半都是他創造的。民國十四年冬間某夕，我在北平韓家潭口的「恩成居」樓上，就聽過他給梅蘭芳說戲數整晚。

共黨竊據大陸後，對舊劇界一般早以年老色衰而脫離演唱的名伶，一律予以精神虐待，強迫出演，雖六七十歲以上的人亦不能免，髦年如蕭長華高慶奎之流，皆被迫登台，連六十多歲的老太婆龔雲甫，亦非唱不可。梅蘭芳周信芳等更不待言。這一面是要榨取這般老伶工垂盡的殘餘價值，同時也就是爲滿足共產黨徒視人類如牛馬機械的暴虐狂變態心理。王瑤卿當然不能例外，

王氏之死，在共黨人們固無所謂，但以古稀之年而扮演旦角，稍有人性者，必不堪此，乾脆就是憂憤抑鬱，刺激過度而成的神經病吧！

但使現時在大陸被共黨壓迫玩弄，求死不得，掙扎老命以演唱的伶人們，必有兔死狐悲之感。共產社會中的殘酷生活，即此可見一斑了。

詩人節：談擊鉢催詩

婢娟

兩千多年來，端陽節，在士大夫的心目中，一直是詩人季節，如今詩人節正式定於端陽節舉行，自然不是沒有意義的。

過去詩人集會，飲酒吟詩，名曰雅集，多有擊鉢催詩之舉，又稱擊鉢吟。

據尹若先生的考證，擊鉢催詩，起於南朝。南史王僧孺傳有云：「竟陵王子良，嘗夜集學士，刻燭爲詩，四韻者即刻一寸，以此爲率。蕭文琰曰：「頓燒一寸燭，而成四韻詩，何難之有」？乃與丘令楷，江洪等共打銅鉢立韻，響滅則詩成，皆可觀覽」。宋陳師道詩云：登高能賦屬吾儕，不用杯傳擊鉢催」。亦其例也。

台灣詩學之興，始於明代，先賢成功而入台的沈斯菴，曾有「福台新詠」之發起。接着游宦流寓，多有所作。如季麒光的「海外集」，孫元衡的「赤嵌集」，郁永和的「竹枝詞」，陳夢林的「游台詩」，夏之芳的「台陽雜詠」，范咸的「婆娑洋集」，張湄的「瀛壖百詠」等，其最著者。清代詩畸亦流行（見蔣師轍的「台游日記」），唐景崧的牡丹詩社，影響尤大。

近人黃純青，他是現在台灣省文獻委員會的主任委員，論台灣詩學應鬼云：「自乙未改隸，[illegible]，科舉廢，文風一變。而浸淫於八比試帖，以取功名。今則擊鉢催詩，以吟詠爲樂，以奪元爲榮，不知不覺，別成台灣擊鉢吟詩之格調。欲求可傳之詩者無幾，未始非由於慣作擊鉢吟詩所致也」（見「瀛海詩集」）。他還在題「瀛社雅集偶感」一首七古中說：「……聞風響應三百社，能詩濟濟三千人；祗嫌偏於擊鉢，不無失詩之本眞。嗚呼，……老人沈溺無妨也，染及青年太不情。……願移擊鉢熱，諷政府之得失，詠事物之變遷。願移擊鉢熱，照社會之眞相，寫美麗之大自然。願移擊鉢熱，發純眞之情感，歌擊壤而樂堯天」（同上）

台灣前輩詩人連雅堂曾有「雅言」若干小篇，中有論擊鉢吟云：「三十年來，台灣詩學之盛，可謂極矣。吟詩之社，多以十數，每年大會至者二三百人。賴悔之所讀「過江有約皆名士，入社忘年即弟兄」誠可爲今日詩會寫照。顧其所作者多屬擊鉢吟，夫擊鉢吟之詩非詩也，良朋小集，刻燭攤箋，鬥捷爭奇，以詠佳夕，可偶一爲之，而不可數，數則詩格日卑，而詩之道衰。然而今之詩會，非擊鉢吟無詩，今之詩人非作擊鉢吟之詩非詩，是則變態之詩學也，可哉」？

連、黃兩氏的意見，均不約而同，指出台灣詩學的弊端，這些都是當有文學批評意味的主張，距今已二十年以上了。時至今日，台灣詩社據說已多至五十餘個，詩人總數好幾千。可惜擊鉢吟之流行，似乎百種倒一，可見是會使詩格日卑的。可是，這幾年來，台北詩人節舉行全國詩人大會，其命題，限韻，限時，仍好。在一年一度，偶一爲之，原無傷於大雅。我們想到詩人節的意義和其所負的使命，又不禁使人有「然而不然」的感覺。於是對前輩詩人如連、黃二氏主張似值得今日自由中國的詩人深切思之也。

上文寫完，給一位詩翁看見，他頗不以爲然，他說「擊鉢吟不可廢，蓋旨在測驗詩人才思敏捷與否也。君不見曹植七步成詩，科學時代主考官與考生之對口吟，非才思捷敏不能也。」我說：曹植爲了建安七子之一，有異稟，七步詩是在生死存亡之下逼出來的。古往今來的成功傑作，不能以此爲例，屈原的離騷也經過九年時間，才完成。可見急就章，不一定是成功的作品。謹以此就教於「當代的文學家」。

——六月一日寄自台北。

卓別靈甘受共黨利用

卓別靈的粉紅色彩，最近已愈明顯，去年度他離美赴歐，美國移民局對其回美要加調查，他便自行「流亡」在瑞士買屋居住。二十年來在美國所賺的數百萬美元，大部滙出。今年初，美國親共黑人歌唱家羅伯遜在紐約與左傾份子開會，對美國務院禁止其出國提出抗議，卓別靈還特地致一電報去，表示支持。他對克里姆林宮的功勳總於獲得報償，共黨的「世界和平大會」在對俄作曲家蕭斯塔科維支頒獎的同時，也給了卓別靈一個「和平獎」，獎金約值一萬四千美元。卓別靈頓時成了一個共黨所謂「和平工作者」，且甘受共黨利用，表示這次獲得共黨獎金，「大爲喜慶」，可是他的第四個太太奧娜，據說「並不怎樣高興」，奧娜是美國已故著名劇作家奧尼爾的女兒，因爲和卓別靈結婚而與父親終身斷絕關係。（羅譯）

瑣記郁達夫

王耀荊

至是達夫遂與其元配孫氏離婚。孫爲舊式鄉間婦女，名份上算是仳離，但仍和達夫之母住在一起。那天，筆者到二南先生家裏，達夫已先在座，相見不免互相寒暄一番，匆匆不數語，即告辭，旋見達夫偕映霞外出，二南目送他們出去，回頭對筆者說：「現在一切都改了樣了，我這七十六歲的老頭子，許多事看着不慣，可是，世風如此，又能說甚麼呢！」這幾句話，卻使賓主相對黯然，似在這老人的眼光中，早料定了他她倆之終非佳偶。不久，達夫和映霞東渡日本，在橫濱結婚，不時由滬赴杭省親，二十年二月，二南中風逝世，嗣孫未成立，由達夫經紀喪葬盡禮，遂還住杭州，並擇地城東場官弄，建「風雨茅廬」，小園負郭，構造精巧。地近報恩寺，爲軍械儲藏處，旁即省立圖書館，達夫自詡擁有書城武庫者即以此。

（四）

達夫雅好交遊，達官顯宦，學生，窮朋友，談得來的無不結納，一樣招待，邵力子宣鐵吾周象賢趙龍文諸氏，與達夫交誼都不壞。某次，陳澹廬遊杭，達夫拿一塊艾綠的石章囑篆「座上客常滿」五字，澹廬說：「不如刻樽中酒不空」，達夫知含有諷意，後來他在給澹廬信裏曾說：「……冠蓋中雖少肝胆，但藉此自瀾，亦莊生曳尾塗中意也……」。這些話說明了末世做文人不易的悲哀。

然而無論如何，這一段時期，總也可算是達夫的黃金時代。他素性愛遊山玩水，詩詞之外所寫遊記和雜文以這時爲較多，當時上海報紙有稱達夫爲遊記作家，達夫也樂以自居。他的經濟狀況雖不怎麼寬裕，究竟那時是「太平盛世」，賣文買酒，還是綽有餘裕。達夫本來善於自我陶醉的，航空獎券每期必買，期以必中，而且籌派用途：他擬以一萬元滙富陽養母，一萬五千元留杭州贍家，五千元送窮朋友，留二萬元做他個人遨遊四海之資。這個預算，他是逢人必道，樂無有介事的。居杭時生活情趣與留東時期眞有天淵之別！他所寫的「十月秋深」，醉宿杏花村：「十月秋除水拍天，湖山雖好未容顛，[illegible]酒，爛醉西冷古墓前。」臨安道上書所見：「泥壁茅蓬四五家，山茶初發兩三枒，天晴男女忙耕作，閒煞門前一樹花。」以及玲瓏山琴操墓事蹟，但云著在東坡十卷臨安志。此蘆碑（見碑文），如何[illegible]嶺關過三關坑道車[illegible]蜿旋曲折[illegible]此更無[illegible]侏酒溪[illegible]車留不得，都時閒了[illegible]公路的[illegible]同感！尤其是描寫附近的[illegible]寫來歷歷如繪，眞可說是詩中有畫。（二）

中篇小說　金珠

勞影

回到宿舍裏，別人都已入睡，我悄悄推開我的房門；在燈下，我檢視着那條我檢來的手帕：手帕的左上角精工繡着一朵叫不出名子的小野花。阿巧會不會刺繡的呢？我記不清了，不過女孩子對於針綫，正如男孩子能拋幾個球一樣，多少會有的經驗的。再看下去：左右兩側都染上了兩片草汁，噢，難道她是把手帕墊在膝下跪着的不成？……我有點糊塗了。看下去，幾塊口紅印，再看下去：……我由糊塗轉爲惶惑了，看，那朵小野花旁邊的兩個孔洞，手帕相當新，不像是用過的破東西，而且由舊而破也該先從邊上破起呀，我拿起在燈下照照，我看出了，是用牙齒咬破的？用牙齒咬磨食物以外的東西常是一種恨的發洩，阿巧的生活不如意麼？不，剛才我不是見她裝飾得頗爲入時？那麼，她的丈夫待她不好，夫婦感情不睦麼？噢不，她有沒有嫁人還無法決定呢！那麼……怪極了，一個年紀青青的女孩子究竟遭遇到什麼不如意的事呢？

我想，我應該睡了，時間已經一點多了！

之後，我不時把那條手帕拿出來看看，我眞想抽空到鶯歌她家裏訪問一次，第一沒有時間，第二——這是最重要的，我找不出藉口，萬一她已嫁人，還可能鬧出更大的誤會……這樣，五個月過去了。

我翻看手帕次數已由多而少而沒有了，我甚至忘記了那條手帕已經放到什麼地方去。

事情就這樣算了嗎？不，眞正的故事還沒有開始呢。

十一月下旬另一個晚上，第二場電影散場，十一點五十多分，我從大世界出來。

車夫們亂糟糟地兜生意，我沒有騎單車，一個車夫向我叫着：「車子！車子？」

我正待跨上去時，我眼前亮了起來，在我前面，祇隔着兩個人，我又看見了阿巧，不，我又看見了那個看來像阿巧的女孩，因爲她背着我，我無法斷定。

這時，她也跳上了一部車子，我以十倍的注意看着她，她是一個人，一個人單獨地坐上那部車子。

我疾忙跳上車子。

「哪裏，先生？」

「唔！」我用手朝阿巧的車後一指。

這樣，她在植物園門前下了車，我在離她一點距離的地方就叫住車夫。十一月的天氣有點冷，尤其是夜晚，我用翻起的衣領隔開了車夫懷疑的目光。他大概以爲是情人幽會，把煞車拉得搭搭發響地走開了。

我像阿巧的影子似地跟她走進園內，——我也不明白，第一次連喊都不敢，第二次卻毫無顧忌地跟蹤起來。難道是那條手帕的魔力？

她在上次停留的那塊地方站下來，我也在我五個月前打盹的那片椰林裏藏起了身影。我們之間隔着那個蓮池的一道淺淺的弧形，所以她看什麼我也能看到什麼，當她把目光落在池心那個土坵上時，由於土坵在我們之間的距離相等，所以我也看見了那是一株鮮艷的聖誕紅！（三）

敬甫博湛

周景彝

（一）

五月二十日爲第二任總統副總統就職大典，中廣平劇社爲慶祝盛典，假台灣省鐵路局禮堂彩排平劇。由該社社長邱楠，及副社長曹會諧，沈規賦，朱玉堂，張靜岩，胡夢霞，楊志欽，邱李湯，盧中立等領銜演出。戲碼計有「春秋配」，「雙官誥」，「蘇三起解」，「龍鳳呈祥」，陣容浩蕩，相當精彩。春秋配由該社社友劉甯去姜秋蓮，金蓮德飾演李春發。劉甯在劇中的動作和表情大致不差，演技較前進步不少，嗓音亦日臻圓朗，而腔調越顯宛轉，動作似有楚楚可憐之態，至於扮相卻甚甜蜜，百尺竿頭，如能再進，可成名家。

（二）

「雙官誥」，即「機房訓子」，侯容生女士去王春娥，王亞佩小妹妹飾演薛倚哥，易紅霖飾老薛保。

侯容生的王春娥是我[illegible]次看他演戲，就其唱青衣的程度而言，似較一般坤票爲差，音調既覺刺耳，動作亦嫌生硬呆板，希望再加磨練學習。王亞佩去小東人，纔年僅十來歲的王亞佩能在戲中演得出神入化，眞可稱爲天才娃娃生，表情動作處處動人，祇惜白口方言太重，所謂美中不足。望好自練習國語，追求藝術眞理，並注意戲詞中卅韻，如此天才的娃娃生，是大堪造就的。

大軸蘇三起解，由黃梅庵君主演，去角蘇三，梅庵爲研究梅派戲劇，積數十年之經驗，研究梅家，而本人亦有其獨到，以他能以科學標本自瞻，絕不斷取化進，這是値得讚揚的地方。梅庵在起解一場大段流水，字正腔圓，娓娓動聽，表情之憐感人淚下，極盡抑揚頓挫之妙，其做作之精細，[illegible]之能，不[illegible]呈內行，而非票友，惜乎扮相稍差，由於梅庵年事已高，乃無可補償的。

壓軸戲爲全部「龍鳳呈祥」，美人計、甘露寺，回荊州，蘆花蕩，名票徐昭德去劉備，唱做具一大[illegible]尤在見國太一場，唱工，嗓音甚脆甜勁聽，並雅工正，不顯脂俗，必當演可而能致此。裴良飾演趙雲，工架尙穩滿，所惜[illegible]似嫌太美。

寶貴精去劇中魯大夫，扮相雍容華貴，氣概萬千，唱辭板眼自屬老到，[illegible]要工力相當，始能各盡所長，把戲的眞正藝術價値發揮出來，否則就談不上好。（上）

自由人
中華民國僑務委員會頒發登記證台僑新字第一零二號
中華民國郵政登記第一類新聞紙類
THE FREEMAN
（半週刊星期三六出版）
（第三四二期）
每份港幣壹毫
台灣售價台幣柒角
督印人：雷嘯岑
社址：香港高士威道二十號四樓
20 CAUSEWAY RD
3 rd. fl.
HONG KONG
香港發行及事務處
高士打道六十六號
電話：七○四三五
承印者：振興印務出版社
地址：高士打道六十四號
台灣特派員辦事處
台北市館前街五十號
台灣總經銷處
台北　中華路五九四號之一
台灣郵政劃撥儲金戶九二五二

論政治家的智慧

——讀道鄰先生「論政治與學術」書後

・陳伯莊・

中央文物供應社印行的新學術叢書中徐道鄰先生的政治與學術一書，係一共十七篇論文的文集。大家知道徐先生數年來抱救世用世的情懷，埋頭讀書，以科學的邏輯實證論（LOGICAL EMPIRICISM）爲致知基礎，研究人類行爲及其心理，這自然是研究一切社會問題的正道。這是要跟蹤站在科學的致知方法之上，從人的行爲與心理方面着現代各社會科學和心理學可能給與吾人的知識與啓示，來研究散之則爲萬事的事。憑藉他[illegible]遊藝的種子，不用說自然是鬱鬱於他胸中那一股「河流大野猶嫌束，山入潼關不解平」的奇氣。

科學的結論才是知識

他這本書，一部份是自我介紹，一部份是他的讀書報告，一部份是論當前的具體問題[illegible]以戰術命名，自然表示了他要給人們的中心「話」（MESSAGE）在列作者中第二篇的論「政治家需要些什麼學問」。

我願從個人對「學問」、「知識」、「智慧」三件事的了解來作這書的書後。預先聲明，凡屬個人的了解都有錯誤的可能。

關於「學問」與「知識」的相關與異同，茲從個人在本列本年元旦發表的「史學管見」其中一段如次：

轉入二十世紀以來，心理學的長足發展，哲學向新方向的轉變，各社會科學內涵的修正與增益，治學方法論的更嚴格化，所得的總結果爲學然後知不足。治學方法轉入兩個新方向：（一）縮少研究對象；（二）動員各科學已有的知識，集中研究一事的各面。（一）爲對象局部化；（二）爲研究綜合化。假如以作戰爲喻，十九世紀科學大家抱着混一六合的雄圖，發動全面戰略，自以爲佔領了敵人的國都，而實只高踞了自行虛構的層樓。現在學者的努力，彷彿像整編殘軍，收縮戰線，訓練新軍，重訂戰略，逐步推進。直至現在止，在各社會科學中，只經濟學的成就比較實在，然尚遠不能與自然科學比較。社會科學有三大缺點：（一）成學未臻成熟，而其基礎的詞彙，各家著作全未臻同；（二）各立門戶，而新論又多不成爲已有學說的增益，不能收累積以進之功；（三）方法論正如錦如荼，恰恰表示了致知之方向尚未有共同接受與使用的治學工具。

這是說根據科學的致知之方而獲得結論才算知識，現代各社會科學中，斷然可以成爲知識的部份幷不多，其餘便是各學者的意見，看法，和未獲證的假設。

事與理的分別

再論「事」與「理」的分別。「事」是發生於自然界的，「理」是寓於「事」而「理」與「事」相連，「事」是個別的、殊的，「理」是抽象的，在一定範圍之內，「事」是存在於自然界之內的。「理」在自然界之中的，「事」由人們的理性加以理會而得之的。「事」都具有許多不同的「理」；其所以不同，因其皆爲從事之某一面觀而得之的。「物」固是「事」，一「人事」亦是「事」。僅屬於自然界中的物理層的「物事」，如風雲雷雨，以較乘屬並透過「物理」—「生物」及「社會」—文化各層的「人事」，不用說「人事」所具的「理」多得多，其衆「理」的交織和互相影響也複雜得多。而從某一面觀的理，以其同科滙成爲有體系的知識，便是某一科學。科學即理，即是滙衆事之某一面觀而搆成體系化的知識。

等到我們處事，處理人事，下一個判斷，做一個決定，顯然的僅在理智方面而論其中已包括兩大要素：

（一）我們所知的理有限，對於任何事的理，即其從一方面觀之理，今天的我們尚不能完全知道；這就是說我們的知識是很有限的。這就是說我們處事料事時，並不能完全知道這事的各理。

（二）凡處事必有我們的目的，這便是說我們希望事的演變照着我們所料的軌轍進行，而我們的行動，便是對於事的演變，加上一枝生力軍，旋乾轉坤地要它照着我們的目的，或者至少不要和我們的目的太過相反而進行。（知其不可爲而爲，是要參加這事的我們本身至少我們所行之事照着我們的道德情感而實現）。我們運用分科的知識來作料事處事之助，不但不能完全知道這事的各理，而且臨時要參詳這各理相互影響所可能發生變化。

甚麼是智慧

所以料事時所下的判斷，處事時所下的決定，就在理智方面已經含有很大的不確定成份。而且人們臨事之時情感與期望又大大的影響了他們的理智。無道德修養的人們，情感必然過份左右了理智，無科學修養的人們，期望又必然過份左右了理智。所以料事而當的判斷，處事而當的決定才是智慧，智慧的構成有知識的一部份，而不僅是知識。智慧並且包括有天才成份和道德修養的成份。惟其有道德修養的成份，所以孟子說「德慧」，其反面則如常人說「利令智昏」，「予智自雄」，如蘇東坡所說，「西夫西婦得一金而不知所措」等等。

政治家不但需要「學問」、「知識」，而且需要「智慧」，而且「智慧」必然是「德慧」，無德者其目盲！

炙手可熱，步步生青雲的從政人物，不過是「勝於人而可以取於人矣」的鑿流。他們亦何嘗不知學問的有用，而且又可以華身。不過既然沒有，斷不認輸，說「葡萄是酸的」，不過是自卑感的補償作用。而且凡色厲者必內荏，所以孟子說大人必藐之，認清他的弱點，一箭射中射穿。這時候要準備兩種不同的可能反應：一、暴露了他最深的隱諱，拿刀子來洩憤與滅口；二、像戳穿了的皮球，虛驕之氣一時洩盡。

（下轉第二版）

英工黨訪問中共的分析

・旭軍・

英工黨最近宣佈接受中共的所謂「中國人民外交學會」的邀請。已決定在今年八月由該黨首腦艾德禮及該黨左翼領袖貝萬等八人組成的訪問團，訪問共產中國。英工黨目前雖然是在野黨，但中共這次的邀請，是含有陰險的外交戰略之意義的。

工黨承認中共的理由

所謂「中國人民外交學會」，就是蒐集外交情報和提供外交戰略意見的機關，這件事已醞釀了一年，際此蘇俄共產集團正加緊分化西方陣線，離間英美之時，中共與英工黨各有其動機，你情我願一拍即合。報紙上倫敦電訊，所謂：「支持英現政府人士認爲工黨此項決定殊不合時」。如設身處地，以中共及英工黨的立場看，則「此項決定正係合時」。

英工黨目前雖爲在野黨，但仍雄心勃勃，企圖在一九五六年再舉行大選時重回政權的。工黨執政時是單獨承認中國共產黨政府的，迨至保守黨執政出乎一般美國觀察家意料之外，依然不變更工黨此項錯誤的決策，仍承認中共政權。所以工黨常以此向其國人自誇。艾德禮當時的說法，是：爲了承認現實，爲了香港的安全，爲了保持英國在大陸之財富，爲了減輕第三國際在印度緬甸馬來亞等地區之活動，爲了作爲中共與美國間之緩衝國家等理由，故而承認中共政權。但三年餘來，這些目的全部落空。然而不到黃河心不死，保守黨政府沒有改變的勇氣，英工黨自然還是藉此以作政爭的工具了。

訪問中共的由來

前年拾月英工黨在摩坎比（MOREC AMBE）開年會，選舉執行委員會七個委員時，工黨左翼占了六個。這六人就是將訪問中共八人中的六人（即除了艾德禮和工黨秘書長斯以外的貝萬、安德、法蘭克林、桑瑪斯基、薩米、和工黨執行委員會主席柏克。）當時工黨已由執政黨降而爲反對黨。各地方黨員認爲工黨的失敗，是艾德禮的失敗。故轉而趨向貝萬爲首的工黨左翼。在此次代表年會中，要求定下新的路線。直到去年夏六月再開工黨代表年會時，便答復此項要求。正當六月十七日東柏林發生反共革命而柏林工會舉行反對共黨極權示威運動時，英國工黨年會却發表出他們的政策宣言，題目爲「對不列顛政府的難題」。對內外政均發表其主張。其首要點在「擺脫美國的牽連」（一）力求站在美蘇之間成爲第三勢力。（二）在經濟上竭力保持其金鎊區。防止美元勢力侵入。（三）保全其在大英帝國的聯邦之領袖地位。（四）實行哥倫坡計劃，對抗美國之第四點計劃，以保存其在亞洲的資本勢力。對蘇聯共產集團不但沒有抵禦侵略的措施，反而通過「該黨領袖應組織親善訪問團，訪問蘇聯及共產中國」一議案。這就是此次工黨訪問中共一舉的起源。試想當時工黨是在那一種場合的氣氛呢？

工黨兩派政策一致

蘇聯對此建議當然樂爲利用。但一九四六年工黨（在執政時）曾派一正式訪問團至蘇聯訪問，故授意中共，教其答應工黨這項請求。早已致送邀請書，還建議該訪問團由工黨三四十人組織而成，使其聲勢浩大，俾利於向鐵幕內的人民宣傳和加強英美的離間。

由此，我們可以看見到這次所謂「親善訪問」，是與工黨的政綱，和企圖在外交上表演以求後年在大選中獲得爭取選票的優勢，以及英國政權未來前途，很有關係。不能不令人有所隱憂。

至於工黨的左翼揚言「艾德禮與貝萬這兩個時常衝突的工黨領袖同在訪問團實可注意。」一語，固然說得對。但所謂「可注意」，就是在對中共的外交政策是一致的。然而主動的還是在工黨左翼貝萬這一派。

工黨的全國委員會有權控制黨。其權在貝萬這一派。但工黨在國會眞正的活動，仍然是艾德禮這一派占勢力。工黨議員有其自己的組織，所謂工黨國會派。他們能對國會中一切的問題決定態度。因此貝萬不能不借重在國會佔勢力的艾德禮。貝萬派雖然在工黨執委會七席佔六席，但在國會下院「前位」工黨議員領袖十二位中的十一位是艾德禮和艾派議員。貝萬本人佔一席。現在艾德禮既參加訪問團，那就表示國會派和地方選區派對此事是一致了。

拉住工黨即拉住英國

英國外交政策一如美國之建立於兩黨合作之基礎上。以前工黨執政時，艾德禮之所以承認中共政府，原是獲得保守黨之支撐。今天保守黨政府如欲推翻承認中共政策，甚至更改對華東政策的話，若不獲得工黨之支持，便難成功。因保守黨在下院只能取得極少數之多數。（這也是議會政治的弱點），蘇聯共產集團看中了這一點，拉住英國的工黨，也就是拉住英國。

現在蘇聯在日內瓦會議正玩弄分化西方陣線的策略。越南局勢危急，美國正急於謀聯合堅強行動。蘇俄共產集團謀拉扯英國向共產集團近一尺，就是使英國與美國遠離一尺。這是美英雙方應加警惕的。尤其是英國，邱吉爾和艾登如果還走艾德禮的老路，希望與蘇聯和中共妥協來解決香港馬來亞以及東南亞問題，則必然是枉想。因爲事實已證明蘇俄共黨集團是不能妥協的。如果想挾中立之姿態以自重，更是萬分危險的想法。等到孤立而危急的時候，才拉住盟友來協調，則張伯倫誤國之悲劇恐怕會重演了。

半週展望

・雷嘯岑・

台灣防衛堅強！

美駐台軍事顧問團長蔡斯將軍在馬尼刺發表談話，認定「台灣防衛堅強」，致菲島不要害怕受到北韓的進攻。這話絕對可信！

台灣如果只看成是自由世界在太平洋中的一個據點，內有幾十萬大軍守護，外有美海軍第七艦隊協防；假使美國又接受「偉大的盟邦」之主張，對中國大陸上的「土地改良主義者」妥協一番，執行杜魯門艾契遜政府時代的對華政策。那末，我們更相信台灣不但防衛堅強，再過一個世紀也依然安全無恙，不成問題的。

可是，中國的自由人民，是要藉台灣這片國土作基地，把大陸上禍國殘民的暴虐政權消除掉，解放被奴役中的同胞。光是台灣防衛堅強，有何意義？美國政府如不改變其對華問題的觀點與作法，而僅以「台灣防衛堅強」爲滿足，我們却不願意作此想像！

利誘威脅一齊來

莫洛托夫在日內瓦面目猙獰，氣吞東南亞，弄得以妥協爲目的的英外相艾登也大爲發急，呼籲俄共集團代表「抓住要點，解決歧見」，否則英國將要承認會議失敗了。莫忙！會議尚不致失敗，試看倫敦美聯社十日電訊說：「邱吉爾政府對英國商人與北京政權的擴展非戰略物資貿易的努力，正給予官方的祝賀」。據英國貿易部公佈對中共區域輸出的貨物單，共有四千多種，而中共的貿易代表團又決定在兩週內即到達英倫來，商訂貿易協定。

在俄共集團這樣有計劃的利誘與威脅之下，艾登能不大費氣力，促成日內瓦妥協的實現麼？

俄共集團代表們早已抓住要點了，艾登之言，應該只跟法國代表研究研究，看看自己是否抓住了要點？

法國政府又要求信任投票

法內閣總理蘭尼爾爲越南問題，又要求議會於今日舉行信任投票。一般觀察都認爲現政府的命運凶多吉少，而俄共集團近來在日內瓦會議那套桀驁不馴的表演，爲的就是要使法國現政府垮台！

蘭尼爾政府如果垮台，依照法國那種漆黑一團的政黨政治本質，起碼會有三五個星期陷於無政府狀態中，等到新政府成立，調整外交政策與人事後，再來進行日內瓦會議，將是秋風時節了。此中共代表們在日內瓦租賃別墅之所以要延長到十月以後也！法國國民議會能見及此，不爲俄共集團所玩弄嗎？

法國最好完全局外中立

法國在自由世界反極權侵略鬥爭中，最好是完全置身局外，嚴守中立。反正防衛西歐工作既有北大西洋聯防組織，又有美國大軍帶同原子砲隊駐守法境保護，法國現參加在北大西洋聯防體系內那點軍隊，不妨調赴北非去「鎮壓叛亂」。這樣，法人既徵兵入伍，準備未來戰爭，又不愁國土再被侵佔。悠然自適，袖手旁觀，對民主陣營少作些梗，而「四強之一」的榮冠照樣戴着，豈不美哉？

鎮海的反共會議

南韓所策動的亞洲反共會議，將在鎮海開幕了。這一會議既非純粹由各國政府代表所構成，有如現在華盛頓舉行的五國參謀首長會議然，也與普通聯歡性的國際集會有別。預會各單位，在軍事政治行動上不一定有約束，但在反共問題的道義精神上，必須有堅強的結合。非如此，這會議就沒有甚末意義與作用。

因此，我們對於這次會議沒有日本民衆團體代表參加，認爲美中不足，希望我國代表們注意及此，設法促進亞洲反共人民之大聯合。

自由中國與南韓，在這次會議中，尤應表示其爲大衆利害而不惜犧牲的精神和魄力，讓西方那些幾強之一的遇事自私自利者看看，亞洲人的智慧並不比他們低能啊！

大陸手業工人的刦運

·沈著·

我國手業工人（主要如鐵匠、木匠、篾匠等）原屬自製自銷性質，其間並無絲毫剝削成份。產品爲廣大社會（特別是農村社會）所必需。中共竊據大陸後，一切生產經營皆加以嚴格統制，手業工人的命運，遂日漸陷於絕境。

逼害手工業的方法

中共迫害手工業者的手段，表面似屬溫和，實際至爲狠毒。第一，中共先利用各地「供銷合作社」控制外來或當地的生產原料，如竹、木、煤、鐵等，以阻礙手工業者的再生產。第二，再利用「供銷合作社」壟斷當地人民的購買，以扼殺手工業者的產品銷路，逼使其積壓、霉蝕、倒閉、瓦解。第三，中共規定合作社可以向「人民銀行」貸款，手工業者則被指爲「私商」，盡量封鎖其資金，以多方面扼殺其生機。

手工業者急劇消滅

因此之故，年來大陸各地手工業者雖曾竭力掙扎，仍無法逃避覆沒的命運。試以去年六月間「人民日報」指出黑龍江省明水縣爲例。該縣於一九四九年前（即未陷共前），原有手工業戶三百六十餘戶，至一九五二年一月，只剩一八九戶，至同年年底，只剩一二五戶，到目前（指去年六月間）則只剩七十二戶了。該報又說，其中專製鐮刀鋤頭的鐵匠爐，原有三十六戶，現時只剩四戶。該報坦然承認：該地手工業戶所以逐年減少之原因，即在原料被統制，無法補給。例如紡織、造紙、肥皂、製傘、打繩、皮革、製帽、製衣、乃至製粉絲、編竹器、燒灰窰等，或因基本原料無法購得，或因化學原料無法補進，不得不被迫停工或停業。

去年十二月間，中共總「總路綫」口號之後，提出對手工業「進行社會主義改造」的口號，用強迫的「說服」，和給予「人民銀行」貸款的釣餌，將各種手業工人按鄉按村的納入「生產合作社」，或「生產合作組」的組織中。實行統制生產，統制經營和管理。中共此種措施的目的，在於集體剝削手工業者的勞力，控制稅源和壟斷商業利益，是極不利於手工業者生存的。在所謂「組織起來」以後，復由於制度及人事上的種種毛病，使手工業者在遭受了剝削、奴役之外，還遭受了幹部貪污和盲目經營所造成的虧扣、欠薪以至於停工失業。

極低微的待遇

據今年三月二十六日天津大公報「合作半週刊」指出：被納入合作組織以後的鐵匠，一般的每月僅得工資大米二百一十斤，合「人民幣」僅二十八萬元，（按：大米每一百五十斤爲一石，每石一般市價爲「人民幣」二十萬元，故折合如上數）。據四月十六日該刊指出：被納入合作組織以後的木匠，一般的每日僅得工資「人民幣」一萬元。倘折合美金，則鐵匠木匠均僅得十二、三元之間，此種待遇，比較自產自銷的利益，實遠爲低落，難以維持生活，亦不言而喻。

重重剝削的痛苦

又據三月二十六日的該刊指出：「生產合作社」出售產品，除自繳一道營業稅外，在經過「供銷合作社」代銷時，還須再繳一道營業稅，和百分之一點五的工業稅。以致形成開支大，收入小的現象。此種現象，往往使該一組織中的手業工人遭受欠薪、停薪，乃至失業的痛苦。

共幹貪污舞弊

最使手業工人遭受痛苦的，還在中共合作幹部的營私舞弊和貪污中飽。此種事實，歷來在中共各項刊物中揭發和批判的甚夥，已成極普遍現象。據四月十六日上述週刊所舉鳳陽木業生產小組的例子，該組組長李元善爲修理私人房屋和私放高利貸，抽走資金並予以吞沒的，其數即達五百四十餘萬元之多。貪污以外，共幹以私人關係坐分生產成果，致經營虧蝕的情形亦甚普遍。例如上述李元善他的父親和兄弟即身兼採購員、會計員等職以坐享工資。該一生產小組即因該共幹李元善的舞弊、貪污、徇私，以至經營虧蝕，資金虧空，工餉拖欠，不得不宣告垮台。

產品日趨低劣

據中共官方近來在檢討中逐漸透露的情況，盲目產銷經營，以致此種合作組織至手工業者陷於絕境，情形甚爲普遍嚴重。中共規定生產合作組織的產品，須由當地「供銷合作社」全部包銷，中間訂立合同，由供銷社供給原料和資金，並指定生產品目，由供銷社獨家出售，在此種關係下，由於供銷社盲目定貨，和領導幹部盲目追求生產任務和盈利，使大量產品偷工減料，粗製濫造，規格走樣，信用喪失，銷路阻塞。其中尤以農具方面爲甚。四月二十三日的「合作半週刊」，即坦然引用湖南衡山縣沙泉鄉一個名叫陽文藻的合作社社員的話說：「合作社的農具毛得不像樣，莫說要錢，就是送我也不要」。此種結果，使產品積壓，資金凍結，生產停滯，工資欠發，乃至停工、瓦解而陷於失業狀態。總之：目前大陸手工業者，在中共藉口「社會主義改造」，和「合作」的美名，濫加壓迫剝削，已陷於不能生存的絕境了。

艾克計劃成立第三黨

美總統艾森豪和他最密切的顧問們，已在秘密地商討組織第三黨的可能性，他們希望在南部各州成立一個暫時定名爲「憲法黨」的新組織，而在明年初即開始籌備參加一九五六年的總統選舉。艾克爲什麼要成立第三黨？這並非他對共和黨有什麼不滿，或是有作退出的打算，實際上是在間接爲共和黨幫忙，因爲南部各州多是擁護民主黨而拒絕共和黨投票的，成立新政黨，無異在分散民主黨的實力。據說，「憲法黨」將在明年總統競選運動開始的時候，提出一位贊同艾克計劃的總統候選人，同時這一個新政黨並將獲得白宮的支持與贊助的。

埃及總統將出國流亡

埃總統那奎勃少將最近有赴歐療病的打算。但據開羅熟悉內幕的人士預測，如果那奎勃果然成行，他將會在歐洲作永遠的流亡。他與納撒中校的爭執，現雖繼續不已，然而由種種跡象來推測，那奎勃顯已屈居下風，尤其是從辭去總理，而由納撒繼任以後，事實上，他已大權旁落，成了一個有名無實的傀儡總統，接着他所受的壓力日增，政敵納撒等乘機加緊整肅軍政機構中那奎勃的份子。目下他的親信仍擁有實權者已所餘無幾，到了無法立足的時候，那奎勃總統只好藉赴歐留醫爲名而一去不返了。

鎮邊府法損失奇重

鎮邊府陷於越共手中後，關於法軍在當地的損失情形，外國通訊，間斷而不可靠的報導，惟據河內軍事權威人士所傳出的消息說，這次法軍損失奇重，直可謂元氣大傷，由鎮邊府一役中，法軍官傷亡及被俘的數字，就可以知道法軍損失的重大。計少尉至少校級軍官三百五十名，中校及上校級軍官十五人，另將級軍官（卡斯特里准將）一人。據說，自本年初以來，法軍所損失軍官（包括傷亡及被俘者在內）已逾六百人。而自越戰開始迄今，損失軍官不過二千二百人左右，今年一季中的損失幾佔七年總和的四分之一，由此也可見到鎮邊府戰事的慘烈了。

俄米格機援交附庸國

據西德官方報導所獲得的情報說，蘇俄空軍已以更快速及火力更強大的飛機來代替MIG—15式噴射戰鬥機，自從俄國開始製造米格機以來，據說已生產了米格噴射戰鬥機一萬四千架左右，有了更新式的飛機，於是陸續把這批比較陳舊的米格機，撥給各附庸國家了。（孟德）

天下小事

× × ×

編者　讀者

其誰先生來函

貴刊三三八期李果驤先生考正馬君武諷張詩最正確。惜第二首誤將「阿嬌」作爲「佳人」否則二首均爲全璧無訛矣。　其誰　五，卅。

編者的話

△劉岱曦、王毅君、陸珍年、羅自芳、楊柳青、王世昭、韋政通、傅中梅、諸先生：惠稿已收到，至感謝。

△劉岱曦先生：函悉，稿酬撥台南可照辦，台南推銷當加意改善。

△行素先生：函悉，可照辦。

論政治家的智慧

讀道鄰先生「論政治與學術」書後

陳伯莊

政治家不宜故步自封

（上接第一版）

說到智慧的天才成份，莫過於漢高，和崇拜欣賞漢高的石勒。石勒一字也不識，要人念漢書給他聽，聽到漢高採用酈生立六國後的建議，立刻覺得這要大糟特糟，怎能取得天下。及聽到張良反對，漢高又立令取銷鑄印，於是這可愛的普羅出身的羯胡擊節歎賞「賴有此耳」。這天才石勒說如遇漢高祇有乖乖地投降，如遇光漢一定還要和他打個分曉。又馬援告訴隗囂，光武當今第一，說話開誠布公，彷彿漢高，祇好向他投降。隗囂再問，光武究比漢高如何？馬援說：光武好自己辦公文，動輒說法，又不歡喜吃酒，是比不上漢高。可是終於失敗的隗囂不懂這話的妙義，反而說：這樣，照我看來，漢高更高明嗎？他不比漢高，除非才如漢高，不宜故步自封，說乃公看不起你們讀書人。（最糟的，口裏不說心裏說）眞是才如漢高，也決沒耐煩讀徐道鄰先生若口勸人讀的語意學。嗚呼，我思古人。

沒有工夫吃飯

蓮爾士的安迪生傳，有許多關於愛迪生的軼事，爲以前未經記載的。下面的一段，表現出安迪生的專心和堅毅。若果以算學公式表示安迪生，這個公式是——『專心堅毅再加天才等於安迪生。』

『不論到什麼地方去，安迪生懷中總帶備一本記事册，把他試驗的圖形和意見記入。他穿的鞋子總是破的，陳舊的衣服上面都是墨水的痕迹，他的帽子簡直不像樣子，雖然他也不穿大衣，把全部的薪俸省了下來購買科學書籍和實驗的儀器。』

『愛迪生每天只睡四個鐘頭。他在波士頓的時候，在書店裏找到FARADAY的全集，（當時電學巨子）他高興極了。那天晚上，他整晚沒有睡，看到天亮。到了吃早餐的時候，他還在那裏看。他那同房間的朋友問他道，「你吃不吃飯呢？」安迪生答道，「不，現在不吃。生命太短了，我沒有工夫吃飯！」』（布衣）

不變的李承晚

人物·評述

·李加雪·

（一）

偉大的舉動，每被誤解。在最近幾年抗共風雲裏，李承晚便是一個最好的例子。去年六月，聯合國軍方和共黨簽訂停戰協定，容許中共軍一百餘萬人留駐北韓。美國軍方認爲李承晚必定能夠同意上項協定。可是李承晚根本反對和共黨協商，他認爲數十萬的聯合國軍尚且不能夠把他們驅逐出韓國，難道幾句甜蜜的說話能夠奏效嗎？他認爲協定足以影響南韓軍心民氣，因此向美國提出最嚴重的抗議。美國爲使李氏就範，以停止援助，停止軍火接濟，作爲威嚇。可是不屈不撓，成竹在胸的李承晚，反不顧一切的把兩萬餘名北韓反共俘虜釋放了！當時舉世嘩然，輿論多指斥其行動，斥爲瘋狂、頑固、倔強。

美國人士對南韓態度深感不安。參議院曉得抗共的偉大戰士佛特力將軍對於李承晚有極深認識，特別請他到會裏提供意見。佛將軍的幾句話，使參議議員如夢初醒。佛將軍說：『李總統是一個聰明的老人，他貢獻他的終生，求韓國解放。他頭腦裏有很深奧的智慧，他軀體的價值能夠和金鋼鑽比重。』

（二）

李承晚究竟是怎樣的一個人呢？他的價值在那裏呢？他一生的偉大事蹟太多了。簡短的本文，只能選一兩件異常事蹟來，說明他提兵北進，掃除共魔的決心。

李承晚本是韓國帝室的宗裔。年輕的時候，在教會學校念英文，眼見日本快要吞滅韓國了，於是他參加抗拒侵略和改革國政的獨立黨。朝鮮國王反對憲政，把十七個獨立黨黨員關諸獄中。可是他對於他的族弟李承晚，特加青眼，把他派到樞密院，負責軍要的國政。那個時候，他才二十歲。國王這種特殊待遇，應該使任何人俯首就範，唯命是聽的了。李承晚卻不然，他雖在樞密院裏負責任，他那改革政府的信念一點沒有動搖。他在外面，組織學生和羣眾，朝鮮王把他下在獄裏。二十二歲的李承晚遭到了生命的危機，一連六個月，朝鮮王給他極嚴酷的毒刑。把他的手、腳、和頸部緊緊地縛住，使他不能移動，但日派人給他洗臉。當他自己生異議的時候，他們把竹簽釘進他的腿裏，釘進他的足踝，並且用鐵鉗把他的十指，打得有類乎肉醬。有一次，他們都以爲李承晚死了，叫他的父親來領屍。可是李承晚的軀體和他的精神一樣，是不會屈服的。國王把他判了終身監禁，他卻每天在獄裏讀聖經，祈禱，並且著了一本書，叫做『獨立精神』。

（三）

到了一九〇四年，日俄戰事發生了，革命黨執了國政。李承晚那個時候二十九歲，在獄裏足足坐了七年。革命黨把他從獄裏歡迎出來，派他去美國做韓國革命政府的特使。

李承晚是一個倔強的人。不錯，他倔強是至死不變的。他把生命貢獻給國家，只要有利於國，他很願意犧牲他的一切。他認清了共黨的奸僞，他深曉得共黨要吞併他的祖國，他決定了抵抗到底，打到最後的一個人。美國停止他的援助嗎，他還是要抵抗。停止他的軍火接濟嗎，他還是要抵抗。做蘇聯的奴隸好呢？還是爲國，爲人民戰死好呢？朝鮮王給他的高官厚祿，他視若敝屣，不惜捐軀爲國，他能夠做蘇聯的奴隸嗎？他的目的，永遠不變的是向鴨綠江前進，把奸僞的共黨逐出國境。李承晚的決心是不變的，他的價值就在這『不變』兩個字。

（四）

李承晚現在七十八歲了。他是韓國的國父。無論到那裏，人民恭立向他鞠躬，向他致敬。他的步伐迅速，他的皮膚光潤，他的精力有過於青年人。韓戰緊張的時候，他時常跑到第一綫鼓勵戰士，所到的地方，士氣騰厲，每每轉敗爲勝。他那捨身爲國，捨已爲人的精神是永遠不變的。韓國人民欽佩他的『不變』，把他們的生命交付他，信賴他。李承晚的力量和價值就在『不變』兩個字。

（圖：李承晚總統及李夫人。）

論漢高祖（四）

（二四七——一九五B.C.）

·毛以亨·

讀史述評

五、消耗戰——蕭何在關中調度，爲兵源餉源所自出。關中周秦舊業，財賦爲占天下十之六，而人亦三分之一。項羽之補給較少，故終失敗在消耗戰。況韓信所將之兵，與其所佔據之廣大地面，已爲漢之第二兵源所出，西楚一隅，自感竭蹶而支持不下了。

六、美人計——此所謂陳平奇計，史稱其事秘，外間不得知，大概因其有傷體面故云。後冒頓致呂氏書，有「陛下獨立，孤僨獨居，兩主不樂，無以自娛，願以所有，易其所無。」（史記匈奴傳註。）漢與匈奴和親，殆始于白登解圍後之踐諾，而呂氏所以助高祖平天下者，是否亦如對待匈奴之爲美人計！則其事尤秘，世更莫之知也。

七、除秦苛政——約法三章，與民休息，從此歷史上就沒有如秦代動員了幾二百萬的奴工，使用與秦相埒的奴工，祇有隋煬帝。以後的老百姓，雖仍有徭役，然最多祇十數萬人（范文瀾寫中國歷史，稱西漢之農民生活，並不改善，這是胡說。他說：「或者照西漢大儒董仲舒所說，衣牛馬之衣，食犬彘之食。」不過董仲舒這幾句話是指着秦朝說，而不是說漢朝的。難道范文瀾會把史記漢書或春秋繁露都抄錯麼？抑是本共產黨人改造歷史的技倆，而故意來張冠李戴呢？

不將兵而將將

高祖打天下的方法，祇是比秦爲寬大一點最爲基本，亦最可取。這是他自己受到暴政災難而體念到的，有此一點即足以平天下而有餘了。其他以上所舉的方法，多是收效一時的權術，不過說得天花亂墜，因以引人勝服了。我們則仍喜以天才與神祕，以及宗教情緒來作總括的解釋，如欲再進一步作理性的解釋，則莫如採淮陰侯傳二段敍述來以爲補充的說明，因爲韓信是致高祖打天下的導師。「上問曰，如我能將幾何？信曰陛下不過能將十萬。上曰於君何如，曰臣多多而益善耳。上笑曰，多多益善，何爲爲我禽？信曰陛下不能將兵，而善將將，此乃信之所以爲陛下禽也。且陛下所謂天授非人力也。」不能將兵，是說他本來不會打天下。善將將是說能利用人，據他人之功以爲己有，這是罵他的話，古今來亦從無祇能將將不能將兵的軍事家。所謂天授非人力，是古人的說法，而與我們現代語之天才與宗教情緒亦合。高祖與韓信同是流氓出身，兩人相知最深，非任何人所可比。與項羽爭天下之謀，先商于韓信，謀定始拜信爲大將。劉家的天下，可以說完全依韓信的計劃打出來的，其餘功臣，多是輔助者而已。

韓信當時的地位，在未出兵前，已任兵爲大將與丞相，殆已超過諸葛亮與王猛，出兵之後，其實權更大，可無論了。打項羽是何等大事，高祖非舉國以聽不可，而高祖相信祇韓信幹得了。未經實際上的試驗，而即奉韓信爲神明，非對之有深刻的認識，而有自愧勿如的透澈瞭解，是不會如此的，故佩服得他廠利害，事成後想除去他的心理愈迫切，猶之徒弟之非殺師父不可，司馬光亦疑心反狀爲不確。

收天下民心

再請看韓信如何致高祖打項羽的天下：「項王所過無不殘滅者，天下多怨，百姓不親附，特劫于威疆耳。名雖爲霸，實失天下心，故曰其強易弱。今大王誠能反其道，任天下武勇，何所不誅？以天下城邑封諸侯，何所不服，以義兵從思東歸之士，何所不散。」項羽守六國時代的舊道理，僅以桓文自居，不敢正位爲天子，又坑降卒，其自信心與天下人的信心，都失去了。韓信提出人心的新觀念，反其道，以與爭天下，實顯其一針見血之識，而天下果以定，至謂三秦可傳檄而定，後亦果如信言，第一砲放響之後，信用于以獨立了。好一個「反其道」而行的辦法，然實爲反項而非反秦，眞是千言萬語，可以併作此一語了。

治天下的方法

高祖打天下時，因爲與楚一致，故亦以反對暴秦爲標榜，然不過說說而已，與項羽之一味反對秦者不同。項羽對秦是採取仇視的態度，其坑秦卒，焚咸陽，都是此一態度的表現。其登峯造極之時，爲鉅鹿之戰，降章邯虜王離，蓋離乃王翦之孫，而項梁之父燕，則兵敗爲王翦所殺。至此項氏之仇已報，而其衰兵亦洩了氣。其時則高祖之功業方始，他還固秦關中之舊業，用秦人之體制，以樹立漢家規模。史記六國表曰，「秦取天下多暴，然世局易變，成功大。傳曰法後王何也，以其近己，而俗變相類，議卑而易行也。學者牽于所聞，見秦在帝位日淺，不察其終始，因舉而笑之，不敢道。此與以耳食無異，悲夫！」所以章太炎錢穆的尊重秦，實爲尊重中國傳統起見，是根據于太史公的觀點。但我之反對秦政，乃在反對奴工與暴政的觀點上，同時並不違反此一傳統的說法，蓋漢襲秦制，是大家所公認的。

台灣中南行（十）

魏希文

因爲範圍大，如果沒有車子代步，也許半小時連跑路的時間就不夠了。

我們參觀六個單位以後，認爲今天自由祖國的海軍一切設施，不但用克難的精神造了海軍強大的基礎，而且在技術上，科學研究上，如雷達和原子潛艇的研究都迎頭追上歐美的海軍，我們在海軍軍校和機械學校，看到他們的教室，每人一張書桌，桌上所用的課本都是厚厚一本的原文，機校教育長告訴我們說，現代歐美海軍軍官的教育課程，在我們這裏都是齊備的。一個軍校和機校畢業的學生，他的科學智識和技能，比一個普通大學畢業生要高得多了。而且一個海軍軍官學生，在四年三個月「德智體並重」和「管教訓合一」的嚴格訓練之下，才能穿上一身漂亮的海軍服，說來並不是一件容易的事情。海軍同人中，他們一致希望能夠多有機會給海外的華僑青年，回到祖國學習海軍。

匆匆參觀完畢，據高雄新生報次日的記載中說：「七輛大交通車在海軍區裏來回穿梭，顯得異常忙碌，陣容之盛，打破歷來參觀的紀錄。」接下來，我們各組回到官校中山堂休息，那裏陳列了各種圖表和照片，以及他們自己做的兵艦模型，最有趣的是他們自己做的留聲機和唱片，當面開了幾張我們聽，和一般留聲機並沒有什麼兩樣，這眞是雙手萬能啊！

敘餐會盛況

十二時，我們全體同人和官校員生會餐開始了，我們還沒有走進餐廳的時候，樂隊奏着歡迎的樂曲，一片像萬馬奔騰的掌聲，從四方八面湧來，我們揮着手，說不出心裏是怎樣一種被激動的情緒，只覺得心弦興奮而又緊張，如果說我們噙住了眼淚，然而那眼淚却是無限的歡欣。

掌聲一直在我們就坐後才靜止下來，每六人一桌，每桌有一位官校員生代表，我們在無比的興奮中吃這最情感奔流的一餐。同時，由代表同人王同榮致詞，從他興奮激勵的言辭中，他對於新海軍偉大的進步和成就，是賢明的總統領導的結果，也是海軍總部全體同人努力的結果。接着又有官校學生代表歡迎和勸主任致詞，在學生的答詞中，他說：「希望在明年今日，請諸位到青島來參觀本校！」接着掌聲，從每一個代表的手上湧出來。

在進餐中，擴音機不斷播出：「某某學生，某某代表找你請到擴音器前來。」本來，歷來的海軍人材都以廣東福建人多，代表同人中也以廣東福建人多，自然這是一個最好找同鄉子姪的機會。

代表同人中，不少和海總同人相識，他們用廣東或福建鄉音談話，備極親熱。其中也有過去是同學，或者是同事過的，一位女代表彭女士，在士校遇到宋主任暢談不已，原來他們是同在蘇州念過書的老同學，堪稱是「他鄉遇故知」了。

會餐以後，我們於下午一時四十分，分登「DE廿六」及「四五」兩艦出海，參觀戰鬥演習，包括消防、備戰、海上平面實彈射擊，對空實彈射擊，攻潛演習等項。

我雖然參觀過兵艦，但看兵艦作戰鬥的演習還是第一次，艦上從士兵到軍官，他們非常熱烈誠摯的告訴我們一切，使我們聽來非常有趣而新鮮。當艦駛出港口以後，在一片茫茫的大海中，看不到邊際，大概在出海二十海浬以後，我們用望遠鏡可以看出在左前方有一個船把，這就是海上平面射擊的目標，每艦各發六砲，這十二發砲中，至少有六砲命中船把，其他六砲也爆發在船把附近，我們同人高興得鼓掌不絕，對那幾位神砲手表示無限的敬意。接着是對空實彈射擊，當黑色汽球放到天空隨風飄高飄遠以後，一陣連續的射擊，把那黑汽球打得粉碎，如果有共匪的飛機侵擾，在我們的神槍手之下，自然叫他們沒有一個可以生還的。於是掌聲又隨着槍聲在甲板上響成一片了。

高雄的晚會

全部節目演習之後，我們折回高雄，不知什麼原因，我同到艦艙裏，雖然有舒適的靠椅，而且他們很殷勤的招待我們吃凍冰台灣西瓜，可是艦艙裏的空氣很悶，熱度也太高，我感到頭昏，便又走上甲板，在海風的吹拂中倒舒適很多了。有二三位女同人，一駛出海以後，便感到昏眩，一直睡到返回高雄港口後，才能從床上起身呢？可是艦上[illegible]却說這是晴朗無風的好日子呢？

靠岸後，我們同艦上官兵告別，這一幕海上緊張動人的作戰演習，不但增加了我們對海戰的認識，更使我們對自由祖國的海軍，他是保衛反共基地的海上長城，也是我們反共復國的前鋒。

這時，客車已停在碼頭上等我們上車了，我們回到旅館休息了一會，便全體赴市府禮堂，參加高雄市各界招待我們的宴會。

（未完）

評「中共新婚姻法批判」

高級蘭著

自由出版社出版

中共在一九五〇年夏，接連頒佈了兩種所謂「大法」——「土地改革法」與「婚姻法」。中共施行婚姻法已三年多了，其實際情形如何？「中共新婚姻」一書特就此一問題加以研究。

（一）

本書第一章緒論，指出中共自新婚姻法實施以後，舉國騷然。它們所要「解放」的青年男女，多被摧殘與犧牲。家庭分崩離析，社會秩序大亂。作者分析造成這些結果的原因爲：「第一，在前提上，中共是利用青年起家，而性的解放，又是利用青年最有效的手段」。「故它依然遵循蘇聯老大哥錯誤的『一杯水主義』舊路重走一遍」。「第二，這部婚姻法，非獨不能補救抑且變本加厲挑起了男女間無數的糾紛。（五頁）「其次，立法動機不正，條文紕謬百出」。（七頁）與幹部的任性胡爲，以至演出許多慘案。無疑的，作者這種分析，從本書後半所舉出的許多事實來證明，都是非常中肯的。

本書第二章引用列寧的話，列寧曾說過：資本主義國家的離婚普遍發生，是整個社會制度日趨崩潰的現象……是道德日趨墮落。中共的新婚姻法推行後，大陸離婚案件，「城市中佔百分之四十六到百分之八十四，農村佔百分之五十四到百分之九十以上」。作者因此指出：這正是由它們自己說明了共「社會制度日趨崩潰」，「道德日趨墮落」。

本書第三章，作者舉出許多事實，說明中共施行該法後，所得到的悲劇與惡果。整個社會發生騷動，多數家庭陷於混亂，各處婦女紛紛自殺，最値得注意的是新華社一九五三年二月二十二日電訊所說的：「自殺的男女，多爲二十五歲以下的青年，而且有的是思想進步的。」中共的「婚姻法」實施以後，其所得到的結果，正如林省僞省委陳漫遠的「到處呈現離婚多，溺殺嬰兒多，婦女自殺多的三多現象」。（九四頁）

（二）

作者的結論說：「中共施行婚姻法的眞正目的，在拆散原來的所有家庭，使家庭婦女參加社團組織，接受控制。利用女人監視男人，使無所隱遁。剝削婦女勞力，增加大量新的奴工。使男女均無法蓄育兒童，將兒童收爲黨有，以便造成的如意模型」。

綜觀全書，第一二章，作者對中共的「新婚姻法」用過一些研究，其第三章全係從各報剪下資料輯成。加上小標題而已。假如作者更深刻一點研究，將第三章與第一二章溶合，本書便更實際些，因爲本書的缺點是批判與事實的引證脫節了。

本書在數字推測上，似欠鄭重，作者說：僞中共「新婚姻」法犧牲的青年男女，「自殺與被殺者，不下數十百萬。」（第三頁）這數字是很難理解的。

本書所用資料，多係一九五二年以前的，一九五三年下半年以後，中共關於「新婚姻法」已極少宣傳，資料誠然不多，作者似應特加指出，並加分析，藉此適足以證明中共之「新婚姻法」的失敗。

·王濤·

改革兒童安置機構 懲教童犯嚴格執行

處理童犯是一個令人頭痛問題，對於童犯懲教工作，乃爲社會一項重要措施。香港熱心社會人士對此固亦十分重視，曾醵資於鐵崗口設置一大新穎巍峨建築，內部設備完善，一九五二年這一個「兒童安置所」開幕之日，港督與大多數市民無不寄於重大希望，誰也都認爲有此專設的童犯感化機構，可望發揮預期效果了。然年餘以來，流言繁興，出錢的人感到不滿，不出錢的也紛加責難。當局經派員調查結果，也認爲「兒童安置所」雖然在建設和行政方面具有宏大的規模，而且是一個比較理想的管教兒童機構；但工作效率未符理想，更因此造成了許多令人覺得不愉快事件。這一個安置所預定安置有二百多個名額，但實際祇收容了三四十名童犯，還遠大數目的距離，本來是無可非議的，只是經濟來源係全恃各方捐輸，就現實的情況去推斷，經費不特非常充裕，而且大可以依照原定計劃現實，誰知反而感到拮据，不能發揮效能。社會局懲教部根據實際情況，爲了加強兒童懲教工作效率，務使犯罪兒童能夠在寓懲於教上發揮具體效果，便決定將這個規模宏偉的「兒童安置所」於本月一日予以徹底而全面的改革，興利除弊，得能符合當局對童犯懲教措施的理想。嗣經社會局懲教官李春禮親自協助策劃，並聘請一位專家負責主持該所行政，策進今後的懲教工作。

據說，該所今後收容兒童罪犯，至少可逾百名，並將採用英國最新的懲教方法，將犯罪兒童予以有效改造。然而處理童犯本來是一項艱巨任務，兒童犯罪的原因，有的係受了不良環境影響，有的是迫於自身的飢寒，也有受了成年人的愚弄，或是被迫脅從的。年來童犯統計數字固已減少，但新增犯罪行爲却反而層見迭出，間有在學的學生做了案中的主角。這不能偏責於社會環境的不良，學校和學生家長們也應該共同負起「失察」責任的。懲教兒童的工作祇不過是事後的改造；事先的防範自是十分重要的，香港除了前述的「安置所」外，九龍上海街還有一個類似的「習藝所」。人們顯然不希望於「安置」和「習藝」所中的童犯增加，但是如何協助當局掃除童犯，自係社會大衆共同應有的責任和值得研究的問題！

×××

談行政三聯制

馬五先生

新任行政院長俞先生——抱歉得很，我不懂洋化之妙諦，恕不稱爲O．K．俞——發表施政方針，有「實行行政三聯制」的話。這是在對日抗戰期間即風靡一時的問題，不自今日始。

所謂行政三聯云者，即執行、設計、考核之謂也。這三點作用在政治上運用得法，確乎能夠增進行政效率，毫無疑問。可是，要怎樣運用纔於事有濟？此中却大有研究。普通一個行政首長，隨時都在執行、設計、考核這些問題上動腦經，耗精神，總不斷迴旋。「三聯制」的名詞，也一樣是在努力於此的，除非他是居心以做官爲目的鬼混主義者！所以，一定要強調「行政三聯制」之說，視爲新的現代化的行政制度，即大可不必也。

事實上，設計與考核工作，如果脫離了執行崗位，則其所設的計，所考的績，苟非不得要領，即屬形同具文。抗戰期間的「中央設計局」與「經濟會議」等龐大機構，其所設的計，應有盡有，究有那樣見諸實施了呢？當時經濟會議主持機關的人向我談過：執行機關送來的資料，根本就是另外一套，經濟會議只能據那套假資料來設計，當然是搞成南轅而北轍的！更好笑的事，莫過於「黨政考核委員會」了。民國卅二年春間，該會考核重慶市政成績，認定以教育局爲最優，曾將考核結果函送行政院，轉飭市府……行政院一面「據情轉飭該府查照」，一面又將該府教育局長「着即免職」，兩項公文同時發佈。這就是不切實際的行政三聯制的大笑話。

我希望大家先把行政原理研究明白，對行政機能與技術方面，多加瞭解，庶幾乎能夠抓到要點，發揮效用。否則最好是不談這類調調兒爲妙！

×　×　×

西北風情

・誠修・

一般人說，我國西北地區，除關中外，是一個文化落後的地方。尤其甘肅一帶，若不是受了抗日戰爭洗禮的衝擊，較之沿海的文化更不知要落後多少年。

西北地區，種族複雜，漢回雜處，常有不愉快的事件發生。甚且演成一種週期性的亂事，即所謂「三十年一大亂，十年一小亂」。亂事一起，漫延甚廣，漢回相互殘殺。慘酷情形歷史上頗多紀載。迄今旅行西北一帶的，還經常可以發現變亂期間，漢族聚衆遷居山頂的遺跡，及用以抗禦回族而築成的山寨舊址。

西北氣候苦寒，居民多睡土坑，藉牲口糞的燃燒，使土坑發暖，做飯也經常用的是牲口糞，氣味非常難聞。享慣了衛生設備，以及洋化生活的人，一旦到達西北，嗅到牲口糞燃燒時發出來的氣味，不難將三天前吃下肚皮裏的飯嘔吐出來。

張家川是回教教主所在地，西北一帶經常有很多回教徒，到張家川，如朝聖般來謁見其教主。遠至青海寧夏的回教徒，也往往跋山涉水，千里迢迢的，以能見到教主爲榮。回教是通行叩頭禮的，每逢教主出現時，地上總是跪滿了一大片人。

到張家川謁見教主的回教徒，多希望獲得教主的撫摸，據說經過教主撫摸的人便會有幸福降臨到身上。但人數太多，教主不暇一一撫摸，便用一根長竹竿，向跪拜的教徒頭上滑過去，這時朝拜者會以極熱烈的心情，爭相趨前接觸教主手持的竹竿。

西北是牛羊肉的出產地，羊肉燴饃爲當地最有名的食品，味亦鮮美。當你走進一家羊肉館，夥計便會問你要吃多少饃，（饃，是一種用麵粉烘烤成的厚餅），只要你說出了要吃的重量，是四兩或一斤。夥計便會照數給你一塊厚餅，和一隻適合容積的大碗，要你自己一小塊一小塊的用你自己的手弄碎。弄完後，夥計便拿去叫廚師如法加進了羊肉及做料，在火上稍煮即成。一碗熱騰騰的美味燴饃，便送到你的眼前。

除關中而外，西北是很少產棉的，因之那裏的居民看一件棉衣是非常珍貴的。譬如當他二十歲結婚時，做好了一件新的棉衣，此後每逢天冷，就穿在身上，往往一直穿到五十六歲，甚至到死。幾十年不再經過拆洗，因此長期的積污及油膩，便厚厚的在每個老年人的棉衣上結了一層油，經太陽一照，便發出強烈的反光，如同鏡子一般。

交通工具缺乏的西北高原，郵寄什物，完全靠人力挑運。這些郵伕們不論冬夏，總是日以繼夜的用接力式挑運郵件。到了夜間，郵伕的担子上會多了一盞油燈及一個鈴鐺。油燈的用途自然是照着崎嶇難辨的山路，至於鈴鐺的用途，則是爲了利用它發出的聲響，嚇退出沒山林間的野獸。

中篇小說　全珠

・勞影・

第二章　會見了阿梅

噢，一株聖誕紅，我默默地想，心裏有種異樣感覺。

這個女孩倒底是不是阿巧呢？難道她的精神不正常？她怎能在這種時候跑到這種地方來？她是一個女孩啊！我仍然目不轉睛地凝望着她，忽然，她跪了下來，我抬頭一看，月亮正靜靜地掛在天心，我不安起來，難道我要睜眼看着一個女人做出一種最不願意識的動作嗎？等到我聽到一陣輕微的啜泣聲，我才知道那原是那個女孩獨有的一種祈禱形式。

這個年輕的女孩，我已不大相信她就是阿巧——但有什麼不可告人的隱衷呢，她站起來了！她在拭淚呢！她走過來了！我加倍小心地掩護着我的影子。這一次，她低頭急急走過，我並沒有看清楚她的面目。

已經是十二點四十分，我考慮了一下，決定了，不妨無聊地跟蹤看。我想[illegible]的行動。那麼我爲什麼要跟她呢？[illegible]

[illegible]是，她像阿巧。

像來時一樣，兩部車子，一前一後，但路線不同了。車由博愛路入愛國路，經中華路轉貴陽街，轉康定路，再轉桂林路……這樣，拐一個彎下來，我吩咐車子一直轉過去，過了巷口約六七步，我從車上跳下，囘轉身，躡進巷子，前面的人頭正轉入大巷子裏去，巷子後[illegible]子，我快步跟過去，這時我也走進一條小巷子時，人已不見了。這時我聽到一陣開門聲，於是我牢牢記住那左首的第一個台階——退出大巷口，路牌上寫的是：雅西街。

回到宿舍裏剛好一點半，我花了好久的工夫才從一本舊雜誌裏找出那條手帕的標誌；一朵小野花，兩片草汁，幾塊口紅痕印，以及那二個牙齒嚙穿的小洞孔；那濕濕地分不出是淚水抑是水的方位，早乾成一圈一片的淺黃色。這一夜我想得很多。

第二天。我醒後方才發覺我是抱着那條撿來的手帕睡去的，連衣服都沒有脫；還好沒有遲到。不知道爲了什麼原故，內心納悶異常，整整一天的辦公時間就在這樣的心情下打發過去了。晚上下班後，匆匆地吃了一碗飯就着那條手帕騎車出來。

（四）

鄉居雜作

・郭敏行・

又是呼鳩三月天，故園依舊劇烽煙，傷心莫問春消息，無限相思託杜鵑。

晚來風暖倚欄干，萬物只當靜裏看，莫謂樓頭花正好，白雲深處有啼寒。

結廬只合遠塵寰，鎮日江頭垂釣還，喜有佳兒能解意，牽牛堂下學犂山。

居恆意態極蕭疏，但問陳醪醉已無？黃卷一宗明晚性，欲除文字復眞吾。

原子暗殺案

・維尼譯・

美國猶太州中南部——加納布鎮一直是一個靜穆安定的小地方，四周丘陵起伏，猶如沙漠中一個綠洲，與世無爭，其主要產品是牲畜，風景優美，偶或吸引來一些好奇的遊客，好萊塢明星也曾在這裏拍過幾部西部片。但到三月前，這和平的小鎮突然大起騷動，打破以往的清淨空氣，原來在鎮外不十哩處發現原子時代的新財源——鈾礦。

於是採鈾熱立刻在這裏掀起，夢想立地致富的人蜂擁而至。在周圍的山區和沙漠內，竟有一千三百個人向政府申請領地開採。這些人中，有一個發財心切的六十二歲的老頭子威爾生，他是一個發明家，富於冒險性，過去因爲主張一夫多妻制，曾被加拉布鎮所屬的莫蒙區禁止入境，但他手下仍有一批男女徒衆，支持他的落伍謬論。

威爾生到達加納布鎮後，擇定適當地區，正準備開採，但在五月中，他卻被人發現躺在一個僻靜的小山腳下，背部和頭部有彈孔六處之多，早已氣絕，右手還握着一具放射性探測器，這是探尋鈾礦的主要工具。過去在美國西部的採金熱中，這類神秘暗殺事件，本屬司空見慣，差不多日有幾起，但在這二十世紀新的採鈾熱中，這還是第一樁暗殺案。

威爾生的身世，說來頗有傳奇性，他身體魁梧，高六呎三吋，重二百四十磅，說話粗魯，但機警而精於計謀，曾做過保險和股票經紀，也曾在鹽湖市設廠製造燒水器，手裏握有數百種物品專利權。數年前，他在加拉布鎮西北約一百哩的曠野從事開墾，開闢了一個小村，村民都是他手下那些男女，外人極少進入，他們的生活情形也祇有他們自己才知道，威爾生則儼然成了這個小村的統治者。

威爾生聽到加拉布發現鈾礦，馬上收拾行李，帶着幾個徒衆，離開他的「統治區」，在加拉布一家小旅館先住了下來。（上）

瑣記郁達夫

王耀荊

（五）

「九一八」以後三年間，日本軍閥使華日亟，華北局面有山雨欲來之勢，朝野憤激，但乾坤一擲之舉，不能悉憑意氣，重在計畫周全。達夫在廿三年三月十九日過岳王墓：「灑脫湖山日又曛，廻車來拜大王墳，虫沙早已衰三鎮，猿鶴初堪張一軍，河朔奇勳歸魏絳，江南朝議薄劉蕡，可憐五百男兒血，空化巴橫島上雲。」慷慨悲歌，唏噓無限。另有過岳墳感事詩斷句如「……北地小兒貪逸樂，南朝天子愛風流，權臣自欲成和議，金虜何嘗要汴州。……」措詞稍嫌褊激，但詩言志，還溢於言表的幾句，該爲人所諒許，因爲他是愛國的！

又達夫四十歲生日的前幾天，曾和趙龍文詩兩首：「卜築東門事偶然，種瓜敢詠應龍篇，但求飯飽牛衣暖，苟活人間再十年。」「昨日東周今日秦，池魔那復辨庚辛？門前幾點多青樹，便算桃源洞裏春。」這兩首詩卻顯着頹颯，有人說是詩讖，事有湊巧，他自己也想不到剛剛是十年，便骨委蠻荒，離開了亂離世界！

（六）

抗戰的前一年，陳儀任福建省主席，達夫和陳是留日舊識，私交也還不錯，當時他應邀到福州，那時我也適在福州，經常爲高拜石兄所主持的福建民報和小民報寫稿，因此也勉強算做一名記者，達夫到閩，轟動了福州的文藝界，記得是那年的十月二十日左右，福州記者公會假格致學校的禮堂，歡迎達夫，達夫很高興地參加，並公開演講「國防文藝」，並「即席賦詩」贈民報同人云：「閩中風雅賴扶持，氣節應爲弱者師；萬一國亡家破後，對花灑淚豈成詩！」爲了以前在上海兩次見面的一段因緣，我們算是「老朋友」見面，「把握甚歡」，更因爲達夫下榻之地，是楊橋巷的葉家花園，和我寄居的郭家花園，相距不過十幾步，因此也「過從頗密」起來。

達夫在省政府掛了名參議，說好聽的是主席的「上賓」，本來就無須辦公，因此他寓所車馬雖頻，所往還的還是以文教界的朋友爲多，如姜琦，黨秋芳諸氏，便常是達夫座上客，慕名而來的新朋友也還不少，這時達夫最悠閒也最繁忙，不容諱言的他詩詞卻不能說沒有相當的素養，若論毛筆字實在卻還欠工夫，偏偏那時卻有許多人持宣紙問他「恭求法書」，達夫也「卻之不恭」地紙到即寫，所寫的也就是他許多詩句。

不久，他便不時到上海杭州去住了些時，福州的漆器、印泥、壽山石，他每次都買了好些，說是送朋友。到七七抗戰軍興，便挈同他的美麗太太——映霞——和兩個兒子，再度來閩，乃有久居之意，我們自也時常見面，這時映霞已是快三十歲的太太，還是那麼白嫩，輪廓生得眞停勻，在家裏常不着襪，扱着一雙珠履，腳指甲早染上蔻丹，更顯得豐若有餘，柔若無骨，不過神情較在上海看見的時候沉默了許多，很少有歡樂的表情，和達夫間相敬如賓，朋友們以爲她住不慣，卻不疑有它。（三）

敬甫博湛

・周景彝・

（三）

勞敬甫君，祇聞其名，未見其人，更未見其演過任何戲，果然名不虛傳，這天所演「龍鳳呈祥」，他去角是喬相國，出場馬門亮相，其工架台步之美，令人肅然起敬。勞君對於甘露寺一劇也許是他的生平代表作，他對劇情能夠表演得刻劃入微，他能把戲的眞正藝術充分地表現出來，這是他對藝術成功的條件。是劇由甘露寺國太面相劉備起，敘述劉皇叔身世，到勸千歲殺字休出口，以至於將計就計結鸞儔止，一大段西皮原板唱詞，其聲韻清晰圓潤無比。使人聆之心折口服，此時台下觀衆凝神注目附耳靜聽，讚不絕口。其佳處是在跟吳國太兩人談論東吳英雄時，且說且做，能將各人心情完全表露出來，再加上工架之美，眞使人叫絕。佐以王鳳亭之張飛，更是錦上添花，相得益彰，留響寶島矣。希望秋涼捲土重來，多所獻藝，以饗一般戲迷的耳目，勞君以爲然乎？

（四）

此次該社彩排演出，陣容之強，場面之大，實屬空前，「龍鳳呈祥」一劇，乃經過相當時間的排練，這次演出的情況較上回爲佳。該社負責人朱玉堂君切實領銜合作，實有大功。朱玉堂原係票壇宿將，工青衣專研梅派劇，抗戰在重慶時最負盛名，來台後，以各種環境關係所限制，繼之年事稍長，心境不佳，且嗓音失調，故暫時息影，稍待嗓音恢復，似有東山再起大獻身手之慨。朱君籍隸吳縣，出身大學，從事廣播事業廿餘年，爲人個性剛毅誠懇爽朗，處事以誠待人，重氣節負責任，尙禮義，在此變化莫測的大時代裏，有此青年誠屬不多，望朱君處誠珍惜此點，庶幾乎不負筆者之厚望矣。（下）

中華民國僑務委員會僑發登記證台教新字第一零二號
中華民國郵政登記第一類新聞紙類

自由人

THE FREEMAN
（半週刊每星期三六出版）
（第三四三期）
每份港幣壹毫
台北市售價台幣柒角
督印人：羅夢猷
社址：香港高士威道二十四號四樓
20 CAUSEWAY RD 3 rd. fl. HONG KONG
香港發行及事務接洽：高士打道六六號　電話：七四○五三
承印者：東南印務出版社　地址：高士打道六十四號
台灣特派員辦事處：台北市館前街五十號
台灣總經銷處：台北中華路五九四號之一
台郵撥儲金戶九二五二

論·新·政·府

•湯亮吉•

第二任總統的新政府，現在已經佈署完畢，我們有如下的觀感。

中央與地方可望協調

担任行政院長的俞鴻鈞氏，是一向以「服從」爲信條的（參本刊五月廿九日社論）。繼任台灣省主席的嚴家淦氏，無疑的也是抱着同樣哲學的人物。（以前陳儀魏道明陳誠相繼主台，雖然這三人的政治哲學，處事方法，做人作風，極端的不同，而嚴氏卻每次都成了他們得力的幹部。）因此，我以爲今後中央與省之間的不協調，是不會再有的事情。不過要想實現憲法裏「責任內閣」的精神，或者樹立『分層負責』的風氣，恐怕會將去題愈遠了。

望財政和經濟不衝突

再則台灣目前政治的課題，軍事之外，最要的是財政經濟二者，是以後一切成敗所繫的關鍵。新任的徐柏園尹仲容兩氏，都是以有辦法有魄力著稱的。但是不夠眞實，不夠細密，不夠虛心，也是他二人共同的缺點。他們今後之有心作事，我們是不懷疑的。但是希望上天保佑他們不要闖禍。同時，財政和經濟的立場，有時是衝突的。而他們二人個性都很強，都是不大肯牽就人的，所以我們更希望他們二人在合作上不要太有問題。

確可樂觀的理由

但是這次政府改組，也有一點確實可以使我們抱樂觀的理由，就是現任的行政院長不是像前任那樣的一個「強壯人」（STRONG MAN）同時，他對於法和法治的了解，也比較透澈和實在。因此，我們有理由希望，在他的任期中，我們的立監兩院能夠發揮它們的作用，以奠定我們國家的民主政治的基礎。

還有一點值得我們注意的，是新任總統府秘書長張群氏，他既是蔣總統的親信老友，而新政府中的院部長又多是他多年的部屬，加上俞嚴兩氏的馴良性格，所以他的實際作用，將要大大的超過他的名義。張氏近年來頗知民間疾苦，思想上也甚爲接近民主，因之我們希望中國在走上民主政治的道路上，張氏是一個有力和有利的因素。

關於軍事教育和司法

至於各部會的變動，國防部的俞大維氏，是富有現代知識的人物，加上軍事機關之改制期內，軍事上的財力物力，將可能得到更合理的運用。……在他的權限範圍以內的事，他是不會多說一句話來，也就未免可惜了。

天助自助的土爾其

•長林譯•

本刊三三九期（六月二日）曾刊載布衣先生一篇短文，題爲「不屈不撓的土耳其」，盛稱土耳其的反共抗俄精神，本文更對於土耳其經濟建設的努力，和人民的刻苦奮鬥，加以詳細敘述，可見半世紀前以近東病夫見稱的古國，今日有此地位，非倖致也。　編者。

一個美國高級官員說過：「幾爾小國像土耳其，天天生活在强俄的陰影下，而對俄人竟有當面唾其眼睛的勇氣，這眞是了不起的民族」。歲寒知松柏後彫，在嚴酷的現實考驗下，土爾耳已由東方病夫，一步一步的躋上最勇敢的反共英雄之寶座，睥睨着那些對莫斯科存心姑息的人們。

最可靠的盟友

她是參加韓戰最早的國家，比英國還要早，而在戰場的表現，則每一個土爾其兵，都是如狼似虎。她有四百哩國界毗鄰血仇的蘇俄和保加利亞。但邊境的居民，常常處之泰然，比倫敦紐約的人鎮定得多，在離蘇俄的巴統油港一箭之地的土國邊境上，居民對俄兵的裝腔作勢，簡直視若無睹，他們常常說，一個土人可敵十個俄兵；他們常向俄營投石，覩俄人的驚惶，以作娛樂；如果要查問他們何以這樣莽撞呢？他們卻說：「他們敢進來，便來一個殺一個，頂大的事，不過如此！」這可見土人對俄人的敵愾心之一斑了。這是她成爲自由世界在中東的長城之原因，也是憑這個精神，贏得美國的同情，出全力來支持她的發展；一個美國官員說：「土爾耳是最可靠的盟友，我們每一個美元，在那裏都發生百分之百的效用。」一個美國大企業組合的代表，到近東六個國家去研究投資的可能性，經考察的結果，也認爲在六國中，最理想投資地區是土國，而所以得到這個結論，就是一句話：「新土耳其人都是熱心工作，熱心學習」的。近年美元流入土國者，達十三億以上，四分之三是軍事用途，餘屬經濟援助，所有從事外援工作的美國人，都一致公認，沒有那一個接受美援的國家，能產生像土爾耳那麼戲劇性的效果。

交通和農業的大進步

他們只舉築路來作一個例證。在一九四八年，土國還是咯政失修，其惡劣的程度，幾乎令人難以想識。所以在美援款項中，首先撥二千六百萬元，來建立一萬五千里現代化的公路網，除了極少數是用於美籍技術人員的薪給外，每一個錢都放在路面上，土人的工作熱情配合美人的進步技術，不幾年間，一萬五千里主要的幹綫，在現代的標準下完成了，且具有抵抗任何氣候變化的性能。

土國像美國一樣，農業是很重要的。百分之八十二的人口，是農民，都以勤儉著稱。但過去因交通不便，農產市場無由發展，不能刺激農業增產；當美國新式農具進來的初期，農民却憂招來生產過剩的惡果，憚於利用，因爲無法使農產運達市場之故。自從新式的道路開闢以後，農村的動脈貫通了，因各地物產交流的需要，市場一天一天的擴大，農民生活改善了，新的農業技術與工具之追求，便風靡一時。前後不過三數年，土國的農村改觀了。

避免赤禍的救生地

距今三年前，土國人對外人是另眼相看的，甚至不免有警察的陰影伴隨着，現在不同了，尤其是對美國人變得最快。一個土國官員說：『原來美國人到這裏來，都各執一藝，對我們都是與而不取的，美國人那種坦率的特性，更令人心折』。這是代表一般土國人的觀感，自然由此而促進兩國間更臻密切的友誼。

到現在，土國接受美援的範圍，非常廣泛，農工礦業都有沾潤。礦產的探採已進行了，據美專家的發見，許多自然的珍藏，如錫、鉬、鉛、鉾、銅、錦、鈷和煤油都有大大的蘊藏，而煤與鐵的存貯量，在世界上，幾乎沒有幾多地方可以和他比擬的。縱橫在這些礦區裏，奔流急湍的江河，水電的源泉，豐富得很。目前美援都替它們繪就開發的藍圖了。

儘管許多國家在鬧耕地荒，但土國則還有三分一的可耕地正在開始墾殖，美援已替她開建水利工程，打算在短期內增加二百萬畝的沃土。現在土國只有二千萬多一點人口，然照她的地方，則大可養活五千萬人的。

土境有著名的亞拉拉特山，依舊約所傳：太古洪水泛濫，人遭沒頂，只有諾亞率家人禽畜乘獨木舟，避登此山，獨獲倖存。現在紅潮又要泛濫了，這亞拉拉特山，又是諾亞的子孫們之救生地吧！

（取材自讀者文摘五月號）

△北越法軍司令高龍將軍與參謀人員研究保衛紅河三角洲的戰略。

『離開』的自由

布衣

蘇聯和他的衛星國認爲自由和民主只存在共產主義的國度裏，民主國家所說的自由是欺騙人民的。蘇維埃政府的一貫作風把一切公理，正義，甚至科學發明，都據爲已有，自由也不能例外。

美國名記者皮亞（MARIO A. PEI）認爲自由這個東西雖然抽象，爭論起來，雖然極費唇舌，但不難找到客觀事實來證明什麼是自由，和自由究竟存在東方抑或西方。皮亞爲着解決這個問題，跑到西德，訪問四個用僞造坦克車逃到德國的捷克人民。跑到瑞典，訪問一位駕駛米格機逃奔自由的波蘭志士。跑到匈牙利，訪問衝破鐵網，逃亡西方的青年。再跑到高麗，訪問寫血書給弗特力將軍，請求准予調轉槍頭攻打共軍，或者遣送往台灣參加收復中國大陸的數萬義士。他一一詢問他們，「什麼是自由？爲什麼你們肯犧牲生命逃奔自由？」

他們的答案，差不多是一致的，都是簡單明瞭任何人都能夠了解的。他們說，「自由國家准許你來去，要是你不高興在那裏的話，你可以隨意離開。」「可以隨意離開」是一種最低限度和最基本的自由。在西方民主國家，任何一個人不喜歡現存的政府，或者社會的組織，可以隨意離開。個人如此，團體亦然。可是鐵幕裏頭的國家呢，便不然了。鐵幕裏頭的人民絕對不能離開他們的家庭，和工作，他們的國家。蘇聯和衛星國家的人民絕不能請求出國，也沒有人敢請求出國。請求出國便犯了極大的罪嫌，便是反動，傾覆政府，帝國主義走狗……是可以判處死刑的！

「離開」的自由，是最基本的自由，「自由人」和「奴隸」的區分就在此處。到了一個不願意停留的地方，自由人可以隨時離開，惟有奴隸才沒有這種權利。共產主義的國家可以說是一個大監獄。不，比監獄還要壞得多。因爲除了判決終生監禁的兇犯之外，判決徒刑的犯人，刑滿之後，還是可以有權利出監獄的。祗有共產國家的人民終生不能離開這個大監獄。又何怪歐洲的志士和韓戰的同胞甯犯萬難，甯冒生命危險，以求脫離這人間地獄呢！

日內瓦會議破裂後怎樣？

以開會方式來和西方國家解決問題，這不是共產黨的目的，僅僅只有「開會」才是他們的目的。藉開會可使共方發揮充分的宣傳，藉開會可盡情的暴露西方國家間的矛盾並增加其矛盾，尤其藉開會可在一般普通人的心目中提高其地位。

看似複雜而實際單調，看似熱烈而實際乏味的日內瓦會議，幾十天來，西方國家的弱點已揭破無餘，共產黨的目的已完全達到，於是這個會議便如此這般的拖了下來。即令莫洛托夫艾登外相還有什麼起死回生之道，便也接近尾聲。但結果韓國問題依然是韓國問題，越南問題也依然是越南問題，只有比開會以前更壞，斷不會比開會以前較好。

在日內瓦會議正式破裂以後，美國會不會果眞採取進一步的行動呢？以亞洲現狀及美國在亞洲已有的佈置來說，據我看依然是不可知的。

以美國對亞洲的目前心理來講，似乎已經有不容易變更的三點：一，美國並無意於在今天發動大戰；二，即令對韓戰仍繼續的參加，對越戰居然介入，也決無意動用她大量的地面部隊；三，對亞洲反共國家的援助，始終看不出她眞正的重點所在。假定李承晚總統果眞「揮軍北上」，而美國依然只作有限度的參加；假定美國果然積極的予越南訓練並裝備其干部隊；乃至對台灣也僅僅用少量的海空予以加強，或進一步更督促台灣當局發動三五萬人，在中國東南沿海採取一種象徵行動；像這樣做自比現狀已經痛快得多，可是依然不能解決問題，也依然不足動搖蘇聯的毫末，只要蘇聯妥爲運用中共，即足以應付這樣一個局勢而有餘，甚至使得韓國或越南局部的形勢更趨惡化也很難說。

美國對亞洲的一般情況，有一點是必須認識明白的：除非等到日本建軍做到有五十萬的地面精銳部隊，第一綫有三千架的飛機，三十萬噸的海軍，蘇聯是決不會出面在亞洲來打大戰的。但日本的建軍成績要做到這樣一種程度，決不是三五年內所能實現，也決不是現在的吉田政府或類似吉田的政府所能實現，更不是如現狀的日美關係所能實現。

半週展望

•左舜生•

因此，假定美國在最近期間眞有意在亞洲給予共方一個有效的打擊，並求得韓國與越南問題的眞正解決，在不挑動蘇聯正式出面的前提之下，美國必須從事一種新的佈置。這一新的佈置依然要包括對台灣，南韓和越南的加強，但不能以這一串的加強爲限，質言之，便是除台灣，南韓，越南以外，必須有一支名實相符，由美國所募集，所訓練，所掌握，所指揮的亞洲自願軍，其數量不能少於現代化的十個師，其分子可能包括亞洲所有反共國家的人民，更可能以日本和中國失業的軍人和青年爲主體，由美國以海空軍予以配合，與南韓，越南，尤其是台灣各自的行動相策應，從中國大陸的東南和西南約十數點以上同時發動，以韓戰再起，越戰擴大爲前提，以中國大陸南部交通動脈被炸毀爲條件，求於最短期間，在中國長江以南，實現一個民主的自由中國。必如此，始能奠定一個解決亞洲問題的基礎。

像這樣做，需要美國一個較大的決心，在最初也需要美國較大的勞費，可是好處卻是很多的：

一、美國可以節省人力，不必動用其地面部隊；

二、可避免若干民主國家無謂的牽掣；

三、可得到亞洲一切反共國家的諒解與默許，人力的來源無問題；

四、台灣可能依然是構成華南自由中國一個重要的因數，但不一定是惟一的因數，如此，中國的民主改革始有實質的可能，以便其對華北共產中國繼續作戰。

五、在這樣一種情況之下，蘇聯依然不會發動大戰，南韓與越南比較的容易站穩，日本與台灣也不會招致意外的打擊。

指揮這一支志願軍的最高統帥最理想是麥克阿瑟，其次爲傅力特。

祝亞洲反共會議

韋政通

亞洲反共會議的召開，是去年十一月韓國總統李承晚到台訪問蔣總統後所決定的。不過本月十五在韓國鎮海所舉行的反共會議，其形式已經和原來所擬的不同。當初中韓兩國總統在聯合聲明中所宣佈的，是亞洲反共國家的領袖會議，現在的鎮海會議，參加的却是民間代表。不管是各國領袖，抑或是民間代表，今日能够聚集一堂，共謀反共力量的團結，都一樣有其重大意義的。

今日，由於日內瓦會議所造成的國際形勢，使共產集團氣燄萬丈，聲勢逼人。民主國家，却仍意見紛歧，各自爲政，似很難有一致行動的可能。在飽經共禍的亞洲各國人民看來，實在是非常痛心的。亞洲人民的反共會議，恰在此時應運而生，自然將使亞洲人民，寄以深切的期望。

今日的國際形勢，內張而外弛，民主國家急需團結一致，我們已不止一次喚醒民主國家的領袖和人民，不論想贏得戰爭，抑或想避免戰爭，都非團結一致不可。克里姆林宮所怕的，便是民主國家團結一致的力量。

目前就亞洲說，共黨的侵略，更需亞洲各國的自覺，和擺除依賴心理，必須互相團結，共同担當艱鉅的反共任務。因此亞洲反共會議的召開，應該是亞洲人民把自己的命運掌握在自己手裏的起點。

任何一個國家，她的地位，都是經本身的努力得來的。友邦的援助固然重要，但祗知希望援助，不知自己團結努力，是絕大的錯誤。

或者有人認爲鎮海會議，都是些民間代表，不會有什麼偉大力量的，一定開不出什麼結果來的。我極不以爲然。試問哪個國家的政策，沒有人民力量的後盾，能够成功的？所以我希望這次亞洲人民反共會議，能够喚起亞洲人民，形成一股堅強的反共潮流，做爲政府實施反共政策的後盾。有此廣大的人民力量，才可以進一步，和澳洲、美洲、歐洲各民主國家取得合作和團結，形成一道堅強的世界反共營陣。因此，亞洲反共會議，不僅在促成亞洲民主各國的團結，亦將促成世界民主反共的團結。

此外我覺得，參加會議的各國，一定還需要瞭解，反共的最後勝利，必須建立於各國內政上的不斷改革，必須達到政治民主，經濟平等，然後反共的前途才有希望。參加此次鎮海會議的主要國，如自由中國，韓國和越南，幾年來雖有許多進步，然而內部的弱點，和受人指摘的地方還是不少。如果忽略這些地方，反共的前途也是不會有希望的。

鎮海會議，雖不會涉及各國的內政問題，但參加會議的都是民間代表，我希望你們不止在會議上能促成反共國家的團結，更希望你們能影響到各國內政的進步和改革。因爲這是問題的兩面，不能祗見其一，而不見其二的。（六月八日北投）

中共統治的兩大弱點

君勵譯

人民反抗實際存在

經過五年統治，中共對中國人民的控制，並沒有得到人民的忠實與瞭解。最近中共自己的報告也說：『農民對於生產的情緒，仍然缺乏。對於新式生產的瞭解，是迷惑的。』中共在高麗被俘的二萬餘士兵，竟有一萬四千餘人拒絕遣回。

在成千成萬沒有土地的中國人，智識份子和青年，對中共的熱忱高潮，已極度低落。土地改革，並不合於公平原則，僅是一種殘忍的摧毀地主階級與『頑固份子』的行爲。中共黨裏，也發生了有關忠實的嚴重困擾。本年二月，劉少奇便發出警告『在這十字路的時期，極端重要的，是全體同志必須無情地，從事打擊那些有意中傷黨的統一份子』。

於是中共用強迫手段使人民服從。不幸的中國人不能公開說出不滿，或對受過訓練負有對自己偵察的兒女，說什麼話，更不致在朋友面前談什麼。朋友可能就是情報人員。只能以悲哀的服從，顯示不同意，或對事業消極作爲抗議。故中國人民的反抗是實際存在的，但還沒有組織。人民的反抗，不需從游擊隊的存在表現出來，更可從生產的失敗，得到證明。

最基本的問題，不管中共將來的演變如何。它本身具有兩種特別的弱點。

長期弱點依賴蘇聯

第一，中共政權的勢力是基於對蘇聯的特別關係而來的，這是一種長期的弱點。中共與蘇俄同盟短期間內，雙方都有利益，想用狄托主義，分離北京與莫斯科，是無效的。但不會永遠如此，因蘇聯對中共的投資，在使紅色中國長期依附蘇聯，可是中共領袖們，已一再強調，他們要計劃如何使中國能够自給，並供給整個亞洲。中共現已怨言，蘇聯所給予的，不能滿足需要，（信用借款，一年僅六千萬到一億美金）。「人民日報」近更提出警告，『莫斯科已不能供給我們更多的東西』。中共現在強烈希望能够從非共國家得到蘇聯所不能供給的資源。慷慨幫助，中共所謂建設即使由自由去發展，也要十年或更多的時間，才能建樹一種工業基礎，以平衡軍隊裝備，自造坦克車、大砲、與飛機。蘇聯計劃，能讓中共這樣做麼？中共與蘇俄的分裂或者不會在最近的目前，但他們分裂的可能性，是已經存在的。有些人（例如英國貝文一類人）竟相信，分裂中蘇的方法，是獻媚於中共，這自然是錯的。我們認爲較適當的方法，是如何增強中蘇兩民族間的緊張。

經濟的惡性循環

第二個弱點，是中共想用極大的冒險方法，在中國將「共產主義」、「自然環境」與「人」三者化合起來。這一定會引致或急或緩的衝突的。毛澤東及其黨徒都是些急燥的野心人物，他們想和蘇聯一樣建立強大工業，還要比蘇聯做得更快，一面想模仿蘇聯的模型，一方面想儘可能避免蘇聯的錯誤。這樣一來，衝突的發生更是不可避免的了。發展工業，需要大量工人，中國百分之八十是農民，勞動者大部分來自農村。急劇發展工業便會使農村裏必須以較少的農民生產更多的糧食。這樣，農村裏，必須使用機器和肥料。但製造機器和肥料，實際上又不能從農村裏節餘人力出來。因此必須在多少年內，盡量擠出農產品於國外以換取更多的機器，和一切工業化所必需的東西。

於是發生一種惡性的循環，正是一九二九年，最使蘇聯苦惱的事情，即以史太林開始他的第一個五年計劃的時期。中共一九五〇年開始的建設，正和蘇聯一九二九年一樣。但中共開始遠不及蘇聯那時所具的基礎。（大約只能和蘇聯一八九〇年的基礎相同。）蘇聯所努力的集中農場，除了極端殘忍之外，並實際減少糧食的產量，（這情形一再在東歐衛星國家重演）。在蘇聯未實施集體農場前，經常每年剩有餘糧食約有一千萬噸谷子，實施集體農場後，剩餘沒有了，有五百多萬俄人飢餓致死。去年，卡迪佛洛夫承認，三十五年來共產黨壟斷農業，已大大失敗，農村的生產量，比一九一三年的沙皇時代還要低些。蘇聯自認失敗的，中共仍然選擇這種制度，在中國大陸做賭博的冒險。

飢荒將促中共崩潰

中國大陸在無可避免的農村生產降落的時候，已經是沒有剩餘糧食可以維持生活的了。中共掌握政權的第一個三年中，得「自然」的恩典，收穫豐盛。可是去年，中國大陸被水災、虫災、風災、冰雹所困擾。於是城市實行定量分配辦法。僻遠地區的人民，只有挨受飢餓，或設法進入城市（一個月內，便有二萬人進入瀋陽與鞍山）以期獲得工作與食糧。在北平竟須使用強大的軍隊，趕走五千農民。周恩來自己還厚顏說謊，共產黨如何努力，對世界表明飢荒並沒有發生。

美國專家估計，一九五四年的收穫，若比諸一九五三年，將使低過百分之十，將使飢荒遍及大部中國大陸。中共如能選擇新的地區，即越南米倉，或者可以稍爲緩和。但問題仍是不能解決的，因爲還有一個分配與供給的問題。

中共的領導者，已開始加強管制，增強定量分配的辦法。也準備對付飢荒的壓力，他們縱然不顧念千百萬人民的死亡，但不能不憂慮飢荒會使他們的統治崩潰。

中共的報紙、廣播、與演說者，經常勸勉人民「培養艱苦奮鬥的風氣」，他們已承認飢荒的危險。上年十一月的「人民日報」明白的說「假如農民不實行大規模的生產，他們就不能解決國家的需要：……工業建設並且使國家遭遇困難：……假如農民不團結去實行大規模生產：……許多農民定將爲窮苦所困累」。總而言之，沒有充分的糧食供應，農民自己便要首先遭遇飢餓。（下轉第三版）

人物・述評

布特勒與英國財政

風行

要貿易不要援助

『要貿易，不要援助！』（TRADE, NOT AID.）在大英聯邦國家看來是一句擲地鏗然有聲的硬朗口號。雖然美國亦有名經濟專欄作家亨利夏斯烈作諷刺的口吻說道：『英國旣要貿易，也要援助。』但美國方面的確很重視英國這個口號，設法將援助轉變爲貿易，或寓貿易於援助。例如：衆院的哈理遜法案，主張『將美國剩餘的農產品由私人貿易途徑輸出國外，而接受外國的貨幣』。使缺乏美元的國家亦可擴向美國貿易。

這個口號是英國財政大臣布特勒所創的。英保守黨政府能使英國經濟慢慢好轉和英鎊比較以前工黨政府時爲穩定，是布特勒佔很大的功勞。

保守黨少壯派領袖

布特勒（RICHARD AUSTEN BUTLER）出世在印度的阿托塞萊。其時爲公元一九〇二年。其父任印度中部的總督。其叔任緬甸總督。

布特勒畢業英入瑪波路書院，及縣布洛學院，其後畢業於劍橋大學。一九二九年獲選爲國會下議院議員。兩年後任國會秘書官。一九三二年至一九三七年任印度事務部次官，一九三八——一九四一年任外交次官。一九四一——一九四五年任外相及勞工部長。他是一個聯合王國問題專家，可稱保守黨中少壯派中領導人物。一九二六年結婚，生有三子。一子已故。其妻爲雪尼葛爾特小姐。她是已故的英國新興工業巨子撒母耳葛爾特的獨生掌上珠。

保守黨的預言家

保守黨政府在內政方面大多數和工黨政府的設施相同。蕭規曹隨。在財政經濟方面，仍是厲行節約。前工黨政府的兩個財政大臣克里浦斯和蓋滋基都是以「英國瀕將破產了」作警語而獲得聲譽的。布特勒也是一樣的厲行節約減少入口。但所謂『要貿易，不要援助。』是表示意向而已。事實上固不能無美國的援助，祇是在援助的方式如何改變。英國要完成軍備建設，非有大量美援不可。只有這樣才可以維持金鎊價值而不致影響人民生活。如工黨左派貝萬之流徒言改善經濟生活第一，要求脫離美國，停止建軍而與蘇聯講和平，實等於癡人說夢話。

保守黨勝過工黨的就是沒有貝萬這一派人作梗。保守黨的每日電訊報說：『貝萬積免費鑲牙比國家的生存還更重要。』保守黨的財政減除工黨政府時的許多無謂社會福利支持。在第一年從保健制度下節省了五千六百萬美元。保守黨政府又確比工黨能獲得美國的信任與同情。美國可以不必懷疑其將軍援經費用之於社會主義改革。布特勒就是在於這種情形下對財政的施展較工黨順利。布特勒是保守黨的少壯派。同黨中人每嫌其過於傾向寬大。但布特勒求新與大多數中等階級擁護。以國家權力指導私人企業。所以布特勒有新保守黨的預言家之稱號。

法政府不放心「鎮邊府天使」

越南鎮邊府一役，有兩個法國人一躍而爲世人注目的中心人物，其中一人是守將卡斯特里准將，另一人則是女性，其人近月來的風頭較之卡斯特里更健，這人不是別人，是鎮邊府法軍女護士金妮薇芙。她被俘獲釋後，不僅榮獲法政府獎章，而且美國還準備邀她至華盛頓訪問。可是，金妮薇芙雖是當今世界上的紅人之一，但法政府於重視她之餘，仍不免有所顧慮，而不得不暗中予以密切的注視。據熟悉法政府內情的人士說，法當局要注意這位「鎮邊府天使」的原因有二：其一是她爲越共俘虜時，曾致函越盟領袖胡志明致意。此外，她的哥哥亨利在一家巴黎左傾的週刊中工作，也是法政府不能對她完全放心的一個原因。

鎮邊府之役另一插曲

除了金妮薇芙，鎮邊府失守一役，還有一則值得報導的內幕故事。

去年，美國爲了支援法軍在越南抗共，特別由國會通過法案，批准將一艘輕型航艦「伍德」號借給法軍使用，却不料這艘航艦就在鎮邊緊急的時候，突然鍋爐房發生爆炸，不得不駛來香港修理，因而法軍的空中支援大受影響，鎮邊府戰事乃愈對法方不利。現在事過境遷，追究「伍德」號爆炸的原因，駐香港的法國海軍軍官私下認爲，這是美海軍對說明「控制轉換裝置」的標識，用字及意義不當所致。他們說：因爲美海軍對那種裝置的用法，說明錯誤，才致引起鍋爐房的爆炸。言下之意，「伍德」號被炸受損，與他們毫不相關。

法蘭西多事之秋

現在眞可以說是法國多事之秋，除了越南戰事失利紅河三角洲日益告緊之外，法屬北非洲的突尼西亞又很快成爲另一個法國的麻煩地點。突尼西亞民族極端份子現正不時襲擊荒僻山區的法國移民農場。而一個由共產黨支持的電台也已在突尼西亞境內成立，他們自稱爲「民族獨立及和平之聲」，經常發出煽動叛亂及挑撥種族仇恨的廣播。法政府因國內外危機重重，迄無暇注意這塊北非洲的殖民地，以是共黨份子的實力日益坐大，實令一般外國觀察家擔心。

捷共原子廠粉身碎骨

據在奧京維也納活動的反共地下工作人員報告，捷克共黨政權新近在蘇特拉山區建立了九個原子研究實驗室，但不知如何，其中兩個突於在五月二十五日那天發生神秘的爆炸，內中的設備及廠房全部炸燬。捷共多方調查，仍莫知其原因所在。共特於爆炸當晚，曾逮捕附近村落的村民多人，到現在仍未釋放出來。

一說，這是盟國特務所建立的殊功，但另一說謂，這純粹是俄國科學家設計錯誤的結果，綜合各種因素來看，前說可靠的成份較多一些。（孟衡）

天下小事

編者・讀者

△下一期，我們將發表李加雪先生一篇研究法國國情，和鍾愛梅先生一篇研究目前西方國家和共產國家貿易利弊的文章，這兩篇文章有很多好資料，足供讀者了解目前世界局勢參考之用，謹此預告。

△毛以亨先生的漢高通論，已刊載完畢。毛先生現復爲本刊撰「秦漢之際的讀書人」一文，不日發表。

△關於學生不肯向國父遺像行敬禮的問題，現在我們不打算再加討論，已收到的有關文章，只好一一璧還，敬請惠稿諸君亮察爲荷。

△張予心、徐玉虎、吳振寰、羅自芳、楊力行、諸先生：惠稿收到，謝謝！

論漢高祖（五）（二四七——一九五BC）

·毛以亨·

讀史述評

漢行秦法

首先爲高祖在關中行秦法的，便是那位刀筆吏蕭何，往往行了之後，始報告高祖知道。史記蕭相國世家，「沛公至咸陽，諸將皆爭走金帛財物之府分之。何獨先入，收秦丞相，御史律令，圖書藏之。……漢王所以具知天下阨塞，戶口多少，强弱之處，民所疾苦者，以何具得秦圖書也。」「二年，漢王與諸侯擊楚，何守關中，……爲法令約束，立宗廟社稷，宮室縣邑，……即不及奏，上輒以便宜施行。」漢書刑法志，「漢興，高祖初入關，約法三章……兆民大悅。其後……三章之法不足以禦姦，於是相國蕭何，捃摭秦法，取其宜於時者，作律九章。」

繼爲高祖草官儀制度的爲叔孫通，他本服官於秦，故亦一依秦制。他先任太常，後拜太子太傅，元勳張良，且爲少傅，至屈居其下，其受重視可知。史記禮書，「叔孫通頗有所增益減損，大抵皆襲秦故。自天子稱號，下至佐僚，及宮室官名，少所改變。」歷書謂「襲秦正朔服色，」蓋已無一而不治秦之舊，意在不多變更以擾民。祗有樂章，不得不從楚聲，大風之歌，以及唐山夫人房中之歌，皆楚聲也。高祖本楚人，殊無足怪，特以鄉曲著於郊廟，則蓬戶之間笑話，是難免的了。

視秦法稍遜，則變法家之政，儒化而爲道家，漢初黃老之治，雖謂高祖啓之可也。高祖不勝縟文縟禮，絳灌亦質直少文，漢初之絕無儒術殆可斷言。高祖箕踞見儒生，以儒冠爲溺器，並罵酈生爲豎儒，隨何爲腐儒，並語陸賈，謂乃公以馬上治天下，安事詩書？大概不甚讀書識字的人，都嫌儒術的拘束與繁瑣。酈、隨、陸諸人之於高祖，則以有用之說客進身，非以無用之儒術，啓宏遠之規模，儒術於高祖，是格格不入的。

（五）結論

吾民族對於漢代，可謂備極尊崇，故自稱爲漢族與漢人。漢家官儀，與漢家旗旗，人皆以得重視爲快，振大漢之天聲，揚威於異國，尤爲人人所樂道。然此殆爲百年以後，文武輻輳之西漢言耳，在高祖時代，僅是承秦之舊，祗能稱爲孤秦陋漢而已。

高祖在歷史上所留下的惡果，爲獎勵下流的人去做皇帝，以故以後創業之主，以出身下流社會者爲多。而潔身自好之士，祗爲明哲保身計，苟在已成局勢之下討生活，其希望最大亦至宰相而止。這是證明中國人已造成對國家民族不負責任的風氣，國家因以受到糟蹋，而不能有進步。故中國之受害，不爲專制政體，而爲此種風氣所使然。因爲外國以前，亦多爲專制政體，並不以是而阻止社會之進步。然在高祖以前，則君位以予賢者爲原則，且有見賢而行禪讓之事實。此後做皇帝的，就沒有好東西了，儒者則寄其理想之君主，於渺不可知之堯舜。結果沒有等到堯舜，而等出西洋式的民主政治來，故君主制在中國終不可復，積怨深也。

中國以淮水流域，產生皇帝爲最多，我嘗遍游其地，見其粗野之氣，寓於狡詐之心。豐沛蕭碭，代有英豪，眞非常人之所居也。然所謂非常人者，其神經輒不正常，而亦殊不講理，且多逾越範圍之行爲。以現代眼光衡之，殆不配爲公民，更何能代表國人而爲一國之主？數英雄豪傑，今往矣，尚有狡焉思逞，以闖繼起者乎，無寧謂爲向全民族挑戰可也。（完）

台灣的工業潛力

台灣中南行（十一）

·魏希文·

這是我們第二次參加大規模的宴會，謝市長不但酒量好，口才也很好，他把台灣近年來政治、經濟、軍事、教育各方面的進步，作了一個簡單扼要的說明，博得全場鼓掌多次。此外，有趣的是海外代表敬高雄各界婦女，他們畢竟比男人要禮貌多些，可是在衆多的來客中散落在各桌上的高雄婦女界，却比我們女代表少得太多，在酒戰上是難以致勝的吧！

一直到八點多鐘，大家才盡歡而散，這時謝市長和議長孫媽諒氏，親自在市府門口送我們登車，參加海軍總部的晚會，劇目是清官册，宇宙鋒和白水灘，從老生到武生都是由女角扮演，唱做之佳，爲我們在台北所看的晚會之冠，自然使我們不能不鼓掌了。

晚會開演以前，由來自美國的毛彥文女代表，代表全體海外國代，贈獻「反攻復國」的錦旗一面，由趙龍文主任代表接受。毛代表雖然年已五旬了，但兩鬢還沒有一根白髮，看來不過四十許人，她現在任教於美國加里福尼大學，在日月潭爬三百多石級去看文武廟，她並沒有後人。

晚會結束時，已十一點了，高雄市的夜景正燈火輝煌，愛人河畔，正洋溢着人影燈光，修整的街樹下有雙雙漫步的情侶，這美麗熱情的海港之夜，而我們却在一天參觀的忙碌中，回到旅館休息，沒有閒暇的心情去欣賞了。

次日早晨，我們用半天的時間參觀了高雄附近三個規模宏大的工廠，那是水泥廠，機械工廠和鋁廠，雖然也使我們對台灣的工業潛力，有不可遺忘的印象。

台灣的工業建設，由於能夠利用水力發電，台灣現有發電所三十四處，以日月潭大觀鉅工兩所爲冠，現在最高電力的負荷已創二十七萬的新紀錄，每日發電度數等於光復時期之七倍。電力是工業之母，這是偉大的工業力量。同時，由於從事工業建設人員的堅苦努力，台灣近三年來工業的發展非常驚人，我引一本「台灣的工業建設」的畫報上幾句話，他說：「目前本省不但舊有的工業多已打破過去最高的紀錄，同時新興工業在扶植保護之下，也日見滋長，這些新興工業，增加了國民的所得，帶給國民更多就業機會，這是工業界對國家的貢獻。」我參觀了上述幾處工廠以後，我益信這話的正確。

水泥月產四萬噸

先以水泥廠來說，接收日治時，月僅產水泥五千公噸，現在已達四萬餘公噸。這個有三十九年歷史的水泥廠，不斷在增進其設備以改進其生產能力。有位工程師告訴我，去年底完成了一個可以容納一萬噸水泥的新庫，最近又運到了吹選設備，水泥生產量又將有新的增加。其次我們參觀了一家規模宏大的機械工廠，機械工業爲「工業之工業」，沒有機械，一切工業無從發展，舉凡現代社會的生產設備，交通工具，國防武器，以及日用金屬器物的製造修理，都要仰賴於機械工業。不過目前台灣的機械工業，還只是粗具規模，據一位主其事的人對我說：「將來反攻大陸，建設中國的時候，台灣的機械工業將佔一主要地位。」

從機械工廠出來，我們又參觀台灣鋁廠，說到鋁，這是二十世紀國防工業最重要的原料，雖然它僅成立於民國廿四年，但由於規模宏大和設備的新穎，成爲我國唯一的煉鋁工業。光復後，經過艱苦的修整階段，現在每年可產一達七八千噸之數。

鋁製屋子最感興趣

鋁的冶煉工程，倒很有趣，原來鋁的原料看來是一塊一塊的紅土，但在這土中含有百分之六十上下的鋁質，而煉這鋁的機器設備，使我們只有感覺到科學的偉大。據許協理對我說，目前鋁的生產，除供軍用民用之外，用以爭取外滙的數字也很可觀，市上許多由鋁製成的用品，如鋁鍋、面盆、水壺、煤油爐、茶壺等項都是由鋁廠所供應的原料。我們同人的最感興趣的，是用鋁製成的住屋，據說自四十一年五月鋁屋問世以來，以其輕便耐用，所以銷路很廣，我們在台北發現許多公共場所，原來都是台灣鋁廠所製成的。

參觀這三家工廠後，我的感想是工業太偉大了，一個國家能否生存於現代的世界，便要看他工業的基礎如何而定。台灣能夠自給自足，可以說是我們具有偉大的工業生產力量，台灣各地都有工廠，如同台灣各地都有完備的學校。今天我們能夠安居寶島，我們能夠足衣足食，也就是蔣總統高瞻遠矚，認清台灣優美的條件，工業的基礎，強大的三軍，是必然可以作爲反攻復國的基地。

台灣的工業在光復前已經有很大殘破，我們在殘破的基礎上，不但恢復了已往最盛時期的水準，而且許多工業生產都已超過幾倍以上，這不能不說是台灣工業界的克難成功。後來，三廠聯合招待我們在軍人服務社的午餐上，我曾經對工業界的先生們表示我們這種敬意。（未完）

評瀛痕新詞譜

·味腴·

王歇彬編著

近來一般青年學子和文藝人士，頗有愛好填詞的風氣，而苦於得不到一部較爲良好的詞譜和詞選，以作範本，這確是自由中國出版界的不景氣現象。遍觀清代人士所撰的詞譜，當以葉申薌的天籟軒詞譜爲較佳，而舒夢蘭的白香詞譜最爲下乘；然而遍訪台灣各地各大書店，竟然遇不着一部葉譜，而白香詞譜反而觸目皆是，所謂惡貨幣驅逐良貨幣，正是這種道理。至於近百年來詞的選本，要算不少了，當推朱疆邨的宋詞三百首爲最精。其次則王壬秋的湘綺樓詞選，梁啓超的藝蘅館詞選，王鵬運的梅隱詞選，均可稱爲善本。他如張惠言，周介存，譚復堂，馮夢華，龍沐勛諸家的選本，也都可讀。只有近人胡雲翼的詞選，鑒別智力太弱，取材多不能恰人意，最是拉雜成書的了。然而台灣各處書店，除充滿胡氏選本外，更尋不着一部比較可讀的詞選了。這眞是一件不可思議的怪事！

衡陽王歇彬君，有感於此，費時經年，著成此一部瀛痕新詞譜。其體例謹嚴，爲前此各種詞譜所不及；其取材精當，更在坊間流行選本之上。蓋將合詞譜詞選兩種善本於一編者，初學手此一編，不惟得到一部最理想適用的詞譜，並且同時得到一部最完備精粹的詞選。其於學詞，必定可以收到事半功倍的效果，那是毫無疑義的。茲就王氏新譜比較舊譜優異之點，分別介述於次：

一、關於圖譜

舊譜作者不諳聲律，往往一譜之誤，牽就一人一詞，恒與本調其他作品多所抵牾；並且遺害初學，使之受到種種極不合理的束縛，弄到下筆時，不能發抒自然的靈感。例如白香詞譜中之「雨霖鈴」一譜，舒氏按照柳永的曉風殘月一詞而作。規定全調一百零三字中，只有第三句第二字可以不拘平仄；其餘百零二字，務須依照柳詞平仄呆填。須知聲律定例，任何一句，無論四言，五言，六言，七言，更無論平起，仄起，平收，仄收，各種句法，其間都有一兩個字是不拘平仄的。例如吾人平日作一首五言絕句詩，僅僅二十個字，其中尚有八字可以不拘平仄，更那有一闋百零三字的長調詞，而規定只有一個平仄不拘的字，試問初學將從何處着筆？豈不是比較作一篇八股文章，還要困難百倍嗎？束縛靈感，莫此爲甚。不知舒氏何以荒謬一至於此？更可歎的，像這樣的一部荒謬絕倫的詞譜，而香港台灣兩地。至今尚有書局替他翻印發行的，眞是文化界不可思議的怪事了！新譜作者，家學淵源，（其父綠野先生有瀛臺齋詞拾及蓬萊新樂府，其祖冰蓼先生有松鶴園詞，其曾祖湘香先生有夢貓堂詞，其高祖梅隱先生有梅影樓詞，而其八世祖渾齋先生有青草漁父詞，遠在前清康熙時，與其同里王船山先生的寶齋漁歌詞，並爲湘詞的開山，與浙東，常州兩派鼎足而三了。）對於聲律，富有研究，用能力矯舊譜錯誤。按照聲律定例，則「雨霖鈴」一調，本有三十餘字可以平仄不拘。即此一端，便可知道新譜與舊譜優劣之分，相去天壤了！此其一。

舊譜製圖，不知按照調的構造分行排列，以醒眉目。

×　×　×（上）

伊連娜事件

駐港英國海軍遊艇『伊連娜』號，在本月一日載有英海軍人員九人，赴吐洛港區內巡遊。原定六日返港，但迄九日晚仍未歸。據路透社倫敦十一日電訊稱：『英國海軍部本日稱：那艘失蹤的皇家海軍遊艇「伊連娜」號，可能經於六月四日被中共的砲艇所截去。但不能作官方批評。該部發言人稱：關於中國報紙所報導該遊艇於中共砲艇對之發射三響警告砲後，即被中共砲艇帶往香港以北約一百英里處的中國海岸港口汕尾一訊，他不能作官方批評。』在記者執筆時，尚未獲有關該艇失蹤原因的證實消息。但此事爲各方面所注視至屬顯然。

吐路港在九龍之東北，乘廣九火車由大埔圩至沙田，鐵路經過的東面海，便是屬吐路港。但從水路去吐路港必東出鯉魚門，向東北行，繞過大浪灣，復轉向西而入大澤門，經過吐路峽方入吐路港。港外是屬大鵬灣。

三·日·小·評

·風行·

假如像路透社倫敦電所說的「伊連娜」可能被中共的砲艇截去，則有何意義？此問題殊足令人引起深長的思考。

香港是鐵幕外一小島，亦可稱爲鐵幕外一瞭望台，早被某方面視爲眼中釘。但英國已對中共表示承認，而其當前之政策正欲對英國竭力表示和平，彼此不切斷通商往來，以離間英美關係，破壞美國的禁運政策。然而這不過表示中共此時不願有事於香港，却不能說中共已太上忘形無意於香港。若這些英海軍人員果眞係被中共砲艇截去，自然令人聯想到香港防禦的問題。

從冷戰的意義看，我們想起了一九五二年七月間的澳門邊境中共與葡軍衝突的一件事。此衝突起始雖然是當地哨兵誤會，但歷時數日，不時以大砲互轟，中共當局對此事歷時一週未有表示，其報紙未見隻字提及，可見中共目的在冷戰，而不在熱戰。中共想以此手段來對英國實行示威，使之對於整個遠東政策不致完全追隨美國，處處與美國以牽制，那就可以說達到目的了。「伊連娜」的命運假如正像路透社所說可能被人截去，恐怕就是被人用來作製造困惑英國問題之材料。

香港小姐

鬧了兩個多月的「香港小姐」競選於十二日晚揭曉，以富於西洋人風韻的黑牡丹李懿珍小姐當選了。雖然各人眼中出西施，美醜無精密的尺度，今年總比去年的小姐選舉進步了。然而也有「香港小姐」選舉記者招待會實行的「新鬼」一滑稽插曲。十二日晚香港小姐加冕禮時，也鬧出亂糟糟的場面。若干觀衆氣沖天。……有趣的事，那就現成有否定的證據。

中共統治的兩大弱點

（上接第二版）

上月北平舉行史太林逝世週年紀念。中共副政務院長陳沉的演講說：「和平政策，是史太林生前工作最重要的部分。蘇維埃聯合國從一九二一年至一九四一年，得到二十年的和平，這是完成一個社會主義國家的建設不可缺的條件，在現在也是不可缺的條件。」中共在「外交」上用和平共處的法，並不是爲了和平與友誼，並不是得到「他們自己的」生活的「和平」，又『讓人民生活』的平衡狀態和行動，不斷的煽動一個局勢。他們不斷的使用壓力，假裝威脅，但並沒有實質的威脅力量。這種策略，周恩來是可以運用自如的，因爲中共用高壓政治的力量，對內不必顧慮公論與國家，因此他能假託國內有大量的擁護力量，其實他在日內瓦是不存在的。他這力量是西方不清楚，但西方的目的是一方面的，意志更是不可能的周恩來藉此機會擴展共產黨的勢力。（譯摘自五月十日美國時代雜誌）

自由談

可喜的一項現象

馬五先生

新任教育部長張其昀先生視事後，曾邀約學者專家開座談會，提出私立學校問題，結論是立案手續要簡化，辦法要詳定；私校的設備，師資，課程與收費標準等，應嚴加管理。這是很賢明而合理的決策，可見張部長是在教育界甘苦有得者，下車伊始，即知注意這項復國建國的根本大計。

過去台灣不許創設私立學校，不知是根據古今中外的那項原理？政府既無力普設各級學校，以容納全國入學的子弟，又不許民間自力興學，以補政府能力之不足。如是乎，全國失學的青年子弟林林總總，十之七八，無書可讀，如非特權階級的兒女，即欲自費赴外國求學，亦爲法令所不許，寧非咄咄怪事！

共產極權國家是要統制人類思想，劃一人類思想，所以，它把人類社會的一切機能都控制在政府手中，不給人們以絲毫活動餘地。教育爲思想之源泉，因而統制得特別厲害。在共產政權下，誰想以私人集資興學，即無異於自尋死路。我們自由世界的國家，却完全相反的，尊重個性發展，珍視人格尊嚴，政教殊途而同歸，一是皆以培養全民對國家爵成一純良之公民爲目的。美國富強甲全球，其科學進化尤爲獨步先驅，然全國沒有一所號稱「國立」的學校哩！

私立學校應該獎勵促進的，但其內容必須嚴格管理，毋使稍有「學店」氣味，這才是政府應有職責，過去的因噎廢食政策，可以休矣！

食物和疾病

・鄭士琏・

人人都曉得飲食的重要，究竟應該飲些什麼？食些什麼，和怎樣食，才得合理的營養，一般人卻往往忽略。

食米區域如中、日、印、菲、爪哇等地，多患腳氣病，因白米缺乏乙類維他命。所以膳食中應補充麥類及雜糧。我國西北西南邊區腹省人民，多生大頸病，沿海一帶的人有機會吃到含碘的海藻類，如昆布紫菜，所以沒有此病。丁類維生素如鱗鈣缺乏時，有妨害身體的發育，及使牙齒生長不良，易生齲齒病。故平時飲食中應多吃含有鱗鈣成分的魚類與貝殼。富于甲類維生素的食物，在動物中如羊牛豬雞的肝，在植物中如胡蘿卜，菠菜，柑桔等。此類食物缺乏時，眼部容易生乾眼病，角膜軟化及夜盲等症。台灣出產蔗糖很多，價值便宜。食品店中無論糕餅或者紅豆花生湯，總是過甜。食後這種糖質留積口中，發酵生酸，便蝕牙齒。結果多數台胞牙齒都是不好的。

食物裏如魚類，肉類及芋頭，（芋是天南星科，此類植物有毒），都含有極少量的毒質，故煮魚與芋時，應放些薑，一則解毒，二則去腥。還有發芽的馬鈴薯含有強烈毒質，不可吃食。此外茶葉，鹹蘿卜，及鹹芥菜，含鹹甚高，吃得過多，也會生鈣礦。其最顯著的病症爲斑齒病。

不顧營養胃力，濫飲濫吃，因這種過食而發生的病症，有胃擴張，胃下垂等。專喜歡吃某種食物，而不吃別的東西，也會引起胃潰瘍，及胃酸過多病。某什誌載：美國人自發現番茄後，大量吃食，癌病也隨着增加。這也不無理由，因番茄富含荷爾蒙。根據一隻發山鼠的實驗，繼續半年注射大量荷爾蒙的結果，它生了癌症。

吃動物的肝胃，要煮得很熟，因爲裏面往往有微生蟲潛伏。若不煮得很熟，吃下去，就會傳染這種臟腑的疾病。又如吃青菜，有人主張吃生的，說不煮熟，可以多得維他命。但我國農民所用肥料，多屬糞便，少用化學肥料。蔬菜常常有細菌附着。不煮熟，可能爲要維他命，而生出毛病來。

最合理想的食物，一爲可口而富于營養，一面又有藥物效力，可防治疾病，如佐食品中之蒜頭，蒞菜，可以治療肺病。洋蔥，萵苣，補腦催眠。菠薐菜，莧菜，補血。薑，葱，散寒解毒。牛蒡，胡蘿卜，蕃茄，韭菜壯陽。菜菔治喘咳，臭豆腐防止痧症等。食物如能朝這一方面加以研究改進，則對於健康前途必多補益。

原子暗殺案

・維尼譯・

威爾生以前也曾在加納布區探過鈾床，且申請到若干公畝。其他採鑛的人以爲他祇準備開發這些已獲得的土地，可能將它們出售，但相反地，他卻申請了更多公地。他是個專科學校畢業生，對於美國的採鑛法律十分熟悉，他不但用計侵佔別人的申請，且將一切拒絕和他合作的人所申請到的土地也侵佔了過去。

威爾生在死前的八個月中，曾和一個叫何爾特的農人謀求合作，何爾特也是從遠地前來加納布的，他們最初曾口頭言定兩人合作採鈾，所獲利潤共同享受，但不久兩人就吵翻了，後來又言歸於好。在五月底的一天，有人看到他們和拾地一起出發，去探測鈾鑛，當夜他們又共同回來，約定第二天再會面。但到第二天早晨，當局登記處卻來了一個生客，一手拿着一塊鑛石，另一隻手握着一個放射性計測器，這塊鑛石似乎所含鈾質極富，旁邊一個人看着他把計數器放到鑛石上測驗，祇見指針猛烈跳動。這生客緊張地對登記局的人說，他這塊鑛石是在加納布市西面一個小山腳下拾到的，恰巧與二月間發現鈾鑛的地區處於相反的方向。他隨即向登記局申請了二十英畝的土地。

當天他在市鎮街上遇到威爾生，便將這故事告訴了他，可是這個怪客從此再未來到加納布。數天後，當局派人去調查，發現此人原是卓利納桑州一個小鈾鑛的主人，他這次所謂發現鈾鑛，全屬捏造，目的顯然祇在開開玩笑。

可是威爾生卻相信這個人的故事，並不以爲這是騙局，他和何爾特乘着後者的汽車直向市西駛去，想試試他的運氣。

第二天下午加納布的鄉團長米克斯接到報告，說威爾生已失蹤，一個農人告訴他，在數小時以前，他曾看見一輛奇異的汽車停在他鑛邑外，經過調查，證明這汽車就是何爾特的。鄉團長米克斯在這平靜的加納布市，生活一直安謐，從沒有經歷這樣的案件，他也沒有受過調查工作的訓練，遇到這件事後，他說：「對於這種案子，我是門外漢，以前我是做收入的，不懂警察的那套玩意兒。」不過他處事謹慎而負責，現在既碰到這類事情，雖非熟手，卻必須履行其維持法治的責任。他手下祇有一個副鄉團長，二人就負責這方圓三千八百方哩地區的治安，他們接到威爾生失蹤的報告後，便去那部汽車所停的地方調查，到了那裏，他們又發現兩人的足印，他們跟蹤這些足印，到了一個小山下，太陽尚未落山，他們終於發現了威爾生充滿彈痕的屍首。（中）

金珠

中篇小說　勞影

斜陽以一抹晚霞掩起半面臉。

「黃昏又來了。」我默想：「在光明世界裏所不能遇過到的一切也快來了。」

一路上，我將華西街這個街名不斷地重覆的念着。把昨晚所走過的街路重走了一遍，華西街到了。

我找着昨天停車的那條巷子。當我走進去，出現在我眼前的景象令我不勝訝異；活似一條僵死的百腳蟲突然活動了起來，巷子裏擠滿了蠕動的人羣，而在這熙攘的人羣裏有一特色，沒有女性。我以爲附近發生了什麼災禍，假如這附近真的發生了任何不幸的話，我希望不要落在前面小巷子裏左首的第一家。……我心亂如麻地推車走過去。

巷子裏每一家大門都開了，家家門口都有幾個塗脂抹粉的女人站立着；那些爲脂粉所掩蔽不了的蒼白而臘黃的面孔令人不寒而慄。還有那些裸露性的服飾，以及那些服飾所顯示的粗俗的顏色；以及那些做作的站立姿態，招攬性的笑聲，偽裝的竊竊私語；以及那些由於靈魂麻痺而哼唱的下流淫欲……我開始明白了，這塊地方的生活內容，我的心冷了，我不敢再看下去，我幾乎失去繼續往前移步的氣力。

我停下來。

「難道我這股有如追求真理般的苦心，祇是爲了偵察一個普通神女的行動嗎？」我問自己。

「你太信任你的直覺了。」另一個心聲回答：「你憑什麼武斷這附近就沒有普通人家呢？——就如昨夜野草叢中仍有高貴的聖潔紅開着一樣。」

「那麼，」我和自己辯論：「話又說回來了，在正常的情形之下，一個良家婦女怎麼會選擇了幽靜無人的地方，在深更半夜裏拜墓哭泣的呢？」

「唉不，你問得太幼稚了，苦難是多種的，苦難同時也是盲目的；一個人在對某些苦難沒有經驗之先，絕不應該自信那一種苦難定能爲我們所克制。」

「…………」

我如跳過一道火門似的拋開了那些形形色色的人羣。小巷子的冷淸令我雀躍不已，我虔誠地在心記下一次無聲的感恩。

經過左首第一道門的時候，我躊躇了。

怎麼辦呢？

我用眼角偷窺了一下，大門半掩着，裏面好像空無一人；我剛想跨上一步看個淸楚的時候，裏面彷彿有人影閃動一下，我低頭急急走開了。我怕我鬼鬼祟祟的行動引起別人的誤會，使我走開了，我又徬徨起來：就這樣半途而廢？

不。那怎麼辦呢？忽然間我想到煙，我一面打火一面留心身後，巷子裏仍然很少有人走動，我的膽子大起來，我把車子掉一個身，藉着一手夾煙的掩護，我一手推車緩緩而行。那扇大門仍然半掩着，雖然此刻沒有人監視我，但我還是無法留住自己的腳步。（五）

瑣記郁達夫

（七）

王耀荆

達夫是有名酒徒，對福州「雞老」「參老」上等酒均有深愛，尤其喜歡福州的「酒庫」，那是國粹的「酒吧」，喝酒的客人，靠着櫃台打酒便飲，也賣有簡單的下酒物，故又名爲「櫃頭試」。因爲嗜酒，寓中每飯必飲，一壺老酒，一碟炒青豆，一碗燉鮮魚，足夠他酩酊。他是六成舊四成新的名士，不免有使酒罵座的瘋疾，有了幾斤，便復萌「狂奴故態」；他瞧不起那時包圍陳儀的幾個顧問，也許是愛惜他的老友，不時肆無忌憚地批評省政措施，因此他雖不久兼了公報室主任，仍不外是個「客卿」，同時也是一位「閒員」。那時福建民報和小民報副刊主編缺人，有人介紹曹聚仁，但曹卻應了贛州之約不果來，因此我便力荐達夫來兼，一爲達夫在文藝界名氣不下於曹，二來兼些外快，也可以增加「杖頭錢」，經高兄同意，自是民報副刊的「新閩林」和「新村」每日均有達夫寫的每日談話之類，下端排着用鉾版製的簽名，這時他的筆調，也轉成潑辣，頗合一般胃口，因此報紙銷行的數字也跟着直綫上升。但，也爲了這，却帶給了一些人的不必要的誤會，說來話長，一切從簡，到了最後經陳儀把報社負責人員調到省府去任職，另從省府派人去主持這個唯一的大報，經這一變動，我和達夫自然也「拔茅連茹」地一齊滾蛋，而且連累了福州文藝協會同時壽終正寢。那時候是抗戰的初期，中樞播遷重慶，地方當局，便宜行事的事例太多，民報的改組，不過是「之一」。更大家在相忍爲國的原則下，也以不了了之楚弓楚得，更不値得一提了。不久達夫和我也先後離開福州赴漢口。

這是廿六年的冬季，達夫夫婦抵漢後即入湘，到長沙找到了易君左，君左把他安置在漢壽北門外蔡天培醫師寓所住，主人蔡仲炎，也是留日學生，和達夫相處還好。但她夫婦卻時常鬧彆扭。這裏應該補敘：原來達夫與映霞到了廿五六年之間，他們中間的情愛已趨於低潮。映霞住杭州日子多，又是名士之妻，自己更夙著艷名，交際一廣，久而久之，自己也欲罷不能，當然閒話也跟着而來，達夫對映霞可稱是「珍如拱璧」，愛之深當然便責善也備；映霞是被慣久了的，一四二四，遭數多了，如何經得起了這個「緊箍」，女人的惰性，一到感情橫決之後，便不容易回心轉意，況且是「旁邊有人」？所以他倆之間，裂痕愈積愈深，即經人家勸合了，還是不能沒有隔膜，離之時逢離亂，大家心情都不甚好，以此更顯得同床異夢。在漢壽，達夫國難家愁，叢集一身，哀樂中年，便以山林詩酒爲寄託，但凡訪友出遊，映霞總是藉故不參加，這是暴風雨以前的片刻寧靜，不久映霞和達夫竟鬧翻了，記得達夫在漢壽曾寄他的友人兩首詩：「敢將眷屬比神仙，大難來時倍可憐。楚國儘多蘭與芷，湖鄉初度日如年。綠章迭奏通明殿，朱字勻抄烈女篇。顯賞春賽德曜，屢厭新譜入哀絃。」「貧賤原知是禍胎，蘇秦初不慕顏回，九州鑄鐵終成錯，一飯論交竟自媒。昨夜鬧逢牛女會，仙生再卜鳳凰台，最愁陌上花開日，怕聽人歌緩緩來。」

從這詩句中，可以看做達夫對婚變的自白，同時也告訴你爲甚麼要在心理上控訴王映霞？句中「一飯論交竟自媒」下有詳註的，這裏不予轉錄，但單憑這七字來推敲，也可恍然了。（四）

黃埔軍官學校建校三十周年

・袁守謙・

是會風引不迷方，許以頭顱供主張。孫武在吳能小試，田橫居島願飛驤；挾山氣力移山志，射虎襟期暴虎狂；併入哀絃淸管裏，少年砥礪欲堂堂。

先聲壞戶奪春雷，萬弩平潮見斗回。論戰陰符添補註，輸能大澤起騷才；洪流勢挾泥沙下，老木仍攜風雨來；顧盼關河成劃代，鍾陵祭日獨登臺。

如排海立堵山飛，能事元戎定指揮。童舊變髮搘容略，魯迴墨拒穴長圍；八年玉壘將雲護，一夕金丸掠夢非；無那詩書成漫卷，菊松無恙爾安歸。

飲泉狂導巢滔滔，眞見愚佞任虎操。苦護器全瞻鼠遁，頻驚尾赤報魚勞；勁陰誰驗先凋勢，大位人方代翻豪；默默肯偕沈陸殉，廿莽如壽鴆如膏。

海涸涸處血騰騰，心焰明同欲晦燈。覆轍朱輪爭換劫，改絃新操許譖與；卅年史冊重書願，一旅山林再啓憑；教恥歸師應更勇，纓冠徒跣助先登。

× × ×

稿約

本報闢地公開，歡迎讀者投稿，性質不拘，字數最好勿超過二千字，譯作請註明出處；來稿如不合刊用時，當儘速退還。

——編輯室——

中華民國僑務委員會頒發登記證台僑新字第一零二號
中華民國郵政登記第一類新聞紙類

自由人

THE FREEMAN
（半週刊每星期三六出版）
（第三四四期）
每份港幣壹毫
台北市售價台幣柒角
督印人：羅嘉猷
社址：香港高士威道二十號四樓
20 CAUSEWAY RD
3 rd. fl.
HONG KONG
香港發行及事務接洽：高士打道六十六號　電話：七四〇五三
承印者：東南印務出版社　地址：高士打道六十四號
台灣特派員辦事處：台北市館前街五十號
台灣總經銷處：台北中華路九五四號之一　郵政儲金劃撥戶九二五二

法國的毛病在那裏？

李加雪

自由的陣營中，法國是最弱的一環。日內瓦會議和奠邊府的失敗，已充分暴露法國的弱點。本月廿六日英美巨頭的華盛頓會商，沒有法國參加，法國人更覺法國『對世界事務的影響力量是如何的降低了』。

法國究竟是怎麼樣的一個國家呢？法國的毛病在那裏？這是留心世界問題人士所急待解答的問題。筆者根據最近所得的資料，可作如下的解答：

歐禮和的悲觀語

法國國家的權威、獨立、和效能現在都遭受了到威脅，法國的經濟只有一小部份能夠達到水準，法國人民多數還沒有房屋居住。這是法國前任總統歐禮和退職的時候，所發表了的幾句悲觀說話。我們能夠怪他悲觀嗎？他在位七年，法國的內閣便更動了十三次。這十三次更動當中，只有一個內閣勉強維持到了一年。法國有十個政黨，每一個內閣非得到好幾個政黨的合作和支持不可。

戰後法國的工業的復興，算是慢而又慢。法國雖有最肥美的土地，可是農業生產，在歐洲領受美援的國家當中，只佔了第九位。房屋的建築更加可憐。以每千人口作比例，一九五二年德國建造的數目是二十七，英國是十四，法國只得[illegible]，社會的情形也不能夠使人滿意，因爲資本家和工人生活的水準實在是相差得太遠了。

政局不安和越戰

法國的毛病在那裏呢？有好些人歸罪於政治的不安定。這種見解，雖然不能說沒有根據。可是法國的政治的不安定不自今日始。一八七一年實行共和以來，便沒有一個內閣能夠在位超過三年的。能夠維持到兩年的只有十個，其餘一百零七個在位不到一年。可是在這不安定的八十多年當中，法國建立了世界第二位的殖民區域。政治的不安定實在不能說明法國最近的危機。

有好些人提出了安南。不錯，安南八年來的戰事把美國給予法國的經濟和軍事援助消耗盡了。那當然嚴重影響到法國的復興與工作，可是法國的海外戰爭也不自安南始，戰爭消耗能夠和安南相比擬也不少。安南的戰事雖然影響到法國的復興，但仍不能列爲法國危機的主要原因。

生活和工作要加改變

法國人近來養成了倚賴政府庇護的習慣。爲避免國內市場的競爭起見，工業家聯合組織加特爾，可是他們同時還要求政府提高關稅，以遏阻外貨的輸入。農民因爲工業製品價格太高了，請求政府津貼，以便購買日用品。工人則以工資太低，要求政府給予家庭和其他津貼。

法國的國家收入，百分之三十五用在津貼上面。國家的負担太重了，稅到了支持不住的時候，只好把通貨貶值。近年來，法國一直是在慢性的通貨膨脹狀態之下生存。由一九二八至一九三九年，法郎貶值四次。由一九四四到現在又貶低了四次。現在的法郎比較世界第二次大戰的時候，只剩下了十份之一的價值！

法國人民本來是喜歡儲蓄的，可是遭受到多次通貨膨脹的損失後，他們已經改變方針，專事屯積黃金。根據最近統計，法國人民屯積的黃金，價值六十億美元之鉅，比較法國國家銀行的黃金準備多過好幾倍。[illegible]一個新方案，五光十色，使人民無所適從。爲了安全起見，人民認爲還是黃金可靠，通貨變成了死貨，國[illegible]

法國應有的改革

第一，法國應該[illegible]

[illegible]歐洲聯邦將爲較小範圍的，以法國和德國作中心聯邦。一九五〇年，歐洲的煤和鋼合併成了一個組織，跟着的聯合組織，應該是重工業，和歐洲聯軍的問題。

法國現在的生產比較德國相差得太遠了。一位法國人士很詼諧地說道，「法德經濟聯合起來的時候，德國人應該每日遲一小時，再增加一小時吃中飯，雙方才能配合得起來。」其實不然。法國農產品的產量雖然比不上德國，可是法國農產的面積比較德國大。德國有煤，法國有水力，並且富有礦藏，再加以海外的農礦資源，法國大可以不必自慚形穢的。若果法國人能夠得天早起一小時，並且減少一小時吃中飯，法德的合併可以說是佳偶天成的。天助自助，多難興邦，法國人如能振作起來，過去的光榮還是不會失墜的。

中共貿易攻勢

日內瓦會議的——

鍾愛梅

經過七星期的日內瓦會議，已經宣告結束了。韓越問題了無結果，這裏且不去談它，這裏要談的是匿藏於幕後的中共「貿易攻勢」。這一攻勢似乎一砲打昏了「生意人」的頭腦了。中共多年來想擺脫禁運桎梏，似乎有了初步的結果。

兩年來對中共的貿易

一九五〇年聯合國以禁運對付共產黨的侵略，跟着美國的「孟德法案」（又名「戰鬥」法案）將對共國家資共的物資予以禁阻，使侵略者的腳步，越拖越重，於是達成了韓戰的停火協議。

韓戰停火後，共產集團和親共國家，幾無時不籌謀如何擺脫禁運桎梏。三年來的禁運，事實上並不能完全堵住自由世界戰略物資運入鐵幕，最顯著的事實，就無過於一九五二年四月莫斯科「經濟會議」之後，日本、英國及西德對大陸貿易數字之輸出的增加，此種以「非戰略物資」作掩護的運入，實際括有汽車、樹膠與五金配件的軍用原料。英國決定以汽車准許出口之時，曾以中共需要大卡車並不需要小型車輛作爲辯解。卻不知這種小型轎車，現時已爲中共用來改造成汽艇、登陸艇、運輸軍火的十輪大卡車了。

英國及西德對大陸的貿易，係經由香港轉口。去年英國輸港物資，總額爲七千六百四十萬元，西德也有三千一百二十萬元。其中輸往大陸的轉口物資到底佔幾分之幾，除了官方列有統計數字（未見公布）之外，無人能夠說出確實的數字。據報紙消息，英國去年對大陸貿易出口數額，僅一千七百五十萬美元。西德達二千五百萬美元，日本直接輸往大陸的戰略物資更難作適當的估計。不過中共所發表的去年度貿易總額，較前年度增加了百分之二十九。美國商業部的統計表則列出一九五三年自由世界若干國家對中共輸出的總額二億七千萬美元，比上一年約增加一千六百萬美元。

迫切需要戰略物資

中共對外貿易，以大陸物產作爲交換戰略物資的輸入，作主要條件。去年中共輸英的總值約爲一千萬英鎊，今年首季比去年同期已大爲萎縮。就目前的大陸生產情況言，今後對外出口貿易能否趕上去年的數字，頗滋疑問。但中共對於戰略物資的輸入，就越戰擴大與準備種跡象看來，自是非常迫切的。日內瓦開會期間，中共代表一方面與西方作外交上的周旋，另一方面同法國，大談其「生意經」，同時與英國、西德等若干國家，採取積極的[illegible]形中沖淡了會議的性質，使日內瓦會議的性質，已自韓國越南的軍事局勢轉變到擺脫禁運的貿易談判上去了。中共顯然感[illegible]國際談判，是瓦解禁運的一個機會。若失去此機會，不特對於它的侵略計劃，會受到重大阻礙，再欲尋求這種有利機會，便無大希望了。因此，拉緊西方，必須牽住法國和西德。[illegible]鐵能源源無窮的來源。中共去年和法國締訂「一千萬鎊的貿易協定」，實際上法國僅以五十萬鎊的鋼鐵器材輸往大陸。此次談判，中共對於法國不能履行「協定」義務，自將施以恫嚇，迫使法國踐約。中共這一次的「貿易攻勢」，不獨旨在掙脫禁運桎梏，且欲拆散西方民主國家的團結，一石兩鳥，爲計至毒。其初步效果，已可從英國允許與中共交換「貿易代表團」一事反映出來。

中共的新反英運動

不過中共一面和英國大談生意，一方面卻在大陸上發動反英運動，他們的奸詐，可想而知。本月十九日，中共藉「民盟」（實際是共產黨的附庸）的「光明日報」，在馮友蘭那枝禿筆下，寫出一篇反英反國際貿易的文章。他引述麥仲華所編的「經世文新編」，作爲立論的依據，該「經世文新編」曾輯錄英國傳教士林樂知及李提摩太的思想，全文逾七千言。他說，當時英國有一篇短文，其中說：『因戰得新屬地，當皆我之傳教師，有以維持而致之的。人之教會文化，更多好處，旗及商務，同趨而並進。』傳教在『對殖民地剝削政策中，佔重要的地位。』傳教的目的：『是企圖使殖民地人民在精神上解除武裝，使他們對於資本主義的剝削與統治，不但不反抗，而且「心悅誠服。」這是資本主義及帝國主義國家對殖民地，半殖民地人民最狠最毒的政策。所以鴉片戰爭以後，西洋資本主義國家，對於中國，除要求「通商」之外，還要求「傳教」。他們以兵艦大砲爲後盾，強迫中國當時的統治者，接受他們的商人，以便他們在中國掠奪原料，推銷商品，也接受他們的傳教士，以便向中國人民宣傳他們的剝削與統治是「合理」的，是「應該」的，是不可違抗的。……』

英國人勿爲糖衣所誤

中共這些反英、反宗教的宣傳，一方面欲掩飾他們吞沒大陸上英美商人的私有財產是合法的手段。另一方面，表示他們殘殺虐待中外傳教人士係一種『歷史的懲罰』，不是瘋狂的暴政』。中共這樣對大陸人民宣傳英國的通商和傳教，是有誠意和英國恢復貿易的嗎？不是對他們在日內瓦和英國大談生意經的談判，加以有力諷刺嗎？這正可說明中共想和自由國家貿易，絕無互惠的意思，不過是在搜求戰略物資和軍備原料以準備戰爭而已。猶憶過去美國輿論曾譏評英國：『不應以戰略物資運赴中共大陸，讓中共在韓國用來殺害英國自己的子弟。』這話是很確實的。自由世界與中共發生的貿易行爲，不啻慢性的自殺。際此英國與中共正準備互換「貿易代表團」之時，我們要奉勸英國，應該面對現實，記取過去的嚴酷教訓，勿爲共產糖衣宣傳所惑。否則誤陷阱，後悔無及了。

本週展望

旭軍

中共和英國的外交

中共將派一外交代表團，由一代辦率領，常駐倫敦一事，本不足異，四年前英國與印度、巴基斯坦、及錫蘭，同時承認中共。英國派代表駐北平。但北平並未派代表駐倫敦。如何到今天中共才答應派代表團呢？第一、蘇俄共黨集團看透英國堅持現實主義，要著心保持她在亞洲二百多年的經濟利益，對華問題，不用憂慮她與美國採取一致步驟。所以不必急急派代表建立外交關係。第二、是史太林認爲未能安全的控制着中共，未放心准許中共與英國正式打交道。第三、是當日英國雖正謀與中共建立外交關係，但中共與英國間弄出許多衝突糾纏。例如：（一）英國拒絕將香港屬於中國航空公司的飛機七十一架移交中共。（二）英國繼續與台灣的自由中國政府保持設置領事的關係。（三）英國拒絕讓中共接收在馬來亞的五間中國國民政府的領事館。（四）中共認爲英國並非衷心贊同中共政府加入聯合國。因此中共遲遲不派外交代表。

到了目前，達成互派代表之契機則在於此次日內瓦會議。由於英外相艾登與周恩來的迭次會議，及其他中共官員的接觸。因爲目前要加緊分化自由世界國家的結合，尤其是盡力使英國不太過與美國接近，承認中共問題最易加強英美之矛盾。其次是今天蘇俄已堅定的控制着中共了，不怕中共和英國打交道，而且可以使中共在英國設立冷戰的橋頭堡，散佈特務機關。第三個原因是：推進的與中共英國間貿易，挑起自由世界之嫉妒。中共更想透過與英貿易的關係，取得大量戰略物資。這樣多的利益，中共爲什麼不答應設駐英外交代表團呢？

中共和英國的貿易

由於中共答應派外交代表駐英國，英國商人更興奮，一心以爲鴻運將至，據說：英國商人已組成一新的團體，專處理中共貿易的發展事宜。這團體將命名爲「中英貿易委員會」。其等候中共代表團與他們在七月初開會商討。其談判之目標，將是在現行的戰略條規範圍內，檢討改善香港與中共貿易方法和途徑。

英國商人方面總認爲：如果英國不能對目前中國大陸之現實採取妥協政策，則香港與大陸貿易關係無法改善。這是執迷不悟的錯誤幻想。俄共集團的貿易目的在吸收戰略物資而已。本報各經濟論文已詳盡分析對鐵幕內貿易遭受種種之損害，不再贅言。所謂改善香港與中共貿易等於囈語。因爲中國已無真正商人，一切貿易操諸中共政府。香港商人不能與中共在平等地位交易。而中國民生困苦，人民幾全無購買力，試問從何着手改善。

再說到英國和中共改善外交，就豈能保障香港的安全了麼？美國評論家鮑爾溫所謂：「英國是不能容許任何敵對的勢力影響香港之現狀。談到香港問題，英國自然以爲中共是唯一的對手，不論工黨或保守黨，甚至英國的商人，他們都認爲與中共妥協是使香港獲得多些安全保證之最有效方法。」寫盡了英國對香港的心情。但這是錯誤的看法。英國本身利益與共產主義侵略勢力已是誓不兩立，還用說什麼敵對不敵對。香港的安全，建立在自由世界之團結力量，與華僑的認識共黨凶惡而決心反共。如果沒有這兩個因素，香港早已被關入鐵幕。如果能維持這兩個因素香港是永遠安全的。

今日自由世界之安全與否，英國是負了很大的責任。邱吉爾首相無疑地是雄心萬丈，要邀一己之領導挽狂瀾於既倒。但不能擬心於和蘇俄共黨集團謀諒解，應急速扭轉方針，與美國共同一致，不惜與侵略者攤牌，方克有濟。希望邱吉爾首相廿六日飛抵華府後，積極與美國合作，不再在亞洲方面採取孤立政策了。

司法官的黨派問題

‧劉千雲‧

司法隸屬於行政的時代，早爲歷史上的陳跡，無論五權制，抑三權制的國家，司法權是佔相當比重的。司法獨立在促進民主與法治的功能方面，有着潛在的推動力量。負有偵查與審判權限的司法官，實即維護民主憲政保障合法自由的擎天之柱。特別是在民主自由尚待爭取的中國，司法官的公平裁判，可以制衡行政機關的濫施職權，使人民的權利義務，得能合理伸張。如何始能使司法官克盡其職責？司法官超出黨派之外，將是有效保證獨立審判的一件事。

憲法規定法官超黨派

司法官爲「天下之平」，欲求裁判的公平，則不能稍有成見，我國憲法第八十條規定：『法官須超出黨派，依據法律，獨立審判，不受任何干涉。』關於超出黨派四字的解釋，在制憲國民大會中，討論頗爲劇烈，當時有堅持法官不能加入政黨，已加入者，應該公開宣示脫離，否則即失去法官的資格；但亦有表示，人爲政治動物，自可有其信仰，法官亦爲人，當然仍可就其信仰，加入政黨，但不得參與政治活動。上面兩種說法，自以前說較爲澈底，就理論言，一個人參加了政黨，就得接受黨的指示與領導，爲了配合黨的政策，其所指示的事務，在他人遵行或可無妨，但若身爲法官，則一有偏頗，輕則損及人民的權益，重則影響所及，人民的生命，可以化爲是非，枉縱無據，法治觀念，蕩然無存。

很多法官有黨籍

自由中國的法官，固不乏超然之士，但從中國現實的政治環境看來，一定很多法官，是有黨籍（不祇是國民黨）的。其理由有三：（一）各大學的法律系畢業生，欲取得法官資格，必須經過中央政校法官訓練班的訓練，在這道關口，被吸引入國民黨的當大有人在；（二）民青兩黨的高級領導人（特別是民社黨）多是從事司法工作有年的，且有相當地位，例如民社黨代主席徐傅霖氏，曾主持廣東高院院務、八常委派的領導者石志泉氏，一度出長朝陽學院，因此直接間接吸收進入黨的，不能說全無。（三）司法界從無強迫入黨的情事發生，但其他方面曾經有過這種措施，也會影響到司法界的，例如軍法官轉任司法官，就必定是國民黨黨員。

法官應宣告脫黨

法官的獨立審判，在以往有過忠勇的奮鬥史實，歐美各先進民主國家，法官類多不得參與十七世紀初葉，英國的大法官柯克（LORD COKE）因反詹姆士一世（JAMES I）以君主干涉審判，柯氏表示曾義正詞嚴地：「皇上在千萬人之上，唯在上帝與法律之下。」英國因此而逐漸走上法治的道路，這是走上民主法治的必經途徑。蔣總統就任第二屆總統時，明白昭告海內外人士，以中華民國憲法保障民主與自由的發展，這是明智的決定，我們希望負責執行總統指示的行政司法兩院，不要視爲這引人入勝的宣傳性文告。「崇法務實」的新任行政院長俞鴻鈞，是否務實崇法？亦決於是否尊重司法的獨立。筆者以爲應於就任伊始，飭令司法行政部遵辦有關黨籍的法官登記，定期宣誓脫黨，若再參加政治組織及其活動，則永遠喪失法官資格，這個做法，有百利而無一弊，是不必顧慮太多的。

已有了無言的抗議

最後，舉一個實例，說明法官超然黨派之外的重要性，和法官參與政治活動的弊害。台灣省第二屆省議員選舉前，國民黨提名候選人中，有前省警務處副處長兼刑警總隊長劉某，被牽涉與台北酒家女侍蘇來好和李雅龍，在結婚前夕死於基隆海中一案有關。台北地院檢察處會同其他方面，曾成立專案小組，徹查該案。在省議員選舉前一天，最高法院檢察長趙琛以下的辦案人員，均向新聞記者發表談話，說劉某與某情殺案無關，在負責偵查案件的檢察人員偵查期間，是否應該發表這類談話，我想趙琛精通法理，尤長法律實務，知道得遠較筆者清楚。但爲何如此輕妄？理由很簡單，事實很明顯，發表有利於劉某談話的檢察人員，大概是受着黨的壓力，不得不如此做。這裏我們可以研究一下：國民黨對於提名支持的候選人，希望其當選，是天經地義的。設法使選民對於劉某的觀念由壞轉好，指示從政黨員發表有利於劉某的談話，也不錯。趙琛及其他辦案人員，是從政黨員，有執行黨的政策，接受黨的指示的義務，發表利於劉某的談話，自然更不錯。錯在那裏？錯在政府未能執行憲法第八十條的規定，司法官未超出黨派之外獨立審判。於此應注意者，劉某並未當選爲議員，可見趙琛以下人員所發表的談話，非但未收到效果，反予社會人士及選民以一種不好印象。劉某之落選，也許正是選民一種無言的抗議，抗議司法不能獨立。

美助越南練兵

魯平

日內瓦會議韓局談判已告無疾而終，越戰和談亦已進入山窮水盡境地。在越南，新任法越軍總司令艾利將軍抵越就職及視察戰況後，日前已返巴黎向新閣提出報告，商討對抗越共的新計劃。

同時，美國已準備正式參與越軍的訓練，這個計劃已提出很久，但法國因認爲美國那套訓練方法未必適合於越南，一直表示反對，現在艾利將軍抵越後，才把過去的反對加以改變，已準備讓美國人來試一下。美國訓練越軍的計劃，是派遣陸軍教官從今夏開始，訓練出一支強大的越南新軍，正與美國在韓國及希臘練兵的情況相同。美方的目標，是在本年內完成越軍五個師的訓練，使他們即能開入戰場，而在明年中以前再訓練越南軍四師，寮軍一師，及高棉軍三師。

現在越南武裝人員共有四十二萬，其中二十三萬是越南國軍，十萬人參加法聯邦軍部隊，民團七萬，及其他非正規軍二萬人。這些越南部隊在鎮邊府及山諾等地戰事中，曾一顯身手，效率不差，但顯然的無法與越共正規軍抗衡。自鎮邊府一役以來，越南人對戰局前途大失信心，他們又恐自身會被西方在日內瓦會議中出賣，一般士氣已大爲低落。因此，越南軍所守的據點，稍大戰有三四處宣告陷落，這種情形，尤以越南南部爲甚。在一省之內，越南軍亦平均每月要失步槍二百支，多數是由於越南士兵不經戰爭即攜槍逃亡。越人對戰爭的支持，也大爲降低，上月政府緊急徵兵十萬名，但應召入伍的壯丁僅有一萬人，祇及預定目標十分之一。

越南軍的不穩，實際上反映了越局的動盪。越南人提出了三點意見：一、越南人如獲得確實獨立，他們必能發揮其戰鬥效能；二、法軍從沒有給予越南軍以真正在戰爭的機會，他們在戰爭開始後五年，直到一九五一年才同意越南建立國軍；他們又使越軍不能獲得大量美國軍援及經援；法軍總部所發表的公報，一直對越南軍的戰功加以忽視，此外，法軍又限制越南軍的實力，使他們編制上的最大單位只是營，甚至這些部隊也被分散佈於越南各地，均受法軍指揮官指揮，而不去訓練越南軍官，使他們能直接受本國人指揮。到目前爲止，在訓練的越南軍官僅有七千五百名，而今日情況所需要的，至少爲二萬名。

美國於去年秋即提議協助越軍的訓練，但前任法軍總司令納代爾將軍卻認爲這是美國的干涉，力予反對。新任總司令艾利將軍，卻對美國素來友好，對這練兵計劃表示贊同，但美國教官仍須受他指揮。美方的計劃是由美國駐越軍事顧問團團長奧唐尼爾少將擬訂的，他着重於二個要點：一、把越南軍的編制加以改變，使他們成爲每師一萬至一萬二千人的部隊，各師由越南人任師長，加強其機動性作戰能力。一位美國軍官曾說[illegible]二、[illegible]美國至少需在以後十二個月內派遣三千名軍官和士兵在越南，開闢四個新的越軍訓練站，其中二個由美將軍主持，美軍顧問且將設於越南軍團以上的各級部隊內，以協同作戰，這與韓軍的情況完全相同。

美國和法國的目的，也許仍有基本的歧見，但這個練兵計劃卻符合了美法雙方的兩項原則，在美國方面，其原則是希望越南軍能贏得戰爭；而法方的原則則是加強這支越南新軍，以增強法國在越共從事討價還價的地位，俾能獲得較佳的和平條件，雙方對各項細節的協議，大致在最近期能在西貢達成。（取材「時代週刊」）

編者　讀者

△讀者來書▽

糾正政風

編輯先生：俞內閣就職之前，曾邀集新閣員舉行非正式會議，對今後政治作風，提出兩點意見：（一）實行分層負責，（二）意見公開。俞氏強調各部會間意見公開，是糾正政風最好的辦法，可以防止一般無聊政治掮客從中惹是生非，以至發生若干「無聊」[illegible]

[illegible]

楊翊青上　六月五日

尼克遜出作和事老

由於參議員麥卡賽和陸軍部間的互相指摘，美國共和黨中的分裂日益加深。許多人眼見黨內的危機，幾經奔走，可惜仍無消弭黨內的分歧。最近副總統尼克遜已自願出作和事老，來結束麥卡賽和陸軍部間的爭執。據說這事早已獲艾森豪的首肯，因爲尼氏和陸軍部長史蒂文生有着不平凡的友誼，他才肯以副總統之尊，從側面來調解這件糾紛哩。

俄工程師宣佈「收檔」

匈牙利共產政權老早就宣佈要擴大史達林大道下面的地下鐵道，但經過兩年多的努力後，現在他們已放棄了這個誇張已久的計劃，儘管他們已對這項工程化了無數的心血，也投下去不可勝計的資本，可是由於事實的壓力，他們已不得不放棄了。原來經過蘇俄工程師的設計後，地下鐵道中的幾條隧道已經倒塌了，而布達佩斯具有歷史價值的國家戲院也受地下鐵道工程的影響，毀壞了一部份。一向不敢批評當局的匈共報紙，這時也忍耐不住，於是有着先進經驗的俄國老大哥，只好紅着面孔宣佈暫時停工。（孟衡）

天下小事

啟事：本刊三百卄一期以前各期稿費，現已分別致送。惠稿諸君，如未收到，請即示知，爲荷！

人物述評

談馮玉祥之死

‧劉靄如‧

（一）

關於馮玉祥之死，至今還是一個謎，很神秘又很離奇。真相始終未明。他在三十五年九月，以考察水利專使名義，前往美國。到美後，發表反政府言論。當時在美的教授有一位王[illegible]教授，[illegible]道甚篤的長者。他與馮氏頗有往來，他曾告訴筆者，到醫院訪問馮氏的經過。[illegible]王博士一進門，馮便喋喋不休的大罵政府，[illegible]一番，王博士毫無說話的機會。後來王博士終於對馮說了下面幾句有深意的話：「馮將軍你說的話，我都了解，不過我願意奉告你，一個人最大的敵人，往往不是別人，而是自己。我說馮將軍，你的最大敵人，恐怕還是你自己吧！」

（二）

但馮始終不自省悟，並不接納王博士的勸告，後來便遭了神秘的死亡。[illegible]

[illegible]

（三）

[illegible]知道他走了。馮氏以極秘密的方法上船，爲了避免耳目，便離職藏起來。據說，蘇方要馮全家都上船，但馮卻把兒子留在美國。

船到馬賽，馮玉祥沒有上岸，[illegible]

（四）

[illegible]

一、火勢不大，那會燒死人？

二、馮原定去法，不知怎樣改去蘇聯？

三、[illegible]

可是馮玉祥今天畢竟不在人間了，他的死已無疑義，至於電影失火，死事之離奇不能不說出人意外，他的死實在太神秘了。

透視中共的勞衛「制度」

・沈秉文・

據北平光明日載，中共已於五月四由賀龍所主持的「中央體育運動委員會」發出全面實施所謂「勞衛制度」的通令。同時由該會及中共高等教育部、衛生部、中共青年團中央委員會、中共全國學生聯合會等六機關，向全國各部隊學校發出聯合指示，飭令按照指示先行重點推行。該報又大張旗鼓，撰列社論，竭力強調此制度的意義和重要性。

所謂勞衛制度

所謂「勞衛制度」，乃係「準備勞動與衛國」的一種軍事性體育制度的簡稱。中共在字面上稱它為「向勞動人民進行全面體育教育的基本制度」。它的具體內容，却是通過體育的形式先行鍛鍊青年壯年的體格，再進一步，實施基本軍事訓練。因此它在訓練的程度上，劃分為兩級：一級為預備級，又稱「體育鍛鍊標準」，先在初級中學以上普遍實施。一級為勞「衛制」，是於體格已提高的基礎以上，再實行強度的勞動訓練和軍事基本操作訓練。其中主要的訓練包括跳遠、壘軍、劈刺、擲遠、摔角、拳擊、射擊等。目前除部隊中在原有的體育訓練以外，再一律實行此一制度外。各地學校，將先行選擇若干重點予以試行。一俟部隊及所有中等學校普遍開始此種訓練後，即將向工廠、機關、團體及農村等一般青年壯年推廣此種訓練。

現中共為大方而迅速地推進此計劃計，已開始加緊集訓此種訓練幹部，並飭令各地各級「人民政府」建立體育處、局、科等專門機構。

藍本採自希特勒

查此一「制度」的藍本，係完全採自蘇俄。蘇俄於一九三一年由列寧共產主義青年團創立此一制度時，原為專門訓練青年團團員集體生活，和軍事技能而用，並無具體名稱。一九三九年，因受希特勒德國鐵衛隊訓練的影響，始正式定名為「勞衛制」，並擴大為全國性的制度，將所有青年壯年都納入此一訓練範圍之內。故此一制度，實為納粹主義達到全國皆兵的軍國主義訓練制度。

中共對實施此一制度的實際目的，也並不完全隱諱，他們說要將每一個「勞動人民」都訓練成「健康、勇敢的愛國主義者」。使他們平時能担當生產勞動，在必要時，都能「英勇地保衛祖國」。指示中又明白規定，此一制度並不同於一般的體育運動，故不能偏廢部隊與學校中原有的體育訓練，和體育正課。他們僅在表面上以「體育教育」的名義和形式來掩蔽濃厚的火藥氣味而已。

積極備戰的準備

中共實行此一制度的真意何在呢？顯然有三種企圖。第一，希望以強度的體格鍛鍊，挽回幾年來，因中共的倒行逆施，一般青年學生日見低下的健康，準備未來驅入生產勞役。第二，希望以此種訓練保持龐大部隊的士氣和戰鬥力。第三，最值得注意的，自然是積極備戰。

以青年學生的體格論：過去中共報紙曾一再透露：因一般學校的黨團活動（包括無數的會議，社會活動和隨時支部的黨團任務）過多，妨礙日常功課。學生應為付考試，不得不通宵不眠。外加伙食太差，營養不足，致一般學生體格日漸虧損，疾病叢生。尤以消化不良症最普遍，肺病最嚴重。因此，歷屆畢業學生，派往各廠礦工作的，往往體力不支，時生暈厥或被淘汰，中共曾一再疾呼，要提高學生的體質和鍛練學生的勞動習慣。此次全面實施「勞衛制度」，其目的之一，即為針對此項現象而發。其實，中共不去追求學生健康低劣的根本原因，而作此種治標方法，亦適見其治絲愈棼而已。

依然是人海戰術思想

說到部隊，中共以美國為假想敵，根據韓戰休戰後，若干將領所發表的「經驗」，中共認為肉搏戰可以抵抗機動武器的優勢，「勞衛制度」訓練的目標，即在提高士兵的體力和短兵戰的技術。依然是採取人海戰術原則的戰術思想。

中共既仍迷信人海戰術的原則，故必須準備利用我國龐大的人力，為未來作孤注一擲的賭注，必須將所有的青年和壯年，都在「勞衛制度」之下訓練起來，成為可以作戰的隊伍。

其實中共目前的各種建設，一切措施，無一不是直接或間接為未來戰爭作準備的。高呼生產，並不是為改善人民生活，集中大部份的「國家財富」，也不過為建立軍火工業，以及以軍運為目為，海港、機場、鐵路交通網而已。「勞衛制度」的全面實施，便是了為配合戰爭計劃，在人的方面，作動員性的準備，故說是『準備勞動與衛國』。西方國家常常說，要看中共對和平的誠意如何。即這一點，也可以看出中共在世界上要扮的是什麼腳色了。

台灣中南行（十二）

陸軍軍官學校巡禮

・魏希文・

儒雅瀟洒的校長

從三廠招待的午餐回來，休息片刻，全體同人乘車去軍校，車行約一小時，平坦寬暢的公路，一望無際的綠色田野，沿途小橋人家，縱橫的鄉村公路，這眞是一幅最美麗的農村畫圖，想到大陸殘破的農村，饑餓流亡的農民，台灣的同胞不啻身在天堂。

軍校雖然是處在一個不算大的縣城，但那裏的街道很整齊，車過市上，店舖林立，我看見飯館中有四川飯館和北方飯館的市招，迎風飄蕩。

我們到軍官學校時，羅校長又倫先生已經在口門迎接我們了，下車以後，立刻就有服裝整齊的同學，送我們一份印有節目的請柬，節目多至三十餘種，羅校長也就在這時，用非常愉快的笑容，和我們同人一一握手。

羅校長，在戰抗時曾有一面之緣，那時他很年青，英姿瀟灑，有着書生的秀而目，他從軍校畢業以後，一直就過着軍旅生活。抗戰末期，他當青年軍師長，勝利後，率軍赴東北，以勇敢善戰著稱，以他的經驗和學識，充當軍校校長，培育反攻復國的軍事人材，實在是理想人選。

我們依照請柬上的節目，由羅校長陪同在廣漠大操場上參觀各種演習，在播音車上，女郎用流利清脆的聲音報告說：「海外代表和僑領們，是革命之母，國民革命和僑胞有着不可分離的關係，這次國民大會第二次會議完滿成功，選出我們的第二屆總統……」這些對我們海外代表的恭維，聽來又感重又慚愧，今天海外一千三百萬僑胞所以一致擁護我們的國民政府，和我們的賢明偉大的蔣總統，但是我們僑胞在支持反共抗俄的事業上還該有更多的努力啊！

動人的演習

我們分別參觀了操場上的各項動作，並且有幾位女同人參加實彈射擊，記者們不放過這個鏡頭，立刻搶來攝影。接着我們參觀野外的實彈演習，最有趣的是當時緊張的情況，我們佩服那些演習的員生担一把冷汗，演習場上砲聲、炸彈聲大作，火光烟霧，迷漫得好像在真的戰場上一樣，以免波及參觀的我們，他們一再警戒我們說，不要走近警戒線。以我們這樣革命和作戰膽識的培養，在未來反攻的戰爭中，自然我們要以一當十了。老實說，從這發革命健兒的身手上看，我們反攻復國的勝利，已經掌握在手上了。

熱烈的掌聲，一陣又一陣的響着，到全部戰鬥演習完畢，去打了幾發機關槍，我們參觀政治部的各項敎室，軍事敎育，一切都是用沙盤來表示，都是用科學化的敎育，用電影，這種設計，可以說和現代進步的歐美軍事敎育無異。

我也打了幾發，我想到反共回國的一萬四千義士有兩句動人的口號說：「一顆心回台灣，一條命殺共匪。」如果用在我們的戰士身上，那是「一顆心來學習，一條命殺共匪」。

接着，集合的口號響了，我們又在一陣熱烈的鼓掌聲中，乘車回到校本部來，大概這是中山堂的所在，環境優美極了，綠樹成蔭，在樹蔭中草地如茵，下擺着很雅緻的茶座，擴音機正在播送着美妙的音樂，萬紫千紅的花朵，在夕陽西下的晚風中向我們招引，彷彿從戰場上回來的我們，現在却又出現在一個仙境般的世界，這是眞，是夢幻，眞叫我們有些模糊起來，可是茶座上有香烟，有熱茶，有手巾，好像是南洋熱帶風光的露天茶座，這樣美妙的革命與藝術的配合，我想每一個同人都難以泯滅這深刻的印象，我至今執筆，思之猶有餘味。

反攻復國勝利可期

這時羅校長又來招待我們了，他溫和地陪着笑臉，有些同人邀他合影以留紀念。在我的記憶中，他顯然胖了很多，有一個同人問到他的年齡，他笑着說：「四十三歲了！」如果不是他頭上有了白髮，從他豐潤的面貌和結實的身體上看，他不實是三十五六的壯年。

同人中不少在軍校，同人中有熟人，可是，我很詫異，沒有看到政治部主任劉子清先生，在台北國大開會期中，他曾和我見過一面，他希望我到他那裏去玩玩，然而我到了，却沒有看見他，後來問到政治部一位同事，才知道他病了。（未完）

北平電台悍然承認

逮捕英艇伊蓮娜號

本月十日，港府新聞處發表了一項消息：海軍遊艇「伊蓮娜」號自本月一日由港海駛赴吐路港海而巡遊，原定六日歸返。結果竟告失蹤。這是去年九月七日中共侵入港海，砲轟英國遊艇造成了十五名死傷以來第一次不愉快事件；也是去年三月二十一日，中共武裝擄劫美國「寶特」號遊艇，綁架美國記者之後在港海失蹤的遊艇；該艇艙位可以容納十二人乘坐，但那天船上祇乘九人，其中八名係英艦「和諧」號海軍人員。由於歸航愆期，不特當局大為驚異，各界人士亦紛加臆測。然而迭經海空軍方面派出巡邏艇及「南風」式機分途搜索，耗時浹旬，仍無頭緒，失蹤原因雖然一時尚難斷言，當局估計自非缺之風力之故。一般引證過去中共侵擾港海事件；以及擄劫遊艇；架走英國海軍人員等等，僉認「伊蓮娜」號遊艇這一次失蹤，並非奇蹟，相信殆為中共騎劫擄去。十三日本港報紙消息，據一位自大陸被逐抵港的法籍神父口述，他在廣州車站曾見中共警察押解一名外國人，這個身體被綁縛的外人穿有一套黃色卡嘰制服，但是否係屬「伊蓮娜」號上的失蹤海員，無法可以判明，當局亦未加以證實，迨日內瓦消息傳來，英倫當局業經將此事經過訓令駐北平代辦杜維廉，向中共提出查詢該失蹤遊艇的下落。十六日北平廣播中，悍然發布了一項簡短聲明，竟謂這一艘遊艇係在山門島附近「侵入領海」而加以「逮捕，」該艘遊艇嚮昔係威廉遜君贈予香港英國駐軍的，船身黑色，長七十二尺，載重七十噸，專用於三軍消遣，並沒有武裝設備，此次被中共擄去，相信獲悉已久。該艇也曾被人指為「不祥之物」，過去曾經數度失蹤三次；失蹤原因則迄未見有正式報道。一九五二年十一月二日兩英水兵，曾被中共在港上綁架，拘囚廣州監獄四個月始獲釋返。但是，中共侵擾港海，綁架英人之時，正當英國與中共在日內瓦進行會議，雙方已決定互相派出「貿易代表團」作交換訪問。假如中共真有意與英國打交道，為什麼它的橫暴野蠻行為常緊扣英人心弦，由於此種事態之反映，大足證明中共對英所進行的貿易外交，無非闢謀一己利益，[illegible]。去年砲轟[illegible]禍的交涉既無結果，這次「伊蓮娜」號失蹤，自亦[illegible]往返，與[illegible]交涉，亦難[illegible]的。

評滴痕新詞譜

王歟彬編著　・味腴・

舊譜製圖，又以符號代表平仄，如平用白圈，仄用黑圈，可平可仄則半白半黑其圈，以之注於詞句之旁。更以句、豆，韵，叶，等插之詞句之間。光怪陸離，令人望之茫然，不知所謂。且此種白圈黑圈半白半黑的圈相間排列，手民容易錯誤。學者最傷腦筋。勢必弄得一塌糊塗。新譜則列譜於前，附詞於後，不用符號作旁注，直用平仄排正譜。其平而可仄的字，則以丁字代之，因丁字平聲，其字兩豐。先平而後仄，舊例以一代平，以丨代仄，其仄而可平的字，則以卜字代之，因卜字仄聲，其字兩豐。先仄而後平，例如「仄平平仄」一句，按照聲律定例，其第一第三兩字可以平仄不拘。而第一字是仄而可平的，故代以卜字。第三字是平而可仄的，故代以丁字。於是全句變作卜仄丁平仄了。其他依此類推，明白醒目，有條不紊，最便使用，此其二。

舊譜對於譜的作法說明時，往往不就本調直接指陳，而故作幻形幻影之詞。曰，本調第幾句與某調第幾句，句法或平仄相同，甚至一譜說明牽涉到十餘調之多，初學對之，至感迷離。試問詞中任何一調，調中任何一句，那得沒有他調的句法或平仄與之相同的。是則舊譜所謂說明，將愈說而愈不得明，只有困惑學者的腦筋罷了。新譜對於作法說明，概就本調直接指陳，非因特殊關係，決不牽涉他調，務期學者易於瞭解，應用方便，此其三。

舊譜得一個譜，往往只能適用於某人的某一詞，而與他家作品，多所抵牾。例如上述白香詞譜的「雨霖鈴」一譜，其所規定的平仄和句法，便只能適合於柳永的「曉風殘月」一詞，其他任何人所作的「雨霖鈴」詞，其句法平仄必定都不能與之完全相合。此其故由於該譜作者，既不諳聲律，又不肯多加參考以資印證，因之弄得譜譜紕繆百出，遺誤後學。新譜平仄悉依聲律定例，於句法參考衆作，歸納以作決定，所以一譜之成，按之前人各家所作，自然沒有不能適合的了，此其四。

二、關於辯體方面

自宋人所編草堂詩餘一書，別詞為小令，中調，長調三體，但未說明分體的義例和依據。因之後人對於詞之如何分體，但知其然而不知其所以然。清初毛先舒作填詞名解，始有「五十八字內為小令，自五十九字至九十字為中調，九十字以外為長調，此古人之定例也，」的一段說法，亦未舉出所謂定例的依據來。其後萬樹作詞律駁之，雖把毛說推翻，而亦未能求得宋人所以分體的依據和義例，反使後人對此不加研究。於是此一問題，遂成千古懸案。直至近年，著者尊人王蓬栗先生，作詞體辯證一文，始就詞的衍進變化上，求得分體的確切依據。原原本本，條分縷析，分體義例，這才昭然若揭。因知三體區別，並不是就字數多少而定的，乃在其結構上變化基本聲律的聯數多少以為斷。所以小令字數並不一定少於中調，長調字數也不一定多於中調；不過中調構成的聯數，那就必定是多於小令而少於長調的。於是詞體區分的義例，得到此一依據，方能確定成立。因之舊譜作者，既不明瞭詞的體例，則其所謂，當然龐雜無體系，雜亂無章。新譜秉承家學，編列取材，一遵辯證成說。以單調小令的構造係由基本聲律二聯變化而成，因之編為二行；雙疊小令的構造係由基本聲律三聯或四聯變化而成，因之編為三行或四行；由此類推，中調編為五行或六行，長調編為七行或八行，特長慢詞，則編為九行以上。於是學者只須一覽調譜，則全詞體制結構，便已瞭然在目。所謂能修事半功倍的效果，根據就在這裏。（中）

假如我作了大官？

馬五先生

我原是一個學識平庸，才幹低能的新聞記者，再吹點牛皮的夸夸其談，也不過是一名所謂智識份子而已，還不是被人們看成十個九丐之列，算得了老幾呢？

可是，如果祖宗有德，先人的墳墓風水又好，或者生長的地方忽然出了一個「不得了，了不得」的大人物，拔茅連茹，那末，我亦做上了一名大官的話，那末，我立刻就變成無所不通，無所不能的社會公認的萬能天才家了！

第一：任何公共集會場所，一定被恭請去「訓話」，儘管胡說八道，不知所云，或者實行「罵」起話來，有如父兄教訓子弟然，開口「我告訴你們」，閉口「我早已講過」，聽話三千，「朽」氣十足，而鼓掌之聲不絕，恭維之語盈耳，報紙上更說是某「座」訓話時，聽者動容！

第二：任何出版物的封面，大小市招，或任何風雅人士的題簽，都要請我題字了，那怕我寫的字原是牛鬼蛇神的模樣，大家一定叫好讚嘆不置，越寫得醜，越有人欣賞，不說這是胎息魏碑，即說是深得了二王的神髓，我乃一躍而成了當代的大書法家！

第三：任何報紙雜誌的紀念特刊，一定向我徵文，自己寫不成，隨便教書記們東抄西襲，湊上一篇，得之者引爲殊榮，當然刊在顯要地位，以示尊崇。見到的人，當然恭維欽佩，說「我公」是唯一無二的政論家兼文學家了！

此外，死人的赴聞上要我題簽，花柳病醫生的廣告要我寫名給等等，更不一而足。總之，一作大官，不但身價十倍，骨頭加重，而且貫古今，才通中外，文武全資，一切都「高能」之至了。

「無官一身輕」，這句話確有眞理，不作官的人兒，一身都是輕骨頭，誰也瞧不起你，官越大，身子就起重，官之爲用，大矣哉！不甘被人輕飄的朋友們，趕快去求官吧！

曾慕韓的詩

·王世昭·

（一）

孔子論詩說：「詩可以興，可以觀，可以羣，可以怨。邇之事父，遠之事君，多識於草木鳥獸之名。」這個說法，一知半解的人一定不承認，現在讓我把它註解一下，看孔子的詩的定義能否成立。

何謂觀，觀是觀政治的得失。何謂興，興是鼓舞人類共有的向上精神。何謂羣，羣是團結協和同一地區，同一思想，同一信仰，同一生活，同一意志，或同一民族，以及同一國家的共有感情。何謂怨，怨是吐露個人的，或集體的，共有的情感，用優美的文詞，和諧的音節，動靜合宜的律調，與自然的或固有的形式，把它表現出來。至云「邇之事父」，父子，夫婦，兄弟，朋友之倫，無不可以形諸歌詠。「遠之事君」，專制時代是君主，民主時代當然是人羣的表率，是以形諸歌詠者，則歌詠之，（或詠嘆之）。說到「多識於草木鳥獸之名」，就是不要忽略自然界的一切現象。這些，[illegible]界的一切現象，但原則還是相同的。我們所需要的詩的定義與原則，我現在仔細的思考一下，似乎與孔子所說的並不衝突。而在退一步來說，二千五百[illegible]士多德，或其他外國詩人找定義；結果，依我自己所知道的粗疏並不多，這是何苦來！

（二）

慕韓的詩，左舜生在中國現代名人軼事中說：「慕韓的詩是志士之詩，而非詩人之詩」。這批評似乎頗爲中肯，但毛病即在「而非詩人之詩」六個字上。因爲既承認是志士能詩，而又不承認其爲詩人，這是很矛盾的。我以爲慕韓是一個很有抱負的政治家，同時亦不愧爲一愛國詩人。他的一生以顧亭林之心爲心，以龔定菴之詩爲詩（晚年亦頗像杜甫），以曾國藩之志爲志，故他的創作，充滿着國家愛，民族愛，社會愛。不過他的詩所得於天的爲少，所得於家庭教養，與社會薰陶的爲多，故他的詩，不是從苦吟下手，而是從直抒胸臆得來。

我研究龔定菴的詩，曾爲之作結論說：「其詩驅經史子集與百家，隸於腕下，而吐其怫鬱幽憂之氣，伸之爲縱橫馳驟，不知其極。」曾慕韓有定菴之志，而無其氣；有定菴之心，而無其筆；有定菴之骨，而無其力；所以，他的詩弱於定菴。但他的氣象堂皇，經驗豐富；吐屬似黃公度，馳驟似梁任公。如以之與當代作家角，他的路度不同於黃晦聞與胡漢民，黃以工勝，胡以博勝，曾慕韓則當以氣勝。假使根據孔子的詩的定義，慕韓實不愧爲一詩人，劉滌波爲藏鬘室詩集題詞云：

「文章自得江山助，百變風雲詩如淚。寫將天地聖賢心，一枝搜鏡並秋露。」

評可謂恰於慕韓詩的好處。我翻開慕韓的詩集，愛國、愛鄉、愛家、愛人、愛己的詩，淋漓滿紙，隨錄一首沒有不與上面的條件暗合。如「少年中國歌」，「中華航空歌」等，均可歸於愛國的一類。「獨雞行」，「送楊叔明君歸蜀」等，均可歸於愛鄉的一類。「呈曼公兒一首」，「海上懷宏兒」，「自題小照寄內」等，可歸於愛家的一類。（上）

金珠

中篇小說　·勞影·

我第二次走過了那家門口。

天，已經黑下來了，我有點灰心。我眞想把那條手帕搭做一團，從留口窗邊遞進，然後上車飛跑；可是，還良心說，我實在捨不得那樣做，這條手帕對我的魔力實在太大了。

我偷偷地環顧四面，依然沒有人注意到我，我的胆子又壯了起來，我再度掉轉車頭。

我第三次走過那家門口。

結果還是一無所獲，我咬緊牙關在離門口兩步遠的地方停下車來，我手慢慢地掏摸着第二支煙，我下了決心要在這短短的數十秒鐘裏想出一個萬全之計……

這時，我吃驚地聽得有人發出一聲乾咳，我吃驚地轉過身，因爲我聽得出這聲咳嗽是假意做作的，我抬起頭，在那扇我時刻注意的門扇，斜斜地露出一個老太婆的頭臉，臉上掛滿了曖昧的笑容。

「進來坐，先生！」

我眞難以描述這一聲含混的招呼的帶給我的刺激。

我木然地站立着。

「先生，進來坐坐嘛？」

我放好車子，麻木地用一種搖搖的腳步走上台階。我的頸子有如套上一道無形鎖鍊，我被牽着走進了那扇老太婆爲我打開的大門。

屋裏很乾淨，但缺少了日用的傢具和孩子們的笑語，——這是一家高級暗娼。

壁右角是一張直通二樓的扶梯，像其他一些合疊式的建築物一樣，左邊是一通排用紙門隔成一小間一小間的離地塌塌米床……兩個女人正在陰暗的角落股勤地修飾着，老太婆指我在一張木椅上坐下。

「要哪一個？」

我抬起頭，順着老太婆的手指，我看到那兩個正在化粧的女人躲在鏡子背後格格地低聲笑着。

「這邊的這個叫阿寶，那邊的那個……」

我搖搖頭。一面準備站起來。雖然我昨夜沒有看清那個女孩的面孔，但我敢斷定決不是這兩個女人中間的任何一個。

老太婆用手拉住我的袖子。

「噢，先生，」她阿諛地說：「請您等等。」

我驚奇了。怎麼？……難道命運之神一定要我揭開這個差強人意的謎底？

我以焦燥不安的眼光探視着老太婆的臉，我希望她這樣說：「先生，她們都很好了…………就這兩個之中選一個吧！」

「等一等，先生。」老婆子怪聲迅來：「最漂亮的，……先生，我馬上就去叫。」

我因無力支撐身體的重量而又回坐到椅子上。

「我去叫阿梅。」老太婆說。

（六）

共幹迎親

·不打自招文鈔·

·文抄公·

以下是中共雜誌刊載的原文

迎親

吉林　大勻

幾天來，老張同志總是似愁似喜的，而且常常低着頭，反背手在辦公室裏踱來踱去；顯然有什麼心思在勾引他。好多人都這樣想：咱們供銷站的任務可不輕，主任一定是在考慮供銷問題哩。其實大家都猜錯了，老張是在爲兩個同志的婚事操心哩！他想：自己是個領導同志，幹部結婚不搞得排場點，小裏小氣可不像話；但是三岔河這個「窮地方」，雖說在鐵路沿綫，却連個專備迎親用的小汽車都沒有；僱馬車吧，既不好找，也不像樣，怎麼辦呢，爲難！爲難！

捉摸着，捉摸着，張主任最後總算找出了個門道：縣合作社拉貨的載重汽車不是三天兩頭來嗎，利用它一下不是就解決問題了。想到這裏，他才如釋重負地噓了一口氣。

迎親的日子到了，老張發動了幾個年輕小夥子，把載重車上的貨卸下來，再把汽車佈置得五彩繽紛。但車子太大，新郎坐在空空的車廂裏，既不緊湊，也不惹眼。他靈機一動，就把樂隊也裝了進去。剎時鑼鼓喧天，眞個是喜氣洋溢。

用載重汽車迎新娘，在三岔河鎭是件稀罕事，何況吹打彈拉的樂隊又是那麼吸引人。因此載重汽車還沒有出門，周圍的人們已經聞訊起來，汽車剛剛開出門，就被大家嚴嚴實實地包圍了，擠得水洩不通。汽車司機着了忙，猛地鳴笛開道，誰知這一下驚了旁邊拉大車的牲口，只見車一頭鑽，蹲在車上看熱鬧的幾個小孩一骨碌地都滾倒了。人羣頓時起了騷動，幸虧司機眼急手快，「咯」的一聲把車剎住。幾個小孩哇哇地哭起來，坐在車上的新郎臉也嚇白了。

「算了罷，不要用載重汽車迎親了，這是鋪張！」供銷站的一個同志說。

張主任一面用眼光搜索着聲音的來源，一面說：「有什麼關係？又沒有出啥事，這些人就是這樣少見多怪！」

「張主任，我看這樣會引起羣衆不滿的，大家都在想盡辦法增產節約，我們合作社還拿公家運貨的汽車接新娘子，未免……」又一個人走到主任面前對着他的臉說。

張主任簡直有些生氣了，又不是自己假公濟私，這樣做也是爲了大家呀。他有意地迴避過對方含有責備的眼光，像指揮官似的堅決下令：繼續前進！

汽車又鳴笛了，汽車裏的樂隊重新奏起樂來，人羣向兩旁閃開了一條大道，於是汽車耀武揚威地前進了。張主任望着載重汽車龐大的背影，一絲笑容掠過了他底面龐。

這趟迎親的路上還設[illegible]吸引了不少人。但是汽車順利地通過了[illegible]，是汽車因爲迎親耽誤了兩趟運貨，如以每趟車載運貨三千公斤計算，得多花運費三千元，就使國家少收三百萬元的運貨費，但更顯示了[illegible]的合作社因此賠了一部份商品。

此後，一個「順口溜」在羣衆中傳開：

「合作社，眞不錯，

幹部迎親坐汽車，

不知增產節約怎麼樣？

結婚好像『小登科』！」

原子暗殺案

·維尼譯·

鄉團長米克斯所發現的足跡，表示兩人曾並排一起走，但到達一條小道時，其中一人却落後了十二呎，此人似乎就在這裏發槍射擊威爾生，甚至沒有再走上前去，檢查他的屍體。這人的足跡又顯出他來就回到停車的地方。

第二天早晨，鄉團長把足印做了模型，便將何爾特[illegible]，但他絕口否認威爾生是他殺的。

在加納布灰色石砌的監獄裏，四十八歲的何爾特還是自稱無辜，他說，他和威爾生駕車同去，最初碰到一條小路，汽車無法開入，祇得折回汽車停了。於是威爾生跳下車子，自管自徒步而去，他沒有跟着去，後來就回到鎮上，買了一瓶酒，傍晚是和一些採礦的朋友一起度過的。

鄉團長已對何爾特提出殺人控訴，但他還沒有足夠的證據支持這個控訴，[illegible]證據中最重要的是兇手的手槍和一雙可以和那足印模型相符的鞋子，但這兩件東西都沒有找到。他說：「科學化的調查，[illegible]大便利，這是這裏的人都[illegible]我輸告消息。」

但即使這宗謀殺案終於水落石出，加納布居民是否從此平靜了呢？米克斯[illegible]：「我們經過了黃金熱的時代，爲了黃金而殺人的事，你看，現在我們又有了一個鈾礦熱的時代，[illegible]鈾礦，現在採鈾的人也可能和從前一樣，血案也可能和從前一樣多，[illegible]看吧，我將來的麻煩多着哩。（下）」

項記郁達夫

王耀尉

本來美貌之於女人，不一定就是幸福，一個女人既稟受天賦之厚，在人慾橫流，禮論失散的紛亂的社會裏，不能藏拙自守，其責任固不能單獨責成女人來抗負，但影響所至，竟因之而斷送了一個才子人，所以當時一般對郁王婚案幾乎普遍有個成見：即：「無論王映霞怎樣美，嫁給郁達夫，總算幾生修到，單憑『達夫九種』這部戀愛聖經，王映霞也足以千秋了。」這也是平心之論。

之後，他倆越鬧越不像話，映霞負氣而去，達夫也一氣之下，應了星洲日報的邀約。在廿七年達夫去國之夕，還寫了許多詩句——即所謂「毀家詩」，並把映霞的一個「情人」寫給映霞的「情書」，原原本本的照片印了一套像明信片般的珂羅版印成的東西，遇着交好就送。當他赴南洋之前，我們還見了幾次面，自然不用說，那時達夫頹喪蕭索的神志，眞無法形容，一襲藍布長袍，配着一頂細邊禮呢帽，本來其貌就不很揚，這時眞頹廢到了極點。可是「清官難斷家庭事」，才人去國，世局阽危，我們相對無言，黯然話別，却不意這一別却成了千古。

（八）

太平洋戰潮掀過後，許多朋友都隔絕了音書，日本「皇軍」侵略的指標指向星洲，達夫却逃難巴丹尚「日成一詩」，及到流亡到蘇門答臘，這時他已不再以文人面目示人了，他開過雜貨店，一會又主持着一爿酒家，自己也「韜身」過。文人偏生在亂世，眞可奈何的環境下，他的環境也夠苦了，他未能忘情，還是免不掉醇酒婦人，但可能解嘲：「傷心人別有的懷抱」，不久達夫便和一個學籍華僑女子何麗由互戀而結婚，地點是巴東埠一家酒店，時間是民國卅二年（一九四三年）的九月十五日，婚禮舉行的前夕，前塵往事，湧上心頭，自然別有一番滋味，但心情却不寬貴，定情詩是「無題」，下註：用時詩韻，「一」洞房紅燭禮張仙，碧玉風情勝小蠻，惜別文通猶有恨，[illegible]，何年歸去長西湖，[illegible]妖媒閨「三」[illegible]猶想後十州，誰信東風[illegible]擴謝翻開[illegible]帶上鈎，何日西施嫁范蠡，五湖煙水洗恩仇。「四」老去看花意尚勤，[illegible]物似浮雲，洒從南埠[illegible]，[illegible]殷裏燕，水調歌頭初按拍，[illegible]逢君，年年記取淸和節，[illegible]雲。

（五）

中華民國僑務委員會頒發登記證台執新字第一零二號
中華民國郵政登記第二類新聞紙類

自由人

THE FREEMAN
（逢星期三六出版）
（第三四五期）
每份港幣壹毫
台北市售價台幣柒角
督印人：雷嘯岑
社址：香港高士威道二十二號四樓
20 CAUSEWAY RD
3 rd. fl.
HONG KONG
香港發行事務接洽：高士打道六十六號　電話：七四〇五三
承印者：東南印務出版社　地址：高士打道六十四號
台灣特派員辦事處：台北市館前街五十號
台灣總經銷處：台北中華路五九四號之一
台郵劃撥儲金戶九二五二

民主憲政是有希望的
——併質「自由中國」記者——

湯亮吉

自由中國半月刊，在本年六月十六日第十卷第十二期登載一篇社論「立法院議事規則一頁」。愛護民主自由的人士，看見這一個標題，不免要吃了一驚。立法院是憲政的一個保障機構，也是人民代表所組成的全國最高立法機構，立法院而替憲政開一惡例，這不是對中國民主憲政一次重大打擊？經過詳細看了這一篇文章，我們纔知道自由中國記者這篇社論的主旨，在批評立法院行使俞內閣同意權時，沒有咨請總統，通知所提新院長，到院提出施政意見。

用心良苦的有心人

按照立法院議事規則第五十二條：「依憲法第五十五條行使同意權時，全院委員會審查後提出本院會議投票……」又第五十三條：「前條全院委員會議，如認爲必要，得由本院咨請總統通知所提人，提出施政意見。」根據自由中國半月刊那篇社論所記載當天的事：「上月二十五日上午，立法院全院委員會審查總統提名俞鴻鈞爲行政院長諮請同意案時，爲着應否邀請俞氏報告施政方針，曾引起激烈辯論，在場委員三三三人，表決結果贊成邀請者一六一人，反對者一六二人，僅以一票的多數，決定不邀請俞氏報告施政方針，當天下午即舉行投票，通過同意案。」自由中國記者認爲同意程序是關係憲法的精神，「在責任內閣制下，……負責任必須有所依據，不拿出施政方針，行政院憑甚麼負責任？同意必須有所憑藉，不聽取施政方針，立法院憑甚麼來同意？」我們對這一問題看法，雖不同於「自由中國」記者。但是自由中國記者的用心，我們是同情而深諒的。「自由中國」這篇文章的立論，雖然有其缺點，然而從全篇文章看，這位作者對於民主憲政忠愛之誠，是躍然於紙背。今天中國的有心人，那一個不焦急欲死！焦急的還不是偏處一隅；焦急的是我們的政治，要澈底與共產世界有一分明界限；更焦急的，今天的民主憲政，經不起再一錯誤。今天的反共抗俄，萬萬不好再用俄共的方法，妄想以毒攻毒而收反共抗俄的勝利與成功。「自由中國」記者這篇文章的出發點，照我們細細讀後的感想是這樣的：我深深覺得這篇文章作者是今天的有心良苦的有心人！

立法院還是進步的

看了「自由中國」記者這篇社論，我們翻翻那幾天的報紙，打聽打聽那幾天立法院會場情形。我們的[illegible]

否邀請俞鴻鈞氏報告施政方針，曾引起激烈的辯論。在場委員三三三人，表決結果，贊成邀請者一六一人，反對者一六二人，僅以一票之多數，決定不邀請俞氏報告施政方針。」[illegible]

許多不同意的少數

[illegible]

自然是一條比較好的道路，但是多數並不常常是聰明而深遠的意見。』所以觀察民主政治的運用，尤其是觀察一個議會政治，必須注意其中少數意見的存在狀態。

五月二十五日下午，立法院大會通過俞鴻鈞繼任行政院長案。根據報紙第二天的記載，當天投票時，在場委員四七〇人，不同意票者八〇人。投同意票者三六七人。廢票八人，空白票十五人。俞鴻鈞同意案雖以絕對多數通過，但是四七〇人中，不同意及廢票等共達一百一十八人。相當於四分之一。立法院在此時此地，能有這許多不同意的少數，從立法院的少數意見看，還是有進步的。從立法院的少數意見看，中國的民主憲政，還是極有希望的。質之自由中國記者先生，不知高明以爲何如？（四三，六，一七，九龍。）

日內瓦會議的教訓
——應該是和共黨集團最後的會議

旭軍

日內瓦會議對蘇聯共黨集團有百利而無一害。對自由世界有百害而無一利。因蘇聯在日內瓦會議獲得極理想的宣傳戰之成果。

俄共集團的宣傳戰目標有二。其一、則爲鞏固其統治及已獲得的利益，這是對鐵幕內的。其二、則爲製造難題，使對方陣營發生紛歧、衝突、磨擦，這是對外的。

日內瓦會議正具備達成上項兩目標的條件。

共產對鐵幕內的表演

先說第一個目標。共產黨一旦建立政權，最重要的宣傳是使被奴役的人民深信其政權具有極大的力量與聲威，任何反抗，皆屬絕望。

日內瓦會議未舉行之前，莫洛托夫即定名爲「五強會議」。雖然西方不肯承認，但這是鐵幕外的觀感而已。俄共的目的不在鐵幕外，而是在鐵幕內。因此中共在大陸上，不論在廣播、在報紙、在演說、在民衆大會，都大吹大擂說中共『已成爲足以左右世界命運的強國了』。中共的代表團凡數百人，浩浩蕩蕩的去到日內瓦，在經濟瀕於破產，財政窘困的時候，還動用大鈔旅費，死撐場面。周恩來住在日內瓦郊外一個別墅，比莫洛托夫所住的別墅還更大，還要金碧輝煌。這個場面是撐給鐵幕內看的。試看中共報紙登載日內瓦的照片，連一個旅館門前插着一枝中共五星旗，也攝影登載，證明中共已是「五強之一」了。

周恩來在日內瓦的無恥演說，大言不慚的自稱『中共對此係替亞洲人發言』，以及莫洛托夫在五月十一日在十九國會議中致辭，以兩小時的時間，狂言美國和聯合國，竟公然聲言沒有任何太平洋區域的防衛聯盟能夠遏阻共黨主義的狂潮。又說：『佔全世界一半以上的亞洲各民族已選擇了新的途徑，任何國家或權力都不能阻止亞洲各民族新的眞正民主發展途徑。』[illegible]

分裂自由世界的效果

現在說到共黨利用日內瓦會議去拆散自由世界的聯合。假使要說明共黨「會議」[illegible]

第一，會議拖延，使軍事的進行，是一個最好的例。[illegible]鬆弛對方戰意。五月七日奠邊府失陷，係由於法國人有日內瓦會議可致停火的幻想而意志動搖。[illegible]

第二，會議便於分化手段的施展。此次在日內瓦會議中，共黨看中了英國的妥協心理，[illegible]

第三、利用會議機會扶掖其傀儡政權[illegible]國及高棉共黨傀儡政權」。可見扶掖傀儡政權，也是會議戰略中之一要目。

自由世界應有的覺悟

第四、會議是搗亂自由國家國內政治的方法。共產黨的宣傳戰目的，不但拆散國與國之間的聯合，而且企圖使非共黨國家之人民對政府的信心削弱，用種種手法使非共黨國家內分成許多集團，互相磨擦，阻止聯合抗共之成功。法國蘭尼爾內閣之拐倒，是一個極顯著之例。由於日內瓦會議共黨放出越南休戰之餌，致令國內人民意見紛歧，會議失敗，政府遭受人民指責，以致政府垮台，羣龍無首，英美亦無法與法國共商大計。歐洲防禦計劃亦因此而延宕。

第五、會議可使西方國家着了「等候主義」的催眠術。共黨會議戰爭採延宕戰術，漫天開價，待至對方行將退出談判時，然後作極小的讓步，以維持局勢緊張，至不決裂爲止。退讓以不損及共黨基本要求爲限。使一般苟安求妥協與戰而會貿易的人，戀戀不捨。因此在日內瓦會議期間，邱吉爾首相一直抱着『等候日內瓦會議結束才作聯合打算』的宗旨。

綜上觀之，日內瓦會議對自由世界有百害而無一利。如果要說有一點益處的，那就是給我們警醒的教訓，即『和共產黨開會議是不能達到和平的。』我們必須確認開會徒對敵人有利。日內瓦必須是最後一次的會議！

每週展望

·李秋生·

展望艾邱會談

[illegible]

法郎士內閣與越南和談

[illegible]

支持瓜地瑪拉革命運動

日來瓜地瑪拉革命軍以破竹之勢，向首都進展，大戰已迫在眉睫，軍事得失，目前尚難逆料，所要促起世人注意的，是自由世界對於此一事變的態度問題。

首先應該認清的，這不是內戰，也不是中美局部之爭，而是整個世界反共反極權鬥爭的一部分。瓜地瑪拉政權早成俄共工具，該國人民奮起反抗，應該得到自由世界的有力援助，任何中立旁觀態度都是無形中幫助了俄共。不看到蘇俄對瓜國親共政權的支持，並不做任何顧忌和掩飾嗎？自由世界的紳士作風，應付不了共黨的窮兇極惡，現在是覺悟的時候了。

亞洲人的自由與自由人的亞洲

·司馬璐·

蘇俄對自由世界的攻擊，有三個最重要的武器：一、特務化的國際性共產黨；二、克里姆林宮統一指揮下鐵幕內外的共黨武裝部隊；三、國際性的統一戰綫。他們在各個不同的地區，以各種不同的策略，分別孤立自由世界的主要國家。

民族主義與共產主義

在國際性的統一戰綫方面，又分成三個部分：以貿易的誘惑，分別分化和軟化自由世界內一部分短見的商人；扶植自由國家內失意的過氣政客，在自由世界內部散播恐俄及「和平」的影響；在落後地區，特別是在亞洲，運用民族主義的煽惑，造成東方及西方民主國家間的對立。

本來，民族主義和共產主義之間，是績不相容的。根據共產主義的理論，認為「民族主義是反動的東西」。共產主義者徹底反對民族主義者。民族的獨立與自主，是與蘇俄的世界侵略政策相抵觸的。狡猾的蘇俄帝國主義者，他們一方面憎恨亞洲的真正民族主義者，在行動上進行摧毀亞洲民族主義的發展力量；一方面他們以陰險毒辣的手段利用亞洲民族主義的情緒，偽裝亞洲民族主義的同情者，以欺騙亞洲人民。

共產黨人把民族主義解釋為「民族問題」，他們認為所謂「民族問題」者，是階級鬥爭的一部分，是世界革命的一部份。

蘇俄圖究 亞洲人

共產黨又把民族主義解釋為「民族形式」，他們認為通過「民族形式」，是實現共產主義的捷徑。也同時是消滅民族主義的巧妙方法。

在這個「利用民族消滅民族」的辯證法則之下，亞洲的共產黨人多戴上了「愛國」的假面具，於是出現了毛澤東的「新民主主義」，周恩來在日內瓦也提出「亞洲是亞洲人的亞洲」的口號。最近香港某共黨報有一篇「真正的亞洲和『亞洲自由』」的社論，這是一篇對亞洲人民充滿造謠誹謗與惡意分化的文字。

這篇社論中說：「美國統治者不僅想冒充『亞洲人』，還想以冒充的身份來統治亞洲。」其實，這一段文字應該修改為：「俄國統治者不僅想冒充『亞洲人』，還想以冒充的身份來統治亞洲」，更為恰當。

我願意舉出以下這些事實：

一、今天亞洲的動亂，全由「蘇俄統治者」一手製造。

二、蘇俄統治者以強制的手段迫使整個亞洲接受俄化，完全是違背亞洲人的願望的。

三、蘇俄統治者對亞洲所進行的征服戰爭，其野心正是為了「統治亞洲」。

由此可知，今天亞洲人民的共同敵人，是蘇俄帝國主義。

該報同一文中又說：「在日內瓦，人們聽到了中國、朝鮮、越南三國代表的發言。」它所指的「代表」，當然祇是各該國的共黨代表，所謂「發言」，也不過是蘇俄的傳聲筒而已，與真正的亞洲人是毫不相干的。

發揚亞洲民族的潛力

但蘇俄利用亞洲民族情緒的事實，今天也應該是西方國家反省的時候了。

由於歷史的仇怨，西方國家與亞洲人民之間，過去確有不少不愉快的因素，亞洲人對西方國家多有疑慮，這些疑慮，由於蘇俄的挑撥離間，已更趨複雜，若干亞洲國家對於反俄雖採取「觀望中立」態度，但對內反共則做到相當徹底。這些國家，在政治上，我們儘管不同意他們的作風，在情緒上，我們是不應該忽視的。

為什麼菲列賓能夠成為一個有效的反共國家，為什麼菲列賓能夠緊緊和西方民主國家站在一邊。其最大的原因我們不能不歸功菲列賓之能脫離殖民地而獨立。

另一教訓，是西方在越南的失敗。越南人要問，「我們為什麼打這個仗」？如果我們有一個響亮的號召，給越南人民以一個美麗的遠景，一定可以使他們感到歡欣鼓舞，等於增加百萬大軍。

真正亞洲人民的聲音是：

「亞洲人的自由，與自由人的亞洲」，我們需要一個「亞洲大憲章」，以發揚亞洲民族的潛力，使亞洲有真正的民族主義興起，成為亞洲政治的原動力。如果亞洲有真正的民族獨立和自由，則蘇俄人的欺騙宣傳，就一文不值。如果亞洲人民能夠根據自己的願望以組織自己的生活，則共產主義的影響就不易透了。如果我們能消除亞洲人民對西方國家的疑慮，則亞洲的反共十字軍就要更為強有力了。

六月十四日

鐵幕內的波蘭眞相

一個逃出鐵幕的大學教授自述

加雪譯

本文作者高羅威士博士DR MAREK KAROWICZ，前波蘭大學教授，和波蘭駐聯合國代表團團員，是最近逃出鐵幕最有名譽而且重要的人物。高博士是一個愛國志士，第二次大戰的時候，他參加法國的波蘭軍在法國作戰，法國投降後，留法做地下工作。去年波蘭政府派他担任波蘭駐聯合國代表團團員兼法律顧問，可是他於九月十七日的午夜由救火梯逃出紐約的旅館，跑到一家餐館，接電話給紐約的波蘭難民領袖，找到了一個暫時容身的地方。翌日高博士便宣佈脫離波蘭代表團，請求美國收容。現在他是美國一家著名大學的教授。

下面是高羅威博士寫的富與趣而含血淚的文章，原文太長了，茲節譯如下：

欲擒先縱的策略

去年夏天，波蘭外交部長叫我到他的辦公室。他說，聯合國的法律委員會輪到波蘭當主席，要他去參加出席。他曉得我是一個無黨無派的人士，他要我負責純粹法律的事情。

鐵幕是幕內民衆的一個大監獄。這個監獄不只一重，是重重。我想脫離這個監獄久矣！由一九四七年到現在有好幾個機會提了我的名字，準備派我到外國，都沒有得到通過。現在機會再來了，豈容放過。

可是在共產主義的國度裏，你得採取欲擒先縱的策略。跟據這個策略，我對外交部長說道，我近來身體不好，現在還在戒口，而且我從前沒有機會到過聯合國，恐怕負不起這個責任。部長說道，你是此中老手。你從前兩次參加國際同盟，你要去！成功了！部長看見我不要去，以為我捨不得波蘭，偏要我去。欲擒先縱的策略這一次幫了我一個大忙。

在紐約的三個月實在是優差。旅館的房間是政府供給的，每天還可以得到二十一元美金。除了每天八塊錢伙食，還可以有不少錢買美國貨，最妙的是到了紐約，只要找到一個美國警察，或者其他政府人員，我便可以獲得自由了。

回到了大學，我小心翼翼，準備行程。為避免嫌疑起見，銀行的存款一個也沒有提出，箱裏的衣裳一件也不敢動。我告訴我的朋友說，到了美國一定給他們帶東西，並且一宗一宗的記在簿裏。

沒有家室之累

九月四日回到華沙，只帶了一個皮箱子。進了旅館使去赴代表團的會議。開會的時候，外交部長指示我們道，到了美國，差不多每一個人都是我們的敵人，旅館的侍者，汽車司機，火車上的客人，戲院的觀衆，祇一不是資本主義的特務。叫我們千萬不能夠和任何一個人談話。散了會，部長拉了我的手，問道，「你準備把家眷安置在那裏？」

在鐵幕裏，沒有家眷的人是不准離國的。我的心當時跌了下來。我只好據實答道，「部長，我是一個獨身漢。」部長的臉有一點發青，他望着部裏一位大員，表現出不覺信的神氣。我回到旅館，感到十分愉悅，難道這一次機會又成畫餅了嗎？

第二天下午二時半我提起了精神跑到車站。外交部長在車站裏給我們送行。我和他拉了手，便跳上車。我高興極了。為什麼他讓我走呢？難道是因為命令已出，不好收回嗎？

香蕉和自由

我們在巴黎有一天一晚的停留。從前我到過巴黎好幾次，熟悉地方情形，所以做了代表團的嚮導，帶他們遊巴黎。我是最愛好香蕉的，可恨鐵幕裏沒有這種可口的東西。忽然在市場上看見一梗一梗的大香蕉。高興極了，買了一梗，攜着香蕉，在巴黎街上遊了一個早上，我深深的感到自由的陶醉。

在黑暗的鐵幕裏過了這許多年，巴黎眞是人間天堂！光彩的衣裳，快活的面孔，[illegible]似的車輛，和堆滿了華貴物品的商店，這都是鐵幕裏頭的人們想不到的。望見巴黎街上的警察，他們的職務是保護人民，不是恐嚇人民。在巴黎，人民可以過他們所喜歡過的生活，做他們喜歡的事情。巴黎是這樣快活，這麼美麗，我感覺到十分地愉快，同時也感覺到十分傷心。

回到大使館的房間裏，望着窗外巴黎的景色，心裏好像十五吊桶七上八落。我只須借一點意識跑出大使館，自由便屬於我了。可是巴黎這個地方共產黨的力量很大。在這種環境下，我能夠盡力為祖國工作，恢復祖國的自由嗎？還是忍耐一時，等候到了紐約再設法脫離鐵幕好嗎？難分難解，不知適從的時候，便取食香蕉一枚。經過兩小時，我決定了心志，可是香蕉也吃光了。

（上）

編者讀者

△讀者來函▽ 政務委員兼職

編輯先生：陳內閣時代，並不是主管經濟財政的機構設在兩部，主管的係由政務委員兼管，似乎有點不合理。政務委員另設機構負責辦理，同時兼管外間事務，而且時常作丑表演，還有私人親戚的事，紊亂行政系統呢？[illegible]說，這疊床架屋的機關，是不是破壞制度，應當整理一番。陳內閣總辭後，閣員臨時兼理的事務，不應兼的職務，隨之結束。但還有政務委員，以政務委員身份兼了例如某物料會，某訓練班之類。這是否合理呢？以上兩問題，請公開發表，以就正於國人。

李大錚　邵士宜　敬上　四十三年六月十九日

編者的話

△辛植柏、黃少游、亭健翼、苗雨、羅自芳、胡冷、劉鑫如、馬龍、陳訓潮、傅中梅、孫眞、思光、歐陽正宅諸先生：惠稿均已收到，謝謝！

△穆秦先生：函悉，六月十一日已詳覆，計達。

△韓名銅先生：函悉，可代辦。

△劉非烈先生：函悉，大作甚願拜讀，惟本刊本年內已無法再刊長稿，歉復。

越南法軍新統帥 艾利將軍

·焦木·

人物述評

（一）

鎮邊府淪陷後，法國最高軍事當局以及美國方面，均認為納伐利戰略錯誤，應負最大責任。接替的人物，幾經週折，最後決定由五十六歲的艾利將軍擔任。

艾利是法軍人中最傑出的將領：為人沈默寡言，不喜名利。他此次出任越南統帥兼高級政治專員，除了將才和毅力外，尚有其他重要原因。

（二）

鎮邊府陷落後，法政府曾派遣一個三人視察團前赴越南，由艾利將軍任團長。六月初，艾利返巴黎，攜回一個使法政府驚訝的報告。因報告內容過於重要，法國國防委員會為保密起見，甚至不讓艾利草成書面，僅用口頭報告。據巴黎「快訊週刊」透露，這一報告最重要的內容，至少包括下列數點：

（一）目前越南局勢，不但紅河三角洲，即認為絕對安全的越南南部，也已經受到較鎮邊府更嚴重的威脅。

（二）過去三個月，法聯軍死傷損失二萬人，其中包括軍官二千五百人。

（三）法聯軍及越南軍的士氣，已低落到極可怕的程度了。鎮邊府失陷，使胡志明爭取參加游擊隊的人民數目，三天內之所得，超出過去七年半經過戰鬥和宣傳之所得。

（四）法美兩國所建立的越南國民軍，極不可靠。目前表面雖已組成二十二萬的隊伍，但缺乏有經驗的軍官，士兵素質又極壞，且多屬不忠份子。

這一報告，確能道出越南事實的眞相，更證明過去外間譏評法越聯軍為紙老虎，並非事出無因。艾利憑他的軍事學識和觀察，與勇於負責的作風，能於短促時間內，察出越南軍事失敗的癥結，說出以前法軍當局不敢坦白承認的過失，這自然引起法國當局的特別注意。

（三）

艾利於報告之外，更提出挽救越南危局的意見。他主張應撤換法軍統帥納伐利；法遠征軍必須不惜一切代價以防守紅河三角洲的河內和西貢；必須立即增調四十營至五十營的兵士至越南；國會必須從速批准新的徵兵於三十天內開赴越南戰場，担任保衛越南南部受威脅較小的地區。

艾利的建議，自然仍不足以在越南爭取勝利，但如果能按他的計劃實行，總可使法軍減少大規模的損失。

艾利就在提出報告和建議之後不久，受命赴越担任統帥兼高級政治專員。目前越南局勢已陷於千鈞一髮的險境，他的責任是相當艱著的。外國軍事家相信，他不致於辜負法越人民的付託。

（四）

艾利將軍之名字，過去雖不大為外間所知道，他在法國將才凋零的今日，卻是一位具有輝煌歷史的卓越軍人。他生於希臘的沙洛尼卡。第一次大戰期中，被徵為普通步兵；直至大戰結束和約簽訂後，始進入聖西爾軍事學校，再求深造。他曾三次受傷，二次大戰中，一顆子彈雖幸未擊中他的心臟，已使他的右臂受了重傷。所以他也像法國唯一元帥茹盎一樣，是用左手舉行敬禮的。納粹德軍佔領法國的時候，艾利正在醫院養傷，他不顧健康，離開醫院去參加反抗軍，後來升為法國地下武裝部隊的將。

一九四九年十月，艾利担任大西洋公約組織三人常務理事會的法國代表。當他初到華盛頓五角大廈走馬上任時，許多美國軍官看見這位滿面皺紋的高個子，只知道他名叫艾利，卻全不知他的底蘊；因此初時大家都瞧他不起，不願和他合作。但不及兩年，艾利將軍即接替布雷德萊將軍為常務理事會主席。他工作的熱誠勤勞，軍事學識的豐富，意志的果斷，贏得了美國同僚的信心，過去對他的輕視，迅速變成了尊敬。

（五）

艾利是一位節操極高尚的人物。他在華盛頓時，有一次，對於德國參加西歐防衛將產生甚麼後果一點，和當時法國國防部莫煦，意見發生衝突。艾利對於德國參加西歐防衛組織，雖不熱心促成，但亦表示贊成；可是莫煦堅決反對。艾利因此提出辭職，但未獲准。一九五三年八月，他被調返巴黎，出任法國聯合參謀長會議主席。

美國五角大廈的高級人員中，現任聯合參謀會議主席雷德福海軍上將，和艾利不但私交甚篤，而且在工作上最能合作無間。當此越南局勢日趨惡化，美國有單獨介入可能的時候，艾利將軍之出任法國統帥，對越局前途，必將發生重大影響。美法在越的軍事合作，亦可更趨於緊密，以達成阻遏越盟共軍的攻勢，而挽救東南亞全部淪於赤禍的厄運。

（六月十七日）

大陸上的——反共自治救國運動

吳振翼

新從北平到港的外國人士報導，大陸上的人民不但不相信中共，亦不相信任何搞革命的政黨，反共自治救國會是目前大陸上最有力量的祕密組織。梁漱溟之被清算管制，亦與此一運動有關。

筆者最近和一位來自北平的外國朋友談話，知道大陸的人民反共力量，雖經中共多年大力鎮壓，始終沒有消滅，正和本刊三三七期所載「不會消滅的西北反共力量」一文所說的一樣。

這一位外國朋友，住在中國已有廿多年，會說一口流利的北京話。據他告訴我：國民政府退出大陸之初，反共救國的組織，遍地皆是。當時他爲了解共黨面目起見，曾通過共黨關係深入老解放區——西北、華北、華東及華中等地。曾和中共首要及被整肅的共黨份子，反共愛國志士接觸甚多。也曾到過反共的人民自治游擊區隊。他說，當時的游擊隊，都是散漫無組織的隊伍，祇是人民愛國思潮的反映而已。經過中共連年圍剿，加以清查戶口，和鎮壓反革命的暴力摧殘。現在除一部份較有政治組織領導的游擊隊，竄入山區，或大的湖泊地帶以外，形式上，大陸反共游擊軍似乎已不存在了。但實際的反共力量不祇沒有消滅，反日見擴大日見堅強起來。

人民知道受騙了

近三四年來，在中共不斷的整肅，改造和屠殺之下。民族資產階級逐漸被消滅，知識份子思想被管制，老百姓百分之九十以上（共產黨軍隊的士兵在內），已經覺悟到「自由」是可貴的了。「不自由，毋寧死！」的格言，人人都深深體味到了。他們更覺悟到人民要得到自由生存，非自己努力鬥爭不可。依賴少數黨人去反共，去爲人民爭自由，根本是錯誤的。他們覺得中國過去數十年，一般搞黨，搞政治的領導者，都是自私自利。最初號召革命，無一不唱起最漂亮的口號，希望獲得羣衆的擁戴，到得了政權，口號全不兌現。目前人民的痛苦，全是受少數野心家的欺騙而來的。尤其是共產黨穿着人民服裝，來殺害人民。因此他們不但不相信中共，也不相信任何搞革命的政黨。

這位外國朋友又說：毛澤東佔領大陸以來，被清算、鬥爭、殘殺而死的在今日已無法統計，整個大陸已變成了一個極度恐怖的地獄社會，每一個老百姓都爲自己的生存問題，無一刻不是戰戰兢兢，希求免禍的。現在中共騎在人民頭上，對人民大肆鎮壓，使人民變爲新貴們的奴隸。大家已經覺悟到中共存在一天，人民便不會有自由的一天。

反共自治救國運動

他又說：一九五二年春天，當中共在大陸「三反」「五反」進行正利害的時候，一般愛國志士經過秘密協商，已在華北、西北、華東秘密成立了一個「中國人民反共自治救國會」，這個秘密組織，有幾項重要主張：第一、廢除黨治，要從黨人手裏收回人民政權，徹底執行「民有」「民治」「民享」的政策。第二、要用革命手段消滅少數黨棍，實行人民自治。第三、廢除官僚制度，打倒貴族階級。第四、反對黨治，主張政治公開。第五、地方自治，由各地人民選舉代表組成自治政府。選舉時要嚴密防止黨棍活動。第六、人民組織反共自治救國軍。配合國際形勢，就地起事，以期達到解放和自由目的。

梁漱溟受迫害的原因

該會組織秘密異常，一切都在秘密中推行。但一九五二年成立之後，被共黨發覺處死的，也不乏人。首次遇害的，有鄉建派梁漱溟的學生段梅先、周幼仁、孫保誠。有中共民主共幹金怡然、馮子琦等十餘人，均在平滬先後被捕秘密處死。梁漱溟亦因此受中共嫉忌，行動爲中共所管制，思想又被清算，至今軟禁故都，形同囚犯。惟反共救國運動亦由此在大陸上一天天的壯大起來，從北部的沙漠地帶，伸展到長江兩岸，由西北高原，擴展到東海之濱。此一潛力，就是中共今後崩潰的致命傷。祇要外面的反共力量有機會和這些力量接觸，一定會發生極大作用的。一九五四年六月八日。

台灣中南行（十三）屏東糖廠的規模

魏希文

我想去看他，但由於是團體行動無法單獨離開，不無悵悵，因爲他是一位刻苦自勵，好學不倦我所敬佩的優良軍人。

我們大概休息了半小時之久，於是到大禮堂參加學員生會餐，這又是一個動人的場面啊！掌聲像山崩海裂一樣的向我們衝來，一直持續到幾分鐘之久，我們坐下來後才靜止了。

會餐之後，首由羅校長致詞，他把軍校的情形向我們作了一個簡明的介紹，最後要請我們同人多多指導，這時我們同人中由彭敬修代表獻錦旗一面，由羅校長代表接受。

接着又由同人孫中岳代表致詞，在將來反攻復國的戰爭上，海外一千三百萬僑胞是一致支持，共同完成我們復國建國的勝利，最後還有兩位代表同人，自動走到麥克風前講話，這實在是由於我們在這個偉大的場面中太感動了，我們的心配合在一起，我們的熱血交流在一起，好像不說幾句話，實無以表達我們被激動的感情！

會餐之後，我們在悠揚的樂聲中走出禮堂，但這時處處在揮手，擊手，以及一片雷動的掌聲，我只感到熱淚要奪眶而出。回到高雄市，已是晚上九時了。

屏東長橋五千尺

四月一日的參觀程序，那是上午參觀屏東的台灣糖廠，下午遊覽文化城的台南，並由台南市各界招待我們晚宴。

早上八時半，全體同人在華僑之家門前集合，每次出發之前，僑委會的李副委員長樸生先生，總要問個清楚，是否同人已經到齊，於是，他才命令開車出發，他的細心週到，使同人對他都有良好印象。

大概十時餘，我們過屏東大橋，橋長五千零七英尺，橋合有二十四座，爲東亞第一大橋，過橋時，我們便看見屏東糖廠聳立雲霄的烟筒，大家歡躍着說：「糖廠在望了！」

當東行在屏東縣境，我們看見道旁許多蔗田，甘蔗長得很高，大概已到快收割時的候了。我們的車子一直駛進糖廠，下車後，即由糖廠的同人招待我們休息，香烟、手巾、熱茶。可是，當我喝上一口的時候，才知道這不是茶，而是一杯甜甜的蔗水，我們不禁從心裏笑出來說，我們到甜蜜之鄉了。

四十六年的歷史

說到台糖，在國內外的人沒有不知道的，我在香港就吃過不少台糖。台灣糖廠已經有四十六年的創立歷史了，比我們的年齡還大呢？它創立於民前三年，屏東爲總廠，一共有十幾個分廠。

我們分兩組參觀，一組參觀農場——即廣大的蔗田，一組參觀製糖，我在先參觀農場的一組，旋即登車赴農場，大概有十幾里路之遠，我們下車後，便看見一片廣大的蔗田，這時正由機器在施水，水頭是轉動的，好像在下雨一樣。據一位工程師告訴我們，這裏原來是最不好的土地，農民不願耕種，便由糖廠自己來經營，雖然地質不好，但由於糖廠用科學和機械來改良，甘蔗卻長得非常肥碩而又高大。由那後，我們又去參觀那一個正在開墾的蔗地，車子行在中途，便無法通過了，我們只有改爲步行，啊，這又是一塊平原，不過土地高低不平，而且都是大大小小的鵝卵石，我們到那裏，正由開地機在耕耘土地，那廣大的面積，如果由人力來開拓，眞不知要費多少精力和時間，但由於機械的開墾，最貧瘠的土地也可以肥沃了。

每天產特砂四千包

參觀農場回來，我們在回歸的公路上，第一組已在途中和我們相遇了。我們趕到糖廠，由工程師領導我們參觀製糖部門，首先我們看到成千成萬的甘蔗，由輪運車從小鐵軌上，運到蔗道上，再由蔗道上輪到壓榨機器中，據說每廿四小時可壓榨甘蔗三、六〇〇——四、〇〇〇公噸。那壓榨器第一階段是折斷絞碎，到第三階段，甘蔗水從輸送管中流出，蔗質已成爲棉花一般了。同時蔗汁經過濾清汚以後，便輸送到大蒸餾鍋中，就在這鍋爐中提煉出三部份，一爲上等特砂糖、次等、最次的部份做酒精。在機器的下面便是一個一個的大缸，製成的特砂便輪到缸中了，再由缸中輸送到裝包的部門，口袋套在糖的輸送管上，裝滿了一定份量後便自動落下來，再由包扎工人鎖口，便搬上運輸車了。這是機器的偉大，由草似的甘蔗，成爲一包一包的白砂糖，在一套機器的過程中完成。據陪同我們的人說，每天可產特砂四千包。

屏東糖廠，據說在二次大戰時，被盟機轟炸，投彈五枚，主要機件及廠房都被命中燬壞，廠房也都化爲灰燼，可是光復以後，很快的就修復完成了，這種艱鉅的偉大工程，不能不使中外人士感到驚異，視爲奇蹟。

參觀完畢已是中午，承糖廠方面招待，在禮堂中午餐，菜肴頗有江南風味，大概廚師是南方人吧！席中由糖廠方面負責人致歡迎詞，旋由同人中一人代表致答謝詞，她說：「我們今天參觀屏東糖廠，眞是置身在甜蜜之鄉，」這句話說來，想到我們喝着的甜茶，便有一般滋味在心頭了。（未完）

評漪痕新詞譜

王歛彬編著

味腴

三、關於選調方面

詞的衍進，由簡趨繁，唐代僅有小令，五代擴爲中調，名之曰引曰近，宋初張先柳永輩始創爲長調，稱之曰慢詞。調的字數句數，逐漸增加，調的名稱，也日益的加多了。據崔令欽「教坊記」，在唐時已有三百廿四調，逐漸至今，調的數量，至少當在千調以上。萬樹詞律所收，已達六百六十調，當時號稱完備，但日常習用，仍嫌太繁。後此各家詞譜所收，常至百調爲止。而其中調數量，往往不及全書十一，各體分量，相差懸殊，學者病之。新譜取材，計得單調小令十二譜，（詞以雙疊爲主體）雙疊小令三十六譜，中調三十六譜，長調三十六譜，（三體分量相稱，斯爲特色，前此無有也。）末收特長慢詞八譜，（此體於寄興言情，兩無所當，王靜安評語，已成定論了。此亦聊備一格罷了。）全書共得一百二十八譜，古今名調及日常應用之調，亦已略具，無需他求了。其油腔滑調，如「西江月」，「一翦梅」之類；其結構與近體詩無別，如「生查子」，「玉樓春」之類；概未採錄。

四、關於選詞方面

選調製譜，所以示規矩；選詞證調，所以資模規，而選詞尤爲重要。舊譜選調失當的，十之二，三。選詞失當的，十之五，六。如溫飛卿，韋端己，馮正中等人，號稱詞壇開山老祖。而白香詞譜於韋詞一字不錄，溫馮亦不過各得一闋；又如辛稼軒爲推爲宋代第一大家，白香詞譜於辛詞亦復一字不錄，試問讀畢一部詞譜，尚不知有韋莊辛棄疾的姓名，豈非咄咄怪事？舊譜無識，乃至於此。新譜所採範詞，於一時代，必採其代表作家；於一詞集，必選其最高作品。每譜規定範詞二首爲原則。其有一調而前人作品句法平仄有異同處，則按其所異，酌添範詞，以資印證；其有一調而前人名作特多的，則亦酌增範詞，但最多亦不超過四闋；其有一調而前人名作僅能得到一闋者，則由著者仿作一闋，列之附錄，用以補足一譜兩詞的原則。總計全書共錄範詞約三百闋，其作家則唐代七人，五代十五人，北宋南宋各二十六人，金元明三代各十人，清代三十一人，近代十人，合得一百二十家。千年來名家大家之第一流作品，蓋亦略備於此一編了。故曰學者手此一編，不惟得到一部最理想適用的詞譜，並且同時得到一部最完備精粹的詞選，其根據便在這裏。聽說這部新譜，早在去年殺青，並曾送請台灣惟一的某大書局發行。但經該局編審部審查結果，認爲此類書籍，在文獻上，固然堪稱善本；但社會人士，必年在四十以上的人，方能瞭解。恐印成後，在台灣勢難銷售幾百部，經濟上頗不合算云。筆者認爲出版界對於此類著作，目光似不應完全注射在經濟算盤上，還當放大一點去從國家文化上着想；也不應僅就台灣一隅的銷路上計算，還當放遠一點，去從光復大陸時着想。那末這樣的一部現代士林所迫切需要的讀物和範本，雖多印幾萬部，也是絕對不怕銷售不完的。意者香港出版社和書局林立，必有目光遠大之士，能爲此編負起印刷發行的責任，用以嘉惠士林，宏揚文化。這便是筆者草擬此文，出作介紹，區區的用意所在了。

× × ×

郊區衛生亟待改善　市民應與當局合作

報載香港賽馬會最近慨捐港幣一百八十萬元，俾醫務當局於西營盤興建一座具有相當規模的門診醫院。預料這一間新診所一經完成，每週可望應付數約八千名求診者，或兩倍於現時該處單層診所處理病症的數目。這一座擬議中的診療所，可望於現行財政年度中開始，診療部門將括有：產科、兒科、社會衛生及癆症各科。現有的貝夫人健康院、灣仔診療所、九龍醫院門診部，幾無法與之比擬的。就人口比例而言，香港公私醫院診所以及中西醫生，不能算少，但醫療設施，原係防患未然，絕非根絕病源的治本方法。社會環境衛生尤比醫療重要，否則遍設診所亦屬徒然。

今年入夏之後，天氣亢旱，寒暖失常；對貧苦市民健康不啻是一嚴重威脅。因此，轉輾床第及掙扎於烈日之下，在每間公立醫院等候輪診，此種現象由來已久，今夏特多；雖然各間醫院盡力設法改善，務使患者減少痛苦。但是求診者衆，疏導若無良策。不久以前，衛生當局曾經呼籲市民協助清除偏僻小徑、陋巷垃圾，藉杜病菌滋長，疫癘蔓延；市區綜不能說已見實效，比過去卻已大加改進。然市郊湫隘之區，污水垃圾隨意傾倒，且人口蝟集，蚊蠅滋生，竟然無人過問。固不知僅恃城市清潔，非杜患防病的根本辦法，忽視郊區衛生，絕多數來自湫隘之所。

是以衛生當局對於郊區環境，自應隨時督察，隨時勸導市民提高警覺，若不及時設法改善，清除垃圾，疏導污水，不特郊區居民的健康堪虞，即市區亦將受到影響。尤其對於區域性的具體衛生工作，亦應迅即進行；簡單明瞭的勸導宣傳印發張貼，與比口頭上的勸導收效得多，但這種足以發人深省的傳單，似乎一個人口密度超過了普通都市數量的地區是不能缺少的。香港過去的紀錄，雖然傳染病未會有過驚人的數字列出，相信一旦發生如腦膜炎、腸熱、霍亂、阿米巴痢等這種流行性的時疫蔓延，殆將貽無窮之患。尤其對於醫療和設備疫癘猖獗，將會感到東手無策。基於此種情形，亟待市民與當局熱忱合作，勇於改善環境衛生。其重要性當不下於有病求醫，誰也應該切實負起這一救人救己的責任！

香港三日

啟事：本刊三百廿一期以前各期稿費現已分別致送。惠稿諸君，如未收到，請即示知，爲荷！

談「逃脫覆舟」

自由談

馬五先生

我們自由中國政府的新任「相國」，先一天在立法院聲明：政府決策，對凡屬反共非共的人士，皆歡迎來台。第二天在同一場合，又指載某些現在海外反共非共的中國人士為「逃脫覆舟」，說當年請他們來也不來，如今台灣安全了，又想要來，「我倒不歡迎他們來的」！據外國電訊報導，新相國說此話時，並且面帶怒容哩！由前之說，似有「宰相肚裏好撐船」的氣度，由後之說，又好像是連一根火柴亦放不進去的斗筲不如之器，這真教人莫名其土地堂了！

凡是閱讀過一下史記孟嘗君信陵君傳記的人，即能理解政治生活的道理是怎末回事。你有辦法，大家都來投靠，你倒霉，相率望望然去，這好似趕墟市一樣，市場內貨品林立，顧客不請自來，否則掉頭不顧，古今中外的政治現象皆同然，有何稀奇呢？文天祥史可法一流人物，在中國幾千年的歷史紀錄上尋不出幾個呀！再說一個政府只怕來歸附的人民不多，決無拖拖拒人之理。照新相國的說法，現在大陸上對共匪稱臣受奴役的人民，豈但「逃脫覆舟」，亦且附逆有據，將來政府若回到大陸，是否一律予以摒棄呢？

我從忠貞的觀點設想，固絕對贊成循名核實，淨化反共抗俄的陣營，以正人心，勵澆俗。可是，要淨化就得澈底，是則是，非則非，毫無假借，方足以樹之風聲，為天下法。然據孤陋寡聞如我所知，有些當年不僅「逃脫覆舟」，躲在海外，還要暗中與大陸共匪貿易營利；或在海外大談甚末反共反蔣的言論，連香港時報也不敢看一眼的舊時文武政治垃圾人物，今天又在台灣以天字第一號忠貞份子姿態出現的，也並非沒有，請問相國先生，於意云何？

國家的中興大業，是要選人才，氣魄，作風來創造的，光是寫幾篇好看的政治文書，擺些無關宏旨的表面事物，那有中興的景象？政治家的唯一條件，就是識大體，持大節，不察察以為明，勿示人以不廣。做首相與作市長是不同的！

曾慕韓的詩

·王世昭·

「一九一九年十月，帶病出國，抵巴黎車站，口號一絕，寄國內友人」，「獄中寄示諸同志」，「國慶日與東京同志聚飲」，「德業勗同志一首」，「寄國際名人傳，牽廸一首勗同志」等，可歸於愛人的一類。至於愛己，常有「述志」二首云：

「尼山曾說思無益，良玉當知琢乃成。贏得空言竟何補，令人千載笑書生。」

「知行合一陽明旨，本末兼賅文正心。但使空言能實踐，何妨終古號書淫。」

（三）

他的思想，服膺孔子，折中王陽明、曾國藩，而以曾國藩自期，其學固不離內聖外王，其無形中亦常以道統自任，故常燕生為慕韓遺詩集作序，亦常以此勉之云：「夫慕韓亦何必以詩名，以彼其人，使得行其志於今日，則撥亂反正，出生民於水火，雖荊公湘鄉不能遠過。」獨惜慕韓竟賚志以歿於羈旅頓，蓋亦可哀者矣，悲夫！

慕韓的詩初學龔定菴，其創作雖受定菴之影響，但實亦欲出人頭地。故雜詩多作五絕，余綜計前後凡一百三十五首，較之定菴七絕三百十五首雖不及一半，其不肯自後於前人亦於此可見。

至晚年，慕韓讀詩益多，學益進，故其自序云：

「予自壯齡後，益耽吟詠，憂憤所集，悉寄於詩。情意是攄，未遑雕琢；唐宋之別，更非所計。殆亦勞者自歌，匪求傾聽之意云爾。」

余研讀慕韓詩，精至之作在七律，放曠之作多五言，七古初期亦爲之，稍後則愈少見。

今錄五言及七律各一首於後，「月夜渡黃河」四首之一云：

「月夜渡黃河，蒼茫感慨多。壯懷馳塞外，幽窅寄山阿。」

又如「金陵秋感用王漁洋秋柳韻」云：

「懷人感物淚沾襟，照影驚心[illegible]玉[illegible]。草澤[illegible]誇赤帝，儒林[illegible]觀[illegible]青箱。亡秦[illegible]祇賴存三戶，興[illegible]曾經讖誤八王。湖水至今傳謝傅，問誰重建紀功坊。」

（四）

慕韓曾氏，名琦，別署愚公，四川隆昌人。生於清光緒十八年壬辰（一八九二），卒民國四十年（一九五一）五月，得年五十九。

慕韓死後，青年黨人多輓以詩，李璜有「哭曾慕韓兄」二首云：

「深知死去意難平，民族存亡尚繫情。回首虛家灣月夜，一樓鐙影澈譚聲。」

「人事亦如國事難，廿年多病豈無端？早知一別成長往，翹帳江頭悲聚歎。」

劉泗英（即少年中國學會時代之劉正江）有「哭愚公」三首，尤其沉痛，爲全錄於後：

「三十七年曾別離，包胥公自哭秦庭；蘇武知無日，復國會有時；幾見素車能赴葬，漫聞遺札忍相窺；淒涼異域嘲留滯，一髮中原萬里思。」

「白下春中同小住，誦詩三百舉家清；華瀛名社非湯武，救國集團惜宋明；差喜寰瀛會我借傾，幾回懷抱爲君行役，望斷蓬婆雪外城。」

「聞道良朋多殉難，鵜鴂一慟眇高岡；洪流到此稽天浸，桑拓於今幾夕陽；萬里雲程鵬正擊，千年華表鶴初翔，九京莫作還鄉夢，彼美西方是故鄉。」

余與之亦不薄，曾有「悼曾慕韓先生」八首，見香港大文藝報。

金珠

中篇小說

勞影

「阿梅？」

「阿梅，先生，最漂亮的！」

「不是叫阿巧？」我想問，又忍住了。

「阿梅你認識，先生？」

我搖搖頭。

「我去叫阿梅……」老太婆高興地，嘍咕着爬上樓梯。

我閉上眼，回憶着那晚月下那個嬌小的迷糊的影子，難道阿梅就是阿巧的化名？我希望這不可能。我之所以把她兩次看做阿巧，但願祗是一種偶然重複的錯覺。

那兩個抹粉的女人開始唱歌了。

我不安地望着門口，但怕驀然走進一個我所熟識的人。

霎時我聽到樓上一陣抑制性的對話。

「我不要。」一個女孩的聲音憤慨地說。

「不，阿梅，這是一個體面的客人呢。」

我的眼光牢牢地落在那蠍從樓梯間垂下來的燈上。

「我不要就不要！」

「真的嗎？」

「不，阿婆，」女孩的聲調軟了下來：「我不舒服，我受了點涼……阿婆。」

我打了一個冷戰。——我恨我能夠精通台灣語。

「到那個時候回來，你去那裏的呢？」

「噢，……電影……我看的最後一場，阿婆，……我這就下去了。」

我把精神振作一下，我聽到老太婆下樓來了。

「阿梅馬上就下來。」她解釋着。

「唔。」

「你的眼力好，先生。」

我注意着樓梯上緩慢的腳步聲，阿梅下來了。

我的心急跳起來。

現在，阿梅站立到我的面前，我以十倍的目力打量着現在站在我面前的這個叫阿梅的女孩子。

謝謝上帝，她不是阿巧。

她的身材看來比阿巧高些。穿一件攙色絨袴，上身披一件絨綫外套，頭髮捲成一個美麗的球型，兩頰豐腴，有如她週身各部曲綫；膚色白裏透紅，幾眉細長，兩眼渾圓烏黑，眼梢呈現一抹細長而美麗的黑色紋痕，挺直的鼻子微微向外俏皮地翹出，嘴唇拱成一個驕傲而誘人的弧形……

雖然她不是阿巧，但別有一種隱掩的憐人之處。

因爲她不是阿巧，我很感安慰，可是，當我細細看清了這個女孩的面目之後，我反感到一陣莫名其妙的遺憾。照理，我應該馬上離開這裏才對，因爲我已完全獲得了我所需要的；可是，在這種情形之下，我走得開嗎？

我默默地站起來。阿梅慵懶地走在我的前面。

（七）

瑣記郁達夫

王耀莉

還四首裏，充分見到詩人的[illegible]緒，此後我們也就很少知道他的消息。到了抗戰勝利，許多朋友都盼望着他的消息，卻不見歸來。傳說他在酒店混了些時，不幸被日軍識破了他的身份，將他逮捕了去，又迫他[illegible]，到日本無條件投降，即不見達夫。事後探查：日軍在戰敗之際，簡直有如狂獸，在卅四年九月二十七日之夜，好些個充繙譯的華人來滅跡，當然達夫便是其中之一個，死後尸骸用藏屍車乘夜運棄海中——達夫便如此完結了。

（九）

達夫的生年，就實歷推算，是丙申年，庚子月，甲午日，甲子時，這是清光緒二十一年十一月初三日，公曆一八九六年，即民國紀元前十五年；他是在民國卅四年，日本敗戰之日失蹤（被害）了的，在世祇有四十九歲。一代才人，一代犧牲了，借用一句詞來說：真是「可哀惟有人間世」了。

他在中年以後，餘事做的舊詩詞，造詣都很深，字裏行間，充滿愛國心志，雖然也免不了憂鬱的情調，卻也有[illegible]

[illegible]

達夫死後，遺下一女，子元春，女漱民，爲元配孫氏所出；子陽春（飛）殿春（參）建春，爲王映霞所出[illegible]

[illegible]（續完）

倫敦的雅賊（下）

·魯尼·

尼文喜歡他的工作，他的工作已和他的生命混爲一體，[illegible]的東西，帶些回家去。[illegible]利亞與阿爾伯特博物館的管理員，他在工作上需要保管的東西全不是他的。[illegible]

[illegible]

[illegible]最近，這位五十[illegible]

羅東行

·關伯勉·

遼遼塵中原，五戰客瀛島，卜居羅東村，落落傷懷抱，八口無家，生計何煩擾。城市繞繁囂，去來荒山道，[illegible]

乾坤自蕩漾，孤綿浮昏曉，神山不可即，靈樓幾時到，迴首舊京華，獸官猶如猫，[illegible]遠山色，溪漢平疇稻，[illegible]不離桑，小市寰瀛少，疑入武陵溪，恐作逃秦老。

出郭日隨驕，入門月放皎，老妻具餐盤，幼女問寒燠，小兒十歲餘，[illegible]，歡呼拍手舞，[illegible]，兒童已解語，永結歡娛好。賊寇仍鴟張，[illegible]，[illegible]，玉石俱枯槁，[illegible]，全生已獨厚，[illegible]，況當艱難會，守此中與堡。義師終一舉，神州欣再造，明時無棄物，樗散願自保，以茲慰老妻，起舞魚樂藻。[illegible]明朝入城去，庭柳柔絲裊，君子貴守節，[illegible]，是非名利場，盛氣相傾倒。

自由人

中華民國僑務委員會頒發登記證台僑新字第一零二號

中華民國郵政登記第一類新聞紙類

THE FREEMAN（半週刊每星期三六出版）

（第三四六期）

每份港幣壹毫　台北市售價台幣伍角

督印人：雷嘯岑

社址：香港高士威道二十四號四樓　20 CAUSEWAY RD 3 rd. fl. HONG KONG

香港發行及事務接洽：高打士道六十六號　電話：七〇五三三

承印者：東南印務出版社　地址：高打士道六十四號

台灣特約經銷處：台北市館前街五十號

台北 中華路五九號之一 合衆書報社 郵政劃撥戶二九二二

論權力的毒害
——作大官的應注意心理消毒

·徐道鄰·

中國的傳統政治哲學，一向是鼓勵讀書人作官的（「孔子三月無君，則皇皇如也」），作大官的（「居天下之廣居，立天下之正位，行天下之大道」）。二三十年前，一個不識十幾的小孩，初學作文，馬上就會擬什麼「修齊治平」。所以中國知識份子之具有強烈的政治慾，權力慾，是無足怪的。奇怪的是這樣歷史悠久的政治哲學，對於權力之足以害人，政治權力之不是一樣好東西，卻並沒有若何明白和有力的提示。

權勢冲昏頭腦

西洋人對於這一點就比較清楚了。布脫勒（SAMUEL BUTLER 1612—1680）說過：「權勢是要冲昏人們的頭腦的」（AUTHORITY INTOXICATES），他說：「它的烟氣侵入人的腦子，使人們發暈，驕傲，和自滿。」

亨利·亞當姆士（HENRY ADAMS 1838—1918）說：「具有權力和享有大名，對於所有的人，都要發生一個效果，就是使之加深病態，好像一顆毒瘤，一定要把病者所有的同情心扼殺之而後已」。「權力就是毒藥」（POWER IS POISON），和「一位有權力的朋友，就不再是朋友」（A FRIEND IN POWER IS A FRIEND LOST），也都是他說的。艾克頓勛爵（LORD ACTON 1834—1902）寫給克萊頓（CREIGHTON）的信中（1887）有句話：「權力是毀滅人的，絕對的權力絕對的毀滅人」（POWER TENDS TO CORRUPT AND ABSOLUTE POWER CORRUPTS ABSOLUTELY），這是他近年來特別被人欣賞的名言。德孟特（SHAW DESMOND 1877）在WORLD BIRTH（1937）書中說：『搞政治總不免有些下賤成份在內。搞政治要把好人變成壞人，壞人變成更壞的』。（THEY TURN GOOD MEN INTO BAD MAN, AND BAD MAN INTO WORSE），更是說得多麼淋漓痛快！

權力爲甚麼是毒藥

至於權力爲什麼是一種毒藥，它爲什麼必然毀滅人，大家似乎都還沒有明晰的解說過。我們不妨在此略予探討。

一個居高位的人，任重事繁，再沒有精力和時間同過去常在一起玩耍的朋友去鬼混，自然要引起他們各種閑話；其中一些一知半解之流，更一個個十分興奮地閉門造車去寫一篇篇的各洞條陳，結果石沉大海，而使他們怨氣冲天；還有，從政者的設施，縱然極端公平，也不免樹立多少恩怨，而使一些沒有達到目的的人覺得他狗血噴頭，是任何從政者所無從避免，也無須乎去避免的事情。

但是另一方面，我們隨時可以看見社會上不少人士（歷史成例，更是指不勝屈），平常表現得很不錯，可是一旦得了權勢，馬上開始以或快或慢的速度在作人作事上一直往下坡路上走，直到事業和人格完全破產爲止。那是爲什麼？

霍布士（HOBBES 1588—1679）說過：「人類之追求權力，是爲了保障自己的生存，不過，他知道這個保障，是不太靠得住的，所以他必須追求更多的權力，來保障他已得的保障。[illegible]一直到死亡來臨。」[illegible]凡是不對他們[illegible]的人士，他們都認爲是靠不住的，是危險的[illegible]

如果說，權力的[illegible]是使人們的理智受了侵蝕，以致在決策及用人上，[illegible]心理學上[illegible]溫室（HOTHOUSE）的氣氛，[illegible]自尊心（SELF—RESPECT）[illegible]（SELF—RIGHTEOUSNESS）[illegible]

[illegible]險的，是用不得的。於是他們要的決策，都是自以爲是的落伍方法，他們任使的人物，都是[illegible]的邪佞之人，那麼他們的事業，焉得而不失敗？

統治慾是虐待狂

還有，就精神病學的理論，統治慾根本就是一種虐待狂（SADISM）的表現（MANIFESTATION）。[illegible]

政治家的心理消毒法

[illegible]

一、[illegible]了這句話，爲什麼？你如果對你自己忠實的話，你一定會發掘到你的很多和很大的缺點。

二、誰是你目前最看不起的人，那麼你設法在他身上發掘使你眞誠佩服的一點能力或表現。你若是一個客觀而忠實的人，一定很快的得到答案。

三、你曉不曉得你最大的缺點是什麼？你有沒有設法去補救？你進步了多少？

四、誰是你目前最要好最密切的朋友？在最近一月中，你見過他幾次？有沒有親密自然地和他[illegible]切的暢談過？

五、在地位不如你的人們中間，誰是你最佩服的一個？在最近一月中，你見過他幾次？有沒有和他深談過？有沒有披肝露胆地向他請教過？

六、誰是你最佩服最欽慕的歷史人物？你有沒有他的傳記在你身邊？你最好得兩個月翻閱它一遍，看一看人家的事功、學問、風格、修養、相形之下，你是多麼的狂妄、愚昧、和渺小！

七、常常想一想，誰是現在常受你呵斥責罵的人。假設你知道明天你們將要倒過來坐在相反的位置上，那麼你預備今天怎樣對待他？

教皇爲主教脫鞋洗脚

西方國家，一直承認羅馬教皇是萬王之王的。在教皇加冕的典禮中，[illegible]高坐着十二名主教，教皇要跪在每一位主教面前，低着頭替他們脫鞋洗脚，我曾經參加過這個典禮，當時眞不覺感慨萬千。卑遜（HUMILITY），[illegible]凡是從政的人，一定要留心培養這個美德才好。

從國際聯盟的失敗看聯合國的危機

黃同仇

這一論題與其在聯合國的本身求答案，不如在聯合國的外面求答案。因爲依照聯合國的憲章，這一組織的力量寄存於它的構成分子。它的成敗關鍵不在聯合國本身，而在構成聯合國的國家。這與從前的國際聯盟是同一性質的。

國聯失敗的回顧

筆者承認聯合國的憲章，包括組織，權力和它的構成分子，其足以有實的條件，遠在國際聯盟之上。我們不應拿聯合國和國際聯盟作等量齊觀。但是他們彼此相同的地方也很不少。國際聯盟是一個鬆弛的組織，它的本身沒有實力，不能用武力制裁違反盟約的國家，甚至運用經濟制裁的強制規定也沒有。它的會員國各皆保持「完整的主權」觀念，不脫過去自私自利，有強權無公理的積習，一切行動皆以大國利害爲依歸，弱小國家的生死他們視如草芥。如一九三一年日本侵犯滿蒙，佔領我東北；一九三四年意大利侵略阿比西尼亞。國聯雖然照例通過譴責案，但美國不肯以實[illegible]

以上是國際聯盟失敗的內在因素。至於國際聯盟失敗的史實，也是國際間不調協與不合作，各存異志，互相猜忌，各人自圖私利，不顧國際公道。

孤立、均勢、和安撫

美國因受孤立主義的限制，不參加，便與美國無關。但國聯的成敗，不能說因爲美國的[illegible]

[illegible]

聯合國的危機

前面已經說過，在組織上，聯合國要比國際聯盟稍勝一籌。但就國際形勢說，聯合國當前的危機實在較之國聯時代更爲嚴重。這種嚴重的危機大約來自三方面：第一是來自蘇聯，第二是來自英法，第三是來自美國。（下轉第二版）

每週展望

·雷嘯岑·

艾邱之會

美國急於要組織東南亞聯防，英國卻要與共黨簽訂「亞洲羅迦諾公約」的互不侵犯協定。邱吉爾，艾登到華府去遊說，想求取艾克同意；艾克杜爾斯又想說服邱翁，積極參加東南亞聯防。究竟誰的主張可能勝利呢？

我看誰也不會完全勝利，結果是美國默認越南與共黨分而治之的不光榮和平，英國贊成以泰國高寮之綫爲東南亞最後防衛界限，藉可保障馬來亞與印度的安全，然後表示願意參預東南亞聯防計劃。換言之，即以保持西方利益爲主，除非共黨入侵馬來半島，印度洋岸，所謂英美聯合行動，終歸是欺人之談！

英國的說法

英國對美國的勸人議論，就是艾登近日所强調的「共產大國有歧見」之說，他自命是在日內瓦會議中觀察所得，千眞萬確，恰恰與艾克所謂：「藉貿易關係以構成中共脫離蘇俄的中心力量」云云，所見略同，美國當然聽得進去。

英國還有一種對付美國強硬政策的煞手鐧，那就是英美同盟密約規定，非有雙方同意，任何一方皆不得對反共問題單獨行動！美國頭上套着這種鐵箍，因而對亞洲政策舉棋不定，議論多，行動少，感到十分尷尬。

如果杜爾斯最近主張再檢討英美同盟關係之說，不能實現，亞洲的局勢，大概就在混沌和冷戰的情況中，拖延下去，以待俄共集團的次一動作了。

俄共集團的動作

英國既由日內瓦會議中與中共秘密妥協，洋洋得意，自命大有所獲了，法國又一意哀求越戰及早停止，不惜代價，這正是俄共集團進行「國際統戰工作」的大好時機，周恩來之到印度，目的即在此也。

美國到今天還在聲明決不單獨行動，援助某一國家反共，而不警覺自身已被敵人弄成日益孤立，被盟邦搞得一籌莫展的危險形勢，叫喚一陣，但知一手抱着錢袋，一手拿着原子彈，虛張聲勢。俄共集團卻悶聲不響，隨時大幹其國際統戰工作。杜魯門那點圍堵政策的傻勁都沒有，共和黨政府還有甚末重視亞洲問題之可言呢？孤立主義勢將逐漸抬頭，靜待第二珍珠港事變之演出吧！

東北亞如何？

艾克近日演說，特別重視日本，而其特使非列特將軍又正在東北亞到處奔波，當然有所策動。南韓已完成十八個師的近代化裝備，還有兩師快要成立，日本亦已公開表示積極建軍，非列特對台灣有提出三年建軍計劃的消息，美國與非島亦已構成聯防體系。

這一切現象，證明美國對東北亞政策比較積極，而對東南亞只是消極的防禦。若想必要時對中共能予以致命的打擊，除了東北亞地區的實力外，別無希望。可是，中美之間尚無聯防協定，有如美非的聯防體系，美國留此缺陷，難道又是爲着英美同盟密約的關係不成？

何不效法友邦？

美衆議院通過一項法案：如有美國人覺得共區比美國好者，即由政府發給單程旅費，讓他到共產世界去。這辦法很高明，留他在國內，一個公民既然對本國沒有忠愛之心了，那就是「內賊」，等於把病菌養在身上，自招疾疫，何若是呢？

台灣，基於安全的必要措施，不許外人自由進入，殆亦未可厚非。但對於願意出境者，亦限制甚嚴，有些人根本就不許離境的辦法，似乎莫測高深。如果認爲某人不忠貞，則留住他毫無益處，敬鬼神而遠之，更以讓其所以淨化反共陣營也；若有反動嫌疑，既不能置之於理，則所謂走爲上策，養癰貽患，而又[illegible]？爭人身自由的進步之名，所爲何來乎？堅決反共救國的，站攏來，三心二意的，滾出去，堂堂之陣，正正之旗，這才是一個政府的應有態度，不必要的留難，徒示人以不廣耳，戒之哉，宜勉力！

澳門難民苦況

向聯合國難民調查團呼籲

辛植柏

【澳門通訊】據台北電訊：「聯合國香港難民調查團團長韓伯勝，十八日中午，將結束訪問自由中國之行，飛往菲律賓，韓伯勝在菲將勾留三四天，再度赴港，繼續完成其調查難民工作」。

中國難民自一九四九年多起，即由大陸共匪區內大批奔向港澳避難，總數不下百餘萬之衆，中國人民冒險逃難出來，意義非常簡單，就是不堪忍受中共的奴役與暴政。關於此點，韓伯勝先生當有深切的認識。

據台北六月十七日同一電訊：「韓伯勝先生曾參加由救總主持之港澳難胞座談會，聽取來自港澳難胞代表之報告，當表示關心難民，完全是基於正義與同情心，並保證將向聯合國提出忠實報告云」。

澳門難民，在四載的難民歲月中，第一次每人受領過救濟款僅港幣一元七毫，第二次四元七毫而已。因此我希望韓伯勝先生，和其他慈善人士，能到澳門看看這一幅慘的圖畫。有一次我的太太從一個難民家回來，對我說：「某先生一家人（五個小孩兩個大人）今天還沒有吃飯，他的小孩從天主教會拿回五斤碎米……是多麼悲慘啊！並且某先生過去是當過陸軍中將的，今天落得這個境地，眞是令人慨嘆！」筆者並不是電影文學家，也不是電影界，無法將澳門難民的悲慘情形，在這裏作一個更週到的描述，使海內外更加了解。

台灣義胞代表曾提建議：「請聯合國在亞洲從速建立一個永久性的救濟機構」，這實在是最急要的一個措施，希望韓先生能夠建議聯合國，並且希望能於短時內見諸實施。

每日以一瓢粥爲生

筆者願意在此，據個人所知，談談流落澳門的中國難民。澳門難民實際上，比香港更慘，更可憐。人數雖不及香港多，救濟力量有限，除了教會的一點救濟，和天主教救濟會一點的援助，非澳門政府及當地慈善機構每日施賑四千人份，以維生命，能以手藝或勞力博得工資以維生者，其數實不多。澳門難民約共二萬數千人。在澳謀生不易，欲赴台灣，亦被拒於千里外。香港難民赴台尚可申請入台證，澳門難民連申請入台證的資格都沒有。香港難民還有一個調景嶺難民營可以得到自由中國政府的照顧，及大批救濟的救濟，澳門難民雖也有筷子基難民營，事實上，所謂澳門政府所設的乞丐收容所。凡衣衫襤褸流落街頭者，即……

難民，澳政府認爲有礙市容，特設一乞丐收容所，把這種難民強迫收入。最慘的難民實際上所，而且收容的名額有限──約三四百人──欲入無門。

四年內僅得五元救濟

澳門政府對澳門難民的救濟，說來也是可……

看聯合國的危機

從國際聯盟的失敗

黃同仇

（上接第一版）蘇聯是一個抱有征服世界野心的國家，這是人所共知的事。它之加入聯合國並不是爲着人類自由和世界安全的共同目的，而是藉此作滲透與宣傳的工作，藉此分化自由國家的團結，破壞自由世界的安全。

就已往的事實，蘇聯在聯合國中雖然有過若干次的敗挫，但是，這不過是蘇聯的偶然失誤而已。民主國家不能以此沾沾自喜，認這就是聯合國的成功，這就是聯合國光明前途的保證。實際上，蘇聯並未因此而稍有改變。時至今日，蘇聯集團的力量已超過二次世界大戰前的德義日三軸心國的勢力。……已致國聯於死地，而蘇聯集團的背叛違不足夠致聯合國於死地嗎？

英法的舊病

一次世界大戰以後，世界大局的維持，實際上都是英法。英法表面上擁護國聯，實際上各只有站在自己利害的立場，……英法領導無方，……

……的想法，無過於對美蘇的均勢和對立，由均勢和長期的對立而成的世界暫時和平，英國便可以從中坐收漁人之利。……反對美國支援台灣，反攻大陸，和最近反……

……甚至拿着張伯倫的雨傘皮包，奔忙於日內瓦之間，導演着另一幕慕尼黑悲劇。這些都是英國傳統觀念的作祟。

至於法國，它也沒有脫出其歷史傳統的窠臼，一種短視的民族觀念，「恐德病」仍然存在於法國人的內心。他們做夢也在反對德國，……

美國的苦心

美國是聯合國的創始者，也是聯合國的愛護者。……最近美國出席聯合國的首席代表洛奇在內陸日報發表題爲「聯合國與冷戰」的長篇演說，他明白指出中共十三項的滔天大罪，他坦率地指摘那些支持中共加入聯合國的人，實爲一種不可思議的和道德上的盲目者。美國將對此作堅決不變地抗阻。由此可見美國對聯合國的愛護是始終如一的。不過歷史告訴我們，英國人的保守與現實是不容易改變的，張伯倫這樣的人不會在英國絕跡，如果美國稍一不愼，第二個慕尼黑立刻會在日內瓦演出，中共這一個國際強盜立刻會在聯合國的大樓出現。假使果眞有此，則無異宣告聯合國的死刑。但是筆者不敢相信英國會愚頑至此，也不敢相信美國會疏虞至此。

口沫不能遏止侵略

今日世界危機的發展已經不是單從聯合國的會議席上求得解決的。事實上，原子彈尚且不能改變蘇聯侵略的目標，難道會議席上的口沫還能遏止蘇聯侵略的野心嗎？雖然洛奇和杜爾斯都認爲聯合國是暴露蘇聯陰謀的良好場合。杜爾斯說，「如一個正企圖盜竊的人，被人家發見的時候，他便會放棄他的贓物。把黑暗裏的事物揭露，使得全世界人士都可以看見，這就是一種非常巨大的力量」。洛奇說，「我已往的慣例，每當共方發表演說的那天，本人亦必發表演說，以掩蔽對方的聲勢」。當然，這是一種以口還口，以牙還牙，以宣傳對宣傳的良好辦法。這是一種對付共黨的必要手段。但是，民主國家不能以爲這樣，便足以對付蘇聯，便足以遏阻蘇聯的進攻，便足以消除世界的危機了。我想，問題不會如此簡單，美國的政治家也不會如此天眞和幼稚。

爲德不終的韓戰

我不否認聯合國在防止侵略上的優良表現。誠如洛奇先生所說，「它能在暴風雨中生存，它雖受蘇聯的摧折，而能完成它的任務。……事實很明白，韓國的保衛戰完全是在聯合國的旗幟下進行的。十五個國家對南韓的兵援，四十五個國家對中共禁運，四十六個國家對南韓物資的援助，這些都是在聯合國的號召下產生出來的成績。」確實的，這是聯合國一頁光榮的歷史。不過，這一戰爭並未達成原來應達的目的，而在板門店和開城的停戰談判中夭折了。這是聯合國的錯誤，也是美國人民心理中潛在的一種危機。這就是說，美國人也相信共產主義可以和平相處。美國人也在搖曳不定。這是自由世界前途失敗的一種暗示。

結論

老實說，國聯失敗的最大因素是缺乏是非與正義，是有力者不能團結，是有力者不肯爲正義而犧牲。如果聯合國的重要盟員又走上國聯的老路，那是必敗而無疑的。

人·物

述·評

澈底反共的阮文心

劉霧如

（一）

一位來自東南亞的訪客，到了自由中國台灣。他生長的鄉土，正遭受着多災多難的歲月，許多老百姓在血泊中和共產黨展開一殊死鬥爭。這種神聖的殊死鬥爭。這位訪客就是主張澈底消滅共黨的前越南總理阮文心先生。

他於六月二日經香港飛抵台灣，一直逗留了十天，十二日才偕同中菲出席亞盟會議代表，從台北飛往東京，取道釜山，前往漢城出席亞盟會議。

阮氏蒞台，使我們中國人回憶起有二千餘年深厚歷史的兄弟之邦的越南，更聯想到現在中越同爲自由正義而鬥爭的唇齒相依的形勢。他之受到自由中國熱烈歡迎，自屬意中事。

（二）

阮文心是一八九五年十月十六日生於南圻西甯省內一個小商人的家庭裏，今年五十九歲。他有中國人的血統關係，幼時曾經一度到過潮州小住。他在河內法科學校畢業，考取第一名畢業，升至特殊任府使，曾任海擦省署工作七年，後調任巧禮府官，凡十二年。於一九三〇年及一九四〇年，兩次平定共黨叛亂。一九四五年三月九日，日人擁護越南政權，他毅然辭職。

阮氏因參加美擁省抗戰集團，首被逮捕，備受日憲兵苛遇，旋由日人將他送交越盟手上，囚於中央獄，同年九月恢復自由。一九四六年六月以安當部長地位參加阮文醉的南圻共和國臨時政府，同年十二月參加黎文劉政府，任國防部長。一九四八年六月參加阮文春政府，任越南政府與法軍間的聯絡部長職。一九五〇年六月出任全越警察總署長。一九五一年二月任越南政府公安部長。一九五二年三月陳文友內閣改組任內政部長。同年六月陳文友內閣總辭，阮氏任越南內閣總理，直到一九五三年十二月，爲了爭取越南完全獨立，他竭力籌組一個有實力的全國聯合政府，以解決越南問題。可惜這個主張，未能獲得元首保大的採納，他毅然辭職。阮氏在任內其全力擴充國軍，越南國軍由原來的十萬人，直至現在增至三十萬人，而現在軍隊中的參謀長，還是他的兒子阮文馨將軍。

他任職的政綱：是成立臨時國會，完成鄉市選舉及省選舉，首次成立國家預算，徵稅收稅，終止苗租，減地稅，土地改革等。他依勞工律，工會法，他是一位具有政聲，在任最久的越南內閣總理。（上）

雷德福上將力排衆議

日內瓦會實際上已經破裂，美國軍事干涉越戰也跟着一天比一天接近。在美國聯合參謀部中，主張軍事干預最力的是聯合參謀部主席雷德福海軍上將和海軍參謀長卡尼海軍上將兩人，他們以爲使用美國的海空軍，即足以有效地應付亞洲的共匪，而無須牽涉及地面部隊。空軍參謀長……陸軍參謀長李治威上將則反對美武裝部隊直接干涉越戰。他們認爲，如果美國決定作戰，便應該直擣敵人的心臟，而不該陷身在沒有決定的戰爭裏。這事情在聯合參謀部中因無法解決（兩票對兩票），便送請艾森豪總統親自決定。但在這時候，參院領袖適入白宮相告，表示在法國拒絕召新兵作戰的情況之下，國會很難通過在越使用美軍的議案。於是，艾森豪經考慮，終決定在沒有盟國參加聯合以及越南三邦未自動提出請求的時候，美國暫不動用海空軍參戰。不過，這還是一週以前的決定，日內瓦會議完全停頓後，國際形勢必另有一番新面目，週末邱吉爾訪美時，對軍事干預越戰問題，必可有最後的決定。（孟衡）

莫洛托夫抓住周恩來

別看着周恩來南日之流在日內瓦會議上朝着麥克風致詞，就以爲他們居然能發表自由的演說，其實他們的演講稿都是事先經過俄外長莫洛托夫詳細審核過的。據熟悉日內瓦會內幕的人士說，周恩來南日在演講之前，必須將他們的講稿全部用俄文寫成，送經莫洛托夫修改檢查後，再分別譯成中韓文在大會上照原稿唸出。莫洛托夫操縱之嚴密，周恩來與南日等幾無法動彈絲毫。所以表面上周南等雖在大放厥詞，說穿了，不過是莫洛托夫的傳聲筒而已。

天下小事

鐵幕內的波蘭眞相

一個逃出鐵幕的大學教授自述

加雪譯

波蘭菜比法國菜好

我們到紐約坐的船是自由號。到了船上，我們分成兩批。五位代表坐的是頭等，我們九位顧問和助理人員坐的是二等。法律顧問團的主席克斯是波蘭的高級共黨，到了紐約他便是聯合國法律委員會的主席。他沒有念過什麼書，可是認爲自己十分了不得。吃飯的時候，他總高談闊論，想盡方法，使船上的搭客注意他。後來他想到了一個好辦法。船上的菜特別好，我們狼吞虎嚥，感覺到十分適意。他忽然大吼一聲，叫了侍者來，斥駡湯沒有味道，菜不能入口，同時實在難吃萬分，全餐廳的人客莫名其妙，都把眼睛注視着我們這一桌怪物。那一頓飯克斯認爲他出盡了風頭了。

去年九月我逃出旅館的事實，報上已經有詳細的記載。我脫離鐵幕不是爲舒適，而是爲自由，爲援助波蘭。現在我應該將鐵幕裏頭的情形報告一下。

俄蘇征服世界的計劃

在波蘭南方邊界上，正在建造一所極大的鋼廠。已經有四萬人被遷移到那裏，可是人口的數目還一天一天地增加。另一個大規模的鋼廠建造在另一方面。此外還開採了九個煤礦場。好些大化學工廠開始出現。波蘭現在每年產煤的八千八百萬噸，比一九三八年增加了一倍半，鋼鐵的數目增加了一倍，電力增加三倍。波蘭現在注全力於重工業的發展，特別是有關於作戰的重工業。

波蘭人民對於這些工礦業的發展得到什麼利益呢？煤的價錢太貴了，一般人民還是買不起。波蘭產的煤只有三分一用在波蘭境內，一分三被俄國徵用了，其餘三分一拿到西方去交換需要的物資。瑞典人在瑞典購用波蘭的煤，所付的價格比較波蘭本地人還要少些。（中）

編者　讀者

△讀者來函▽

奢侈與官僚

編者先生：我覺得今日台灣政治上有兩種不好的風氣：一、奢侈之風與日俱增；尼龍衣料，充斥市面，尼龍旗袍，觸目均是，酒家（美其名曰公共食堂，其實女侍如花，淫樂無度，小宴千金，豪飲萬元）櫛比，南京西路五十步之內，即有第一流酒家：×鳳、×麟、×雀、×林、××紅等五家。紙醉金迷，謳歌達旦。其次爲官僚作風，依然存在。平常酒食徵逐，酬酢不絕，隨處可見。有些黨營事業，亦所不免。一葉知秋，吾爲此懼。

以上兩事，請公開發表，俾擧一隅，作三隅反，於抗俄反共大業或不無小補也。洪書臟敬上　四三年六月廿四日

編者的話

△賴豈元、羅自芳、東日堯、陳謀煊、鄭士瑾、代鍔、易與、婆婆生、劉靉如、吳彥傑、趙孔煥、又鳴、任志超諸先生：惠稿均一一收到，至感謝。

△徐則鳴、楊柳青兩先生：惠函敬悉，另復。

讀史評述

秦漢之際的讀書人（一）

·毛以亨·

一、當時風氣的造成

亂世的讀書人，往往分為兩派：一為高蹈不仕者；一為攀龍附鳳者。太史公列傳首伯夷，西漢隱逸特盛，安車蒲輪，亦未能悉行招致。讀書人對當道消極抵抗，任何稱帝稱王，我終看不起你。此為中國所特具外國所未有的傳統，而實創于秦漢之際。我看不起你，其關係不僅影響你我，而社會上亦隨以看不起你，你將為社會所遺棄，就將影響你的統治權。故其影響大于選舉，有時且大于革命。所以統治者，總不讓讀書人看他不起，其最好的應付辦法，為將讀書人捧得高高在上，而使之離開現實世界孤立起來，與社會愈少影響愈好。較禁止與殘殺收效得多。稱之為書生或聖人，實以生活之道，一面是捧他，一面是使現社會不至受其影響。

然亂世讀書人，攀龍附鳳者殊多，而自己肯負責想做皇帝者殊少。高祖初起沛，真正的領袖與計劃者是蕭何，但蕭何懼秦法嚴，事敗難逃于誅戮，故以讓高祖。且含有惡意，他說你不能逃避，誰致你平常吹牛，事成則共有其功，敗則禍可倖免及已，而由無賴者一身當之。

以上兩種態度，似發生于秦末漢初，歷二千年至今未改，從此讀書人們願做丞相而不願做皇帝了。把皇帝讓給最無賴的流氓，與有兵權者去幹。而真正做到皇帝的讀書人，嚴格講起來，祇劉秀一人，然自稱為繼統而非創業。以最不成的人，取得領導權，做了皇帝，為中國政治與社會永遠攪不好的基本原因。秦以前的讀書人態度，並不如此的，士即武士，太炎先生謂即士師，等于軍法官。孔夫子的塑像，是帶劍的，今文稱為素王，子路死于衛難，漆雕氏之儒，為遊俠家。

食客制度的影響

致此之由，一向的說法，皆稱係因秦法過嚴，讀書人不得不設法來明哲保身，所以變了春秋戰國的風氣。然秦法從春秋戰國的風氣遞嬗而來，而漢律亦承秦法之舊而成。不能集中一點專責秦法，秦法並不如秦朝之興亡，而突為消滅的。

例如大家公認秦始皇變封建為郡縣，纔是極大的變改了，然太炎先生認為郡守縣令，本春秋戰國的遺制，故曰：『郡縣之始，亡大是封建。』於漢高祖，人皆稱為平民革命，我亦稱為奴工革命。然平民政治並未獨立。奴工制度，亦未除去，漢仍秦俗，殊無大改革可言。太炎先生亦曰：「漢承秦敝，專務兼倂。……故下戶踦𧿹，無所跱足，乃父兄低首，奴事富人，躬帥妻子，為之服役。故：歷代為虐，猶不避于衣食，歲收不登，流離溝壑，嫁妻賣子，傷心腐臧，不可勝陳。」如此則漢之奴隸制，其在社會上，較秦尤為普遍，幾無均田制之社會主義是無以齊其後的。

負責的風氣，不是然由秦法造成的，前就有此等趨向，我認為戰國時代的食客制度，為使讀書人失去獨立性，祇知倚賴權勢的基本原因。此風一成之後，祇要有勢可倚，則黨閥的奴性心理，終要發作的，不會斷根。說者皆歸于老莊，其實一種學說，總有正反兩面，而在野在朝，都可加以利用，否則便為不完全的學說，故老莊既是內聖外王之學，亦是山林隱逸避世之道。而且儒家之道，亦是南面的，在朝則[illegible]，在野則處士橫議。且老莊之避世，雖比較絕對，然儒者之非其道不仕，亦未始非消極的避世。非其道不仕，其道則仕，叔孫通可以代表，兩者實為應付同一問題之兩面方式。總之是讀書人不肯負絕對責任，去做皇帝的風氣，謂之明哲保身可，謂為知識階級之悲哀，亦未嘗不可。茲將秦漢之際的讀書人，類別為二而加以說明如下：

二、避世高蹈的一羣

秦博士七十人，掌通古今，以叔孫通、伏生、淳于越為最著。[illegible]鮑白令之譏始皇行桀紂之道，乃欲禪讓比于五帝。漢藝文志，儒家有羊子四篇，名家有黃公名疵，著書四篇，二人皆秦博士，京房稱有正先者，以數諫始皇死。故七十人中，見于載籍者，合之所聞的周青臣，共得八人。其在博士之外，有著于漢志三川有成公生，游談不仕，著書三篇，在名家，亦名家言，零陵令信一篇，雜[illegible]

丞相李斯，在[illegible]、處士橫議于下，廷臣而爭于上，皆無所[illegible]論之存在。史記叔孫通傳：「陳勝起山東，使者以聞。二世召博士諸儒生問曰，楚戍卒攻蘄入陳，於公如何？博士諸生三十餘人前曰，人臣無將，將即反，罪死無赦，願陛下急發兵擊之。」[illegible]（未完）

新工業建設的展望

自一九五〇年末起，由於韓戰，美國實施禁運政策，以及日本商業復活，香港經濟情況惡化，這不能不是香港經濟惡化之基本原因。以前人皆謂韓戰一日不停止，香港商業無法復蘇，但韓戰久已停止了，又怎樣？或曰禁運未取消也。然則何故不能取消？這就是問題所在了。至於日本商場的衝突問題，香港傾銷貨是對英國工業市場的衝突問題。香港是一個百分之九十五以上的轉口性質的都市。戰前香港的繁榮亦不受其所影響也。總之香港之困難，係由於百餘年來是一個轉口貿易都市，而且與中國大陸的依存性極大。今則因中共占領了大陸，經濟隨大陸政權變了質，已不能共存共榮，是故香港之困難在一時難以適應新環境，適應之道，在謀工業之發展。

[illegible]實現已非屬遙遠，將來世界工業發達之地已不是不可想像的事，而以人力物力言，香港交通便利地點適中為主要條件，新工業之必可成為太平洋及東南亞一帶大的工業區，而其商業亦隨工業而發達。

三日小評

香港的保健事業

·風行·

英國前屆工黨政府推行社會福利政策很努力，保健事業有相當成績。但實[illegible]際效率，未見十分高，因有許多免費醫院少以致政府負擔甚重。本港人口多醫院少，私家醫生收費甚昂，其情形與英國之情形相反。但是故本港之保健設施，[illegible]

[illegible]不若此次之遺囑，使[illegible]醫藥費及其他[illegible]不用免費，[illegible]設此等醫院已造福人不少了。

××

台灣中南行（十五）

台南懷古

·魏希文·

名勝古蹟最多

我們在台南市停留了[illegible]一會，接着往[illegible]所在地，車到台南市，已是下午三時左右了。我們的車輛，直駛到台南市府，市長葉廷推先生和各界人士在門首歡迎我們，並在車上，當由我們女同[illegible]大家歡迎，正在我們開會的[illegible]

[illegible]

台灣的交通方便，四時皆[illegible]，陽明山的櫻花盛開如錦，可惜我們卻失去了這遊覽美景良辰的機會。

民族英雄鄭成功祠

車行片刻，我們就到延平郡王鄭成功祠了，我們的車子一直開進一排紅牆之內，[illegible]迎面兩株茂蒼蒼的榕樹，[illegible]

談到民族英雄鄭成功，他是中華民族精神的楷模，他為了永矢忠貞，實復明室，以廈門浯洲兩島為根據地，向閩浙沿海進攻，時年僅二十四歲，永曆帝遣使晉封他為延平郡王。他抵抗滿廷達二十餘年之久，尤以收復台灣以後，他成為開闢台灣的始祖，在他堅苦努力的經營籌劃之下，已具有恢復明室之規模，但天不祚明，之成功終於以操勞過度而故。然而他一生道德事功，忠貞義節，正氣磅礴的民族精神，卻是值得後人永恆欽仰的。所以，台灣同胞，那時雖在滿清政府的壓力之下，不敢公然祭祀延平郡王，但他們卻易名為開山廟，廟內供奉何神不加說明，僅稱之為王公、大人或千歲。現在台灣各地都還有開山廟，而台南市的延平郡王祠，便在開山路上。

是創格完人

據說，台南市的延平郡王祠，是同治十三年，欽差大臣沈葆楨來台，應進士楊士芳之請，奏准朝廷，准予建祠祭祀，並以明季忠義之士一百一十四人配祀其中。沈葆楨在祠內有聯云：「開萬古未曾有之奇，洪荒留此山川，作遺民世界。極一生無可如何之遇，缺憾還諸天地，是創格完人。」又台灣巡撫劉銘傳也有聯云：「賜國姓，家破君亡，永矢孤忠，創基業在山窮水盡。復父書，詞嚴義正，千秋大節，享祖於舜日堯天。」（未完）

評：「史達林真傳」

·鄭學稼·

六月九日，「自由人」第三版登載「評史達林真傳」一文，內中對於拙作的評判，使我懷疑他會否讀完那本書。

（一）

第一、書評者引我在「序文」中的話，指出著作的結構不均衡，但只引述兩點，即「第一、史達林幼青年的生活，被列為蘇維埃國家的秘密；第二、列寧死前，史達林在布黨中是第二流的人物。」這兩段，都說明一九二三年前，史達林的記錄不多，何能使讀者明白「結構」的「不均衡」？為什麼他不再接下去引「第三、史達林奪取政權及由之而生屠殺老布爾什維克的公審，是他的生命史之一大事，並有豐富的史料。」假不明白評者何以不顯引這段話。難道「偉大的史達林」屠殺布爾什維克會對寫書評的人也有關係嗎？

第二、書評者說：「本書作者的觀點，比較接近舊日的托洛斯基派，比如他的結論認為史達林的獨裁是由於一天天遠離理想的結果。（二四三頁）。」請公平的該書讀者注意。「史達林真傳」不用「托洛斯基」，是用「托洛茨基」，但在中國史達林黨徒所出版的著作中，卻常用「托洛斯基」。誰翻二四三頁，誰就會驚訝該頁沒有這「結論」——「認為史達林的獨裁是由一天天遠離理想的結果。」二四三頁是說明史達林何以戰勝「書生」們，和革命是人類歷史的「債務」。假使人驚訝，能寫「書評」的人，獨那一頁竟不懂。

書評者說我的觀點「比較接近舊日的托洛斯基派。」試問：派因為托洛茨基是什麼？誰都知道蘇聯的官僚制度，所以只攻擊蘇維埃的獨裁制源自布爾什維克主義。正因為這一觀點，托氏到晚年與史達林爭布派的正統。談了拙作「史達林真傳」的人，都知道我根本的觀點，是把史達林的獨裁制，視為布爾什維克主義必然產物。顛倒是非，是史達林主義者的特性，書評者也許受中共的著作的影響太深，也學會了顛倒是非的本派領。不然的話，那就是外行假充內行。

（二）

第三、書評者說：「本書對於史達林與其他共黨領導人物間的鬥爭，多着重于情感上的摩擦與權術上的運用，對於政策上的分歧份量極少，這是本書不足之處。」這完全是信口開河。十月革命前，史達林的全部思想，拙作幾全部羅列。十月革命後，布列斯托條約，沙麗城戰爭、攻擊華沙，對托派及季諾維也夫派的鬥爭，我都曾詳細地陳述各方的主張。唯一不足的，是史達林與右派反對派的鬥爭，我只述史達林一方的意見，未詳引布哈林們的主張，那由於到那階級政治局的論爭內容，是不公開的。

（三）

第四、書評者說「本書在文字上不甚流暢，生硬之處甚多，似由外文書直譯而來。」說到文字，我不能說什麼，任何讀者都有說話的權利。但「生硬之處甚多，似由外文書直譯而來」，是指內中引語的「生硬」，還是指全書的文字「生硬」呢？如屬前者，那可以說，有百分之九十，引自史達林生前欽定的漢譯本；如屬後者，那恐非公平之論。

不僅此也，第十章「史達林即今日的列甯」，第十一章「第二次革命」，也是詳述史氏的政策及其「一國社會主義」。

第五、書評者說：「本是第二頁稱史達林之父結婚于一八七七年，史達林為第四子，生於一八七九年，年代上可能有錯誤。」誰肯翻第二頁，誰便見到這一段話：「這一對夫歸，由一八七五至一八七八年間，生了三個孩子和在後都夭逝。一八七九年，約二十歲的葉卡特林娜，於十二月二十一日又生第四子」即史達林。所謂史達林之父結婚于一八七七年，是抄自該頁開端史說父由吉第．里洛移居哥里。我曾指出史母結婚時「才十五歲」，可知結婚是在一八七五年。那「一八七七年」是一八七五年之誤。當我寫那段時，曾檢查過手邊所有的書籍，只有度察爾于一八七五年後補充一句：「或早一、二年」。

第六、說到「真傳」的錯字時，那是確實的。當我做「引得」時，曾一再對出版者說到它。假使書評者內行的話，還可以添上這一段：「該書的照片，「俄共初期的主要人物」中，「列西布里亞考夫」是「西列布里亞考夫」之誤，「索林里尼科夫」是「索柯里尼科夫」之誤，而「波克洛伏斯基」該是「波克洛伏斯基」。」

（四）

最後容我說幾句話：在西方，刊物的書評是由內行人執筆，不是由一般讀者寫的。「評史達林真傳」者，似無寫書評的資格。更壞的，他似有一個潛內的用心，用顛倒是非的手法，給讀者以該書作者是「托派」的暗示。有一位熟悉史達林一切的我的友人，曾對我說到他對該文作者的印象；好像是有訓練的格柏烏。用不關緊要的文字，在前面說你好話，使人們相信後面對你的無中生有的攻合於他們政治目的的斥責。」我希望我的友人的印象是錯誤。當時我曾如此答道：可能只是一個寶文的人隨便寫寫，寶些稿費，好似「自由人」的編者沒有讀過「真傳」，所以才登它。

我願告讀者們：胡秋原先生已答應我對「真傳」寫書評，讓我們等着聽胡先生的指教。（六，一三）

新人新政別解

馬五先生

監察院正在忙着副院長選舉工作，甚盛事也！依照近年來所謂「用新人，行新政」的特別理論——即年紀較大的人一律滾開些的妙諦，未來的副院長應該數年富力強者承其乏，庶足以適應時代要求。因此，我願意貢獻一項簡當扼要的選舉方法，並不須搞甚末投票監票計票那類麻煩手續，只就委員中最年輕的一位，公推他爲副院長就得了。如果有行年不滿卅歲的委員，那更是最適當的人瑞式之副院長。因爲反共抗俄，光復大陸這類救國工作，凡五六十歲的人是不配參預其役的！

今年春間，曾在報紙上見有執政黨所訂「禮遇革命耆宿」的條例，規定六十五歲以上的老年人，爲革命奮鬥四十年以上，經過黨部確查有據者，可退休而享受五院院長階級的生活待遇，住有公屋，行有公車，食有公糧，好不寫意！這恰如莊子所指那留之於神龕上，朝夕供奉的大龜然，老而猶生之龜，還好意思不滾開些嗎？這條例不知是否已實行「禮遇」，我却希望它能兌現，以免一般老驥人阻塞賢路，而使青年有爲之士，迫不及待，急得毛焦火辣，實爲功德無量！

漢代人馬援不服老，當着皇帝面前策馬彎弓，表示其矍鑠精神，迴非一些年輕小伙子所能及，史家傳爲美談。假使馬援生於今日，他縱然能駕駛噴射戰鬥機，也是無用的。哼，你年紀大了，還不滾開些！這就叫作「用新人，行新政」，懂得不？

不打自招文鈔

文抄公

下面是中共雜誌刊載的文章，我們可以看出中共在農村裏，怎樣宣傳，農民對他們的態度又怎樣。

一個這樣的宣教組

雲南省梁河縣　雁風

最近，我因事到梁河縣，走過縣府旁邊，忽然聽到一陣嘈雜的樂器合奏聲，我辨別了一下，有鑼、鼓、喇叭、胡琴、小提琴、還有手風琴。我禁不住好奇地拉住從縣府出來的一位同志問：「這是那裏來的文工團呀？」

他冷淡地笑了笑，且答說：「是醫療隊的宣教組。」

「太好了！醫療隊千山萬水的來到這裏，不但給兄弟民族解除疾病上的痛苦，還能配合衛生工作進行宣傳，又可以給這兒帶來豐富的文化生活。」我想。於是禁不住問：「他們常常進行宣傳嗎？一定對我們開展愛國衛生工作很有幫助。」

「可不是！他們來了大半年了，整天吹吹打打，熱鬧着哩。」這次他竟是苦笑了。一揚手，他指着街旁拐彎處說：「他們在那兒演奏，你可以去欣賞欣賞。」不等我再開口，他緊皺眉頭匆匆地走了。

聽了這話，我很莫名其妙，於是挪開腳步向他指的方向走。

在一棵大樹下我看到了宣教組的同志，他們個個臉上堆滿笑容，有的敲，有的拉，有的吹，有的唱：

「紅薔花兒在野外的小河旁，一位可愛的人兒使我日夜想……」

嘭嚓！嘭嚓！……

這樣熱鬧的場面，觀衆一定不會少吧，可是我向四周一望，除了我以外，一個觀衆也沒有。「人們聽不慣這樣的曲調是可能的，可是這麼多的貴重樂器，在邊疆倒還少有，人們怎麼也不來看呢。」我站在旁邊看着想着，宣教組的人越來越起勁了，好像是因爲有我這樣一個惟一的觀衆而鼓舞，反覆的「紅薔花兒開，……」攪得我不能多想，也引起我好事的念頭：「這個宣教組是爲了什麼成立的，他們的日常怎樣進行宣傳工作呢。」我帶着好奇的心情，決定對這個自吹自擂的宣教組了解一番。

原來這個醫療隊是去年六月來到雲南的。隊長事前曾經盤算過，遼到邊疆，一定是很寂寞的，應該買些文娛用品；於是立刻找了個人負責籌備工作。

本來他們已向總隊領了兩把胡琴，這下就又買了四把胡琴，可是四把胡琴還沒有超過一百萬元呀，這教人很難心滿意足的，於是又買了兩把小提琴，還花了幾百萬元買了一個手風琴。看樣子，這麼多的樂器是可以解除隊長在邊疆的寂寞了；可是到雲南後，隊長又指示以六百多萬元買了一套大小鼓、兩支號和幕布。算起來先後共花了一千多萬元。醫療隊到了梁河縣後，隊長爲了配合衛生工作進行宣傳，從隊裏抽出六個同志專搞宣傳工作，並且宣佈「宣教組」正式成立。

宣教組既然成立了，就應該配合衛生工作進行宣傳，可是隊長並沒有交下來這種任務，只是讓宣教組整天吹吹打打。開始，梁河縣的大人、小孩都趕來聽新鮮，以後聽來聽去老是一套，大家不高興來了。工委會、縣府離他們的住處近，整天被攪得不能安靜地辦公，只有宣教組的同志自己也不耐煩而上街蹓躂時，大家才落得片刻寧靜。

八月初，宣教組第一次出勤，到猛江縣配合醫療隊工作，直到月底才回。他們自己肯定這次外出的成績很好，可是當地的老鄉們給他們贈送一首這樣的快板詩：

「洋鼓一敲嚓嚓響，
小孩圍着瞎喳喳。
大媽聽着怪熱鬧，
抱着孩子去參加。
洋鼓停了變戲法，
還有同志來講話。
聽着講的怪熱鬧，
不知講的是什麼？
突然大鼓猛一響，
嚇得孩子哇哇哇，
氣的大媽直嚷嚷，
抱着孩子回了家。」

宣教組從猛江縣回來後，又到小紅坡羅崗去了五、六天，從此以後就再也不出去了，每天在樓上練習交際舞曲。

街子上的人反映說：「他們在樓上重點宣傳呢！」有的同志說：「宣教組既不學習民族政策進行宣傳工作，也不學習少數民族的歌舞，到底搞啥呢？」

「這就是他們的工作！」隊長理直氣壯的答覆。

可是許多人給這宣教組的工作下的評語還是：「高興時吹吹拉拉，不高興時街上蹓躂！」

天長日久，如今宣教組的同志已感到自愧了，可是隊長還沒有醒過來。

中篇小說　金珠

勞影

她把房門閂了上。

我倚在床沿上，再度詳細審視着她，她比剛才我所看到的還要美。

「你老是看我做什麼，先生？」她的國語準極了。

我沒有開口。

她打了一個呵欠，開始解脫身上的衣鈕。

「等一等，」我說：「我想和你談談。」

「談什麼？」

「你是不是日本人？」

我突然問。

她的眼睛忽然睜得大大地。

「你……你認識我？……噢，先生，你說什麼？我沒有聽清。……你再說一遍好不好？」

「沒有什麼。」我說。

「你看錯了，先生。」她勉強一笑，一道陰影掠過她的眉梢。

「也許我看錯了，」我想：「也許我看得並沒有錯而你不願在一個陌生人面前說出心底的真情話。」

「先生，」她低聲說：「請你把鞋子脫掉。」

「不要脫了。」我說。繼續望着她的面龐出神。

「什麼？」她憤怒得叫起來：「你說什麼，先生？」

「不要誤會，」我說，急急伸手到袋裏。「多少？」我用目光去探問。

「廿塊。」她歉歉地說。

我把錢遞到她的手上。

「阿梅，」我繼續問道：「你哪兒人？」

「台北。」

「住什麼地方？」

「太平町。」

「延平北路？」

她點點頭。

「來這兒多久？」

「三個多月。」

「你姓——？」

「許。」

「許阿梅？」

「不是，」她笑了：「許月梅，人家叫我阿梅。」

「噯！……」

「脫鞋子吧，先生！」她變得不耐煩起來。

「不必脫了，」我說：「我不是已經說過一次嗎？」

「你不是已經給了我錢？」

「是的，」我說：「我再和你說幾句話我就要走了。」

她狐疑地望着我。

我心裏一陣難受。我想：「宇宙眞是一片可怕的沙漠，假如說生命是沙漠中駱駝，旅人應該是依駱駝爲生的靈魂，而命運則是那些被沙塔所掩迷不辨的道路。上蒼旣以博愛的心腸創造了無窮的生命，却又殘酷地剝奪了每一條生命抗拒命運所指引的，或者自己爲自己安排道路的權力。牠賦予每一個靈魂以可貴的生命，却又令每一條生命在它持續期間內不能保護靈魂不至爲不潔的風沙所沾污。在浩浩無垠的大沙漠中，一個旅人所能防護自己的，與風沙搏鬥的力量是多麼可憐地微末呵！祇要風沙一起，隨時都可輕易地爲那些一個連一個大漩渦所毀埋……如今，我面前這個可憐的孩子，假如生命是重量的，在精確的天秤上，我想，她可以放在任何一條高貴的生命的另一端……但如今，是些什麼力量令她居然漠視於靈肉的出賣呢？

（八）

端午書懷

· 郭毓行 ·

五月天如醉，哀時人若癡；吟成憂國句，投與怨魂知。江水今猶昔，君心悔已遲！欲隨千載後，誰續九歌辭？

其二

年年此日弔忠貞，此日神州風雨橫。刁吏但知媚俗好，老臣無復破塞鳴；興衰自古關淸議，進退由來有定評。一死倘能收萬魍，願追三閭擲餘生！

你想消除憂愁嗎？

· 牛布衣 ·

（一）

『白髮三千丈，緣愁似個長！』李白這兩句詩表現出愁的滋味。愁好像三千丈的白髮，把我們細縛得透不過氣來。有法消愁嗎？李白嘗試了好些方法，認爲酒最有效。可是後來又說，『舉杯消愁愁更愁！』一句詩裏用了三個愁字。酒不惟不能夠消愁，反增加了愁！

愁是人類的秘密敵人，是殺人的秘密武器！不知多少人死在愁的手下。醫生說，愁能殺蝕一個人的身體，能殺短促一個人的壽命。近世發明了許多新藥，特效良藥，可是沒有一種藥能殺除愁。

（二）

愁是什麼東西呢？近代的醫學說：憂愁、悲慮、和憤怒表現在神經與，是神經的過度緊張。緊張的神經最容易銷蝕精力。一個人在憤怒的時候，所消耗的精力，比較平常要增加到三十倍。憂愁和悲慮所消耗的精力比較平常增加在十倍至二十倍之間。一個人經過短時間的神經緊張，便感覺到十分疲倦，因爲精力銷蝕得太多了。

我們中國人認爲愁是人生的一部，是與生俱來的，只有神仙才能忘憂。可是美國的歐玲醫生 A. J. CRONIN 認爲他有辦法可以醫愁。經過多年的研究和分析，他使用科學的方法將愁分類。又經過長時間的研究，他得到了下列的結論。一個人的憂愁，百分之四十是空的，是莫須有的。百分之三十呢，是對於過去事情的憂慮，是一種愚蠢的憂慮。百分之十二，是對於個人健康不必須有疑慮，百分之十屬於雜亂的小憂慮。只有百分之八是應有的！歐玲醫生的統計當然不錯。他認爲一個人若果能夠將百分之九十莫須有的空愁都解決了，差不多可以沒有憂慮了。他的話說得很對，我們憂慮差不多是過慮，可是我們總不能無憂！

特別是在這個時候，那個人心裏沒有憂慮呢？那個不感覺生活的壓迫呢？那一個不是入不敷出的？平常一個中等階級，入不敷出的數目總在百分之二十左近。生活的憂慮是再切實不過的。生活解決不了，如何能夠不憂慮呢？

（三）

不錯，生活的憂慮是現實的。可是自從西方文化傳到了東方，此間便發生了生活水準問題。美國的生活水準最高。美國人認爲汽車、電氣冰箱、電視機等是生活必需品，缺少了，生活便在水準之下。東方人的生活當然比不上美國。可是我們認爲我們也得提高我們的生活水準。近年來東方人士的生活水準也的大量提高了。你看香烟的銷路，儘是一日千里，每一個成年人都在抽，抽烟的數目在百分之九十以上。電影戲院的增加有如雨後春筍。假日每一家電影院總是滿座。美國人坐汽車，我們抽烟，美國人享受電視，我們看電影。那麼這是最低限度的生活了。可是我們沒有想到香烟和電影只是物質文明的渣滓。我們把西方物質文明的渣滓當做生活的必需品，而忽略了我們東方的美德。（上）

獎券的趣劇

· 豐衣 ·

一個鐵絲籠的門打開了，按照傳統，旁邊一個小孩子伸進手去，取出了一個刻着號碼的小木球。球上的號碼是一四三〇八，這也是烏拉圭國營獎券的頭獎，全國三十所電台和各報立刻將這消息傳遍了每一個角落，在蒙特維杜市弗洛爾將軍街隨即響起了一片歡呼，原來這裏的幾個居民（有退伍士兵、主婦、店主、勞工、公務員），曾集資二十二美元，買了這張一四三〇八號的獎券，這刻已價值十五萬美元。於是這些新財主大擺筵宴，與鄰人們共同慶祝。

可是在獎券總部裏，職員再將那個木球細看一番後，却使四周的人都驚得目瞪口呆。他們發現，木球上的三字，實際是個五字，因爲木球磨擦過久，筆畫已不甚清楚，致被強認爲三字。總部祇得承認錯誤，重新由界報界宣佈了頭獎的真正號碼——一四五〇八。而這獎券的執有人，就在首都不遠的地方，他也就依照正式手續，領到了那筆十五萬美元的頭獎獎金。

但弗洛爾將軍街的那推人却不肯輕易放過獎券當局的人，他們請了一個著名律師，向法院進行法律訴訟。這場官司一直打了四年，直到最近才告結束。處理國庫案件的法官杜布拉作了他最後的決定：一四五〇八號獎券的執有者可以保留他的十五萬美元，但國家却必須再對執有一四三〇八號獎券的那些人再付出十五萬元，這是政府造成這個特許應付的代價。這消息傳到弗洛爾將軍街，自然又是轟動一時，於是筵宴又擺開了，得獎者和鄰人們再度共同慶祝了一番。

稿約

本報闢地公開，歡迎讀者投稿，性質不拘，最好勿超過二千字，譯作請註明出處；來稿如不合刊用時，當儘速退還。

—編輯室—

中華民國僑務委員會頒發登記證台教新字第一〇二號
中華民國郵政登記第一類新聞紙類

自由人
THE FREEMAN
（半週刊每星期三六出版）
（第三四七期）
每份港幣壹毫
督印人：雷嘯岑
社址：香港高士威道二十號四樓
20 CAUSEWAY RD 3 rd. fl. HONG KONG
電話：七四〇五三
海外總經銷：友聯書報發行公司 香港德輔道中26A號二樓

就新閣談經濟

·陳式銳·

新行政院於六月一日成立，台灣省主席俞鴻鈞升任行政院長，省財政廳長徐柏園升任財政部長，中央信託局長尹仲容升任經濟部長，原財政部長嚴家淦轉任省主席；由人事上看，有人指爲「財經內閣」，亦有人說是「院府一元化」，不無來由。中國的傳統是「爲政在人」，新政府的人物，在財經方面說，全是舊人，他們過去底作爲，即爲今日台灣財政經濟的表現。萬方屬望底「新作風，新氣象」，骨子裏是要求「變」；政府的安排如是，只有退而希望他們作爲在上有新底創造，所謂「舊人事，新作風」罷了！他們以久經在位之故，也被「輿論」譽爲「財經專家」；而專家任事總不離開客觀事實，我因亦期待他們是「新」的開始，而不是「舊」的延續；那末，舊人存，新政或未始不可以舉措。基於此，我再談台灣的經濟。

機構和計劃

行政院經濟安定委員會六月三日舉行第廿五次常會，兼主任委員俞鴻鈞宣稱，自下次會議起，主任委員將由嚴主席家淦兼任云（台北四日各報）。我一向認爲：經濟部依法是管理全國經濟行政與經濟建設，並對各地方最高級行政長官執行該部主管事務有指揮監督之責；他的「主管」內容，主要當然包括決策在內，經濟安定委員會是政策與重要措施之設計、審議、與聯繫之機構，無異把經濟部的大權取去，讓它變爲一個等於「秘書處」而已（拙作台灣經濟五七頁）。蔣總統於五月二十日第二任就職時，強調「第一要厲行法治」，「第二要建立制度」；近當局擬將外滙貿易管理由省府移歸中央主持（管理辦法草案已在立法院審議中），我過去曾指出此項工作授權省府「外滙貿易審議小組」辦理，顯與該會設立原則「集中事權，分明責任」有背（台灣經濟五八頁），此次措施正合「依法建制」之精神。惟經濟安定委員會，係行政院財經決策機構，省主席嚴家淦以下屬機關的主管身份而兼上級的決策機構，這一點反而違背「依法建制」的精神，顯然陷入人事關係底舊套。我以爲該會主任委員應改由經濟部長兼任，藉以維持經濟部體制的完整。再者，今日台灣應積極地求「發展」，不可消極地求「安定」，爲表現這一精神，我要求該會改爲「行政院經濟發展委員會」。經安會成立將屆一週年，其組織與工作，正可由新內閣加以檢討，根據一年底經驗，整個加以改進。

俞鴻鈞氏於六月一日在總統府國父紀念月會提出「行政院今後工作努力方向」，其中第三點說：「台灣經濟建設四年計劃必須求其如期的澈底實現。這一計劃是國家工業化的象徵，同時也是復國建國的利器。我們如要解脫社會經濟落後的痛苦，要平衡財政與國際貿易的收支，並求使反共軍事行動獲得長期而有力堅定而穩固的支持，都不能不通過經濟建設四年計劃完成工農礦各業的增產。」（台北二日各報）這樣重要底一個計劃，無疑是「全國官民」所應共同努力的，可是，聽說它由民國四十二年開始[illegible]實行以來已有一年[illegible]，它的內容是什麼，至今還沒有公佈，如是官民不知，「官民」將如何共同努力呢？況且，大官中有人亦曾提到它不切實際，[illegible]

[illegible]

整頓和加價

久經討論底公營事業開放民營問題，新任經濟部長尹仲容六月八日對記者表示：「（一）應歸公營[illegible]糖、台肥[illegible]，今後仍由公營[illegible]；（二）不[illegible]（沒有暴[illegible]經營得法[illegible]移轉民營；（三）不[illegible]日對台灣省工業會演[illegible]

[illegible]刀闊斧」地整頓的實[illegible]「舊人事，新作風」[illegible]說這一事，做起來並不簡單，需要[illegible]希望朝野共同督促實踐。

（下轉第二版）

戰火瀰漫中的——
危·地·馬·拉

·易敏子·

危地馬拉（GUATEMALA）這個中美國家，也有譯做瓜地馬拉或圭地馬拉的，目下正在戰爭中。戰爭的起因，是由于政府的「親共」，甚且可以說是「共化」，激動了愛好自由民主的份子，揭櫫「反共」。戰事的進展情形，各報多有報道，茲略述該國國情，藉供讀者參考。

馬雅文化的發祥地

危地馬拉，是印第安族馬雅（MAYA）文化的發祥地，早在耶穌降生時，那里已建立了一個馬雅古帝國，一直伸展到墨西哥海灣，西向進入墨西哥，東向進入現在的英領洪都拉斯殖民地。今日危地馬拉的北部山區，還處處可見這古帝國的文物遺蹟。這個古帝國的人民，大都是農耕生活，而且會利用畜力耕種，所留給我們今日見到的建築物，藝術品，和他們對於哲學數學等觀念的業績，確實是夠得上說是「文明」古國。馬雅族在印第安族中是文化水準最高的一支，他們影響于北美中美的印第安族生活文物至大，他和另一支的印迦族（JNCA——南美印第安族中文化最高的一支）是今日印第安族中文物業績遺留最多的。印第安族據人類學者考證，他們是由亞洲移殖到美洲的。馬雅族和印迦族，都有一種楔形文字，馬雅族的字形約有四百個，不過那就是殘餘文物上的紀念品，在今日危地馬拉人所流行的文字是西班牙文。自十一世紀到十四世紀，他們更伸展猶卡太（YUCATAN），同時新興的另一族，建立了所謂馬雅新帝國，這時他們的文化，也是日進無疆的益見發展，直到十六世紀初期，西班牙人入侵，才結束了這個新帝國的命運，但是他們的文化影響，在西班牙人入侵兩百年後，仍然未盡衰落。

顯著的民族色彩

危地馬拉是拉丁美洲國家中純印第安族比數最高的一國，也是中美六國人口最多的一國。在六年前（一九四八年）的人口統計，是三百六十八萬人，其中純印第安族人近兩百萬，比數達百分之五十五以上。不過，今日在危地馬拉社會中活動的人，却是混血兒和西班牙人混合種，當地人叫混血兒做「拉狄諾斯」（LADINOS），他們以西班牙語文爲國語文，信奉天主教。他們對西班牙宣告獨立，是一八二一年九月十五日，中經墨西哥帝國統治和中美聯邦的一個階段，它的纔正成爲危地馬拉共和國，是一八四七年三月間的事。純印第安族也是支派繁多，他們的語言也各自殊異，大率流行的是「馬雅貴奇」語（MAYA—QUICHE）。貴奇是新帝國時代的強族。他們過去曾互相仇殺過，今日在純印第安族居住的山區，一個村落和一個村落，一個支族和一個支族，都是各成壁壘，界限分明的。單說服飾，就是色彩鮮明的各不相同，由他們的服飾，就可辨識到他們來自何地是何宗族，是同一地區，因爲宗族的不同，也是各異，甚至是同一宗族，因爲支派的不同，也可從服飾上分辨出來。據說這是祖先流傳下來的，依舊是一成不變的，他們也有自奉的宗教，各自採用自習慣上流行的語言。混血兒的生活，已是全盤西班牙化，他們也有一個萬[illegible]（[illegible]OOLI DAY），却不是四月一日，而是十二月二十八日。

地理的形勢

危地馬拉，位于中美最北部，西北與墨西哥，北角一隅和英領洪都拉斯殖民地毗連，北角瀕近大西洋（加勒比海），東與洪都拉斯，北段隔着一條莫太瓜河（OTAGUA RIVER），南段是與薩爾瓦多爲鄰，南岸則爲太平洋，海岸綫約長兩百哩，北部的沿加利賓海的海岸綫，祇有約七十哩。太平洋這邊的港口爲波多聖約希（PUERTO SAN TOSE），北邊加利賓海的港口，叫做波多伯爾利奧斯（PNERTO BARRIOS）。伯爾利奧斯，是該國的國父，這兩個港口，都有鐵道可達首都危地馬拉城。全國面積四萬五千四百五十二方哩，境內有火山三十三座，最高的火山山峯達一萬三千八百一十二呎，火山大都坐落于南半部，首都危地馬拉城，已是第五度的遷建，火山爆發和地震的災害，正如它的國號「危地」，是經常都有的，當然這是我們的「故意」譯音。但是火山地區，就是肥沃地區。

原始農業國家

危地馬拉，是一個原始農業國家，主要的輸出農產品，以咖啡佔首位，蔗糖次之，還有一種具有色彩的木棉，據說是危地馬拉的特產。礦產有金、銀、鹽　畜牧有牛羊，太平洋沿岸地區的牛，和山地區的黑羊，也是頗負盛名的出產。每年分乾濕兩季，自十一月至翌年五月爲乾季，其他爲濕季，六月至九月爲暴雨季節，六月和七月兩個月，幾乎每天下午都有陣雨。雨時常迅雷暴風，會釀成災害的。氣候炎熱，尤其是靠近兩洋的沿岸，全年氣溫平均達華氏表八十度，山地較低，不過縱然白天炎熱似火，一入夜晚，却溫涼如水了。美國聯合水菓公司，規模至大。它不祇在危地馬拉一國，整個中美國家，它都有擴大的植蕉區，它在危地馬拉南部太平洋沿岸，擁有擴大的植蕉區，它自有鐵道，有專用輪船，還辦有農業學校，也有醫院，並有一座博物館，搜羅此邦古文物甚多。那號稱全美洲最大的一塊綠玉（重二百一十六磅），却是藏在危地馬拉城的古物博物館，並沒有給美國人買去。危地馬拉通用的貨幣，叫做「圭特色爾」（QUETZAL），但是在保守的印第安人口裏，還照西班牙殖民地的舊名稱做「披索」(PERO)。危地馬拉全部的輸出，美國佔百分之八十以上。

對外的交通

泛美公路由墨西哥國境進入，橫貫（西向東行）全國以達薩爾瓦多國境，泛美公路在危地馬拉境內計三百哩。中美國際鐵道，也是由西東行自墨西哥開入而通到薩爾瓦多去的。泛美航空公司每日有班機飛行。由紐約乘聯合水菓公司專用船，約需時三天，到達波多伯爾利奧斯港口。伯爾利奧斯港有火車通首都，計程一百九十八哩。如果由紐約坐火車也可直達危地馬拉城，也得費時四天。坐汽車沿泛美公路，也得四天以上。它和洪都拉斯的交通，祇有自伯爾利奧斯港通達的一段，公路交通，也是不甚便利，一入雨季，祇有泛美公路可通行，泛美公路在危地馬拉境內叫做羅斯福公路。至于在這次事件中遭受危國政府指摘的民加拉瓜和它並不接鄰，但是尼加拉瓜可以由太平洋海上交通和危地馬拉來往的。

半週展望

·陳克文·

艾邱會談有何成就？

艾森豪和邱吉爾的華府會談已經結束，據他們的共同聲明說，『吾人深信歐洲聯防及波恩條約之生效若再遲延，實有礙於大西洋國家的團結。並謂關於東南亞，彼等將促進集體聯防計劃以應付日內瓦會議成功或失敗所生之局面。……』倫敦方面的報紙，都對讀者說，邱吉爾已贏得美國贊成對東南亞的緩進政策。有些報紙更說：『邱吉爾成功了，艾克同意他的計劃。』

因此，我們可以看出會議的結果：美國不僅遷就了英國的觀點，同時還要走回過去若干年來英國所始終堅持的重歐輕亞政策。歐洲聯防和波恩條約非趕快實現不可，東南亞則不妨「靜觀」和「緩進」。這不啻對共產黨說，你們趕快向東南亞發展罷！我們的重心在歐洲。日內瓦會議已經犧牲了半個越南，還要「靜觀」「緩進」，大概非等到整個越南淪陷，危及馬來亞時，英國是不會贊成美國的東南亞聯防計劃的。

還不止此，艾登在赴華府之前曾經提出過東南亞的洛迦諾公約，這不祇是「靜觀」「緩進」而已，簡直要把美國的東南亞聯防計劃取消。實現共產黨的亞洲聯盟計劃。從此發展下去，艾森豪的鐵幕解放政策更非根本取銷不可。

洋洋得意的周恩來

英國的世界政策不但始終保持重歐輕亞的觀念，同時也不斷的在離間中共和蘇聯必將分裂的幻想。艾登上周在下院報告說：『本人亦相信，共方大國之間，意見亦有不同之處。』他們相信就這次日內瓦會議情形和周恩來訪問尼赫魯，可以表示關於亞洲外交，中共日益脫離蘇聯路綫。這便是邱吉爾「靜觀」「緩進」政策的根源。

周恩來便樂得利用西方這些弱點，以施行其分化和威脅的政策。在歐洲陽示和英法妥協，進而對印度和緬甸，實施威迫利誘，以期簽訂所謂五不侵犯條約，隱以亞洲領袖自居，大唱其「亞洲人的亞洲」，和「亞洲問題受外力干涉的時代已過去了」的論調。

幾年來的被西方冷落的中共，這一次總算得意洋洋了。以罪犯受審的身份，居然周旋於世界大國之間，自以爲已一躍而登列強之林，這不能不說是西方外交的最大失策。紐約時報說：『亞洲國家相信與中共保持親密的友誼，是聰明路子，乃最危險的錯誤』。這種形勢的造成，也是西方外交政策錯誤的結果。

危國親共政府垮台了

危地馬拉的親共總統阿班斯已於廿七夜宣布下野，這表示中美洲的共黨勢力已有動搖趨勢。危國地位足以影響南北美洲，共產黨處心積慮使危國成爲美洲共黨基地，已非一朝一夕。反共革命軍興起後，即傳蘇俄將派軍事參謀團馳援，共產集團是不會讓親共的危政府垮台的。阿班斯下野後，接替政權的爲阿班斯的親信戴阿斯，是一個職業軍人，故此時預料危國的共產勢力即將崩潰，似屬言之過早。戴氏登台後亦宣稱將繼續作戰到底，可見危國的戰事並不會因阿氏下野而即行結束。

危國人口雖祇三百萬，面積不過數萬平方里，惟其地位重要已如前述，今後聯合國如處置失當，危國大有成爲美洲韓戰之可能。美國在亞洲仗義執言，希望統一韓越，防止共黨侵略，經年屢月，師出無功。現在共黨侵略戰火已延及美洲心腹！如果還是顧慮英法的反對，採取「靜觀」「緩進」政策，恐怕終會有噬臍莫及之痛。

新內閣與立法院

·于衡·

台灣通訊

〔台北通訊〕我個人是一個職業新聞記者，不想對新任行政院長俞鴻鈞有所恭維，也沒有「在台無惡吏，下台無好官」的勢力觀念。但對俞氏尊重議會，而且不是敷衍式的不得已的尊重，覺得此人確足以擔當重任。具有宰相風度（借某立法委員語）俞氏的表現，已爲政府與議會之間打下良好的基礎。舉例說：有許多問題，本不需要俞本人答覆，但他卻毫無勞倦的攬了過來，毫不厭倦的一次一次跑上發言台來答覆每一委員的質詢，惟恐答覆得不夠具體和不夠詳盡。

寡廉阿諛，厭聞指責，是晚近一般官員們的通病，不聽阿諛，硬着頭皮來接受批評，已經該算是好官，但願意接受批評，而且聞逆耳之言無慍色，才能算做由「官」的境界踏入「政治家」的境界。從俞氏答覆立法委員質詢中，我們可以看出俞氏虛懷若谷，和他的政治家風度。

一首打油詩

在立法院質詢中，有一位立法委員坐在議席上，興之所至，信手在發言紙上寫了一首打油詩。那四句詩是這樣寫的：

蜀中無大將，廖化作先鋒；冊人多厚福，切勿誤蒼生！

這首詩顯然是對俞內閣不客氣，這位委員原無心交給俞氏，但在散會的時候，他再度興之所至，竟順手將這首詩「袖交」俞氏。俞氏也將這張紙條鄭重的帶回行政院。第二天寫給那位立委一封信，信中前段說：多承教益，表示感謝。最後即說：決不願誤蒼生。並且說道：他以前自信尚未誤蒼生，現在國勢阽危，更不敢誤蒼生，今後或者不致於誤蒼生。措辭委婉得體，那位委員接到這封信後，曾出示立法委員傳觀，共傳一粲。這可說便是俞氏的宰相風度，博得立法委員們的好評。

高帽子沒有了

俞氏出長政院半月，他出席立院三整天的疲勞質詢中，他不以爲這是立法委員在和他爲難，反之而認爲這是許多民意代表應盡的職務，進而認爲委員們的質詢對他今後的施政，大有幫助。這是政治上的好現象。

立法委員們，在這次施政質詢中，已經把過去帶高帽子的手法拋掉了，不用「欲抑先揚」的手法，開門見山的提出問題，這該是委員們的進步。過去歷次質詢，大部委員們都是先對政府首長恭維一番，然後再開始指責。這在時間上是浪費，在被質詢的人，心裏也明白，那段帽子是無用的序言，更進一步講；這是政府與議會之間，還不能開誠相見。

停止車輪式質詢

民主政治的好處，在於從辯論中解決問題，如果大家意見紛歧時，訴諸人民公意，讓輿論來裁決。因而這次立法院的施政質詢，一般人士認爲質詢的時間，稍稍嫌長了一些。因爲這次登記發言質詢的委員最初祇有六十餘人，後來增加到七十多人，等到第三次詢問時，又增加到八十多人，截至現在止，已經質詢過的委員，還佔全數的三分之一。這個疲勞的質詢，如果繼續下去，大約再要五次院會，也還不會結束。儘管俞本人願意「來者不拒」，多多聽取民意代表的指教，然而要一個國家行政首長，化出過多的時間，來與「國會」週旋。而且有許多詢問，是大同小異的。也未免過份浪費時間。因此我們認爲這種車輪式的疲勞質詢，似可適時停止。至少不要重複詢問。這點似乎可以有改進的餘地。

新政府任重道遠

六月的台灣，溽暑凌人，坐在立法院會場的中山堂內，邊聽羣賢高論，邊享受着近代設備的冷氣森森，閉目瞑想：年來國家確有長足的進步。這種進步，特別在政府與議會之間，表現得更爲明顯。因爲民意代表們，已不以爲難[illegible]政府爲快意或出風頭了事；而政府首長，更以尊重議會，爲其份內之事。特別是俞氏組閣後，更予人以此一感覺。然而目前仍是一個風雨淒厲的時代，我們並不以維持現狀爲滿足，任重道遠，俞鴻鈞及其內閣，其好自爲之。

就新閣談經濟

·陳式銳·

（上接第一版）記得四十一年十二月，行政院令頒辦法九項，以整頓台灣電力公司，由經濟部負責三個月內辦理完竣（一般國營事業依此原則整頓）；又憶當時這一措施，意在平息一般人對電力加價不平底心理（台灣經濟三九頁）。一年又半載以後，我們還沒有聽到台電整頓的實情或成果；今甫聽到經濟部長正要「大刀闊斧」地整頓公營事業（台電當然包括在內），忽然又聞醞釀電力加價了！根據台北十六七日報紙所載，（一）美國安全分署表示：「電力價格必須調整，否則美援貸款有中止可能」，（二）原因是台電資產實值二億美元，而目前估值僅台幣五億元，相差好幾倍，去年公司賬面上有盈餘五千萬元以上，實仍「虛盈實虧」。我看了這新聞，十分迷惑！政府公營台電七八年，連它的資產還沒有弄清楚；不明資產底企業，不知道過去是如何地經營？如果台電自身不健全而一次一次地加價，那就無法獲得人民的同情。安全分署在台工作多年，應知道過去加價的風波；它主張電力價格調整，乃至以中止借款爲詞。我們懷疑這一消息的真確性，蓋電力爲工業之母，它的加價勢必增加工業品的成本，此其一；台電整頓已否完成，是否已到達了沒有浪費底地步，迄無事實的表現，此其二；美人生活於「以民爲主」底環境，難道來中國就忘記了以人民的利益爲前提嗎？此其三。我希望某些人不要爲了加價，便抬出美人來做幌子，這不無傷及自[illegible]！好在此事尚須通過立法院，而台電表示「對此事並無所悉」，經濟部負責人且謂「未着手研究，言之尚早」，省主席也表示：「若某項事業需要調整，也必定分別研究妥善辦法，以免影響整個物價」。我尤希望此事至此爲止，否則台北市的公共汽車票價案不是記憶猶新嗎？

外匯改變拖不得

台灣的輿論，幾乎一致地主張改變外匯政策。增加生產以追隨人口的增加，爲公認底方針；而增加出口，以誘掖生產，亦以促進增產，尤爲不二法門。現行外匯政策——高估外匯——正是窒息出口，亦是阻礙生產；輿論的指實，已極詳盡，無待復述。惟尹仲容氏六月八日說：「有人說匯率不調整，阻止了出口，這是絕對不正確的看法，試看這三年以來匯率並未調整，而出口數量仍不斷增加」（六月九日公論報）。我檢查「台灣金融年報」（台灣銀行經濟研究室編印）出口結匯四十年九三、一三四、六一六美元，四十一年一一九、五二七、四七一美元，四十二年一二九、七九二、八九八美元；尹氏所謂出口數量增加一節是事實。我又拿糖、米、茶、香蕉、鹽、香茅油、鳳梨罐頭、水泥、羽毛、樟腦等十項出口結匯加以研究，糖一項四十年爲四九、八二七、二三〇美元，四十一年六九、六八三、九一三美元，四十二年九〇、二五五、五九〇美元，每年約遞增二千萬美元；其他各項出口，除茶、鳳梨罐頭及水泥稍能維持數字外，均一直減少，尤以鹽、樟腦、羽毛等爲最。而糖出口結匯的增加，對台糖公司是蝕本；尹氏自己也說：「提起台糖公司蝕本，最大的原因是外匯匯率偏低而不調整」（同上）。因外匯匯率偏低（即高估新台幣的對外價值）而致台糖公司蝕本，因台糖蝕本而取銷「糖米比價」，因取銷「糖米比價」而致稻產減少一半；我曾親聞台糖總經理楊繼曾說：「今年糖的外匯收入最多六千萬美元，明年更要減少至約五千萬美元」。那末，主要出口增加底台糖，結果是蝕本，因亦大大底減產，尹氏指時論爲「絕對不正確」，不是忽略事實而過於武斷嗎？況多數人的主張，是「外匯保有制」、「自備外匯進口」、「結匯證自由買賣」等，並不就要當局把匯率變更。總之，我重視尹氏的地位，他的話不能不加澄清；台灣的外匯政策不變，台灣的經濟無法「發展」，且連它的「安定」也不可能，以此內重要性，我贊成「慎重從事」，只是拖不得！

徹底反共的阮文心

·劉霽如·

人物述評

（三）

他在工作上雖然需要很好的法文和越文，但他對中國文學也十分喜愛。他信仰中國的儒教，而且最崇拜關雲長，對仁義氣節修養很深。因此，奠立了他思想的基礎，養成了他事業成就的主要因素。他對中國古詩頗有研究，而且喜歡收藏中國古版書籍和字畫。

在他短短的十天緊湊訪問日程中，除了一般的官式訪問，與我朝野人士密切接觸，訪問國軍基地，參觀生產建設事業，觀摩農村復興土地改革的施行以外，還加入「欣賞蘭花」，「孔廟觀禮」，「參加詩人節聚餐會」，「參觀古物」的一連串節目。這是多年來國際貴賓來訪的日程中罕見的事情。這些文化活動節目，也許不大引人注意，但是對於國與國之間的友情瞭解與互相認識，實在是非常有效而切實的。

阮氏帶來越南人民的誠摯友誼，他經過十日的訪問後，也將滿載自由中國的熱烈友情歸去。中越關係將透過「同一意志打擊共黨」的導管，而益臻密切，以加強亞洲反共意志的團結。另一方面，自由中國人士對於阮氏的堅貞宏毅，認識亦更加深厚。所以在僑委會聯合歡讌阮氏席上，詩人梁寒操曾即席揮毫，賦七言絕句一章相贈，詩云：

「昆弟分攜七十年，孔懷心事鬱靈天；今宵未覺雞聲惡，齊向前程猛著鞭。」

梁氏的詩，是素享盛譽的，這一首詩清麗可誦，寄慨遙深，希望今後兄弟攜手，猛着先鞭，雞鳴戒旦，屬望至爲殷切。阮氏是知音的人，更當深感斯言。

（四）

最後要附帶述及的，就是越南人的命名，在習慣，男的總是在姓之後，名之前冠以一個「文」（VAN）字；女人則用一個「氏」（THI）字。所以阮文心的兒子阮文聚，中間亦係用「文」字。在我們中國人看起來，似乎不大了解，認爲父子同屬「文」字輩。其實在越南，你看見有「文」字的名字，便會知道他是一個男人，反之，有「氏」的姓名，那一定是女性無疑。

同來的團員，自然也有例外的，譬如這次隨阮氏同來的團員，有武鴻卿，阮玉鴻兩人，就不用「文」字來冠名，這是由於越南受法國的影響，「文」，「氏」沿用漸少，可是我們不能忽略「文」與「氏」兩字的歷史沿習意義。（下）

天下事

邱翁心有餘而力不足

邱吉爾率艾登至華府與艾克和杜勒斯會談，幾次藉機會暗示艾登是他的繼承人，一旦他決定退休，便由艾登繼承他在政府與保守黨中的領袖地位。其實在邱吉爾還未作此種暗示的時候，美國的決策人士却早已知道，在英國制定政策中，艾登的地位實已較邱吉爾更爲重要了。據說，許多美國的最高級官員曾私下表示，他們與艾登舉行會議，較之與邱吉爾會商更感興趣，原因是與前者商談，可能較後者獲得較具體的結果。他們表示有種種理由相信，由英內閣所作的決定已愈來愈多而由邱吉爾本人所作決定已愈來愈少。因爲邱翁年近八十，精力有限，對許多重要的決定，已感到無能爲力。

鐵幕內的波蘭真相

·加雪譯·

蘇聯對於波蘭煤的處理是有具體計劃的。蘇聯在各處建造鋼廠和化學工廠爲的想征服全世界。蘇聯征服世界的計劃可分作四點：

（一）建造極大和極可怕的軍力以威嚇西方國家。

（二）溶化附庸國家，建立一極大的共產帝國。

（三）製造種種外交烟幕以離間西方國家的關係。

（四）以宣傳和第五縱隊的方法逐步征服世界。

附庸國的人民生活

我是一個教授，對於波蘭的情形十分熟悉，對於其他附庸國家人民的生活也有相當研究。共產國度裏頭工人爲生活實在可憐達於極點。他們是在地獄裏。他們每日工作八小時，禮拜六並沒有減少。工資呢，每月只有六十元美金。每逢共黨的假日，幹部便要求他們自動增加五十小時的工作，因此遇到假日，他們便感覺到十分頭痛。居住呢？依照規定一家五口可以獲得兩所小房間，可是現在大城市裏時常八九個家庭同住在三個房間的公寓裏頭。

波蘭的生活程度實在是貴得驚人。牛油每磅美金兩元五角，腸每磅兩元，咖啡買不到，[illegible]呢，每磅二十元。最壞的一套衣裳六十元，稍爲好一點的要二百五十元。在這樣的生活程度之下，六十塊錢的收入，什麼東西可以買呢？波蘭現在可以說是沒有工業家，也沒有商人了。一切都屬於國家，任何一個人都替國家工作。他們組織了許多合作社和工會，律師有律師的合作社，醫生有醫生的合作社，補鞋匠有補鞋匠的合作社，一切都屬於國家。

此外，共產國家現在構成了一種新的階級制度。高級的黨政官吏屬於最高階層，過着最優裕的生活，其次是專用來恭維他們的作家和記者，他們屬於第二級。第三級的待遇比較第二級的差得遠了。工程師、技術專家、和醫生屬於這一級。第四級爲教師，下級官員，和工廠職員。工人屬於第五級。

波蘭青年是反共的

學生方面，共黨估不到百分之十。共黨學生在學校裏是特殊階級，他們的職務是監督非共黨學生。近年來有好些學生向我表示，反對共黨。我只好採取中立態度，不置可否。可是對於十多個特經選擇的知己學生，是無話不談的。

依照規定，波蘭青年達到二十一歲必須參加兵役。每年及齡的青年有一十八萬人，可是實際參加者還不及七萬人。理由是很明顯的，共黨根本不信任波蘭的青年，不肯把軍械交給他們。爲防範這些青年起見，俄國駐兵才在波蘭。俄國兵才是波蘭的真正主人。在共產主義沒有把波蘭人民的身體和靈魂完全征服以前，他們是不會撤退的。

共產主義雖然不停地宣傳，不停地替波蘭的人民洗腦，可是成效並不大，人民中贊成的並不多。爲反抗共黨的宣傳起見，人民組織了地下的反宣傳。農村裏的氣氛都是反共的。波蘭農民的教育水準雖然不十分高，可是他們吩咐他們的兒女在學校裏只好學習算術，家庭經濟學，和農業科學。波蘭的農村學校沒有人理會馬克斯主義。

鄙意以爲阻止俄國征服世界的關頭在最近的幾年，或者是最近的幾個月。若果我是西方國家的外交家，我一定要盡力督促政府和共產國家斷絕邦交，切斷商業和其他一切關係，使到共產國家的特務和第五縱隊沒有活動的機會。先斷絕了共產國際以宣傳和第五縱隊征服世界的陰謀。同時維持八千萬非俄國民族的意向，他們雖然是蘇聯的俘虜，他們仍然是傾向我們的，他們是我們眞實的朋友。（下）

編者讀者

△讀者來函▽

編輯先生：

讀貴報六月二十三日讀者來函，關於「政務委員」辭職問題」，我們的意見如下：（一）[illegible]

[illegible]

……一日，共發兩函，其中一[illegible]

評中共的「憲法草案」

· 鄭竹章 ·

中共爲貫徹其一黨獨裁的企圖，排除大陸的附庸黨派，使五億以上的人民，成爲其長期奴役的工具，已於六月十四日公佈所謂「憲法草案」。從文字上觀之，這一部「草案」雖係集「好話說盡，壞事幹盡」的大成，但從其立法程序及立法精神而言，仍充分暴露出其極權統治的用心。

自編自導的活劇

首先，從立法程序而言，這次中共「憲草」的產生，係由中共中央委員會提出，而由中共所欽定的「憲法草案委員會」進行討論修正。按常理「憲草」應由這一委員會負責起草。但事實上並沒有這樣做，而是由毛澤東於三月二十三日代表中共提出。儘管共方宣佈，該會從三月二十三日至六月十一日，曾經過七次進行討論，但由於憲草委員會的負責人，事實上便是中共的副首領劉少奇，因此相信他們對中共所提出的草案，決不敢參加更改意見。這一委員會百分之百地代表中共本身的利益。依照中共所宣佈的程序，這一草案須提交第一屆「全國人民代表大會」討論通過後才能成爲正式憲法。但所謂「全國人民代表大會」的代表，根據最近半年來各地共方機關報所公佈，絕大部份係由中共幹部所包辦，由這些人所組成的代表大會，更絕對的以中共中央的決定爲依歸。實際上，全部係中共自編自導的活劇，其目的完全在於達成一黨的獨裁。

獨裁體制的確立

其次，從憲草的內容而論，縱觀其一百零六條條文規定，其中心目標仍在確立極權的體制。第一，在政權結構上，中共係實行「議行合一」制，使立法行政合一，近代的民主國家，立法與行政均係分立，中共的「憲法草案」中，全國人民代表大會，是最高國家權力機關，同時是行使國家立法權的唯一機關。但全國人民代表大會只是常設一年開會一次，在閉會期間只有「常務委員會」……因此，在這一「憲法」中，……成爲一大獨裁。

第二，在經濟制度上，由於中共認爲過渡時期的「憲草」，規定在過渡時期中要逐步消滅私有財產的所有權，「憲草」上雖規定「國家保護公民的合法收入、儲蓄、房屋和各種生活資料的所有權」，但第十三條又規定「對城鄉土地和其他生活資料可代表大會和其他國家實行徵購，徵用或收歸國有」。在這些規定中，可發現中共仍企圖繼續消滅私有財產的目的。

第三，在政權運用上，中共係實行所謂「民主集中制」。儘管「憲草」第二條規定「全國人民代表大會和地方各級人民代表大會」……顯示中共「憲草」所規劃的體制，是澈頭澈尾的極權體制。

蔑視人民權利

復次，從憲草的基本精神而言，充份表露中共統治集團對人民權利的蔑視。歐美先進國家的憲法，原爲保障人民的權利而來，因此其所規定，多側重於人民權利義務之條文。……中共「憲草」所規定的，在於確定政權運用的方式，而不在於保障人民的權利。何況他們規定的「宗教信仰自由」，「集會、結社、遊行、示威自由」，「居住遷徙自由」，和「通訊秘密受法律保護」等等，如和他們統治下的實際情況相對照，簡直是一種自我諷刺。

形成高度集權

綜合上舉的分析，這次中共的「憲草」，無論從草擬程序、立法精神，及條文內容觀察，均嗅不出民主的氣息，相反地由於極權體制的確立，人民權利的蔑視，使中共的統治方式和民主的要求相去更遠。

這次憲法實行後，首先被開刀的將是「民主黨派」。所謂「民主黨派」，儘管在「憲草」序言中稱「今後在動員和團結全國人民完成國家過渡時期總任務和反對內外敵人的鬥爭中，統一戰線將繼續發揮它的作用」，但在其憲草中已失去法上的依據。一九四九年中共所公佈的「共同綱領」中規定「人民民主專政」是「工人階級、農民階級、小資產階級、民族資產階級和其他愛國民主分子的人民民主統一戰線的政權」，而這次的憲草中，已確定其政權「是以工人階級領導，以工農聯盟的基礎」。統一戰線已不復是政權的基礎，因而所謂「民主黨派」已失却存在的根據，他們的剔除，將只是時間問題。

其次，隨着這一「憲草」的公佈，中共正加速塑造其中央集權的體制。六月十九日其「中央人民政府委員會」第三十二次會議中，已通過撤銷大區一級行政機構，將過去分區負責的權力，全部集中於中央。由於這一措施，可見其對極權體制的製造，是何等的迫切。所謂「普選」「憲法」云云，完全是掛羊頭賣狗肉，荒唐得近乎滑稽的做作而已。

六月二十一日

熱心文化事業的僑領陳弼臣

· 文石生 ·

【本報訊】泰國盤谷銀行香港分行，本月廿四日開幕，該行總行董事長兼總經理陳弼臣來港主持開幕典禮，茲就記者所知，談談陳氏的爲人。

陳氏原籍潮州，早年在泰國興盛公司及某航業公司任經理，幾經挫折，陳氏本其毅力和精神，始終不懈，二次大戰後，始揚聲海外。

陳氏現在海外主持業務甚多，如金融貿易公司，亞洲信託公司，盤谷銀行，以及星加坡，香港分行，均爲氏一手創造，盤谷銀行雖爲泰國官商合辦，陳氏擘劃獨多。

陳氏於經營各項商業外，對於文化事業亦極熱心。最近陳氏與泰國乃他是暖耶上將及國會議員黎學家許敦茂（漢名乃帕實）等七人，創立世界報業有限公司，並以發起人之一的李湘鼎任總經理，將於九月中發行華文世界日報、晚報、週報、畫報等，目的在於「創辦「東南亞第一流報紙」，與新加坡南洋大學，成鼎足而三之國際時代文化事業。意義深長，將爲東南亞僑界文化事業放一異彩。現時該報業公司已由董事會決定，聘請名作家王世昭爲總編輯，王平陵、王平三三氏前往籌備出版與主持黨政，并在香港台灣與海外各地聘請專家爲特約撰述，主編各種學術、文藝、教育、科學週刊及書籍。這是一種大規模的文化事業。

陳氏夫人姚文莉女士，曾在祖國受高等教育，亦潮州人，能講一口標準國語，在泰國領導華僑社會很多的慈善和社會事業，亦爲僑界女子中之傑出者，並記於此。

讀史評述　秦漢之際的讀書人（三）

· 毛以亨 ·

不肯屈服的兩儒生

以是知焚書本無儒之說，爲憤慨的偏見之說，而非事實，漢儒從秦儒傳習而來。然秦儒亦從六國之儒傳習而來，因緣遞變，其跡象是可尋的。不過秦儒有大部分却不願事漢，因爲看不起漢高祖，且如魏王豹之有貴族習氣，不願受其侮辱。在廣大之叢儒羣中，不願事漢者，史籍上可作最好的例證者，莫如魯兩生。魯國是奉守六國舊章之項羽，最後見到項羽的頭，纔肯降的。稷下儒則漢家已用其言而棄其身，陳勝，高祖，于神道議欵，自己皆儀爲之，其與始皇之以方士爲心藥，而醫其心病者不同。叔孫通定朝儀時，嫌其所帶學生百餘人不夠，徵魯諸生三十餘人。有兩生不肯行，曰：「公所事者且十主，皆面諛以得親貴。今天下初定，死者未葬，傷者未起，又欲起禮樂，禮樂所由起，積德百年而後可興也。吾不忍爲公所爲，公所爲不合古，吾不行，公往矣，無污我！」這段話很明白，先言面諛非儒者，再言漢高祖不積德，未言你們的禮樂，是少數人與統治階級的，並非古時與民衆共享的禮樂，而且民衆救死恤傷之不遑，亦無心于禮樂。此時漢家天下已定，爲兩生亦祗有任你稱帝稱王，我終看你不起的消極抵抗態度。在當時則等於漢代所重視之夷齊，其影響於後世，則在無可奈何的環境中，決不隨環境而改變其見解，而另有超越環境之安身立命的新天地。此一超越的觀念，在西洋以見于思想者多，見于行爲者少，哥白尼，笛卡兒，都不敢公開攻擊宗教。而特立獨行之士，成爲普遍的風氣，以成中國文化寶貴的遺產者，亦祗是此等消極態度之表現。

王船山苛責不能苟同

王船山亦重視魯兩生事，故大議論，然其觀點適與我們相反。他說：「魯兩生責叔孫通興禮樂于死者未葬，傷者未起之時，非也。將以爲休息生養，而後興禮樂焉，則即管子衣食足而後禮義興之說也。予曰，自古皆有死，民無信不立，信者禮之幹也，禮者信之資也。有一日之生，立一日之國，唯此大禮之常，大樂之和，不容息而已。……故晏子曰，唯禮可以已亂。然則立國之始，所以順民之氣，而勸之休養者，非禮樂何以哉？譬之樹然，生養休息者，枝葉之榮也，有序而和者，根本之潤也。今遽種樹者比之，待枝葉之榮，而後培其根本，豈有能榮枝葉之日哉？故武王克商，……修禮祀之典，成象武之樂，……制作未備。而周公成其德，不曰我姑且休息之而以待百年也。……秦之苛嚴，漢初之簡略，相激相反，而天下且可免乎鄙倍。……惜叔孫通之事十主而面諛者，未可語此耳。……使兩生者出，……以與高祖相更始，如其不用而後退，未晚也。……予曰：禮樂不興，則民無所措手足，……故兩生者，非不知權也，不知本也。」

船山拿儒家以禮樂爲本的道理，苛責賢者，類於宋人場屋的策論，其如不合當時事實何。兩生僅譏隨叔孫通前往定朝儀，然化民成俗之禮樂，即爲法令，（章太炎說）非叔孫通之事，實由蕭何主之。曹參，張蒼承之，輪不到魯兩生越俎代庖。關于隨叔孫通赴長安之魯生三十人，羣無表現可知。高祖仍秦舊章，豈是求立國之根本，講信修禮的人，其於儒家思想所寄，先天之禮樂，相去更遠了。

儒生先附陳勝，以共同反秦故，後附項羽，以羽尚守六國遺規故。但高祖亦頼酈生，陸賈諸儒之力，以平天下，復藉叔孫通之學，以安天下。而其同母幼弟交，與申公同事浮丘伯，申公且在當時，見到高祖。呂氏時，不特四皓在朝，即浮丘伯亦在長安，轅固生且與黃生爭湯武革命事于景帝前，伏生雖老，然朝錯前往受經。故消極抵抗如夷齊者，雖負清望于一朝，然其精神爲時間所沖淡，終歸於泯滅，所謂遺老不世襲也。（未完）

保健計畫名副其實　不減費用難望普遍

本學年的第二學期將結束了。人們實會想到下學年開始的時候，參加保健的教師、學生會不會增加；就本學年學生參加保健的人數，括有教師也不過占學生總數十分之六。香九各校學生達二十一萬餘名，實際參加繳費保健的祇有七萬多人。雖然也有若干學生享受免費配戴眼鏡；間對週身體都沒有請求檢查。一位學生家長說，他的子弟祇就診兩次，但是所付的代價（保健費）比私家醫院確是省了一倍多；比公立醫院高出了數倍。有一位教師說，參加了保健不一定說是健康有了保障；很多學生自己有了病不知道病源，病重了，大多數是去請教私家醫院。因此，第一次參加保健，第二次就不一定繼續繳費。保健計畫本來是很好的，英國很普遍，香港却是一種點綴。收了費，猶如劃出了一條貧富界線。

健當說起來收費並不太貴，但在學期開始的時候學生家長們對於他們子女的學雜書籍負担已有太重的感覺，何況又是不硬性規定，不能逐月繳付的保健費呢？就字面及其意義說來，「保健」是應該普遍推行的。當局對於收費，雖然也不無理由：是爲了彌補醫藥和配眼鏡的經費不足。事實上參加保健的人決沒有每個人都去請求檢查身體的。一位中等學校的校長說在學的青年和兒童，不健康的占百分之八十以上；不信可以到每間小學去看看，差不多每一兒童的牙齒，都有了病患。不談到保健尚可，既推行保健制度，就不必收費，主管當局應該經常派醫生深入學校檢查，有病的令其就醫，無病的應授以防病之道，這纔是眞實的保健，保健乃有效果。

我們爲了這個攸關青年、兒童的健康問題，也曾經和民選議員區達年一再檢討過，因爲此事不屬於衛生局管轄範圍。他的意見是不收費，當局既無法負担醫療費用；收費不妨少收一些。假定說，現時參加保健的僅占三分之一的人數，將保健費減低到三分一，這對於欲參加保健而覺得負担不起的，不啻是一大鼓勵。這樣，就不難使三分之二的人樂予全部參加了。在表面上看，保健費已經減低至三分之一，但整個數字的總和却與過去三分之一的人所繳的保健費是相等的。倘能實行，不但學生參加保健可望普遍；而醫生設能經常巡迴深入學校，檢查教師及學生健康，則保健計畫，才能名副其實的做到了保健了。

香港三日

荷蘭侵台遺跡（十六）

台灣中南行

· 魏希文 ·

我們瞻仰這一代民族完人之後，不僅衷心起敬，在這要收復舊山河的今日，我們中華民族的子孫，都要效法鄭成功節義精神。殿旁有賣照片碑帖的攤子，一時爭購者甚多，我買了一張鄭成功的字跡以留紀念，有些同人還購多幅，把這些歷史的紀念物送給海外的親友，實在是太有意義了。

接着我們參觀後殿，殿上供奉着郡王的生母田川氏，左配鄭監國，右配寧靖王。同時在後院，有梅樹一株，據說這梅是由鄭成功所手植，樹旁有一木牌，上書：「鄭延平郡王遺愛古梅。」這株梅樹不高，但勁秀可愛，能在梅花盛開之日，在此留影爲念最好，可是同人中在此歷史紀念物之前，誰也不肯放過，有攝影的都大開鏡頭，我也立刻在梅樹下，和幾位記者朋友共留一幀。看到這個與天地共存的鄭成功祠，和他手植的古梅，白雲悠悠歲月有涯之感。

赤崁樓遠眺

我們離開鄭成功祠以後，便到孔廟，各地孔廟的建築都相似，如露台、泮池、門左的下馬碑，以及石宮坊。孔廟爲鄭成功嗣子鄭經所建，歷有增減，民國六年復加大修，大成殿上有康熙，雍正、乾隆、嘉慶、道光、咸豐、同治、光緒諸帝之御筆匾額，內祀至聖先師孔子神位，兩旁祀四配十二哲神位，東西兩廡祀歷代先賢先儒。在大殿上也有賣碑帖照片的攤子，有同人在鄭成功祠沒有買的，在這裏却得到補償了。

出孔廟，我們又乘車到赤崁樓，樓閣建於石階之上，非常壯觀，它與矗立於安平的赤崁城，雖相距十餘里之遙，但遙遙相對，更饒人作歷史的回憶。（未完）

別解中的誤解

馬五先生

自由談

上期談「新人新政別解」，有讀者來函誤解我有主張「老人政府」的意思，非也！非也！我祇在指出一點政治行情的病態而已。

幹政治工作的人，應該只問其才能與精神是否勝任愉快，而不必斤斤於年紀的老少。所以，我每次見着政府人事改組的新聞消息中，必插入一則年齡統計時，即覺得那是脫了褲子放屁的多此一舉。青年壯年人作事固然有勇氣些，但老年人又何嘗沒有精神矍鑠，老當益壯的？南韓總統李承晚快八十歲了，他那種幹勁，試問有幾個少壯之士能夠相及呢？專以從政人員的年齡大小來表示政治新舊氣象，那是笑話。否則何不網羅一般中學畢業生來組織政府，豈非更顯得新興進步之至？

可是，有些年事已高，而精神又實在不能適任其職位的老大人物，也應該度德量力，知所自處，永久佔據茅房不解手，流乎不是玩藝。吾友左舜生先生常對青年朋友談政治生活之道，他認爲：幹政治等於坐火車然，後來買票的人，終歸也要坐到車廂裏去的，只不過讓先買票的早點上車罷了，他到站自然會下來。意思就是說：先進的政治人物，到時候自然要退休的，用不着急急忙忙地從事於排擠或打倒那類工夫啦！

因此之故，任何一種政治生活的國家，政府對於元老勳耆們，必有一定的安置辦法，不分黨派，不限親疏，合乎規定條件的，一律依法待遇。我們就缺乏這項措施，好似鐵路上沒有驛站，以致先上了火車的人，老是坐着不下來，政治上乃產生不出新陳代謝的自然進化現象，毛病就是出在這兒哩！

一雙毛線襪

·謝一牧·

（一）

這天氣忽然冷起來，間木板小屋子似乎在冷空氣中凍殭了，我的脚更凍得發疼。於是從箱底翻找出來可以禦寒的東西。一雙深綠色毛襪被我翻出來，穿上脚後，遍身上也覺得暖起來。這雙毛襪，已經補上白布底，色調已經很陳舊，然而，它使我感到友情和愛情的溫暖，自然也增加了我世事滄桑之感。

（二）

勝利後的第二年，我回到了故鄉，那時候我的家鄉還在匪共騷擾中，我就住在城裏親戚開的旅館裏。突然，一個幾乎認不出來的年青人！——那是沈林！——向我招呼。沈林是我童年的朋友。現在，他不但衣着破爛，連從前漂亮的小白臉也變得枯黃了。我便留他食住下來。他告訴我：幾年來因匪共的胡搞，許多年青人都參加了他們工作，唯獨他不願意，躲在遠地的親戚家，活像被綁票的人。我問他現在的處境，他說在一個鹽商的辦公處幹着會計。老板還像從前一樣，只供給他的食住，別的不管。他覺得這樣是不公平的，所以，他辭去了這份吃不飽，餓不死的工作。

「你怎麼知道我回來的？」我回家鄉來，原是想和家母見見面，看看離別八年的家，馬上就回部隊去的。我奇怪他怎麼會知道我回來。

「你大叔告訴我的，」他毫不遲疑地說：「你混得好了，我現在連食住都沒有辦法啊！」

「當了兵有甚麼好呢？」我自慚並非衣錦榮歸，「如果你也想當兵倒容易。」

「那麼，」他心底似乎燃起了希望之火，「你能介紹我去當兵嗎？當兵還可以打共產黨啊！」

其實，談何介紹，我反而覺得爲難了；他沒有受過訓練，在這裏我也沒有熟人，我的部隊還遠在山東呢！教育部辦了一個職業訓練班，正好招生，我想他能夠去學點職業技能也是有益的，所以我說：

「你可以去考職業訓練班。」

「我現在甚麼條件都不夠啊！」他困惑地說。

「只要你願意考，」我安慰他說：「一切由我設法好了。」

我找人保證他的學歷，帶了他去報名，幾天以後，他看榜回來，歡喜地告訴我：「錄取了！」我又找人辦妥他的保證書，買齊他入學必須帶去的東西，以後我常常去看他。要他在訓練期中能學一點技能。這件事在我是覺得愉快的，我記住江湖人說的：「在家靠父母，出外靠朋友。」我有能力該讓友人靠一靠。能幫助一個童年時代的朋友，而且是不甘從賊的朋友，使我滿心愉快！

（三）

返防前夕，我去向他辭別，他送我出了訓練班大門，塞給我一雙深綠色的毛襪，我問他：「你那來這雙襪子？」我怕他自己買來捨不得穿。馬上冬天到了，他自己也需要的。

「美國救濟分署發給我們的東西，」他很興奮的說：「我抽籤抽到的。」

「你留着自己穿吧！我不要。」我還給他。

「說不定還會再有呢！」他又塞進我的褲袋，說：「你到山東去很冷，能取個大嫂替你補個襪底才好。」

「我不能要！」我又掏出來還給他。

「你看不起這對舊毛襪？」他又塞進我褲袋，感動地說：「不是你，我餓走頭無路啊！」

（四）

後來，在信上我知道他幹了區公所「合作」幹事，又到部隊去幹軍需……。我回到部隊不久，就落大雪了，整整一個冬天我病倒在床上，直至臘盡春來，我可以起床時，表弟便去請房東的小姐替我的毛襪補了白布底，一直我放在箱底到手。

春曉花開的時節，我便認識了房東的一家人，還向房東的小姐說：「謝謝你，把我的毛襪補得那麼好！」

她羞紅了臉，只說：「補得不好，不要笑見。」

後來，我竟和她發生了愛情，漸漸親密到不分彼此時，我才問她：「你怎麼替我把毛襪補得那麼細密呢？」

「我同情你有家歸不得的痛苦。」她說。

「你當初會想像到我們後來會相愛嗎？」我撫着她的肩頭問她。

「你們一搬進來，我便對你有好印象了。」

夏天，我們和共匪以寡衆懸殊的兵力，戰鬥到一個月零幾天的時間，終於城陷，我突圍出來。後來我托人帶信給她，她來時把毛襪也帶出來了。婚後的冬天又把毛襪翻出來，我問她，怎麼捨不得丟掉這破舊的毛襪。她說：「這是我們定情的紀念，」她的眼閉上又睜開：「噢！而且，還是你朋友的紀念品呢！」

（五）

五年多的歲月，深綠色的毛襪始終懸在箱底，如今翻出來，記憶猶新。沈林來了台灣，見過面，又失掉了聯絡。現在不知他在那一個地方。那個和我結了婚的姑娘，此刻沒有回家。我的表弟在大陸的時候，便不知道到了何處。他是在軍隊裏工作的，也許反共義士的行列中會有他的一份。

這雙深綠色的毛襪，好像織進了友情和愛情的火種，它溫暖了我這個終年漂泊的人，它溫暖了我的身體，也溫暖了我的心。

端午故國戀

——調寄蝶戀花——

·彭楚珩·

故國蠻烟還未假，香草佳人，隔在天涯遠；競渡鼓聲來戶苑，千秋同喚愁難遣！

無限相思無限戀，舊地風情，盼煞重臨願，綺麗河山能繾綣，屈平肯作離騷怨！？

金珠

中篇小說

·勞影·

「你要問我甚麼呀，先生？」

我從深思中醒來。「我要問你，」我說：「我要問你……你，喔，你家裏一共有凡個人？」

「問這些做甚麼呢？」

「我祇是隨便問問，這比不說話好些，是嗎？」

「六個。」她說。

「爸爸，媽媽……」我試着說。

「一位祖父，兩個弟弟，連我，不是六個？」

「那麼，孩子中間你是最大的一個？」

她的眼圈紅了一下。

「你爸爸多大年紀？」

「五十多。」

「甚麼職業？」

「沒有」

「你不是說他才五十多歲？」

「他是殘廢人。」

我慚愧自己的冒失。

「那麼媽媽呢？」我把頭掉向床裏說。

「不必再談這些了，先生！」

「唔……」

阿梅的態度令我灰心，但我知道她沒有錯。不是嗎，憑甚麼她們應該信任一個初次見面的生人呢？爲了博取同情嗎？那太可笑了，在世人們的心當中，最下流而無聊的，莫過於鍾情一個神女了。廿世紀六十年代的今天，連狗的地位都提高了，祗有她們這一羣仍然蹲縮在人類社會最低一層。因爲人與人是同類，而人類又是一向被認爲高級動物，所以，任何一次，遊客對神女們漂亮的殷殷垂詢切切誤會那是憐憫或關顧，祗不過藉以打發那一段人獸之間的尷尬時間罷了；這可以從每一個遊客與每一個神女間的，近乎公式的問答上便能一目了然。既然男人們用心如此，那麼，神女的寡情、虛僞、做作、勾引，就不該算爲一種罪過了。——我羞慚我這次冗長的詢問，在阿梅看來，我又何嘗不是另一個自作多情的男人？

雖然在這種局面下沉默是難堪的，一時間我仍無話可說。——這樣靜了四五分鐘，我忽然想起一件事。

我想起了懷裏的那條手帕。

我想，假如單刀直入地亮出那條手帕，也許我能得到一點比較眞實的問答。

於是我說：「阿梅，我想給你看一樣東西。」

「甚麼東西？」

「你先猜猜看。」

「你自己漂亮的照片。」

「不是。」我正色地說。

「猜不着了。」

「猜不着還是不願再猜？」

「不願再猜。」

「爲什麼？」

「好啦，先生，你已謊進來得太久啦。」

（九）

你想消除憂愁嗎？

·牛布衣·

東方文明是精神文明。東方人生哲學最高的目的，是『清心寡慾』四字。什麼叫做清心寡慾呢？清心寡慾的境界是不去追求物質的享受，和不受物質束縛的超然境界。比喻，每天你非吸三十根香烟不可，可是我沒有這種習慣，不受香烟的束縛。比喻，每一個禮拜你非看兩次電影不可，而我認爲自然的景色比較電影强。海上的清風，山間的明月，大自然的景色給我們無上的精神慰藉，比較一兩千人堆在一所空氣汚濁的地方看電影，不能作同日語。東方文明和西方物質文明區別是這樣：西方人士認爲非適合某種物質條件，不能夠構成最低限度的生活。東方文明呢，却認爲人生最大的幸福是接近自然和了解自然，可是一個人先得清心寡慾，然後才能夠和自然發生密切的聯系。孔老夫子曾這樣教訓我們，佛教的眞理也不超出這四個字。你希望達到清心寡慾的境界嗎？能夠戒除等於慢性自殺的香烟嗎？能夠不看電影嗎？把這兩種西方物質文明的壞習慣戒除了，入不數出的困難可以大部解決了。

（四）

第二種最普通的愁是閒愁。是崔鶯鶯在西廂記裏說的，『閒愁萬種，無語怨東風，』一種愁莫名其妙的愁。是李後主的，『剪不斷，理不亂，是離愁，別有一番滋味在心頭。』的離愁別恨。是李清照的，『尋尋，覓覓，冷冷，清清，悽悽，慘慘，慽慽。』的一種淒涼的情緒。這一類情感可以歸納到閒愁一類。大清閒了，發生了一種說不出的苦痛。清閒可以說是人生的一種痛苦。

美國一家雜誌，數年前懸賞五百元，找尋一個問題最確切的答案。那個問題是，『什麼工作最辛苦，最不容易擔受？』獲獎的答案是，『最辛苦和最不容易擔受的工作，是沒有工作做，因爲不做工作，便喪失了休息的舒適。』工作和休息是相對的。不做工作，長期休息的難受，有類乎每天要吃五六頓酒席。經過三個月之後，你會認爲吃酒席是人生最大的苦事。無論什麼事情過度了，總是不妙的。大閒了，又何獨不然？饑了然後才能領略到飯的滋味，經過了長時間的工作，然後才能體領會到休息的舒適。醫治閒愁最妙的方法是工作，看書也好，種花也好，在郊外散散步，領會自然的景色更妙。憂能傷人，可是工作是絕對無損於人生。工作是人生的一部，不參加工作的人們絕對不能夠領略到人生的幸福。

（五）

世界最偉大的文豪，托爾斯泰，老年的時候發生了一種憤世嫉俗的情感，心理時常憤憤不平。一天晚上，他在俄國的大草原裏看見日落的奇景。他覺悟了，他發現了自己的自私和卑小。回到故鄉他把他的財產和田地跟鄉人平分了，同是寫信給印行他作品的書店，取銷了以後的版稅。他在鄉間躬自耕種，跟鄉人過同樣的人生活。托爾斯泰老年的時候，他認爲那是他一生最愉快的生活。托爾斯泰老年的時候，做到清心寡慾的境界，對於物質，無所需求，他已經和大自然融洽爲一個個體了。

你想清除憂愁嗎？我送給你一個錦囊，錦囊裏只有四個字，『清心寡慾。』

（下）

陽光的常識

·家樊·

太陽是生命之源，沒有太陽，便沒有熱，沒有風，沒有雨，沒有生物。三十年前，醫學認爲太陽照射治病，醫生每着肺病人脫衣受陽光的照射，以殺死肺裏的病菌。醫生看見體弱的人，總說由缺乏陽光，叫他多曬太陽。那個時候，醫學認爲陽光是生命的淵源，多曬太陽，總是有益的。

現在却剛剛相反，只有骨科的病人早晚可以受太陽照射，以增加骨的生長，因爲陽光能夠產生維他命D。其他病人根本不能抵受强烈的陽光，陽光是跟他們有害而無益。特別是夏天的太陽。在印度和其他熱帶地方，中午十二時至三時，人們多避處室內。第一層是因爲太熱了，第二層呢，因爲那個時候陽光太厲害了。一個人若果不戴帽，經中午陽光照射三小時，可以致命，輕些也可以致顛狂。

太陽光是由四種光波合成的。光波和熱波與人無損。損害人的是長的和短的紫光波浪。短的紫波射入皮膚外層，燃燒外皮，同時使到皮膚裏的血管膨脹。經過較長時間陽光的照射，血管由淺紅變成深紅，血清由血管漏了出來，成爲皮膚上的水泡。使到皮膚轉黑的是另一種比較長的紫光波。此種紫波能夠透到皮膚的最下一層，將皮膚下一層的色素移到外皮一層，把皮膚曬黑，便是這種光波的作用。

夏天到了，多少人喜歡在海灘游泳和消遣。游泳是一種好運動，水面的空氣比較陸上的缺少灰塵，這兩種都是與人有益的。可是我們得注意，第一次下水不能暴露在陽光下過於長久。再其次是十時以後和三時以前的陽光是帶有危險性的。又給太陽曬傷了，最好擦用凡士林或其他植物油，含有樟腦或薄荷射激性的藥油不便使用。

許多少女們以爲多曬太陽可以煥發容光，可以增加健美。事實上却能夠得其反。多曬太陽可以使到皮膚乾燥、緊縮、和變老。太陽雖是生命的淵源，是最滋補的東西，對於補品的享用，我們中國人特別注意。我們中國人說鷄蛋最補，外國人說人參。可是人參不宜多服。營養專家說，吃鷄蛋，我們若果每天享用三隻，是很好的，若果每天享用在十隻以上，那便要不見其利，反得其害了。曬太陽也是一樣，好比多服了人參和鷄蛋，那是對於身體不妙的。

史地傳記類　PC0268

自由人（三）

編　　者 / 陳正茂
責任編輯 / 邵亢虎
圖文排版 / 彭君浩
封面設計 / 陳佩蓉

法律顧問 / 毛國樑　律師
印製經銷 / 秀威資訊科技股份有限公司
114台北市內湖區瑞光路76巷65號1樓
電話：+886-2-2796-3638　傳真：+886-2-2796-1377
http://www.showwe.com.tw
劃撥帳號 / 19563868　戶名：秀威資訊科技股份有限公司
讀者服務信箱：service@showwe.com.tw
展售門市 / 國家書店（松江門市）
104台北市中山區松江路209號1樓
電話：+886-2-2518-0207　傳真：+886-2-2518-0778
網路訂購 / 秀威網路書店：http://www.bodbooks.com.tw
國家網路書店：http://www.govbooks.com.tw

2012年12月復刻版
定價：2500元

國家圖書館出版品預行編目

自由人 / 陳正茂編. -- 一版. -- 臺北市 : 秀威資訊科技,
2012. 12-
冊； 公分. -- (史地傳記類)
BOD版
ISBN 978-986-326-020-2(第1冊 : 精裝). --
ISBN 978-986-326-016-5(第2冊 : 精裝). --
ISBN 978-986-326-017-2(第3冊 : 精裝). --
ISBN 978-986-326-018-9(第4冊 : 精裝). --
ISBN 978-986-326-019-6(第5冊 : 精裝). --
ISBN 978-986-326-022-6(第6冊 : 精裝). --
ISBN 978-986-326-023-3(第7冊 : 精裝). --
ISBN 978-986-326-024-0(第8冊 : 精裝). --
ISBN 978-986-326-025-7(第9冊 : 精裝). --
ISBN 978-986-326-026-4(第10冊 : 精裝). --

1. 報紙 2. 香港特別行政區

059.92 101021409

讀者回函卡

感謝您購買本書，為提升服務品質，請填妥以下資料，將讀者回函卡直接寄回或傳真本公司，收到您的寶貴意見後，我們會收藏記錄及檢討，謝謝！

如您需要了解本公司最新出版書目、購書優惠或企劃活動，歡迎您上網查詢或下載相關資料：http:// www.showwe.com.tw

您購買的書名：________________________________

出生日期：________年________月________日

學歷：□高中（含）以下　□大專　□研究所（含）以上

職業：□製造業　□金融業　□資訊業　□軍警　□傳播業　□自由業

□服務業　□公務員　□教職　□學生　□家管　□其它____

購書地點：□網路書店　□實體書店　□書展　□郵購　□贈閱　□其他

您從何得知本書的消息？

□網路書店　□實體書店　□網路搜尋　□電子報　□書訊　□雜誌

□傳播媒體　□親友推薦　□網站推薦　□部落格　□其他________

您對本書的評價：（請填代號　1.非常滿意　2.滿意　3.尚可　4.再改進）

封面設計____　版面編排____　內容____　文／譯筆____　價格____

讀完書後您覺得：

□很有收穫　□有收穫　□收穫不多　□沒收穫

對我們的建議：________________________________

____

____

____

請貼
郵票

11466
台北市內湖區瑞光路 76 巷 65 號 1 樓
秀威資訊科技股份有限公司 收
BOD 數位出版事業部

（請沿線對折寄回，謝謝！）

姓　　名：____________　年齡：________　性別：□女　□男

郵遞區號：□□□□□

地　　址：____________________________

聯絡電話：(日) ____________ (夜) ____________

E-mail：____________________________